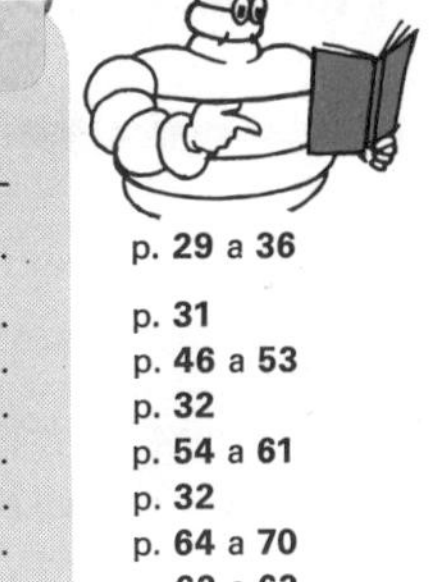

Sommario

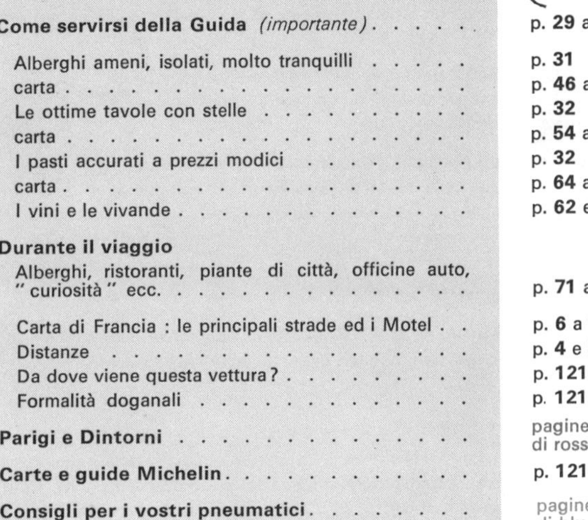

Inhaltsverzeichnis

DISTANCES *Quelques précisions :*

Au texte de chaque localité vous trouverez la distance des villes environnantes et celle de Paris. Lorsque ces villes sont celles du tableau ci-contre, leur nom est précédé d'un losange noir ♦ .
Les distances intervilles de ce tableau complètent ainsi celles données au texte de chaque localité.

La distance d'une localité à une autre n'est pas toujours répétée en sens inverse : voyez au texte de l'une ou de l'autre. Utilisez aussi les distances portées en bordure des plans.

Les distances sont comptées à partir du centre-ville et par la route la plus pratique, c'est-à-dire celle qui offre les meilleures conditions de roulage, mais qui n'est pas nécessairement la plus courte.

DISTANCES *Commentary*

The text on each town includes its distance from its immediate neighbours and from Paris. Those cited opposite are preceded by a lozenge ♦ in the text.

The kilometrage in the table completes that given under individual town headings for calculating total distances.

A town's distance from another is not necessarily repeated in the text under both town names, you may have to look, therefore, under one or the other to find it. Note also that some distances appear in the margins of the town plans.
Distances are calculated from centres and along the best roads from a motoring point of view - not necessarily the shortest.

DISTANZE *Qualche chiarimento :*

Nel testo di ciascuna località troverete la distanza dalle città viciniori e da Parigi. Quando queste città sono quelle della tabella a lato, il loro nome è preceduto da una losanga ♦ .

Le distanze fra le città di questa tabella completano quelle indicate nel testo di ciascuna località.
La distanza da una località ad un'altra non è sempre ripetuta in senso inverso : vedete al testo dell'una o dell'altra. Utilizzate anche le distanze riportate a margine delle piante.

Le distanze sono calcolate a partire dal centro delle città e seguendo la strada più pratica, ossia quella che offre le migliori condizioni di viaggio ma che non è necessariamente la più breve.

ENTFERNUNGEN *Einige Erklärungen :*

In jedem Ortstext finden Sie Entfernungen zu größeren Städten in der Umgebung und nach Paris. Wenn diese Städte auf der nebenstehenden Tabelle aufgeführt sind, sind sie durch eine Raute ♦ gekennzeichnet. Die Kilometerangaben dieser Tabelle ergänzen somit die Angaben des Ortstextes.

Da die Entfernung von einer Stadt zu einer anderen nicht immer unter beiden Städten zugleich aufgeführt ist, sehen Sie bitte unter beiden entsprechenden Ortstexten nach. Eine weitere Hilfe sind die am Rande der Stadtpläne erwähnten Kilometerangaben.

Die Entfernungen gelten ab Stadtmitte unter Berücksichtigung der günstigsten (nicht immer kürzesten) Strecke.

DISTANCES ENTRE PRINCIPALES VILLES

DISTANCES BETWEEN MAJOR TOWNS

DISTANZE TRA LE PRINCIPALI CITTÀ

ENTFERNUNGEN ZWISCHEN DEN GRÖSSEREN STÄDTEN

	Amiens	Bâle	Bayonne	Besançon	Bordeaux	Brest	Caen	Calais	Cherbourg	Clermont-Ferrand	Dijon	Genève	Grenoble	Le Havre	Lille	Limoges	Lyon	Le Mans	Marseille	Metz	Montpellier	Mulhouse	Nancy	Nantes	Nice	Orléans	Paris	Perpignan	Reims	Rennes	Rouen	Saint-Étienne	Strasbourg	Toulon	Toulouse
Bâle	592																																		
Bayonne	884	1027																																	
Besançon	488	160	875																																
Bordeaux	707	850	177	698																															
Brest	607	1119	808	968	631																														
Caen	240	796	743	645	566	367																													
Calais	156	708	1029	604	852	704	336																												
Cherbourg	360	916	825	765	648	401	119	456																											
Clermont-Ferrand	536	438	546	351	369	759	539	681	658																										
Dijon	459	249	812	98	637	870	547	604	667	287																									
Genève	694	250	924	160	696	1105	782	839	902	327	199																								
Grenoble	715	407	814	293	657	1126	803	860	923	288	298	144																							
Le Havre	180	760	809	609	632	475	108	276	228	588	511	746	767																						
Lille	115	669	954	524	777	718	350	113	470	606	529	764	785	290																					
Limoges	542	633	396	482	219	603	458	687	577	181	418	508	469	567	612																				
Lyon	609	407	813	255	548	1020	697	754	817	179	192	177	106	661	679	389																			
Le Mans	350	729	586	578	409	398	151	407	270	382	480	715	736	223	420	301	630																		
Marseille	925	722	679	571	648	1336	1013	1070	1133	483	507	426	316	977	995	664	315	946																	
Metz	359	275	1061	260	884	916	568	481	688	539	252	428	550	532	368	640	444	526	759																
Montpellier	908	705	519	554	488	1033	996	1053	1116	360	490	409	299	960	978	439	298	929	164	742															
Mulhouse	558	34	1003	137	826	1096	717	674	893	482	226	285	429	681	617	610	383	706	699	254	682														
Nancy	378	217	988	202	811	889	542	494	662	488	201	370	499	503	422	593	393	499	708	56	691	183													
Nantes	524	842	509	691	332	299	282	585	316	453	593	736	732	401	594	304	626	178	952	700	743	819	673												
Nice	1081	677	839	619	808	1492	1169	1226	1289	639	663	489	333	1133	1151	820	471	1102	188	915	324	711	864	1108											
Orléans	265	543	615	392	438	541	271	410	393	307	294	529	550	302	335	265	444	138	760	442	743	520	372	299	916										
Paris	149	561	737	409	560	592	240	294	360	389	312	546	568	204	219	394	462	202	777	331	760	537	306	376	933	118									
Perpignan	1056	853	438	702	452	1083	960	1201	1100	461	638	557	447	1108	1126	516	446	817	312	890	152	830	839	784	472	891	908								
Reims	171	421	872	317	695	728	379	287	499	487	283	482	577	343	212	530	471	338	786	188	769	387	207	512	942	253	143	917							
Rennes	415	874	616	722	439	241	175	520	209	514	625	859	881	283	564	378	775	153	1090	671	817	850	643	107	1246	296	347	891	482						
Rouen	116	695	777	544	600	491	124	212	244	523	446	681	702	88	226	502	596	195	912	419	895	672	438	373	1068	237	139	1043	231	307					
Saint-Étienne	668	466	695	314	518	888	756	813	876	149	251	236	139	720	738	330	59	489	334	503	317	442	452	600	490	379	521	465	530	642	655				
Strasbourg	516	145	1217	242	1040	1073	724	637	844	587	331	395	534	688	524	715	489	683	804	162	787	118	145	857	960	598	488	935	345	827	576	548			
Toulon	986	783	744	632	713	1397	1074	1131	1194	544	568	487	377	1038	1056	725	376	1007	64	820	229	760	769	1023	153	821	838	377	847	1151	973	395	865		
Toulouse	854	941	279	790	248	879	756	999	896	391	726	645	535	879	924	312	534	613	400	978	240	918	927	580	560	577	706	204	842	687	814	412	1023	465	
Tours	381	655	503	504	326	459	239	526	358	300	406	540	537	305	451	219	431	82	757	557	658	632	515	195	913	112	233	735	369	214	273	423	714	818	517

Exemple Esempio

Example Beispiel

Marseille - Strasbourg **804 km**

1

PRINCIPALES ROUTES

N 4 — Numéro de route

17 — Distances partielles

Distances entre principales villes, voir tableau p.5

MOTEL: sur autoroute, sur route, voir au texte de la localité.

PRINCIPALI STRADE

N 4 — Numero della strada

17 — Distanze parziali

Distanze fra le principali città, vedere tabella p.5

MOTEL: sulle autostrade, sulle strade, vedere al testo della località.

MAIN ROADS

N 4 — Road number

17 — Intermediary distances

Distances between major towns, see table p.5

MOTEL: on motorways, on other roads, see text under town heading

HAUPTVERKEHRSSTRASSEN

N 4 — Straßennummer

17 — Teilentfernungen

Entfernungen zwischen Großstädten, siehe Tabelle S. 5

MOTEL: an der Autobahn, an sonstigen Straßen, siehe Text der betreffenden Ortschaft.

ATTENTION: En France, modifications en cours dans la numérotation des routes nationales.

ATTENTION: The numbering of French national or N roads is subject to modification.

ATTENZIONE: Modifiche in corso nella numerazione delle strade statali francesi.

ACHTUNG: Die Numerierung der Hauptverkehrsstraßen in Frankreich wird zur Zeit geändert.

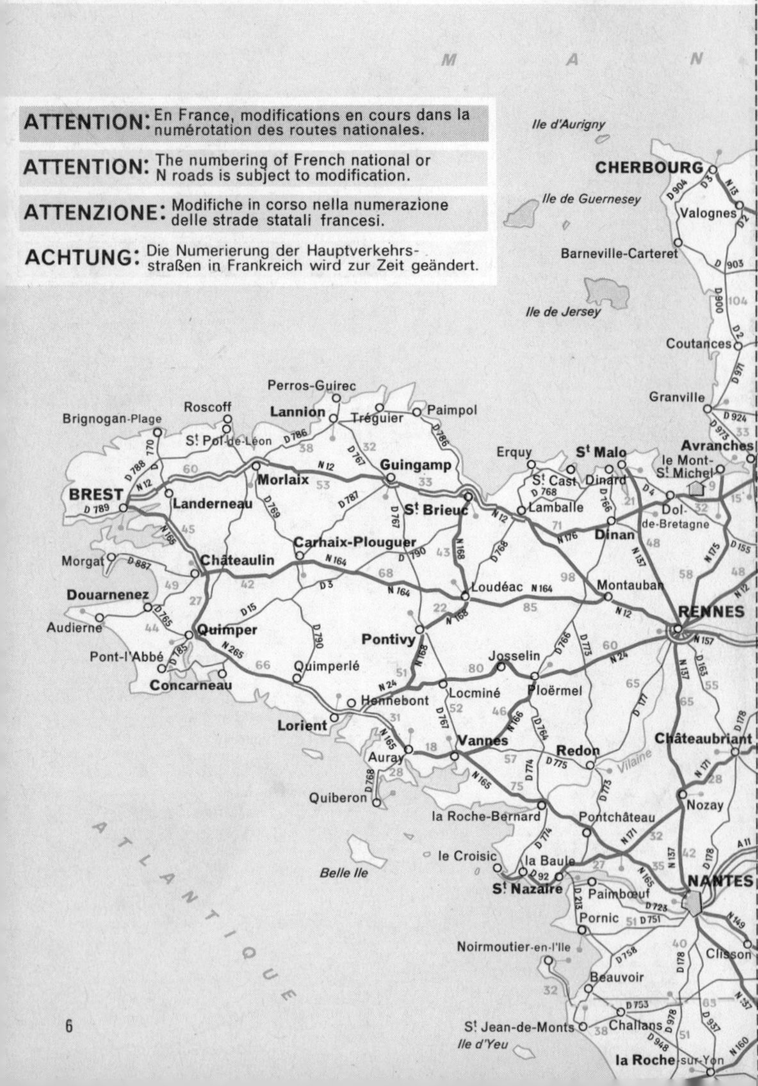

1
2
3
4
5
6
7
Rennes
Tours
PARIS
Strasbourg
Bordeaux
Lyon
Toulouse
Marseille
Margate
Ramsgate
Dover
Folkestone
Dunkerque
CALAIS
Boulogne
St Omer
le Touquet-Paris-Plage
Montreuil
St Pol-sur-Ternoise
Berck-Plage
Hesdin
Doullens
Abbeville
le Tréport
Blangy
Somme
AMIENS
Dieppe
St Valéry-en-Caux
Fécamp
Etretat
Neufchâtel-en-Bray
Poix
Yvetot
Forges-les-Eaux
Bolbec
Breteuil
LE HAVRE
ROUEN
Gournay-en-Bray
Beauvais
Seine
Ste Mère-Eglise
Honfleur
Trouville
Deauville
Cabourg
Isigny
Arromanches
Carentan
Bayeux
Pont-Audemer
Pont-l'Évêque
Gisors
les Andelys
CAEN
Lisieux
Louviers
Vernon
St Lô
Villers-Bocage
Bernay
Pontoise
Mantes
Evreux
Villedieu-les-Poêles
Falaise
Vimoutiers
Eure
PARIS
Vire
Flers
Orne
Gacé
l'Aigle
Mortain
Argentan
Dreux
Verneuil-sur-Avre
Domfront
Sées
Rambouillet
St Hilaire-du-Harcouët
Bagnoles-de-l'Orne
Mortagne-au-Perche
Ablis
Chartres
Fougères
Alençon
Bellême
Étampes
Mayenne
Mamers
Nogent-le-Rotrou
Vitré
Sarthe
la Ferté-Bernard
Pithiviers
Laval
LE MANS
Châteaudun
Artenay
St Calais
ORLÉANS
Château-Gontier
Vendôme
Châteauneuf-sur-Loire
Loir
Segré
la Flèche
Beaugency
Château-Renault
Blois
Lamotte-Beuvron
Angers
Ancenis
LOIRE
Loire
TOURS
Salbris
Montrichard
Romorantin-Lanthenay
Saumur
Cher
Indre
Vierzon
Chinon
Cholet
Loches
Mortagne
Thouars
Loudun
Bourges
Issoudun
Bressuire
Sèvre Nantaise
Châtellerault
Châteauroux
Chantonnay

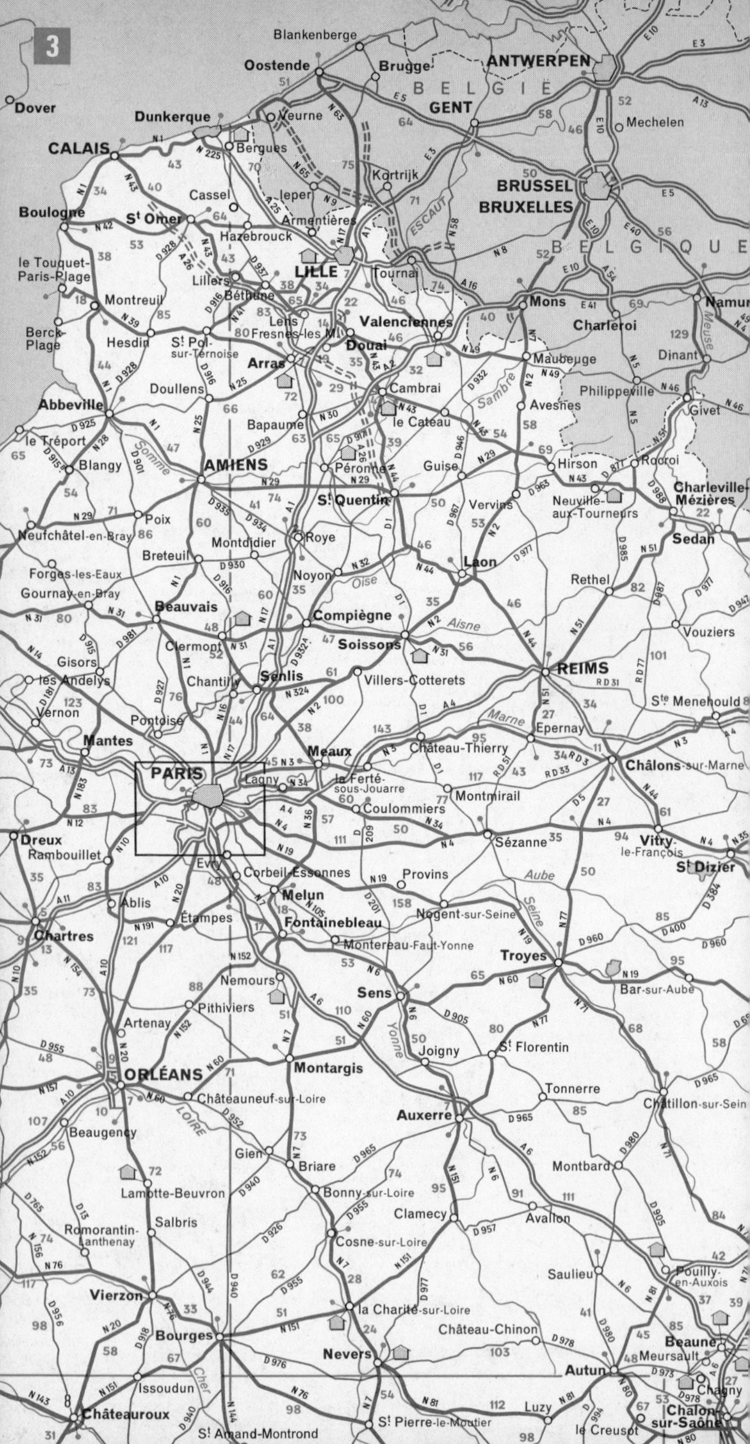
3
Dover
Blankenberge
Oostende
Brugge
ANTWERPEN
BELGIË
GENT
Mechelen
Dunkerque
Veurne
CALAIS
Bergues
Kortrijk
BRUSSEL
BRUXELLES
Cassel
Ieper
Boulogne
St Omer
Armentières
Hazebrouck
ESCAUT
BELGIQUE
le Touquet-Paris-Plage
LILLE
Tournai
Lillers
Béthune
Montreuil
Mons
Namur
Lens
Valenciennes
Charleroi
Berck-Plage
Hesdin
St Pol-sur-Ternoise
Fresnes-les-M.
Douai
Arras
Maubeuge
Dinant
Meuse
Doullens
Cambrai
Sambre
Philippeville
Abbeville
Bapaume
le Cateau
Avesnes
Givet
le Tréport
Somme
Blangy
AMIENS
Péronne
Guise
Hirson
Rocroi
St Quentin
Vervins
Neuville-aux-Tourneurs
Charleville-Mézières
Poix
Neufchâtel-en-Bray
Montdidier
Roye
Sedan
Breteuil
Forges-les-Eaux
Noyon
Oise
Laon
Rethel
Gournay-en-Bray
Beauvais
Compiègne
Aisne
Vouziers
Clermont
Soissons
Gisors
REIMS
les Andelys
Chantilly
Senlis
Villers-Cotterets
Vernon
Ste Menehould
Pontoise
Marne
Epernay
Mantes
Meaux
Château-Thierry
PARIS
Lagny
la Ferté-sous-Jouarre
Châlons-sur-Marne
Montmirail
Coulommiers
Dreux
Sézanne
Vitry-le-François
Rambouillet
Evry
St Dizier
Corbeil-Essonnes
Provins
Aube
Melun
Ablis
Nogent-sur-Seine
Seine
Etampes
Fontainebleau
Chartres
Montereau-Faut-Yonne
Troyes
Bar-sur-Aube
Nemours
Sens
Pithiviers
Artenay
Yonne
Joigny
St Florentin
ORLÉANS
Montargis
Tonnerre
Châteauneuf-sur-Loire
Châtillon-sur-Sein
LOIRE
Auxerre
Beaugency
Gien
Briare
Montbard
Lamotte-Beuvron
Bonny-sur-Loire
Clamecy
Avallon
Salbris
Romorantin-Lanthenay
Cosne-sur-Loire
Saulieu
Pouilly-en-Auxois
Vierzon
la Charité-sur-Loire
Château-Chinon
Bourges
Beaune
Nevers
Meursault
Autun
Issoudun
Cher
Chagny
Châteauroux
Luzy
Chalon-sur-Saône
St Pierre-le-Moutier
le Creusot
St Amand-Montrond

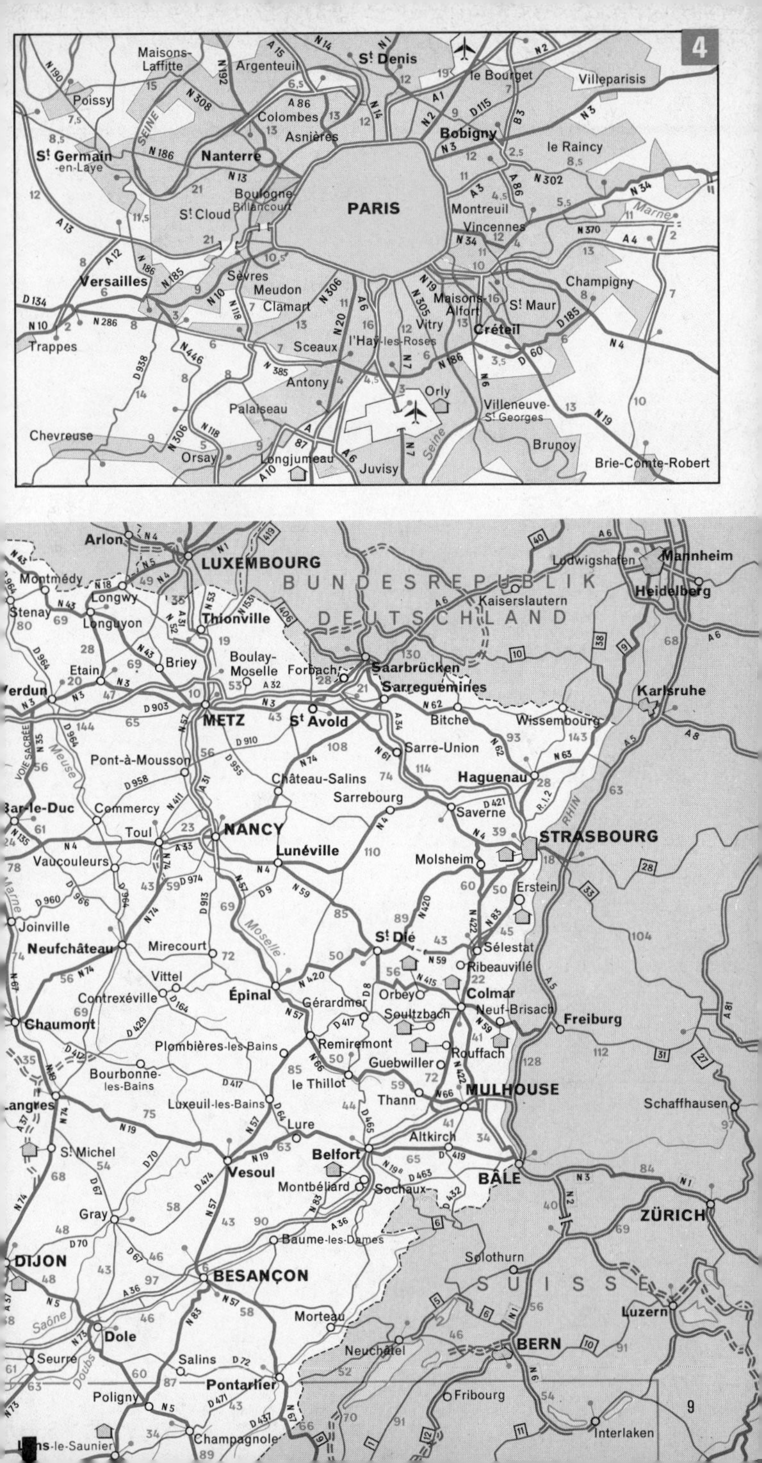
4
St Denis
Argenteuil
Maisons-Laffitte
Poissy
le Bourget
Villeparisis
Colombes
Asnières
Bobigny
St Germain-en-Laye
Nanterre
le Raincy
Boulogne-Billancourt
St Cloud
PARIS
Montreuil
Vincennes
Marne
Versailles
Sèvres
Meudon
Clamart
Champigny
Maisons-Alfort
St Maur
Vitry
Créteil
Trappes
Sceaux
l'Haÿ-les-Roses
Antony
Orly
Palaiseau
Villeneuve-St Georges
Chevreuse
Orsay
Longjumeau
Juvisy
Seine
Brunoy
Brie-Comte-Robert
Arlon
LUXEMBOURG
BUNDESREPUBLIK DEUTSCHLAND
Ludwigshafen
Mannheim
Heidelberg
Kaiserslautern
Montmédy
Longwy
Stenay
Longuyon
Thionville
Etain
Briey
Boulay-Moselle
Forbach
Saarbrücken
Sarreguemines
Verdun
METZ
St Avold
Bitche
Wissembourg
Karlsruhe
Pont-à-Mousson
Sarre-Union
Château-Salins
Haguenau
Sarrebourg
Bar-le-Duc
Commercy
Saverne
NANCY
Toul
STRASBOURG
Lunéville
Vaucouleurs
Molsheim
Erstein
Joinville
St Dié
Neufchâteau
Mirecourt
Sélestat
Ribeauvillé
Vittel
Contrexéville
Épinal
Orbey
Colmar
Chaumont
Gérardmer
Soultzbach
Neuf-Brisach
Freiburg
Plombières-les-Bains
Remiremont
Rouffach
Bourbonne-les-Bains
Guebwiller
le Thillot
Langres
Luxeuil-les-Bains
Thann
MULHOUSE
Schaffhausen
Lure
Altkirch
S. Michel
Belfort
Vesoul
BÂLE
Montbéliard
Sochaux
ZÜRICH
Gray
Baume-les-Dames
DIJON
Solothurn
BESANÇON
SUISSE
Luzern
Morteau
Dole
Neuchâtel
BERN
Seurre
Salins
Pontarlier
Fribourg
Poligny
Champagnole
Interlaken
Lons-le-Saunier
Saône
Doubs
Moselle
Meuse
RHIN
VOIE SACRÉE

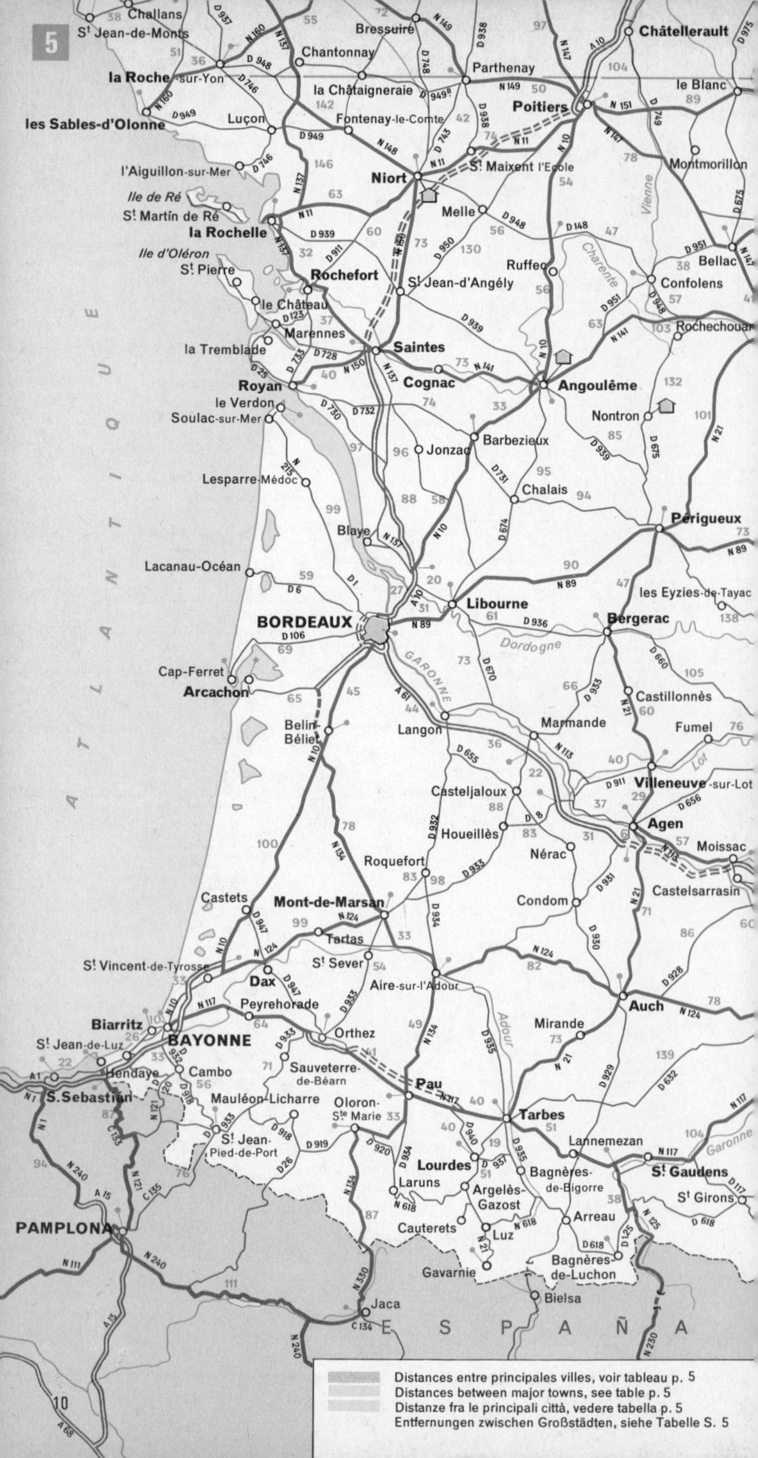

5
Challans
St Jean-de-Monts
la Roche-sur-Yon
les Sables-d'Olonne
Luçon
l'Aiguillon-sur-Mer
Ile de Ré
St Martin de Ré
la Rochelle
Ile d'Oléron
St Pierre
le Château
Marennes
la Tremblade
Royan
le Verdon
Soulac-sur-Mer
Lesparre-Médoc
Lacanau-Océan
Cap-Ferret
Arcachon
BORDEAUX
Bressuire
Chantonnay
la Châtaigneraie
Fontenay-le-Comte
Niort
Parthenay
Poitiers
Châtellerault
le Blanc
Montmorillon
St Maixent l'Ecole
Melle
Ruffec
Rochefort
St Jean-d'Angély
Saintes
Cognac
Angoulême
Confolens
Bellac
Rochechouart
Nontron
Barbezieux
Jonzac
Chalais
Périgueux
Blaye
Libourne
les Eyzies-de-Tayac
Bergerac
Dordogne
GARONNE
Charente
Vienne
Castillonnès
Fumel
Villeneuve-sur-Lot
Lot
Marmande
Langon
Belin-Béliet
Casteljaloux
Houeillès
Agen
Moissac
Castelsarrasin
Nérac
Roquefort
Condom
Castets
Mont-de-Marsan
Tartas
St Sever
St Vincent-de-Tyrosse
Dax
Aire-sur-l'Adour
Auch
Adour
Peyrehorade
Orthez
Biarritz
BAYONNE
St Jean-de-Luz
Hendaye
Cambo
S. Sebastián
Sauveterre-de-Béarn
Mauléon-Licharre
Oloron-Ste Marie
Pau
Mirande
Tarbes
Lannemezan
St Gaudens
St Girons
Garonne
St Jean-Pied-de-Port
Lourdes
Laruns
Argelès-Gazost
Bagnères-de-Bigorre
Arreau
Cauterets
Luz
Gavarnie
Bagnères-de-Luchon
Bielsa
PAMPLONA
Jaca
ATLANTIQUE
ESPAÑA
10
Distances entre principales villes, voir tableau p. 5
Distances between major towns, see table p. 5
Distanze fra le principali città, vedere tabella p. 5
Entfernungen zwischen Großstädten, siehe Tabelle S. 5

6
Châteauroux
St Amand-Montrond
St Pierre-le-Moutier
Luzy
le Creusot
Montceau-les-Mines
Argenton-sur-Creuse
la Châtre
Moulins
Digoin
Paray-le-Monial
Charolles
Creuse
Montluçon
St Pourçain-sur-Sioule
Lapalisse
la Souterraine
Guéret
Gannat
Vichy
Roanne
la Crouzille
Bourganeuf
Aubusson
Châtelguyon
Riom
Thiers
l'Arbresle
Loire
Feurs
LIMOGES
Royat
CLERMONT-FD
Montbrison
Montrond-les-Bs
Ussel
la Bourboule
le Mont-Dore
Issoire
Ambert
Rive-de-Gier
ST-ETIENNE
Uzerche
Allier
la Chaise-Dieu
Tulle
Brioude
Annonay
Donzenac
Mauriac
Yssingeaux
Brive-la-Gaillarde
Dordogne
Murat
St Flour
le Puy
Lamastre
Souillac
Sarlat-la-Canéda
St Céré
Aurillac
St Chély-d'Apcher
Privas
Rocamadour
Langogne
Vals-les-Bains
Gourdon
Figeac
Lot
Decazeville
Entraygues-sur-T
Aubenas
Espalion
Largentière
Villefort
Mende
Cahors
Villefranche-de-Rouergue
Ardèche
Rodez
Séverac-le-Château
Florac
Caussade
Aveyron
Millau
Alès
Montauban
Tarn
le Vigan
Gard
Albi
St Affrique
Gaillac
Hérault
Nîmes
Lacaune
Lodève
Castres
Bédarieux
MONTPELLIER
Aigues-Mortes
TOULOUSE
St Pons-de-Thomières
le Grau-du-Roi
Mazamet
Mèze
Stes Maries-de-la-Mer
Muret
Sète
Auterive
Béziers
Castelnaudary
Carcassonne
Agde
Narbonne
Pamiers
Lézignan-Corbières
Limoux
Foix
Lavelanet
Quillan
Ariège
Salses
Aude
Ax-les-Thermes
PERPIGNAN
Prades
Andorra-la-Vella
Font-Romeu
Port-Vendres
Céret
Mont-Louis
le Perthus
Cerbère
Bourg-Madame
Prats-de-Mollo-la-Preste
Figueras

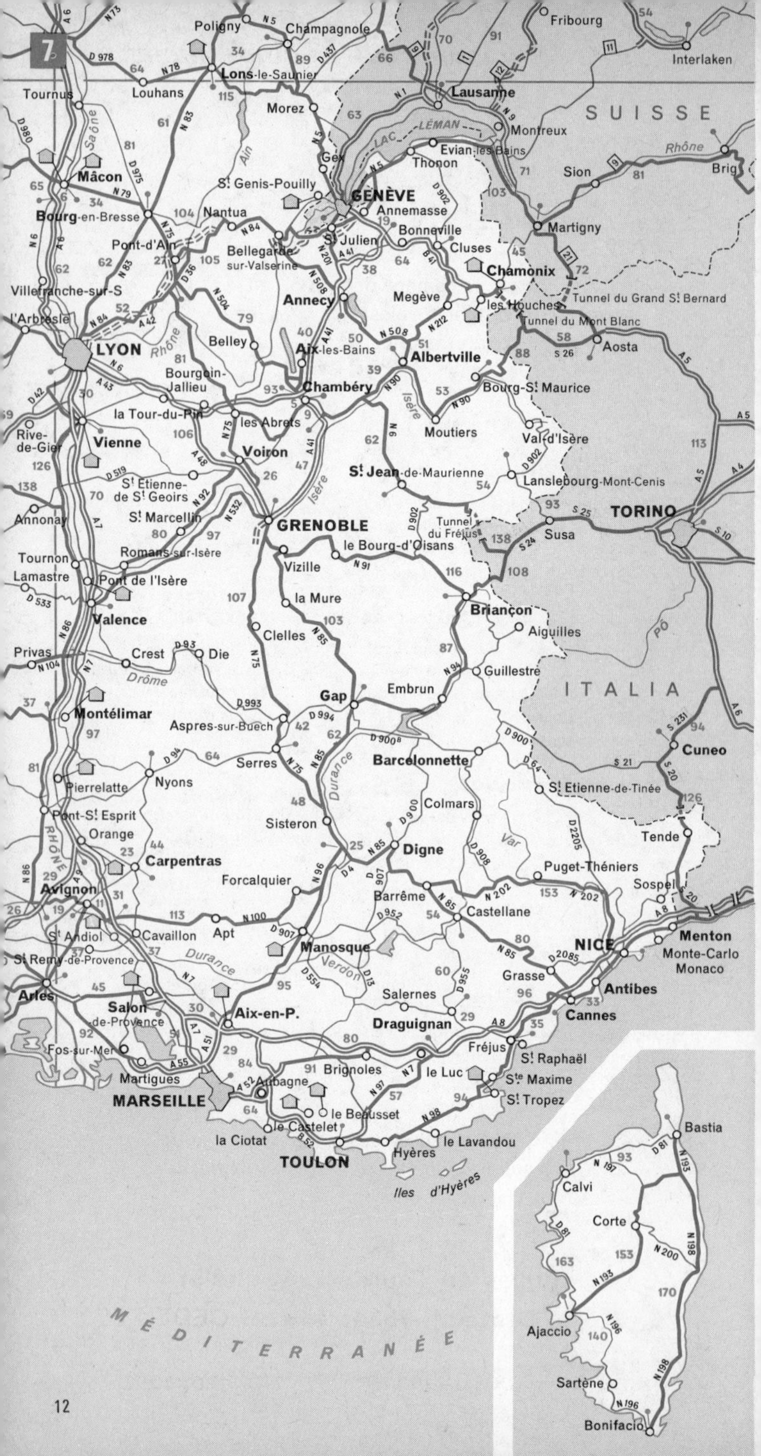
7
Poligny
Champagnole
Fribourg
Interlaken
Lons-le-Saunier
Tournus
Louhans
Lausanne
SUISSE
Morez
LAC LÉMAN
Montreux
Evian-les-Bains
Thonon
Sion
Brig
Rhône
Gex
Mâcon
Saône
Ain
St Genis-Pouilly
GENÈVE
Annemasse
Bourg-en-Bresse
Nantua
Martigny
St Julien
Bonneville
Cluses
Pont-d'Ain
Bellegarde-sur-Valserine
Chamonix
Villefranche-sur-S
Tunnel du Grand St Bernard
Annecy
Megève
les Houches
l'Arbresle
Tunnel du Mont Blanc
LYON
Rhône
Belley
Aix-les-Bains
Aosta
Albertville
Bourgoin-Jallieu
Chambéry
Bourg-St Maurice
la Tour-du-Pin
les Abrets
Isère
Rive-de-Gier
Vienne
Moutiers
Val-d'Isère
Voiron
St Jean-de-Maurienne
Lanslebourg-Mont-Cenis
St Etienne-de St Geoirs
Isère
Annonay
St Marcellin
TORINO
Tunnel du Fréjus
GRENOBLE
Susa
Romans-sur-Isère
le Bourg-d'Oisans
Tournon
Lamastre
Vizille
Pont de l'Isère
la Mure
Briançon
Valence
Pô
Aiguilles
Clelles
Privas
Crest
Die
Drôme
Guillestre
ITALIA
Gap
Embrun
Montélimar
Aspres-sur-Buech
Cuneo
Serres
Barcelonnette
Nyons
Pierrelatte
St Etienne-de-Tinée
Durance
Colmars
Pont-St Esprit
Sisteron
Tende
Orange
Var
Carpentras
Digne
Puget-Théniers
Forcalquier
Sospel
Avignon
Barrême
Castellane
St Andiol
Cavaillon
Apt
Menton
Monte-Carlo
Monaco
NICE
Manosque
St Remy-de-Provence
Durance
Verdon
Grasse
Arles
Antibes
Salon-de-Provence
Salernes
Cannes
Aix-en-P.
Draguignan
Fos-sur-Mer
Fréjus
St Raphaël
Martigues
Brignoles
le Luc
Ste Maxime
MARSEILLE
Aubagne
St Tropez
le Beausset
le Castelet
la Ciotat
le Lavandou
Hyères
TOULON
Iles d'Hyères
Bastia
Calvi
Corte
Ajaccio
Sartène
Bonifacio
MÉDITERRANÉE

Le Guide MICHELIN ?

Ce n'est pas seulement des hôtels et des bonnes tables, c'est aussi une multitude d'informations pour faciliter vos voyages.

La clé du Guide

Elle vous est donnée par les pages explicatives ci-après.
Sachez qu'un même symbole, qu'un même caractère, en rouge ou en noir, en maigre ou en gras, n'a pas tout à fait la même signification.

La sélection des hôtels et des restaurants

Ce Guide n'est pas un répertoire complet des ressources hôtelières de la France, il en présente seulement une sélection volontairement limitée. Cette sélection est établie après visites et enquêtes effectuées régulièrement sur place. C'est lors de ces visites que les avis et observations de nos lecteurs sont examinés.

Les plans de ville

Ils indiquent avec précision les rues piétonnes et commerçantes, les voies de traversée ou de contournement de l'agglomération, la localisation : des hôtels (sur de grandes artères ou à l'écart), de la poste, de l'office de tourisme, des grands monuments, des principaux sites, etc.

Pour votre véhicule

Le texte de chaque localité comporte une liste de représentants des grandes marques automobiles avec leur adresse et leur numéro d'appel téléphonique. En route, vous pouvez ainsi faire entretenir ou dépanner votre voiture, si nécessaire.

Sur tous ces points et aussi sur beaucoup d'autres, nous souhaitons vivement connaître votre avis. N'hésitez pas à nous écrire, nous vous répondrons.

Merci d'avance.

Services de Tourisme Michelin

46, av. de Breteuil, 75341 PARIS CEDEX 07

Bibendum vous souhaite d'agréables voyages.

Le choix d'un hôtel, d'un restaurant

Notre classement est établi à l'usage de l'automobiliste de passage. Dans chaque catégorie les établissements sont cités par ordre de préférence.

CLASSE ET CONFORT

Grand luxe et tradition
Grand confort
Très confortable
Confortable
Assez confortable
Simple mais convenable

M	Dans sa catégorie, hôtel d'équipement moderne
sans rest	L'hôtel n'a pas de restaurant
avec ch	Le restaurant possède des chambres

INSTALLATION

Les , et possèdent tout le confort et assurent en général le change. Ces détails ne sont pas rappelés au texte de ces hôtels.

Pour les autres catégories, les éléments de confort indiqués n'existent, le plus souvent, que dans certaines chambres.

Ces hôtels disposent généralement de douches ou de salles de bains communes.

Nombre de chambres (voir p. 18 : Le dîner à l'hôtel)
Ascenseur
Air conditionné
Télévision dans la chambre
Salle de bains et wc privés, Salle de bains privée sans wc
Douche et wc privés, Douche privée sans wc
Téléphone dans la chambre relié par standard
Téléphone dans la chambre, direct avec l'extérieur (cadran)
L'établissement ne possède pas le chauffage central
Chambres accessibles aux handicapés physiques
Tennis à l'hôtel
Piscine : de plein air ou couverte
Plage aménagée
Jardin de repos

Garage gratuit (une nuit) pour les porteurs du Guide 1981
Garage payant
Parc à voitures, réservé à la clientèle de l'établissement
L'hôtel reçoit les séminaires : capacité des salles
Accès interdit aux chiens : dans tout l'établissement
au restaurant seulement
dans les chambres seulement

Période d'ouverture, communiquée par l'hôtelier
Ouverture probable en saison mais dates non précisées

Les établissements ouverts toute l'année sont ceux pour lesquels aucune mention n'est indiquée

Le choix d'un hôtel, d'un restaurant

L'AGRÉMENT

Le séjour dans certains hôtels se révèle parfois particulièrement agréable ou reposant.

Cela peut tenir d'une part au caractère de l'édifice, au décor original, au site, à l'accueil et aux services qui sont proposés, d'autre part à la tranquillité des lieux.

De tels établissements se distinguent dans le guide par les symboles rouges indiqués ci-dessous.

Consultez les cartes p. 46 à 53, elles faciliteront vos recherches.

Hôtels agréables
Restaurants agréables
Élément particulièrement agréable
Hôtel très tranquille, ou isolé et tranquille
Hôtel tranquille
Vue exceptionnelle
Vue intéressante ou étendue

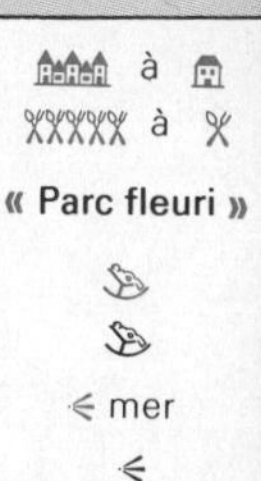

Nous ne prétendons pas avoir signalé tous les hôtels agréables, ni tous ceux qui sont très tranquilles ou isolés.

Nos enquêtes continuent. Vous pouvez les faciliter en nous faisant connaître vos observations et vos découvertes.

Le choix d'un hôtel, d'un restaurant

LA TABLE

Les étoiles : voir les cartes p. 54 à 61.

En France, de nombreux hôtels et restaurants offrent de bons repas et de bons vins.

Certains établissements méritent toutefois d'être signalés à votre attention pour la qualité de leur cuisine. C'est le but des étoiles de bonne table.

Nous indiquons pour ces établissements trois spécialités culinaires et des vins locaux. Essayez-les, à la fois pour votre satisfaction et pour encourager le chef dans son effort.

✿ 520 **Une très bonne table dans sa catégorie.**

L'étoile marque une bonne étape sur votre itinéraire.
Mais ne comparez pas l'étoile d'un établissement de luxe à prix élevés avec celle d'une petite maison où à prix raisonnables, on sert également une cuisine de qualité.

✿✿ 80 **Table excellente, mérite un détour.**

Menus et vins de choix, ... Attendez-vous à une dépense en rapport.

✿✿✿ 21 **Une des meilleures tables de France, vaut le voyage.**

Tables merveilleuses, gloire de la cuisine française.
Grands vins, service impeccable, cadre soigné, ...
Prix en conséquence.

Les repas soignés à prix modérés

Tout en appréciant les bonnes tables à étoiles, vous souhaitez parfois trouver sur votre itinéraire, des restaurants plus simples à prix modérés. Nous avons pensé qu'il vous intéresserait de connaître des maisons qui proposent, pour un rapport qualité-prix particulièrement favorable un repas soigné, souvent de type régional.

Consultez les cartes p. 64 à 70 et

ouvrez votre guide au nom de la localité choisie. La maison que vous cherchez se signale à votre attention par la lettre **R** en rouge, ex. : **R** 42.

Les bons vins : voir p. 62 et 63.

Le choix d'un hôtel, d'un restaurant

LES PRIX

Entrez à l'hôtel votre guide à la main, vous montrerez ainsi qu'il vous conduit là en confiance.

Le nom d'un hôtel ou d'un restaurant est imprimé en gros caractères, lorsque l'hôtelier nous a donné tous ses prix et s'est engagé à les appliquer aux touristes de passage porteurs de notre ouvrage. Ces prix établis en septembre 1980 ne peuvent être modifiés que si le coût de la vie subit des variations importantes. Ils doivent en tout cas être considérés comme des prix de base.

Prévenez-nous de toute majoration paraissant injustifiée. Si aucun prix n'est indiqué, demandez les conditions.

Repas

Établissement proposant un menu simple à **moins de 35 F.**	◆
Établissement pratiquant le service compris ou prix nets	SC
Prix fixe minimum 40 et maximum 85	**R** 40/85
Prix fixe minimum 30 non servi les dimanches et jours de fête	30/75
Repas soigné **à prix modérés**	**R** 42
Boisson comprise	bc
Vin de table en carafe à prix modéré	🍷
Repas à la carte – Le premier prix correspond à un repas simple comprenant : hors-d'œuvre, plat garni et dessert Le 2e prix concerne un repas plus complet (avec spécialité) comprenant : deux plats, fromage et dessert *sauf indication spéciale* bc, *la boisson est facturée en supplément aux prix fixes et à la carte*	**R** carte 50 à 95
Prix du petit déjeuner du matin servi dans la chambre	☕ 12
Prix du petit déjeuner du matin non servi dans la chambre	☕ 10
Chambres – Prix minimum 60 pour une chambre d'une personne et prix maximum 120 pour la plus belle chambre occupée par deux personnes	ch 60/120
Le prix du petit déjeuner est inclus dans le prix de la chambre	ch ☕
Pension – Prix minimum et maximum de la pension complète par personne et par jour, en saison (voir détails p. 18)	P 105/155
Garage gratuit (une nuit) pour les porteurs du Guide 1981	🚗
Garage payant	🚗
Change des monnaies étrangères (pour les clients de l'hôtel)	💱
Cartes de crédit : principales cartes acceptées par l'établissement : American Express – Carte bleue (Visa) – Diners Club – Eurocard.	AE CB ⓓ E

Les prix

QUELQUES PRÉCISIONS UTILES

Petit déjeuner

Quelques établissements n'acceptent pas de servir le petit déjeuner en chambre, le signe tasse en noir ☕ marque cette restriction.
Le prix du petit déjeuner est parfois inclus dans le prix de la chambre mais cette formule ne peut pas être imposée.

Le dîner à l'hôtel

Lorsque l'hôtelier accepte de vous loger une nuit sans que vous dîniez chez lui, nous indiquons ses chambres en gras. Ex. : **30 ch.**

La pension

Nous n'indiquons que des prix de haute saison, en pension complète (deux repas, chambre, petit déjeuner). Il s'agit de prix par jour et par personne, ils sont donnés à titre indicatif et il est indispensable de s'entendre par avance avec l'hôtelier pour conclure un arrangement définitif.

Il est presque toujours possible d'obtenir sur demande des conditions de demi-pension.

Hors saison, c'est-à-dire avant le 1er juillet, après la mi-septembre et en dehors des périodes de fêtes, des tarifs spéciaux sont pratiqués, réclamez-les lors de votre réservation.
Dans les stations de sports d'hiver, les prix pratiqués en été sont généralement moins élevés qu'en saison d'hiver.

Nota : Une personne seule occupant une chambre de deux personnes, se voit parfois appliquer une majoration.

La mention "SC"

(service compris). Cette mention indique que l'établissement pratique le service compris (ou prix nets) pour tous ses prix. Aucune majoration pour le Service ne doit figurer sur votre note. Les taxes sont toujours incluses dans les prix que nous indiquons, sauf éventuellement la taxe de séjour.

Les arrhes

Certains hôteliers demandent parfois le versement d'arrhes. Il s'agit d'un dépôt-garantie qui engage l'hôtelier comme le client. Bien faire préciser les dispositions de cette garantie.
Sauf arrangement spécial, leur montant correspond généralement à trois nuitées (chambre sans pension) ou à quatre journées en pension complète. Demandez à l'hôtelier de vous fournir dans sa lettre d'accord toutes précisions utiles sur la réservation et les conditions de séjour.

Choosing your hotel or restaurant

We have classified the hotels and restaurants with the travelling motorist in mind. In each category they have been listed in order of preference.

CLASS, STANDARD OF COMFORT

🏨 (5)	Luxury in the traditional style	XXXXX
🏨 (4)	Top class	XXXX
🏨 (3)	Very comfortable	XXX
🏨 (2)	Comfortable	XX
🏨 (1)	Good average	
⌂	Plain but adequate	X
M	In its class, hotel with modern amenities	
sans rest	The hotel has no restaurant	
avec ch	The restaurant has bedrooms	

HOTEL FACILITIES

Hotels in categories 🏨🏨🏨🏨🏨, 🏨🏨🏨🏨, 🏨🏨🏨 usually have every comfo[rt] and exchange facilities : details are not repeated under eac[h] hotel.

In other categories, the listed facilities are usually to be foun[d] only in some of the rooms.

These hotels have generally a bathroom or a shower f[or] general use.

30 ch 30 ch	Number of rooms (see page 26 : Dinner at the hotel)
	Lift (elevator)
	Air conditioning
TV	Television in room
wc	Private bathroom with toilet, Private bathroom without toil[et]
wc	Private shower with toilet, Private shower without toilet
	Telephone in room : outside calls connected by the operat[or]
	Telephone in room : direct dialling for outside calls
sa	Without central heating
	Bedrooms accessible to the physically handicapped
	Hotel tennis court(s)
	Outdoor or indoor swimming pool
	Beach with bathing facilities
	Garden
	Free garage (one night) for those having the 1981 Guide
	Charge made for garage
	Car park for customers only
150	Hotel available for business conferences; minimum an[d] maximum capacity of conference and other halls
	Dogs are not allowed : in any part of the hotel
	in the restaurant
	in the bedrooms
	Dates when open, as indicated by the hotelier
	Probably open for the season – precise dates not available

Where no date or season is shown, the establishment is op[en] all year round.

Pour visiter une ville et ses environs

LES CURIOSITÉS

Intérêt

Vaut le voyage	***
Mérite un détour	**
Intéressante	*

Situation

Curiosités à voir dans la ville	**Voir**
Excursions aux environs de la ville	**Env.**
La curiosité est située : au Nord, au Sud, à l'Est, à l'Ouest	N, S, E, O
On s'y rend par la sortie ② ou ④ repérée par le même signe sur le plan du Guide et sur la carte	②, ④
Distance en kilomètres	2 km
Temps de marche à pied, aller et retour (h : heures, mn : minutes)	h, mn

Les musées sont généralement fermés le mardi.

LES VILLES

Préfecture	P
Sous-préfecture	SP
Numéro de code postal de la localité (les deux premiers chiffres correspondent au numéro du département)	**63300**
Numéro de la Carte Michelin et numéro du pli	80 ⑤
Voir le Guide Vert Michelin **Jura**	**G. Jura**
Population totale	1 057 h.
Altitude de la localité	alt. 175
Station thermale	Stat. therm.
Sports d'hiver	Sports d'hiver
Altitude de la station et altitude maximum atteinte par les remontées mécaniques	1 200/1 900
Nombre de téléphériques ou télécabines	2
Nombre de remonte-pentes et télésièges	14
Ski de fond	
Numéro de code et nom du bureau distributeur du courrier	✉ **57130** Ars
Indicatif téléphonique de zone	28
Lettres repérant un emplacement sur le plan	BX **B**
Panorama, point de vue	
Golf et nombre de trous	9
Aéroport	
Localité desservie par train-auto. Renseignements au numéro de téléphone indiqué	
Transports maritimes	
Transports maritimes pour passagers seulement	
Information touristique	
Automobile Club	A.C.
Touring Club de France	T.C.F.

LES PLANS

Voirie

Rue de traversée ou de contournement – à chaussées séparées
Rue à sens unique – en escalier – en construction – en projet
Rue interdite, impraticable ou à circulation réglementée – bordée d'arbres
Rue piétonne
Passage de la rue : à niveau, au-dessus, au-dessous de la voie ferrée
Passage sous voûte – Tunnel – Porte – Tramway ou trolleybus
4m2 15T Passage bas (inf. à 4,30 m) – Pont à charge limitée (inf. à 16 t)
Thiers (R.) P Rue commerçante – Parc de stationnement public

Curiosités - Hôtels - Garages

Monument intéressant et entrée principale
Église ou chapelle catholique – Église protestante } Lettre les repérant sur le plan
Hôtel, restaurant – Lettre les repérant sur le plan
Garage : Citroën, Peugeot, Renault (Alpine)
Talbot (Service Chrysler-Simca, Matra, Sunbeam)

Signes divers

Repère commun aux plans et aux cartes Michelin détaillées
Église ou chapelle catholique – Église protestante
Poste restante, télégraphe, téléphone – Information touristique
Édifices publics repérés par des lettres :
A C G Chambre d'Agriculture – Chambre de Commerce – Gendarmerie
H J M P Hôtel de ville – Palais de justice – Musée – Préfecture, sous-préfecture
POL. T U Police (dans les grandes villes commissariat central) – Théâtre – Université
Caserne – Hôpital – Marché couvert – Phare
Tour – Usine – Château-d'eau – Gazomètre
Tour ou pylône de télécommunications
Table d'orientation – Ruines – Monument, statue – Fontaine
Jardin public, privé – Cimetière – Calvaire
Piscine de plein air, couverte – Patinoire – Hippodrome
Gare routière – Aéroport – Vue – Panorama
Embarcadère : Transport de passagers et voitures, de passagers seulement
Gare – Station de métro – Golf – Stade

Pour votre voiture - Pour vos pneus

Garagistes réparateurs, fournisseurs de pneus Michelin

RENAULT – Concessionnaire (ou succursale) de la marque Renault.
PEUGEOT – Agent de la marque Peugeot.
Gar. de la Côte – Garagiste qui ne représente pas de marque de voiture.
Spécialistes du pneu.
Établissements généralement fermés samedi ou parfois lundi.

Dépannage

N

La nuit – Cette lettre désigne des garagistes qui assurent, la nuit, les réparations courantes.

Le dimanche – Il existe dans toutes les régions un service de dépannage le dimanche.
Ce service est soit local, soit départemental. La Police, la Gendarmerie peuvent en général indiquer, selon le cas, le garagiste de service le plus proche ou le numéro téléphonique d'appel du groupement départemental d'assistance routière.

Dans nos agences, nous nous faisons un plaisir de donner à nos clients tous conseils pour la meilleure utilisation de leurs pneus.

The MICHELIN Guide

offers in addition to the selection of hotels and restaurants a wide range of information to help you on your travels.

The key to the guide

... is the explanatory chapters which follow.
Remember that the same symbol and character whether in red or black or in bold or light type, have different meanings.

The selection of hotels and restaurants

This book is not an exhaustive list of all hotels in France but a selection which has been limited on purpose. The final choice is based on regular on the spot enquiries and visits. These visits are the occasion for examining attentively the comments and opinions of our readers.

Town plans

These indicate with precision pedestrian and shopping stre
major through routes in built up areas; exact location of h
whether they be on main or side streets; post offices; tourist i
mation centres; the principal historic buildings and other t
sights.

For your car

Each entry includes a list of agents for the main car manu
with their addresses and telephone numbers. Therefore e
travelling you can have your car serviced or repaired.

Your views or comments concerning the ab
any others, are always welcome. Your letter
Thank

Services de Tourisme
46, av. de Breteuil, F-75341

Bibendum wishes you a

Choosing your hotel or restaurant

AMENITY

Your stay in certain hotels will be sometimes particularly agreeable or restful.

There can be several reasons for this: the character of the actual building, its situation and the quietness of its setting, the above average quality and style of its decor and the welcome and services which are offered.

Such establishments are distinguished in the guide by the red symbols shown below.

By consulting the maps on pp. 46 to 53 you will find it easier to locate them.

Pleasant hotels

Pleasant restaurants

Particularly attractive feature

Very quiet or quiet secluded hotel

Quiet hotel

Exceptional view

Interesting or extensive view

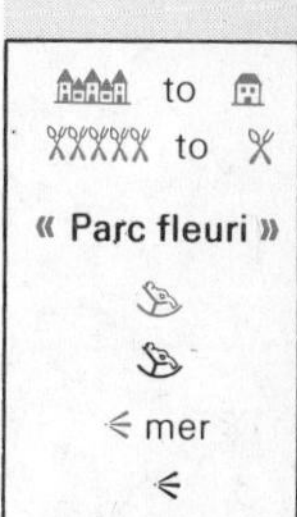

We do not claim to have indicated all the pleasant, very quiet or quiet, secluded hotels which exist.

Our enquiries continue. You can help us by letting us know your opinions and discoveries.

Choosing your hotel or restaurant

GOOD FOOD

The Stars : refer to maps on pp. 54 to 61.

In France, a large number of hotels and restaurants offer good food and fine wines.

Certain establishments merit being brought to your particular attention for the quality of their cooking. That is the aim of the stars for good food.

For these establishments we show 3 speciality dishes and some of tho local wines. Try them, both for your own pleasure and to encourage the chef in his work.

✿ 520

Very good cooking in its class

The star indicates a good place to stop on your journey. But beware of comparing the star given to a " de luxe " establishment with accordingly high prices, with that of a simpler one, where for a lesser sum one can still eat food of quality.

✿✿ 80

Excellent cooking, worthy of a detour

Menus and wines of first class quality, ... do not expect such meals to be cheap.

✿✿✿ 21

Here one will find the best cooking in France, worthy of a special journey

Superb food, the epitome of French cooking. Fine wines, faultless service, elegant surroundings...
One will pay accordingly !

Good food at moderate prices

Apart from those establishments with stars we have felt that you might be interested in knowing of other establishments which offer good value for money with a high standard of cooking, often of regional dishes.

Refer to the maps on pp. 64-70, and turn to the appropriate pages in the text. The establishments in this category are shown with the letter **R** in red, e.g. R 42.

Fine Wines : see pp. 62-63.

Choosing your hotel or restaurant

PRICES

Your recommendation is self-evident if you always walk into a hotel, Guide in hand.

Hotels and restaurants whose names are printed in bold type have disclosed all their prices and undertaken to abide by them if the traveller is in possession of this year's guide. Valid for September 1980 the rates shown may be revised, if the cost of living changes to any great extent. In any event they should be regarded as basic charges. If you think you have been overcharged, let us know. Where no rates are shown it is best to enquire about terms in advance.

Meals

Establishment serving a plain menu **for less than 35 F**	
Establishment where service is included or prices quoted are net	SC
Set meals – Lowest 40 and highest 85 prices for set meals	**R** 40/85
The cheapest set meal 30 is not served on Sundays or holidays	30/75
Good meals **at moderate prices**	**R** 42
Drink included	bc
Table wine available by the carafe at a moderate price	
" A la carte " meals – The first figure is for a plain meal and includes hors-d'œuvre, main dish of the day with vegetables and dessert The second figure is for a fuller meal (with " spécialité ") and includes 2 main courses, cheese, dessert	**R** carte 50 à 95
Except where specifically stated bc , *drinks are payable in addition to the fixed and " à la carte " prices*	
Price of continental breakfast served in the bedroom	12
Price of continental breakfast served in the dining room	10
Rooms – Lowest price 60 for a comfortable single and highest price 120 for the best double room	ch 60/120
Breakfast is included in the price of the room	ch
Full-Board – Lowest and highest prices per person, per day in the season (see page 26)	P 105/155
Free **garage** (one night) for those having the 1981 Guide	
Charge made for garage	
Foreign exchange facilities (for hotel residents only)	
Credit Cards : Principal credit cards accepted by Establishments : American Express – Carte bleue (Visa) – Diners Club – Eurocard	AE GB ◑ E

Prices

A FEW USEFUL DETAILS

Breakfast

Some establishments will not serve breakfast in the room. The black symbol for breakfast ☕ indicates this restriction.

The price of breakfast is sometimes included in the room charge. But the customer is not obliged to take breakfast or be charged for it.

Dinner at the hotel

Where the hotelier agrees to let you a room for one night without obliging you to take dinner in his hotel, the number of rooms appears in bold type, e.g. **30** ch.

Full Board

We indicate only high season prices for full board, which comprises bedroom, breakfast and two meals. These rates are per day and per person and are intended for guidance only. It is essential to agree terms with the hotelier before making a firm reservation.

It is nearly always possible to obtain half board terms on request.

Out of season, that is to say before the 1st July, after mid-September and excluding other holiday periods, special rates usually operate. Ask for details when you make your reservation.

In winter sports resorts rates charged in summer are generally lower than in winter.

N.B. - Rooms are charged on a unit basis; a single person occupying a double room may therefore pay an increased board charge.

The letters " SC "

(service compris) indicate an establishment where service is included or the prices quoted are net. No service charge should be added to your bill. Taxes are always included in prices quoted in the Guide except for local lodging taxes where these are applicable.

Deposits

Certain hoteliers require the payment of a deposit. This constitutes a mutual guarantee of good faith.

Apart from any special arrangement the amount is generally approximately the charge for 3 nights in the case of bed and breakfast or 4 days in the case of full board.

Ask the hotelier to provide you, in his letter of confirmation, with all terms and conditions applicable to your reservation.

Seeing a town and its surroundings

SIGHTS

Star-rating

Worth a journey	***
Worth a detour	**
Interesting	*

Finding the sights

To be seen in the town	**Voir**
In the neighbourhood of the town	**Env.**
The sight is situated to the North (N), South (S), East (E), West (O) of the town	N, S, E, O
Sign on town plan and on the Michelin road map indicating the road leading to a place of interest	②, ④
Distance in kilometres	2 km
Time to go there and back on foot (h : hours, mn : minutes)	h, mn

Museums and art galleries are generally closed on Tuesdays.

TOWNS

Prefecture	P
Sub-prefecture	SP
Local postal number (the first two numbers represent the department number)	**63300**
Number of the appropriate sheet and section of the Michelin road map	**80** ⑤
See the Michelin Green Guide **Jura**	**G. Jura**
Population	1 057 h.
Altitude (in metres)	alt. 175
Spa	Stat. therm.
Winter sports	Sports d'hiver
Altitude (in metres) of resort and highest point reached by lifts	1 200/1 900
Number of cable cars	2
Number of ski and chair-lifts	14
Cross country skiing	
Postal number and name of the post office serving the town	✉ **57130** Ars
Trunk dialling code	28
Letters giving the location of a place on the town plan	BX**B**
Panoramic view. Viewpoint	
Golf course and number of holes	9
Airport	
Places with a motorail connection. Further information from phone no. listed	
Shipping	
Passenger transport only	
Tourist Information Centre	
Automobile Club	A.C.
Touring Club de France	T.C.F.

TOWN PLANS

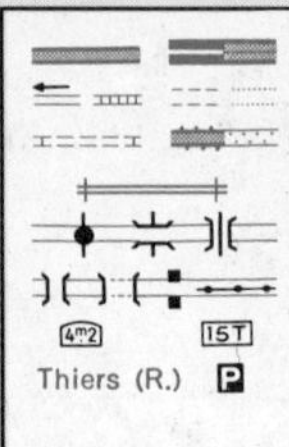

Roads

Through route or by-pass – Dual carriageway
One-way street – Stepped street – Street under construction, planned
No entry, unsuitable for traffic or subject to restrictions – Tree lined stree
Pedestrian street
Railway crossing: level crossing, road crossing rail, rail crossing road
Street passing under arch – Tunnel – Gateway – Tram or trolleybus route
Low headroom (14 ft. max.) – Bridge with load limit (under 16 t)
Shopping street – Public car park

Sights - Hotels - Garages

Place of interest and its main entrance } Reference letter on the town plan
Catholic church or chapel – Protestant church }
Hotel, restaurant – Reference letter on the town plan
Garage : Citroën, Peugeot, Renault (Alpine)
Talbot (Chrysler-Simca, Matra, Sunbeam)

Various signs

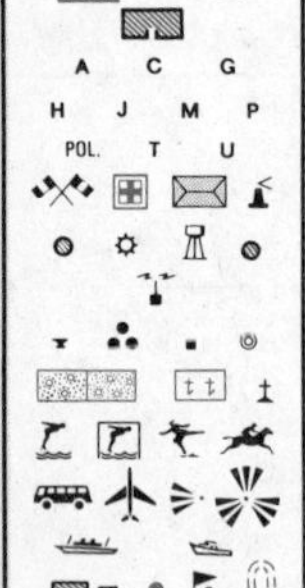

Reference number common to town plans on large scale Michelin maps
Catholic church or chapel – Protestant church
Poste restante, telegraph, telephone – Tourist Information Centre
Public buildings located by letters:
Chamber of Agriculture – Chamber of Commerce – Gendarmerie
Town Hall – Law Courts – Museum – Prefecture or sub-prefecture
Police (in large towns police headquarters) – Theatre – University
Barracks – Hospital – Covered market – Lighthouse
Tower – Factory – Water tower – Gasometer
Telecommunications tower or mast
Viewing table – Ruins – Monument, statue – Fountain
Public garden, private garden – Cemetery – Cross
Outdoor or indoor swimming pool – Skating Rink – Racecourse
Coach station – Airport – View – Panorama
Landing stage: Passenger and car transport – Passengers only
Station – Underground station – Golf course – Stadium

For your car and your tyres

Car dealers and repairers Michelin tyre suppliers

RENAULT
PEUGEOT
Gar. de la Côte

Renault main agent.
Peugeot dealer.
General repair garage.
Tyre specialist.

These workshops are usually closed on Saturdays and occasionally on Mondays.

Breakdown service

N

At night – Symbol indicating garage offering night breakdown service.

On Sunday – Each town has a breakdown service available on Sunday. In any event, the Gendarmerie, Police, etc., will usually be able to give the address of the garage on duty.

The Staff at our Depots will be pleased to give advice on the best way to look after your tyres.

Cos'è la Guida MICHELIN ?

Un elenco dei migliori alberghi e ristoranti, naturalmente. Ma anche una serie di utili informazioni per i Vs. viaggi!

La « chiave »

Leggete le pagine che seguono e comprenderete!
Sapete che uno stesso simbolo o una stessa parola in rosso o in nero, in carattere magro o grasso, non ha lo stesso significato?

La selezione degli alberghi e ristoranti

Attenzione! La guida non elenca tutte le risorse alberghiere della Francia. E' il risultato di una selezione, volontariamente limitata, stabilita in seguito a visite ed inchieste effettuate sul posto. E, durante queste visite, amici lettori, vengono tenute in evidenza le Vs. critiche ed i Vs. apprezzamenti!

Le piante di città

Indicano con precisione : strade pedonali e commerciali, il modo migliore per attraversare od aggirare il centro, l'esatta ubicazione degli alberghi e ristoranti citati, della posta centrale, dell'ufficio informazioni turistiche, dei monumenti più importanti e poi altre e altre ancora utili informazioni per Voi!

Per la Vs. automobile

Indirizzo e telefono delle principali marche automobilistiche vengono segnalate nel testo di ogni località. Cosi, in caso di necessità, saprete dove trovare il «medico » per la Vs. vettura.

Su tutti questi punti e su altri ancora, gradiremmo conoscere il Vs. parere. Scriveteci e non mancheremo di risponderVi!

Services de Tourisme Michelin
46, av. de Breteuil, F-75341 PARIS CEDEX 07

Grazie e buon viaggio.

La scelta di un albergo, di un ristorante

La nostra classificazione è stabilita ad uso dell'automobilista di passaggio. In ogni categoria, gli esercizi vengono citati in ordine di preferenza.

CLASSE E CONFORT

Gran lusso
Gran confort
Molto confortevole
Confortevole
Abbastanza confortevole
Semplice, ma conveniente

M	Nella sua categoria, albergo con attrezzatura moderna
sans rest	L'albergo non ha ristorante
avec ch	Il ristorante dispone di camere

INSTALLAZIONI

I , , offrono ogni confort ed effettuano generalmente il cambio di valute. Questi dettagli non vengono richiamati nel testo relativo a tali alberghi.

Nelle altre categorie, gli elementi di confort indicati esistono, il più delle volte, soltanto in alcune camere ; questi alberghi dispongono tuttavia di docce o bagni comuni.

30 ch **30 ch**	Numero di camere (vedere p. 34 : La cena in albergo)
	Ascensore
	Aria condizionata
	Televisione in camera
wc	Bagno e wc privati, bagno privato senza wc
wc	Doccia e wc privati, doccia privata senza wc
	Telefono in camera collegato con il centralino
	Telefono in camera comunicante direttamente con l'esterno
sans	Senza riscaldamento centrale
	Camere d'agevole accesso per i minorati fisici
	Tennis appartenente all'albergo
	Piscina : all'aperto, coperta
	Spiaggia attrezzata
	Giardino
	Garage gratuito (una notte) per chi presenta la guida 1981
	Garage a pagamento
	Parcheggio per auto riservato alla clientela dell'albergo
25 à 150	L'albergo ospita seminari : capienza minima e massima delle sale
	E' vietato l'accesso ai cani : ovunque
rest	soltanto al ristorante
ch	soltanto nelle camere
mai-oct.	Periodo di apertura comunicato dall'Albergatore
sais.	Possibile apertura in stagione, ma periodo non precisato.

Gli esercizi senza tali indicazioni sono aperti tutto l'anno.

La scelta di un albergo, di un ristorante

AMENITÀ

Il soggiorno in alcuni alberghi si rivela talvolta particolarmente ameno o riposante.

Ciò può dipendere sia dalle caratteristiche dell'edificio, dalle decorazioni non comuni, dalla sua posizione, dall'accoglienza e dai servizi offerti, sia dalla tranquillità dei luoghi.

Questi esercizi sono così contraddistinti :

Alberghi ameni

Ristoranti ameni

Un particolare ameno

Albergo molto tranquillo o isolato e tranquillo

Albergo tranquillo

Vista eccezionale

Vista interessante o estesa

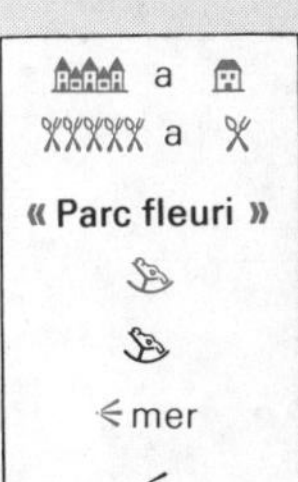

Consultate le carte da p. 46 a p. 53 : sarete facilitati nelle vostre ricerche.

Non abbiamo la pretesa di aver segnalato tutti gli alberghi ameni, nè tutti quelli molto tranquilli o isolati e tranquilli.

Le nostre ricerche continuano. Le potrete agevolare facendoci conoscere le vostre osservazioni e le vostre scoperte.

La scelta di un albergo, di un ristorante

LA TAVOLA

Le Stelle – Vedere le carte da p. 54 a p. 61.

In Francia numerosi alberghi e ristoranti offrono buoni pasti e buoni vini.

Tuttavia alcuni esercizi meritano di essere segnalati alla Vostra attenzione per la qualità della loro cucina : è questo lo scopo delle " stelle di ottima tavola ".

Per questi esercizi indichiamo tre specialità culinarie e vini locali. Provateli, tanto per vostra soddisfazione quanto per incoraggiare l'abilità del cuoco.

✿ 520 **Un'ottima tavola nella sua categoria.**

La stella indica una tappa sul Vostro itinerario. Non mettete però a confronto la stella di un esercizio di lusso, dai prezzi elevati, con quella di un piccolo esercizio dove, a prezzi ragionevoli, viene offerta una cucina di qualità.

✿✿ 80 **Tavola eccellente : merita una deviazione.**

Menu e vini scelti... AspettateVi una spesa in proporzione.

✿✿✿ 21 **Una delle migliori tavole di Francia : vale il viaggio.**

Tavole meravigliose, vanto della cucina francese.
Grandi vini, servizio impeccabile, ambientazione accurata, ... Prezzi conformi.

Pasti accurati a prezzi contenuti

Oltre alle ottime tavole contrassegnate con stelle, abbiamo pensato potesse interessarVi conoscere degli esercizi che, per un rapporto qualità-prezzo particolarmente favorevole offrono un pasto curato spesso a carattere tipicamente regionale.

Consultate le carte da p. 64 a p. 70

e aprite la Vostra guida in corrispondenza della località prescelta. L'esercizio che cercate richiamerà la Vostra attenzione grazie alla lettera **R** evidenziata in rosso. Es. R 42.

I buoni vini : vedere p. 62/63.

La scelta di un albergo, di un ristorante

I PREZZI

Entrate nell'albergo con la Guida alla mano, dimostrando in tal modo la fiducia in chi Vi ha indirizzato.

Gli alberghi e ristoranti figurano in carattere grassetto quando gli albergatori ci hanno comunicato tutti i loro prezzi e si sono impegnati ad applicarli ai turisti di passaggio in possesso della nostra pubblicazione. Questi prezzi, redatti nel settembre 1980, possono venire modificati qualora il costo della vita subisca notevoli variazioni. Devono comunque essere considerati come prezzi base.

Segnalateci qualsiasi maggiorazione che Vi sembri ingiustificata. Quando i prezzi non sono indicati, Vi consigliamo di chiedere preventivamente le condizioni.

Pasti	
Esercizio che presenta un menu semplice per **meno di 35 F**	✦
Esercizio che pratica il servizio compreso o prezzi netti	SC
Prezzo fisso minimo 40 e massimo 85	**R** 40/85
Prezzo fisso minimo 30, non applicato la domenica e nei giorni festivi	30/75
Pasto accurato a **prezzi contenuti**	**R** 42
Bevanda compresa	bc
Vino da tavola in caraffa a prezzo modico	🍶
Alla carta – Il primo prezzo corrisponde ad un pasto semplice comprendente : antipasto, piatto con contorno, dessert Il secondo prezzo corrisponde ad un pasto più completo (con specialità) comprendente : due piatti, formaggio e dessert. " *Salvo speciale indicazione* bc, *le bevande non sono comprese nei prezzi, sia fissi che alla carta* ".	**R** carte 50 à 95
Prezzo della prima colazione servita in camera	☕ 12
Prezzo della prima colazione non servita in camera	☕ 10
Camere – Prezzo minimo 60 per una camera singola e prezzo massimo 120 per la camera più bella per due persone	ch 60/120
Il prezzo della prima colazione è compreso nel prezzo della camera	ch ☕
Pensione – Prezzo minimo e massimo della pensione completa per persona e per giorno, in alta stagione (vedere dettagli a p. 34)	P 105/155
Garage gratuito (una notte) per i possessori della Guida 1981	🚗
Garage a pagamento	🚗
Cambio di valute straniere (per i clienti dell'albergo)	💱
Carte di credito : principali carte di credito accettate da un albergo o ristorante: American Express – Carte bleue (visa) Diners Club – Eurocard.	AE CB ⓓ E

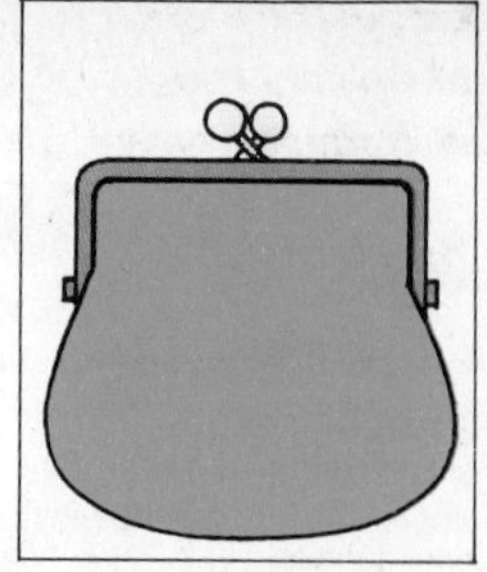

QUALCHE CHIARIMENTO UTILE

Prima colazione

Alcuni esercizi non servono la prima colazione in camera : in tal caso il simbolo della tazzina viene stampato in nero ☕. Il prezzo della prima colazione alle volte è incluso nel prezzo della camera, ma questa formula non può essere imposta.

La cena in albergo

Quando l'albergatore accetta di dare alloggio per una notte, anche senza l'obbligo di pranzare presso di lui, indichiamo le sue camere in grassetto : Es. **30 ch.**

La pensione

Indichiamo soltanto i prezzi di pensione completa (camera, prima colazione e due pasti), per giorno e per persona, praticati in alta stagione. Poichè tali prezzi vengono dati a titolo indicativo è indispensabile prendere accordi preventivamente con l'albergatore per stabilire le condizioni definitive.

E' quasi sempre possibile su richiesta, ottenere condizioni di mezza-pensione.

In bassa stagione, da metà settembre a fine giugno con l'esclusione dei periodi festivi, vengono praticati prezzi speciali : Richiedeteli al momento della prenotazione.

Nelle stazioni di sport invernali i prezzi praticati in estate sono generalmente meno elevati che durante la stagione invernale.

Nota : per le persone sole che occupano una camera doppia il prezzo indicato può essere suscettibile di maggiorazione.

La menzione « SC »

sta ad indicare che, per tutti i suoi prezzi, l'esercizio pratica il " servizio compreso " (o prezzi netti). Nessuna maggiorazione per il servizio dovrà quindi figurare sul conto. Le tasse, salvo eventualmente la tassa di soggiorno, sono sempre comprese nei prezzi da noi indicati.

Le caparre

Alle volte alcuni albergatori chiedono il versamento di una caparra. E' un deposito-garanzia che impegna tanto l'albergatore che il cliente. Salvo accordi speciali, l'importo corrisponde generalmente al prezzo di tre notti (camera senza pensione) o di quattro giornate di pensione completa. Chiedete all'albergatore di fornirVi, nella sua lettera di conferma, ogni dettaglio sulla prenotazione e sulle condizioni di soggiorno, nonchè di precisarVi le norme riguardanti la reciproca garanzia di tale caparra.

Per visitare una città ed i suoi dintorni

LE « CURIOSITÀ »

Grado d'interesse

Vale il viaggio	***
Merita una deviazione	**
Interessante	*

Situazione

Curiosità da vedere nella città	Voir
Escursioni nei dintorni della città	Env.
La curiosità è situata : a Nord, a Sud, a Est, a Ovest	N, S, E, O
Ci si va dall'uscita ② o ④ indicata con lo stesso segno sulla pianta della guida e sulla carta stradale	②, ④
Distanza chilometrica	2 km
Tempo per percorsi a piedi, andata e ritorno h : ore, mn : minuti)	h, mn

I musei sono generalmente chiusi il martedì.

LE CITTÀ

Prefettura	P
Sottoprefettura	SP
Codice di avviamento postale (le prime due cifre corrispondono al numero del dipartimento)	63300
Numero della carta Michelin e numero della piega	80 ⑤
Vedere la guida Verde Michelin **Jura**	**G. Jura**
Popolazione residente	1 057 h.
Altitudine	alt. 175
Stazione termale	Stat. therm.
Sport invernali	Sports d'hiver
Altitudine della località e altitudine massima raggiungibile dalle risalite meccaniche	1 200/1 900
Numero di funivie o cabinovie	2
Numero di sciovie o seggiovie	14
Sci di Fondo	
Numero di codice e sede dell'Ufficio postale	✉ 57130 Ars
Prefisso telefonico interurbano	28
Lettere indicanti l'ubicazione sulla pianta	BX **B**
Panorama, punto di vista	
Golf e numero di buche	9
Aeroporto	
Località con servizio auto su treno – Informarsi al numero di telefono indicato	
Trasporti marittimi	
Trasporti marittimi per soli passeggeri	
Ufficio informazioni turistiche	
Automobile Club	A.C.
Touring Club di Francia	T.C.F.

LE PIANTE

Viabilità

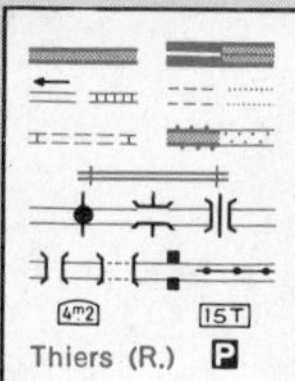

Via di attraversamento o di circonvallazione – a doppia carreggiata
Via a senso unico – a scalinata – in costruzione – in progetto
Via vietata, impraticabile o a circolazione regolamentata – Via alberata
Via pedonale
La via passa : a livello, al disopra, al disotto della ferrovia
Sottopassaggio – Galleria – Porta – Tranvia o filovia
Sottopassaggio (altezza inferiore a m 4,30) – Ponte a portata limitata (inf. a 16 t)
Via commerciale – Parcheggio pubblico

Curiosità - Alberghi - Garage

B
a

Monumento interessante ed entrata principale
Chiesa o cappella cattolica – Chiesa protestante
} Lettera di riferimento sulla pianta
Albergo, Ristorante – Lettera di riferimento sulla pianta
Garage : Citroën, Peugeot, Renault (Alpine)
Talbot (Servizio Chrysler-Simca, Matra, Sunbeam)

Simboli vari

Simbolo di riferimento comune alle piante ed alle carte Michelin particolareggiate
Chiesa o cappella cattolica – Chiesa protestante
Fermo posta, telegrafo, telefono – Ufficio informazioni turistiche
Edifici pubblici indicati con lettere :

A C G
H J M P
POL. T U

Camera di Agricoltura – Camera di Commercio – Gendarmeria
Municipio – Palazzo di giustizia – Museo – Prefettura, sottoprefettura
Polizia (Questura, nelle grandi città) – Teatro – Università
Caserma – Ospedale – Mercato coperto – Faro
Torre – Fabbrica – Torre idrica – Gasometro
Torre, pilone per telecomunicazione
Tavola d'orientamento – Ruderi – Monumento, statua – Fontana
Giardino pubblico, privato – Cimitero – Calvario
Piscina : all'aperto, coperta – Pista di pattinaggio – Ippodromo
Autostazione – Aeroporto – Vista – Panorama
Imbarcadero : Trasporto passeggeri ed autovetture, passeggeri trasporto
Stazione – Stazione della Metropolitana – Golf – Stadio

Per la vostra automobile -
Per i vostri pneumatici

Garagisti riparatori, rivenditori di pneumatici Michelin

RENAULT
PEUGEOT
Gar. de la Côte

Concessionario (o Succursale) della Renault.
Agente della marca Peugeot.
Garagista non rappresentante di marche vettura.
Specialista in pneumatici.
Questi esercizi sono generalmente chiusi il sabato o talvolta il lunedì.

Servizio riparazioni d'emergenza

N

Notturno – Questa lettera indica garagisti che assicurano durante la notte il servizio di normali riparazioni.

Domenicale – Esiste anche di domenica un servizio di riparazione. La polizia e la « gendarmerie » sono generalmente in grado di precisare l'officina in servizio più vicina o il numero telefonico del gruppo dipartimentale di assistenza stradale.
Le nostre Succursali sono in grado di dare ai nostri clienti tutti consigli relativi per la migliore utilizzazione dei pneumatici.

Was ist der MICHELIN-Führer?

Ein Hotel- und Restaurantführer, der zusätzlich eine Vielzahl nützlicher Tips für die Reise gibt.

Zum Gebrauch dieses Führers

Die Erläuterungen stehen auf den folgenden Seiten.
Beachten Sie dabei, daß das gleiche Zeichen, rot oder schwarz, fett oder dünn gedruckt, verschiedene Bedeutungen hat.

Zur Auswahl der Hotels und Restaurants

Der Rote Michelin-Führer ist kein vollständiges Verzeichnis aller Hotels und Restaurants. Er bringt nur eine bewußt getroffene, begrenzte Auswahl. Diese basiert auf regelmäßigen Überprüfungen durch unsere Inspektoren an Ort und Stelle. Bei der Beurteilung werden auch die zahlreichen Hinweise unserer Leser berücksichtigt.

Zu den Stadtplänen

Sie informieren über Fußgänger- und Geschäftsstraßen, Durchgangs- oder Umgehungsstraßen, Lage von Hotels und Restaurants (an Hauptverkehrsstraßen oder in ruhiger Gegend), wo sich die Post, das Verkehrsamt, die wichtigsten öffentlichen Gebäude und Sehenswürdigkeiten u. dgl. befinden.

Hinweise für den Autofahrer

In jedem Ortstext sind Adresse und Telefonnummer der Vertragshändler der großen Automobilfirmen angegeben. So können Sie Ihren Wagen im Bedarfsfall unterwegs warten oder reparieren lassen.

Ihre Meinung zu den Angaben des Führers, Ihre Kritik, Ihre Verbesserungsvorschläge interessieren uns sehr. Zögern Sie daher nicht, uns diese mitzuteilen... wir antworten bestimmt.

Services de Tourisme Michelin

46, av. de Breteuil, F-75341 PARIS CEDEX 07

Vielen Dank im voraus und angenehme Reise!

Wahl eines Hotels, eines Restaurants

Unsere Auswahl ist für Durchreisende gedacht. In jeder Kategorie drückt die Reihenfolge der Betriebe eine weitere Rangordnung aus.

KLASSENEINTEILUNG UND KOMFORT

Großer Luxus, Tradition
Luxus
Sehr komfortabel
Komfortabel
Bürgerlich
Einfach, ordentlich

M	Hotel mit für seine Kategorie moderner Einrichtung
sans rest	Hotel ohne Restaurant
avec ch	Restaurant vermietet auch Zimmer

EINRICHTUNG

Für die , und geben wir keine Einzelheiten über die Einrichtung an, da diese Hotels jeden Komfort besitzen. Außerdem besteht die Möglichkeit, Geld zu wechseln.

In den Häusern der übrigen Kategorien sind die genannten Einrichtungen oft nur in einem Teil der Zimmer vorhanden. Diese Häuser verfügen im allgemeinen über ein Etagenbad oder eine Etagendusche.

30 ch **30 ch**	Anzahl der Zimmer (siehe S. 42 : Abendessen im Hotel)
	Fahrstuhl
	Klimaanlage
TV	Fernsehen im Zimmer
wc	Privatbad mit wc, Privatbad ohne wc
wc	Privatdusche mit wc, Privatdusche ohne wc
	Zimmertelefon mit Außenverbindung über Telefonzentrale
	Zimmertelefon mit direkter Außenverbindung
sans	Ohne Zentralheizung
	Für Körperbehinderte leicht zugängliche Zimmer
	Tennis
	Freibad, Hallenbad
	Strandbad
	Liegewiese
	Garage kostenlos (nur für eine Nacht) für die Besitzer des Michelin-Führers 1981
	Garage wird berechnet
P	Parkplatz reserviert für Gäste des Hauses
25 à 150	Hotel geeignet für Tagungen : Mindest- und Höchstkapazität der Konferenzräume
	Das Mitführen von Hunden ist untersagt : im ganzen Haus
rest	nur im Restaurant
ch	nur im Hotelzimmer
mai-oct.	Öffnungszeit, vom Hotelier mitgeteilt
sais.	Öffnungszeit während der Saisonmonate

Die Häuser, für die wir keine Schließungszeiten angeben, sind ganzjährig geöffnet.

Wahl eines Hotels, eines Restaurants

ANNEHMLICHKEITEN

In manchen Hotels ist der Aufenthalt wegen der schönen, ruhigen Lage, der nicht alltäglichen Einrichtung und Atmosphäre und des gebotenen Services besonders angenehm und erholsam.

Solche Häuser und ihre besonderen Annehmlichkeiten sind im Führer durch folgende rote Symbole gekennzeichnet.

Angenehme Hotels	🏨🏨🏨 ... 🏨
Angenehme Restaurants	✕✕✕✕✕ ... ✕
Besondere Annehmlichkeit	« Parc fleuri »
Sehr ruhiges oder abgelegenes und ruhiges Hotel	🐦 (rot)
Ruhiges Hotel	🐦
Reizvolle Aussicht	⋞ mer
Interessante oder weite Sicht	⋞

Die Karten auf den Seiten 46 bis 53 geben Ihnen einen Überblick über die Orte, in denen sich mindestens ein angenehmes, sehr ruhiges Haus befindet.

Wir wissen, daß diese Auswahl noch nicht vollständig ist. Wir sind aber laufend bemüht, weitere solche Häuser für Sie zu entdecken; dabei sind uns Ihre Erfahrungen und Hinweise eine wertvolle Hilfe.

Wahl eines Hotels, eines Restaurants

DIE KÜCHE

Die Sterne : Siehe Karten S. 54 bis 61.

Zahlreiche Hotels und Restaurants in Frankreich bieten gute Mahlzeiten und gute Weine an.

Aufgrund der Qualität ihrer Küche verdienen einige jedoch Ihre besondere Beachtung. Auf diese Häuser hinzuweisen, ist das Ziel der « Sterne für gute Küche ».

Bei den mit « Stern » ausgezeichneten Betrleben nennen wir drei kulinarische Spezialitäten und regionale Weine, die Sie probieren sollten.

✿ 520

Eine sehr gute Küche : verdient Ihre besondere Beachtung.

Der Stern macht Sie auf ein gutes Restaurant aufmerksam. Vergleichen Sie aber bitte nicht den Stern eines sehr teuren Luxusrestaurants mit dem Stern eines kleineren oder mittleren Hauses, wo man Ihnen zu einem annehmbaren Preis eine ebenfalls vorzügliche Mahlzeit reicht.

✿✿ 80

Eine hervorragende Küche : verdient einen Umweg.

Ausgesuchte Menus und Weine... angemessene Preise.

✿✿✿ 21

Eine der besten Küchen Frankreichs: eine Reise wert.

Ausgezeichnete Mahlzeiten, die den Ruhm der französischen Küche ausmachen. Edle Weine, tadellose Bedienung, gepflegte Atmosphäre... dementsprechende Preise.

Sorgfältig zubereitete, preiswerte Mahlzeiten

Wir glauben, daß es für Sie interessant ist, außer den Stern-Restaurants auch solche Häuser zu kennen, die ein besonders preisgünstiges, gutes, vorzugsweise landesübliches Essen bieten.

Orte mit solchen Häusern finden Sie auf den Karten S. 64 bis 70. Im Text sind die betreffenden Häuser durch den roten Buchstaben **R** gekennzeichnet, z.B. : **R** 42.

Gute Weine : Siehe S. 62/63.

Wahl eines Hotels, eines Restaurants

DIE PREISE

Halten Sie beim Betreten des Hotels den Führer in der Hand, Sie zeigen damit, daß Sie aufgrund dieser Empfehlung gekommen sind.

Die Namen der Hotels und Restaurants, die alle ihre Preise genannt haben, sind fett gedruckt. Gleichzeitig haben sich diese Häuser verpflichtet, diese Preise den Benutzern des Michelin-Führers zu berechnen. Die Preise sind Ende September 1980 angegeben worden und können nach amtlicher Genehmigung Veränderungen unterliegen, wenn die Lebenshaltungskosten steigen sollten. Sie können auf jeden Fall als Richtpreise dienen. Verständigen Sie uns von jeder Preiserhöhung, die unbegründet erscheint. Wenn kein Preis angegeben ist, raten wir Ihnen, sich beim Hotelier danach zu erkundigen.

Mahlzeiten

Restaurant, das ein einfaches **Menu unter 35 F** anbietet	◆
Bedienung inbegriffen	SC
Feste Menupreise – Mindestpreis 40 F, Höchstpreis 85 F	**R** 40/85
Mindestpreis 30 F für ein Menu, das an Sonn- und Feiertagen nicht angeboten wird	30/75
Sorgfältig zubereitete, **preiswerte** Mahlzeiten	**R** 42
Getränke inbegriffen	bc
Preiswerter Tischwein in Karaffen	
Mahlzeiten " à la carte " – Der erste Preis entspricht einer einfachen Mahlzeit und umfaßt Vorspeise, Tagesgericht mit Beilage, Nachtisch. Der zweite Preis entspricht einer reichlicheren Mahlzeit (mit Spezialgericht) bestehend aus : zwei Hauptgängen, Käse, Nachtisch	**R** carte 50 à 95
Wenn bc *nicht vermerkt ist, sind die Getränke in den Preisen nicht inbegriffen*	
Frühstückspreis (im Zimmer serviert)	12
Preis des Frühstücks, im Frühstücksraum serviert	10
Zimmer – Mindestpreis 60 F für ein Einzelzimmer und Höchstpreis 120 F für das schönste Doppelzimmer für zwei Personen	ch 60/120
Übernachtung mit Frühstück	ch
Pension – Mindestpreis und Höchstpreis für Vollpension pro Person und Tag während der Hauptsaison (s. S. 42)	P 105/155
Garage kostenlos (für eine Nacht) für die Besitzer des Michelin-Führers 1981	
Garage wird berechnet	
Geldwechselmöglichkeit (nur für die Hotelgäste)	
Kreditkarten : von den Hotels und Restaurants angenommene Kreditkarten : American Express – Carte bleue (Visa) – Diners Club – Eurocard	AE CB ◑ E

Preise

EINIGE NÜTZLICHE HINWEISE

Frühstück

In einigen Hotels wird das Frühstück nicht im Zimmer serviert : das schwarze Zeichen ☕ weist auf diese Einschränkung hin. Der Frühstückspreis ist meistens nicht im Zimmerpreis inbegriffen. Die Einnahme des Frühstücks sollte jedoch nicht aufgedrängt werden.

Abendessen im Hotel

Wenn der Hotelier bereit ist, Sie für eine Nacht zu beherbergen, ohne daß Sie abends bei ihm speisen müssen, geben wir die Zahl der Zimmer in Fettdruck an : **30 ch**.

Pension

Wir geben nur die Vollpensionspreise (Zimmer, Frühstück, 2 Mahlzeiten) in der Hochsaison an. Die Preise gelten pro Person und Tag und sind als Richtpreise anzusehen. Wir raten Ihnen dringend, sich vor Antritt der Reise mit dem Hotelier über den Endpreis zu verständigen.

Halbpension wird von den meisten Häusern angeboten - Preise auf Anfrage.

In der Vor- und Nachsaison, d.h. vor dem 1. Juli und ab Mitte September (ausgenommen Feiertagswochen), werden häufig günstige Sonderpreise oder -arrangements angeboten. Fragen Sie bei der Zimmerbestellung danach.

In den Wintersportorten sind die Preise im Sommer meistens niedriger als im Winter.

Anmerkung : Für Personen, die ein Doppelzimmer allein belegen, werden die angegebenen Preise manchmal erhöht.

Das Zeichen « SC »

(Bedienung inbegriffen) bezieht sich auf alle angegebenen Preise des Hotels oder des Restaurants und bedeutet, daß kein Aufschlag für Bedienung bei der Abrechnung erhoben werden darf. Die im Führer angegebenen Preise verstehen sich inklusiv Mehrwertsteuer, mit Ausnahme einer eventuellen Kurtaxe.

Anzahlung

Hoteliers verlangen manchmal eine Anzahlung. Diese ist als Garantie sowohl für den Hotelier als auch für den Gast anzusehen. Sofern keine besonderen Vereinbarungen getroffen werden, entspricht die Anzahlung gewöhnlich dem Preis von drei Übernachtungen (Zimmer ohne Pension) oder von vier Tagen bei Vollpension. Bitten Sie den Hotelier, daß er Ihnen in seinem Bestätigungsschreiben alle seine Bedingungen mitteilt.

Besichtigung einer Stadt und ihrer Umgebung

SEHENSWÜRDIGKEITEN

Eine Reise wert	★★★
Verdient einen Umweg	★★
Sehenswert	★

Lage

Sehenswürdigkeiten in der Stadt	**Voir**
In der Umgebung der Stadt	**Env.**
Die Sehenswürdigkeit liegt im Norden (N), Süden (S), Osten (E), Westen (O) der Stadt	N, S, E, O
Zu erreichen über Ausfallstraße ②, ④, die auf dem Stadtplan und auf der Karte durch das gleiche Zeichen gekennzeichnet ist	②, ④
Entfernung in Kilometern	2 km
Zeitangabe : zu Fuß hin und zurück (h : Stunden, mn : Minuten)	h, mn

Museen sind im allgemeinen dienstags geschlossen.

STÄDTE

Präfektur	P
Unterpräfektur	SP
Zuständige Postleitzahl (die zwei ersten Zahlen sind ebenfalls Nummer des Departements)	**63300**
Nummer der Michelin-Karte und Nummer der Faltseite	**80** ⑤
Siehe Grünen Michelin-Reiseführer **Jura**	**G. Jura**
Einwohnerzahl	1 057 h.
Höhe	alt. 175
Thermalbad	Stat. therm.
Wintersport	Sports d'hiver
Höhe des Wintersportortes und Maximal-Höhe, die mit Kabinenbahn oder Lift erreicht werden kann	1 200/1 900
Anzahl der Kabinenbahnen	2
Anzahl der Schlepp- und Sessellifts	14
Langlaufloipen	
Postleitzahl und Name des Verteilerpostamtes	✉ **57130** Ars
Ortsnetzkennzahl	28
Markierung auf dem Stadtplan	BX **B**
Rundblick, Aussichtspunkt	
Golfplatz und Lochzahl	9
Flughafen	
Ladestelle für Autoreisezüge - Nähere Auskunft unter der angegebenen Telefonnummer	
Personen- und Autofähre	
Personenfähre	
Informationsstelle	
Automobil Club	A.C.
Französischer Touring Club	T.C.F.

STADTPLÄNE

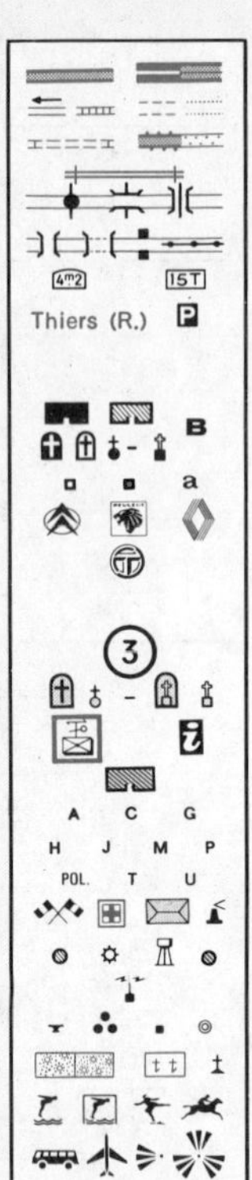

Straßen

Durchfahrts- oder Umgehungsstraße – Straße mit getrennten Fahrbahnen
Einbahnstraße – Treppenstraße – Straße im Bau, geplant
Straße für Kfz gesperrt, nicht befahrbar oder mit Verkehrsbeschränkungen – Allee
Fußgängerzone
Bahnübergang : schienengleich, Überführung, Unterführung
Passage – Tunnel – Tor – Straßenbahn oder O-Bus
Unterführung (Höhe bis 4,30 m) – Brücke mit beschränkter Belastung (unter 16 t)
Einkaufsstraße – Öffentlicher Parkplatz, Parkhaus

Sehenswürdigkeiten - Hotels - Reparaturwerkstätten

Sehenswertes Gebäude mit Haupteingang } Referenzbuchstabe
Katholische Kirche oder Kapelle – Evangelische Kirche } auf dem Plan
Hotel, Restaurant – Referenzbuchstabe auf dem Plan
Reparaturwerkstätten : Citroën, Peugeot, Renault (Alpine)
Talbot (Reparaturdienst für Chrysler-Simca, Matra, Sunbeam)

Sonstige Zeichen

Straßenkennzeichnung (identisch auf Michelin-Stadtplänen und -Abschnittskarten)
Katholische Kirche oder Kapelle – Evangelische Kirche
Postlagernde Sendungen, Telegraph, Telefon – Informationsstelle
Öffentliche Gebäude, durch Buchstaben gekennzeichnet :
Landwirtschaftskammer – Handelskammer – Gendarmerie
Rathaus – Gerichtsgebäude – Museum – Präfektur, Unterpräfektur
Polizei (in größeren Städten Polizeipräsidium) – Theater – Universität
Kaserne – Krankenhaus – Markthalle – Leuchtturm
Turm – Fabrik – Wasserturm – Gasbehälter
Funk-, Fernsehturm
Orientierungstafel – Ruine – Denkmal, Statue – Brunnen
Öffentlicher Park, privater Park – Friedhof – Bildstock
Freibad-Hallenbad – Eisbahn – Pferderennbahn
Autobusbahnhof – Flughafen – Aussicht – Rundblick
Anlegestelle : Personen- und Autofähre – Personenfähre
Bahnhof– U-Bahnhof – Golf – Stadion

Für Ihren Wagen, für Ihre Reifen

Reparaturwerkstätten, Lieferanten von Michelin-Reifen

RENAULT
PEUGEOT
Gar. de la Côte

Renault-Zweigstelle (oder Niederlassung)
Peugeot-Vertragswerkstatt
Unabhängige Reparaturwerkstatt
Reifenhändler

Im allgemeinen sind diese Werkstätten am Samstag und eventuell am Montag geschlossen

Reparaturdienst

N

Nachts – Dieser Buchstabe weist auf Autoreparaturwerkstätten hin, die auch nachts Reparaturen ausführen.

Sonntags – An Sonntagen ist in jeder französischen Stadt eine Reparaturwerkstatt geöffnet. Notfalls können die Gendarmerie, die Polizei usw. die entsprechende Werkstatt angeben.

In unseren Depots geben wir unseren Kunden gerne Auskunft über alle Reifenfragen.

Les CARTES des pages suivantes vous permettent de repérer :

Les hôtels agréables, isolés, très tranquilles 🏨 .... 🐦 **p. 46 à 53**
Les bonnes tables à étoiles ✿ **p. 54 à 61**
Les repas soignés à prix modérés R **p. 64 à 70**

Pour vous rendre avec précision au lieu choisi, ayez la carte Michelin à 1/200 000. Toutes les localités citées dans ce guide y sont soulignées de rouge.

The MAPS on the following pages will help you to find :

Pleasant, secluded, very quiet hotels 🏨 .... 🐦 **pp. 46 to 53**
Establishments with Stars ✿ **pp. 54 to 61**
Good food at moderate prices R **pp. 64 to 70**

In order to pinpoint exactly the locality you have chosen, use the Michelin map scale 1/200 000. All towns having at least one establishment included in the Guide are underlined in red on these maps.

Le CARTE GEOGRAFICHE riportate nelle pagine seguenti Vi permettono di reperire :

Gli hotel ameni, isolati, molto tranquilli 🏨 .... 🐦 **p. 46 a 53**
Le ottime tavole con stelle ✿ **p. 54 a 61**
I pasti accurati a prezzi contenuti R **p. 64 a 70**

Per raggiungere con più facilità i luoghi scelti, utilizzate la carta Michelin scala 1/200 000. Tutte le località citate in questa guida vi sono sottolineate in rosso.

Auf den KARTEN der folgenden Seiten finden Sie Orte mit mindestens :

einem angenehmen, abgelegenen, besonders ruhigen Hotel 🏨 .... 🐦 **S. 46 bis 53**
einem Stern-Restaurant, ✿ **S. 54 bis 61**
einem Lokal, in dem man gut und preiswert essen kann R **S. 64 bis 70**

Um schnell und ohne Schwierigkeiten an den ausgewählten Ort zu gelangen, empfehlen wir Ihnen die Michelin-Straßenkarten im Maßstab 1:200 000. Auf diesen Karten sind alle im Führer erwähnten Orte rot unterstrichen.

1

L'AGRÉMENT **AMENITÀ**

AMENITY **ANNEHMLICHKEIT**

le texte text il testo Ortstext	la carte map la carta Karte
	◇
….	◈
… +	◆

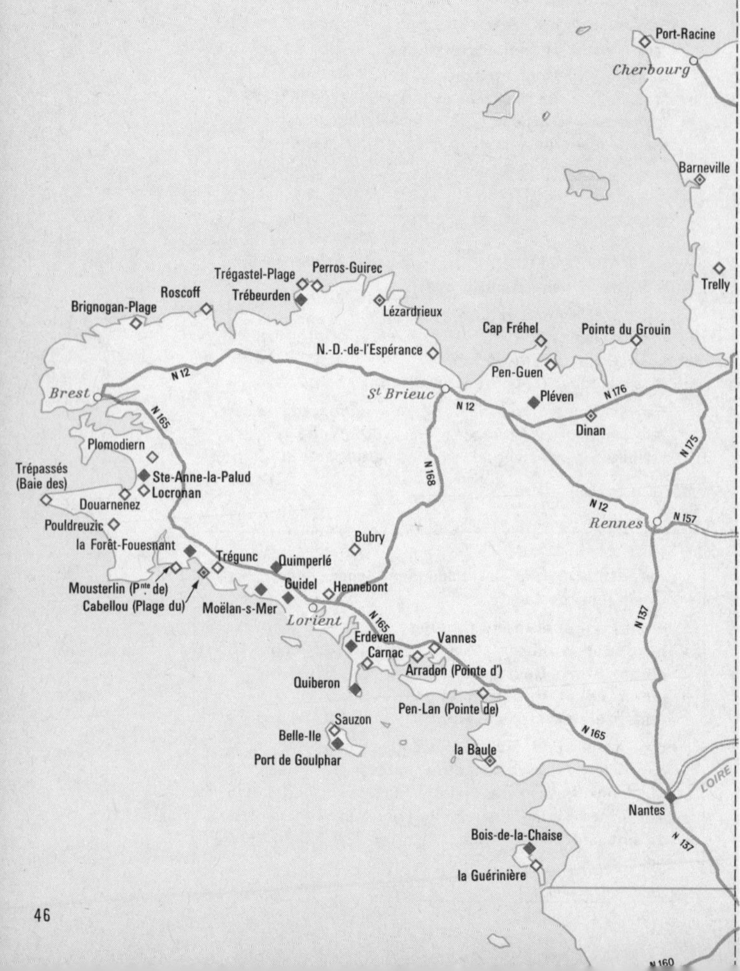

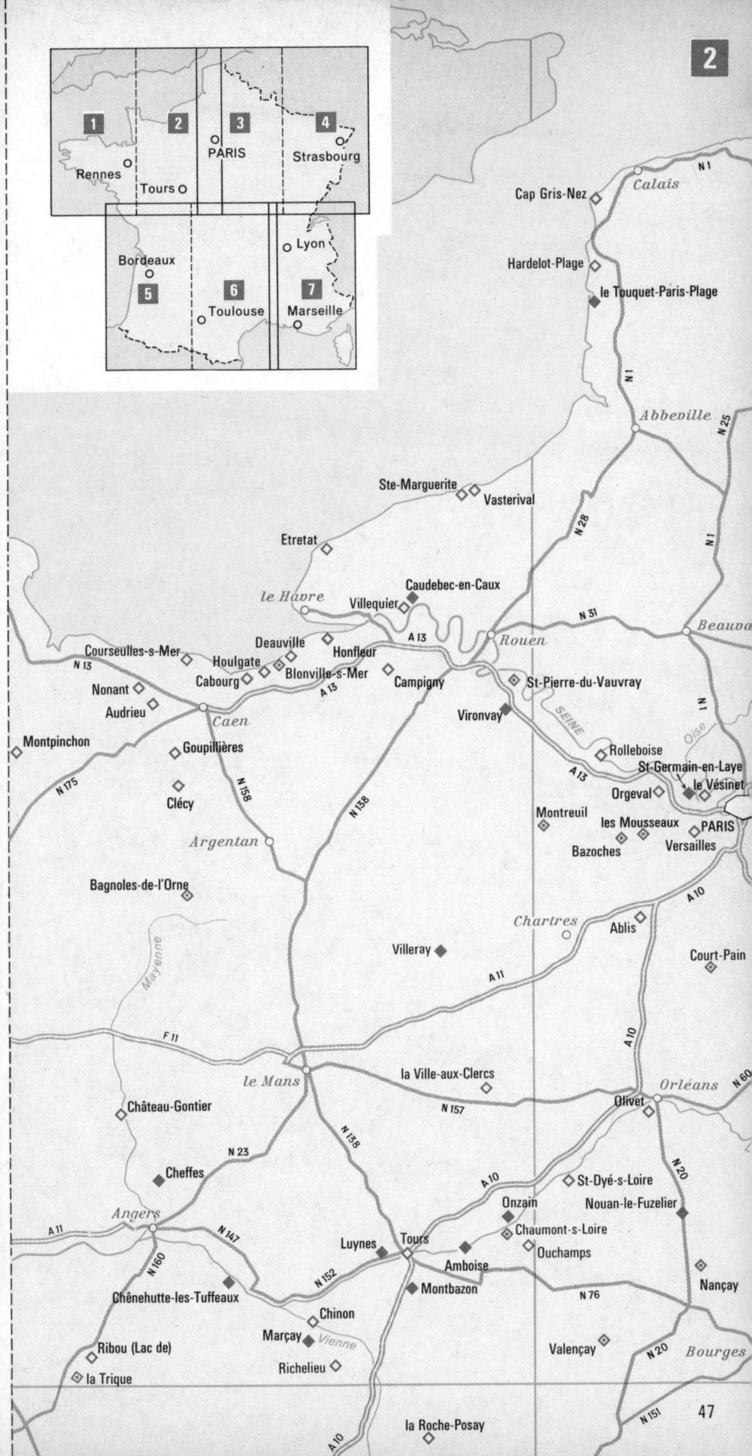
2
1
2
3
4
PARIS
Strasbourg
Rennes
Tours
Lyon
Bordeaux
5
6
7
Toulouse
Marseille
Calais
Cap Gris-Nez
Hardelot-Plage
le Touquet-Paris-Plage
N 1
Abbeville
N 25
Ste-Marguerite
Vasterival
N 28
Etretat
Caudebec-en-Caux
le Havre
Villequier
N 31
Beauva
A 13
Rouen
Deauville
Honfleur
Courseulles-s-Mer
Houlgate
Cabourg
Blonville-s-Mer
Campigny
St-Pierre-du-Vauvray
N 13
Nonant
Audrieu
A 13
Caen
Vironvay
SEINE
Oise
Montpinchon
Goupillières
Rolleboise
St-Germain-en-Laye
N 175
N 158
Clécy
N 138
Orgeval
le Vésinet
Montreuil
les Mousseaux
PARIS
Bazoches
Versailles
Argentan
Bagnoles-de-l'Orne
A 10
Chartres
Ablis
Mayenne
Villeray
Court-Pain
A 11
A 10
F 11
le Mans
la Ville-aux-Clercs
N 60
Orléans
Olivet
Château-Gontier
N 157
N 138
N 20
N 23
A 10
St-Dyé-s-Loire
Cheffes
Onzain
Nouan-le-Fuzelier
Angers
Chaumont-s-Loire
A 11
N 147
Luynes
Tours
Ouchamps
N 160
Amboise
Nançay
N 152
Chênehutte-les-Tuffeaux
Montbazon
N 76
Chinon
Marçay
Vienne
Ribou (Lac de)
Valençay
N 20
Bourges
Richelieu
la Trique
N 151
A 10
la Roche-Posay

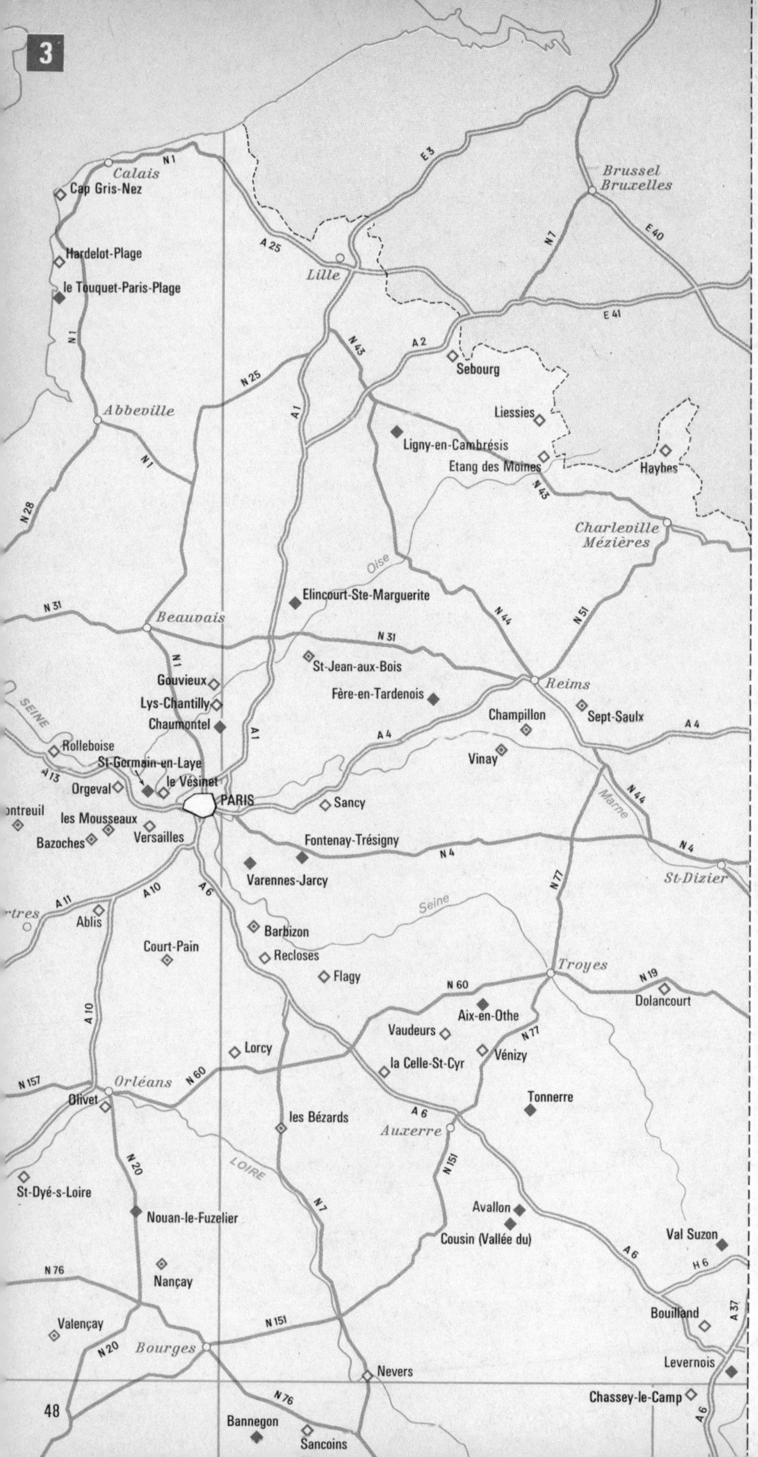
3
Calais
Cap Gris-Nez
Hardelot-Plage
le Touquet-Paris-Plage
Abbeville
Lille
Brussel
Bruxelles
Sebourg
Liessies
Ligny-en-Cambrésis
Etang des Moines
Hayhes
Charleville
Mézières
Oise
Elincourt-Ste-Marguerite
Beauvais
St-Jean-aux-Bois
Fère-en-Tardenois
Reims
Sept-Saulx
Champillon
Vinay
Gouvieux
Lys-Chantilly
Chaumontel
SEINE
Rolleboise
St-Germain-en-Laye
le Vésinet
Orgeval
PARIS
Sancy
ontreuil
les Mousseaux
Bazoches
Versailles
Fontenay-Trésigny
Varennes-Jarcy
Marne
St-Dizier
rtres
Ablis
Seine
Barbizon
Court-Pain
Recloses
Flagy
Troyes
Dolancourt
Aix-en-Othe
Vaudeurs
Lorcy
Vénizy
la Celle-St-Cyr
Orléans
Olivet
Tonnerre
les Bézards
Auxerre
LOIRE
St-Dyé-s-Loire
Nouan-le-Fuzelier
Avallon
Cousin (Vallée du)
Val Suzon
Nançay
Bouilland
Valençay
Bourges
Nevers
Levernois
Chassey-le-Camp
Bannegon
Sancoins
N 1
E 3
A 25
N 7
E 40
E 41
A 2
N 43
N 25
A 1
N 28
N 31
N 44
N 51
A 4
A 13
N 4
N 77
A 10
A 11
A 6
N 60
N 19
N 157
N 20
N 151
H 6
A 37
N 76

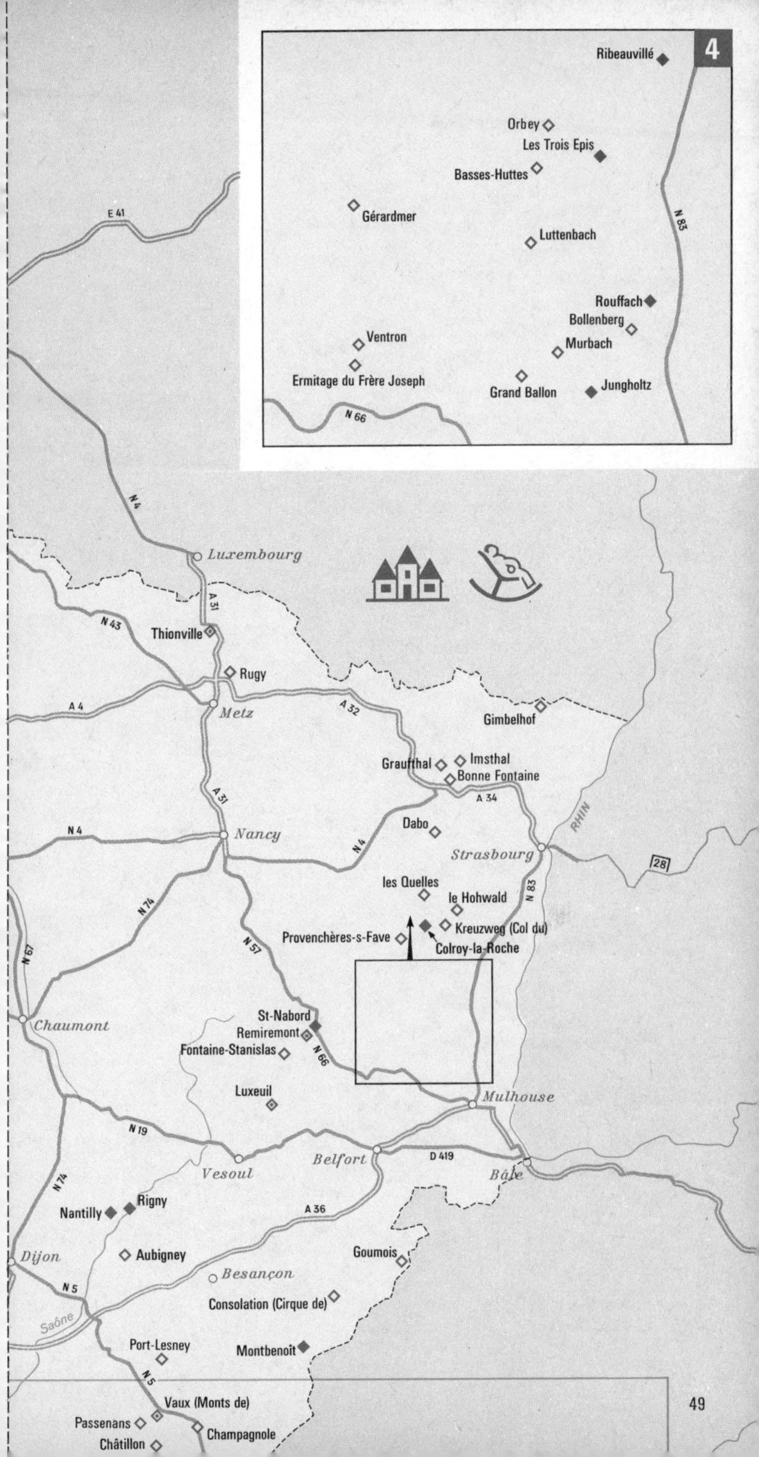

4
Ribeauvillé
Orbey
Les Trois Epis
Basses-Huttes
Gérardmer
Luttenbach
N 83
Rouffach
Bollenberg
Ventron
Murbach
Ermitage du Frère Joseph
Grand Ballon
Jungholtz
N 66
E 41
N 4
Luxembourg
A 31
N 43
Thionville
Rugy
A 4
Metz
A 32
Gimbelhof
Graufthal
Imsthal
Bonne Fontaine
A 34
A 31
Dabo
RHIN
N 4
Nancy
N 4
Strasbourg
28
les Quelles
le Hohwald
N 74
N 83
Kreuzweg (Col du)
Provenchères-s-Fave
Colroy-la-Roche
N 57
N 67
St-Nabord
Chaumont
Remiremont
Fontaine-Stanislas
N 66
Luxeuil
Mulhouse
N 19
Belfort
D 419
Vesoul
Bâle
N 74
Rigny
Nantilly
A 36
Goumois
Dijon
Aubigney
Besançon
N 5
Consolation (Cirque de)
Saône
Port-Lesney
Montbenoît
N 5
Vaux (Monts de)
Passenans
Champagnole
Châtillon

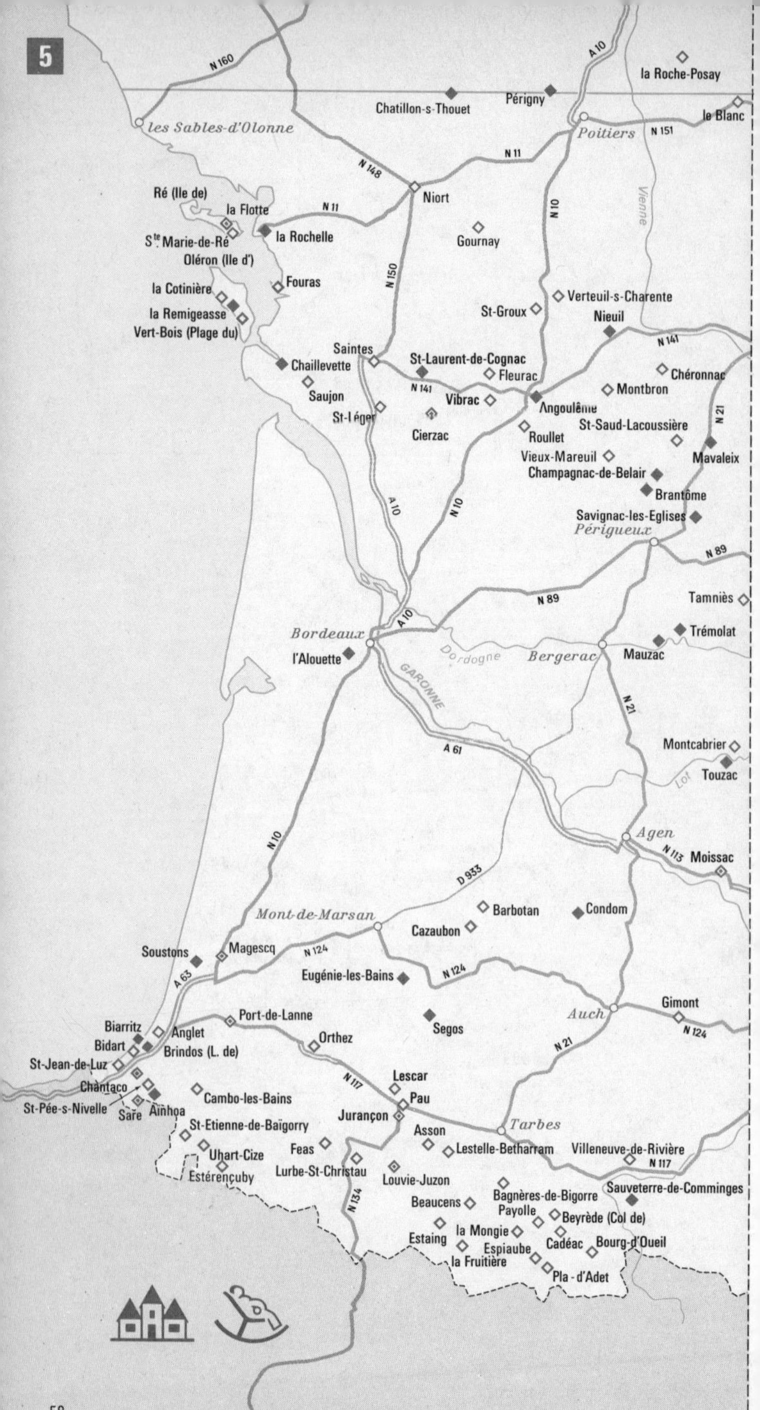

5

N 160
A 10
la Roche-Posay
Chatillon-s-Thouet
Périgny
les Sables-d'Olonne
Poitiers
N 151
le Blanc
N 148
N 11
Niort
Vienne
Ré (Ile de)
la Flotte
N 11
N 10
Ste Marie-de-Ré
la Rochelle
Gournay
Oléron (Ile d')
Fouras
N 150
la Cotinière
la Remigeasse
Vert-Bois (Plage du)
Verteuil-s-Charente
St-Groux
Nieuil
N 141
Saintes
St-Laurent-de-Cognac
Chaillevette
Fleurac
Chéronnac
Saujon
N 141
Vibrac
Montbron
Angoulême
St-Léger
Cierzac
Roullet
St-Saud-Lacoussière
N 21
Vieux-Mareuil
Mavaleix
Champagnac-de-Belair
Brantôme
A 10
N 10
Savignac-les-Eglises
Périgueux
N 89
N 89
Tamniès
A 10
Bordeaux
Trémolat
l'Alouette
Dordogne
Bergerac
Mauzac
GARONNE
N 21
A 61
Montcabrier
Touzac
Lot
Agen
N 10
N 113
Moissac
D 933
Barbotan
Condom
Mont-de-Marsan
Cazaubon
Soustons
Magescq
N 124
A 63
Eugénie-les-Bains
N 124
Auch
Gimont
N 124
Port-de-Lanne
Segos
Biarritz
Anglet
Bidart
Brindos (L. de)
Orthez
N 21
St-Jean-de-Luz
N 117
Lescar
Chàntaco
Cambo-les-Bains
Pau
St-Pée-s-Nivelle
Sare
Aïnhoa
Jurançon
Tarbes
St-Etienne-de-Baïgorry
Asson
Feas
Lestelle-Betharram
Villeneuve-de-Rivière
N 117
Uhart-Cize
Lurbe-St-Christau
Estérençuby
Louvie-Juzon
N 134
Bagnères-de-Bigorre
Sauveterre-de-Comminges
Beaucens
Payolle
Beyrède (Col de)
la Mongie
Estaing
Cadéac
Bourg-d'Oueil
Espiaube
la Fruitière
Pla-d'Adet

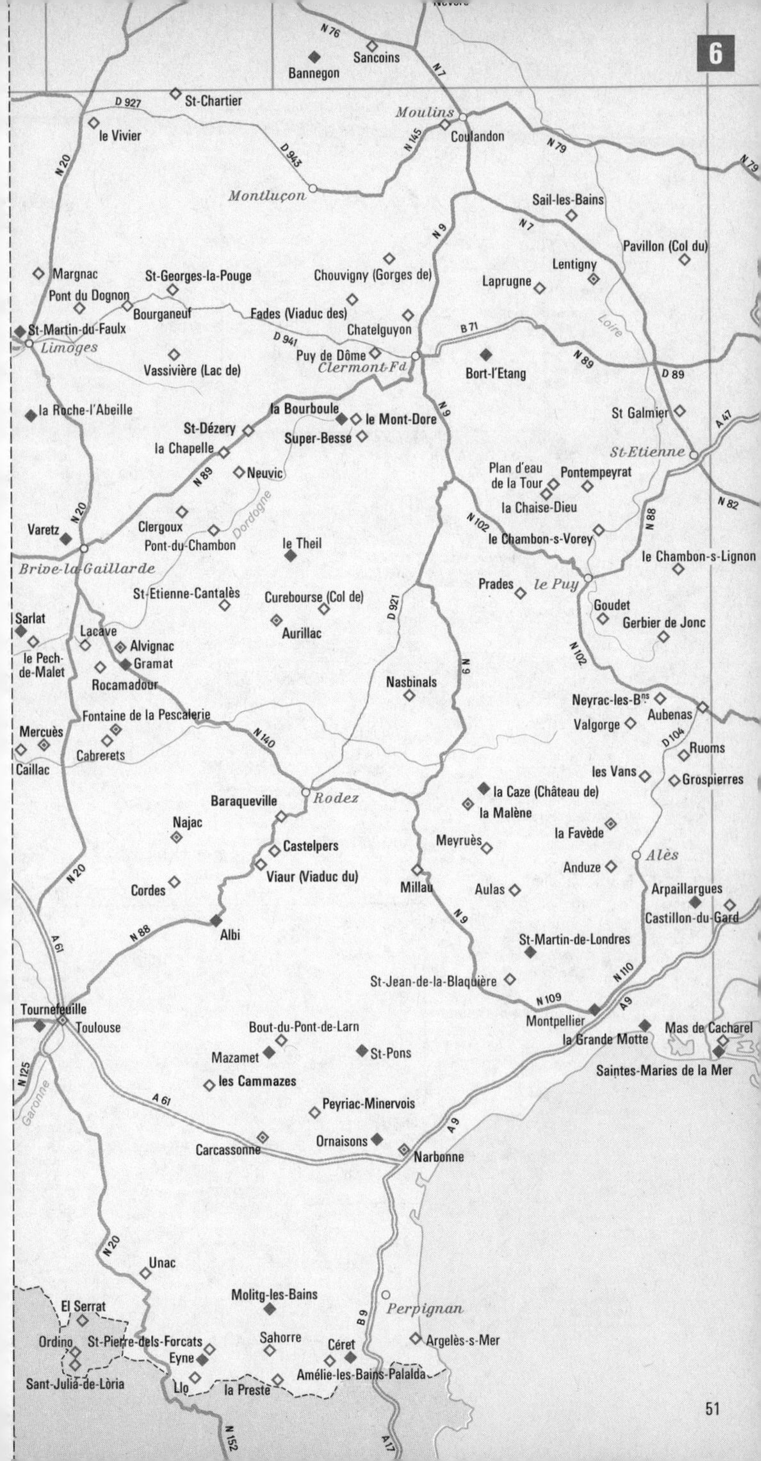
N 76
Sancoins
Bannegon
N 7
D 927
St-Chartier
Moulins
Coulandon
le Vivier
N 145
N 79
N 20
D 943
Montluçon
N 79
Sail-les-Bains
N 9
N 7
Pavillon (Col du)
Lentigny
Margnac
St-Georges-la-Pouge
Chouvigny (Gorges de)
Laprugne
Pont du Dognon
Bourganeuf
Fades (Viaduc des)
Chatelguyon
Loire
St-Martin-du-Faulx
Limoges
D 941
B 71
Puy de Dôme
Clermont-Fd
Bort-l'Etang
N 89
D 89
Vassivière (Lac de)
la Roche-l'Abeille
la Bourboule
le Mont-Dore
N 9
St Galmier
A 47
St-Dézery
Super-Besse
la Chapelle
St-Etienne
Neuvic
N 89
Plan d'eau
de la Tour
Pontempeyrat
la Chaise-Dieu
N 82
N 20
Clergoux
Dordogne
N 102
N 88
Varetz
Pont-du-Chambon
le Chambon-s-Vorey
le Theil
le Chambon-s-Lignon
Brive-la-Gaillarde
Prades
le Puy
St-Etienne-Cantalès
Curebourse (Col de)
D 921
Goudet
Sarlat
Gerbier de Jonc
Aurillac
Lacave
Alvignac
le Pech-
de-Malet
Gramat
N 102
N 9
Rocamadour
Nasbinals
Neyrac-les-B^ns
Aubenas
Fontaine de la Pescalerie
Valgorge
Mercuès
N 140
D 104
Ruoms
Cabrerets
Caillac
les Vans
Grospierres
la Caze (Château de)
Baraqueville
Rodez
la Malène
Najac
la Favède
Castelpers
Meyruès
Alès
Viaur (Viaduc du)
Anduze
N 20
Millau
Aulas
Cordes
Arpaillargues
Castillon-du-Gard
N 9
N 88
Albi
St-Martin-de-Londres
A 61
N 110
St-Jean-de-la-Blaquière
N 109
A 9
Tournefeuille
Toulouse
Montpellier
Bout-du-Pont-de-Larn
Mas de Cacharel
la Grande Motte
Mazamet
St-Pons
N 125
Saintes-Maries de la Mer
les Cammazes
Garonne
A 61
Peyriac-Minervois
A 9
Carcassonne
Ornaisons
Narbonne
N 20
Unac
El Serrat
Molitg-les-Bains
Perpignan
B 9
Ordino
St-Pierre-dels-Forcats
Sahorre
Céret
Argelès-s-Mer
Eyne
Sant-Julià-de-Lòria
Llo
la Preste
Amélie-les-Bains-Palalda
N 152
A 17

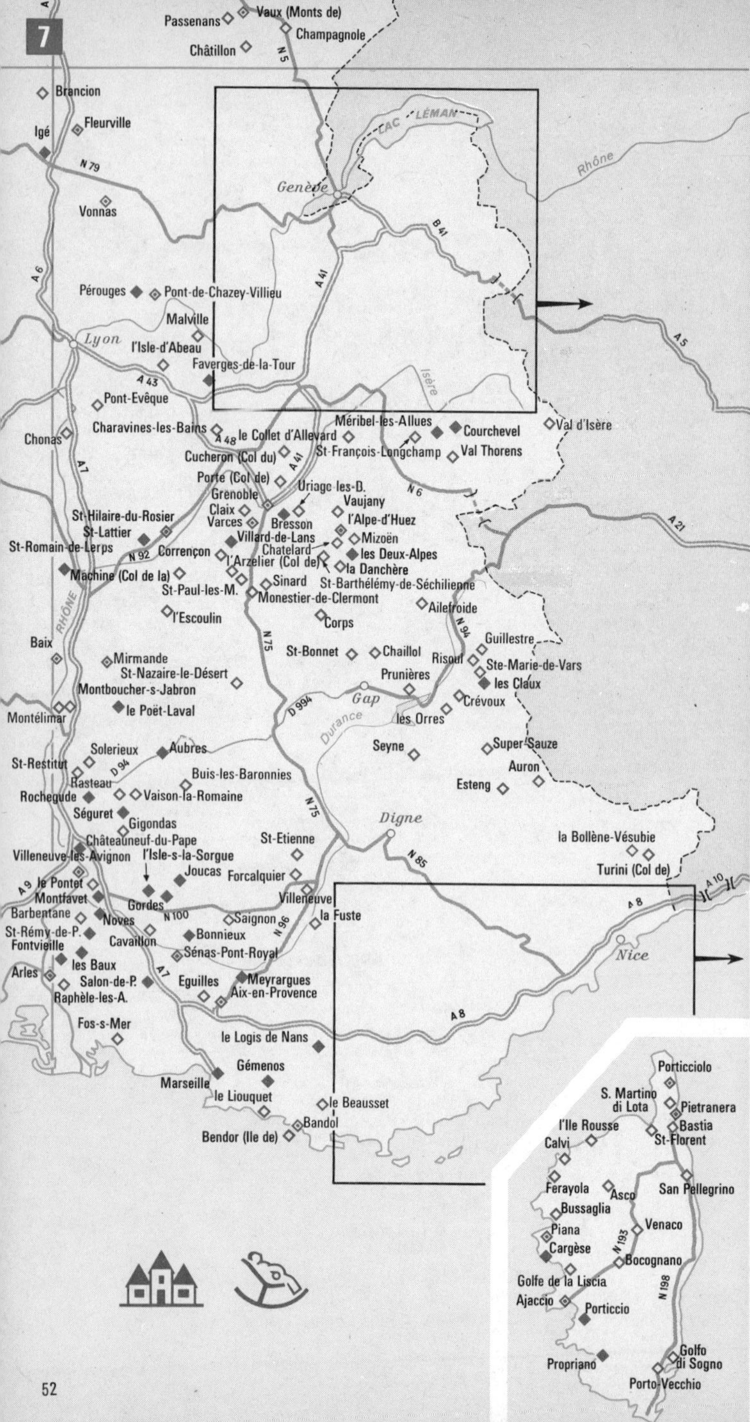

7
Passenans
Vaux (Monts de)
Champagnole
Châtillon
Brancion
Igé
Fleurville
Vonnas
Genève
LAC LÉMAN
Rhône
Pérouges
Pont-de-Chazey-Villieu
Malville
Lyon
l'Isle-d'Abeau
Faverges-de-la-Tour
Isère
Pont-Evêque
Chonas
Charavines-les-Bains
le Collet d'Allevard
Méribel-les-Allues
Courchevel
Val d'Isère
Cucheron (Col du)
St-François-Longchamp
Val Thorens
Porte (Col de)
Grenoble
Uriage-les-D.
Vaujany
Claix
Varces
Bresson
l'Alpe-d'Huez
St-Hilaire-du-Rosier
St-Lattier
Villard-de-Lans
Mizoën
Chatelard
les Deux-Alpes
St-Romain-de-Lerps
Corrençon
l'Arzelier (Col de)
la Danchère
Machine (Col de la)
Sinard
St-Barthélémy-de-Séchilienne
St-Paul-les-M.
Monestier-de-Clermont
l'Escoulin
Ailefroide
Corps
RHÔNE
Baix
Guillestre
St-Bonnet
Chaillol
Risoul
Ste-Marie-de-Vars
Mirmande
St-Nazaire-le-Désert
Prunières
les Claux
Montboucher-s-Jabron
Crévoux
le Poët-Laval
Gap
Montélimar
les Orres
Durance
Seyne
Super Sauze
Solerieux
Aubres
St-Restitut
Auron
Buis-les-Baronnies
Rasteau
Esteng
Rochegude
Vaison-la-Romaine
Séguret
Digne
Gigondas
Châteauneuf-du-Pape
St-Etienne
la Bollène-Vésubie
Villeneuve-les-Avignon
l'Isle-s-la-Sorgue
Joucas
Turini (Col de)
le Pontet
Forcalquier
Montfavet
Gordes
Villeneuve
Barbentane
Noves
Saignon
la Fuste
St-Rémy-de-P.
Bonnieux
Nice
Fontvieille
Cavaillon
Sénas-Pont-Royal
les Baux
Arles
Salon-de-P.
Eguilles
Meyrargues
Raphèle-les-A.
Aix-en-Provence
Fos-s-Mer
le Logis de Nans
Gémenos
Marseille
le Liouquet
le Beausset
Bandol
Bendor (Ile de)
Porticciolo
S. Martino di Lota
Pietranera
l'Ile Rousse
Bastia
Calvi
St-Florent
Ferayola
Asco
San Pellegrino
Bussaglia
Venaco
Piana
Cargèse
Bocognano
Golfe de la Liscia
Ajaccio
Porticcio
Golfo di Sogno
Propriano
Porto-Vecchio
A 6
N 5
N 79
B 41
A 41
A 5
A 43
A 48
A 7
N 6
A 21
N 92
N 94
N 75
D 994
D 94
N 85
A 9
N 100
N 96
A 8
A 10
N 193
N 198

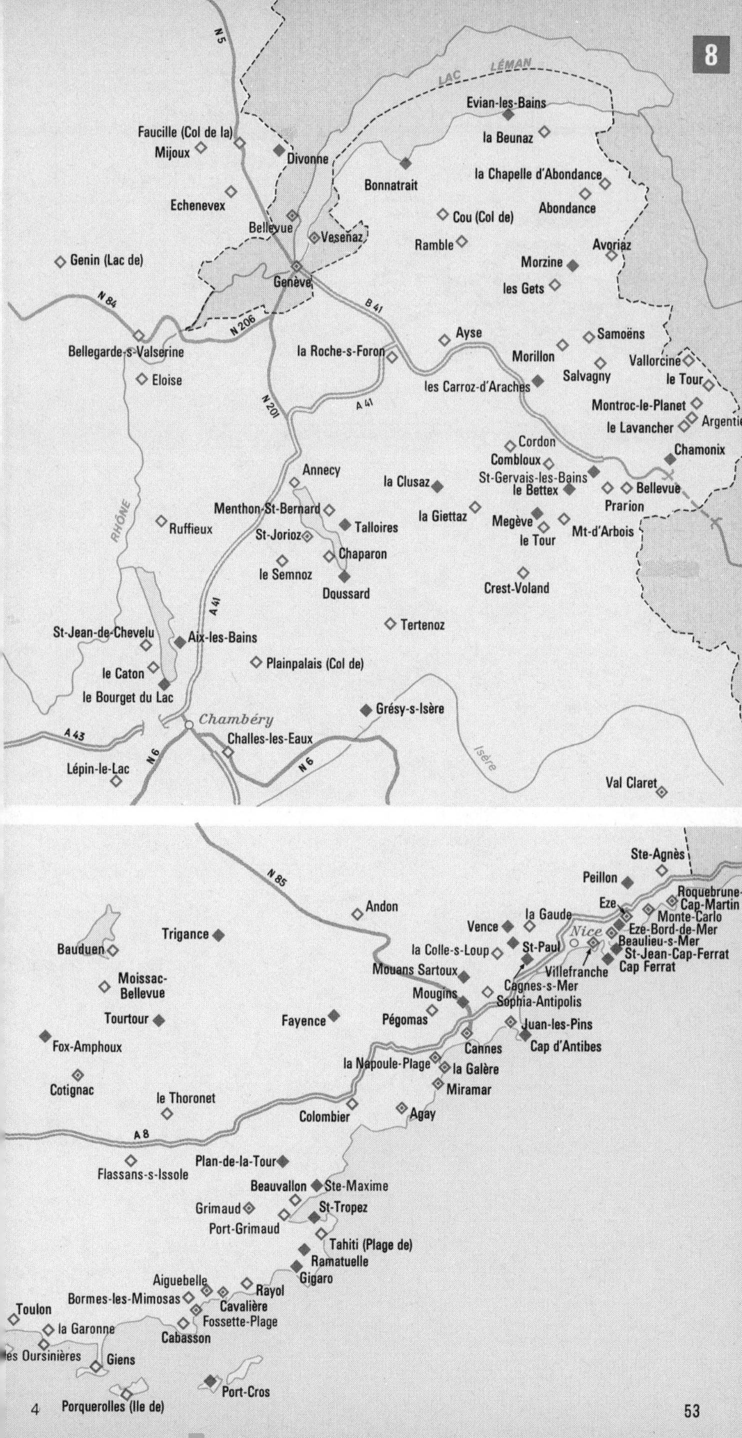
LAC LÉMAN
Evian-les-Bains
la Beunaz
Faucille (Col de la)
Mijoux
Divonne
Bonnatrait
la Chapelle d'Abondance
Abondance
Echenevex
Cou (Col de)
Bellevue
Vesenaz
Ramble
Avoriaz
Genin (Lac de)
Morzine
Genève
les Gets
N 5
N 84
N 206
B 41
Ayse
Samoëns
Bellegarde-s-Valserine
la Roche-s-Foron
Morillon
Vallorcine
Salvagny
le Tour
Eloise
les Carroz-d'Araches
Montroc-le-Planet
N 201
A 41
le Lavancher
Argentière
Cordon
Chamonix
Combloux
Annecy
la Clusaz
St-Gervais-les-Bains
le Bettex
Bellevue
Prarion
Menthon-St-Bernard
la Giettaz
Megève
Mt-d'Arbois
Talloires
le Tour
RHÔNE
Ruffieux
St-Jorioz
Chaparon
le Semnoz
Doussard
Crest-Voland
Tertenoz
St-Jean-de-Chevelu
Aix-les-Bains
Plainpalais (Col de)
le Caton
le Bourget du Lac
Grésy-s-Isère
Chambéry
A 43
Challes-les-Eaux
Isère
N 6
Lépin-le-Lac
Val Claret
Ste-Agnès
N 85
Peillon
Roquebrune-Cap-Martin
Andon
Eze
la Gaude
Monte-Carlo
Trigance
Vence
Eze-Bord-de-Mer
Nice
Beaulieu-s-Mer
Bauduen
St-Paul
la Colle-s-Loup
St-Jean-Cap-Ferrat
Cap Ferrat
Mouans Sartoux
Villefranche
Moissac-Bellevue
Cagnes-s-Mer
Mougins
Sophia-Antipolis
Tourtour
Fayence
Pégomas
Juan-les-Pins
Fox-Amphoux
Cannes
Cap d'Antibes
la Napoule-Plage
la Galère
Cotignac
Miramar
le Thoronet
Colombier
Agay
A 8
Plan-de-la-Tour
Flassans-s-Issole
Beauvallon
Ste-Maxime
Grimaud
St-Tropez
Port-Grimaud
Tahiti (Plage de)
Ramatuelle
Gigaro
Aiguebelle
Rayol
Bormes-les-Mimosas
Cavalière
Toulon
Fossette-Plage
la Garonne
Cabasson
les Oursinières
Giens
Port-Cros
Porquerolles (Ile de)

1

LES ÉTOILES	LE STELLE	Texte et carte Text and map Testo e carta Ortstext und Karte
THE STARS	DIE STERNE	
		✿ ✿✿ ✿✿✿

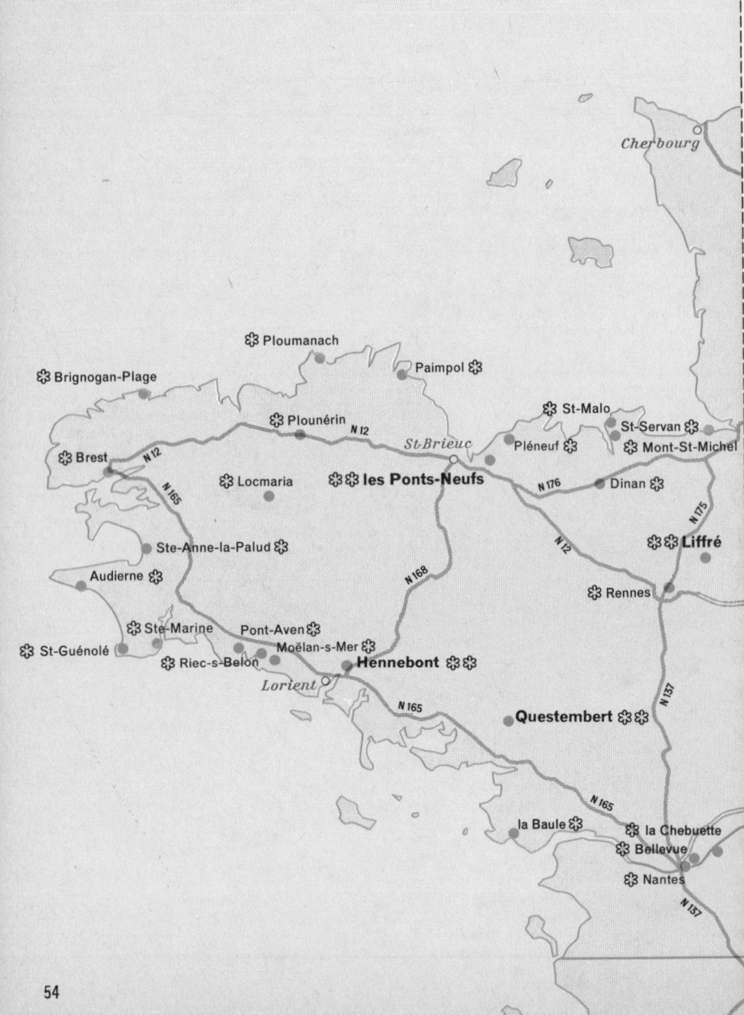

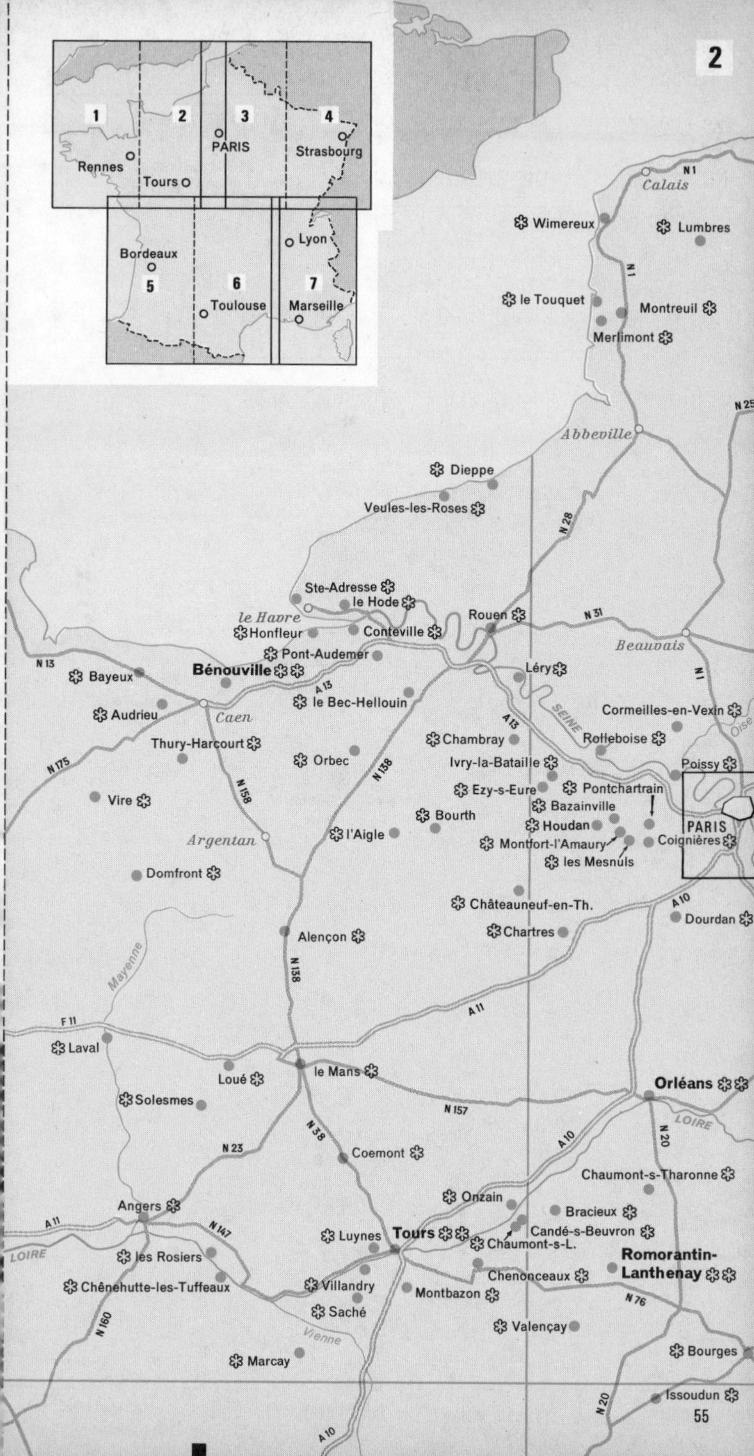

2
1
2
3
4
PARIS
Strasbourg
Rennes
Tours
Bordeaux
5
6
7
Lyon
Toulouse
Marseille
Calais
N 1
Wimereux
Lumbres
le Touquet
Montreuil
Merlimont
Abbeville
N 25
Dieppe
Veules-les-Roses
N 28
Ste-Adresse
le Hode
le Havre
Honfleur
Conteville
Rouen
N 31
Beauvais
Pont-Audemer
N 13
Bayeux
Bénouville
A 13
le Bec-Hellouin
Léry
Audrieu
Caen
SEINE
Cormeilles-en-Vexin
Oise
Chambray
Rolleboise
Thury-Harcourt
N 175
Orbec
N 138
Ivry-la-Bataille
Poissy
Ezy-s-Eure
Pontchartrain
Vire
N 158
Bazainville
Bourth
Houdan
PARIS
Argentan
l'Aigle
Montfort-l'Amaury
Coignières
les Mesnuls
Domfront
Châteauneuf-en-Th.
A 10
Dourdan
Chartres
Alençon
Mayenne
A 11
F 11
Laval
Loué
le Mans
Orléans
Solesmes
N 157
LOIRE
N 20
N 38
Coemont
N 23
A 10
Chaumont-s-Tharonne
Onzain
Angers
Bracieux
A 11
N 147
Luynes
Tours
Candé-s-Beuvron
Chaumont-s-L.
LOIRE
les Rosiers
Romorantin-Lanthenay
Chenonceaux
Chênehutte-les-Tuffeaux
Villandry
Montbazon
N 76
Saché
N 160
Valençay
Vienne
Bourges
Marcay
Issoudun
N 20
A 10

3
Téteghem
Calais
Brussel
Bruxelles
Wimereux
St-Omer
Lumbres
Prémesques
Roubaix
Lille
le Touquet
Montreuil
Merlimont
Valenciennes
Arras
Abbeville
Dourlers
Sars-Poteries
Avesnes
Sains-du-Nord
St-Quentin
Vervins
Auvillers-les-Forges
Ham
Neuville-St-Amand
Charleville-Mézières
Roye
Sedan
Oise
Rethel
Beauvais
Châlons-s-Vesle
REIMS
Fère-en-Tardenois
Sept-Saulx
Cormeilles-en-Vexin
Champillon
Rolleboise
Poissy
-la-Bataille
Pontchartrain
la Ferté-s/s-Jouarre
l'Epine
Marne
Bazainville
Houdan
Montfort-l'Amaury
Coignières
les Mesnuls
PARIS
St-Dizier
Dourdan
Melun
Chartres
Barbizon
Troyes
Pont-Ste-Marie
Bar-s-Aube
Seine
Sens
Montargis
Joigny
Orléans
Tonnerre
Auxerre
les Bézards
Vaux
Chevannes
Loire
Chaumont-s-Tharonne
Avallon
Bracieux
Velars-s-Ouche
Romorantin-Lanthenay
St-Père
Saulieu
Gevrey-Chambertin
Nuits-St-Georges
Pouilly-s-Loire
Valençay
Beaune
Bourges
CHAGNY
Magny-Cours
Mercurey
Issoudun
Chalon-s-Saône

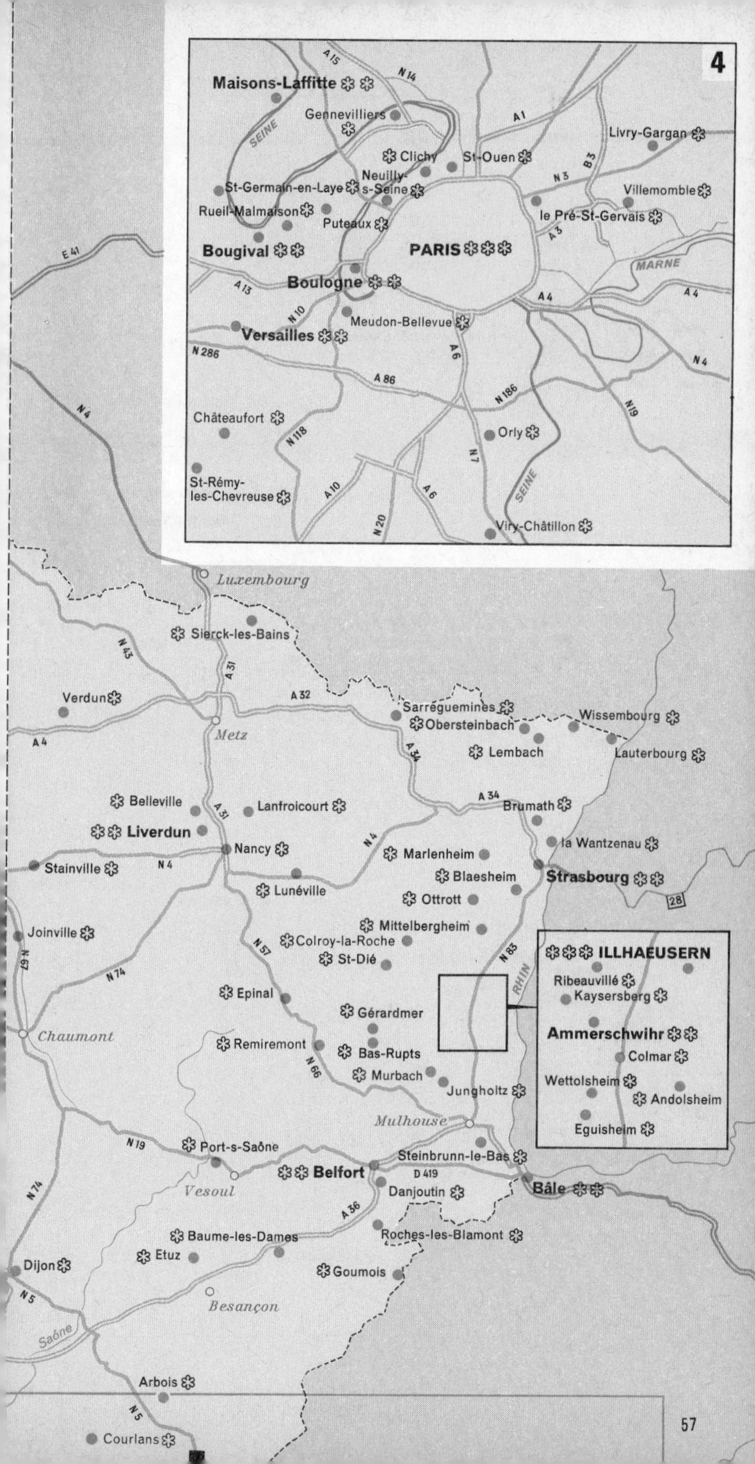

4
Maisons-Laffitte ✿✿
Gennevilliers ✿
Clichy ✿
St-Ouen ✿
Livry-Gargan ✿
Neuilly-s-Seine ✿
St-Germain-en-Laye ✿
Rueil-Malmaison ✿
Puteaux ✿
Villemomble ✿
le Pré-St-Gervais ✿
Bougival ✿✿
PARIS ✿✿✿
Boulogne ✿✿
Meudon-Bellevue ✿
Versailles ✿✿
Châteaufort ✿
Orly ✿
St-Rémy-les-Chevreuse ✿
Viry-Châtillon ✿
SEINE
MARNE
Luxembourg
Sierck-les-Bains ✿
Verdun ✿
Metz
Sarreguemines ✿
Obersteinbach ✿
Wissembourg ✿
Lembach ✿
Lauterbourg ✿
Belleville ✿
Lanfroicourt ✿
Brumath ✿
Liverdun ✿✿
Nancy ✿
la Wantzenau ✿
Stainville ✿
Marlenheim ✿
Blaesheim ✿
Strasbourg ✿✿
Lunéville ✿
Ottrott ✿
Mittelbergheim ✿
Joinville ✿
Colroy-la-Roche ✿
St-Dié ✿
ILLHAEUSERN ✿✿✿
Ribeauvillé ✿
Kaysersberg ✿
Epinal ✿
Gérardmer ✿
Ammerschwihr ✿✿
Chaumont
Remiremont ✿
Bas-Rupts ✿
Colmar ✿
Murbach ✿
Wettolsheim ✿
Jungholtz ✿
Andolsheim ✿
Mulhouse
Eguisheim ✿
Port-s-Saône ✿
Steinbrunn-le-Bas ✿
Belfort ✿✿
Vesoul
Danjoutin ✿
Bâle ✿✿
Baume-les-Dames ✿
Roches-les-Blamont ✿
Etuz ✿
Dijon ✿
Goumois ✿
Besançon
Saône
Arbois ✿
Courlans ✿
RHIN
28

5

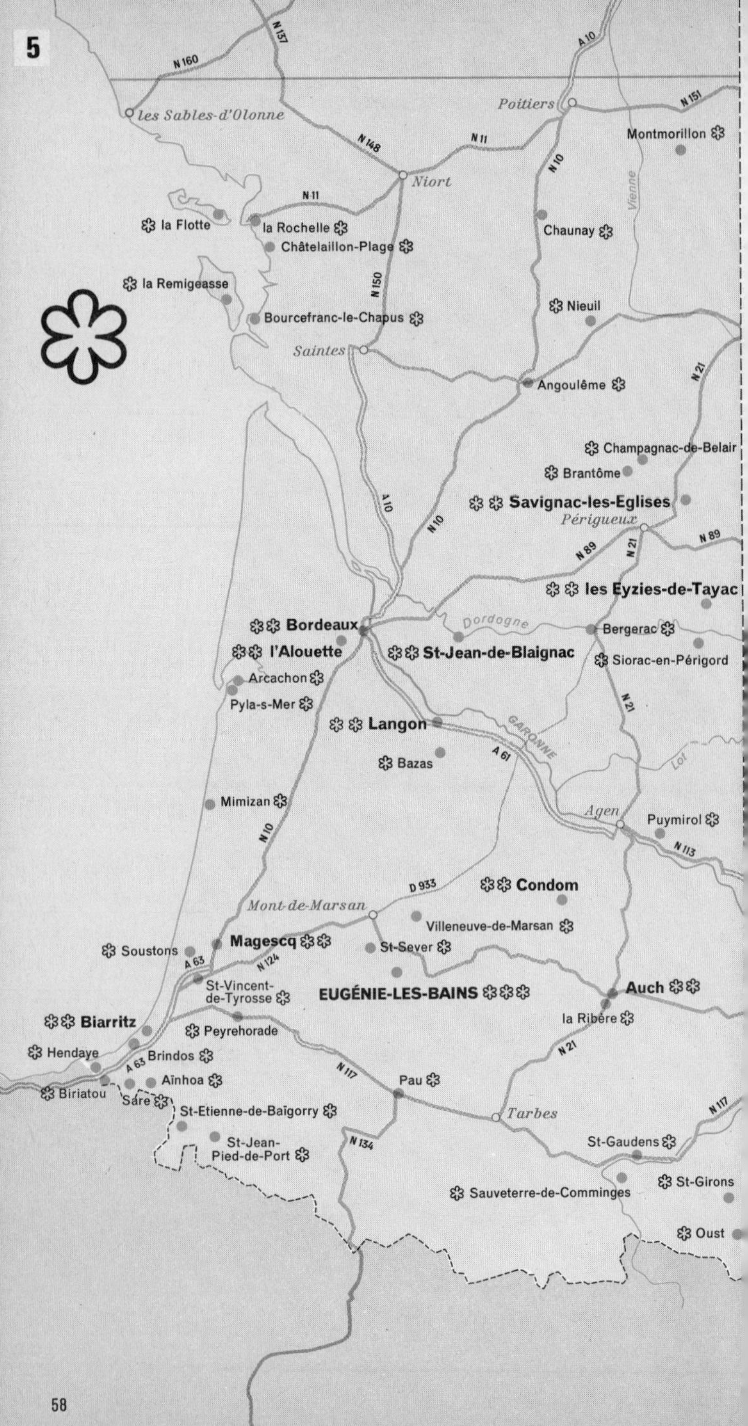

les Sables-d'Olonne
Poitiers
Montmorillon
Niort
la Flotte
la Rochelle
Châtelaillon-Plage
Chaunay
la Remigeasse
Nieuil
Bourcefranc-le-Chapus
Saintes
Angoulême
Champagnac-de-Belair
Brantôme
Savignac-les-Eglises
Périgueux
les Eyzies-de-Tayac
Dordogne
Bordeaux
Bergerac
l'Alouette
St-Jean-de-Blaignac
Siorac-en-Périgord
Arcachon
Pyla-s-Mer
Langon
GARONNE
Bazas
Lot
Mimizan
Agen
Puymirol
Condom
Mont-de-Marsan
Villeneuve-de-Marsan
Soustons
Magescq
St-Sever
St-Vincent-de-Tyrosse
EUGÉNIE-LES-BAINS
Auch
la Ribère
Biarritz
Peyrehorade
Hendaye
Brindos
Aînhoa
Pau
Biriatou
Sare
St-Etienne-de-Baïgorry
Tarbes
St-Jean-Pied-de-Port
St-Gaudens
St-Girons
Sauveterre-de-Comminges
Oust
Vienne
N 160
N 137
A 10
N 151
N 148
N 11
N 10
N 150
N 21
N 89
A 61
N 113
D 933
A 63
N 124
N 117
N 134

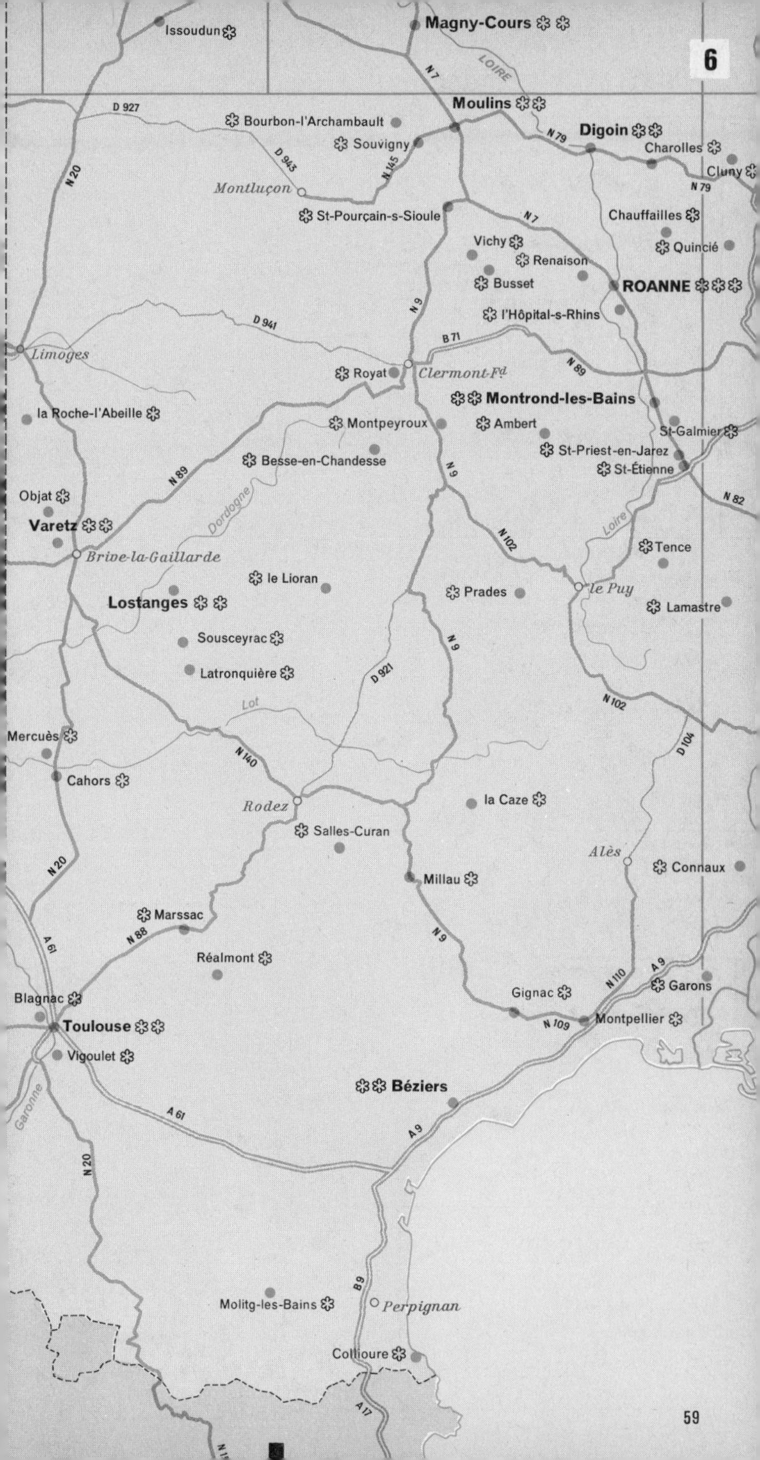
6
Issoudun
Magny-Cours
LOIRE
N 7
D 927
Moulins
Bourbon-l'Archambault
Digoin
N 79
Souvigny
Charolles
D 943
N 20
N 145
Cluny
N 79
Montluçon
St-Pourçain-s-Sioule
N 7
Chauffailles
Vichy
Quincié
Renaison
Busset
ROANNE
N 9
l'Hôpital-s-Rhins
D 941
B 71
N 89
Limoges
Royat
Clermont-Fd
Montrond-les-Bains
la Roche-l'Abeille
Montpeyroux
Ambert
St-Galmier
St-Priest-en-Jarez
Besse-en-Chandesse
N 9
St-Étienne
N 89
N 82
Objat
Dordogne
Varetz
N 102
Loire
Tence
Brive-la-Gaillarde
le Lioran
Prades
le Puy
Lostanges
Lamastre
N 9
Sousceyrac
Latronquière
D 921
Lot
N 102
Mercuès
D 104
N 140
Cahors
Rodez
la Caze
Salles-Curan
N 20
Alès
Connaux
Millau
Marssac
N 9
A 61
N 88
Réalmont
A 9
N 110
Garons
Gignac
Blagnac
N 109
Montpellier
Toulouse
Vigoulet
Béziers
Garonne
A 61
A 9
N 20
B 9
Molitg-les-Bains
Perpignan
Collioure
A 17

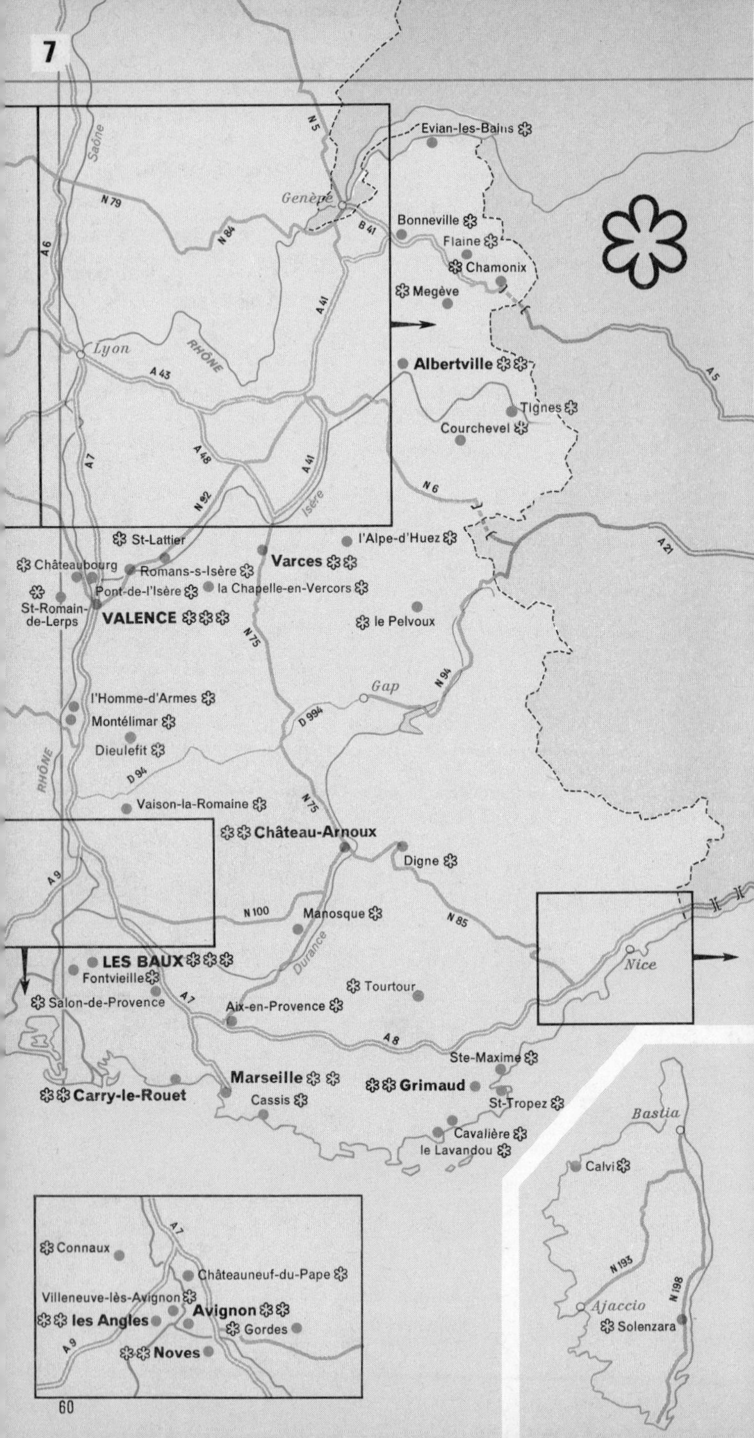
Evian-les-Bains ✽
Genève
Bonneville ✽
Flaine ✽
✽ Chamonix
✽ Megève
Albertville ✽✽
Tignes ✽
Courchevel ✽
Lyon
Saône
RHÔNE
Isère
St-Lattier
l'Alpe-d'Huez ✽
✽ Châteaubourg
Romans-s-Isère ✽
Varces ✽✽
Pont-de-l'Isère ✽
la Chapelle-en-Vercors ✽
St-Romain-de-Lerps
VALENCE ✽✽✽
✽ le Pelvoux
Gap
l'Homme-d'Armes ✽
Montélimar ✽
Dieulefit ✽
Vaison-la-Romaine ✽
✽✽ Château-Arnoux
Digne ✽
Manosque ✽
Durance
LES BAUX ✽✽✽
Fontvieille ✽
✽ Tourtour
✽ Salon-de-Provence
Aix-en-Provence ✽
Nice
Ste-Maxime ✽
Marseille ✽ ✽
✽✽ Grimaud
✽✽ Carry-le-Rouet
Cassis ✽
St-Tropez ✽
Cavalière ✽
le Lavandou ✽
Bastia
Calvi ✽
Ajaccio
✽ Solenzara
✽ Connaux
Châteauneuf-du-Pape ✽
Villeneuve-lès-Avignon ✽
✽✽ les Angles
Avignon ✽✽
✽ Gordes
✽✽ Noves
N 5
N 79
N 84
B 41
A 6
A 41
A 43
A 5
A 48
A 7
N 92
N 6
A 21
N 75
N 94
D 994
D 94
A 9
N 100
N 85
A 8
N 193
N 198

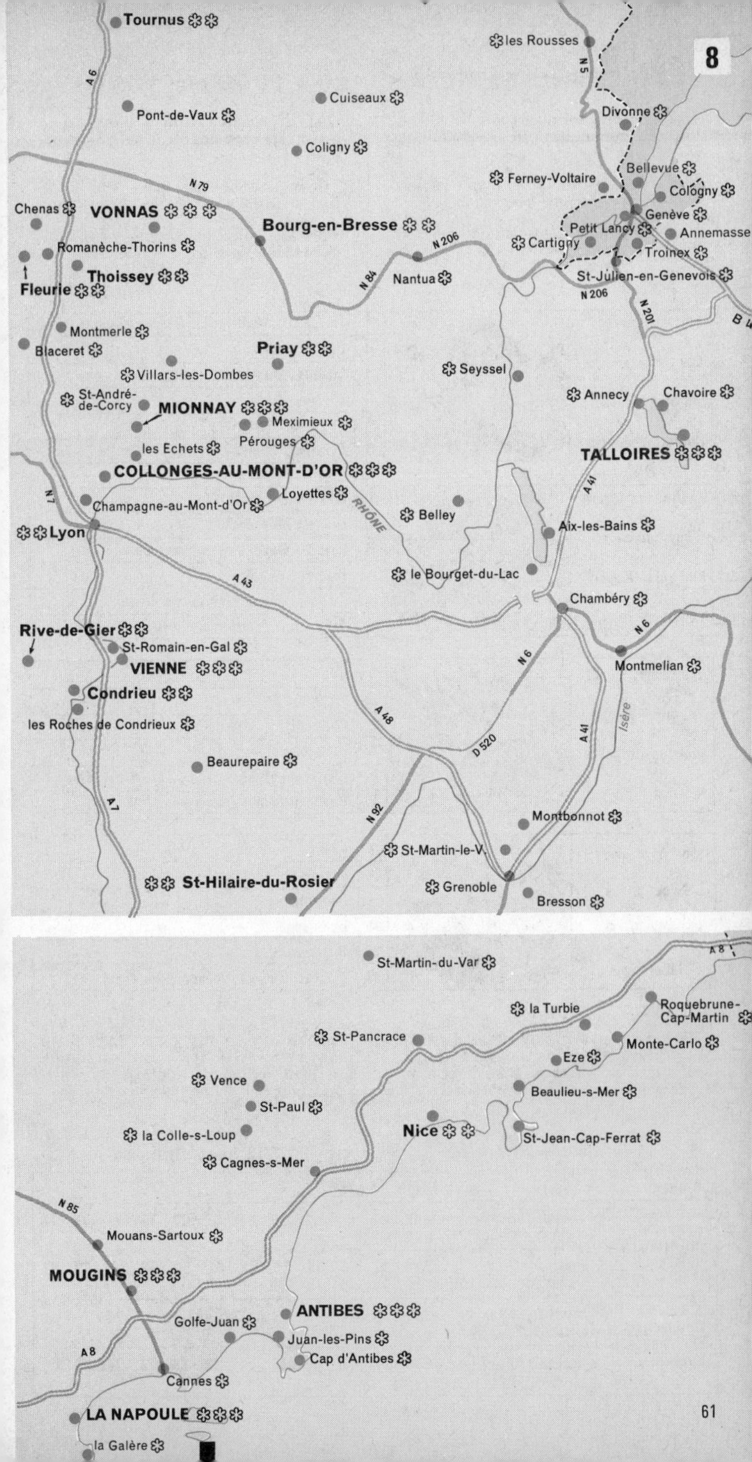
8
Tournus
les Rousses
Cuiseaux
Pont-de-Vaux
Coligny
Divonne
Bellevue
Ferney-Voltaire
Cologny
Chenas
VONNAS
Bourg-en-Bresse
Genève
Petit Lancy
Annemasse
Cartigny
Troinex
Romanèche-Thorins
Thoissey
Nantua
St-Julien-en-Genevois
Fleurie
Montmerle
Priay
Blaceret
Seyssel
Villars-les-Dombes
Annecy
Chavoire
St-André-de-Corcy
MIONNAY
Meximieux
Pérouges
les Echets
TALLOIRES
COLLONGES-AU-MONT-D'OR
Loyettes
Champagne-au-Mont-d'Or
Belley
Lyon
Aix-les-Bains
le Bourget-du-Lac
Chambéry
Rive-de-Gier
St-Romain-en-Gal
Montmelian
VIENNE
Condrieu
les Roches de Condrieux
Beaurepaire
Montbonnot
St-Martin-le-V.
St-Hilaire-du-Rosier
Grenoble
Bresson
N 79
N 206
N 84
N 5
N 201
A 41
N 7
A 43
RHÔNE
N 6
A 48
D 520
Isère
N 92
A 7
A 6
St-Martin-du-Var
la Turbie
Roquebrune-Cap-Martin
St-Pancrace
Monte-Carlo
Eze
Vence
Beaulieu-s-Mer
St-Paul
Nice
St-Jean-Cap-Ferrat
la Colle-s-Loup
Cagnes-s-Mer
N 85
Mouans-Sartoux
MOUGINS
ANTIBES
Golfe-Juan
Juan-les-Pins
Cap d'Antibes
A 8
Cannes
LA NAPOULE
la Galère

LES VINS et LES METS

Un mets préparé avec une sauce au vin s'accommode, si possible, du même vin.

Vins et fromages d'une même région s'associent souvent avec succès.

Voici quelques suggestions de vins selon les mets :

FOOD and WINE

Dishes prepared with a wine sauce are best accompanied by the same kind of wine.

Wines and cheeses from the same region usually go very well together.

Here are a few hints on selecting the right wine with the right dish:

Vins blancs secs		1	Muscadet, Pouilly-s-L., Sancerre, Vouvray sec
Dry white wines		2	Graves secs
		3	Chablis, Meursault, Pouilly-Fuissé, Viré
Vini bianchi secchi		4	Brut ou sec
		5	St-Péray, Hermitage
Herber Weißwein		6	Sylvaner, Riesling, Pinot

Vins rouges légers		1	Bourgueil, Chinon
Light red wines		2	Graves, Médoc
		3	Côte de Beaune, Mercurey, Beaujolais,...
Vini rossi leggeri		4	Brut ou sec (blanc)
		5	Tavel (rosé) , Côtes de Provence
Leichter Rotwein		6	Pinot noir , Riesling (blanc)

Vins rouges corsés		1	
Full bodied red wines		2	Pomerol, St-Émilion
		3	Chambertin, Côte-de-Nuits, Pommard,...
Vini rossi robusti		4	Brut (blanc)
		5	Châteauneuf-du-Pape, Cornas, Côte-Rôtie
Kräftiger Rotwein		6	Gewurztraminer (blanc pour fromages)

Vins de dessert	1	Anjou
Sweet wines	2	Sauternes, Monbazillac
		Rivesaltes
Vini da dessert	4	Demi-sec
	5	Beaumes-de-V.,
Süßer Wein	6	Muscat, Gewürztraminer (vins secs)

En dehors des grands crus, il existe en maintes régions de France des vins locaux qui, bus sur place, vous réserveront d'heureuses surprises.

In addition to the fine wines there are many French wines, best drunk in their region of origin and which you will find extremely pleasant.

Les meilleures années — The best vintages

Alsace		1971 73 75 76 78 79
Bordeaux	blancs (white) (bianchi) (weiße)	1945 47 49 53 55 61 62 67 70 71 75 78 79
	rouges (claret) (rossi) (rote)	1945 47 49 53 55 59 61 62 66 67 70 71 73 75 76 78 79
Bourgogne Burgundy Burgunder	blancs (white) (bianchi) (weiße)	1969 70 71 73 75 et 77 (Chablis) 78 79
	rouges (red) (rossi) (rote)	1949 61 62 66 69 71 72 73 76 78 79

I VINI e le VIVANDE

Un piatto preparato con una salsa al vino si accorda, se possibile, con lo stesso vino.

Vini e formaggi di una stessa regione si associano molte volte con successo.

Qui accanto qualche suggerimento sul consumo dei vini :

WELCHER WEIN ZU WELCHER SPEISE

Wenn die Sauce eines Gerichts mit Wein zubereitet ist, so wählt man nach Möglichkeit diesen als Tischwein.
Weine und Käse aus der gleichen Region harmonieren oft geschmacklich besonders gut.
Nebenstehend Vorschläge zur Wahl der Weine.

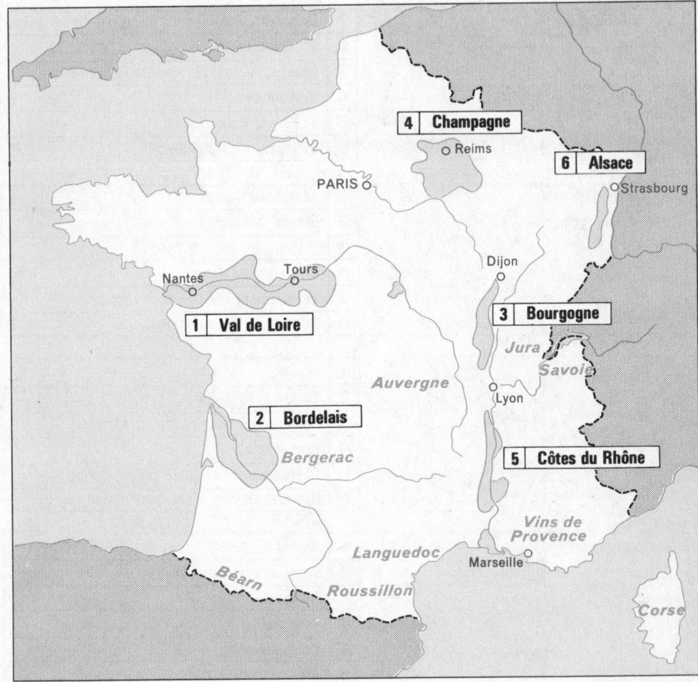

Al di fuori dei grandi vini, esistono in molte regioni francesi dei vini locali che, bevuti sul posto, Vi riserveranno piacevoli sorprese.

Neben den Spitzengewächsen gibt es in manchen französischen Regionen Landweine, die Sie am Anbauort trinken sollten. Sie werden angenehm überrascht sein.

Le migliori annate — **Die besten Jahrgänge**

Champagne		1964	66	69	70	71	73	75	76			
Côtes-du-Rhône		1961	64	66	67	69	70	71	72	76	78	79
Vins de la Loire	Muscadet	1978	79	80								
	Anjou - Touraine	1947	49	53	55	59	69	71	75	76	78	79
	Pouilly - Sancerre	1975	76	78	79							

1

REPAS SOIGNÉS A PRIX MODÉRÉS

GOOD FOOD AT MODERATE PRICES

PASTI ACCURATI A PREZZI CONTENUTI

SORGFÄLTIG ZUBEREITETE, PREISWERTE MAHLZEITEN

R 42

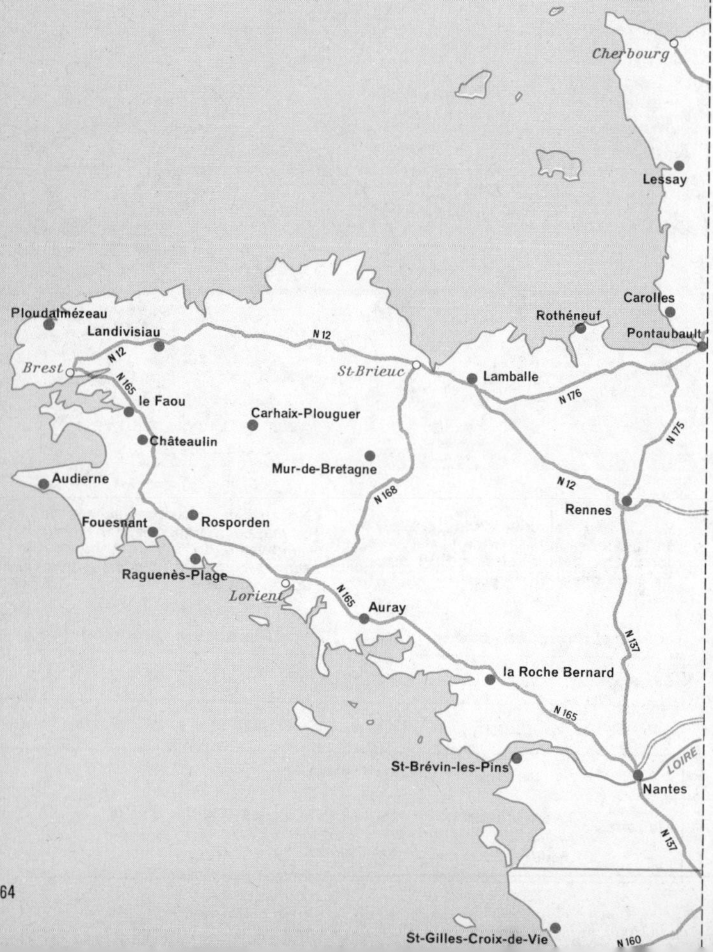

Cherbourg
Lessay
Carolles
Rothéneuf
Pontaubault
Ploudalmézeau
Landivisiau
N 12
Brest
N 165
le Faou
St-Brieuc
Lamballe
N 176
Carhaix-Plouguer
Châteaulin
N 175
Mur-de-Bretagne
Audierne
N 168
N 12
Rennes
Fouesnant
Rosporden
Raguenès-Plage
Lorient
N 165
Auray
N 137
la Roche Bernard
N 165
St-Brévin-les-Pins
LOIRE
Nantes
N 137
St-Gilles-Croix-de-Vie
N 160

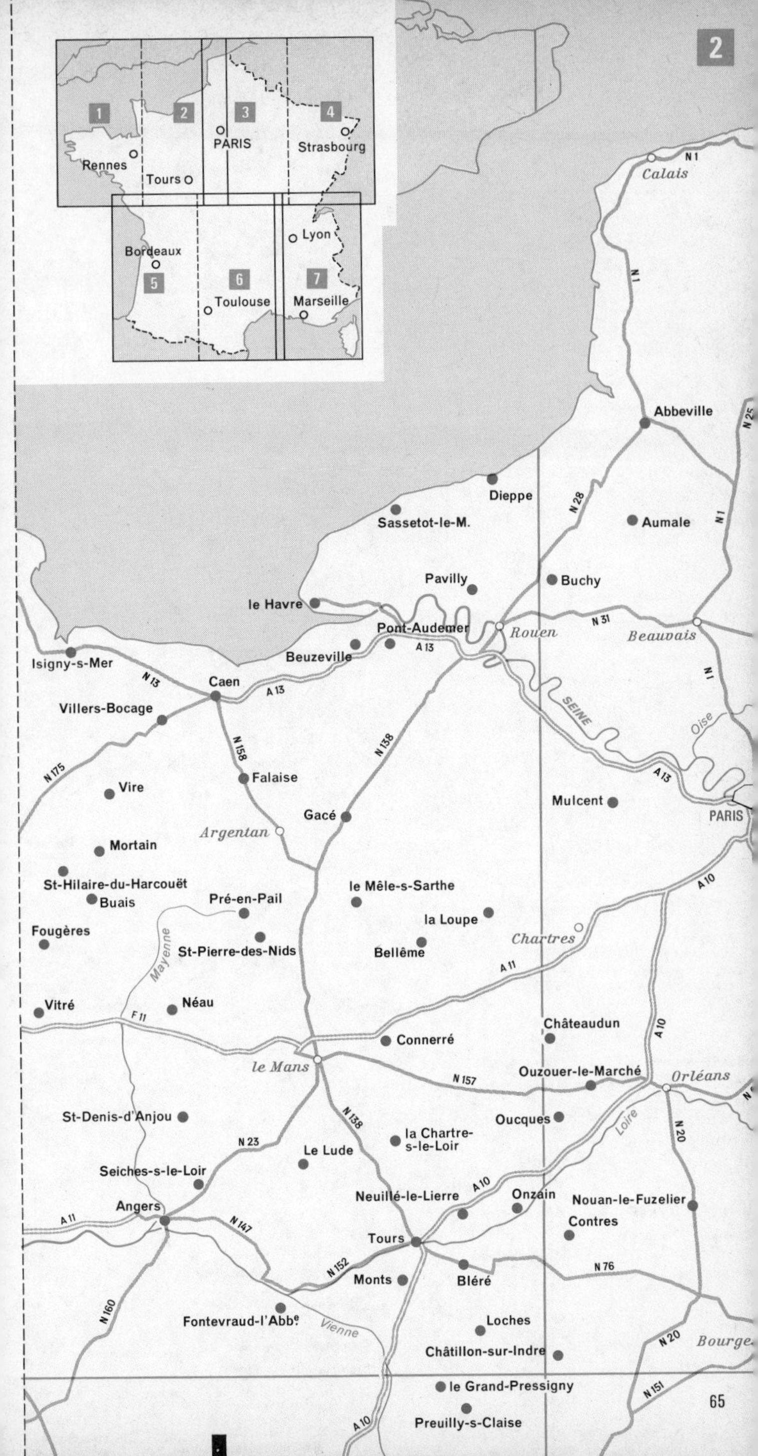
2
1
2
3
4
PARIS
Strasbourg
Rennes
Tours
Lyon
Bordeaux
5
6
7
Toulouse
Marseille
Calais
N 1
Abbeville
Dieppe
Sassetot-le-M.
Aumale
Pavilly
Buchy
le Havre
Pont-Audemer
Rouen
N 31
Beauvais
Isigny-s-Mer
Beuzeville
A 13
Caen
N 13
Villers-Bocage
SEINE
Oise
N 175
N 158
N 138
N 28
Vire
Falaise
Mulcent
PARIS
Gacé
Argentan
Mortain
St-Hilaire-du-Harcouët
le Mêle-s-Sarthe
Buais
Pré-en-Pail
A 10
la Loupe
Fougères
Chartres
St-Pierre-des-Nids
Bellême
Mayenne
A 11
Vitré
Néau
F 11
Châteaudun
Connerré
le Mans
N 157
Ouzouer-le-Marché
Orléans
St-Denis-d'Anjou
Oucques
Loire
N 20
la Chartre-s-le-Loir
N 23
Le Lude
Seiches-s-le-Loir
Neuillé-le-Lierre
Onzain
Nouan-le-Fuzelier
Angers
Contres
N 147
Tours
N 152
N 76
Monts
Bléré
N 160
Fontevraud-l'Abbe
Vienne
Loches
Châtillon-sur-Indre
Bourge
le Grand-Pressigny
N 151
Preuilly-s-Claise

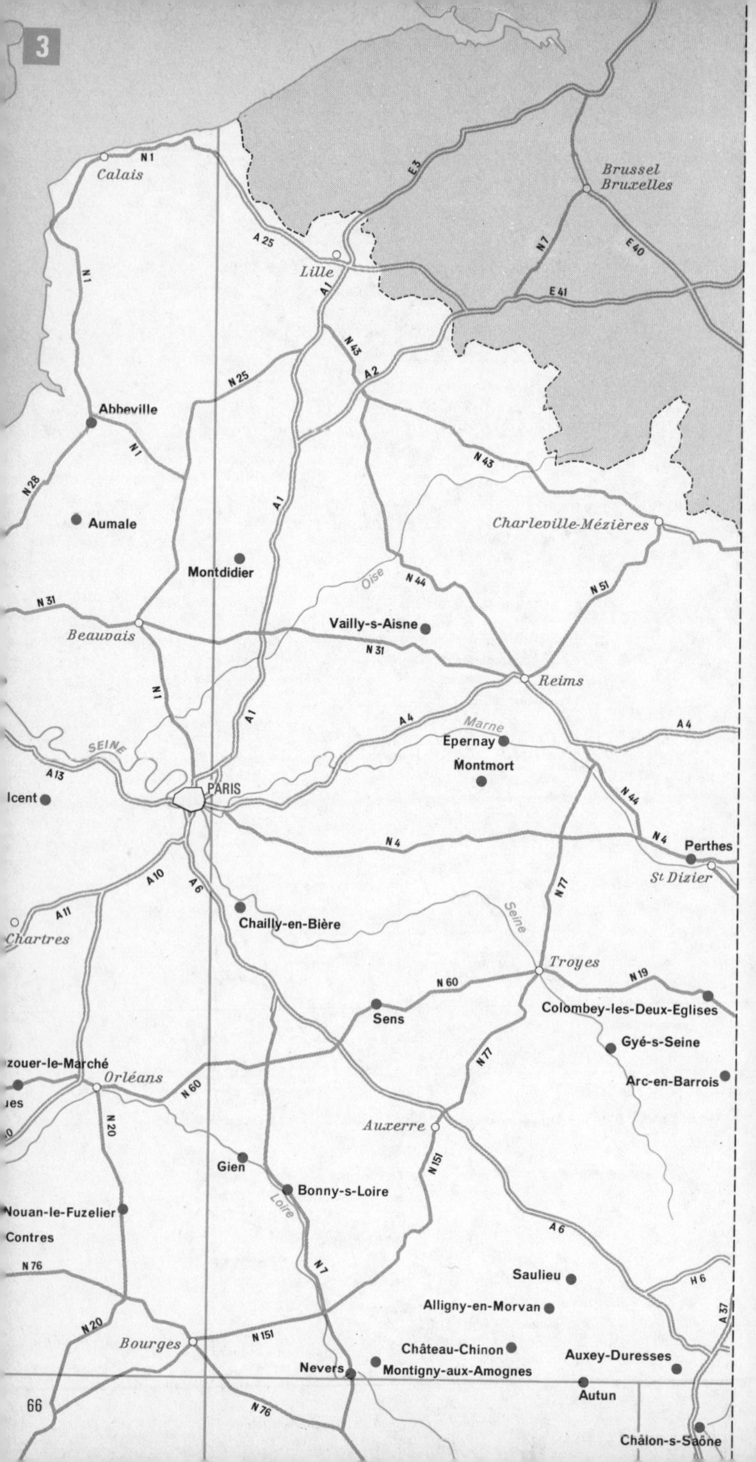
3
Calais
N 1
Brussel
Bruxelles
E 3
A 25
Lille
N 7
E 40
A 1
E 41
N 43
A 2
N 25
Abbeville
N 1
N 28
N 43
Aumale
Charleville-Mézières
Montdidier
Oise
N 44
N 51
N 31
Vailly-s-Aisne
Beauvais
N 31
Reims
N 1
A 1
A 4
Marne
A 4
Epernay
SEINE
Montmort
A 13
PARIS
lcent
N 44
N 4
N 4
Perthes
St Dizier
A 10
A 6
N 77
A 11
Chailly-en-Bière
Seine
Chartres
Troyes
N 60
N 19
Sens
Colombey-les-Deux-Eglises
Gyé-s-Seine
zouer-le-Marché
N 77
Orléans
N 60
Arc-en-Barrois
ues
N 20
Auxerre
N 151
Gien
Bonny-s-Loire
Loire
Nouan-le-Fuzelier
A 6
Contres
N 7
N 76
Saulieu
H 6
Alligny-en-Morvan
N 20
A 37
Bourges
N 151
Château-Chinon
Auxey-Duresses
Nevers
Montigny-aux-Amognes
Autun
N 76
Chálon-s-Saône

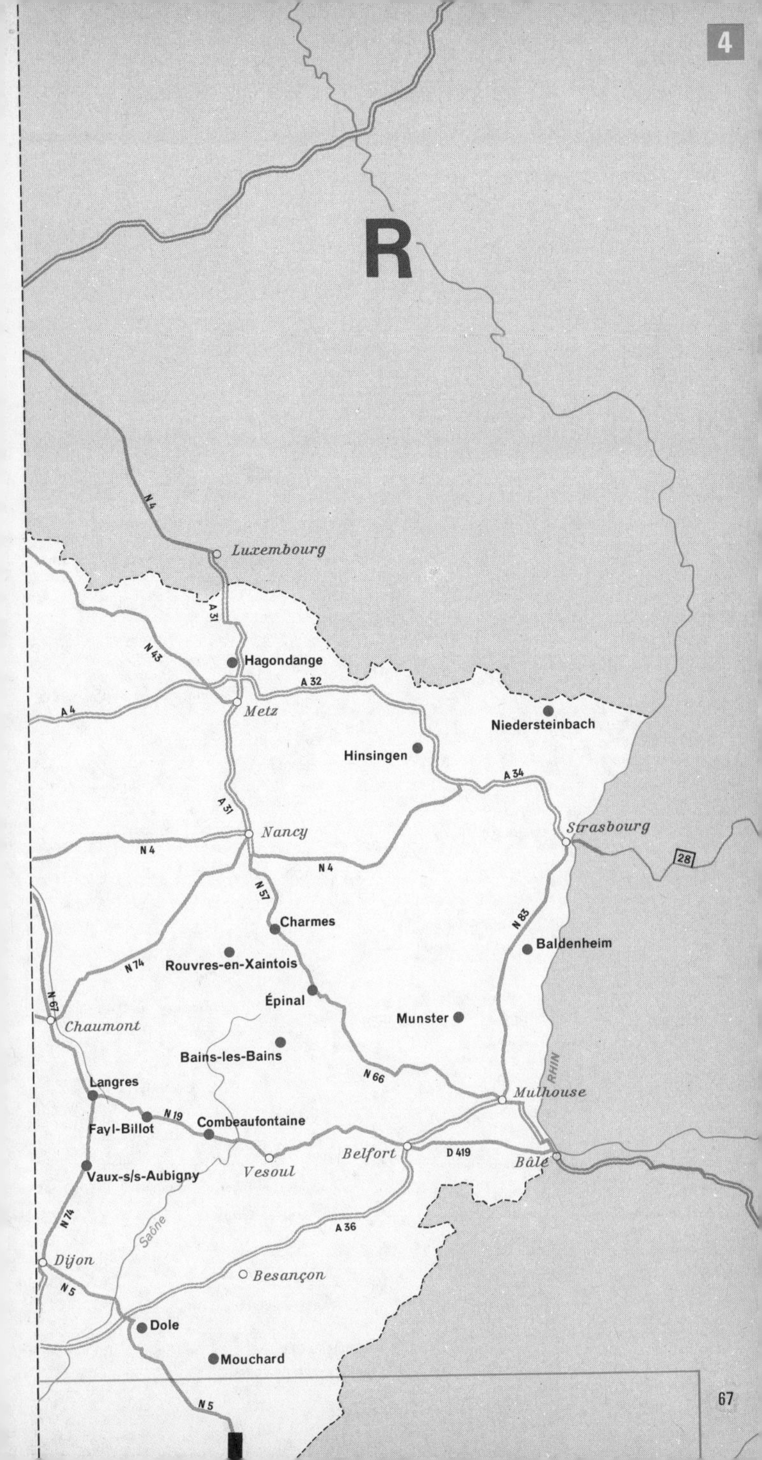
R
N 4
Luxembourg
A 31
N 43
Hagondange
A 32
A 4
Metz
Niedersteinbach
Hinsingen
A 34
A 31
Nancy
Strasbourg
28
N 4
N 4
N 57
Charmes
N 83
Baldenheim
Rouvres-en-Xaintois
N 74
Épinal
N 67
Munster
Chaumont
Bains-les-Bains
RHIN
N 66
Langres
Mulhouse
N 19
Combeaufontaine
Fayl-Billot
Belfort
D 419
Bâle
Vaux-s/s-Aubigny
Vesoul
N 74
Saône
A 36
Dijon
Besançon
N 5
Dole
Mouchard
N 5

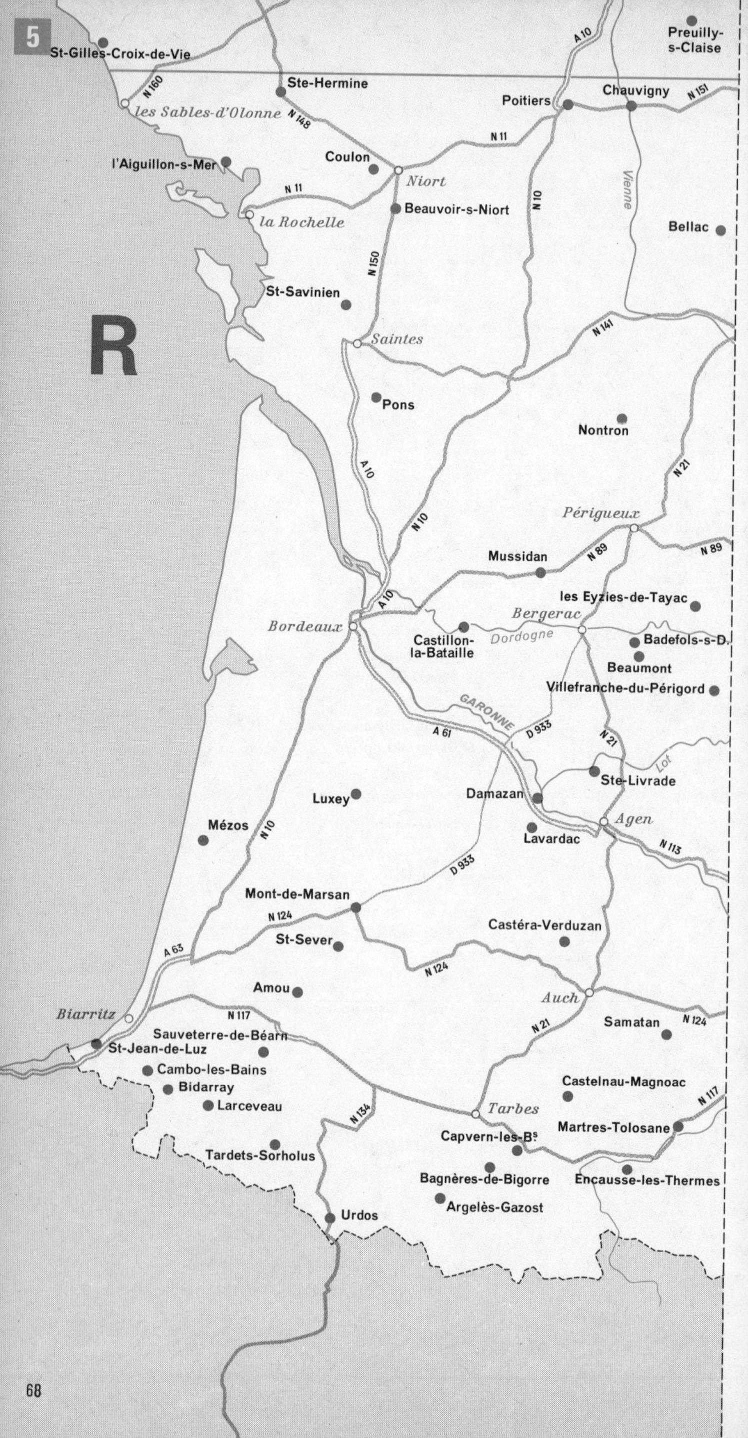
5
St-Gilles-Croix-de-Vie
Preuilly-s-Claise
Ste-Hermine
Chauvigny
Poitiers
les Sables-d'Olonne
l'Aiguillon-s-Mer
Coulon
Niort
Beauvoir-s-Niort
la Rochelle
Bellac
St-Savinien
Saintes
R
Pons
Nontron
Périgueux
Mussidan
les Eyzies-de-Tayac
Bergerac
Bordeaux
Castillon-la-Bataille
Dordogne
Badefols-s-D.
Beaumont
Villefranche-du-Périgord
GARONNE
Lot
Ste-Livrade
Luxey
Damazan
Agen
Mézos
Lavardac
Mont-de-Marsan
Castéra-Verduzan
St-Sever
Amou
Auch
Biarritz
Samatan
Sauveterre-de-Béarn
St-Jean-de-Luz
Cambo-les-Bains
Bidarray
Castelnau-Magnoac
Larceveau
Tarbes
Martres-Tolosane
Capvern-les-Bs
Tardets-Sorholus
Bagnères-de-Bigorre
Encausse-les-Thermes
Argelès-Gazost
Urdos
Vienne
N 160
N 148
N 11
N 150
N 10
N 151
N 141
A 10
N 21
N 89
A 61
D 933
N 113
N 124
A 63
N 117
N 134

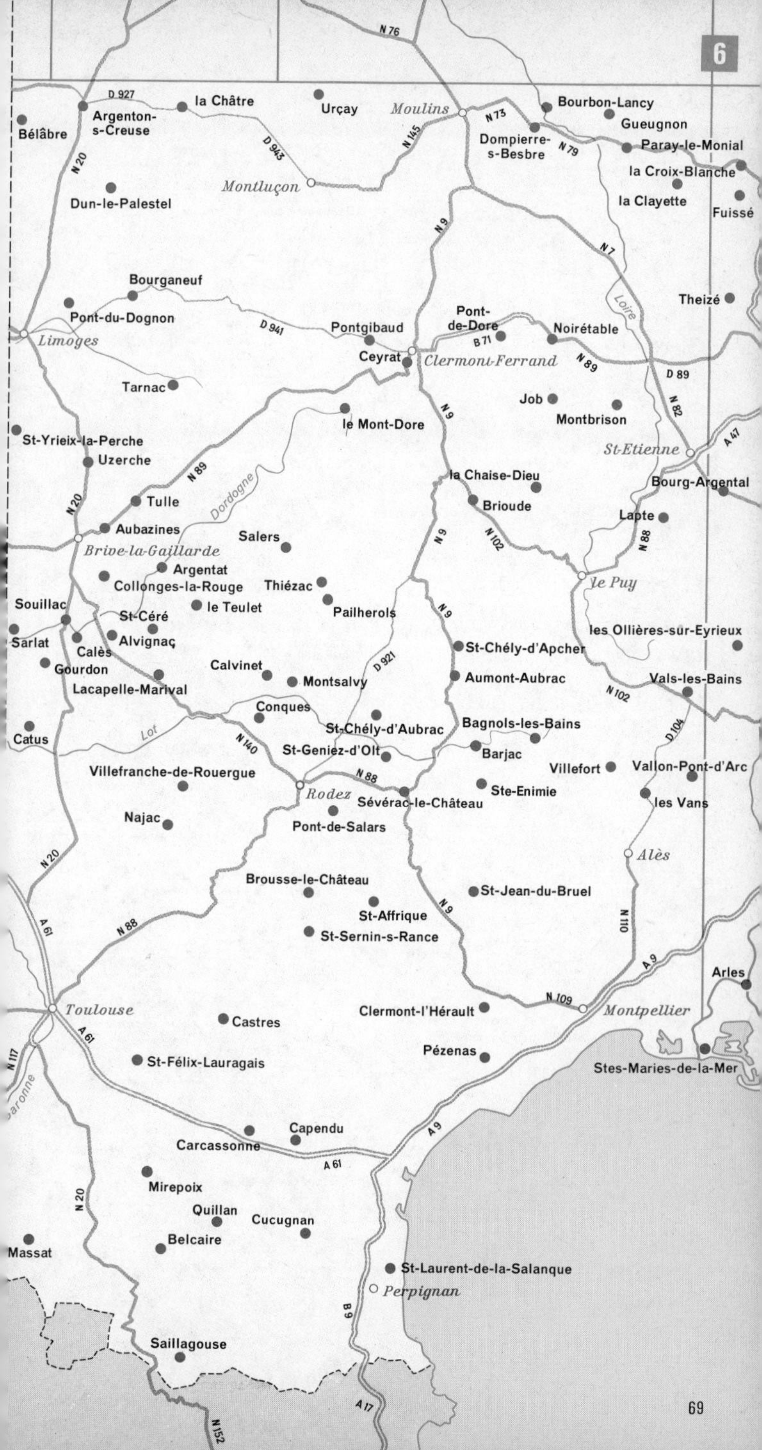
6
Bélâbre
Argenton-s-Creuse
la Châtre
Urçay
Moulins
Bourbon-Lancy
Gueugnon
Dompierre-s-Besbre
Paray-le-Monial
la Croix-Blanche
la Clayette
Fuissé
Montluçon
Dun-le-Palestel
Bourganeuf
Pont-du-Dognon
Limoges
Pontgibaud
Ceyrat
Clermont-Ferrand
Pont-de-Dore
Noirétable
Theizé
Loire
Tarnac
le Mont-Dore
Job
Montbrison
St-Etienne
St-Yrieix-la-Perche
Uzerche
la Chaise-Dieu
Brioude
Bourg-Argental
Lapte
Tulle
Aubazines
Brive-la-Gaillarde
Dordogne
Salers
Le Puy
Argentat
Collonges-la-Rouge
Thiézac
Souillac
le Teulet
Pailherols
St-Céré
Sarlat
Alvignac
Calès
Gourdon
Lacapelle-Marival
Calvinet
Montsalvy
St-Chély-d'Apcher
Aumont-Aubrac
les Ollières-sur-Eyrieux
Vals-les-Bains
Conques
St-Chély-d'Aubrac
Bagnols-les-Bains
Catus
Lot
St-Geniez-d'Olt
Barjac
Villefort
Vallon-Pont-d'Arc
Villefranche-de-Rouergue
Rodez
Sévérac-le-Château
Ste-Enimie
les Vans
Najac
Pont-de-Salars
Alès
Brousse-le-Château
St-Jean-du-Bruel
St-Affrique
St-Sernin-s-Rance
Arles
Toulouse
Castres
Clermont-l'Hérault
Montpellier
St-Félix-Lauragais
Pézenas
Stes-Maries-de-la-Mer
Garonne
Capendu
Carcassonne
Mirepoix
Quillan
Cucugnan
Belcaire
Massat
St-Laurent-de-la-Salanque
Perpignan
Saillagouse
N 76
D 927
D 943
N 145
N 73
N 79
N 20
N 9
N 7
D 941
B 71
N 89
D 89
N 82
A 47
N 102
N 88
D 921
N 140
D 104
N 110
A 9
N 109
A 61
N 117
N 152
A 17
B 9
69

7
N 5
Châtillon
Pont-de-Poitte
Bonlieu
Tournus
Croix-Blanche
Mâcon
Fuissé
N 79
LAC LÉMAN
Bons-en-Chablais
Rhône
Genève
N 84
N 206
Cluses
B 41
Theizé
A 41
Brédannaz
Faverges
A 6
Lyon
RHÔNE
A 5
A 43
A 43
Chambéry
Mottier
A 48
A 7
N 6
le Sappey-en-Chartreuse
Bourg-Argental
St-Marcellin
Allemond
Grenoble
St-Vallier
Isère
A 21
N 94
Chabeuil
les Ollières-sur-Eyrieux
Corps
Crest
N 75
Montélimar
Gap
A 7
D 994
Serres
RHÔNE
Pierrelatte
Nyons
le Poët
D 94
Entrechaux
Digne
Courthézon
N 85
A 9
Annot
Avignon
St-Saturnin-d'Apt
Durance
Sospel
A 10
N 100
Apt
N 96
A 8
Grambois
Nice
la Tour d'Aigues
Arles
A 7
Fayence
Antibes
Aix-en-Provence
Stes-Maries-de-la-Mer
St-Raphaël
A 8
Brignoles
Marseille
Bastia
Bandol
l'Ile Rousse
N 193
R
Bastelica
N 198
Ajaccio

LOCALITÉS
par ordre alphabétique

PLACES
in alphabetical order

LOCALITÀ
in ordine alfabetico

Alphabetisches
ORTSVERZEICHNIS

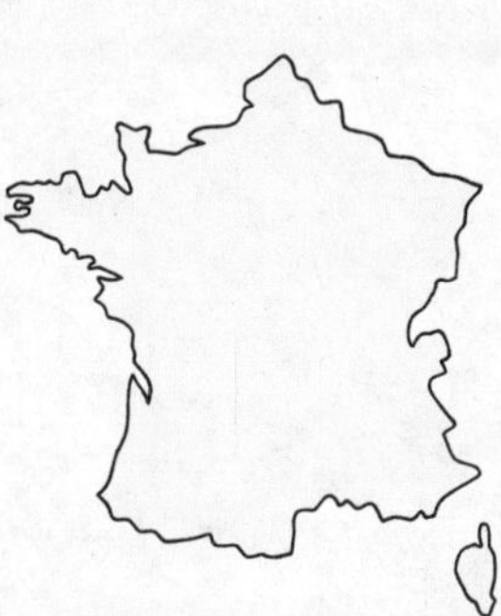

ABBEVILLE <SP> **80100** Somme **52** ⑥⑦ **G. Nord de la France** – 26 581 h. – 22

Voir Château de Bagatelle★ CZ – Façade★ de l'église St-Vulfran BY **E**

Env. St-Riquier : intérieur★★ de l'église★ 9 km par ② – Vallée de la Somme★ par ⑤

Office de Tourisme (fermé dim.) et T.C.F. 26 pl. Libération ☎ 24.27.92

Paris 163 ④ – ♦Amiens 45 ③ – Arras 76 ② – Beauvais 87 ④ – Béthune 85 ② – Boulogne-sur-Mer 80 ① – Dieppe 63 ⑥ – ♦Le Havre 162 ⑤ – ♦Rouen 99 ⑤ – St-Omer 86 ①.

Plan page suivante

France, 19 pl. Pilori ☎ 24.00.42 – wc wc ☎ – 35. AE GB E. rest BY **a**
SC : **R** *(fermé 15 déc. au 15 janv.)* 50 – 12,50 – 77 ch 44/130.

Chalet, 2 av. Gare ☎ 24.21.57 – AZ **r**
fermé 15 déc. au 15 janv. et dim. hors sais. sauf fêtes – SC : **R** 30/49 – 9 – 12 ch 38/75.

Au Châteaubriant, 1 pl. Hôtel de Ville ☎ 24.08.23 BY **z**
fermé 1er au 15 oct., 12 fév. au 1er mars et lundi sauf fêtes – SC : **R** 39/62.

L'Escale en Picardie, 15 r. Teinturiers ☎ 24.21.51, Poissons et coquillages – AE GB BXY **s**
fermé dim. soir et lundi – SC : **R** (fêtes déj. seul.) 44/64.

Aub. de la Corne, 32 chaussée du Bois ☎ 24.06.34 BY **e**
fermé 15 au 31 août, 15 au 28 fév., dim. soir et lundi – SC : **R** 53/70.

Condé avec ch, 14 pl. Libération ☎ 24.06.33 – ch BY **u**
fermé 10 au 31 août, 8 au 15 fév. et dim. – SC : **R** 34/65 – 8,50 – 8 ch 40/54.

à Épagnette par ④ : 3 km – ✉ **80580** Pont-Rémy :

La Picardière, ☎ 24.15.28 – GB E
fermé 4 au 22 mai, 12 au 26 nov., mardi soir et merc. – SC : **R** 35/75.

AUDI-VOLKSWAGEN S.A.D.R.A., 53 av. R.-Schuman, Zone Ind. ☎ 24.34.81
AUDI-VOLKSWAGEN, MERCEDES-BENZ Gar. Hochede, 30 r. Pados ☎ 24.23.62
CITROEN Gar. République, 214 bd République ☎ 24.30.80
DATSUN Picardie-Gar., 29 rte d'Amiens ☎ 24.08.82
FIAT Gar. de Rouvroy, 147 chaussée Marcadé ☎ 24.24.25
FORD Abbeville-Autom., 29 Chaussée Hocquet ☎ 24.08.54
LANCIA-AUTOBIANCHI, TOYOTA Picardie-Autom., Zone Ind., r. R.-Schumann ☎ 24.47.63
OPEL SAVRA-Europ Auto, 318 côte de la Justice ☎ 24.22.74
PEUGEOT Les Gds Gar. de l'Avenir, 8 bd République ☎ 24.77.55
RENAULT Palais Autom., Zone Ind., rte Doullens ☎ 24.29.80
RENAULT Gar. Vincent, 113 ch. des Postes ☎ 24.05.43 ☎ 24.15.68
TALBOT Gar. St-Gilles, Zone Ind., 2 av. R.-Schuman ☎ 24.24.46

Lagrange, 76 rte Doullens ☎ 24.14.72

ABBEVILLE

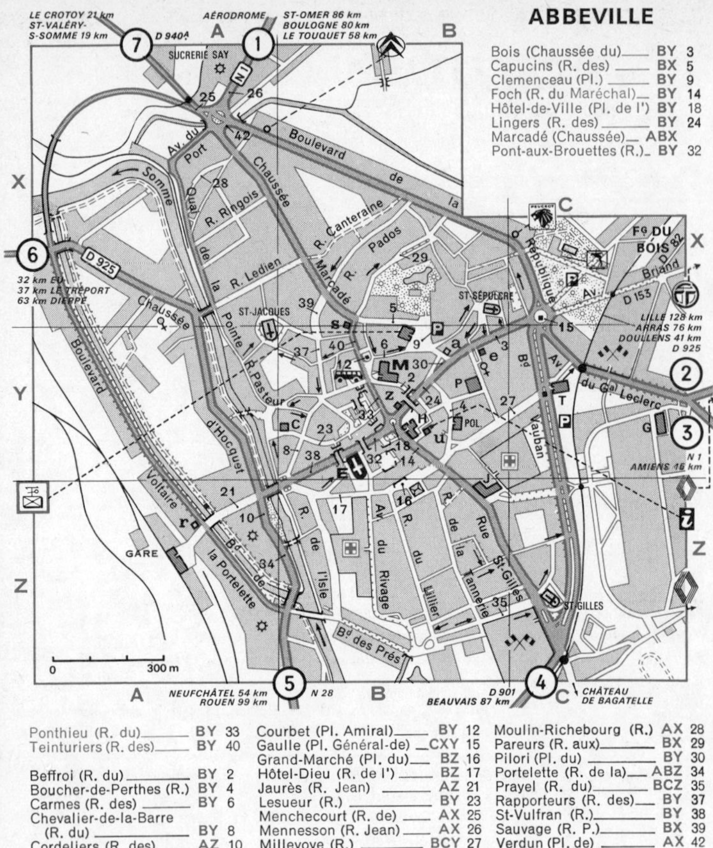

Bois (Chaussée du) BY 3
Capucins (R. des) BX 5
Clemenceau (Pl.) BY 9
Foch (R. du Maréchal) BY 14
Hôtel-de-Ville (Pl. de l') BY 18
Lingers (R. des) BY 24
Marcadé (Chaussée) ABX
Pont-aux-Brouettes (R.) BY 32

Ponthieu (R. du) BY 33
Teinturiers (R. des) BY 40

Beffroi (R. du) BY 2
Boucher-de-Perthes (R.) BY 4
Carmes (R. des) BY 6
Chevalier-de-la-Barre (R. du) BY 8
Cordeliers (R. des) AZ 10

Courbet (Pl. Amiral) BY 12
Gaulle (Pl. Général-de) CXY 15
Grand-Marché (Pl. du) BZ 16
Hôtel-Dieu (R. de l') BZ 17
Jaurès (R. Jean) AZ 21
Lesueur (R.) BY 23
Menchecourt (R. de) AX 25
Mennesson (R. Jean) AX 26
Millevoye (R.) BCY 27

Moulin-Richebourg (R.) AX 28
Pareurs (R. aux) BX 29
Pilori (Pl. du) BY 30
Portelette (R. de la) ABZ 34
Prayel (R. du) BCZ 35
Rapporteurs (R. des) BY 37
St-Vulfran (R.) BY 38
Sauvage (R. P.) BX 39
Verdun (Pl. de) AX 42

Une réservation confirmée par écrit est toujours plus sûre.

L'ABER-WRAC'H 29 Finistère 58 ④ **G. Bretagne** – alt. 53 – ✉ **29214** Lannilis – ✆ 98.

Paris 600 – ◆Brest 28 – Landerneau 35 – Landivisiau 43 – Morlaix 68 – Quimper 98.

- **Baie des Anges (s'informer)**, ☎ 04.90.04, ⩤ baie – wc ☎ 🅟
  18 ch.
- **Belle Vue,** ☎ 04.90.01, ⩤ – wc 🅟. rest
  Pâques-sept. – SC : **R** 50/150 – ☕ 11 – **45 ch** 85/100 – P 140/155.

ABILLY **37** I.-et-L. 68 ⑤ – rattaché à Descartes.

ABLIS **78660** Yvelines 60 ⑨, 96 ㉝㉞ – 1 182 h. alt. 178 – ✆ 3.

Paris 62 – Chartres 31 – Étampes 30 – Mantes 68 – ◆Orléans 76 – Rambouillet 14 – Versailles 45.

- XX **Croix Blanche,** ☎ 484.00.31
  fermé 24 déc. au 7 janv., mi-janv. au début mars, mardi soir et merc. – SC : **R** 40 bc/55.

à L'Ouest : 6 km par D 168 – ✉ **28700** Auneau :

- **Château d'Esclimont**, ☎ 23.58.06, ⩤ parc, – 🅟. AE GB
  R 100/190 – ☕ 24 – **40 ch** 150/430, 6 appartements – P 310/520.

à Craches NO : 7 km par N 10 et D 101 – ✉ **78660** Ablis :

- **Les Quatre Saisons, 15 r. Libération** ☎ **484.40.00,** – 🅟
  fermé jeudi midi et merc. – ☕ 11 – 7 ch 61/80.

ABONDANCE **74360** H.-Savoie 70 ⑱ **G. Alpes** – 1 303 h. alt. 930 – Sports d'hiver : 930/1 650 m 1 13 – 50.
Voir Fresques* du cloître.
Office de Tourisme à la Mairie (fermé sam. après-midi et dim. hors saison) 73.02.90.
Paris 604 – Annecy 100 – Évian-les-Bains 28 – Morzine 39 – Thonon-les-Bains 28.

Bel Air M, à Richebourg NE : 3 km 73.01.71, ← – wc wc. rest
fermé 15 avril au 15 mai, 15 sept. au 15 nov. et merc. – **R** 42/60 – 14 – **23 ch** 65/112 – P 110/120.

Les Touristes, 73.02.15, – wc. rest
15 juin-15 sept. et 15 déc.-Pâques – SC : **R** 40/60 – 10 – 24 ch 50/135 – P 100/150.

RENAULT Gar. des Alpes, 73.01.41

ABRESCHVILLER **57560** Moselle 62 ⑧ – 1 381 h. alt. 290 – 8.
Paris 394 – Lunéville 56 – •Metz 102 – Sarrebourg 16 – Saverne 32 – •Strasbourg 71.

Cigognes, 703.70.09, – wc wc
SC : **R** 33/100 – 11 – **19 ch** 70/110 – P 125/135.

ABREST 03 Allier 73 ⑤ – rattaché à Vichy.

Les ABRETS **38490** Isère 74 ⑭ – 2 437 h. alt. 399 – 76.
Paris 534 – Aix-les-B. 41 – Belley 33 – Chambéry 35 – •Grenoble 53 – La Tour-du-Pin 12 – Voiron 22.

Host. Abrésienne, rte Grenoble 32.04.28 –
fermé 7 au 26 sept. et mardi – SC : **R** 32/70 – 10 – 22 ch 40/65.

Belle Étoile avec ch, 32.04.97 – wc wc. E. ch
rest. fermé lundi – **15 ch**.

CITROEN Gar. Central, 32.04.31
PEUGEOT Bosse-Platière, 32.06.77
RENAULT Gar. Gadou, 32.01.55
TALBOT Gar. Moderne, 32.04.13

ACCOLAY 89 Yonne 65 ⑤ – 371 h. alt. 115 – **89460** Cravant – 86.
Paris 197 – Auxerre 22 – Avallon 31 – Clamecy 36 – Tonnerre 41.

Bec Fin avec ch, 16 r. Reigny 53.50.51, –
fermé 5 janv. au 26 fév. et merc. hors sais. – SC : **R** 39/90 – 10 – **7 ch** 45/90.

ACQUIGNY 27 Eure 55 ⑰ – rattaché à Louviers.

ADÉ 65 H.-Pyr. 85 ⑧ – rattaché à Lourdes.

Les ADRETS-DE-L'ESTÉREL 83 Var 84 ⑧, 195 ㉝ – 424 h. – **83600** Fréjus – 94.
Env. Mt Vinaigre *** S : 8 km puis 30 mn, **G. Côte d'Azur.**
Paris 888 – Cannes 28 – Draguignan 45 – Grasse 37 – Mandelieu 17 – St-Raphaël 21.

Le Logis des Manons avec ch, 97.90.95, ← – wc
fév.-oct. – SC : **R** 32/51 – 11 – 6 ch 66 – P 230 (pour 2 pers.).

AGAY 83 Var 84 ⑧, 195 ㉝㉞ **G. Côte d'Azur** – alt. 5 à 200 – **83700** St-Raphaël – 94.
Office de Tourisme bd Mer N 98 (fermé oct., matin hors sais., sam. et dim.) 44.01.85.
Paris 885 – Cannes 31 – Draguignan 43 – •Nice 63 – St-Raphaël 9.

Baumette, à la pointe 44.00.15, rest sur le toit, littoral et large, , , – . rest
5 avril-4 oct. – SC : **R** 75/90 – 22 – **78 ch** 120/310, 3 appartements 340 – P 210/320.

Sol e Mar M, au Dramont SO : 2 km 95.25.60, ← Ile d'Or et cap du Dramont, , – . rest
fin mars-mi oct. – SC : **R** 68/88 – 17 – 47 ch 220/240 – P 240/260.

France-Soleil sans rest, 44.01.93, ←, , – wc . AE.
Pâques-oct. – SC : 14 – **16 ch** 210/230.

Robinson Crusoé, 44.81.09, ← – wc wc
sais. – 22 ch.

Beau Site, à Camp Long SO : 1 km par N 98 44.00.45 – wc wc . AE E
fermé oct. et nov. – SC : **R** (1/2 pens. seul.) – 10 – 25 ch 45/140.

Aub. de la Rade, bd Bord de Mer 44.00.37, ← –
1er avril-1er oct. – SC : **R** 42/65.

Les localités dont les noms sont soulignés de rouge sur les **cartes Michelin** *à 1/200 000 sont citées dans ce guide. Utilisez une carte récente pour profiter de ce renseignement régulièrement mis à jour.*

AGDE 34300 Hérault 83 ⑮⑯ G. Causses – 12 230 h. – ⊙ 67.

Voir Ancienne cathédrale St-Étienne★ E.

Office de Tourisme r. Louis Bages ☎ 94.29.68.

Paris 814 ④ – Béziers 22 ③ – Lodève 60 ④ – Millau 121 ④ – ♦Montpellier 58 ④ – Sète 23 ②.

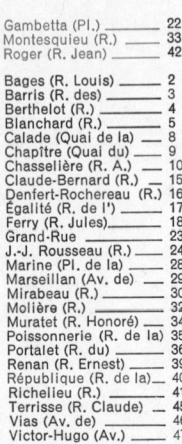

AGDE

Gambetta (Pl.) 22
Montesquieu (R.) 33
Roger (R. Jean) 42

Bages (R. Louis) 2
Barris (R. des) 3
Berthelot (R.) 4
Blanchard (R.) 5
Calade (Quai de la) 8
Chapître (Quai du) 9
Chasselière (R. A.) 10
Claude-Bernard (R.) 15
Denfert-Rochereau (R.) 16
Égalité (R. de l') 17
Ferry (R. Jules) 18
Grand-Rue 23
J.-J. Rousseau (R.) 24
Marine (Pl. de la) 28
Marseillan (Av. de) 29
Mirabeau (R.) 30
Molière (R.) 32
Muratet (R. Honoré) 34
Poissonnerie (R. de la) 35
Portalet (R. du) 36
Renan (R. Ernest) 39
République (R. de la) 40
Richelieu (R.) 41
Terrisse (R. Claude) 45
Vias (Av. de) 46
Victor-Hugo (Av.) 47

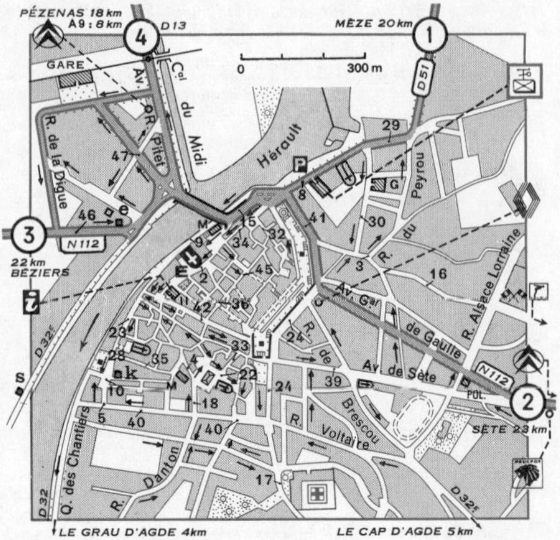

🏠 **Bon Repos** sans rest, 15 r. Rabelais **(e)** ☎ 94.16.26 – ⋔wc. ✻
SC : ☕ 10 – **15 ch** 55/72.

XXX **L'Amandier,** pl. Marine **(k)** ☎ 94.79.30
fermé oct. et lundi du 15 sept. au 1er juil. – SC : **R** 80.

XX **Aub. de la Grange,** 29 bis quai Cdt-Reveille **(s)** ☎ 94.20.66 – Ⓟ
fermé 15 janv. au 15 fév. et mardi – SC : **R** 48/87.

X **L'Affenage,** av. Vias **(e)** ☎ 94.18.86
fermé fév. et lundi – SC : **R** 32 bc/70 ♁.

à La Tamarissière SO : 4 km par D 32E – ✉ **34300** Agde :

🏨 **La Tamarissière,** ☎ 94.20.87 – TV ⇔wc ⋔wc ☎ Ⓟ – 🏃 25. AE GB ⓓ E. ✻
15 mars-15 déc., fermé dim. soir et lundi hors sais. – SC : **R** 55/105 – ☕ 11,50 – 32 ch 88/190 – P 170 bc.

à Vias par ③ : 4 km – ✉ **34450** Vias :

X **Vieux Logis** avec ch, ☎ 94.00.86
fermé 18 oct. au 25 nov. et merc. – **R** (nombre de couverts limité - prévenir) 35/90 – ☕ 10 – **5 ch** 45/60 – P 130.

au Cap d'Agde SE : 5 km par D 32E – ✉ **34300** Agde :

🏨 **Matago** M, r. Trésor Royal ☎ 94.33.14, ≤, 🏊 – |♦| cuisinette Ⓟ – 🏃 50. GB ⓓ E
1er mars-25 oct. – SC : **R** 70/90 – ☕ 22 – **90 ch** 180/280, 8 appartements 200/320 – P 230/280.

🏨 **St-Clair** M sans rest, ☎ 94.36.44, Télex 480464, 🏊 – |♦| ▤ TV ⇔wc ☎ 🚗 Ⓟ – 🏃 30 à 100. 🚗 GB
fermé déc. et janv. – SC : ☕ 18 – **82 ch** 150/215, 3 appartements 300.

🏨 **Gde Conque** 🐚, ☎ 94.71.01, ≤ le large – |♦| ⇔wc ⋔ ☎ Ⓟ. 🚗 GB
1er avril-31 oct. – SC : **R** 45/100 – ☕ 14 – 32 ch 100/200 – P 150/200.

XX **Le Boucanier,** ☎ 94.73.76
11 avril-30 sept. et fermé lundi – SC : **R** 60.

AUDI-VOLKSWAGEN Gar. Four, 12 av. Gén.-de-Gaulle ☎ 94.11.41
CITROEN Auto-Agde, 9 rte Bessan ☎ 94.24.84
CITROEN Rouquette, rte Sète ☎ 94.13.50
PEUGEOT Chevestrier, rte Sète ☎ 94.44.15
RENAULT Briffa, av. Béziers à Vias ☎ 94.00.75 N

RENAULT Gar. Central, 14 bis r. Richelieu ☎ 94.23.89
Lemaire, 18 av. Gén. de Gaulle ☎ 94.21.04

Ⓜ Gautrand-Pneus, 10 r. du Mont-St-Loup ☎ 94.30.60

☛ *Les localités citées dans le **guide Michelin** sont soulignées de rouge sur les **cartes Michelin** à 1/200 000.*

AGEN 🅿 **47000** L.-et-G. **79** ⑮ **G. Périgord** – 35 839 h. alt. 48 – **58**.

Voir Musée* : Vénus du Mas** AYZ **M.**

✈ **d'Agen-la Garenne : Touraine Air Transport ☎ 66.67.50 par ⑤ : 3 km.**

🛈 Office de Tourisme (fermé sam. hors sais.) et A.C. (☎ 47.34.88) 1 pl. de la République ☎ 47.36.09.

Paris 641 ① – Albi 145 ③ – Auch 71 ④ – ♦Bayonne 217 ⑤ – ♦Bordeaux 139 ⑤ – Brive-la-Gaillarde 173 ① – Pau 156 ⑤ – Périgueux 136 ① – Tarbes 144 ④ – ♦Toulouse 109 ③.

AGEN

Président-Carnot (Bd) **BYZ**
République (Bd de la) **ABY**

Barbusse (Av. H.) BY 2
Cornières (R.) AY 3
Desmoulins (R. C.) BY 4
Dolet (R. E.) AZ 5
Durand (Pl. J.-B.) AY 6
Fallières (Pl. A.) AZ 7
Garonne (R.) AY 9
Héros-de-la-Résistance (R. des) BY 10
Hôtel-de-Ville (Pl.) AZ 19
Jacobins (⊞) AZ
Lattre de Tassigny (R. Maréchal de) AZ 20
Leclerc (Av. du Maréchal) AZ 21
Lomet (R.) AZ 22
Montesquieu (R.) AYZ 23
Rabelais (Pl.) BY 24
Richard-Cœur-de-Lion (R.) AZ 26
Sacré-Cœur (⊞) BZ
St-Caprais (⊞) BY
St-Hilaire (⊞) AY
Washington (Cours) BZ 28
9e-de Ligne (Cours du) AZ 29
14-Juillet (Cours du) BY 30
14-Juillet (Pl. du) BY 32

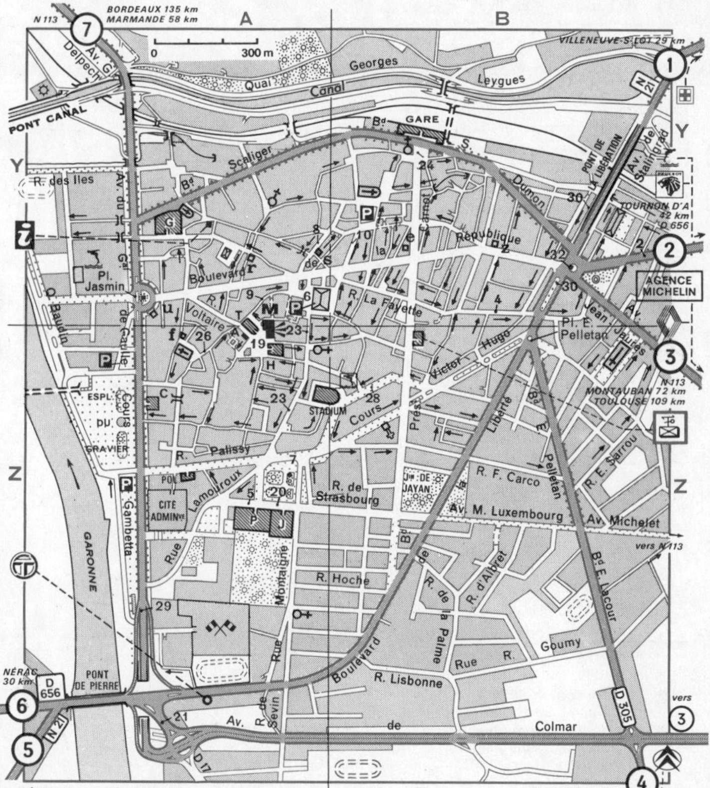

Résidence Jacobins ⚘ sans rest, 1 pl. Jacobins ☎ 47.03.31, « Décorée avec recherche, meubles anciens » – wc wc ☎ ♿ 🅟. AZ **f**
SC : 15 – **17 ch** 90/180.

Atlantic H. M sans rest, 133 av. J.-Jaurès par ③ ☎ 96.16.56 – wc wc ☎ 🅟. GB.
fermé août – SC : 12 – **30 ch** 88/120.

Bordeaux sans rest, 8 pl. Jasmin ☎ 47.25.66 – wc wc ☎. AY **u**
fermé 19 déc. au 10 janv. – SC : 13 – **23 ch** 53/130.

Régina sans rest, 139 bd Carnot ☎ 47.07.97 – wc wc ☎. GB BY **e**
SC : 10 – **32 ch** 46/115.

Royal sans rest, 129 bd République ☎ 47.28.84 – wc wc. BY **z**
SC : ☐ 12 – **19 ch** 65/100.

Quercy, 10 r. Gde-Horloge ☎ 66.35.49 – wc. ch AY **r**
fermé dim. – **R** 42/65 – ☐ 15 – **12 ch** 75/130 – P 170/180.

Beat My (Au coin du Feu), 14 r. Cornières ☎ 66.74.38 – GB AY **s**
fermé 22 au 27 déc. et lundi – **R** carte 85 à 120.

à Galimas par ① : 11 km – ✉ **47340** Laroque Timbaut :

La Sauvagère M, ☎ 95.60.39, – wc wc ☎ P. AE GB
fermé 15 déc. au 15 janv. – **R** *(fermé dim.)* 65/115 – ☐ 15 – **12 ch** 98/170.

à Bon-Encontre par ③ : 5 km – ✉ **47240** Bon-Encontre :

Sxandra M sans rest, N 113 ☎ 96.37.02, – TV wc P – 30. AE GB
fermé 1er au 15 août – ☐ 12 – **38 ch** 100/140.

à l'Aéroport par ⑤ : 3 km – ✉ **47000** Agen :

Aéroport, ☎ 96.38.95, ← – P. AE
fermé août, dim. soir et sam. – SC : **R** 44/130.

par ⑦ rte de Marmande :

La Corne d'Or M avec ch, 1,5 km N 113 ✉ 47450 Colayrac ☎ 47.02.76, ← – rest wc ☎ P – 40. AE
fermé 15 juil. au 15 août et dim. – SC : **R** 45/110 – ☐ 10 – **14 ch** 110/150.

La Rigalette avec ch, 2 km sur D 302 ☎ 47.37.44, ←, « Parc fleuri » – wc wc P – 30. ch
fermé 20 au 31 déc., lundi du 1er avril au 31 oct. et sam. du 1er nov. au 31 mars – SC : **R** 45 bc/135 – ☐ 8 – **9 ch** 45/75.

MICHELIN, Agence régionale, 4 r. Denis Papin, Z.I. Jean Malèze à Bon Encontre par ③ ☎ 96.28.47

AUSTIN, JAGUAR, MORRIS, ROVER, TRIUMPH Tastets, 182 bd Liberté ☎ 47.10.63
FORD France-Auto, 33 av. Gén.-de-Gaulle ☎ 47.32.07
OPEL Palissy Garage, impasse Caserne Valence, le Gravier ☎ 66.59.83
PEUGEOT Palais de l'Automobile, rue Boillot ☎ 47.12.21 N
RENAULT S.A.V.R.A., 84 av. J.-Jaurès ☎ 66.81.75
TALBOT SERVAUTO, 14 bd Liberté ☎ 47.20.84

Estibal, 47 cours 14-Juillet ☎ 47.34.18
Lacan, 95 av. Michelet ☎ 96.24.00

Périphérie et environs

ALFA-ROMEO Escande, Cambès, rte d'Auch à Boé ☎ 96.44.44
AUDI-VOLKSWAGEN SAGAUTO, N 21, Foulayronnes ☎ 95.60.61
BMW, VOLVO Gar. Chollet, rte de Toulouse à Boé ☎ 47.08.53
CITROEN S.A.G.G., bd Ed.-Lacour prolongé, Boé ☎ 96.47.03
DATSUN S.A.G.A.I., rte Toulouse, Boé ☎ 96.15.46
FIAT Pradat-Auto, bd Ed.-Lacour prolongé, Boé ☎ 66.64.55
MERCEDES-BENZ Gar. T.V.I., rte Toulouse, Bon Encontre ☎ 96.29.72
LADA Gar. de France, Zone Ind. J.-Malèze, Bon Encontre ☎ 96.16.78 N
VOLVO Midi Auto-Services, Rte N, Lafox ☎ 96.48.25

Pneu-Service, Zone Ind. J.-Malèze, Bon Encontre ☎ 96.38.13

AGOS 65 H.-Pyr. 85 ⑰⑱ – rattaché à Argelès-Gazost.

AGUESSAC 12520 Aveyron 80 ⑭ – 714 h. alt. 372 – 65.

Paris 623 – Florac 76 – Millau 7 – Rodez 66 – Sévérac-le-Château 25.

Le Rascalat, NO : 2 km N 9 ☎ 60.80.43, ←, – P.
1er juin-27 sept. – SC : **R** 40 – ☐ 8,50 – 22 ch 48/64.

Ballon rond, ☎ 60.80.18, – P.
fermé oct. et lundi de nov. à Pâques – SC : **R** 33/60 – ☐ 11 – **20 ch** 55/65 – P 110/120.

L'AIGLE 61300 Orne 60 ⑤ G. Normandie – 10 209 h. alt. 209 – 33.

Syndicat d'Initiative pl. F. de Beina (15 mai-15 sept. et fermé lundi) ☎ 24.12.40.

Paris 140 ③ – Alençon 59 ⑤ – Chartres 79 ③ – Dreux 58 ③ – Évreux 55 ② – Lisieux 56 ①.

Plan page ci-contre

✿ **Dauphin** (Bernard), pl. Halle ☎ 24.43.12, Télex 170979, « Belle décoration intérieure » – P – 150. AE GB E B **a**
SC : **R** 59/125 – ☐ 15 – 28 ch 97/192 – P 219/300
Spéc. Langouste au Porto, Filets de sole normande, Caneton à la bigarade.

par ③ : 3,5 km – ✉ **61300** L'Aigle :

Aub. St-Michel, ☎ 24.20.12 – P
fermé du 22 déc. au 4 janv. et jeudi – SC : **R** 30/77.

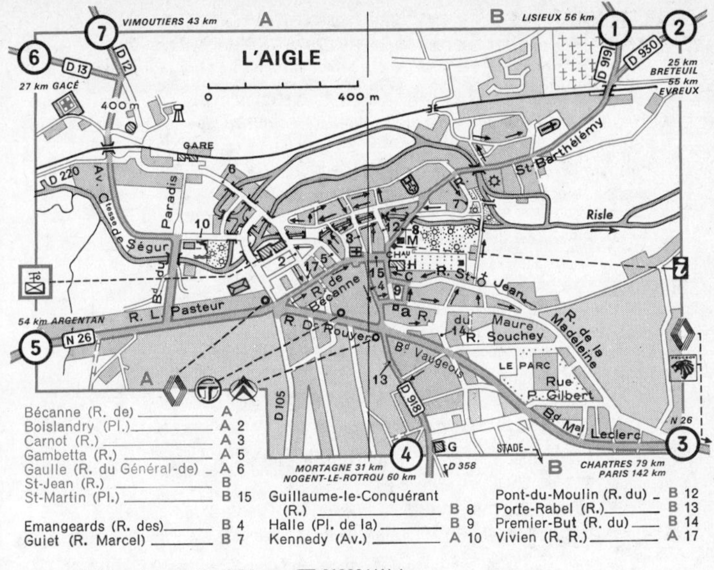

à Chandai par ③ : 8,5 km – ✉ **61300** L'Aigle :

XX **Aub. du Trou Normand,** N 26 ☎ 24.08.54 – GB
fermé janv., mardi soir et merc. – SC : **R** 35/90.

BMW Dehail, à Chandai ☎ 24.16.43
CITROEN Escalmel, 1 r. Dr-Rouyer ☎ 24.24.66
FIAT-LANCIA-AUTOBIANCHI Bongiovanni, rte de Paris, St-Sulpice-sur-Risle ☎ 24.06.87 N ☎ 24.14.34
PEUGEOT Lesueur, rte de Paris ☎ 24.14.66

RENAULT Pavard, rte de Paris ☎ 24.18.99
RENAULT Gar. Dano, 4 r. L.-Pasteur ☎ 24.00.34
TALBOT Dufay, 12 r. Dr-Rouyer ☎ 24.12.32

Lallemand-Pneus, Anglures ☎ 24.48.24

AIGOUAL (Mont) 30 Gard 80 ⑯ G. Causses – alt. 1 567.

Voir Observatoire ✻★★★ – **Accès par le col de la Séreyrède** ≤★.

Paris 647 – Meyrueis 32 – Le Vigan 39.

AIGUEBELETTE (Lac d') ★ 73 Savoie 74 ⑮ G. Alpes – ⊛ 79 – Voir Site★ de la Combe.

Syndicat d'Initiative pl. Gare à Lépin-le-Lac (1er juil.-31 août) ☎ 36.00.02 et à Novalaise (fermé dim. hors sais.) ☎ 28.70.11.

D'Aiguebelette-le-Lac : Paris 551 – Belley 46 – Chambéry 21 – ♦Grenoble 58 – Voiron 43.

à Lépin-le-Lac – 168 h. – ✉ **73610** Lépin-le-Lac :

Clos Savoyard ⛰, ☎ 36.00.15, ≤, 🌳 – **P**. 🚗. ✗ rest
1er juin-15 sept. – SC : **R** 42/100 – ☕ 12 – 18 ch 48/55 – P 95.

à Novalaise-Lac – 735 h. alt. 427 – ✉ **73470** Novalaise :

Novalaise-Plage ⛰, ☎ 36.02.19, ≤, 🏕 – 🛁wc 🚿 ☎ **P**. 🚗. ✗
Pâques-fin sept. et fermé mardi hors sais. – SC : **R** 35/70 – ☕ 12 – 16 ch 60/120 – P 105/160.

à St-Alban-de-Montbel – 216 h. alt. 440 – ✉ **73610** Lépin-le-Lac :

St-Alban-Plage ⛰, NE : 1,5 km D 921 ☎ 36.02.05, ≤, 🏕, 🌳 – 🛁wc 🚿wc ☎ **P**. 🚗. ✗ ch
Pentecôte-oct. – SC : **R** (pens. seul.) – ☕ 13 – 16 ch 190 – P 100/190.

AIGUEBELLE 73220 Savoie 74 ⑰ – 1 065 h. alt. 323 – ⊛ 79.

Paris 597 – Albertville 26 – Allevard 31 – Chambéry 37 – St-Jean-de-Maurienne 34.

Poste, ☎ 36.20.05 – 🚿wc ☎ **P**
fermé 20 déc. au 5 fév. et sam. – SC : **R** 30/60 – ☕ 9 – **21 ch** 50/80 – P 80/90.

Soleil, ☎ 36.20.29, 🌳 – 🚿 🚗 **P**. 🚗
fermé 1er oct. au 15 nov. dim. soir et lundi – SC : **R** 35/90 – ☕ 9 – **17 ch** 40/80 – P 80/90.

CITROEN Pitton, ☎ 36.20.16
PEUGEOT Villard, ☎ 36.20.56

RENAULT Batistella, ☎ 36.31.31 N ☎ 36.21.78

AIGUEBELLE 83 Var 84 ⑰ G. Côte d'Azur – ✉ 83980 Le Lavandou – ☎ 94.
Paris 884 – Hyères 28 – Le Lavandou 5,5 – St-Tropez 34 – Ste-Maxime 38 – ♦Toulon 46.

Roches Fleuries, ☎ 71.05.07, « Agréables terrasses en bordure de mer, ⛱ » ← – P. AE GB. rest
25 mai-20 sept. – SC : **R** 95/125 – 48 ch ☕ 180/480 – P 295/425.

Résidence Soleil M sans rest, ☎ 05.84.18, ← – wc wc ☎ P. E
Pâques-mi-oct. – SC : **24 ch** ☕ 200/250.

Gd Pavois, ☎ 05.81.38, ← – wc wc ☎ P. GB E. rest
15 mars-15 oct. – SC : **R** 60/80 – 25 ch (pens. seul.) – P 200/300.

Plage, ☎ 05.80.74, ←, – wc wc ☎.
25 mai-24 sept. – SC : **R** 50 – ☕ 12 – 52 ch 120/200 – P 160/300.

Beau Soleil, ☎ 05.84.55 – wc ☎ P. . rest
Pâques-fin sept. – 18 ch (pens. seul.) – P 170/185.

AIGUEPERSE 63260 P.-de-D. 73 ④ G. Auvergne – 2 698 h. alt. 355 – ☎ 73.
Paris 358 – ♦Clermont-Ferrand 31 – Gannat 9 – Montluçon 74 – Riom 16 – Thiers 44 – Vichy 28.

Host. Blondeau, ☎ 97.61.78 – wc wc P. ch
fermé 5 nov. au 15 déc. – SC : **R** 40/85 – ☕ 9 – **21 ch** 38/80 – P 85/100.

Marché, ☎ 97.61.96 –
fermé 16 sept. au 23 oct. – SC : **R** 29/50 🍷 – ☕ 8 – **15 ch** 40/48 – P 80/90.

AIGUES-MORTES 30220 Gard 83 ⑧ G. Provence (plan) – 4 536 h. – ☎ 66.
Voir Remparts** et tour de Constance** : ** – Tour Carbonnière * NE : 3,5 km.
Office de Tourisme pl. St-Louis (1er avril-1er oct. et fermé lundi) ☎ 88.31.83 et à la Mairie (hors saison après-midi seul., fermé sam. et dim.) ☎ 88.32.68.
Paris 748 – Arles 48 – ♦Montpellier 32 – Nîmes 41 – Sète 65.

Host. Remparts , pl. Armes ☎ 51.82.77, « Demeure ancienne aménagée » – ☎ ♿. AE GB E
fermé 8 nov. au 18 déc. – SC : **R** *(fermé merc. sauf juil. et août)* 59 – 19 ch ☕ 190/300 – P 205/260.

St-Louis , r. Amiral-Courbet ☎ 51.02.68 – wc wc ☎.
1er mars-31 oct. – SC : **R** *(fermé merc.)* 50/95 – ☕ 14,50 – **20 ch** 140/155 – P 180/190.

Arcades, 23 bd Gambetta ☎ 51.81.13
fermé déc., janv. et lundi sauf le soir en juil.-août – SC : **R** 50/85.

Le Minos, pl. St-Louis ☎ 51.03.24 – AE E
fin avril-début oct. – SC : **R** 50/100.

Camargue, r. République ☎ 51.86.88, ambiance typiquement locale le soir –
fermé 2 au 31 janv. et lundi sauf en juillet et août – SC : **R** 42, dîner et dim. 80.

CITROEN Gar. Gare, ☎ 51.04.52
PEUGEOT Gar. du Golfe, ☎ 88.30.11
RENAULT Gar. Guyon, ☎ 51.81.10

AIGUILLON 47190 L.-et-G. 79 ⑭ – 4 066 h. alt. 35 – ☎ 58.
Paris 670 – Agen 30 – Houeillès 31 – Marmande 28 – Nérac 26 – Villeneuve-sur-Lot 33.

Les Cygnes, rte Villeneuve ☎ 79.60.02, ←, « Parc » – wc wc ☎ P – 25. . rest
fermé 15 déc. au 15 janv. et sam. hors sais. – SC : **R** 35/65 – ☕ 10 – **17 ch** 85/115 – P 110/125.

L'AIGUILLON-SUR-MER 85460 Vendée 71 ⑪ G. Côte de l'Atlantique – 2 117 h. – ☎ 51.
Paris 453 – Luçon 21 – La Rochelle 50 – La Roche-sur-Yon 53 – La Tranche-sur-Mer 11.

Port, ☎ 56.40.08, ⛱, – wc ☎ P. GB E
25 mars-25 sept. – SC : **R** 32/70 – ☕ 11 – 33 ch 61/135 – P 100/160.

à la Faute-sur-Mer O : 0,5 km – ✉ 85460 Aiguillon-sur-Mer :

Les Chouans M sans rest, ☎ 56.45.56 – wc wc ☎. GB
fermé nov. et lundi – SC : ☕ 10 – **22 ch** 100/150.

La Crinière, route Pointe d'Arçay ☎ 56.43.44 – P
1er avril-30 oct., fermé mardi soir et merc. (sauf juil. et août) – SC : **R** carte 75 à 115.

AIGUINES 83114 Var 84 ⑥ G. Côte d'Azur – 132 h. alt. 823 – ☎ 94.
Voir Cirque de Vaumale ←** E : 4 km – Col d'Illoire ←* E : 2 km.
Paris 809 – Castellane 57 – Digne 65 – Draguignan 59 – Manosque 67 – Moustiers-Ste-Marie 17.

Altitude 823 avec ch, ☎ 70.21.09, ← – E
1er avril-2 nov. – SC : **R** 50/80 – ☕ 12 – 11 ch 50/70 – P 120/130.

AIGURANDE 36140 Indre 68 ⑲ – 2 288 h. alt. 425 – ☎ 54.
Paris 314 – Argenton-sur-C. 33 – Châteauroux 48 – La Châtre 26 – Guéret 35 – La Souterraine 40.

Berry, ☎ 30.30.38, – wc P
fermé oct. – SC : **R** 50/110 🍷 – ☕ 15 – 10 ch 60/120 – P 150.

FORD LANCIA, AUTOBIANCHI Guillebaud, ☎ 30.31.12 🅽
PEUGEOT Buvat, ☎ 30.33.15 🅽
RENAULT Gar. Dumontet, ☎ 30.30.30

TALBOT Deschatrettes, ☎ 30.30.59

Ⓜ Tisseron, ☎ 30.30.54

AILEFROIDE 05 H.-Alpes 77 ⑰ – rattaché à Pelvoux (Commune de).

AINAY-LE-VIEIL 18 Cher 69 ⑪ **G. Périgord** – 193 h. alt. 160 – ✉ **18200** St-Amand-Montrond – ✪ 48 – **Voir Château**★.

Paris 284 – Bourges 55 – Montluçon 42 – St-Amand-Montrond 11.

- **La Crémaillère,** pl. Église ☎ 96.02.95 – ✻
  10 fév.-1er nov. et fermé vend. – SC : **R** 35/90 ♫ – ☕ 14 – 8 ch 55/85 – P 110.

AINCILLE 64 Pyr.-Atl. 85 ③ – rattaché à St-Jean-Pied-de-Port.

AINHOA 64 Pyr.-Atl. 85 ② **G. Pyrénées** – 543 h. alt. 124 – ✉ **64250** Cambo-les-Bains – ✪ 59.
Voir Rue principale★.

Paris 768 – •Bayonne 26 – Cambo-les-Bains 11 – Pau 124 – St-Jean-de-Luz 23.

- ✿ **Argi-Eder** (Dottax) Ⓜ ☘, ☎ 29.91.04, Télex 570067, ≤, « **Jardin** », ⛱, ⚔ – ▤ 📺 Ⓟ – 🏛 45. AE GB ⓓ E. ✻ ch
  fermé 10 janv. au 15 mars, dim. soir et merc. hors sais. – SC : **R** (dim. prévenir) 80/180 – ☕ 16 – 26 ch 160/230, 10 appartements 250/270 – P 240/310
  Spéc. Truite Aïnhoarra, Tournedos sauté, Tarte chaude aux fruits. **Vins** Jurançon, Irouléguy.
- ✿ **Ithurria,** ☎ 29.92.11, « **Maison basque du 17e s., jardin** » – ▤ rest – 🏛 25. AE GB. ✻ ch
  fermé 20 nov. au 22 déc., 2 au 25 janv., mardi soir et merc. sauf vacances scolaires – SC : **R** 65/120 – ☕ 12 – **28 ch** 110/150 – P 155/185
  Spéc. Foie gras des Landes, Darne de louvine grillée au beurre blanc, Confit de canard. **Vins** Jurançon, Madiran.
- **Oppoca,** ☎ 29.90.72, ≤, ⛱ – 🛁wc 🚿wc ☎ Ⓟ. 🚗
  fermé mi-janv. à mi-fév. et mardi – SC : **R** 40/105 – ☕ 10 – **12 ch** 80/110 – P 140.
- **Ohantzea,** ☎ 29.90.50, ≤, « **Maison basque du 17e s.** », ⛱ – 🛁wc ☎ 🚗. 🚗
  fermé 18 nov. au 20 déc., janv. et lundi – SC : **R** 38/84 – ☕ 9,50 – 11 ch 55/110 – P 100/125.

à Dancharia S : 3 km – ✉ **64250** Cambo-les-Bains :

- **Ur Hegian,** ☎ 29.91.16 – 🚿 Ⓟ. ✻ rest
  fermé nov. et merc. – SC : **R** 32/40 – ☕ 9 – **22 ch** 50/100 – P 90/110.

AIRAINES 80270 Somme 52 ⑦ **G. Nord de la France** – 2 303 h. alt. 49 – ✪ 22.

Paris 142 – Abbeville 20 – •Amiens 28 – Beauvais 66 – Le Tréport 47.

- ✕ **Pont d'Hure,** à Allery O : 5 km sur D 936 ☎ 26.02.10, ≤ – Ⓟ – 🏛 35
  fermé 1er au 15 août, mardi et le soir sauf sam. – SC : **R** 38/90.

PEUGEOT Jumez, ☎ 26.00.66
RENAULT Gar. Mille, ☎ 26.00.71 🅽

TALBOT Lambre, ☎ 26.00.29

AIRE

Alsace-Lorraine (R. d') 2
Armes (Pl. d') 3
Arras (R. d') 4
Béguines (Pl. des) 6
Bourg (R. du) 7
Carnot (Av.) 8
Chair (R. à la) 9
Château (Pl. du) 10
Château (R. du) 12
Clemenceau (Bd) 13
Clémences (R. des) 15
Doyen (R. du) 16
Fort Gassion (R. du) 17
Gaulle (Bd de) 18
Grand-Place 19
Jehan-d'Aire (Pl.) 21
Leclerc (R. du Mar.) 23
Mardyck (R. de) 24
Notre-Dame (Pl.) 25
St-Martin (R. de) 26
St-Omer (R. de) 28
St-Pierre (Pl.) 29
St-Pierre (R.) 31
Thérouanne (R. de) 32
Tour Blanche (R. de la) 33
Vauban (Av.) 35

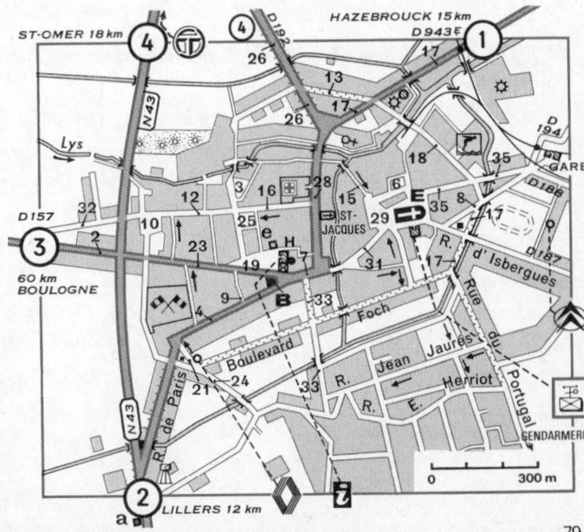

AIRE **62120** P.-de-C. **51** ⑭ **G. Nord de la France** – 9 657 h. alt. 22 – ✪ 21.

Voir Bailliage★ B – Tour★ de la collégiale St-Pierre E.

Syndicat d'Initiative à la Mairie (fermé sam. après-midi et dim.) ☎ 39.07.22.

Paris 236 ② – Arras 56 ② – Béthune 25 ② – Boulogne 60 ③ – ♦Lille 57 ① – Montreuil 55 ③.

Plan page précédente

Europ H. sans rest, 14 Gde-Place **(e)** ☎ 39.04.32 – wc P. GB
SC : 8 – **16 ch** 40/55.

Host. Trois Mousquetaires avec ch, Château de la Redoute **(a)** ☎ 39.01.11, parc – TV wc P – 30.
fermé 15 janv. au 15 fév., dim. soir, lundi et fériés – **R** 40/90 – 15 – **8 ch** 50/150.

BMW Cornuel, 3 pl. du Castel ☎ 39.06.65
CITROEN Warmé, 11 r. Lyderic ☎ 39.00.31
RENAULT Gar. Delgery, 5 pl. Jéhan d'Aire ☎ 39.02.98 N
TALBOT Peuvrel, 79 rte St-Omer, St-Martin ☎ 39.00.76

Leroux, 1 r. Alsace-Lorraine ☎ 39.07.08

AIRES **34** Hérault **83** ④ – rattaché à Lamalou-les-Bains.

AIRE-SUR-L'ADOUR **40800** Landes **82** ①② **G. Pyrénées** – 6 917 h. alt. 80 – ✪ 58.

Voir Sarcophage de Ste-Quitterie★ dans l'église Ste-Quitterie B.

Office de Tourisme pl. de-Gaulle (1er mai-30 sept., fermé dim. et fêtes) ☎ 76.64.70.

Paris 702 ⑤ – Auch 82 ② – Condom 67 ② – Dax 76 ⑤ – Mont-de-Marsan 31 ⑤ – Orthez 59 ④ – Pau 49 ③ – Tarbes 69 ②.

Dupouy, 22 r. 13-juin **(s)** ☎ 76.71.76 – wc P – 25. GB
fermé lundi – SC : **R** 33/100 – 9 – **14 ch** 45/100 – P 83/132.

Commerce avec ch, 3 r. Labeyrie **(a)** ☎ 76.60.06, – wc wc P – 60. ch
fermé 2 au 20 janv. et dim. soir sauf rest. – SC : **R** *(fermé lundi)* 40/100 – 9 – **21 ch** 48/110 – P 90/120.

à Segos (32 Gers) par ③, N 134 rte Pau et D 260 : 9 km – ✉ **32400** Riscle – ✪ 62

Domaine du Bassibé, ☎ 09.46.71, ←, parc, – P – 80. AE GB. rest
fermé 15 déc. au 15 janv., dim. soir et lundi midi hors sais. – **R** carte 95 à 120 – 25 – **10 ch** 170/250 – P 250/300.

PEUGEOT Labarthe, Zone Ind. Cap de la Coste, N 124 ☎ 76.71.95
RENAULT S.A.E.M.A., rte Bordeaux ☎ 76.60.01
TALBOT Gar. Daudon-Sadra, 52 av. du 4-Septembre ☎ 76.60.64

Perron, rte de Pau ☎ 76.61.62

AIRVAULT **79600** Deux-Sèvres **68** ② **G. Côte de l'Atlantique** – 2 477 h. alt. 126 – ✪ 49.

Voir Porche★ de l'église St-Pierre.

Paris 348 – Bressuire 28 – Châtellerault 55 – Niort 64 – Parthenay 24 – Poitiers 51 – Thouars 22.

Aub. du Vieux Relais, ☎ 64.70.31, – wc wc P
fermé 1er au 16 oct., vacances de fév. et lundi – SC : **R** 35/135 – 10 – 12 ch 45/110 – P 95/135.

CITROEN Poumaliou, ☎ 64.70.20 N
PEUGEOT Toitot, ☎ 64.70.38
RENAULT Gar. du Cygne, ☎ 64.70.15 N

AISEY-SUR-SEINE **21** Côte-d'Or **65** ⑧ – 150 h. alt. 256 – ✉ **21400** Châtillon-sur-Seine – ✪ 80.

Paris 253 – Châtillon-sur-Seine 16 – ♦Dijon 67 – Montbard 28.

Roy, ☎ 93.21.63, – wc P.
fermé déc. et mardi – SC : **R** 30/70 – 10 – 10 ch 50/100 – P 130.

AIX (Ile d') ★ 17123 Char.-Mar. 71 ⑬ G. Côte de l'Atlantique – 210 h. – ✪ 46.

Accès par transports maritimes :

⛴ depuis la **Pointe de la Fumée** (2,5 km NO de Fouras). En 1980 : de juin à sept., service toutes les 1/2 heures., hors saison, 4 services quotidiens. Traversée 20 mn – 18 F (AR) - ☎ 35.61.48 (La Rochelle).

⛴ depuis **La Rochelle**. En 1980 : de juin à sept., 4 services quotidiens - Traversée 1 h – 36 F (AR) - ☎ 35.61.48 (La Rochelle).

⛴ depuis **Boyardville** (Ile d'Oléron). En 1980 : de juin à sept., 7 services quotidiens-Traversée 30 mn – 23 F (AR) - ☎ 35.61.48 (La Rochelle).

AIX-EN-OTHE 10160 Aube 61 ⑮ – 2 325 h. alt. 132 – ✪ 25.

Voir Jubé★ dans l'Église de Villemaur-sur-Vanne N : 4,5 km, G. Nord de la France.

Paris 155 – Nogent-sur-Seine 39 – St-Florentin 33 – Sens 39 – Troyes 31.

Aub. Scierie ⊗, à la Vove S : 1,5 km ☎ 46.71.26, ←, « Parc et rivière », ⛱ – ⇔wc ⋒wc ☎ Ⓟ. AE ⓓ
fermé fév., lundi soir et mardi (sauf hôtel en saison) – SC : **R** 85/110 – ☕ 15 – 10 ch 120/130 – P 150/160.

PEUGEOT Gar. Léon, ☎ 46.70.44 — RENAULT Gar. Central, ☎ 46.70.13

AIX-EN-PROVENCE SP 13100 B.-du-R. 84 ③, 93 ⑬ G. Provence – 114 014 h. alt. 177 – Stat. therm. – Casino AY – ✪ 42.

Voir Cours Mirabeau★★ BY – Le Vieil Aix★★ BXY : Bibliothèque Méjanes★★ BY **H**, Musée des Tapisseries★★ BX **M1**, Cloître St-Sauveur★ BX **D**, Cathédrale St-Sauveur★ BX **E** : tapisseries flamandes★★, triptyque du Buisson ardent★★ – Quartier Mazarin★ CY : Fontaine des Quatre-Dauphins★ BZ **K**, Eglise St-Jean de Malte : intérieur★ CZ **F** – Musée Granet★ CZ **M2** - Vierge★ et triptyque de l'Annonciation★ dans l'église Ste-Marie-Madeleine CY **B** – Fondation Vasarely★ AV **M3**.

18 d'Aix-Marseille ☎ 24.20.41 par ④ et D 9 : 8,5 km.

i Office de Tourisme, pl. Gén.-de-Gaulle (fermé dim. du 15 sept. au 15 juin) ☎ 26.02.93, Télex 430468.

Paris 752 ⑤ – Avignon 75 ⑦ – ♦Marseille 31 ④ – ♦Nice 176 ② – Nîmes 105 ⑤ – ♦Toulon 81 ②.

Plan page suivante

Roy René, 14 bd Roi-René ☎ 26.03.01, Télex 410888, ⛱ – |♦| TV ⇔ Ⓟ – 🏛 100. AE GB ⓓ E — BZ **r**
SC : **R** 120/125 – ☕ 28 – **65 ch** 200/400 – P 320/400.

Paul Cézanne M sans rest, 40 av. Victor-Hugo ☎ 26.34.73, « Bel aménagement intérieur » – |♦| ▤ ☎. AE. ✻ — BZ **h**
SC : ☕ 20 – **42 ch** 190/430.

P.L.M. "Le Pigonnet" M ⊗, av. Pigonnet ☎ 59.02.90, Télex 410629, ⛱, ⛱ – |♦| TV ☎ Ⓟ – 🏛 80. AE GB ⓓ E — AV **t**
SC : **R** *(fermé dim. soir du 1er nov. au 31 mars)* 100/130 – **48 ch** ☕ 185/320 – P 305/340.

Gd H. Nègre Coste sans rest, 33 cours Mirabeau ☎ 27.74.22, Télex 440184 – |♦| ⇔. AE GB ⓓ E — BY **m**
SC : ☕ 18 – **36 ch** 145/240.

Thermes Sextius, 55 cours Sextius ☎ 26.01.18, « Parc », ⛱ – |♦| TV ♿ Ⓟ. AE GB ⓓ E. ✻ rest — AX **s**
SC : **R** 65/80 – ☕ 19 – **63 ch** 65/220 – P 153/250.

Résidence Rotonde M sans rest, 15 av. Belges ☎ 26.29.88 – |♦| ⇔wc ⋒wc ☎. ⇔ AE GB ⓓ E — AZ **u**
fermé 20 déc. au 10 janv. – SC : ☕ 14 – **42 ch** 100/180.

Caravelle sans rest, 29 bd Roi-René ☎ 62.53.05 – |♦| ⇔wc ⋒wc ☎. AE GB ⓓ E
SC : ☕ 11 – **29 ch** 55/130. — CZ **z**

St-Christophe sans rest, 2 av. Victor-Hugo ☎ 26.01.24 – |♦| ⇔wc ⋒wc ☎ ⇔. ⇔. ✻ — BZ **a**
fermé janv. – SC : ☕ 14 – **54 ch** 80/140.

Le Moulin M sans rest, 1 av. Schumann (près nouvelles facultés) ☎ 59.41.68 – |♦| cuisinette ⇔wc ⋒wc ☎ ⇔ Ⓟ — BV **a**
fermé 15 déc. au 6 janv. – SC : ☕ 13 – **32 ch** 80/140.

Moderne sans rest, 36 av. Victor-Hugo ☎ 26.05.16 – |♦| ⇔wc ⋒wc ☎. ⇔ AE GB ⓓ — BZ **h**
fermé fév. – SC : ☕ 11,50 – **22 ch** 72/140.

Cardinal sans rest, 24 r. Cardinale ☎ 38.32.30 – |♦| ⇔wc ⋒wc ☎ — CZ **y**
SC : ☕ 11 – **18 ch** 52/130.

XXX ✿ **Charvet,** 9 r. Lacépède ☎ 27.72.81. ⓓ — CY **r**
fermé 9 au 17 août, dim. du 18 août au 20 sept. et lundi – SC : **R** (nombre de couverts limité - prévenir) 140
Spéc. Terrine de légumes (été), Gigot de mer à la crème d'ail et ciboulette, Selle d'agneau farcie.
Vins Vignelaure, Château Lacoste.

tourner →

AIX-EN-PROVENCE

Bagniers (R. des)	BY	2
Espariat (R.)	BY	
Méjanes (R.)	BY	25
Mirabeau (Cours)	BY	
Paul-Bert (R.)	BX	36
Thiers (R.)	CY	45
Berre (Route de)	AV	3
Bon Pasteur (R. du)	BX	4
Boulégon (R.)	BX	6
Brossolette (Av. P.)	AV	7
Cardeurs (For. des)	BY	8
Clemenceau (R.)	BY	10
Couronne (R. de la)	BY	12
Dalmas (Av. J.)	AV	13
De-la-Roque (R. J.)	BX	14
Forbin (Pl.)	CY	16
Galice (Rte de)	AV	17
Hôtel-de-Ville (Pl.)	BY	19
Isaac (Av. J.)	BV	20
Italie (R. d')	CZ	21
Malacrida (Av. H.)	BV	23
Matheron (R.)	BY	24
Minimes (Crs des)	AV	27
Montigny (R.)	BY	28
Moulin (Av. J.)	BV	29
Napoléon Bonaparte (Av.)	AY	30
Nazareth (R.)	BY	31
Niollon (Pl. B.)	AY	32
Opéra (R. de l')	CY	33
Pasteur (Av.)	BX	35
Poilus (Bd des)	BV	37
Richelme (Pl.)	BY	39
St-Honoré (Pl.)	BY	40
Saporta (R. G.-de)	BX	41
Solari (Av. Ph.)	AV	43
Thermes (Av. des)	ABY	44
Vauvenargues (R.)	BY	47
Victor-Hugo (Av.)	BZ	48
Violette (Av. de la)	BV	49

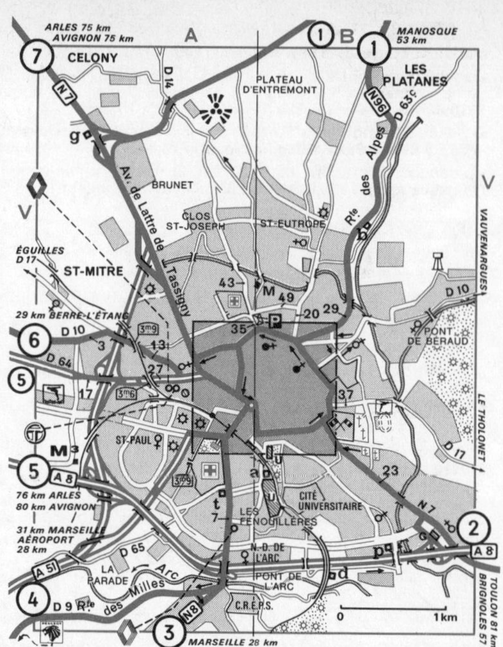

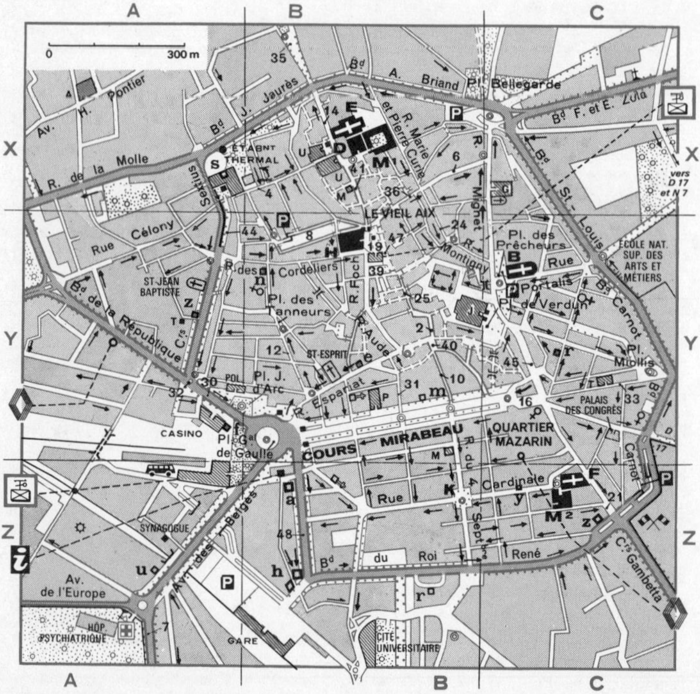

XXX **Vendôme,** 2 bis av. Napoléon Bonaparte ✆ 26.01.00, **« Terrasse ombragée »** – Ⓟ. AE GB ① E — AY **f**
SC : **R** 120/170.

XXX **Caves Henri IV,** 32 r. Espariat ✆ 27.86.39 – ▤ — BY **e**
fermé 6 au 26 août, 9 au 15 mars, lundi midi et dim. – SC : **R** 75, dîner à la carte.

XX **Le Clam's,** 22 cours Sextius ✆ 27.64.78, produits de la mer — AY **z**
fermé mi-juil. à fin août et merc. – **R** carte 80 à 110.

XX **Abbaye des Cordeliers,** 21 r. Lieutaud ✆ 27.29.47 – AE GB ① E — BY **n**
fermé mi sept.-mi oct., lundi soir (sauf d'avril à oct.) et mardi – SC : **R** 60 bc/90 bc.

au Nord 2 km :

Le Prieuré sans rest, N : 2,5 km sur N 96 ✆ 21.05.23, ≤ – wc ☎ Ⓟ. — BV **b**
SC : ☕ 11 – **27 ch** 66/150.

au Sud-Est 3 km ou par sortie d'autoroute Aix-Est :

Novotel Aix Sud M, ✆ 27.90.49, Télex 420517, – ▤ TV ☎ ♿ Ⓟ – 200. AE GB ① — BV **d**
R snack, carte environ 65 – ☕ 20 – **80 ch** 170/200.

Novotel Aix Est M, Résidence Beaumanoir ✆ 27.47.50, Télex 400244, – ▤ TV ☎ ♿ Ⓟ – 200. AE GB ① — BV **p**
R snack, carte environ 65 – ☕ 20 – **97 ch** 170/200.

par ② sur N 7 : 5 km près échangeur A8 Le Canet – ✉ **13590** Meyreuil :

X **Grill 13,** ✆ 58.45.50 – Ⓟ
fermé 22 déc. au 3 janv. – SC : **R** 33/100 .

à Celony 3 km sur N 7 – ✉ **13100** Aix-en-Provence :

Mas d'Entremont M , ✆ 23.45.32, ≤, **« Demeure provençale avec terrasses dans un parc, »** – cuisinette TV ☎ Ⓟ – 80 — AV **g**
15 mars-1er nov. – SC : **R** *(fermé dim. soir et lundi midi)* 85 – ☕ 18 – 9 ch 180/195, 5 bungalows 250 – P 278/313.

à Éguilles par D 17 AV : 11 km – 3 530 h. – ✉ **13510** Éguilles :

Aub. du Belvédère , ✆ 92.52.92, ≤, **« Jardin en terrasse »**, – wc wc ☎ Ⓟ – 40. ① E
SC : **R** 57/80 (sauf fêtes) – ☕ 16 – 21 ch 118/150.

Voir aussi ressources hotelières de *Beaurecueil* par ② et D 58 : 10 km, de *Roquefavour* par ⑤ et D 64 : 12 km, de *Châteauneuf-le-Rouge* par ② N 7 : 13 km et de Meyrargues par ① : 16 km

ALFA-ROMEO SOCODIA, petite rte des Milles, D 65 ✆ 59.01.32
BMW Gar. Continental, 8 av. De-Lattre-de-Tassigny ✆ 23.24.33
FORD NOVO, Zéda-la Pioline, les Milles ✆ 20.17.17
PEUGEOT Gds Gar. de Provence, Zéda-La Pioline, rte des Milles ✆ 20.01.45
RENAULT Verdun-Aix, 5 rte Galice ✆ 27.98.05
RENAULT Clinic-Auto, 16 r. F.-Dol ✆ 26.21.18
RENAULT Sextius-Electric-Auto, 50 av. P.-Brossolette ✆ 27.62.38
TALBOT Galice Auto, 7 rte Galice ✆ 27.75.99
TOYOTA, VOLVO Gar. Briand, N 7, La Calade, Puyricard ✆ 23.36.88

Cambi-Pneus, 9 r. Signoret ✆ 23.06.77
Josserand-Pneus, rte Alpes ✆ 21.17.55
Omnica, 19 av. H.-Pontier ✆ 23.52.73
Pyrame, 66 cours Gambetta ✆ 62.49.16
Rome, 13 bd J.-Jaurès ✆ 23.16.54
Roques, 31 cours Gambetta ✆ 62.42.81
Station Pneumatic, 31 bd A.-Briand ✆ 23.32.28
Verret, 7 cours Gambetta ✆ 62.42.68

AIXE-SUR-VIENNE 87700 H.-Vienne 72 ⑰ G. Périgord – 5 744 h. alt. 230 – ⚙ 55.

Paris 404 – Angoulême 96 – •Limoges 13 – Nontron 56 – Périgueux 88 – St-Junien 29 – Uzerche 65.

XX **Aub. des Deux Ponts,** ✆ 70.10.22 –
fermé 3 au 25 août, vacances de fév., dim. soir et lundi – SC : **R** 30/120 .

FIAT, LANCIA Ribet, ✆ 70.21.62
RENAULT Gauduffe, ✆ 70.20.59

AIX-LES-BAINS 73100 Savoie 74 ⑮ G. Alpes – 22 293 h. alt. 260 – Stat. therm. – Casinos Palais de Savoie BYZ, Nouveau Casino BY – ⚙ 79.

Voir Boulevard du Lac★ AY – Escalier★ de l'Hôtel de Ville CYZ **H** – Musée du Docteur Faure★ CY **M1**.

Env. Le tour du lac du Bourget★★ 51 km par ④, en bateau★ : 4 h – Gorges du Sierroz★ 3 km par ① – Abbaye de Hautecombe★★ (Chant Grégorien), en bateau : 2 h – Renseignements sur excursions en bateau : Cie Aixoise de Navigation, – Grand Port ✆ 35.05.19.

18 ✆ 61.23.35 par ③ : 3 km.

✈ de Chambéry-Aix-les-Bains : Air Alpes ✆ 61.46.00, au Bourget-du-Lac par ④ : 8 km.

Office Thermal et Touristique (fermé sam. après-midi et dim. hors sais.) et Accueil de France (Informations et réservations d'hôtels, pas plus de 5 jours à l'avance) pl. M.-Mollard ✆ 35.15.35, Télex 980015 et à la Gare (1er mai-31 oct. et fermé dim.) ✆ 35.65.31 – ROBOTEL (entre l'Office et les Thermes) : appareil automatique suppléant l'Office aux heures de fermeture.

Paris 566 ④ – Annecy 34 ① – Bourg-en-Bresse 109 ④ – Chambéry 16 ④ – •Lyon 104 ④.

AIX-LES-BAINS

Bains (R. des) ____ CY 2
Carnot (Pl.) ____ CY 6
Casino (R. du) ____ CY 8
Chambéry (R. de) ____ CZ 9
Davat (R.) ____ CY 15
Temple-de-Diane (Sq) CY 39

Berthollet (Bd) ____ CY 3
Boucher (Sq. Alfred) BY 5
Clemenceau (Pl. G.) _ BY 12
Dacquin (R.) ____ CY 13
Fleurs (Av. des) ____ CY 16
Garrod (R. Sir-A.) ____ BZ 18
Gaulle (Av. Ch.-de) _ BZ 19
Georges-Ier (R.) ____ CZ 21
Lamartine (R.) ____ CY 22
Liège (R. de) ____ CZ 24
Lord-Revelstoke (Av.) CZ 25
Mollard (Pl. M.) ____ CZ 27
Prés-Riants (R. des) _ BY 28
République (R.) ____ BY 30
Revard (Pl. du) ____ CZ 31
Roosevelt (Av. F.) ____ BY 33
Seyssel (R. C.-de) ____ CY 34
Solms (Av. Marie-de) BYZ 36
Temple (R. du) ____ BY 37
Victoria (Av.) ____ BY 42
Zander
(R. de l'Institut) ____ CZ 44

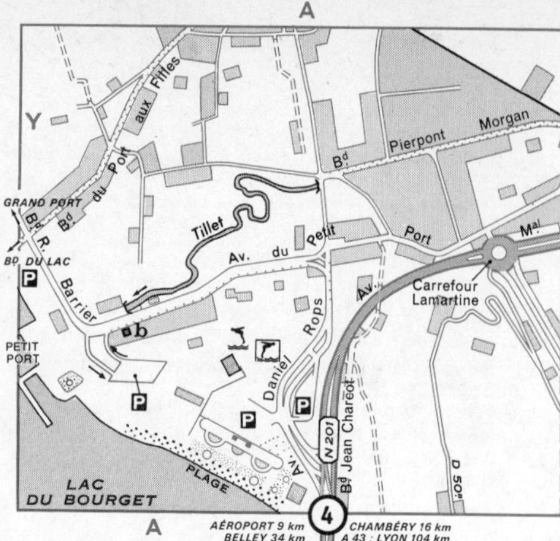

Iles Britanniques ⛭, pl. Établissement Thermal ☎ 61.03.77, ←, « Jardins fleuris » – 🛗 🚗 Ⓟ. AE. ⊘ — CY **s**
1er mai-30 sept. – SC : **R** 65/95 – **90 ch** ☕ 90/240 – P 160/250.

International Rivollier, 18 av. Ch.-de-Gaulle ☎ 35.21.00 – 🛗 ☎. AE GB ⓓ E. ⊘ rest — BZ **e**
SC : **R** 56/115 – ☕ 14 – **63 ch** 90/190 – P 130/190.

Cloche, 9 bd Wilson ☎ 35.01.06 – 🛗. AE. ⊘ rest — BY **b**
25 avril-1er oct. – SC : **R** 55/60 – ☕ 13 – **50 ch** 60/190 – P 130/210.

Bristol, 6 r. Casino ☎ 35.08.14, 🌳 – 🛗 Ⓟ. 🚗 AE GB. ⊘ rest — CY **b**
15 avril-15 oct. – SC : **R** 50/75 – ☕ 15 – **121 ch** 85/170 – P 145/200.

Le Manoir ⛭, 33 r. Georges-1er ☎ 61.44.00, 🌳 – 🛗 TV 🛁wc 🚿wc ☎ 🚗 Ⓟ – 🏛 80. 🚗 AE GB. ⊘ rest — CZ **w**
fermé janv. – SC : **R** 65/100 – ☕ 16 – **72 ch** 95/210 – P 140/240.

Vendôme M, 12 av. Marlioz ☎ 61.23.16 – 🛗 🛁wc 🚿wc ☎ Ⓟ. 🚗 GB — CZ **a**
SC : **R** 45/120 🍷 – ☕ 14 – **32 ch** 100/180 – P 135/220.

La Régence M, 33 bd Wilson ☎ 35.02.27 – 🛗 🛁wc 🚿wc ☎ 🚗 Ⓟ. E. ⊘
fermé janv. – SC : **R** *(fermé dim.)* 45/70 – ☕ 13 – **32 ch** 100/150 – P 140/190. BZ **e**

Métropole sans rest, 23 r. Casino ☎ 35.17.53 – 🛗 🛁wc ☎. ⊘ — CY **y**
1er mars-1er nov. – SC : **81 ch** ☕ 77/160.

Établt Thermal, 2 r. Davat ☎ 35.20.00, Télex 980940, 🌳 – 🛗 🛁wc 🚿wc ☎ 🚗. 🚗. ⊘ rest — CY **y**
mi mars-fin nov. – **R** 45/65 – ☕ 16 – **80 ch** 105/180 – P 150/220.

Revotel sans rest, 40 r. Genève ☎ 35.03.37 – 🛗 TV 🛁wc 🚿wc ☎. ⊘ — CY **v**
fermé 15 déc. au 15 janv. – SC : ☕ 12 – **16 ch** 98/115.

Parc, 28 r. Chambéry ☎ 61.29.11 – 🛗 🛁wc ☎ 🚗. 🚗. ⊘ rest — CZ **n**
20 avril-20 oct. – SC : **R** 42/50 – ☕ 12 – **50 ch** 70/150 – P 120/160.

France, 4 r. Lamartine ☎ 35.01.89, 🌳 – 🛗 🛁wc 🚿wc ☎. 🚗. ⊘ rest — CY **g**
20 avril-1er oct. – SC : **R** *(fermé dim. soir)* 52/70 – ☕ 12 – **69 ch** 70/130 – P 117/180.

Paix, 11 r. Lamartine ☎ 35.02.10, 🌳 – 🛗 🚿wc ☎ Ⓟ. 🚗. ⊘ rest — CY **d**
23 mars-10 nov. – SC : **R** 50 – ☕ 11 – **67 ch** 72/151 – P 145/180.

Beaulieu, 29 av. Ch.-de-Gaulle ☎ 35.01.02, 🌳 – 🛗 🛁wc 🚿wc ☎. 🚗. ⊘ rest
1er mars-31 oct. – SC : **R** 46/100 – ☕ 13 – **31 ch** 68/130 – P 145/180. BZ **r**

Azur sans rest, 18 av. Victoria ☎ 35.00.96, 🌳 – 🚿wc ☎ Ⓟ. 🚗 AE GB. ⊘
fermé 1er déc. au 30 janv. – SC : ☕ 13 – **16 ch** 60/135. BY **a**

Soleil Couchant, 130 av. St-Simond ☎ 35.05.83, 🌳 – 🛁wc 🚿wc ☎ Ⓟ. 🚗 GB — BY **z**
26 avril-20 oct. – SC : **R** 42/110 🍷 – ☕ 13 – **30 ch** 50/140 – P 125/180.

Nice-Savoie ⛭ sans rest, 11 r. Isaline ☎ 61.04.00, 🌳 – 🛗 cuisinette 🛁wc 🚿wc ☎ 🚗. 🚗. ⊘ — CZ **u**
1er mars-15 nov. – SC : ☕ 9 – **35 ch** 75/115.

Dauphinois, 14 av. Tresserve ☎ 61.22.56, 🌳 – 🛗 🛁wc ☎ Ⓟ. 🚗 GB. ⊘
15 fév.-15 nov. – SC : **R** 55/120 🍷 – ☕ 12 – **75 ch** 90/150 – P 125/170. CZ **d**

Cécil H. sans rest, 20 av. Victoria ☎ 35.04.12 – 🛗 TV 🛁wc 🚿wc ☎. ⊘ — BY **a**
SC : ☕ 12 – **18 ch** 75/120.

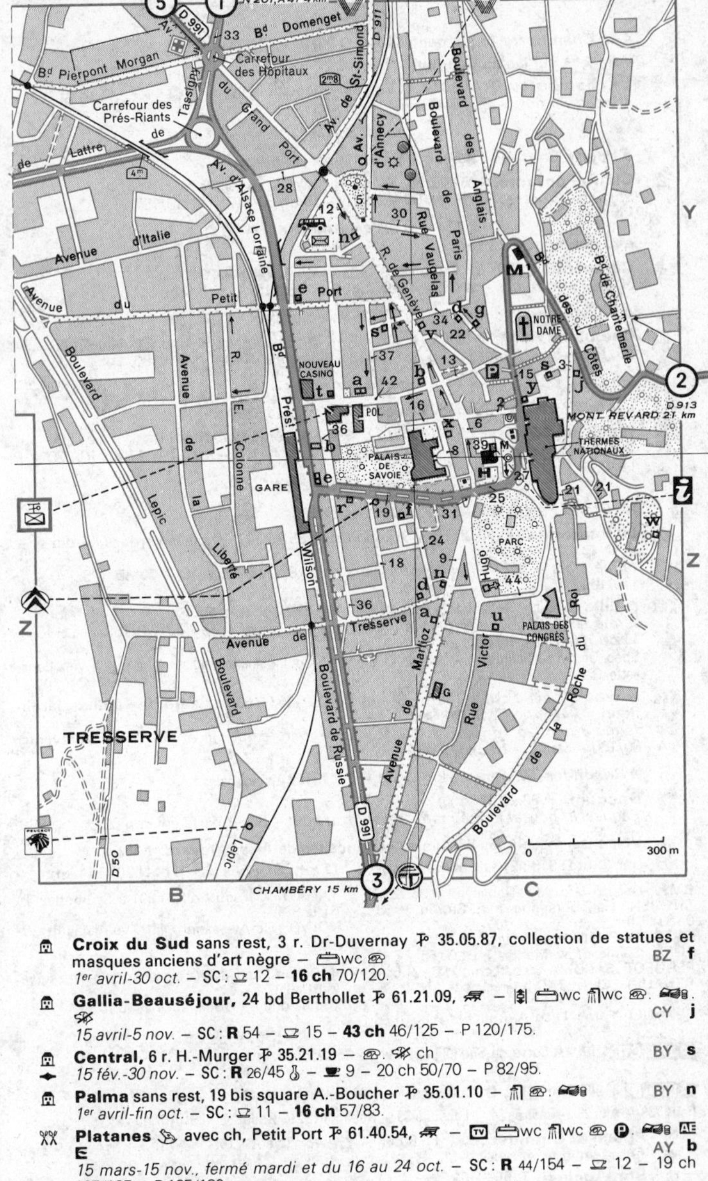

🏨 **Croix du Sud** sans rest, 3 r. Dr-Duvernay ☎ 35.05.87, collection de statues et masques anciens d'art nègre – wc ☎ BZ **f**
1er avril-30 oct. – SC : ☕ 12 – **16 ch** 70/120.

🏨 **Gallia-Beauséjour,** 24 bd Berthollet ☎ 61.21.09, – wc wc ☎. CY **j**
15 avril-5 nov. – SC : **R** 54 – ☕ 15 – **43 ch** 46/125 – P 120/175.

🏨 **Central,** 6 r. H.-Murger ☎ 35.21.19 – ☎. ch BY **s**
15 fév.-30 nov. – SC : **R** 26/45 – ☕ 9 – 20 ch 50/70 – P 82/95.

🏨 **Palma** sans rest, 19 bis square A.-Boucher ☎ 35.01.10 – ☎. BY **n**
1er avril-fin oct. – SC : ☕ 11 – **16 ch** 57/83.

XX **Platanes** avec ch, Petit Port ☎ 61.40.54, – TV wc wc ☎ Ⓟ. AE E AY **b**
15 mars-15 nov., fermé mardi et du 16 au 24 oct. – SC : **R** 44/154 – ☕ 12 – 19 ch 105/135 – P 125/180.

XX **Brasserie Poste,** 32 av. Victoria ☎ 35.00.65 BY **t**
fermé nov. et lundi – SC : **R** 35/80.

X L'Oustal, 28 av. Petit Port ☎ 35.23.60 BY **e**

à Gresy-sur-Aix par ① : 5 km – ✉ **73100** Aix-les-Bains :

XX **Le Pont Neuf,** ☎ 35.12.04 – Ⓟ
fermé 1er au 10 juin, 1er au 22 nov. et sam. – SC : **R** 35/65.

par la sortie ① :

à La Chambotte 14 km par N 201 et D 991B – ✉ 73410 Albens.
Voir ≤** sur lac du Bourget.

✕ **La chambotte,** ☎ 61.30.54, « Vue aérienne sur le lac » – Ⓟ
1er mars-11 nov. – SC : **R** 46/120.

par la sortie ② :

à Pugny-Chatenod 4,5 km – ✉ 73100 Aix-Les-Bains :

Claire Fontaine, ☎ 61.47.09, ≤, – wc Ⓟ. rest
25 mars-15 oct. – SC : **R** 45/100 – 12 – **19 ch** 69/112 – P 118/157.

par la sortie ③ :

avenue du golf : 3 km :

Campanile , ☎ 61.30.66, – wc Ⓟ. GB
SC : **R** 43 bc/56 bc – 17 – **43 ch** 130 – P 168/218.

à Viviers-du-Lac : 4 km : – ✉ 73420 Viviers-du-Lac :

Chambaix H. M, ☎ 61.31.11, , – wc wc ☎ Ⓟ. AE E
SC : **R** *(15 avril-15 oct.)* 45/55 – 13 – **43 ch** 100/140 – P 140/180.

par la sortie ④ :

sur N 201 : 5 km – ✉ 73420 Viviers-du-Lac :

✕✕ **Week-end** avec ch, ☎ 63.40.22, ≤ – rest wc .
fermé déc., janv. et lundi d'oct. à mai – SC : **R** 45/120 – 11 – **17 ch** 70/120 – P 110/140.

par la sortie ⑤ :

au Grand Port 3 km – ✉ 73100 Aix-les-Bains :

La Pastorale M , 221 av. Grand Port ☎ 35.25.36, « Dans la verdure, jardin » – ☎ Ⓟ
fermé mars – SC : **R** *(fermé sam. hors sais.)* 62/115 – 15 – **30 ch** 125/170 – P 170/195.

✕✕✕ ✿ **Lille** avec ch, ☎ 35.04.22, ≤, – wc ☎ Ⓟ. AE
fermé janv. et fév. – **R** *(fermé merc.)* (dim. et fêtes - prévenir) 70/160 – 15 – **15 ch** 100/150 – P 160
Spéc. Omble au Champagne, Volaille "Mère Lille", Soufflé aux framboises (juin-sept.). Vins Roussette, Gamay.

✕✕✕ **Davat** avec ch, à 100 m Grand Port ☎ 35.09.63, « Cadre de verdure, jardin fleuri » – wc ☎ Ⓟ.
fermé 3 nov. au 10 janv – SC : **R** *(fermé lundi sauf juil. et août)* (dim. prévenir) 60/120 – 12 – **10 ch** 90/140 – P 145/185.

à Brison-les-Oliviers : 9 km D 991 – ✉ 73100 Aix-les-Bains :

✕✕ **Bocquin,** ☎ 63.21.81 – Ⓟ
Pâques-1er nov. et fermé mardi sauf juil. et août – SC : **R** carte environ 80.

Voir aussi ressources hôtelières et curiosités de ***Mont-Revard.***

par ② et D 913 : 21 km. ***Albens par*** ① : ***11 km, St-Félix*** par ① et N 201 : 14 km.

BMW Gar. du Parc, bd F.-Roosevelt ☎ 35.22.60
CITROEN Gar. Domenge, r. A.-Garrod ☎ 35.07.89
DATSUN Prost, 31 bd Lepic ☎ 61.29.45
FORD Seigle, 41 av. Marlioz ☎ 61.09.55
PEUGEOT SACOMA, 89 bd Lepic ☎ 61.21.55
RENAULT Celta, ZAC à Grésy sur Aix ☎ 35.44.77
RENAULT Perrel, 11 sq. A.-Boucher ☎ 35.01.66
TALBOT Gar. du Golf, D 991 à Drumettaz ☎ 61.12.88
VOLVO De Alessandri, 44 r. Vaugelas ☎ 35.14.12

Bollon-Pneu, N 201,bord du lac, Tresserve ☎ 61.45.35
Tout le pneu, 1 r. de France ☎ 35.10.79

AJACCIO P 2A Corse-du-Sud 90 ⑰ – voir à Corse.

ALBAN 81250 Tarn 80 ⑫ G. Causses – 1 110 h. alt. 614 – 63.
Paris 733 – Albi 29 – Castres 54 – Lacaune 39 – Réalmont 32 – Rodez 85 – St-Affrique 53.

Puech et Commerce, ☎ 55.80.47 – wc wc . GB. ch
fermé en janv. et lundi – SC : **R** 28/126 – 8 – **21 ch** 37/77.

Bon Accueil, ☎ 55.81.03, – . GB
fermé fév. et lundi – SC : **R** 35/125 – 10 – **15 ch** 40/80 – P 90/110.

PEUGEOT Combes Albert, ☎ 55.83.15
RENAULT Saunal, 6 r. de Ladrech ☎ 55.82.32

L'ALBARON 13123 B.-du-R. 83 ⑨ G. Provence – 90.
Paris 742 – Arles 16 – ♦Marseille 107 – Nîmes 30 – Stes-Maries-de-la-Mer 23.

L'Agachon, ☎ 97.10.22 –
fermé janv. et lundi hors sais. – SC : **R** 30/60 – 10 – 12 ch 75/120 – P 120/150.

ALBENS 73410 Savoie 74 ⑮ – 1 633 h. alt. 353 – ☎ 79.

Paris 577 – Aix-les-Bains 11 – Annecy 22 – Bellegarde-sur-Valserine 44 – Chambéry 27 – Rumilly 9.

XX **Auberge Fleurie** avec ch, ☎ 63.00.18 – ⋔wc ⇔ Ⓟ.
fermé oct., 15 au 31 janv. et mardi hors saison – **R** 39/110 – 9 ch ☐ 90/140 – P 110/140.

CITROEN Gar. Gare, ☎ 63.00.22

RENAULT Gar. du Centre, ☎ 63.00.83 N

ALBERTVILLE ◇ 73200 Savoie 74 ⑰ **G. Alpes** – 17 534 h. alt. 345 – ☎ 79.

Voir à Conflans : Porte de Savoie ≤* B.

Env. Route du fort du Mont ≤ E : 11 km.**

ℹ Syndicat d'Initiative pl. Gare (fermé matin hors sais. et dim.) ☎ 32.04.22.

Paris 609 ③ – Annecy 45 ① – Chambéry 49 ③ – Chamonix 67 ① – ♦Grenoble 86 ③.

ALBERTVILLE

République (R. de la)	26
Aberut (R. de l')	2
Adoubes (Pont des)	3
Allobroges (Quai des)	5
Chasseurs Alpins (Av. des)	6
Chautemps (R. F.)	7
Docteur-Mathias (R. du)	9
Dubois (R. Commandant)	12
Gambetta (R.)	13
Hôtel-de-Ville (Cours de l')	14
Hugues (Montée A.)	16
Mirantin (Pont du)	17
Moulin (Av. J.)	18
Mugnier (R. J.)	19
Pargoud (R.)	20
Pérouse (R. G.)	21
Pierre du Roy (Chemin de la)	23
Porraz (R. Jacques)	24
St-Jean-Baptiste (⊞)	28
St-Sigismond (⊞)	29
Tarentaise (Av. de)	32
Victor-Hugo (Av.)	34
8 Mai 1945 (Av. du)	35

✿✿ **Million,** 8 pl. Liberté **(a)** ☎ 32.25.15, ⇐ – |$| ☎ ⇔. AE GB ⓓ. ✻
fermé 30 avril au 19 mai et 26 sept. au 13 oct. – SC : **R** *(fermé dim. soir et lundi)* 75/220 et carte – ☐ 20 – **29 ch** 85/180
Spéc. Fricassée de sole et de langoustines, Emincé de poulet de Bresse aux raviolis, Pâtisseries.
Vins Roussette, Mondeuse.

La Berjann M ≫, 33 rte Tours **(s)** ☎ 32.47.88, ≤, **« Belle décoration intérieure »,** ⇐ – ⊟wc ⋔wc ☎ Ⓟ. ✻ ch
SC : **R** 40/100 ₰ – ☐ 14 – 11 ch 85/125 – P 135/155.

Costaroche, 1 chemin Pierre-du-Roy **(e)** ☎ 32.02.02 – ⊟wc ⋔wc ☎ Ⓟ. ✻
fermé dim. soir et lundi midi hors sais. – SC : **R** 46/76 ₰ – ☐ 13 – **20 ch** 79/105 – P 138/180.

Étoile sans rest, 2 av. Victor-Hugo **(n)** ☎ 32.00.74 – |$| ⊟ ⋔ ☎ ⇔
fermé 25 avril au 10 mai et 20 oct. au 15 nov. – SC : ☐ 12 – **52 ch** 55/130.

XXX ✿ **Chez Uginet** (Rayé), Pont des Adoubes **(d)** ☎ 32.00.50, ≤ – Ⓟ. GB ⓓ
fermé 23 au 30 avril, 11 au 30 nov. et mardi – SC : **R** 58/140
Spéc. Galantine de sole et de raie, Rable de lapin au basilic, Chariot de desserts.

MICHELIN, Entrepôt, 24 r. F.-Chautemps ☎ **32.10.96**

AUDI-VOLKSWAGEN Gar. des Quatre Vallées, 32 av. J.-Jaurès ☎ 32.31.97
AUSTIN, MORRIS, ROVER, TRIUMPH Albertville Auto 9 Chemin des Communaux ☎ 32.55.04
BMW Portier, rte de Moutiers ☎ 32.23.32 N
CITROEN Gar. Pierre du Roy, 9 rte de Grignon, pt. Albertin ☎ 32.47.37 N
CITROEN Gar. Hôte, 48 av. Chasseurs-Alpins ☎ 32.00.94 N
FIAT, LANCIA-AUTOBIANCHI S.A.V.A., rte de Moutiers ☎ 32.06.82
FORD Tarentaise-Auto, 1 rte de Grignon, carr. Pierre du Roy ☎ 32.52.73

OPEL Gar. Gare, 25 av. Victor-Hugo ☎ 32.02.28
PEUGEOT Arly-Auto, r. Pasteur ☎ 32.23.75
RENAULT S.A.G.A.M., N 90 ☎ 32.45.70
TALBOT, MERCEDES-BENZ Olagnon-Automobiles, N 90 ☎ 32.08.05
Gar. Bruet, 21 r. Cl.-Genoux ☎ 32.45.43
Gar. des Alpes, 5 av. Gén.-de-Gaulle ☎ 32.23.09

Ⓜ Piot-Pneu, Zone Ind. du Chiriac, r. A.-Croizat ☎ 32.56.15
Tessaro-Pneus, Zone Ind. du Chiriac, 156 r. L.-Armand ☎ 32.04.60

ALBI P 81000 Tarn 82 ⑩ **G. Causses** – 49 456 h. alt. 174 – ✪ 63.

Voir Cathédrale★★★ AY – Palais de la Berbie★ : collections Toulouse-Lautrec★★ du musée★ AXY **M** – Pont du 22-Août ≤★ BX.

Env. Église St-Michel de Lescure★ 5,5 km par ① – **Autodrome** 2 km par ⑤.

✈ Le Séquestre : T.A.T. ☎ 54.45.28.

ℹ Office de Tourisme et A.C. 19 pl. Ste-Cécile (fermé dim. sauf saison) ☎ 54.22.30.

Paris 704 ⑤ – Béziers 144 ④ – ♦Clermont-Ferrand 301 ① – ♦St-Étienne 336 ① – ♦Toulouse 76 ⑤.

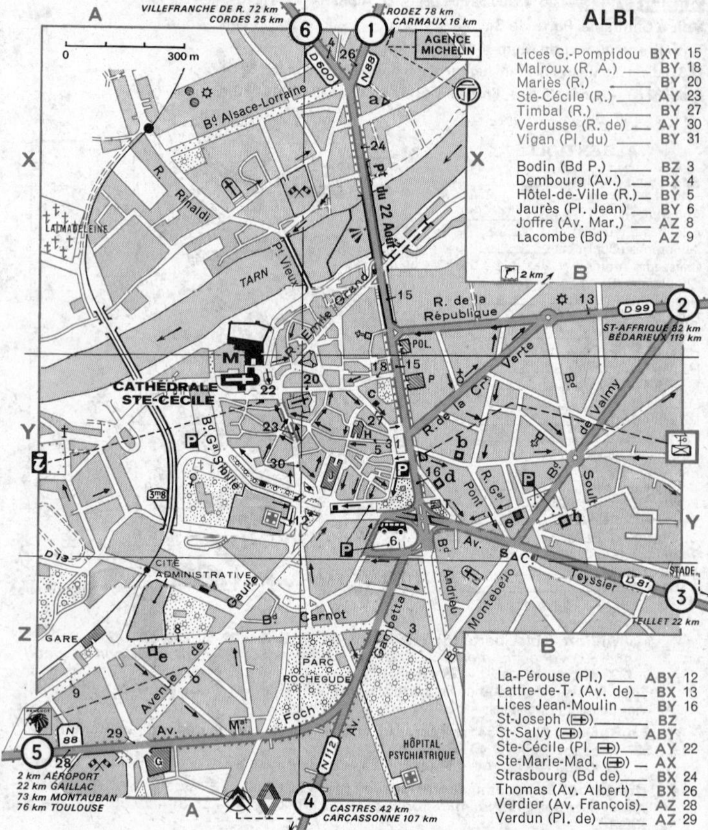

La Réserve M, rte Cordes par ⑥ : 3 km ☎ 60.79.79, Télex 520850, ≤, « Dans un parc au bord du Tarn », ⛱, 🎾 – ☎ P – 🏛 120. AE. ✂ rest
1er mars-30 nov. – SC : **R** 60/150 – ☕ 25 – 20 ch 160/300 – P 220/350.

Host. St-Antoine M, 17 r. St-Antoine ☎ 54.04.04, Télex 520850, « Jardin, meubles anciens » – 🛗 ☎ ♿ P – 🏛 50. AE GB ⓓ E — BY **d**
SC : **R** 50/150 – ☕ 20 – **56 ch** 120/280 – P 200/320.

Chiffre, 50 r. Séré-de-Rivières ☎ 54.04.60 – 🛗 ▤ rest P – 🏛 400. AE. ⓓ — BY **b**
SC : **R** *(fermé dim. du 1er oct. au 1er juin)* 55/85 – ☕ 15 – **42 ch** 60/190 – P 180/270.

Moderne Pujol, 22 av. Col. Teyssier ☎ 54.02.92 – TV 🛁wc 🚿wc ☎ 🚗 – 🏛 60. AE GB. ✂ ch — BY **s**
fermé 15 juin au 15 juil., vend. soir et sam. – SC : **R** 50/140 – ☕ 10 – **21 ch** 75/120 – P 160/180.

Cantepau sans rest, 9 r. Cantepau ☎ 60.75.80 – 🛗 🛁wc 🚿wc ☎ P. 🚘 — BX **a**
fermé 20 déc. au 4 janv. – SC : ☕ 10 – **34 ch** 60/120.

George V sans rest, 29 av. Mar.-Joffre ☎ 54.24.16 – 🚿wc ☎ ♿ — AZ **e**
fermé vacances de fév. – SC : ☕ 12 – **12 ch** 70/120.

Parking sans rest, 31 pl. Fernand-Pelloutier ☎ 54.09.07 – 🚿 🚗. 🚘. ✂ — BY **h**
fermé 1er au 10 sept. – SC : ☕ 9 – **15 ch** 58.

XX **Relais Gascon et Aub. Landaise** avec ch, 1 r. Balzac ☎ 54.26.51 – ⋔wc ☎ – 25. BY **e**
fermé nov. – SC : **R** *(fermé lundi)* 50/160 – ☕ 10 – 15 ch 70/110 – P 140/150.

Marssac-sur-Tarn par ⑤ : **10 km** – ✉ **81150** Marssac-sur-Tarn :

XXX ✿ **Tilbury** (Cardaillac), ☎ 55.41.90, ≤, parc, – Ⓟ
fermé 5 au 31 janv., dim. soir et lundi – SC : **R** 100/150
Spéc. Flan de brochet aux pruneaux, Salade chaude de cous de canards farcis au foie, Pâtisseries. Vins Gaillac.

MICHELIN, Agence, bd Mar.-Lannes par ① ☎ **60.78.04**

ALFA-ROMEO, OPEL Mauriés, 101 av. Gambetta ☎ 54.06.75
AUDI-VOLKSWAGEN Courant, rte de Castres, Ranteil ☎ 54.36.44
AUSTIN, MORRIS, TRIUMPH Brison, rte Castres, Ranteil ☎ 54.49.10
CITROEN Ets Pezous, 187 av. Gambetta ☎ 54.69.50
DATSUN A.C.A., 174 av. De-Lattre-de-Tassigny ☎ 60.35.00
FORD Albi-Auto., 22 av. A.-Thomas ☎ 60.79.03
PEUGEOT Durand, 43 av. De-Gaulle ☎ 54.21.89
RENAULT Ets Puech, 179 av. Gambetta ☎ 54.68.00
TALBOT Gar. Marlaud, rte Rodez, Lescure ☎ 60.70.84
VOLVO Gar. Grimal, 128 av. A.-Thomas ☎ 60.72.05

Bellet Pneus, rte Castres ☎ 54.23.47
Escoffier-Pneus, 101 av. F.-Verdier ☎ 54.04.99
Jau, 27 bd Lude ☎ 54.12.26
Pneu Service, 10 av. De-Gaulle ☎ 54.06.80 et 51 av. A.-Thomas ☎ 60.71.98
Reynès, 30 r. Ciron ☎ 54.04.52

ALBIEZ-LE-JEUNE 73 Savoie 77 ⑦ – 81 h. alt. 1 350 – ✉ **73300** St-Jean-de-Maurienne – 79.
Paris 647 – Chambéry 87 – St-Jean-de-Maurienne 16 – St-Michel-de-Maurienne 26.

X **L'Escale** , avec ch, ☎ 64.20.00, ≤ – ⋔ Ⓟ
fermé 31 oct. au 16 nov. et merc. hors sais. – SC : **R** 50/130 – ☕ 12 – **12 ch** 60 – P 120.

ALBIEZ-LE-VIEUX 73 Savoie 77 ⑦ – 298 h. alt. 1 522 – ✉ **73300** St-Jean-de-Maurienne – 79 – **Voir** Col du Mollard ≤★ S : 3 km **G. Alpes**.
Paris 647 – Chambéry 89 – St-Jean-de-Maurienne 16 – St-Sorlin-d'Arves 15.

La Rua , ☎ 56.71.99, ≤ – wc ⋔wc ☎ Ⓟ.
fermé nov. au 15 déc. – **R** 38/70 – ☕ 16 – **22 ch** 70/115 – P 115/155.

ALBIGNY 74 H.-Savoie 74 ⑥ – rattaché à Annecy.

ALBIGNY-SUR-SAÔNE 69810 Rhône 74 ① – 2 672 h. alt. 185 – 7.
Voir Musée de l'Électricité★ dans la maison d'Ampère O : 4,5 km, **G. Vallée du Rhône.**
Paris 451 – Bourg-en-Bresse 52 – ♦Lyon 17 – Meximieux 35 – Villefranche-sur-Saône 19.

XX **des Iles,** sur D 51 ✉ 69250 Neuville-sur-Saône ☎ 891.30.88 – Ⓟ
fermé fév. au 15 mars et mardi – SC : **R** 65/85 dim., dîner à la carte.

ALENÇON Ⓟ **61000** Orne 60 ③ **G. Normandie** – 34 666 h. alt. 135 – 33.
Voir Église N.-Dame★ BY **E** : porche★★ – Musée de peinture★ AY **H**.
Env. Forêt de Perseigne★ 9 km par ③.
Office de Tourisme 60 Grande-Rue (fermé dim. et lundi matin) ☎ 26.11.36 – A.C.O. 2 cours Clemenceau ☎ 26.51.75.
Paris 191 ② – Chartres 115 ③ – Évreux 118 ② – Laval 91 ⑤ – ♦Le Mans 49 ④ – ♦Rouen 146 ①.

Plan page suivante

Chapeau Rouge Ⓜ, 117 r. Bretagne ☎ 26.20.23 – wc ☎ Ⓟ. ch AY **v**
SC : **R** *(fermé dim.)* 30/50 – ☕ 10 – **16 ch** 55/110.

Gd Cerf, 21 r. St-Blaise ☎ 26.00.51 – wc ⋔wc ☎. AE GB E BY **k**
fermé 15 déc. au 20 janv. – SC : **R** 40/150 – ☕ 12 – **33 ch** 50/180.

Alentel Ⓜ, 3 r. Pyramide ☎ 29.15.97 – wc ⋔wc ☎ . AE GB E CY **n**
SC : **R** 30 bc – ☕ 10 – **44 ch** 53/115 – P 130.

France sans rest, 3 r. St-Blaise ☎ 26.26.36 – ⋔ ☎. GB BY **e**
SC : ☕ 10 – **31 ch** 40/120.

Gare, 50 av. Wilson ☎ 29.03.93 – wc ⋔wc ☎ Ⓟ. CY **r**
fermé 20 déc. au 6 janv. – **R** *(fermé dim. sauf le soir en juil. et août)* 32/45 – ☕ 11 – **22 ch** 60/180.

XXX ✿ **Petit Vatel** (Lerat), 72 pl. Cdt-Desmeulles ☎ 26.23.78 – GB E BY **s**
fermé 1er au 15 sept., 11 au 28 fév. et merc. – SC : **R** 70/100
Spéc. Jambon de canard, Saint-Pierre aux concombres, Glaces et sorbets.

X **La Marmite,** 7 r. Filles-N.-Dame ☎ 26.20.76 BY **a**
fermé 15 au 28 juil., 20 déc. au 15 janv., mardi soir et merc. – SC : **R** 28/49.

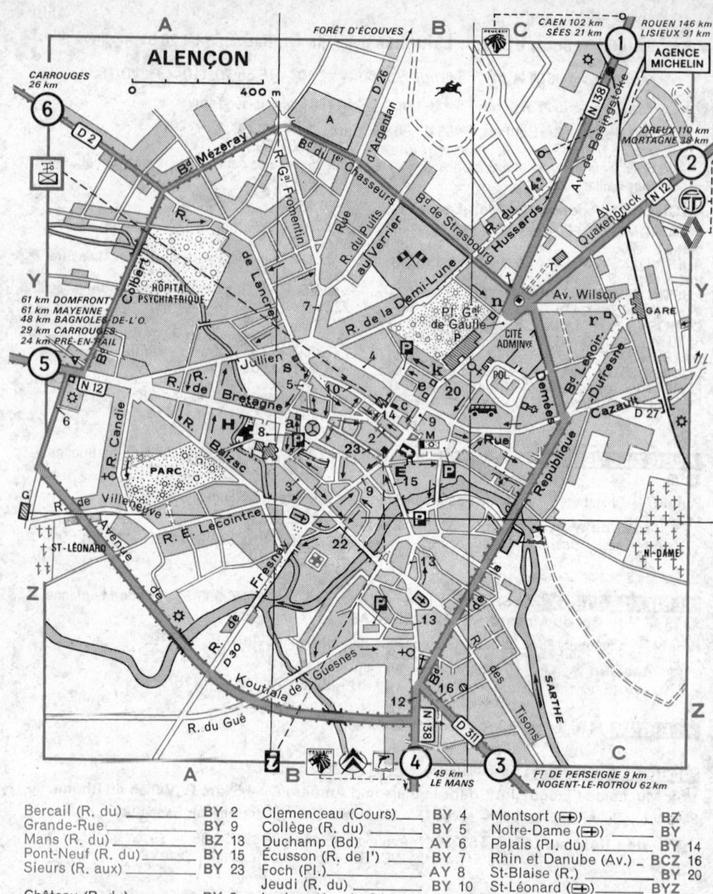

Bercail (R. du) BY 2	Clemenceau (Cours) BY 4	Montsort (⊟) BZ
Grande-Rue BY 9	Collège (R. du) BY 5	Notre-Dame (⊟) BY
Mans (R. du) BZ 13	Duchamp (Bd) AY 6	Palais (Pl. du) BY 14
Pont-Neuf (R. du) BY 15	Écusson (R. de l') BY 7	Rhin et Danube (Av.) BCZ 16
Sieurs (R. aux) BY 23	Foch (Pl.) AY 8	St-Blaise (R.) BY 20
	Jeudi (R. du) BY 10	St-Léonard (⊟) BYZ
Château (R. du) BY 3	Leclerc (Av. du Gén.) BZ 12	Sarthe (R. de) BZ 22

au Londeau par ② – ✉ **61000** Alençon :

Campanile, rte Paris ☎ **29.53.85** – wc ☎ **P**. GB
SC : **R** 43 bc/56 bc – 17 – **30 ch** 120 – P 163/213.

Voir aussi ressources hôtelières de *St-Denis-sur-Sarthon* par ⑤ : 12 km.

MICHELIN, Agence, 20-22 r. Ampère CY ☎ **29.13.26**

ALFA-ROMEO, OPEL Poirier, 82 r. de Bretagne ☎ 26.45.20

AUSTIN, MORRIS, ROVER, TRIUMPH Gar. de Bretagne, 141 r. de Bretagne ☎ 26.08.27

CITROEN Roques, N 138 rte du Mans ☎ 26.50.50 **N**

FIAT, LANCIA-AUTOBIANCHI Kosellek, 45 av. de Quakenbruck ☎ 29.40.67

LADA Chantepie, 37 r. Marchant-Saillant ☎ 29.21.60

PEUGEOT Gds Gar. de l'Orne, 111 av. de Basingstoke ☎ 29.22.22 **N** ☎ 29.22.86 et rte du Mans à Arconnay ☎ 26.11.25

RENAULT SODIAC, N 12, rte de Paris à Cerisé ☎ 29.20.22

TALBOT Gar. de Paris, 132 av. de Quakenbruck ☎ 29.45.61

TOYOTA Baroche, 93 r. Rhin et Danube ☎ 26.06.97

VOLVO Gar. Guérin, 13 r. Demées ☎ 29.06.15
Gar. Leprince, 50 r. Julien ☎ 26.04.98

Alençon-Pneus, 71 av. de Basingstoke ☎ 29.16.22

ALÈS 30100 Gard 80 ⑰⑱ **G. Causses** – 45 787 h. alt. 140 – 66.
Office de Tourisme (fermé sam. et dim.) avec A.C. (☎ 52.51.69) 3 r. Michelet (Chambre de Commerce) ☎ 52.21.15, Télex 490855 et pl. G.-Péri (Pâques-1er nov. et fermé dim.) ☎ 52.32.15.
Paris 708 ② – Albi 230 ④ – Avignon 71 ③ – ♦Montpellier 70 ④ – Nîmes 44 ③ – Valence 146 ②.

ALÈS

Avéjan (R. d') B
Docteur-Serres (R.) B
Edgar-Quinet (R.) B
Louis-Blanc (Bd) B
St-Vincent (R.) B 15
Taisson (R.) B 19

Albert-Ier (R.) A 2
Audibert (R. Cdt) A 3
Barbusse (Pl. Henri) B 4
Canal (R. du) B 5
Gaulle (Av. Gén. de) B 7
Hôtel-de-Ville (Pl. de l') A 8
Leclerc (Pl. Gén.) B 9
Martyrs-de-la-Résistance (Pl.) B 10

Michelet (R.) B 12
Péri (Pl. Gabriel) B 13
Rollin (R.) A 14
Sémard (Pl. Pierre) B 16
Soleil (R. du Faubourg-du) B 17
Stalingrad (Av. de) B 18
Talabot (Bd) B 20
Vauban (Bd) A 22

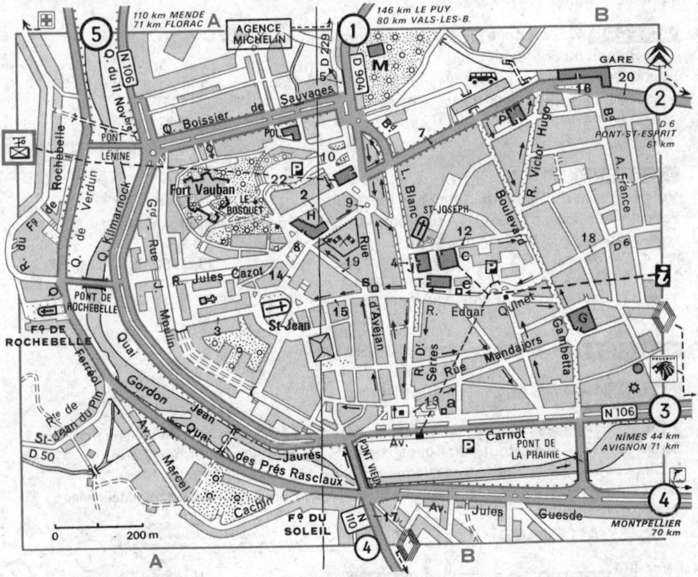

Mercure M, r. E.-Quinet ☎ 52.27.07, Télex 480830 – ch – 30. AE GB
R carte environ 70 – 16 – **80 ch** 155/195. B e

Gd Hôtel, 17 bis pl. G.-Péri ☎ 52.19.01 – wc wc – 50.
SC : **R** *(fermé 20 déc. au 20 janv. et dim. hors sais.)* 50 – 13 – **42 ch** 70/170. B a

L'Écusson M sans rest, par ③ : 3 km sur N 106 ✉ 30560 St-Hilaire-de-Brethmas ☎ 30.10.52, – wc
SC : 12 – **20 ch** 42/150.

Orly sans rest, 10 r. Avéjan ☎ 52.43.27 – wc wc – **44 ch** B s

MICHELIN, Agence, 4 r. du Canal (au Nord par D 229) ☎ **30.06.22**

ALFA-ROMEO Gar. Grégori, 3 r. J.-Louche ☎ 30.80.34
AUDI-VOLKSWAGEN Provence-Auto, Km 3, rte de Nîmes à St-Hilaire de Brethmas ☎ 30.81.23
CITROEN Alès-Auto, 78 rte de Bagnols ☎ 86.42.40
FORD Morel, 15 av. Gibertine ☎ 86.44.73
LANCIA-AUTOBIANCHI Gar. Juveau, 2 bd L.-Blanc ☎ 52.39.31
MERCEDES-BENZ Roux, rte d'Uzès à Méjannes-les-Alès ☎ 86.46.53
PEUGEOT Guiraud, 1165 rte d'Uzès ☎ 86.41.87
RENAULT Auto-Christol, Rte de Montpellier à St. Christol les Alès ☎ 52.86.44 N
RENAULT Sud-Auto, rte Nîmes à St-Hilaire-de-Brethmas ☎ 86.49.64
Gar. Chauvet, 92 bis rte Alsace ☎ 30.13.80
Gar. Martougin, r. Amiral-Suffren ☎ 86.07.02

Beltran, 6 r. J.-Louche ☎ 30.07.58
Escoffier-Pneus, 8 pl. Barbusse ☎ 52.38.72
Pneus-Rouveyran, av. Marcel Cachin ☎ 52.51.83

ALFORTVILLE 94 Val-de-Marne 61 ①, 101 ㉖ – voir à Paris, Proche banlieue.

ALIXAN 26 Drôme 77 ⑫ – 1 099 h. alt. 185 – ✉ **26300** Bourg-de-Péage – 75.
Paris 569 – Crest 28 – Romans-sur-Isère 8 – Valence 15.

France, ☎ **48.03.44** –
fermé sept. et vend. – **R** 29/70 – 8,50 – 14 ch 40/72.

ALLANCHE 15160 Cantal **76** ③④ – 1 551 h. alt. 985 – ✪ 71.

i Syndicat d'Initiative à la Mairie (juil.-août) ☎ 20.41.59.

Paris 485 – Aurillac 74 – Brioude 60 – Issoire 76 – Massiac 38 – Murat 23 – St-Flour 36.

- **Modern'H.,** ☎ 20.40.06, – wc ⋒wc ☎ ⓟ. E. ⚘ rest
  fermé 10 mars au 1er avril, 11 oct. au 15 déc., 3 au 10 janv. et dim. hors sais. – SC : **R** 35/85 – ☕ 15 – **35 ch** 62/150 – P 110/150.

ALLASSAC 19240 Corrèze **75** ⑧ **G. Périgord** – 3 594 h. alt. 170 – ✪ 55.

Paris 478 – Brive-la-Gaillarde 18 – •Limoges 85 – Tulle 34.

- **Midi,** av. Victor-Hugo ☎ 24.90.35 – ⋒wc
  SC : **R** 30/45 – ☕ 9,50 – **10 ch** 45/90 – P 85/100.

RENAULT Vignal, ☎ 24.91.22

ALLÈGRE 43270 H.-Loire **76** ⑥ **G. Auvergne** – 1 631 h. alt. 1 021 – ✪ 71.

Voir Ruines du château ⁂★.

Paris 483 – Ambert 48 – Brioude 40 – Langeac 34 – Le Puy 28.

- **Voyageurs,** ☎ 00.70.12 – ⋒ ⓟ
  fermé janv. et fév. – SC : **R** 28/55 ♁ – ☕ 8 – **24 ch** 42/57 – P 72/85.

CITROEN Gar. P.-Allès, ☎ 00.70.50 PEUGEOT Gar. Marrel, ☎ 00.70.62 **N**

ALLEMOND 38114 Isère **77** ⑥ – 575 h. alt. 820 – ✪ 76.

Voir Traverse d'Allemond ⁂★★ O : 4 km, **G. Alpes.**

Paris 610 – Le Bourg-d'Oisans 11 – •Grenoble 40 – St-Jean-de-Maurienne 54 – Vizille 29.

- **Giniès** ⛰, ☎ 80.70.03, ≤, – ⋒ ☎ ⓟ. ⚘ rest
  fermé oct. – SC : **R** *(1er avril-20 sept.)* 44/70 ♁ – ☕ 11 – **20 ch** 50/60 – P 95/105.
- **Tilleuls,** ☎ 80.70.24, ≤, parc – ⓟ. ⚘ rest
  Pâques-1er oct. et Noël-vacances de fév. – SC : **R** 35/65 – ☕ 12 – **21 ch** 40/60 – P 90/120.

ALLÉRIOT 71 S.-et-L. **69** ⑩, **70** ② – rattaché à Chalon-sur-Saône.

ALLERY 80 Somme **52** ⑦ – rattaché à Airaines.

ALLEVARD 38580 Isère **74** ⑯, **77** ⑥ **G. Alpes** – 2 577 h. alt. 475 – Stat. therm. (mai-sept.) – Casino – ✪ 76 – **Voir** Route du Collet★★ par ② – O : Route de Brame-Farine★.

i Office de Tourisme pl. Résistance (fermé oct. et dim. après-midi) ☎ 45.10.11.

Paris 595 ① – Albertville 47 ① – Chambéry 35 ① – •Grenoble 38 ③ – St-Jean-de-Maurienne 65 ①.

ALLEVARD

Baroz (R.) 2
Bir-Hakeim (R. de) 3
Breda (R. du) 4
Charamil (R.) 5
Chenal (R.) 6
Davallet (Av.) 7
Docteur-Chataing (R.) 8
Docteur-Mansord (R.) 9
Docteur-Niepce (R.) 10
Ferry (Bd Jules) 14
Gerin (Av. Louis) 15
Grand-Pont (R. du) 19
Libération (R. de la) 21
Louaraz (Av.) 23
Ponsard (R.) 24
Rambaud (Pl. P.) 25
Résistance (Pl. de la) 27
Savoie (Av. de) 28
Stalingrad (R. de) 29
Tallard (R. E.) 31
Verdun (Pl. de) 32

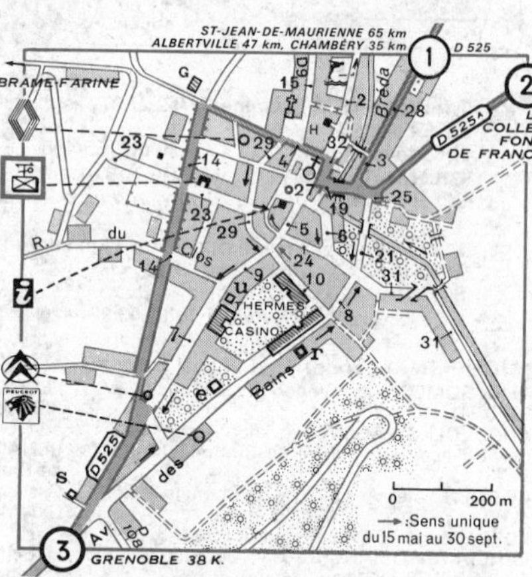

- **Ermitage** ⛰, **(e)** ☎ 97.51.41, ≤, parc, – ⛃ wc ☎ ⓟ. ⚘ rest
  15 mai-25 sept. – SC : **R** 56/65 – **50 ch** ☕ 55/144 – P 125/179.
- **Parc** sans rest, **(u)** ☎ 97.52.21, ≤ parc, – ⛃ wc ☎ ⓟ.
  15 mai-24 sept. – SC : **50 ch** ☕ 53/124.
- **Les Pervenches** ⛰, **(s)** ☎ 97.50.73, ≤, parc, – wc ⋒wc ☎ ♿ ⓟ. ⚘ rest
  14 mai-20 sept. – SC : **R** 52/90 – **34 ch** ☕ 60/140 – P 128/168.
- **Continental, (r)** ☎ 97.50.07, – ⛃ ⋒wc ☎ ⓟ. ⚘ rest
  15 mai - 25 sept. et vac. scol. – **R** 40 – ☕ 10 – **40 ch** 50/80 – P 100/140.

à Pinsot S : 7 km par D 525 A – ✉ **38580** Allevard :

Belle Étoile ⚘, ☎ 97.53.62, ←, ⛰, 🎾 – ⛫wc Ⓟ. ✗ rest
19 mai-26 sept. – SC : **R** *(fermé 18 déc. au 21 avril)* 45/86 – ☕ 11 – 35 ch 45/110 – P 120/140.

au Collet d'Allevard par ② : 10 km – alt. 1 450 – Sports d'hiver : 1 450/2 100 m ⛷12 – ✉ **38580** Allevard.

ℹ Syndicat d'Initiative Maison du Collet (fermé sam. et dim. hors sais.) ☎ 97.52.75.

Plein Ciel ⚘, ☎ **97.52.30,** ← **massif de Chartreuse** – ⛫wc ⛫wc ☎ Ⓟ. GB
fermé oct. – SC : **R** 42/80 – ☕ 10 – **18 ch** 80/90 – P 140/180.

CITROEN Dumas, ☎ 97.52.03
PEUGEOT Gar. Tissot, ☎ 97.50.62
RENAULT Gar. Central, ☎ 97.51.26

ALLIGNY-EN-MORVAN 58 Nièvre 65 ⑰ – 734 h. alt. 454 – ✉ **58230** Montsauche – ⚙ 86.

Paris 262 – Autun 32 – Château-Chinon 34 – Clamecy 79 – Nevers 100 – Saulieu 11.

Aub. du Morvan, ☎ **76.13.90**
fermé 15 au 31 oct., janv., jeudi et le soir en hiver – **R** 35/120.

Garage de L'Avenir, ☎ 76.10.84

ALLONZIER-LA-CAILLE 74 H.-Savoie 74 ⑥ – 510 h. alt. 643 – ✉ **74350** Cruseilles – ⚙ 50.

Voir Ponts de la Caille★ N : 1,5 km, G. Alpes.

Paris 548 – Annecy 13 – Bellegarde-sur-Valserine 41 – Bonneville 31 – ♦Genève 30.

Manoir ⚘, ☎ 46.81.82, ← – ⛫wc ⛫wc ☎ 🚗 Ⓟ – 🏛 40
fermé 1er nov. au 20 déc. et lundi hors sais. – SC : **R** 48/80 – ☕ 14 – 18 ch 85/130 – P 130/150.

ALLOS **04260** Alpes-de-H.-P. 81 ⑧ **G. Alpes** – 564 h. alt. 1 425 – Sports d'hiver à La Foux : 1 800/2 600 m 🚡3 ⛷13 et au Seignus – ⚙ 92.

Env. ✳★★ du col d'Allos NO : 15 km.

Paris 823 – Barcelonnette 36 – Colmars 8 – Digne 79.

au Seignus O : 2 km par D 26 – alt. 1 500 – Sports d'hiver : 1 500/2 425 m ⛷7 – ✉ **04260** Allos :

Altitude 1500 ⚘, ☎ **83.01.07,** ← – ⛫ ⛫ Ⓟ. ✗ ch
Pentecôte, 15 juin-15 sept. et 15 déc.-30 avril – SC : **R** (nombre de couverts limité - prévenir) 45 – ☕ 8 – 16 ch (pens. seul.) – P 110/125.

ALLY 15 Cantal 76 ① – 755 h. alt. 720 – ✉ **15700** Pléaux – ⚙ 71.

Paris 495 – Argentat 40 – Aurillac 53 – Mauriac 11.

Au Relais de Poste, ☎ **69.01.34** – ⛫
11 ch.

RENAULT Gar. Teste, ☎ 69.00.85 N ☎ 69.01.22

ALMANARRE 83 Var 84 ⑮⑯ – rattaché à Hyères.

L'ALOUETTE 33 Gironde 71 ⑨ – rattaché à Bordeaux.

L'ALPE D'HUEZ **38750** Isère 77 ⑥ **G. Alpes** – alt. 1 860 – Sports d'hiver : 1 860/3 350 m 🚡3 ⛷41, ⛸ – ⚙ 76.

Voir Pic du Lac Blanc ✳★★★ NE par téléphérique B.

Env. Lac Besson★ N : 5,5 km.

ℹ Office de Tourisme Place Paganon ☎ 80.35.41, Télex 320892.

Paris 626 ① – Le Bourg-d'Oisans 14 ① – Briançon 79 ① – ♦Grenoble 63 ①.

Plan page suivante

Ours Blanc Ⓜ ⚘, ☎ **80.31.11,** ← **massif de l'Oisans** – ⛫wc ☎ 🚗 Ⓟ. AE GB ⓓ. ✗ rest — B **b**
Noël-Pâques – SC : **R** 90/135 – 34 ch (pens. seul.) – P 280/400.

Petit Prince ⚘, ☎ **80.33.51,** ← **massif de l'Oisans** – |♦| ☎ Ⓟ – 🏛 30. AE ⓓ. ✗ rest — A **k**
Noël-Pâques – SC : **R** 70/90 – ☕ 18 – **40 ch** 170/250 – P 195/310.

Vallée Blanche, ☎ **80.30.51,** ← **massif de l'Oisans** – |♦| TV ☎ Ⓟ – 🏛 40. ✗ rest
1er juil.-août et 20 déc.-24 avril – SC : **R** 65/85 – ☕ 16 – 42 ch 100/280 – P 190/295. — B **h**

Les Gdes Rousses, ☎ **80.33.11,** ← **massif de l'Oisans,** ⛱, 🎾 – |♦| TV ☎ 🚗 Ⓟ. GB — A **d**
25 juin-5 sept. et 15 déc.-20 avril – SC : **R** 85 – ☕ 12 – **45 ch** 260 – P 270/300.

tourner →

ALPE D'HUEZ

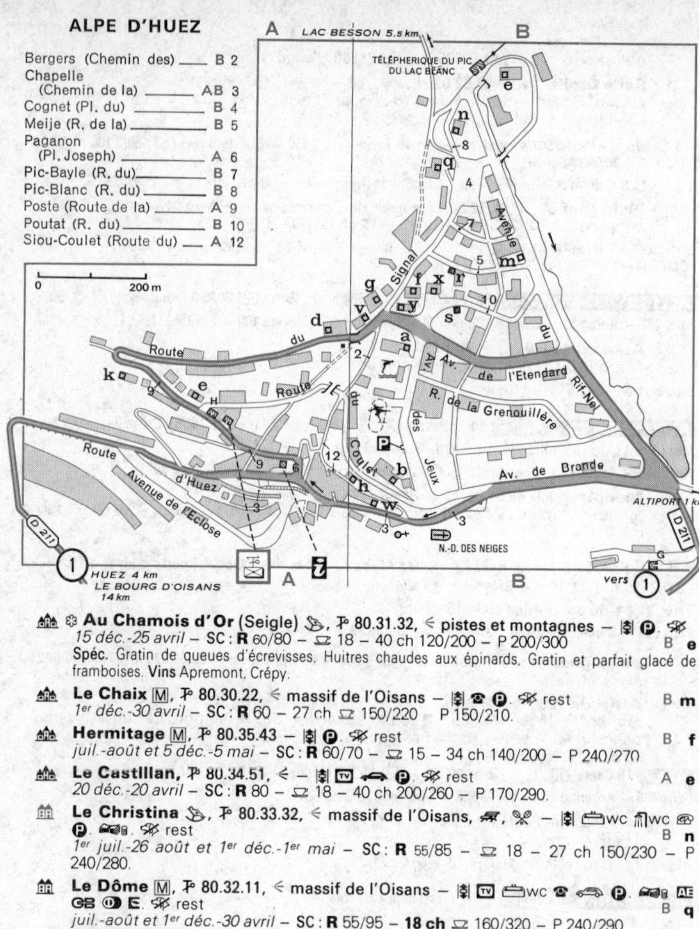

Au Chamois d'Or (Seigle), ☎ 80.31.32, ≤ **pistes et montagnes** – |‡| Ⓟ. ✂ — B **e**
15 déc.-25 avril – SC : **R** 60/80 – ☕ 18 – 40 ch 120/200 – P 200/300
Spéc. Gratin de queues d'écrevisses, Huitres chaudes aux épinards, Gratin et parfait glacé de framboises. Vins Apremont, Crépy.

Le Chaix [M], ☎ 80.30.22, ≤ **massif de l'Oisans** – |‡| ☎ Ⓟ. ✂ rest — B **m**
1er déc.-30 avril – SC : **R** 60 – 27 ch ☕ 150/220 P 150/210.

Hermitage [M], ☎ 80.35.43 – |‡| Ⓟ. ✂ rest — B **f**
juil.-août et 5 déc.-5 mai – SC : **R** 60/70 – ☕ 15 – 34 ch 140/200 – P 240/270

Le Castillan, ☎ 80.34.51, ≤ – |‡| TV Ⓟ. ✂ rest — A **e**
20 déc.-20 avril – SC : **R** 80 – ☕ 18 – 40 ch 200/260 – P 170/290.

Le Christina , ☎ 80.33.32, ≤ **massif de l'Oisans**, – |‡| wc wc ☎ Ⓟ. ✂ rest — B **n**
1er juil.-26 août et 1er déc.-1er mai – SC : **R** 55/85 – ☕ 18 – 27 ch 150/230 – P 240/280.

Le Dôme [M], ☎ 80.32.11, ≤ **massif de l'Oisans** – |‡| TV wc ☎ Ⓟ. AE GB E. ✂ rest — B **q**
juil.-août et 1er déc.-30 avril – SC : **R** 55/95 – **18 ch** ☕ 160/320 – P 240/290.

Belle Aurore, ☎ 80.33.17, ≤ – |‡| wc ☎. ✂ rest — B **g**
20 déc.-Pâques – SC : **R** 90/110 – **37 ch** ☕ 200/320 – P 225/285.

La Dauphinoise, ☎ 80.32.61, ≤ – |‡| wc wc ☎ Ⓟ. ✂ — B **x**
6 juil.-20 août et 20 déc.-20 avril – SC : **R** 60/65 – ☕ 12 – **27 ch** 140 – P 140/190.

Bruyères, ☎ 80.32.74, ≤ – wc wc ☎ Ⓟ. ✂ rest — B **y**
1er juil.-31 août et Noël-Pâques – SC : **R** 42/68 – ☕ 15 – **20 ch** 150/185 – P 160/200.

Chamois, ☎ 80.31.19, ≤ – wc wc ☎. — B **w**
1er juil.-25 août et 15 déc.-1er mai – **R** 40/42 – ☕ 12 – **14 ch** 90/120 – P 180/200.

Alp'Azur sans rest, ☎ 80.34.02, ≤ – wc wc ☎. — B **v**
SC : ☕ 15 – **20 ch** 110/165.

L'Outa avec ch, ☎ 80.34.56, ≤, – TV wc wc ☎. AE GB E — B **s**
12 juil.-20 août, 17 déc.-Pâques – SC : **R** 90/110 – **11 ch** ☕ 170 – P 150/220.

La Cordée, ☎ 80.35.39 — B **r**
30 juin-15 sept. et 1er nov.-4 mai – SC : **R** 50/100.

à Huez par ① : 4 km par D 211 – alt. 1 495 – ✉ **38750** Alpe d'Huez :

Gai Vallon, ☎ 80.30.52, ≤ – wc Ⓟ. ✂
1er juil.-31 août et 1er déc.-30 avril – SC : **R** 50/55 – ☕ 9 – 12 ch 60/70 – P 80/90.

Garage du Pic-Blanc, av. des Jeux ☎ 80.32.20

En mars 1982, ce guide ne sera plus valable.
Achetez le guide de l'année !

ALTKIRCH 68130 H.-Rhin 66 ⑨ G. Vosges – 6 283 h. alt. 312 – 89.

Syndicat d'Initiative pl. Trois Rois (fermé dim. et lundi) ☎ 40.00.27.

Paris 528 – ♦Bâle 31 – Belfort 35 – Montbéliard 54 – ♦Mulhouse 20 – Thann 28.

*à **Wittersdorf*** E : 3 km par D 419 – ✉ **68130** Altkirch :

Kuentz-Bix M, ☎ 40.95.01 – TV wc wc ☎ P. GB
fermé fév. et lundi midi – 18 ch 75/100.

sur D 419 O : 3,5 km – ✉ **68130** Altkirch :

Aub. Sundgovienne, ☎ 40.97.18, – wc wc ☎ P. AE GB . ch
fermé janv., mardi midi et lundi – SC : **R** 35/65 – 11 – **31 ch** 42/110 – P 105/140.

*à **Hirtzbach*** S : 6 km – ✉ **68118** Hirtzbach :

Ottié-Baur avec ch, à la bifurcation de D 432 et D 17 ☎ 40.93.22, – wc ☎ P. ch
fermé 5 oct. au 5 nov., lundi soir sauf juil. et août et mardi – **R** 28/90 – 9,50 – 13 ch 35/90 – P 80/100.

PEUGEOT Gar. du Centre, 21 r. de l'Ill ☎ 40.01.15
RENAULT Gar. Fritsch, 29 r. du 3e-Zouave ☎ 40.01.07

ALVIGNAC 46 Lot 75 ⑲ G. Périgord – 525 h. alt. 390 – Stat. therm. (1er mai-30 sept.) – ✉ **46500** Gramat – 65.

Paris 542 – Brive-la-Gaillarde 52 – Cahors 64 – Figeac 43 – Gourdon 41 – Rocamadour 9 – Tulle 78.

Palladium M, ☎ 33.60.23, ←, – wc wc ☎ P. AE.
1er mai-30 sept. – SC : **R** 48/110 – 14 – 27 ch 135/170 – P 170/190.

Nouvel H., ☎ 33.60.30 – wc P.
Pâques-15 nov. et fermé sam. – SC : **R** 32/105 – 9 – **11 ch** 48/95 – P 92/115.

Château, ☎ 33.60.14, – ☎ P. rest
1er mai-30 sept. – SC : **R** 28/90 – 8,50 – **30 ch** 38/72 – P 75/100.

Aub. Madeleine, ☎ 33.61.47
Pâques-fin sept. – SC : **R** 27/60.

AMBÉRIEU-EN-BUGEY 01500 Ain 74 ③ – 10 026 h. alt. 250 – 74.

Voir SE : Cluse de l'Albarine★, G. Jura.

Syndicat d'Initiative, r. A.-Bérard (après-midi seul., fermé dim. et lundi) ☎ 38.18.17.

Paris 456 – Belley 45 – Bourg-en-Bresse 30 – ♦Lyon 50 – Nantua 44 – La Tour-du-Pin 53.

Savoie M sans rest, N : 2 km sur rte Bourg-en-Bresse ☎ 38.06.90 – wc ☎ P – 60. AE GB E. rest
fermé du 26 déc. au 31 janv. – SC : **R** (en saison grill pour résidents) – **45 ch** 135/160.

CITROEN Gar. de la Gare, 85 av. R.-Salengro ☎ 38.00.15
RENAULT Arpin-Gonnet, 25 r. A.-Bérard ☎ 38.00.60
TALBOT Gar. Pussier, 193 r. A.-Bérard ☎ 38.20.36

AMBERT 63600 P.-de-D. 73 ⑯ G. Auvergne – 8 059 h. alt. 537 – 73.

Voir Église St-Jean★ E.

Syndicat d'Initiative 4 pl. Hôtel de Ville (fermé sam. et dim.) ☎ 82.01.55.

Paris 435 ① – Brioude 73 ③ – ♦Clermont-Fd 78 ④ – Montbrison 46 ② – Le Puy 74 ③ – Thiers 54 ①.

Livradois (Joyeux), 1 pl. Livradois (d) ☎ 82.10.01 – wc ☎ . GB
fermé 28 sept. au 7 nov., dim. soir et lundi sauf juil. et août – SC : **R** *(fermé dim. soir sauf juil. et août et lundi)* 60/100 – 10 – 14 ch 46/140
Spéc. Terrine de volaille aux noisettes, Crêpes au jambon, Caprice "Livradois". **Vins** Chateaugay, St-Pourçain.

Chaumière M, 41 av. Mar.-Foch (e) ☎ 82.14.94 – wc wc ☎. GB E
fermé 15 mars au 15 avril et 1er au 13 sept. – SC : **R** *(fermé sam. du 1er déc. au 1er juil. et dim. soir)* 33/80 – 9,50 – 15 ch 38/100 – P 85/120.

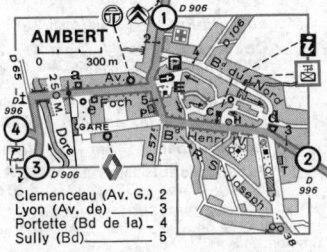

Clemenceau (Av. G.) 2
Lyon (Av. de) 3
Portette (Bd de la) 4
Sully (Bd) 5

Dore, 58 av. Mar.-Foch (a) ☎ 82.00.58 –
fermé janv. et lundi de nov. à mars – SC : **R** 27/61 – 9 – 12 ch 42/85 – P 78/95.

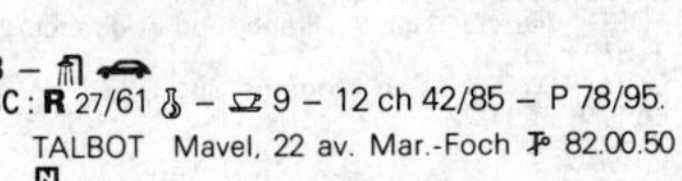

CITROEN Rigaud, rte de Thiers ☎ 82.01.57
FORD Colomb, Rte de Clermont ☎ 82.01.28
RENAULT Chanoine, 33 av. 11-novembre ☎ 82.08.56
TALBOT Mavel, 22 av. Mar.-Foch ☎ 82.00.50 N

Arcis-Pneus, 34 av. de la Dore ☎ 82.02.69

AMBOISE 37400 I.-et-L. 64 ⑯ **G. Châteaux de la Loire** – 11 116 h. alt. 57 – 47.

Voir Château** – Clos-Lucé* **M1**.

Office de Tourisme Quai Gén.-de-Gaulle (fermé lundi matin hors sais. et dim. sauf matin en sais.) 57.09.28.

Paris 221 (1) – Blois 35 (1) – Loches 34 (4) – ♦Tours 25 (5) – Vierzon 91 (3).

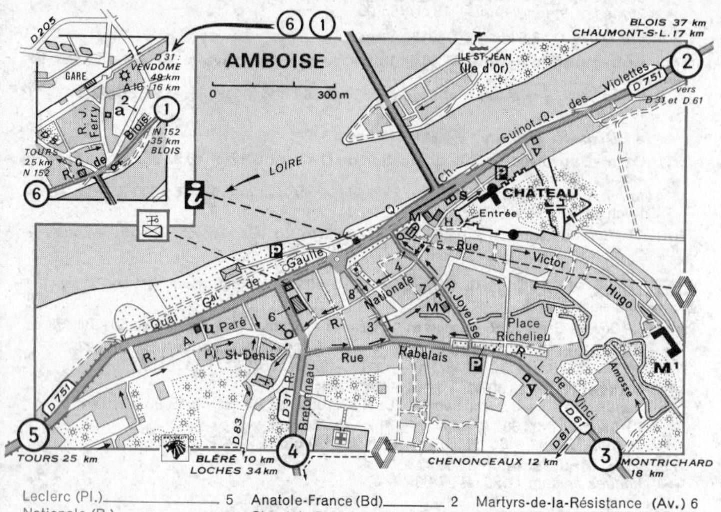

Leclerc (Pl.) 5
Nationale (R.)
Victor-Hugo (R.)

Anatole-France (Bd) 2
Chaptal (R.) 3
J.-J.-Rousseau (R.) 4

Martyrs-de-la-Résistance (Av.) 6
Orange (R. d') 7
Voltaire (R.) 8

Le Choiseul, 36 quai Charles Guinot **(v)** 57.23.83, <, – . AE
14 ch

Belle Vue, 12 quai Ch.-Guinot **(s)** 57.02.26 – wc wc . AE. ch
fermé nov. et vend. – **R** voir rest Monseigneur - SC : – 12,50 – **30 ch** 66/150.

Lion d'Or, 17 quai Ch.-Guinot **(s)** 57.00.23 – wc .
1er mars-2 nov. – SC : **R** *(fermé vend.)* 75/95 – 14 – 22 ch 60/140.

Chanteloup sans rest, rte de Bléré par (4) : 1,5 km 57.10.90 – wc wc .
1er avril-25 août et 12 sept.-15 déc. – SC : 16 – **22 ch** 140/200.

Parc, 8 r. L.-de-Vinci **(y)** 57.06.93, – wc wc . E.
1er mars-3 nov. – SC : **R** 60/80 – 13 – 16 ch 50/160.

La Brèche, 26 r. J.-Ferry **(a)** 57.00.79, – wc . ch
fermé 10 janv. au 20 fév. et dim. soir d'oct. à mars – SC : **R** 32/65 – 9 – 15 ch 39/98 – P 90/120.

Auberge du Mail, 32 quai Gén.-de-Gaulle **(u)** 57.60.39 –
1er mars-1er déc. et fermé mardi soir et merc. midi – SC : **R** 64/95.

au Nord-Est – 37400 Amboise :

Château de Pray , par (2) : 2,5 km 57.23.67, <, « Terrasse dominant la vallée, parc » – wc . AE GB E
fermé 1er janv. au 5 fév. – SC : **R** 80/100 – 20 – 16 ch 160/220 – P 250/290.

La Bonne Étape, par (2) : 2 km 57.08.09, – . GB E
fermé 1er au 15 fév. et mardi – SC : **R** 40/82.

à Négron par (6) : 3 km – 37400 Amboise :

Petit Lussault sans rest, N 152 57.30.30, – wc wc . .
1er avril-10 nov. – SC : 12,50 – **20 ch** 65/120.

AUDI-VOLKSWAGEN, FIAT, LANCIA-AUTO-BIANCHI Gar. du Relais des Châteaux, rte Chenonceaux 57.07.64
FORD, VOLVO Gar. A.-France, bd A.-France 57.11.30
OPEL, TOYOTA Gar. Moderne Sport, 12 r. de Blois 57.11.32

PEUGEOT C.G.F., 108 r. St-Denis 57.09.46
RENAULT S.A.V.E.A., rte de Bléré 57.06.54
RENAULT Gar. du Château, 3 quai Gén.-de-Gaulle 57.02.06
Gar. du Centre, 3 pl. St-Denis 57.17.92

Pour une demande de renseignements ou de réservation auprès d'un hôtelier, il est d'usage de joindre un timbre-réponse.

AMBONNAY 51 Marne 56 ⑰ – 817 h. alt. 102 – ✉ 51150 Tours-sur-Marne – ☏ 26.
Paris 161 – Châlons-sur-Marne 22 – Épernay 21 – ♦Reims 26 – Vouziers 66.

Aub. St-Vincent, r. St-Vincent ☎ 59.01.98 – ⋔ 🚗. ✻ ch
fermé dim. soir, lundi et fériés – SC : **R** 28 bc/110 – ☕ 10 – 11 ch 75/100.

AMBRAULT 36 Indre 68 ⑨ – 614 h. alt. 180 – ✉ 36120 Ardentes – ☏ 54.
Paris 263 – Châteauroux 24 – La Châtre 24 – Issoudun 20 – St-Amand-Montrond 46.

✗✗ **Commerce** avec ch, ☎ 49.01.07, ⛱ – 🛁wc ⋔ **P** – 🏞 40. ✻
fermé fin sept. à fin oct., dim. soir et lundi – SC : **R** (dim. prévenir) 30/75 – ☕ 10 – 10 ch 50/75.

AMBRIÈRES-LE-GRAND 53300 Mayenne 59 ⑳ – 2 057 h. alt. 115 – ☏ 43.
Paris 252 – Alençon 60 – Domfront 23 – Fougères 46 – Laval 42 – St-Hilaire-du-Harcouët 49.

Gué de Gênes, rte Lassay ☎ 04.95.44 – 🛁wc ⋔ ☎ **P**
fermé fév. et merc. d'oct. à avril – SC : **R** 27/100 🍷 – ☕ 9 – **10 ch** 36/70 – P 85/115.

CITROEN Gar. Duchesne, ☎ 04.95.57 RENAULT Gar. Anne, ☎ 04.91.04

AMÉLIE-LES-BAINS-PALALDA 66110 Pyr.-Or. 86 ⑱⑲ **G. Pyrénées** – 4 037 h. alt. 230 – Stat. therm. – Casino – ☏ 68 – **Voir Vallée du Mondony★ S : voir plan.**
ℹ Office de Tourisme, pl. République (fermé sam. après-midi et dim.) ☎ 39.01.98, Télex 500711.
Paris 943 ② – Céret 8 ② – ♦Perpignan 38 ② – Prats-de-Mollo-la-Preste 23 ③ – Quillan 105 ②.

AMÉLIE-LES-BAINS PALALDA

Vallespir (Av. du) 18

Bosch (Quai J.) 2
Castellane (R.) 3
Corniche (Route de la) 4
Docteur-Bouix (Av. du) 6
Leclerc (Av. Général) 7
Palmiers (Av. des) 9
République (Pl. de la) 13
Thermes (R. des) 15
8-Mai (Av. du) 19

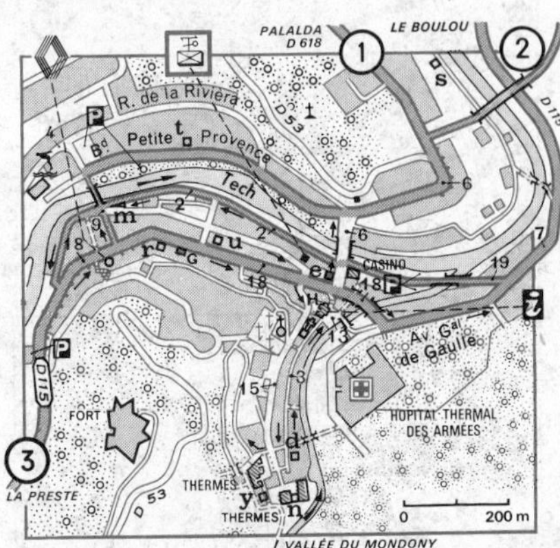

Une voiture bien équipée, possède à son bord des cartes Michelin à jour.

Gd H. Reine-Amélie Ⓜ 🐦, bd Petite-Provence **(t)** ☎ 39.04.38, ≤ – 🛗 🚗 **P** – 🏞 35. AE ⓓ E
SC : **R** 60/95 – ☕ 14 – 66 ch 97/186 – P 140/194.

Gd H. Thermes 🐦, pl. Mar.-Joffre **(n)** ☎ 39.01.00, ≤, ⛱ – 🛗 🚗 **P**. ✻ rest
SC : **R** 55/75 – ☕ 15 – **81 ch** 50/140 – P 120/190.

Le Catalogne Ⓜ 🐦, Route Vieux Pont **(s)** ☎ 39.02.26, ≤, ⛱ – 🛗 🚗 **P**. AE ⓓ. ✻ rest
fermé nov. – SC : **R** 55/72 – ☕ 17 – **40 ch** 120 – P 170/210.

Palmarium H. Ⓜ, 44 av. Vallespir **(u)** ☎ 39.19.38 – 🛗 ▤ rest 🛁wc ☎ ♿ 🚗. 🚐
fermé 10 déc. au 15 janv. – SC : **R** 40/70 – ☕ 12 – **56 ch** 100/146 – P 125/148.

Gorges 🐦, pl. Arago **(y)** ☎ 39.00.32 – 🛗 🛁wc ⋔wc ☎. 🚐
fermé déc. et janv. – SC : **R** 45/75 – ☕ 10 – **36 ch** 45/90 – P 105/120.

Castel Émeraude 🐦, par rte de la Corniche - ouest du plan ☎ 39.02.83, ⛱ – 🛗 🛁wc ⋔wc ☎ **P**. ✻
fermé déc. – SC : **R** 31 bc/130 – ☕ 12 – **28 ch** 110/140 – P 190/200.

Martinet 🐦, r. Hermabessière **(d)** ☎ 39.00.64, ≤, ⛱ – 🛗 🛁wc ⋔wc ☎. 🚐 GB. ✻ rest
fermé 30 nov. au 15 janv. – SC : **R** 45/60 – ☕ 12 – 25 ch 100/120 – P 130/140.

Host. Toque Blanche, av. Vallespir **(r)** ☎ 39.00.57 – 🛗 🛁wc ⋔wc ☎. 🚐. ✻ rest
fermé déc. – SC : **R** 31/80 – ☕ 9 – 43 ch 58/90 – P 97/114.

Ensoleillade et Rive, 70 r. J. Coste **(m)** ☎ 39.06.20, ⛱ – 🛗 ⋔wc ☎ **P**. ✻ rest
fermé 1er déc. au 10 janv. – SC : **R** 40/60 – ☕ 10 – **22 ch** 95/120.

Central, av. Vallespir **(e)** ☎ 39.05.49 – 🛗 ⋔wc ☎ 🚗. GB
fermé 10 déc. au 1er fév. – SC : **R** 36/50 – ☕ 8,50 – **21 ch** 40/70 P 87/110.

RENAULT Gar. du Vallespir, ☎ 39.05.05

L'AMÉLIE-SUR-MER 33 Gironde 71 ⑯ – rattaché à Soulac-sur-Mer.

AMIENS P 80000 Somme 52 ⑧ **G. Nord de la France** – 135 992 h. alt. 27 – 22.
Voir Cathédrale*** CY – Hortillonnages* AU – Hôtel de Berny* CY **M2** – Cimetière de la Madeleine* AU – Fresque* dans l'église St-Jacques BY **F** – Musée de Picardie** BZ **M1**.

18 ☎ 91.02.04 par ② : 7 km.
☎ 91.77.77.

Office de Tourisme r. J.-Catelas (fermé dim.) ☎ 91.79.28 - A.C. 38 r. St-Fuscien ☎ 91.64.73 - T.C.F. 38 r. Lamartine ☎ 92.01.99.

Paris 149 ③ – ♦Lille 115 ② – ♦Reims 171 ③ – ♦Rouen 116 ⑤ – St-Quentin 73 ③.

AMIENS

Abbé-de-l'Épée (R.) AU 2
Allende (Av. Salvador) AU 4
Australie (R. d') AU 6
Beauvillé (Bd de) AU 10
Blanc (Av. Louis) AU 15
Boutillerie (R. de) AV 17
Cayeux (R. Octave) AU 18
Châteaudun (Bd de) AV 21
Clemenceau (Carrefour G.) AU 25
Cottenchy (R. de) AV 28
Dupontreue (R. L.) AU 37
Dury (Bd de) AV 38
Fg-de-Hem (R. du) AU 40
Fédérés (Bd des) AV 42
Foch (Pl. du Maréchal) AV 47
Foy (Av. du Général) AV 48
Gourdain (R. R.) AV 58
Gutenberg (R.) AU 61
Labarre (R.) AU 71
Laurent (R. J.-M.) AV 77
Lecointe (R. Lucien) AU 78
Lescouvé (R.) AV 81
Matifas (R. Georges) AU 89
Onfray (R. Roger) AU 92
Pont-Noyelles (Bd de) AV 99
Prom. de la Hotoie AU 104
St-Honoré (R.) AV 110
Strasbourg (Bd de) AV 116
Thuillier-Delambre (R.) AU 118

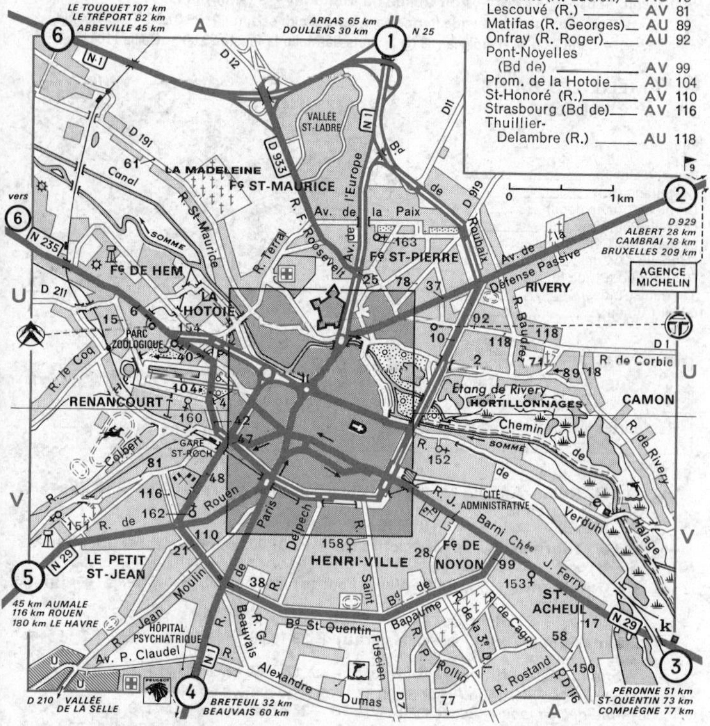

Univers sans rest, 2 r. Noyon ☎ 91.52.51 – ☎ – 60. AE GB E
SC : 15 – **41 ch** 98/170. CZ **a**

Nord-Sud, 11 r. Gresset ☎ 91.59.03 – wc ☎ – 25 à 40. AE GB
SC : **R** 50/100 – 15 – **26 ch** 84/180. BY **u**

Carlton-Belfort, 42 r. Noyon ☎ 92.26.44 – wc wc ☎. AE GB E.
SC : **R** *(fermé dim.)* 70/110 – 16 – **40 ch** 100/170 – P 250/330. CZ **d**

Normandie sans rest, 1 bis r. Lamartine ☎ 91.74.99 – wc wc ☎.
SC : 12 – **26 ch** 50/130. CY **f**

Paix sans rest, 8 r. République ☎ 91.39.21 – wc ☎ P.
fermé 15 déc. au 15 janv. – SC : 10 – **26 ch** 49/90. BY **r**

Rallye, 24 r. Otages ☎ 91.76.03 – ch
fermé 1er au 23 août, sam. et dim. – SC : **R** 39/65 – 9,50 – 21 ch 49/85. CZ **s**

AMIENS

Beauvais (R. de) BY
Catelas (R. Jean) BY
Delambre (R.) BY 32
Duméril (R.) BY 36
Gambetta (Pl.) BY 53
Goblet (Pl. René) CY 56
Gresset (R.) BY 60
Jacobins (R. des) CYZ 65
Noyon (R. de) CZ 91

Allart (R.) CYZ 3
André (R.) CY 5
Belidor (R.) CX 12
Célestins (Bd des) CX 19
Chapeau-des-Violettes (R.) BY 20
Chaudronniers (R. des) BY 23
Cormont (R.) CY 27
Debouverie (Pl. Léon) BY 29
Défontaine (R. du Cdt) BY 31
Déportés (R. des) CX 33
Dodane (R. de la) CY 34
Don (Pl. du) CY 35
Fatton (R. Alexandre) CY 39
Fil (Pl. au) BY 43
Fiquet (Pl. Alphonse) CZ 44
Flatters (R.) CY 45
Francs-Mûriers (R.) CY 51
Fusillés (Bd des) CX 52
Gloriette (R.) CY 55
Gontier (Pl. Léon) BY 57
Gde Rue de la Veillère BY 59
Henri-IV (R.) CY 62
Hôtel-de-Ville (Pl.) BY 63
Jardin-des-Plantes (Bd du) BX 67
Jaurès (R. Jean) BY 69
Joffre (Pl. du Maréchal) CZ 70
Lamartine (R.) CY 73
Lattre-de-Tassigny (R. Maréchal-de) BY 76
Lefèvre (R. Adéodat) CY 79
Leroux (R. Florimond) BY 80
Lin (R. au) BY 82
Longueville (Pl.) BZ 83
Maignan-Larivière (Bd) BZ 84
Marché-aux-Chevaux (R. du) BY 87
Marché-de-Lanselles (R. du) BCY 88
Oratoire (R. de l') CY 93
Orfèvres (R. des) CY 94
Otages (R. des) CZ 95
Parmentier (Pl.) CY 96
Pingre (R.) BY 97
Port-d'Amont CY 100
République (R. de la) BZ 105
Résistance (R. de la) BX 106
St-Germain (R.) BY 109
St-Martin-aux-Waides (R.) CY 112
St-Michel (Pl.) CY 113
Ste-Catherine (R.) BY 114
Sergents (R. des) CY 115
Trois-Cailloux (R. des) CY 120
Vanmarcke (R.) CY 121
Vergeaux (R. des) BY 122
Victor-Hugo (R.) CY 123
2e-D.-B. (Av. de la) BY 124

ÉGLISES

IMMÉE CONCEPON AV 150
NOTRE-DAME (CATH.) CY
PETIT ST-JEAN AV 151
SACRE CŒUR AV 152
ST-AGHEUL AV 153
ST-FIRMIN AU 154
ST-GERMAIN BY 155
ST-HONORÉ BZ
ST-JACQUES BY F
ST-LEU CY 157
ST-MARTIN CZ 158
ST-MAURICE BX
ST-PIERRE CX
ST-RÉMY BY 159
ST-ROCH AUV 160
STE-ANNE CZ 161
STE-JEANNE-D'ARC AV 162
STE-THÉRÈSE AU 163

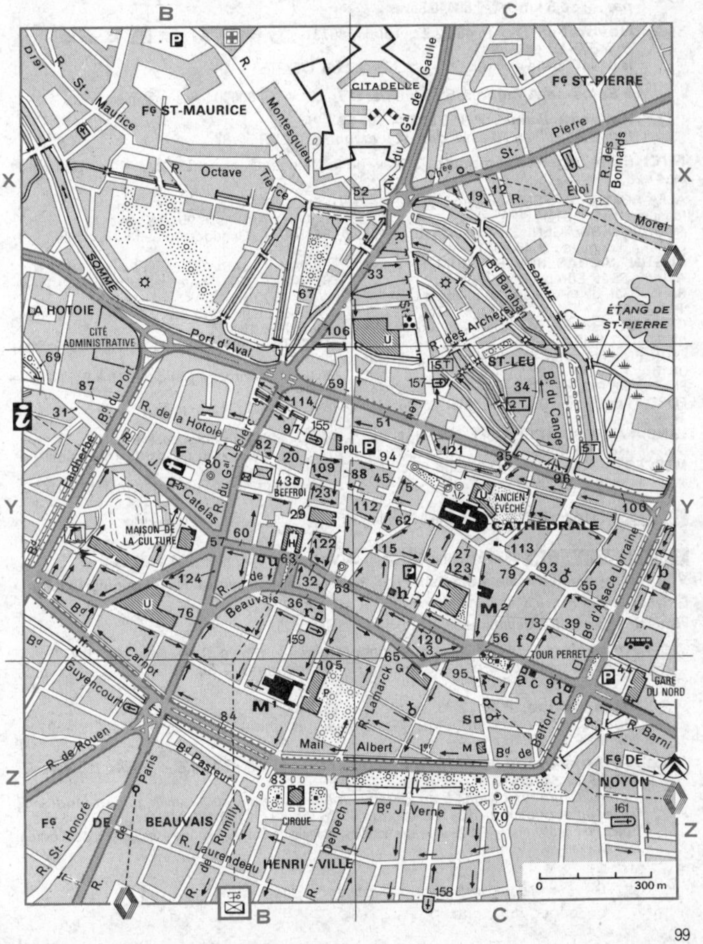

XX **Bois de Boulogne,** 505 Chaussée J.-Ferry ☎ 46.19.73 – Ⓟ. AE GB E AV **k**
fermé 2 au 17 mars et sam. – SC : **R** 60.

XX **Joséphine,** 20 r. Sire-Firmin-Leroux ☎ 91.47.38 CY **h**
fermé août, dim. soir et lundi – **R** 55/120.

XX Aub. Pré Porus, 95 r. Voyelle (Pont de Camon) ☎ 46.25.03, ← – Ⓟ. AV **e**

XX **Voyageurs** avec ch, 7 r. J.-Mermoz ☎ 91.50.63 – ⇔ ☎. 🚗 GB CY **b**
fermé 16 juil. au 13 août et dim. soir – SC : **R** 50/130 – ☕ 12 – **12 ch** 47/90.

à Dury par ④ : 5 km – ✉ **80480** Saleux :

XX Bonne Auberge, rte Nationale ☎ 95.03.33 – Ⓟ.

XX **L'Aubergade,** 78 rte Nationale ☎ 95.00.09
fermé août, 22 au 31 déc., sam. et dim. – SC : **R** 48/98 🍷.

à Dreuil-lès-Amiens O : 5 km par N 235 – ✉ **80730** Dreuil-lès-Amiens :

XX **Le Cottage,** ☎ 43.15.85 – GB
fermé 20 au 31 août, dim. soir et lundi – SC : **R** 48/98 🍷.

à Longueau par ③ : 6 km – 5 606 h. – ✉ **80330** Longueau :

XX **La Potinière,** ☎ 46.22.83 – GB
fermé 15 août au 15 sept., vacances de fév., dim. soir, jeudi soir et lundi – SC : **R** 55/90.

par ③ : 6,5 km – ✉ **80440** Boves :

🏨 **Novotel** Ⓜ 🐎, ☎ 46.22.22, Télex 140731, 🏊, 🌳 – ▤ rest 📺 ☎ ♿ Ⓟ – 🏛 25 à 300. AE GB ⓓ
R snack, carte environ 65 – ☕ 20 – **92 ch** 175/215.

à Sains-en-Amiénois S : 9 km par D 7 - AV – ✉ **80680** Sains-en-Amiénois :

XXX **Relais de Sains,** ☎ 94.51.38 – Ⓟ. ⓓ
fermé 21 juil. au 20 août, dim. soir et lundi – SC : **R** 56/87.

MICHELIN, Agence régionale, 212 av. de la Défense-Passive, D 929 à Rivery par ② ☎ 92.47.28

ALFA-ROMEO, DATSUN Péchon, 87 av. Défense-Passive ☎ 91.44.08
AUDI-VOLKSWAGEN Éts Cresson, rte de St-Quentin, Longueau ☎ 46.12.91
AUSTIN, JAGUAR, ROVER, TRIUMPH Fiszel Autom., 33 av. Europe ☎ 91.79.35
BMW Gar. de la Veillère, 18 r. Alfred Lemaire ☎ 91.43.48
CITROEN Gde Gar. de Picardie, 3 bd Belfort CZ ☎ 91.57.45 N
CITROEN Fournier, r. d'Australie AU ☎ 43.01.16
FIAT Auto Picardie, 7 bd Beauville ☎ 91.37.34
FORD Éts Leroux, 92 r. Gaulthier-de-Rumilly ☎ 95.37.20
LANCIA-AUTOBIANCHI, OPEL Renel, N 16, Dury-lès-Amiens ☎ 95.42.42
MERCEDES-BENZ Gar. de l'Europe, 85 bd Alsace-Lorraine ☎ 91.28.63
PEUGEOT Gar. de la Somme, 35 N 1 AV Dury-lès-Amiens ☎ 95.08.37
RENAULT Gueudet Auto, 19 r. Otages CZ ☎ 92.09.41
RENAULT SARVA, 7 r. de Paris ☎ 95.17.60
RENAULT Gar. Citadelle, 3 chaussée St-Pierre CX ☎ 43.70.87
TALBOT Le Nôtre Autom., 126 r. Valentin-Haüy ☎ 92.18.34
TOYOTA Gar. Pruvost, 23 av. Défense-Passive ☎ 91.29.74
VOLVO Picard, rte Nationale 16 à Poulainville ☎ 43.00.34
Gar. Sueur, 1 r. Fg-Hem ☎ 43.14.44

Ⓜ Lienard, 247 rte Rouen ☎ 91.44.67
Picardie-Pneus, 126 r. Gaulthier-de-Rumilly ☎ 95.33.89
Straubhaar, 40 bd Port-d'Amont ☎ 91.66.50

AMILLY 45 Loiret **65** ② – rattaché à Montargis.

AMMERSCHWIHR 68770 H.-Rhin **62** ⑱⑲ **G. Vosges** – 1 547 h. alt. 230 – ✪ 89.

Voir Nécropole nationale à Sigolsheim ※★ du terre-plein central N : 2 km puis 15 mn.

ℹ Syndicat d'Initiative à la Mairie (fermé sam. et dim.) ☎ 47.12.24.

Paris 437 – Colmar 7 – Gérardmer 55 – St-Dié 49 – Sélestat 25.

🏠 **Arbre Vert,** ☎ 47.12.23, « Belle décoration » – ⇔wc 🚿 ☎. 🚗. ⛔ ch
fermé 26 nov. au 10 déc., 15 fév. au 25 mars et mardi – SC : **R** 50/120 🍷 – ☕ 11 – 12 ch 45/120 – P 85/120.

🏠 **Trois Merles,** ☎ 47.12.78, 🌳 – 🚿wc Ⓟ. 🚗. ⛔ ch
fermé 15 déc. au 1er fév., dim. soir hors sais. et lundi – SC : **R** 45/90 – ☕ 12 – 21 ch 50/110 – P 120/150.

XXX ✿✿ **Aux Armes de France** (Gaertner) avec ch, ☎ 47.10.12 – ⇔wc ☎. 🚗 AE GB ⓓ E. ⛔ ch
fermé 26 juin au 10 juil., 8 au 29 janv., merc. soir du 1er oct. au 1er juil. et jeudi – **R** (réserver si possible) 155/165 et carte – ☕ 15 – 8 ch 100/180
Spéc. Foie gras frais, Filets de sole aux nouilles, Volaille de Bresse sautée au vinaigre. Vins Riesling, Edelzwicker.

🐎 ? *Dans votre intérêt, lisez les pages explicatives du début du guide.*

AMOU 40330 Landes 78 ⑦ – 1 455 h. alt. 41 – ✪ 58.

Syndicat d'Initiative à la Mairie (fermé sam. après-midi et dim.) ℡ 57.00.22.

Paris 737 – Aire-sur-l'Adour 52 – Dax 31 – Hagetmau 18 – Mont-de-Marsan 47 – Orthez 14 – Pau 49.

- **Voyageurs,** ℡ 57.02.31 – wc P – 50
  fermé fév. – SC : **R** *(fermé sam. en hiver)* 35/85 – 8,50 – **15 ch** 45/95 – P 80/100.
- **Commerce,** ℡ 57.02.28 – wc ℡ P – 40
  fermé nov. et lundi en hiver – **R** 35/80 – 10 – 18 ch 60/100 – P 90/100.

RENAULT Gar. Basque, ℡ 57.00.40

AMPHION-LES-BAINS 74 H.-Savoie 70 ⑰ **G. Alpes** – alt. 375 – ✉ **74500** Évian – ✪ 50.

Syndicat d'Initiative La Rive (1er juin-30 sept., fermé dim. et jeudi) ℡ 72.00.63.

Paris 582 – Annecy 78 – Évian-les-Bains 3,5 – ♦Genève 39 – Thonon-les-Bains 5,5.

- **Plage** , ℡ 72.00.06, ←, parc, , , – wc wc ℡ P – 30
  23 mai-25 sept. – SC : **R** 56/75 – 10 – 38 ch 80/140 – P 110/170.
- **Parc et Beauséjour,** ℡ 75.14.52, ←, parc, , – wc ℡ P – 30 à 100
  fermé 18 oct. au 1er déc. et lundi – **R** 40/70 – 12 – **50 ch** 50/130 – P 110/160.
- **Princes,** ℡ 75.02.94, ←, parc – wc ℡ P.
  1er juin-15 sept. – SC : **R** 55/80 – 11 – **35 ch** 60/160 – P 120/160.
- **Tilleul,** (Annexe **Lemantine** , - 8 ch wc) ℡ 72.00.39 – wc wc P. rest
  fermé janv. – SC : **R** 35/75 – 12 – 29 ch 50/120 – P 100/140.
- **Chablais** , à Publier S : 1 km ✉ 74500 Évian ℡ 75.28.06, ←, – wc wc ℡ P. GB. rest
  fermé nov. – SC : **R** *(fermé dim. d'oct. à avril)* 35/60 – 10 – **22 ch** 47/105 – P 72/120.
- **Le Relais** avec ch, ℡ 72.00.21, ← – wc ℡. AE
  fermé déc., janv. et lundi hors sais. – SC : **R** 38/100 – 10 – **5 ch** 50/90 – P 100/120.

ANCENIS 44150 Loire-Atl. 63 ⑱ **G. Châteaux de la Loire** – 7 304 h. alt. 13 – ✪ 40.

Office de Tourisme pl. Pont (1er juin-15 oct. et fermé lundi) ℡ 83.07.44.

Paris 337 ② – Angers 53 ① – Châteaubriant 47 ① – Cholet 47 ③ – Laval 94 ① – ♦Nantes 42 ① – Niort 161 ③ – La Rochelle 163 ③ – La Roche-sur-Yon 88 ③ – Vannes 146 ①.

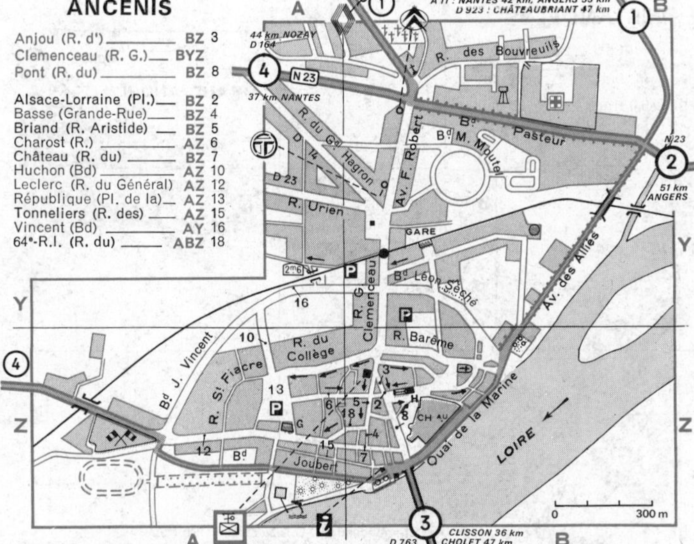

- **Val de Loire** M, Le Jarier d'Ancenis par ② : 2 km ℡ 96.00.03 – wc ℡ P – 80.
  SC : **R** *(fermé sam. du 1er oct. au 31 mai)* 38/90 – 11 – **30 ch** 95/107 – P 135/171.

ANCENIS

CITROEN Gar. Moderne, 339 av. F.-Robert ☎ 83.02.75
RENAULT Gar. Leroux, Zone Ind. rte Châteaubriant ☎ 83.23.20

TALBOT Gar. Davy, 145 av. F.-Robert ☎ 83.00.24

Ⓟ Delestre, 151 r. de Barème ☎ 83.27.73

Les ANCIZES-COMPS **63770** P.-de-D. **73** ③ **G. Auvergne** – 1 983 h. alt. 710 – ✪ 73.

Office de Tourisme à la Mairie (fermé jeudi, sam. après-midi et dim.) ☎ 86.80.14.

Paris 397 – Aubusson 61 – ♦Clermont-Ferrand 50 – Montluçon 70 – Vichy 67 – Ussel 78.

Vieille Ferme, ☎ 86.81.25 – wc ☎ Ⓟ
fermé vend. – SC : **R** 28/75 – ☕ 9 – **14 ch** 41/85 – P 78/90.

PEUGEOT Brousse, ☎ 86.80.37

ANCY-LE-FRANC **89160** Yonne **65** ⑦ **G. Bourgogne** – 1 236 h. alt. 193 – ✪ 86.

Voir Château★★.

Paris 217 – Auxerre 53 – Châtillon-sur-Seine 38 – Montbard 27 – Tonnerre 18.

PEUGEOT Gar. Piat, ☎ 75.12.21 RENAULT Mignard, ☎ 75.15.29

ANDARD 49 M.-et-L. **64** ⑪ – 1 261 h. alt. 24 – ⊠ **49800** Trelazé – ✪ 41.

Paris 286 – Angers 14 – Baugé 26 – La Flèche 46 – Saumur 41 – Seiches-sur-le-Loir 18.

XX **Le Dauphin,** ☎ 80.41.59 – Ⓟ
fermé 3 au 25 août, dim. soir, lundi soir et mardi – SC : **R** 24/65.

ANDELNANS **90** Ter.-de-Belf. **66** ⑧ – rattaché à Belfort.

ANDELOT-EN-MONTAGNE **39** Jura **70** ⑤ – 548 h. alt. 604 – ⊠ **39110** Salins-les-Bains – ✪ 84.

Voir Forêt de la Joux★★ : sapin Président★ E : 4 km, G. Jura.

Paris 419 – Arbois 19 – Champagnole 16 – Lons-le-Saunier 50 – Pontarlier 38 – Salins-les-Bains 14.

Bourgeois, ☎ 51.43.77 – wc Ⓟ
fermé 15 nov. au 1er déc. – SC : **R** 27/48 – ☕ 8 – 16 ch 35/68 – P 76/86.

Les ANDELYS (SP) **27700** Eure **55** ⑰, **96** ① **G. Normandie** – 8 293 h. alt. 23 – ✪ 32.

Voir Ruines du Château Gaillard★★ ABZ – **Église N.-Dame★** CX **B.**

Paris 96 ③ – Beauvais 63 ③ – Évreux 36 ④ – Gisors 31 ③ – Mantes-la-Jolie 52 ④ – ♦Rouen 39 ①.

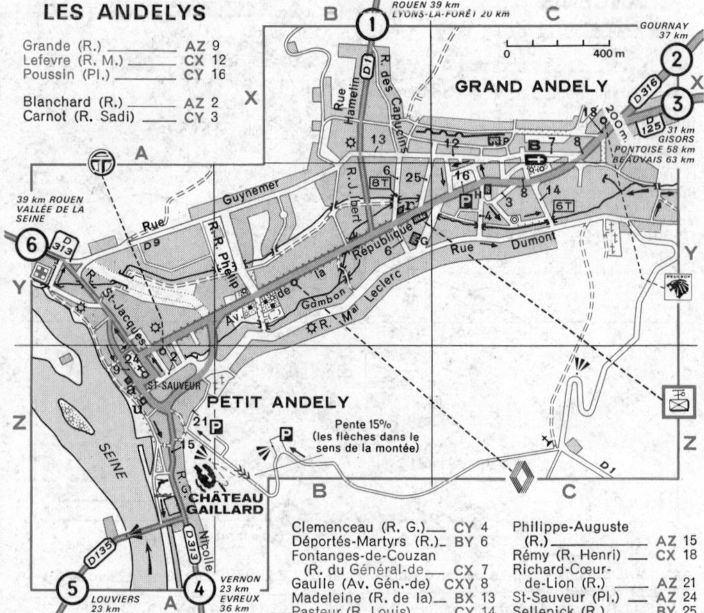

Normandie, 1 r. Grande ℡ 54.10.52 – Ⓟ. GB — AZ **u**
fermé 1er déc. au 4 janv., merc. soir et jeudi – SC : **R** 43/86 – ☕ 8,50 – 11 ch 38/70.

XX **Chaîne d'Or** 🐎 avec ch, 27 r. Grande ℡ 54.00.31, ≤ – ⇔wc ☎ Ⓟ. ✂ — AZ **a**
fermé janv., lundi soir et mardi – SC : **R** 49/75 – ☕ 13 – 11 ch 42/130.

X Paris, 10 av. République ℡ 54.00.33, 🚗 – Ⓟ — BY **r**

PEUGEOT Gouedard, 27 r. Rémy ℡ 54.11.36
RENAULT Boclet, 47 av. République ℡ 54.11.35
TALBOT Giroux, 75 av. République ℡ 54.21.49 N

ANDERNOS-LES-BAINS 33510 Gironde 78 ① G. Côte de l'Atlantique – 5 189 h. – Casino – ✪ 56.

ℹ Office de Tourisme 33 av. Gén.-de Gaulle (fermé dim. après-midi et lundi hors sais.) ℡ 82.02.95.

Paris 606 – Arcachon 40 – ♦Bayonne 171 – ♦Bordeaux 46 – Dax 137 – Mont-de-Marsan 118.

Aub. Le Coulin, rte du Cap Ferret ℡ 82.04.35 – ⚲ Ⓟ. GB. ✂
fermé 20 déc. au 1er fév. et lundi – SC : **R** 30/150 – ☕ 9 – 12 ch 60/120 – P 90/150.

CITROEN Millot, ℡ 82.13.06
RENAULT Gar. Beaudoin, ℡ 82.00.88

ANDLAU 67 B.-Rhin 62 ⑨ G. Vosges – 1 919 h. alt. 246 – ✉ 67140 Barr – ✪ 88.

Voir Église★ : porche★★.

Paris 448 – Erstein 23 – Le Hohwald 8 – Molsheim 22 – Sélestat 18 – ♦Strasbourg 39.

Kastelberg M 🐎, ℡ 08.97.83 – ⇔wc ⚲wc ☎ Ⓟ – 🏛 30. ✂ ch
SC : **R** voir rest Au Canon – ☕ 13 – 31 ch 70/180 – P 180/220.

XX **Boeuf Rouge,** ℡ 08.96.26 – AE
fermé 17 au 30 juil., en fév., merc. soir et jeudi – SC : **R** carte 95 à 140.

XX **Au Canon** avec ch, ℡ 08.95.08 – ⇔wc Ⓟ. ✂ ch
fermé fév., lundi soir hors sais. et mardi – SC : **R** 50/90, carte le dim. 🌡 – ☕ 11 – 10 ch 60/110 – P 160/200.

RENAULT Wantz, ℡ 08.93.31 N

ANDOLSHEIM 68 H.-Rhin 62 ⑲ – rattaché à Colmar.

ANDON 06 Alpes-Mar. 84 ⑧, 195 ㉓ – 444 h. alt. 1 182 – Sports d'hiver : station de l'Audibergue 1 182/1 600 m ⛷6 – ✉ 06750 Caille – ✪ 93.

Paris 833 – Castellane 36 – Draguignan 74 – Grasse 34 – ♦Nice 73 – St-Raphaël 76 – Vence 46.

Aub. d'Andon 🐎, ℡ 60.45.11, ≤, 🚗 – ⇔wc ⚲ 🚘 Ⓟ. 🚌. ✂ ch
1er avril-31 oct. et 15 déc.-1er mars – SC : **R** 35/60 – ☕ 8 – **15 ch** 55/100 – P 100/150.

ANDORRE (Principauté d') ★★ 86 ⑭⑮, 43 ⑥⑦ G. Pyrénées – 32 700 h. – ✪ 078 : interurbain avec la France.

Andorre-la-Vieille (Andorra La Vella) capitale de la Principauté G. Pyrénées (plan) – alt. 1 029.

Env. NE : Vallée du Valira del Orient★ – N : Vallée du Valira del Nord★.

ℹ Syndicat d'Initiative r. Anna M.-Janer (fermé dim. après-midi) ℡ 20.2.14 – A.C.A. 4 r. Barbot Camp ℡ 20.8.90.

Paris 892 – Barcelona 220 – Carcassonne 165 – Foix 103 – ♦Perpignan 166 – ♦Toulouse 186.

Président M, 40 av. Santa Coloma ℡ 22.9.22, Télex 233 And, ≤, 🏊 – 🛗 cuisinette TV ☎ 🚘. AE ⦿ E VISA. ✂ rest
SC : **R** 62 – ☕ 16 – 88 ch 180/210, 16 appartements 440.

Mercure M, 58 av. Méritxell ℡ 20.7.73, Télex 208 And, 🏊, 🎾 – 🛗 TV ☎ 🚘 Ⓟ – 🏛 35. AE ⦿ E VISA. ✂ rest
R carte environ 55 – ☕ 18 – **70 ch** 140/180.

Eden Roc M, av. Dr-F.-Mitjavila ℡ 21.0.00 – 🛗 TV 🚘. AE ⦿ VISA. ✂
SC : **R** 65 – ☕ 13 – 55 ch 166/211 – P 228.

Andorra Palace, Prat de la Creu ℡ 21.0.72, Télex 208 And, ≤, 🏊, 🎾 – 🛗 TV ♿ 🚘 Ⓟ – 🏛 100. AE ⦿ E VISA. ✂
R 60 – ☕ 18 – **140 ch** 125/280 – P 263/328.

Flora M sans rest, 23 Antic Carrer Major ℡ 21.5.08, Télex 209 And – 🛗 TV. E VISA
SC : ☕ 20 – **45 ch** 160.

Sasplusgas 🐎, av. del Co Princep Iglesias ℡ 20.3.11, ≤ – 🛗 🚘. AE ⦿ E VISA. ✂
SC : **R** 40/45 – ☕ 14 – **26 ch** 80/150 – P 130/155.

Isard, 36 av. Méritxell ℡ 20.0.92 – 🛗 TV ⇔wc ⚲wc ☎ 🚘 Ⓟ. 🚌 AE ⦿ E VISA. ✂ rest
SC : **R** 40/45 – ☕ 12 – 55 ch 80/140 – P 100/130.

tourner →

Florida sans rest, 11 r. Llacuna ✆ 20.1.05 – SC : **37 ch** 67/108.

Internacional, ✆ 21.4.22 – rest
fermé 2 nov. au 2 déc. – SC : **R** 40/45 – 12 – **50 ch** 60/92 – P 115/124.

Cassany, 28 av. Méritxell ✆ 20.6.36 – rest
SC : **R** *(fermé 3 au 30 nov. et merc.)* 40/60 – **50 ch** 55/120 – P 125/150.

Consul, 5 pl. Rebes ✆ 20.1.96 –
fermé 10 janv. au 10 fév. – **R** *(fermé lundi hors sais.)* 40/65 – 56 ch 50/100 – P 110/125.

Moli Dels Fanals, Prada Casadet ✆ 21.3.81 –
fermé 22 juin au 6 juil. et lundi – **R** 42/69.

Els Crancs, ✆ 23.9.29.

FORD Autos-Servei, 76 av. Meritxell ✆ 20.7.54
PEUGEOT Gar. International, av. Tarragona ✆ 21.4.92
TALBOT Automobiles Pyrénées, av. Dr. F.-Mitjovila ✆ 20.1.19

Arinsal – alt. 1 445 – Sports d'hiver : 1 550/2 550 m 13 – La Massana.

Andorre-la-Vieille 9.

Solana , ✆ 35.1.27, – rest
fermé 15 oct. au 15 nov. – **R** 40/60 – 18 – **40 ch** 50/100 – P 95/120.

Poblado, ✆ 35.1.22, – rest
fermé oct. – SC : **R** 35/50 – 10 – 40 ch 60/100 – P 85/105.

Residencia Janet sans rest, à Erts S : 1,5 km ✆ 35.0.88, –
SC : 9 – **20 ch** 40/75.

Canillo – alt. 1 531 – Canillo.

Voir Crucifixion★ dans l'église de Sant Joan de Caselles NE : 1 km.

Andorre-la-Vieille 11.

Pélissé , ✆ 51.2.05, –
fermé 15 oct. au 1er déc. – SC : **R** 42/45 – 16 – 40 ch 100/110 – P 120/130.

Encamp – alt. 1 313.

Voir Les Bons : site★ N : 1 km – Andorre-la-Vieille 6.

Univers, ✆ 31.0.05 –
fermé 1er nov. au 1er déc. – SC : **R** 30/40 – 8 – 41 ch 40/80 – P 96/100.

Paris, ✆ 31.3.25 –
fermé 15 au 30 nov. – SC : **R** 30/34 – 8 – **43 ch** 31/65 – P 72/75.

Les Escaldes – alt. 1 105 – Andorre-la-Vieille – Andorre-la-Vieille 1.

Roc Blanc, (centre thermal), 5 pl. dels Co-Princeps ✆ 21.4.86, Télex 224 And, – 150. rest
R 65/80 snack **l'Entrecôte R** 50 – 17 – **96 ch** 135/185 – P 218/255.

Les Comtes d'Urgell, à Engordany ✆ 20.6.21, Télex 226 And – rest
SC : **R** 45 – 13 – 200 ch 65/106 – P 112.

Nouvel H. Espel , à Engordany ✆ 20.9.44 –
fermé nov. – SC : **R** 28 bc/35 bc – 10 – **102 ch** 50/95 – P 82/92.

Hostal Andorra, 34 av. Carlemany ✆ 20.8.31 –
SC : **R** 27/45 – 9 – 35 ch 50/100 – P 80/120.

La Grandalla, 14 av. Carlemany ✆ 21.1.25 – rest
SC : **R** 28/35 – 10 – 45 ch 90 – P 100.

La Pubilla, av. Fiter i Rossell à Engordany ✆ 20.9.81 –
hôtel : fermé janv. ; rest. : fermé 1er janv. au 15 fév. – **R** 28/58 – 10 – **29 ch** 43/50 – P 75/79.

AUSTIN-MORRIS-CITROEN Garage Central, 34 bis av. Carlemany ✆ 21.4.87

La Massana – alt. 1 241 – La Massana.

Andorre-la-Vieille 5.

Rullan , ✆ 35.0.00, – rest
fermé 5 nov. au 5 déc. – SC : 12 – 70 ch 90/135 – P 115/135.

La Borda de l'Avi, rte Arinsal ✆ 35.1.54 –
SC : **R** carte 70 à 100.

Ordino – alt. 1 304 – Andorre-la-Vieille 7.

Coma , ✆ 35.1.16, –
fermé nov. – **R** 45 – **48 ch** 121/174 – P 156.

Pas-de-la-Case – alt. 2 091 – Sports d'hiver : 2 085/2 500 m 7.

Voir Port d'Envalira ** O : 4 km.

Andorre-la-Vieille 30.

Sporting M, 55.4.55, ← – ☎. AE VISA.
11 juil.-27 sept. et 19 déc.-25 avril – SC : **R** 62 – **72 ch** 270/340, 4 appartements 525 – P 229/394.

Refugi dels Isards, 55.1.55, ← – wc wc. AE VISA. rest
SC : **R** 30/42 – 15 – **39 ch** 80/100 – P 125/135.

Santa-Coloma – alt. 970 – Andorre-la-Vieille.

Andorre-la-Vieille 3.

Cerqueda, 20.2.35, ←, – wc. VISA. rest
fermé 8 janv. au 1er mars – SC : **R** 43/45 – 11,50 – 75 ch 60/120 – P 114/127.

La Roureda, 20.6.81, ←, – .
1er juin-30 sept. – SC : **R** 40 bc – 10 – 36 ch 120 – P 100/120.

XX El Bon Raco, SE : 1 km 22.0.85, ferme typique – .

RENAULT Renault Servei, route Général 20.6.72

Sant-Julia-de-Loria – alt. 909.

Andorre-la-Vieille 7.

Pol M, 41.1.22, – wc wc. E VISA.
15 mars-31 oct. et 10 déc.-10 janv. – SC : **R** 50/55 – 11 – **83 ch** 60/100 – P 95/115.

Sol-Park, 41.0.43, ← – wc
40 ch.

Barcelona, N : 1 km 41.1.77 – wc wc. rest
1er mars-1er nov. – SC : **R** 35/38 – 50 ch 60/100 – P 93/98.

Coma Bella, SE : 7 km par VO 41.2.20, ←, « dans la forêt de la Rabassa », alt. 1 300, parc – wc. VISA
fermé 15 nov. au 10 déc. et 8 au 30 janv. – SC : **R** 33 – 7 – **28 ch** 80/104 – P 83/100.

El Serrat – alt. 1 539 – Ordino.

Andorre-la-Vieille 16.

Del Serrat, 35.2.96, ← – wc.
fermé 6 janv. au 1er fév. – **R** 33 – 10,50 – 20 ch – P 97.

Soldeu – alt. 1 826 – Sports d'hiver : 1 800/2 460 m 8, – Soldeu.

Andorre-la-Vieille 19.

Del Tarter M, O : 3 km 51.1.65, ← – wc wc. E VISA.
fermé nov. – SC : **R** 38/48 – 12 – 35 ch 65/110 – P 120/140.

ANDRÉZIEUX-BOUTHÉON 42160 Loire 73 ⑱ – 7 640 h. alt. 378 – 77.

Voir St-Rambert-sur-Loire : église★, bronzes★ du musée S : 4,5 km.

Env. Lac de Grangent★★ **S : 9 km, G. Vallée du Rhône.**

Paris 457 – ♦Lyon 76 – Montbrison 19 – Roanne 66 – ♦St-Étienne 17.

Novotel M, Z.I. Centre-Vie 55.10.74, Télex 900722, – – 25 à 200. AE
R snack, carte environ 65 – 20 – **98 ch** 160/190.

X **Host. Chapon Doré,** r. P. Zakanie 55.05.53, –
fermé dim. soir et lundi midi du 1er sept. au 31 mai – SC : **R** 40/125.

CITROEN Berthet, 23 av. de St-Étienne 55.02.74

RENAULT G.A.M.M.A., 2 r. Lamartine 55.03.05

ANDUZE 30140 Gard 80 ⑰ G. Causses – 2 725 h. alt. 131 – 66.

Voir Musée du Désert★.

Syndicat d'Initiative pl. Brie (15 juin-15 sept. et fermé dim. après-midi).

Paris 721 – Alès 13 – Florac 67 – Lodève 86 – ♦Montpellier 67 – Nîmes 47 – Le Vigan 52.

au NO : 5,5 km par D 129 et D 50 – **30140** Anduze :

Trois Barbus, 61.72.12, ←, – wc. rest
fermé 2 janv. au 20 mars. – SC : **R** *(fermé lundi sauf juil. et août)* 70/150 – 15 – 36 ch 120/200 – P 240.

tourner →

à Mialet NO : 10 km par D 50 – ✉ **30140** Anduze.

Voir Mas Soubeyran : musée du Désert (souvenirs protestants 17e-18e s.) S : 3 km.

Env. Grottes de Trabuc★ : les Cent mille soldats★★ (concrétions) E : 6 km.

Grottes de Trabuc, sur D 50 ☎ 85.32.81, ← – Ⓟ
28 mars-29 sept. et fermé mardi – SC : **R** carte environ 65 – ☐ 9 – 8 ch 51 – P 98.

ANET 28260 E.-et-L. 55 ⑰, 96 ⑪ G. Environs de Paris – 1 987 h. alt. 71 – ⓞ 37.

Voir Château★.

Paris 80 – Chartres 51 – Dreux 16 – Évreux 41 – Mantes-la-Jolie 28 – Versailles 57.

XX **Manoir d'Anet,** ☎ 64.91.05
fermé fév., mardi soir du 1er nov. à Pâques et merc. – SC : **R** 55/100 ⅛.

XX **Aub. de la Rose** avec ch, ☎ 41.90.64 – ⋔ ☎. ✻
fermé 15 au 31 août, 1er au 15 fév., dim. soir et lundi – **R** 41/82 – ☐ 9 – 9 ch 44/58 – P 120.

à Ézy-sur-Eure (27 Eure) NO : 2 km – ✉ **27530** Ézy – ⓞ 37 (E.-et-L.).

XXX ✿ **Aub. Maître Corbeau** avec ch, rte Ivry ☎ 64.73.29, ⇐ – ⇔ ☎ Ⓟ. AE GB ⓞ
fermé 6 janv. au 3 fév., mardi soir et merc. – **R** (dim. et fêtes - prévenir) 90 /110, carte le dim. – ☐ 15 – **5 ch** 60/90

Spéc. Salade d'épinards crus aux escalopines de lotte tiède, Pigeonneau et ris de veau au fumet de truffes, Granité au chocolat.

CITROEN Bonnin, ☎ 64.90.51 PEUGEOT Lepert, ☎ 41.91.02

*Si vous devez faire étape dans une station ou dans un hôtel isolé, prévenez par avance, **surtout en saison.***

Une réservation confirmée par écrit est toujours plus sûre.

ANGERS Ⓟ 49000 M.-et-L. 63 ⑳ G. Châteaux de la Loire – 142 966 h. alt. 47 – ⓞ 41.

Voir Château★★★ AYZ : tenture de l'Apocalypse★★★, tenture de la Passion★ – Cathédrale★★ BY : Trésor★ – Arcades romanes★★ de la Préfecture BZ **P** – Église St-Serge★ CY **E** : choeur★★ – Anc. hôpital St-Jean★ ABX : tapisseries du Chant du Monde★★ – Maison d'Adam★ BYZ **K** – Logis Barrault★ BZ **B** – Hôtel Pincé★ BY **D**.

⛳ de St-Jean-des-Mauvrets ☎ 91.92.15 par ④ : 8 km.

ℹ Office de Tourisme (fermé dim. hors sais.) avec T.C.F. et Accueil de France (Informations et réservations d'hôtels, pas plus de 5 jours à l'avance) Gare St-Laud ☎ 87.72.50, Télex 720930 et 71 r. Plantagenet (fermé dim.) ☎ 88.69.93 – A.C.O. 21 bd Foch ☎ 88.40.22.

Paris 288 ① – ♦Caen 216 ⑥ – Cholet 61 ④ – Laval 73 ⑥ – ♦Le Mans 89 ① – ♦Nantes 89 ⑤ – ♦Orléans 210 ① – Poitiers 133 ④ – ♦Rennes 126 ⑤ – Saumur 52 ② – ♦Tours 106 ①.

Plans pages suivantes

Concorde Ⓜ, 18 bd Foch ☎ 87.37.20, Télex 720923 – ⇕ ▤ rest TV ☎ ♿ – 🏛 25 à 200. AE GB ⓞ E — BZ **u**
SC : **R** (brasserie) carte environ 70 ⅛ – ☐ 20 – **75 ch** 195/230.

Anjou, 1 bd Mar.-Foch ☎ 88.24.82, Télex 720521 – ⇕ TV ⇔wc ⋔wc ☎ ⇐. AE GB ⓞ E — CZ **h**
SC : **R** 55/95 – ☐ 13 – **50 ch** 125/195 – P 195/210.

France et rest. Plantagenets, 8 pl. Gare ☎ 88.49.42, Télex 720895 – ⇕ ▤ rest TV ⇔wc ⋔wc ☎ – 🏛 60. AE GB ⓞ E — BZ **t**
SC : **R** *(fermé 20 déc. au 5 Janv., dim. midi. et sam.)* 52 ⅛ – ☐ 15 – **62 ch** 65/180.

Progrès Ⓜ sans rest, 26 r. D.-Papin ☎ 88.10.14, Télex 720982 – ⇕ TV ⇔wc ⋔wc ☎. AE GB ⓞ E — AZ **x**
SC : ☐ 13,50 – **41 ch** 135/165.

St-Julien Ⓜ sans rest, 9 pl. Ralliement ☎ 88.41.62 – ⇕ TV ⇔wc ⋔wc ☎ — BY **e**
SC : ☐ 11 – **34 ch** 85/130.

Champagne Ⓜ sans rest, 34 r. Denis Papin ☎ 88.78.06 – ⇕ TV ⇔wc ⋔wc ☎. AE ⓞ — AZ **x**
fermé 20 déc. au 5 janv. – SC : ☐ 13 – **30 ch** 90/150.

Europe Ⓜ sans rest, 3 r. Châteaugontier ☎ 88.67.45 – ⇔wc ⋔wc ☎ Ⓟ — BZ **a**
SC : ☐ 12 – **29 ch** 78/130.

Iéna Ⓜ sans rest, 27 r. Marceau ☎ 87.52.40 – ⇕ ⇔wc ⋔wc ☎. ✻ — AZ **n**
SC : ☐ 11 – **25 ch** 60/125.

Royal sans rest, 8 bis pl. Visitation ☎ 88.30.25 – ⇕ ⇔wc ⋔wc ☎. GB. ✻ — BZ **k**
SC : ☐ 11 – **40 ch** 39/100.

Univers sans rest, 16 r. Gare ☎ 88.43.58 – ⇕ ⇔wc ⋔wc ☎. AE GB ⓞ E — BZ **m**
SC : ☐ 10,50 – **45 ch** 56/130.

Croix de Guerre, 23 r. Châteaugontier ☎ 88.66.59 – ⇔wc ⋔wc ☎ ⇐ Ⓟ – 🏛 25. AE GB ⓞ — BZ **s**
SC : **R** *(fermé dim. soir et sam.)* 55/84 – ☐ 11 – **28 ch** 55/145 – P 175/266

Boule d'Or, 27 bd Carnot ☎ 43.76.56 – wc. CY **e**
fermé 15 au 30 juil. – SC : **R** *(fermé juil., dim. soir et vend.)* 42/125 – 10 – **28 ch** 45/140.

Mail sans rest, 8 r. Ursules ☎ 88.56.22 – wc wc. GB CY **b**
fermé vacances de fév. – SC : 11 – **20 ch** 60/130.

Jeanne de Laval sans rest, 34 bd Roi-René ☎ 88.51.95 – wc wc – 30 à 120. BZ **f**
fermé 1er au 15 août – SC : 10,50 – **17 ch** 53/125.

Roi René sans rest, 16 r. Marceau ☎ 88.88.62 – wc wc. AZ **p**
SC : 11,50 – **25 ch** 60/130.

St-Jacques, 83 r. St-Jacques ☎ 48.51.05 – wc. GB CV **r**
fermé 16 août au 14 sept. – SC : **R** *(fermé dim.)* 30/80 – 12 – **19 ch** 58/140 – P 120/172.

Le Vert d'Eau, 9 bd G.-Dumesnil ☎ 48.52.86 – GB AY **s**
fermé août, dim. soir et lundi sauf Pâques – SC : **R** 64/95.

Le Logis (Guinet), 17 r. St-Laud ☎ 87.44.15 – GB BY **u**
fermé 31 juil. au 31 août, sam. soir, dim. et fêtes – SC : **R** 75/190
Spéc. Huîtres chaudes (nov. à mai), Saint-Jacques aux endives (oct. à mai), Emincé de lotte au safran. Vins Saumur blanc, Savennières.

Le Toussaint, 7 r. Toussaint ☎ 87.46.20 – GB. BZ **v**
fermé 28 août au 7 sept., 15 au 28 fév., dim. soir et lundi midi – SC : **R** 50/85.

Entr'acte, 9 r. L.-de-Romain ☎ 87.71.82 – GB BY **r**
fermé août et sam. – SC : **R** 65/150.

Le Quéré, 9 pl. Ralliement ☎ 87.64.94 – AE GB BY **e**
fermé merc. – SC : **R** 62.

L'Entrecôte, av. Joxé (M.I.N.) par av. Besnardière ☎ 43.71.77 – CV **z**
fermé août, sam. et dim. – SC : **R** (déj. seul.) 37/60.

Petit St-Germain, 3 r. St-Laud ☎ 87.52.67 – GB BY **g**
fermé 14 août au 15 sept., dim. et lundi midi – SC : **R** 37 (sauf fêtes)/55.

rte de Nantes sortie Lac de Maine O : 2 km – ✉ **49000** Angers :

Lac de Maine M, ☎ 48.02.12, – rest wc – 50. AE GB E BV **n**
SC : **R** *(fermé dim.)* 54 – 15 – **79 ch** 140/170 – P 190/220.

au NO : 4 km – ✉ **49240** Avrillé :

Royal Champagne, parc de la Haye ☎ 48.34.36, « Jardin fleuri » – BV **q**
fermé 24 août au 13 sept., 4 au 24 janv., mardi soir et merc. – SC : **R** 31/85

Au NE : 5 km rte de Paris – ✉ **49480** St-Sylvain-d'Anjou :

Aub. d'Éventard avec ch, ☎ 43.74.25 – wc wc. AE GB.
fermé dim. soir, lundi et dim. midi (en juil. et août) – SC : **R** 75/160 – 14 – **10 ch** 70/98. DV **f**

à Erigné par ④ : 8 km – ✉ **49130** Les Ponts de Cé :

Host. Château, r. Berné ☎ 91.12.31 – GB
fermé 1er au 20 juil., merc., dim. et fêtes le soir – SC : **R** 45/125.

à La Haute Perche par ④ et rte de Brissac : 10 km – ✉ **49320** Brissac :

La Gentilhommière, ☎ 91.12.65, – AE
fermé dim. soir et lundi – SC : **R** 68/120.

rte Brissac par ④ et D 748 : 11 km – ✉ **49130** Les Ponts de Cé :

Le Pacha, ☎ 57.70.02, ← –
fermé 3 au 23 août, dim. soir et lundi – SC : **R** 100/160.

MICHELIN, Agence, 18 bd G.-Ramon, Z.I. St-Serge CV ☎ **43.65.52**

ALFA-ROMEO Anjou-Autom., 4 av. Pasteur ☎ 87.69.57
AUSTIN, JAGUAR, MORRIS, ROVER, TRIUMPH Gar. Rallye-Service, 4 bis r. St-Maurille ☎ 88.03.39 N ☎ 43.16.33
CITROEN Succursale, 3 r. Vaucanson, Zone Ind. St-Serge CV ☎ 43.16.24 N ☎ 66.82.66
DATSUN, OPEL-GM-US Gar. du Gd Angers, N 23, rte de Paris, St-Sylvain-d'Anjou ☎ 43.23.45 N
FIAT S.A.D.R.A., 14 bd G.-Birgé ☎ 34.95.21
FORD Gar. Clénet, 4 r. Albéric-Dubois ☎ 88.84.32 N
MERCEDES-BENZ Gar. Bretagne, 4 bd Carnot ☎ 88.51.51 N ☎ 43.16.33

OPEL, TOYOTA France-Sce-Auto, rte d'Angers, St-Barthélemy-d'Anjou ☎ 43.55.38
PEUGEOT S.I.A.A., 9 quai F.-Faure, Zone Ind. St-Serge CV ☎ 43.23.55
PEUGEOT Messié, 21 pl. Lafayette CX ☎ 88.42.20
RENAULT G.A.M.A., 17 quai F.-Faure CV ☎ 43.15.31
RENAULT Succursale, bd Bon-Pasteur AY ☎ 48.35.34

Cailleau, 9 r. Thiers ☎ 88.73.20
Doizé-Pneu, 4 av. Besnardière ☎ 43.67.49
Rodier-Pneu, 374 av. Pasteur ☎ 43.95.14

R 45/80 Repas soignés à prix modérés.

ANGERS

Street	Grid	No.
Alsace (R. d')	BZ	
Beaurepaire (R.)	AY	
Bressigny (R.)	CZ	
Chaperonnière (R.)	BY	13
Foch (Bd Mar.)	BZ	
Laiterie (Pl.)	AY	36
Lenepveu (R.)	BY	38
Lices (R. des)	BZ	42
Lionnaise (R.)	AX	
Plantagenet (R.)	BY	49
Ralliement (Pl.)	BY	55
Roë (R. de la)	BY	61
St-Aubin (R.)	BZ	63
St-Julien (R.)	BZ	67
Voltaire (R.)	BZ	78
Académie (Pl.)	AZ	2
Anjou (R. d')	BZ	
Arago (Bd)	BX	
Arbrissel (Bd)	CX	
Arnauld (Bd H.)	AY	
Ayrault (Bd)	BY	
Barra (R.)	CV	3
Baumette (Pr.)	CX	4
Bazin (Quai R.)	BY	
Beaussier (Bd)	BV	5
Bedier (Bd J.)	CX	6
Bessonneau (Bd)	CY	
Bichat (R.)	AX	7
Blancheraie (Av.)	AZ	
Blanchoin (Bd)	CX	
Boisnet (R.)	BY	
Bon-Pasteur (Bd du)	CV	8
Bout-du-Monde (Prom. du)	BY	10
Birgé (Bd G.)	DV	
Capucins (Ch.)	CV	
Carmes (Q. des)	AY	
Carnot (Bd)	CY	
Chalouère (R.)	DV	14
Chaumin (Bd E.)	CX	16
Clemenceau (Bd)	CV	
David-d'Angers (R.)	BY	21
Daviers (Bd)	AX	
Denis-Papin (R.)	BZ	22
Descazeaux (Bd)	AY	

B
LAVAL 73 km
SEGRÉ 36 km
6
AVRILLÉ
0 1 km
D 106
D 122
PLESSÉ
N 162
BOIS DU ROI
Rte de la Meignanne
PARC DE LA HAYE
Étang Saint-Nicolas
BELLE-BEILLE
V
D 56
HONEYWELL BULL
Av. du Gal Patton
126 km RENNES
89 km NANTES
53 km ANCENIS
5
N 23
D 111

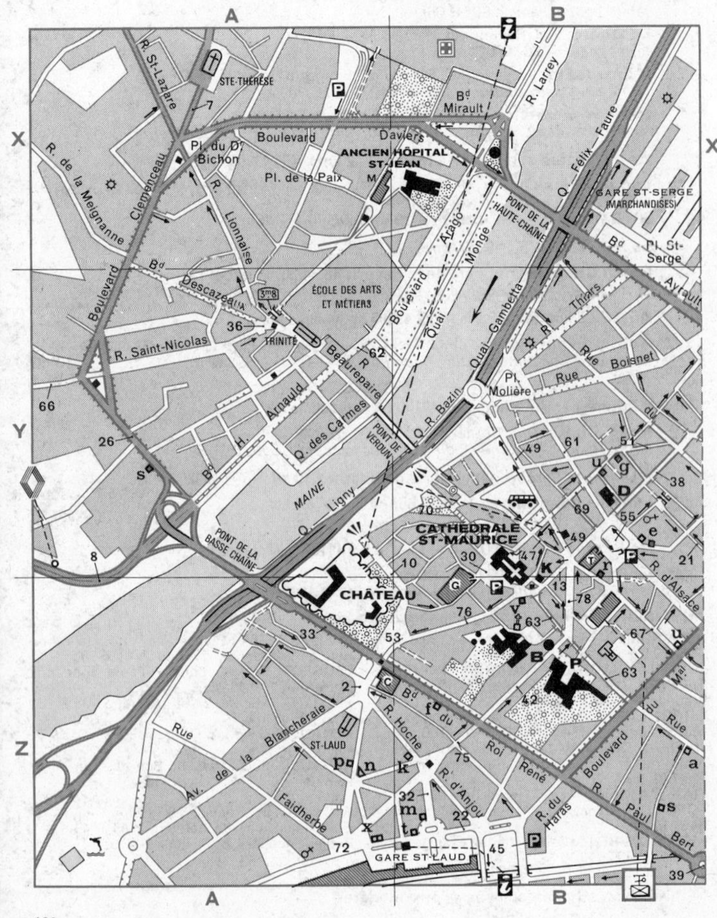

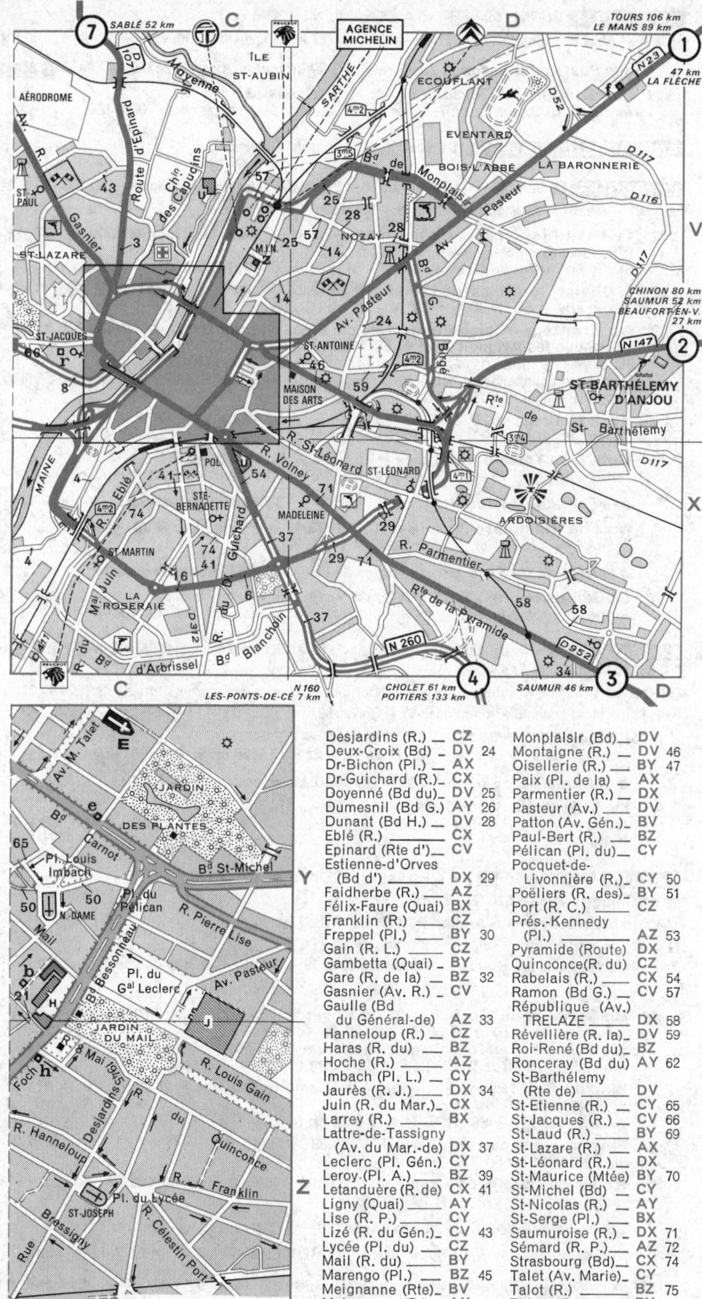
SABLÉ 52 km
AGENCE MICHELIN
TOURS 106 km
LE MANS 89 km
47 km
LA FLÈCHE
ÎLE ST-AUBIN
SARTHE
Mayenne
ECOUFLANT
AÉRODROME
EVENTARD
BOIS-L'ABBÉ
LA BARONNERIE
Route d'Epinard
Chin des Capucins
Bd de Monplaisir
Av. Pasteur
ST-PAUL
ST-LAZARE
NOZAY
M.I.N.
CHINON 80 km
SAUMUR 52 km
BEAUFORT-EN-V. 27 km
ST-JACQUES
ST-ANTOINE
MAISON DES ARTS
ST-BARTHÉLEMY D'ANJOU
Rte de St-Barthélemy
MAINE
R. St-Léonard
ST-LÉONARD
R. Volney
STE-BERNADETTE
MADELEINE
ARDOISIÈRES
R. Eblé
ST-MARTIN
R. Parmentier
LA ROSERAIE
Rte de la Pyramide
Bd d'Arbrissel
Bd Blanchoin
N 160
LES-PONTS-DE-CÉ 7 km
CHOLET 61 km
POITIERS 133 km
SAUMUR 46 km
Av. M. Talet
JARDIN DES PLANTES
Bd Carnot
Bd St-Michel
Pl. Louis Imbach
N.-DAME
Pl. du Pélican
R. Pierre Lise
Mail
Bd Bessonneau
Pl. du Gal Leclerc
Av. Pasteur
JARDIN DU MAIL
8 Mai 1945
R. Louis Gain
Foch
R. Desjardins
R. du Quinconce
R. Hanneloup
R. Franklin
Pl. du Lycée
ST-JOSEPH
R. Célestin Port
Rue Brissigny
300 m

ANGERVILLE 91670 Essonne 60 ⑲ – 2 605 h. alt. 141 – ✪ 6.
Paris 70 – Ablis 29 – Chartres 45 – Étampes 18 – Évry 57 – •Orléans 49 – Pithiviers 26.

à la Poste de Boisseaux (28 E.-et-L.) S : 7 km sur N 20 – ✉ **28310** Janville – ✪ 38

XXX **La Panetière,** ☎ (38) 39.58.26, – P. AE GB
fermé 10 au 30 août, lundi soir et mardi sauf fériés – SC : **R** carte 100 à 150.

ANGLARDS-DE-SALERS 15 Cantal 76 ② – rattaché à Salers.

Les ANGLES 30 Gard 81 ⑪ – 5 461 h. alt. 66 – ✉ **30400** Villeneuve-lès-Avignon – ✪ 90.
Paris 691 – Alès 67 – Avignon 4 – Nîmes 39 – Remoulins 18.

Le Petit Manoir M, chemin de la Pinède ☎ 25.03.36, Télex 431532, –
TV wc wc ☎ P. . rest
SC : **R** *(fermé lundi)* 40/85 – 12 – 31 ch 90/150 – P 140/220.

L'Olivier, chemin de Laurette ☎ 25.42.22, – wc ☎ P.
fermé nov. – SC : **R** 40 – 14 – **21 ch** 90/210.

XXX ✪✪ **Ermitage-Meissonnier** avec ch, à Bellevue sur D 900 rte Nîmes ✉ 30400 Villeneuve-lès-Avignon ☎ 25.41.68, « jardin fleuri » – P.
SC : **R** *(fermé dim. soir de nov. à mars et lundi sauf fêtes)* 110/200 et carte
Spéc. Loup gourmande en habits verts, Bisquebouille d'Avignon, Chateaubriand en croûte. Vins Crozes-Hermitage, Châteauneuf-du-Pape.

Host. Ermitage M, ☎ 25.41.02 – TV wc wc ☎ P.
SC : 25 – **16 ch** 130/200 – P 320/400.

XX **Aub. Dou Terraie,** rte Nîmes ☎ 25.49.26 – P. AE GB E
fermé 27 juil. au 13 août, 3 au 10 janv. mardi soir et merc. – SC : **R** 70/150.

à la Fontaine du Buis rte Nîmes : 4 km – ✉ **30650** Rochefort-du-Gard :

Mas de Valiguière sans rest, ☎ 31.73.04 – wc wc ☎ P. GB
fermé 1er au 15 fév. et jeudi – 12 – **10 ch** 90/120.

à la Bégude de Saze par rte Nîmes : 6 km – ✉ **30650** Rochefort-du-Gard :

XX **La Gélinotte,** ☎ 31.72.13, ←, – P
fermé fin sept. à fin oct., dim. soir hors sais. et lundi – SC : **R** 55 bc/100.

Les ANGLES 66 Pyr.-Or. 86 ⑯ – 351 h. alt. 1 600 – Sports d'hiver : 1 600/2 400 m 1 17 – ✉ **66210** Mont-Louis – ✪ 68.
Office de Tourisme Résidence "La Matté" (fermé sam. après-midi et dim. hors sais.) ☎ 04.42.21.
Paris 887 – Mont-Louis 10 – •Perpignan 89 – Quillan 59.

Le Llaret, ☎ 04.42.02, ← – wc ☎ P
juin-oct. et déc.-fin avril – SC : **R** 48/51 – 9,50 – **28 ch** 55/92 – P 112/142.

à Matemale E : 5 km par D 52 – ✉ **66210** Mont-Louis :

La Belle Aude, ☎ 04.40.11, ← – wc wc ☎ P. rest
fermé 1er mai au 20 juin et 1er oct. au 20 déc. – SC : **R** 50/65 – 10 – 32 ch 100 – P 150.

ANGLET 64600 Pyr.-Atl. 78 ⑱ **G. Pyrénées** – 26 049 h. alt. 28 – ✪ 59.
18 de Chiberta ☎ 63.83.20, N : 5 km.
de Biarritz-Bayonne-Anglet ☎ 24.00.92, SO : 2 km.
Office de Tourisme 1 av. Chambre-d'Amour ☎ 03.77.01.
Paris 744 – •Bayonne 3 – Biarritz 4 – Cambo-les-Bains 19 – Pau 110 – St-Jean-de-Luz 18.

Plan : voir Biarritz-Anglet-Bayonne

Chiberta et du Golf, 104 bd Plages ☎ 63.88.30, Télex 550637, ←, – cuisinette ☎ P – 80. AE GB E. rest AX
SC : **R** *(fermé 15 au 20 janv., dim. soir et lundi du 2 nov. au 20 déc. et du 5 janv. au 31 mars)* 60 – **75 ch** 165/312, 5 appartements 420 – P 222/312.

Biarritz Golf H., av. Guynemer à la Chambre-d'Amour ☎ 03.83.02, – wc ☎ P. AE. rest AX **u**
1er avril-30 sept. – SC : **R** 45 – 9 – **25 ch** 50/80 – P 90/100.

Fine sans rest, par rte la Barre ☎ 63.00.09 – ☎. BX **b**
SC : 8 – **11 ch** 50/70.

XX **Relais de Parme,** à l'aéroport SO : 2 km ☎ 24.29.10 – P. AE GB. BX
fermé sam. hors sais. – **R** 103/131.

au lac de Brindos SO : 3,5 km par N 10 – XXXX ✪ avec ch, voir à Biarritz.

FIAT Gd Gar. du Palais, bd du B.A.B. ☎ 63.89.85
FORD Auto-Durruty, Zone Ind. des Pontots, bd du B.A.B. ☎ 63.09.68
MERCEDES-BENZ Ciordia-Autom., bd du B.A.B. ☎ 03.66.02
RENAULT Gar. d'Anglet, 54 av. Espagne ☎ 03.98.13

ANGON 74 H.-Savoie 74 ⑥ – rattaché à Talloires.

ANGOULÊME P 16000 Charente 72 ⑬⑭ **G. Côte de l'Atlantique** – 50 500 h. alt. 102 – ✪ 45.
Voir Site★ – Promenade des Remparts ≤★★ YZ – Cathédrale★ : façade★★ Y F.
⛳ de l'Hirondelle ☎ 95.24.22, S : 2 km - X.
ℹ Office de Tourisme à l'Hôtel de ville avec T.C.F (fermé dim. sauf matin en sais.) ☎ 95.16.84, Télex 791605 et pl. Gare (fermé lundi hors sais. et dim.) ☎ 92.27.57 - A.C. 10 r. Prudent ☎ 95.16.14.
Paris 443 ① – Agen 198 ③ – ◆Bordeaux 116 ⑤ – Châteauroux 208 ② – ◆Limoges 103 ② – Niort 112 ① – Périgueux 85 ③ – Poitiers 110 ① – La Rochelle 128 ⑦ – Royan 107 ⑥.

ANGOULÊME

Louvel (Pl. F.) Y 31
Marengo (R.) YZ 33
Monlogis (R.) X 34
Paris (R. de) Y
Périgueux (R. de) Z 38
Postes (R. des) Y 39
St-Martial (R.) Z 45
Saintes (R. de) X 48

Aguesseau (Rampe) Y 2
Barthou (R. L.) Y 3
Beaulieu (R. de) Y 4
Bouillaud (Pl.) Z 5
Briand (Bd A.) Y 6
Bury (Bd de) X 7
Chabasse (Bd) X 8
Champ-de-Mars (Pl.) Y 9
Churchill (Bd W.) Z 10
Cloche-Verte (R.) Y 12
Denis-Papin (R.) Y 16
Desaix (Bd) Z 20
Fne-du-Lizier (R.) Y 23
Fougerat (R.) Y 24
Gambetta (Av.) Y 25
Gaulle (R. Gén.-de) Y 27
Halles (Pl. des) Y 28
La Rochefoucauld (R.) Y 29
Lattre-de-T. (Av. de) X 30
Montbron (Route) X 35
Pasteur (Bd) Y 37
République (Bd) X 40
St-André (R.) Y 42
St-Antoine (R.) X 44
St-Roch (R.) Y 47
Tour-Garnier (R.) X 52
8-Mai-1945 (Bd du) X 53

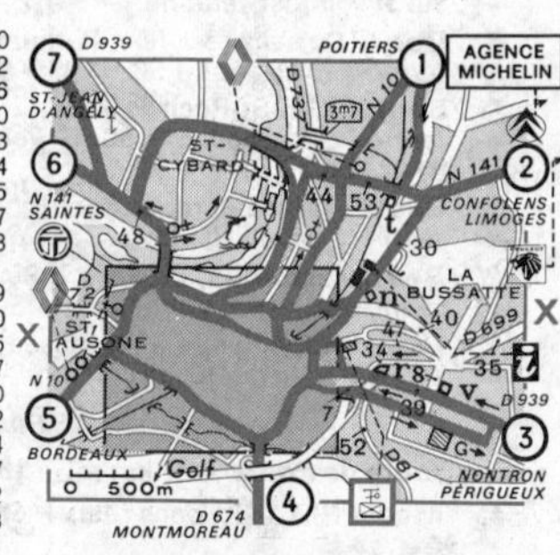

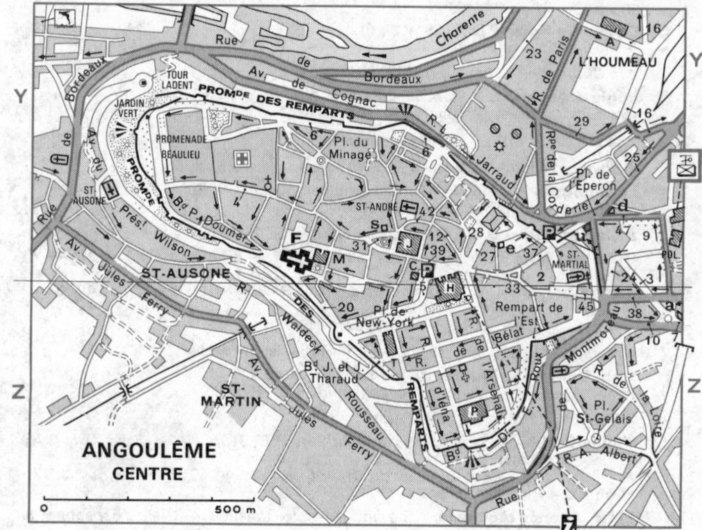

🏨 ✿ **Host. du Moulin du Maine Brun** (Ménager) M, par traversée de ville et sortie ⑥ rte Cognac : 8 km, ✉ 16290 Hiersac ☎ 96.92.62, ≤, « Élégante installation avec beau mobilier, parc, 🏊 » – TV ☎ P – 🏛 30 à 120. AE ⓓ
fermé 15 nov. au 15 déc. – SC : **R** carte 105 à 150 – ☕ 22 – **20 ch** 220/260 –
Spéc. Foie gras frais de canard, Mouclade (mai à janv.), Daube de boeuf charentaise. Vins Bordeaux.

🏨 **Gd H. France,** 1 pl. Halles ☎ 95.47.95, 🌳 – 🛗 🚗 P – 🏛 60. AE GB ⓓ. ✂ rest Y **e**
SC : **R** *(fermé 21 déc. au 10 janv. et sam. hors sais.)* 60/80 – **61 ch** ☕ 70/220 – P 170/230.

🏨 **Novotel** M, par ① : 6 km sur N 10 près échangeur Nord, ✉ 16430 Champniers ☎ 68.53.22, Télex 790153, 🏊, 🌳 – 🛗 ▤ TV ☎ ♿ P – 🏛 250. AE GB ⓓ
R snack carte environ 65 – ☕ 18 – **100 ch** 175/195.

🏨 **Trois Piliers** sans rest, 3 bd Bury ☎ 92.42.11 – 🛗 🛁wc 🚿wc ☎ 🚗 – 🏛 40. 💳 Z **a**
☕ 12 – **50 ch** 90/120.

🏨 **Épi d'Or** sans rest, 66 bd R.-Chabasse ☎ 95.67.64 – 🛗 🛁wc 🚿wc ☎ P. AE GB ⓓ E X **v**
SC : ☕ 13 – **30 ch** 120/132.

tourner →

Palais sans rest, 4 pl. Fr.-Louvel ☎ 92.54.11 – wc wc ☎ AE GB E — Y s
SC : ☕ 11 – **50 ch** 58/120.

Les Valois sans rest, 32 r. Pisany ☎ 68.22.40 – wc ☎. — X t
fermé août et dim. – SC : ☕ 10,50 – **14 ch** 60/97.

H. Terminus, pl. Gare ☎ 92.39.00 – wc ☎. — X n
SC : **R** voir rest Terminus – ☕ 12 – **38 ch** 65/90.

Coq d'Or sans rest, 98 r. Périgueux ☎ 95.02.45 – wc wc ☎ P. — X r
fermé 4 au 25 août – SC : ☕ 11 – **27 ch** 65/124.

Bourse, 1 r. St-Roch ☎ 92.06.42 – ☎ — X d
fermé 1er au 21 sept. – SC : **R** *(fermé vend. soir et sam. midi en hiver)* 33/65 – ☕ 8 – **29 ch** 37/50.

Gasté, 381 rte Bordeaux par ⑤ : 2 km ☎ 95.11.54 – P. GB
fermé 10 oct. au 10 nov., 19 au 26 déc. et sam. – SC : **R** 28/45 – ☕ 9 – **24 ch** 40/55.

XX **Rest. Terminus,** pl. Gare ☎ 95.27.13 — X n
fermé oct., vend. soir et sam. – SC : **R** 40/95.

X **Le Palma,** 4 rampe d'Aguesseau ☎ 95.22.89 — Y u
fermé 20 déc. au 10 janv. et dim. – SC : **R** 23/50.

Par la sortie ① :

route de Poitiers : 7 km – ✉ **16430** Champniers :

Motel PM 16 M sans rest, ☎ 68.03.22, – TV wc wc P – 50. AE GB E
SC : ☕ 13 – **41 ch** 120/165.

XX **Le Feu de Bois,** ☎ 68.69.96 – P
fermé 8 au 21 janv. et lundi midi sauf en été – SC : **R** 35/120.

à la Chignolle : 11 km – ✉ **16430** Champniers :

XX **Logis d'Argence,** ☎ 95.74.38, « Parc », – P
fermé août, dim. soir et lundi – SC : **R** 48/88.

Par la sortie ③ :

à Soyaux : 4 km – 12 748 h. – ✉ **16800** Soyaux :

X **La Cigogne,** ☎ 95.16.74, « Terrasse sur campagne » – P.
fermé déc., dim. soir et lundi – SC : **R** 50/78.

à Maison Neuve D 939, D 4 et D 25 : 17 km – ✉ **16410** Dignac :

XX **Orée des Bois** M avec ch, ☎ 60.72.61, – TV wc wc ☎ P.
fermé 12 au 30 nov. et lundi hors sais. – SC : **R** 68/95 – ☕ 12 – 11 ch 70/140 – P 145/255.

Par la sortie ⑤ :

à Nersac N 10 et D 699 : 10 km – ✉ **16440** Roullet-St-Estèphe :

XX **Aub. Pont de la Meure,** rte Hiersac ☎ 97.60.48
fermé 15 au 31 août, vend. soir et sam. midi – SC : **R** 55/80.

à Roullet : 14 km – ✉ **16440** Roullet :

XX **Vieille Étable** M avec ch, rte Mouthiers ☎ 97.31.75, – wc wc ☎ P. AE GB . rest
fermé 1er au 15 mars et dim. soir du 15 sept. au 15 mai – SC : **R** 39/125 – ☕ 12 – **11 ch** 100 – P 170 bc/200 bc.

MICHELIN, Agence régionale, r. Salvador-Allende, Zone Ind. n°3, Isle d'Espagnac, par av. Mar. Juin X ☎ **68.09.66**

ALFA-ROMEO Frayssinhes, 57 r. Broquisse ☎ 95.10.98
AUDI-VOLKSWAGEN Gar. Magne, 313 r. Périgueux ☎ 95.05.33
BMW, LANCIA-AUTOBIANCHI Gar. Chenel, 52 r. Bordeaux ☎ 92.08.50
RENAULT Succursale, 11 rte Paris ☎ 68.90.66 et 412 rte Bordeaux ☎ 95.13.73
TALBOT Gar. Berland, 444 rte Bordeaux ☎ 95.28.75

VOLVO Gar. Bris, 340 rte de Bordeaux ☎ 95.12.31

Barrouilhet, L'Houmeau ☎ 92.06.04
Barrouilhet-Carrefour, 145 rte Bordeaux ☎ 95.91.40
Rogeon-Pneus, Zone Ind. de Rabion ☎ 92.96.22
Ets de Ruffray, 8 bd République ☎ 95.05.01

Périphérie et environs

CITROEN SOCHAC, Zone Ind., Gond-Pontouvre ☎ 68.90.77 N ☎ 95.34.55
CITROEN SAMA, Zone d'Emploi, Puymoyen X ☎ 92.60.86
FORD Gar. Richeboeuf, Zone Ind. n° 3, La Madeleine ☎ 68.70.55
MERCEDES-BENZ SAFI-16, Zone Ind., n°3, Gond-Pontouvre ☎ 68.00.11
OPEL Angoulême-Nord-Auto, rte de Paris à Champniers ☎ 68.74.33

PEUGEOT Perga, Zone Ind. à l'Isle-d'Espagnac ☎ 68.78.33
PEUGEOT Prud'homme, Zone d'Emploi, Puymoyen ☎ 95.21.88

Fetiveau, 250 av. République à l'Isle-d'Espagnac ☎ 68.73.58

ANIANE 34 Hérault 83 ⑥ – rattaché à Gignac.

ANNEBAULT 14 Calvados 54 ⑰ – 253 h. – ✉ 14430 Dozulé – ⚙ 31.
Paris 208 – Cabourg 15 – ♦Caen 35 – Pont-L'Evêque 12.

XX **Auberge Le Cardinal** avec ch, ☎ 64.81.96 – Ⓟ. GB
fermé 24 nov. au 28 déc., mardi soir et merc. – **R** 65 – ☕ 12 – 8 ch 60.

PEUGEOT Gar. Lemaitre, ☎ 64.85.07

ANNECY P 74000 H.-Savoie 74 ⑥ **G. Alpes** – 54 954 h. alt. 448 – Casino BY – ⚙ 50.
Voir Avenue d'Albigny** CXY – le Vieil Annecy* : Descente de Croix* dans l'église St-Maurice BY **B** – Pont sur le Thiou ≤* BY **N** – Jardin public* CY – Forêt du Crêt du Maure* : ≤** 3 km par ④.
Env. Tour du Lac*** 39 km (ou en bateau 1 h 30) – Gorges du Fier** et collections* du château de Montrottier : – 11 km par ⑦.
18 du lac d'Annecy ☎ 60.12.89 par ② : 10 km.
✈ d'Annecy-Meythet : Air Alpes ☎ 57.53.42 par ⑦ et D 14 : 4 km.
Office de Tourisme pl. Hôtel de Ville (fermé dim. hors sais.) ☎ 45.00.33 - A.C. 15 r. Préfecture ☎ 45.09.12.
Paris 548 ⑦ – Aix-les-Bains 34 ⑥ – ♦Genève 44 ① – ♦Lyon 137 ⑥ – ♦St-Étienne 188 ⑥.

Plans page suivante

Trésoms et Forêt, 3 bd Corniche ☎ 51.43.84, « Situation dominant le lac et ≤ montagnes », – ☎ Ⓟ – 150. AE. rest — CV **a**
fermé 30 nov. au 1er fév. – SC : **R** 110/170 – ☕ 22 – **44 ch** 160/300, 3 appartements 560 – P 290/350.

Carlton M sans rest, 5 r. Glières ☎ 45.47.75 – TV. AE GB — AY **g**
SC : ☕ 14 – **50 ch** 110/160.

Splendid H. sans rest, 4 quai E.-Chappuis ☎ 45.20.00, Télex 385233 – ☎ – 30 — BY **s**
SC : ☕ 13 – **50 ch** 96/170.

Faisan Doré, 34 av. Albigny ☎ 23.02.46 – wc wc Ⓟ. — CV **e**
SC : **R** *(fermé nov. et déc.)* 50/95 – ☕ 14 – 41 ch 60/200 – P 130/210.

Crystal H. M sans rest, 20 r. L.-Chaumontel ☎ 57.33.90 – TV wc wc ☎ Ⓟ. — AX **e**
SC : ☕ 12 – **22 ch** 86/125.

Réserve, 21 av. Albigny ☎ 23.50.24, ≤, « jardin » – wc ☎ Ⓟ. AE GB E — CV **v**
fermé 18 déc. au 25 janv. – SC : **R** 50/80 – ☕ 12 – 12 ch 110/145 – P 160/175.

Semnoz sans rest, 1 fg Balmettes ☎ 45.04.12 – wc wc. — AY **b**
fermé 20 déc. au 15 janv. et dim. en hiver – SC : ☕ 12 – **24 ch** 120/150.

Ibis, r. Gare ☎ 45.43.21, Télex 385585 – wc – 40. GB — AY **a**
SC : **R** carte environ 55 – ☕ 11,50 – **83 ch** 130/155.

H. de Savoie sans rest, 1 pl. St-François ☎ 45.15.45 – wc wc. — BY **z**
SC : ☕ 11 – **20 ch** 60/115.

Parmelan, 41 av. Romains ☎ 57.14.89, – wc Ⓟ. — BU **d**
1er avril-1er oct. – SC : **R** (dîner seul.) 40/60 – ☕ 14 – **30 ch** 70/140.

Parc sans rest, 43 chemin des Fins, vers le parc des sports ☎ 57.02.98, – wc wc Ⓟ. — BU **r**
fermé 15 nov. au 15 déc. – SC : ☕ 10 – **24 ch** 60/95.

Paris sans rest, 15 bd J.-Replat ☎ 57.35.98 – . — AX **y**
fermé 15 au 30 oct. – SC : ☕ 11 – **12 ch** 55/105.

Coin Fleuri sans rest, 3 r. Filaterie ☎ 45.27.30 – wc wc — BY **t**
fermé 20 déc. au 4 janv. – SC : ☕ 14 – **14 ch** 50/105.

d'Aléry sans rest, 5 av. Aléry ☎ 45.24.75 – wc . GB — AY **k**
fermé 18 déc. au 10 janv. – SC : ☕ 10 – **18 ch** 50/120.

XXX **Salino,** 13 r. J.-Mermoz à Annecy-le-Vieux par av. France et rte Thônes ☎ 23.07.90 — CU **v**
fermé 10 juin au 11 juil., dim. soir et merc. – SC : **R** 75/160.

XX ✿ **Auberge de Savoie** (Collon), 1 pl. St-François ☎ 45.03.05 – . AE — BY **z**
fermé juin, mardi soir de fin sept. à fin mai et merc. – SC : **R** 85/145, dîner à la carte
Spéc. Escalope de truite saumonée à l'oseille (fév. à oct.), Aiguillette de canard aux coings, Charlotte. Vins Roussette de Seyssel, Crépy.

XX **Aub. Pré Carré,** impasse Pré Carré 10 r. Vaugelas ☎ 51.17.65 – AE. — BY **f**
fermé 11 au 20 juil., 1er au 15 janv., dim. et lundi midi – SC : **R** 80/120.

XX **Aub. du Lyonnais,** 9 r. République ☎ 51.26.10 – AE — BY **d**
fermé mars, nov. et jeudi – SC : **R** 75.

X **Garcin,** (1er étage), 11 r. Pâquier ☎ 45.20.94 – GB — BY **s**
fermé 15 juin au 7 juil., 21 fév. au 2 mars et merc. – SC : **R** 40/85 .

X **Fer à Cheval,** 21 r. Sommeiller ☎ 45.13.35 — BY **e**
fermé sept. et lundi – SC : **R** 45/60 .

ANNECY

Lac (R. du) — BY 31
Pâquier (R. du) — BY 44
République (R. de la) — BY 56
Royale (R.) — AY 58
Ste-Claire (Fg et R.) — BY 64

Bel-Air (Ch. du) — BU 3
Bordeaux (R. Henri) — CU 5
Cesière (R. de la) — BV 6
Chappuis (Quai E.) — BY 7
Corniche (Bd de la) — CV 12
Crêt-du-Maure (Av. du) — BV 13
Crête (R. de la) — BU 14
Fins (Ch. des) — BU 20
Gaulle (Pl. du Gén. de) — CU 22
Grenette (R.) — BY 23
Hôtel-de-Ville (Pl.) — BY 27
J.-J.-Rousseau (R.) — BY 30
Leclerc (R. du Mar.) — BU 35
Libération (Pl. de la) — BY 36
Loverchy (Av. de) — BV 38
Novel (Av. de) — CU 40
N.-D.-de-Liesse (⊞) — BY 42
Petit-Port (Av. du) — CV 46
Poste (R. de la) — AY 50
Président-Faure (Av.) — BXY 51
Prés-Riants (R. des) — BCU 52
Repos (R. du) — AY 53
République (Av. de la) — BV 54
Romains (Av. des) — BU 57
St-François (⊞ et Pl.) — BY 60
St-François-de-Sales (R.) — AY 61
St-Joseph (⊞) — BU 62
St-Maurice (⊞) — BY B
St-Pierre (⊞) — BY 63
Stade (Av. du) — BU 65
Theuriet (R. André) — CV 67
Vaillat (R. Léandre) — CU 68
11e-Bat.-de-Chasseurs-Alpins (R.) — BU 71

AGGLOMÉRATION
0 500 m
N 203 : CHAMONIX 96 km
N 201 : GENÈVE 44 km
vers N 201
PETIT-BROGNY
ANNECY-LE-VIEUX
CRAN-GEVRIER
ALBIGNY
LAC D'ANNECY
CENTRE NAUTIQUE
MAISON DES JEUNES
BASILIQUE DE LA VISITATION
AGENCE MICHELIN
AIX-LES-BAINS
BELLEGARDE 41 km
AÉROPORT
AIX-LES-Bs 34 km A 41
33 km AIX-LES-Bs
D 41 CRÊT DE CHÂTILLON 19 km
45 km ALBERTVILLE MEGÈVE 60 km
D 909 20 km THÔNES
Av. Gambetta
Av. de Cran
Av. d'Albigny
Av. de Chambéry

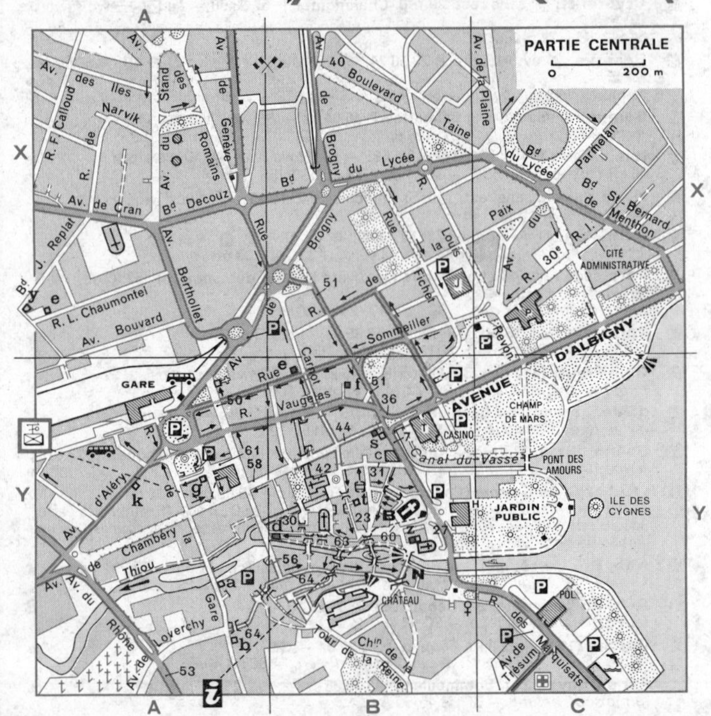

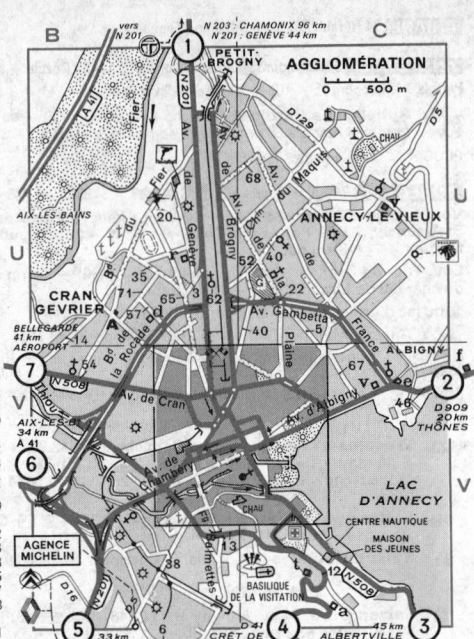

à Albigny par ② : 1,5 km – alt. 448 – ✉ **74000** Annecy :

Muses, ☎ 23.29.26 – ⋔ ☏ Ⓟ. ✖
fermé 11 déc. au 20 janv. – SC : **R** *(fermé dim. soir et lundi midi du 15 sept. au 30 avril)* 31/66 – ☕ 10 – 30 ch 45/70 – P 102/113.

XX **Chez Yan,** av. Petit Port ☎ 23.75.12 – Ⓟ. AE GB ⓓ — CV f
fermé nov., dim. soir et lundi – SC : **R** 70/112.

rte d'Aix-les-Bains par ⑤ : 3 km – ✉ **74600** Seynod :

Mercure Ⓜ, ☎ 51.03.47, Télex 385303, 🏊 – ▤ rest 📺 ☎ ♿ Ⓟ – 🏛 80. AE GB ⓓ
R carte environ 70 – ☕ 16 – **69 ch** 155/180.

rte du Semnoz par ④ – ✉ **74000** Annecy :

XX **Belvédère** 🌿 avec ch, 2 km ☎ 45.04.90, ≤ Annecy et lac – ⋔ ☏ Ⓟ. ✖ — CV t
mai-fin sept. – SC : **R** *(fermé dim. soir et lundi)* 85/150 – ☕ 12 – **10 ch** 62/82 – P 140/150.

X **Super Panorama** 🌿 avec ch, 3,5 km ☎ 45.34.86, ≤ lac et montagne, 🌳 – Ⓟ. 🐕. ✖ rest
fermé 5 janv. au 15 fév. et mardi – SC : **R** 45/100 – ☕ 15 – 5 ch 75.

à Pont de Brogny par ① : 4 km rte Genève – ✉ **74370** Pringy :

XX **Fier** avec ch, ☎ 46.11.10, 🌳 – ⋔ Ⓟ. 🐕
fermé 28 oct. au 29 nov., mardi soir et merc. hors sais. – SC : **R** 45/140 – ☕ 11 – 10 ch 43/95 – P 100/110.

à Chavoire par ② : 4,5 km – alt. 480 – ✉ **74290** Veyrier-du-Lac :

XXX ✿ **Pavillon Ermitage** (Tuccinardi) avec ch, ☎ 60.11.09, « Jardin fleuri et belle vue sur le lac » – ⌂wc ☏ 🚗. 🐕 AE
début mars-fin oct. – SC : **R** (nombre de couverts limité - prévenir) 80/190 – ☕ 15 – 11 ch 110/140 – P 180/230
Spéc. Omble chevalier, Soufflé de brochet, Poularde de Bresse. **Vins** Crépy, Seyssel.

à St-Martin-Bellevue N : 11 km par ①, N 203, D 14 – ✉ **74370** Pringy :

Beau Séjour 🌿, à la gare : 1 km ☎ 60.30.32, ≤ – |⇅| ⌂wc ⋔ ☏ Ⓟ – 🏛 40. 🐕. ✖ rest
fermé 15 déc. au 29 fév., dim. soir et lundi midi – SC : **R** 45/85 – ☕ 12 – 35 ch 77/150 – P 125/180.

Voir aussi ressources hôtelières des localités citées autour du Lac **74** ⑥⑯.

MICHELIN, Agence régionale, Z.I. de Vovray, 6 r. de la Cesière, Seynod V ☎ **51.59.70**

FIAT, LANCIA-AUTOBIANCHI Gar. Pont-Neuf, 1 av. Pont-Neuf ☎ 51.40.30
LADA, SKODA, VOLVO Cochet, 59 av. de Genève ☎ 57.02.45

Bruyère, 18 ch. des Fins ☎ 57.16.68
Dupanloup, 119 av. Genève ☎ 57.03.81
Frasson, 2 bis av. du Stade ☎ 57.16.88
Piot-Pneu, 17 av. Stand ☎ 57.35.33

⑩ Blanc, 3 r. Rumilly ☎ 51.13.02

Périphérie et environs

AUDI-VOLKSWAGEN Gar. Masson, 96 rte d'Aix-les-Bains, Seynod ☎ 45.15.88
AUSTIN, JAGUAR, ROVER, TRIUMPH Gar. Ducros, 72 av. d'aix, Seynod ☎ 45.42.65
BMW Aravis Automobile, 100 av. d'Aix les Bains à Seynod ☎ 45.32.36
CITROEN Dieu, rte d'Aix, Seynod ☎ 51.54.15
FORD Delachenal, av. d'Aix, Seynod ☎ 51.41.36
MERCEDES-BENZ Davoine, Zone Ind. des Césardes, D 16, Seynod ☎ 51.59.83
OPEL Gar. du Parmelan, av. Petit-Port, Annecy-le-Vieux ☎ 23.12.85

PEUGEOT Gar. Central, 28 av. des Carrés, Annecy-le-Vieux ☎ 23.23.13
RENAULT Savoie-Autom., av d'Aix, Seynod ☎ 45.82.13
TALBOT Gar. Lavorel, entrée Autoroute Annecy-Nord à Metz-Tessy ☎ 57.23.20
TOYOTA Gar. Surnom, Les Prés d'en Bas N 203 à Argonay ☎ 67.55.00

⑩ Auto Diffusion Service, 4 r. Zanaroli à Seynod ☎ 51.49.76

ANNEMASSE 74100 H.-Savoie **74** ⑥ G. Alpes – 23 655 h. alt. 433 – ✪ 50.

ℹ Office de Tourisme à l'Hôtel de Ville (fermé sam. après-midi hors sais et dim.) ☎ 92.53.03 - A.C. Banque Laydernier ☎ 38.05.65.

Paris 551 ⑦ – Annecy 51 ① – Bonneville 22 ① – ♦Genève 8 ⑥ – St-Julien-en-Genevois 14 ⑦.

Plan page suivante

Mercure Ⓜ 🌿, rue des jardins **(e)** ✉ 74240 Gaillard ☎ 92.05.25, Télex 385815, 🏊 – |⇅| ▤ rest 📺 ☎ ♿ Ⓟ. AE GB ⓓ
R carte environ 70 – ☕ 17 – **78 ch** 145/170.

Helvetia et rest. Guillaume Tell Ⓜ, 4 rte Genève **(x)** ☎ 38.59.80, Télex 385925 – |⇅| 📺 ☎ Ⓟ – 🏛 100. AE GB ⓓ E
SC : **R** 50/80 – ☕ 13 – **65 ch** 135/155 – P 168/208.

Parc Ⓜ sans rest, 19 r. Genève **(t)** ☎ 38.44.60 – |⇅| 📺. AE GB ⓓ E
SC : ☕ 12 – **30 ch** 95/155.

Central H. Ⓜ sans rest, pl. Hôtel de Ville **(z)** ☎ 92.18.80 – |⇅| ▤ 📺 ⌂wc ⋔wc ☏. AE GB
SC : ☕ 14 – **28 ch** 70/170.

ANNEMASSE

Commerce (R. du) 5
Gare (R. de la) 12

Briand (Av. Aristide) 2
Chablais (R. du) 3
Clos-Fleury (R. du) 4
David (R. Fernand) 6
Deffaugt (Pl. J.) 7
Faucigny (R. du) 9
Genève (R. de) 13
Giffre (Av. du) 14
Libération (Pl. de la) 15
Pasteur (Av.) 16
St-André (⛪) 18
St-Joseph (⛪) 19

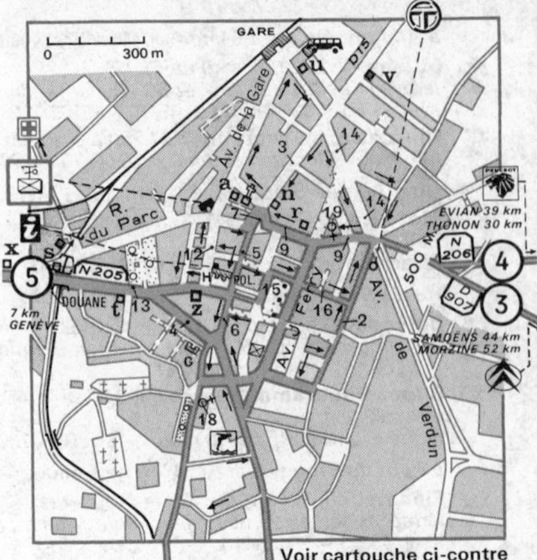

Hague sans rest, 42 rte Genève **(s)** ☎ 38.47.14 – wc ☎ Ⓟ. AE GB ⓓ E
fermé 24 déc. au 3 janv. – SC : ☕ 13 – **23 ch** 90/130.

National Ⓜ sans rest, pl. J.-Deffaugt **(n)** ☎ 92.06.44 – wc wc ☎ Ⓟ. AE GB ⓓ E
SC : ☕ 12 – **45 ch** 100/135.

Pax H. sans rest, 22 av. Gare **(a)** ☎ 38.25.46 – wc ☎.
SC : ☕ 14 – **44 ch** 75/118.

Eden sans rest, 11 r. Faucigny **(r)** ☎ 92.21.57 – wc wc ☎.
SC : ☕ 14 – **14 ch** 95/138.

Terminus, 8 r. D.-Favre **(u)** ☎ 37.22.26 – wc ☎. GB
fermé 20 déc. au 20 janv. – SC : **R** *(fermé sam. soir et dim.)* 32 (sauf fêtes)/60 – ☕ 12 – **41 ch** 70/135.

XXX ✿ **Entre Nous,** 2 r. Zone à Ambilly **(s)** ☎ 38.35.85 – AE GB ⓓ
fermé 1er au 15 août, 1er au 15 janv., dim. et lundi midi – SC : **R** 75/190
Spéc. Terrine aux deux poissons, Rognon de veau Gérard, Farandole de desserts.

X **Savoie** avec ch, 52 r. Chablais **(v)** ☎ 37.05.06 – Ⓟ
fermé sept. – SC : **R** *(fermé dim. soir et vend.)* 33/80 – ☕ 11 – **32 ch** 55/90 – P 122/148.

à la douane de Moellesulaz par ⑤ : 2 km – ✉ **74240** Gaillard :

X **Chez Mado,** ☎ (70) 38.09.58 – Ⓟ
fermé 1er juin au 15 juil. et merc. – SC : **R** 31/65.

X **Auberge du Foron,** 146 rte de Genève ☎ 38.09.49 – Ⓟ
fermé 14 juil. au 15 août et lundi – SC : **R** 32/65.

au Pas de l'Échelle par ⑦ : 4 km – ✉ **74100** Annemasse :

Tilleuls sans rest, ☎ 37.61.79 – Ⓟ.
fermé sept. et dim. – SC : ☕ 10 – **12 ch** 50/70.

Pittet, rte téléphérique ☎ 37.61.42, – Ⓟ.
fermé 15 sept. au 15 oct. et sam. – SC : **R** 45/60 – ☕ 10 – 14 ch 60/65 – P 85/90.

à la Bergue par ③ : 5,5 km – alt. 547 – ✉ **74380** Bonne :

XX **La Pergola,** ☎ 39.30.27, – Ⓟ
fermé juil. et jeudi – SC : **R** 50/170.

AUDI-VOLKSWAGEN Gar. International, r. de la Résistance, Zone Ind. ☎ 37.13.43
AUSTIN, MORRIS, TRIUMPH Gar. Maurice, 13 r. du Faucigny ☎ 92.21.96
BMW, **DATSUN** Borgel, r. de Montréal, Zone Ind., Ville-la-Grand ☎ 37.07.60
CITROEN SADAL, rte de Taninges à Vetraz-Monthoux ☎ 37.42.45
CITROEN Gar. de Savoie, 4 r. Étrembières ☎ 38.25.59
FERRARI, FIAT, LANCIA-AUTOBIANCHI Gar. du Chablais, Zone Ind. Mont-Blanc, r. de la Résistance ☎ 37.30.37
OPEL Gar. Bel, pl. A.-Moret ☎ 92.10.48

PEUGEOT S.I.C.R.A., 57 rte de Thonon ☎ 37.70.22
RENAULT S.A.D.I.A., Pont d'Étrembières ☎ 92.05.11
TALBOT Ets Berra, 1 r. A.-Briand ☎ 37.25.30
TOYOTA Degenève, 63 rte Genève à Gaillard ☎ 38.09.55 N
Gar. Dumas, 10 r. A.-Ligué ☎ 38.01.04

Auto-Diffusion-Sce., Zone Ind., r. de la Résistance ☎ 37.64.69
Blanc, 3 av. du Giffre ☎ 37.78.04
Piot-Pneu, 75 rte des Vallées ☎ 37.27.11
Vincent, 12 av. J.-Ferry ☎ 37.24.21

ANNONAY 07100 Ardèche **77** ① G. Vallée du Rhône – 21 530 h. alt. 357 – ⚙ 75.

ℹ Syndicat d'Initiative 3 r. Sadi-Carnot (fermé lundi matin et dim.) ☎ 33.24.51.

Paris 533 ① – •Grenoble 105 ① – •St-Étienne 43 ④ – Tournon 35 ① – Valence 53 ① – Vienne 43 ① – Yssingeaux 58 ③.

- **Midi** sans rest, 17 pl. Cordeliers **(n)** ☎ 33.23.77 – wc. AE
  fermé 20 déc. au 7 janv. et dim. en hiver – SC : 10 – **40 ch** 45/115.
- **Gare** sans rest, 31 av. M.-Seguin **(e)** ☎ 33.29.11 –
  SC : 10 – **13 ch** 40/60.
- **Le Bilboquet,** 20 r. M. de Vogüé **(s)** ☎ 33.30.20
  fermé août et le soir sauf vend. et sam. – SC : **R** 35/68.
- **Célerien,** face gare **(e)** ☎ 33.46.97
  fermé 10 à fin janv. et lundi sauf fériés – SC : **R** 40/95.

à Davezieux par ① : 4,5 km sur D 82 – ✉ **07100** Annonay :

- **La Siesta** M, ☎ 33.10.10, ←, – wc ☎ Ⓟ – 40. AE GB
  SC : **R** *(fermé nov. et sam. de déc. à mars)* 41/85 – 11 – **46 ch** 135/168 – P 145/215.
- **Don Quichotte,** ☎ 33.11.99 – rest wc ☎ Ⓟ. GB
  fermé vacances de fév., vend. soir et sam. midi d'oct. au 30 mars – SC : **R** 40/150 – 9 – 10 ch 80/90 – P 155.

ANNONAY

Alsace-Lorraine (Pl.)	2
Boissy-d'Anglas (R.)	3
Cordeliers (Pl. des)	4
Libération (Pl. de la)	6
Marc-Seguin (Av.)	7
Meyzonnier (R.)	8
Montgolfier (R.)	9
Sadi-Carnot (R.)	10

ALFA-ROMEO Gar. Tartavel, Davezieux ☎ 33.26.07
CITROEN Gar. Pyramide, 17 av. M.-Seguin ☎ 33.31.91
CITROEN Gar. du Vivarais, Zone Ind. La Lombardière, Davezieux ☎ 33.26.32 N ☎ 33.42.27
FIAT Gar. Dhennin, 47 bd République ☎ 33.24.43
FORD Caule, rte de Lyon, Davezieux ☎ 33.22.98
MERCEDES-BENZ Gar. des Platanes N 105, Le Mas, Davezieux ☎ 33.40.86
PEUGEOT Desruol, N 82, St-Clair ☎ 33.10.98
RENAULT Grosjean, rte de Lyon, Davezieux ☎ 33.20.21
TALBOT Siterre, 33 bd République ☎ 33.42.10
Gar. de Bernaudin, à Roiffieux ☎ 33.22.72

Eyraud, 45 bd de la République ☎ 33.42.19
Valla, 47 r. S.-Carnot ☎ 33.27.49

CONSTRUCTEUR : Renault Véhicules Industriels, Rte de Roanne ☎ **33.11.11**

ANNOT 04240 Alpes-de-H.-P. **81** ⑱, **195** ⑫ **G. Côte d'Azur** – 885 h. alt. 700 – ⚙ 92.

Voir Vieille ville★ – Clue de Rouaine★ S : 4 km.

Paris 814 – Castellane 32 – Digne 70 – Manosque 111.

- **Gd H. Grac,** ☎ 83.20.02, – wc Ⓟ. rest
  1er avril-30 oct. – SC : **R** 29/85 – 10,50 – **30 ch** 41/69 – P 90/100.
- **Avenue,** ☎ 83.22.07 –
  mars-nov. – SC : **R** 27/48 – 9 – **20 ch** 35/52 – P 77/82.

aux Scaffarels SE : 2 km – alt. 700 – ✉ **04240** Annot :

- **Honnoraty,** ☎ 83.22.03 – Ⓟ. rest
  fermé 15 déc. au 15 fév. – SC : **R** 28/50 – 9 – **12 ch** 42/75 – P 92/104.

RENAULT Gar. Pellegrin, ☎ 83.23.46 N ☎ 83.22.59

ANSE 69480 Rhône **74** ① – 3 116 h alt. 176 – ⚙ 74.

Paris 440 – L'Arbresle 19 – Bourg-en-Bresse 56 – •Lyon 26 – Mâcon 47 – Villefranche-sur-Saône 6.

- **St-Romain** M, rte Grave ☎ 68.05.89, – wc ☎ Ⓟ. GB
  SC : **R** 45/100 – 12 – **19 ch** 105/115 – P 140/190.

Um diesen Führer bestens zu nutzen, siehe Erklärungen S. 37 bis 44.

ANTHÉOR 83 Var 84 ⑧, 195 ㉞ G. Côte d'Azur – ✉ 83700 St-Raphaël – ⚙ 94.

Paris 889 – Cannes 27 – Draguignan 47 – ♦Nice 59 – St-Raphaël 13.

- **Réserve d'Anthéor,** N 98 ☎ 44.80.05, ≤, – wc wc ☎ P. rest
  1er fév.-10 oct. – SC : **R** 54/76 – ☕ 12 – 13 ch 75/135 – P 150/170.
- **Flots Bleus,** ☎ 44.80.21, ≤ – P
  1er mars-15 oct. – SC : **R** *(fermé lundi)* 50/70 – ☕ 9,50 – 20 ch 44/75 – P 120/140.

Welcome to France ! Remember, keep to the right.

ANTIBES 06600 Alpes-Mar. 84 ⑨, 195 ㉟㊵ G. Côte d'Azur – 56 309 h. – Casino "la Siesta" sur D 41 – ⚙ 93.

Voir Vieille ville★ X : Av. Amiral-de-Grasse ≤★ – Château Grimaldi (Déposition de Croix★, Musée Picasso★) X B – Marineland★ 4 km par N 7.

18 de Biot ☎ 65.08.48, NO : 4 Km.

Office de Tourisme 12 pl. Gén.-de-Gaulle (fermé sam. après-midi et dim.) ☎ 33.95.64.

Paris 915 ② – Aix-en-Provence 158 ② – Cannes 11 ③ – ♦Nice 23 ①.

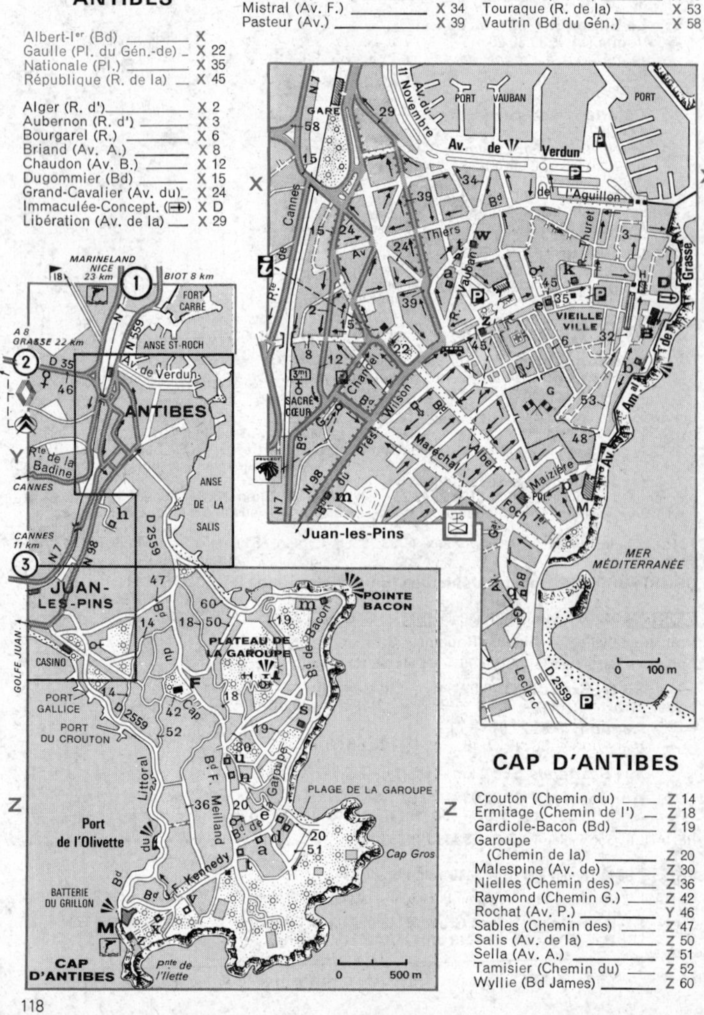

Royal et Rest. Le Dauphin, bd Gén.-Leclerc ☎ 34.03.09, ≤, – |‡| . AE ⊙. ✱ rest X **q**
fermé 30 oct. au 20 déc. – SC : **R** *(fermé merc. hors sais.)* 65/80 – ☐ 16 – 43 ch 105/235 – P 190/250.

Djoliba ⛰, av. Provence ☎ 34.02.48, « Jardin » – ⇔wc ⋒ ☎ P. AE ⊙. ✱ rest Y **h**
SC : **R** (dîner seul.) 75 – 14 ch ☐ 105/250.

XXX **Les Vieux Murs,** av. Amiral-de-Grasse ☎ 34.06.73, ≤ – AE X **b**
fermé 13 nov. au 18 déc. et merc. – SC : **R** carte 110 à 170.

XXX **L'Écurie Royale,** 33 r. Vauban ☎ 34.76.20 – ▤. AE GB ⊙ E. ✱ X **t**
fermé 15 nov. au 15 janv., dim. soir, mardi midi de sept. à mai et lundi – SC : **R** (de mai à sept. dîner seul.) 90/140.

XX **Aub. Provençale** avec ch, pl. Nationale ☎ 34.13.24 – TV ⇔wc ☎. AE GB ⊙ E X **k**
fermé 20 oct. au 20 nov. – SC : **R** *(fermé lundi)* 45/150 – **4 ch** ☐ 80/160, 3 appartements 160.

XX **Du Bastion,** 1 av. Gén.-Maizière ☎ 34.13.88 – AE GB ⊙ X **p**
fermé 4 janv. au 15 fév. et mardi d'oct. à Pâques – SC : **R** 80/120.

XX **L'Oasis,** 35 bd Prés.-Wilson ☎ 34.02.35 – P X **m**
fermé 1er au 15 nov., 15 au 30 avril et merc. – SC : **R** (hiver déj. seul.) 60/75.

XX **Le Caméo** avec ch, pl. Nationale ☎ 34.24.17 – ▤ rest ⇔wc ⋒ ☎. X **e**
fermé 5 janv. au 5 fév. – SC : **R** *(fermé mardi en hiver)* 52/100 – ☐ 10 – **10 ch** 105/140 – P 160/180.

XX **La Calèche,** 25 r. Vauban ☎ 34.40.44 X **a**
fermé lundi – SC : **R** (dîner seul. en juil. et août) 45/70.

XX **Le Venise,** 28 r. Vauban ☎ 34.18.82 – ▤. ⊙ X **w**
fermé 1er au 15 oct., janv. et jeudi hors sais. – SC : **R** (du 1er juin au 15 sept. diner seul.) 50/70.

X **L'Oursin,** 16 r. République ☎ 34.13.46, Dégustation produits de la mer – ▤
fermé août et merc. – SC : **R** 37 bc. X **z**

sur N 7 N : 4 km, quartier de la Brague – ✉ **06600** Antibes :

Tananarive et rest. Plein Ciel M, rte de Nice ☎ 33.30.00, Télex 470851, ⛱, ✱ – |‡| ▤ TV ☎ P – 150. AE GB ⊙ E
SC : **R** 55/100 – ☐ 20 – **50 ch** 150/230 – P 250/305.

Mercator sans rest, rte Biot ☎ 33.50.75, – cuisinette ⇔wc ☎ P. AE GB ⊙
SC : ☐ 11 – **18 ch** 165/180.

XXXX ✿✿✿ **La Bonne Auberge** (Rostang), ☎ 33.36.65, Télex 470989, « Agréable salle à manger provençale et terrasse fleurie » – P. AE ⊙
fermé fin oct. au 15 déc. et lundi – **R** 190/260 et carte
Spéc. Assiette des pêcheurs, Terrine d'artichauts et de langoustines, Tourte de pigeon truffée. Vins Château-Simone, Bellet.

à Sophia Antipolis NO : 9 km par D 35 et D 103 – ✉ **06560** Valbonne :

Novotel M ⛰, ☎ 33.38.00, Télex 970914, ⛱, ✱ – |‡| ▤ TV ☎ ♿ P – 200. AE GB ⊙
R snack carte environ 65 – ☐ 20 – **97 ch** 185/245.

AUDI-VOLKSWAGEN Sport-Auto-Route, Sortie Autoroute, Péage d'Antibes ☎ 33.28.59
BMW, LADA, SKODA, PORSCHE-MITSUBISHI Gar. du Châtaignier, carr. Châtaignier ☎ 33.85.86
CITROEN Gar. Riviera, Bretelle Autoroute ☎ 33.04.90 N
OPEL Gar. Dugommier, 16 bd Dugommier ☎ 33.92.24
PEUGEOT Cheringou, angle bd Foch et N7 ☎ 34.04.22
RENAULT Charreau-Auto, Bretelle Autoroute ☎ 33.29.00 N

Cap d'Antibes – ✉ 06600 Antibes.

Voir le tour du Cap★★ YZ – Plateau de la Garoupe ※★★ Z – Jardin Thuret★ Z F – ≤★ Pointe Bacon Z – ≤★ de la plate-forme du bastion (musée naval) Z.

du Cap d'Antibes ⛰, bd Kennedy ☎ 61.39.01, Télex 470763, ≤ littoral et le large, « Gd parc fleuri face à la mer », ⛱, ✱ – |‡| ▤ ☎ ♿ – 140. ✱ Z **x**
Pâques-mi-oct. – **R** voir Eden Roc – ☐ 35 – **100 ch** 420/750, 12 appartements.

Résidence du Cap ⛰, 161 bd Kennedy ☎ 61.09.44, Télex 470892, ≤, « Parc fleuri et patio », ⛱, ✱ – |‡| ☎ P – 30. AE. ✱ Z **v**
4 avril-25 oct. – **R** carte 120 à 190 – **36 ch** ☐ 350/500, 4 appartements.

Motel Axa M ⛰ sans rest, bd de la Garoupe ☎ 61.36.51, ⛱, ✱ – cuisinette ⇔wc ☎ P Z **a**
SC : ☐ 15 – **20 ch** 260/300.

Levant M ⛰ sans rest, à la Garoupe ☎ 61.41.33, ≤ – ⇔wc ☎ P. . ✱
30 mars-15 oct. – SC : ☐ 15 – **26 ch** 220/280. Z **e**

tourner →

Résidence Beau Site, 141 bd Kennedy ☎ 61.53.43, – wc wc ☎ P
12 avril-25 sept. – SC : **R** 70/85 – ☐ 12 – **26 ch** 185 – P 195/210. Z t

La Gardiole, chemin La Garoupe ☎ 61.35.03, – wc wc ☎ ♿. AE GB E Z n
15 fév.-5 nov. – SC : **R** 69 – ☐ 15 – 20 ch 100/200 – P 160/200.

Garoupe et Réserve du Cap, 81 bd F.-Meilland ☎ 61.54.97, – wc wc ☎ P. . Z u
1er avril-31 oct. – SC : **R** (dîner seul.) 75/110 – ☐ 12 – 26 ch 60/260.

Miramar M sans rest, chemin Plage ☎ 61.52.58, – wc ☎ ♿.
mars-oct. – SC : ☐ 12,50 – **12 ch** 180. Z d

XXXX **Pavillon Eden Roc,** bd Kennedy ☎ 61.39.01, ≤ littoral et les îles, « Isolé sur un roc, en bordure de mer, » – P. Z z
Pâques-mi oct. – **R** carte 140 à 190.

XXXX ✿ **Bacon,** bd Bacon ☎ 61.50.02, ≤ baie des Anges et les Alpes – P. AE .
fermé 11 nov. au 31 janv., dim. et lundi – **R** 135/200, dîner à la carte Z m
Spéc. Bouillabaisse, Langouste "nage de légumes", Chapon au "cerfeuil" (juin à sept.). Vins Cassis, Château-Minuty.

XXX **Le Cabestan,** bd Garoupe ☎ 61.77.70, ≤ – P. AE GB E Z s
fermé mi janv. au 1er avril, dim. soir et lundi sauf juil. et août – SC : **R** 100/140.

Voir aussi ressources hôtelières de ***Juan-les-Pins***

ANTICHAN 65 H.-Pyr. 85 ⑳ – 41 h. alt. 632 – ✉ **65370** Loures-Barousse – ☎ 62.
Paris 818 – Bagnères-de-Luchon 30 – Lannemezan 30 – Montrejeau 14 – St-Gaudens 22 – Tarbes 65.

Host. Ourse, au Pont de l'Ourse ☎ 99.25.02, ≤, – P.
Pâques-fin août, 27 sept.-3 nov., Noël, vacances de fév. et fermé vend. hors sais. – SC : **R** (dîner seul. aux résidents) 28/80 – ☐ 10 – **10 ch** 40/50 – P 90/100.

ANTICHAN-DE-FRONTIGNES 31 H.-Gar. 86 ① – 71 h. alt. 580 – ✉ **31510** Barbazan – ☎ 61.
Paris 816 – Bagnères-de-L. 25 – Lannemezan 34 – St-Gaudens 20 – St-Girons 60 – ♦Toulouse 110.

La Palombière, carrefour D 9 et D 618 ☎ 79.67.01, ≤, – P.
Pâques-fin oct. et fermé merc. hors sais. – **R** 35/60 – ☐ 11 – 11 ch 55/72 – P 120/140.

ANTONY 92 Hauts-de-Seine 60 ⑩, 101 ㉕ – voir à Paris, Proche banlieue.

ANTRAIGUES 07530 Ardèche 76 ⑲ **G. Vallée du Rhône** – 502 h. alt. 471 – ☎ 75.
Paris 644 – Aubenas 14 – Lamastre 58 – Langogne 66 – Privas 42 – Le Puy 79.

XX **Lo Podello,** près église ☎ 38.71.48, Meubles et bibelots anciens
fermé juin et 1er au 30 oct.; du 1er nov. au 31 mai ouvert seul. week-ends et fêtes – SC : **R** 40/120 ₰.

X **La Remise,** au pont de l'Huile ☎ 38.70.74, Authentique cadre rustique
fermé nov. et vend. sauf juil.-août – **R** 40/65.

L'APOTHICAIRERIE (Grotte de) ★★★ 56 Morbihan 63 ⑪ – voir à Belle-Ile-en-Mer.

APPOIGNY 89380 Yonne 65 ⑤ **G. Bourgogne** – 2 029 h. alt. 110 – ☎ 86.
Paris 165 – Auxerre 9,5 – Joigny 17 – St-Florentin 30.

XX **Relais St-Fiacre,** ☎ 42.01.80, – P. GB
fermé 3 janv. au 9 fév., dim. soir et lundi – SC : **R** 110 bc/160 bc.

XX **Aub. Les Rouliers,** ☎ 42.00.09 – P
fermé fin juin à début juil., fin sept. à début oct., fin fév. à début mars, mardi soir et merc. – SC : **R** 45/85 ₰.

RENAULT Gar. Lacour, ☎ 42.02.43

APT 84400 Vaucluse 81 ⑭ **G. Provence** – 11 612 h. alt. 221 – ☎ 90.
Env. Mourre Nègre ✻★★★ SE : 17 km par D 48 puis 15 mn.
Office de Tourisme pl. Bouquerie (fermé lundi) ☎ 74.03.18.
Paris 731 ③ – Aix-en-P. 55 ② – Avignon 52 ③ – Carpentras 48 ③ – Cavaillon 31 ③ – Digne 91 ①.

Plan page ci-contre

Le Ventoux, 67 av. V.-Hugo **(v)** ☎ 74.07.58 – TV wc wc ☎. E
fermé 23 déc. au 1er mars et lundi – SC : **R** 45/100 ₰ – ☐ 15 – 13 ch 80/130 – P 140/185.

Aptois H. sans rest, cours Lauze-de-Perret **(f)** ☎ 74.02.02 – wc ☎.
fermé 15 fév. au 15 mars – SC : ☐ 10,50 – **26 ch** 52/100.

Ste Anne sans rest, 28 pl. Ballet **(e)** ☎ 74.00.80 – wc wc ☎
SC : ☐ 10 – **8 ch** 75/95.

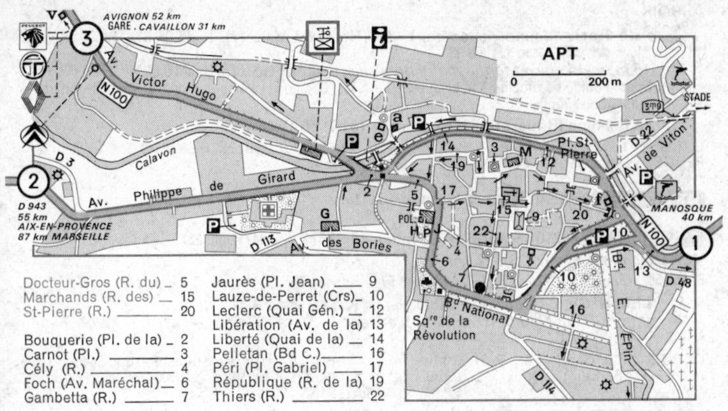

Docteur-Gros (R. du) 5
Marchands (R. des) 15
St-Pierre (R.) 20

Bouquerie (Pl. de la) 2
Carnot (Pl.) 3
Cély (R.) 4
Foch (Av. Maréchal) 6
Gambetta (R.) 7
Jaurès (Pl. Jean) 9
Lauze-de-Perret (Crs) 10
Leclerc (Quai Gén.) 12
Libération (Av. de la) 13
Liberté (Quai de la) 14
Pelletan (Bd C.) 16
Péri (Pl. Gabriel) 17
République (R. de la) 19
Thiers (R.) 22

✕ **Luberon** avec ch, 17 quai Léon-Sagy **(a)** ☎ 74.12.50 – TV wc ☎. GB
fermé 1er déc. au 4 janv. – SC : **R** *(fermé lundi)* 38/95 – ☕ 11 – **9 ch** 70/110.

à Saignon SE : 4 km par D 48 – ✉ **84400** Apt :

✕✕ **Aub. du Rocher** avec ch, ☎ 74.13.01 – wc wc
vac. de fév. au 3 nov. – SC : **R** *(fermé jeudi)* 64 – ☕ 15 – **8 ch** 84/120.

le Boisset par ① : 12 km – ✉ **84640** St-Martin-de-Castillon :

✕✕ **Aub. du Boisset,** ☎ 75.20.10, « Ancienne bergerie » – P
fermé 1er au 15 juin, 15 nov. au 15 déc., mardi et merc. – SC : **R** carte environ 95.

CITROEN Aymard, 53 av. Victor-Hugo ☎ 74.04.39
FORD Germain, 56 av. Victor-Hugo ☎ 74.10.17
MERCEDES-BENZ, OPEL Gar. du Luberon, bd Libération ☎ 74.17.06
PEUGEOT Splendid Gar., N 100, rte Avignon ☎ 74.02.11
RENAULT S.E.A.P., quartier Lançon, N 100 ☎ 74.18.41

TALBOT Bergeron, Quartier Lançon, N 100 ☎ 74.05.38

Apta-Pneus, quartier Lançon, N 100 ☎ 74.07.78
Pneus-Sce, 64 av. Victor-Hugo ☎ 74.31.04

ARAVIS (Col des) 74 H.-Savoie **74** ⑦ **G. Alpes** – alt. 1 498 – ✉ **74220** La Clusaz – 50.

Voir ≤** – Paris 576 – Albertville 32 – Annecy 39 – Bonneville 34 – La Clusaz 7,5 – Megève 21.

✕ **Rhododendrons,** ☎ 02.41.50, ≤
mai-fin sept. – SC : **R** 27/50.

✕ Porte des Aravis, ☎ 02.47.15, ≤ – P
sais.

ARBOIS 39600 Jura **70** ④ G. Jura – 4 232 h. alt. 291 – 84.

Voir Maison paternelle de Pasteur* E – Reculée des Planches** et grottes des Planches* 4,5 km par ②.

Env. Cirque du Fer à Cheval** 7 km par ③ puis 15 mn.

Syndicat d'Initiative à l'Hôtel de Ville (1er juin-30 sept., fermé dim. après-midi et lundi matin) ☎ 66.07.45.

Paris 400 ⑤ – Besançon 49 ① – Dole 35 ⑤ – Lons-le-Saunier 38 ④ – Salins-les-Bains 14 ①.

Messageries, promenade Pasteur **(z)** ☎ 66.15.45 – wc wc ☎
1er mars-30 nov. – SC : **R** *(fermé lundi)* 60/100 – ☕ 14 – **25 ch** 65/150.

tourner →

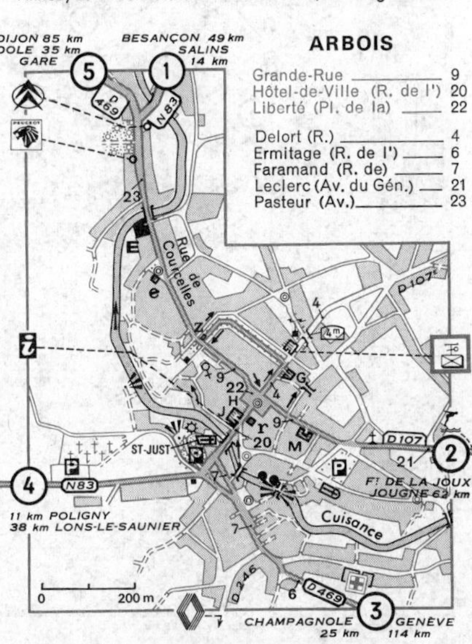

Grande-Rue 9
Hôtel-de-Ville (R. de l') 20
Liberté (Pl. de la) 22

Delort (R.) 4
Ermitage (R. de l') 6
Faramand (R. de) 7
Leclerc (Av. du Gén.) 21
Pasteur (Av.) 23

XX ✿ **de Paris** (Jeunet) avec ch, r. de l'Hôtel de Ville **(r)** ☎ **66.05.67**, – wc wc ☎. AE ⓓ E
15 mars-15 nov. et fermé mardi hors sais. – **SC : R** 65/165 – ☐ 16,50 – 18 ch 62/154
Spéc. Soufflé de brochet à la bisque d'écrevisses, Coq au vin jaune et morilles, Gigot de lapereau.
Vins Arbois, Pupillin.

XX **La Balance (Rôtisserie), r. Courcelles (e)** ☎ **66.11.88**.

CITROEN Gar. des Sports, ☎ 66.13.63
PEUGEOT Ganeval, ☎ 66.02.78
RENAULT Dupré, ☎ 66.05.70

ARBONNE **64** Pyr.-Atl. **78** ⑪⑱ – rattaché à Biarritz.

L'ARBRESLE **69210** Rhône **73** ⑲ **G. Vallée du Rhône** – 4 247 h. alt. 231 – ✪ 74.
Voir Couvent d'Éveux* SE : 2 km.
Paris 456 – Feurs 43 – ♦Lyon 25 – Montbrison 57 – Roanne 61.

Lion d'Or, r. Centrale ☎ **01.00.16** – wc ☎
fermé 10 au 20 juin, 15 au 30 oct. et vend. – **SC : R** 33/65 – ☐ 10 – **12 ch** 70/140 – P 100/120.

CITROEN Gar. Gabriel Péri, ☎ 01.00.04
PEUGEOT Barberet et Roux, ☎ 01.03.36
RENAULT Gar. du Stade, ☎ 01.45.34
TALBOT Gar. Ville, ☎ 01.00.09

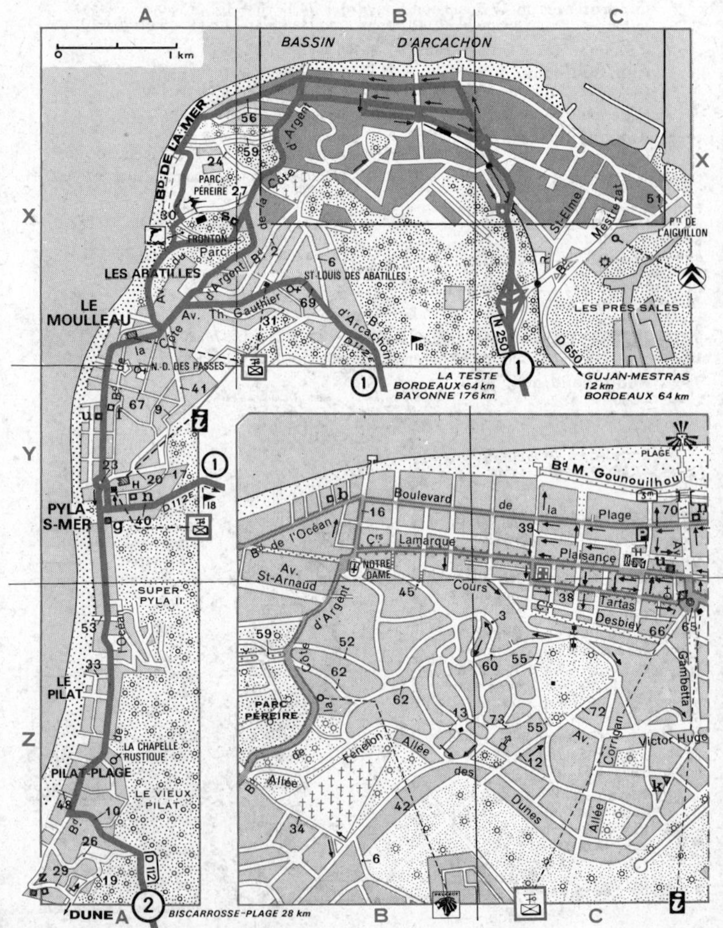

ARCACHON 33120 Gironde 78 ② ⑫ **G. Côte de l'Atlantique** – 14 341 h. – Casino – ✪ 56.

Voir boulevard de la Mer★ AX

18 ℡ 22.44.00 par ② : 4 km.

i Office de Tourisme Pl. Prés-Roosevelt (fermé sam. après-midi et dim. hors sais.) ℡ 83.01.69, Télex 570503.

Paris 629 ① – Agen 193 ① – Auch 243 ① – ♦Bayonne 176 ① – Biarritz 184 ① – ♦Bordeaux 64 ① – Dax 141 ① – Mont-de-Marsan 122 ① – Pau 202 ① – Royan 186 ① – Villeneuve-sur-Lot 196 ①.

- **Arc Hôtel** M sans rest, 89 bd Plage ℡ 83.06.85, ←, – |‡| TV P. AE GB ①. — DY **b**
  SC : ☕ 22 – **30 ch** 130/310.
- **Point France** M sans rest, 1 r. Grenier ℡ 83.46.74 – |‡| ☎ . AE GB ① E — DY **q**
  fermé janv. et fév. – SC : **34 ch** ☕ 200/275.
- **Gd H. Richelieu** sans rest, 185 bd Plage ℡ 83.16.50 – |‡| P — CY **n**
  15 mars-2 nov. – SC : **43 ch** ☕ 160/270.
- **Les Ormes** M, 1 r. Hovy ℡ 83.09.27, ←, – |‡| TV wc wc ☎ P – 50. GB — EY **d**
  SC : **R** 55/75 – ☕ 18 – 24 ch 180/220 – P 260/275.
- **Le Nautic** M sans rest, 20 bd Plage ℡ 83.01.48 – |‡| wc wc ☎ P. AE GB — EZ **y**
  SC : ☕ 13 – **36 ch** 150.

tourner →

ARCACHON LE MOULLEAU PYLA-SUR-MER

Gambetta (Av.) CYZ
Lamarque-Plaisance (Cours) BCY
Lattre-de-Tassigny (R. Maréchal-de) CYZ 38
Plage (Bd de la) BEY

Abatilles (Av. des) ABX 2
Alexandre-Dumas (Allée) CZ 3
Allègre (Quai du Cap) EZ 4
Balde (Allée Jean) BZ 6
Bellevue (Av. de) AY 9
Biscarosse (Av. de) AZ 10
Bovillaud (Allée) CZ 12
Brémontier (Allée) BZ 13
Célerier (R.) EZ 14
Chapelle (Allée de la) BY 16
Chênes (Av. des) AY 17
Coste (R.) EZ 18
Dunes (Av. des) AZ 19
Ermitage (Av. de l') AY 20
Farges (Av. J.) DZ 21
Figuier (Rd-Pt du) AY 23
Fleurs (Allée des) ABX 24
Forêt (Av. de la) AZ 26
Garcias (Av. L.) ABX 27
Gaulle (Av. Gén.-de) DYZ 28
Gaume (Bd Louis) AZ 29
Goélands (Av. des) AX 30
Golf (Av. du) BX 31
Héricart-de-Thury (Cours) DZ 32
Hirondelles (Av. des) AZ 33
Laborderie (Allée Raoul) BZ 34
Lamartine (Av. de) DY 37
Legallais (R.F.) CY 39
Lignon (Av. Louis) AY 40
Lyautey (Av. Mar.) AXY 41
Martyrs-de-la-Résistance (Av. des) BZ 42
Mendivil (Av. de) EZ 44
Mentque (Av. de) BYZ 45
Mermoz (Av. Jean) AZ 48
Michelet (R. Jules) CX 51
Monod (Allée J.) BZ 52
Mouettes (Av. des) AZ 53
Moulin-Rouge (Allée du) CZ 55
Océan (Bd de l') ABX 56
Parc-Péreire (Av. du) ABX 59
Pasteur (Allée) CZ 60
Péreire (Allée Émile) BZ 62
Prés.-Roosevelt (Pl.) CZ 65
Regnault (Av.) CZ 66
St-François-Xavier (Av.) AY 67
Teste (Bd de la) BX 69
Thiers (Pl.) CY 70
Turenne (Allée) CZ 72
Velpeau (Allée) CZ 73
Verdun (Pl. de) DZ 74
Veyrier-Montagnères (Bd) CDY 76
Victoria (Av.) DYZ 77

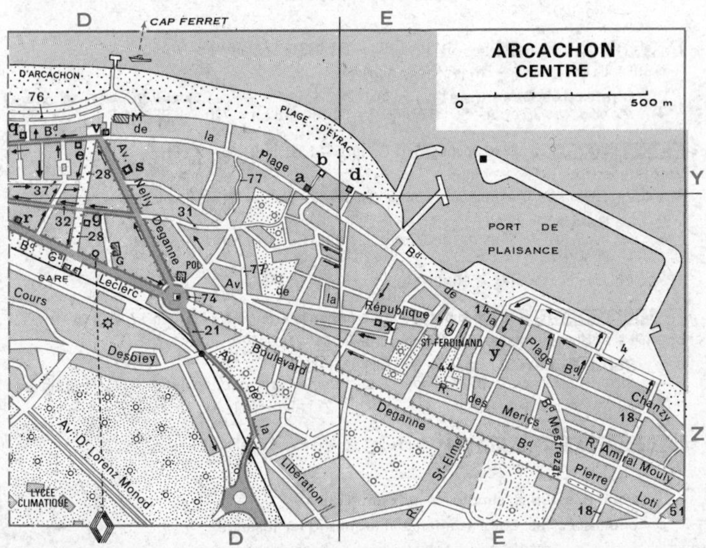

Atlantic H. sans rest, 14 av. République ℡ 83.37.59 – wc wc. EZ x
SC : 13 – **33 ch** 180/200.

Les Vagues, 9 bd Océan ℡ 83.03.75, ← – wc. AE. rest BY b
mars-31 oct. – SC : **R** 70/100 – 15 – **22 ch** 100/210 – P 205/260.

Le Novel sans rest, 24 av. Gén.-de-Gaulle ℡ 83.40.11 – wc wc. AE DZ g
SC : 12 – **20 ch** 145/180.

Roc Hôtel et Moderne, 200 bd Plage ℡ 83.07.43 – wc DY e
1er avril-1er oct. – SC : **R** 48/85 – 12 – **54 ch** 150/280.

Marinette sans rest, 15 allées J.-M. de Hérédia ℡ 83.06.67, – wc wc CZ k
Pâques, Pentecôte, 1er mai et 1er juin-15 oct. – SC : 12 – **24 ch** 140/190.

Plage, 10 av. N.-Deganne ℡ 83.06.23, – wc DY s
SC : **R** *(fermé merc.)* 28/61 – 10 – **24 ch** 80/135 – P 120/155.

XXXX ✿ Mareyeur (Perre), 91 bd Plage ℡ 83.35.45 – AE GB DY a
fin mars-début oct. et fermé dim. soir (sauf juil. et août) et lundi sauf fêtes – SC : **R** (nombre de couverts limité - prévenir) carte 130 à 170
Spéc. Produits de la mer.

XX Chez Yvette, 59 bd Gén.-Leclerc ℡ 83.05.11, Produits de la mer – DZ r
fermé janv. et lundi hors sais. – SC : **R** carte 80 à 120.

XX Chez Boron, 15 r. Prof.-Jolyet ℡ 83.29.96, Produits de la mer – AE GB E
fermé 15 nov. au 15 déc. et mardi de mars au 1er juin – SC : **R** carte 100 à 140. DY v

X Bayonne avec ch, 9 cours Lamarque ℡ 83.33.82 – wc. rest CY u
Pâques-15 oct. – SC : **R** 37/52 – 10 – 18 ch 70/138 – P 120/150.

aux Abatilles SO : 2 km – Stat. therm. – ✉ 33120 Arcachon :

Parc sans rest, 5 av. Parc ℡ 83.10.58 – – 80 ABX s
15 avril-1er oct. – SC : 15 – **30 ch** 185/220.

AUDI-VOLKSWAGEN, MERCEDES-BENZ Dupin, 61 bd Mestrezat ℡ 83.13.28
CITROEN Dagut, N 650, rte Bordeaux ℡ 83.06.01 N
FORD Maurel, 59 cours Lamarque ℡ 83.40.96
PEUGEOT Gleizes, 36 bd Côte-d'Argent ℡ 83.06.43
RENAULT Sté Arc-Auto, 31 bd Gén.-Leclerc ℡ 83.26.35

ARCANGUES 64 Pyr.-Atl 78 ⑱ – rattaché à Biarritz.

ARC-EN-BARROIS 52210 H.-Marne 66 ② G. Bourgogne – 1 033 h. alt. 270 – 25.
Paris 258 – Bar-sur-Aube 48 – Châtillon-sur-Seine 42 – Chaumont 24 – Langres 30.

Parc, ℡ 02.53.07 – wc – 80.
fermé 15 fév. au 15 mars et lundi hors sais. – SC : **R** 29/66 – 10 – **19 ch** 43/100 – P 95/120.

ARCENS 07 Ardèche 76 ⑱ – 511 h. alt. 610 – ✉ 07310 St-Martin-de-Valamas – 75.
Paris 619 – Le Cheylard 16 – Privas 64 – St-Agrève 22.

Chalet des Cévennes, ℡ 30.41.90, ←, – wc. ch
fermé 1er au 15 oct. – SC : **R** 30/60 – 8 – **18 ch** 45/75 – P 85/100.

ARC-ET-SENANS 25610 Doubs 70 ④ G. Jura – 1 231 h. alt. 236 – 81.
Voir Saline Royale★.
Paris 403 – ♦Besançon 37 – Dole 38 – Lons-le-Saunier 55 – Poligny 28 – Salins-les-Bains 17.

Le Relais, ℡ 86.40.60 – . ch
fermé 22 au 30 juin, 1er au 22 oct., 21 au 31 déc. et lundi – SC : **R** 24/68 – 9 – 11 ch 40/50.

RENAULT Gar. des Salines, ℡ 86.40.77 N

ARCIS-SUR-AUBE 10700 Aube 61 ⑦ G. Nord de la France – 3 439 h. alt. 92 – 25.
Paris 156 – Châlons-sur-Marne 50 – Nogent-sur-Seine 54 – Troyes 27.

X Saint-Hubert, 2 r. Marine ℡ 37.86.93 – GB
fermé 4 au 27 août, 25 au 31 déc., vend. soir et sam. midi sauf juil. – SC : **R** 29/65.

CITROEN Gar. Allais, ℡ 37.84.82
TALBOT Gar. Leroy, ℡ 37.84.52

L'ARCOUEST (Pointe de) 22 C.-du-N. 59 ② – rattaché à Paimpol.

Pour des repas simples à prix modiques
choisissez les établissements marqués d'un losange

Les ARCS 73 Savoie 74 ⑱ – alt. 1 600 – Sports d'hiver : 1 600/3 000 m 1 43 – ✉ 73700 Bourg-St-Maurice – 79.

Voir Arc 1800 ✲★★ – Arc 1600 ≤★, G. Alpes.

18 de Chantel ☎ 07.26.00, NO : 5 km.

Office de Tourisme (15 juin-15 sept. et 15 déc.-fin avril) ☎ 07.41.88, Télex 980404.

Paris 673 – Bourg-St-Maurice 12 – Chambéry 113 – Val-d'Isère 43.

- **Golf** M, S : 4 km - alt. 1 800 - ☎ 07.25.17, Télex 980404, ≤ montagnes, – – – 300. rest
  21 juin-14 sept. et 15 déc.-20 avril – SC : **R** 55/80 – **300 ch** 160/540 – P 225/385.
- **La Cachette-Pierre Blanche** M, ☎ 07.25.25, Télex 980016, ≤ – – 300. rest
  28 juin-14 sept. et 15 déc.-21 avril – SC : **R** 55 – **176 ch** 155/560 – P 190/360.
- Les Trois Arcs M, ☎ 07.25.25, ≤ – wc
  sais. – SC : **R** 36/51 – 42 ch – P 270/300.
- **Winston** M, ☎ 07.25.25, Télex 980016, ≤, – wc . . rest
  28 juin-30 août et 15 déc.-21 avril – SC : **R** 55 – **30 ch** 135/470 – P 160/310.

Les ARCS 83460 Var 84 ⑦ **G. Côte d'Azur** – 3 431 h. alt. 74 – 94.

Voir Polyptique★ dans l'église – Chapelle Ste-Roseline★ NE : 4 km.

Paris 853 – Brignoles 41 – Cannes 61 – Draguignan 10 – St-Raphaël 29 – Ste-Maxime 32.

- XX **Relais Franc-Comtois** avec ch, N 7 ☎ 73.32.89, « Terrasse et jardin au bord de la rivière », – wc . AE GB E
  SC : **R** (dim. et fêtes - prévenir) 38/125 – 10,50 – 10 ch 55/85.
- XX **Logis du Guetteur** avec ch, NE par D 57 ☎ 73.30.82, « Pittoresque installation dans un vieux fort » – wc . AE E. ch
  fermé 14 nov. au 14 déc. – SC : **R** *(fermé vend.)* 35/150 – 12 – 10 ch 95 – P 130.

CITROEN Gar. Audibert ☎ 73.31.41 RENAULT Gar. des 4-Chemins, ☎ 73.30.43 N

L'ARDÈCHE (Gorges de) ★★★ 07 Ardèche 80 ⑨ **G. Vallée du Rhône.**

Ressources hôtelières : Voir *à Bidon* et *Vallon Pont d'Arc*.

ARDENTES 36120 Indre 68 ⑨ **G. Périgord** – 2 794 h. alt. 163 – 54.

Paris 277 – Argenton 38 – Châteauroux 14 – La Châtre 22 – Issoudun 33 – St-Amand-Montrond 57.

- **Chêne Vert,** D 943 ☎ 36.22.40 –
  fermé août, dim. soir et lundi – SC : **R** 48/90 – 12 – **10 ch** 58/68.
- X **Gare,** ☎ 36.20.24 –
  fermé juil., dim. soir et lundi – SC : **R** 45/80.

MERCEDES-BENZ Gar. Marteau, ☎ 36.22.95

ARDRES 62610 P.-de-C. 51 ② **G. Nord de la France** – 3 165 h. alt. 11 – 21.

Paris 277 – Arras 97 – Boulogne-sur-Mer 37 – ♦Calais 17 – Dunkerque 41 – ♦Lille 87 – St-Omer 23.

- **Gd H. Clément**, pl. Mar.-Leclerc ☎ 35.40.66, – wc wc – 40. GB E. ch
  fermé 15 janv. au 15 fév., dim. soir et lundi midi du 1er oct. au 1er mars – SC : **R** 90/190 – 15 – **18 ch** 95/160 – P 235/265.
- **La Chaumière** sans rest, ☎ 35.41.24 – wc wc .
  SC : 12 – **12 ch** 50/130.
- XX **Le Relais** avec ch, ☎ 35.42.00, – wc . GB. ch
  fermé 2 janv. au 1er fév., vend. soir et sam. midi d'oct. à déc. – SC : **R** 42/70 – 11 – 11 ch 82/140 – P 140/160.
- X **La Bonne Auberge** avec ch, à Brêmes O : 1,5 km par D 231 ☎ 35.41.09 – . GB E. ch
  SC : **R** 37/77 – 10 – 8 ch 54/70 – P 95/110.

CITROEN Gar. Carpentier, ☎ 35.42.16

ARÈCHES 73 Savoie 74 ⑰⑱ **G. Alpes** – alt. 1 055 – Sports d'hiver : 1 000/2 100 m 8 – ✉ 73270 Beaufort – 79.

Office de Tourisme (juin-sept. et déc.-mai) ☎ 31.22.07.

Paris 634 – Albertville 26 – Beaufort 5,5 – Chambéry 77.

- **Christiania,** ☎ 31.22.14, ≤ – wc wc
  15 juin-15 oct. et 15 déc.-fin avril – SC : **R** 35 – 10 – 22 ch 60/90 – P 100/115.

ARFEUILLES 03 Allier 73 ⑥ – 1 004 h. alt. 424 – ✉ 03120 Lapalisse – 70.

Paris 358 – Lapalisse 15 – Moulins 65 – Roanne 38 – Thiers 59 – Vichy 41.

- **Nord,** ☎ 55.50.22, –
  fermé 12 nov. au 1er déc. – SC : **R** 30/76 – 9 – 10 ch 38/60 – P 90/120.

Modern'Garage, ☎ 55.51.88 N

ARGEIN 09 Ariège 86 ② – 211 h. alt. 560 – ✉ **09800** Castillon-en-Couserans – ⚙ 61.
Paris 813 – Foix 60 – St-Girons 16.

Host. la Terrasse, ☎ 96.70.11, – wc ⑦ ☎
mars-oct. – SC : **R** 45/80 – ☐ 10 – **11 ch** 45/100 – P 130.

ARGELÈS-GAZOST ⟨SP⟩ **65400** H.-Pyr. 85 ⑰ **G. Pyrénées** – 3 678 h. alt. 463 – Stat. therm. (1er juin-30 sept.) – ⚙ 62.

Voir route du Hautacam★ à l'Est par D 100 Y.

Office de Tourisme pl. Mairie (fermé sam. après-midi hors sais. et dim.) ☎ 97.00.25.

Paris 804 ① – Lourdes 13 ① – Tarbes 33 ①.

Miramont, r. Pasteur ☎ 97.01.26, – wc ⑦wc ☎ Ⓟ. ⚘. Z **n**
fermé 25 oct. au 10 déc. – SC : **R** 30/80 – ☐ 10 – 29 ch 80/120 – P 88/120.

Les Cimes ⚘, 1 pl. Ourout ☎ 97.00.10, – ⇳ wc ⑦wc ☎ Ⓟ. E. ⚘ rest Z **a**
fermé 18 nov. au 18 déc. – **R** 29/75 – ☐ 10 – **27 ch** 75/106 – P 103/120.

Bernède, r. Mar.-Foch ☎ 97.06.64 – wc ⑦ Ⓟ. GB E. ⚘ rest
fermé 10 nov. au 20 déc. – SC : **R** *(fermé lundi)* 35/100 – ☐ 10 – 41 ch 60/160 – P 95/140. Y **s**

Gabizos, N 21 ☎ 97.01.36 – wc ⑦wc ☎ Ⓟ. ⚘ rest Z **x**
Pâques, 20 mai-10 oct. et vacances de fév. – SC : **R** 26/55 – ☐ 10 – 25 ch 40/80 – P 90/120.

Printania, N 21 ☎ 97.06.57, – ☎ Ⓟ. ⚘ rest Y **t**
SC : **R** 35/58 – ☐ 9,50 – **20 ch** 45/90 – P 88/100.

Primerose, r. Yser ☎ 97.06.72 – wc ⑦wc ☎ Ⓟ. ⚘ rest Z **f**
1er juin-30 sept. – SC : **R** 40/80 – ☐ 10 – 22 ch 64/92 – P 110/130.

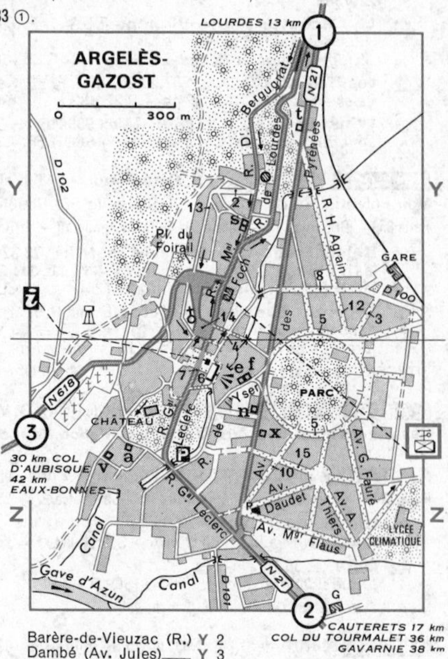

Barère-de-Vieuzac (R.) Y 2
Dambé (Av. Jules) Y 3
Digoy (R. Capitaine) YZ 4
Hébrard (Av. Adrien) YZ 5
La Terrasse Z 6
Mairie (Pl. de la) Z 7
Marne (Av. de la) Y 8
Russel (R. du Cte-H.) Z 10
Sassère (R. Hector) Y 12
Sorbé-Bualé (R.) Y 13
Victoire (Pl. de la) Y 14
Victor-Hugo (Av.) Z 15

Val du Bergons, par ① : 3 km ☎ 97.08.76, ← – ⑦wc ☎ Ⓟ. ⚘ rest
fermé nov. – SC : **R** 29/100 – ☐ 9 – 16 ch 50/90 – P 86/115.

Mon Cottage, r. Yser ☎ 97.07.92, – ⇳ wc ☎ Ⓟ. ⚘ Z **e**
fermé 15 oct. au 20 déc. – **R** 30/60 – ☐ 10 – 16 ch 50/90 – P 120/150.

Régina, r. Mar.-Foch ☎ 97.06.59 – ⚘ ch Y **s**
1er juin-30 sept. et vacances scolaires d'hiver – SC : **R** 29/60 – ☐ 9 – 21 ch 45 – P 78/100.

Marie-Bernadette ⚘ sans rest, r. Arieulat ☎ 97.07.93, – Ⓟ. ⚘ Z **v**
1er juin-30 sept. – ☐ 8,50 – **18 ch**.

Brasero (grill), rte Lourdes par ① ☎ 97.05.12 – Ⓟ
15 mai-31 oct. et week-ends en nov. – SC : **R** carte 55 à 90.

à St-Savin S : 3 km par D 101 - Z – alt. 580 – ✉ **65400** Argelès-Gazost.

Voir Site★ de la Chapelle de Piétat S : 1 km.

Panoramic ⚘, ☎ 97.08.22, ←, – wc ⑦wc ☎. GB. ⚘ rest
2 avril-15 oct. – SC : **R** 42/63 – ☐ 10 – 22 ch 48/90 – P 105/125.

Viscos avec ch, ☎ 97.02.28 – ⑦ Ⓟ
fermé janv. et mardi sauf vacances scolaires – SC : **R** 27/60 – ☐ 8,50 – 18 ch 45/75 – P 80/100.

à Agos par ① : 5 km – ✉ **65400** Argelès-Gazost :

Chez Pierre d'Agos, ☎ 97.05.07 – wc ⑦ ☎ Ⓟ
fermé 4 janv. au 1er fév. – SC : **R** 27/70 – ☐ 9 – 20 ch 60/96 – P 81/112.

à ***Beaucens*** SE : 5 km par D 100 - Y - et D 13 – Stat. therm. (1er juin-30 sept.) – ✉ **65400** Argelès-Gazost :

Thermal ⛰, ☎ 97.04.21, ←, « Parc » – wc wc ☎ 🚗 Ⓟ. ⅋ rest
1er juin-1er oct. – SC : **R** 35/65 – ☕ 10 – **27 ch** 58/140 – P 110/140.

ARGELÈS-SUR-MER **66700** Pyr.-Or. **86** ⑳ – 5 100 h. alt. 15 – Casino à Argelès-Plage – ✪ 68.
Paris 929 – Céret 26 – ♦Perpignan 21 – Port-Vendres 10 – Prades 58.

Golfe Ⓜ sans rest, rte Collioure : 3 km ☎ 81.14.73, ← – wc wc ☎ Ⓟ
Pâques-30 oct. – SC : ☕ 11 – **30 ch** 120/140.

Mouettes Ⓜ, rte Collioure : 3 km ☎ 81.21.69, ←, ⛱, ✂ – wc ☎ Ⓟ. AE GB ◑
1er avril-31 oct. – SC : **R** (dîner seul.) 50/75 ⅄ – ☕ 14 – 24 ch 80/250.

Gd H. Commerce (Annexe le Parc Ⓜ, ⛰, ⛱, 🌳 - 23 ch - wc wc ☎), rte Nationale ☎ 81.00.33 – |♦| wc wc ☎ Ⓟ. AE GB ◑
fermé janv. – SC : **R** 35/75 ⅄ – ☕ 10,50 – 40 ch 55/140 – P 110/165.

Soubirana, rte Nationale ☎ 81.01.44 – wc wc
fermé fin oct. au 20 déc. – **R** 28/60 ⅄ – ☕ 9,50 – **23 ch** 50/90 – P 100/120.

Le Cottage ⛰, r. A.-Rimbaud ☎ 81.07.33 – wc Ⓟ
mars-oct. – SC : **R** 32/60 ⅄ – ☕ 12,50 – 13 ch 57/135.

à ***Argelès-Plage*** E : 2,5 km **G. Pyrénées** – ✉ **66700** Argelès-sur-Mer.
Voir SE : Côte Vermeille★★.
ℹ Office de Tourisme pl. Arènes (fermé sam. après-midi et dim. hors sais.) ☎ 81.15.85.

Lido, bd Mer ☎ 81.10.32, ←, ⛱, 🌳 – |♦| Ⓟ – 🏕 25. ⅋ rest
5 mai-5 oct. – SC : **R** 65/90 – ☕ 14 – **72 ch** 140/200 – P 175/230.

Plage des Pins Ⓜ, ☎ 81.09.05, ← – |♦| wc wc ☎ Ⓟ. ⅋
6 juin-27 sept. – SC : **R** 50/70 – ☕ 14 – **37 ch** 180/210 – P 195/210.

Marbella sans rest, ☎ 81.12.24 – |♦| wc wc ☎. ⅋
15 juin-15 sept. – SC : ☕ 9 – **38 ch** 100/216.

Solarium, av. Vallespir ☎ 81.10.74 – wc wc. ⅋
1er mai-30 sept. – SC : **R** 40/90 – ☕ 10 – 18 ch 50/90 – P 125/140.

à ***Racou-Plage*** SE : 3 km – ✉ **66700** Argelès-sur-Mer :

Val Marie sans rest, ☎ 81.11.27, 🌳 – wc wc, sans ▥. ⅋
15 mai-15 oct. – SC : ☕ 10 – **19 ch** 90/105.

CITROEN Gar. des Albères, ☎ 81.00.89
PEUGEOT Relais de la Grone, ☎ 81.13.17
RENAULT Cadmas, ☎ 81.12.29
TALBOT Gar. Chao, ☎ 81.10.59

ARGENTAN ⟨SP⟩ **61200** Orne **60** ②③ **G. Normandie** – 17 411 h. alt. 160 – ✪ 33.
Voir Église St-Germain★ F.
ℹ Office de Tourisme pl. Marché (fermé sam. aprés-midi, dim. et lundi matin) ☎ 67.12.48.
Paris 196 ② – Alençon 45 ③ – ♦Caen 57 ⑥ – Chartres 133 ② – Dreux 112 ② – Évreux 117 ② – Flers 45 ④ – Laval 106 ④ – Lisieux 58 ① – ♦Rouen 127 ②.

ARGENTAN

Briand (R. Aristide)	4
Henri-IV (Pl.)	16
Beigle (R. du)	2
Boschet (R. P.)	3
Carnot (Bd)	5
Chaussée (R. de la)	9
Collège (R. du)	10
Forêt-Normande (Av. de la)	12
Gaulle (Bd Général-de)	13
Griffon (R. du)	14
Leclerc (Pl. Général)	18
Neuve (R.)	19
Panthou (R. E.)	22
Paty (R. du)	24
Poterie (R. de la)	25
République (R. de la)	26
St-Germain (R. et ⛪)	27
St-Martin (R. et ⛪)	28
Victor-Hugo (Bd)	29
Vieilles-Halles (R. des)	31
Vimal-du-Bouchet (Pl.)	32
2e-D.-B. (Av. de la)	33
104e-d'Infanterie (R. du)	36

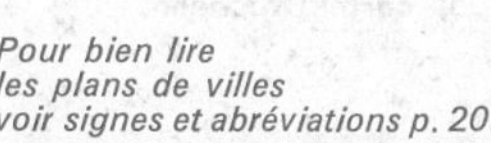
Pour bien lire les plans de villes voir signes et abréviations p. 20.

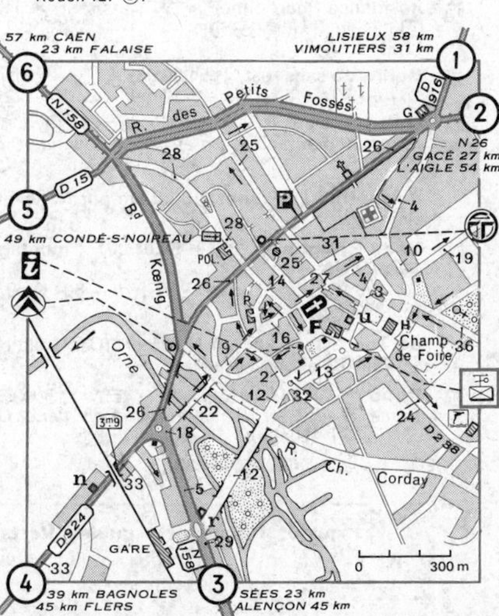

France, 8 bd Carnot **(r)** ℗ 67.03.65, – wc. ch
fermé 1er au 14 sept., fév. et dim. soir – SC : **R** 32/70 – 10 – 12 ch 42/120 – P 95/115.

Donjon, 3 r. Hôtel de Ville **(u)** ℗ 67.03.76 – wc. ch
fermé 15 sept. au 15 oct., dim. soir et lundi midi – SC : **R** 25/48 – 9 – **18 ch** 31/80 – P 85/100.

Renaissance avec ch, 20 av. 2e-D.-B. **(n)** ℗ 67.16.11 – wc wc – 25. AE GB
fermé dim. sauf fériés – SC : **R** 65/95 à **la Marmite** 36/55 – 13 – **15 ch** 60/135 – P 145/328.

à Fontenai-sur-Orne par ④ : 4,5 km – ✉ **61200** Argentan :

Faisan Doré avec ch, ℗ 67.18.11, – TV wc – 100
SC : **R** 35/65 – 12 – **20 ch** 50/100.

CITROEN Brunet, 21 r. République ℗ 67.14.66
OPEL Gar. Fouquet, 50 r. République ℗ 67.04.55
TALBOT Ghislain, 59 r. République ℗ 67.02.66
Gar. Lalande, rte de Paris à Urou ℗ 67.12.00 N
Marsat-Argentan-Pneus, 30 av. de la 2e D.B. ℗ 67.26.79

ARGENTAT 19400 Corrèze 75 ⑩ **G. Périgord** – 3 735 h. alt. 188 – 55.

Voir Site★.

Syndicat d'Initiative av. Pasteur (15 juin-15 sept. et fermé dim. après-midi) ℗ 28.10.91.

Paris 511 – Aurillac 54 – Brive-la-Gaillarde 44 – Mauriac 51 – St-Céré 42 – Tulle 30.

Gilbert, r. Vachal ℗ 28.01.62, – wc wc . AE GB
fermé 23 déc. au 1er fév. – SC : **R** *(fermé sam. du 1er déc. au 1er avril)* 38/90 – 11 – 30 ch 50/150 – P 110/140.

Fouillade, pl. Gambetta ℗ 28.10.17, – – 25
fermé 2 au 30 nov. et lundi du 15 oct. au 15 mai – SC : **R** 33/58 – 10 – 30 ch 44/95 – P 94/120.

CITROEN Frizon, ℗ 28.10.79
RENAULT Gar. Gambetta, ℗ 28.00.58
TALBOT Joassim, ℗ 28.00.17 N
Corrèze-Pneus, ℗ 28.14.31

ARGENTEUIL 95 Val-d'Oise 55 ⑳, 101 ⑭ – voir à Paris, Proche banlieue.

ARGENTIÈRE 74 H.-Savoie 74 ⑨ **G. Alpes** – alt. 1 253 – Sports d'hiver : 1 253/3 300 m 3 3 – ✉ **74400** Chamonix-Mont-Blanc – 50.

Voir SE : Aiguille des Grands Montets ≤★★ par téléphérique – Trélechamp ≤★★ N : 2,5 km.

Paris 634 – Annecy 101 – Chamonix 8 – Vallorcine 7,5.

Grands Montets M sans rest, au téléphérique du Lognon ℗ 54.06.66, ≤, – TV wc . GB
5 juin-20 sept. et 1er déc.-3 mai – SC : 12 – **40 ch** 150.

Résidence Chardonnet M sans rest, ℗ 54.01.02, ≤, , , – cuisinette TV wc wc
12 ch.

Bellevue sans rest, ℗ 54.00.03, ≤, – cuisinette TV wc
20 juin-30 sept. et 15 déc.-30 mai – 10 – **22 ch** 65/155.

Dahu avec ch, ℗ 54.01.55, ≤ – wc wc .
fermé 20 mai au 20 juin et début nov. au 10 déc. – SC : **R** 28/60 – 10 – **22 ch** 50/100.

à Montroc-Le Planet NE : 2 km par N 506 et VO – alt. 1 384 – ✉ **74400** Chamonix-Mont-Blanc :

Becs Rouges M , ℗ 54.01.00, ≤ montagnes, – wc wc .
AE
20 juin-15 sept. et 15 déc.-25 avril – SC : **R** 69/87 – 16,50 – **24 ch** 80/200 – P 180/230.

au Tour NE : 4 km par N 505 et VO 7 – alt. 1 450 – Sports d'hiver : 1 450/2 200 m 4 – ✉ **74400** Chamonix-Mont-Blanc :

Igloo , ℗ 54.00.41, ≤, – wc wc . rest
fermé 30 sept. au 15 déc. et mardi en mai et juin – SC : **R** 40/55 – 12 – **23 ch** 50/170 – P 130/180.

PEUGEOT Gar. des Drus, ℗ 54.04.30

Les **guides Rouges,** les **guides Verts** et les **cartes Michelin**
sont complémentaires.
Utilisez les ensemble.

L'ARGENTIÈRE-LA-BESSÉE 05120 H.-Alpes 77 ⑱ **G. Alpes** – 2 462 h. alt. 976 – ⚙ 92.

Voir Belvédère du Pelvoux ⩽★ N : 2 km.

Paris 727 – Barcelonnette 69 – Briançon 15 – Gap 72 – Guillestre 20.

Industrie, pl. République ☎ 23.10.05, – ▭ ☎ . rest
fermé 10 sept. au 10 oct. – SC : **R** *(fermé dim. hors sais.)* (s'informer) 35/60 – 9 – 20 ch 42/80 – P 90/100.

CITROEN Gar. Mt-Pelvoux, ☎ 23.10.29 RENAULT Carmela, ☎ 23.12.98 N ☎ 23.10.88

ARGENTON-L'ÉGLISE 79290 Deux-Sèvres 68 ① – 1 203 h. alt. 58 – ⚙ 49.

Paris 332 – Angers 60 – Bressuire 36 – Cholet 54 – Niort 89 – Thouars 8,5.

XX **Host. du Moulin** avec ch, O : 1 km sur D 61 ☎ 67.02.53, ⩽, parc – ▭wc ⋒wc Ⓟ – 45.
fermé 15 janv. au 15 fév. et lundi – SC : **R** 28/65 – 8 – **9 ch** 45/60 – P 90/110.

ARGENTON-SUR-CREUSE 36200 Indre 68 ⑰⑱ **G. Périgord** – 6 763 h. alt. 108 – ⚙ 54.

Voir Vieux pont ⩽★ K – ⩽★ de la terrasse de la chapelle N.-D.-des-Bancs E – Vallée de la Creuse★ SE par D 48 – Église★ de St-Marcel 2 km par ⑤.

Office de Tourisme Hotel de Scévolle (fermé dim. et lundi) ☎ 24.05.30.

Paris 300 ① – Châteauroux 31 ① – Guéret 67 ③ – ♦Limoges 94 ④ – Montluçon 101 ② – Poitiers 99 ⑤ – ♦Tours 125 ⑤.

Manoir de Boisvillers sans rest, 11 r. Moulin-de-Bord **(e)** ☎ 24.13.88, ⩽, – ▭wc ⋒wc ☎ Ⓟ
fermé 22 déc. au 15 janv. – SC : 12 – **15 ch** 68/135.

Cheval Noir, 27 r. Auclert-Descottes **(n)** ☎ 24.00.06 – ▭wc ⋒wc ☎
fermé 25 déc. au 1er fév. et dim. en hiver – SC : **R** 40/70 – 12 – 31 ch 70/125.

Central H., 2 av. Rollinat **(b)** ☎ 24.10.17 – ▭wc ⋒ ☎ Ⓟ. AE ①
fermé fév. – SC : **R** *(fermé mardi)* 38/78 – 12 – **31 ch** 53/126 – P 137/172.

France, 8 r. J.-J.-Rousseau **(a)** ☎ 24.03.31 – ▭wc ⋒wc Ⓟ
fermé 15 nov. au 15 déc. et sam. – SC : **R** 30/60 – 10 – 26 ch 45/104.

X **Chez Maître Jean,** 67 av. Rollinat **(u)** ☎ 24.02.09 – Ⓟ
fermé 15 au 30 juin et merc. – **R** 35/65.

à St-Marcel par ① : 2 km – ✉ **36200** Argenton-sur-Creuse

Le Prieuré, ☎ 24.05.19, ⩽ – ▭wc ⋒wc Ⓟ.
fermé 20 janv. au 1er mars et merc. – SC : **R** 30/70 – 10 – 12 ch 45/120 – P 100/140.

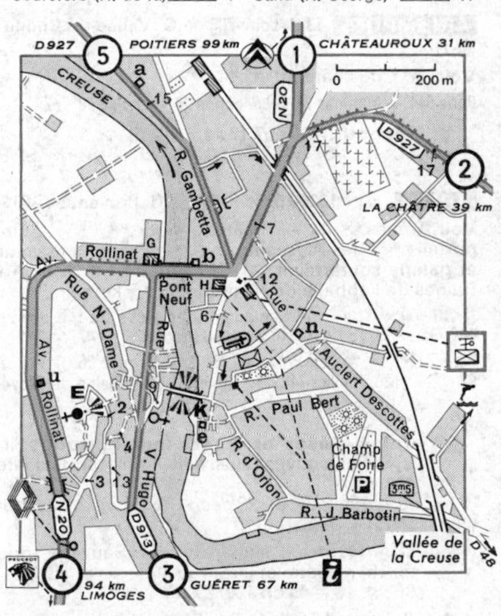

au Vivier SE : 2,5 km par D 48 – ✉ **36200** Argenton-sur-Creuse :

Moulin du Vivier, ☎ 24.03.23, ⩽, – ▭wc ⋒ ☎ Ⓟ. GB.
fermé 20 janv. au 28 fév., dim. soir et lundi hors saison – SC : **R** 35/60 – 14 – 15 ch 65/90 – P 120.

au Menoux SE : 5,5 km par D 48 – ✉ **36200** Argenton-sur-Creuse :

X **Le Petit Roy,** au Bourgouin D 48 ☎ 24.17.30, – Ⓟ.
fermé 15 janv. au 15 fév. et merc. du 30 sept. au 31 mars – SC : **R** 30/62.

à Tendu par ① : 8 km – ✉ **36200** Argenton-sur-Creuse :

XX **Moulin des Eaux Vives,** N : par N 20 ✉ 36200 Argenton-sur-Creuse ☎ 24.12.25 – GB E
fermé 21 au 25 sept., 25 janv. au 26 fév., merc. soir et jeudi sauf juil.-août – **R** (dim. prévenir) 40/87.

tourner →

CITROEN, LANCIA-AUTOBIANCHI Gar. Besson, N 20 à Tendu ℡ 24.12.26 N
PEUGEOT Chavegrand, rte de Limoges ℡ 24.04.32

RENAULT Berthiol, rte de Limoges ℡ 24.06.24
Gebhard-Pneu, rte de Limoges, N 20 ℡ 24.13.08

ARGENT-SUR-SAULDRE 18410 Cher 65 ⑪ **G. Châteaux de la Loire** – 2 737 h. alt. 171 – 48.

Syndicat d'Initiative Maison du Tourisme (1er juil.-15 sept. et fermé mardi) ℡ 73.61.61 et à la Mairie (fermé sam. et dim.) ℡ 73.60.12.

Paris 173 – Bourges 56 – Cosne-sur-Loire 46 – Gien 20 – ♦Orléans 59 – Salbris 42 – Vierzon 53.

XX **Relais de la Poste** avec ch, ℡ 73.60.25 – wc . E
fermé 1er au 15 fév. et mardi – SC : **R** 42/130 – 12,50 – 10 ch 50/120 – P 100/150.

XX **Relais du Cor d'Argent** avec ch, ℡ 73.63.49, – . ch
fermé 15 au 28 fév. et merc. en hiver – SC : **R** 42/85 – 12 – 10 ch 45/80 – P 120/160.

PEUGEOT Dabert, ℡ 73.61.70

RENAULT Carlot, ℡ 73.61.83

ARINSAL Principauté d'Andorre 86 ⑭, 43 ⑥ – voir à Andorre.

ARINTHOD 39240 Jura 70 ⑭ – 1 119 h. alt. 445 – 84.

Voir Église★ de St-Hymetière S : 4 km.

Paris 454 – Bourg-en-Bresse 50 – Lons-le-Saunier 37 – Nantua 37 – St-Amour 35.

Tour, ℡ 48.00.05 – wc . ch
SC : **R** 28/60 – 9 – 14 ch 40/80.

ARLEMPDES 43 H.-Loire 76 ⑰ **G. Vallée du Rhône** – 220 h. alt. 840 – ✉ **43490** Costaros – 71.

Voir ≤★★ du château.

Paris 544 – Aubenas 76 – Langogne 28 – Le Puy 28.

Manoir , ℡ 57.17.14, ≤ – .
SC : **R** 30/67 – 8,50 – 17 ch 40/60 – P 82/88.

ARLES SP 13200 B.-du-R. 83 ⑩ **G. Provence** – 50 345 h. alt. 9 – 90.

Voir Arènes★★ CY – Théâtre antique★★ CDY – Cloître St-Trophime★★ et église★ BYZ : portail★★ – les Alyscamps★ DZ – Palais Constantin★ BY **B** – Musées : Art Chrétien★★ et galerie souterraine★ BY **M1**, Arlaten★ BY **M2**, Art paien★ BY **M3** – Réattu★ BY **M4** - Ruines de l'abbaye de Montmajour★ 5 km par ①.

Office de Tourisme Esplanade des Lices (fermé dim. sauf matin en saison) ℡ 96.29.35, Télex 440096 - A.C. 18 r. Liberté ℡ 96.40.28.

Paris 727 ① – Aix-en-Provence 76 ② – Avignon 36 ① – Béziers 137 ⑤ – Cavaillon 43 ① – ♦Marseille 92 ② – ♦Montpellier 74 ⑤ – Nîmes 31 ⑥ – Salon-de-Provence 42 ② – Sète 104 ⑤.

Plan page ci-contre

Jules César et Rest. Lou Marquès, bd Lices ℡ 96.49.76, Télex 400239, « Ancien couvent avec son cloître, jardins intérieurs », – TV – 50 à 100. AE GB BZ **b**
fermé mi nov. au 20 déc. – **R** *(fermé mardi du 5 janv. au 20 mars)* 70/135 – 20 – **55 ch** 150/380.

D'Arlatan sans rest, 26 r. Sauvage (près pl. Forum) ℡ 96.36.75, « Demeure du 15e s., patio et jardin », – . AE BY **f**
SC : 16 – **46 ch** 100/230.

Primotel M, face Palais du Congrès - AZ - ℡ 93.98.80, Télex 401001, , – TV – 80 à 200. AE GB E
15 mars-31 oct. – SC : **R** 60 – 15 – **102 ch** 185/215 – P 210/280.

Forum sans rest, 10 pl. Forum ℡ 96.00.24, – wc . BY **v**
fermé 15 nov. au 20 janv. – SC : 14 – **45 ch** 70/250.

Select M sans rest, 35 bd G.-Clemenceau ℡ 96.08.31 – wc **24 ch**. AZ **u**

Mireille M, 2 pl. St-Pierre ℡ 96.41.61, Télex 440308, – wc wc . GB E. rest AX **h**
fermé 15 déc. au 15 fév. – SC : **R** (déj. sur commande) 60/130 – 16 – 33 ch 80/240.

St-Trophime sans rest, 16 r. Calade ℡ 96.88.38 – wc wc . BY **e**
1er mars-15 nov. – SC : 10 – **22 ch** 80/130.

Mirador sans rest, 3 r. Voltaire ℡ 96.28.05 – wc wc . CX **n**
fermé 5 janv. au 15 mars – SC : 9,50 – **15 ch** 80/120.

Calendal sans rest, 22 pl. Pomme ℡ 96.11.89, – wc wc . .
fermé 15 déc. au 15 janv. – SC : 12 – **22 ch** 85/150. CY **s**

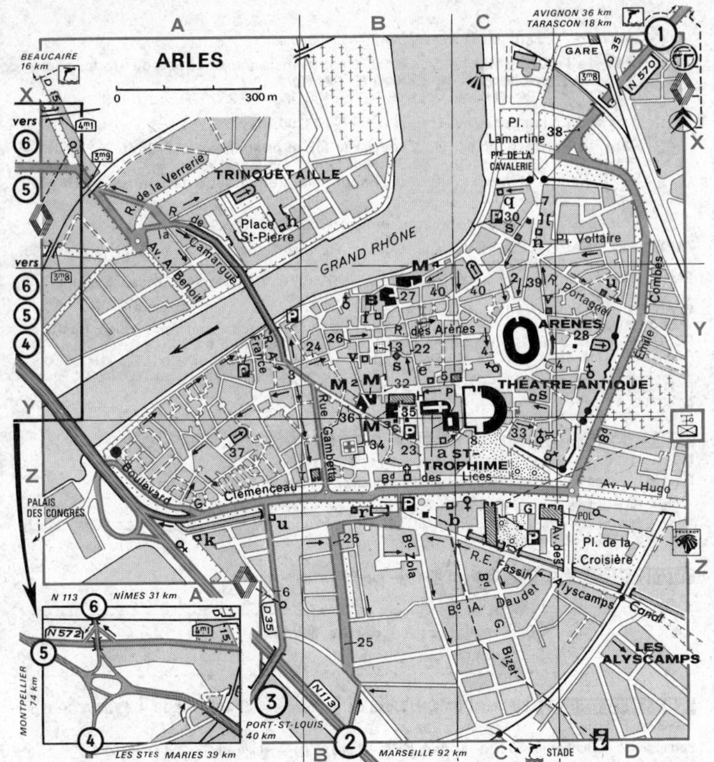

Antonelle (Pl.) AY 3
Forum (Pl. du) BY 13
Hôtel-de-Ville (R.) BY 22
Jaurès (R. Jean) BZ 23
Lices (Bd des) BCZ
Pichot (R. Amédée) CX 30
République (R. de la) BYZ 36
4-Septembre (R. du) BCY 40

Amphithéâtre (R. de l') CY 2

Arènes (Rd-Pt des) CY 4
Calade (R. de la) BY 5
Carnot (Av. Sadi) AZ 6
Cavalerie (R. de la) CX 7
Cloître (R. du) BZ 8
Jouvène (R.) BY 24
Leclerc (Av. Maréchal) BZ 25
Liberté (R. de la) BY 26
Maïsto (R. D.) BY 27
Major (Pl. et ⊞ de la) DY 28

Plan de la Cour BY 32
Porte-de-Laure (R.) CZ 33
Prés.-Wilson (R. du) BZ 34
République (Pl. de la) BY 35
St-Césaire (Pl. et ⊞) AZ 37
St-Julien (⊞) CXY
St-Trophime (⊞) BY
Stalingrad (Av.) CDX 38
Trinquetaille (⊞) AX
Voltaire (R.) CY 39

La Grappe, 9 bd Clemenceau ☎ 93.03.98 – wc wc – fermé 15 nov. au 15 déc. et lundi d'oct. à juin – **R** 45/80 – 10 – **14 ch** 100/150. — BZ **r**

Le Cloître sans rest, 18 r. Cloître ☎ 96.29.50 – wc wc – *15 mars-15 nov.* – 12 – **33 ch** 85/130. — BZ **a**

La Roseraie sans rest, à Pont-de-Crau E : 2 km par av. V.-Hugo - DZ - ☎ 96.06.58 – wc GB – *1er mars-31 oct.* – SC : 10 – **11 ch** 90/130.

Régence sans rest, 5 r. M.-Jouveau ☎ 96.39.85 – wc wc – SC : 12 – **18 ch** 62/155. — CX **q**

Constantin sans rest, 59 bd Craponne ☎ 96.04.05 – wc wc – *1er fév.-15 nov.* – SC : 11 – **15 ch** 65/130. — AZ **k**

Vaccarès, pl. Forum (1er étage) ☎ 96.06.17 – *fermé 20 au 30 juin, 20 déc. au 20 janv., dim. soir et lundi* – SC : **R** 100/150. — BY **s**

L'Assiette au Beurre, 59 r. Portagnel ☎ 96.95.32 – *fermé 15 au 31 janv. et lundi* – SC : **R** (nombre de couverts limité - prévenir) 42/68. — DY **u**

Host. des Arènes, 62 r. Refuge ☎ 96.13.05 – *fermé 15 janv. au 15 fév. et merc.* – SC : **R** 35/50. — CY **v**

Le Tambourin, 65 r. A.-Pichot ☎ 96.13.32 – *fermé fév. et sam.* – SC : **R** 43/80. — CX **s**

tourner →

au Nord : 4,5 km par D 35 et VO – ✉ **13200** Arles :

Mas de la Chapelle Ⓜ, ☎ 96.73.43, « Ancienne Chapelle du 16e s., parc », – wc ☎ Ⓟ – 35. AE GB ⓓ
fermé lundi – SC : **R** 60/90 – 16 – 7 ch 180/250 – P 250/300.

à l'Est : 7,5 km par av. V.-Hugo - DZ – ✉ **13200** Arles :

Aub. la Fenière Ⓜ, O : 2 km par N 113 et chemin privé ☎ 98.45.34, ←, – wc wc ☎ Ⓟ – 25. AE GB ⓓ E. rest
SC : **R** *(fermé 1er nov. au 20 déc. et sam. midi)* (dîner seul. de Pâques au 1er nov.) 70/100 – 17 – 22 ch 120/250.

Voir aussi ressources hôtelières de *Fontvieille* par ① : 9,5 km

AUDI-VOLKSWAGEN Gar. de l'Avenir, 5 av. de la Libération ☎ 96.98.10
BMW Gar. de la Verrerie, 10 av. Dr.-Morel, Trinquetaille ☎ 96.19.59
CITROEN Gar. Moderne d'Arles, rte Tarascon ☎ 96.32.20 N
PEUGEOT Roux, 3 av. Victor-Hugo ☎ 93.98.59
RENAULT Gar. de la Crau, 84 av. Stalingrad ☎ 93.98.33
RENAULT Gar. Gal, 16 av. Ed.-Herriot ☎ 96.46.40
RENAULT Lacoste, 27 av. Sadi-Carnot ☎ 96.37.76
TALBOT Delta-Autom., 61 av. Stalingrad ☎ 96.23.96

Ayme-Pneus, 22 bd Victor-Hugo ☎ 96.02.57 et Zone Ind. Nord ☎ 96.45.09
Gay-Pneus, av. Pont-Crau, N 113 ☎ 96.31.50
Vulcania, 8 bd Victor-Hugo ☎ 96.02.03

ARLES-SUR-TECH **66150** Pyr.-Or. 86 ⑱ **G. Pyrénées** – 2 945 h. alt. 270 – 68.

Syndicat d'Initiative Gare routière (fermé dim.) ☎ 39.11.99.

Paris 947 – Amélie-les-Bains-Palalda 4 – ♦Perpignan 42 – Prats-de-Mollo-la-Preste 19.

Glycines, r. Joc-de-Pilota ☎ 39.10.09, – wc ☎ Ⓟ
fermé 31 oct. au 15 déc. – SC : **R** *(fermé lundi en hiver)* 35/90 – 10 – **34 ch** 55/120 – P 115/150.

ARMBOUTS-CAPPEL **59** Nord 51 ③ – rattaché à Dunkerque.

Utilisez toujours les **cartes Michelin** récentes.
Pour une dépense minime vous aurez des informations plus sûres.

ARMENTIÈRES **59280** Nord 51 ⑮ **G. Nord de la France** – 27 473 h. alt. 19 – 20 A.C. 26 pl. St-Vaast ☎ 77.10.12.

Paris 238 ③ – Dunkerque 59 ⑥ – Kortrijk 36 ② – Lens 41 ③ – ♦Lille 19 ③ – St-Omer 50 ⑥.

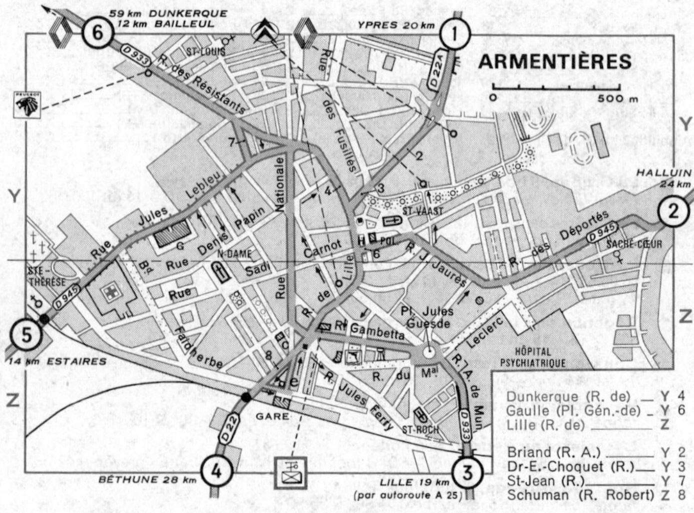

Dunkerque (R. de) Y 4
Gaulle (Pl. Gén.-de) Y 6
Lille (R. de) Z
Briand (R. A.) Y 2
Dr-E.-Choquet (R.) Y 3
St-Jean (R.) Y 7
Schuman (R. Robert) Z 8

Comte d'Egmont, 2 bd Faidherbe ☎ 77.28.90 – wc wc ☎ – 60.
fermé 15 août au 1er sept. – **R** *(fermé dim. soir)* 40/60 – 12 – **40 ch** 60/100 – P 100/150. Z **e**

AUDI-VOLKSWAGEN Gar. Delabie, 37 r. J.-Ferry ☎ 77.09.57
CITROEN Chauvin, 10 r. Bayard ☎ 77.32.02
DATSUN Gar. Duretz, 1 r. J.-Ferry ☎ 77.09.52
FORD Gar. du Rond-Point, 399 rte Nationale à La Chapelle ☎ 77.08.40
PEUGEOT Gar. des Flandres, 29 av. P.-Brossolette, Zone Ind. ☎ 77.04.16
RENAULT Gar. de la Lys, 1797 r. d'Armentières, Nieppe ☎ 77.20.13 N
RENAULT Duflos, 34 bis r. Nungesser ☎ 77.24.14

Crépy-Pneus, 5 r. Mar.-Foch ☎ 77.10.88
Hennette, rte Nationale à Ennetières-Wez-Macquart ☎ 35.85.28
Martin, 100 r. Nationale ☎ 77.00.29

ARMENTIÈRES-EN-BRIE **77** S.-et-M. 56 ⑬ – 796 h. alt. 48 – ✉ **77440** Lizy-sur-Ourcq – 6.

Paris 67 – Château-Thierry 38 – Coulommiers 27 – Meaux 13 – Villers-Cotterêts 39.

Poisson Couronné, ☎ 435.50.85, – P – 50. GB
fermé 25 juil. au 25 août et jeudi – SC : **R** 35/90 – 10 – **11 ch** 75/95 – P 150.

ARMOY **74** H.-Savoie 70 ⑰ – rattaché à Thonon-les-Bains.

ARNAC-LA-POSTE **87** H.-Vienne 72 ⑧ – 1 172 h. alt. 300 – ✉ **87160** St-Sulpice-les-Feuilles – 55.

Paris 341 – Bellac 39 – Châteauroux 71 – Guéret 46 – ♦Limoges 55 – La Souterraine 12.

Moderne, ☎ 76.80.44, – P. GB
SC : **R** 28/45 – 7,50 – 7 ch 37/82 – P 75/90.

Les pastilles numérotées des plans de ville ①, ②, ③ sont répétées sur les ***cartes Michelin*** *à 1/200 000.*
Elles facilitent le passage entre les ***cartes*** *et les* ***guides Michelin.***

ARNAC-POMPADOUR **19230** Corrèze 75 ⑧ **G. Périgord** – 1 448 h. alt. 421 – 55.

Syndicat d'Initiative à la Mairie (fermé sam. après- midi et dim.) ☎ 73.30.43.

Paris 453 – Brive-la-Gaillarde 52 – ♦Limoges 61 – Périgueux 68 – St-Yrieix 24 – Uzerche 25.

Aub. de la Marquise, à la gare ☎ 73.33.98 – TV wc wc P. AE GB. ch
1er juin-1er oct. – SC : **R** 45/150 – 12 – **12 ch** 100/120 – P 140/150.

Hippodrome, ☎ 73.35.03 – P.
fermé sam. de nov. à mai – **R** 35/55 – 8 – 10 ch 48/52 – P 70/75.

PEUGEOT Coulaud, 17 Av. du Midi ☎ 73.37.42 N
RENAULT Debernard, à Pompadour ☎ 73.30.57
TALBOT Peychieras, à Pompadour ☎ 73.34.81

ARNAGE **72** Sarthe 64 ③ – rattaché au Mans.

ARNAY-LE-DUC **21230** Côte-d'Or 65 ⑱ **G. Bourgogne** – 2 473 h. alt. 374 – 80.

Paris 288 – Autun 28 – Beaune 34 – Chagny 40 – ♦Dijon 57 – Montbard 71 – Saulieu 28.

Poste sans rest, ☎ 90.00.76 – wc wc. .
26 juin-20 sept. – SC : 9 – **14 ch** 60/98.

Relais St-Jacques, N 6 ☎ 90.07.33 – P
fermé oct. et sam. – SC : **R** 28/60.

CITROEN Binet, à St-Prix ☎ 90.10.07 N
PEUGEOT Gar. de L'Arquebuse, ☎ 90.05.16 N
RENAULT Gar. Contant, ☎ 90.07.09
Gar. Lucotte, à St-Prix ☎ 90.10.44 N

ARPAILLARGUES **30** Gard 80 ⑲ – rattaché à Uzès.

ARRADON **56** Morbihan 63 ③ – rattaché à Vannes.

ARRAS P **62000** P.-de-C. 53 ② **G. Nord de la France** – 50 386 h. alt. 72 – 21.

Voir Place des Héros★ CY **16 et Grand'Place**★★ CY – ★ **du beffroi** CY **H** – **Ancienne abbaye St-Vaast**★ : **musée**★ BY **M.**

Syndicat d'Initiative (fermé sam. et dim. sauf juil., août) et A.C. 11 bis r. Gambetta ☎ 21.53.91.

Paris 178 ② – ♦Amiens 65 ④ – ♦Caen 298 ④ – ♦Calais 114 ① – Charleville-Mézières 160 ② – Douai 26 ① – ♦Le Havre 238 ④ – ♦Lille 52 ① – ♦Rouen 174 ④ – St-Quentin 70 ③ – Troyes 288 ②.

Plan page suivante

Univers, 3 pl. Croix-Rouge ☎ 21.34.01 – P – 25 à 200. rest
R *(fermé dim. en août)* 50/95 – 15 – **38 ch** 90/170 – P 225/275. BZ **k**

Astoria et rest. Carnot, 12 pl. Foch ☎ 21.08.14 – wc wc. AE GB E. CZ **s**
fermé 3 au 17 août, 25 déc. au 7 janv. – SC : **R** *(fermé lundi)* 69/89 – 14 – **36 ch** 55/150.

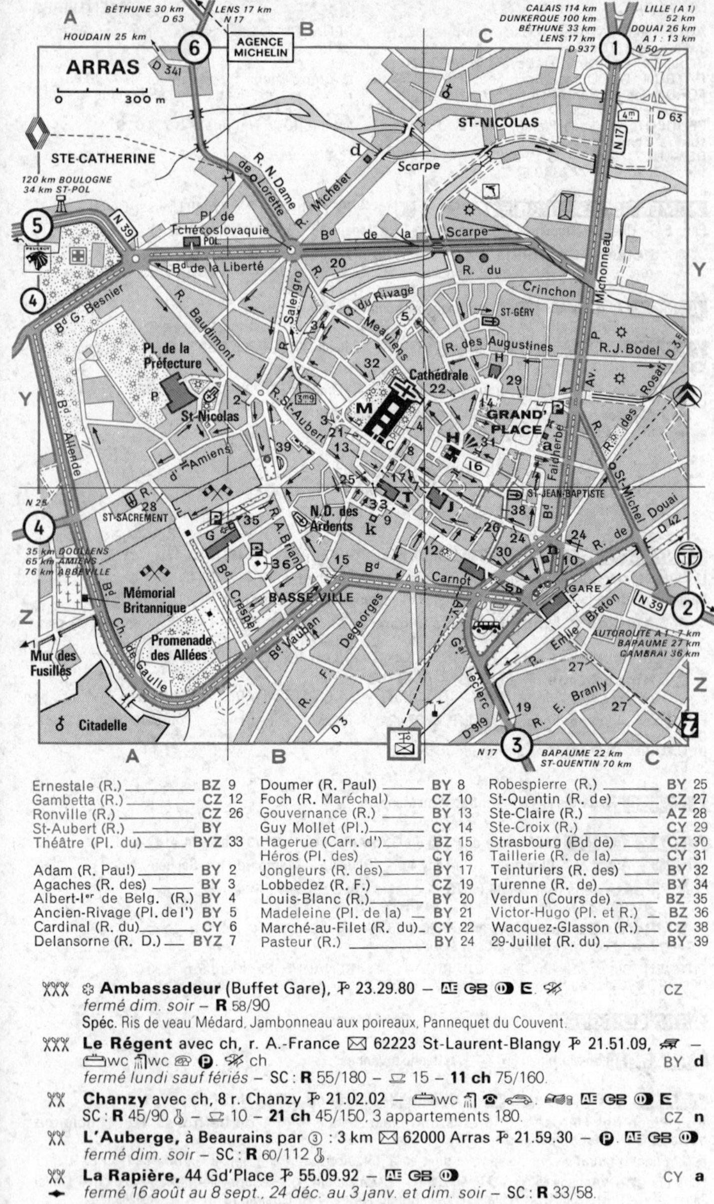

Ernestale (R.) BZ 9
Gambetta (R.) CZ 12
Ronville (R.) CZ 26
St-Aubert (R.) BY
Théâtre (Pl. du) BYZ 33

Adam (R. Paul) BY 2
Agaches (R. des) BY 3
Albert-Ier de Belg. (R.) BY 4
Ancien-Rivage (Pl. de l') BY 5
Cardinal (R. du) CY 6
Delansorne (R. D.) BYZ 7

Doumer (R. Paul) BY 8
Foch (R. Maréchal) CZ 10
Gouvernance (R.) BY 13
Guy Mollet (Pl.) CY 14
Hagerue (Carr. d') BZ 15
Héros (Pl. des) CY 16
Jongleurs (R. des) BY 17
Lobbedez (R. F.) CZ 19
Louis-Blanc (R.) BY 20
Madeleine (Pl. de la) BY 21
Marché-au-Filet (R. du) CY 22
Pasteur (R.) BY 24

Robespierre (R.) BY 25
St-Quentin (R. de) CZ 27
Ste-Claire (R.) AZ 28
Ste-Croix (R.) CY 29
Strasbourg (Bd de) CZ 30
Taillerie (R. de la) CY 31
Teinturiers (R. des) BY 32
Turenne (R. de) BY 34
Verdun (Cours de) BZ 35
Victor-Hugo (Pl. et R.) BZ 36
Wacquez-Glasson (R.) CZ 38
29-Juillet (R. du) BY 39

XXX ✿ **Ambassadeur** (Buffet Gare), ☎ 23.29.80 – AE GB ⓓ E. ⛔ CZ
fermé dim. soir – **R** 58/90
Spéc. Ris de veau Médard, Jambonneau aux poireaux, Pannequet du Couvent.

XXX **Le Régent** avec ch, r. A.-France ✉ 62223 St-Laurent-Blangy ☎ 21.51.09, 🪑 – ⛀wc ⛆wc ☎ Ⓟ. ⛔ ch BY **d**
fermé lundi sauf fériés – SC : **R** 55/180 – ☕ 15 – **11 ch** 75/160.

XX **Chanzy** avec ch, 8 r. Chanzy ☎ 21.02.02 – ⛀wc ⛆ ☎ 🚗. 🍷 AE GB ⓓ E
SC : **R** 45/90 🌡 – ☕ 10 – **21 ch** 45/150, 3 appartements 180. CZ **n**

XX **L'Auberge,** à Beaurains par ③ : 3 km ✉ 62000 Arras ☎ 21.59.30 – Ⓟ. AE GB ⓓ
fermé dim. soir – SC : **R** 60/112 🌡.

XX **La Rapière,** 44 Gd'Place ☎ 55.09.92 – AE GB ⓓ CY **a**
fermé 16 août au 8 sept., 24 déc. au 3 janv. et dim. soir – SC : **R** 33/58.

à Écurie par ⑥ N 17 et D 60 : 5 km – ✉ **62223** St-Laurent-Blangy :

🏨 Links Ⓜ sans rest, ☎ 21.60.09, 🪑 – 🛗 TV ⛀wc ☎ Ⓟ – 🏛 40 à 150
50 ch.

XX **White Horse,** ☎ 55.40.29 – Ⓟ. AE ⓓ E. ⛔
R 45.

MICHELIN, Agence régionale, rte de Béthune, D 63, Ste-Catherine-lès-Arras par ⑥ ☎ 21.12.08

ALFA-ROMEO ARAUTO, 95 av. W.-Churchill ☎ 21.54.41
AUSTIN, MORRIS, TRIUMPH Gar. de la Poste, 38 bd Strasbourg ☎ 21.62.33
AUTOBIANCHI Specq, 21 r. du Saumon ☎ 21.59.20
CITROEN SO. CA. AR., 2 r. des Rosati ☎ 55.39.10
DATSUN Gar. Kennedy, 22 av. Kennedy ☎ 21.65.79
FIAT Gar. Michonneau, 6 av. Michonneau ☎ 55.37.51
FORD Liévinoise Autom., 16 av. Michonneau ☎ 55.42.42
PEUGEOT Gaffet, av. W.-Churchill ☎ 23.28.45
RENAULT Gds Gar. de l'Artois, 40 voie N.-Dame-de-Lorette ☎ 23.02.56
TALBOT Cyr-Leroy, 75 rte Cambrai ☎ 23.76.76

Chamart, 245 av. Kennedy ☎ 21.31.95
Daesslé et Klein, 7 r. Croix-de-Grès, Ste-Catherine ☎ 21.26.29
Delit-Pneus, av. Michonneau prolongée, St-Nicolas ☎ 55.38.25

ARREAU 65240 H.-Pyr. 85 ⑲ – 913 h. alt. 704 – 62.

Syndicat d'Initiative pl. Monument (fermé lundi) ☎ 98.63.15.

Paris 802 – Auch 90 – Bagnères-de-Luchon 32 – Lourdes 60 – St-Gaudens 54 – Tarbes 57.

Angleterre, ☎ 98.63.30 – wc wc ☎ P. rest
1er juin-15 oct., 20 déc.-Pâques et fermé merc. hors sais. – SC : **R** 30/80 – 8,50 – 20 ch 50/110 – P 85/120.

France, ☎ 98.61.12 – wc . ch
1er juin-15 oct., 25 déc.-30 avril et fermé mardi hors sais. – SC : **R** 28/70 – 9,50 – 14 ch 47/110 – P 85/125.

à Cadéac S : 2 km – **65640** Cadéac :

Host. Val d'Aure , ☎ 98.60.63, « Parc », – wc wc P. GB. rest
Pâques, 1er juin-30 sept., Noël-1er janv. et vacances de fév. – SC : **R** 35/120 – 12 – **23 ch** 75/140 – P 105/200.

ARRENS-MARSOUS 65 H.-Pyr. 85 ⑰ **G. Pyrénées** – 843 h. alt. 878 – **65400** Argelès-Gazost – 62.

Syndicat d'Initiative r. Tech (hors sais. après-midi seul. et fermé dim.) ☎ 97.02.63.

Paris 816 – Argelès-Gazost 12 – Laruns 36 – Lourdes 25 – Tarbes 45.

Au Relais des Cols, NE : 3,5 km par N 618 ☎ 97.05.53, ← – wc P.
Pâques-15 oct. et vacances scolaires d'hiver – SC : **R** 38/100 – 10 – **17 ch** 50/90 – P 95/115.

Host. Val d'Azun sans rest, ☎ 97.00.55 –
1er juin-30 sept. – SC : 8,50 – **16 ch** 48/70.

Balaïtous, ☎ 97.00.52 – P.
fermé nov. – SC : **R** 40/55 – 10 – **20 ch** 50/80 – P 92/105.

ARROMANCHES-LES-BAINS 14117 Calvados 54 ⑮ **G. Normandie** – 355 h. alt. 15 – 31.
Voir Musée du débarquement.

Syndicat d'Initiative pl. 6-Juin (Pâques, Pentecôte, juin-sept. et fermé vend. sauf juil., août) ☎ 22.36.45.

Paris 275 – Bayeux 10 – ♦Caen 29 – St-Lô 45.

Marine, ☎ 22.34.19, ← – wc wc ☎ P.
1er mars-15 nov. – **R** 42/70 – 12 – 21 ch 78/125.

ARS-EN-RÉ 17 Char.-Mar. 71 ⑫ – voir à Ré (île de).

ARSONVAL 10 Aube 61 ⑱ – rattaché à Bar-sur-Aube.

ARS-SUR-FORMANS 01 Ain 74 ① **G. Vallée du Rhône** – 747 h. alt. 250 – **01480** Jassans-Riottier – 74.

Paris 440 – Bourg-en-Bresse 41 – ♦Lyon 36 – Mâcon 46 – Villefranche-sur-Saône 9.

Régina, ☎ 00.73.67 – wc wc ☎ P. . ch
1er mars-15 déc. – SC : **R** *(fermé lundi midi et merc. hors sais.)* 28/50 – 10 – **33 ch** 30/80 – P 100/130.

Gd H. Basilique, ☎ 00.73.76 – wc wc P – 50.
1er avril-31 oct. – **R** 28/52 – 11 – **60 ch** 40/106 – P 85/120.

ARS-SUR-MOSELLE 57 Moselle 57 ⑬ – rattaché à Metz.

ARTEMARE 01 Ain 74 ④ – 810 h. alt. 258 – **01510** Virieu-le-Grand – 79.
Voir Cascade de Cerveyrieu★ NO : 3 km, G. Jura.

Paris 501 – Aix-les-Bains 34 – Belley 17 – Bourg-en-Bresse 75 – ♦Genève 67 – Nantua 47.

Jacquier, ☎ 87.30.24 – P.
fermé sept. et lundi – SC : **R** 32/80 – 9 – **14 ch** 35/80 – P 75/90.

tourner →

à Luthézieu NO : 8 km par D 31 et D 8 – ✉ **01260** Champagne :

Vieux Tilleul 🐌, ☎ 87.64.51, ← – ⋒ ☎ Ⓟ. ✉. ✗ ch
fermé 3 janv. au 10 fév. et merc. de sept. à juin – SC : **R** 45/110 ⅓ – ☕ 11 – **12 ch** 63/78 – P 100/112.

CITROEN Mochon, ☎ 87.30.14 N
RENAULT Boléa, ☎ 87.30.43
TALBOT Gar. Pochet, ☎ 87.32.67

ARTIGUELOUVE 64 Pyr.-Atl. 85 ⑥ – 809 h. alt. 156 – ✉ **64230** Lescar – ⚙ 59.

Paris 760 – ♦Bayonne 104 – Orthez 38 – Pau 10.

Aub. Semmarty, sur D 146 ☎ 32.38.12, 🏞 – Ⓟ
fermé juil., dim. soir et lundi – SC : **R** 30/100 ⅓.

Chez Mariette, ☎ 32.45.08 – Ⓟ. AE GB
fermé 25 août au 20 sept., 30 oct. au 10 nov., dim. soir et merc. – SC : **R** 53/80 ⅓.

ARTIX 64170 Pyr.-Atl. 85 ⑥ – 3 161 h. alt. 108 – ⚙ 59.

Paris 753 – Mourenx-Ville-Nouvelle 7 – Oloron-Ste-Marie 31 – Orthez 21 – Pau 20.

Navarre sans rest, av. République ☎ 60.25.57, 🏞 – ⊟wc ⋒ ☎ Ⓟ – 🏛 80
SC : ☕ 9 – **22 ch** 65/95.

ARTZENHEIM 68 H.-Rhin 62 ⑲ – 485 h. alt. 182 – ✉ **68320** Muntzenheim – ⚙ 89.

Paris 451 – Colmar 16 – ♦Mulhouse 50 – Sélestat 20 – ♦Strasbourg 67.

Aub. d'Artzenheim avec ch, ☎ 71.60.51, « Joli décor d'auberge, parc » – ⊟wc ☎ Ⓟ. ✉. ✗ ch
fermé 15 fév. au 15 mars – SC : **R** *(fermé lundi soir et mardi)* 40/115 ⅓ – ☕ 11 – **10 ch** 55/98 – P 80/110.

ARVERT 17530 Char.-Mar. 71 ⑭ – 2 380 h. alt. 23 – ⚙ 46.

Paris 505 – Marennes 13 – Rochefort 45 – La Rochelle 77 – Royan 21 – Saintes 45.

Villa Fantaisie 🐌, ☎ 36.40.09, ←, parc – ⊟wc ⋒wc ☎ Ⓟ – 🏛 50. ✗ rest
fermé fév., dim. soir et lundi hors sais. – SC : **R** 60/150 – ☕ 13 – 23 ch 100/160 – P 155/190.

ARVIEU 12 Aveyron 80 ②③ – 1 093 h. alt. 710 – ✉ **12120** Cassagnes-Begonhès – ⚙ 65.

Paris 641 – Albi 66 – Millau 60 – Rodez 33 – St-Affrique 60 – Sévérac-le-Château 57.

Bon Accueil, ☎ 46.72.13 – ✗
SC : **R** 28/45 – ☕ 10 – 15 ch 40/50 – P 75/85.

ARVIEUX 05 H.-Alpes 77 ⑱ **G. Alpes** – 324 h. alt. 1 544 – Sports d'hiver : 1 700/2 200 m ⛷6 – ✉ **05350** Château-Ville-Vieille – ⚙ 92.

Paris 736 – Briançon 32 – Gap 81 – Guillestre 21 – Col d'Izoard 11.

La Borne Ensoleillée 🐌, à la Chalp N : 2 km ☎ 45.72.89, ← – ⊟wc ⋒ ☎ Ⓟ
20 juin-5 sept. – SC : **R** 38/60 – ☕ 15 – 15 ch 95/125 – P 140/160.

ARVILLARD 73 Savoie 74 ⑯ – 802 h. alt. 480 – ✉ **73110** La Rochette – ⚙ 79.

Paris 594 – Albertville 41 – Allevard 8 – Chambéry 34 – St-Jean-de-Maurienne 59.

Les Iris 🐌, ☎ 25.51.29, ←, 🏞 – ⊟wc ⋒wc ☎ Ⓟ. GB
fermé 15 oct. au 1er déc., dim. soir et lundi – SC : **R** 35/75 ⅓ – ☕ 10 – **27 ch** 40/90 – P 95/120.

ARZ (Ile d') 56840 Morbihan 63 ⑬ **G. Bretagne** – 332 h. – ⚙ 97.

Accès par transports maritimes :

⛴ depuis **Vannes.** En 1980 : de Pâques à fin sept. 2 à 5 services quotidiens - Traversée 30 mn – 11,50 F (AR) - Renseignements : Vedettes Vertes ☎ 47.10.78.

⛴ depuis **Conleau.** En 1980 : 12 services quotidiens - Traversée 10 mn – 8 F (AR) - Renseignements : Vedettes Marchiennes ☎ 63.11.86.

L'Escale 🐌, au débarcadère ☎ 26.30.13, ← – ⋒. ✗ ch
29 mars-27 sept. – SC : **R** 30/60 – ☕ 10 – 11 ch 55/80 – P 105/125.

L'ARZELIER (Col de) 38 Isère 77 ④ – rattaché à Château-Bernard.

ASCAIN 64310 Pyr.-Atl. 85 ② **G. Pyrénées** – 1 876 h. alt. 30 – ⚙ 59.

ℹ Syndicat d'Initiative à la Mairie ☎ 54.00.84.

Paris 770 – Cambo-les-Bains 26 – Hendaye 21 – Pau 135 – St-Jean-de-Luz 7.

La Hacienda Ⓜ, NO : 2 km sur rte St-Jean-de-Luz ☎ 54.02.47, ←, parc, 🏊 – Ⓟ – 🏛 40. AE. ✗ rest
fermé fév. – SC : **R** *(fermé 25 janv. au 10 mars et merc. hors sais.)* 75/130 – ☕ 15 – **26 ch** 160/250 – P 220/260.

Rhûne, (Annexe : ⛰, ⛱, parc - 15 ch ⇨wc ☎), ☎ 54.00.04, — ⇨wc ⋒wc ☎ Ⓟ. 🚗. ✂ rest
fermé 2 nov. au 1er fév. – SC : **R** 45/75 – ☐ 12 – **42 ch** 100/150 – P 110/160.

Basque, ☎ 54.00.12, — ⇨wc ⋒wc ☎ Ⓟ. 🚗. ✂ rest
15 mai-30 sept. – SC : **R** (dîner seul.) 50 – ☐ 20 – 37 ch 80/150.

Trinquet-Larralde, ☎ 54.00.10, — ⇨wc ⋒wc ☎. 🚗. ✂
fermé 25 nov. au 29 déc. – **R** *(fermé mardi du 1er janv. à Pâques)* 45/95 – ☐ 12 – 24 ch 60/110 – P 120/150.

XX **Pont** avec ch, N : 1 km sur D 918 ☎ 54.00.40, — ⇨wc ☎ Ⓟ. 🚗. ✂ rest
15 mai-15 oct. – SC : **R** 54/140 – ☐ 17 – 26 ch 139/227 – P 150/201.

au col de St-Ignace SE : 3,5 km – ✉ **64310** Ascain :

X **Les Trois Fontaines,** ☎ 54.20.80 – Ⓟ
fermé vacances de fév. et merc. – SC : **R** 30/58.

ASCARAT 64 Pyr.-Atl. 85 ③ – rattaché à St-Jean-Pied-de-Port.

ASNIÈRES-SUR-SEINE 92 Hauts-de-Seine 55 ⑳, 101 ⑮ – voir à Paris, Proche banlieue.

ASPIN (Col d') 65 H.-Pyr. 85 ⑲ **G. Pyrénées** – alt. 1 489.
Voir ✻***.
Paris 817 – Arreau 13 – Bagnères-de-Bigorre 25.

ASSEVILLERS (Aire d') 80 Somme 53 ⑫ – voir à Péronne.

ASSON 64 Pyr.-Atl. 85 ⑦ **G. Pyrénées** – 1 680 h. alt. 330 – ✉ **64800** Nay – ⚙ 59.
Paris 774 – Lourdes 23 – Pau 24.

XX Le Castillou ⛰ avec ch, SO : 3 km sur D 335 ☎ 61.33.97, parc – ⋒wc 🚗 Ⓟ
4 ch.

ASSY (Plateau d') 74480 H.-Savoie 74 ⑧ **G. Alpes** – alt. 1 000 – ⚙ 50.
Voir Église* : décoration** – Pavillon de Charousse ✻** O : 2,5 km puis 30 mn – Lac Vert* NE : 5 km.
Env. Plaine-Joux <** NE : 5,5 km.
ℹ Syndicat d'Initiative av. Dr-J.-Arnaud (fermé dim. hors saison) ☎ 58.80.52.
Paris 611 – Annecy 78 – Bonneville 41 – Chamonix 32 – Megève 25 – Sallanches 12.

Bel Alp ⛰, à Bay SO : 3 km par D 43 ✉ 74190 Le Fayet ☎ 58.82.02, < massif du Mt-Blanc, — ⇨wc ⋒wc ☎ Ⓟ. ✂
fermé 1er oct. au 16 nov. – SC : **R** (pens. seul.) – ☐ 11 – **16 ch** 96/110 – P 115/120.

Tourisme sans rest., ☎ 58.80.54, <, — ⇨wc ⋒wc ☎ Ⓟ
fermé oct. et merc. hors sais. – SC : ☐ 12 – **15 ch** 43/120.

Chamois d'Or, à Bay SO : 4 km par D 43 ✉ 74190 Le Fayet ☎ 58.82.48, < massif du Mt-Blanc – ⇨ ⋒wc ☎ Ⓟ. ✂
fermé 15 oct. au 15 déc. et lundi – SC : **R** 40/85 – ☐ 10 – **16 ch** 90/100 – P 105/125.

PEUGEOT Gar. Legon, à Passy ☎ 78.33.74
RENAULT Ducoudray, à Chedde ☎ 78.33.77
RENAULT Gar. du Plateau, ☎ 58.80.63

ASTAFFORT 47220 L.-et-G. 79 ⑮ – 1 968 h. alt. 59 – ⚙ 58.
Paris 658 – Agen 17 – Auch 54 – Condom 31.

Commerce, N 21 ☎ 67.10.27
fermé déc. et sam. – SC : **R** 30/150 🍷 – ☐ 10 – 10 ch 40/54 – P 85/95.

ATTIGNAT 01 Ain 70 ⑫⑬ – 1 586 h. alt. 223 – ✉ **01340** Montrevel-en-Bresse – ⚙ 74.
Paris 407 – Bourg-en-Bresse 11 – Lons-le-Saunier 65 – Louhans 44 – Mâcon 37 – Tournus 42.

XX **Relais Bressan,** D 975 ☎ 30.92.24 – Ⓟ
fermé dim. soir et lundi – SC : **R** 35/60 🍷.

PEUGEOT Gar. des Prés, ☎ 30.92.28

ATTIGNAT-ONCIN 73 Savoie 74 ⑮ – 380 h. alt. 590 – ✉ **73610** Lépin-le-Lac – ⚙ 79.
Paris 553 – Chambéry 23 – ♦Grenoble 52 – La Tour-du-Pin 31.

XX **Mont-Grêle** ⛰ avec ch, ☎ 36.64.01, <, — ⇨wc ☎ 🚗 Ⓟ. ✂ ch
fermé 28 sept. au 8 oct., 15 janv. au 15 fév., lundi soir et mardi sauf juil.-août – SC : **R** 45/120 🍷 – ☐ 12 – **11 ch** 70/160 – P 103/150.

A la carte — Dans les restaurants à « prix fixes », il est généralement possible de se faire servir également à la carte.

AUBAGNE 13400 B.-du-R. 84 ⑬⑭ **G. Provence** – 33 601 h. alt. 102 – ✪ 42.

Voir Musée de la Légion Étrangère★.

Paris 793 – Aix-en-Provence 36 – Cannes 145 – Draguignan 105 – ♦Marseille 17 – ♦Toulon 48.

à St-Pierre N : 5 km N 96 – ✉ 13400 Aubagne :

XX **La Source** avec ch, ☎ 82.11.01, parc – wc wc ☎ **P**.
fermé vacances de fév. et lundi – **R** carte 90 à 130 – ☕ 14 – 10 ch 80/160 – P 190/230.

Voir aussi ressources hôtelières de *Gémenos* E : 5,5 km

CITROEN Parascandola, C.D. 2, Camp Major ☎ 03.47.14
CITROEN Frachebois, 4 av. Roger-Salengro ☎ 03.13.41
FORD Gge Gargalian, 31 av. des Goums ☎ 03.04.99
PEUGEOT Gar. Richelme, rte La Ciotat ☎ 82.13.10
RENAULT S.A.D.A.R., Zone Ind. St-Mitre ☎ 03.60.50
TALBOT Gar. Aveline, Zone Ind. des Paluds ☎ 82.23.56

Chivalier, Zone Ind. St-Mitre ☎ 03.29.33
Electric-Auto, 7 av. des Goums ☎ 03.12.86
Omnica, N 8, Quartier des Fyols ☎ 82.16.02

AUBAZINES 19 Corrèze 75 ⑨ **G. Périgord** – 644 h. alt. 345 – ✉ 19190 Beynat – ✪ 55.

Voir Église★ : tombeau de St-Étienne★★ – Puy de Pauliac ≤★ NE : 3,5 km puis 15 mn.

du Coiroux ☎ 27.24.69, E : 4 km.

Paris 504 – Aurillac 86 – Brive-la-Gaillarde 14 – St-Céré 51 – Tulle 19.

de la Tour, ☎ 25.71.17 – wc ☎. ✈ ch
fermé 1er au 20 nov. – **R** *(fermé vend. soir en hiver)* (dim. prévenir) 35/40 – ☕ 8 – **20 ch** 36/78 – P 80/100.

St-Étienne, ☎ 25.71.01 – wc wc **P** – 40 à 130.
1er mars-15 nov. – SC : **R** 30/40 – ☕ 8,50 – **32 ch** 38/100 – P 90/130.

AUBENAS 07200 Ardèche 76 ⑲ **G. Vallée du Rhône** – 13 707 h. alt. 300 – ✪ 75.

Voir Site★.

Syndicat d'Initiative pl. Airette (fermé lundi sauf après-midi en sais.) ☎ 35.24.87.

Paris 632 ② – Alès 74 ④ – Mende 112 ④ – Montélimar 43 ③ – Privas 30 ② – Le Puy 91 ①.

AUBENAS

Gambetta (Bd)
Gaulle (Pl. Gén.-de) 6
Grande-Rue 8
Vernon (Bd de) 33

Bouchet (R. Auguste) 2
Champ-de-Mars (Pl.) 3
Couderc (R. G.) 5
Grenette (Pl. de la) 9
Hoche (R.) 12
Hôtel-de-Ville (Pl.) 13
Jaurès (R. Jean) 15
Jourdan (R.) 16
Laprade (Bd C.) 18
Lesin-Lacoste (R.) 19
Liberté (Av. de la) 20
Nationale (R.) 21
Radal (R.) 24
République (R. de la) 26
Réservoirs (R. des) 27
Roure (Pl. Jacques) 29
St-Benoît (Rampe) 30
Silhol (R. Henri) 32
4-Septembre (R.) 35

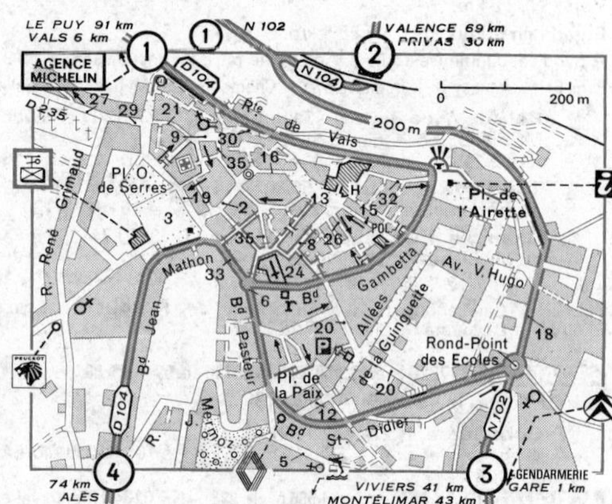

La Pinède , NO : 1,5 km par D 235 ☎ 35.25.88, ≤ vallée, parc, – wc wc ☎ **P**. GB.
fermé 10 déc. au 20 janv. – SC : **R** *(fermé lundi)* 41/82 – ☕ 10,50 – 32 ch 82/135 – P 125/165.

Le Cévenol sans rest, 77 bd Gambetta **(r)** ☎ 35.00.10 – wc wc ☎ **P**.
SC : ☕ 13 – **42 ch** 70/150.

Le Dôme sans rest, 37 rte de Vals par ① ☎ 35.18.51 – .
SC : ☕ 8 – **10 ch** 45/60.

à St-Etienne-de-Fontbellon par ④ : 3 km – ✉ 07200 Aubenas :

XX **Le Directoire,** rte Alès 1 km ☎ 35.13.90 – **P**
fermé 15 au 30 juin et lundi – SC : **R** 50/150.

MICHELIN, Agence, 61 rte de Vals par ① ☎ 35.29.44.

ALFA-ROMEO, AUSTIN, MORRIS Nave, 7 bd St-Didier ₮ 35.26.76
CITROEN Gar. Bonnet, rte de Montélimar ₮ 35.05.77 N
FIAT Gounon, 22 bd St-Didier ₮ 35.08.21
PEUGEOT Gd Gar., r. Dr.-Pargoire ₮ 35.67.55 N
RENAULT Chanéac, 4 bd St-Didier ₮ 35.70.88
VOLVO Coudène, 28 rte de Vals ₮ 35.22.05

Maison du Pneu, 36 rte de Vals ₮ 35.20.53
R.I.P.A., rte de Vals ₮ 35.40.66

AUBERIVES-EN-ROYANS 38 Isère 77 ③ – rattaché à Pont-en-Royans.

AUBIGNEY 70 H.-Saône 66 ⑬⑭ – 63 h. alt. 220 – ✉ **70140** Pesmes – 84.
Paris 350 – •Dijon 43 – Dole 31 – Gray 15 – Vesoul 66.

XX **Aub. Vieux Moulin** avec ch, ₮ 31.21.16, – wc – P.
mars-nov. – SC : **R** 60/165 – 19 – 7 ch 110/180.

AUBIGNY-SUR-NÈRE 18700 Cher 65 ⑪ G. Châteaux de la Loire – 5 545 h. alt. 168 – 48.

Voir Maison du Bailli* B.

Syndicat d'Initiative à la Mairie (fermé dim.) ₮ 73.00.09.

Paris 183 ① – Bourges 46 ③ – Cosne 41 ② – Gien 30 ① – •Orléans 74 ⑥ – Salbris 32 ⑤ – Vierzon 43 ④.

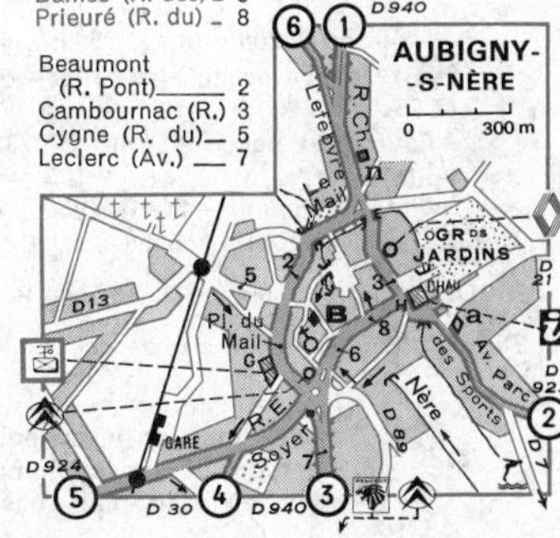

La Chaumière, 1 pl. Paul-Lasnier **(a)** ₮ 58.04.01 – rest wc wc. AE GB E
fermé 7 au 31 janv. et lundi d'oct. à fin mars – SC : **R** 38/100 – 11 – 16 ch 42/100.

à Ste Montaine O : 9 km par D 13 64 ⑳ – ✉ **18700** Aubigny-sur-Nère :

Cheval Blanc , ₮ 73.06.92 – wc P. ch
fermé 1er au 24 sept., dim. soir et lundi hors saison – SC : **R** 35/65 – 10 – 18 ch 50/90 – P 95/125.

CITROEN Guérard, ₮ 58.00.64
CITROEN Vercingétorix-Autos, ₮ 58.00.43
PEUGEOT Bouchet, ₮ 58.05.30 N
RENAULT Petat, ₮ 58.00.26

AUBRAC 12 Aveyron 76 ⑭ **G. Auvergne** – alt. 1 300 – ✉ **12470** St-Chély-d'Aubrac – 65.
Paris 556 – Mende 67 – Rodez 59 – St-Flour 67.

Moderne , ₮ 44.28.42, – wc wc P.
vacances de printemps-3 oct. et 1er fév. à début mars – SC : **R** 42/69 – 11,50 – **24 ch** 55/113 – P 126/150.

AUBRES 26 Drôme 81 ③ – rattaché à Nyons.

AUBREVILLE 55 Meuse 56 ⑳ – 355 h. alt. 186 – ✉ **55120** Clermont-en-Argonne – 29.
Paris 241 – Bar-le-Duc 54 – Dun-sur-Meuse 35 – Ste-Menehould 20 – Verdun 27.

Commerce, ₮ 87.40.35 – P. rest
fermé 1er au 15 oct. et vacances de fév. – SC : **R** 30/40 – 8 – **12 ch** 35/50 – P 70.

AUBRIVES 08 Ardennes 53 ⑧⑨ – 1 104 h. alt. 106 – ✉ **08320** Vireux-Molhain – 24.
Paris 271 – Charleville-Mézières 49 – Fumay 17 – Givet 7 – Rocroi 35.

XX **Debette** avec ch, ₮ 55.64.72, – wc P
fermé 20 déc. au 20 janv. – SC : **R** 32/90 – 9,50 – **21 ch** 45/100 – P 110/120.

AUBUSSON SP **23200** Creuse 73 ① **G. Périgord** – 6 824 h. alt. 430 – 55.

Voir Exposition tapis et tapisseries* à l'Hôtel de Ville H.

Syndicat d'Initiative r. Vieille (1er avril-2 nov.) ₮ 66.32.12.

Paris 380 ① – •Clermont-Ferrand 93 ④ – Guéret 42 ⑥ – •Limoges 88 ⑤ – Montluçon 63 ① – Tulle 108 ④ – Ussel 59 ④.

Plan page suivante

France, 6 r. Déportés **(s)** ₮ 66.10.22 – wc wc. AE GB E
fermé dim. soir et lundi midi du 1er oct. à Pâques – SC : **R** 28/120 – 11 – 25 ch 37/150 – P 95/175.

Le Chapitre sans rest, 53 Gde-Rue **(a)** ₮ 66.18.54 – wc.
SC : 10 – **12 ch** 35/65.

tourner →

AUBUSSON

Chapitre (R. du)	2
Chateaufavier (R.)	3
Dayras (Pl. M.)	4
Déportés (R. des)	5
Espagne (Pl. Général)	6
Fusillés (R. des)	7
Iles (Quai des)	9
Lissiers (R. des)	10
Lurçat (Pl. J.)	12
Marché (Pl. du)	13
République (Av.)	16
St-Jean (R.)	18
Sandeau (R. J.)	19
Vaveix (R.)	22

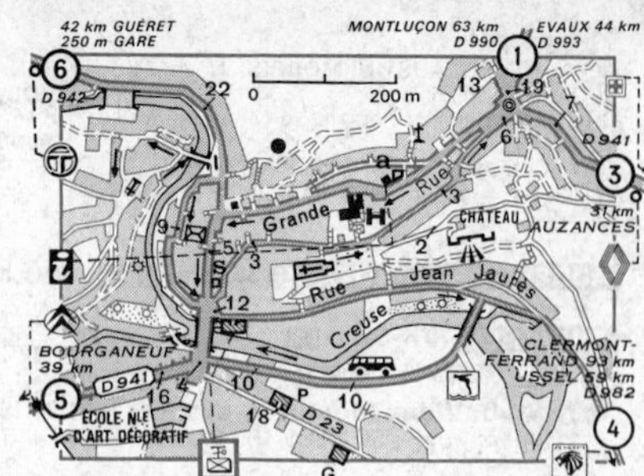

à Moutier-Rozeille **par ④ : 5 km sur D 982 – ✉ 23200** Aubusson :

✕ **Petit Vatel** avec ch, ☎ 66.13.15 – ⛀wc ☎ Ⓟ.
fermé sam. soir hors sais. – SC : **R** 26/90 – ☕ 10 – 15 ch 40/120 – P 90/110.

à Fourneaux **par ⑥ : 11 km – ✉ 23220** Aubusson :

Tuilerie Ⓜ, ☎ 66.24.92, – ⛀wc ☎ Ⓟ – 30. AE GB ⓓ
fermé janv. et lundi – SC : **R** 30/80 – ☕ 17 – **24 ch** 135/150 – P 185/235.

CITROEN Gar. André, av. République ☎ 66.14.83 N ☎ 66.20.92
PEUGEOT Gar. Marchois, rte de Felletin ☎ 66.29.33
RENAULT Gar. Aubussonnais, rte de Clermont ☎ 66.14.54
TALBOT Barraud, Pont d'Alleyrat ☎ 66.19.91
Loulergue, 14 bis rte Clermont ☎ 66.10.50

SC — Cette mention n'est indiquée que si l'établissement pratique le service compris (ou prix nets) pour tous ses prix.

AUCH Ⓟ **32000** Gers **82** ⑤ **G. Pyrénées** – 25 070 h. alt. 136 – 62.
Voir Cathédrale* AZ : **stalles*****, **vitraux****.
Syndicat d'Initiative (fermé dim. et lundi) et A.C. pl. Cathédrale ☎ 05.22.89.
Paris 712 ① – Agen 71 ① – •Bayonne 201 ⑤ – •Bordeaux 189 ⑤ – Lourdes 92 ④ – Montauban 86 ② – Mont-de-Marsan 104 ⑤ – Pau 104 ④ – St-Gaudens 76 ④ – Tarbes 73 ④ – •Toulouse 78 ②.

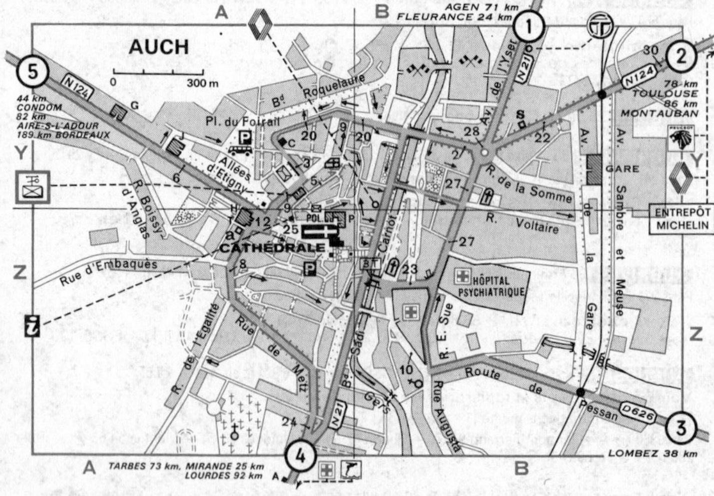

Alsace (Av. d')	BY	2	Irénée-David (R.)	BZ	10	Rouget-de-Lisle (R.)	BZ	27
Dessolles (R.)	AY	5	Libération (Pl. de la)	AZ	12	St-Orens (⊞)	AY	
Gambetta (R.)	AYZ	9	Lorraine (R. de la)	ABY	20	St-Paul (⊞)	BY	
			Marne (Av. de la)	BY	22	St-Pierre (⊞)	BZ	
David (Pl.)	AY	3	Pasteur (R.)	BZ	23	Ste-Marie (⊞)	AZ	
Dr-Samalens (R.)	AY	6	Pyrénées (Av. des)	AZ	24	Verdun (Pl. de)	BY	28
Etigny (R. d')	AZ	8	République (R. de la)	AZ	25	1re-Armée-Française (Av.)	BY	30

🏨 ⚙⚙ **France** (Daguin), pl. Libération ☎ **05.00.44**, Télex **520474**, « **Belle décoration intérieure** » – ascenseur ▤ ch TV ☎ – 🏊 30. AE GB ⓓ E AZ **a**
SC : **R** *(fermé 2 janv. au 3 fév., dim. soir et lundi hors sais.)* (dim. prévenir) 97/160 et carte, rest Le **Neuvième R** carte environ 60 – ☕ 26 – **31 ch** 125/395
Spéc. Grandes soupes, Foies gras, Sorbets et Glaces. **Vins** Pacherenc, Madiran.

🏨 **Relais de Gascogne,** 5 av. Marne ☎ **05.26.81** – 🛁wc 🚿 ☎ 🚗. 🚌 BY **s**
fermé 20 déc. au 10 janv. – SC : **R** 35/95 🍷 – ☕ 15 – **29 ch** 52/150 – P 115/195.

à la Ribère par ④ : 2 km – ✉ **32000** Auch :

🏨 **Robinson** sans rest, rte Tarbes ☎ **05.02.83** – 🛁wc 🚿wc ☎ Ⓟ
SC : ☕ 12 – **26 ch** 90/145.

XXX ⚙ **Toulousy,** ☎ **05.22.79** – Ⓟ. AE
fermé 12 au 25 nov., fév., mardi midi et lundi – SC : **R** 65/110
Spéc. Gâteau de foies blonds au caramel de Porto, Feuilleté d'huîtres crème de ciboulette (sept. à avril), Chariot de patisseries. **Vins** Madiran, Jurançon.

MICHELIN, Entrepôt, Z.I. Est, chemin d'Engachies par ② ☎ **05.73.19.**

ALFA-ROMEO, FIAT Beaulieu-Auto-Sce, rte Tarbes ☎ 05.57.45
AUDI-VOLKSWAGEN Gd Gar. Auscitain, 50 av. de la Marne ☎ 63.01.77
FORD Lamazouère, 14 pl. anc.-Foirail ☎ 05.63.07
PEUGEOT Téchené, rte Toulouse ☎ 63.15.44
RENAULT S.A.D.A.G., rte Toulouse ☎ 63.11.33
RENAULT Canguilhem, 89 bd Sadi-Carnot ☎ 05.01.10
TALBOT S.O.M.A.P.R.A., 46 av. de l'Yser ☎ 05.50.04
Ⓜ Rivière, 193 r. Victor-Hugo ☎ 05.64.21

AUDIERNE 29113 Finistère **58** ⑬ **G. Bretagne** – 3 679 h. – ☺ 98.

Voir Site★ – Chapelle de St-Tugen★ O : 4,5 km.

ℹ Office de Tourisme pl. Liberté (hors saison : matin seul., fermé oct.et dim.) ☎ 70.12.20.

Paris 590 – Douarnenez 22 – Pointe du Raz 15 – Pont-l'Abbé 32 – Quimper 35.

🏨 ⚙ **Le Goyen** (Bosser) Ⓜ, pl. J.-Simon ☎ **70.08.88**, ≤ – ascenseur TV 🛁wc 🚿 ☎ Ⓟ. ✗ rest
mi-mars-5 nov. et fermé lundi du 15 sept. au 15 juin et fériés – SC : **R** 90/170 – ☕ 14 – 34 ch 130/170
Spéc. Emincé de bar au beurre rouge, Nage de poissons et crustacés au Cassepierre, Milllefeuille tiède aux fraises.

🏨 **Cornouaille** sans rest, face au port ☎ **70.09.13**, ≤ – 🛁wc 🚿wc ☎ 🚗. ✗
début juil.-fin sept. – SC : ☕ 13 – **20 ch** 76/165.

🏨 **Plage,** à la plage S : 1,5 km ☎ **70.01.07**, ≤ – 🛁wc 🚿wc ☎ Ⓟ. 🚌. ✗ rest
avril-oct. – SC : **R** *(fermé lundi d'avril à juin)* 40/100 – ☕ 10 – **30 ch** 65/150 – P 130/180.

XX **Roi Gradlon** avec ch, sur la plage ☎ **70.04.51**, ≤ – 🛁wc 🚿wc. 🚌. ✗ ch
fermé 1er mars au 15 déc. et merc. du 15 sept. au 30 mai – SC : **R** 35/125 – ☕ 9,50 – **13 ch** 100/110 – P 152/157.

CITROEN Bonis E., Plouhinec ☎ 70.88.43
PEUGEOT Bonis J., ☎ 70.07.57

AUDINCOURT 25400 Doubs **66** ⑧⑱ **G. Jura** – 18 725 h. alt. 322 – ☺ 81.

Voir Église du Sacré-Coeur★.

Paris 480 – ♦Bâle 66 – Baume-les-D. 50 – Belfort 21 – ♦Besançon 79 – Montbéliard 6 – Morteau 70.

Voir plan de Montbéliard agglomération

à Taillecourt N : 1,5 km rte de Sochaux – ✉ **25400** Audincourt :

XX **Aub. La Gogoline,** ☎ **94.54.82** – Ⓟ. AE GB ⓓ CY **k**
fermé sam. midi – SC : **R** 65/140.

XX **Cigogne d'Alsace,** ☎ **94.54.49** – Ⓟ CY **a**
fermé août, dim. soir et lundi – SC : **R** 60/120 🍷.

AUDI-VOLKSWAGEN Nass, Zone Ind. des Arbletiers ☎ 35.59.68
PEUGEOT Ets Ruet, 46 r. Belfort ☎ 94.10.11
TALBOT Corlet-Auto, av. J.-Jaurès ☎ 35.57.41
Ⓜ Daesslé et Klein, 33 r. Audincourt, Exincourt ☎ 94.51.36

AUDRESSELLES 62 P.-de-C. **51** ① – 481 h. alt. 10 – ✉ **62164** Ambleteuse – ☺ 21.

Paris 256 – Boulogne-sur-Mer 13 – ♦Calais 29 – St-Omer 59.

🏨 Plage, ☎ 32.61.03, ≤ – 🚿
14 ch.

🏨 **Nouvel H. et rest. Champenois,** ☎ **32.60.72** – 🚿 Ⓟ. GB E. ✗
15 mars-15 nov. et femé merc. – SC : **R** 45/85 🍷 – ☕ 12 – 12 ch 90/140.

AUDRIEU 14 Calvados **55** ⑪ – rattaché à Caen.

AUDUN-LE-TICHE 57390 Moselle 57 ③ – 6 831 h. alt. 317 – ⚙ 8.

Paris 329 – Longwy 22 – Luxembourg 23 – •Metz 52 – Thionville 28 – Verdun 62.

🏨 **Poste,** 59 r. Mar.-Foch ☎ 283.10.40 – 🛁 🚿wc ☎ 🚗 Ⓟ – 🏋 40. 💳
SC : **R** 40/80 🍷 – ☕ 9 – **15 ch** 45/145 – P 110/160.

CITROEN Doll, 610 r. S. Allende ☎ 283.23.96
PEUGEOT Blasi, 467 r. Clemenceau ☎ 283.21.63 🅽
RENAULT Rea, 103 av. S.-Allende ☎ 283.21.72 🅽 ☎ 289.19.94
TALBOT Dal-Zot, 44 r. Leclerc ☎ 283.12.31

AUGIGNAC 24 Dordogne 72 ⑮ – rattaché à Nontron.

AULAS 30 Gard 80 ⑯ – rattaché au Vigan.

AULNAY 17 Char.-Mar. 72 ② **G. Côte de l'Atlantique** – 1 556 h. alt. 89.

Voir Église St-Pierre★★.

Paris 417 – Poitiers 83 – St-Jean-d'Angély 18.

AULNAY-SOUS-BOIS 93 Seine-St-Denis 56 ⑪, 101 ⑰ – voir à Paris, Proche banlieue.

AULT 80460 Somme 52 ⑤ **G. Nord de la France** – 2 192 h. alt. 21 – ⚙ 22.

Paris 171 – Abbeville 30 – •Amiens 75 – Blangy-sur-Bresle 27 – Dieppe 37 – Le Tréport 11.

🏨 **Malvina,** à Onival ✉ 80460 Ault ☎ 25.40.43 – 🛁wc 🚿 Ⓟ. 💳
fermé oct. et 15 au 31 janv. – SC : **R** *(fermé vend. soir)* 28/35 🍷 – ☕ 9,50 – **26 ch** 40/90 – P 80/115.

CITROEN Gar. Grandsert, ☎ 25.40.14 🅽

AULUS-LES-BAINS 09 Ariège 86 ③④ **G. Pyrénées** – 182 h. alt. 762 – ✉ **09140** Seix – ⚙ 61.

ℹ Syndicat d'Initiative à la Mairie (fermé sam. et dim.) ☎ 66.93.57 et allées Thermes (15 juin-15 sept.).

Paris 888 – Foix 77 – Oust 16 – St-Girons 33.

🏨 **Beauséjour,** ☎ 66.93.00, ≤, 🌳 – 🛁wc 🚿wc 🚗. 🐕 rest
1er juil.-15 sept. et vacances scolaires d'hiver – SC : **R** 50/55 – ☕ 9 – **30 ch** 60/100 – P 90/140.

🏨 **France,** ☎ 66.93.15, ≤, 🌳 – 🚗 Ⓟ. 🐕 rest
fermé 15 oct. au 15 nov. – SC : **R** 35/40 – ☕ 6 – **27 ch** 33/42 – P 75/80.

AUMALE 76390 S.-Mar. 52 ⑯ **G. Normandie** – 3 023 h. alt. 131 – ⚙ 35.

ℹ Syndicat d'Initiative à la Mairie (fermé dim. et lundi) ☎ 93.40.50.

Paris 124 ② – •Amiens 45 ② – Beauvais 48 ③ – Dieppe 62 ⑤ – Gournay-en-Bray 38 ③ – •Rouen 71 ⑤.

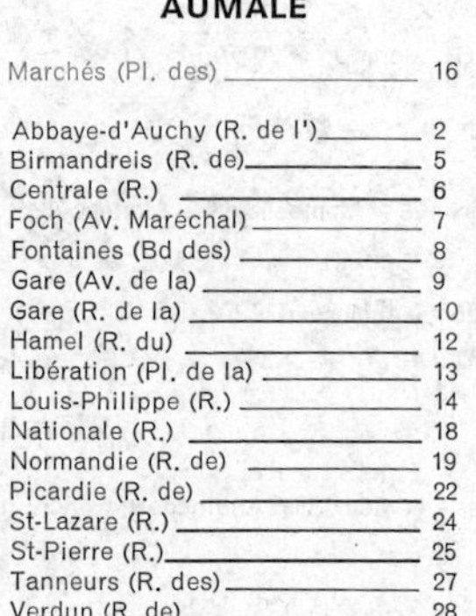

AUMALE

Marchés (Pl. des) 16

Abbaye-d'Auchy (R. de l') 2
Birmandreis (R. de) 5
Centrale (R.) 6
Foch (Av. Maréchal) 7
Fontaines (Bd des) 8
Gare (Av. de la) 9
Gare (R. de la) 10
Hamel (R. du) 12
Libération (Pl. de la) 13
Louis-Philippe (R.) 14
Nationale (R.) 18
Normandie (R. de) 19
Picardie (R. de) 22
St-Lazare (R.) 24
St-Pierre (R.) 25
Tanneurs (R. des) 27
Verdun (R. de) 28

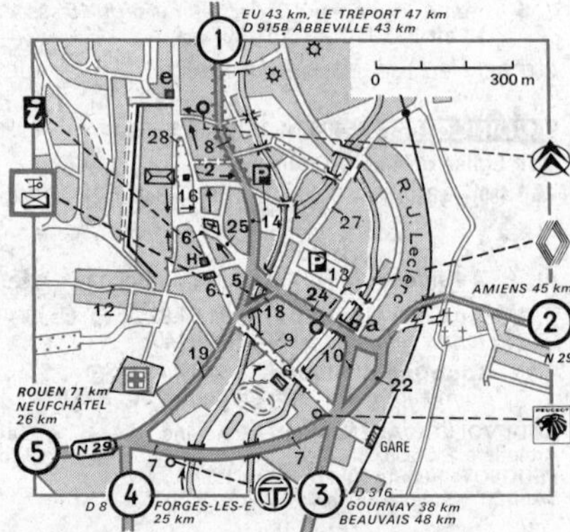

🏨 **Dauphin,** r. St-Lazare **(a)** ☎ 93.41.92 – 🛁wc 🚿wc Ⓟ
fermé 20 juil. au 10 août, 20 déc. au 10 janv., dim. soir et lundi – SC : **R** 35/85 – ☕ 9,50 – 11 ch 50/80.

XX **Mouton gras,** 2 r. de Verdun **(e)** ☎ 93.41.32, Vieille maison normande – Ⓟ. GB. 🐕
fermé 16 août au 10 sept., lundi soir et mardi – SC : **R** 45.

CITROEN Legrand, ☎ 93.42.04
PEUGEOT Gar. Fertun, ☎ 93.41.21
RENAULT Heligoin, ☎ 93.41.17
TALBOT Véniel, ☎ 93.42.23
Gar. Le Dain, ☎ 93.42.68 🅽
Gar. de la Poste, ☎ 93.40.26

AUMONT-AUBRAC 48130 Lozère 76 ⑮ – 1 034 h. alt. 1 043 – ✪ 66.

Paris 534 – Espalion 58 – Marvejols 23 – Mende 42 – Le Puy 91 – St-Chély-d'Apcher 10.

Chez Camillou [M], N 9 ☏ 42.80.22 – wc ☎ Ⓟ. GB E
fermé 15 nov. au 15 déc. – SC : **R** 40/120 – ☕ 11 – **41 ch** 110/120 – P 115/170.

Gd H. Gare, ☏ 42.80.07, – wc wc ☎ Ⓟ – 35. AE GB E
fermé janv. – SC : **R** 35/150 – ☕ 16 – 34 ch 75/200 – P 120/200.

RENAULT Enjelvin, ☏ 42.80.47 — Gar. Benoit, ☏ 42.80.17

AUNAY-SUR-ODON 14260 Calvados 54 ⑮ **G. Normandie** – 2 922 h. alt. 188 – ✪ 31.

Voir Village★ – Paris 269 – ♦Caen 29 – Falaise 40 – Flers 36 – St-Lô 39 – Vire 32.

St-Michel avec ch, r. Caen ☏ 77.63.16 – Ⓟ
fermé 16 au 24 nov., dim. soir et lundi hors sais. – SC : **R** 25/70 – ☕ 9 – 7 ch 38/45 – P 110.

CITROEN Liébard, ☏ 77.62.10
PEUGEOT Gar. de l'Odon, ☏ 77.62.88
RENAULT Aunay-Gar., ☏ 77.63.48

AUPS 83630 Var 84 ⑥ **G. Côte d'Azur** – 1 504 h. alt. 505 – ✪ 94.

Office de Tourisme pl. Mairie (1er juil.-31 août et fermé lundi) ☏ 70.00.80.

Paris 853 – Aix-en-Provence 93 – Castellane 72 – Digne 84 – Draguignan 29 – Manosque 60.

Auberge de la Tour ⟫, ☏ 70.00.30 – wc wc ☎ ♿
fermé 1er janv. au 15 mars – SC : **R** 68 – ☕ 13 – 24 ch 55/135 – P 90/140.

à Moissac-Bellevue NO : 7 km par D 9 – ✉ **83630** Aups :

Le Calalou [M] ⟫, ☏ 70.03.16, ≤, – wc wc ☎ Ⓟ. E
fermé 20 déc. au 15 fév. et lundi hors sais. – SC : **R** 70 – ☕ 18 – 22 ch 135/155 – P 210/225.

RENAULT Gar. Louis, ☏ 70.00.54

AURAY 56400 Morbihan 63 ② **G. Bretagne** – 10 398 h. alt. 36 – ✪ 97.

Voir Quartier St-Goustan★ – Promenade du Loch ≤★ – Stalles★ de la chapelle du Père-Éternel **E** – Retable★ de l'église St-Gildas **B** – Ste-Avoye : Jubé★ de l'église 4 km par ②.

18 de St-Laurent-Ploëmel ☏ 24.31.72, par ④ : 11 km.

☏ 24.02.02.

Office de Tourisme pl. République (fermé dim. sauf matin en saison et sam. après-midi hors sais.) ☏ 24.09.75.

Paris 473 ② – Lorient 36 ⑤ – Pontivy 48 ① – Quimper 97 ⑤ – Vannes 18 ②.

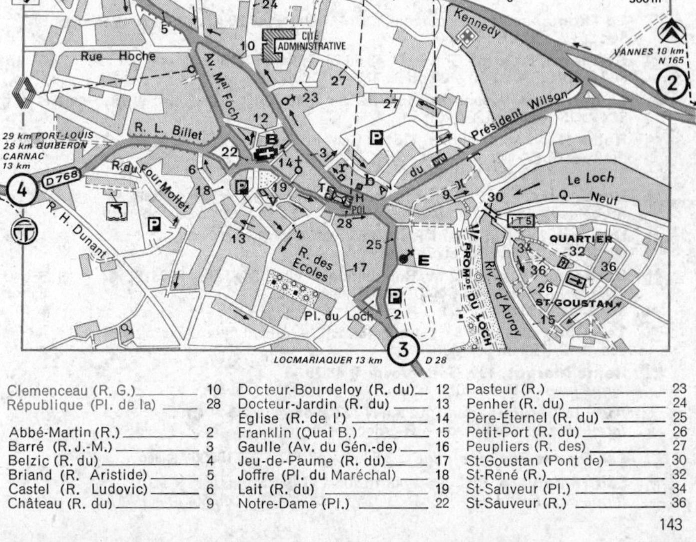

Clemenceau (R. G.)	10	Docteur-Bourdeloy (R. du)	12	Pasteur (R.)	23
République (Pl. de la)	28	Docteur-Jardin (R. du)	13	Penher (R. du)	24
		Église (R. de l')	14	Père-Éternel (R. du)	25
Abbé-Martin (R.)	2	Franklin (Quai B.)	15	Petit-Port (R. du)	26
Barré (R. J.-M.)	3	Gaulle (Av. du Gén.-de)	16	Peupliers (R. des)	27
Belzic (R. du)	4	Jeu-de-Paume (R. du)	17	St-Goustan (Pont de)	30
Briand (R. Aristide)	5	Joffre (Pl. du Maréchal)	18	St-René (R.)	32
Castel (R. Ludovic)	6	Lait (R. du)	19	St-Sauveur (Pl.)	34
Château (R. du)	9	Notre-Dame (Pl.)	22	St-Sauveur (R.)	36

Mairie, 24 pl. République **(r)** ☎ 24.04.65 – wc ☎. ch
fermé fin sept. à nov. et dim. hors sais. – SC : **R** 37/85 – ☕ 11 – **21 ch** 60/115.

Gare et Voyageurs, 160 av. Gén.-de-Gaulle par ① : 1,5 km ☎ 24.00.18, –
wc **P**. GB
fermé 1er oct. au 3 nov. et mardi – SC : **R** 35/100 – ☕ 10 – 18 ch 45/140 – P 150.

Cadoudal et Aub. La Plaine, pl. N.-Dame **(v)** ☎ 24.14.65 – .
SC : **R** *(fermé mardi)* 30/85 – ☕ 11,50 – **13 ch** 50/100.

Moderne avec ch, 20 pl. République **(b)** ☎ 24.04.72 – ch
hôtel : 2 janv.-15 nov., rest. : 15 mars-15 nov. et fermé sam. – SC : **R** 30/62 – ☕ 9,50 – 10 ch 45/58 – P 90/98.

à Toul-Broche par ② et D 101 : 11 km – ✉ **56400** Auray :

Le Gavrinis M, ☎ 57.00.82, – wc wc ☎ **P** – 30. GB. ch
fermé 15 déc. au 1er mars, dim. soir et lundi – SC : **R** 48/90 – ☕ 11,50 – 18 ch 46/150 – P 125/150.

CITROEN Olliveaud, rte de Ste-Anne-d'Auray, Kerfontaine ☎ 24.01.71 N ☎ 24.94.34
PEUGEOT Gar. Laine, rte Lorient, Le Bel Air ☎ 24.05.14
RENAULT S.C.A.D.A., av. Foch ☎ 24.05.94
TALBOT Kermorvant, rte de Quiberon, Zone Ind. ☎ 24.11.73
Auray-Pneus, r. de la Paix ☎ 24.17.21

AUREC-SUR-LOIRE 43110 H.-Loire 76 ⑧ – 4 295 h. alt. 432 – 77 (Loire).

Office de Tourisme pl. Marronniers (15 juin-15 sept.) ☎ 35.42.65.

Paris 541 – Firminy 11 – Montbrison 42 – Le Puy 60 – ♦St-Étienne 21 – Yssingeaux 33.

Watelet avec ch, à la gare ☎ 35.40.07, – wc ☎. ch
fermé fév. et lundi – SC : **R** 40/100 – ☕ 12 – **11 ch** 65/95.

à Semène NE : 3 km par D 46 – ✉ **43110** Aurec-sur-Loire :

Coste, ☎ 35.40.15, – **P** – 30
fermé août, lundi et dim. soir – SC : **R** 25/64 – ☕ 10 – **9 ch** 43 – P 85.

PEUGEOT Verot, ☎ 35.41.03 N
RENAULT Parrat, ☎ 35.40.01

AUREL 84 Vaucluse 81 ⑭ – rattaché à Sault.

Une réservation confirmée par écrit est toujours plus sûre.

AURILLAC P 15000 Cantal 76 ⑫ G. Auvergne – 33 355 h. alt. 631 – 71.

Voir Maison des Volcans** (Château St-Étienne) CX **D** – Route des Crêtes** NE par D 35, CX.

Office de Tourisme pl. Square (fermé dim. et lundi hors sais.) ☎ 48.46.58.

Paris 545 ② – Brive-la-G. 98 ④ – ♦Clermont-Fd 160 ② – Montauban 167 ③ – Montluçon 224 ④.

Plan page ci-contre

La Thomasse M sans rest, r. Dr.-Mallet ☎ 48.26.47, – **P**. AE GB — AZ **d**
SC : ☕ 20 – **21 ch** 150/160.

St-Pierre, Prom. du Gravier ☎ 48.00.24, Télex 390715 – . AE — CY **a**
SC : **R** 60/135 – ☕ 15 – **30 ch** 95/180 – P 165/225.

La Ferraudie M sans rest, 15 r. Bel Air ☎ 48.72.42 – wc ☎ **P**. GB — AZ **b**
SC : ☕ 13 – **22 ch** 120/170.

Relax H. M sans rest, 113 av. Gén.-Leclerc par ③ ☎ 63.60.00, – wc wc ☎ **P**.
SC : ☕ 12 – **30 ch** 110/160.

Voyageurs, 4 pl. P.-Sémard ☎ 48.01.44 – wc wc ☎. GB. rest — AZ **n**
fermé nov. – SC : **R** *(fermé dim.)* 50/100 – ☕ 14 – 30 ch 80/150.

Univers, 2 pl. P.-Sémard ☎ 48.24.57, – wc ☎ . — AZ **e**
SC : **R** 70 – ☕ 13 – **44 ch** 75/170.

Bordeaux sans rest, 2 av. République ☎ 48.01.84, Télex 990316, – wc wc ☎ – 25 à 40. AE GB E — BY **r**
SC : ☕ 15 – **50 ch** 65/160.

Terminus sans rest, 8 r. Gare ☎ 48.01.17 – wc wc ☎ . — AZ **s**
SC : ☕ 12 – **22 ch** 50/140.

Reine Margot, 19 r. G.-de-Veyre ☎ 48.26.46 — BYZ **u**
fermé lundi – **R** 38/120.

Aub. la Baraque, par ② : 2 km N 122 ☎ 48.24.02, ← – **P**
fermé dim. et fêtes le soir – **R** grill carte environ 50 .

Les Quatre Chemins par ④ : 3,5 km – alt. 632 – ✉ **15000** Aurillac :

La Crémaillère, rte Tulle ☎ 48.10.70 – **P**. rest
fermé dim. hors sais. – SC : **R** 23/72 – ☕ 8,50 – 12 ch 45/70 – P 71/83.

AURILLAC

Carmes (R. des) ... BYZ
Duclaux (R. Émile) ... BY 13
Frères (R. des) ... CY 22
Gambetta (Av.) ... CY 23
Palais-de-Justice (Pl. du) ... BY 29
République (Av. de la) ... BY

Angoulême (Cours d') ... CY 2
Briand (Av. A.) ... CYZ 3
Champeil (R. J.-B.) ... CY 6
Collège (R. du) ... CX 7
Consulat (R. du) ... CY 8
Coste (R. de la) ... BX 9
Doumer (R. Paul) ... BCZ 12
Fargues (R. des) ... CX 18
Ferry (R. Jules) ... BZ 19
Gerbert (Pl.) ... CY 24
Marchande (R.) ... CX 25
Monastère (R. du) ... CX 26
Monthyon (Cours) ... CY 27
N.-D.-aux-Neiges (⊞) ... BY
Prés.-Delzons (R. du) ... BY 32
Pupilles-de-la-Nation (Av.) ... BZ 33
Sacré-Cœur (⊞) ... AZ
St-Géraud (⊞) ... CX
St-Jacques (R.) ... CX 34
Veyre (Av. J.-B.) ... CX 36
4-Septembre (Av. du) ... AZ 37

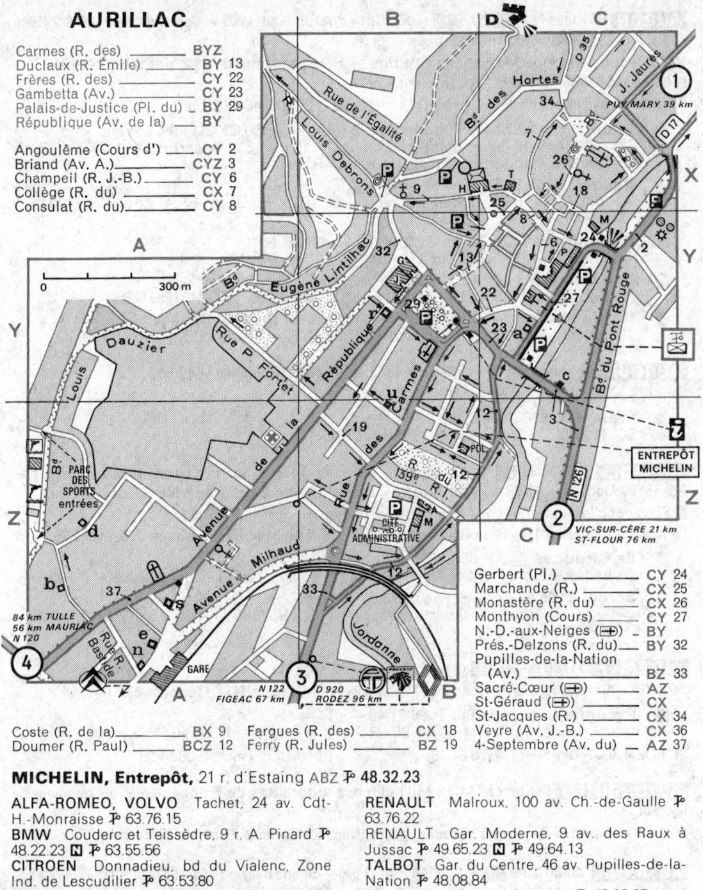

MICHELIN, Entrepôt, 21 r. d'Estaing ABZ ☎ **48.32.23**

ALFA-ROMEO, VOLVO Tachet, 24 av. Cdt-H.-Monraisse ☎ 63.76.15
BMW Couderc et Teissèdre, 9 r. A. Pinard ☎ 48.22.23 N ☎ 63.55.56
CITROEN Donnadieu, bd du Vialenc, Zone Ind. de Lescudilier ☎ 63.53.80
DATSUN Coste, 12 r. F.-Meynard ☎ 48.26.48
FIAT Gar. Moderne, 29 r. P.-Doumer ☎ 48.37.86
FORD Gar. Dalbouze, 1 à 3 av. Milhaud ☎ 48.29.16
LADA, OPEL Vidal, 47 av. Pupilles-de-la-Nation ☎ 48.01.51
PEUGEOT Socauto, av. G.-Pompidou, Zone Ind.-de Sistrières ☎ 63.66.00
PEUGEOT Delbort, à Jussac ☎ 49.65.41
RENAULT Malroux, 100 av. Ch.-de-Gaulle ☎ 63.76.22
RENAULT Gar. Moderne, 9 av. des Raux à Jussac ☎ 49.65.23 N ☎ 49.64.13
TALBOT Gar. du Centre, 46 av. Pupilles-de-la-Nation ☎ 48.08.84
Gar. Terrisse, Quatre-Chemins ☎ 48.38.85

Ⓜ Cantal-Pneu, 8 r. Gutenberg, Zone Ind. de Lescudillier ☎ 63.57.30
Collange, 30 r. P.-Doumer ☎ 48.09.01
Estager-Pneu, rte Conthe ☎ 63.40.60
Ladoux-France-Pneus, 1 bd Verdun ☎ 48.17.01
Laval, av. Gén.-Leclerc ☎ 63.61.42
Maisonobe, 14 pl. du Square ☎ 48.03.03

AURIOL **13390** B.-du-R. **84** ⑭ – **4 143** h. alt. **192** – ⚙ **42.**

Paris 788 – Aix-en-Provence 27 – Brignoles 38 – ♦Marseille 28 – ♦Toulon 56.

Commerce 🐎, ☎ 04.70.25 – ⊟ ⊓ 🅟. ✂ ch
fermé fév. et merc. – SC : **R** 45/60 – ☕ 8 – **11 ch** 55/68 – P 80.

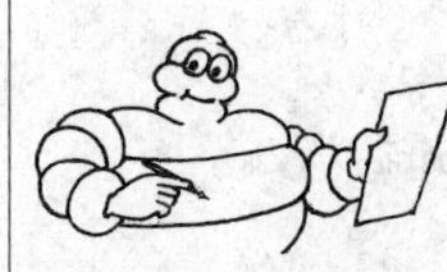

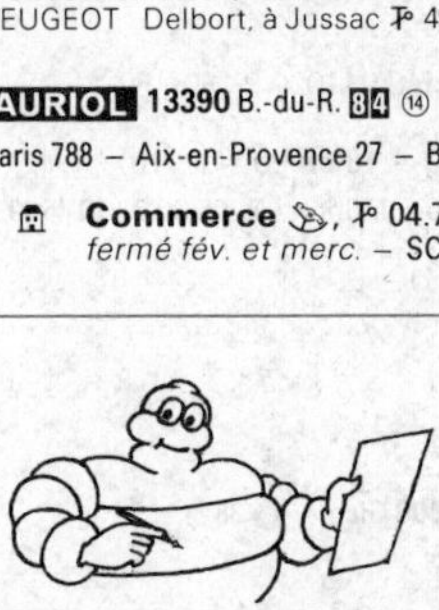

Participez à notre effort permanent de mise à jour

Adressez-nous vos remarques et vos suggestions.

Cartes et guides Michelin
46 avenue de Breteuil - 75341 Paris Cedex 07

AURON 06 Alpes-Mar. 81 ⑨, 195 ④ **G. Côte d'Azur** – alt. 1 608 – Sports d'hiver * 1 608/2 450 m 3 20 – ✉ **06660** St-Étienne-de-Tinée – 93.

Voir Décor peint★ de la chapelle St-Érige – SO : Las Donnas <★★ par téléphérique.

Office de Tourisme ☎ 02.22.66, Télex 470300.

Paris 801 – Barcelonnette 65 – Cannes 117 – ♦Nice 98 – St-Étienne-de-Tinée 7.

Pilon, ☎ 02.20.15, <, patinoire, (été) – P. AE GB . rest
1er juil.-31 août (sans rest.) et 20 déc.-20 avril – SC : **R** carte 120 à 190 – **33 ch** 160/300, 4 appartements 550 – P 410/490.

Savoie, ☎ 02.22.51, < – – 60. rest
20 juin-10 sept. et 15 déc.-30 avril – SC : **R** 55/80 – 12 – 22 ch 130/190 – P 190/260.

St-Érige, ☎ 02.20.32, < – wc wc .
1er déc.-30 avril – SC : **R** 60/100 – 12 – 18 ch 140/180.

Las Donnas, ☎ 02.20.03, < – wc .
20 déc.-20 avril – SC : **R** 40/55 – 10,50 – **49 ch** 95/150 – P 125/175.

Heure Mauve, ☎ 02.20.21, < – wc P. . rest
15 juin-31 août et 20 déc.-25 avril – SC : **R** 41/62 – 18 ch 80/180 – P 129/190.

AUROUX 48 Lozère 76 ⑯ – 506 h. alt. 1 000 – ✉ **48600** Grandrieu – 66.

Paris 569 – Langogne 15 – Mende 50 – Le Puy 54.

France, D 988 ☎ 69.05.02, < –
SC : **R** 24/55 – 8 – **23 ch** 33/58 – P 70/85.

AUSSOIS 73 Savoie 77 ⑧ **G. Alpes** – 331 h. alt. 1 489 – Sports d'hiver : 1 489/2 700 m 7 – ✉ **73500** Modane – 79 – **Voir Site★ – Monolithe de Sardières★ NE : 3 km.**

Syndicat d'Initiative (fermé sam. après-midi et dim. hors sais.) ☎ 05.09.53.

Paris 669 – Chambéry 110 – Lanslebourg-Mont-Cenis 16 – Modane 7 – St-Jean-de-Maurienne 38.

Le Choucas, ☎ 05.02.77, < – wc .
1er juin-30 sept. et 15 déc.-1er mai – SC : **R** 40/50 – 13 – 28 ch 80/95 – P 130.

Soleil, ☎ 05.02.42 – wc wc P. rest
début juin-15 oct. et 10 déc.-début mai – SC : **R** 35/40 – 9,50 – 23 ch 54/80 – P 100/110.

AUTERIVE 31190 H.-Gar. 82 ⑱ – 5 187 h. alt. 186 – 61.

Paris 739 – Carcassonne 87 – Castres 82 – Muret 20 – St-Gaudens 74 – ♦Toulouse 33.

Pyrénées, rte Espagne ☎ 08.81.43 –
fermé nov. et lundi en hiver – SC : **R** 27/75 – 9 – 17 ch 40/70 – P 90.

CITROEN Gar. Gimbrède, ☎ 08.81.48 RENAULT Peiré, ☎ 08.81.29

AUTOROUTES Consultez l'**Atlas Michelin des autoroutes de France,** toutes les ressources y figurent.

Motels sur autoroute, voir à : Beaune, Mâcon, Nemours, Péronne, Salon-de-Provence.

AUTRANS 38880 Isère 77 ④ – 1 588 h. alt. 1 050 – Sports d'hiver : 1 050/1 610 m 11, – 76.

Office de Tourisme pl. Mairie (fermé jeudi et dim. hors saison) ☎ 95.30.70, Télex 980718.

Paris 588 – ♦Grenoble 36 – Romans-sur-Isère 58 – St-Marcellin 45 – Villard-de-Lans 15.

La Buffe, ☎ 95.33.26, < – wc wc P. GB. rest
fermé 21 avril au 19 mai, 11 sept. au 19 oct., mardi soir et merc. du 20 oct. au 15 déc. – SC : **R** 45/140 – 12 – 18 ch 100/120 – P 120/160.

Ma Chaumière, ☎ 95.30.12 – wc . E. ch
15 juin-20 sept. et 1er déc.-10 mai – SC : **R** 44/52 – 12 – 20 ch 70/105 – P 130/150.

Poste, ☎ 95.31.03 – wc . GB.
fermé 15 oct. au 10 déc. – SC : **R** 30/95 – 12 – **30 ch** 80/110 – P 130/150.

Feu de Bois, ☎ 95.33.32, <, – P.
4 juil.-11 oct. et 17 déc.-30 mai – SC : **R** 40/60 – 9 – **16 ch** 60 – P 110.

PEUGEOT Gouy et Velay, ☎ 95.30.04 RENAULT Gar. Joubert, ☎ 95.30.22 N ☎ 95.33.04

AUTREVILLE 88300 Vosges 62 ④ – 132 h. alt. 308 – 8.

Paris 306 – ♦Nancy 44 – Neufchâteau 20 – Toul 23.

L'Auberge Fleurie, ☎ 326.04.35 –
fermé lundi sauf du 1er juin au 31 août – SC : **R** 27/65 .

AUTRY-LE-CHÂTEL 45 Loiret 65 ② – 835 h. alt. 195 – ✉ **45500** Gien – 38.

Paris 164 – Bonny-sur-Loire 23 – Bourges 71 – Gien 11 – ♦Orléans 75.

Commerce avec ch, ☎ 67.36.14 –
fermé 29 juin au 5 juil., fév., lundi soir et mardi – SC : **R** 30/70 – 8 – 10 ch 40/60.

AUTUN <SP> **71400** S.-et-L. 69 ⑦ **G. Bourgogne** – 17 574 h. alt. 306 – ✪ 85.

Voir Cathédrale★★ : tympan★★★ BZ – **Porte St-André★** BY **E** – **Grilles★ du lycée Bonaparte** AZ **B** – **Manuscrits★ (bibliothèque de l'Hôtel de ville)** BZ **H** – **Musée Rolin★ : Statuaire Romane★★, Nativité★★ du Maître de Moulins et vierge★★** BZ **M1** – **Site★ de la cascade de Brisecou SE : 2 km puis 45 mn par D 120** BZ – **Env. Château de Sully★★ 15 km par** ③ – **Croix de la Libération** ⋞★ **SO : 6 km par D 120** BZ.

🅸 Office de Tourisme avec A.C. 3 av. Ch. de Gaulle (fermé sam. après-midi et dim. hors saison) ☎ 52.20.34.

Paris 292 ① – Auxerre 128 ① – Avallon 80 ① – Chalon-sur-Saône 53 ④ – ♦Dijon 85 ② – ♦Lyon 179 ④ – Mâcon 112 ④ – Moulins 98 ⑤ – Nevers 103 ⑥ – Roanne 121 ⑤ – Vichy 138 ⑤.

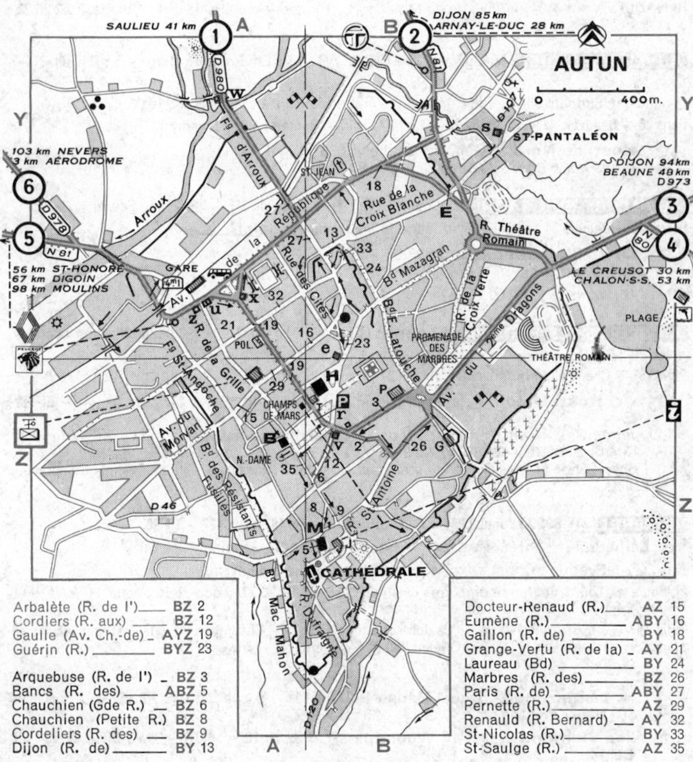

Arbalète (R. de l') — BZ 2
Cordiers (R. aux) — BZ 12
Gaulle (Av. Ch.-de) — AYZ 19
Guérin (R.) — BYZ 23

Arquebuse (R. de l') — BZ 3
Bancs (R. des) — ABZ 5
Chauchien (Gde R.) — BZ 6
Chauchien (Petite R.) — BZ 8
Cordeliers (R. des) — BZ 9
Dijon (R. de) — BY 13

Docteur-Renaud (R.) — AZ 15
Eumène (R.) — ABY 16
Gaillon (R. de) — BY 18
Grange-Vertu (R. de la) — AY 21
Laureau (Bd) — BY 24
Marbres (R. des) — BZ 26
Paris (R. de) — ABY 27
Pernette (R.) — AZ 29
Renauld (R. Bernard) — AY 32
St-Nicolas (R.) — BY 33
St-Saulge (R.) — AZ 35

St-Louis, 6 r. Arbalète ☎ 52.21.03 – wc wc ☎ Ⓟ. AE GB ⓓ E — BZ **v**
fermé 10 déc. au 1er fév. et vend. du 6 nov. au 12 avril – SC : **R** 67 – ☕ 18 – **52 ch** 80/170.

Moderne et Tête Noire, 3 r. Arquebuse ☎ 52.25.39 – wc wc ☎ — BZ **r**
fermé 1er au 15 mars et sam. (sauf hôtel en saison) – SC : **R** 39/68 🍷 – ☕ 10,50 – 20 ch 57/125.

Arcades sans rest, 22 av. République ☎ 52.30.03 – wc wc ☎ — AY **u**
15 mars-15 nov. – SC : ☕ 12 – **38 ch** 46/120.

France sans rest, 18 av. République ☎ 52.14.00 – wc Ⓟ. — AY **z**
SC : ☕ 9,50 – **20 ch** 44/105.

Commerce Touring, 20 av. République ☎ 52.17.90 – Ⓟ — AY **u**
fermé oct. – SC : **R** *(fermé lundi)* 28/55 🍷 – ☕ 9 – **23 ch** 38/65 – P 85/95.

XXX **Host. Vieux Moulin** avec ch, porte Arroux D 980 ☎ 52.10.90, « Joli jardin au bord de l'eau » – wc wc ☎ Ⓟ. AE GB ⓓ — AY **w**
fermé 20 déc. au 5 janv., 19 fév. au 1er mars, dim. soir et lundi d'oct. à mars – SC : **R** 90/130 – ☕ 14 – 18 ch 60/160.

XX **Meunier,** 3 r. Jeannin ☎ 52.29.81 – GB — BY **e**
fermé fév. et mardi – SC : **R** 27/125 🍷.

tourner →

Chalet Bleu, à St-Pantaléon par Porte St-André ✉ 71400 Autun ☎ 52.25.16
fermé 10 juin au 10 juil., dim. soir et mardi – SC : **R** 30/70. BY **s**

Lardreau, 58 av. Ch.-de-Gaulle ☎ 52.16.74 AY **x**
fermé le soir en hiver sauf week-ends – SC : **R** 33/65 🌡.

BMW, LANCIA-AUTOBIANCHI Bosset, 28 r. B.-Renault ☎ 52.30.21
CITROEN Auto-Gar. Lemaître, 56 rte d'Arnay, Zone Ind. ☎ 52.15.32
PEUGEOT Blondeau, 8 av. République ☎ 52.31.84
RENAULT Autun-Automobile, rte de Moulins N 81 ☎ 52.02.74
TALBOT Chardigny et Petit, Zone Ind., rte d'Arnay à St-Pantaléon ☎ 52.13.10

Agostini, carr. de la Légion ☎ 52.29.38
Gouillardon-Gaudry, rte Étang-s-Arroux, La Verrerie ☎ 52.16.62
Tout pour le pneu, bd de l'Industrie ☎ 52.20.79

AUVERS-SUR-OISE 95430 Val-d'Oise 55 ⑳, 96 ⑥ G. Environs de Paris – 5 808 h. alt. 71 – 3.

Syndicat d'Initiative Parc Van Gogh (fermé matin sauf sam. et dim.) ☎ 036.10.06.

Paris 36 – Beauvais 47 – Chantilly 29 – L'Isle-Adam 7 – Pontoise 6,5 – Taverny 6.

Host. du Nord, r. Gén.-de-Gaulle ☎ 036.70.74
fermé août, dim. soir et lundi – SC : **R** 33/110

AUVILLARS-SUR-SAÔNE 21 Côte-d'Or 70 ② – 174 h. alt. 212 – ✉ 21250 Seurre – 80.

Paris 345 – Beaune 30 – •Dijon 29 – Seurre 10 – St-Jean-de-Losne 14.

La Vieille Auberge, ☎ 21.17.37 –
fermé fév. et mardi – **R** 45/120.

CITROEN Frantz, ☎ 21.17.80

AUVILLERS-LES-FORGES 08 Ardennes 53 ⑰ – 784 h. alt. 210 – ✉ 08260 Maubert-Fontaine – 24.

Paris 201 – Charleville-Mézières 31 – Hirson 24 – Laon 69 – Rethel 56 – Rocroi 14.

✿✿ **Host. Lenoir** avec ch, ☎ 36.30.11, – wc wc . AE E
fermé 2 janv. au 10 fév. et vend. – **R** (nombre de couverts limité - prévenir) 125 bc/165 et carte – 16,50 – **18 ch** 90/175, 3 appartements 280
Spéc. Gâteau de foies blonds aux écrevisses, Noisettes d'agneau aux morilles, Chariot de Gourmandises.

AUXERRE P 89000 Yonne 65 ⑤ G. Bourgogne – 39 481 h. alt. 127 – 86.

Voir Cathédrale** : trésor* BY – Ancienne abbaye St-Germain* BY **E**.

Env. Gy-L'Évêque : Christ aux Orties* de la chapelle 9,5 km par ③.

Office de Tourisme (fermé dim. hors sais.) et T.C.F. (☎ 52.26.27) 2 quai République ☎ 52.06.19 et Aire de Venoy (fermé matin, dim. et lundi hors sais.) ☎ 52.03.44.

Paris 167 ⑥ – Bourges 140 ④ – Chalon-sur-Saône 175 ② – Chaumont 141 ② – •Dijon 148 ② – •Lyon 298 ② – Nevers 112 ③ – •Orléans 150 ⑥ – Sens 57 ⑥ – Troyes 80 ①.

Plans : Plans page ci-contre

H. Le Maxime M, 2 quai Marine ☎ 52.14.19 – . AE GB E. BY **e**
SC : **R** voir rest Maxime – 17 – **25 ch** 160/230.

Les Clairions M , av. Worms par ⑥ ☎ 52.70.12 – TV wc wc . AE GB
SC : **R** *(fermé lundi)* 50/75 🌡 – 12 – **42 ch** 110/120 – P 190/212.

Normandie sans rest, 41 bd Vauban ☎ 52.57.80 – wc wc – 30. AE GB E. AY **b**
SC : 11 – **46 ch** 80/120.

Parc des Maréchaux, 6 av. Foch ☎ 51.43.77, parc – wc . GB
SC : **R** (résidents seul.) – 15 – **26 ch** 155/190 – P 185/215. AYZ **k**

Fontaine, 12 pl. Ch.-Lepère ☎ 52.40.80 – wc – 50. AE GB E AZ **v**
fermé 15 déc. au 15 janv. – SC : **R** *(fermé dim. du 15 oct. au 15 mars)* 62/145 – 12 – **33 ch** 45/170 – P 170/225.

Cygne sans rest, 14 r. 24-Août ☎ 52.26.51 – TV wc wc . AZ **r**
SC : 13 – **24 ch** 99/180.

Seignelay, 2 r. Pont ☎ 52.03.48 – wc – 80. BZ **n**
fermé 8 janv. au 8 fév. – SC : **R** 43/77 🌡 – 11 – 24 ch 50/120 – P 125/157.

Commerce, 5 r. R.-Schaefer ☎ 52.03.16 – wc . GB AZ **s**
fermé 15 au 31 déc., lundi du 1er oct. au 30 juin sauf fêtes et en saison le rest. seul. est fermé le merc. – SC : **R** 43/100 🌡 – 10 – 20 ch 59/135.

Pont Paul Bert, 4 av. Gambetta ☎ 52.02.13 – wc . GB. ch
fermé 1er au 19 oct., 1er au 8 fév., sam. midi, vend. et dim. soir – SC : **R** 33/90 🌡 – 17 – 15 ch 44/125. BZ **a**

AUXERRE

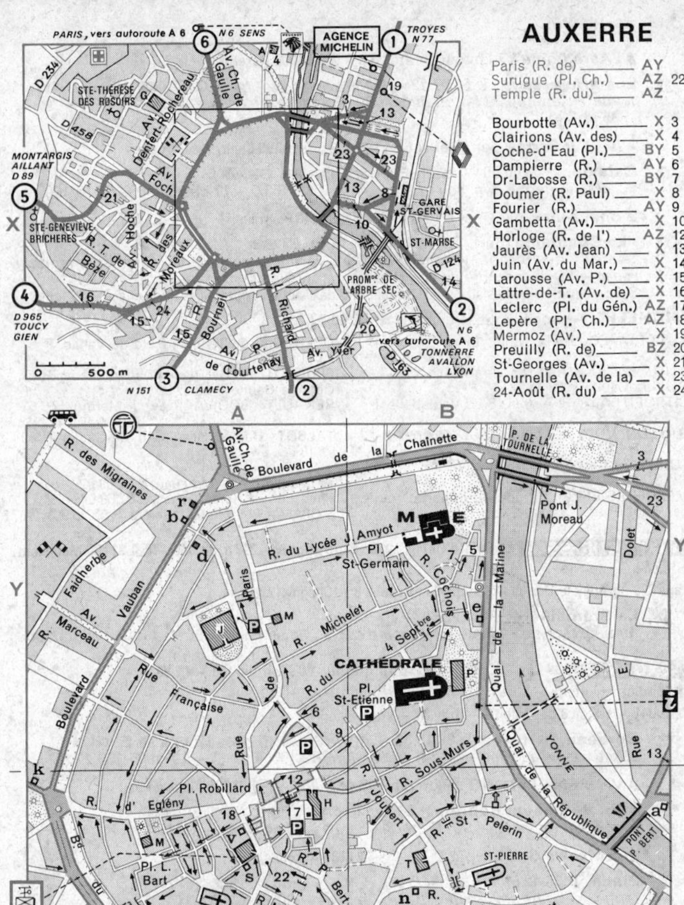

Paris (R. de)	AY	
Surugue (Pl. Ch.)	AZ	22
Temple (R. du)	AZ	
Bourbotte (Av.)	X	3
Clairions (Av. des)	X	4
Coche-d'Eau (Pl.)	BY	5
Dampierre (R.)	AY	6
Dr-Labosse (R.)	BY	7
Doumer (R. Paul)	X	8
Fourier (R.)	AY	9
Gambetta (Av.)	X	10
Horloge (R. de l')	AZ	12
Jaurès (Av. Jean)	X	13
Juin (Av. du Mar.)	X	14
Larousse (Av. P.)	X	15
Lattre-de-T. (Av. de)	X	16
Leclerc (Pl. du Gén.)	AZ	17
Lepère (Pl. Ch.)	AZ	18
Mermoz (Av.)	X	19
Preuilly (R. de)	BZ	20
St-Georges (Av.)	X	21
Tournelle (Av. de la)	X	23
24-Août (R. du)	X	24

XX **Rest. Maxime,** 5 quai Marine ☏ 52.04.41 – AE GB ◑ E — BY **e**
fermé 10 au 31 janv. et sam. – SC : **R** 110.

XX **Jardin Gourmand,** 56 bd Vauban ☏ 51.53.52 — AY **d**
fermé oct., mardi soir et merc. – SC : **R** 65/150.

X **La Grilladerie,** 45 bis bd Vauban ☏ 52.32.80 – ▤ Ⓟ. AE GB — AY **r**
fermé 1er au 15 juin, 20 déc. au 4 janv. et dim. – SC : **R** carte 65 à 95.

à Vaux SE : 6 km par D 163 – ✉ **89290** Champs-sur-Yonne :

XX ✿ **La Petite Auberge** (Barnabet) avec ch, ☏ 42.80.08, ← – wc ☎ Ⓟ – 30 à 80. GB
fermé fév., dim. soir en hiver et lundi – SC : **R** 52/120 – ☕ 12 – **10 ch** 85/130
Spéc. Feuilleté de petits légumes, Escalope de saumon, Gratin de fruits rouges.

à l'Aérodrome : 7 km par ⑥ et D 31 – ✉ **89000** Auxerre :

Les Bruyères Ⓜ, ☎ 53.07.22 – TV ⇔wc ☎ Ⓟ – 🏃 150. AE GB
fermé 1er janv. au 28 fév. et dim. – SC : **R** *(fermé dim. soir et vend.)* 50/75 ⅉ – ☕ 12 – **35 ch** 110/120 – P 190/212.

à la Cour Barrée par ② et N 6 : 11 km – ✉ **89290** Champs-sur-Yonne :

Galaxie, ☎ 53.60.55 – ▤ ch ⇔wc ☎ Ⓟ. GB ⓓ E
SC : **R** Grill *(fermé dim. soir et lundi)* 44 ⅉ – ☕ 15,50 – **17 ch** 90/140 – P 110/190.

à Chevannes par ③ et D1 : 8 km – ✉ **89240** Pourrain :

XX ✿ **La Chamaille** (Siri), ☎ 41.24.80, 🌳 – Ⓟ. AE GB
fermé 1er au 15 sept., vacances de Noël, vacances scol. de fév., dim. soir, lundi et merc. – SC : **R** (nombre de couverts limité - prévenir) 75
Spéc. Feuilleté d'huitres au cerfeuil, Aiguillettes de canette aux groseilles, Tarte chaude aux fruits.

MICHELIN, Agence, 3 r. L.-Renault X ☎ **52.56.37**

ALFA-ROMEO, FIAT Noué, 14 r. J.-Ferry ☎ 52.53.08
AUDI-VOLKSWAGEN Jeannin, 42 av. Gén.-de-Gaulle ☎ 52.33.83
CITROEN Auxerre Autos, 18 bd Vaulabelle ☎ 51.59.33
DATSUN, VOLVO Carette, 34 av. Charles-de-Gaulle ☎ 52.37.15
FORD Gd Gar. Gambetta, 8 av. Gambetta ☎ 52.43.20
MERCEDES-BENZ Europe-Auto, 45 bd Vauban ☎ 52.01.99
OPEL Gar. du Temple, 8 rte de Vallan ☎ 51.19.11
PEUGEOT Gd Gar. de la Route de Paris, 31 av. Gén.-de-Gaulle ☎ 52.37.90
RENAULT SODIVA, 2 av. J.-Mermoz ☎ 52.75.45
TALBOT Hamel, 11 av. Gén.-de-Gaulle ☎ 52.22.18

Castillon, 7 av. Marceau ☎ 52.09.22
Pneu-Centre, rte de Troyes ☎ 52.58.94
S.O.V.I.C., 14 r. Frères-Lumière ☎ 52.25.90

AUXEY-DURESSES

21 Côte-d'Or 69 ⑨ **G. Bourgogne** – 329 h. alt. 260 – ✉ **21190** Meursault – ✪ 80.

Paris 323 – Arnay-le-Duc 30 – Autun 40 – Beaune 8 – Chagny 12.

XX **La Crémaillère,** ☎ 21.22.60 – Ⓟ. ✂
fermé 20 janv. au 28 fév., lundi soir d'oct. à juin et mardi – SC : **R** 45 (sauf sam.)/100.

AUXONNE

21130 Côte-d'Or 66 ⑬ **G. Bourgogne** – 6 943 h. alt. 188 – ✪ 80.

Syndicat d'Initiative Porte de Comté (fermé dim.) ☎ 36.34.46.

Paris 344 – •Dijon 32 – Dole 16 – Gray 36 – Vesoul 80.

Corbeau, 1 r. Berbis ☎ 38.11.88 – ⇔wc ⋒ ☎ Ⓟ. AE GB ⓓ E. ✂
fermé 5 janv. au 5 fév. – SC : **R** *(fermé lundi)* 36/95 – ☕ 11 – 10 ch 85/130.

à Villers-les-Pots NO : 5 km par N 5 et D 20c – ✉ **21130** Auxonne :

Aub. du Cheval Rouge, ☎ 36.34.11, 🌳 – ⇔wc ⋒ ☎ Ⓟ.
fermé janv. et vend. – SC : **R** 21/75 – ☕ 10 – **10 ch** 60/80 – P 110/130.

aux Maillys S : 8 km par D 20 – ✉ **21130** Auxonne :

X **Place,** ☎ 36.42.52
fermé oct., dim. soir et lundi de nov. à mars – SC : **R** 35/110.

CITROEN Alberghi, 5 r. M.-Malmanche ☎ 36.31.18 N
PEUGEOT Bourg, rte de Dijon ☎ 36.35.53
RENAULT Cône, rte de Dole ☎ 36.32.20
TALBOT Gar. Blondeau, r. Jurain ☎ 36.33.97

AUZANCES

23700 Creuse 73 ② – 1 715 h. alt. 552 – ✪ 55.

Syndicat d'Initiative 22 r. Paul-Doumer (Pâques, Pentecôte et juin-sept.) ☎ 67.00.17.

Paris 364 – Aubusson 31 – •Clermont-Ferrand 69 – Guéret 62 – Montluçon 42 – Ussel 71.

Relais Fleuri, ☎ 67.00.46 – ⋒. ✂
fermé 12 sept. au 20 oct., dim. et lundi midi du 9 nov. au 12 avril et lundi du 13 avril au 12 sept. – SC : **R** 33/70 – ☕ 10 – **16 ch** 45/58 – P 70/90.

CITROEN Gar. St-Christophe, ☎ 67.00.25 N ☎ 67.07.99
RENAULT Grange, ☎ 67.01.24 N

AUZOUVILLE-SUR-SAÂNE

76 Seine-Mar. 52 ⑭ – 136 h. alt. 73 – ✉ **76730** Bacqueville-en-Caux – ✪ 35.

Paris 183 – Dieppe 28 – Fontaine-Le-Dun 13 – •Rouen 44 – Yvetot 25.

XX **Aub. Orée du Bois,** ☎ 83.23.71, 🌳 – Ⓟ
fermé 8 au 22 janv., merc. soir et jeudi – SC : **R** 65/90.

AVALLON

<SP> **89200** Yonne 65 ⑯ **G. Bourgogne** – 9 255 h. alt. 254 – ✪ 86.

Voir Site★ – Portails★ de l'église St-Lazare AZ **B – Vallée du Cousin★ par D 427,** AZ.

Office de Tourisme 24 pl. Vauban (1er avril-15 sept. et fermé dim.) ☎ 34.14.19.

Paris 224 ③ – Auxerre 51 ⑥ – Beaune 107 ③ – Chaumont 137 ② – Nevers 107 ⑤ – Troyes 103 ①.

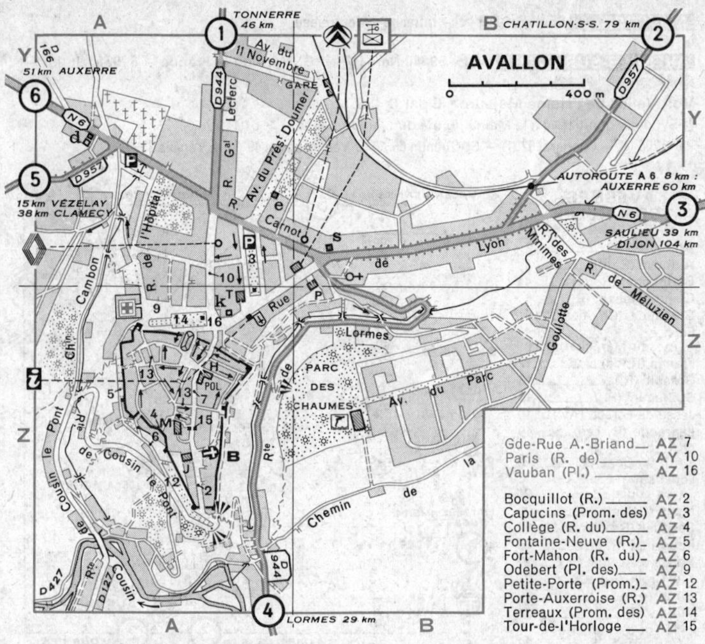

⌂⌂⌂ ✿✿ **Hostellerie de la Poste** ♘, 13 pl. Vauban ☎ 34.06.12, ⛱ – 🚗. AE GB ⦿. ✂ ch — AZ **k**
fermé fin nov. à début janv. – **R** carte 170 à 220 – ☕ 26 – 24 ch 175/300, 5 appartements 420
Spéc. Amusettes de l'hostellerie, Nage de poissons de mer, Pintadeau à la crème. **Vins** Chablis, Beaune.

⌂⌂ **Moulin des Templiers** ♘ sans rest, dans la vallée du Cousin par ⑤ : 4 km ☎ 34.10.80, ≤, « Jardin au bord de l'eau » – wc ☎ **P**
15 mars-2 nov. – SC : ☕ 13 – **14 ch** 80/125.

⌂ Manoir ♘ sans rest, rte de Vézelay ☎ 34.00.30, parc – wc ☎ **P** – **15 ch** — AY **d**

XXX **Moulin des Ruats** ♘ avec ch, dans la vallée du Cousin par ⑤ et D 427 : 4,5 km ☎ 34.07.14, ≤, « Frais jardin au bord de l'eau » – wc ☎ **P**. AE GB E
début mars-31 oct. – **R** carte 100 à 160 – ☕ 20 – 21 ch 90/190.

XXX ✿ **Morvan** (Breton), 7 rte Paris ☎ 34.18.20, parc – **P**. AE GB ⦿ — AY **d**
fermé 1er au 8 juil., fév., jeudi sauf fériés et le soir hors sais. sauf sam. – SC : **R** 90/130
Spéc. Le Rougeot (filet canard sauvage fumé), Timbale d'escargots au Chablis et noisettes, Suprême canard sauvage aux nouilles fraîches (août à janv.). **Vins** Chablis, St-Bris.

XX **Les Capucins** avec ch, 6 av. P.-Doumer ☎ 34.06.52 – GB — AY **e**
fermé janv. et merc. – SC : **R** 35/130 🍷 – ☕ 12 – 16 ch 40/65.

X **Cheval Blanc,** 55 r. Lyon ☎ 34.12.05 – **P**. GB — BY **s**
fermé 12 nov. au 5 déc., 10 au 20 mars et lundi sauf fêtes – SC : **R** 33/65 🍷.

par ③ : 5 km N 6 – ✉ **89200** Avallon :

⌂⌂ **Relais Fleuri** M ♘, ☎ 34.02.85, ⛱ – TV wc ☎ **P** – 🏊 40.
SC : **R** 54 – ☕ 14 – **30 ch** 120/145.

à Pontaubert par ⑤ : 5 km – ✉ **89200** Avallon :

XX **Les Fleurs** avec ch, ☎ 34.13.81, ⛱ – wc wc **P**
fermé en fév. et merc. – SC : **R** 44/70 – ☕ 9 – 9 ch 37/95 – P 90/120.

CITROEN Ets Michot, 10 r. Carnot ☎ 34.01.23
FORD Avallon-Autom., 15 r. Carnot ☎ 34.06.47
RENAULT Gueneau, 26 r. Paris ☎ 34.19.27
N ☎ 34.05.49

Ⓜ Comptoir du Pneu, r. des Prés ☎ 34.16.19
Ets Laurent, 10 rte Paris ☎ 34.04.77

AVEN ARMAND ★★★ **48** Lozère **80** ⑤ **G. Causses.**

AVENTIGNAN 65 H.-Pyr. 85 ⑳ – rattaché à Montréjeau.

AVESNES-SUR-HELPE <SP> 59440 Nord 53 ⑥ **G. Nord de la France** – 6 792 h. alt. 152 – ✪ 27.

Voir Vallée de l'Helpe Majeure★ E par D 133.

ℹ Syndicat d'Initiative à la Mairie (fermé dim. et lundi matin) ☎ 61.11.22.

Paris 203 ③ – Charleroi 52 ① – St-Quentin 66 ③ – Valenciennes 49 ⑤ – Vervins 33 ③.

AVESNES-SUR-HELPE

Albret (R. d') 2
Aulnoye (R. d') 3
Berlaimont (R. de) 4
Cambrésienne (R.) 6
Crapauds (Ch. des) 7
Foch (Av. du Maréchal) 8
France (R. de) 12
Gossuin (R.) 13
Guillemin (Pl.) 15
Jessé-de-Forest (Av.) 16
Lagrange (R. Léo) 19
Leclerc (Pl. du Général) 20
Loucheur (Av. Louis) 21
Mons (R. de) 23
Pasqual (R. Léon) 24
Poudrière (R. de la) 25
Prisse-d'Avenne (R.) 27
Ste Croix (R.) 28
Stroh (Av.) 29
Villien (R.) 32
84ᵉ-Régt-d'Infanterie (Av. du) 33

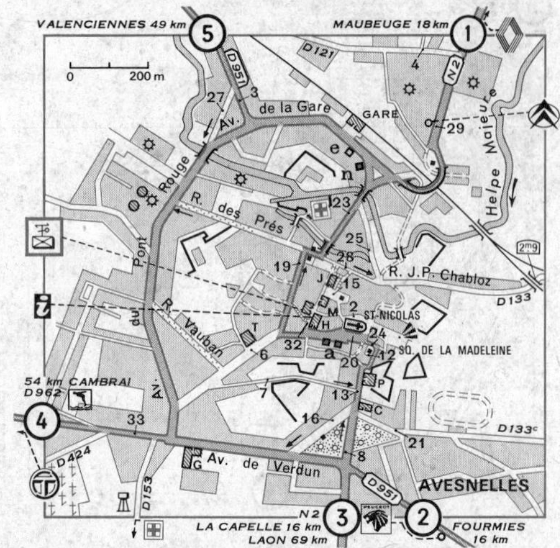

🏨 **Terminus,** 15 av. Gare **(e)** ☎ 61.17.79 – ⛋wc ☎ 🅟 – 🚣 80. 🚗 GB E
fermé dim. soir et vend. – SC : **R** 40/130 🍷 – ☕ 12 – **20 ch** 45/105.

XXX ✿ **Crémaillère** (Lelaurain), 26 pl. Gén.-Leclerc **(a)** ☎ 61.02.30 – GB
fermé 6 janv. au 1ᵉʳ fév., lundi soir et mardi – SC : **R** 75/120
Spéc. Mauviette de bar à la badiane (sauf en hiver), Jambonneau de pintade, Orange à l'orange au Gd-Marnier.

XX **Carillon,** 12 pl. Gén.-Leclerc **(a)** ☎ 61.17.80 – GB ⓓ
✦ *fermé 20 déc. au 20 janv., mardi soir et lundi* – SC : **R** 23/135 🍷.

XX **La Grignotière,** 5 av. Gare **(n)** ☎ 61.10.70 – GB
✦ *fermé 15 déc. au 3 janv., mardi soir et lundi* – SC : **R** 32/120 🍷.

Voir aussi ressources hôtelières de ***Dourlers*** par ① : 6,5 km

CITROEN Deshayes frères et Courtois, 15 av. Stroh ☎ 61.00.08
PEUGEOT Depret, 39 rte de Sains, Avesnelles ☎ 61.15.70
RENAULT Gar. Moderne, rte de Maubeuge ☎ 61.09.73
TALBOT Richard, 63 av. du 84ᵉ-R.I. ☎ 61.01.75

Aimer la nature,

c'est respecter la pureté des sources, la propreté des rivières,
des forêts, des montagnes...
c'est laisser les emplacements nets de toute trace de passage.

AVIGNON 🄿 84000 Vaucluse 81 ⑪⑫, 93 ㉕ **G. Provence** – 93 024 h. alt. 23 – ✪ 90.

Voir Palais des Papes★★★ BVX – **Rocher des Doms** ⩽★★ BV – **Pont St-Bénézet★★** AV – **Remparts★** ADVZ – **Vieux hôtels★ (rue Roi-René)** BCY – **Coupole★ de la cathédrale** BV **E** – **façade★ de l'hôtel des Monnaies** BV **N** – **Vantaux★ de l'église St-Pierre** BX **D** – **Retable★ et fresques★ de l'église St-Didier** BY **B** – **Musées : du Petit Palais★★★** BV **M1, Calvet★★** AY **M2, Lapidaire★** ABY **M3.**

🚗 ☎ 86.35.39.

ℹ Office de Tourisme (fermé dim. hors sais.) et Accueil de France (Informations et réservations d'hôtels, pas plus de 5 jours à l'avance), 41 cours Jean-Jaurès ☎ 82.65.11, Télex 432877 - A.C. 2 r. République ☎ 86.28.71 - T.C.F. Parc municipal de Camping-Caravaning du Pont St-Bénézet ☎ 82.19.83.

Paris 687 ② – Aix-en-Pr. 75 ⑦ – Arles 36 ⑤ – ♦Marseille 100 ④ – Nîmes 43 ⑥ – Valence 125 ②.

Plans pages suivantes

Europe et rest. Vieille Fontaine, 12 pl. Crillon ☎ 82.66.92, Télex 431965, « Belle demeure du 16e s. » – ☎ – 200. AE AX **d**
SC : **R** *(fermé 1er janv. au 8 fév. et le midi du 1er oct. au 30 avril)* 69 – 20 – **60 ch** 145/315, 5 appartements 315 – P 303/358.

Sofitel Pont d'Avignon M, Quartier Balance ☎ 85.91.23, Télex 431215 – TV ☎ – 80 à 200. AE GB E AV **r**
SC : **R** 70/100 – 23 – **83 ch** 225/260, 3 appartements 530.

Mercure M, rte de Marseille ☎ 88.91.10, Télex 431994, – TV ☎ P – 25 à 300. AE GB U **m**
R carte environ 70 – 20 – **104 ch** 145/230.

Cité des Papes M sans rest, 1 r. J.-Vilar ☎ 86.22.45, Télex 432734 – TV ☎. AE GB BX **b**
fermé 22 déc. au 21 janv. – SC : 16 – **63 ch** 160/190.

Novotel M, rte de Marseille ☎ 87.62.36, Télex 432878, – TV ☎ P – 25 à 200. AE GB U **n**
R snack carte environ 65 – 20 – **79 ch** 175/205.

Bristol-Terminus sans rest, 44 cours J.-Jaurès ☎ 82.21.21, Télex 432730 – wc wc ☎. AE E AZ **m**
1er mars-31 oct. – SC : 13 – **85 ch** 80/180.

Midi sans rest, 53 r. République ☎ 82.15.56, Télex 431074 – wc wc ☎. AE E AY **g**
fermé 15 déc. au 15 janv. – SC : **54 ch** 70/180.

Régina sans rest, 6 r. République ☎ 86.49.45 – wc wc ☎. AX **f**
SC : 15 – **39 ch** 90/160.

Angleterre sans rest, 29 bd Raspail ☎ 86.34.31 – wc wc ☎ P. AYZ **a**
SC : 10 – **34 ch** 70/140.

Central sans rest, 31 r. République ☎ 86.07.81, Télex 432777 – TV wc wc ☎. AE GB E AY **k**
SC : 11 – **29 ch** 71/158.

St-George sans rest, rte de Marseille ☎ 88.54.34 – ☎ P. U **k**
SC : 9 – **21 ch** 70/80.

✿✿ **Hiely,** 5 r. République, entresol ☎ 86.17.07 – . ABX **n**
fermé 15 juin au 10 juil., lundi sauf été et mardi – SC : **R** (nombre de couverts limité - prévenir) 130/150
Spéc. Petite marmite du pêcheur, Feuilleté de saison, Râble de lapereau farci. **Vins** Tavel, Châteauneuf-du-Pape.

Helen-Gd Ecuyer, 1 r. J.-Vilar ☎ 86.06.45 – . AE E BX **b**
fermé 15 nov. au 15 janv. – SC : **Gd Ecuyer** (1er étage) **R** 87/150 **Taverne** (snack) **R** carte environ 75.

✿ **Brunel,** 46 r. Balance ☎ 85.24.83 – . ABV **e**
fermé 3 au 23 août, 16 au 26 fév., dim. et lundi – SC : **R** 80 (sauf fêtes) dîner à la carte
Spéc. Huîtres chaudes au curry (sept. à avril), Poissons, Chariot de pâtisseries. **Vins** Côtes du Rhône, Châteauneuf du Pape.

Le Vernet, 58 r. J.-Vernet ☎ 86.64.53, « Jardin » – AE AY **e**
fermé nov., 13 au 22 fév., sam. midi et dim. de sept. à avril – SC : **R** 60/120.

Les Mayenques, 41 bis rte Lyon ☎ 82.45.98 – P U **s**
fermé 18 juin au 10 juil., mardi soir et merc. – SC : **R** 70 (sauf fêtes)/130.

Auberge de France avec ch, 28 pl. Horloge ☎ 82.58.86 – wc wc ☎. GB BX **b**
fermé 16 juin au 4 juil. et 11 au 29 janv. – SC : **R** *(fermé merc. soir et jeudi)* 60/120 – 14 – **20 ch** 65/150.

La Fourchette, 7 r. Racine ☎ 82.56.01 AX **k**
fermé 20 juin au 5 juil., 10 au 25 oct., 5 au 20 janv., dim. et lundi – SC : **R** (nombre de couverts limité - prévenir) 55.

Trois Clefs, 26 r. Trois Clefs ☎ 86.51.53 – GB BY **f**
fermé 10 au 25 août, 15 au 30 oct. et merc. – SC : **R** 55/70.

La Férigoulo, 30 r. J.-Vernet ☎ 82.10.28 – . AE. AX **h**
fermé 15 au 30 juin, 15 au 30 janv., lundi hors sais. et dim. – SC : **R** 40/60.

au Pontet NE : 5 km par N 7 – 10 532 h. – ✉ **84130** Le Pontet :

Host. de Cassagne M, rte de Védene par D 62 - U - ☎ 31.04.18, « Beau jardin, » – TV wc ☎ P. AE GB
SC : **R** 80 – 16 – 14 ch 130/280 – P 250/300.

Christina M sans rest, 34 av. G.-Goutarel ☎ 31.13.62 – wc wc ☎ P. U **d**
15 mars-10 oct. – SC : 10 – **46 ch** 110/130.

tourner →

à Montfavet E : 5,5 km par D 53 - U – ✉ **84140** Montfavet :

Les Frênes M, av. Vertes-Rives ☎ 31.17.93, Télex 431164, « Mobilier ancien, parc, » – ch ☎ – 35. AE GB E. rest
1er mars-1er nov. – SC : **R** carte 135 à 200 – 27 – **15 ch** 190/420, 3 appartements.

Campanile, rte Marseille, allée Fenaisons ☎ 88.13.00, – wc . GB U **r**
SC : **R** 43 bc/56 bc – 17 – **30 ch** 140 – P 173/223.

Ferme St-Pierre, av. Avignon ☎ 87.12.86 – . GB U **a**
fermé 9 août au 1er sept., 19 au 29 déc., dim. et lundi – SC : **R** 55 .

à l'Échangeur A 7 Avignon Nord : 7 km par ② – ✉ **84700** Sorgues :

Sofitel M, ☎ 31.16.43, Télex 432869, – ☎ – 40 à 200. AE GB E
rest. **Le Majoral R** carte 80 à 120 – 23 – **88 ch** 215/305.

Voir aussi ressources hôtelières de *Villeneuve-les-Avignon* U : 2 km, *Les Angles* par ⑥ : 4 km, *Barbentane* par ⑤ et D 35 : 11 km, *Noves* par ④ : 13 km

MICHELIN, Agence régionale, 109 av. de Montfavet U ☎ 88.11.10

ALFA-ROMEO Sud-Autom., 30 bd St-Roch ☎ 86.28.33
AUDI-VOLKSWAGEN E.G.S.A., Centre Commercial Cap Sud ☎ 87.63.22
AUSTIN, JAGUAR, MORRIS, ROVER, TRIUMPH Auto-Service, 4 bd Limbert ☎ 86.39.58
BMW Gd Gar. Parking, 77 av. de Marseille ☎ 88.55.94
CITROEN Gd Gar. de Vaucluse, Route de Marseille, N 7 ☎ 87.05.45
CITROEN Gar. des Sources, 6 av. des Sources ☎ 82.51.27
DATSUN Gar. Danse, 34 bd St-Michel ☎ 86.48.37
FIAT, LANCIA Gar. Royal, 46 bd St-Roch ☎ 82.44.15

tourner →

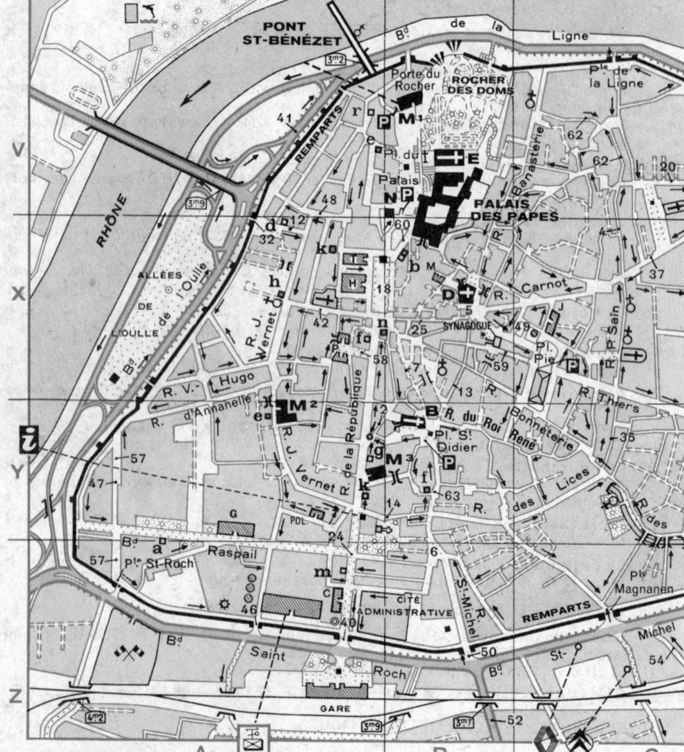

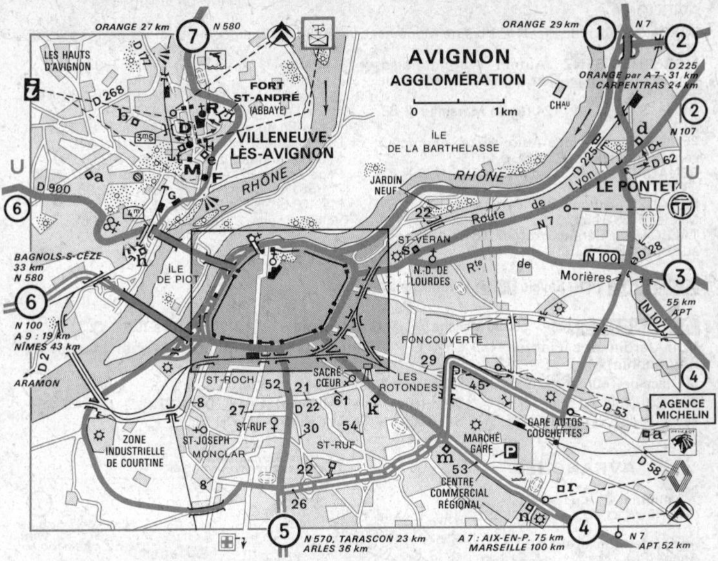

AVIGNON
AGGLOMÉRATION

0 — 1 km

ORANGE 27 km — N 580 — 7
ORANGE 29 km — 1 — N 7 — 2
D 225 ORANGE par A 7 : 31 km CARPENTRAS 24 km
2 — N 107
LES HAUTS D'AVIGNON
FORT ST-ANDRÉ (ABBAYE)
VILLENEUVE-LÈS-AVIGNON
ÎLE DE LA BARTHELASSE
CHÂU
RHÔNE
JARDIN NEUF
LE PONTET
Route de Lyon
D 225
D 62
N 7
D 28
N 100
Rte de Morières
3 — 55 km APT
N 107
ST-VERAN
N.-D. DE LOURDES
6 — D 900
BAGNOLS-S-CÈZE 33 km N 580
6 — N 100 A 9 : 19 km NÎMES 43 km
D 2 — ARAMON
ÎLE DE PIOT
FONCOUVERTE
LES ROTONDES
SACRÉ CŒUR
ST-ROCH
ST-RUF
ST-JOSEPH
MONCLAR
ZONE INDUSTRIELLE DE COURTINE
MARCHÉ GARE
GARE AUTOS COUCHETTES
CENTRE COMMERCIAL RÉGIONAL
D 53
D 58
4 — AGENCE MICHELIN
5 — N 570, TARASCON 23 km ARLES 36 km
4 — A 7 : AIX-EN-P. 75 km MARSEILLE 100 km
N 7 — APT 52 km

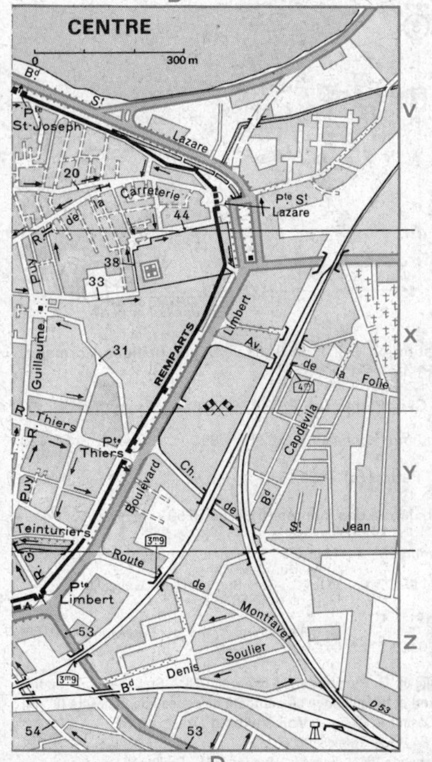

Fourbisseurs (R. des) .... BX 13
Jaurès (Cours J.) .... AYZ 24
Marchands (R. des) .... BX 25
République (R.) .... AXY
St-Agricol (R. et ⊞) .... AX 42
Vernet (R. J.) .... AY
Vieux-Sextier (R. du) .... BX 59

Aubanel (R. Théodore) .... AY 2
Campane (R.) .... CX 4
Carnot (Pl.) .... BX 5
Corps-Saints (Pl. des) .... BZ 6
Devéria (R.) .... BX 7
Eisenhower (Av.) .... U 8
Folco de Baroncelli (R.) .... AX 12
Fabre (R. Henri) .... ABY 14
Horloge (Pl. de l') .... ABX 18
Infirmières (R. des) .... CDV 20
Isnard (Bd Sixte) .... U 21
Jardins Neufs (Ch. des) .... U 22
Mérimé (R. Prosper) .... U 26
Monclar (Av.) .... U 27
Montfavet (Rte de) .... U 29
Moulin-Notre-Dame (Av. du) .... U 30
N.-D.-des-Doms (⊞) .... BV E
N.-D.-des-Sept-Douleurs (R.) .... DX 31
Oulle (Porte de l') .... AX 32
Pasteur (R. Louis) .... DX 33
Philonarde (R.) .... CY 35
Portail Matheron (R.) .... CX 37
Rascas (R. de) .... DX 38
République (Porte) .... AZ 40
Rhône (Quai du) .... AV 41
St-Bernard (R.) .... DVX 44
St-Chamand (Av. de) .... U 45
St-Charles (Porte) .... AZ 46
St-Didier (Pl. et ⊞) .... BY B
St-Dominique (Bd) .... AY 47
St-Étienne (R.) .... AV 48
St-Jean le Vieux (Pl.) .... CX 49
St-Michel (Porte) .... BZ 50
St-Pierre (⊞) .... BX D
St-Ruf (Av.) .... BZ, U 52
St-Symphorien (⊞) CV
Sémard (R. P.) .... DZ, U 53
Trillade (Av. de la) .... DZ, U 54
Velouterie (R.) .... AYZ 57
Viala (R.) .... AX 58
Vilar (R. Jean) .... BX 60
Visitation (⊞) CX
1re-D.-B. Rhin et Danube (Bd) .... U 61
3 Colombes (R. des) .... CV 62
3 Faucons (R. des) .... BY 63

FORD Gar. Scandolera, N 7, 1 bis rte Morières ☎ 82.16.76
MERCEDES-BENZ Autom. Avignonnaise, Centre Commercial Cap Sud, rte de Marseille ☎ 88.01.35
OPEL S.A.R.V.I.A., 124 rte de Marseille ☎ 88.50.47
PEUGEOT Vaucluse-Auto, 35 av. Fontcouverte, Zone Ind. ☎ 88.07.61
RENAULT A.S.A., rte de Marseille, N 7 ☎ 87.08.51
RENAULT Autom. des Remparts, 14 bd St-Michel ☎ 85.34.55
TALBOT Cie Gérance Autom., 68 rte d'Avignon au Pontet ☎ 31.03.73
TOYOTA Equipcomtat, 20 rte de Lyon ☎ 82.56.26
Gar. Michel, 7 bis quai St-Lazare ☎ 82.47.10

Ayme-Pneus, 32 bd St-Michel ☎ 82.71.38 et av. de l'étang, Zone Ind. ☎ 87.65.37
Dibon-Pneus, 1 rte de Marseille ☎ 86.31.65 et Le Pigeonnier, N 7, Le Pontet ☎ 31.14.13
Maison du Pneu, 27 bd Limbert ☎ 86.00.80
Page-Pneus, 37 ter bd Sixte-Isnard ☎ 82.06.85
Perrot-Pneus, 110 rte Tarascon ☎ 82.03.70
Pla, 103 bd 1er-D.-B. ☎ 82.31.17
Vailles-Pneus, 2 bd St-Jean ☎ 86.59.96

AVORIAZ 74 H.-Savoie 74 ⑧ – rattaché à Morzine.

AVRANCHES 50300 Manche 59 ⑧ G. Normandie – 11 319 h. alt. 10 à 103 – 33.
Voir Jardin des Plantes* : ※ E – Manuscrits** du Mont-St-Michel (musée de l'Avranchin) M.**
Office de Tourisme r. Gén.-de-Gaulle (fermé dim. hors sais.) ☎ 58.00.22.
Paris 340 ③ – Alençon 127 ③ – ♦Caen 100 ① – ♦Cherbourg 134 ① – Dinan 67 ③ – Flers 70 ① – Fougères 40 ③ – ♦Rennes 75 ③ – St-Lô 56 ① – St-Malo 65 ③ – Vire 50 ①.

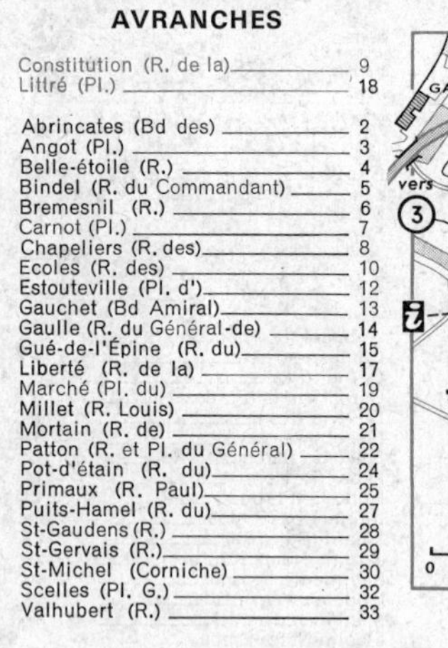

AVRANCHES

Constitution (R. de la) 9
Littré (Pl.) 18

Abrincates (Bd des) 2
Angot (Pl.) 3
Belle-étoile (R.) 4
Bindel (R. du Commandant) 5
Bremesnil (R.) 6
Carnot (Pl.) 7
Chapeliers (R. des) 8
Ecoles (R. des) 10
Estouteville (Pl. d') 12
Gauchet (Bd Amiral) 13
Gaulle (R. du Général-de) 14
Gué-de-l'Épine (R. du) 15
Liberté (R. de la) 17
Marché (Pl. du) 19
Millet (R. Louis) 20
Mortain (R. de) 21
Patton (R. et Pl. du Général) 22
Pot-d'étain (R. du) 24
Primaux (R. Paul) 25
Puits-Hamel (R. du) 27
St-Gaudens (R.) 28
St-Gervais (R.) 29
St-Michel (Corniche) 30
Scelles (Pl. G.) 32
Valhubert (R.) 33

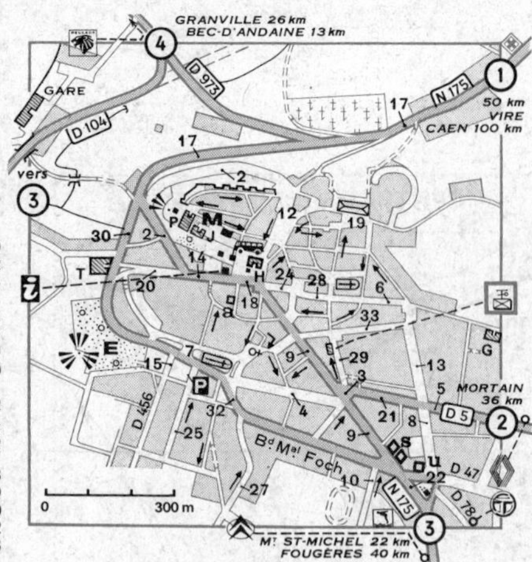

Croix d'Or, 83 r. Constitution **(s)** ☎ 58.04.88, « Décor rustique normand, jardin » – wc wc . rest
fermé janv. – SC : **R** 50/180 – 15 – 30 ch 65/180.

Auberge St-Michel, 7 pl. Gén.-Patton **(u)** ☎ 58.01.91, – wc wc .
fermé déc., vend. soir et sam. midi hors sais. – SC : **R** 35/85 – 12 – 25 ch 60/130 – P 150/190.

Patton sans rest, 1 pl. Gén.-Patton **(s)** ☎ 58.16.51 – wc . – 12 – **26 ch** 54/95.

Central H. sans rest, 2 r. Jardin des Plantes **(a)** ☎ 58.16.59 – wc .
fermé 1er au 15 nov. – SC : 10 – **10 ch** 41/110.

CITROEN Mazet-Avranches, bd Luxembourg, Val-St-Père ☎ 58.23.15 N ☎ 58.01.84
FIAT Mauviel, 1 r. Valhubert ☎ 58.01.74 N
OPEL Verdier, 1 r. L.-Millet ☎ 58.12.41
PEUGEOT Pavie, D 911, Marcey-les-Grèves ☎ 58.04.22
RENAULT Poulain, r. Cdt-Bindel ☎ 58.09.00
TALBOT Avranches-Autom., rte St-Quentin, St-Martin-des-Champs ☎ 58.14.96
VOLVO Gar. Borde, rte de Granville Marcey-les-Grèves ☎ 58.08.85

Relais Pneu, 17 bd du Luxembourg ☎ 58.04.24

AX-LES-THERMES 09110 Ariège 86 ⑮ G. Pyrénées – 1 592 h. alt. 720 – Stat. therm. – Sports d'hiver au Saquet ※*, au S par N 20 (4 km) et téléphérique ou par route du plateau de Bonascre (8 km) et télécabine : 1 400 /2 300 m 1 13 – Casino – 61 – **Voir Vallée d'Orlu* au SE.**
Office de Tourisme 2 av. Delcassé ☎ 64.20.64, Télex 530806.
Paris 831 – Andorre-la-Vieille 61 – Carcassonne 104 – Foix 42 – Prades 112 – Quillan 53.

Royal Thermal M, ☎ 64.22.51 – wc ☎ P – 100. AE GB E. rest
SC : **R** 55/90 – 15 – **57 ch** 110/200, 11 appartements 200/285 – P 190/230.

Roy René M, ☎ 64.22.28 – wc wc ☎ P. E. rest
fermé du 20 oct. au 31 janv. – SC : **R** 35/90 – 12 – 30 ch 75/130 – P 110/160.

Le Teich, ☎ 64.22.99, parc – wc ☎ P. AE GB. rest
SC : **R** 45/75 – 12 – **52 ch** 60/160 – P 120/190.

Terminus, ☎ 64.20.55 – wc wc ☎ P.
fermé oct., dim. soir et lundi sauf vac. scolaires – SC : **R** 40/60 – 12 – **28 ch** 70/120 – P 130/160.

Moderne, ☎ 64.20.24 – wc ☎
1er fév.-31 oct. – SC : **R** 30/50 – 10 – 22 ch 45/120 – P 92/145.

au Castelet NO : 4 km – alt. 660 – ✉ **09110** Ax-les-Thermes :

Le Castelet, ☎ 64.24.52, ←, – wc ☎ P. rest
fermé 1er nov. au 20 déc., mardi soir et merc. hors sais. – SC : **R** 33/100 – 10 – **28 ch** 60/145 – P 102/147.

à Unac NO : 9 km par N 20 et D 2 – ✉ **09250** Luzenac :

L'Oustal avec ch, ☎ 64.48.44, ←, « Auberge rustique », –
fermé 2 au 30 janv., mardi et merc. hors saison – **R** 60/130 – 9 – 8 ch 45/60 – P 125.

Garage Chague, ☎ 64.21.66

AYDAT (Lac d')

★ **63970** P.-de-D. 73 ⑭ **G. Auvergne** – 789 h. alt. 825 – 73.
Paris 411 – •Clermont-Ferrand 21 – Condat 55 – Issoire 42 – Le Mont-Dore 28 – Murol 16.

AYGUADE-CEINTURON

83 Var 84 ⑯ – rattaché à Hyères.

AYSE

74 H.-Savoie 74 ⑦ – rattaché à Bonneville.

AYTRÉ

17 Char.-Mar. 71 ⑫ – rattaché à la Rochelle.

AZAY-LE-RIDEAU

37190 I.-et-L. 64 ⑭ **G. Châteaux de la Loire** (plan) – 2 749 h. alt. 44 – 47.
Voir Château★★★ (spectacle Son et Lumière★★) – Façade★ de l'église St-Symphorien.
Syndicat d'Initiative 26 r. Gambetta (15 mars-15 sept. et fermé dim.) ☎ 43.34.40 et à la Mairie (15 sept.-15 mars) ☎ 43.32.11.
Paris 262 – Châtellerault 59 – Chinon 21 – Loches 54 – Saumur 46 – •Tours 28.

Gd Monarque, ☎ 43.30.08, – wc ☎ . AE
1er mars-30 nov. – SC : **R** 62/135 – 17 – 30 ch 60/195 – P 200/330.

Biencourt sans rest, 7 r. Balzac ☎ 43.38.44 – wc.
12 avril-11 nov. et fermé mardi en avril et oct. – SC : 11 – **8 ch** 85/130.

Commerce avec ch, ☎ 43.30.22 – . ch
fermé 15 déc. au 20 janv. et lundi – SC : **R** 40/85 – 9,50 – 10 ch 55/85.

à Saché SE : 6,5 km par D 17 – ✉ **37190** Azay-le-Rideau :

✿ **Aub. du XII siècle** (Niqueux), ☎ 26.86.58, « Cadre médiéval », – P. AE GB
fermé janv. et mardi – SC : **R** carte 90 à 120
Spéc. Suivant produits de saison.

CITROEN Gar. Central, ☎ 43.30.26
RENAULT Relais des Loges, N 751, La Loge ☎ 43.36.89 N ☎ 96.70.24
Gar. Duval, à la Chapelle-St-Blaise ☎ 43.32.02 N

AZÉ

71 S.-et-L. 70 ⑪ **G. Bourgogne** – 553 h. alt. 249 – ✉ **71250** Lugny – 85.
Paris 389 – Cluny 12 – •Lyon 90 – Mâcon 19 – Tournus 25.

La Fortune du Pot, ☎ 33.31.37
fermé 20 déc. au 20 janv. et jeudi – SC : **R** 52/56.

Le BABORY

43 H.-Loire 76 ④ – rattaché à Blesle.

BACCARAT

54120 M.-et-M. 62 ⑦ **G. Vosges** – 5 606 h. alt. 274 – 8.
Syndicat d'Initiative 2 r. Division-Leclerc (juil.-août, fermé dim. et lundi) ☎ 372.13.37.
Paris 363 – Épinal 41 – Lunéville 25 – •Nancy 60 – St-Dié 25 – Sarrebourg 42.

Renaissance, r. Cristalleries ☎ 372.11.31, – . AE GB E
fermé 15 janv. au 15 fév. et sam. hors sais. – SC : **R** 35/85 – 11 – **17 ch** 50/60 – P 120/130.

Agriculture, r. Trois-Frères-Clément ☎ 372.10.44 – P. rest
fermé 28 août au 7 oct., dim. soir et sam. – SC : **R** 27/82 – 8 – 9 ch 43/54 – P 95.

BADEFOLS-SUR-DORDOGNE 24 Dordogne 75 ⑮⑯ **G. Périgord** – 143 h. alt. 50 – ✉ **24150** Lalinde – ⚙ 53.

Env. Cloître** et église* de Cadouin SE : 7,5 km.

Paris 547 – Bergerac 27 – Périgueux 63 – Sarlat-la-Canéda 47.

- **Lou Cantou,** ☎ 61.50.36 – wc ☎ P
  1er avril-15 oct. – SC : **R** 33 bc/85 bc – 8 – **12 ch** 53/103 – P 96/158.

BAGNÈRES-DE-BIGORRE SP **65200** H.-Pyr. 85 ⑱ **G. Pyrénées** – 10 573 h. alt. 556 – Stat. therm. (7 mai-20 oct.) – Casino AZ – ⚙ 62 – **Voir** Parc thermal de Salut* par D 153 AZ – Grotte de Médous** par ② : 2,5 km – Vallée de Lesponne* 4,5 km par ②.

Office de Tourisme pl. Lafayette (fermé dim. sauf matin en saison) ☎ 95.01.62.

Paris 792 ③ – Lourdes 22 ③ – St-Gaudens 57 ① – Tarbes 21 ③.

BAGNÈRES-DE-BIGORRE

Coustous (Allées des)	BZ	7
Foch (R. Maréchal)	BY	8
Lafayette (Pl.)	ABY	22
Strasbourg (Pl. de)	BZ	32
Thermes (R. des)	AZ	34
Victor-Hugo (R.)	AZ	35
Alsace-Lorraine (R. d')	AZ	2
Arras (R. du Pont d')	AZ	3
Belgique (Av. de)	AY	4
Clemenceau (Pl. G.)	AY	5
Costallat (R.)	BY	6
Fontaine-Ferrugineuse (Av.)	AY	9
Frossard (R. Émilien)	BZ	12
Gambetta (R.)	AY	13
Gaulle (Av. Gén. de)	BY	14
Horloge (R. de l')	AZ	16
Joffre (Av. Maréchal)	AY	17
Jubinal (Pl. A.)	BZ	20
Leclerc (Av. Général)	AY	23
Lorry (R. de)	BZ	25
Pasteur (R.)	BY	26
Pyrénées (R. des)	BZ	27
République (R. de la)	AY	28
Salles (R. de)	AZ	30
Thermes (Pl. des)	AZ	33
Vigneaux (R. des)	BY	37
Vigneaux (Sq. des)	BY	38
3-Frères-Duthu (R.)	BZ	39

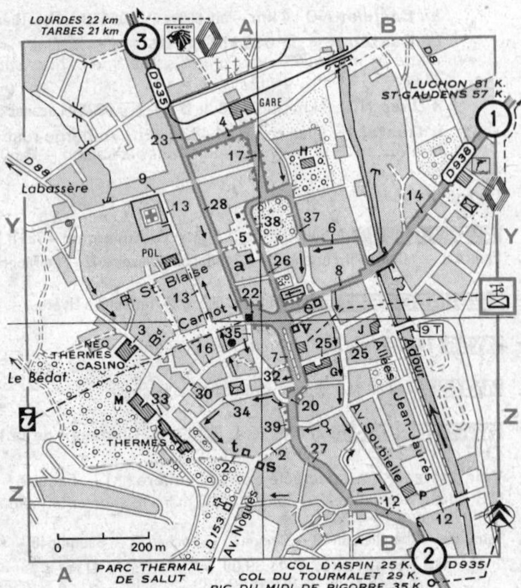

- **La Résidence** , Parc Thermal de Salut ☎ 95.03.97, ←, – wc wc ☎ P. par av. P.-Noguès AZ
  Pâques-15 oct. – SC : **R** 60/75 – 13 – 41 ch 130/145 – P 160/175.
- **Host. d'Aste,** par ② : 3,5 km ☎ 95.20.27, ←, – wc wc ☎ P – 50. GB.
  fermé 2 nov. au 10 déc. et 15 avril au 15 mai – SC : **R** *(fermé merc.)* 28/65 – 10,50 – 23 ch 61/127 – P 117/145.
- **Angleterre** sans rest, pl. La-Fayette ☎ 95.22.24 – wc wc ☎ BZ **v**
  fermé 26 avril au 10 mai – SC : 9 – **34 ch** 40/105.
- **Trianon,** pl. Thermes ☎ 95.09.34, – wc ☎ P. rest ABZ **s**
  Pâques-20 oct. – SC : **R** 35/60 – 11 – **31 ch** 48/130 – P 115/150.
- **Lutétia,** 13 pl. G.-Clemenceau ☎ 95.00.45 – wc wc ☎. rest AY **a**
  25 avril-15 oct. – SC : **R** 35/120 – 10 – 27 ch 40/125 – P 100/145.
- **Glycines** sans rest, 12 pl. Thermes ☎ 95.28.11 – wc wc ☎ AZ **t**
  Pâques, 15 mai-15 oct. et vacances de fév. – SC : 11 – **21 ch** 45/115.
- **St-Vincent,** 31 r. Mar.-Foch ☎ 95.01.66 – wc wc ☎. BY **e**
  fermé oct. et lundi hors sais. – SC : **R** 30/50 – 8 – 22 ch 50/100 – P 100/130.

CITROEN Fourcade, N 135, rte des Cols ☎ 95.26.68
LANCIA-AUTOBIANCHI, VOLVO Gar. Garcia, 1 r. J.-Meynier ☎ 95.26.03
FORD Gar. Pomiers, av. Gén.-Leclerc ☎ 95.21.65
PEUGEOT Laloubère, rte Tarbes ☎ 95.26.84
RENAULT Dubau, rte Tarbes ☎ 95.04.39
RENAULT Gar. des Deux Ponts, 56 r. Gén.-de-Gaulle ☎ 95.08.26

BAGNÈRES-DE-LUCHON 31 H.-Gar. 85 ⑳ – voir à Luchon.

BAGNEUX 49 M.-et-L. 64 ⑫ – rattaché à Saumur.

BAGNEUX 92 Hauts-de-Seine 60 ⑩, 101 ㉕ – voir à Paris, Proche banlieue.

BAGNOLES-DE-L'ORNE 61140 Orne 60 ① **G. Normandie** – 651 h. alt. 194 – Stat. therm. (28 avril-30 sept.) – Casino BX – ☎ 33.

Voir Site★ – Lac★ BX – Parc★ BCY

⛳ d'Andaine ☎ 37.09.14 par ③ : 3 km.

ℹ Office de Tourisme pl. Gare (1er mars-30 sept.) ☎ 37.05.84.

Paris 232 ① – Alençon 48 ② – Argentan 39 ① – Domfront 19 ③ – Falaise 45 ① – Flers 27 ④.

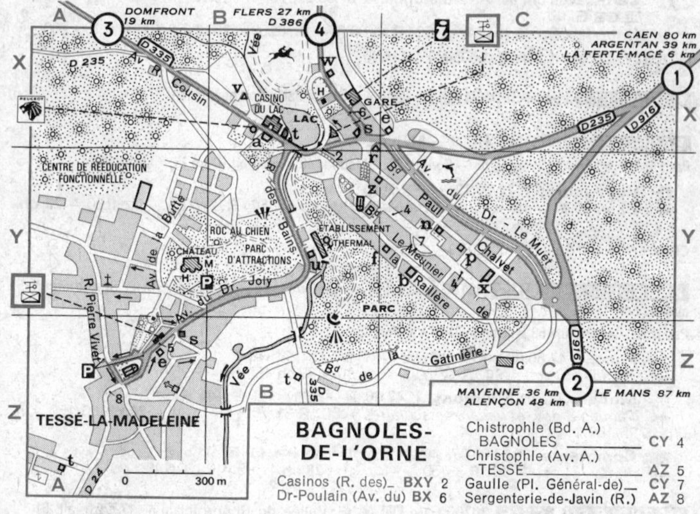

🏨 **Thermes et rest. Sire Hugues,** ☎ 37.15.00, parc – ascenseur ♿ parking. AE ⊘ rest BY **u**
4 mai-21 sept. – SC : **R** 80/90 – ☕ 20 – **70 ch** 100/335, 3 appartements 475 – P 260/590.

🏨 **Bois Joli** 🐚, av. P.-du-Rozier ☎ 37.95.13, parc – TV parking. AE GB ⓞ. ⊘ BX **w**
10 avril-30 sept. – SC : **R** carte 95 à 140 – ☕ 20 – **19 ch** 70/240 – P 240/270.

🏨 **Capricorne** M 🐚, allée Montjoie ☎ 37.96.99, parc – ascenseur parking. AE ⓞ. ⊘ BX **v**
Pâques-oct. – SC : **R** (dîner résidents seul.) – **21 ch** ☕ 165/225, 3 appartements 280.

🏨 **Lutetia-Reine Astrid** 🐚, bd Paul Chalvet ☎ 37.94.77, parc – bainwc ☎ garage. AE ⓞ. ⊘ rest CY **n**
Pâques-30 sept. – SC : **R** 72/135 – ☕ 13 – **30 ch** 72/155 – P 144/220.

🏨 **Gayot,** pl. République ☎ 37.90.22 – ascenseur bainwc doucheswc ☎ ♿ parking. AE ⓞ E. ⊘ rest CX **e**
1er mars-fin nov. – SC : **R** 55/85 – ☕ 14 – **18 ch** 90/160 – P 180/220.

🏨 **Beaumont** 🐚, 26 bd Le Meunier-de-la-Raillère ☎ 37.91.77, parc – bainwc doucheswc ☎ parking – salle 25. ⊘ BCY **f**
17 avril-30 sept. – SC : **R** 53/95 🍷 – ☕ 16 – **39 ch** 92/185 – P 160/210.

🏨 **Le Gd Veneur,** pl. République ☎ 37.19.77 – ascenseur bainwc ☎ parking – salle 30 BXY **r**
25 avril-30 sept. – SC : 52/60 – ☕ 13 – **21 ch** 75/166 – P 180.

🏨 **Ermitage** 🐚 sans rest, 24 bd P.-Chalvet ☎ 37.18.13, parc – bainwc doucheswc ☎ garage parking CY **p**
28 avril-30 sept. – SC : ☕ 11 – **39 ch** 48/100.

🏨 **Camélias** 🐚, av. Chât.-de-Couterne ☎ 37.93.11, parc – bainwc doucheswc ☎ parking. garage. ⊘ rest BZ **t**
28 avril-30 sept. – SC : **R** 48/50 – ☕ 11,50 – **40 ch** 95/105 – P 98/130.

🏨 **Terrasse** sans rest, pl. République ☎ 37.92.39 – bainwc ☎ parking. ⊘ BX **s**
☕ 12 – **27 ch** 38/120.

🏨 **Nancy,** av. R.-Cousin ☎ 37.97.00, parc – bainwc ☎ garage parking. ⊘ BX **a**
✦ *27 avril-30 sept.* – SC : **R** 30/48 – ☕ 11 – **45 ch** 45/80 – P 105/140.

🏨 **Grillon** 🐚, bd P.-Chalvet ☎ 37.16.77, parc – douches ☎ parking. ⊘ CY **x**
✦ *25 avril-30 sept.* – SC : **R** 30/65 – ☕ 12,50 – 21 ch 50/90 – P 110/130.

🏨 **Christol et du Dante** 🐚, bd P.-Chalvet ☎ 37.03.99, ≤, parc – bain. ⊘ BY **z**
✦ *26 avril-30 sept.* – SC : **R** 34/51 – ☕ 10 – **26 ch** 41/73 – P 90/115.

🏨 **Capucines** 🐚, bd Le Meunier-de-la-Raillère ☎ 37.06.77, ≤, parc – ☎ parking. ⊘ CY **b**
✦ *20 avril-1er oct.* – SC : **R** 35/55 – ☕ 9,50 – **18 ch** 40/120 – P 100/140.

XX **Café de Paris,** av. R.-Cousin ☎ 37.08.22, ≤, Cuisine italienne – AE GB ⓞ E. ⊘
fermé 3 janv. au 24 fév., lundi de mai à fin sept., mardi et merc. d'oct. à avril – SC : **R** 90/110. BX **t**

à Tessé-la-Madeleine – ✉ **61140** Bagnoles-de-l'Orne :

Nouvel H., av. A.-Christophle ☎ 37.11.11, – wc wc ☎. rest
Pâques-mi oct. – SC : **R** 45/80 – 11 – **30 ch** 90/135 – P 150/175. AZ **e**

de Tessé, av. de la Baillée ☎ 37.12.22, ≤, – wc ☎ **P**. rest AZ **t**
26 avril-25 sept. – SC : **R** 35/40 – 10 – **64 ch** 30/120 – P 85/140.

Celtic avec ch, av. A.-Christophle ☎ 37.05.22, – wc wc ☎ – 50. AE GB E. AZ **s**
fermé 1er déc. au 15 janv. – SC : **R** 45/80 – 10,50 – **28 ch** 50/180 – P 130/200.

PEUGEOT Constant, 8 av. R.-Cousin ☎ 37.16.40

BAGNOLET 93 Seine-St-Denis **56** ⑪, **101** ⑯ – voir à Paris, Proche banlieue.

BAGNOLS 63810 P.-de-D. **73** ⑫ – 919 h. alt. 850 – ✪ 73.

Paris 454 – •Clermont-Ferrand 68 – Condat 30 – Mauriac 49 – Le Mont-Dore 25 – Ussel 64.

Voyageurs, ☎ 22.20.12 – **P**
20 mars-20 sept., vacances de Noël et de fév. – SC : **R** 30/60 – 8,50 – **23 ch** 47/95 – P 80/95.

CITROEN Gar. Moulier, ☎ 22.20.59

BAGNOLS-LES-BAINS 48190 Lozère **80** ⑥ **G. Causses** – 216 h. alt. 913 – Stat. therm. (15 avril-20 oct.) – ✪ 66.

Paris 593 – Langogne 53 – Mende 21 – Villefort 38.

Pont, ☎ 47.60.03, – wc wc ☎. rest
15 janv.-15 oct. – SC : **R** 32/50 – 10 – 32 ch 45/100 – P 95 bc/150 bc.

Modern'H. et Malmont, ☎ 47.60.04 – wc ☎ **P**
Pâques-3 nov. et vacances scolaires – SC : **R** 31/70 – 11 – **28 ch** 60/150 – P 95/150.

Commerce, ☎ 47.60.07, – wc ☎ **P**. E. rest
1er fév.-31 oct. – SC : **R** 35/50 – 10 – **28 ch** 47/95 – P 100/140.

BAGNOLS-SUR-CÈZE 30200 Gard **80** ⑩ **G. Vallée du Rhône** (plan) – 17 772 h. alt. 51 – ✪ 66.

Voir Musée★.

Env. Belvédère-exposition★★ du Centre d'Énergie Atomique de Marcoule SE : 9,5 km.

ℹ Syndicat d'Initiative esplanade Mont-Cotton (1er mai-30 sept., fermé sam. après-midi et dim.) ☎ 89.54.61.

Paris 658 – Alès 50 – Avignon 33 – Nîmes 48 – Orange 29 – Pont-St-Esprit 11.

Château de Coulorgues M, rte Avignon ☎ 89.52.78, ≤, « Maison bourgeoise dans un parc », – TV **P**. AE GB
SC : **R** 55/88 – 15 – **23 ch** 110/250 – P 170/220.

Florence, 16 pl. Bertin-Boissin ☎ 89.58.24, Spécialités italiennes – GB
fermé oct., 27 avril au 4 mai, dim. soir et lundi – SC : **R** 42/58 .

à Connaux S : 8,5 km sur N 86 – ✉ **30330** Connaux :

✿ **Maître Itier**, ☎ 82.00.24 – **P**. AE
fermé 21 juin au 7 juil., 31 janv. au 16 fév., dim. soir et lundi sauf fériés – SC : **R** (dîner prévenir) 90/150
Spéc. Tripettes au Grand Marnier, Baudroie à la provençale, Foie de veau aux framboises (juin-sept.). Vins Bagnols, Lirac.

AUDI-VOLKSWAGEN Gar. Paulus, av. Nîmes ☎ 89.60.30
CITROEN Jeolas, rte d'Avignon ☎ 89.60.43
FIAT Électro-Diesel, rte Nîmes ☎ 89.61.20
OPEL Electronic-Auto, 731 rte d'Avignon ☎ 89.56.07
PEUGEOT Pailhon, rte Nîmes ☎ 89.54.95
RENAULT Gar. Stolard, 252 rte Tresques ☎ 89.56.36

Bellard, 55 rte Nîmes ☎ 89.52.11
Piot-Pneu, 39 av. du Pont ☎ 89.54.19

BAILLEUL 59270 Nord **51** ⑤ **G. Nord de la France** – 13 483 h. alt. 44 – ✪ 28.

Voir ☼★ du beffroi.

Paris 248 – Armentières 12 – Béthune 30 – Dunkerque 44 – Ieper 19 – Lille 30 – St-Omer 36.

Pomme d'Or avec ch, 27 r. Ypres ☎ 43.11.01 – wc – 40. GB E. ch
fermé 15 au 31 août et lundi – SC : **R** 38/92 – 10 – **3 ch** 65/120.

au Mont-Noir N : 7 km par D 10 et D 318 – ✉ **59270** Bailleul :

Mont-Noir, avec ch, ☎ 42.51.33, ≤ campagne belge, – ☎ **P** – 40. GB
fermé fév. et vend. – SC : **R** 35/85 – 8 – **7 ch** 47/80 – P 80/90.

BAIN-DE-BRETAGNE 35470 I.-et-V. 63 ⑥⑦ – 5 063 h. alt. 103 – 99.

Paris 352 – Châteaubriant 29 – ♦Nantes 75 – Ploërmel 61 – Redon 43 – ♦Rennes 32 – Vitré 50.

- **des Quatre Vents,** rte Rennes ☎ 43.71.49 – wc.
  fermé fév. – SC : **R** 32/86 – 10 – 20 ch 85/120 – P 90/110.
- **Croix Verte,** pl. Henri-IV ☎ 43.71.55 – . ch
  fermé 31 août au 14 sept., sam. soir, dim. et fêtes – SC : **R** 30/38 – 8,50 – 10 ch 38/50 – P 88/107.

BAINS-LES-BAINS 88240 Vosges 62 ⑮ **G. Vosges** – 1 757 h. alt. 308 – Stat. therm. (début mai-fin sept.) – 29.

Office de Tourisme pl. Bain-Romain (début mai-fin sept. et fermé dim. après-midi) ☎ 36.31.75.

Paris 365 ④ – Épinal 30 ① – Luxeuil-les-Bains 29 ② – ♦Nancy 101 ① – Neufchâteau 71 ④ – Vesoul 50 ② – Vittel 42 ④.

BAINS-LES-BAINS

Hôtel-de-Ville (R. de l')	6
Chavanne (Av. du Lieutenant-Colonél)	2
Demazure (Av.)	3
Docteur-Bailly (Av. du)	4
Docteur-Mathieu (Av. du)	5
Leclerc (R. du Général)	7
Poirot (R. Marie)	10
Verdun (R. de)	12
2e-D.-B. (Pl. de la)	14

Les plans de villes sont orientés le Nord en haut.

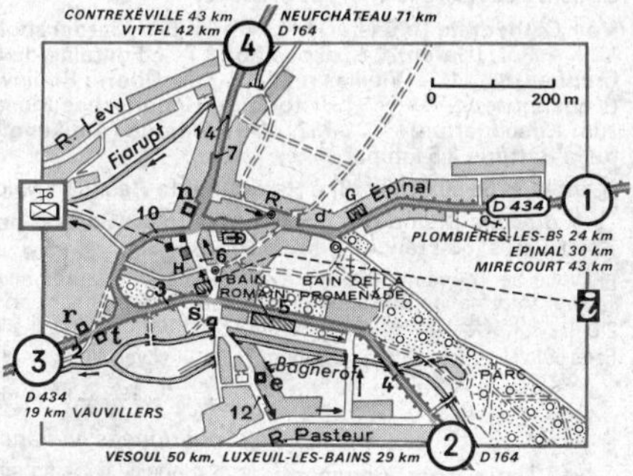

- **Poste, (e)** ☎ 36.30.02 – wc wc .
  fermé sam. et dim. d'oct. à Pâques – SC : **R** 35/59 – 10,50 – 30 ch 60/100 – P 97/150.
- **Promenade, (r)** ☎ 36.30.06, – wc P.
  1er mars-1er nov. et fermé lundi en oct. et de mars à mi-avril – SC : **R** 40/90 – 10 – **33 ch** 65/80 – P 120/130.
- **Les Ombrées** , 13 r. Million au Sud par r. Verdun ☎ 36.31.85, – TV wc P.
  mi-avril-fin sept. – SC : **R** 45/68 – 11 – **20 ch** 63/105 – P 118/170.
- **Nouvel H., (t)** ☎ 36.32.40, – wc .
  20 avril-28 sept. – SC : **R** 38/75 – 12 – **28 ch** 48/115 – P 118/193.
- **Central, (n)** ☎ 36.30.20, parc – wc. ch
  1er mai-25 sept. – SC : **R** 40/85 – 9,50 – 36 ch 45/75 – P 100/130.
- **Sources, (s)** ☎ 36.30.23 – ♿
  1er mai-25 sept. – SC : **R** 35/47 – 10,50 – **40 ch** 35/55 – P 100/120.

BAIX 07 Ardèche 77 ⑪ – 546 h. alt. 86 – ✉ **07210** Chomerac – 75.

Paris 594 – Crest 28 – Montélimar 25 – Privas 19 – Rochemaure 15 – Valence 33.

- **La Cardinale et sa Résidence** , ☎ 62.85.88, <, « Ancienne demeure seigneuriale » – TV ♿ P – 30. AE GB rest
  fermé 2 janv. au 15 fév. – SC : **R** *(fermé jeudi 1er oct. à Pâques)* 100/180 – **5 ch** 250.
  La Résidence , à 2 km, parc, – wc P. AE GB rest
  fermé 2 janv. au 15 fév. – SC : **5 ch** 280, 5 appartements 380.

BALARUC-LES-BAINS 34540 Hérault 83 ⑯ **G. Causses** – 3 787 h. alt. 4 – Stat. therm. (2 mars-5 déc.) – 67.

Syndicat d'Initiative av. Thermes (fermé sam. hors saison et dim.) ☎ 48.50.07.

Paris 786 – Agde 32 – Béziers 48 – Frontignan 8 – Lodève 66 – ♦Montpellier 29 – Sète 7.

- **Ponant** M , ☎ 48.50.05 – wc wc P – 25. AE GB
  1er mai-25 oct. – **R** 40/80 – 15 – **42 ch** 130/165 – P 165/220.
- **Gd Hôtel** sans rest, av. Port ☎ 48.50.26 – wc .
  1er mars-1er déc. – SC : 12 – **12 ch** 95/120.
- **Pins** sans rest, ☎ 48.50.15, – wc ♿ P
  1er avril-30 nov. – SC : 10 – **20 ch** 59/89.

Pour aller loin rapidement, utilisez les cartes Michelin à 1/1 000 000.

BALBIGNY 42510 Loire 73 ⑱ – 2 314 h. alt. 334 – ✆ 77.

Voir Gorges de la Loire★ NO : 3 km, G. Vallée du Rhône.

Paris 421 – L'Arbresle 52 – Roanne 30 – ♦St-Étienne 47 – Thiers 62 – Villefranche-sur-Saône 63.

XX **Europe** avec ch, ✆ 28.13.42 – wc. *fermé merc.* – SC : **R** 40/97 – 11 – 7 ch 70/115 – P 91/110.

XX **Paix,** ✆ 28.11.49 – Ⓟ *fermé 5 au 11 août, 5 au 19 janv., dim. soir et lundi sauf du 15 juin au 31 août* – SC : **R** 32/80.

PEUGEOT Duboeuf et Joninon, ✆ 28.13.34 RENAULT Villard, ✆ 28.10.20

BALDENHEIM 67 B.-Rhin 62 ⑲ – rattaché à Sélestat.

BÂLE (BASEL) 4000 Suisse 66 ⑩, 21 ④ **G. Suisse** – 238 447 h. alt. 273 – ✆ Bâle et les environs : de France 19-41-61 ; de Suisse 061.

Voir Cathédrale (Münster)★★ : ←★ CY B – Jardin zoologique (Zoologischer Garten)★★★ ABZ – Port (Hafen)★, exposition★ T – Fontaine du Marché aux poissons (Fischmarktbrunnen)★ BX D – Vieilles rues★ BXY – Oberer Rheinweg ←★ CX – Musées : Beaux-Arts (Kunstmuseum)★★★ CY, Historique (Historisches Museum)★ BY M1, Kirschgarten (Haus zum Kirschgarten)★ BCY M2, d'Art Antique (Antikenmuseum)★ CY M3 – ★ de la tour de la Batterie 3,5 km par ⑤ U.

18 privé ✆ 68.50.91 (✆ 89) à Hagenthal-le-Bas (68-France) SO : 10 km.

de Bâle-Mulhouse ✆ 57.31.11 à Bâle (Suisse) par la Zollfreie Strasse 8 km T et à Saint-Louis (68-France) ✆ 67.00.00 (✆ 89).

Office de Tourisme, Blumenrain 2 (fermé sam. après-midi et dim.) ✆ 25.38.11, Télex 63318 et Tourist Information, Elisabethenpassage 15 (fermé sam. et dim.) ✆ 22.36.84 – A.C. Suisse, Birsigstr. 4 ✆ 23.39.33 – T.C.S., Petrihof, Steinentorstr. 13 ✆ 23.19.55.

Paris 561 ⑦ – Bern 96 ④ – Freiburg 71 ⑩ – ♦Lyon 407 ⑦ – ♦Mulhouse 34 ⑧ – ♦Strasbourg 145 ⑩.

Plans pages suivantes

Les prix sont donnés en francs suisses

Trois Rois, Blumenrain 8, ✉ 4001, ✆ 25.52.52, Télex 62937, ← – TV – 60. AE VISA BX **a**
SC : **Rôtisserie des Rois R** carte 55 à 75 - rest **Rhy-Deck R** carte environ 45 – **82 ch** 90/230, 3 appartements 350.

Hôtel International M, Steinentorstrasse 25, ✉ 4001, ✆ 22.18.70, Télex 62370, – TV – 25 à 250. AE E BY **b**
SC : **Steinenpick R** 11/21,50, dîner carte **Rôt Charolais R** 48/58 – **200 ch** 102/193, 12 appartements – P 130/175.

Hilton M, Aeschengraben 31, ✉ 4002, ✆ 22.66.22, Télex 62055, – TV Ⓟ – 50 à 300. AE E VISA CZ **d**
SC : **R** carte 50 à 75 – 8,50 – **207 ch** 95/185, 10 appartements.

H. Basel M, 12 Münzgasse, ✉ 4051, ✆ 25.24.23, Télex 64199, « Élégant aménagement intérieur » – TV – 120. AE E VISA BY **x**
SC : **R** carte 30 à 50 – **70 ch** 69/174.

Euler, Centralbahnplatz 14, ✉ 4051 ✆ 23.45.00, Télex 62215 – TV – 40 à 120. AE E VISA. rest BZ **a**
SC : **R** carte 50 à 80 – **57 ch** 98/220, 6 appartements 260/380 – P 140/170.

Schweizerhof, Centralbahnplatz 1, ✉ 4002, ✆ 22.28.33, Télex 62373 – TV Ⓟ – 80. AE E. rest BZ **n**
SC : **R** carte environ 45 – **75 ch** 85/170.

Alban Ambassador M, Jacob Burckhardtstrasse 61, ✉ 4052, ✆ 50.66.66, Télex 62042, parc – . AE E VISA CZ **y**
SC : **R** 15/33, dîner à la carte – **80 ch** 75/160, 7 appartements 220/280.

Europe M, 43 Clarastrasse, ✉ 4005, ✆ 26.80.80, Télex 64103 – ch TV – 180. AE E VISA CX **k**
SC : **R** *(fermé dim.)* carte 35 à 50 – **170 ch** 75/150 – P 115/135.

Alexander M, Riehenring 85, ✉ 4058, ✆ 26.70.00, Télex 63325 – rest TV . AE VISA CX **s**
SC : **R** carte 35 à 60 – **65 ch** 60/145, 3 appartements.

Victoria, Centralbahnplatz 3, ✉ 4002, ✆ 22.55.66, Télex 62362 – – 25. AE E VISA BZ **n**
SC : **R** carte environ 35 – **110 ch** 40/140 – P 70/110.

City M, Henric Petri-Strasse 12, ✉ 4010, ✆ 23.78.11, Télex 62427 – TV. AE E VISA CY **f**
SC : **R** carte 35 à 50 – **85 ch** 50/130.

Métro M sans rest, Elisabethenanlage 5 ✉ 4002 ✆ 22.77.21, Télex 62215 – TV wc – 40 à 120. AE E VISA BZ **a**
SC : **46 ch** 75/160.

Bernina sans rest, Innere Margarethenstrasse 14, ✉ 4051, ✆ 23.73.00, Télex 63813 – wc wc . AE E VISA BYZ **u**
SC : **35 ch** 30/150.

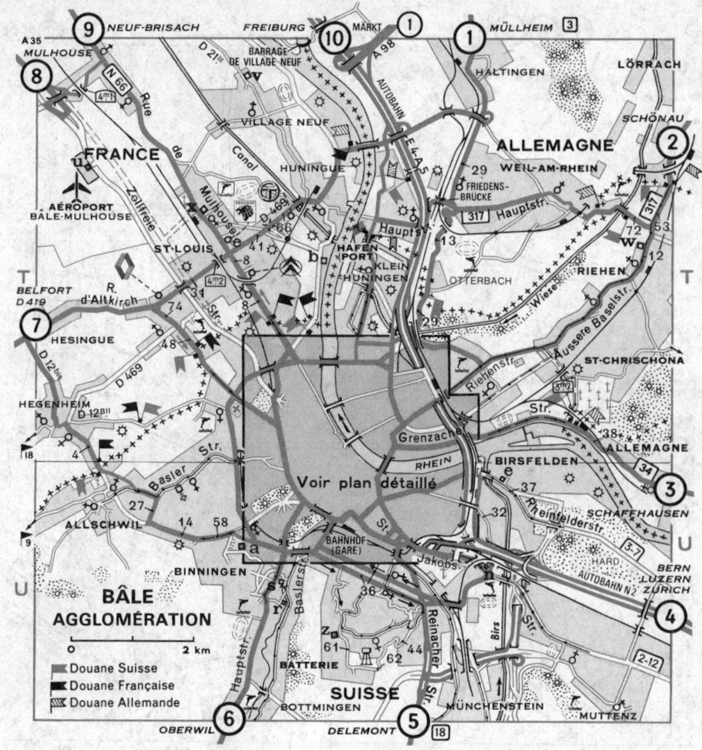

RÉPERTOIRE DES RUES DU PLAN DE BÂLE

Aeschenvorstadt CY 3
Barfüsserpl. BY 9
Centralbahnpl. BZ 21
Clarapl. CX
Eisengasse BX 24
Falknerstr. BY 28
Freie Str. BY
Gerbergasse BY 33
Greifengasse CX
Marktpl. BX 56
Steinenvorstadt BY

Aeschengraben CZ 2
Aeschenpl. CY
Aussere Basel Str. T
Allschwiler Str. AY
Arnold-Böcklin-Str. AY 7
Auberg BY
Austr. AY
Baselstr. T 12
Basler Str. U
Berner Ring AZ
Binningerstr. U 14
Blumenrain BX 17
Brombacher Str. CV 18
Brunngässlein CY 19
Bundesstr. AY
Burgfelder Str. AX
Centralbahnstr. BZ 22
Claragraben CX
Clarastr. CX
Colmarer Str. AX
Dornacher Str. BZ
Dufourstr. CY 23
Elisabethenstr. BY 26
Elsässer Str. AV
Entenweldstr. AV
Fabrikstr. U 27
Fasanenstr. DV
Feldbergstr. BV
Flughafenstr. AV
Freiburgerstr. T 29
Gasstr. AV
Gellertstr. U 32
Gotthelfstr. AY
Grenzacher Str. DX
Grosspeterstr. CZ
Gundeldinger Str. U 36
Hammerstr. CX
Hardstr. DY
Hauptstr. BIRSFELDEN U 37
Hauptstr. U
Holeestr. AZ
Horburgstr. CV
Hüninger Str. AV
Innere Margarethenstr. BZ 42
Jacob-Burckhardt-Str. CZ 43
Jakobsberger Str. U 44
Kannenfeldpl. AV
Kannenfeldstr. AX
Klingelbergstr. BX
Klybeckstr. BV
Kohlenberg BY 47
Laupenring AZ
Lehenmattstr. DY 48
Leimenstr. BY
Leonhardsgraben BY 51
Lindenhofstr. CZ 52
Lörracher Str. T 53
Luzerner Ring AV
Margarethenstr. BZ
Metzer Str. AX
Missionsstr. AX
Mittlerestr. AX
Morgartenring AY
Mülhauser Str. AV
Münchensteiner Str. CZ
Münsterpl. CY 57
Nauenstr. CZ
Neubadstr. AZ
Neuweilerstr. U 58
Ob. Batterieweg U 61
Ob. Rheinweg. CX
Oberwilerstr. AZ
Petersgraben BX
Rebgasse CX
Reinacher Str. U
Reservoirstr. U 62
Rheinfelderstr. U
Riehenring CV
Riehenstr. CX
Rittergasse CY
Rosentalstr. DV
St-Alban Anlage CY
St-Alban Graben CY 63
St-Alban Rheinweg CY
St-Alban Vorstadt CY
St-Galler-Ring AY
St-Jakobs-Str. CZ
St-Johanns-Ring AX
St-Johanns-Vorstadt BX
Schanzenstr. BX
Schönaustr. CV
Schützengraben BY
Schützenmattstr. BY
Schwarzwaldallee CV
Spalenring AX
Steinenberg BY 67
Steinengraben BY
Steinenring AY
Steinentorberg BZ 68
Strassburger Allee AX
Untere Rebgasse CX 69
Viaduktstr. BZ
Voltastr. BV
Wasgenring AX
Weiherweg AY
Weilstr. T 72
Wettsteinallee CX 73
Zürcher Str. DY

ALLEMAGNE

Basler Str. T 13
Freiburgerstr. T 29
Hauptstr. T
Hörnlistr. T 38

FRANCE

Allschwill (R. d') T 4
Altkirch (R. d') T
Bâle (R. de) T 8
Gaulle (Av. de) T 31
Huningue (R. de) T 41
Lattre-de-T. (R. Mar.-de) T 48
Mulhouse (R. de) T
St-Louis (R. de) T 66
Zollfreie Str. T
1er-Mars (R. du) T 74

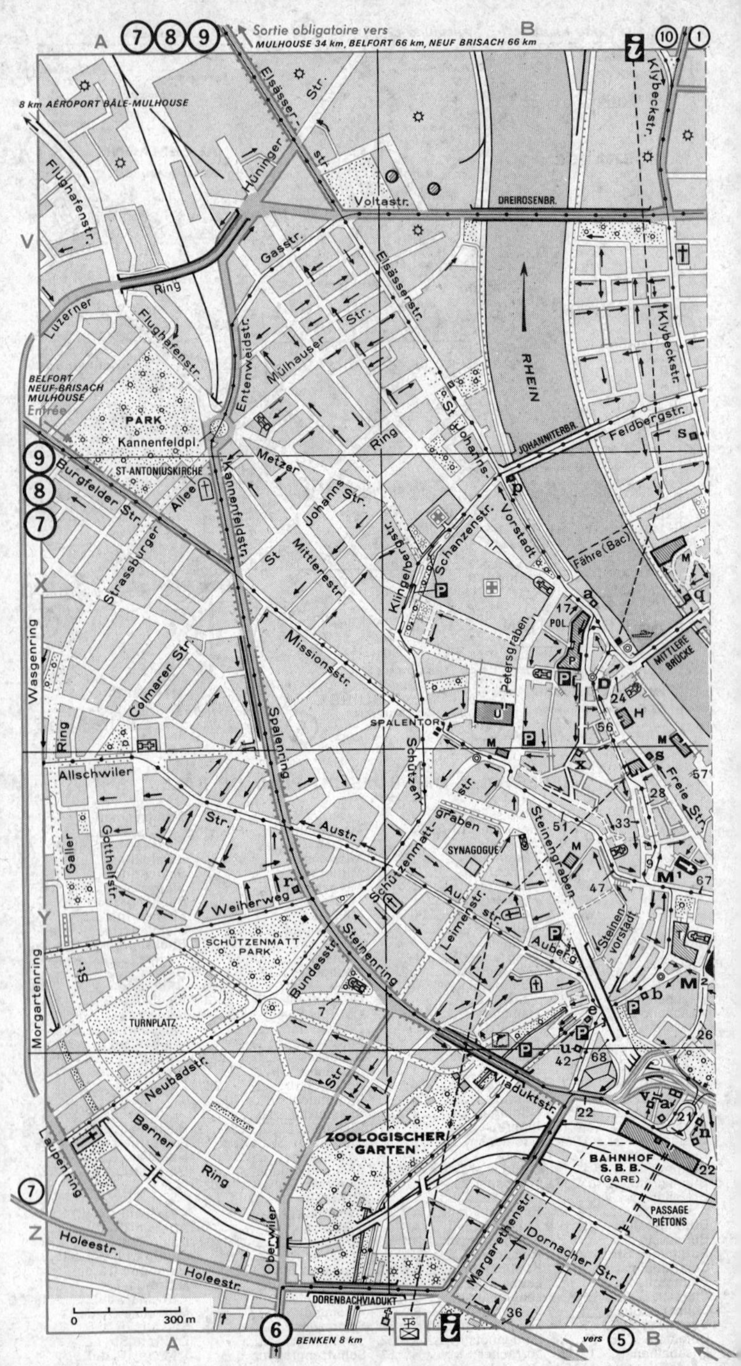
Sortie obligatoire vers
MULHOUSE 34 km, BELFORT 66 km, NEUF BRISACH 66 km
8 km AÉROPORT BÂLE-MULHOUSE
BELFORT
NEUF-BRISACH
MULHOUSE
Entrée
PARK
Kannenfeldpl.
ST-ANTONIUSKIRCHE
DREIROSENBR.
RHEIN
JOHANNITERBR.
Fähre (Bac)
MITTLERE BRÜCKE
SPALENTOR
SYNAGOGUE
SCHÜTZENMATT PARK
TURNPLATZ
ZOOLOGISCHER GARTEN
BAHNHOF S. B. B. (GARE)
PASSAGE PIÉTONS
DORENBACHVIADUKT
BENKEN 8 km
vers
300 m

BÂLE

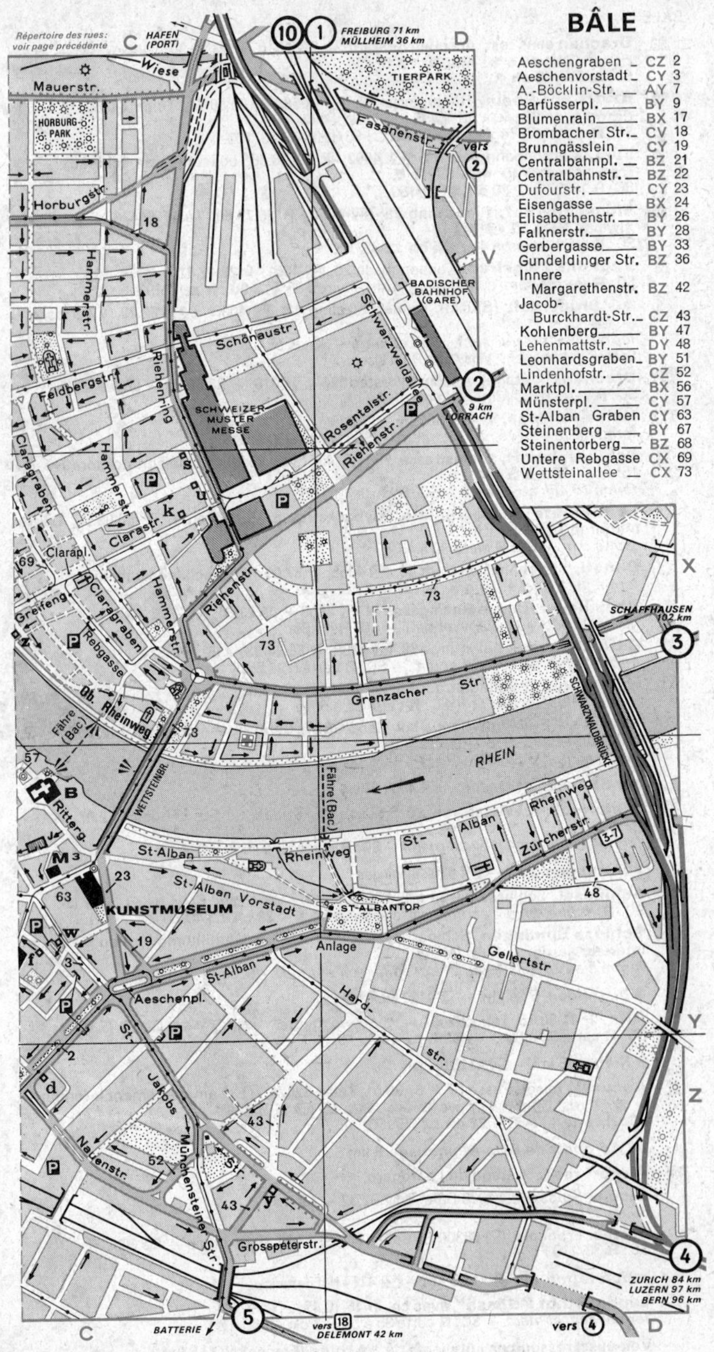

Répertoire des rues: voir page précédente
HAFEN (PORT)
FREIBURG 71 km
MÜLLHEIM 36 km
TIERPARK
Fasanenstr.
vers 2
Mauerstr.
Wiese
HORBURG-PARK
Horburgstr.
Hammerstr.
Riehenring
Schönaustr.
Schwarzwaldallee
BADISCHER BAHNHOF (GARE)
SCHWEIZER MUSTER MESSE
Rosentalstr.
Riehenstr.
9 km LÖRRACH
Feldbergstr.
Claragraben
Clarastr.
Clarapl.
Greifeng.
Rebgasse
Ob. Rheinweg
Fähre (Bac)
Grenzacher Str
SCHAFFHAUSEN 102 km
SCHWARZWALDBRÜCKE
RHEIN
WETTSTEINBR.
Rittergr.
St-Alban Rheinweg
Zürcherstr.
St-Alban Vorstadt
ST-ALBANTOR
KUNSTMUSEUM
Anlage
St-Alban
Gellertstr.
Aeschenpl.
Hardstr.
St. Jakobs Str.
Nauenstr.
Münchensteiner Str.
Grosspeterstr.
ZURICH 84 km
LUZERN 97 km
BERN 96 km
BATTERIE
vers 18 DELEMONT 42 km
vers 4

Drachen sans rest, Aeschenvorstadt 24, ✉ 4010, ☎ 23.90.90, Télex 62346 – wc wc. AE E VISA CY **w**
SC : 7 – **40 ch** 40/120.

Krafft am Rhein, Rheingasse 12, ✉ 4058, ☎ 26.88.77, Télex 64360, ≤ – wc wc. AE E CX **z**
SC : **R** carte environ 40 – **52 ch** 33/120 – P 73/100.

Jura, Centralbahnplatz 11, ✉ 4002, ☎ 23.18.00, collection de tableaux – wc wc P. AE E BZ **a**
SC : **R** 18/22 – **80 ch** 40/130.

Muenchnerhof, Riehenring 75, ✉ 4058, ☎ 26.77.80, Télex 64476 – wc wc. AE VISA CX **u**
SC : **R** carte environ 40 – **35 ch** 32/126.

Vogt und Flügelrad, Kuchengasse 20, ✉ 4051, ☎ 23.42.41 – wc BZ **v**
SC : **R** *(fermé sam. soir et dim.)* carte environ 35 – **30 ch** 35/98.

XXX ✿✿ **Bruderholz** (Stucki), Bruderholzallee 42, ✉ 4059, ☎ 35.82.22, « Terrasse » – VISA U **z**
fermé 25 août. au 7 sept., dim. et lundi – SC : **R** 55/120
Spéc. Suivant saisons. **Vins** Aigle, Pinot blanc.

XXX **Drachen** (1er étage), Aeschenvorstadt 24, ✉ 4010, ☎ 23.69.20 – AE E CY **w**
SC : **R** 21,50/26,50 (dîner à la carte) .

XXX **Holee-Schloss,** ☎ 47.24.30, ≤ – AE U **a**
fermé 21 fév. au 15 mars et merc. – SC : **R** carte 50 à 75.

XX **Schlüsselzunft,** Freiestrasse 25, ✉ 4051, ☎ 25.20.46, Maison corporative du 15e s. – AE E VISA BY **s**
fermé 15 juil. au 15 août – SC : **R** carte 40 à 60.

XX **La Marmite du Beaujolais,** Klybeckstrasse 15, ✉ 4057, ☎ 33.03.54, Cadre moderne – . AE VISA BV **s**
fermé dim. – SC : **R** carte 30 à 45 .

XX **Donati,** St-Johannsvorstadt 48, ✉ 4056, ☎ 57.09.19, Spécialités italiennes
fermé juil., Noël et lundi – SC : **R** 18,50/22 . BX **p**

XX **Rheinkeller,** Untere Rheingasse 11 ✉ 4058 ☎ 25.23.54, ≤ – AE E BZ **q**
fermé 24 déc. au 14 janv. et dim. – SC : **R** 45/85.

XX **Café de Paris,** Spalenring 160, ✉ 4055, ☎ 38.24.33 – AE E AY **r**
fermé 19 juil. au 10 août et dim. – SC : **R** carte 35 à 55 .

XX **Heuwaage,** Binningerstrasse 5, ✉ 4051, ☎ 23.12.63 BY **e**
fermé 19 juil. au 9 août – SC : **R** carte 35 à 55 .

X **Taverne l'Escargot** (sous-sol Gare SBB), Centralbahnstrasse 10, ✉ 4002, ☎ 22.53.33, Télex 62538 – . AE BZ
fermé en juil. – SC : **R** 14/26 .

sur St-Jakobs Strasse – ✉ **4000** Bâle :

XX **Historisches Wirtshaus zu St-Jakob,** St-Jakobs Str 377 ☎ 41.72.97, – P. AE U **n**
fermé 22 déc. au 4 janv. et mardi – SC : **R** carte 35 à 45 .

à Binningen 2 km – ✉ **4102** Binningen :

Schlussel, Schlusselgasse 1 ☎ 47.25.66, – wc wc P. AE
SC : **R** *(fermé en juil. et dim.)* carte environ 35 – **29 ch** 40/80. U **s**

XXX **Schloss Binningen,** Schlossgasse 5 ☎ 47.20.55, « Gentilhommière du 16e s., bel intérieur, jardin » – P. AE U **r**
fermé 5 au 19 juil., 1er au 21 oct., dim. soir et lundi – **R** carte 55 à 85 .

à Birsfelden E : 4 km – ✉ **4127** Birsfelden :

Alfa, ☎ 41.80.15, Télex 62001 – wc wc P. AE E VISA
SC : **R** carte 35 à 55 – **46 ch** 45/80. U **e**

à Riehen 5 km – ✉ **4125** Riehen :

Ascot M, Baselstrasse 67 ☎ 67.39.51, Télex 62424, « Bel aménagement intérieur » – rest TV wc wc . AE E VISA. T **w**
SC : **R** carte 40 à 60 – **22 ch** 75/150.

à l'Aéroport de Bâle-Mulhouse : 8 km :

XX **Airport rest,** 5e étage de l'aérogare, ≤ – T **u**

Secteur Suisse, ✉ 4030 Bâle ☎ 57.32.32 – AE
SC : **R** 25 bc/42 bc.

Secteur Français, ✉ 68300 St-Louis ☎ (89) 67.77.48 St-Louis – AE
SC : **R** 33/110 FF .

à Hofstetten par ⑥ : 12,5 km – ✉ **4114** Hofstetten :

X **Landgasthof "Rössli"** avec ch, ☎ 75.10.47 –
fermé janv. et merc. – SC : **R** carte 35 à 50 – **7 ch** 65/125.

Voir aussi ressources hôtelières de ***St-Louis*** (France) NO : 5 km

BALLON D'ALSACE 90 Ter.-de-Belf. 66 ⑧ G. Vosges – alt. 1 250 – ✪ 84.

Voir ☼★★★ du col 0,5 km puis 30 mn.

Paris 439 – Belfort 28 – Épinal 66 – Lure 46 – ♦Mulhouse 51 – Thann 42 – Le Thillot 16.

✗ **La Chaumière,** S : 2 km par D 465 ✉ 90200 Giromagny ☎ 29.30.08, < – Ⓟ
fermé 16 oct. au 16 nov. et mardi – SC : **R** carte environ 55 🍷

BALLON DE GUEBWILLER 68 H.-Rhin 62 ⑱ – voir à Grand Ballon.

La BALME-DE-SILLINGY 74330 H.-Savoie 74 ⑥ – 1 389 h. alt. 487 – ✪ 50.

Paris 538 – Annecy 10 – Bellegarde-sur-Valserine 31 – Belley 59 – Frangy 15 – ♦Genève 45.

🏨 **Les Rochers,** N 508 ☎ 68.70.07, < – ⌂wc ⋒wc ☎ Ⓟ – 🏃 50. 🚗 ✕ ch
fermé nov., 15 au 31 janv. et jeudi hors sais. – SC : **R** 45/120 – ☕ 12 – 25 ch 65/120 – P 120/140.

Annexe **La Chrissandière** 🐦, <, « Jardin fleuri, 🏊 » – ⌂wc ☎ Ⓟ. 🚗. ✕
juin-sept. et fermé jeudi hors sais. – SC : **R** voir H. des Rochers – ☕ 12 – 10 ch 135 – P 150/160.

BANDOL 83150 Var 84 ⑭ G. Côte d'Azur – 6 204 h. – Casino – ✪ 94.

Voir Allées Jean-Moulin★.

ℹ Office de Tourisme Allées Vivien (fermé dim. hors saison) ☎ 29.41.35, Télex 400383.

Paris 825 ① – Aix-en-Provence 68 ② – ♦Marseille 51 ② – ♦Toulon 17 ②.

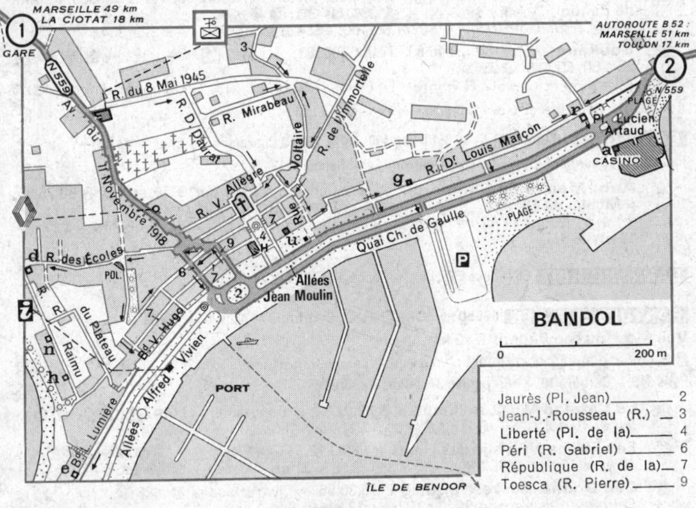

🏨 **Ile Rousse** Ⓜ 🐦, bd L.-Lumière **(e)** ☎ 29.46.86, Télex 400372, <, 🏊, 🏖 – 🛗 ▤ 📺 🚗 – 🏃 20 à 100. AE GB ◑ E
SC : **Les Oliviers R** 110 - **La Goélette** à la plage *(1er juil.-31 août)* **R** (déj. seul.) carte environ 90 – ☕ 28 – 53 ch 290/530.

🏨 **Les Pieds dans l'Eau** Ⓜ, rte de Sanary par ② ☎ 74.05.82, Télex 400366, <, « Sur la plage » – ⌂wc ☎ Ⓟ – 🏃 60. 🚗 AE ◑
SC : **R** carte 85 à 115 – ☕ 13 – 45 ch 125/160 – P 215/245.

🏨 **Le Provençal,** r. Écoles **(d)** ☎ 29.52.11, Télex 400308 – ⌂wc ⋒wc ☎. 🚗 AE ◑ E. ✕
fermé nov. et déc. – SC : **R** *(fermé janv.)* 60/80 – ☕ 13 – **22 ch** 165 – P 195/210.

🏨 **Baie** Ⓜ sans rest, 62 r. Dr L.-Marçon **(r)** ☎ 29.40.82 – 📺 ⌂wc ☎
fermé 5 au 31 janv. – SC : ☕ 12 – **14 ch** 140.

🏨 **Golf H.** 🐦 sans rest, sur plage Rènecros par bd L.-Lumière ☎ 29.45.83, <, 🏖 – ⌂wc ⋒wc ☎ Ⓟ. 🚗. ✕
Pâques-mi oct. – SC : ☕ 12 – **17 ch** 140/180, 4 appartements 380.

🏨 **Ker Mocotte** 🐦, r. Raimu **(n)** ☎ 29.46.53, <, « Terrasses surplombant la mer » 🏖 – 📺 ⌂wc ⋒wc ☎ Ⓟ – 🏃 40. 🚗 GB. ✕ ch
1er fév.-31 oct. – SC : **R** 65/78 🍷 – ☕ 16 – 20 ch 70/210 – P 155/210.

🏨 **Les Galets** sans rest, par ② : 0,5 km ☎ 29.43.46 – ⌂wc ⋒ ☎ Ⓟ. 🚗. ✕
15 mars-5 nov. – SC : ☕ 10 – **22 ch** 50/125.

tourner →

La Brunière ⅋, av. Château par bd L.-Lumière ☎ 29.52.08, ≤, « Jardin ombragé surplombant la baie » – wc ⅂ ☎ Ⓟ
SC : **R** *(mai-oct.)* 55/130 – ⊐ 12 – 18 ch 65/160 – P 159/380 (pour 2 pers.).

Goéland ⅋, av. Albert-1er à l'ouest par r. Écoles ☎ 29.54.59, « Terrasse et jardin surplombant la mer », – wc ⅂wc ☎ Ⓟ. ⅋
début fév.-début oct. – SC : **R** 60/100 – ⊐ 10 – 26 ch 50/120 – P 120/180.

Coin d'Azur ⅋, r. Raimu **(h)** ☎ 29.40.93, ≤, – ⅂wc Ⓟ. ⅋
1er mars-31 oct. – SC : **R** (pour résidents seul.) – ⊐ 9,50 – 21 ch 58/97 – P 113/132.

XXX **Réserve** avec ch, rte de Sanary par ② ☎ 29.42.71, ≤ – wc ⅂wc ☎ Ⓟ. GB ⅋ ch
fermé déc., janv., dim. soir et lundi sauf juil.-août – SC : **R** (nombre de couverts limité - prévenir) 80 – 16 ch ⊐ 70/200 – P 180/240.

XXX **Aub. du Port,** 9 allées J.-Moulin **(u)** ☎ 29.42.63 – AE GB
fermé 23 au 28 fév., dim. soir et lundi – SC : **R** carte 105 à 150.

XX **Le Lotus,** pl. L.-Artaud **(a)** ☎ 29.49.03, ≤, Cuisine française et chinoise – Ⓟ
fermé merc. – **R** 59/70.

X **Grotte Provençale,** 21 r. Dr-L.-Marçon **(g)** ☎ 29.41.52 –
fermé déc., janv. et merc. – SC : **R** 36/42.

dans l'Ile de Bendor* – ✉ **83150** Bandol.

Accès par vedette 7 mn - En 1980 : voyageurs 7,50 F (AR) - ☎ 29.44.34 (Bandol).

Le Delos ⅋ (annexe : Le Palais - 36 ch), ☎ 29.42.33, Télex 400383, ≤ baie de Bandol, ⅋, – – 250. AE GB E. ⅋
fermé 15 déc. au 15 fév. – SC : **R** 80/150 – **55 ch** ⊐ 158/270 – P 323/364.

Soukana M ⅋, ☎ 29.46.83, Télex 400383, ≤ baie, ⅋, – – 25 à 50. AE GB E. ⅋
16 fév.-14 nov. – SC : **R** voir rest Le Delos – **50 ch** ⊐ 215/270, 3 appartements 400.

RENAULT Gar. Littoral, 6 av. du 11-Novembre ☎ 29.40.24

BANNEGON 18 Cher 69 ② – 351 h. alt. 180 – ✉ 18210 Charenton-du-Cher – 48.

Paris 271 – Bourges 42 – St-Amand-Montrond 24 – Sancoins 18.

XX **Aub. Moulin de Chameron** ⅋ avec ch, SE : 3 km par D 76 et VO ☎ 60.75.80, « Moulin du 18e s. », ⅋, – wc ⅂ ☎ Ⓟ. ⅋ rest
1er mars-2 nov. et fermé jeudi sauf du 1er juin au 15 sept. – SC : **R** 68/110 – ⊐ 15 – **10 ch** 95/155.

BANNONCOURT 55 Meuse 57 ⑪ – rattaché à St-Mihiel.

BANYULS-SUR-MER 66650 Pyr.-Or. 86 ⑳ G. Pyrénées – 4 294 h. – 68.

Voir ⅋** du cap Réderis E : 2 km.

Syndicat d'Initiative à l'Hôtel de Ville (fermé sam. hors saison et dim.) ☎ 38.31.58.

Paris 945 – Cerbère 10 – ♦Perpignan 37 – Port-Vendres 6.

Le Catalan M ⅋, rte Cerbère ☎ 88.02.80, ≤ Banyuls et la côte, ⅋, – Ⓟ
2 mai-10 oct. – SC : **R** 80/200 – ⊐ 17 – 36 ch 180/250 – P 180/250.

Les Elmes M, plage des Elmes ☎ 88.03.12, ≤ – ch ⅂wc ☎ Ⓟ. ⅋
10 avril-15 oct. – SC : **R** 42/100 – ⊐ 12,50 – **21 ch** 130/190 – P 150/180.

Cap Doune sans rest, pl. Reig ☎ 38.30.56 – ⅂wc ☎, sans . ⅋
Pentecôte-fin sept. – SC : ⊐ 10,50 – **12 ch** 45/84.

X **La Pergola** avec ch, av. Fontaulé ☎ 88.02.10 – ⅂wc ☎
fin mars-fin nov. – SC : **R** 38/70 – ⊐ 12 – 17 ch 80/130 – P 120/150.

BAPAUME 62450 P.-de-C. 53 ⑫ – 4 207 h. alt. 121 – 21.

Paris 155 – ♦Amiens 47 – Arras 27 – Cambrai 29 – Douai 43 – Doullens 49 – St-Quentin 48.

Paix, av. A.-Guidet ☎ 07.11.03 – wc Ⓟ. GB. ⅋ ch
fermé 1er au 15 août et 20 déc. au 4 janv. – SC : **R** *(fermé sam.)* 32/75 ⅋ – ⊐ 9,50 – **16 ch** 45/95 – P 100/120.

CITROEN Gar. Zuliani-Roose, ☎ 07.11.98 N ☎ 07.03.61

PEUGEOT Greselle-Desvignes, ☎ 07.14.13

BAPEAUME 76 S.-Mar. 55 ⑥ – rattaché à Rouen.

La BARAQUE 63 P.-de-D. 73 ⑭ – rattaché à Clermont-Ferrand.

Routes enneigées

Pour tous renseignements pratiques, consultez les cartes Michelin « **Grandes Routes** » 998, 999, 916 ou 989.

BARAQUEVILLE 12160 Aveyron 80 ② – 1 955 h. alt. 791 – ✪ 65.

Paris 627 – Albi 59 – Millau 74 – Rodez 19 – Villefranche-de-Rouergue 43.

Segala Plein Ciel Ⓜ, rte Albi ☎ 69.03.45, ≤, – wc ☎ Ⓟ – 30 à 200. ch
fermé janv., dim. soir et lundi du 15 sept. au 30 mai – SC : **R** 35/120 – 12 – **43 ch** 90/140 – P 160/170.

Agriculture, ☎ 69.00.06 – Ⓟ
fermé 15 au 30 déc. et lundi – SC : **R** 24/80 – 9 – **10 ch** 40/50 – P 70/90.

PEUGEOT Sacrispeyre, ☎ 69.00.43 N

BARBAZAN 31510 Hte-Garonne 86 ① – 406 h. alt. 450 – ✪ 61.

Paris 796 – Bagnères-de-Luchon 31 – Lannemezan 24 – St-Gaudens 13 – Tarbes 59 – ♦Toulouse 103.

Host. de l'Aristou, rte Sauveterre ☎ 88.30.67 – wc ☎ Ⓟ. rest
SC : **R** 50/135 – 15 – 7 ch 90/160 – P 180/255.

La BARBEN 13 B.-du-R. 84 ② – rattaché à Salon-de-Provence.

BARBENTANE 13570 B.-du-R. 83 ⑩ **G. Provence** – 2 864 h. alt. 52 – ✪ 90.

Voir Décoration intérieure★ du château – Abbaye St-Michel-de-Frigolet : boiseries★ de la chapelle N.-D.-du-Bon-Remède S : 5 km.

Syndicat d'Initiative à la Mairie(fermé sam. après-midi et dim.) ☎ 95.50.39.

Paris 697 – Avignon 9,5 – Arles 32 – ♦Marseille 105 – Nîmes 40 – Tarascon 15.

Castel Mouisson Ⓜ, quartier Castel-Mouisson ☎ 95.51.17, – wc ☎ Ⓟ.
15 mars-15 oct. – SC : **R** (snack le soir pour résidents) – 12 – **17 ch** 130/150.

St-Jean, ☎ 95.50.44 – rest . ch
fermé 2 janv. au 28 fév. et lundi – SC : **R** 29/65 – 9 – 12 ch 38/53 – P 95/115.

BARBEREY-ST-SULPICE 10 Aube 61 ⑯ – rattaché à Troyes.

BARBEZIEUX 16300 Charente 72 ⑫ **G. Côte de l'Atlantique** – 5 182 h. alt. 79 – ✪ 45.

Syndicat d'Initiative 3 bd Chanzy (1er juil.-31 août et fermé dim. après-midi) ☎ 78.02.54.

Paris 476 ① – Angoulême 33 ① – ♦Bordeaux 84 ⑤ – Cognac 34 ⑦ – Jonzac 23 ⑥ – Libourne 67 ⑤.

BARBEZIEUX

Carnot (R. Sadi) Y
Église (Pl. de l') Y 8
Jambon (R. Marcel) Z 15
Marché (Pl. du) Y 16
République (R. de la) Z 18
St-Mathias (R.) Y 20
Victor-Hugo (R.) YZ 29

Alma (R. de l') Z 2
Banchereau (R. A.) Z 4
Basses-Douves (R. des) Y 5
Champ-de-Foire (Pl. du) Z 6
Chanzy (Bd) YZ 7
Europe (Av. de l') Y 9
Foucaud (R. du Cdt-Léo) Z 10
Fougerat (R. du Cdt-H.) Z 12
Gambetta (Bd) Z 14
Trarieux (R.) Z 24
Veillon (R. Thomas) Z 25
Verdun (Pl. de) Y 27
Viaud (Av.) Y 28
Vinet (R. Élie) Y 30

Pour un bon usage des plans de villes, voir les signes conventionnels p. 20.

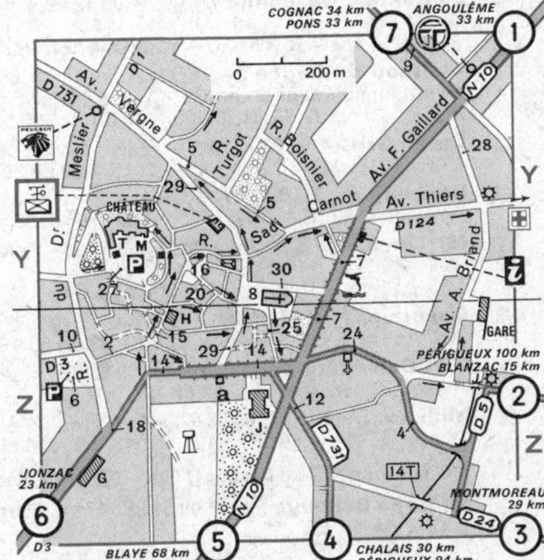

Boule d'Or, bd Gambetta ☎ 78.22.72, – wc wc ☎ – 30 à 60. E Z **a**
SC : **R** 35/120 – 15 – 28 ch 60/120 – P 200/250.

La Venta Ⓜ, à Bois-Vert par ⑤ : 11 km sur N 10 ✉ 16360 Baignes-Ste-Radegonde ☎ 78.40.95, – wc wc ☎ Ⓟ – 30. GB
SC : **R** 31/72 – 8,50 – **23 ch** 58/82 – P 110/150.

AUDI-VOLKSWAGEN Gaboriaud, ☎ 78.12.13
PEUGEOT Cholet, ☎ 78.11.66
TALBOT Gar. de Bellevue, ☎ 78.17.58

TOYOTA Duchez, ☎ 78.10.94 N
Charente-Pneus, St-Hilaire ☎ 78.03.58

BARBIZON 77630 S.-et-M. 61 ①②. 96 ㊳㊴ G. Environs de Paris – 1 189 h. alt. 80 – 6.
Voir Gorges d'Apremont★ E : 3,5 km puis 30 mn.
Syndicat d'Initiative (fermé jeudi) ☎ 066.40.24.
Paris 58 – Étampes 39 – Fontainebleau 9,5 – Melun 11 – Pithiviers 47.

- ✿ **Bas-Bréau** M, ☎ 066.40.05, Télex 690953, « Jardin fleuri », parc, – TV ☎ P – 30. AE E
  fermé début janv. à mi fév. – **R** carte 150 à 200 – 35 – 12 ch 400/450, 7 appartements
  Spéc. Grouse d'Ecosse rôti, Écrevisses aux herbes à tortue, Noisette de boeuf.
- **Les Charmettes**, ☎ 066.40.21, – wc wc ☎ – 50.
  R 60 – 12 – 36 ch 90/200, 5 appartements 360.
- **Les Alouettes**, ☎ 066.41.98, parc, – wc ☎ P – 35. AE GB E
  fermé 3 au 26 janv. – SC : **R** carte 85 à 110 – 15 – **30 ch** 56/85 – P 110/150.
- XX **Host. Clé d'Or** avec ch, ☎ 066.40.96, – wc wc ☎ P – 25. AE GB E
  fermé 16 nov. au 20 déc., dim. soir et lundi sauf fêtes – SC : **R** 85 bc, carte le dim. – 20 – **13 ch** 110/150.
- X **Le Relais de Barbizon**, ☎ 066.40.28
  fermé 17 août au 11 sept., vacances de Noël, mardi et merc. – SC : **R** 65/86.

sur la N 7, à l'orée de la forêt E : 1,5 km – 77630 Barbizon :

- XXX **Grand Veneur**, ☎ 066.40.44, « Salle rustique avec grande broche devant un feu de bois » – P. AE GB
  fermé 29 juil. au 28 août, merc. soir et jeudi – **R** carte 120 à 180.
- X **Broche de Barbizon**, ☎ 066.40.76 – P
  fermé en juil., merc. soir et jeudi – SC : **R** 45/85.

Pour traverser Paris et vous diriger en banlieue, utilisez la carte Michelin **« Banlieue de Paris »** n° 101 à 1/50 000.

BARBOTAN-LES-THERMES 32 Gers 79 ⑫ G. Côte de l'Atlantique – alt. 136 – Stat. therm. (1er avril-30 nov.) – 32150 Cazaubon – 62.
Office de Tourisme pl. Armagnac (15 mars-30 nov. et fermé dim.) ☎ 09.52.13.
Paris 694 – Aire-sur-l'Adour 35 – Auch 72 – Condom 37 – Marmande 71 – Nérac 44.

- **La Bastide Gasconne** M, ☎ 09.52.09, « Terrasse fleurie », – P AE. rest
  1er avril-2 nov. – **R** 105/150 – 25 – **47 ch** 180/280 – P 230/300.
- **Château de Bégué**, SO : 2 km par D 656 32150 Cazaubon ☎ 09.50.08, « Petit manoir dans un parc », – TV wc wc ☎ P. AE GB. rest
  Pâques-25 oct. – SC : **R** 70/100 – **36 ch** 100/208 – P 189/272.
- **Cante Grit**, ☎ 09.52.12, – wc wc ☎ P. AE GB. rest
  19 avril-31 oct. – SC : **R** 40/70 – 15 – **23 ch** 85/175 – P 165/250.
- **Beauséjour**, ☎ 09.52.01, ←, – wc wc ☎ P.
  avril-oct. – SC : **R** 60/70 – 16 – **30 ch** 70/180 – P 196/306.
- **Mi-Landes** M sans rest, ☎ 09.53.90, ←, – cuisinette wc wc ☎ P.
  1er avril-1er nov. – SC : 14 – **11 ch** 73/130.
- **Roseraie**, ☎ 09.53.26, – wc ☎ P. rest
  avril-fin oct. – SC : **R** 52/90 – 14 – **33 ch** 60/130 – P 150/225.
- **Fort Belvédère** sans rest, ☎ 09.53.95, ←, – cuisinette wc wc ☎ P
  1er avril-31 oct. – 10 – **12 ch** 100/170.
- **Midi**, av. Thermes ☎ 09.52.02, – wc ☎ P. E. rest
  1er avril-31 oct. – SC : **R** 55/100 – 12,50 – **34 ch** 52/146 – P 125/185.

à Cazaubon SO : 3 km par D 626 – 32150 Cazaubon :

- **Château Bellevue**, ☎ 09.51.95, ←, « Élégante demeure dans un parc », – P – 50. AE
  fermé janv. et fév. – SC : **R** *(fermé mardi)* carte 100 à 140 – 16 – **26 ch** 90/220 – P 190/250.

Le BARCARÈS 66420 Pyr.-Or. 86 ⑩ – 1 618 h. – Casino à Port-Barcarès – 68.
Paris 909 – Narbonne 64 – ♦Perpignan 21 – Quillan 84.

à Port-Barcarès G. Pyrénées.

- **Lydia Playa** M, ☎ 61.20.02, Télex 500837, ←, – TV ☎ P – 25 à 300
  192 ch.

RENAULT Gge Castay, bd du 14 juillet ☎ 86.10.35 N ☎ 28.09.13
Gar. Leucate-Barcarès-Auto, N 9, Port-Barcarès ☎ 86.06.66

BARCELONNETTE 04400 Alpes-de-H.-P. 81 ⑧ G. Alpes – 3 213 h. alt. 1 132 – Sports d'hiver au Sauze SE : 4 km, à Super-Sauze SE : 10 km et à Pra-Loup SO : 8,5 km – 92.

Office de Tourisme av. Libération (fermé dim. après-midi) 81.04.71.

Paris 736 – Briançon 84 – Cannes 221 – Cuneo 100 – Digne 87 – Gap 69 – ♦Nice 209.

La Grande Épervière M sans rest, 18 r. Frères-Arnaud 81.00.70, ←, – wc . *fermé 25 nov. au 19 déc.* – SC : 15 – **22 ch** 140/150.

Gaudissart, pl. A.-Gassier 81.00.45, – rest *fermé 15 au 28 juin, 30 sept. au 12 oct.* – SC : **R** *(fermé vend. soir hors sais.)* 35/90 – 10 – 10 ch 55/70 – P 100.

Le Passe-Montagne, SO : 3 km rte Cayolle 81.08.58 – . *1er juil.-20 sept. et 19 déc.-1er mai* – SC : **R** carte environ 75.

La Mangeoire, pl. 4-Vents 81.01.61 *fermé 15 mai au 15 juin, début nov. à mi-déc. et lundi* – **R** carte 70 à 100.

L'Aupillon avec ch, rte de St-Pons 81.01.09, – . GB *fermé 1er au 25 mai, 2 au 25 nov.* – **R** *(fermé vend. soir)* 35/65 – 10,50 – 7 ch 55/65 – P 95.

au Sauze SE : 4 km par D 900 et D 209 – alt. 1 380 – Sports d'hiver : 1 400/2 400 m 18 – 04400 Barcelonnette.

Office de Tourisme 81.05.61.

Alp'H. , 81.05.04, ←, – . AE GB *fermé mai et nov. au 15 déc.* – SC : **R** 40/60 – 17 – 40 ch 98/195 – P 160/210.

L'Équipe, 81.05.12, ← – wc . rest *20 juin-10 sept. et 15 déc.-20 avril* – SC : **R** 45/60 – 12 – 24 ch 70/120 – P 125/155.

Séolanes , 81.05.10, ← – wc wc . rest *27 juin-31 août et Noël-Pâques* – SC : **R** 30/49 – 11 – 16 ch 59/119 – P 99/149.

Les Flocons, 81.05.03, ← – . GB *1er juin-15 sept. et 1er déc.-30 avril* – SC : **R** 38/60 – 10 – **20 ch** 58/68 – P 120/140.

à Super-Sauze S : 10 km par D 9 et D 9A – alt. 1 700 – Sports d'hiver : voir au Sauze – 04400 Barcelonnette :

Pyjama M sans rest, 81.12.00, ← – wc . *juil.-août et 10 déc.-1er mai* – SC : 15 – **10 ch** 140/160.

OP Traken , 81.05.22, ← – wc wc . AE *1er juil.-1er sept. et 20 déc.-20 avril* – SC : **R** 30/55 – 15 – 12 ch 140/160.

Ourson , 81.05.21, ←, – wc wc . rest *1er juil.-31 août et 15 déc.-30 avril* – SC : **R** 32/50 – 10 – 20 ch 95/105 – P 120/140.

à Pra-Loup SO : 8,5 km – alt. 1 630 – Sports d'hiver : 1 650/2 500 m 2 25 – 04400 Barcelonnette.

Office de Tourisme La Maison de Pra-Loup 84.10.04, Télex 420269.

Les Airelles M sans rest, 84.13.24, ← – wc . *1er juil.-31 août et 5 déc.-30 avril* – SC : 15 – **20 ch** 170.

CITROEN Gar. de la Gravette, 81.01.66
FIAT Gar. S.A.T.A., 81.00.11
PEUGEOT Gar. de l'Ubaye, 81.02.45
RENAULT Gar. Provençal, 81.00.25

BARCUS 64 Pyr. Atl. 85 ⑤ – 957 h. alt. 210 – 64130 Mauléon-Soule – 59.

Paris 795 – Mauléon-Licharre 15 – Oléron-Ste-Marie 16 – Pau 49 – St-Jean-Pied-de-Port 55.

Chilo, 28.14.79 – wc *fermé 20 sept. au 10 oct.* – SC : **R** 28/60 – 8 – **13 ch** 39/53 – P 82/86.

BARÈGES 65 H.-Pyr. 85 ⑱ G. Pyrénées – 324 h. alt. 1 219 – Stat. therm. (5 mai-15 oct.) – Sports d'hiver : 1 250/2 350 m 1 19 – 65120 Luz-St-Sauveur – 62.

Syndicat d'Initiative (fermé dim. après-midi hors sais.) 97.68.19.

Paris 829 – Arreau 54 – Bagnères-de-Bigorre 40 – Lourdes 38 – Luz-St-Sauveur 7 – Tarbes 58.

Europe, 97.68.04, – wc wc . GB. rest *1er juin-22 sept. et 20 déc.-15 avril* – SC : **R** 35/100 – 12 – **53 ch** 54/120 – P 106/155.

Richelieu, 97.68.11 – wc wc. GB *15 mai-25 sept. et Noël-Pâques* – SC : **R** 27/80 – 9 – **35 ch** 50/120 – P 110/140.

Donnez-nous votre avis sur les tables que nous recommandons, sur leurs spécialités et leurs vins.

BARENTIN 76360 S.-Mar. 55 ⑥ G. Normandie – 12 184 h. alt. 75 – ✪ 35.
Paris 156 – Dieppe 49 – Duclair 10 – ♦Rouen 17 – Yerville 15 – Yvetot 18.

XX **Aub. Gd St-Pierre,** 19 av. Victor-Hugo ☎ 91.03.37 – P. AE GB
fermé août, vacances scolaires de fév., dim. soir, mardi soir et merc. – SC : **R** 35/63.

PEUGEOT Barbier, 32 av. V.-Hugo ☎ 91.22.64
RENAULT Roussel, r. A.-Briand ☎ 91.10.52
Comptoir du Pneu, r. E.-Zola ☎ 91.11.60

BARFLEUR 50760 Manche 54 ③ G. Normandie – 722 h. – ✪ 33.
Voir Phare de la Pointe de Barfleur★ : ✻★★ N : 4 km.
Env. La Pernelle ✻★★ S : 6,5 km.
Office de Tourisme 60 r. St-Thomas-Becket (1er juin-31 août) ☎ 54.02.48.
Paris 358 – ♦Caen 117 – Carentan 48 – ♦Cherbourg 27 – St-Lô 76 – Valognes 25.

Phare, ☎ 54.02.07, – wc wc ☎ P. . rest
fermé 3 nov. au 20 déc., 2 janv. au 7 fév., dim. soir et lundi hors sais. – SC : **R** 45/130 – 14 – 21 ch 48/120 – P 110/160.

Moderne, ☎ 54.00.16 – P.
SC : **R** 30/75 – 8 – **20 ch** 20 ch 35/40 – P 110/130.

CITROEN Mauri, ☎ 54.00.23 N
CITROEN Pesnelle, à Anneville-en-Saire ☎ 54.00.77
RENAULT Gonzalve, à Montfarville ☎ 54.04.21

BARGEMON 83620 Var 84 ⑦ G. Côte d'Azur – 820 h. alt. 465 – ✪ 94.
Paris 883 – Castellane 43 – Comps-sur-Artuby 20 – Draguignan 21 – Grasse 44.

XX **La Taverne** (Chez Pierrot), ☎ 76.62.19. AE GB
fermé 1er au 20 juin et lundi – SC : **R** (nombre de couverts limité - prévenir) 50/90.

XX **Maître Blanc,** ☎ 76.60.24
fermé déc., janv. et merc. – **R** 50/60.

CITROEN Pélissier, ☎ 76.60.05

BARJAC 48 Lozère 80 ⑤ – 411 h. alt. 666 – ✉ 48000 Mende – ✪ 66.
Paris 572 – Florac 38 – Mende 14 – Rodez 94 – St-Chély-d'Apcher 48 – Sévérac-le-Château 51.

Midi, ☎ 47.01.02 – wc ☎ P – 25
fermé 25 sept. au 10 oct. – SC : **R** 31/49 – 9 – 22 ch 45/115 – P 100/120.

BARJOLS 83670 Var 84 ⑤ G. Côte d'Azur – 2 092 h. alt. 288 – ✪ 94.
Paris 822 – Aix-en-Provence 64 – Brignoles 22 – Digne 86 – Draguignan 45 – Manosque 51.

Pont d'Or, rte St-Maximin ☎ 77.05.23 – wc . rest
fermé 1er déc. au 15 janv. – SC : **R** 33/75 – 10 – 15 ch 45/85 – P 106/121.

CITROEN Inaudi, ☎ 77.06.13
PEUGEOT Marius, ☎ 77.00.14
RENAULT Penal, ☎ 77.00.51

BAR-LE-DUC P 55000 Meuse 62 ① G. Vosges – 20 516 alt. 184 – ✪ 29.
Voir Le "Squelette"★★ dans l'église St-Pierre AZ B.
de Combles-en-Barrois ☎ 45.16.03 par ④ : 5 km.
Syndicat d'Initiative à l'Hôtel de Ville (fermé dim. et lundi) ☎ 79.02.10 - A.C. 14 r. A.-Maginot ☎ 79.03.76.
Paris 229 ④ – Châlons-sur-Marne 70 ⑤ – Charleville-Mézières 139 ⑤ – Épinal 151 ② – ♦Metz 126 ① – ♦Nancy 84 ② – Neufchâteau 73 ② – ♦Reims 120 ⑤ – St-Dizier 24 ④ – Verdun 57 ①.

Plan page ci-contre

Gd H. Metz et Commerce, 17 bd de La Rochelle ☎ 79.02.56 – wc wc ☎ – 40 à 150. . rest AY **n**
fermé sam. en hiver – SC : **R** 40/130 – 10 – **53 ch** 50/95.

Exelmans sans rest, 5 r. du Gué ☎ 79.06.13 – ☎. . AY **a**
fermé du 1er au 15 janv. – SC : 8 – **14 ch** 35/45.

XX Buffet Gare, ☎ 79.01.55 BY **e**

à Trémont-sur-Saulx par ④ et D 3 : 9,5 km – ✉ **55000** Bar-le-Duc :

Aub. de la Source , ☎ 70.40.31 – wc ☎ P. E
fermé 15 au 31 août, 14 au 28 fév., dim. soir et lundi – SC : **R** 40/95 – 12 – **16 ch** 95/110 – P 195.

CITROEN Gd Gar. Lorrain, 15 r. des Foulans ☎ 45.30.22
FIAT LANCIA-AUTOBIANCHI Gar. Marinoni, 38 r. J.-d'Arc ☎ 79.13.87
PEUGEOT Gar. Billet, 83 r. Bradfer ☎ 79.01.30
RENAULT Gar. Central, Parc Bradfer ☎ 79.40.66
TALBOT Gar. Bourgin, r. Bradfer ☎ 79.16.88
Gar. Desoteux, 4 r. Dom-Cellier ☎ 79.13.75
Barrois-Pneus, 31 r. Bradfer ☎ 79.13.01

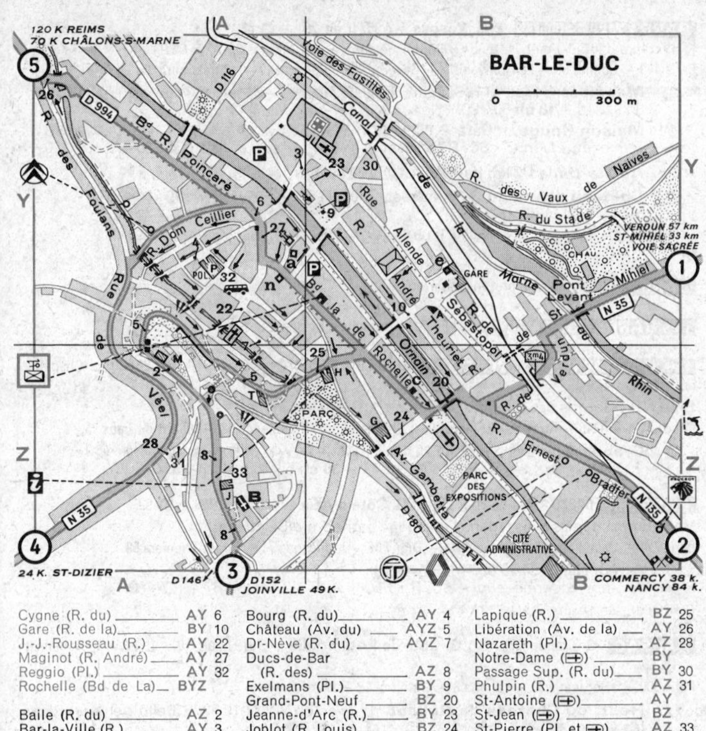

Cygne (R. du)	AY	6
Gare (R. de la)	BY	10
J.-J.-Rousseau (R.)	AY	22
Maginot (R. André)	AY	27
Reggio (Pl.)	AY	32
Rochelle (Bd de La)	BYZ	
Baile (R. du)	AZ	2
Bar-la-Ville (R.)	AY	3
Bourg (R. du)	AY	4
Château (Av. du)	AYZ	5
Dr-Nève (R. du)	AYZ	7
Ducs-de-Bar (R. des)	AZ	8
Exelmans (Pl.)	BY	9
Grand-Pont-Neuf	BZ	20
Jeanne-d'Arc (R.)	BY	23
Joblot (R. Louis)	BZ	24
Lapique (R.)	BZ	25
Libération (Av. de la)	AY	26
Nazareth (Pl.)	AZ	28
Notre-Dame (⊞)	BY	
Passage Sup. (R. du)	BY	30
Phulpin (R.)	AZ	31
St-Antoine (⊞)	AY	
St-Jean (⊞)	BZ	
St-Pierre (Pl. et ⊞)	AZ	33

BARNEVILLE-CARTERET **50270** Manche **54** ① **G. Normandie** (plan) – 2 012 h. alt. 43 – ⚙ 33.

Paris 353 – •Caen 112 – Carentan 43 – •Cherbourg 37 – Coutances 48 – St-Lô 63.

à Barneville-Plage.

Voir décoration romane★ de l'église.

🏨 **Les Isles** 🐦, ₮ 54.90.76, ⩤, 🌳 – 🛁wc 🚿wc ☎. 🚗 AE ⓞ. 🚫 rest
Pâques-15 sept. – **SC** : **R** 80/120 – ☕ 15 – 36 ch 82/220 – P 160/230.

à Carteret.

Voir le tour du Cap★★ et phare★.

Excurs. à l'île de Jersey★ (voir à Jersey).

🏨 **Marine,** ₮ 54.83.31, ⩤ – 🛁wc 🚿 ☎ Ⓟ. 🚗
fin mars-1er oct. – **SC** : **R** 40/80 – ☕ 12,50 – 31 ch 90/170 – P 138/180.

🏨 **Angleterre,** ₮ 54.86.04, Télex 170593, ⩤ – 🛁wc 🚿 ☎ Ⓟ. 🚗. 🚫 rest
fin mars-début nov. – **SC** : **R** 45/138 – ☕ 14 – 43 ch 58/150 – P 157/193.

🏨 **Plage et du Cap** 🐦 (sans rest d'oct. à Pâques), le Cap ₮ 54.86.96, ⩤, 🌳 – 🚿wc ☎. 🚗 ⓞ. 🚫
fermé Noël et merc. hors sais. – **SC** : **R** 40/70 – ☕ 12 – 15 ch 60/110 – P 145/175.

PEUGEOT Gar. de la Poste, ₮ 54.85.62 🅽

RENAULT Gar. Leboisselier Quesnot, ₮ 50.80.14 🅽 ₮ 54.83.56

Le BARP **33114** Gironde **78** ② – 1 930 h. alt. 72 – ⚙ 56.

Paris 596 – Arcachon 42 – Belin 13 – •Bordeaux 32 – Langon 58 – Villandraut 43.

à Lavignolle S : 4 km – ✉ **33770** Salles :

✕✕ **Chez Lisette** avec ch, ₮ 88.62.01 – 🛁wc 🚿 ☎ 🚗 Ⓟ. 🚗. 🚫 ch
◆ *fermé 15 sept. au 15 oct. et lundi* – **SC** : **R** 32/95 🍷 – ☕ 9,50 – 15 ch 45/110 – P 90/120.

BARR 67140 B.-Rhin 62 ⑨ **G. Vosges** – 4 367 h. alt. 201 – ✪ 88.
ℹ Syndicat d'Initiative pl. Hôtel de Ville (fermé sam. après-midi et dim.) ☎ 08.94.24.
Paris 448 – Colmar 39 – Le Hohwald 12 – Saverne 45 – Sélestat 17 – •Strasbourg 35.

Manoir sans rest, 11 r. St-Marc ☎ 08.03.40, – wc wc ☎ P – 60.
SC : ☕ 10 – **18 ch** 80/120.

Maison Rouge, r. Gare ☎ 08.90.40 – wc wc ☎ P – 30. GB
◆ *fermé fév. et lundi* – SC : **R** (brasserie) 25/80 – ☕ 9 – 13 ch 54/120 – P 100/120.

rte Ste-Odile : 2 km par D 854 – ✉ **67140** Barr :

Château d'Andlau sans rest, ☎ 08.96.78 – wc wc P.
SC : ☕ 8,50 – **26 ch** 36/80.

CITROEN Dallemagne, à Gertwiller ☎ 08.91.61 PEUGEOT Gar. Karrer, ☎ 08.94.48
N

BARRAGE voir au nom propre du barrage.

Les BARRAQUES 05 H.-Alpes 77 ⑯ – rattaché à St-Bonnet.

Les BARRAQUES-EN-VERCORS 26 Drôme 77 ③④ – alt. 676 – ✉ **26420** La Chapelle-en-Vercors – ✪ 75.
Env. NO : Gorges des Grands-Goulets★★★, **G. Alpes.**
Paris 601 – Die 45 – Romans-sur-Isère 40 – St-Marcellin 27 – Valence 58 – Villard-de-Lans 23.

Grands Goulets , ☎ 48.22.45, ←, – wc ☎ P. rest
1er mai-30 sept. – SC : **R** 36/80 – ☕ 11 – **30 ch** 55/160 – P 100/150.

BARRÊME 04330 Alpes-de-H.-P. 81 ⑰ **G. Côte d'Azur** – 435 h. alt. 720 – ✪ 92.
Voir Senez : tapisseries★ dans l'ancienne cathédrale SE : 5 km.
Paris 774 – Castellane 24 – Colmars 41 – Digne 30 – Manosque 71 – Puget-Théniers 58.

Alpes H., ☎ 34.20.09 – P
◆ *fév.-nov. et fermé jeudi* – SC : **R** 35/50 – ☕ 8 – 11 ch 35/67 – P 74/80.

CITROEN Gar. Aune, ☎ 34.20.17

BARSAC 33 Gironde 79 ①② **G. Côte de l'Atlantique** – 2 019 h. alt. 10 – ✉ **33940** Podensac – ✪ 56.
Paris 600 – •Bordeaux 38 – Langon 8 – Libourne 45 – Marmande 45.

XXX **Host. du Château de Rolland** M avec ch, ☎ 27.15.75, « Belle demeure dans les vignes », – wc ☎ P – 35. AE
fermé 15 nov. au 1er déc. – SC : **R** *(fermé merc. hors sais.)* 60/95 – ☕ 15 – 7 ch 130/180.

Restaurants, die preiswerte Mahlzeiten servieren, sind mit einer Raute gekennzeichnet. ◆ ◆

BAR-SUR-AUBE SP 10200 Aube 61 ⑲ **G. Nord de la France** – 7 422 h. alt. 165 – ✪ 25.
ℹ Syndicat d'Initiative à l'Hôtel de Ville ☎ 27.04.21.
Paris 210 ③ – Châtillon-sur-Seine 59 ② – Chaumont 42 ② – Troyes 52 ③ – Vitry-le-François 66 ③.

Armand (R.) 2
Aubertin (Pl.) 4
Chenot (R.) 6
Belfort (Fg de) 8
Beugnot (R.) 9
Beurnonville (R. Gén.) 12
Bourbon (R.) 14
Brossolette (R. Pierre) 15
Carnot (Pl.) 16
Collège (R. du) 18
Croix-du-Temple (R.) 20
Danton (R.) 22
Gaillard (R. du Château) 26
Gaulle (R. du Gén.) 27
Jaurès (Pl. Jean) 28
Leclerc (Av. du Gén.) 29
Masson-de-Morfontaine (R.) 30
Mathaux (Promenade) 32
Payn (R. B.) 34
Romagon (R.) 36
St-Jean (R.) 38
St-Maclou (R.) 39
St-Pierre (R.) 40
Sommerard (R. du) 42
Thiers (R.) 44
Vouillemont (R. du Gén.) 46

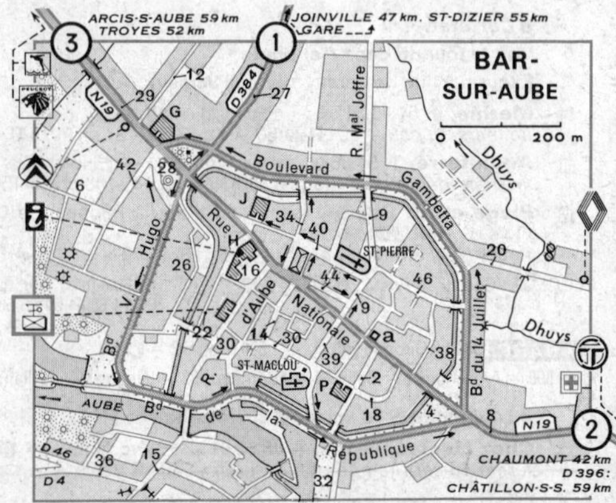

Commerce (Paris) [M], 38 r. Nationale **(a)** ☎ 27.08.76 – wc wc ☎.
fermé début janv. à début fév., dim. soir et lundi du 1er oct. au 30 mai – SC : **R** 62/98 – 16 – 16 ch 55/145
Spéc. Saumon mariné aux herbes (du 1er avril au 30 sept.). Écrevisses au whisky. St-Jacques à l'orange (du 1er oct. au 30 mars). Vins Coteaux Champenois.

à ***Arsonval*** par ③ : 6 km – ✉ **10200** Bar-sur-Aube :

La Chaumière, ☎ 26.11.02 – **P**. GB
fermé oct. et lundi sauf juil. et août – SC : **R** 35/80.

à ***Dolancourt*** par ③ : 9 km – ✉ **10200** Bar-sur-Aube :

Moulin du Landion, ☎ 26.12.17, ≤, parc – wc ☎ **P** – 30. GB. rest
fermé 15 au 30 nov., 15 au 28 fév., dim. soir et lundi hors sais. – SC : **R** 45/115 – 13 – **16 ch** 105/132 – P 190/210.

CITROEN Lhenry, 11 av. Gén.-Leclerc ☎ 27.01.23
FORD Gar. Roussel, 2 fg Belfort ☎ 27.14.00
PEUGEOT Viot, av. Gén.-Leclerc ☎ 27.14.29 **N**
RENAULT Maigrot, 23 r. Croix-du-Temple ☎ 27.01.29
TALBOT Vauthier, N 19 ☎ 27.15.03

BAR-SUR-SEINE 10110 Aube **61** ⑰⑱ **G. Nord de la France** – 3 430 h. alt. 152 – 25.
Voir Intérieur* de l'église St-Étienne.
Paris 192 – Bar-sur-Aube 38 – Châtillon-sur-Seine 35 – St-Florentin 57 – Tonnerre 49 – Troyes 33.

Barséquanais, 6 av. Gén.-Leclerc ☎ 38.82.75 – wc wc **P**
fermé 25 déc. au 25 janv., dim. soir sauf juil., août et lundi – **R** 28/60 – 8,50 – **24 ch** 46/110 – P 95/125.

Commerce, pl. République ☎ 38.86.36 – ☎ **P**. ch
fermé 1er au 15 oct., 15 au 28 fév., dim. soir et lundi midi – SC : **R** 36/60 – 8,50 – 12 ch 80 – P 100/120.

ALFA-ROMEO, FIAT Gar. Barthélemy, ☎ 38.85.65
CITROEN Éts Lhenry, ☎ 38.80.20
RENAULT Jollois, ☎ 38.87.45

BARTENHEIM 68870 H.-Rhin **66** ⑩ – 2 413 h. alt. 261 – 89.
Paris 549 – Altkirch 21 – •Bâle 15 – Belfort 55 – Colmar 60 – •Mulhouse 23.

Aub. d'Alsace, à la Gare E : 1 km ☎ 68.31.26 – **P**. GB
fermé 26 août au 16 sept. et merc. – SC : **R** 50/140.

BASEL Suisse **66** ⑩, **21** ④ – voir à Bâle.

BASILIQUE DU BOIS CHENU 88 Vosges **62** ③ – rattaché à Domrémy-la-Pucelle.

BAS-RUPTS 88 Vosges **62** ⑰ – rattaché à Gérardmer.

BASSE-GOULAINE 44 Loire-Atl. **67** ③④ – rattaché à Nantes.

BASSES-HUTTES 68 H.-Rhin **62** ⑱ – rattaché à Orbey.

BASSOUES 32 Gers **82** ③④ **G. Pyrénées** – 512 h. alt. 225 – ✉ **32320** Montesquiou – 62.
Voir Donjon*.
Paris 733 – Aire-sur-l'Adour 48 – Auch 35 – Tarbes 54.

Host. du Donjon avec ch, ☎ 64.90.04 – ch
fermé fév. – SC : **R** *(fermé merc. en hiver)* 28 bc/90 – 9,50 – **8 ch** 45/74 – P 75/104.

BASTIA [P] 2B H.-Corse **90** ③ – voir à Corse.

La BASTIDE 83 Var **84** ⑦, **195** ㉒ – 130 h. alt. 1 000 – ✉ **83840** Comps-sur-Artuby – 94.
Env. Signal de Lechens ** NE : 10 km puis 30 mn, **G. Bretagne.**
Paris 821 – Castellane 24 – Comps-sur-Artuby 12 – Draguignan 44 – Grasse 49.

de Lachens, ☎ 76.80.01, – **P**
fermé nov. – SC : **R** 35/75 – 9,50 – 14 ch 55/70 – P 95/120.

La BASTIDE-DE-SÉROU 09240 Ariège **86** ④ **G. Pyrénées** – 941 h. alt. 410 – 61.
Paris 805 – Foix 17 – Le Mas-d'Azil 18 – St-Girons 27.

Ferré, rte St-Girons ☎ 64.50.26 – . ch
SC : **R** 33/100 – 8 – 11 ch 46/73.

RENAULT Montané, ☎ 64.50.06

BATILLY-EN-PUISAYE 45 Loiret 65 ②③ – 136 h. alt. 180 – ✉ 45420 Bonny-sur-Loire – ✪ 38.

Paris 168 – Auxerre 64 – Gien 22 – Montargis 54 – •Orléans 86.

- ✗ **Aub. de Batilly** avec ch, ☎ 31.24.18 – ⋒wc.
  fermé 1er au 20 sept. – **R** 35/50 – ☕ 7 – 9 ch 40/70 – P 85/95.

BATZ (Ile de) 29253 Finistère 58 ⑥ **G. Bretagne** – 807 h. – ✪ 98.

Accès par transports maritimes.

depuis Roscoff En 1980 : 15 juin-15 sept. : 14 services quotidiens ; 16 sept.-14 juin : 8 services quotidiens - Traversée 20 mn - 9 F (AR). Renseignements ☎ 69.78.07.

BATZ-SUR-MER 44740 Loire-Atl. 63 ⑭ **G. Bretagne** (plan) – 2 236 h. – ✪ 40.

Voir Église★ : ✻★★ – Chapelle N.-D. du Mûrier★ – Sentier des Douaniers : rochers★.

ℹ Syndicat d'Initiative à la Mairie (fermé sam. et dim.) ☎ 23.92.25.

Paris 449 – La Baule 7 – Le Croisic 3 – Guérande 7 – •Nantes 80 – Le Pouliguen 4.

- **Le Lichen** ⛰, E : 2 km par D 45 ☎ 23.91.92, ≤ – ⇔wc ⋒ ☎ ⓟ. .
  fin fév.-15 oct. et 20 déc.-3 janv. – SC : **R** 65/85 – ☕ 11 – 33 ch 70/250 – P 170/220.
- ✗✗ **Roche Mathieu,** rte Golf ☎ 23.92.12, ≤ – ⓟ. GB.
  12 avril-fin sept. et fermé mardi sauf juil. et août – SC : **R** 75/135.
- ✗✗ **Lucullus,** pl. Église ☎ 23.90.82 – AE GB ⓓ
  fermé nov., dim. soir et lundi – **R** 77/162.

Les BAUDIÈRES 89 Yonne 65 ⑤ – ✉ 89550 Hery – ✪ 86.

Paris 179 – Auxerre 17 – Chablis 20 – Joigny 22 – St-Florentin 15 – Tonnerre 36.

- ✗✗ **Soleil Levant** avec ch, ☎ 40.11.51 – ⋒ ⓟ.
  fermé fév. et lundi – SC : **R** 37/105 – ☕ 10 – 8 ch 48/65 – P 95.

BAUDUEN 83 Var 84 ⑥ – 149 h. alt. 483 – ✉ 83630 Aups – ✪ 94.

Paris 868 – Draguignan 45 – Moustiers-Ste-Marie 33.

- **Aub. du Lac** ⛰, ☎ 70.08.04, ≤ lac – ⇔wc ☎. . ch
  1er mars-1er déc. – SC : **R** 46/90 – ☕ 12 – 10 ch 130/150 – P 150/200.

La BAULE 44500 Loire-Atl. 63 ⑭ **G. Bretagne** – 15 193 h. – Casino BZ – ✪ 40.

Voir Front de mer★★ – Parc des Dryades★ FZ – **La Baule-les-Pins★★** EFZ.

de la Baule ☎ 60.46.18 par ② : 7 km ; de la Bretesche ☎ 45.30.03 par ① : 32 km.

de St-Nazaire-Montoir-La Baule ☎ 22.35.06 par ③ : 24 km.

ℹ Office de Tourisme (fermé dim. hors saison) et Accueil de France (Informations, change et réservations d'hôtels, pas plus de 5 jours à l'avance), 8 pl. Victoire ☎ 24.34.44, Télex 710050 et 5 pl. Palmiers (juil.-août) ☎ 60.22.13.

Paris 442 ② – •Nantes 74 ② – •Rennes 137 ② – St-Nazaire 17 ③ – Vannes 71 ①.

Plan page ci-contre

- **Hermitage** ⛰, espl. F.-André ☎ 60.37.00, Télex 710510, ≤, ⛱, , – |‡| ▤ TV ☎ ⓟ – 120 à 200. AE GB ⓓ. rest — BZ **h**
  19 avril-12 oct. – **R** 115/160 - **Grill R** carte environ 110 - **Plage** *(25 juin-10 sept.)* **R** carte environ 100 – ☕ 25 – **230 ch** 345/620, 20 appartements – P 400/620.
- **Royal** ⛰, espl. F.-André ☎ 60.33.06, ≤, parc, – |‡| ⓟ. AE GB ⓓ. rest — BZ **t**
  Pâques-oct. – **R** 85/92 – **120 ch** ☕ 195/410 – P 220/335.
- ✪ **Castel Marie-Louise** ⛰, espl. Casino ☎ 60.20.60, Télex 710510, ≤, parc – |‡| ⓟ – 30. AE GB ⓓ. rest — BZ **g**
  fermé 5 janv. au 15 fév. – **R** (en saison - prévenir) 105 – ☕ 22 – **28 ch** 400/500, 3 appartements – P 320/442
  Spéc. Terrine chaude de cervelle à l'oseille, Bar braisé à la crème d'artichauts, Aiguillettes de canard au vinaigre de cidre.
- **Bellevue-Plage** Ⓜ, 27 bd Océan ☎ 60.28.55, ≤ – |‡| TV ☎ ⓟ. AE GB ⓓ. rest
  fin fév.-fin oct. – SC : **R** 70/90 – ☕ 16 – 34 ch 165/220, 3 appartements 300 – P 210/300. — EZ **r**
- **Alexandra** Ⓜ, 3 bd Armor ☎ 60.30.06, ≤ – |‡| ⓟ – 50. AE ⓓ. rest — DZ **u**
  15 mars-15 oct. – SC : **R** 85/125 – ☕ 15 – 36 ch 100/230 – P 215/275.
- **La Cantellerie** Ⓜ ⛰ sans rest, 10 av. Saumur ☎ 60.26.28, – |‡| ⇔wc ☎ ⓟ. — EZ **a**
  Pentecôte-mi-sept. – SC : ☕ 14 – **24 ch** 260.
- **Majestic** sans rest, esplanade F.-André ☎ 60.24.86, ≤ – |‡| ⇔wc ⋒ ⓟ – 65
  16 avril-30 sept. – SC : **61 ch** ☕ 255/270, 6 appartements 390. — CZ **e**
- **Les Pléiades** ⛰, 28 bd Armor ☎ 60.20.24, – |‡| ⓟ. GB ⓓ. rest — EZ **w**
  1er juin-20 sept. – SC : **R** 70/90 – ☕ 13 – **40 ch** 110/250 – P 175/250.

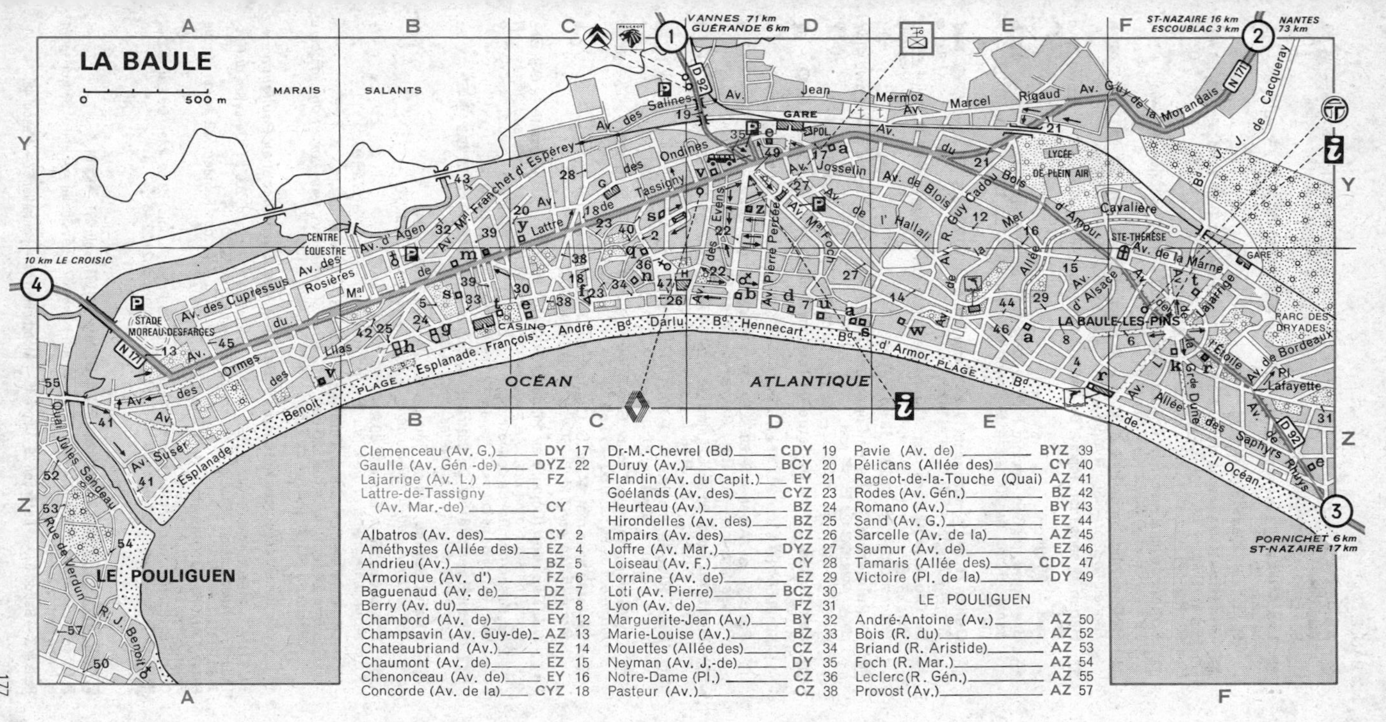

Clemenceau (Av. G.)	DY	17
Gaulle (Av. Gén.-de)	DYZ	22
Lajarrige (Av. L.)	FZ	
Lattre-de-Tassigny (Av. Mar.-de)	CY	
Albatros (Av. des)	CY	2
Améthystes (Allée des)	EZ	4
Andrieu (Av.)	BZ	5
Armorique (Av. d')	FZ	6
Baguenaud (Av. de)	DZ	7
Berry (Av. du)	EZ	8
Chambord (Av. de)	EY	12
Champsavin (Av. Guy-de)	AZ	13
Chateaubriand (Av.)	EZ	14
Chaumont (Av. de)	EZ	15
Chenonceau (Av. de)	EY	16
Concorde (Av. de la)	CYZ	18
Dr-M.-Chevrel (Bd)	CDY	19
Duruy (Av.)	BCY	20
Flandin (Av. du Capit.)	EY	21
Goélands (Av. des)	CYZ	23
Heurteau (Av.)	BZ	24
Hirondelles (Av. des)	BZ	25
Impairs (Av. des)	CZ	26
Joffre (Av. Mar.)	DYZ	27
Loiseau (Av. F.)	CY	28
Lorraine (Av. de)	EZ	29
Loti (Av. Pierre)	BCZ	30
Lyon (Av. de)	FZ	31
Marguerite-Jean (Av.)	BY	32
Marie-Louise (Av.)	BZ	33
Mouettes (Allée des)	CZ	34
Neyman (Av. J.-de)	DY	35
Notre-Dame (Pl.)	CZ	36
Pasteur (Av.)	CZ	38
Pavie (Av. de)	BYZ	39
Pélicans (Allée des)	CY	40
Rageot-de-la-Touche (Quai)	AZ	41
Rodes (Av. Gén.)	BZ	42
Romano (Av.)	BY	43
Sand (Av. G.)	EZ	44
Sarcelle (Av. de la)	AZ	45
Saumur (Av. de)	EZ	46
Tamaris (Allée des)	CDZ	47
Victoire (Pl. de la)	DY	49

LE POULIGUEN

André-Antoine (Av.)	AZ	50
Bois (R. du)	AZ	52
Briand (R. Aristide)	AZ	53
Foch (R. Mar.)	AZ	54
Leclerc (R. Gén.)	AZ	55
Provost (Av.)	AZ	57

Alcyon M sans rest, 19 av. Pétrels ☎ 60.19.37 – wc wc – 50. GB CY **s**
SC : 12,50 – **32 ch** 135/175.

Les Alizés M sans rest, 10 av. de Rhuys ☎ 60.34.86, – wc – 40. AE GB FZ **e**
SC : 15 – **29 ch** 180/220.

Christina M sans rest. d'oct. à avril, 26 bd Hennecart ☎ 60.22.44, ← – rest wc wc P – 30. AE. DZ **d**
SC : **R** 75/90 – 13 – 36 ch 75/190 – P 220/250.

Concorde sans rest, 1 av. Concorde ☎ 60.23.09 – wc wc . CZ **f**
20 mars-5 oct. – SC : 13 – **42 ch** 140/220.

Helios, 7 bd Armor ☎ 60.22.38, ← – wc wc . GB DZ **a**
Pâques-fin sept. – SC : **R** 40/95 – 11 – **32 ch** 60/170 – P 120/185.

Flepen M sans rest, 145 av. De-Lattre-de-Tassigny ☎ 60.29.30, – wc wc P BZ **m**
sais. – **25 ch**.

Bretagne, pl. Gén.-Leclerc ☎ 60.21.92 – wc wc . DZ **b**
fermé 15 nov. au 20 déc. – **R** *(fermé merc.)* 50/70 – 12 – 37 ch 70/150 – P 147/187.

Delice H. M sans rest, 19 av. Marie-Louise ☎ 60.23.17 – TV wc P. BZ **s**
27 mai-20 sept. – SC : 14 – **14 ch** 150/160.

La Closerie M sans rest, 173 av. De-Lattre-de-Tassigny ☎ 60.22.71 – wc wc P CY **y**
Pâques- oct. – SC : 10 – **13 ch** 75/145.

La Palmeraie , 7 allée Cormorans ☎ 60.24.41, « Cour fleurie » – wc wc . GB E. rest CZ **n**
4 avril-1er oct. – SC : **R** 52/62 – 12 – 23 ch 100/150 – P 165/185.

Les Dunes, 277 av. De-Lattre-de-Tassigny ☎ 60.21.04 – wc P – 30. ch DY **v**
SC : **R** 55/180 – 12 – **47 ch** 55/150 – P 130/165.

Parc , av. Albatros ☎ 60.24.52, – P. rest CYZ **q**
Pâques-fin sept. – SC : **R** 55/60 – 11 – **20 ch** 80/125 – P 120/160.

Host. du Bois, 65 av. L.-Lajarrige ☎ 24.64.78, – wc . rest FZ **t**
Pâques-20 sept. – SC : **R** 48 – 11 – **16 ch** 62/160 – P 125/170.

Beau Rivage, 8 bd Armor ☎ 60.21.10 – wc DZ **s**
mai-fin sept. – SC : **R** 45/90 – 9,50 – 29 ch 65/120 – P 125/160.

Ty-Gwenn sans rest, 25 av. Gde-Dune ☎ 60.37.07, – wc. FZ **k**
fermé oct. – SC : 9,50 – **14 ch** 48/120.

Violetta sans rest, 44 av. G.-Clemenceau ☎ 60.32.16 – DY **a**
fermé 15 déc. au 15 fév. – SC : 10 – **16 ch** 42/90.

XXX ✿ **L'Espadon** (Cova), 2 av. Plage (5e étage) ☎ 60.05.63, ← baie et côte – GB
fermé fin sept. à fin oct., 5 à fin janv., dim. soir et lundi hors sais., sauf fériés – **R** (en saison nombre de couverts limité - prévenir) carte 130 à 160 AZ **v**
Spéc. Cassolette de Belons, St-Pierre aux petits légumes, Fricassée de homard.

XXX **Chez Henri,** 161 av. De-Lattre-de-Tassigny ☎ 60.23.65 – . AE GB E BZ **m**
fermé mardi hors sais. et fêtes – SC : **R** 60/140.

XX **Chalet Suisse,** 114 av. Gén.-de-Gaulle ☎ 60.23.41 – GB DY **z**
fermé 15 janv. au 15 fév. et merc. de sept. à juin – SC : **R** 50/75.

X **L'Ankou,** 38 av. Étoile ☎ 60.22.47 FZ **r**
fermé janv., mardi et merc. du 15 sept. au 15 juin – **R** carte 65 à 100.

X **Le Paris** avec ch, 138 av. Ondines ☎ 60.30.53 – . GB. DY **e**
fermé 27 sept. au 2 nov., 20 déc. au 2 janv., 7 au 16 fév., sam. soir et dim. d'oct. à Pâques – SC : **R** 42/68 – 8,50 – 16 ch 50/74 – P 100/120.

Voir aussi ressources hôtelières à ***Batz-sur-Mer, Pornichet*** et au ***Pouliguen***

AUSTIN, MERCEDES-BENZ, MORRIS, TRIUMPH Atlantic-Gar., 33 av. G.-Clemenceau ☎ 60.23.75
BMW, LANCIA-AUTOBIANCHI Gilot, 4 pl. La Fayette ☎ 60.28.06 N ☎ 22.25.42
CITROEN Salines-Automobiles pl. des salines
PEUGEOT Le Déan, rte Guérande, D 92 ☎ 24.08.57

RENAULT Richard, 206 av. De-Lattre-de-Tassigny ☎ 60.20.30
TALBOT Gar. des Palmiers, 22 av. de l'Etoile ☎ 60.21.78

Le Pneu Baulois, 79 av. Mar.-De-Lattre-De-Tassigny ☎ 24.22.46

BAUME-LES-DAMES 25110 Doubs 66 ⑯ G. Jura – 6 071 h. alt. 291 – ✪ 81.

Office de Tourisme à la Mairie (fermé sam. et dim.) ☎ 84.07.13 et Chalet Accueil N 83 (juil.-août et fermé matin) ☎ 84.01.41.

Paris 443 – Belfort 63 – ♦Besançon 29 – Lure 45 – Montbéliard 47 – Pontarlier 62 – Vesoul 48.

Central sans rest, 3 r. Courvoisier ☎ 84.09.64 – wc wc ☎.
fermé 21 au 31 janv. et dim. de nov. au 15 mai – SC : ☕ 11 – **12 ch** 45/100.

Parc, 5 r. Stade ☎ 84.05.55 –
fermé 15 déc. au 15 janv. et lundi – SC : **R** 30/60 ⅄ – ☕ 10 – 12 ch 50 – P 120.

✿ **Château d'As** (Aubrée) avec ch, ☎ 84.00.66, ← – wc wc ☎ Ⓟ.
fermé 15 déc. au 20 fév., dim. soir et lundi – SC : **R** (dim. et fêtes prévenir) 110/170 – ☕ 13 – 10 ch 75/130
Spéc. Terrine de foie gras frais, Soufflé de saumon, Goujonnettes de sole beurre blanc. **Vins** Marsannay, Arbois.

RENAULT Gar. Central, 10 av. Gén.-Leclerc ☎ 84.02.45
TALBOT Bonfils, Zone Ind. de la Prairie, 7 r. Libellules ☎ 84.14.73
Gar. Droz, 2 av. Gén.-Leclerc ☎ 84.05.48
Gar. Routhier, à Pont les Moulins ☎ 84.02.15

à ***Sechin*** O : 6,5 km sur N 83 – ✉ **25110** Baume-les-Dames :

Hôtel 73 Ⓜ sans rest, ☎ 84.10.57 – wc wc ☎ Ⓟ.
fermé janv. – SC : ☕ 11,50 – **20 ch** 93/107.

à ***Pont-les-Moulins*** S : 6 km – ✉ **25110** Baume-les-Dames :

Levant, rte Pontarlier ☎ 84.09.99, – wc wc ☎ Ⓟ. AE ⓓ
1er mars-2 nov. – SC : **R** 50/150 – ☕ 11 – **15 ch** 90/150 – P 190.

à ***Hyèvre-Paroisse*** E : 7 km – ✉ **25110** Baume-les-Dames :

Ziss et rest. Crémaillère Ⓜ, ☎ 84.07.88 – |‡| wc ☎ Ⓟ. AE
fermé oct. et sam. du 1er nov. au 31 mars – SC : **R** 32/100 ⅄ – ☕ 14 – **20 ch** 90/140.

BAUME-LES-MESSIEURS 39 Jura 70 ④ **G. Jura** – 202 h. alt. 320 – ✪ 84.

Voir Retable à volets★ dans l'église – Belvédère des Roches de Baume ←★★★ sur cirque★★★ et grottes★ de Baume S : 3,5 km.

Paris 423 – Champagnole 27 – Dole 53 – Lons-le-Saunier 17 – Poligny 29 – Pont-du-Navoy 16.

Grottes et Roches, aux Grottes S : 3 km ✉ 39210 Voiteur ☎ 85.22.68, ← – Ⓟ.
15 mars-15 nov. et fermé merc. sauf juil. et août – SC : **R** (déj. seul.) 35/78 ⅄.

Les BAUX-DE-PROVENCE 13 B.-du-R. 84 ① **G. Provence** (plan) – 367 h. alt. 280 – ✉ **13520** Maussane-les-Alpilles – ✪ 90.

Voir Site★★★ – Château ☼★★ – Monument Charloun Rieu ←★★ – Place St-Vincent★ – Rue du Trencat★ – Tour Paravelle ←★ – Fête des Bergers (Noël, messe de minuit)★★ – ☼★★★ sur chaîne des Alpilles N : 2,5 km par D 27.

Syndicat d'Initiative Impasse château (avril-fin oct. et fermé mardi) ☎ 97.34.49.

Paris 717 – Arles 19 – ♦Marseille 86 – Nîmes 44 – St-Rémy-de-Provence 9,5 – Salon-de-Provence 32.

au Village :

Host. de la Reine Jeanne , ☎ 97.32.06, ← – wc wc.
fermé 15 déc. au 1er fév. – SC : **R** *(fermé mardi sauf du 15 mars au 15 oct.)* 50/80 – ☕ 12 – 14 ch 100/140.

dans le Vallon :

✿✿✿ **Oustaù de Baumanière** (Thuilier) Ⓜ avec ch, ☎ 97.33.07, Télex 420203, « Demeures anciennes aménagées avec élégance, terrasses fleuries, , club hippique », – ▤ ch ▣ wc ☎ Ⓟ. AE GB ⓓ
fermé fév. – **R** carte 170 à 210 – ☕ 30 – **15 ch** 375, 11 appartements 525
Spéc. Ragoût de homard aux écrevisses, Crêpes « Baumanière ». **Vins** Gigondas, Chateauneuf du Pape.

✿ **La Riboto de Taven,** ☎ 97.34.23, « Terrasse ombragée et jardin fleuri au pied des rochers » – Ⓟ
fermé 12 nov. au 20 déc., dim. hors sais. et lundi – SC : **R** carte 125 à 165
Spéc. Mousse de loup au coulis d'écrevisses, Saint-Pierre à la crème d'oseille, Canard à l'orange. **Vins** Château Fonsalette, Château d'Estoublon.

La Cabro d'Or Ⓜ avec ch, ☎ 97.33.21, Télex 401810, ←, , , – ▤ ch ▣ wc ☎ Ⓟ – 90. AE GB ⓓ
fermé 16 nov. au 20 déc. – SC : **R** 110/130 – ☕ 22 – **19 ch** 175/300 – P 320/380.

à l'Est sur D 27 A :

Mas d'Aigret Ⓜ , ☎ 97.33.54, ←, , – wc ☎ Ⓟ. AE GB. rest
fermé 11 nov. au 20 déc. – SC : **R** *(fermé jeudi)* 65/120 ⅄ – ☕ 15 – 15 ch 135/200 – P 203/235.

au Sud-Ouest sur D 78 F :

La Benvengudo Ⓜ , ☎ 97.32.50, ←, « Jardin fleuri », , – cuisinette wc wc ☎ Ⓟ. . rest
fermé 1er nov. au 20 déc. – SC : **R** (dîner seul.) 80/100 – ☕ 18 – **16 ch** 150/200.

Voir aussi ressources hôtelières de ***Maussane-les-Alpilles*** S : 5 km

BAVAY 59570 Nord 53 ⑤ **G. Nord de la France** – 4 088 h. alt. 123 – ✪ 20.
Paris 227 – Avesnes 24 – Le Cateau 29 – Lille 74 – Maubeuge 14 – Mons 24 – Valenciennes 23.

✗ **Carrefour de Paris,** porte Gommeries ✆ 63.12.58 – Ⓟ
fermé merc. soir et lundi – SC : **R** 34 bc/68 ⅄.

CITROEN Gar. de La Chaussée, ✆ 63.11.30 RENAULT Gar. Dal, ✆ 63.17.08
PEUGEOT Gar. Claeys, ✆ 63.11.47

BAVERANS 39 Jura 70 ④ – rattaché à Dole.

BAY 74 H.-Savoie 74 ⑧ – rattaché à Assy.

BAYEUX <SP> 14400 Calvados 54 ⑮ **G. Normandie** – 14 528 h. alt. 50 – ✪ 31.
Voir Tapisserie de la reine Mathilde* dans l'anc. évêché** BZ – **Cathédrale**** BZ **B.**
Env. Brécy : portail* et jardins* du château SE : 10 km par D 126 CZ.
ℹ Office de Tourisme 1 r. Cuisiniers (fermé dim. hors saison) ✆ 92.16.26.
Paris 268 ② – ♦Caen 27 ② – ♦Cherbourg 92 ⑥ – Flers 68 ③ – St-Lô 35 ④ – Vire 59 ③.

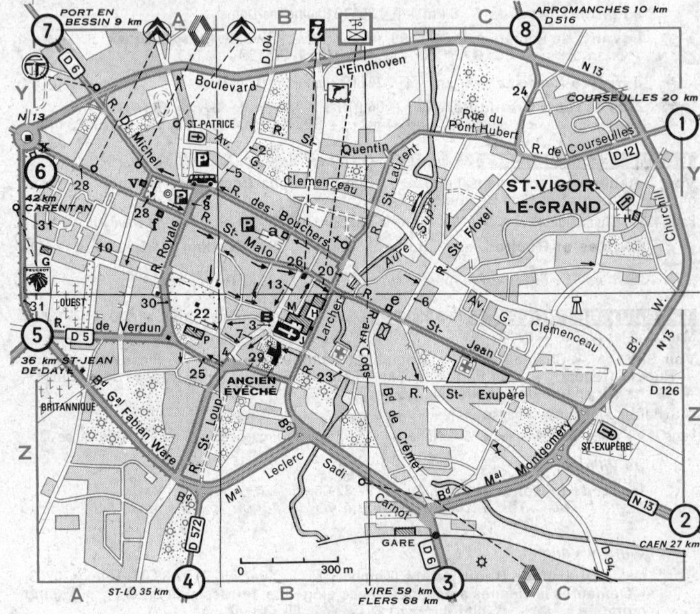

BAYEUX

St-Jean (R.)	CZ		Bienvenu (R. du)	BZ 3		Foch (R. Mar.)	BY 20
St-Malo (R.)	BY		Bois (Pl. au)	BZ 4		Gaulle (Pl. du Gén.-de)	AZ 22
St-Martin (R.)	BY 26		Cabourg (R. de)	BY 5		Nesmond (R. de)	BZ 23
St-Patrice (R. et Pl.)	AY 28		Cave (R. de la)	CZ 6		Pigache (R. de la)	CY 24
			Chanoines (R. des)	BZ 7		Poterie (R. de la)	AZ 25
Aprigny (R. d')	BY 2		Chartier (R. Alain)	AY 8		Tardif (R.)	BZ 29
			Conseil (R.)	AY 10		Terres (R. des)	AZ 30
			Cuisiniers (R. des)	BY 13		6-Juin (Bd du)	AY 31

🏨 ✿ **Lion d'Or** ⛱, 71 r. St-Jean ✆ 92.06.90 – ⌂wc ⋒wc ☎ Ⓟ. 🚗 GB. ✂ ch
fermé 20 déc. au 20 janv. – SC : **R** 55/125 – ☕ 15 – 30 ch 80/160 – P 162/255
Spéc. Andouille chaude à la Bovary, Médaillon de lotte aux baies roses, Ris de veau aux groseilles.
CZ **e**

🏨 **Pacary,** 117 r. St-Patrice ✆ 92.16.11, Télex 170176, ⛱, 🌳 – TV ⌂wc ☎ Ⓟ – 🏊 200. 🚗 AE GB ⓪ AY **x**
SC : **R** 52/92 – ☕ 14 – 65 ch 132/180 – P 180/230.

🏨 **Luxembourg,** 25 r. Bouchers ✆ 92.00.04 – ⌂wc ⋒wc ☎ Ⓟ. 🚗. ✂ ch BY **a**
fermé 15 nov. au 10 déc. et vend. hors sais. – SC : **R** 40/110 – 25 ch ☕ 65/140 – P 130/220.

✗✗ **Ma Normandie,** 41 r. St-Patrice ✆ 92.09.88 AY **f**

✗ **Gourmets,** pl. St-Patrice ✆ 92.02.02 AY **v**
fermé 30 oct. au 6 nov., fév., merc. soir et jeudi – SC : **R** 28 bc/60 ⅄.

à Nonant par ② et D 33 : 7 km – ✉ **14400** Bayeux :

Manoir du Chêne ⛰, au Sud ☎ 92.58.81, 🌳, 🎾 – ⛟wc 🚿wc ☎ 🅿. 🐕
fermé déc. et janv. – SC : **R** *(fermé merc. hors sais.)* 45/115 – ☕ 13 – 21 ch 75/190 – P 158/200.

CITROEN St-Patrice-Auto, 54 r. St-Patrice ☎ 92.29.16 🅽 ☎ 92.40.46
CITROEN Trouillard et Danjou, 31 r. Montfiquet ☎ 92.07.31
FORD Bodin, 26 pl. au Bois ☎ 92.02.51 🅽
PEUGEOT Fortin, bd du 6-Juin ☎ 92.09.77
RENAULT Gd Gar. de la Gare, 16 bd Carnot ☎ 92.00.70
RENAULT Gar. James, 3 r. Dr-Michel ☎ 92.02.94
TALBOT Gar. Lolic, bd Eindhoven ☎ 92.04.41
Gar. Mauger, Tour-en-Bessin ☎ 92.40.46 🅽

Bayeux Pneus, ZI rte de Caen ☎ 92.01.61
Schmitt, bd Eindhoven ☎ 92.02.98

BAYONNE

<SP> **64100** Pyr.-Atl. **78** ⑱ **G. Pyrénées** – 44 706 h. alt. 5 – ⚙ 59.

Voir Cathédrale★ et cloître★ AY **B** – Musées : Bonnat★★ BY **M1**, basque★★ BY **M2** – Grandes fêtes★ (fin juil.-début août).

Env. Croix de Mouguerre ✳★ SE : 5,5 km par D 52 BY – ✳★ du cimetière d'Arcangues S : 9 km par D 932 et D 3, – voir plan de Biarritz BX.

✈ de Biarritz-Bayonne-Anglet ☎ 24.00.92, SO : 5 km par N 10 AZ.

Office de Tourisme pl. Liberté (fermé sam. après-midi hors saison et dim.) ☎ 59.31.31.

Paris 741 ① – ♦Bordeaux 176 ① – Pamplona 118 ⑤ – ♦Perpignan 438 ② – S.-Sebastiàn 54 ⑤ – ♦Toulouse 279 ①.

Plan page suivante

Agora M ⛰, av. Lauga ☎ 63.30.90, Télex 550621 – 🛗 ▤ rest 📺 ☎ 🅿 – 🏢 180. AE GB ⓓ — ABZ **e**
SC : **Le Cheval Bleu R** 60 - **La Grande Assiette R** carte environ 60 🍷 - **Le Boeuf sur le Grill R** carte environ 60 🍷 – ☕ 15 – **110 ch** 130/195.

Aux Deux Rivières sans rest, 21 r. Thiers ☎ 59.14.61 – 🛗 ♿ – 🏢 25. AE ⓓ. ✗ — AY **n**
SC : ☕ 15 – **63 ch** 90/180.

Capagorry sans rest, 14 r. Thiers ☎ 25.48.22, Télex 540376 – 🛗 ☎ ♿ – 🏢 25. 🐕 AE GB ⓓ E — AY **t**
SC : ☕ 14 – **48 ch** 130/190.

Basses-Pyrénées, 12 r. Tour-de-Sault ☎ 59.00.29 – 🛗 ⛟wc 🚿wc ☎ 🚗. 🐕 AE GB E — AZ **s**
SC : **R** *(fermé 31 oct. au 10 nov., 23 déc. au 4 janv., dim. soir et lundi midi)* 29/48 – ☕ 11 – **48 ch** 52/115.

Loustau, 1 pl. République ☎ 55.16.74, ≤ – 🛗 ⛟wc 🚿wc ☎ — BX **k**
fermé 20 déc. au 12 janv. – SC : **R** *(fermé dim. sauf fêtes d'oct. à juin)* 35/45 🍷 – ☕ 12,50 – 48 ch 52/110 – P 128/157.

Bordeaux, pl. Gare ☎ 55.04.07 – 🛗 ⛟wc 🚿wc ☎. 🐕 GB — BX **a**
fermé 15 au 31 déc. – SC : **R** *(fermé lundi)* 40/85 🍷 – ☕ 10 – 40 ch 40/100.

Côte Basque sans rest, pl. République ☎ 55.10.21 – 🛗 ⛟wc 🚿wc ☎. 🐕 — BX **a**
SC : ☕ 11 – **44 ch** 48/140.

Mendi Alde ⛰ sans rest, rte Cambo-les-Bains par ④ : 3,4 km ☎ 63.58.44, 🌳 – ⛟wc ☎ 🅿. 🐕. ✗ — plan Biarritz BX **f**
SC : ☕ 9 – **9 ch**.

Beluga, 15 r. Tonneliers ☎ 25.52.13 – ▤. ⓓ — BY **r**
fermé fév. et dim. – SC : **R** carte 85 à 120.

La Tanière, quai Mousserolles par allées Boufflers ☎ 25.53.42, Produits de la mer — plan Biarritz CX **v**
fermé 15 juin au 12 juil. et merc. – SC : **R** carte 80 à 120.

Euzkalduna, 61 r. Pannecau ☎ 59.28.02 — BY **d**
fermé 1er au 15 juin, 1er au 15 oct., dim. soir et lundi – **R** carte environ 65.

à Mouguerre par ③ et D 936 : 7,5 km – ✉ **64100** Bayonne :

Kuluska ⛰, ☎ 59.72.48, 🌳 – ⛟wc ☎ 🅿
fermé 1er au 15 fév. – SC : **R** *(fermé dim. soir)* 40/70 – ☕ 10 – **10 ch** 85/100 – P 150/260.

MICHELIN, Agence, 50-52 bd Alsace-Lorraine BY ☎ **55.13.73**

AUSTIN, JAGUAR, MORRIS, ROVER, TRIUMPH Marmande, av. Mal Juin ☎ 55.05.61
BMW Gar. Durruty, av. Légion-Tchèque ☎ 25.60.25 🅽 ☎ 24.04.98
CITROEN Gar. Côte Basque, 44 av. de Bayonne, Anglet ☎ 63.04.04
DATSUN Gar. des Allées Marines, 17 allées Marines ☎ 25.02.91
FERRARI, FIAT Daverat, 7 quai Lesseps ☎ 55.07.48
LANCIA-AUTOBIANCHI Gar. Armada, 32 av. Dubrocq ☎ 59.02.64
OPEL Centre Auto, 19 r. Etcheverry ☎ 55.13.34
PEUGEOT Gambade, av. Mar.-Soult, N 10 ☎ 63.37.79
RENAULT Sté Basque Autom., allées Paulmy ☎ 55.84.12
TOYOTA Gar. Lafontaine, allées Paulmy ☎ 25.68.65
VOLVO Le Crom, 30 av. Dubrocq ☎ 59.25.57

Central-Pneu, 35 allées Marines ☎ 59.18.26
Comptoir du Pneu, 4 av. Mar.-Foch ☎ 59.11.73
Maison du Pneu, 8 r. J.-Laffitte ☎ 59.14.28

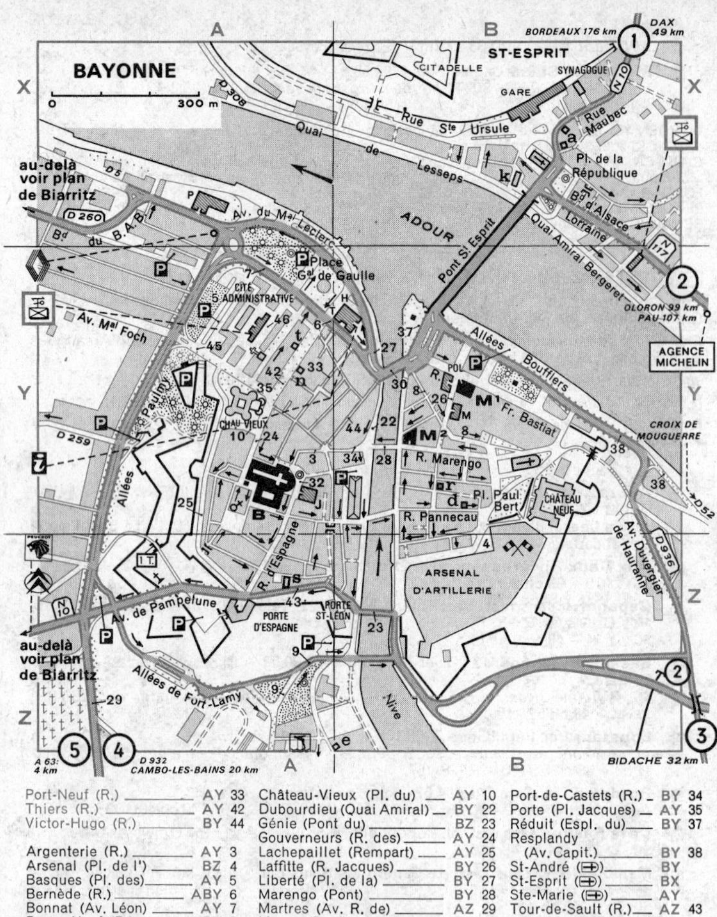

Port-Neuf (R.) AY 33
Thiers (R.) AY 42
Victor-Hugo (R.) BY 44

Argenterie (R.) AY 3
Arsenal (Pl. de l') BZ 4
Basques (Pl. des) AY 5
Bernède (R.) ABY 6
Bonnat (Av. Léon) AY 7
Bourg-Neuf (R.) BY 8
Chanoine-Lamarque (Av.) AZ 9
Château-Vieux (Pl. du) AY 10
Dubourdieu (Quai Amiral) BY 22
Génie (Pont du) BZ 23
Gouverneurs (R. des) AY 24
Lachepaillet (Rempart) AY 25
Laffitte (R. Jacques) BY 26
Liberté (Pl. de la) BY 27
Marengo (Pont) BY 28
Martres (Av. R. de) AZ 29
Mayou (Pont) BY 30
Pasteur (Pl. Louis) AY 32
Port-de-Castets (R.) BY 34
Porte (Pl. Jacques) AY 35
Réduit (Espl. du) BY 37
Resplandy (Av. Capit.) BY 38
St-André (⊕) BY
St-Esprit (⊕) BX
Ste-Marie (⊕) AY
Tour-de-Sault (R.) AZ 43
11-Novembre (Av. du) AY 45
49e (R. du) AY 46

BAZAINVILLE 78 Yvelines 60 ⑧, 96 ⑫ – rattaché à Houdan.

BAZAS 33430 Gironde 79 ② **G. Côte de l'Atlantique** – 5 235 h. alt. 79 – ✪ 56.

Voir Cathédrale★.

Office de Tourisme pl. Cathédrale (1er mai-30 sept., fermé dim. et lundi) ✆ 25.00.02.

Paris 619 – Agen 81 – ♦Bordeaux 58 – Marmande 42 – Mont-de-Marsan 68 – Nérac 60.

Relais de Fompeyre M, rte Mont-de-Marsan ✆ **25.04.60,** « **Parc fleuri** », – – – 80. AE GB
fermé nov. et lundi du 1er déc. au 15 mars – **R** *(fermé dim. soir du 1er déc. au 15 mars)* 70/150 – 15 – **31 ch** 115/140, 4 appartements – P 220/230
Spéc. Lamproie à la Bordelaise, Foie de canard aux raisins, Purée de palombe à la bazadaise.

France, cours Gén.-de-Gaulle ✆ **25.02.37** – rest wc ✆. GB
fermé 1er au 15 janv. – SC : **R** 38/138 – 8,50 – 13 ch 80/145.

Host. St-Sauveur sans rest, cours Gén.-de-Gaulle ✆ **25.12.18** – wc ✆
fermé 1er au 15 sept. et dim. – SC : 12 – **10 ch** 60/100.

OPEL Cazeaux, ✆ 25.01.01
PEUGEOT Doux et Trouillot, ✆ 25.00.73
RENAULT Gar. Montassier, ✆ 25.03.63

BAZOCHES-SUR-GUYONNE 78 Yvelines 60 ⑨, 96 ㉔ – 286 h. alt. 148 – ✉ 78490 Montfort-l'Amaury – ⚙ 3.

Paris 43 – Dreux 42 – Mantes-la-Jolie 35 – Rambouillet 19 – Versailles 22.

XXX **Host. La Campagne** avec ch, à Houjarray S : 1 km par VO ☎ 486.04.24, « Agréable jardin » – wc ☎ P – 9 ch.

BAZOUGES-SUR-LE-LOIR 72 Sarthe 64 ② **G. Châteaux de la Loire** – 1 368 h. alt. 28 – ✉ **72200** La Flèche – ⚙ 43.

Voir Pont ≤★.

Paris 247 – Angers 40 – La Flèche 7 – ♦Le Mans 49.

X **Croissant,** N 23 ☎ 94.30.06
fermé janv. dim. soir et lundi – SC : **R** 45/70 ♁.

BEAUCAIRE 30300 Gard 81 ⑪ **G. Provence** – 12 997 h. alt. 18 – ⚙ 66.

Voir Château★ : ☀★★ BY.

ℹ Office de Tourisme 6 r. Hôtel de Ville (fermé dim. et lundi) ☎ 59.26.57.

Paris 709 ⑥ – Alès 67 ⑥ – Arles 19 ③ – Avignon 25 ① – Nîmes 24 ⑤ – St-Rémy-de-Pr. 17 ②.

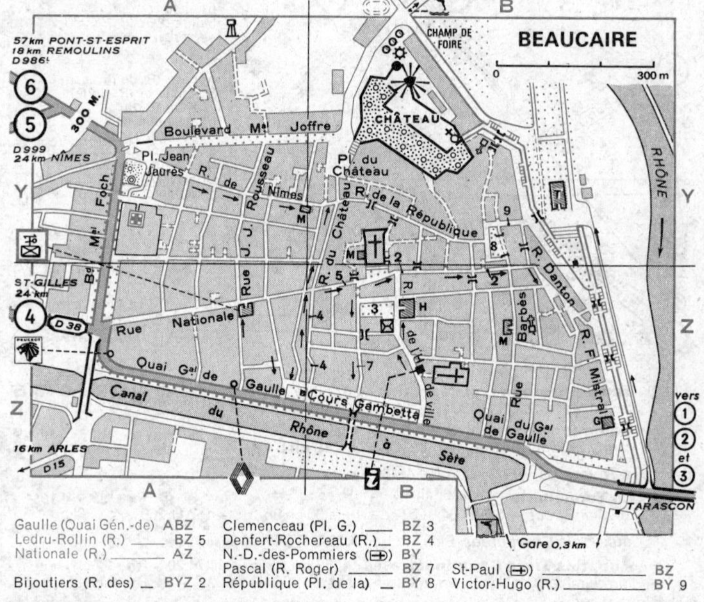

Gaulle (Quai Gén.-de) ABZ
Ledru-Rollin (R.) BZ 5
Nationale (R.) AZ

Bijoutiers (R. des) BYZ 2
Clemenceau (Pl. G.) BZ 3
Denfert-Rochereau (R.) BZ 4
N.-D.-des-Pommiers (⛪) BY
Pascal (R. Roger) BZ 7
République (Pl. de la) BY 8
St-Paul (⛪) BZ
Victor-Hugo (R.) BY 9

🏨 **Vignes Blanches,** rte Nîmes par ⑤ ☎ 59.13.12, Télex 480690, ≤, 🏊 – 🛗 rest wc wc ☎ P – 🅰 50.
20 mars-15 oct. – SC : **R** 48/65 – ☕ 15 – 55 ch 115/174 – P 198/213.

🏨 **Robinson** 🐎, rte du Pont-du-Gard par ⑥ : 2 km ✉ 30300 Beaucaire ☎ 59.21.32, ◆ 🏊, 🌳, 🎾 – wc ☎ ♿ 🚗 P – 🅰 80
fermé fév. – SC : **R** 30 bc/72 – ☕ 10 – 25 ch 45/130 – P 130/150.

PEUGEOT Soullier, 1 quai De-Gaulle ☎ 59.13.63
RENAULT Gar. Delta, quai De-Gaulle ☎ 59.12.30
Ayme-Pneus, 28 quai De-Gaulle ☎ 59.23.98

BEAUCENS 65 H.-Pyr. 85 ⑱ – rattaché à Argelès-Gazost.

BEAUCHAMPS 50 Manche 59 ⑧ – 314 h. alt. 115 – ✉ **50320** La Haye Pesnel – ⚙ 33.

Paris 329 – Avranches 20 – Granville 17 – Villedieu-les-Poêles 11.

XX **Les Quatre Saisons,** Le Scion ☎ 61.30.47 – P. GB
◆ *fermé 1er au 15 oct.* – SC : **R** (dim. prévenir) 34/54 ♁.

Garage Fizel, ☎ 61.30.20

BEAUFORT 73270 Savoie 74 ⑰⑱ G. Alpes – 1 913 h. alt. 743 – ✪ 79.
ℹ Syndicat d'Initiative pl. Mairie (fermé sam. après-midi et dim.) ☎ 31.23.40.
Paris 629 – Albertville 20 – Chambéry 69 – Megève 41.

de la Roche, ☎ 31.20.16, ←,
fermé 2 nov. au 8 déc. – SC : **R** 38/50 – ▭ 12 – 18 ch 38/65 – P 98.

Gd Mont, ☎ 31.20.18 – GB
fermé 28 sept. au 1er nov. – SC : **R** 32/60 – ▭ 12 – 15 ch 45/60 – P 95/100.

Pour bien utiliser ce guide
reportez-vous aux explications p. 13 à 20.

BEAUGENCY 45190 Loiret 64 ⑧ G. Châteaux de la Loire – 6 814 h. alt. 106 – ✪ 38.
Voir Donjon★ BZ **B** – Broderies★ dans l'Hôtel de Ville BZ **H**.
Env. Église★ de Meung-sur-Loire 7 km par ①.
ℹ Office de Tourisme 28 pl. Martroi (fermé 1er déc. au 28 fév., merc. et dim.) ☎ 44.54.42.
Paris 151 ① – Blois 31 ④ – Châteaudun 41 ⑥ – ♦Orléans 25 ① – Vendôme 48 ⑤ – Vierzon 84 ②.

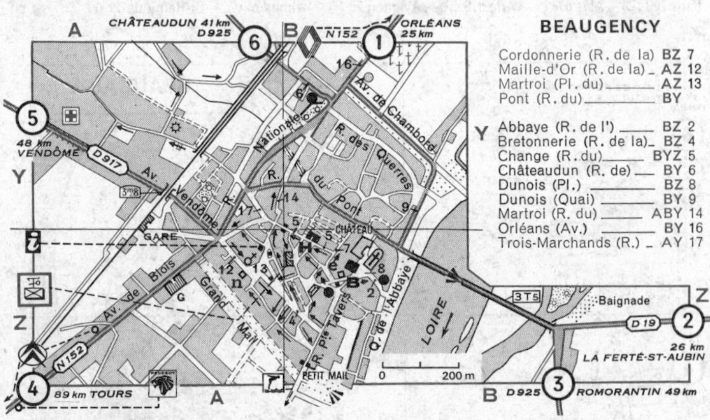

Écu de Bretagne, pl. Martroi ☎ 44.67.60 – wc wc ☎ P. AE GB E
fermé fév. – SC : **R** 50/80 – ▭ 11 – **26 ch** 55/150. AZ **n**

Sologne sans rest, pl. St-Firmin ☎ 44.50.27 – wc wc ☎ BZ **e**
fermé 1er janv. au 1er mars – SC : ▭ 10 – **16 ch** 50/130.

à Tavers par ④ : 3 km – ✉ **45190** Beaugency :

La Tonnellerie, ☎ 44.68.15, – wc wc ☎ P. rest
10 avril-31 oct. – SC : **R** 84/125 – ▭ 18 – 30 ch 95/210 – P 200/265.

aux Trois Cheminées E : 5 km par D 19 – ✉ **45190** Beaugency :

Aub. des Trois Cheminées avec ch, 59 rte Blois ☎ 44.74.20 – P. ch
fermé mi janv. à mi fév., mardi soir et merc. – SC : **R** 30/62 – ▭ 8 – 6 ch 36.

CITROEN Asklund 30 av. de Blois ☎ 44.52.33
CITROEN S.I.P.A.M., N 152, Zone Ind. à Tavers ☎ 44.52.45 N
PEUGEOT Mahu, 49 av. de Blois ☎ 44.53.20
RENAULT Gar. de la Mardelle, Zone Ind., 63 av. d'Orléans ☎ 44.50.40

BEAULAC 33 Gironde 79 ② – alt. 66 – ✉ **33430** Bazas – ✪ 56.
Paris 626 – ♦Bordeaux 66 – Langon 23 – Marmande 50 – Mont-de-Marsan 60 – Nérac 68.

Mallet avec ch, ☎ 25.07.26, – P
fermé 15 au 30 nov. – SC : **R** 40/140 – ▭ 11 – 11 ch 35/85 – P 100/120.

BEAULIEU-EN-ARGONNE 55 Meuse 56 ⑳ – 45 h. alt. 273 – ✉ **55250** Seuil d'Argonne – ✪ 29.
Paris 239 – Bar-le-Duc 36 – Futeau 10 – Ste-Menehould 23 – Verdun 50.

Host. Abbaye, ☎ 70.72.81, ←, – . ch
fermé 15 déc. au 15 janv. – SC : **R** 28/70 – ▭ 9 – **10 ch** 44/65 – P 80/100.

BEAULIEU-SUR-DORDOGNE 19120 Corrèze 75 ⑲ G. Périgord – 1 700 h. alt. 144 – ✪ 55.
Voir Église ★ : portail méridional ★★ et vierge romane ★ du trésor.
ℹ Syndicat d'Initiative pl. Marbot (juin-30 sept. et fermé dim. après-midi) ☎ 91.09.94.
Paris 521 – Aurillac 65 – Brive-la-Gaillarde 47 – Figeac 60 – Sarlat-la-Canéda 75 – Tulle 40.

Le Turenne, ☎ 91.10.16 – wc wc ☎. AE GB E
1er avril-30 sept. – SC : **R** *(15 mai-20 sept.)* 55/105 – 14 – 21 ch 80/170.

Central H. Fournié, ☎ 91.01.34 – wc ☎ Ⓟ.
fermé 1er janv. au 1er mars et lundi de nov. à mars – SC : **R** 30/80 – 10 – 34 ch 40/100 – P 100/140.

PEUGEOT Lavastroux, ☎ 91.12.82

BEAULIEU-SUR-MER 06310 Alpes-Mar. 84 ⑩, 195 ㉗ **G. Côte d'Azur** – 4 273 h. alt. 1 à 100 – Casino – 93.

Voir Site★ de la Villa Kerylos★ **M** – Baie des Fourmis★.

Office de Tourisme pl. Gare (fermé sam. après-midi sauf saison et dim.) ☎ 01.02.21.

Paris 943 ④ – Menton 20 ③ – ♦Nice 10 ④.

✿ **La Réserve** M, bd Gén.-Leclerc **(w)** ☎ 01.00.01, Télex 470301, ←, « Intérieur luxueux en bordure de mer, », – ch Ⓟ
fermé 1er déc. au 10 janv. – **R** 155/220 – 28 – **50 ch** 330/690, 3 appartements – P 645/850
Spéc. Brouillade aux fruits de mer, Papillote de St-Pierre au citron vert, Carré d'agneau. Vins Bellet, Bandol.

✿ **Métropole**, bd Mar.-Leclerc **(g)** ☎ 01.00.08, Télex 470304, ←, « Vaste terrasse sur mer, parc, » – Ⓟ
fermé 1er nov. au 20 déc. – SC : **R** 170 – 30 – **48 ch** 245/825, 3 appartements – P 475/715
Spéc. Escalopes de rougets au pissala, Pomme de ris de veau, Beignets de fraises (avril à oct.). Vins Bellet.

La Résidence M sans rest, 9 bis av. Albert-1er **(f)** ☎ 01.06.02, – Ⓟ – 40
1er fév.-10 oct. – SC : 14 – **21 ch** 200/300.

Frisia sans rest, bd Mar.-Leclerc **(r)** ☎ 01.01.04, ← – wc ☎. AE
fermé 31 oct. au 20 déc. – SC : **35 ch** 170/240.

Comté de Nice M sans rest, 25 bd Marinoni **(s)** ☎ 01.19.70 – wc wc ☎. AE
fermé 31 oct. au 10 déc. – SC : 11 – **33 ch** 95/155.

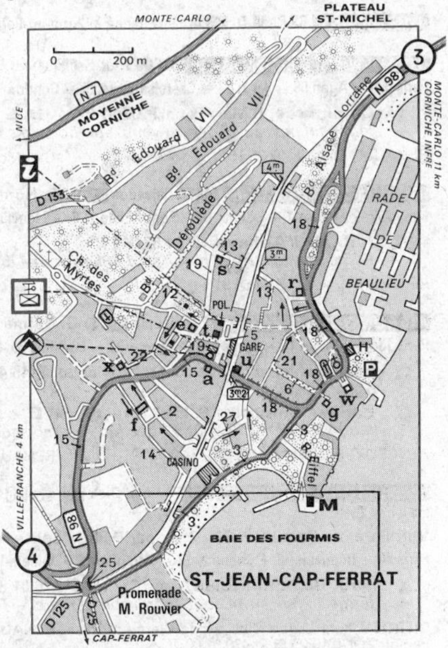

BEAULIEU-SUR-MER

Marinoni (Bd)	19	Gaulle (Pl. Ch. de)	12
Albert-Ier (Av.)	2	Gauthier (Bd Eug.)	13
Blundell Maple (Av.)	3	Hellènes (Av. des)	14
Clemenceau (Place et Rue)	5	Joffre (Bd Mar.)	15
Doumer (R. P.)	6	Leclerc (Bd Mar.)	18
		May (Av. F.)	21
		Orangers (Montée des)	22
		St-Jean (Pont)	25
		Yougoslavie (R. de)	27

Don Grégorio M sans rest, 5 bd Mar.-Joffre **(a)** ☎ 01.12.15, Télex 970444 – wc ☎ Ⓟ – 60. AE E
SC : **70 ch** 138/260.

France, montée Orangers **(x)** ☎ 01.00.92, – wc wc Ⓟ.
fermé nov. – **R** (pens. seul.) – 9 – 16 ch 60/90 – P 100/130.

Select sans rest, 1 montée Myrtes **(e)** ☎ 01.05.42 – .
fermé nov. et déc. – SC : 8 – **20 ch** 47/109.

Les Agaves, 4 r. Mar.-Foch **(t)** ☎ 01.12.09
fermé nov., merc. et dim. soir sauf 1er juil. au 30 sept. – SC : **R** (nombre de couverts limité - prévenir) 50/100.

La Pignatelle, 10 r. Quincenet **(u)** ☎ 01.03.37
fermé merc. – SC : **R** 35/70 .

Voir aussi ressources hôtelières de : ***St-Jean-Cap-Ferrat, Villefranche.***

CITROEN Gar. de la Poste, ☎ 01.00.13

BEAUMES-DE-VENISE 84190 Vaucluse 81 ⑫ – 1 631 h. alt. 150 – 90.

Voir Clocher★ de la chapelle N.-D. d'Aubune O : 1,5 km, G. Provence.

Syndicat d'Initiative cours Jean-Jaurès (saison et fermé dim. et fêtes) ✆ 62.94.39.

Paris 683 – Avignon 33 – Carpentras 9 – Nyons 40 – Orange 23 – Vaison-la-Romaine 24.

Host. du Château, ✆ 62.94.18, parc – wc wc
1er mars-1er nov. – SC : **R** *(fermé lundi)* 40/80 – 14,50 – **15 ch** 40/165 – P 135/180.

BEAUMONT 24440 Dordogne 75 ⑮ **G. Périgord** – 1 317 h. alt. 160 – 53.

Paris 581 – Bergerac 29 – Fumel 50 – Périgueux 66 – Sarlat-la-Canéda 53 – Villeneuve-sur-Lot 47.

Voyageurs avec ch, ✆ 61.30.11 –
mars-sept. et fermé lundi – **R** (dim. prévenir) 35/150 – 9 – **10 ch** 70/80.

PEUGEOT Zanetti, ✆ 61.30.33

RENAULT Delpech, ✆ 61.30.16

BEAUMONT 63 P.-de-D. 73 ⑭ – rattaché à Clermont-Ferrand.

BEAUMONT-DE-LOMAGNE 82500 T.-et-G. 82 ⑥ **G. Pyrénées** – 4 077 h. alt. 102 – 63.

Paris 690 – Agen 58 – Auch 52 – Castelsarrasin 25 – Condom 61 – Montauban 36 – ♦Toulouse 57.

Commerce, r. Mar.-Foch ✆ 02.31.02 – GB E
fermé fin nov. au 15 déc. et vend. soir hors sais. – SC : **R** 30/70.

RENAULT Gilis, ✆ 02.35.15

Gar. Monaste, ✆ 02.30.23

BEAUMONT-EN-AUGE 14950 Calvados 55 ③ **G. Normandie** – 409 h. alt. 95 – 31.

Paris 202 – ♦Caen 41 – Lisieux 19 – Pont-l'Évêque 6 – Trouville-Deauville 12.

Aub. de l'Abbaye, ✆ 64.82.31
fermé janv., mardi et merc. sauf juil. et août – SC : **R** 80/145.

RENAULT Voidet, ✆ 64.84.91

BEAUMONT-LE-ROGER 27170 Eure 55 ⑮ **G. Normandie** – 2 894 h. alt. 91 – 32.

Paris 134 – L'Aigle 41 – Bernay 17 – Évreux 32 – Louviers 35 – ♦Rouen 51 – Verneuil 51.

Host. du Lion d'Or avec ch, r. St-Nicolas ✆ 45.48.08, –
8 ch.

Paris, r. St-Nicolas ✆ 45.22.23 – . GB E
fermé 20 juil. au 13 août, 21 déc. au 15 janv., merc. soir et jeudi – SC : **R** 60/100.

PEUGEOT Potier et Terrier, ✆ 45.20.73

RENAULT Auger, ✆ 45.22.16

BEAUMONT-SUR-OISE 95260 Val-d'Oise 55 ⑳, 96 ⑥⑦ **G. Environs de Paris** – 8 271 h. alt. 41 – 1.

Voir Forêt de Carnelle★ SE : 2 km par D 85 – Église★ de Chambly NO : 4,5 km.

Paris 40 – Beauvais 38 – Chantilly 17 – Pontoise 19 – Villiers-le-Bel 21.

Aub. Beaumontoise, 2 av. Carnot ✆ 470.01.83 – . GB
fermé 15 juil. au 14 août, mardi soir et merc. – **R** 31 bc/85 bc.

CITROEN Ets Lagabrielle, rte de Clermont à Persan ✆ 470.19.05 ✆ 470.51.09

RENAULT Trubert, r. Corentin-Quideau à Persan ✆ 470.92.20

BEAUMONT-SUR-SARTHE 72170 Sarthe 60 ⑬ – 2 224 h. alt. 85 – 43.

Paris 222 – Alençon 23 – La Ferté-Bernard 47 – Mamers 26 – ♦Le Mans 26 – Mayenne 62.

Chemin de Fer, à la Gare E : 1,5 km par D 26 ✆ 97.00.05, – wc .
GB
fermé 17 au 30 oct., 8 au 28 fév., dim. soir et lundi hors sais. – SC : **R** 35/90 – 9 – 16 ch 47/90 – P 80/120.

CITROEN Gar. Llobet, ✆ 97.03.23
PEUGEOT Gar. Noyer, ✆ 97.01.14
RENAULT Gar. du Centre, ✆ 97.00.03

TALBOT Thureau-Jouanneaux, à la Croix Margot-Juillé ✆ 97.00.33

BEAUMONT-SUR-VESLE 51 Marne 56 ⑰ – 455 h. alt. 100 – ✉ **51400** Mourmelon – 26.

Voir Faux de Verzy★ S : 3,5 km, G. Nord de la France.

Paris 161 – Châlons-sur-Marne 28 – Épernay 34 – ♦Reims 18 – Ste-Menehould 62.

La Maison du Champagne, ✆ 61.62.45, – wc . . E. ch
fermé 7 au 13 sept., 1er au 24 fév., dim. soir et lundi – SC : **R** (dim. et fêtes - prévenir) 33/64 – 10 – 10 ch 36/80 – P 120/170.

RENAULT Lacondemine, ✆ 61.60.59

*Die auf den **Michelin-Karten** im Maßstab 1 : 200 000 rot unterstrichenen Orte sind im Roten **Michelin-Führer** des Landes erwähnt.*
*Die **Michelin-Karten** werden ständig korrigiert und verbessert ; nur eine neue Karte gibt Ihnen die aktuellsten Hinweise.*

BEAUNE SP **21200** Côte-d'Or 69 ⑨ **G. Bourgogne** – 19 972 h. alt. 218 – ✪ 80.

Voir Hôtel-Dieu et polyptyque du Jugement dernier*** (musée*)** AZ – **Collégiale N.-Dame* : tapisseries**** AY **D** – **Hôtel de la Rochepot*** AY **B** – **Musée du vin de Bourgogne*** AYZ **E**.

Office de Tourisme (fermé dim.) et A.C. face Hôtel-Dieu ☎ 22.24.51.

Paris 315 ③ – Autun 48 ④ – Auxerre 151 ③ – Chalon-sur-Saône 30 ③ – ♦Dijon 45 ③ – Dole 68 ③.

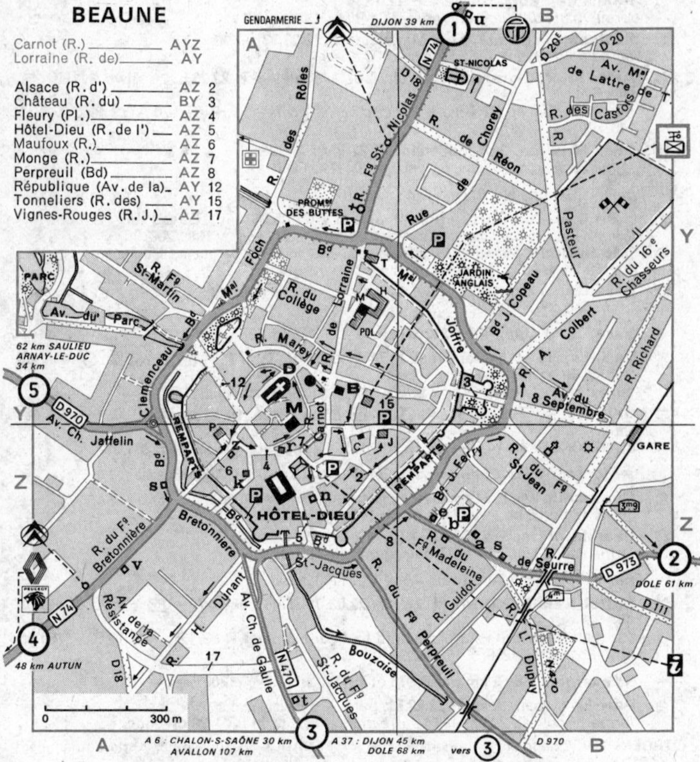

Poste, 1 bd Clemenceau ☎ 22.08.11 – ascenseur garage. AE GB ① E — AZ **s**
3 avril-17 nov. – SC : **R** 190 – 21 ch ☕ 265/340, 4 appartements 526.

Le Cep sans rest., 27 r. Maufoux ☎ 22.35.48, « Ameublement de style » – garage – 30. AE ① — AZ **z**
fermé déc. et janv. – SC : ☕ 18 – **21 ch** 190/300.

Bourgogne M, av. Gén.-de-Gaulle ☎ 22.22.00, Télex 350666, – rest wc P – 180. AE GB ① E — AZ **t**
3 avril-15 nov. – SC : **R** 55/60 – ☕ 13 – **120 ch** 150/165.

Grillon, 21 rte Seurre par ② ☎ 22.44.25, – wc wc P. AE ①
fermé 15 janv. au 8 fév. – SC : **R** (dîner seul) 42/68 – ☕ 11 – 14 ch 105/120.

Central H., 2 r. V.-Millot ☎ 22.24.23 – wc wc. AE — AZ **n**
28 mars-17 nov. – SC : **R** 65/180 – ☕ 17 – 22 ch 70/200.

La Cloche, 42 pl. Madeleine ☎ 22.22.75 – rest wc wc P – 30 à 60. — BZ **b**
fermé 25 nov. au 31 déc., lundi soir hors sais. et mardi – SC : **R** 70/110 – ☕ 13 – 16 ch 68/140.

Le Home sans rest, 138 rte Dijon ☎ 22.16.43, – wc wc P. — BY **u**
fermé janv. – SC : ☕ 10 – **20 ch** 90/140.

Host. de Bretonnière sans rest, 43 fg Bretonnière ☎ 22.15.77, – wc wc P — AZ **v**
SC : ☕ 12 – **21 ch** 65/140.

tourner →

XXX **Aub. St-Vincent,** pl. Halle ☎ 22.42.34 – ▤. AE GB ⓓ E AZ **r**
fermé 14 au 31 déc. et dim. soir hors sais. – SC : **R** 75/125.

XX Raisin de Bourgogne avec ch, 164 rte Dijon par ① ☎ 22.31.13 – ⋒wc Ⓟ
fermé 20 au 27 mai, 17 nov. au 31 janv. et merc. sauf juil. et août – SC : **R** 55/140 – 10 ch.

XX **Relais de Saulx,** 6 r. Very ☎ 22.01.35 AZ **k**
fermé mars, dim. soir et lundi – SC : **R** 50/100.

XX **Rôtisserie La Paix,** 47 fg Madeleine ☎ 22.33.33 – GB BZ **s**
fermé août et dim. – SC : **R** carte 100 à 140.

XX **Aub. Bourguignonne** avec ch, 4 pl. Madeleine ☎ 22.23.53 – ⋒wc ☎. AE GB. ✻ ch BZ **a**
fermé 22 déc. au 22 janv. et lundi d'oct. à avril – SC : **R** 61/120 – ☕ 9,50 – 8 ch 140/170.

X **Chez Maxime,** 3 pl. Madeleine ☎ 22.17.82 – GB BZ **e**
fermé 20 déc. au 20 janv. et lundi – SC : **R** 40/70.

par ① (Beaune Nord) sur N 74 :

XXX ✿ **Ermitage de Corton** (Parra), à 4 km ☎ 22.05.28 – Ⓟ. AE GB ⓓ
fermé 1er au 15 juil., vacances de fév., dim. soir et lundi – **R** 85/200
Spéc. Salade des pêcheurs, Grenadin de veau à la moutarde, Canette à l'infusion de cassis. Vins Pernand-Vergelesses, Chorey-lès-Beaune.

XX **Bareuzai,** à 2 km ☎ 22.02.90, ← – Ⓟ
fermé janv. – SC : **R** 36/130.

par ④ rte d'Autun – ✉ **21200** Beaune :

🏨 **La Closerie** Ⓜ ✈ sans rest, N 74 ☎ 22.15.07, ⛱, ⚘ – TV ⊟wc ☎ Ⓟ. 🚗 AE GB ⓓ E
fermé janv. et dim. soir hors sais. – SC : ☕ 12 – **30 ch** 175.

🏨 **Samotel** Ⓜ, ☎ 22.35.55, ←, ⛱ – TV ⊟wc ☎ ♿ Ⓟ – 🏛 50 à 100. 🚗 AE GB ⓓ E
SC : **R** 50/55 – ☕ 14,50 – **62 ch** 165/175, 4 appartements 220 – P 284/294.

à Montagny-lès-Beaune par ③ et D 113 : 3 km – ✉ **21200** Beaune :

🏠 **Campanile** Ⓜ, ☎ 22.65.50 – ⊟wc ☎ ♿ Ⓟ. 🚗 GB
SC : **R** 43 bc/56 bc – ☕ 17 – **41 ch** 140 – P 173/223.

XX **La Billardière,** ☎ 22.62.07 – Ⓟ
fermé 9 au 23 juin, 1er au 7 janv. et mardi – SC : **R** 50/75.

par ③ : 7 km sur Autoroute A6 – ✉ **21200** Beaune :

🏨 **Motel Relais P.L.M.** Ⓜ ✈, ☎ 22.03.01, Télex 350627 – TV ⊟wc ☎ ♿ Ⓟ. 🚗 AE GB ⓓ E
SC : rest d'autoroute sur place dont **La Bourguignotte R** 88/120 – ☕ 16,50 – **150 ch** 175/185 – P 220/250.

à Levernois SE : 5 km par D 970 et D 111 - BZ – ✉ **21200** Beaune :

🏠 **Parc** Ⓜ ✈ sans rest, ☎ 22.22.51, parc – ⊟wc ⋒wc ☎
fermé 17 nov. au 2 déc. et 1er au 15 mars – SC : ☕ 11,50 – **20 ch** 65/98.

CITROEN Gar. Champion, 1 rte Pommard ☎ 22.28.14
CITROEN Gar. Chaffraix, 47 r. fg St-Nicolas ☎ 22.17.55
FIAT Bolatre, 40 fg Bretonnière ☎ 22.31.30
FORD Monnot, 146 rte de Dijon ☎ 22.11.02
PEUGEOT Champion, 42 rte de Pommard ☎ 22.12.30
RENAULT Beaune-Auto, 78 rte de Pommard ☎ 22.25.48
TALBOT Gar. Moreau, 135 bis rte de Dijon ☎ 22.27.00 N
Ⓜ La Clinique du Pneu, 4 r. Lt-Dupuis ☎ 22.14.21

BEAUNE-LA-ROLANDE

45340 Loiret **61** ⑪ **G. Environs de Paris** – 2 035 h. alt. 107 – ⊕ 38.

Paris 104 – Châteauneuf-sur-Loire 30 – Montargis 27 – Nemours 32 – ♦Orléans 50 – Pithiviers 18.

X **La Ruche,** pl. Marché ☎ 33.21.57
⟡ *fermé 1er au 15 sept. et lundi* – SC : **R** 27/48 ₰.

CITROEN Gar. du Mail, ☎ 33.20.34
PEUGEOT Mousset, ☎ 33.20.43 N
TALBOT Gar. Seguin, ☎ 33.20.55

BEAUNE-LE-FROID

63 P.-de-D. **73** ⑬ – rattaché à Murol.

BEAUPRÉAU

49600 M.-et-L. **67** ⑤ **G. Châteaux de la Loire** – 5 729 h. alt. 86 – ⊕ 41.

Paris 338 – Ancenis 29 – Angers 51 – Châteaubriant 74 – Cholet 18 – ♦Nantes 48 – Saumur 74.

🏠 **France,** pl. Gén.-Leclerc ☎ 55.00.26 – ⊟wc ⋒ Ⓟ. AE
fermé vacances de fév., vend. soir (sauf hôtel) et sam. – SC : **R** 36/110 ₰ – ☕ 8,50 – **13 ch** 40/90 – P 85/140.

CITROEN Pineau, ☎ 63.00.15
FIAT Gar. Rouillère, ☎ 63.00.48

BEAURAINS

62 P.-de-C. **53** ② – rattaché à Arras.

BEAURAINVILLE 62990 P.-de-C. 51 ⑫ – 1 910 h. alt. 14 – ✪ 21.

Paris 250 – Arras 72 – Hesdin 14 – Montreuil 12 – St-Omer 53.

X **Val de Canche** avec ch, ☎ 90.32.22, – P. GB
fermé 12 au 27 oct., 15 fév. au 1er mars, dim. soir et lundi – SC : **R** 32/91 – 12 – 10 ch 86/100 – P 92/110.

AUDI-VOLKSWAGEN Gar. Flament, ☎ 90.30.33

BEAURECUEIL 13 B.-du-R. 84 ③ – 459 h. alt. 254 – ✉ **13100** Aix-en-Provence – ✪ 42.

Paris 768 – Aix-en-Provence 10 – Aubagne 31 – Brignoles 53 – •Marseille 41.

XX **Relais Ste-Victoire** avec ch, D 46 ☎ 28.91.34, ←, – wc P – 30.
fermé fin sept. à fin oct., dim. soir et lundi – SC : **R** 75/140 – 9 – **15 ch** 46/120 – P 130.

BEAUREGARD 01 Ain 74 ① – rattaché à Villefranche-sur-Saône.

BEAUREPAIRE 38270 Isère 77 ② – 3 713 h. alt. 257 – ✪ 74.

Paris 521 – Annonay 39 – •Grenoble 66 – Romans 38 – •St-Étienne 78 – Tournon 55 – Vienne 29.

✿ **Fiard** (Zorelle), r. République ☎ 84.62.02 – wc .
fermé 5 au 31 oct. et dim. soir de nov. à fin mars – SC : **R** 55/150 – 15 – 21 ch 70/150
Spéc. Mousseline de truite, Carré d'agnelet aux herbes de Provence, Nougat glacé aux fruits confits. Vins St-Joseph, Chante-Alouette.

CITROEN Blanchard, ☎ 84.60.13
CITROEN Dumoulin, ☎ 84.61.22
PEUGEOT Gar. Gambetta ☎ 84.62.17
PEUGEOT Gar. Perriat, ☎ 84.60.65
RENAULT Gar. des Terreaux, ☎ 84.61.50 N
TALBOT Boyet, ☎ 84.61.37

BEAUREPAIRE-EN-BRESSE 71 S.-et-L. 70 ⑬ – 522 h. alt. 210 – ✉ **71580** Sagy – ✪ 85.

Paris 393 – Chalon-sur-Saône 51 – Lons-le-Saunier 13 – Mâcon 70 – St-Amour 35 – Tournus 42.

Aub. Croix Blanche M, N 78 ☎ 74.13.22, – wc P. AE
SC : **R** 30/85 – 12 – **15 ch** 75/87.

BEAUSOLEIL 06 Alpes-Mar. 84 ⑩, 195 ㉗ – rattaché à Monaco.

Le BEAUSSET 83330 Var 84 ⑭ – 3 995 h. alt. 180 – ✪ 94.

Syndicat d'Initiative à la Mairie (juil.-août) ☎ 98.70.03.

Paris 821 – Aix-en-Provence 64 – •Marseille 47 – •Toulon 17.

Motel la Cigalière M , N : 1,5 km par N 8 et VO ☎ 98.64.63, ←, – wc P.
fin mai-début oct. – SC : **R** 50/70 – 13 – **12 ch** 140/150.

X **L'Estagnon,** ☎ 98.62.62
fermé 20 au 30 oct., vacances de fév. et lundi – SC : **R** 65/90.

au Nord : 3,5 km par N 8 et 50 – ✉ **83330** Le Beausset :

X **Aub. Couchoua,** ☎ 98.72.24 – P.
fermé 9 au 25 mars, 5 au 21 oct., dim. soir et merc. – SC : **R** (grillades) (en août dîner seul.) 60/145.

RENAULT Central-Gar., ☎ 98.70.10 N
Michel Pneum., ☎ 90.44.70

BEAUVAIS P 60000 Oise 55 ⑨⑩ G. Environs de Paris – 56 725 h. alt. 64 – ✪ 4.

Voir Cathédrale*** : tapisseries**, horloge astronomique* BY – Église St-Étienne : vitraux** et arbre de Jessé*** BY **B**.

de Beauvais-Tillé ☎ 445.01.06 par ① : 3 km.

Office de Tourisme 6 r. Malherbe (fermé dim. et lundi) ☎ 445.08.18 et r. St-Pierre (1er avril-30 sept.) ☎ 445.25.26.

Paris 76 ③ – •Amiens 60 ① – Arras 153 ② – Boulogne-sur-Mer 167 ⑤ – Compiègne 57 ② – Dieppe 98 ④ – Évreux 98 ④ – •Reims 151 ② – •Rouen 80 ④ – St-Quentin 111 ② – Troyes 232 ②.

Plan page suivante

Chenal M sans rest, bd Gén.-de-Gaulle ☎ 445.03.55 – TV wc . AE GB — CZ **a**
SC : **21 ch** 170/210.

Palais sans rest, 9 r. St-Nicolas ☎ 445.12.58 – wc wc . . — AY **s**
fermé 1er au 15 janv. et 15 au 30 août – SC : 10 – **14 ch** 66/135.

La Résidence sans rest, 24 r. Louis-Borel ☎ 448.30.98 – wc ☎ P. . — BCX **b**
fermé 23 déc. au 11 janv. – SC : 10,50 – **24 ch** 48/110.

Bristol sans rest, 60 r. Madeleine ☎ 445.01.31 – . — BY **k**
fermé dim. – SC : 10 – **19 ch** 40/75.

Cygne sans rest, 24 r. Carnot ☎ 445.13.90 – — BY **f**
fermé 24 déc. au 5 janv. – SC : 9 – **14 ch** 45/62.

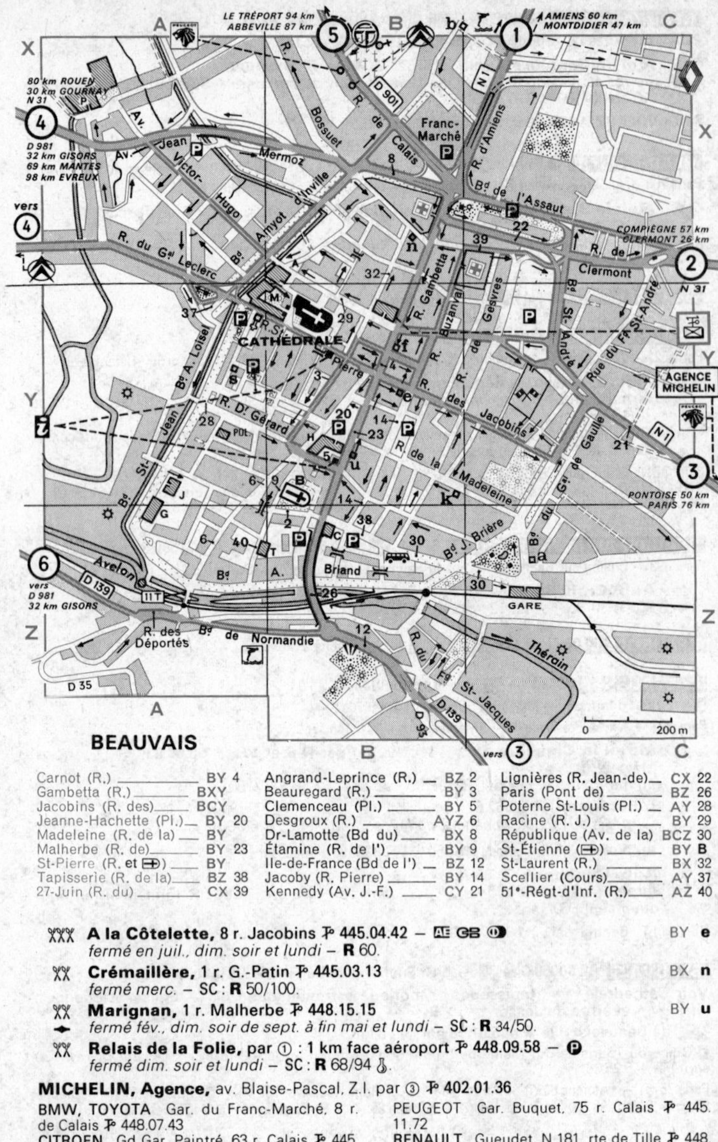

BEAUVAIS

Carnot (R.)	BY	4	Angrand-Leprince (R.)	BZ	2	Lignières (R. Jean-de)	CX	22
Gambetta (R.)	BXY		Beauregard (R.)	BY	3	Paris (Pont de)	BZ	26
Jacobins (R. des)	BCY		Clemenceau (Pl.)	BY	5	Poterne St-Louis (Pl.)	AY	28
Jeanne-Hachette (Pl.)	BY	20	Desgroux (R.)	AYZ	6	Racine (R. J.)	BY	29
Madeleine (R. de la)	BY		Dr-Lamotte (Bd du)	BX	8	République (Av. de la)	BCZ	30
Malherbe (R. de)	BY	23	Étamine (R. de l')	BY	9	St-Étienne (⊞)	BY	B
St-Pierre (R. et ⊞)	BY		Ile-de-France (Bd de l')	BZ	12	St-Laurent (R.)	BX	32
Tapisserie (R. de la)	BZ	38	Jacoby (R. Pierre)	BY	14	Scellier (Cours)	AY	37
27-Juin (R. du)	CX	39	Kennedy (Av. J.-F.)	CY	21	51e-Régt-d'Inf. (R.)	AZ	40

XXX **A la Côtelette,** 8 r. Jacobins ☎ 445.04.42 – AE GB D — BY **e**
fermé en juil., dim. soir et lundi – **R** 60.

XX **Crémaillère,** 1 r. G.-Patin ☎ 445.03.13 — BX **n**
fermé merc. – SC : **R** 50/100.

XX **Marignan,** 1 r. Malherbe ☎ 448.15.15 — BY **u**
fermé fév., dim. soir de sept. à fin mai et lundi – SC : **R** 34/50.

XX **Relais de la Folie,** par ① : 1 km face aéroport ☎ 448.09.58 – Ⓟ
fermé dim. soir et lundi – SC : **R** 68/94.

MICHELIN, Agence, av. Blaise-Pascal, Z.I. par ③ ☎ 402.01.36

BMW, TOYOTA Gar. du Franc-Marché, 8 r. de Calais ☎ 448.07.43
CITROEN Gd Gar. Paintré, 63 r. Calais ☎ 445.62.37 N ☎ 445.04.13
CITROEN Gar. St-Just, 23 r. St-Just-des-Marais ☎ 445.23.68
FORD Automobiles et Sce de Beauvais, r. Gay-Lussac ☎ 402.21.42
OPEL Beauvais-Autos, 12 r. Clermont ☎ 445.13.27
PEUGEOT Le Nouveau Gar., r. Gay-Lussac, N 1 ☎ 402.15.81

PEUGEOT Gar. Buquet, 75 r. Calais ☎ 445.11.72
RENAULT Gueudet, N 181, rte de Tille ☎ 448.25.78
TALBOT Gar. Verbregue, 11 r. N.-D.-du-Thil ☎ 445.15.18

Beauvais Pneum., 5 r. du 51e-R.I. ☎ 448.23.04
Cacaux, 21 av. Blaise-Pascal, Zone Ind. n°2 ☎ 402.00.60

All towns having at least one establishment included in this Guide are underlined in red on the ***Michelin maps*** *scale 1/200 000.*

BEAUVALLON 83 Var 84 ⑰ G. Côte d'Azur – ⊠ 83120 Ste-Maxime – ⚙ 94.
⛳9 ☎ 96.16.98.
Paris 875 – Hyères 50 – Le Lavandou 38 – St-Tropez 9,5 – Ste-Maxime 4,5 – •Toulon 69.

- **Golf H.** ⛰, ☎ 96.06.09, Télex 470480, ≤, parc, ⛱, 🎾, ✂ – 🛗 🅟 – 🏔 200. AE GB ⓓ. ✂ rest
  28 mai-20 sept. – SC : **R** 135/175 – ☕ 30 – **100 ch** 200/500.
- Host. Beauvallon Ⓜ ⛰, ☎ 96.16.66, ≤, ⛱, 🌳 – 🛁wc ☎ 🅟
  sais. – 27 ch.
- **Marie-Louise** ⛰, à Guerrevieille NE : 1 km ☎ 96.06.05, ≤, 🌳 – 🚿wc ☎ 🅟. ✂ rest
  fermé 15 oct. au 15 nov. – SC : **R** 50/65 – ☕ 15 – 14 ch 150.

BEAUVEZER 04440 Alpes-de-H.-P. 81 ⑧ G. Côte d'Azur – 233 h. alt. 1 150 – ⚙ 92.
Paris 809 – Annot 32 – Castellane 44 – Digne 66 – Manosque 107 – Puget-Théniers 54.

- **Verdon** ⛰, ☎ 83.44.44, ≤, 🌳 – 🛁wc 🚿wc 🅟. ✂
  fermé 2 nov. au 20 déc. – SC : **R** 35/68 – ☕ 10 – **26 ch** 49/118 – P 116/180.

BEAUVOIR (Pont de) 50 Manche 59 ⑦ – rattaché au Mont-St-Michel.

BEAUVOIR-SUR-MER 85230 Vendée 67 ①② – 3 041 h. alt. 20 – ⚙ 51.
Office de Tourisme pl. Mairie (15 juin-15 sept. et fermé dim.) ☎ 68.71.13.
Paris 436 – Challans 16 – •Nantes 60 – Noirmoutier-en-l'Ile 22 – Pornic 32 – La Roche-sur-Yon 54.

- **Touristes,** rte du Gois ☎ 68.70.19 – 🛁wc 🚿 🅟 – 🏔 80. AE GB ⓓ E
  fermé 15 nov. au 15 déc. – SC : **R** 35/110 🍷 – ☕ 9,50 – 20 ch 50/110 – P 100/145.
- Voyageurs, Gde-Rue ☎ 68.70.09 – 🛁 🚿 ☎ 🚗 🅟. ✂
  fermé 5 janv. au 5 fév. et lundi – SC : ☕ 11 – 20 ch 50/100.

RENAULT Boutolleau, ☎ 68.70.28

BEAUVOIR-SUR-NIORT 79360 Deux-Sèvres 72 ① – 662 h. alt. 66 – ⚙ 49.
Paris 425 – Niort 18 – La Rochelle 57 – St-Jean-d'Angély 27.

- **Aub. des Voyageurs,** ☎ 09.70.16
  fermé 15 au 30 sept., fin fév. à début mars, dim. soir et merc. – SC : **R** 31/140 🍷.

RENAULT Gar. Savin, ☎ 09.70.12

Le BEC-HELLOUIN 27 Eure 55 ⑮ G. Normandie – 454 h. alt. 70 – ⊠ 27800 Brionne – ⚙ 32.
Voir Abbaye**.
Paris 151 – Bernay 21 – Évreux 47 – Pont-Audemer 23 – Pont-l'Évêque 45 – •Rouen 42.

- ✿ **Aub. de l'Abbaye** (Mme Sergent) ⛰ avec ch, ☎ 44.86.02, 🌳 – 🛁wc ☎ 🅟. 🚗. ✂ ch
  fermé 12 janv. au 26 fév., lundi soir et mardi – SC : **R** (dim. prévenir) carte 85 à 135 – ☕ 16 – 8 ch 120/140
  Spéc. Homard à la crème, Cuissot de chevreuil Grand Veneur (en saison), Tarte aux pommes.

BÉDARIEUX 34600 Hérault 83 ④ – 6 864 h. alt. 196 – ⚙ 67.
Syndicat d'Initiative r. St-Alexandre (juil.-sept. et fermé dim. après-midi) ☎ 95.08.79.
Paris 859 – Béziers 36 – Lacaune 55 – Lodève 29 – •Montpellier 71 – Pézenas 34 – St-Affrique 80.

- **Moderne** sans rest, 64 av. J.-Jaurès ☎ 95.01.52 – 🛁wc 🚿wc ☎. AE GB ⓓ
  fermé fév. – SC : ☕ 12 – **28 ch** 50/98.

CITROEN Gar. Pascal, 5 av. Cot ☎ 95.03.57
RENAULT Gar. Sandoval, 42 av. Jean-Jaurès ☎ 95.00.30
Vulc. Bédaricienne, 50 bis av. J.-Jaurès ☎ 95.08.00

BÉDÉE 35 I.-et-V. 59 ⑯ – 2 268 h. alt. 85 – ⊠ 35160 Montfort – ⚙ 99.
Paris 369 – Dinan 35 – Loudéac 63 – Montfort 4,5 – •Rennes 22.

- **Commerce,** pl. Église ☎ 07.00.37 – 🛁 🚿 ☎ – 🏔 20. 🚗 GB
  fermé 21 au 31 déc. – SC : **R** *(fermé dim. soir et vend.)* 28/60 🍷 – ☕ 9,50 – **22 ch** 60/70.

BÉDOIN 84410 Vaucluse 81 ⑬ G. Provence – 1 635 h. alt. 310 – ⚙ 90.
Voir Le Paty ≤* NO : 4,5 km.
Office de Tourisme pl. Marché (Pâques-15 sept. et fermé dim. après-midi) ☎ 65.63.95.
Paris 698 – Avignon 39 – Carpentras 15 – Nyons 38 – Sault 35 – Vaison-la-Romaine 22.

- **L'Escapade,** ☎ 65.60.21 – ✂
  fermé 12 au 25 oct., 14 nov. au 13 déc., jeudi soir et vend. sauf fêtes du 15 sept. au 15 juin – SC : **R** 37/85 🍷 – ☕ 10 – 11 ch 45/65 – P 90.

BÉGAAR 40 Landes 78 ⑥ – rattaché à Tartas.

BEG-MEIL 29 Finistère 58 ⑮ **G. Bretagne** – ✉ **29170** Fouesnant – ☎ 98.

de Quimper et de Cornouaille ☎ 56.97.09, NE : 9,5 km.

Syndicat d'Initiative Immeuble administratif (juin-15 sept. et fermé dim. après-midi) ☎ 94.97.47.

Paris 554 – Carhaix-Plouguer 75 – Concarneau 19 – Pont-l'Abbé 25 – Quimper 21 – Quimperlé 43.

- **Thalamot** , ☎ 94.97.38, – wc .
  Pâques-oct. – SC : **R** 44/110 – 13 – 35 ch 67/125 – P 118/190.
- **Bretagne,** ☎ 94.98.04, – . .
  Pâques-20 sept. – SC : **R** 41/80 – 12 – 45 ch 54/148 – P 137/204.
- **Plage,** ☎ 94.98.06, – wc wc . rest
  mi mai-fin sept. – SC : **R** 38/65 – 9,50 – **44 ch** 36/100 – P 102/135.

La BÉGUDE DE SAZE 30 Gard 81 ⑪ – rattaché aux Angles.

BÉLÂBRE 36370 Indre 68 ⑯ – 1 260 h. alt. 92 – ☎ 54.

Paris 311 – Argenton-sur-Creuse 36 – Bellac 55 – Le Blanc 13 – Châteauroux 57 – Montmorillon 28.

- **Écu,** ☎ 37.60.82 – . GB
  fermé 1er au 7 juin, 13 au 30 sept., vacances de fév., dim. soir et lundi sauf juil. et août – SC : **R** 50/80 – 9 – 8 ch 45/80 – P 80/100.

CITROEN Nibodeau, ☎ 37.62.44 RENAULT Pirodeau, ☎ 37.61.29

BELCAIRE 11 Aude 86 ⑥ – 463 h. alt. 1 002 – ✉ **11340** Espezel – ☎ 68.

Voir Forêts★★ de la Plaine et Comus NO, G. Pyrénées.

Paris 855 – Ax-les-Thermes 26 – Carcassonne 77 – Quillan 27.

- **Bayle,** ☎ 20.31.05, – . .
  fermé oct., vend. soir et sam. midi – SC : **R** 32/95 – 9,50 – 16 ch 42/70 – P 85/105.

BELFORT P **90000** Ter.-de-Belf. 66 ⑧ **G. Jura** – 57 317 h. alt. 358 – ☎ 84.

Voir Le Lion★ BZ – **Citadelle★** : ★ **de la terrasse du fort** BZ.

de Belfort-Fontaine : Air Alsace ☎ 21.35.35 par ③ : 14 km.

Office de Tourisme pl. Dr-Corbis (fermé dim. sauf matin en saison) ☎ 28.12.23 - A.C. 7 Quai Vauban ☎ 28.00.30.

Paris 498 ⑥ – •Bâle 66 ③ – •Besançon 97 ④ – Colmar 74 ③ – •Dijon 187 ④ – Épinal 108 ⑥ – •Genève 244 ④ – •Mulhouse 42 ③ – •Nancy 178 ⑥ – Troyes 268 ⑥ – Vesoul 64 ⑥.

Plan page ci-contre

- **Gd H. du Lion,** 2 r. G.-Clemenceau ☎ 21.17.00, Télex 360914 – TV – 150. AE GB E — BX **k**
  Le Vauban R carte environ 75 – 13 – **82 ch** 121/185 – P 150/180.
- **Modern H.** M sans rest, 9 av. Wilson ☎ 21.59.45 – wc wc . AE. — AZ **a**
  fermé 15 déc. au 7 janv. – SC : 9,50 – **47 ch** 48/130.
- **Américain** sans rest, 2 r. Pont-Neuf ☎ 21.57.01 – wc . AE GB E — AZ **z**
  SC : 10 – **42 ch** 47/115.
- **Capucins,** 20 fg Montbéliard ☎ 28.04.60 – wc wc GB — BZ **n**
  fermé 25 avril au 10 mai, 18 déc. au 3 janv., sam. soir et dim. sauf juil. et août – SC : **R** 42/90 – 11 – **35 ch** 50/130.
- **Turenne** sans rest, 1 r. Turenne ☎ 21.43.60 – wc wc . — BZ **u**
  SC : 10 – **40 ch** 49/115.
- **Thiers,** 9 r. Thiers ☎ 28.10.24 – — AZ **e**
  SC : **R** *(fermé en déc., dim. et fériés)* 44/89 – 10 – **20 ch** 45/65.
- XXX ✿✿ **Host. du Château Servin** avec ch, 9 r. Gén.-Négrier ☎ 21.41.85, « Cadre élégant », – rest wc . AE . ch — BZ **r**
  fermé août et vend. – SC : **R** (nombre de couverts limité - prévenir) 90/220 – **10 ch** 190/280
  Spéc. Grenouilles et foie de canard en vinaigrette, Ecrevisses au beurre de Béluga, Foie de canard chaud au vinaigre de framboises. **Vins** Kaefferkopf, Pinot noir.
- XX **Le Sabot d'Annie,** D 13 entrée Offemont -BX- N : 3 km ✉ 90300 Valdoie ☎ 21.07.97 –
  fermé août, vacances de fév., sam. et dim. sauf fériés – SC : **R** 90/160, dîner à la carte.
- XX **Buffet Gare,** 2 av. Wilson ☎ 21.57.20 – GB — AZ
  SC : **R La Belle Epoque** 58/150.

à Danjoutin par ④ : 3 km – 3 703 h. – ✉ **90400** Danjoutin :

Mercure Belfort-Danjoutin M, ☎ 21.55.01, Télex 360801, – rest TV wc ☎ ♿ P – 20 à 120. AE GB
R carte environ 70 – 18 – **80 ch** 170/195.

XX ✿ **Pot d'Étain** (Clévenot), ☎ 28.31.95 – P
fermé 6 au 28 juil., vacances scolaires de fév., sam. midi, dim. soir et lundi sauf fériés – SC : **R** (nombre de couverts limité - prévenir) 95/190
Spéc. Poissons, Gibiers (en saison). Vins Pinot noir, Riesling.

à Andelnans par ④ : 3,5 km – ✉ **90400** Danjoutin :

XX **Le Relais Comtois,** N 19 ☎ 28.31.17 – P
fermé 15 août au 15 sept., dim. soir et lundi sauf fériés – SC : **R** 45/90 ₰.

à Valdoie par ① : 5 km – 4 485 h. – ✉ **90300** Valdoie :

XX **Au bon Accueil,** D 465 ☎ 21.51.27, « Cadre de verdure », – P
fermé août, dim. soir et lundi – SC : **R** 58/160 ₰.

par ② : 5 km sur N 83 – ✉ **90000** Belfort :

X **La Petite Auberge,** à Denney 51 av. Alsace ☎ 29.82.91 – P.
fermé fév., lundi soir et mardi – SC : **R** 34/80, dîner à la carte ₰.

à l'échangeur de Bessoncourt : par ③ : 7 km – ✉ **90160** Bessoncourt :

Campanile, ☎ 22.12.56 – wc P. GB
SC : **R** 43 bc/56 bc – 17 – **46 ch** 120 – P 163/213.

MICHELIN, Agence, Z.I. Danjoutin par ④ ☎ 28.21.89

ALFA-ROMEO, FERRARI Centre Autom., 37 av. J.-Jaurès ☎ 21.61.77
FORD Wittlinger, 15 r. Turenne ☎ 21.63.99
OPEL Gd Gar. Centre, 20 r. Turenne ☎ 21.42.33
PEUGEOT S.I.A. de Belfort, 10 r. du Rhône ☎ 21.53.23
RENAULT Gd Gar. Belfortain, bd H.-Dunant ☎ 21.46.90
TALBOT Autom. Belfortaine, 33 r. de Mulhouse ☎ 21.41.89
TOYOTA Gar. des Vosges, 21 av. du Sarrail ☎ 21.27.33

Chapuis-Pneus, 58 r. de la 1er Armée ☎ 21.29.29
Salomon, 23 r. Brasse ☎ 21.60.50

Périphérie et environs

BMW Gar. Richelieu, Zone Ind. de Bavilliers ☎ 22.23.16
CITROEN Gar. du fg de France, Zone Ind., Danjoutin ☎ 21.22.08
FIAT Autom. Valdoyenne, 37 r. de Turenne, Valdoie ☎ 21.40.73
MERCEDES-BENZ Gar. Monin, 29 av. d'Alsace, Les Écarts de Denney ☎ 29.81.02
Gar. Fascina, 28 r. Gén.-de-Gaulle, Danjoutin ☎ 28.24.25

Mattioni, Zone Ind., Danjoutin ☎ 28.52.75
Pneus et Services D.K., rte Montbéliard, Andelnans ☎ 28.03.55

BELIN-BÉLIET 33830 Gironde 78 ③ – 2 229 h. alt. 44 – 56.

Paris 609 – Arcachon 44 – •Bayonne 133 – •Bordeaux 45 – Dax 97 – Mont-de-Marsan 78.

Aliénor d'Aquitaine, ☎ 88.01.23, « Intérieur rustique », – wc wc – 60.
SC : **R** (dîner pour résidents seul.) 35 bc – 10 – **12 ch** 100/120.

Host. des Pins, ☎ 88.00.23 – wc . ch
fermé 15 oct. au 15 nov. et jeudi – **R** 30/85 – 10 – 12 ch 50/130.

CITROEN Gar. Souleyreau, ☎ 88.00.63

BELLAC 87300 H.-Vienne 72 ⑦ G. Périgord – 5 826 h. alt. 242 – 55.

Office de Tourisme 1 bis r. Jouvet (fermé merc. et sam. hors sais.) ☎ 68.12.79.

Paris 411 – Angoulême 99 – Châteauroux 109 – Guéret 74 – •Limoges 41 – Poitiers 78.

Châtaigniers M, O : 2 km rte Poitiers ☎ 68.14.82, – wc wc
fermé nov., vacances de fév., vend. soir sauf juil.-août et sam. – SC : **R** 48/100 – 13 – **15 ch** 90/150.

CITROEN Lagrange, ☎ 68.07.13
FORD Gar. Boos, à Mézières-sur-Issoire ☎ 68.30.28
PEUGEOT Nogaret, ☎ 68.00.10
RENAULT Ducoing, ☎ 68.00.14

Lion d'Or — **Si le nom d'un hôtel figure en petits caractères demandez, à l'arrivée, les conditions à l'hôtelier.**

BELLEGARDE 45270 Loiret 65 ① G. Châteaux de la Loire – 1 479 h. alt. 114 – 38.

Syndicat d'Initiative à la Mairie (fermé sam. après-midi et dim.) ☎ 95.10.03.

Paris 111 – Gien 40 – Montargis 23 – Nemours 39 – •Orléans 48 – Pithiviers 27.

Agriculture, ☎ 95.10.48 –
fermé 28 sept. au 27 oct. et mardi – SC : **R** 28/65 – 9 – 18 ch 40/55.

BELLEGARDE-SUR-VALSERINE 01200 Ain 74 ⑤ G. Jura – 12 383 h. alt. 350 – 50.

Voir Perte de la Valserine* 30 mn.

Env. la Valserine par ④ – Défilé de l'Écluse** par ② : 10 km – Barrage de Génissiat** 16 km par ③.**

Syndicat d'Initiative 55 bis r. République (fermé sam. et dim.) ☎ 48.03.56.

Paris 507 ④ – Aix-les-Bains 57 ③ – Annecy 41 ③ – Bourg-en-Bresse 81 ④ – •Genève 39 ② – •Lyon 118 ④ – St-Claude 46 ④.

Plan page ci-contre

Central-Colonne, 1 r. Bertola **(e)** ☎ 48.10.45 – wc . AE GB E
fermé 10 oct. au 10 nov. – SC : **R** *(fermé dim. soir et lundi)* 38/100 – 12 – **30 ch** 60/120.

Paix, 21 r. Bertola **(a)** ☎ 48.21.24 –
fermé 18 déc. au 4 janv., dim. et fériés – SC : **R** 35/68 – 10 – **18 ch** 43/70 – P 100/120.

XXX **La Belle Époque,** 10 pl. Gambetta **(b)** ☎ 48.14.46
fermé 15 juil. au 19 août et mardi – SC : **R** 40/110.

à Lancrans par ① : 3 km – alt. 500 – ✉ **01200** Bellegarde-sur-Valserine :

Sorgia, ☎ 48.15.81, – wc
fermé 10 sept. au 3 oct., 3 au 10 mars, dim. soir et lundi midi – SC : **R** 32/65 – 10 – 20 ch 40/75 – P 90/100.

à Ochiaz O : par D 101 : 5 km – ✉ **01200** Bellegarde-sur-Valserine :

XX **Aub. de la Fontaine** avec ch, ☎ (50) 48.00.66, – wc ☎ **P**. AE GB
fermé 5 janv. au 5 fév., dim. soir et lundi sauf juil. et août – SC : **R** 44/165 – 10 – 4 ch 55/85.

à Éloise (74 H.-Savoie) par ③ : 5 km – ✉ **01200** Bellegarde-sur-Valserine (01 Ain) :

Le Fartoret, ☎ 48.07.18, ≤, parc, – wc wc ☎ **P** – 60. **E**
fermé 24 déc. au 2 janv., dim. soir et lundi midi – SC : **R** 48/110 – 15 – **40 ch** 120/170 – P 135/180.

route du Plateau de Retord O : 12 km par D 101 – ✉ **01200** Bellegarde-sur-Vals. :

X **Aub. du Catray** avec ch, ☎ **48.02.25**, ≤ – **P**
fermé 31 août au 25 sept. et mardi – SC : **R** 32/60 – 8 – 11 ch 50/95.

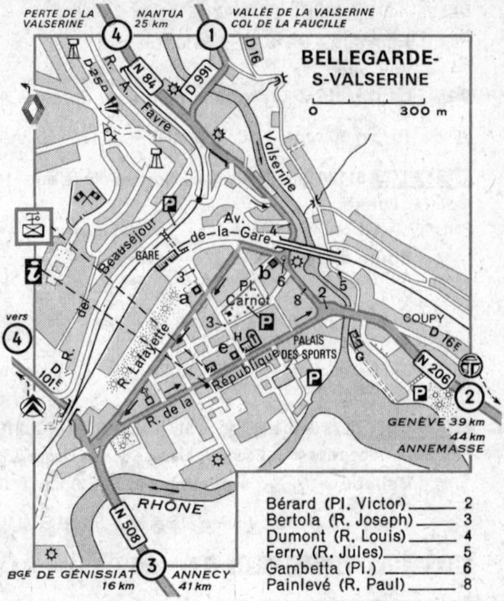

BELLEGARDE-S-VALSERINE

Bérard (Pl. Victor) 2
Bertola (R. Joseph) 3
Dumont (R. Louis) 4
Ferry (R. Jules) 5
Gambetta (Pl.) 6
Painlevé (R. Paul) 8

CITROEN Carrel, 62 av. St-Exupéry à Chatillon-en-Michaille ☎ 48.06.85
RENAULT Gar. de la Michaille, r. Mar.-Leclerc, Zone artisanale Musinens ☎ 48.27.21
TALBOT Chagnoux, 77 r. République ☎ 48.02.64
Gar. Coudouin, rte Genève à Coupy ☎ 48.14.47 **N**

R 45/80 Repas soignés à prix modérés.

BELLE-ILE-EN-MER 56 Morbihan 63 ⑪⑫ **G. Bretagne** (plan) – 97.

Accès : Transports maritimes, pour **Le Palais** (en été réservation indispensable pour le passage des véhicules : 5 F).

depuis **Quiberon** (Port-Maria). En 1980 : 27 juin au 15 sept. : 10 services quotidiens (en hiver : 4 services quotidiens) - Traversée 45 mn – Voyageurs 40 F (AR), autos aller 70 à 175 F. Renseignements : Cie Morbihannaise de Navigation ☎ 31.80.01 (Le Palais).

L'Apothicairerie (Grotte de) ★★ – NO de l'Ile.

Le Palais – 2 649 h. – ✉ **56360** Le Palais.

Voir Musée★ dans la Citadelle.

Syndicat d'Initiative quai Macé (juin-sept.) ☎ 31.81.93.

Bretagne, quai Macé ☎ **31.80.14,** ≤ – wc wc ☎. rest
fermé 5 nov. au 15 déc. – SC : **R** 40/70 – 9,50 – 29 ch 42/84 – P 115/135.

CITROEN Lauden, ☎ 31.82.50
RENAULT Huchet, ☎ 31.80.43

Port-Goulphar – ✉ **56360** Le Palais.

Voir Site★ – Aiguilles de Port-Coton★★ NO : 1 km – Grand Phare★ : ★★ N : 2,5 km.

Castel Clara M, ☎ 31.84.21, ≤ crique et falaises, , , – TV ☎ **P** – 100.
20 mars-30 sept. – **R** 75/95 – 20 – 41 ch 220/300 – P 240/300.

Manoir de Goulphar, ☎ 31.83.95, ≤ crique et falaises, – wc wc ☎ **P**. rest
15 mars-5 nov. – SC : **R** 50/75 – 10 – 55 ch 50/145 – P 125/180.

X **Brasserie du Manoir,** ☎ 31.83.95, ≤ port et falaises – **P**
15 mars-5 nov. – SC : **R** 28/42.

Port-Donnant

Voir Site★★.

Poulains (Pointes des) ★

Voir ★.

Sauzon – 566 h. – ✉ **56360** Le Palais.

Voir Site★.

Le Cardinal Ⓜ, à la pointe du Cardinal ☎ 31.87.04, ← – Ⓟ – 40 à 120. rest
15 juin-30 sept. – SC : **R** 60/120 – 12 – 80 ch 100/190 – P 150/210.

BELLÊME 61130 Orne **60** ⑭⑮ **G. Normandie** (plan) – 1 841 h. alt. 225 – 33.

Voir N : Forêt★.

Paris 167 – Alençon 40 – Chartres 75 – La Ferté-Bernard 23 – ♦Le Mans 54 – Mortagne-au-Perche 17.

Boule d'Or, ☎ 33.10.32 – Ⓟ
fermé 20 déc. au 20 janv., dim. soir et lundi – SC : **R** 23/48 – 7,50 – 9 ch 32/48 – P 71.

Paix, 11 pl. Liberté ☎ 33.03.32 – GB
fermé lundi – SC : **R** 40/77 ₰.

PEUGEOT Bonhomme, ☎ 33.10.37 N
RENAULT Gar. Hiron, ☎ 33.12.31
Gosnet, ☎ 33.04.31

BELLENTRE 73 Savoie **74** ⑱ – 517 h. alt. 765 – ✉ **73210** Aime – 79.

Paris 654 – Albertville 46 – Bourg-St-Maurice 8 – La Plagne 22.

Bellecôte Ⓜ, **à Montchavin SE : 8 km** ☎ 07.13.99, Télex 980265, ← – wc.
15 juin-15 sept. et 15 déc.-15 avril – SC : **R** 50/110 – **25 ch** 150/200 – P 250/280.

BELLERIVE-SUR-ALLIER 03 Allier **73** ⑤ – rattaché à Vichy.

Les BELLES-HUTTES 88 Vosges **62** ⑰ – rattaché à La Bresse.

BELLEVAUX 74470 H.-Savoie **70** ⑰ **G. Alpes** – 1 034 h. alt. 907 – 50.

Voir Site★.

Paris 589 – Annecy 69 – Bonneville 33 – ♦Genève 43 – Thonon-les-Bains 24.

La Cascade, ☎ 73.70.22 – Ⓟ. rest
1er juin-1er oct. et 15 déc.-25 avril – SC : **R** 26/42 ₰ – 9 – **26 ch** 35/50 – P 85/92.

BELLEVILLE 54940 M.-et-M. **57** ⑬ – 1 178 h. alt. 191 – 8.

Paris 309 – ♦Metz 39 – ♦Nancy 19 – Pont-à-Mousson 12 – Toul 26.

❀ **Bistroquet** (Mme Ponsard), ☎ 325.90.12 – Ⓟ. GB
fermé août, 31 déc. au 11 janv., dim. soir et lundi – **R** (nombre de couverts limité - prévenir) 100/160
Spéc. Foie de canard poêlé, Escalope de bar à la crème de persil, Rognon de veau au vin de Bouzy.
Vins Côtes de Toul.

BELLEVILLE 69220 Rhône **74** ① **G. Vallée du Rhône** – 6 609 h. alt. 190 – 74.

Syndicat d'Initiative 105 bis r. République (fermé matin, sam. et dim.) ☎ 66.17.10 – Maison du Beaujolais (fermé 15 janv. au 15 fév. et jeudi) ☎ 66.16.46 : dégustations de vins et collations à St-Jean-d'Ardières sur N 6 : 1,5 km.

Paris 419 – Bourg-en-Bresse 39 – ♦Lyon 45 – Mâcon 25 – Villefranche-sur-Saône 18.

Gare sans rest, 43 r. Mar.-Foch ☎ 66.34.68 – wc Ⓟ. GB.
fermé 24 déc. au 20 janv. – SC : 15 – **30 ch** 58/160.

Beaujolais, 40 r. Foch ☎ 66.05.31 – Ⓟ.
fermé 19 nov. au 17 déc., mardi soir et merc. – SC : **R** 50/115 ₰.

Relais St-Jean avec ch, **à St-Jean-d'Ardières N : 1,5 km sur N 6** ☎ 66.13.14 – rest Ⓟ. ch
fermé 20 déc. au 1er fév. et dim. – SC : **R** 33/51 – 11 – 13 ch 50/75.

à Taponas NE : 3 km – ✉ **69220** Belleville :

Aub. des Sablons Ⓜ, ☎ 66.34.80 – wc Ⓟ. GB
fermé 1er au 15 fév. et mardi hors sais. – SC : **R** 35/90 ₰ – 11 – **15 ch** 120 – P 220.

BMW, DATSUN Girardier, N 6, à St-Jean d'Ardières ☎ 66.16.05
CITROEN Dulac, N 6, La Croisée à St-Jean-d'Ardières ☎ 66.42.40
PEUGEOT Gerin, 171 r. République ☎ 66.08.46
RENAULT Dépérier, 172 r. République ☎ 66.17.15

BELLEVUE 44 Loire-Atl. **67** ③④ – rattaché à Nantes.

BELLEVUE 74 H.-Savoie **74** ⑧ – rattaché aux Houches.

BELLEVUE 92 Hauts-de-Seine **60** ⑩, **101** ㉔ – voir à Paris, Proche banlieue (Meudon).

BELLEY <SP> **01300** Ain **74** ⑭ **G. Jura** – 8 224 h. alt. 277 – ✪ 79.

Voir Choeur★ de la cathédrale E.

ℹ Office de Tourisme pl. Victoire (après-midi seul., fermé merc. et dim.) ☎ 81.16.16.

Paris 501 ① – Aix-les-Bains 34 ② – Bourg-en-Bresse 75 ① – Chambéry 36 ② – Nantua 64 ① – La Tour-du-Pin 41 ② – Voiron 55 ②.

🏨 ✿ **Pernollet,** 9 pl. Victoire **(a)** ☎ 81.06.18 – wc ☎. – *fermé 15 nov. au 15 déc.* – SC : **R** *(fermé merc. hors sais.)* 80/160 – ☕ 16 – 20 ch 110/160 – P 180/200
Spéc. Gâteau de foies blonds aux écrevisses, Filet truffé mode bugiste, Lavaret glacé au vin blanc (mai à oct.). **Vins** Seyssel, Montagnieu.

🏨 ✿ **Chabert,** bd Mail **(e)** ☎ 81.01.56 – wc ☎. GB. ch
fermé 14 au 25 juin, 11 au 28 oct., dim. soir et lundi sauf du 15 juil. au 15 sept. – SC : **R** 48/150 – ☕ 12 – 16 ch 48/135 – P 150
Spéc. Chausson d'écrevisses Nantua, Mousseline de truite, Filet aux morilles. **Vins** Gamay, Manicle.

BELLEY

Alsace-Lorraine (Av. d') 2
Barons (R. des) 3
Brillat-Savarin (Av.) 5
Colombier (R. du) 6
Grande-Rue 7
Terreaux (Pl. des) 9
Verdun (Bd de) 10
Victoire (Pl. de la) 12

AUDI-VOLKSWAGEN Carpin, à Chazey-Bons ☎ 81.23.17 **N**
CITROEN Weiss, 53 r. St-Martin ☎ 81.00.38
PEUGEOT Gar. Coquemer, 73 r. République ☎ 81.29.44
RENAULT Benat, av. Gare ☎ 81.03.51
TALBOT Sayah, 19 av. Alsace-Lorraine ☎ 81.05.53
TOYOTA Porez, 27 bd du Mail ☎ 81.23.65 **N** ☎ 81.32.17
Central Pneu, rte Virieu-le-Grand ☎ 81.20.09

How do you find your way around the Paris suburbs?
Use the ***Michelin map*** *number* **101** *: clear, precise, up to date.*

BELVÈS **24170** Dordogne **75** ⑯ **G. Périgord** – 1 681 h. alt. 106 – ✪ 53.

ℹ Syndicat d'Initiative à la Mairie (fermé dim. et lundi) ☎ 29.01.40.

Paris 548 – Bergerac 51 – Cahors 63 – Fumel 41 – Périgueux 63 – Sarlat-la-Canéda 35.

🏠 **France,** ☎ 29.01.23 –
fermé 15 sept. au 15 oct. – SC : **R** 32/90 – ☕ 12 – **11 ch** 50/75 – P 95/120.

CITROEN Paoli, ☎ 29.00.24
Gar. Grandet, ☎ 29.01.42

BENAIS **37** I.-et-L. **64** ⑬, **67** ⑨ – rattaché à Bourgueil.

BENDOR (Ile de) **83** Var **84** ⑭ – rattaché à Bandol.

BENESSE-MAREMNE **40** Landes **78** ⑰ – 1 070 h. – ✉ **40230** St-Vincent-de-Tyrosse – ✪ 58.

Paris 721 – ♦Bayonne 19 – Capbreton 5,5 – Mont-de-Marsan 78 – St-Vincent-de-Tyrosse 6.

🏠 **Centre,** N 10 ☎ 77.04.16
fermé oct. et sam. hors sais. – SC : **R** 30/70 – ☕ 11 – 14 ch 60/80 – P 90/100.

BENGY-SUR-CRAON **18** Cher **69** ② – 665 h. alt. 186 – ✉ **18800** Baugy – ✪ 48.

Paris 248 – Bourges 31 – La Charité-sur-Loire 34 – Nevers 39 – St-Amand-Montrond 45.

Relais du Cheval Blanc, D 976 ☎ 59.24.64 – Ⓟ
fermé 15 sept. au 15 oct. et merc. – **R** 24/43 – ☕ 9 – **18 ch** 44/60 – P 100/120.

BÉNODET **29118** Finistère **58** ⑮ **G. Bretagne** (plan) – 2 087 h. – Casino – ✪ 98.

Voir Phare ☀★ – Pont de Cornouaille ≤★ NO : 1 km.

Excurs. L' Odet★★ en bateau (1 h 30).

⛳9 de Quimper et Cornouaille ☎ 56.97.09, NE : 12 km.

Pont de Cornouaille - Péage (1980) : auto 3,50 à 5 F (conducteur compris), motos 1,50 F, camion 6 F.

ℹ Office de Tourisme 51 av. Plage (fermé oct. et dim. sauf matin en saison) ☎ 91.00.14.

Paris 555 – ♦Brest 88 – Concarneau 22 – Fouesnant 9 – Pont-l'Abbé 12 – Quimper 16 – Quimperlé 47.

Gwel-Kaër M, av. Plage ☎ 91.04.38, ≤ – ▮ P. ✕
fermé 3 au 31 janv. – SC : **R** *(fermé lundi sauf sais. et vacances)* 50/100 – ☐ 15 – 24 ch 200/270 – P 210/270.

Kastel Moor M, av. Plage ☎ 91.05.01, ≤, ⛱, ⚘, ✕ – ▮ P. ✕ rest
fin mars-fin sept. – SC : **R** voir Ker Moor – ☐ 15 – 23 ch 220 – P 200/245.

Menez-Frost ⛰, près poste ☎ 91.03.09, ⛱, ⚘, ✕ – ⛟ P. ✕
Pâques-fin sept. – SC : **R** (1/2 pension seul.) – ☐ 18 – **50 ch** 180/220, 5 appartements 380.

Ker Moor ⛰, av. Plage ☎ 91.04.48, parc, ⛱, ✕ – ▮ P. ✕ rest
fin mars-fin sept. – SC : **R** 65/200 – ☐ 15 – 70 ch 180/220 – P 200/245.

Ancre de Marine, au Port ☎ 91.05.29 – ⛀wc ⛆ ☎. ⛟. ✕
début mars-début nov. – SC : **R** *(fermé lundi)* 60/115 – ☐ 15 – **25 ch** 65/160 – P 130/200.

Breiz Izel ⛰ sans rest, r. Trez ☎ 91.00.31 – ▮ ⛀wc ☎ P. ✕
début avril-10 oct. – SC : **26 ch** ☐ 80/175.

Armoric H., av. Mer ☎ 91.04.03, ⚘ – ⛀wc ☎ P. ✕ rest
fin mai-15 sept. – SC : **R** 40/60 – ☐ 12 – **40 ch** 85/130 – P 140/175.

Poste, r. Église ☎ 91.01.09 – ⛀wc ⛆wc ☎ P. ⛟. ✕ rest
fermé 15 déc. au 31 janv. – SC : **R** *(fermé lundi)* 43/90 🍷 – ☐ 12 – **20 ch** 72/130 – P 120/145.

Arrivée, av. Kercreven ☎ 91.03.75, ⚘ – ⛀wc ☎ P. ✕
fermé 1er nov. au 15 janv. – SC : **R** *(fermé mardi hors sais.)* 42/95 – ☐ 10 – **20 ch** 50/100 – P 105/135.

Le Minaret ⛰ avec ch, ☎ 91.03.13, ≤ jardin et estuaire – ⛀wc ⛆wc ☎ P. ✕ rest
28 mars-3 nov. – SC : **R** 45/100 – ☐ 13 – 13 ch 140/190 – P 130/210.

Ferme du Letty, ☎ 91.01.27 – P. ✕
1er avril-fin sept. et fermé merc., hors sais. ouvert week-ends seul. – SC : **R** carte 55 à 90.

BENON 17 Char.-Mar. 71 ② – rattaché à Mauzé-le-Mignon.

BÉNOUVILLE 14 Calvados 55 ② – rattaché à Caen.

Pour un bon usage des plans de villes, voir les signes conventionnels p. 20.

BERCK-PLAGE 62600 P.-de-C.
51 ⑪ G. Nord de la France – 16 494 h. – Casino – ⛳ 21 – **Voir** Phare ✲★ B – Parc d'attractions de Bagatelle★ 5 km par ①.

ℹ Office de Tourisme Hall Piscine, Esplanade Parmentier ☎ 09.07.85.

Paris 209 ③ – Abbeville 46 ③ – Arras 99 ② – Boulogne-sur-Mer 42 ① – Montreuil 17 ② – St-Omer 73 ② – Le Touquet-Paris-Plage 18 ①.

Comme chez Soi, 48 pl. Entonnoir **(x)** ☎ 09.04.65 – ⛀wc ⛆wc ☎. ⛟ GB. ✕ rest
fermé 20 déc. au 20 janv., dim. soir et lundi sauf vacances scolaires – **R** 26/82 – ☐ 10 – **19 ch** 65/125 – P 110/133.

Florida, 3 r. Ancien-Calvaire **(e)** ☎ 09.15.21 – ⛀wc ⛆wc ☎. GB. ✕
SC : **R** 45/55 – ☐ 10 – 12 ch 75/165.

Renaissance, 57 r. Rothschild **(t)** ☎ 09.05.44, ⚘ – ⛀. ⛟. ✕ rest
fermé 14 déc. au 1er fév. et dim. soir hors sais. – SC : **R** 35/70 🍷 – ☐ 11 – **16 ch** 42/80 – P 95/110.

Terrasse et Terminus sans rest, pl. Gare routière **(a)** ☎ 09.09.88 – ⛆. ✕
SC : ☐ 11 – **31 ch** 68/150.

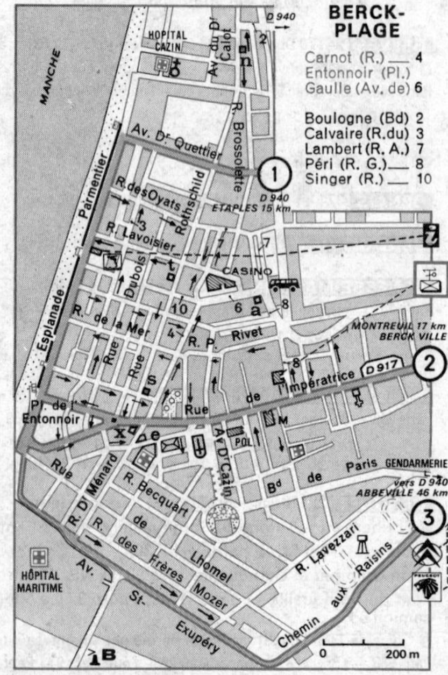

XX **Banque** avec ch, 43 r. Division-Leclerc **(s)** ☎ 09.01.09 – ⊟. ✂ ch
fermé oct., dim. soir et lundi – SC : **R** 50/75 – ☕ 9 – **14 ch** 41/95.

X **Le Mauritius,** 6 r. du Dr Calot **(n)** ☎ 09.18.61
fermé 1er au 15 oct., 1er au 15 fév. et lundi – **R** 30/55 ⚲.

CITROEN Artois-Autom., Zone Ind., rte Abbeville ☎ 09.26.42
CITROEN Dutemple, 15 r. G.-Péri ☎ 09.04.43
PEUGEOT Damour, Zone Ind. rte Abbeville ☎ 09.43.50
RENAULT Campion-Berck, pl. Fontaine ☎ 09.04.11
Berck Auto, 114 r. Impératrice ☎ 09.00.98

BERGERAC ⟨SP⟩ **24100** Dordogne **75** ⑭⑮ **G. Périgord** – 28 617 h. alt. 37 – ✪ **53.**

Voir Musée du Tabac★ AZ **H.**

Office de Tourisme 97 r. Neuve d'Argenson (fermé dim. et lundi) ☎ 57.03.11.

Paris 552 ⑥ – Agen 89 ③ – Angoulême 109 ⑥ – ♦Bordeaux 92 ⑤ – Pau 216 ④ – Périgueux 47 ①.

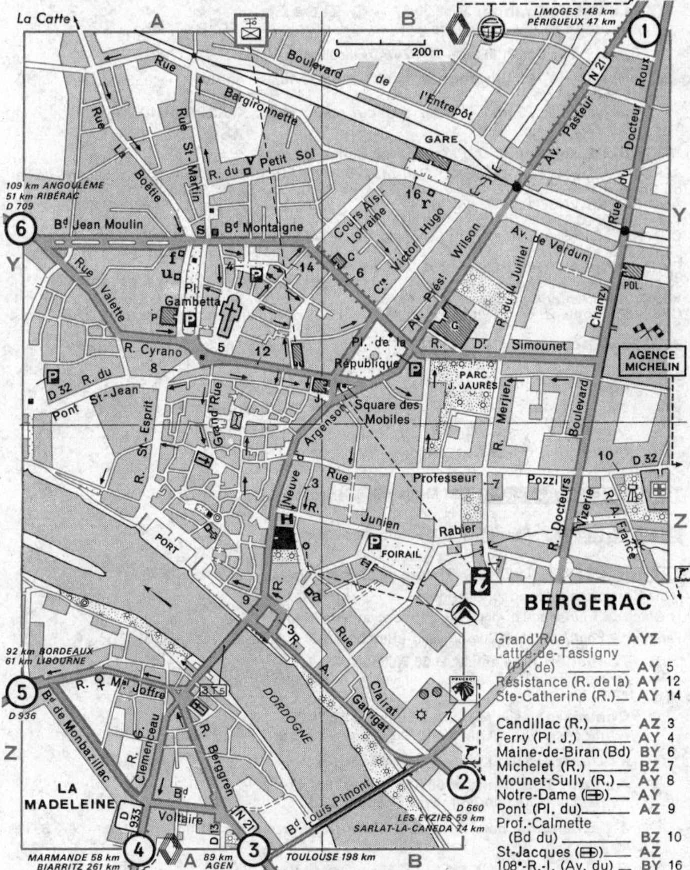

Grand'Rue — AYZ
Lattre-de-Tassigny (Pl. de) — AY 5
Résistance (R. de la) AY 12
Ste-Catherine (R.) — AY 14
Candillac (R.) — AZ 3
Ferry (Pl. J.) — AY 4
Maine-de-Biran (Bd) BY 6
Michelet (R.) — BZ 7
Mounet-Sully (R.) — AY 8
Notre-Dame (⊞) — AY
Pont (Pl. du) — AZ 9
Prof.-Calmette (Bd du) — BZ 10
St-Jacques (⊞) — AZ
108e-R.-I. (Av. du) — BY 16

La Flambée, rte Périgueux par ① : 3 km ☎ 57.52.33, parc, ✂ – ⊟wc ⋒wc ☎ Ⓟ – 🏊 50. AE GB ①
fermé 9 au 16 juin et 2 au 22 janv. – SC : **R** *(fermé lundi)* 55/120 – ☕ 12 – **21 ch** 75/130 – P 140/170.

Bordeaux, 38 pl. Gambetta ☎ 57.12.83, ✂ – ▤ rest ⊟wc ⋒wc ☎ 🚗 Ⓟ – 🏊 40. AE GB ① AY **f**
fermé 20 déc. au 20 janv. – SC : **R** *(fermé vend. d'oct. à juin)* 45/105 ⚲ – ☕ 12 – **42 ch** 60/110 – P 135/165.

France [M] sans rest, 18 pl. Gambetta ☎ 57.11.61, – TV ⇔wc ⋒wc ☎. GB AY **u**
fermé 1er au 15 fév. – SC : ☐ 12 – **20 ch** 90/120.

Europ-H. [M] sans rest, 20 r. Petit-Sol ☎ 57.06.54 – ⇔wc ⋒wc ☎ Ⓟ. AY **v**
fermé dim. hors sais. – SC : ☐ 12 – **22 ch** 70/110.

Terminus sans rest, 17 av. 108e R.I. ☎ 57.01.09 – ⋒ ☎. BY **r**
SC : ☐ 9 – **20 ch** 40/80.

Provence sans rest, 2 r. Clairat ☎ 57.12.88 AZ **a**
SC : ☐ 9 – **11 ch** 38/70.

XX ❀ **Le Cyrano** (Turon) avec ch, 2 bd Montaigne ☎ 57.02.76 – ⇔wc ⋒ ☎. AE
fermé du 6 au 21 juil., du 7 au 29 déc., dim. soir d'oct. à fév. (sauf hôtel) et lundi – SC : **R** 45/120 – ☐ 13 – **10 ch** 65/90 AY **s**
Spéc. Saint-Jacques au vinaigre de Xérès (oct.-avril), Jambonnette de volaille, Gratin de fraises (avril-oct.). **Vins** Bergerac, Pécharmant.

à St-Naixent par ③ et D 19 : 6 km – ✉ **24520** Mouleydier :

XX **La Vieille Grange,** ☎ 58.30.87 – Ⓟ. AE GB E
fermé 14 sept. au 3 oct., 25 janv. au 13 fév. et jeudi – SC : **R** 47/125.

par ④ sur D 933 : 6 km – ✉ **24240** Sigoulès :

XX **Relais de la Diligence** avec ch, ☎ 58.30.48, ≤ vignoble – ⇔wc ⋒wc ☎ Ⓟ. GB E. ch
fermé 22 au 29 juin, 15 sept. à début oct. et merc. – SC : **R** 31/100 – ☐ 12 – 8 ch 90/100.

MICHELIN, Agence, r. D.-Papin, Z.I. de Campréal par D 32 BZ ☎ **57.14.13.**

ALFA-ROMEO, MERCEDES-BENZ Parisot, 1 bd Dr-Roux ☎ 57.08.77
AUDI-VOLKSWAGEN Gar. Wilson, 26 av. Wilson ☎ 57.00.08
CITROEN Cazes et Barthet, 31 r. Candillac ☎ 57.73.77 N
FIAT, LANCIA-AUTOBIANCHI Gar. de Naillac, 35 av. Bordeaux ☎ 57.36.08
FORD Gar. Chanzy, 2 bd Chanzy ☎ 57.16.45
OPEL Mussotte, 28 cours Victor-Hugo ☎ 57.09.14
PEUGEOT Géraud, 117 r. Clairat ☎ 57.62.72
RENAULT Bergerac-Autos, Le Saut rte de Périgueux ☎ 57.42.11
RENAULT Roland St Marc, rte Eymet ☎ 57.71.80 N ☎ 57.11.21
TALBOT Centre Autom. Pecou, rte Périgueux ☎ 57.27.41 N

Mancicidor, pl. Clairat ☎ 57.19.97
S.I.A.B., 112 av. Pasteur ☎ 57.46.77
B. Soubzmaigne et Peyrichou, pl. Deux-Conils, ☎ 57.05.21
P. Soubzmaigne, rte Eymet ☎ 57.19.54

*Le pastiglie numerate delle piante di città ①, ②, ③ sono riportate anche sulle **carte stradali Michelin** in scala 1/200 000. Questi riferimenti, comuni nella guida e nella carta stradale, facilitano il passaggio da una pubblicazione all'altra.*

BERGÈRES-LÈS-VERTUS 51 Marne 56 ⑯ – rattaché à Vertus.

La BERGUE 74 H.-Savoie 74 ⑥⑦ – rattaché à Annemasse.

BERGUES 59380 Nord 51 ④ **G. Nord de la France** (plan) – 4 824 h. – ✪ 28.

Voir Couronne d'Hondschoote*.

Office de Tourisme Beffroi (1er juil.-15 sept. et fermé vend.).

Paris 284 – Bourbourg 18 – Dunkerque 8 – Hazebrouck 34 – •Lille 65 – St-Omer 31.

Tonnelier, près église ☎ 68.70.05 –
fermé 20 août au 14 sept. et vend. – **R** 33/92 ♨ – ☐ 9,50 – **10 ch** 45/90 – P 110/130.

Commerce sans rest, près Église ☎ 68.60.37
fermé 1er au 12 juil. et 15 déc. au 5 janv. – SC : ☐ 11 – **18 ch** 50/111.

à l'Ouest D 916 : 1 km – ✉ **59380** Bergues :

X **Au Pont Tournant,** ☎ 68.61.66 – Ⓟ. GB E
fermé 3 juil. au 3 août et vend. – SC : **R** 40/80.

à l'échangeur de l'autoroute Lille-Dunkerque sur D 110 : 2 km – ✉ **59380** Bergues :

Motel 25, ☎ 68.79.00, – TV ⇔wc ☎ Ⓟ – 100
41 ch.

TALBOT Gar. Moderne Desmidt, à Esquelbecq ☎ 65.61.44
VOLVO Gar. Maecker, à Socx ☎ 68.63.50

BERNAY <SP> **27300** Eure 55 ⑮ **G. Normandie** – 11 263 h. alt. 108 – ✪ 32.

Voir Promenade des Monts* ABX.

Syndicat d'Initiative à l'Hôtel de Ville (fermé sam. après-midi et dim.) ☎ 43.32.08.

Paris 150 ② – Argentan 69 ⑤ – Évreux 48 ② – •Le Havre 86 ② – Louviers 51 ② – •Rouen 58 ②.

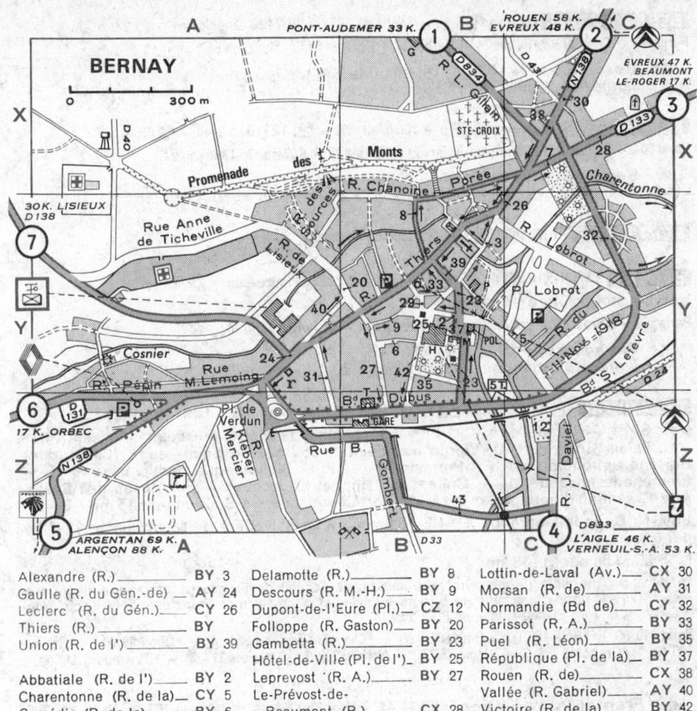

Alexandre (R.) BY 3
Gaulle (R. du Gén.-de) AY 24
Leclerc (R. du Gén.) CY 26
Thiers (R.) BY
Union (R. de l') BY 39

Abbatiale (R. de l') BY 2
Charentonne (R. de la) CY 5
Comédie (R. de la) BY 6
Concorde (R. de la) CX 7

Delamotte (R.) BY 8
Descours (R. M.-H.) BY 9
Dupont-de-l'Eure (Pl.) CZ 12
Folloppe (R. Gaston) BY 20
Gambetta (R.) BY 23
Hôtel-de-Ville (Pl. de l') BY 25
Leprevost (R. A.) BY 27
Le-Prévost-de-Beaumont (R.) CX 28
Lindet (R. Robert) BY 29

Lottin-de-Laval (Av.) CX 30
Morsan (R. de) AY 31
Normandie (Bd de) CY 32
Parissot (R. A.) BY 33
Puel (R. Léon) BY 35
République (Pl. de la) BY 37
Rouen (R. de) CX 38
Vallée (R. Gabriel) AY 40
Victoire (R. de la) BY 42
8-Mai-1945 (Av. du) BZ 43

Angleterre et Cheval Blanc, 10 r. Gén.-de-Gaulle Ᵽ 43.12.59 – ⋯ AE GB ⓓ E AY **r**
fermé fév. – SC : **R** 53/150 – ☕ 14 – 23 ch 50/105.

Trois Vals, rte Rouen par ② Ᵽ 43.21.54 – Ⓟ
fermé 3 août au 3 sept., mardi soir et merc. – SC : **R** 68/98.

AUSTIN, MORRIS, OPEL Gar. Robillard, rte de Broglie, Zone Ind. Ᵽ 43.09.99
CITROEN Levard, rte de Rouen à Menneval Ᵽ 43.44.43
CITROEN Parissot, 7 r. Lindet Ᵽ 43.13.61
DATSUN, LANCIA-AUTOBIANCHI Edouin, carr. Malbrouck, N 13 à Carsix Ᵽ 43.23.59
FORD Négrie, r. Jacques Daviel Ᵽ 43.03.42
LADA Blondel, carr. Malbrouck, N 13 à Carsix Ᵽ 43.23.16
PEUGEOT Lefèvre, N 138, rte de Broglie, Zone Ind. Ᵽ 43.34.28
RENAULT Modern Gar. Bernayen, 26 r. G.-Pépin Ᵽ 43.01.17
Subé-Pneurama, 5 r. L.-Gillain Ᵽ 43.37.78

BERNEX 74 H.-Savoie **70** ⑱ **G. Alpes** – 618 h. alt. 945 – Sports d'hiver : 1 000/1 520 m ≴16 – ✉ **74500** Évian-les-Bains – ☼ 50.

Paris 593 – Annecy 88 – Évian-les-Bains 14 – Morzine 36 – Thonon-les-Bains 16.

Chez Tante Marie ⤳, Ᵽ 73.60.35, ←, ⋯ – wc ☎ Ⓟ. ⋯
fermé 15 oct. au 15 nov. – SC : **R** 42/65 – ☕ 11,50 – **25 ch** 65/100 – P 100/150.

à La Beunaz NO : 1,5 km par D 52 – alt. 1 000 – ✉ **74500** Évian-les-Bains :

Bois Joli ⤳, Ᵽ 73.60.11, ←, ⋯ – wc wc ☎ ♿ Ⓟ. ⋯ rest
fermé 15 nov. au 20 déc. – SC : **R** *(fermé mardi hors sais.)* 50/100 – ☕ 16 – **28 ch** 130/160 – P 145/170.

La Renardière ⤳, Ᵽ 73.60.02, ←, ⋯ – wc ☎ Ⓟ. ⋯ ch
1er mai-15 sept., Noël-Pâques et fermé merc. hors saison – **R** 48/72 – ☕ 12 – **16 ch** 59/120 – P 99/154.

Relais Savoyard avec ch, Ᵽ 73.60.14, ← – Ⓟ. ⋯ AE
fermé 15 oct. au 15 déc. – SC : **R** 40/55 – ☕ 8,50 – **10 ch** 45/72 – P 87/98.

A la carte

Dans les restaurants à « prix fixes », il est généralement possible de se faire servir également à la carte.

BERRY-AU-BAC 02 Aisne 56 ⑥ – 338 h. alt. 56 – ✉ 02190 Guignicourt – 23.

Paris 163 – Laon 27 – ♦Reims 20 – Rethel 44 – Soissons 47 – Vouziers 64.

XXX **Rest. Cote 108,** ☎ 22.45.04, – Ⓟ. GB
fermé 5 au 22 juil., 14 au 31 déc., dim. soir et lundi – **R** (dim. prévenir) 70/155.

BERTHOLÈNE 12 Aveyron 80 ③ – 705 h. alt. 592 – ✉ 12310 Laissac – 65.

Paris 604 – Espalion 26 – Pont-de-Salars 21 – Rodez 22 – Sévérac-le-Château 27.

Bancarel, ☎ 69.62.10, – Ⓟ. E. rest
fermé 1er au 15 oct. – SC : **R** 30/58 – 9 – 13 ch 45/60 – P 75/85.

BERTRANGE 57 Moselle 57 ④ – rattaché à Thionville.

BERVEN 29 Finistère 58 ⑤ **G. Bretagne** – ✉ **29225** Plouzevedé – 98.

Voir Église★ : clôture★ du choeur.

Paris 556 – ♦Brest 43 – Landivisiau 14 – Morlaix 24 – St-Pol de Léon 14.

X **Voyageurs,** ☎ 69.98.17 – Ⓟ
fermé sept., dim. soir, lundi et fériés le soir – SC : **R** 28/80 .

BESANÇON P 25000 Doubs 66 ⑮ **G. Jura** – 126 187 h. alt. 242 – Casino BY – 81.

Voir Site★ – Citadelle★★ BZ : ≤★★ des chemins de ronde, musées★ – Vieille ville★ BZ : Palais Granvelle★ **D**, Vierge aux Saints★ et Rose de Saint-Jean★ (Cathédrale), Horloge astronomique★ **F** - Préfecture★ AZ **P** – Bibliothèque municipale★ BZ **B** – Promenade Micaud★ BY – Grille★ de l'Hôpital St-Jacques AZ – Musée des Beaux-Arts★ : section d'horlogerie★ AY **M1** – Fort Chaudanne ≤★ S : 2 km puis 15 mn X **E**.

Env. N.-D.-de-la-Libération ≤★ SE : 5,5 km X **K** – Belvédère de Montfaucon ≤★ 8 km par ②.

18 ☎ 55.73.54 par ② : 13 km.

Office de Tourisme (fermé dim. hors saison) et Accueil de France (Informations, change et réservations d'hôtels, pas plus de 5 jours à l'avance) pl. 1re-Armée-Française ☎ 80.92.55, Télex 360242 - A.C. 7 av. Élysée-Cusenier ☎ 81.26.11.

Paris 410 ⑥ – ♦Bâle 160 ⑥ – Berne 157 ② – ♦Clermont-Ferrand 351 ⑥ – ♦Dijon 98 ⑥ – ♦Genève 160 ③ – ♦Grenoble 293 ③ – ♦Lyon 255 ⑥ – ♦Nancy 202 ⑥ – ♦Reims 317 ⑤ – ♦Strasbourg 242 ⑥.

Plan page ci-contre

Frantel M, av. E.-Droz ☎ 80.14.44, Télex 360268 – rest – 220. AE GB E. rest BY **d**
SC : rest. **Le Vesontio** *(fermé dim.)* **R** carte 110 à 160 – 21 – **96 ch** 190/270.

Novotel M , r. Trey ☎ 50.14.66, Télex 360009, , – rest – 25 à 200. AE GB X **e**
R snack carte environ 65 – 20 – **107 ch** 185/210.

Nord sans rest, 8 r. Moncey ☎ 81.34.56 – wc wc . GB BZ **r**
SC : 10 – **43 ch** 60/110.

Gambetta sans rest, 13 r. Gambetta ☎ 82.02.33 – wc wc . AE GB BY **z**
SC : 11 – **26 ch** 65/140.

Terrass'H., 38 av. Carnot ☎ 88.03.03 – wc wc . E BY **f**
SC : **R** *(fermé dim.)* 33/78 - grill **R** 45/78 – 10 – **40 ch** 50/150 – P 100/160.

Regina sans rest, 91 Gde-Rue ☎ 81.50.22 – wc Ⓟ. GB BZ **v**
fermé 22 déc. au 12 janv. – SC : 9,50 – **22 ch** 50/120.

XX **Le Chaudanne,** 95 r. Dole ☎ 82.25.27 – Ⓟ. AE GB X **f**
fermé 23 déc. au 3 janv. – SC : **R** 45/150.

XX **Tour de la Pelote,** quai Strasbourg ☎ 82.14.58 – . AE E AY
fermé août et lundi – SC : **R** 65 bc/100 bc.

XX **Poker d'As,** 14 square St-Amour ☎ 81.42.49, « sculptures sur bois » – AE GB
fermé 14 juil. au 15 août, 24 déc. au 2 janv., dim. soir et lundi – SC : **R** 55/120 . BY **u**

X **Carnot** avec ch, 8 av. Carnot ☎ 88.06.23 – GB. ch BY **t**
fermé 15 au 30 août et dim. soir – SC : **R** 28/60 – 11 – **11 ch** 45/60 – P 115/145.

à ***Morre*** par ② : 5 km – ✉ **25660** Saône :

X **Le Vigny** avec ch, ☎ 82.26.12 – wc wc .
fermé dim. soir et lundi midi – SC : **R** 31/85 – 10 – **8 ch** 60/95 – P 100/145.

à ***Château-Farine*** par ④ et N 73 : 6 km – ✉ **25000** Besançon :

Mercure M, ☎ 88.04.00, Télex 360167, – rest – 120. AE GB
R carte environ 70 – 19 – **59 ch** 195/215.

XX **Chez Sosthène,** ☎ 87.21.03 – Ⓟ. AE GB E
fermé 2 au 17 août, dim., lundi et fêtes le soir – SC : **R** 38/55 .

BESANÇON

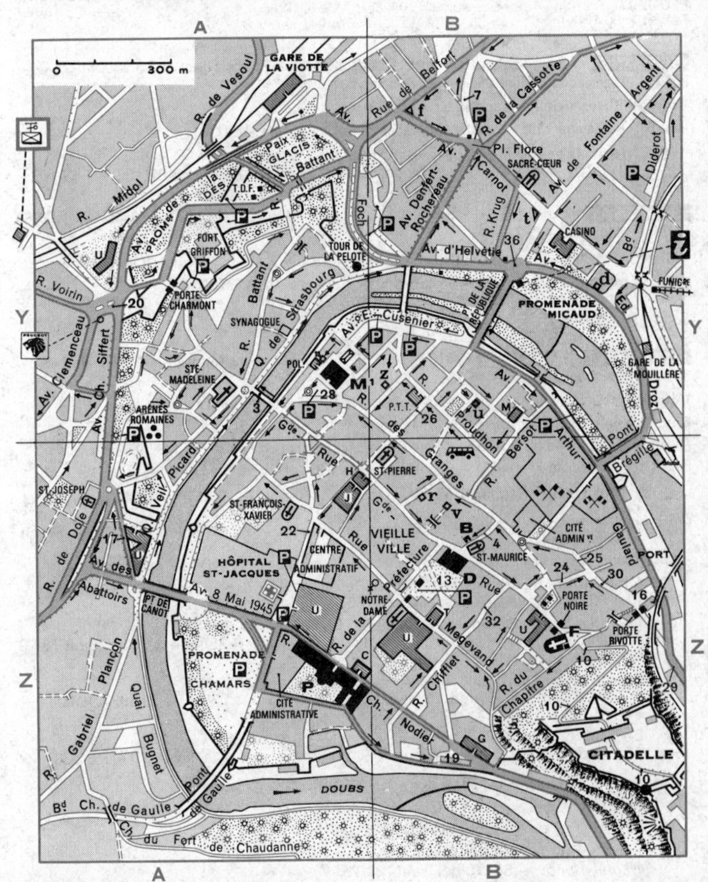

GARE DE LA VIOTTE
R. de Vesoul
Rue de Belfort
R. de la Cassotte
Av. de Fontaine-Argent
Pl. Flore
SACRÉ-CŒUR
Av. Carnot
R. Krug
Diderot
CASINO
Av. Denfert-Rochereau
Foch
TOUR DE LA PELOTE
Av. d'Helvétie
Paix
GLACIS
Battant
T.D.F.
R. Midol
FORT GRIFFON
PORTE CHARMONT
R. Voirin
Av. Clemenceau
Ch. Siffert
SYNAGOGUE
Q. de Strasbourg
Av. E.-Cusenier
PL. DE LA RÉPUBLIQUE
PROMENADE MICAUD
GARE DE LA MOUILLÈRE
FUNICRE
STE-MADELEINE
ARÈNES ROMAINES
POL.
P.T.T.
Proudhon
R. Bersot
Arthur
Pont
Bregille
Granges
Gde Rue
ST-PIERRE
ST-JOSEPH
ST-FRANÇOIS-XAVIER
Av. Picard
Veil
R. de Dole
Av. des Abattoirs
PT DE CANOT
Av. 8 Mai 1945
HÔPITAL ST-JACQUES
CENTRE ADMINISTRATIF
VIEILLE VILLE
Préfecture
ST-MAURICE
CITÉ ADMIN VE
Gaulard
PORT
PORTE NOIRE
PORTE RIVOTTE
NOTRE DAME
Megevand
R. Chifflet
R. du Chapitre
PROMENADE CHAMARS
CITÉ ADMINISTRATIVE
Ch. Nodier
CITADELLE
R. Plançon
Quai Bugnet
R. Gabriel
Pont de Gaulle
DOUBS
Bd Ch.-de Gaulle
Ch. du Fort de Chaudanne
0 300 m

à Pugey par ③ et D 473 : 10 km – ✉ **25720** Beure :

Champ Fleuri 🔇, ☎ 52.61.54 – ⛀wc ⛆ ☎ 🅿. 🚐. GB. ✗
fermé 22 déc. au 7 janv. – **R** *(fermé lundi)* 33/90 🍷 – ☕ 10,50 – **35 ch** 50/115 – P 100/130.

Voir aussi ressources hôtelières de *Etuz* par ⑥ et D 1 : 16 km.

MICHELIN, Agence régionale, rte de Besançon à Thise par Roche-lès-Beaupré X ☎ 80.24.53

ALFA-ROMEO Tarallo, Z.I. de Thise à Thise ☎ 80.68.31
AUSTIN, JAGUAR, MORRIS, ROVER, TRIUMPH Fournier, 81 r. de Dole ☎ 82.05.22
BMW, OPEL Bever, 4 r. Pergaud ☎ 81.28.01
CITROEN Succursale, 228 rte Dole ☎ 51.16.66
CITROEN Cassard, 123 r. de Vesoul, ☎ 50.45.24
CITROEN Gar. des Maisonnettes, à Ecole-Valentin ☎ 55.32.43
CITROEN Gar. Petitjean, 124 r. de Belfort ☎ 80.11.90
DATSUN Gar. Camel Carrez, 27 bd L.-Blum ☎ 50.10.44
FORD Est-Auto, 18 av. Carnot ☎ 80.85.11
LADA, TOYOTA Gar. Nicey Autopoint, 9 r. chât. rose
MERCEDES-BENZ Gd Gar. Franc Comtois, r. Th.-Edison, Zone Ind. Tilleroyes ☎ 50.47.34
PEUGEOT Sté Ind. Autom. Besançon, rte de Belfort ☎ 80.41.02
PEUGEOT Gar. Cretin, 1 av. G.-Clemenceau ☎ 81.29.66
PEUGEOT Gar. Girard, 129 r. de Dole ☎ 82.17.38
RENAULT Succursale, bd Kennedy ☎ 53.81.15
RENAULT Gar. Betteto, 148 r. Belfort ☎ 80.41.70
RENAULT Masson, 91 r. de Dole ☎ 82.15.36
RENAULT Gar. Salmer, 5 r. des Grands-Bas ☎ 50.26.19
TALBOT Sté Bisontine-Autom., bd Kennedy, Zone Ind. Trépillot ☎ 53.30.55
VOLVO Oudot, 100 r. de Dole ☎ 52.06.02

⊛ La Maison du Pneu, 10 r. de Dole ☎ 52.16.13
Pneus et Services D.K., 8 bd L.-Blum ☎ 50.29.30 et 6 r. Weiss ☎ 50.05.54
S.E.B.A.T.-Est, Zone Ind. de Planoise, 5 r. Belin ☎ 82.01.55

BESSANS 73 Savoie **77** ⑨ **G. Alpes** – 246 h. alt. 1 720 – Sports d'hiver : 1 740/2 400 m ⛷3, ⛷ – ✉ **73480** Lanslebourg-Mont-Cenis – ⚙ 79.

Voir Peintures★ de la chapelle St-Antoine.

Paris 697 – Chambéry 138 – Lanslebourg-Mont-Cenis 12 – Val-d'Isère 37.

Mont-Iseran, ☎ 05.07.97, ← – ⛆ 🅿. 🚐. ✗ rest
20 juin-1er oct. et 20 déc.-1er mai – SC : **R** 42/55 – ☕ 10 – **17 ch** 82/106 – P 83/108.

Le BESSAT 42 Loire **76** ⑨ – 241 h. alt. 1 160 – Sports d'hiver : 1 160/1 500 m ⛷3, ⛷ – ✉ **42660** St-Genest-Malifaux – ⚙ 77.

Paris 527 – Annonay 30 – Bourg-Argental 15 – St-Chamond 19 – ♦St-Étienne 18 – Yssingeaux 64.

France, ☎ 22.72.22, 🌳 – ⛀wc ⛆wc ☎ 🚗 – 🏛 30. ✗
fermé 1er au 15 avril et 1er au 30 sept. – SC : **R** 25/60 🍷 – ☕ 9 – **30 ch** 35/110 – P 100/110.

BESSE-EN-CHANDESSE **63610** P.-de-D. **73** ⑬⑭ **G. Auvergne** (plan) – 1 787 h. alt. 1 050 – Sports d'hiver à Super Besse – ⚙ 73.

Voir Église St-André★ – Rue de la Boucherie★ – Porte de ville★.

Env. Vallée de Chaudefour★★ NO : 11 km.

🅸 Office de Tourisme pl. Gd-Mèze (fermé sam. après-midi et dim. hors sais.) ☎ 79.52.84

Paris 436 – ♦Clermont-Ferrand 51 – Condat 28 – Issoire 35 – Le Mont-Dore 25.

❄ **Mouflons** (Sachapt) Ⓜ 🔇, rte Super-Besse ☎ 79.51.31, ←, 🌳 – 🅿. GB. ✗ rest
fermé 21 avril au 29 mai et 28 sept. au 20 déc. – SC : **R** 50/150 – ☕ 15 – **50 ch** 140/160 – P 150/180
Spéc. Saumon de fontaine, Filet de St-Pierre aux cèpes, Gâteau Laloy. **Vins** Corent, Romagnat.

Charmilles Ⓜ sans rest, rte Super-Besse ☎ 79.50.79 – ⛀wc ⛆wc ☎ 🅿
mai-20 sept. et vacances scolaires – SC : ☕ 11 – **20 ch** 100/120.

Gazelle 🔇, rte Compains ☎ 79.50.26, ← – ⛀wc ☎ 🅿. ✗
fermé 20 sept. au 1er oct. et 1er nov. au 10 déc. – SC : **R** 35/48 – ☕ 9 – **28 ch** 78/90 – P 88/98.

Levant, ☎ 79.50.17, 🌳 – ⛀wc ☎ 🚗. ✗ rest
5 juin-25 sept. et 20 déc.-25 avril – SC : **R** 38/60 – ☕ 9,50 – **20 ch** 40/100 – P 84/110.

Le Clos 🔇, rte Mt-Dore ☎ 79.52.77, 🌳 – ⛆ 🅿. ✗ rest
15 juin-30 sept. et 20 déc.-15 avril – SC : **R** 35/50 – ☕ 8 – 20 ch 44/70 – P 81/88.

au Lac Pavin par D 978 : 4 km – ✉ **63610** Besse-en-Chandesse.

Voir Lac★★.

Env. S : Puy de Montchal ✴★★.

XX **Lac Pavin,** ☎ 79.62.79, ← lac – 🅿
1er mai-1er nov. – SC : **R** (déj. seul.) 37/75.

à Super-Besse O : 7 km – alt. 1 350 – Sports d'hiver : 1 350/1 850 m 1 14, –
✉ **63610** Besse-en-Chandesse.

Office de Tourisme (15 déc.-15 avril) ☎ 79.60.29.

Gergovia M, ☎ 79.60.15, ← – 40. rest
7 juin-13 sept. et Noël-Pâques – SC : **R** 55/60 – 13 – **53 ch** 120/200 – P 172/282.

CITROEN Chareyre, à St-Pierre-Colamine ☎ 96.77.19
PEUGEOT Gar. Fabre, ☎ 79.51.10
RENAULT Gar. des Lacs, ☎ 79.50.07

BESSENAY 69690 Rhône 73 ⑲ – 1 349 h. alt. 390 – 74.

Paris 467 – •Lyon 36 – Montbrison 51 – •St-Étienne 63.

XX **Aub. de la Brevenne** avec ch, ☎ 70.80.01 – P. ch
fermé dim. soir et lundi – SC : **R** 60/150 – 8,50 – 7 ch 50/60.

BESSINES-SUR-GARTEMPE 87250 H.-Vienne 72 ⑧ – 2 580 h. alt. 344 – 55.

Paris 358 – Argenton-sur-Creuse 58 – Bellac 32 – Guéret 48 – •Limoges 35 – La Souterraine 20.

Toit de Chaume M, S : 5 km sur rte Limoges ☎ 76.01.02, – TV wc P – 40. AE GB
1er mars-15 nov. et fermé dim. soir sauf vacances scolaires – SC : **R** grill carte environ 65 – 15 – **20 ch** 130/160.

Vallée, N 20 ☎ 76.01.66 – wc P.
fermé 19 au 25 oct., fév., sam. du 15 nov. au 1er mars et dim. soir du 1er mars au 15 nov. – SC : **R** 30/125 – 9 – 20 ch 45/95 – P 100/150.

Centre, ☎ 76.03.17 – P.
fermé 15 sept. au 15 oct. et dim. hors sais. – SC : **R** 30/80 – 8,50 – 18 ch 40/65 – P 90/110.

XX **Manoir Henri IV** avec ch, à La Croix du Breuil N : 3 km sur N 20 ☎ 76.00.56, parc – wc P. GB
fermé 2 au 17 janv. et mardi – SC : **R** 36/150 – 10,50 – 4 ch 50/100.

X **Bellevue,** N 20 ☎ 76.01.99 – P
fermé 10 fév. au 10 mars et lundi d'oct. à fin juin sauf fêtes – SC : **R** 28/70 .

à Chanteloube S : 7 km par N 20 – ✉ **87640** Razès :

Relais de Chanteloube, ☎ 71.03.10 – ch P.
fermé 15 oct. au 15 nov., dim. et fêtes sauf le soir du 1er juil. au 15 sept. – SC : **R** 24/29 – 8 – 12 ch 40/56.

RENAULT Gar. Desmoulins, ☎ 76.05.23

BÉTHARRAM (Grottes de) ** 64 Pyr.-Atl. 85 ⑰ G. Pyrénées.

Ressources hôtelières : voir à Lestelle-Bétharram.

Les localités dont les noms sont soulignés de rouge sur les cartes Michelin à 1/200 000 sont citées dans ce guide. Utilisez une carte récente pour profiter de ce renseignement régulièrement mis à jour.

BÉTHUNE SP 62400 P.-de-C. 51 ⑭ G. Nord de la France – 28 279 h. alt. 25 – 21.

Office de Tourisme (fermé sam. après-midi et dim.) et A.C. 34 Grand'Place ☎ 25.26.29.

Paris 213 ② – •Amiens 87 ④ – Arras 33 ④ – Boulogne 95 ⑤ – Douai 39 ② – Dunkerque 67 ⑥.

Plan page suivante

France II M, à Beuvry par ② : 4 km rte Lille ✉ 62660 Beuvry ☎ 25.34.34, Télex 110691, parc – TV wc P – 35 à 120. AE GB E
SC : **R** 50/120 – 14 – **52 ch** 130/200 – P 180/230.

Vieux Beffroy, 48 Grand'Place ☎ 25.15.00 – TV wc wc – 30. GB. Y **e**
R 42/60 – 10 – **60 ch** 50/130 – P 100/150.

Bernard et Gare, pl. Gare ☎ 25.20.02 – wc wc – 30. Z **z**
SC : **R** *(fermé dim. soir)* 34/80 – 9,50 – **35 ch** 47/90 – P 110/140.

Commerce, 719 bd R.-Poincaré ☎ 25.30.11 – Z **b**
SC : **R** 40, carte le dim. – 9,50 – **20 ch** 38/60.

AUDI-VOLKSWAGEN Gar. Roger, N 41, Labuissière ☎ 26.57.30
CITROEN SO.CA.BE., 1220 av. Winston-Churchill ☎ 25.15.70 N ☎ 25.16.83
FORD Gar. St-Vaast, 66 r. S.-Carnot ☎ 01.19.19
OPEL Plantaz-Dubois, 189 bd Kitchener ☎ 25.15.88
PEUGEOT Mizon, 329 av. Kennedy ☎ 57.12.05 N ☎ 25.16.83
RENAULT Dist.-Autom.-Béthunoise, 255 bd Thiers ☎ 25.24.30
TALBOT Bondu, 136 rte Nationale, Beuvry ☎ 25.38.85
Béthune-Autom., 4 av. Winston-Churchill ☎ 25.20.60
La Maison du Pneu, 37 r. d'Aire ☎ 57.02.10

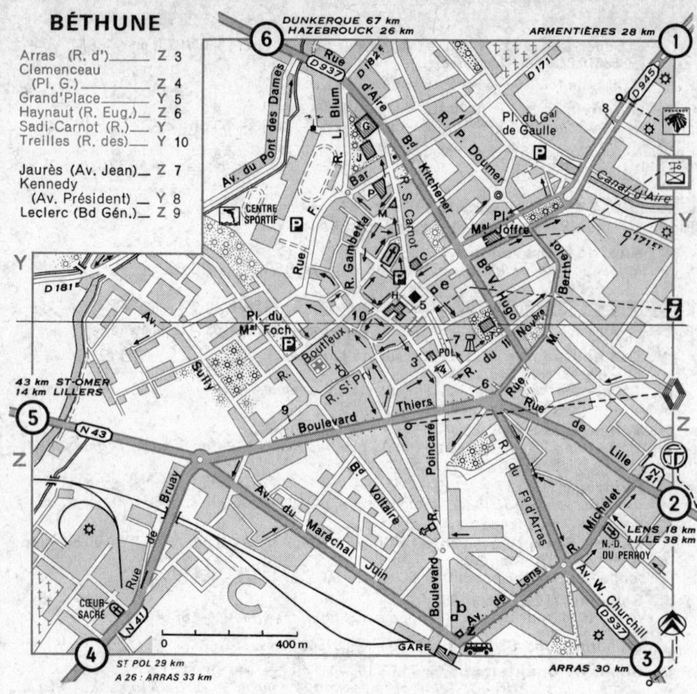

BETON-BAZOCHES 77 S.-et-M. 61 ④ – 557 h. alt. 135 – ✉ **77320** La Ferté-Gaucher – ☎ 6.
Paris 75 – Coulommiers 19 – Melun 54 – Provins 21 – Sézanne 36.

- **Croix d'Or,** ☎ 401.01.48 – 🚗 Ⓟ. ✂ ch
  fermé 10 au 24 juil., 8 au 20 sept. et merc. – **R** 25/42 🍷 – ☕ 10 – **8 ch** 35/48.
- **Aub. St-Christophe,** N 4 ☎ 401.01.09 – Ⓟ. ✂
  fermé 15 juin au 15 juil., mardi soir et merc. – SC : **R** 33/80 🍷.

BETTEX 74 H.-Savoie 74 ⑧ – rattaché à St-Gervais.

BEUIL 06 Alpes-Mar. 81 ⑨, 195 ④ **G. Côte d'Azur** – 343 h. alt. 1 450 – Sports d'hiver : 1 450/1 890 m ⛷6, ⛷ – ✉ **06470** Guillaumes – ☎ 93 – **Voir Site★ – Route de la Vionène★** E.
Paris 859 – Barcelonnette 83 – Digne 115 – ♦Nice 79 – Puget-Théniers 30 – St-Martin-Vésubie 53.

- **L'Escapade** sans rest, ☎ 02.31.27, ≤ – ⊟wc ⋒wc ☎. ✂
  SC : ☕ 9,50 – **10 ch** 38/94.
- **Edelweiss,** ☎ 02.30.05, ≤ – ⊟. ✂ ch
  1er juin-30 sept., 18 déc.-30 avril et fermé merc. – SC : **R** 35/70 – ☕ 10 – 24 ch 65 – P 95/100.
- Bellevue avec ch, ☎ 02.30.04, ≤ – ✂ ch
  fermé 31 mai au 14 juin et 16 sept. au 15 déc. – SC : **R** 35/65 – 6 ch.

La BEUNAZ 74 H.-Savoie 70 ⑱ – rattaché à Bernex.

BEUTIN 62 P.-de-C. 51 ⑪ – rattaché à Montreuil.

BEUVEILLE 54 M.-et-M. 57 ② – rattaché à Longuyon.

BEUVRON-EN-AUGE 14 Calvados 54 ⑰ **G. Normandie** – 313 h. – ✉ **14430** Dozulé – ☎ 31.
Voir ✻★ de l'église de Clermont-en-Auge NE : 3 km.
Paris 224 – Cabourg 15 – ♦Caen 30 – Lisieux 28 – Pont-L'Evêque 32.

- **Pavé d'Auge,** ☎ 79.26.71, « Halles anciennes » – AE
  fermé 1er au 18 déc. et mardi – SC : **R** 50/120.

CITROEN Gar. Duval, ☎ 79.23.21

BEUZEVILLE 27210 Eure 55 ④ – 2 415 h. alt. 125 – 32.

Syndicat d'Initiative à la Mairie (fermé sam. et dim.) ℗ 57.70.40.

Paris 184 – Bernay 40 – Deauville 24 – Évreux 79 – Honfleur 15 – Le Havre 48 – Pont-l'Évêque 14.

Petit Castel M sans rest, ℗ 57.76.08, – wc. AE.
fermé déc. et janv. – SC : 11 – **16 ch** 93/155.

Aub. Cochon d'Or avec ch, ℗ 57.70.46 – . AE E.
fermé 15 déc. au 15 janv. et lundi – SC : **R** 36/95 – 11 – 7 ch 60/72 – P 135/165.

CITROEN Perrin, ℗ 57.70.52
PEUGEOT Bouloché, à Boulleville ℗ 41.21.31
PEUGEOT Gar. de Normandy, ℗ 57.70.94
RENAULT Gar. Central, ℗ 57.70.26 N

BEYNAC et CAZENAC 24 Dordogne 75 ⑰ G. Périgord – 411 h. alt. 60 – 24220 St-Cyprien – 53.

Voir Château : site★★, ★★ – Château de Castelnaud★ : site★★, ★★★ S : 4 km.

Paris 549 – Bergerac 63 – Fumel 64 – Gourdon 33 – Périgueux 64 – Sarlat-la-Canéda 11.

Bonnet, ℗ 29.50.01, – wc wc . .
1er avril-15 oct. – SC : **R** 65/100 – 15 – 21 ch 85/135 – P 170/180.

à Vezac SE : 2 km – 24220 St-Cyprien :

Oustal de Vézac M sans rest, ℗ 29.54.21, – wc . AE GB
10 – **20 ch** 120/140.

Le Souqual, ℗ 29.50.59, « Jardin » – . GB
fermé 20 déc. au 10 janv., 15 au 30 juin et mardi sauf juil., août et sept. – SC : **R** 45/80.

BEYNAT 19190 Corrèze 75 ⑨ – 1 179 h. alt. 480 – 55.

Paris 510 – Argentat 24 – Brive-la-Gaillarde 20 – Figeac 90 – Tulle 25.

Touristes, ℗ 85.50.20 –
fermé janv. et vend. sauf du 1er juil. au 31 août – SC : **R** 27/75 – 8 – **13 ch** 39/70 – P 90/100.

CITROEN Saulle, ℗ 85.50.52
RENAULT Gar. de la Mairie, ℗ 85.50.12

BEYRÈDE (Col de) 65 H.-Pyr. 85 ⑲ – alt. 1 417 – 65200 Bagnères-de-Bigorre – 62.

Paris 815 – Auch 92 – Bagnères-de-Bigorre 23 – Lannemezan 29 – St-Gaudens 56 – Tarbes 59.

Relais du Col avec ch, ℗ 95.37.70 –
sais. – 5 ch.

Les BÉZARDS 45 Loiret 65 ② – alt. 163 – 45290 Nogent-sur-Vernisson – 38.

Paris 137 – Auxerre 76 – Cosne-sur-Loire 50 – Gien 16 – Joigny 58 – Montargis 23 – Orléans 69.

Auberge des Templiers M , ℗ 31.80.01, Télex 780998, « Bel ensemble hôtelier dans un parc », , – TV – 30. GB
fermé mi-janv. à mi-fév. – **R** 150/220 et carte – 25 – 20 ch 210/390, 7 appartements 420/600
Spéc. Rognon de veau à la berrichone, Gibiers (saison), Fricassée de turbot. Vins Sancerre, Pouilly-sur-Loire.

Château des Bézards , ℗ 31.80.03, Télex 780335, , « Parc », , , –
– 40 à 60. AE GB
SC : **R** 72 (sauf sam.)/125 – 19 – 39 ch 140/255, 3 appartements 380 – P 300/500.

BÉZAUDUN-LES-ALPES 06 Alpes-Mar. 81 ⑳, 195 ㉕ – 61 h. alt. 800 – 06510 Carros – 93.

Paris 863 – Castellane 65 – Grasse 42 – Nice 46 – St-Martin-Vésubie 59 – Vence 24.

Les Lavandes avec ch, ℗ 59.01.08, –
1er oct.-1er juin rest. seul. et fermé jeudi – **R** 65 – 8 – 9 ch (pens. seul.) – P 100.

BÉZIERS SP 34500 Hérault 83 ⑮ G. Causses – 85 677 h. alt. 70 – 67.

Voir Anc. cathédrale St-Nazaire★ AY E : terrasse ★.

de Béziers-Vias ; Touraine Air Transport ℗ 94.44.44 par ③ : 18 km.

Office de Tourisme 27 r. Quatre-Septembre (fermé dim.) ℗ 49.24.19.

Paris 823 ③ – Clermont-Fd 370 ③ – Marseille 227 ③ – Montpellier 67 ③ – Perpignan 93 ⑤.

Plan page suivante

Nord sans rest, 15 pl. Jaurès ℗ 28.34.09 – TV. AE. BZ z
SC : 11 – **43 ch** 70/185.

Europe sans rest, 87 av. Prés.-Wilson ℗ 76.08.97, Télex 490064 – TV
. AE GB E CZ b
SC : 15 – **30 ch** 119/219.

tourner →

BÉZIERS

Flourens (R.)	AY	18
Péri (Pl. Gabriel)	AY	44
République (R. de la)	AY	51
Riquet (R. Paul)	AY	53
Abreuvoir (R. de l')	AZ	2
Albertini (Av. Auguste)	V	3
Albertini (Av. Enseigne)	V	4
Canterelles (R.)	AZ	6
Citadelle (R. de la)	BY	7
Claparède (Av. É.)	V	8
Corneilhan (Av. de)	BX	9
Coubertin (Av. P. de)	V	10
Drs-Bourguet (R. des)	AZ	13
Dr-Vernhes (R. du)	AY	14
Espagne (Rte d')	V	15
Estienne-d'Orves (Av.)	BYZ	16
Font-Neuve (Av. de la)	BX	19
Four-à-Chaux (Bd du)	V	20
Garibaldi (Pl.)	BZ	21
Genève (Bd de)	V	22
Injalbert (Bd Antonin)	V	25
Joffre (Av. Mar.)	BZ	26
Juin (Bd Mar.)	V	28
Kennedy (Bd Prés.)	V	29
Lattre-de-T. (Bd Mar.-de)	V	30
Leclerc (Bd Mar.)	V	31
Madeleine (Pl. de la)	AY	33
Malbosc (R. Louis)	V	34
Massol (R.)	AZ	35
Moulins (Rampe des)	AY	38
Nat (Bd Yves)	V	39
Orb (R. de l')	AZ	42
Perréal (Bd Ernest)	V	45
Pont-Vieux (Av. du)	V	46
Puits-des-Arènes (R. du)	ABZ	50
Révolution (Pl. de la)	AY	52
Saint-Jacques (R.)	ABZ	55
Sérignan (Av. de)	V	56
Tourventouse (Bd)	AZ	58
Viala (R. A.)	V	60
Victoire (Pl. de la)	BY	61
Viennet (R.)	AY	62
11-Novembre (Pl. du)	BX	66

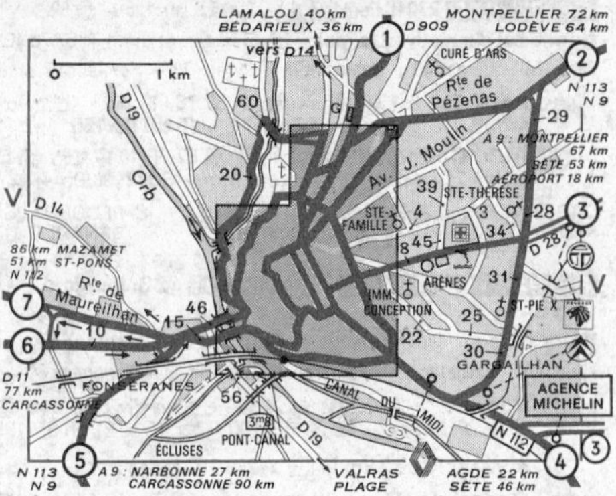

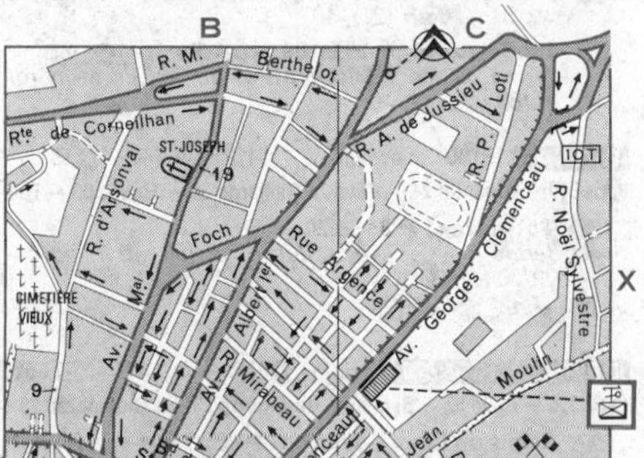

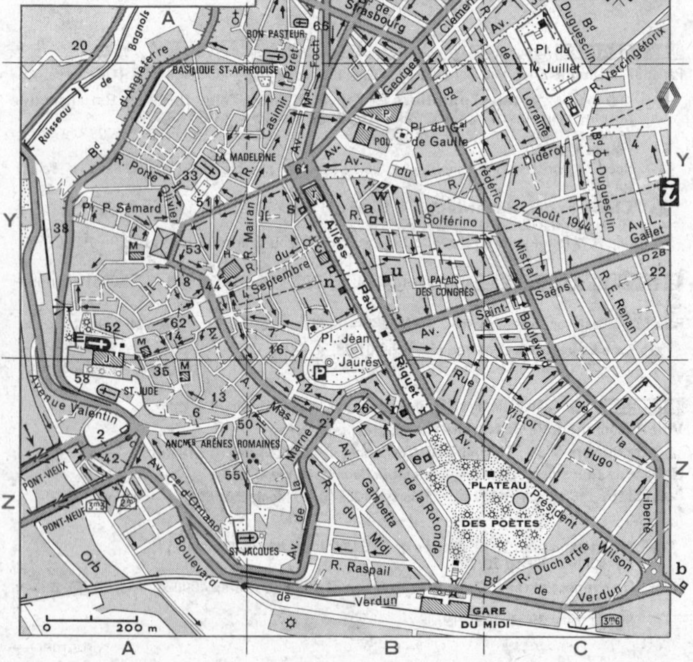

Imperator sans rest, 28 allées P.-Riquet ☎ 49.02.25 – wc wc. AE E BY **n**
SC : 14 – **45 ch** 100/180.

Midi et Rest. La Rascasse, 13 r. Coquille ☎ 49.13.43 – wc wc. AE GB E BY **s**
fermé 15 nov. au 10 déc. – SC : **R** *(fermé dim. sauf août)* 50/90 – 14 – **31 ch** 75/205 – P 150/195.

Splendid H. sans rest, 24 av. du 22-Août ☎ 28.23.82 – wc. BY **w**
SC : 10 – **26 ch** 45/95.

Concorde sans rest, 7 r. Solférino ☎ 28.31.05 – BY **a**
SC : 9 – **32 ch** 43/75.

Poètes sans rest, 80 allées P.-Riquet ☎ 76.38.66 – wc BZ **e**
SC : 9 – **14 ch** 48/90.

XXX ✿✿ **L'Olivier** (Roque), 12 r. Boïeldieu ☎ 28.86.64 – AE GB E BY **u**
fermé 17 mai au 1er juin, 19 déc. au 4 janv., dim. soir et lundi – **R** (nombre de couverts limité - prévenir) carte 135 à 180
Spéc. Flan de morilles aux palourdes, Steak de loup grillé, Foie de canard aux poires. **Vins** Corbières.

XX **Ragueneau,** 36 allées P.-Riquet ☎ 28.35.17 – BY **n**
fermé 24 déc. au 24 janv. et sam. – SC : **R** 42/68.

XX **La Croustade,** 30 av. 22-Août ☎ 28.26.60 – AE GB BY **w**
fermé 15 au 28 fév., dim. soir et lundi – SC : **R** 39/68.

X **Cigale,** 60 allées P.-Riquet ☎ 28.21.56 – AE GB E BZ **r**
fermé 15 au 30 sept., 15 fév. au 1er mars, lundi soir et mardi – SC : **R** 55/110.

par ③ : 5 km à l'échangeur A 9 Est – ✉ **34420** Villeneuve-les-Béziers :

Minimote, ☎ 62.55.14, Télex 480938 – wc ☎ – 45. AE GB
SC : **R** carte environ 70 – 14 – **50 ch** 130/160.

MICHELIN, Agence, av. de la Devèze, Z.I. du Capiscol V ☎ **76.23.71.**

ALFA-ROMEO Gar. Gayraud, 18 bd Kennedy ☎ 76.19.18
AUDI-VOLKSWAGEN St-Saens-Autos, 7 av. St-Saens ☎ 76.50.25
AUSTIN, MORRIS, TRIUMPH Gd Gar. Foch, 119 av. Foch ☎ 31.27.42
CITROEN Ets Tressol, rte Agde ☎ 76.90.90
CITROEN Mirouse, 130 av. Foch ☎ 28.32.84
FORD Chapat, 21 r. A.-de-Musset ☎ 76.55.34
MERCEDES-BENZ S.A.B.V.I.-Verdoux, le Manteau Bleu, rte de Narbonne ☎ 28.86.04
OPEL France-Auto, rte de Bessan ☎ 62.07.21
PEUGEOT Gd Gar. du Biterrois, rte de Bessan ☎ 76.16.03
RENAULT Succursale, 123 av. Prés.-Wilson ☎ 62.01.85
RENAULT Gar. Berlioz, 7 bis r. Berlioz ☎ 28.25.52
TALBOT Béziers Exploitation Autos, rte de Bessan ☎ 62.22.69
TOYOTA S.A.D.A., rte de Pézenas, Le Garissou ☎ 76.05.13
VOLVO SOCRA, 49 bd de Verdun ☎ 76.57.54

Béziers-Pneus, 15 av. de la Marne ☎ 28.84.31
Estournet, 65 bd Mistral ☎ 28.22.82
Gautrand-Pneu, 62 av. Clemenceau ☎ 28.20.58
Longuelane, 16 av. Pont-Vieux ☎ 49.00.47
Midi-Pneu, 102 bd de la Liberté ☎ 76.47.98
Pagès, 27 quai Port-Notre-Dame ☎ 28.41.83
Piot-Pneu, av. de la Devèze, Zone Ind. du Capiscol ☎ 76.17.10

BIARRITZ

BIARRITZ 64200 Pyr.-Atl. **78** ⑪⑱, **85** ② **G. Pyrénées** – 27 653 h. alt. 40 – Casinos : Municipal EY, Bellevue EY – 59.

Voir ≤** de la Perspective DZ **E** – ✱* du phare et de la Pointe St-Martin AX – Rocher de la Vierge* DY – **Musée de la mer*** DY **M.**

18 ☎ 03.71.80 NE : 1 km - AX ; 18 de Chiberta ☎ 63.83.20 N : 5 km.

de Biarritz-Bayonne-Anglet ☎ 24.00.92 : 2 km - ABX.

☎ 24.00.94.

Office de Tourisme square d'Ixelles (fermé dim. sauf matin en saison) ☎ 24.20.24, Télex 570032.

Paris 749 ⑦ – •Bayonne 8 – •Bordeaux 185 ⑦ – Pau 115 ② – S.-Sebastián 50 ⑤.

Plans pages suivantes

Palais , 1 av. Impératrice ☎ 24.09.40, Télex 570000, ≤, « Belle piscine avec snack », – – 200. AE E. rest EY **k**
mai-oct. – SC : **R** à la piscine (déj. seul.) carte environ 110, au rest. carte 115 à 180 – 30 – **120 ch** 335/720, 20 appartements.

Plaza [M], av. Édouard-VII ☎ 24.74.00, Télex 570048, ≤ – – 30. AE E. rest EY **p**
SC : **R** *(fermé dim. hors sais.)* 100 – 20 – **60 ch** 150/310.

Eurotel , 19 av. Perspective ☎ 24.32.33, Télex 570014, ≤ mer – cuisinette – 40. AE GB . rest DY **k**
fermé 15 nov. au 15 déc. – SC : **R** *(fermé dim. hors sais.)* 70/110 – 20 – **60 ch** 160/295 – P 275/308.

Président [M] sans rest, pl. Clémenceau ☎ 24.66.40 – – 40. AE .
SC : 15 – **64 ch** 170/200. EY **s**

tourner →

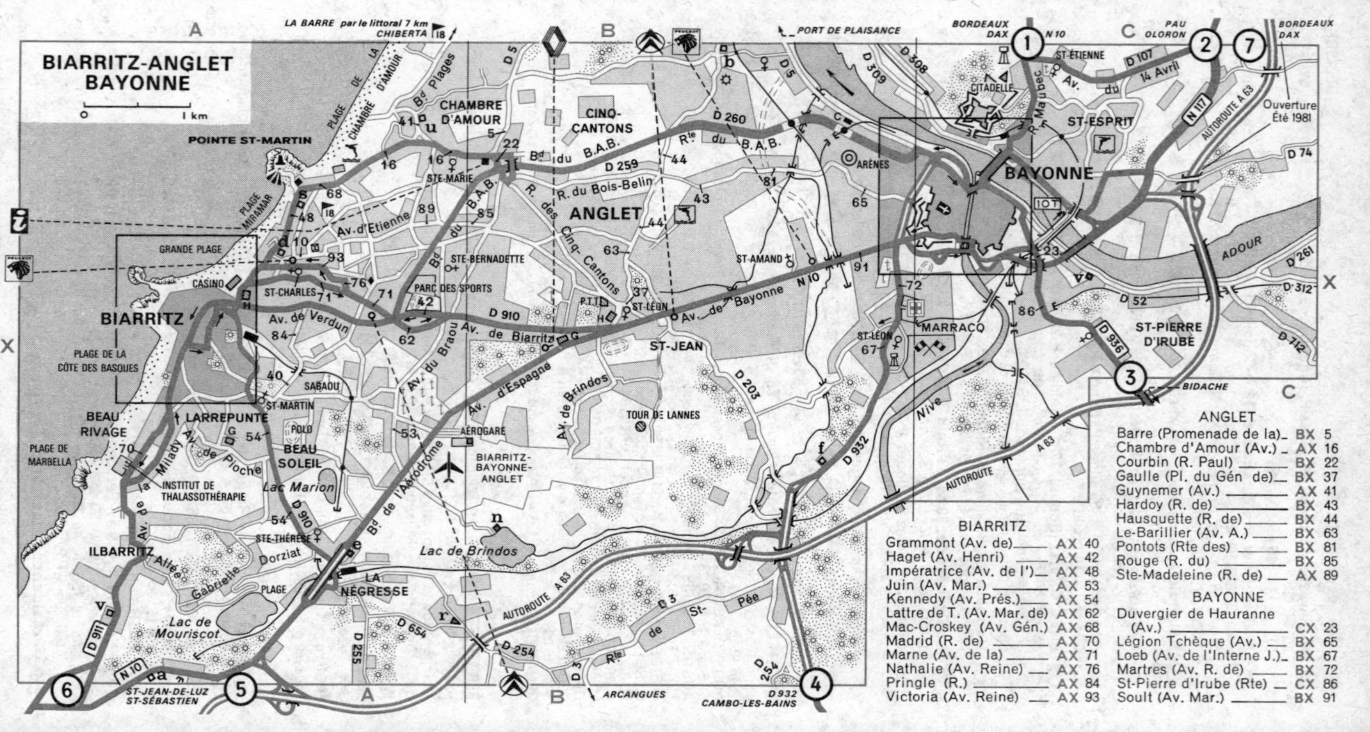
BIARRITZ-ANGLET
BAYONNE
0
1 km
LA BARRE par le littoral 7 km
CHIBERTA
PORT DE PLAISANCE
BORDEAUX DAX
N 10
PAU OLORON
BORDEAUX DAX
POINTE ST-MARTIN
CHAMBRE D'AMOUR
CINQ-CANTONS
ANGLET
BAYONNE
ST-ESPRIT
CITADELLE
ARÈNES
ADOUR
ST-PIERRE D'IRUBE
BIDACHE
MARRACQ
Nive
ST-LÉON
ST-AMAND
ST-JEAN
TOUR DE LANNES
BIARRITZ
GRANDE PLAGE
CASINO
PLAGE MIRAMAR
PLAGE DE LA CÔTE DES BASQUES
BEAU RIVAGE
PLAGE DE MARBELLA
LARREPUNTE
INSTITUT DE THALASSOTHÉRAPIE
BEAU SOLEIL
Lac Marion
ILBARRITZ
Lac de Mouriscot
LA NÉGRESSE
Lac de Brindos
AÉROGARE
BIARRITZ-BAYONNE-ANGLET
PARC DES SPORTS
STE-BERNADETTE
STE-MARIE
ST-CHARLES
ST-MARTIN
STE-THÉRÈSE
SABAOU
POLO
Ouverture Été 1981
AUTOROUTE A 63
ST-JEAN-DE-LUZ ST-SÉBASTIEN
ARCANGUES
CAMBO-LES-BAINS
ANGLET
Barre (Promenade de la) BX 5
Chambre d'Amour (Av.) AX 16
Courbin (R. Paul) BX 22
Gaulle (Pl. du Gén de) BX 37
Guynemer (Av.) AX 41
Hardoy (R. de) BX 43
Hausquette (R. de) BX 44
Le-Barillier (Av. A.) BX 63
Pontots (Rte des) BX 81
Rouge (R. du) BX 85
Ste-Madeleine (R. de) AX 89
BAYONNE
Duvergier de Hauranne (Av.) CX 23
Légion Tchèque (Av.) BX 65
Loeb (Av. de l'Interne J.) BX 67
Martres (Av. R. de) BX 72
St-Pierre d'Irube (Rte) CX 86
Soult (Av. Mar.) BX 91
BIARRITZ
Grammont (Av. de) AX 40
Haget (Av. Henri) AX 42
Impératrice (Av. de l') AX 48
Juin (Av. Mar.) AX 53
Kennedy (Av. Prés.) AX 54
Lattre de T. (Av. Mar. de) AX 62
Mac-Croskey (Av. Gén.) AX 68
Madrid (R. de) AX 70
Marne (Av. de la) AX 71
Nathalie (Av. Reine) AX 76
Pringle (R.) AX 84
Victoria (Av. Reine) AX 93

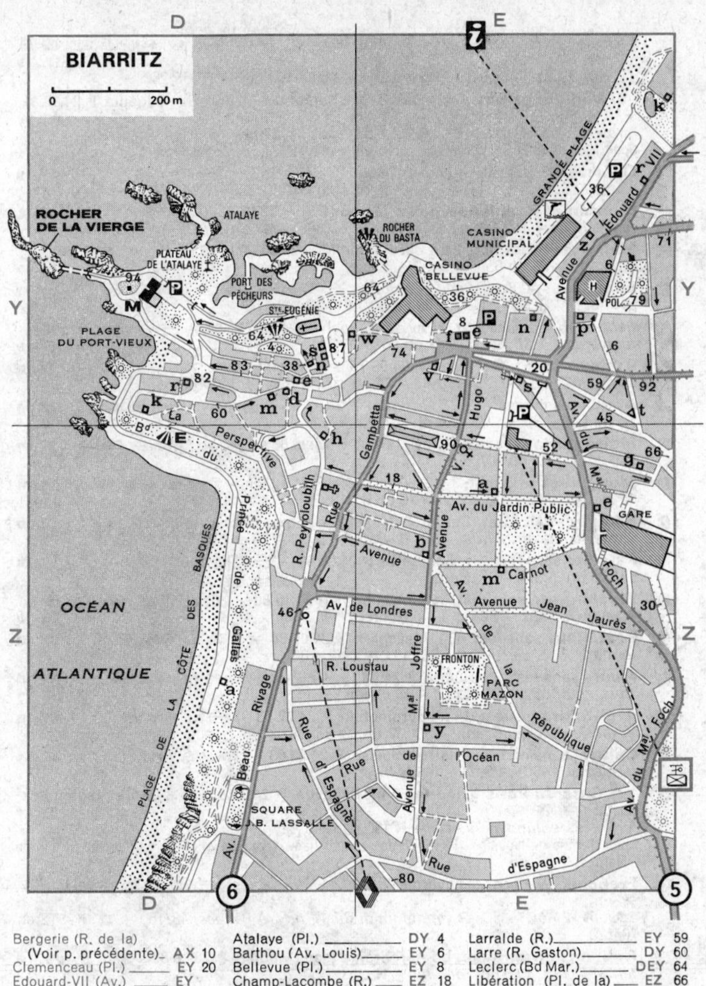

Bergerie (R. de la) (Voir p. précédente) AX 10		Atalaye (Pl.)	DY 4	Larralde (R.)	EY	59	
Clemenceau (Pl.)	EY 20	Barthou (Av. Louis)	EY 6	Larre (R. Gaston)	DY	60	
Edouard-VII (Av.)	EY	Bellevue (Pl.)	EY 8	Leclerc (Bd Mar.)	DEY	64	
Espagne (R. d')	DZ	Champ-Lacombe (R.)	EZ 18	Libération (Pl. de la)	EZ	66	
Foch (Av. du Mar.)	EYZ	Gare (Av. de la)	EZ 30	Marne (Av. de la)	EY	71	
Gambetta (R.)	DEZ	Gaulle (Bd du Gén. de)	EY 36	Petit (Av. Joseph)	EY	79	
Mazagran (R.)	EY 74	Goélands (R. des)	DY 38	Pioche (Av. de)	EZ	80	
Port-Vieux (Pl. du)	DY 82	Helder (R. du)	EY 45	Port-Vieux (R. du)	DY	83	
Verdun (Av. de)	EY 92	Hélianthe (Carr. d')	DZ 46	Ste-Eugénie (Pl.)	DY	87	
Victor-Hugo (Av.)	EYZ	Jaulerry (Av.)	EZ 52	Sobradiel (Pl.)	EZ	90	
				Vierge (Espl. de la)	DY	94	

Carlina [M] sans rest, bd Prince-de-Galles ☎ 23.03.86, Télex 550873, ⩽ – |♦| ▤ [TV] ☎ 🚗. AE GB ◑ — DZ **a**
SC : ☕ 20 – **31 ch** 240/400.

Régina et Golf, 52 av. Impératrice ☎ 24.09.60, Télex 541330, ⩽ – |♦| [TV] Ⓟ. AE GB ◑. ✗ rest — AX **s**
Pâques-31 oct. – SC : **R** 90 – ☕ 25 – **48 ch** 220/300, 6 appartements 400/450.

P.L.M. Victoria Surf [M] sans rest, 23 av. Édouard-VII ☎ 24.79.31, Télex 550459, ⩽, 🏊 – |♦| [TV] ☎ – 🏫 25 à 40. AE GB ◑ — EY **r**
SC : ☕ 19 – **57 ch** 190/285.

Windsor, Gde Plage ☎ 24.08.52 – |♦| ▤ rest [TV] ☎. AE GB ◑ E. ✗ rest — EY **z**
25 mars-10 nov. – SC : **R** 45/80 – ☕ 13 – 37 ch 90/210 – P 155/210.

tourner →

Florida M, pl. Ste-Eugénie ☎ 24.01.76 – ascenseur ⇔wc ⋒wc ☎. AE GB ① E. ※ rest DY **s**
12 avril-30 oct. – SC : **R** 40/65 – ☐ 14 – 45 ch 100/280 – P 165/250.

❀ **El Mirador et Rôt. Coq Hardi** (Doyhamboure), 10 pl. Ste-Eugénie ☎ 24.13.81, ≤ – ascenseur TV ⇔wc ⋒wc ☎. AE GB ① DEY **w**
fermé 15 janv. à mars – SC : **R** 80/140 – ☐ 18 – **27 ch** 185/260 – P 210/260
Spéc. Moules poulette, Marmite du pêcheur, Ris de veau. Vins Jurançon, Madiran.

Océan M, 9 pl. Ste-Eugénie ☎ 24.03.27 – TV ⇔wc ⋒wc ☎. DY **s**
10 avril-30 nov. – SC : **R** 45/75 – ☐ 15 – **24 ch** 110/220 – P 200/240.

Fronton et Résidence, 35 av. Mar.-Joffre ☎ 23.09.49 – ascenseur ⇔wc ⋒ ☎ P.
fermé 12 oct. au 24 nov. – SC : **R** 32/46 – ☐ 10 – **42 ch** 85/130 – P 135/185. EZ **y**

Malouthéa sans rest, 3 av. Jardin-Public ☎ 24.06.00 – ascenseur ⇔wc ☎. GB
SC : ☐ 11 – **25 ch** 65/115. EZ **a**

Beau Lieu, pl. Port-Vieux ☎ 24.23.59, ≤ – ⇔wc ⋒wc ☎. AE E DY **r**
avril-oct. – **R** 38 – ☐ 12 – **28 ch** 60/140 – P 120/160.

Etche Gorria sans rest, 21 av. Mar.-Foch ☎ 24.00.74, – ⇔wc ⋒wc ☎. ※
fermé janv. – SC : ☐ 12 – **11 ch** 60/140. EZ **e**

Atalaye ⛰, 6 r. Goélands ☎ 24.06.76 – ⇔wc ⋒wc ☎. ※ DY **n**
20 mars-1er nov. – SC : **R** 40/42 – **24 ch** ☐ 74/150 – P 120/160.

Abadiva sans rest, 15 r. E.-Ardouin ☎ 24.23.34 – ascenseur ⇔wc ⋒wc ☎. ※ EZ **g**
fermé fév. – SC : ☐ 10 – **16 ch** 60/120.

Maïtagarria sans rest, 34 av. Carnot ☎ 24.26.65 – ⇔wc ⋒wc ☎. EZ **m**
SC : ☐ 11 – **17 ch** 60/95.

Monguillot sans rest, 3 r. Gaston-Larre ☎ 24.12.23 – ⋒wc ☎. . ※ DY **m**
12 avril-15 déc. – SC : ☐ 10 – **15 ch** 80/135.

Édouard-VII, 21 av. Carnot ☎ 24.07.20 – ⇔wc ⋒wc ☎. ※ rest EZ **b**
fermé 10 oct. au 12 nov. – SC : **R** 40/45 – ☐ 10 – 25 ch 65/160 – P 110/180.

Palacito sans rest, 1 r. Gambetta ☎ 24.04.89 – ⇔ ⋒ ☎. GB. ※ EY **v**
SC : **26 ch** ☐ 68/110.

Washington sans rest, 34 r. Mazagran ☎ 24.10.80 – ⇔wc ⋒ ☎. GB E. ※
1er avril-30 sept. – SC : ☐ 11 – **20 ch** 52/145. DY **e**

Port Vieux sans rest, 43 r. Mazagran ☎ 24.02.84 – ⋒wc ☎. . ※ DY **d**
fermé 1er déc. au 1er fév. – SC : **18 ch** ☐ 65/130.

Fleurs sans rest, 3 r. Russie ☎ 24.03.15 – ⇔wc ⋒wc ☎ P. . ※ AX **d**
1er mars-31 oct. – SC : ☐ 10 – **19 ch** 65/135.

Argi-Eder sans rest, 13 r. Peyroloubilh ☎ 24.22.53 – ⇔wc ⋒wc ☎ DZ **h**
fermé 20 déc. au 15 janv. – SC : **17 ch** ☐ 85/150.

Central sans rest, 8 r. Maison-Suisse ☎ 24.20.03 – ⋒wc ☎. EY **t**
fermé fév. – SC : ☐ 9,50 – **14 ch** 46/95.

XXXX ❀❀ **Café de Paris** (Laporte), 5 pl. Bellevue ☎ 24.19.53, ≤, « Cadre élégant » – ▤. AE GB ①. ※ EY **f**
fermé fév. et lundi hors sais. – **R** 190 et carte
Spéc. Terrine de lapereau., Escalope de saumon (janv.-sept.) Ballotine de ris de veau et foie de canard.

XX **Français** avec ch, r. Lavernie ☎ 24.14.85 – ▤ rest ⇔wc ⋒ ☎. AE ①. ※ ch EY **n**
1er janv.-2 nov. – SC : **R** *(fermé lundi du 1er nov. à Pâques)* 48/150 – ☐ 9 – 12 ch 70/120 – P 180.

XX **Aub. de la Négresse,** bd Aérodrome (sous viaduc) ☎ 23.15.83 – ▤ AX **e**
fermé 1er oct. au 8 nov. et lundi – **R** carte 45 à 75.

XX **Aub. de Chapelet,** rte d'Arcangues ☎ 23.54.63, – P AX **r**
fermé 23 fév. au 31 mars et lundi – **R** 30/50.

X **L'Alambic,** 5 pl. Bellevue ☎ 24.53.41, ≤ – ▤. ※ EY **e**
fermé fév. et lundi hors sais. – **R** carte environ 80.

au Lac de Brindos SE : 5 km - BX – ✉ **64600** Anglet :

XXXX ❀ **Chât. de Brindos** M ⛰ avec ch, près aéroport ☎ 23.17.68, « Belle décoration intérieure, bord du lac, parc », ≤, ⛵, ※ – TV ⇔wc ☎ P – 30 à 60. AE GB BX **n**
fermé janv. – SC : **R** carte 130 à 165 – ☐ 28 – **17 ch** 250/500
Spéc. Millefeuille de jambon, Mousseline de turbot en feuilleté, Poussin en surprise. Vins Madiran, Jurançon.

à Arbonne S : 6 km par D 255 - AX – ✉ **64210** Bidart :

XX **Ferme d'Arbonne,** ☎ 23.55.17, ≤, – P. AE GB
SC : **R** 50.

à Arcangues S : 7 km par D 254 et D 3 - BX – ✉ **64200** Biarritz :

Marie-Eder sans rest, ☎ 23.57.09, ≤ – ⋒ ☎ P. . ※
fermé 14 au 30 oct. et mardi hors sais. – SC : ☐ 10 – **8 ch** 60/120.

Voir aussi ressources hôtelières d'***Anglet.***

AUDI-VOLKSWAGEN Paris-Biarritz Autom., 48 av. Foch ✆ 23.05.83
CITROEN Artola, 88 av. Marne ✆ 24.18.19
PEUGEOT Gar. Victoria, 13 av. Reine-Victoria ✆ 24.53.80
RENAULT Central-Auto-Gar., 1 carr. Hélianthe ✆ 23.02.30
Gar. Franco-Américain, av. Prés-Kennedy ✆ 23.15.42
Gar. Régina, 50 av. Impératrice ✆ 24.20.20
Gar. Ventura, 70 av. de la Milady ✆ 23.01.21 N

BIDARRAY 64 Pyr.-Atl. 85 ③ **G. Pyrénées** – 673 h. alt. 71 – ✉ **64780** Osses – 59.
Paris 776 – Cambo-les-Bains 16 – Pau 122 – St-Étienne-de-Baïgorry 16 – St-Jean-Pied-de-Port 19.

Pont d'Enfer ⑤, ✆ **37.09.67**, ←, ☞ – ⇔wc ⋒wc ☎ P.
1er mars-11 nov. – SC : **R** 44/58 – ☕ 10 – 18 ch 50/120 – P 100/135.

Erramundeya, ✆ **37.10.89,** ← – ⇔ ⋒ P
fermé 1er déc. au 15 fév. – SC : **R** 25/43 – ☕ 10 – **11 ch** 43/60 – P 93/100.

Noblia, ✆ **37.09.68** → ⇔ P. ✻ ch
SC : **R** 40/50 – ☕ 9 – **16 ch** 40/70 – P 80/100.

BIDART **64210** Pyr.-Atl. 78 ⑪⑱ **G. Pyrénées** – 3 046 h. – 59.
Voir Chapelle Ste-Madeleine ⁂★.
Syndicat d'Initiative r. Gde-Plage (1er juin-sept. et fermé dim. après-midi) ✆ 54.93.85.
Paris 756 – ♦Bayonne 12 – Biarritz 6 – Pau 119 – St-Jean-de-Luz 9.

Bidartea M, **N : 3 km sur N 10** ✆ **54.94.68,** ←, ⛱, ☞ – |‡| TV P – 30 à 150. AE GB E — plan Biarritz AX **a**
fermé fév. – **R** *(fermé lundi d'oct. à mars)* 40/80 – ☕ 16 – **30 ch** 90/160 – P 180/215.

Les Dunes, à Ilbaritz **N : 3 km sur D 911** ✆ **23.00.28,** ☞ – ⇔ ⋒ P. . ✻ rest
2 avril-31 déc., hors sais. week-ends et fêtes – SC : **R** 30/80 – ☕ 11 – 16 ch 40/60 – P 85/95. — plan Biarritz AX **v**

Itsas-Mendia, ✆ **54.90.23,** ←, ☞ – ⋒. ✻
1er avril-30 sept. – SC : **R** 38/50 – ☕ 9 – 19 ch 40/55 – P 88/95.

Ypua ⑤, **rte Chapelle** ✆ **54.93.11** – ⋒wc ☎ P
fermé vacances de fév. – SC : **R** *(fermé mardi)* 38/55 – ☕ 11 – **12 ch** 75/105 – P 130/140.

Le Chistera, **N 10** ✆ **26.51.07** – P. AE GB
fermé 15 oct. au 15 déc. et mardi hors sais. – SC : **R** (dîner seul.) carte 100 à 150.

L'Hacienda ⑤ **avec ch, rte d'Ahetze au SE : 2,5 km** ✆ **54.92.82,** ←, ☞ – ⇔wc ⋒wc ☎ P. . ✻ ch
fermé 15 janv. au 15 fév. et merc. – SC : **R** 48 bc/75 bc – ☕ 15 – **15 ch** 100/150 – P 125/175.

Élissaldia, **pl. Église** ✆ **54.90.03** – P. ✻
fermé 15 nov. au 15 déc. et merc. du 1er oct. au 1er juin – SC : **R** 35/50.

RENAULT Gar. Etchegaray, ✆ 54.92.57

BIDON 07 Ardèche 80 ⑨ **G. Vallée du Rhône** – 32 h. alt. 275 – ✉ **07700** Bourg-St-Andéol – 75 (Drôme).
Voir Aven de Marzal★★ O : 2 km.
Paris 643 – Montélimar 38 – Pierrelatte 16 – Pont-St-Esprit 18 – Privas 65 – Vallon-Pont-d'Arc 20.

Aub. du Pouzat, **S : 4 km sur D 290** ✆ **04.27.28** – P. ✻
Pâques-1er oct. et fermé jeudi – **R** 36/42.

BIÉVRES 08 Ardennes 56 ⑩ – 107 h. alt. 210 – ✉ **08370** Margut – 24.
Paris 257 – Charleville-Mézières 57 – Longuyon 39 – Sedan 35 – Verdun 61.

Relais de St-Walfroy, ✆ 22.61.62 – P
fermé mardi – SC : **R** 50/80.

BIGANOS 33 Gironde 78 ② – rattaché à Facture.

BILLIERS 56 Morbihan 63 ⑭ – rattaché à Muzillac.

BILLOM **63160** P.-de-D. 73 ⑮ **G. Auvergne** (plan) – 4 155 h. alt. 355 – 73.
Voir Église St-Cerneuf★.
Syndicat d'Initiative pl. Hôtel de Ville (15 juin-15 sept.) ✆ 70.40.22.
Paris 411 – Ambert 51 – ♦Clermont-Ferrand 27 – Issoire 32 – Le Mont-Dore 67 – Thiers 28 – Vichy 55.

Voyageurs **avec ch, pl. A.-Thomas** ✆ **70.40.28** – ⇔. ✻
fermé 15 déc. au 15 janv. et sam. hors sais. – SC : **R** 30/50 – ☕ 8 – 14 ch 35/55 – P 75/85.

CITROEN Gar. Central, ✆ 70.40.35
PEUGEOT Gar. Espagnol, ✆ 70.40.58
Gar. Ceretta, ✆ 70.40.90

BIOT 06410 Alpes-Mar. 84 ⑨, 195 ㉕ G. Côte d'Azur – 2 745 h. alt. 80 – ✆ 93.

Voir Musée Fernand Léger★★ – Retable du Rosaire★ dans l'église.

18 ✆ 65.08.48 S : 1,5 km.

Syndicat d'Initiative pl. Chapelle (fermé nov.) ✆ 65.05.85.

Paris 923 – Antibes 8 – Cagnes-sur-Mer 10 – Grasse 18 – ♦Nice 22 – Vence 19.

XX **Les Terraillers** avec ch, ✆ 65.05.94, « Ancienne poterie du XVIe s. » – wc wc ☎ Ⓟ. ch
fermé mardi, rest. : fermé 26 oct. au 6 déc. ; hôtel : fermé 10 oct. au 20 nov. – SC : **R** 47/98 – ☕ 12 – **11 ch** 110.

BIRIATOU 64 Pyr.-Atl. 85 ① – rattaché à Hendaye.

BISCARROSSE 40600 Landes 78 ⑬ G. Côte de l'Atlantique – 8 759 h. alt. 24 – ✆ 58.

Office de Tourisme 19 ter av. Plage à Biscarosse-Plage (fermé oct., Noël, sam. après-midi et dim. hors sais.) ✆ 78.20.96.

Paris 637 – Arcachon 39 – ♦Bayonne 131 – ♦Bordeaux 72 – Dax 96 – Mont-de-Marsan 87.

à Biscarosse-Bourg :

Le Relais sans rest, rte Parentis ✆ 78.10.46 – wc ☎ Ⓟ. GB.
SC : ☕ 12,50 – **24 ch** 80/125.

à Navarrosse N : 3,5 km par D 652 – ✉ 40600 Biscarrosse :

Transaquitain sans rest, ✆ 78.13.13 – wc ☎.
Pâques-30 sept. et fermé vend. hors sais. – SC : ☕ 12 – **10 ch** 90/130.

à Ispe N : 6 km – ✉ 40600 Biscarrosse :

La Caravelle ⑤, ✆ 78.02.67, ← – wc Ⓟ.
fermé 20 déc. au 20 janv., dim. soir et lundi hors sais. – SC : **R** 46/90 ⅁ – ☕ 12 – **11 ch** 72/130 – P 120/143.

à la Plage NO : 9,5 km par D 146 – ✉ 40520 Biscarrosse-Plage :

La Forestière, av. Pyla ✆ 78.24.14 – wc ☎ Ⓟ. GB E.
fermé du 15 oct. au 15 nov. – **R** 45/110 – ☕ 12 – **34 ch** 150/180 – P 210/245.

Aub. Régina, av. Libération ✆ 78.23.34 – wc Ⓟ. GB
12 avril-1er oct. – SC : **R** 35/120 ⅁ – ☕ 12 – 10 ch 50/132 – P 129/146.

PEUGEOT Labarthe, N 652, Zone Ind. ✆ 78.12.46

RENAULT Auto-Côte-d'Argent, av. A.-Daudet ✆ 78.06.66

BISCHWIHR 68 H.-Rhin 62 ⑲, 87 ⑦ – rattaché à Colmar.

BITCHE 57230 Moselle 57 ⑱ G. Vosges – 6 369 h. alt. 243 – ✆ 8.

Voir Fort du Simserhof★ O : 4 km.

Office de Tourisme à la Mairie (fermé sam. et dim.) ✆ 706.00.13.

Paris 428 – Haguenau 41 – Sarrebourg 62 – Sarreguemines 33 – Saverne 49 – Wissembourg 47.

XX **Strasbourg** avec ch, 24 r. Teyssier ✆ 706.00.44 – . ch
fermé 20 août au 20 sept., vacances de fév., jeudi soir et vend. – **R** 45/95, sam. et dim. à la carte ⅁ – ☕ 8,50 – 10 ch 45/65.

à l'étang de Hanau SE : 13 km par N 62 et VO – ✉ 57230 Bitche :

X **Plage,** ✆ 706.50.32, ← – Ⓟ
fermé 5 janv. au 21 fév., jeudi et vend. (sauf du 1er mai au 15 sept.) – SC : **R** 50/120 ⅁.

CITROEN Riwer, 1 r. du Bastion ✆ 706.00.08 N
PEUGEOT Feger, pl. de la gare ✆ 706.04.57
RENAULT Bang, r. J.-J.-Kieffer ✆ 706.07.08
RENAULT Gar. Rébmeister 47 r Pasteur à Rohrbach ✆ 709.70.36 N

RENAULT Gar. Hemmer, 52 r. d'Ingwiller à Goetzenbruck ✆ 706.62.10 N ✆ 706.81.09
TALBOT Bitche Autos, 40 r. de Sarreguemines ✆ 706.05.26

BLACERET 69 Rhône 73 ⑨ – alt. 250 – ✉ 69830 St-Georges-de-Reneins – ✆ 74.

Paris 429 – Bourg-en-Bresse 47 – Chauffailles 46 – ♦Lyon 42 – Mâcon 35 – Villefranche-sur-S. 9,5.

XX ✿ **Beaujolais** (Mayançon), ✆ 67.54.75 – AE GB
fermé fév., lundi soir et mardi – SC : **R** 55/115
Spéc. Terrine aux ris de veau, Poulet à la crème, Sorbet vigneron. **Vins** Beaujolais Villages, Brouilly.

RENAULT Bénétullière, Le Perréon ✆ 03.22.67

Dans ce guide
un même symbole, un même caractère
*imprimé en noir ou en rouge, en maigre ou en **gras***
n'ont pas tout à fait la même signification.
Lisez attentivement les pages explicatives (p. 13 à 20).

BLAESHEIM 67113 B.-Rhin 62 ⑨⑩ – 908 h. alt. 162 – 88.
Paris 493 – Erstein 15 – Molsheim 15 – Obernai 14 – Sélestat 34 – •Strasbourg 19.

XX ✿ **Boeuf** (Voegtling), ☎ 68.81.31 – ▤ Ⓟ. AE GB. ✂
fermé 1er au 15 août, 1er au 15 fév., dim. soir et lundi sauf fériés – SC : **R** 90/190, dîner à la carte
Spéc. Jambon façon des dames du couvent, Cassolette de sole aux queues d'écrevisses, Tournedos à la Strasbourgeoise. Vins Sylvaner, Riesling.

X **Schadt,** ☎ 68.86.00 – AE GB
fermé 3 au 23 juil. et jeudi – **R** carte 70 à 100.

BLAGNAC 31 H.-Gar. 82 ⑧ – rattaché à Toulouse.

BLAIN 44130 Loire-Atl. 63 ⑯ **G. Bretagne** – 7 208 h. alt. 23 – 40.
Voir Ruines★ du Château de Groulaie.
Paris 397 – Ancenis 48 – •Nantes 36 – Nozay 15 – Redon 33 – La Roche-Bernard 47 – St-Nazaire 44.

X **Petite Chaumière,** bord du Canal ☎ 79.00.85 – Ⓟ
fermé merc. soir et dim. soir – SC : **R** 25/90.

PEUGEOT Meimaroglou, 48 r. Nantes ☎ 79.11.55

BLAINVILLE 60 Oise 55 ⑩ – rattaché à Noailles.

Le BLANC 36300 Indre 68 ⑯ **G. Périgord** – 8 258 h. alt. 81 – 54.
Env. Église abbatiale★ de Fontgombault (chant grégorien) 8 km par ①.
Syndicat d'Initiative à l'Hôtel de Ville (fermé sam. après-midi et dim. hors sais.) ☎ 37.00.22.
Paris 299 ① – Bellac 61 ⑤ – Châteauroux 60 ③ – Châtellerault 53 ① – Poitiers 60 ⑥.

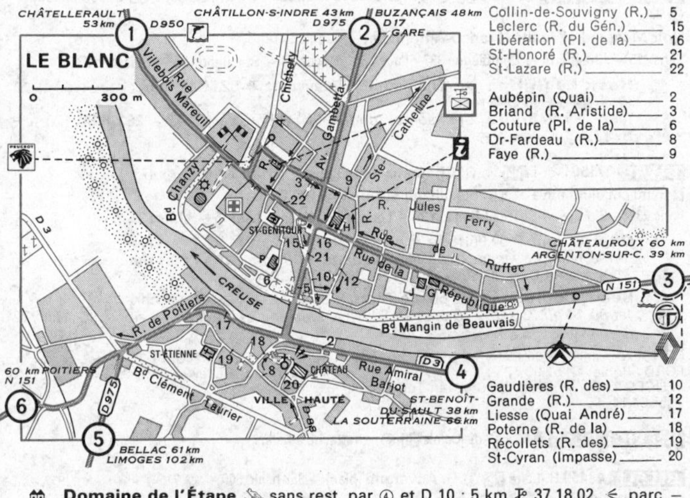

Domaine de l'Étape sans rest, par ④ et D 10 : 5 km ☎ 37.18.02, ≤, parc – wc wc Ⓟ.
SC : 13,50 – **15 ch** 64/150.

Promenade, 36 r. Saint-Lazare ☎ 37.10.07 – Ⓟ. GB
SC : **R** *(fermé jeudi)* 28/75 – 10 – 21 ch 38/88 – P 95/110.

PEUGEOT Auto-Agri-Centre, 28 r. A.-Chichery ☎ 37.06.38
TALBOT Le Blanc-Autom., rte Châteauroux ☎ 37.13.21

Le BLANC-MESNIL 93 Seine-St-Denis 56 ⑪, 101 ⑰ – voir à Paris Banlieue (Le Bourget).

BLANGY-SUR-BRESLE 76340 S.-Mar. 52 ⑥ – 3 406 h. alt. 48 – 35.
Paris 146 – Abbeville 25 – •Amiens 54 – Beauvais 70 – Dieppe 49 – •Rouen 74.

X **H. de Ville** avec ch, r. N.-Dame ☎ 93.51.57
fermé 1er au 30 août et dim. – **R** 31/76 – 13 – 5 ch 55/75 – P 120/150.

CITROEN Gar. Leleux, ☎ 93.50.52
CITROEN Gar. Letellier, ☎ 93.50.12
PEUGEOT Blangier, à Bouttencourt (Somme) ☎ 93.50.49 N
RENAULT Gar. Fauvel, ☎ 93.50.42 N
TALBOT Gar. Déné, à Bouttencourt (Somme) ☎ 93.51.06

BLAVOZY 43 H.-Loire 76 ⑦ – rattaché au Puy.

BLAYE <SP> 33390 Gironde 71 ⑦⑧ **G. Côte de l'Atlantique** (plan) – 5 010 h. alt. 8 – 56.
Voir Citadelle*.
Bac renseignements ☎ 42.04.49.
Office de Tourisme Allées Marines (juin-oct.) ☎ 42.02.45.
Paris 544 – •Bordeaux 50 – Cognac 77 – Libourne 44 – Royan 80 – Saintes 76.

La Citadelle M, dans la citadelle ☎ 42.17.10, ≤ estuaire, – TV wc – 50. AE GB
SC : **R** 49/75 – 11 – **21 ch** 113/150 – P 222/325.

à St-Seurin-de-Cursac NE : 5,5 km par D 937 – ✉ **33390** Blaye :

La Renaissance, ☎ 42.18.06
fermé 15 au 30 sept. – **R** *(fermé lundi)* 32 bc/50 – 8 – 10 ch 45/55.

AUDI-VOLKSWAGEN Gar. Menaud, ☎ 42.12.80
CITROEN Blaye Autom., à St-Martin-Lacaussade ☎ 42.13.91
PEUGEOT Ferandier-Sicard, à St-Martin-Lacaussade ☎ 42.03.41
RENAULT Bernicot, ☎ 42.01.44

BLÉNEAU 89220 Yonne 65 ③ – 1 673 h. alt. 171 – 86.
Paris 155 – Auxerre 52 – Bonny-sur-Loire 20 – Briare 19 – Clamecy 73 – Gien 29 – Montargis 41.

Aub. du Point du Jour, 8 r. A.-Briand ☎ 74.94.38
fermé 15 janv. au 15 fév., dim. soir et lundi – SC : **R** (dîner sur commande) 50/80.

PEUGEOT S.A.P., ☎ 74.94.39
TALBOT Gar. Guilbert, ☎ 74.91.42 N ☎ 74.80.57

BLÉRANCOURT 02 Aisne 56 ③ **G. Nord de la France** – 1 149 h. alt. 68 – ✉ **02300** Chauny – 23.
Voir Musée de l'Amitié Franco-Américaine.
Paris 115 – Chauny 14 – Compiègne 33 – Laon 46 – Noyon 14 – St-Quentin 45 – Soissons 23.

Host. Le Griffon, Château de Blérancourt ☎ 52.60.11, parc – wc – 30. rest
fermé 25 au 31 déc., dim. soir et lundi – SC : **R** 55/80 – 12 – **26 ch** 50/120 – P 260/320.

BLÉRÉ 37150 I.-et-L. 64 ⑯ **G. Châteaux de la Loire** – 4 113 h. alt. 60 – 47.
Syndicat d'Initiative pl. Ch.-Bidault (juil.-août) ☎ 57.93.00.
Paris 232 – Blois 45 – Château-Renault 35 – Loches 25 – Montrichard 16 – •Tours 27.

Cher, r. Pont ☎ 57.95.15 – wc. ch
fermé Noël et vacances de fév., lundi du 1er avril au 1er oct. et dim. du 1er oct. au 31 mars – SC : **R** 40/80 – 12 – 19 ch 65/110.

Boeuf Couronné avec ch, rte Tours ☎ 57.90.42 – . ch
fermé 14 au 23 sept., 20 déc. au 20 janv., dim. soir et lundi hors sais. – SC : **R** 32/72 – 10 – 12 ch 44/52 – P 104/120.

CITROEN Caillet, ☎ 57.89.99
FORD Robier, ☎ 57.90.77
PEUGEOT Gar. Vigean, La Croix-en-Touraine ☎ 57.94.14
RENAULT Raoux, ☎ 57.92.36
TALBOT Gar. Bellevue, ☎ 57.90.39

BLÉRIOT-PLAGE 62 Pas-de-Calais 51 ② – rattaché à Calais.

BLESLE 43450 H.-Loire 76 ④ **G. Auvergne** (plan) – 853 h. alt. 500 – 71.
Voir Église St-Pierre* – Gorges de l'Alagnon* NE.
Paris 455 – Brioude 23 – Issoire 34 – Murat 44 – Le Puy 83 – St-Flour 39 – St-Germain-Lembron 26.

au Babory-de-Blesle SE : 1,5 km N 9 – alt. 500 – ✉ **43450** Blesle :

Gare, N 9 ☎ 76.21.10 –
fermé oct. et sam. hors sais. – SC : **R** 35/60 – 9 – **16 ch** 60/80.

Tourist'H., N 9 ☎ 76.22.10 –
fermé 15 nov. au 15 déc. et lundi hors sais. – SC : **R** 24/50 – 8 – **12 ch** 45/80 – P 70/80.

BLETTERANS 39140 Jura 70 ③ – 1 203 h. alt. 201 – 84.
Paris 386 – Chalon-sur-Saône 48 – Dole 49 – Lons-le-Saunier 13 – Poligny 27.

Cloche, ☎ 85.01.48 –
fermé sam. du 20 sept. à Pâques – **R** 30/60 – 9 – **14 ch** 40/65 – P 75/85.

Jura, ☎ 85.04.11 –
fermé 24 déc. au 15 janv. et vend. – SC : **R** 28/50 – 8,50 – **24 ch** 42/61 – P 80/85.

CITROEN Gar. Central, ☎ 85.00.89
RENAULT Gar. Moderne, ☎ 85.00.31

BLIGNY-SUR-OUCHE 21360 Côte-d'Or 69 ⑨ G. Bourgogne – 719 h. alt. 362 – 80.

Paris 291 – Autun 43 – Beaune 19 – ♦Dijon 47 – Pouilly-en-Auxois 21 – Saulieu 43.

✗ **Aub. du Val d'Ouche** avec ch (annexe), 20.12.06 – wc .
◆ *fermé vacances scolaires de Noël* – SC : **R** 35/65 – 9 – 24 ch 45/90 – P 80/95.

TALBOT Gar. Gueny, 20.12.15 N Gar. Central 20.11.01 N

Per pasti semplici a prezzi modici
scegliete gli esercizi indicati con la losanga

BLOIS P 41000 L.-et-Ch. 64 ⑦ G. Châteaux de la Loire – 51 950 h. alt. 73 – 54.

Voir Château*** Z (spectacle Son et Lumière*) – **Promenade autour du château**** – **Église St-Nicolas*** Z **E** – **Hôtel d'Alluye*** Y **D** – **Jardins de l'ancien Évêché** ≤* Y **B**.

Office de Tourisme (fermé dim. hors saison), Accueil de France (Informations et réservations d'hôtels, pas plus de 5 jours à l'avance) et T.C.F. Pavillon Anne de Bretagne, 3 av. Jean-Laigret 74.06.49, Télex 750135 – A.C.O. 23 bis r. Denis-Papin 74.03.21.

Paris 181 ① – Angers 152 ⑥ – ♦Le Mans 109 ⑦ – ♦Orléans 59 ① – ♦Tours 63 ①.

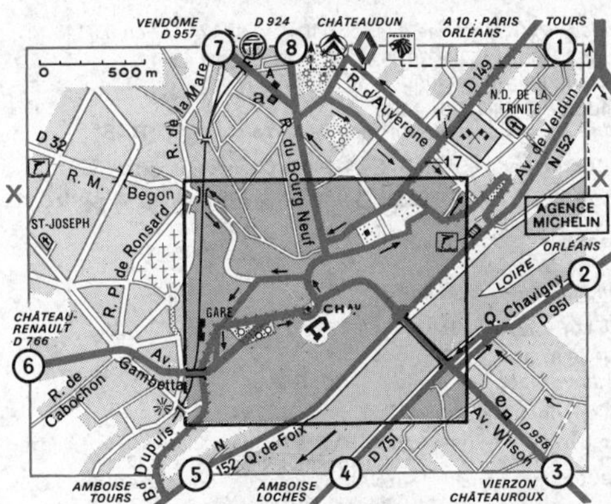

BLOIS

Commerce (R. du) YZ 9
Orfèvres (R. des) Z 18
Papin (R. Denis) YZ
Porte-Côté (R.) Y 23
Wilson (Av. Prés.) Z

Angleterre (R. d') Y 2
Beauvoir (R.) Y 4
Bourg-St-Jean (R.) Y 5
Chaîne (R. de la) Z 6
Château (Pl. du) Z 7
Clouseau (Mail) Y 8
Contant (Quai A.) Z 10
Fne-des-Élus (R.) Y 12
Fossés-du-Chât. (R.) Z 13
Maunoury (Av. Mal) X 17
Palais (R. du) Y 19
Papegaults (R. des) Y 20
Père-Monsabre (R.) Y 21
Porte-Chartraine (R.) Y 22
Puits-Châtel (R. du) Y 24
St-Louis (Pl.) Y 27
St-Lubin (R.) Z 28
Saussaye (Q. de la) Z 29

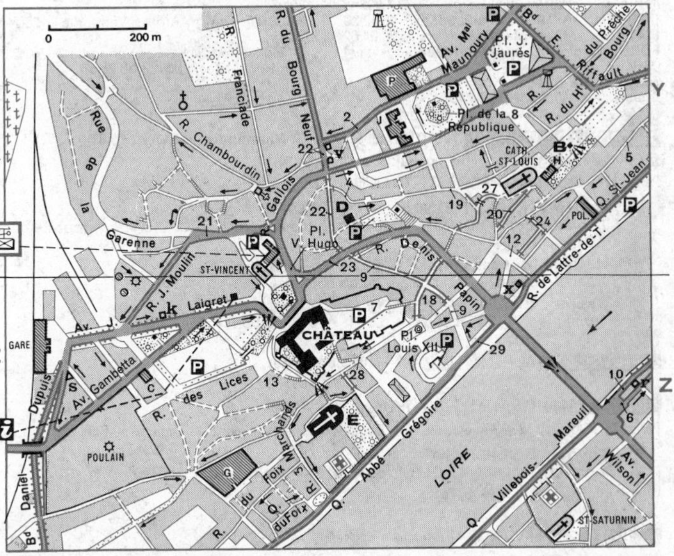

Ibis [M], par ⑧ : 2 km près échangeur A 10, r. Guignières ZI ☎ 74.60.60 – wc ☎. P.
SC : **R** carte environ 50 – 9 – **40 ch** 120/155.

Gd Cerf, 40 av. Wilson ☎ 78.02.16 – wc ☎. GB. ch — X **e**
fermé 15 au 26 déc. et vend. – SC : **R** 35/130 – 10 – **14 ch** 42/100.

Viennois, 5 quai A.-Contant ☎ 74.12.80 – wc ☎. — Z **r**
fermé 15 déc. au 15 janv., dim. soir et lundi midi hors sais. – SC : **R** 34/65 – 10 – 26 ch 44/110 – P 109/122.

Monarque, 61 r. Porte-Chartraine ☎ 78.02.35 – wc wc ☎ P. — Y **v**
fermé 15 déc. au 1er janv. – SC : **R** 40/75 – 12 – 22 ch 50/150.

Gerbe d'Or, 1 r. Bourg-Neuf ☎ 74.26.45 – wc — Y **v**
SC : **R** 32/70 – 12 – **25 ch** 40/150.

Brasserie St-Jacques, pl. Gare ☎ 78.04.15 – . — Z **s**
fermé 5 au 30 nov. et Noël-Jour de l'An – SC : **R** *(fermé sam. sauf Pâques et Pentecôte)* 38/70 – 15 – 28 ch 60/95.

Anne de Bretagne sans rest, 31 av. J.-Laigret ☎ 78.05.38 — Z **k**
fermé 1er au 15 mars et 15 au 28 fév. – SC : 10 – **14 ch** 46/65.

XXX **Host. Loire** avec ch, 8 r. Mar.-de-Lattre-de-Tassigny ☎ 74.26.60 – wc ☎. AE — Z **x**
fermé 15 janv. au 15 fév. – SC : **R** *(fermé dim.)* 55/110 – 12 – 17 ch 50/140.

XX **L'Espérance,** par ⑤ : 3 km N 152 ☎ 78.09.01, ← – P. AE GB
fermé 15 juil. au 10 août, dim. soir et lundi – SC : **R** 65/80.

X **Noë,** 10 bis av. Vendôme ☎ 74.22.26 – GB — X **a**
fermé vac. de fév., dim. d'oct. à juin et sam. midi de juin à oct. – SC : **R** 48.

à La Chaussée St-Victor par ① : 4 km – ✉ **41260** La Chaussée-St-Victor :

Novotel [M] , ☎ 78.33.57, Télex 750232, , – TV ☎ P – 150. AE GB
R snack carte environ 65 – 20 – **77 ch** 197/207.

XX **Tour,** N 152 ☎ 78.98.91 – P
fermé août, dim. soir et lundi – SC : **R** 48/68.

à Ménars par ① : 8 km – ✉ **41500** Mer :

XX **L'Époque,** N 152 ☎ 46.81.07
fermé 20 déc. au 20 janv., mardi soir et merc. – SC : **R** 36/94.

MICHELIN, Agence, Z.I. de Vineuil ☎ 78.03.42

AUDI-VOLKSWAGEN Auto-Service, 134 rte Nationale, St-Gervais-la-Forêt ☎ 78.67.84
AUSTIN, MORRIS, TRIUMPH Gd Gar. Central, 12 bis av. Wilson ☎ 78.02.15
BMW, LANCIA-AUTOBIANCHI Gar. Papon, 44 r. Mar.-De-Lattre-de-Tassigny ☎ 78.77.06
CITROEN SAPTA, rte Châteaudun ☎ 78.42.22
FIAT Blanc, 42 av. Mar.-Maunoury ☎ 78.04.62
FORD Peigné, 20 av. Mar.-Maunoury ☎ 74.06.34
MERCEDES-BENZ Malard, rte Paris, la Chaussée-St-Victor ☎ 78.34.40
PEUGEOT Sté Autom. Blésoise, rte d'Orléans, la Chaussée-St-Victor ☎ 78.12.12
RENAULT Beauce et Sologne Autom., 129 av. Châteaudun ☎ 74.02.99
RENAULT Camboulas, 6 r. Gutenberg ☎ 78.30.93
TALBOT Centre Auto, av. Vendôme ☎ 78.24.98

Blois-Pneus, 44 av. de Vendôme ☎ 78.02.51
Terovulca, 48 av. Foch ☎ 78.20.55

BLONVILLE-SUR-MER 14910 Calvados 55 ③ G. Normandie – 758 h. – 31.

Office de Tourisme av. République (juil.-août) ☎ 87.91.14.
Paris 211 – Cabourg 14 – ♦Caen 38 – Deauville 5 – Lisieux 32.

Gd Hôtel [M] , ☎ 87.90.54, ←, – ☎ P – 40. rest
1er mai-15 oct. – SC : rest **La Reine Mathilde R** 90 – 46 ch 210/450, 4 appartements 600.

H. de la Mer sans rest, ☎ 87.93.23, ← – wc ☎ P.
1er avril-15 sept. – SC : 12 – **20 ch** 55/134.

Casino, ☎ 87.90.16 – P. GB. rest
fermé mardi – SC : **R** 50/60 – 11 – 23 ch 60/95 – P 107/115.

La BOCCA 06 Alpes-Mar. 84 ⑧⑨ – rattaché à Cannes.

BOËGE 74420 H.-Savoie 74 ⑦ – 793 h. alt. 738 – 50.

Paris 572 – Annecy 52 – Annemasse 18 – Bonneville 25 – ♦Genève 29 – Thonon-les-Bains 27.

Savoie, ☎ 39.10.10, –
fermé oct. et jeudi – SC : **R** 35/60 – 9 – 10 ch 48/90 – P 80/90.

RENAULT Gar. Périllat, ☎ 39.12.62

Le BOËL 35 I.-et-V. 63 ⑥ – rattaché à Rennes.

BOGNY-SUR-MEUSE 08120 Ardennes 53 ⑱ – 6 855 h. alt. 145 – ⚙ 24.
Voir N : Rocher des Quatre Fils Aymon★, G. Nord de la France.
Paris 243 – Charleville-Mézières 18 – Givet 41 – Monthermé 3,5 – Rocroi 30.

Micass'H., pl. République ☎ 32.02.72 – wc ⋔ ☎. E. ch
fermé 8 au 31 août et dim. soir – SC : **R** 28/60 – 9,50 – 14 ch 30/62.

RENAULT Battistin, 2 r. J.-B.-Clément ☎ 32.13.00

BOIS DE LA CHAISE 85 Vendée 67 ① – Voir à Noirmoutier (Ile de).

BOIS-DU-FOUR 12 Aveyron 80 ④ – alt. 800 – ✉ 12780 St-Léons – ⚙ 65.
Paris 616 – Aguessac 16 – Millau 21 – Pont-de-Salars 25 – Rodez 50 – Sévérac-le-Château 18.

Relais du Bois du Four, ☎ 62.86.17, parc – wc ⋔wc ☎ P.
rest
1er mars-15 nov. et fermé merc. – SC : **R** 28/75 – 10 – **27 ch** 45/95 – P 80/110.

BOISEMONT 95 Val-d'Oise 55 ⑲, 101 ① – 415 h. alt. 150 – ✉ **95000** Cergy – ⚙ 3.
Paris 46 – Gisors 36 – Mantes-la-Jolie 27 – Meulan 8 – Pontoise 9 – St-Germain-en-Laye 19.

XXX **Les Coteaux,** sur D 22 ☎ 442.30.12, ←, – P. AE GB ①
fermé en fév. et mardi – SC : **R** carte 80 à 130.

Évitez de fumer au cours du repas : vous altérez votre goût et vous gênez vos voisins.

BOIS-L'ABBESSE 67 B.-Rhin 62 ⑲ – rattaché à Liepvre.

Le BOIS-PLAGE 17 Char.-Mar. 71 ⑫ – rattaché à Ré (Ile de).

La BOISSE 01 Ain 74 ⑫ – rattaché à Montluel.

Les BOISSES 73 Savoie 74 ⑲ – rattaché à Tignes.

BOISSET 15 Cantal 76 ⑪ – 802 h. alt. 425 – ✉ **15600** Maurs – ⚙ 71.
Paris 568 – Aurillac 29 – Calvinet 17 – Entraygues-sur-Truyère 49 – Figeac 36 – Maurs 14.

Gramond , ☎ 62.20.69, ← – ⋔
hôtel : 5 juin-15 sept., rest : ouvert toute l'année – SC : **R** *(fermé le soir et sam. hors sais.)* 28/80 – 8 – **18 ch** 40/60 – P 75/85.

Le BOISSET 84 Vaucluse 81 ⑭ – rattaché à Apt.

BOISSEUIL 87 H.-Vienne 72 ⑰⑱ – 1 125 h. alt. 383 – ✉ **87220** Feytiat – ⚙ 55.
Paris 404 – Bourganeuf 47 – ♦Limoges 10 – Nontron 71 – Périgueux 96 – Uzerche 48.

Le Relais, ☎ 71.11.83 – ⋔ P.
fermé 1er au 15 mai, 1er au 15 déc. et jeudi sauf juil. et août – SC : **R** 25/55 – 8 – **14 ch** 38/90 – P 90/100.

BOISSY-LE-CHÂTEL 77 S.-et-M. 56 ⑬, 61 ③ – rattaché à Coulommiers.

BOLANDOZ 25 Doubs 70 ⑥ – 290 h. alt. 644 – ✉ **25330** Amancey – ⚙ 81.
Paris 435 – ♦Besançon 36 – Pontarlier 29 – Salins-les-Bains 25.

Rochanon, ☎ 86.62.07 – wc.
fermé mardi – **R** 39/80 – 12 – **8 ch** 80/100 – P 110/120.

BOLBEC 76210 S.-Mar. 55 ④ – 12 772 h. alt. 51 – ⚙ 35 – Paris 189 ④ – Fécamp 25 ⑤ – ♦Le Havre 30 ④ – ♦Rouen 56 ② – Yvetot 21 ②.

Fécamp sans rest, 15 r. J.-Fauquet **(a)** ☎ 31.00.52 – ⋔.
fermé Noël-jour de l'An et vacances de fév. – SC : 9,50 – **26 ch** 40/70.

CITROEN Gibert, 29 r. P.-Fauquet ☎ 31.06.78
PEUGEOT Lefebvre, 68 av. Mar.-Joffre ☎ 31.07.11
RENAULT Périer, 54 r. G.-Clemenceau ☎ 31.06.47
TALBOT Lebreton, 81 r. Gambetta ☎ 31.06.43

Vulcanisation Normande, 83 r. G.-Clemenceau ☎ 31.06.87

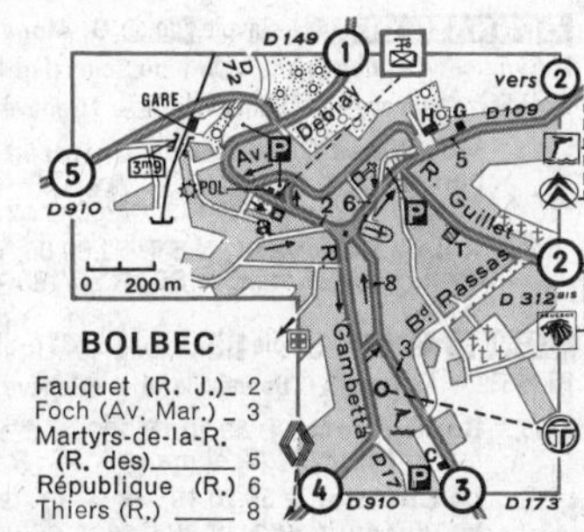

BOLBEC
Fauquet (R. J.) 2
Foch (Av. Mar.) 3
Martyrs-de-la-R. (R. des) 5
République (R.) 6
Thiers (R.) 8

BOLLENBERG 68 H.-Rhin 62 ⑱⑲ – rattaché à Rouffach.

BOLLÈNE 84500 Vaucluse 81 ① **G. Provence** (plan) – 11 520 h. alt. 58 – 90.

Env. Barry : ≤** sur ouvrages de Donzère-Mondragon* N : 6 km, **G. Vallée du Rhône.**

Office de Tourisme pl. Mairie (fermé dim.) 30.14.43.

Paris 639 – Avignon 52 – Montélimar 34 – Nyons 35 – Orange 25 – Pont-St-Esprit 10.

du Lez sans rest, 16 cours République 30.16.19 – wc . . SC : 11 – **17 ch** 90.

Mas des Grès avec ch, 1 km par rte St-Restitut 30.10.79, – wc – 40. GB. *fermé 1er au 15 oct., 1er au 15 janv., dim. soir, lundi et soirs de fêtes* – SC : **R** 63/93 – 13 – 13 ch 92/127 – P 144/184.

à Rochegude (26 Drôme) SE : 7,5 km - voir à Orange

AUDI-VOLKSWAGEN David, chemin Souvenir 30.12.23 N
PEUGEOT Gar. des Portes-de-Provence, Sortie de l'Autoroute 30.10.46
RENAULT Settier, Les Grès de Fournilliers, sortie Autoroute 30.10.09
TALBOT Balbi, av. Pont-Neuf 30.10.61
Gar. Marignan, av. M.-Coulon 30.11.51

Hall du Pneu, r. J.-Verne 30.13.21
Pneus-Service, 15 av. Carnot 30.14.40

La BOLLÈNE-VÉSUBIE 06 Alpes-Mar. 84 ⑲, 195 ⑰ **G. Côte d'Azur** – 247 h. alt. 690 – 06450 Lantosque – 93.

Voir Chapelle St-Honorat ≤* S : 1 km.

Paris 888 – ♦Nice 54 – Puget-Théniers 58 – Roquebillière 6,5 – St-Martin-Vésubie 16 – Sospel 37.

Gd H. du Parc , D 70 03.01.01, parc – wc wc . . rest *Pâques-fin oct.* – SC : **R** 36/80 – 12 – **42 ch** 48/146 – P 132/262.

La BOLLINE 06 Alpes-Mar. 84 ⑧⑱, 195 ⑤ – rattaché à Valdeblore.

BONAGUIL 47 L.-et-G. 79 ⑥ – 46700 Puy-l'Évêque – 58.

Voir Château**, **G. Périgord.**

Paris 607 – Agen 64 – Cahors 54 – Gourdon 50 – Villeneuve-sur-Lot 35.

BONDUES 59 Nord 51 ⑥ – rattaché à Tourcoing.

BON-ENCONTRE 47 L.-et-G. 79 ⑮ – rattaché à Agen.

Le BONHOMME 68860 H.-Rhin 62 ⑱ **G. Vosges** – 696 h. alt. 700 – 89.

Paris 420 – Colmar 24 – Gérardmer 38 – St-Dié 32 – Ste-Marie-aux-Mines 16 – Sélestat 39.

Poste, 47.51.10, – wc wc . rest *fermé 15 nov. au 15 déc., mardi soir (sauf hôtel) et merc.* – SC : **R** 40/95 – 10 – 16 ch 60/120 – P 95/120.

Lion d'Or, 47.51.18 – . rest *fermé nov. et merc.* – SC : **R** (dîner seul.) 21/55 – 8,50 – 12 ch 40/60.

BONLIEU 39 Jura 70 ⑮ **G. Jura** – 170 h. alt. 780 – 39130 Clairvaux-les-Lacs – 84.

Voir Belvédère de la Dame Blanche ≤* NO : 2 km puis 30 mn.

Paris 450 – Champagnole 24 – Lons-le-Saunier 33 – Morez 25 – St-Claude 41.

Alpage, 25.57.53, ≤ alpage – wc wc . *fermé 10 nov. au 20 déc. et lundi* – SC : **R** 42/120 – 9 – 11 ch 68/85 – P 95/115.

Poutre avec ch, 25.57.77 – wc . *fermé 1er déc. au 15 janv., mardi soir et merc.* – SC : **R** 48/100 – 14 – **10 ch** 50/100 – P 90/150.

BONNATRAIT 74 H.-Savoie 70 ⑰ **G. Alpes** – alt. 406 – 74140 Douvaine – 50.

Syndicat d'Initiative à la Mairie de Sciez (fermé sam. et dim.) 72.60.09.

Paris 567 – Annecy 67 – Bonneville 38 – ♦Genève 24 – Thonon-les-Bains 9.

Hôtellerie Château de Coudrée , 72.62.33, « Château médiéval dans un parc au bord du lac », , , – – 40 à 100. AE GB E *20 avril-15 oct.* – SC : **R** 120/200 – 25 – **18 ch** 220/380 – P 320/360.

Relais Savoyard, N 5 72.60.06, – wc . *fermé sept. et merc.* – SC : **R** 50/120 – 9,50 – **26 ch** 45/140 – P 100/150.

BONNE 74380 H.-Savoie 74 ⑥⑦ – 1 539 h. alt. 493 – 50.

Paris 562 – Annecy 43 – Bonneville 15 – ♦Genève 19 – Morzine 44 – Thonon-les-Bains 30.

Baud avec ch, 39.20.15, – wc . . *fermé 1er au 15 juil. et mardi* – SC : **R** 40/120 – 12 – **11 ch** 60/130 – P 130/200.

La Saulaie, 39.20.19, – . GB *fermé 8 au 14 juin, 1er au 6 sept. et lundi* – **R** 35/65.

BONNE-FONTAINE 57 Moselle 62 ⑰ – rattaché à Phalsbourg.

BONNÉTABLE 72110 Sarthe 60 ⑭ – 3 922 h. alt. 110 – ⊛ 43.
Paris 183 – Bellême 26 – Mamers 24 – ♦Le Mans 28 – Nogent-le-Rotrou 41.

Lion d'Or, ☎ 29.30.19 – ☎ 🚗 P. ✂
fermé 1er au 15 sept. et lundi – SC : **R** 30/80 🍷 – ☕ 8,50 – **13 ch** 40/70 – P 80/100.

CITROEN Gar. Dubuisson, ☎ 29.30.72
PEUGEOT Gar. Chemas, ☎ 29.30.62 N
RENAULT Gar. Durand, ☎ 29.30.23
TALBOT Gar. de la forêt, ☎ 29.30.40 N

BONNEVAL-SUR-ARC 73 Savoie 74 ⑲ **G. Alpes** – 149 h. alt. 1 835 – Sports d'hiver : 1 800/3 000 m ⚡10 – ✉ **73480** Lanslebourg-Mont-Cenis – ⊛ 79.
Office de Tourisme ☎ 05.08.08.
Paris 704 – Chambéry 145 – Lanslebourg 19 – Val-d'Isère 30.

La Marmotte M ⛰, ☎ 05.07.82 – ⌂wc ☎. 🚗. ✂
20 déc.-1er juin et 26 juin-27 sept. – SC : **R** 50/58 🍷 – ☕ 14 – **28 ch** 115/132 – P 150/170.

La Bergerie M ⛰, ☎ 05.04.33 – ⌂wc ⋒wc ☎ P. ✂
juil.-août et Noël-Pâques – SC : **R** 35/70 – ☕ 10 – **22 ch** 85/100 – P 130/150.

BONNEVILLE ⟨SP⟩ **74130** H.-Savoie 74 ⑦ **G. Alpes** – 8 087 h. alt. 450 – ⊛ 50.
Syndicat d'Initiative r. Carroz (fermé dim.) ☎ 97.20.64.
Paris 571 ③ – Albertville 73 ② – Annecy 41 ③ – Chamonix 56 ② – Nantua 89 ③ – Thonon 45 ③.

BONNEVILLE

Allobroges (Bd des) 2
Bargy (Q. du) 3
Décret (R.) 4
Ducarroz (R.) 5
Gare (R. de la) 6
Genève (Av. de) 7
Glières (Av. des) 8
Hôtel-de-Ville (Pl.) 12
Manet (R. du) 14
Môle (R. du) 15
Pertuiset (R.) 16
Pont (R. du) 17
Porte-du-Château (R.) 18
Pressy (R. de) 19
Rey (Q. J.-Baptiste) 21
Ste-Catherine (R. et ⊞) 23

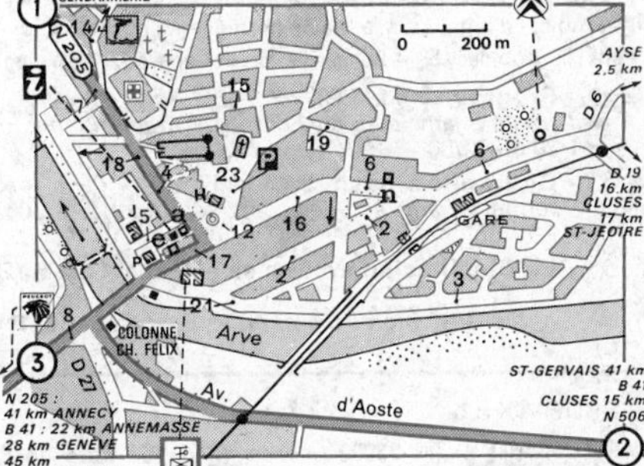

Sapeur H. et Grill La Vivandière (Guenon) M, pl. de l'Hôtel de Ville **(a)** ☎ 97.20.68, « Grill élégant au sous-sol » – ⇅ ▤ rest TV ☎. AE ⓓ. ✂
fermé 24 août au 10 sept., 28 déc. au 15 janv. , dim. soir sauf juil., août, sept. et lundi – SC : **R** 55/75 🍷 – ☕ 14 – **14 ch** 100/135, 4 appartements 200 – P 155/175
Spéc. Foie gras, St-Jacques aux endives (oct. à mars), Jambonnette de poularde de Bresse aux morilles. **Vins** Roussette, Gamay rouge.

Alpes, av. Gare **(n)** ☎ 97.10.47 – ⌂wc ⋒wc ☎ P. 🚗 GB
fermé 15 au 31 juil., 20 déc. au 3 janv., dim. soir et lundi – SC : **R** 40/85 🍷 – ☕ 12 – 16 ch 84/110 – P 114/135.

Arve, r. du Pont **(e)** ☎ 97.01.28 – ⌂wc ⋒wc ☎ 🚗. 🚗. ✂
fermé sam. – SC : **R** 41/120 – ☕ 11 – 17 ch 50/115 – P 145.

Bellevue ⛰, à Ayse E : 2,5 km par D 6 ☎ 97.20.83, ≤, 🌳 – ⌂wc ⋒wc P. 🚗. ✂ rest
1er juil.-1er sept. – SC : **R** 32/67 – ☕ 11 – 22 ch 62/95 – P 90/103.

à St-Pierre-en-Faucigny par ③, D 12 et D 208 : 5 km – ✉ **74800** La Roche-sur-Foron.
Voir Gorge des Eveaux S : 1 km.

Franco-Suisse, ☎ 03.70.01 – ⌂wc P
fermé 20 juin au 1er juil. et sam. – SC : **R** 38/60 – ☕ 9 – **7 ch** 65/90.

CITROEN Dupanloup, à Aysé ☎ 97.01.15
FORD, LADA, VOLVO Gar. Bel, le Bouchet à Aysé ☎ 97.25.64
PEUGEOT Andréoléty, 403 av. des Glières ☎ 97.20.93
Barret, av. de Genève ☎ 97.02.22

BONNIÈRES-SUR-SEINE 78270 Yvelines 55 ⑱, 96 ② – 3 455 h. alt. 20 – ⊛ 3.
Paris 71 – Évreux 34 – Magny-en-Vexin 25 – Mantes-la-Jolie 13 – Vernon 12 – Versailles 56.

XXX **Host. Bon Accueil,** rte Vernon : 1,5 km ☎ 093.01.00 – P. AE GB ⓓ
fermé 30 juil. au 3 sept., vacances de fév., mardi soir et merc. – SC : **R** 125/180.

TALBOT Bonnières-Autos, ☎ 093.00.59

BONNIEUX 84480 Vaucluse 81 ⑬ **G. Provence** (plan) – 1 360 h. alt. 400 – 90.

Voir Tableaux* dans l'église – Terrasse ←*.

Syndicat d'Initiative à la Mairie (15 juin-15 sept. et fermé dim.) ☎ 75.80.06.

Paris 727 – Aix-en-Provence 48 – Apt 13 – Avignon 47 – Carpentras 43 – Cavaillon 26.

Host. du Prieuré, ☎ 75.80.78, « Ancien Prieuré aménagé », – wc wc. *15 mars-15 nov. et fermé lundi* – SC : **R** 70/120 – 15 – **10 ch** 180/220.

César, ☎ 75.80.18 – . *fermé oct. et merc.* – **R** 40/60 – 10 – **15 ch** 42/65 – P 82/90.

au S.E. **: 6 km par D 36, D 943 et chemin privé – 84480** Bonnieux :

L'Aiguebrun, ☎ 74.04.14, ←, « parc » – wc. GB E. *fermé 15 nov. à début fév.* – SC : **R** *(fermé lundi midi)* carte 85 à 130 – 17 – 8 ch 180/220.

RENAULT Graille, ☎ 75.80.84 ☎ 75.86.99

BONNY-SUR-LOIRE 45420 Loiret 65 ⑫ – 1 778 h. alt. 149 – 38.

Syndicat d'Initiative à la Mairie (fermé sam. après-midi et dim.) ☎ 31.64.91.

Paris 168 – Auxerre 65 – Clamecy 60 – Cosne-sur-Loire 19 – Montargis 54 – ♦Orléans 86 – Vierzon 76.

Voyageurs avec ch, ☎ 31.62.09 – . GB E *30 avril-30 nov. fermé lundi soir et mardi* – SC : **R** 30/70 – 8 – 7 ch 38/52.

CITROEN Gar. Centre, ☎ 31.60.30 RENAULT Gar. Parot, ☎ 31.63.32

BONS-EN-CHABLAIS 74 H.-Savoie 70 ⑰ – 2 719 h. alt. 548 – 74140 Douvaine – 50.

Syndicat d'Initiative à la Mairie (fermé jeudi et sam. après-midi) ☎ 43.10.30.

Paris 565 – Annecy 58 – Bonneville 29 – ♦Genève 22 – Thonon-les-Bains 15.

Progrès, ☎ 43.11.09, – wc *fermé 5 janv. au 5 fév., dim. soir et lundi (sauf juil.-août)* – SC : **R** 32/100 – 10 – **20 ch** 60/80 – P 90/100.

Couronne avec ch, ☎ 43.11.17, – wc . *fermé 1er janv. au 9 fév., dim. soir et lundi* – SC : **R** 45/130 – 10 – **14 ch** 48/68 – P 77/85.

Le Chablaisien avec ch en juil. et août, à St-Didier NO : 1 km ☎ 43.11.40, – ch *fermé janv., mardi soir et merc. sauf été* – SC : **R** 54/76 – 11 – 7 ch 54/82 – P 88.

BORDEAUX P 33000 Gironde 71 ⑨ **G. Côte de l'Atlantique** – 226 281 h. communauté urbaine 617 438 h. alt. 5 – 56.

Voir Cathédrale** et tour Pey Berland* CX **E** – Grand Théâtre** CDVX – Place de la Bourse* DX – Tour* et basilique* St-Michel DY **F** – Façade* de l'église Ste-Croix DY **K** – Musée des Beaux-Arts** CX **M1** – Établissement monétaire* de Pessac S **B.**

18 Club Bordelais ☎ 28.56.04, NO par D 109 : 4 km AT ; 18 de Bordeaux ☎ 50.92.72, N par D2 : 10 km R ; 18 9 de Cameyrac ☎ 30.96.79, par ② : 18 km.

de Bordeaux-Mérignac : Air-France ☎ 34.32.32 par ⑧ : 11 km – ☎ 91.34.60.

Office de Tourisme (fermé dim. sauf matin en saison) et Accueil de France, (Informations, change et réservations d'hôtels, pas plus de 5 jours à l'avance) 12 cours 30-Juillet ☎ 44.28.41, Télex 570362 – A.C. 8 pl. Quinconces ☎ 44.22.92 - T.C.F. 16, cours Chapeau-Rouge ☎ 44.38.57 – Maison du vin de Bordeaux, 1 cours 30-juillet (Informations, dégustation - fermé sam. après-midi et dim.) ☎ 44.37.82 CV **z.**

Paris 560 ① – ♦Lyon 548 ② – ♦Nantes 332 ① – ♦Strasbourg 1 040 ① – ♦Toulouse 248 ⑤.

Plans : Bordeaux p. 1 bis à 5

Sauf indication spéciale, voir emplacement sur Bordeaux p. 4 et 5

Frantel M, 5 r. R.-Lateulade ☎ 90.92.37, Télex 540565 – – 300. AE GB E. rest BX **w**
SC : rest. **Le Mériadeck** *(fermé août et dim.)* **R** carte 120 à 170 - grill **Le Sarment** *(fermé août et dim.)* **R** carte environ 85 – 23 – **196 ch** 250/310.

Terminus, gare St-Jean 33800 ☎ 92.71.58, Télex 540264 – – 100. AE GB E Bordeaux p. 3 DZ **e**
R 65/90 – 16 – **80 ch** 135/220 – P 266/296.

Gd H. et Café de Bordeaux, 2 pl. Comédie ☎ 90.93.44, Télex 541658 – . AE GB CVX **b**
SC : **R** carte 80 à 120 – **98 ch** 200/270, 3 appartements 470.

Normandie sans rest, 7 cours 30-Juillet ☎ 52.16.80, Télex 570481 – . AE GB E CV **z**
SC : 18 – **100 ch** 120/180.

Majestic sans rest, 2 r. Condé ☎ 52.60.44 – . AE GB DV **b**
SC : 13 – **45 ch** 130/170.

BORDEAUX

Aquitaine (Bd Aliénor d') ____ R 2
Arès (Av. d') ____ S
Bègles (Barrière de) ____ S 5
Benauge (R. de la) ____ S 6
Bosc (Bd J.-J.) ____ S
Brandenburg (Bd) ____ R 9
Brazza (Quai de) ____ R 12
Briand (Av. A.) ____ S
Brienne (Quai de) ____ S 15
Cabannes (Av. G.) ____ S
Candau (R. de) ____ S 16
Carnot (Av.) CENON ____ R 19
Cassagne (Av. R.) ____ R
Daney (Bd A.) ____ R
Eysines (Av. d') ____ R 28
Gallieni (Cours du Mar.) ____ S 34
Gambetta (Crs) FLOIRAC ____ R 36
Guesde (R. Jules) ____ S 38
Jaurès (Av. Jean) CENON R 44
Jaurès (Av. Jean) PESSAC S 45
Joliot-Curie (Bd) ____ RS 46
Lattre-De-Tassigny (Av. de) R 49
Leclerc (Av. Gén.) ____ R 52
Leysotte (Ch. de) ____ S
Libération (Av. de la) ____ R 54
Libération (Crs) TALENCE ____ S
Marne (Av. de la) ____ S 55
Médoc (Rte du) ____ R 57
Ornano (Cours d') ____ S 62
Paludate (Quai de) ____ S 63
Paris (Rte de) ____ R
Pasteur (Av.) ____ RS 65
République (Av. de la) ____ S 72
Simon (Bd Jules) ____ RS 78
Souys (Quai de la) ____ S 79
Thiers (Av.) ____ R 81
Toulouse (Barrière de) ____ S 82
Toulouse (Rte de) ____ S
Trarieux (Bd Ludovic) ____ S 85
V.-Hugo (Crs) CENON ____ R 87

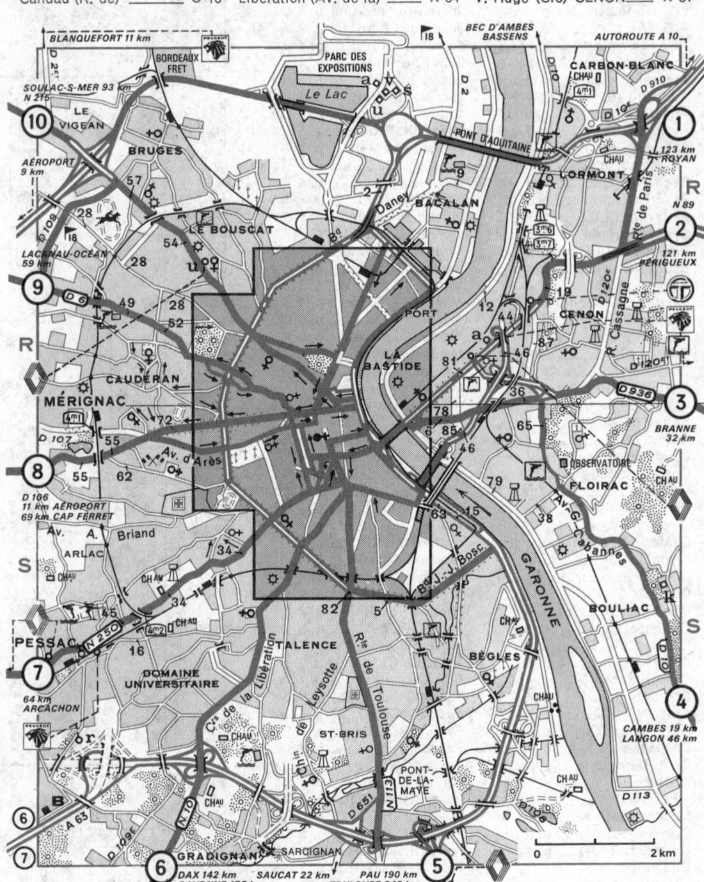

Royal Médoc [M] sans rest, 3 r. Sèze ☎ 81.72.42 – ⎮ ⇔wc ⋒wc ☎. ⌂ GB E. ⌘ — CV **u**
SC : ☐ 15 – **45 ch** 90/160.

Tour Intendance [M] sans rest, 16 r. Vieille Tour ☎ 81.46.27 – ⎮ ⇔wc ⋒wc ☎. ⌂ AE — CX **t**
fermé 1er au 23 août – SC : ☐ 14 – **20 ch** 100/170.

Sèze sans rest, 23 allées Tourny ☎ 52.65.55 – ⎮ ⇔wc ⋒wc ☎. ⌂ AE ◑ — CV **u**
SC : ☐ 15 – **25 ch** 80/160.

Français sans rest, 12 r. Temple ☎ 48.10.35, Télex 550587 – ⎮ ⇔wc ⋒wc ☎. ⌂ AE GB ◑ — CX **u**
fermé 10 au 23 août et 20 déc. au 3 janv. – SC : ☐ 14 – **36 ch** 105/195.

RÉPERTOIRE DES RUES DU PLAN DE BORDEAUX

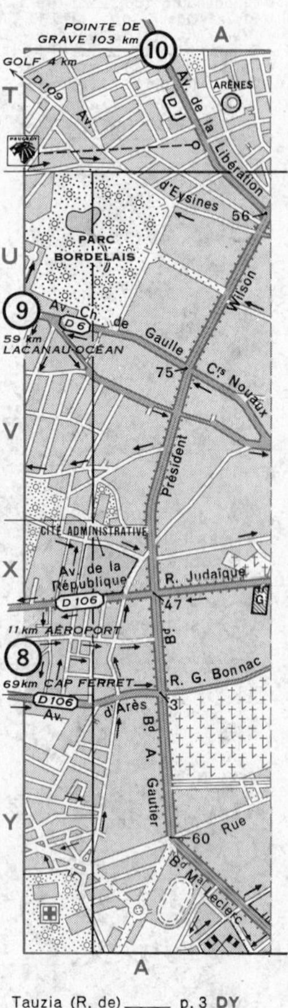

Rues du Plan d'agglomération : Voir Bordeaux p. 6

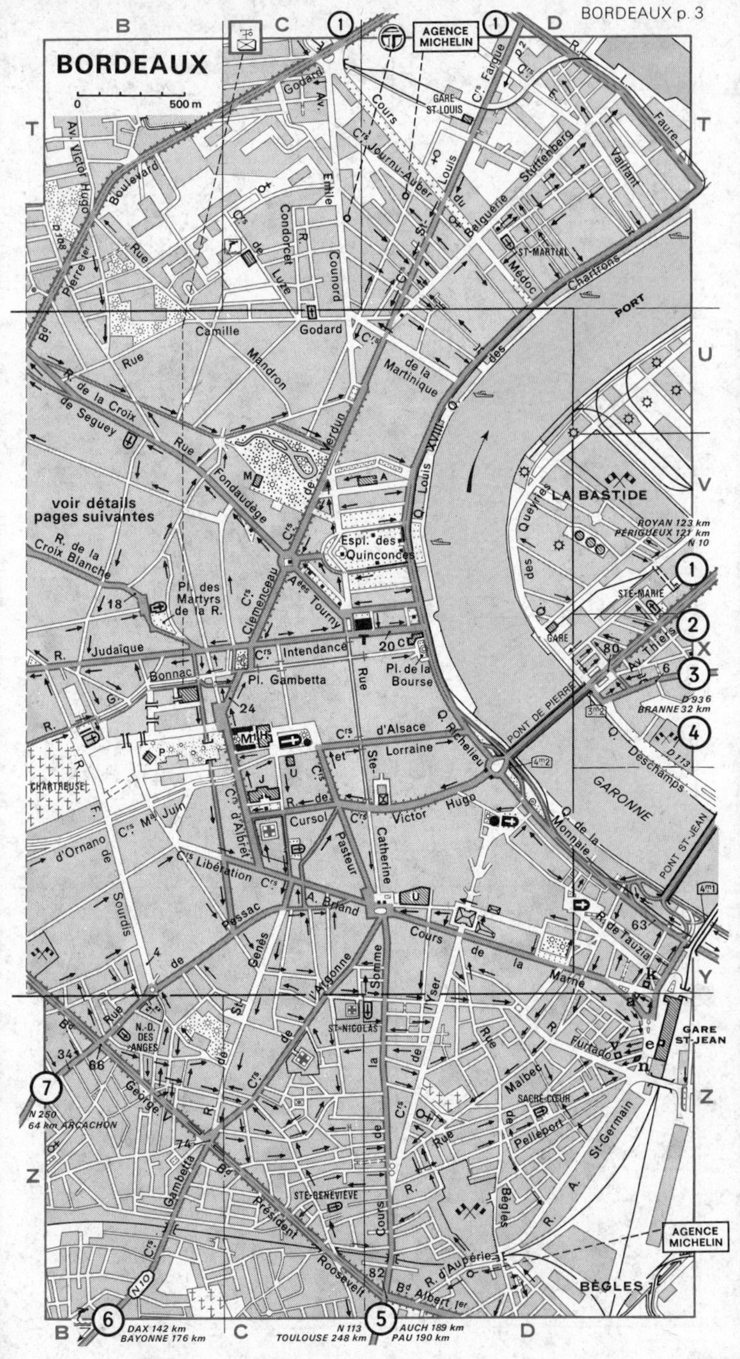
BORDEAUX
0
500 m
AGENCE MICHELIN
GARE ST-LOUIS
Cours
Crs Journu-Auber
St-Louis
du
Belguerie
Stuttenberg
Vaillant
Faure
ST-MARTIAL
Médoc
Chartrons
PORT
Av. Victor Hugo
Boulevard
Pierre 1er
Rue
Crs de Luze
Condorcet
R. Cournord
Emile
Godard
Camille
Godard
Mandron
Crs de la Martinique
des
Q. Louis XVIII
R. de la Croix de Seguey
Rue Fondaudège
Crs de Verdun
Espl. des Quinconces
LA BASTIDE
Queyries
des
ROYAN 123 km
PÉRIGUEUX 121 km
N 10
voir détails pages suivantes
R. de la Croix Blanche
Pl. des Martyrs de la R.
Crs Clemenceau
Aées Tourny
STE-MARIE
GARE
Av. Thiers
R. Judaïque
Bonnac
Crs Intendance
Pl. Gambetta
Pl. de la Bourse
Rue Ste-Catherine
Crs d'Alsace et Lorraine
Q. Richelieu
PONT DE PIERRE
D 936
BRANNE 32 km
D 113
Q. Deschamps
GARONNE
CHARTREUSE
Crs Mal Juin
d'Ornano
Crs d'Albret
R. de Cursol
Crs Victor Hugo
Crs Pasteur
Q. de la Monnaie
PONT ST-JEAN
Crs Libération
Crs A. Briand
de Sourdis
Crs de Pessac
Genès
Cours de la Marne
R. de Tauzia
GARE ST-JEAN
Rue
N.-D. DES ANGES
St-Genès
Crs de l'Argonne
Somme
ST-NICOLAS
R. de l'Yser
Rue
R. Furtado
Malbec
SACRÉ CŒUR
Pelleport
R. A. St-Germain
Bd George V
N 250
64 km ARCACHON
Crs Gambetta
Bd Président Roosevelt
STE-GENEVIÈVE
Cours de la Somme
Bègles
R. d'Aupérie
Bd Albert 1er
BÈGLES
AGENCE MICHELIN
N 10
DAX 142 km
BAYONNE 176 km
N 113
TOULOUSE 248 km
AUCH 189 km
PAU 190 km
B
C
D
T
U
V
X
Y
Z

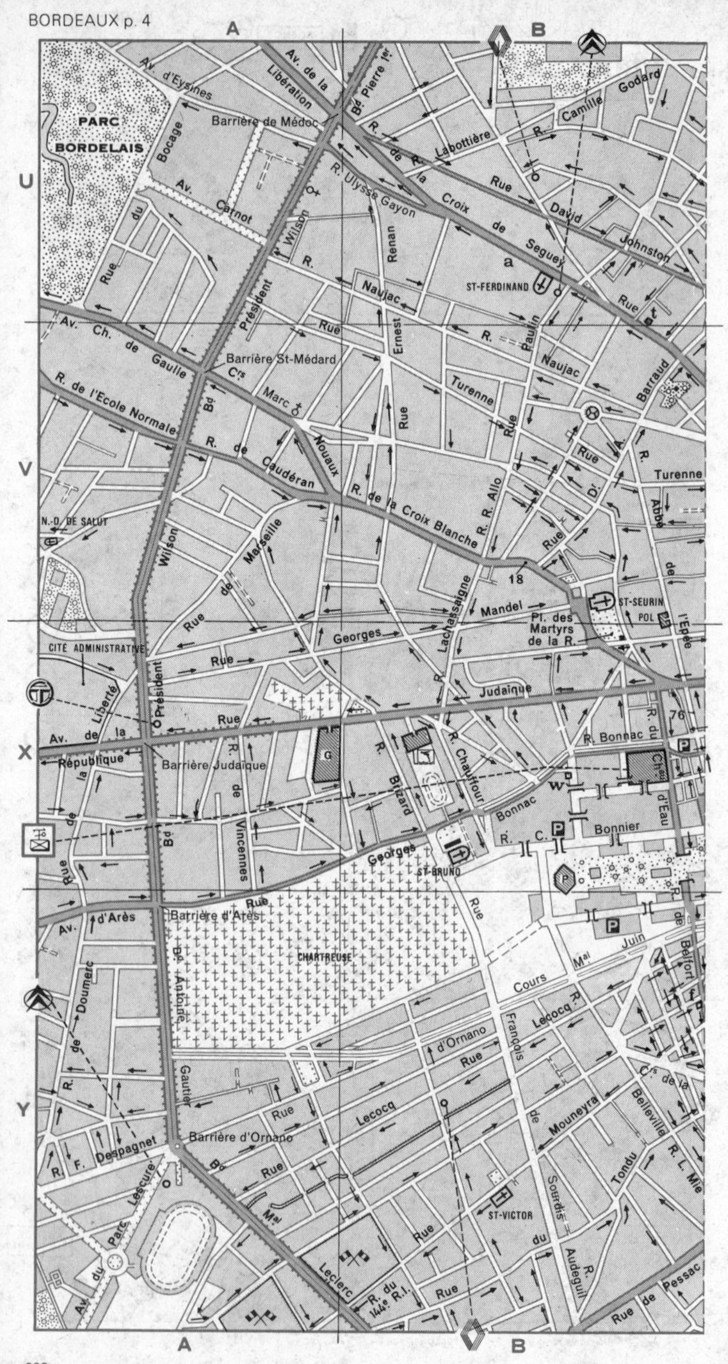
A
B
PARC BORDELAIS
Av. d'Eysines
Av. de la Libération
Bd Pierre Ier
Barrière de Médoc
Bocage
R. Ulysse Gayon
Av. Carnot
Labottière
R. Camille Godard
R. de la Croix de Seguey
Rue David Johnston
Rue du
Wilson
Renan
R. Naujac
Président
Ernest
ST-FERDINAND
Paulin
Rue
Av. Ch. de Gaulle
Barrière St-Médard
Crs Marc Nouaux
R. de l'Ecole Normale
Bd
R. de Caudéran
R. Turenne
R. Naujac
Barraud
Rue
R. de la Croix Blanche
R. Allo
Abbé de l'Epée
N.-D. DE SALUT
Rue de Marseille
Lachassaigne
18
Mandel
ST-SEURIN
POL
Pl. des Martyrs de la R.
Rue Georges
CITÉ ADMINISTRATIVE
Rue Judaïque
Av. de la République
Liberté
Barrière Judaïque
R. de Vincennes
R. Bizard
R. Chauffour
R. Bonnac
R. du Chau d'Eau
76
Bonnier
R. C.
Rue Georges
ST-BRUNO
Av. d'Arès
Barrière d'Arès
Bd Antoine
CHARTREUSE
Rue
Cours Mal Juin
R. de Belfort
R. Lecocq
François
Crs de la
R. de Doumerc
Gautier
d'Ornano
Rue Lecocq
Mouneyra
Belleville
Barrière d'Ornano
R. L. Mie
R. F. Despagnet
Parc Lescure
Bd Mal Leclerc
ST-VICTOR
Sourdis
Tondu
Av. du
R. du 144e R.I.
Rue du
R. Audeguil
Rue de Pessac
U
V
X
Y

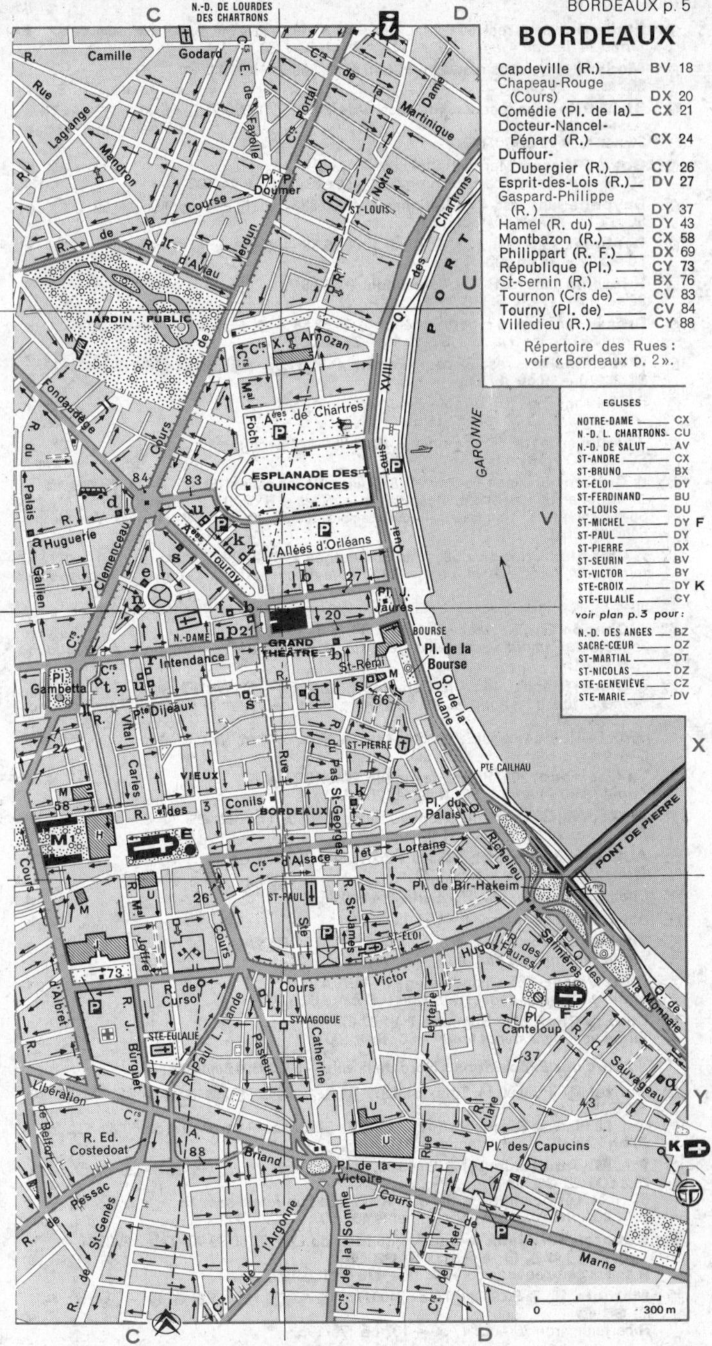
BORDEAUX
Capdeville (R.) BV 18
Chapeau-Rouge (Cours) DX 20
Comédie (Pl. de la) CX 21
Docteur-Nancel-Pénard (R.) CX 24
Duffour-Dubergier (R.) CY 26
Esprit-des-Lois (R.) DV 27
Gaspard-Philippe (R.) DY 37
Hamel (R. du) DY 43
Montbazon (R.) CX 58
Philippart (R. F.) DX 69
République (Pl.) CY 73
St-Sernin (R.) BX 76
Tournon (Crs de) CV 83
Tourny (Pl. de) CV 84
Villedieu (R.) CY 88
Répertoire des Rues : voir « Bordeaux p. 2 ».
EGLISES
NOTRE-DAME CX
N.-D. L. CHARTRONS CU
N.-D. DE SALUT AV
ST-ANDRE CX
ST-BRUNO BX
ST-ELOI DY
ST-FERDINAND BU
ST-LOUIS DU
ST-MICHEL DY F
ST-PAUL DY
ST-PIERRE DX
ST-SEURIN BV
ST-VICTOR BY
STE-CROIX DY K
STE-EULALIE CY
voir plan p. 3 pour :
N.-D. DES ANGES BZ
SACRÉ-CŒUR DZ
ST-MARTIAL DT
ST-NICOLAS DZ
STE-GENEVIÈVE CZ
STE-MARIE DV
N.-D. DE LOURDES DES CHARTRONS
JARDIN PUBLIC
ESPLANADE DES QUINCONCES
GRAND THEATRE
VIEUX BORDEAUX
Pl. de la Bourse
PONT DE PIERRE
GARONNE
PORT
0 300 m

Etche Ona sans rest, 11 r. Mautrec ☎ 44.36.49 – wc wc. CVX **f**
fermé 24 déc. au 4 janv. – SC : 14 – **35 ch** 60/175.

Modern'H sans rest, 21 r. P.-Loti ✉ 33800 ☎ 91.66.11, – wc
SC : 9 – **16 ch** 65/75. Bordeaux p. 3 DZ **v**

St-Martin sans rest, 2 r. St-Vincent-de-Paul ✉ 33800 ☎ 91.55.40 – wc wc
GB. Bordeaux p. 3 DZ **a**
SC : 13 – **13 ch** 70/140.

Goya, 244 cours Marne ☎ 91.45.66 – wc DY **k**
SC : **R** *(fermé sam.)* carte environ 50 – 10 – **14 ch** 44/100.

Bayonne sans rest, 4 r. Martignac ☎ 48.00.88 – TV wc wc. AE CX **p**
SC : 15 – **37 ch** 50/180.

Pyrénées sans rest, 12 r. St-Rémi ☎ 81.66.58 – wc. AE DX **s**
SC : 12 – **18 ch** 60/140.

Printania sans rest, 34 r. Servandoni ☎ 96.56.72 – wc. E BY **f**
SC : 11 – **17 ch** 48/110.

Presse sans rest, 6 r. Porte Dijeaux ☎ 48.53.88 – wc. CX **s**
fermé 23 déc. au 3 janv. – SC : 10 – **29 ch** 55/140.

Madeleine sans rest, 32 cours Pasteur ☎ 91.51.55 – wc wc.
SC : 10 – **19 ch** 36/106. CY **t**

Centre sans rest, 8 r. Temple ☎ 48.13.29 – . CX **r**
fermé 20 juil. au 10 août – **16 ch**.

Trianon sans rest, 5 r. Temple ☎ 48.28.35 – wc CX **u**
SC : 8,50 – **19 ch** 50/75.

XXXX ✿ **Dubern,** 42 allées Tourny ☎ 48.03.44, « Belles salles 18e s. » – . AE GB
fermé 14 au 30 juil., 1er au 14 janv., dim. et fêtes – **R** 69/135 CV **s**
Spéc. Écrevisses Dubern (sauf juil.-août), Lamproie bordelaise, Trinité de foie gras. **Vins** Médoc, Côtes de Bourg.

XXX ✿ **Christian Clément,** 58 r. Pas St-Georges ☎ 81.01.39 – AE DX **k**
fermé sam. midi, dim. et fêtes – **R** (nombre de couverts limité - prévenir) carte 90 à 135
Spéc. Escalopes de poisson soufflées, Veau au salpicon de crustacés, Granité au Sauternes.

XXX ✿ **Chapon Fin,** 5 r. Montesquieu ☎ 44.76.01 – . AE CVX **n**
fermé 3 au 24 août, vacances de fév., sam. de juin à sept., lundi d'oct. à mai et dim. – **R** 125/155.

XXX ✿ **Clavel** (Garcia), 44 r. Ch.-Domercq ☎ 92.91.52 – AE GB .
fermé 12 juil. au 3 août, 22 fév. au 2 mars, dim. (sauf le midi de sept. à mai) et lundi – SC : **R** 100/165 Bordeaux p. 3 DZ **n**
Spéc. Feuilleté d'escargots, Poissons, Aiguillettes de caneton. **Vins** Château Castéra, Château Magence.

XXX **La Chamade,** 20 r. Piliers de Tutelle ☎ 48.13.74 – AE DX **d**
fermé 15 au 24 août – SC : **R** carte 125 à 170.

XXX **Le Rouzic,** 34 Cours du Chapeau rouge ☎ 44.39.11 – AE GB E DX **b**
fermé dim. et lundi – SC : **R** 100 bc/160.

XX **Auberge,** 3 r. Buffon ✉ 33300 ☎ 52.18.50 – AE GB CV **e**
fermé dim. et fériés – **R** 58/120.

XX Chez Gargamelle, 17 r. Huguerie ☎ 44.20.36. CV **d**

XX Allées, 9 allées Tourny ☎ 44.71.36 – . CV **k**

X **Tupina,** 6 r. Porte de la Monnaie ☎ 91.56.37 – AE DY **q**
fermé sam. midi et dim. midi – **R** carte 70 à 110.

X **Chez Victor,** 165 r. Fondaudège ☎ 44.70.41. BUV **t**
fermé août, sam. midi et dim. soir – **R** carte 80 à 105.

X **Chez le Chef,** 57 r. Huguerie ☎ 81.67.07 CV **a**
fermé oct., dim. soir et lundi – SC : **R** 35/100.

au Parc des Expositions : Nord de la ville – ✉ **33300** Bordeaux :

Sofitel M, ☎ 50.90.14, Télex 540097, , – TV – 100. AE GB
E. rest R **s**
rest. **La Pinasse R** carte 95 à 125 - **Café de Bordeaux R** carte environ 60 – 25 – **95 ch** 220/310, 5 appartements 560.

P.L.M.-Aquitania M, ☎ 50.83.80, Télex 570557, <, – TV –
25 à 600. AE GB E R **u**
SC : rest. **Les Acanthes** *fermé dim.* **R** 120 - **Le Pub** *fermé sam.* **R** carte env. 70 – 20 – **204 ch** 220/250, 8 appartements 400/500 – P 225/305.

Novotel-Bordeaux le Lac M, quartier du Lac, ☎ 50.99.70, Télex 570274, <,
– TV – 350. AE GB R **a**
R snack carte environ 65 – 18 – **173 ch** 180/190.

Mercure M, ☎ 50.90.30, Télex 540077 – TV wc – 250.
AE GB R **v**
R carte environ 70 – 17,50 – **107 ch** 175/195.

à Bouliac vers ④ – ✉ **33270** Floirac :

XXX ✿✿ **Le St-James** (Amat), pl. C. Hostein ☎ 20.52.19 – ▤. AE GB ⓓ. ✈ S **k**
fermé fév., dim. soir et lundi – **R** carte 130 à 180
Spéc. Salade d'huîtres au caviar, (sept. à avril), Filets de sole et langoustines aux nouilles fraîches, Canard laqué. **Vins** Premières Côtes de Bordeaux, Graves.

Par la sortie ⑥ :

à Talence : 6 km – ✉ **33400** Talence :

Guyenne (Lycée hôtelier) M, av. F.-Rabelais ☎ 80.75.08 – |♦| ⊟wc ☎ Ⓟ. ✈
fermé 13 juin au 1er oct. et vacances scolaires – SC : **R** *(fermé sam. soir et dim.)* (nombre de couverts limité - prévenir) 53/75 – ☕ 14 – **27 ch** 95/145, 3 appartements 220.

à La House : 12,5 km – ✉ **33170** Gradignan :

Aub. la Palombière, N 10 ☎ 89.17.52, ⚘ – ⊟wc ⋒ ☎ ♿ Ⓟ. 🚗
R *(fermé lundi)* 50/75 – ☕ 12 – **20 ch** 90/130 – P 165/185.

Par la sortie ⑦ :

à Pessac : 7 km – 51 444 h. – ✉ **33600** Pessac :

Royal Brion M sans rest, 10 r. Pin Vert ☎ 45.07.72 – TV ⊟wc ⋒wc ☎ ♿ 🚗 Ⓟ – 🏛 25. AE ⓓ
fermé 19 déc. au 11 janv. – SC : ☕ 14 – **24 ch** 137/180.

à l'Alouette : 8 km par D 109 – ✉ **33600** Pessac :

✿✿ **La Réserve** M ♨, av. Bourgailh ☎ 45.13.28, ⚘, « Parc » – ☎ Ⓟ – 🏛 70. AE GB E. ✈
fermé 20 déc. au 6 janv. – **R** 80/200 et carte – ☕ 20 – **20 ch** 110/280
Spéc. Suivant produits de saison. **Vins** Graves, Médoc.

Par la sortie ⑧ :

à Mérignac : 5 km par 106E – ✉ **33700** Mérignac :

XX **Charmilles** avec ch, 408 av. de Verdun ☎ 97.53.01, ⚘ – ⋒wc Ⓟ
fermé août, dim. soir et lundi – SC : **R** 31/100 – ☕ 10 – **16 ch** 40/65.

à l'Aéroport : 11 km par D 106E et D 107 – ✉ **33700** Mérignac :

Novotel-Mérignac M, ☎ 34.10.25, Télex 540320, ⛱, ⚘ – ▤ TV ☎ ♿ Ⓟ – 🏛 25 à 200. AE GB ⓓ
R snack carte environ 65 – ☕ 18 – **100 ch** 195/205.

XXX Horizons, ☎ 47.26.00, ← – ▤.

Par la sortie ⑨ :

à la Forêt : 8,5 km – ✉ **33320** Eysines :

XX **Les Tilleuls,** ☎ 28.04.56 – ✈
fermé 4 août au 4 sept., sam. soir et dim. – SC : **R** carte 80 à 120.

à St-Médard-en-Jalles : 15 km – 16 287 h. alt. 13 – ✉ **33160** St-Médard-en-Jalles :

La Chaumière M ♨, rte Lacanau ☎ 05.07.64, ⚘ – ⊟wc ☎ Ⓟ – 🏛 60
SC : **R** *(fermé lundi et le soir : dim. et fêtes)* 60/66 – ☕ 7,50 – **22 ch** 85/95.

X **Tournebride,** rte Porge ☎ 05.09.08 – Ⓟ. AE
fermé 29 juin au 21 juil., vacances de fév. et lundi – SC : **R** 55/120.

MICHELIN, Agences régionales, 20 r. Aupérie DZ ☎ 92.70.25 et 72 cours Journu-Auber DT ☎ 29.41.04

AUDI VOLKSWAGEN Splendid-Gar 76 r. Chevalier ☎ 44.63.12
BMW S.A.C.A., 161 av. Thiers ☎ 86.86.86
CITROEN Gar. Parc Sports, 2 av. Parc-Lescure AY ☎ 98.65.63
CITROEN Pichot, 105 r. Paulin BU ☎ 48.04.25
FERRARI, JAGUAR, ROVER Mercier, 166 r. de la Benauge ☎ 86.21.33
FIAT Gar. d'Aquitaine, 19 pl. Victoire ☎ 91.60.54
LANCIA-AUTOBIANCHI Axauto, 44 r. Temps-Passé ☎ 81.30.45
PEUGEOT S.I.A.S.O., 350 av. Thiers R **a** ☎ 86.84.02
RENAULT Succursale, 236 av. Thiers R **a** ☎ 86.24.09
RENAULT Atlantique Autom., 11 r. Arsenal BU ☎ 44.32.73
RENAULT Richard, 62 r. Héron BY ☎ 96.61.52
TALBOT Bordelaise Autom., 90 bd Wilson AX ☎ 96.80.62 N ☎ 50.70.35
TALBOT S.O.G.A., 8 pl. Renaudel DY ☎ 91.54.15 et 102 av. E.-Counord CT ☎ 29.27.08
Gar. S.F.A.M., 47 r. Huguerie ☎ 44.72.29

Bouyssalet-Pneus, 83 r. de Tauzia ☎ 91.49.54
Candelon-Pneus, 64 rte de Toulouse ☎ 85.47.34 et 95 quai Wilson à Bègles ☎ 33.19.69
Central-Pneus, 80 cours Dupré-St-Maur ☎ 50.84.58
Comet, 91 av. République ☎ 02.43.80
Compt. Cent. Pneum. r. p.-Baour, Centre Commercial Bordeaux Nord ☎ 50.23.00
Durieux, 103 r. Croix-Blanche ☎ 81.62.00
Hourquevie, 16 r. G.-Philippe ☎ 92.69.58
Station du Pneu, 226 av. Thiers ☎ 86.24.13

tourner →

Périphérie et environs

ALFA-ROMEO Auto-Sport, av. J.-F.-Kennedy, Mérignac ☎ 34.16.14
AUSTIN, JAGUAR, MORRIS, ROVER, TRIUMPH Stewart et Arden, 24 av. de la Marne Mérignac ☎ 96.86.62
FIAT, LANCIA Auto-Port, 83 bd Godard, Le Bouscat ☎ 50.84.84
FORD Palau, 419 rte du Médoc, Bruges ☎ 28.84.66
OPEL-GM-US Pigeon, 469 rte de Médoc, Bruges ☎ 28.84.28 N ☎ 87.20.99
OPEL Gar. Wilson, 273 bd Wilson, Caudéran ☎ 08.70.50
PEUGEOT Auto-Pessac, av. G.-Eiffel, Parc Industriel, Pessac S ☎ 45.25.21
PEUGEOT S.I.A.S.O, 84 av. Libération, Le Bouscat AT ☎ 08.84.89
PEUGEOT Poissant, Cholet Blanquefort R ☎ 35.09.90
PORSCHE Egreteaud, 18 av. J.-Jaurès, Cenon ☎ 86.14.27
RENAULT Pessac-Autos, 306 av. Pasteur, Pessac ☎ 45.05.64 N ☎ 45.05.80
RENAULT Succursale, 253 av. Libération, Le Bouscat R u ☎ 08.84.24
RENAULT Succursale Pont-de-la-Maye, 50 av. des Pyrénées, à Villenave d'Ornon ☎ 87.30.60
RENAULT Gar. Marco, 60 av. Pasteur, Pessac S ☎ 45.26.20
TALBOT S.O.G.A., 70 av. J.-Jaurès à Cenon R ☎ 86.64.01

Comptoir Aquitain du Pneu, 7 r. Marceau à Talence ☎ 04.31.42
Compt. Cent. Pneum., 75 bd Pierre-1er, Le Bouscat ☎ 08.71.70
Vallejo, Zone Ind. de Pinel, av. G.-Cabannes à Floirac ☎ 86.40.62

BORMES-LES-MIMOSAS 83230 Var 84 ⑯ **G. Côte d'Azur** – 3 093 h. alt. 120 – 94.

Voir Site★ – Forêt domaniale du Dom★ N : 4 km.

18 de Valcros ☎ 66.81.02, NO : 12 km.

Office de Tourisme, r. J.-Aicard (fermé 1er au 15 nov., 1er au 15 janv., lundi hors sais. et dim.) ☎ 71.15.17.

Paris 878 – Hyères 22 – Le Lavandou 5 – St-Tropez 35 – Ste-Maxime 39 – ♦Toulon 40.

- **Palma** M, N 559 ☎ 71.17.86 – wc P
  SC : **R** *(fermé nov.)* 72/120 – 18 – 20 ch 218.
- **Safari H.** M sans rest, rte Stade ☎ 71.09.83, ← baie et les îles, – wc P. GB E.
  1er avril-10 oct. – SC : **33 ch** 250/320.
- **Paradis H.** sans rest, Mont des Roses quartier du Pin ☎ 71.06.85, ←, – wc P.
  fin mars-15 oct. – SC : 10 – **17 ch** 130/170.
- **Belle-Vue,** pl. Gambetta ☎ 71.15.15, ← –
  25 janv.-1er oct. – SC : **R** 60 – 9 – 15 ch 50/70 – P 130/145.
- XX **Tonnelle des Délices,** pl. Gambetta ☎ 71.34.84
  1er mai-1er oct. – SC : **R** 90.
- X **La Cassole,** ruelle Moulin ☎ 71.14.86
  fermé : du 15 oct. au 15 mars et du 15 mars au 15 juin lundi soir, mardi, merc. sauf vacances scolaires ; du 15 juin au 10 sept. le midi ; du 10 sept. au 15 oct. lundi et mardi – SC : **R** (prévenir) 55/80.

à Cabasson S : 8 km par D 41 – ✉ **83230** Bormes-les-Mimosas :

- **Palmiers** , ☎ 64.80.00, – P. rest
  fermé 3 janv. au 10 mars – SC : **R** 58/160 – 13 – 21 ch 55/85 – P 120/180.

BORNY 57 Moselle 57 ⑭ – rattaché à Metz.

BORT-LES-ORGUES 19110 Corrèze 76 ② **G. Auvergne** – 5 612 h. alt. 430 – 55.

Voir Barrage★★ N : 1 km – **Orgues de Bort★** : ※★★ **SO : 3 km puis 15 mn.**

Office de Tourisme pl. Marmontel (fermé. dim. sauf matin en saison) ☎ 96.02.49.

Paris 469 – ♦Clermont-Fd 84 – Mauriac 30 – Le Mont-Dore 48 – St-Flour 88 – Tulle 71 – Ussel 29.

- **Central,** 9 av. Gare ☎ 96.74.82 – wc wc – 50. GB E. ch
  fermé 10 janv. au 1er mars et lundi du 15 sept. au 15 juin – SC : **R** 30/150 – 13 – 25 ch 45/140 – P 118/150.
- **Pavillon et Barrage,** Champ de Foire ☎ 96.72.09, – P
  fermé oct., sam. soir et dim. hors. sais. – SC : **R** 27/60 – 8,50 – 12 ch 50/60 – P 90/100.
- **Gare,** av. Gare ☎ 72.00.47 – wc P. GB
  R 30/34 – 8,50 – **27 ch** 40/120 – P 85/90.
- **Val H.** sans rest, av. Gare ☎ 72.02.56 –
  fermé 20 mai au 5 juin et 25 sept. au 10 oct. – SC : 9 – **9 ch** 48/67.
- **Barrage** sans rest, av. Gare ☎ 96.73.22 – .
  10 juin-20 sept. – SC : 9,50 – **12 ch** 39/55.

à Veillac (15 Cantal) N : 5 km sur D 922 – ✉ **15270** Lanobre – ⚙ 71.
Voir Val : site★★, château★ NO : 4 km.

✗ **Beau Rivage** **avec ch,** ☏ 40.31.11 – ⋒wc Ⓟ. rest
◆ *fermé 2 janv. au 1er mars* – SC : **R** 25/65 – ☕ 9,50 – 7 ch 45/80 – P 85/95.

BMW, TOYOTA Gar. Carloni, ☏ 72.70.59 🄽
CITROEN Serre, à Lanobre ☏ 40.30.06
FORD Rouel, à Granges ☏ 72.71.40
PEUGEOT Vergeade, ☏ 72.74.78
RENAULT Roux, ☏ 96.00.68
TALBOT Monteil, à Lanobre ☏ 40.30.05 🄽
TALBOT Sabatier, ☏ 72.73.42

BORT-L'ÉTANG 63 P.-de-D. 73 ⑮ – rattaché à Lezoux.

BOSSEY 74 H.-Savoie 74 ⑥ – 525 h. – ✉ **74160** St-Julien-en-Genevois – ⚙ 50.
Paris 543 – Annecy 36 – Annemasse 8 – ♦Genève 6 – St-Julien-en-Genevois 6.

Salève, ☏ 43.60.76 –
◆ *fermé 15 déc. au 1er janv. et sam.* – SC : **R** 33/37 – ☕ 8,50 – **10 ch** 45/53 – P 72/75.

Les BOSSONS 74 H.-Savoie 74 ⑧ – rattaché à Chamonix.

BOUGIVAL 78 Yvelines 55 ⑳, 101 ⑬ – voir à Paris, Proche banlieue.

BOUHET 17 Char.-Mar. 71 ②⑫ – 277 h. alt. 12 – ✉ **17540** St-Sauveur-d'Aunis – ⚙ 46.
Paris 451 – Fontenay-le-Comte 45 – Niort 43 – Rochefort 32 – La Rochelle 26 – St-Jean-d'Angély 43.

✗✗ **Aub. Vieux Moulin** **avec ch,** ☏ 01.83.20 – ⋒wc ☎ Ⓟ
fermé 23 mars au 3 avril, oct. et lundi – SC : **R** 60/100 – ☕ 12,50 – 6 ch 80 – P 210/300.

RENAULT Danet, ☏ 01.83.04 🄽

BOUILLAND 21 Côte-d'Or 66 ⑪ **G. Bourgogne** – 134 h. alt. 410 – ✉ **21420** Savigny-lès-Beaune – ⚙ 80.
Paris 303 – Autun 55 – Beaune 16 – Bligny-sur-Ouche 12 – ♦Dijon 44 – Saulieu 55.

✗✗✗ **Host. du Vieux Moulin** Ⓜ **avec ch,** ☏ 21.51.16, ≤ – ⇔wc ☎ Ⓟ. AE ⓓ
fermé 4 au 12 juin, 22 déc. au 1er fév., merc. et jeudi midi – SC : **R** (nombre de couverts limité - prévenir) 110/180 – ☕ 17 – 8 ch 112/160.

La BOUILLE 76 S.-Mar. 55 ⑥ **G. Normandie** – 668 h. alt. 5 – ✉ **76530** Grand Couronne – ⚙ 35.
Voir Château de Robert le Diable★ : ※★ SE : 3 km – Moulineaux : vitrail★ de l'église E : 3 km.
Bac : renseignements ☏ **92.30.37.**
Paris 137 – Bernay 41 – Elbeuf 15 – Louviers 30 – Pont-Audemer 35 – ♦Rouen 20.

✗✗ **Maison Blanche,** ☏ 23.80.53, ≤ – GB
fermé 20 juil. au 7 août, 18 déc. au 7 janv., dim. soir et lundi – SC : **R** 60 (sauf fêtes)/100.

✗✗ St-Pierre avec ch, ☏ 23.80.10, ≤ – ⇔wc ⋒ ☎ – 40. GB
SC : ☕ 18 – 6 ch 70/100.

✗✗ **Les Gastronomes,** ☏ 23.80.72 – AE GB ⓓ
fermé 15 sept. au 4 oct., merc. soir et jeudi – SC : **R** 55/100.

✗✗ **Poste,** ☏ 23.83.07, ≤ – GB
fermé 26 déc. au 12 janv. et lundi – SC : **R** 55/75.

Eschbach ☏ 92.30.65 🄽 ☏ 69.40.59

BOUIN 85 Vendée 67 ② – 2 237 h. – ✉ **85230** Beauvoir-sur-Mer – ⚙ 51.
Paris 428 – Challans 20 – ♦Nantes 52 – Noirmoutier-en-l'Ile 30 – St-Nazaire 54.

✗✗ **La Louisiane,** ☏ 68.63.55 – Ⓟ. ⓓ
fermé lundi soir et mardi – **R** carte 85 à 115.

BOULIAC 33 Gironde 71 ⑨ – rattaché à Bordeaux.

BOULIGNEUX 01 Ain 74 ② – rattaché à Villars-les-Dombes.

BOULOGNE-BILLANCOURT 92 Hauts-de-Seine 55 ⑳, 101 ㉔ – voir à Paris, Proche banlieue.

BOULOGNE-SUR-MER SP **62200** P.-de-C. 51 ① **G. Nord de la France** – 49 284 h. – Casino Y – 21.

Voir Port★ Z – Ville haute★ YZ : Coupole★ et Crypte★ de la basilique Y **B**, ≤★ du Beffroi YZ **D** – Collection de vases grecs★ du musée Z **M** – Calvaire des marins ≤★ X **E** – Colonne de la Grande Armée★ : ※★★ 5 km par ① – Corniche de la Côte d'Opale★ par ①.

Env. St-Étienne-au-Mont ≤★ 7 km par ④.

18 de Wimereux ☎ 32.43.20 par : ① 8 km.

☎ 31.89.94.

Office de Tourisme pl. F.-Sauvage (fermé dim. et lundi hors sais.) ☎ 31.68.38, Télex 160085 - A.C. 63 av. J.-F.-Kennedy ☎ 92.26.90.

Paris 243 ④ – ♦Amiens 122 ④ – Arras 120 ④ – ♦Calais 34 ② – ♦Le Havre 242 ④ – ♦Lille 117 ③ – ♦Rouen 178 ④.

Plan page ci-contre

- **Métropole** sans rest, 51 r. Thiers ☎ 31.54.30, – wc wc . *fermé 20 déc. au 4 janv.* – SC : 12 – **28 ch** 80/140. Z **e**
- **Faidherbe** sans rest, 12 r. Faidherbe ☎ 31.60.93 – TV wc . SC : 12 – **35 ch** 90/150. Z **t**
- **Alexandra** sans rest, 93 r. Thiers ☎ 31.32.08 – wc wc . AE GB E *fermé 1er au 15 janv.* – SC : 10 – **18 ch** 49/120. YZ **a**
- **Lorraine** sans rest, 7 pl. Lorraine ☎ 31.34.78 – . *fermé 20 déc. au 5 janv.* – SC : 11 – **21 ch** 70/130. Y **v**
- **Arts** sans rest, 102 quai Gambetta ☎ 31.53.31, ≤ – . *fermé 20 déc. au 5 janv.* – SC : 11 – **31 ch** 65/100. Y **f**
- **Londres** sans rest, 22 pl. France ☎ 31.35.63 – . SC : 10 – **20 ch** 47/63. Z **n**
- **Chatham** sans rest, 122 quai Gambetta ☎ 31.55.78, ≤ *fermé 20 déc. au 20 janv.* – SC : 10 – **12 ch** 52/68. Y **f**
- XX **La Matelote,** 80 bd Ste-Beuve ☎ 30.17.97 – GB *fermé 15 déc. au 15 janv., dim. soir et mardi* – SC : **R** carte 90 à 130. Y **q**
- XX **Plage** avec ch, 124 bd Ste-Beuve ☎ 31.45.35 – . *fermé 15 déc. au 15 janv. et lundi* – SC : **R** 40/50 – 10 – **10 ch** 50/80. Y **r**

à Pont-de-Briques par ④ : 5 km – ✉ **62360** Pont-de-Briques St-Étienne :

- XXX **Host. de la Rivière** avec ch, 17 r. Gare ☎ 32.22.81 – P. . ch *fermé août, dim. soir et lundi* – SC : **R** 75/110 – 8,50 – 10 ch 55/75 – P 120.

au Portel par ⑤ : 5 km – 11 210 h. – ✉ **62480** Le Portel

Office de Tourisme pl. Poincaré (juin-sept.) ☎ 31.45.93.

- **Beau Rivage et Armada,** pl. Mgr.-Bourgain ☎ 31.59.82 – P. ch *fermé Noël-jour de l'an et dim. soir hors sais.* – SC : **R** 28/55 – 8,50 – 10 ch 40/88 – P 87/110.
- X **Gd Large,** r. Mar.-Foch ☎ 31.71.51. GB *fermé janv. et vend. soir* – **R** 28/65.

à La Capelle-lès-Boulogne par ③ : 7 km – ✉ **62360** Pont-de-Briques St-Étienne :

- XX **Aub. de la Forêt,** ☎ 31.82.05 – P. GB E *fermé fév. et mardi* – SC : **R** 46/150.

MICHELIN, Agence, Z.I. de l'Inquetrie-St. Martin Boulogne par ③ ☎ **en attente, se renseigner auprès des P et T**

ALFA-ROMEO, OPEL Gar. St-Christophe, bd Liane, Zone Ind. ☎ 92.09.11
BMW Éts Cornuel-Boulogne, 13 r. Quéhem ☎ 91.11.14
CITROEN Succursale, bd Liane, Zone Ind. à St-Léonard ☎ 92.21.11 N
FIAT Gar. Avenue, bd Liane, Zone Ind. ☎ 31.93.50
FORD Gar. Paris, 33 av. Kennedy ☎ 92.05.22
LANCIA-AUTOBIANCHI Thibaudat, 91 r. de Brequerecques ☎ 92.08.92
PEUGEOT Venière, 122 bd Liane, Zone Ind. ☎ 31.97.40
RENAULT Gar. Legrand, bd Liane, Zone Ind. ☎ 91.18.44 N
TALBOT Gar. de la Gare, bd Diderot ☎ 91.04.84

Peuvion-Pneus, 12 r. de Constantine ☎ 31.85.62
Pneu Fauchille, 10 r. Gerhard-Hansen ☎ 91.04.44
Renova-Pneu, 13 r. Pasteur ☎ 31.47.39

Participez à notre effort permanent de mise à jour

Adressez-nous vos remarques et vos suggestions.

Cartes et guides Michelin

46 avenue de Breteuil - 75341 Paris Cedex 07

BOULOGNE-SUR-MER

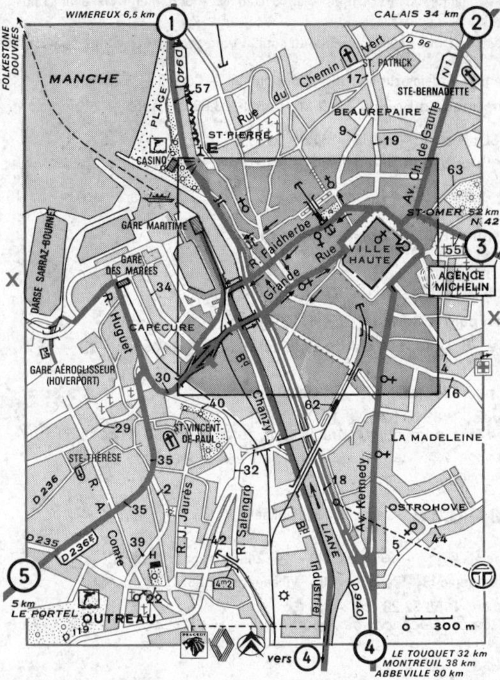

Faidherbe (R.) ____ Y
Grande-Rue ____ Z
Lampe (R. de la) ____ Z 33
Thiers (R. Adolphe) Y 58
Victor-Hugo (R.) ____ Z

Adam (R. H.) ____ X 2
Alsace (R. d') ____ Z 3
Ansart-Rault (R.) ____ X 4
Apolline (R.) ____ X 5
Aumont (R. d') ____ Z 7
Beaucerf (Bd) ____ Z 8
Beaurepaire (R. de) X 9
Bras-d'Or (R. du) ____ Z 12
Chanoine-Pillons (R.) ____ X 16
Colonne (R. de la) ____ X 17
Diderot (Bd) ____ X 18
Duflos (R. Louis) ____ X 19
Dutertre (R.) ____ Y 20
Égalité (R. de l') ____ X 22
Entente-Cordiale (Pont de l') ____ Z 23
Huguet (Bd A.) ____ X 29
Jaurès (Bd Jean) ____ X 30
J.-J.-Rousseau (Bd) X 32
Lavocat (R. Albert) X 34
Liberté (Bd de la) ____ X 35
Lille (R. de) ____ Y 37
Marguet (Pont) ____ Z 38
Michelet (R. Jules) ____ X 39
Montesquieu (Bd) ____ X 40
Mont-Neuf (R. du) ____ X 42
Orme (R. de l') ____ X 44
Perrochel (R.) ____ Z 47
Porte-Neuve (R.) ____ Y 48
Puits-d'Amour (R.) Z 49
Résistance (Pl.) ____ YZ 50
St-Louis (R.) ____ Y 54
St-Omer (R. de) ____ Y 55
Ste-Beuve (Bd) ____ X 57
Tour-N.-Dame (R.) Y 59
Voltaire (Bd) ____ Z 62
Wicardenne (R. de) X 63

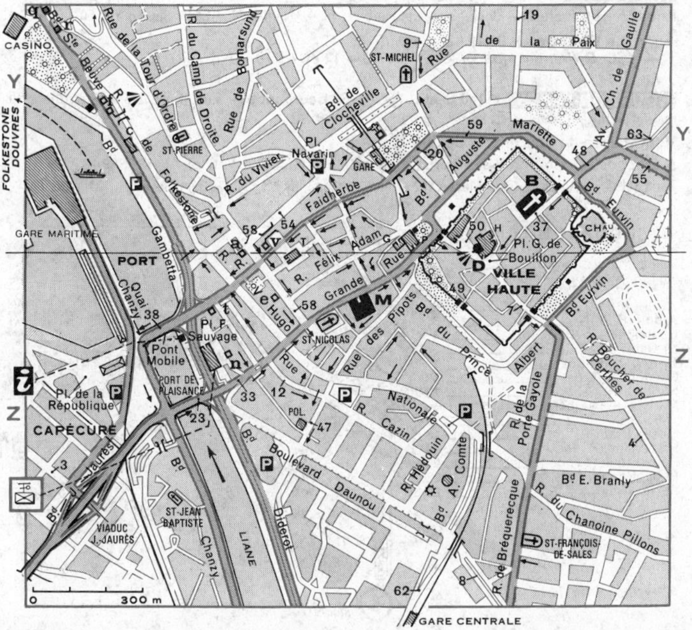

Le BOULOU 66160 Pyr.-Or. 86 ⑲ **G. Pyrénées** – 3 709 h. alt. 89 – Stat. therm. (1er avril-11 nov.) – Casino – 68.

Syndicat d'Initiative pl. Mairie (hors saison après-midi seul., fermé sam. sauf matin en saison et dim.) ☎ 83.15.60.

Paris 931 – Amélie-les-Bains 16 – Argelès-sur-Mer 19 – Barcelona 165 – Céret 9 – ♦Perpignan 24.

Sources, aux Thermes du Boulou S : 2 km N 9 ☎ **83.00.81**, parc – wc . rest
10 avril-31 oct. – SC : **R** 35/45 – 10 – **64 ch** 50/120.

Grillon d'Or, r. République ☎ 83.03.60 – wc wc . rest
fermé 15 janv. au 15 fév. – SC : **R** *(fermé merc. du 1er oct. au 30 mars)* 33/60 – 10 – **40 ch** 45/108 – P 120/182.

Canigou, r. Bousquet ☎ 83.15.29 – wc . rest
15 avril-30 oct. – SC : **R** 45/90 – 15 – 17 ch 55/125 – P 115/135.

Centre, r. Arago ☎ 83.15.73 –
fermé janv. – SC : **R** 29 bc/58 – 8 – **27 ch** 45/53 – P 100/140.

à l'Écluse S : 4 km par rte Perthus – **66400** Céret :

Aub. de l'Écluse M, ☎ 37.40.70, « Cadre style catalan », – – 30
21 ch.

à Vivès O : 5 km par D 115 et D 13 – **66400** Céret :

Hostalet de Vivès, ☎ **83.05.52**
fermé 15 janv. à fin fév., merc. et jeudi du 15 sept. au 1er juin – SC : **R** carte 50 à 70.

CITROEN Monforte, ☎ 83.17.28
PEUGEOT Montigny, ☎ 83.17.29
RENAULT Perrin, ☎ 83.13.21 N

BOULOURIS 83 Var 84 ⑧, 195 ㉝ – rattaché à St-Raphaël.

BOUNIAGUES 24 Dordogne 75 ⑮ – 395 h. alt. 140 – **24560** Issigeac – 53.

Paris 565 – Beaumont 23 – Bergerac 13 – Périgueux 60 – Villeneuve-sur-Lot 47.

Voyageurs avec ch, ☎ 58.32.26, –
fermé 15 oct. au 15 nov., vacances de fév. et lundi – SC : **R** 30/90 – 9,50 – **7 ch** 45/55 – P 90/120.

PEUGEOT Gouyou, ☎ 58.32.32

Le BOUPÈRE 85510 Vendée 67 ⑮ **G. Côte de l'Atlantique** – 2 762 h. alt. 123 – 51.

Paris 382 – Bressuire 36 – Cholet 34 – Les Herbiers 14 – ♦Nantes 77 – La Roche-sur-Yon 50.

Le Bocage, ☎ 91.42.82 – E
SC : **R** *(fermé lundi)* 30/96 – 10 – **12 ch** 45/70 – P 82/110.

BOURBON-LANCY 71140 S.-et-L. 69 ⑯ **G. Bourgogne** – 6 652 h. alt. 276 – Stat. therm. (8 mai-fin sept.) – Casino – 85.

Voir Maison de bois et tour de l'horloge★ B.

Office de Tourisme (avril-sept. fermé merc. et dim. matin) avec A.C. pl. Aligre ☎ 89.18.27.

Paris 311 ④ – Autun 62 ① – Mâcon 112 ③ – Montceau-les-M. 53 ② – Moulins 36 ④ – Nevers 72 ④.

BOURBON-LANCY

Commerce (R. du) 5
Gaulle (Av. du Gén.-de) 9

Aligre (Pl. d') 2
Autun (R. d') 3
Châtaigneraie (R. de la) 4
Dr-Gabriel-Pain (R. du) 6
Dr-Robert (R. du) 7
Gueugnon (R. de) 12
Horloge (R. de l') 13
Martyrs-de-la-Libération (R. des) 15
Musée (R. du) 16
Prébendes (R. des) 18
République (Av. de la) 21
République (Pl. de la) 22
St-Nazaire (R.) 23

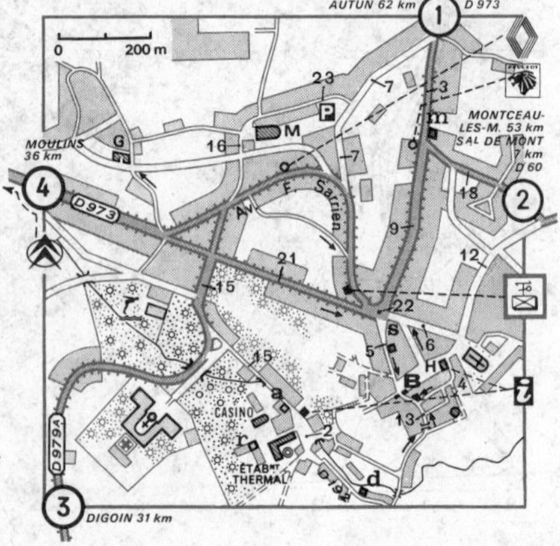

Pour un bon usage des plans de villes, voir les signes conventionnels p. 20.

AUTUN 62 km D 973
MONTCEAU-LES-M. 53 km SAL DE MONT 7 km D 60
MOULINS 36 km
D 973
Av. F. Sarrien
CASINO
ÉTABt THERMAL
D 979A
DIGOIN 31 km

Gd Hôtel ⛰, **(r)** ☎ 89.08.87, parc – |‡| ⌂wc ⌂wc ☎ **P**. . ⛔ rest
mai-oct. – SC : **R** 55/80 – ☕ 12 – **22 ch** 45/107.

La Roseraie sans rest, r. Martyrs-de-la-Libération **(a)** ☎ 89.07.96, – ⌂wc ☎ ♿.
1er mai-31 oct. – SC : ☕ 13 – **12 ch** 50/125.

Raymond avec ch, 8 r. Autun **(m)** ☎ 89.17.39, – ⌂wc ⌂wc ☎ **P**. GB. ⛔ rest
fermé 4 au 11 mai, 13 nov. au 4 déc., dim. soir de nov. à Pâques, vend. soir et sam. midi sauf juil. et août – SC : **R** 40/130 – ☕ 12 – 19 ch 50/120 – P 100/160.

Villa Vieux Puits ⛰ avec ch, 7 r. Bel-Air **(d)** ☎ 89.04.04, – ⌂ **P**
Pâques-15 déc. et fermé lundi hors sais. – SC : **R** 45/90 – ☕ 15 – 17 ch 37/65 – P 88/100.

Centre, 9 r. Commerce **(s)** ☎ 89.12.13 – **P**. GB. ⛔
fermé oct., dim. soir et lundi – SC : **R** 38/100.

CITROEN Blanc, 47 av. Puzenat ☎ 89.11.07
PEUGEOT Puzenat, 41 av. Gén.-de-Gaulle ☎ 89.16.14
RENAULT Ségaud, 30 av. F.-Sarrien ☎ 89.19.38 **N**

BOURBON-L'ARCHAMBAULT

BOURBON-L'ARCHAMBAULT 03160 Allier **69** ⑬ **G. Auvergne** – 2 598 h. alt. 260 – Stat. therm. (fermé 15 déc. au 15 janv.) – ✪ 70.

Voir Allées Montespan ≤★ B – Château ≤★ E.

Env. St-Menoux : choeur★★ de l'église★ 9 km par ②.

i Syndicat d'Initiative 1 pl. Thermes (10 avril-14 oct.) ☎ 67.09.79.

Paris 290 ① – Montluçon 48 ③ – Moulins 23 ② – Nevers 51 ① – St-Amand-Montrond 55 ③.

BOURBON-L'ARCHAMBAULT

Allier (R. Achille) 2
Bel-Air (R. de) 3
Bignon (Bd J.) 4
Burge (R. de la) 5
Château (R. du) 6
Débordes (Av. E.) 7
Dubost (R. Lieutenant-Colonel) 8
Fontaine-Jonas (R. de la) 9
Guillaumin (Av. E.) 10
Louis-Philippe (Av. Ch.) 12
Macé (R. Jean) 13
Meillers (R. de) 14
Mouillières (Bd des) 15
Moulin (R. du) 16
Parc (R. du) 17
Paroisse (R. de la) 19
Pied-de-Fourche (R. du) 21
République (R. de la) 22
Rondreux (R. A.) 24
St-Plaisir (Rte de) 25
Solins (Bd de) 26
Thermes (Pl. des) 27
Thermes (R. des) 28

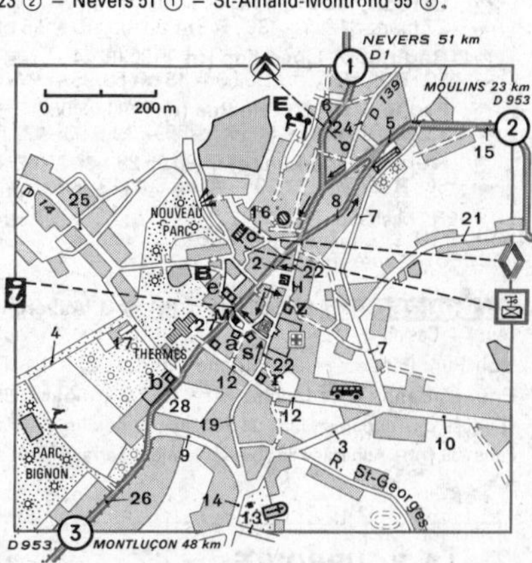

Thermes (Barichard), av. Ch.-Louis-Philippe **(a)** ☎ 67.00.15, – ⌂wc ⌂wc ☎. . ⛔ rest
28 mars-31 oct. – SC : **R** 48/185 – ☕ 11 – 21 ch 70/132 – P 152/170
Spéc. Foie gras maison, Langouste grillée, Tournedos Rossini. **Vins** St-Pourçain, Sancerre.

Gd H. Parc et Établissement, r. Parc **(b)** ☎ 67.02.55, – |‡| ⌂wc ⌂wc ☎ **P**. ⛔ rest
8 avril-15 oct. – SC : **R** 42/45 – ☕ 9,50 – **60 ch** 35/105 – P 75/125.

Gd H. Montespan-Talleyrand, pl. Thermes **(e)** ☎ 67.00.24, – |‡| ⌂wc ⌂wc ☎ . . ⛔ rest
10 avril-15 oct. – SC : **R** 42/55 – ☕ 10 – **52 ch** 53/130 – P 94/140.

Gd H. Bains, pl. 3-Puits **(s)** ☎ 67.08.18 – |‡| ☎. ⛔ rest
10 avril-15 oct. – SC : **R** 31/40 – ☕ 9 – **43 ch** 39/70 – P 79/100.

Acacias (Dubost), av. Ch.-Louis-Philippe **(r)** ☎ 67.06.24, – ⌂wc ⌂
fermé 10 fév. au 20 mars et lundi soir – SC : **R** 45/135 – ☕ 9,50 – 25 ch 37/100 – P 80/100
Spéc. Terrine de caille, Ris de veau aux morilles, Charolais du Bourbonnais. **Vins** St-Pourçain, Sancerre.

France, r. République **(z)** ☎ 67.00.04, – . ⛔ rest
1er avril-10 oct. – SC : **R** 30/75 – ☕ 10 – 30 ch 35/80 – P 72/110.

Trois Puits, r. Trois-Puits **(a)** ☎ 67.08.35 – ⛔ rest
6 avril-15 oct. – SC : **R** 36/65 – ☕ 9,50 – **28 ch** 38/65 – P 72/95.

CITROEN Deschamps, ☎ 67.00.71 **N**
RENAULT Gar. de la Poste, ☎ 67.00.19 **N**

BOURBONNE-LES-BAINS 52400 H.-Marne 62 ⑬⑭ **G. Vosges** – 3 085 h. alt. 260 – Stat. therm. (1er mars-30 nov.) – 25.

Office de Tourisme pl. Bains (15 mars-31 oct. et fermé dim. après-midi) ☎ 90.01.71.

Paris 305 ④ – Chaumont 53 ④ – ♦Dijon 111 ④ – Langres 43 ④ – Neufchâteau 53 ① – Vesoul 56 ②.

BOURBONNE-LES-BAINS

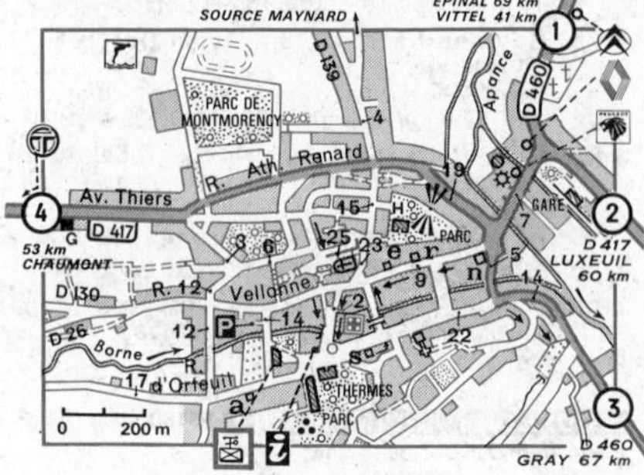

Jeanne d'Arc, r. Amiral-Pierre **(s)** ☎ 90.12.55 – wc wc ☎ P. AE GB E. rest
10 avril-20 oct. – SC : **R** 48/105 – 12 – **40 ch** 90/145 – P 115/175.

Orfeuil, r. Orfeuil **(a)** ☎ 90.05.71, parc – wc ☎. . rest
27 mars-31 oct. – SC : **R** 30/60 – 10 – **56 ch** 29/110 – P 100/155.

Régina, pl. Libération **(n)** ☎ 90.06.24 – wc ☎. E
SC : **R** 28/59 – 9,50 – **15 ch** 50/95 – P 109/145.

Étoile d'Or, 53 Gde Rue **(r)** ☎ 90.06.05 – wc ☎. E
15 avril-20 oct. – SC : **R** 33/50 – 9,50 – 27 ch 39/85 – P 90/130.

Hérard, Gde-Rue **(e)** ☎ 90.05.29, – wc wc ☎ P. GB E
SC : **R** 25/75 – 10 – **40 ch** 60/110 – P 102/140.

CITROEN Michaud, ☎ 90.03.12
FORD Gar. St-Christophe, ☎ 90.06.61
PEUGEOT André, ☎ 90.00.66
RENAULT Beau, ☎ 90.00.72
TALBOT Gar. Petit, ☎ 90.05.91 N

La BOURBOULE 63150 P.-de-D. 73 ⑬ **G. Auvergne** – 2 432 h. alt. 852 – Stat. therm. (2 mai-30 sept.) – Casino A – 73.

Voir Parc Fenêstre★ B – **Roche Vendeix ★ 4 km par ② puis 30 mn.**

Env. La Banne d'Ordanche ★★ NE : 7 km par D 88 B **puis 30 mn.**

Office de Tourisme pl. Hôtel de Ville (fermé dim. hors saison et sam.) ☎ 81.07.99.

Paris 438 ③ – Aubusson 86 ③ – ♦Clermont-Ferrand 53 ③ – Mauriac 70 ③ – Ussel 53 ③.

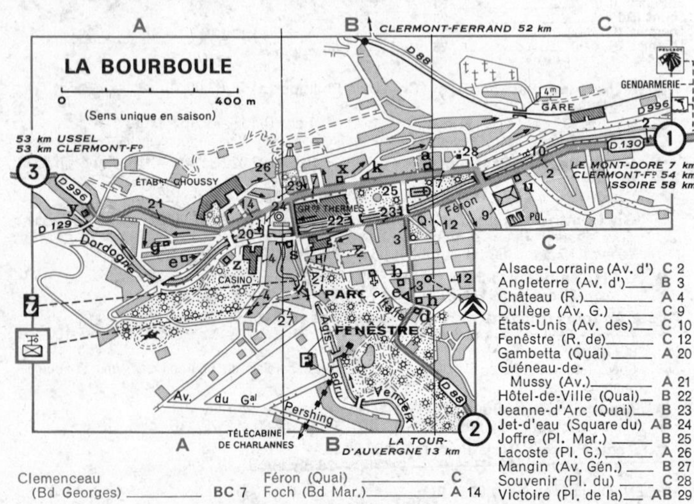

Iles Britanniques, quai Gambetta ℡ 81.02.54 – |¢| TV ⊟wc ☎ Ⓟ. AE ◑. ✱ rest B **s**
1er mai-30 sept. et 20 déc.-20 avril – SC : **R** 60/70 – ▭ 15 – **33 ch** 160/240, 12 appartements 230/260 – P 200/250.

Soleil Ⓜ sans rest., av. Angleterre ℡ 81.07.46 – ⊟wc ⋒wc ☎ B **h**
10 juin-10 sept. – SC : ▭ 15 – 16 ch 100/200.

International Ⓜ, av. Angleterre ℡ 81.05.82 – ⊟wc ⋒wc. AE GB ◑ E. ✱
fermé 30 mars au 10 avril et 5 nov. au 20 déc. – SC : **R** 38/45 – ▭ 10 – 16 ch 120/140 – P 145/180. B **e**

Balroy's, bd G.-Clemenceau ℡ 81.01.44 – |¢| ⊟wc ☎ B **x**
Pâques-fin sept. – SC : **R** 42/52 – ▭ 10 – **27 ch** 53/180 – P 100/200.

Parc, quai Mar.-Fayolle ℡ 81.01.77, ⚐ – |¢| ⊟wc ☎. AE ◑ E. ✱ rest A **z**
15 mai-25 sept. – SC : **R** 45/60 – ▭ 13 – **54 ch** 43/145 – P 110/160.

Russie-Victoria, bd Georges-Clemenceau ℡ 81.01.66 – |¢| ⊟wc ⋒wc ☎ Ⓟ. ✱ rest B **k**
mai-sept., vacances scolaires et week-ends – SC : **R** 45/60 – ▭ 11 – **45 ch** 51/160 – P 100/180.

Aviation, r. Metz ℡ 81.09.77, ⚐ – |¢| ⊟wc ⋒ ☎ 🚗. GB. ✱ rest B **b**
fermé 20 au 30 avril et 10 oct. au 20 déc. – SC : **R** *(fermé jeudi hors sais. et vac. scolaires)* 40/60 – ▭ 11 – **48 ch** 65/150 – P 110/150.

Le Charlet, bd L.-Choussy ℡ 81.05.80 – ⊟wc ⋒wc ☎. ✱ rest A **g**
◆ *10 mai-25 sept. et 20 déc.-30 mars* – SC : **R** 32/55 – ▭ 10 – **38 ch** 44/88 – P 80/110.

Pavillon, av. Angleterre ℡ 81.01.42, ≤, ⚐ – |¢| ⋒wc ☎. ✱ B **d**
20 mai-20 sept. – SC : **R** 38/50 – ▭ 12 – **26 ch** 100/150 – P 120/150.

Baigneurs, quai Libération ℡ 81.07.66 – ⊟wc ⋒wc ☎ 🚗. ✱ rest A **e**
◆ *10 mai-30 sept. et 25 déc.-10 avril* – SC : **R** 35 – ▭ 11 – **33 ch** 50/100 – P 80/120.

Genève, bd G.-Clemenceau ℡ 81.04.85 – ⊟wc ⋒wc B **a**
◆ *Pâques, 1er mai-25 sept., Noël et vacances de fév.* – SC : **R** 32/60 – ▭ 9 – 33 ch 42/110 – P 80/110.

Régina, av. Alsace-Lorraine ℡ 81.09.22, ⚐ – ⋒ Ⓟ. ✱ rest C **u**
◆ *1er mai-fin sept., vacances scolaires et week-ends* – SC : **R** 30/60 – ▭ 9,50 – 23 ch 48/120 – P 85/110.

XX **Les Fleurs** avec ch, av. Guéneau-de-Mussy ℡ 81.09.44 – ⊟wc ⋒wc ☎ Ⓟ. ✱
◆ *1er mai-30 sept., vacances scolaires et week-ends* – SC : **R** 35/65 – ▭ 11 – 24 ch 60/130 – P 105/145. A **y**

au Nord : 1,5 km par D 88 - B :

X **Aub. Tournebride** ⛭ avec ch, rte Murat-le-Quaire ✉ 63150 La Bourboule ℡ 81.01.91, ≤ – Ⓟ. ✱
fermé lundi sauf sais. et vacances scolaires – SC : **R** 47/95 – ▭ 11 – 8 ch 95/125 – P 140/150.

par ② et rte du Mt-Dore : 5,5 km – ✉ **63150** La Bourboule :

XX **Aub. Bois de la Reine** ⛭ avec ch, ℡ 81.01.24, « Cadre rustique, jardin » – ⋒wc ☎ Ⓟ. 🚌. ✱ rest
15 mai-15 sept. – **R** (nombre de couverts limité - prévenir) 78 – ▭ 14 – 10 ch 120.

CITROEN Gar. Aviation, r. Metz ℡ 81.02.88

PEUGEOT Gar. Mecmayer, Zone artisanale des Vernières ℡ 81.12.86

BOURBOURG 59630 Nord 51 ③ – 7 317 h. – ⚙ 28.

Paris 280 – •Calais 28 – Cassel 28 – Dunkerque 18 – •Lille 83 – St-Omer 26.

XX **Sports et Gueulardière,** 4 pl. Hôtel de Ville ℡ 22.20.97 – AE
◆ *fermé août et lundi sauf fêtes* – SC : **R** 30/43 carte le dim. 🌡.

BOURCEFRANC-LE-CHAPUS 17560 Char.-Mar. 71 ⑭ – rattaché à Marennes.

BOURDEAU 73 Savoie 74 ⑮ – rattaché au Bourget-du-Lac.

BOURDEAUX 26460 Drôme 77 ⑬ – 536 h. alt. 407 – ⚙ 75.

ℹ Syndicat d'Initiative pl. de la Lève (1er juil.-30 sept.) ℡ 49.32.96.

Paris 613 – Crest 24 – Montélimar 40 – Nyons 44 – Pont-St-Esprit 74 – Valence 52.

Trois Châteaux, rte Nyons ℡ 49.33.92 – ⋒ Ⓟ. ✱ ch
◆ *fermé 26 sept. au 7 nov.* – SC : **R** 32/60 – ☕ 8,50 – 14 ch 40/95 – P 90/110.

BOURDEILLES 24 Dordogne 75 ⑤ – rattaché à Brantôme.

BOURDONNÉ 78 Yvelines 60 ⑧, 96 ㉒ – 250 h. alt. 117 – ✉ **78113** Condé-sur-Vesgre – ⚙ 3.

Paris 60 – Dreux 29 – Houdan 8 – Mantes-la-Jolie 33 – Rambouillet 21 – Versailles 39.

XX Aub. de la Mère Téton, ℡ 487.00.55.

BOURGANEUF 23400 Creuse 72 ⑨ **G. Périgord** (plan) – 3 940 h. alt. 446 – ✪ 55.

Voir Charpente* de la tour Zizim – Tapisserie* dans l'Hôtel de Ville.

Syndicat d'Initiative à l'Hôtel de Ville (fermé sam. et dim) ☎ 64.07.61.

Paris 385 – Aubusson 39 – Guéret 33 – •Limoges 49 – Tulle 103 – Uzerche 80.

- **Commerce,** r. Verdun ☎ 64.14.55 – wc
  fermé 22 déc. au 15 fév. et lundi hors sais. – SC : **R** 29/130 – 12 – 16 ch 45/145 – P 115/185.
- **Boule d'Or** sans rest, av. Turgot ☎ 64.12.02 – wc P – 30.
  fermé oct. et lundi – SC : 10 – **16 ch** 38/110.
- **Coupole,** av. Turgot ☎ 64.08.99 – P
  fermé nov. et sam. hors sais. – SC : **R** 22/45 – 9 – 13 ch 35/50 – P 70/85.

au Sud-Ouest : 13 km par D 941 et D 22 – ✉ **23400** Bourganeuf :

- **Moulin de Montaletang**, ☎ 64.92.72, ←, parc – wc wc P. AE GB E. rest
  1er mars-30 nov. et fermé merc. soir et jeudi midi hors sais. – SC : **R** 58/90 – 14 – **13 ch** 95/138 – P 144/180.

CITROEN Lacourie, ☎ 64.00.23
PEUGEOT Cop, ☎ 64.05.60
RENAULT Gaumet, ☎ 64.14.22
TALBOT Neyret, ☎ 64.08.76

Utilisez le guide de l'année.

BOURG-ARGENTAL 42220 Loire 76 ⑨ **G. Vallée du Rhône** – 3 335 h. alt. 534 – ✪ 77.

Syndicat d'Initiative pl. Liberté (juil.-août et fermé dim. après-midi) ☎ 52.63.49.

Paris 545 – Annonay 15 – Le Puy 77 – •St-Étienne 28 – Vienne 54 – Yssingeaux 49.

- XX **France** avec ch, pl. 11 Novembre ☎ 52.60.28 – TV wc P. GB
  fermé fév. et lundi – SC : **R** 53/140 – 10 – 22 ch 60/110 – P 120/160.

Garage Moderne, ☎ 52.62.14 N

BOURG D'ARUD 38 Isère 77 ⑥ – alt. 950 – ✉ **38143** Venosc – ✪ 76.

Paris 626 – Le Bourg-d'Oisans 13 – •Grenoble 62 – Col du Lautaret 42.

- **Château de la Muzelle**, ☎ 80.06.71, ←, –, sans P. rest
  1er juin-10 sept. – SC : **R** 45/50 – 9,50 – **32 ch** 41/48 – P 95/106.

BOURG-DE-PÉAGE 26 Drôme 77 ② – rattaché à Romans-sur-Isère.

BOURG-DE-SIROD 39 Jura 70 ⑤ – rattaché à Champagnole.

Le BOURG-D'OISANS 38520 Isère 77 ⑥ **G. Alpes** – 2 474 h. alt. 719 – ✪ 76.

Voir Cascade de la Sarennes* NE : 1 km puis 15 mn – Gorges de la Lignarre* NO : 3 km.

Office de Tourisme quai Girard (fermé dim.) ☎ 80.03.25.

Paris 613 – Briançon 67 – Gap 118 – •Grenoble 49 – St-Jean-de-Maurienne 94 – Vizille 32.

- **l'Oberland,** ☎ 80.01.03, – wc wc P. AE. rest
  Pentecôte-fin sept. et mi déc.-Pâques – SC : **R** 36/63 – 11,50 – 30 ch 54/108 – P 102/142.
- **Milan,** ☎ 80.01.23, – wc wc P.
  vacances de printemps, 10 juin-10 sept., vacances Noël-jour de l'An et fév. – SC : **R** 32/60 – 10 – **43 ch** 55/85 – P 95/115.

au Châtelard NE : 12 km par D 211, D 211A et VO – ✉ **38520** Bourg d'Oisans :

- **La Forêt de Maronne**, ☎ 80.00.06, ← – wc P. rest
  1er juin-30 sept., 15 déc.-30 avril et week-ends hors sais. – **R** 39/66 – 10 – **12 ch** 40/90 – P 88/106.

CITROEN Gar. Bonnenfant, les Sables-en-Oisans ☎ 80.07.00
FORD Gar. Caix, ☎ 80.02.60
OPEL Gar. Dauphiné, ☎ 80.01.59
PEUGEOT Gar. Pouchot, ☎ 80.02.56
RENAULT Gar. Corroyez, ☎ 80.01.62

BOURG-D'OUEIL 31 H.-Gar. 85 ⑳ – 18 h. alt. 1 350 – ✉ **31110** Luchon – ✪ 61.

Voir Vallée d'Oueil* au SE – Kiosque de Mayrègne ✳* SE : 5 km, G. Pyrénées.

Paris 841 – Luchon 15 – St-Gaudens 61 – Tarbes 105 – •Toulouse 151.

- **Sapin Fleuri**, ☎ 79.21.90, ← – P. rest
  fermé 1er nov. au 20 déc. – **R** 45/80 – 10 – 22 ch 50 – P 90/105.

BOURG-EN-BRESSE P 01000 Ain 74 ③ **G. Bourgogne** – 44 967 h. alt. 240 – ✪ 74.

Voir Église de Brou : tombeaux***, chapelles et oratoires***** BZ **B – Monastère* : musée de l'Ain*** BZ **E – Stalles* de l'église N.-Dame** BY **K.**

Office de Tourisme (fermé dim.), A.C. (☎ 21.74.53) et T.C.F. (☎ 21.80.75), 6 av. Alsace Lorraine ☎ 21.40.18 et bd de Brou (15 juin-15 sept.) ☎ 22.27.76.

Paris 426 ⑦ – Annecy 122 ③ – •Besançon 149 ② – Bourges 271 ⑦ – Chambéry 117 ④ – •Clermont-Fd 223 ⑤ – •Dijon 156 ⑦ – •Genève 120 ④ – •Lyon 62 ⑤ – Roanne 119 ⑥.

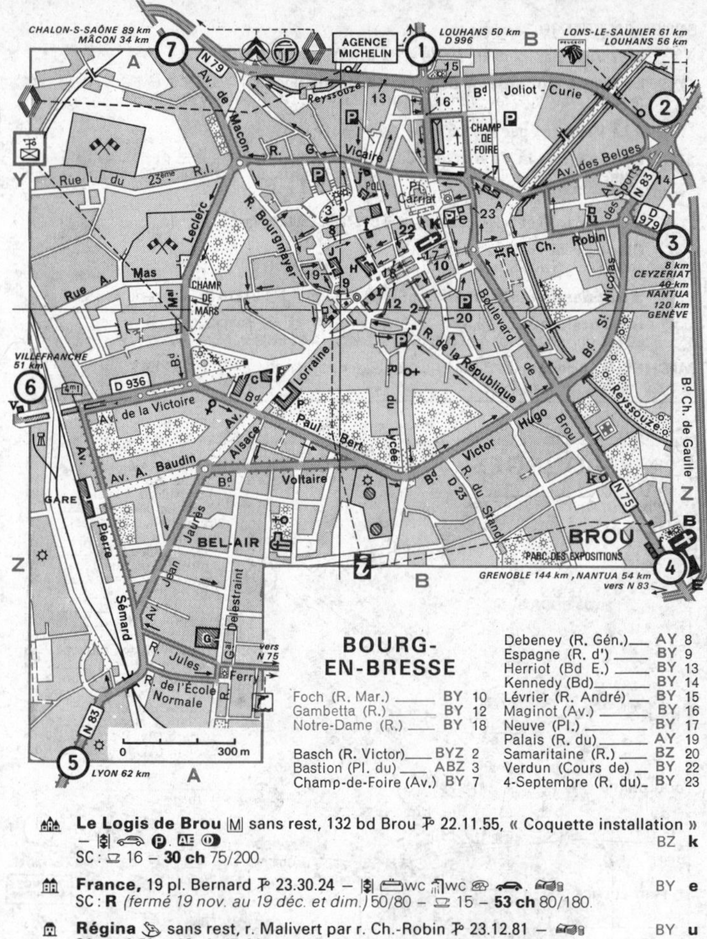

BOURG-EN-BRESSE

🏨 **Le Logis de Brou** [M] sans rest, 132 bd Brou ☎ 22.11.55, « Coquette installation » – [ascenseur] [garage] [P]. [AE] [DC] BZ **k**
SC : ☕ 16 – **30 ch** 75/200.

🏨 **France,** 19 pl. Bernard ☎ 23.30.24 – [ascenseur] [bain] wc [douche] wc ☎ [garage]. [chiens] BY **e**
SC : **R** *(fermé 19 nov. au 19 déc. et dim.)* 50/80 – ☕ 15 – **53 ch** 80/180.

🏨 **Régina** [tranquille] sans rest, r. Malivert par r. Ch.-Robin ☎ 23.12.81 – [chiens] BY **u**
SC : ☕ 9,50 – **13 ch** 47/90.

XXXX ✿✿ **Auberge Bressane** (Vullin), face église de Brou ☎ 22.22.68 – [P] BZ **f**
fermé mi-nov. à mi-déc., lundi soir et mardi – **R** 85/150 et carte
Spéc. Gâteaux de foies de volailles à l'ancienne, Soufflé de brochet aux écrevisses, Volaille de Bresse à la crème. **Vins** Montagnieu, Seyssel.

XX ✿ **Mail** (Charolles) avec ch, 46 av. Mail ☎ 21.00.26 – [bain] wc ☎ [P]. [chiens] [DC]. [cartes]
fermé 13 au 28 juil., 21 déc. au 12 janv., dim. soir et lundi – SC : **R** (nombre de couverts limité - prévenir) 48/80 – ☕ 10 – 11 ch 46/120 – P 165/200 AZ **v**
Spéc. Grenouilles sautées aux fines herbes, Poissons, Volaille de Bresse rôtie. **Vins** Beaujolais-Villages, Seyssel.

XX **Le Français,** 7 av. Alsace-Lorraine ☎ 22.55.14, Cadre 1 900 BY **r**
fermé 24 août au 15 sept., 24 au 1er janv., sam. soir et dim. – SC : **R** 45/90.

XX **Savoie,** 10 r. P.-Pioda ☎ 23.29.24. [AE] [GB] BY **j**
◆ *fermé 4 au 28 août, jeudi soir et vend.* – SC : **R** 30/85 🍷.

XX **Chalet de Brou,** face église de Brou ☎ 22.26.28 BZ **f**
◆ *fermé 11 janv. au 13 fév., merc. soir et jeudi* – SC : **R** 30/85.

XX **Martin,** 4 cours Verdun ☎ 23.11.24 BY **f**
fermé oct., merc. soir et lundi – SC : **R** 40/80 🍷.

X **Rest. de l'Église de Brou,** face église de Brou ☎ 22.15.28 BZ **f**
fermé 1er au 21 juil., 10 au 27 déc., mardi soir et merc. – SC : **R** 43/70.

tourner →

à St-Just par ③ : 3 km D 979 – ✉ **01000** Bourg-en-Bresse :

XXX **La Petite Auberge,** ☎ 22.30.04, « Auberge fleurie » – AE GB E
fermé 5 janv. au 5 fév., lundi soir et mardi – SC : **R** (prévenir) 50/130, dîner à la carte.

à La Vavrette par ④ : 9,5 km – ✉ **01250** Ceyzeriat :

XX **Ferme H. de la Vavrette** avec ch, ☎ 51.60.36, ... – ... **P**.
fermé 20 au 30 avril, 10 au 30 oct., lundi soir et mardi – SC : **R** 40/120 – ☕ 10 – **9 ch** 45/80 – P 120/150.

à Lent par ⑤ et D 22 : 10 km – ✉ **01240** St-Paul-de-Varax :

X **Place,** ☎ 52.76.84
fermé fév., 8 au 20 sept., lundi soir et mardi – SC : **R** 39/75 🌡.

à St-Étienne-du-Bois par ② et N 83 : 11 km – ✉ **01370** St-Étienne-du-Bois :

Interotel, ☎ 30.51.09, ... – wc ☎ **P** – 50. ... AE. ... ch
SC : **R** *(fermé déc. et dim.)* 38/77 🌡 – ☕ 11 – **42 ch** 95/105 – P 132/173.

MICHELIN, Agence, rte de Marboz, Z.I. Extention-Nord par ① ☎ **23.21.43**

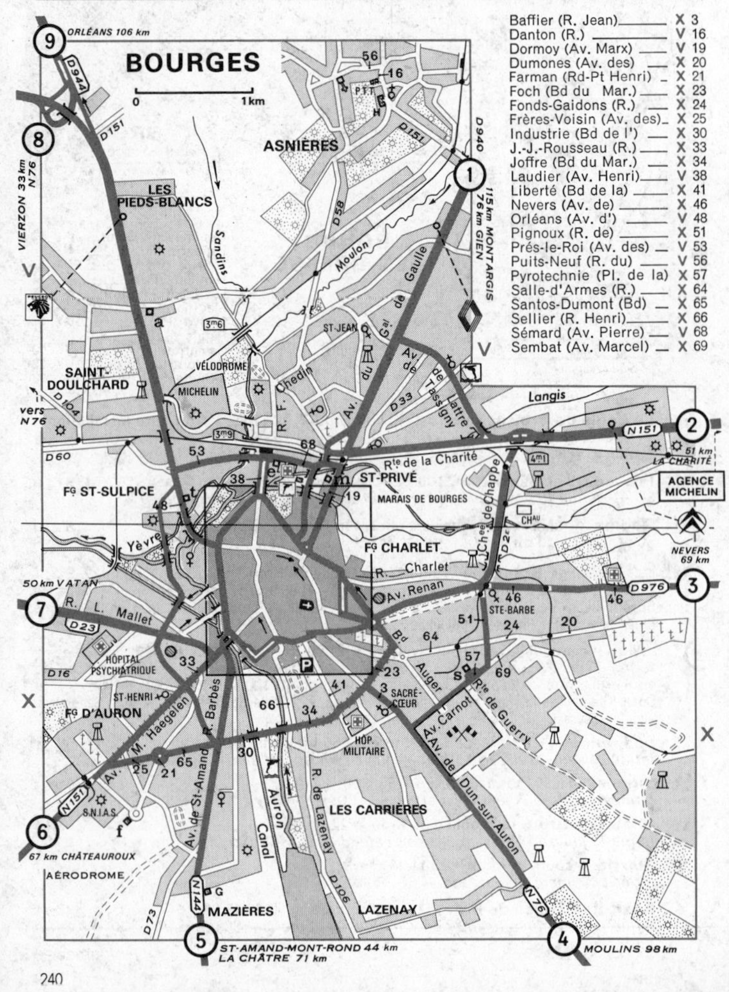

ALFA-ROMEO Gar. de France, 22 r. 4-Septembre ☎ 23.19.34
AUDI-VOLKSWAGEN Europe-Gar., rte de Ceyzeriat ☎ 23.31.12
AUSTIN, TRIUMPH Gar. Perdrix, 152 av. de Mâcon ☎ 22.18.62
CITROEN D.A.R.A., Zone Ind. Nord av. d'Arsonval ☎ 22.36.44 N
FIAT S.E.R.M.A., rte de Paris la Neuve à Viriat ☎ 23.19.55 N
FORD Gar. du Bugey, rte de Pont-d'Ain ☎ 22.32.66 N ☎ 22.39.16

PEUGEOT S.I.C.M.A., 19 bd Curie ☎ 23.14.55
RENAULT A.R.N.O., bd Ed.-Herriot, Zone Ind. Nord ☎ 23.35.55
TALBOT Bressane-des-Automobiles, r. J.-Morgon, Zone Ind. Nord ☎ 23.07.86

Ⓜ Carronnier, 13 r. G.-Vicaire et r. A.-Mercier ☎ 23.27.04
Comptoir Départemental Pneu, r. F.-Arago, Zone Ind. Nord ☎ 23.34.41
Ruder-Pneus, 738 av. de Lyon, Péronnas ☎ 21.20.99

CONSTRUCTEUR : Renault Véhicules Industriels, Rte de Ceyzeriat ☎ **22.82.00**

BOURGES P **18000** Cher 69 ① **G. Périgord** – **80 379 h. alt. 130** – ❂ **48.**

Voir Cathédrale*** Z – **Palais Jacques-Coeur**** Y – **Jardin des Prés-Fichaux*** Y – **Hôtel Lallemant*** Y **B** – **Jardins de l'Archevêché*** Z – **Tour octogonale*** **de l'Hôtel des Échevins** Y **D** – **Hôtel Cujas*** **: collections archéologiques*** **du musée du Berry** Y **E.**

ℹ Office de Tourisme 14 pl. É. Dolet (fermé dim. hors sais.) ☎ 24.75.33 - A.C. 40 av. J.-Jaurès ☎ 24.01.36 - T.C.F. 6 r. H.-Ducrot ☎ 24.17.13.

Paris 229 ① – Châteauroux 67 ⑥ – ♦Dijon 245 ② – Nevers 69 ③ – ♦Orléans 106 ⑨ – ♦Tours 149 ⑧.

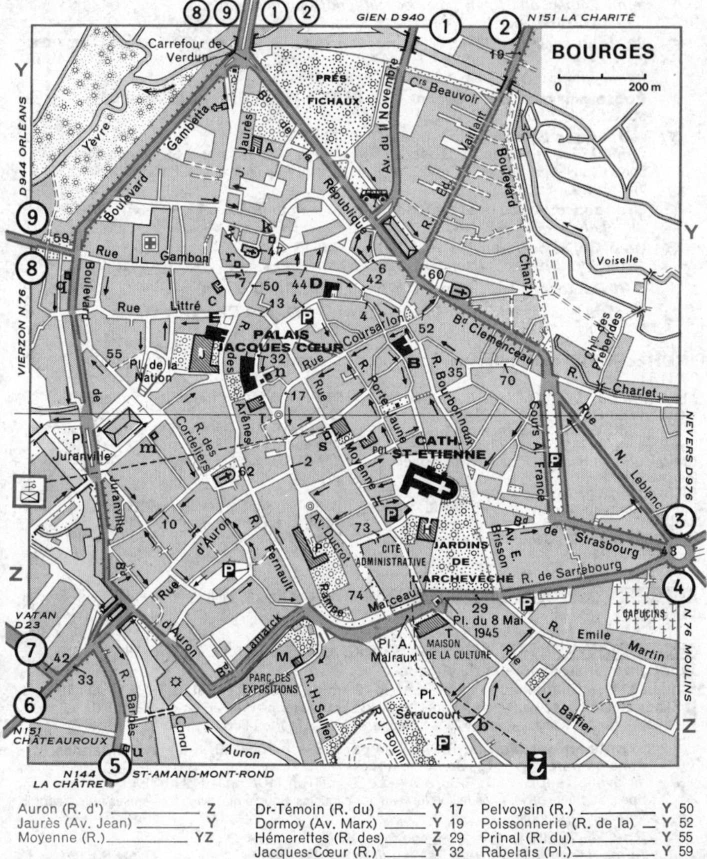

Auron (R. d') Z
Jaurès (Av. Jean) Y
Moyenne (R.) YZ

Armuriers (R. des) Z 2
Branly (R. Édouard) Y 4
Calvin (R.) Y 6
Cambournac (R.) Y 7
Chappe (R. de la) Z 10
Commerce (R. du) Y 13

Dr-Témoin (R. du) Y 17
Dormoy (Av. Marx) Y 19
Hémerettes (R. des) Z 29
Jacques-Cœur (R.) Y 32
J.-J.-Rousseau (R.) Z 33
Joyeuse (R.) Y 35
Mallet (R. Louis) Z 42
Malus (Pl.) Z 43
Mirebeau (R.) Y 44
Notre-Dame (⊞) Y 47

Pelvoysin (R.) Y 50
Poissonnerie (R. de la) Y 52
Prinal (R. du) Y 55
Rabelais (Pl.) Y 59
St-Bonnet (Pl. et ⊞) Y 60
St-Étienne (⊞) Z
St-Pierre (⊞) Z 62
Tory (R. Geoffroy) Y 70
Victor-Hugo (R.) Z 73
95e-de-Ligne (R. du) Z 74

Olympia sans rest, 66 av. Orléans ☎ 70.49.84 – wc wc ☎ P. AE E — V t
SC : 10 – **42 ch** 55/125.

Le D'Artagnan, 19 pl. Séraucourt ☎ 24.67.51 – wc ☎ – 40. E
SC : **R** *(fermé 6 au 27 oct. et lundi)* 33/70 – 12 – **71 ch** 74/120. — Z b

Monitel M sans rest, 73 r. Barbès ☎ 50.23.62 – wc wc ☎ P – 40. AE GB E — Z u
SC : **48 ch** 99/125.

Christina M sans rest, 5 r. Halle ☎ 70.56.50 – wc wc ☎ – 40. GB — Z m
SC : 10 – **76 ch** 85/110.

Tilleuls sans rest, 7 pl. Pyrotechnie ☎ 20.49.04, – wc ☎ P. GB — X s
SC : 10 – **29 ch** 60/110.

Cygne sans rest, 10 pl. Gén.-Leclerc ☎ 70.51.05 – wc wc ☎. — V e
SC : 14 – **21 ch** 49/140.

Étrangers sans rest, 6 r. Cambournac ☎ 24.01.15 – wc wc ☎.
fermé 11 au 23 août et 19 déc. au 5 janv. – SC : 12 – **32 ch** 45/150. — Y r

Host. Gd Argentier, 9 r. Parerie ☎ 24.84.31, Maison du 15e s. – wc wc ☎. AE GB — Y k
fermé 24 déc. au 31 janv., dim. soir et lundi sauf hôtel en sais. – SC : **R** 47/85 – 13 – **14 ch** 100/150.

St-Jean sans rest, 23 av. M.-Dormoy ☎ 24.13.48 – wc ☎. GB E — V m
fermé 7 fév. au 1er mars – SC : 9,50 – **24 ch** 55/100.

Poste sans rest, 22 r. Moyenne ☎ 70.08.06 – wc ☎ P. GB — Z s
SC : 10 – **33 ch** 85/90.

XXX ❀ **Jacques Coeur,** 3 pl. J.-Coeur ☎ 70.12.72 — Y n
fermé 17 juil. au 18 août, 23 déc. au 5 janv., dim. soir et sam. – SC : **R** carte 95 à 135
Spéc. Coquilles St-Jacques (15 oct.-15 avril), Rognon de veau berrichonne, Profiterolles au chocolat.
Vins Menetou-Salon, Quincy.

XX **Grande Pelouse** (1er étage), Rd Point Guynemer ☎ 50.08.77, ← – P. GB — X f
fermé lundi – SC : **R** 67/165.

XX **Ile d'Or,** 39 bd Juranville ☎ 24.29.15 – GB E — Y q
fermé 1er au 15 sept., 15 au 28 fév., lundi midi et dim. – SC : **R** carte 90 à 125.

à St-Doulchard NO : 3 km – 7 747 h. – ✉ **18230** St-Doulchard :

Logitel M sans rest, ☎ 70.07.26 – wc ☎ P. AE GB E — V a
SC : 10 – **30 ch** 96/116.

MICHELIN, Agence régionale, Zone Ind. de la Charité à St-Germain-du-Puy par ② V ☎ 24.64.11

ALFA-ROMEO, VOLVO Gar. Barbellion rte d'Orléans, St-Doulchard ☎ 24.24.30
AUDI-VOLKSWAGEN Berry-Auto-Sport, Les Carrières, rte de Moulins ☎ 20.20.78
BMW Gar. Vergès, av. Prospective, Asnières-lès-Bourges ☎ 70.47.20
CITROEN Générale-Auto, rte Charité, Zone Ind. St-Germain-du-Puy ☎ 24.65.29 N ☎ 24.44.44
MERCEDES-BENZ SOREVIT, rte de Marmagne ☎ 70.03.59
OPEL Laudat, 99 rte de la Charité ☎ 70.15.17 N ☎ 24.19.90
PEUGEOT Gd Gar. du Cher, rte Orléans, St-Doulchard ☎ 24.72.01
RENAULT S.C.A.C., 259 av. Gén.-de-Gaulle ☎ 24.99.97

Berry-Pneus, 99 av. Dun ☎ 20.34.24
Calot, 21 r. Parmentier ☎ 70.19.91
Mathé, 58 bd Avenir ☎ 50.19.30

Le BOURGET (Aéroport de Paris) 93 Seine-St-Denis 56 ⑪, 101 ⑦⑰ – voir à Paris, Proche banlieue.

Le BOURGET-DU-LAC 73370 Savoie 74 ⑮ G. Alpes – 2 270 h. alt. 262 – 79
Voir Église : frise sculptée* du choeur
Env. Lac** – Chapelle de l'Étoile ←** N : 9 km puis 15 mn – Relais TV ←** O : 10 km
Syndicat d'Initiative Les Marronniers (1er juil.-31 août et fermé dim. après-midi) ☎ 25.01.99
Paris 561 – Aix-les-Bains 9 – Belley 25 – Chambéry 11 – La Tour-du-Pin 48.

❀ **Ombremont** (Perreard), N : 2 km par N 504 ☎ 25.00.23, ← lac et montagnes, dans un parc, – P. AE. rest
1er avril-30 sept. – SC : **R** 85/200 – 20 – 20 ch 110/250 – P 290/320
Spéc. Suprême de féra, Médaillon de veau des capucins, Soufflé glacé aux framboises (juin à sept.).
Vins Gamay, Chignin.

Port, ☎ 25.00.21, ← – wc wc ☎ P – 30.
fermé 1er au 15 oct., janv. et jeudi – SC : **R** 55/80 – 12 – **30 ch** 90/130 – P 145/160.

L'Etraz, tunnel du Chat N : 4 km par N 504 ✉ 73370 Bourget-du-Lac ☎ 25.01.02, ← lac et montagnes – wc wc ☎ P. AE GB. rest
fév.-31 oct. et fermé merc. sauf juil. et août – SC : **R** 50/160 – 16 – 20 ch 80/150 – P 120/180.

XXX **Aub. Lamartine,** rte du Tunnel N : 3,5 km par N 504 ✉ 73370 Bourget-du-Lac, ☎ 25.01.03, ≤ lac, 🌳 – Ⓟ
fermé 1er déc. au 20 janv., dim. soir hors sais. et lundi – SC : **R** 75/140.

XXX ✿ **Bateau Ivre** (Jacob), ☎ 25.02.66, « Ancienne grange à sel, jardin » – Ⓟ. AE
14 mai-1er nov. et fermé mardi – **R** 70/190
Spéc. Terrine des princes du lac, Steak de lotte au vinaigre de cidre, Pigeon farci au génépi.

XX **Beaurivage** 🐌 avec ch, bord du lac ☎ 25.00.38, ≤ – ⛀ Ⓟ. ✂ ch
fermé janv. et mardi – SC : **R** 65/130 – ☕ 10 – 10 ch 95/110.

au Caton NO : 2,5 km par VO – ✉ **73370** Bourget-du-Lac :

🏠 **La Cerisaie** 🐌, rte Dent-du-Chat ☎ 25.01.29, ≤ lac et montagnes, 🌳 – 🚿 Ⓟ
fermé 1er janv. au 1er fév. – SC : **R** 46/90 – ☕ 10,50 – 10 ch 47/80 – P 94/110.

à Bourdeau N : 4 km par D 14 – ✉ **73370** Bourget-du-Lac :

🏠 **Terrasse** Ⓜ 🐌, au village ☎ 25.01.01, ≤, 🌳 – ⛀wc ☎ Ⓟ. GB E. ✂ ch
1er fév.-30 sept. et fermé merc. – SC : **R** 43/145 – ☕ 15 – 12 ch 120 – P 138.

RENAULT Girardon, face Base Aérienne ☎ 25.01.91

BOURG-LA-REINE **92** Hauts-de-Seine **60** ⑩, **101** ㉕ – voir à Paris, Proche banlieue.

BOURG-LASTIC **63760** P.-de-D. **73** ⑫ – 1 276 h. alt. 750 – ✪ 73.
Paris 443 – Aubusson 63 – •Clermont-Ferrand 58 – Mauriac 81 – Montluçon 107 – Ussel 28.

⌂ **Pomme d'Or,** ☎ 21.80.18 – 🚿 Ⓟ. 🚗 GB
◆ *fermé merc. hors sais.* – SC : **R** 32/72 🍷 – ☕ 10 – 4 ch 65/90 – P 115/135.

CITROEN Gourgeonnet, ☎ 21.80.29 PEUGEOT, TALBOT Gar. Laurier, ☎ 21.80.46

BOURG-LES-VALENCE **26** Drôme **77** ⑫ – rattaché à Valence.

BOURG-MADAME **66** Pyr.-Or. **86** ⑯ **G. Pyrénées** – 1 184 h. alt. 1 130 – ✉ **66800** Saillagouse – ✪ 68.
ℹ Syndicat d'Initiative pl. Mairie (juil.-août et fermé dim.).
Paris 1011 – Andorre-la-Vieille 66 – Ax-les-Thermes 55 – Carcassonne 139 – Foix 97 – •Perpignan 100.

🏠 **Host. Cerdane,** ☎ 04.53.16, 🌳 – ⛀wc 🚿wc ☎ Ⓟ. 🚗. ✂ rest
Pâques, 1er juin-15 oct., vacances de Noël et fermé lundi – SC : **R** 38/80 – ☕ 10 – **30 ch** 50/120 – P 120/150.

🏠 **Celisol** sans rest, ☎ 04.53.70, 🌳 – ⛀wc 🚿wc 🚗 Ⓟ
SC : ☕ 11 – **11 ch** 98.

RENAULT Gar. Pallarès, ☎ 04.50.01

Le BOURGNEUF-LA-FORÊT **53** Mayenne **59** ⑲ – 1 402 h. alt. 120 – ✉ **53410** Port-Brillet – ✪ 43.
Paris 292 – Domfront 62 – Ernée 17 – Fougères 29 – Laval 19 – Mayenne 34 – Vitré 23.

XX **A la Vieille Auberge** avec ch, ☎ 01.51.12 – 🚗. 🚗
◆ *fermé 20 au 30 sept., 5 au 26 janv., dim. et fériés le soir* – **R** 28/45 – ☕ 8 – **9 ch** 38/55 – P 80.

BOURGOIN-JALLIEU **38300** Isère **74** ⑬ **G. Vallée du Rhône** – 23 625 h. alt. 254 – ✪ 74.
ℹ Syndicat d'Initiative pl. Carnot (fermé dim. et lundi) avec A.C. ☎ 93.47.50.
Paris 503 ⑦ – Bourg-en-Bresse 78 ① – •Grenoble 66 ③ – •Lyon 41 ⑦ – La Tour-du-Pin 15 ③ – Vienne 38 ⑥.

Plan page suivante

⌂ **Commerce** sans rest, av. Tixier ☎ 93.38.01 – 🚗 B **r**
fermé août et dim. – ☕ 9 – **20 ch** 36/48.

XX **Commanderie de Champarey** avec ch, 7 Bd de Champarey ☎ 93.04.26, parc – ⛀wc ☎ Ⓟ. 🚗. ✂ B **a**
fermé août, dim. soir et lundi – **R** 70/130 – ☕ 14 – 7 ch 85/110.

XX **Chavancy,** av. Tixier ☎ 93.63.88 – ▤. GB B **r**
fermé août, dim. soir et lundi – SC : **R** 40/140.

à La Grive par ⑥ : 4 km – ✉ **38300** Bourgoin-Jallieu :

X **Petite Auberge** avec ch, N 6 ☎ 93.48.52 – Ⓟ
fermé 24 août au 6 sept., vend. soir et sam. – **R** 36/44 – ☕ 13 – 7 ch 35/45.

à L'Isle-d'Abeau par ① et D 208 : 4,5 km – ✉ **38300** Bourgoin-Jallieu :

🏠 **Relais du Catey** 🐌, ☎ 93.32.64, 🌳 – ⛀wc Ⓟ. 🚗. ✂
◆ *fermé 1er au 31 août* – SC : **R** *(fermé dim. soir et merc.)* 30/58 – ☕ 11 – **10 ch** 48/100.

🏠 **Campanile** Ⓜ, échangeur A 43 Bourgoin ouest ☎ 93.50.63, ≤ – ⛀wc Ⓟ. 🚗 GB
SC : **R** 43 bc/56 bc – ☕ 17 – **51 ch** 130.

BOURGOIN-JALLIEU

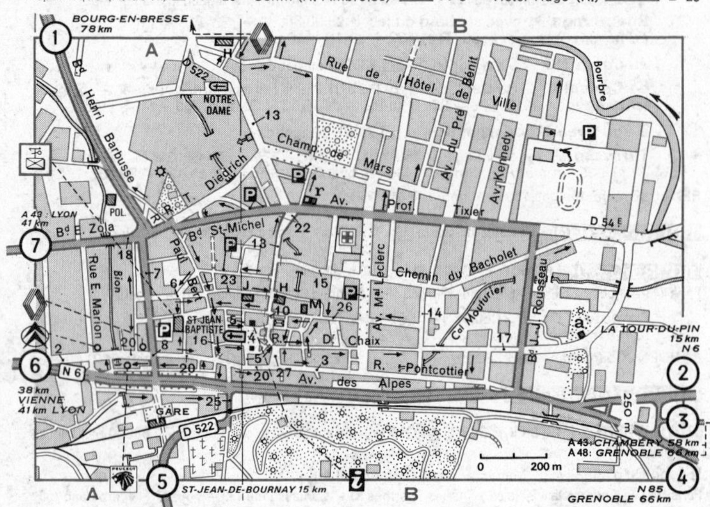

à La Combe des Éparres par ③ : 7 km – ✉ **38300** Bourgoin-Jallieu :

L'Auberge, sur N 85 ☎ 92.01.17 – wc. ch
fermé sept. et lundi – SC : **R** 28/75 – 9 – **10 ch** 50/85 – P 75/100.

à St-Savin par ① : 7 km – ✉ **38300** Bourgoin-Jallieu :

La Rivière, ☎ 93.72.16, – – 25. ch
fermé 22 juil. au 20 août – SC : **R** *(fermé dim. soir et merc.)* 33/69 – 9,50 – **10 ch** 50/70 – P 109/115.

✕ **Les Trois Faisans,** ☎ 93.73.74 – GB
fermé 1er au 15 sept., 16 au 28 fév. et lundi – SC : **R** 29/90.

AUDI-VOLKSWAGEN Reypin, 25 r. Pontcottier ☎ 28.07.34
BMW, DATSUN, VOLVO Blondet, N 6, Ruy ☎ 93.43.24
CITROEN J.-B. Pellet, 5 av. Alsace-Lorraine ☎ 93.25.63
FORD Parenton, 15 r. Pontcottier ☎ 93.34.10
PEUGEOT Pellet, 17 av. des Alpes ☎ 93.00.90
RENAULT Girard, quai de la Bourbre ☎ 93.08.36
RENAULT Gar. Pin, 63 r. République ☎ 93.18.04

Mathieu-Pneus, 16 r. de Funas ☎ 93.04.12
Piot-Pneu, Zone Ind. La Maladière ☎ 93.66.31
Prieur-Pneus, 17 av. Alsace-Lorraine ☎ 93.31.34
Tessaro-Pneus, 74 av. Prof. Tixier ☎ 28.33.10

BOURG-ST-ANDÉOL 07700 Ardèche **80** ⑨⑩ **G. Vallée du Rhône** (plan) – 7 083 h. alt. 68 – 75.

Voir Église★.

Syndicat d'Initiative pl. Champ-de-Mars (1er avril-30 sept. et fermé dim.) ☎ 04.54.20.

Paris 633 – Montélimar 28 – Nyons 51 – Pont-St-Esprit 15 – Privas 55 – Vallon-Pont-d'Arc 30.

🏨 **Moderne,** pl. Champ-de-Mars ☎ 04.50.12 – wc wc . rest
fermé fin nov. à fin janv. – SC : **R** *(fermé sam. midi et dim. soir)* 35/70 – 10 – 21 ch 50/120 – P 120/160.

CITROEN Goussard, 13 fg Notre-Dame ☎ 04.50.27 N
PEUGEOT Provence-Gar., av. F.-Chalamel ☎ 04.51.88

Dans ce guide
un même symbole, un même caractère
imprimé en noir ou en rouge, en maigre ou en ***gras***
n'ont pas tout à fait la même signification.
Lisez attentivement les pages explicatives (p. 13 à 20).

BOURG-ST-MAURICE **73700** Savoie **74** ⑱ **G. Alpes** – 5 729 h. alt. 840 – Sports d'hiver aux Arcs : 1 600/3 000 m 1 43 – 79.

18 de Chantel 07.26.00 S : 20 km.

Paris 661 – Albertville 54 – Aosta 86 – Chambéry 102 – Chamonix 83 – Moûtiers 27 – Val d'Isère 31.

Concorde M, av. Mar.-Leclerc 07.08.90 – wc .
fermé 5 mai au 15 juin et 2 nov. au 4 déc. – SC : **R** 42/65 – 13 – **32 ch** 90/130 – P 130/160.

Host. Petit St-Bernard, av. Stade 07.04.32 – wc wc . AE GB
15 juin-25 sept. et 15 déc.-30 avril – SC : **R** 40/55 – 12 – 24 ch 50/130 – P 102/135.

Petite Auberge, au pont par rte de Moûtiers 07.05.86, ←, , – wc . GB E.
10 juin-20 sept. et 10 nov.-20 avril – **R** 40/70 – 13 – **14 ch** 50/130 – P 110/140.

Bon Repos sans rest, r. Centenaire 07.01.78 – . GB.
SC : 10 – **10 ch** 42/61.

Edelweiss, 07.05.55
fermé 1er au 21 juin et 1er au 15 nov. – **R** 28/45.

AUDI-VOLKSWAGEN Ayet, 07.04.52
PEUGEOT Martin A., 07.01.44
Gar. Guyon, 07.27.11

BOURGTHEROULDE-INFREVILLE **27520** Eure **55** ⑥ **G. Normandie** – 2 422 h. alt. 134 – 35.

Paris 142 – Bernay 32 – Elbeuf 11 – Évreux 46 – Louviers 26 – Pont-Audemer 31 – ♦Rouen 26.

Corne d'Abondance avec ch, 87.60.08, – . GB
fermé août, vacances de fév., dim. soir, mardi soir et merc. – SC : **R** 38/140 – 9 – 9 ch 48/100.

PEUGEOT Martin, 87.60.83
Parmentier-Pneus, 87.60.16

BOURGUEIL **37140** I.-et-L. **64** ⑬ **G. Châteaux de la Loire** – 3 620 h. alt. 42 – 47.

Syndicat d'Initiative Les Halles (15 juin-15 sept.) 58.70.50.

Paris 278 – Angers 63 – Chinon 17 – Saumur 22 – ♦Tours 45.

Thouarsais sans rest, 58.72.05, – wc wc
8 – **28 ch** 36/85.

à Benais NE : 5 km – **37140** Bourgueil :

Aub. Campagnarde, pl. Église 97.30.08 – GB
fermé lundi – **R** 50/75.

PEUGEOT Delafuye, av. de St-Nicolas, la Villatte 58.70.48 N
RENAULT Gozillon, à St-Nicolas-de-Bourgueil 58.71.03
Chommeloux, 58.71.26

La BOURNE (Gorges de) ★★★ **38** Isère **77** ④ **G. Alpes.**

BOURTH **27580** Eure **60** ⑤ – 1 074 h. alt. 192 – 32.

Paris 127 – l'Aigle 14 – Évreux 43 – Verneuil sur Avre 10.

✿ **Aub. Chantecler** (Champion), face Église 32.61.45 – .
fermé 10 au 30 sept., 1er au 20 fév., dim. soir et lundi sauf fêtes – SC : **R** (nombre de couverts limité - prévenir) 70/150
Spéc. Terrine de caneton au foie gras, Suprême de turbot au cidre, Noisette d'agneau.

BOUSSAC **23600** Creuse **68** ⑳ **G. Périgord** – 1 954 h. alt. 334 – 55.

Voir Site★ du château.

Env. Toulx Ste-Croix : ★★ de la tour S : 11 km.

Syndicat d'Initiative Château 65.07.62.

Paris 335 – Aubusson 47 – La Châtre 36 – Guéret 41 – Montluçon 34 – St-Amand-Montrond 52.

Central, 65.00.11 – .
SC : **R** 25/95 – 8,50 – 17 ch 36/75 – P 71/95.

Boeuf Couronné avec ch, 65.15.92,
fermé 10 janv. au 1er fév. et lundi – SC : **R** 27/80 – 9 – 12 ch 44/46 – P 78/85.

à Nouzerines NO : 11 km par D 97 – **23600** Boussac :

A la Bonne Auberge, 82.01.18 – wc .
fermé 1er au 15 sept. et vacances de fév. – **R** 24/50 – 8 – **8 ch** 42/100 – P 78/107.

CITROEN Combeau, 65.01.48
FORD Chabridon, 65.03.08
PEUGEOT Chauvet, 65.04.11
RENAULT Chaubron, 65.01.32
TALBOT Privat, 65.04.25

BOUSSENS 31 H.-Gar. 86 ② – 698 h. alt. 271 – ✉ **31360** St-Martory – ⊛ 61.

Paris 772 – Auch 80 – Auterive 50 – Pamiers 73 – St-Gaudens 24 – St-Girons 34 – ◆Toulouse 66.

Lac, ☎ 90.01.85, ←, – ⌂ Ⓟ.
fermé 1er nov. au 30 déc. – **R** *(fermé lundi)* 28/110 – ☕ 10 – **12 ch** 40/60 – P 95/110.

BOUT-DU-LAC 74 H.-Savoie 74 ⑯ – alt. 448 – ✉ **74210** Faverges – ⊛ 50.

Voir Combe d'Ire★ S : 3 km, G. Alpes.

Paris 554 – Albertville 28 – Annecy 17 – Megève 43 – Montmin 14.

au Bord du Lac :

XX **Sautreau** avec ch, ☎ 44.30.02, ←, – ⌂wc ⋔ Ⓟ
15 mars-30 sept. – SC : **R** *(fermé merc. sauf juil. et août)* 50/100 – ☕ 12 – **12 ch** 60/130 – P 102/135.

XX **Chappet** avec ch, ☎ 44.30.19, ←, – ⌂wc Ⓟ
fin mars-fin sept. et fermé merc. hors sais. – SC : **R** 40/100 – ☕ 12 – **11 ch** 55/150 – P 100/150.

à Doussard S : 3 km par N 508 et VO – ✉ **74210** Faverges :

Marceau ⛰, à Marceau-Dessus O : 2 km par VO ☎ 44.30.11, ← lac et montagnes, – ⌂wc ☎ Ⓟ. AE
1er fév.-3 nov. – SC : **R** 62/200 – ☕ 17 – 27 ch 90/190 – P 185/250.

Martinet ⛰, ☎ 44.30.06, – ⌂wc ⋔wc Ⓟ. ✻ rest
fermé 2 janv. au 15 fév. – SC : **R** *(fermé vend. soir et sam.)* 42/112 – ☕ 10 – **20 ch** 46/112 – P 99/129.

Arcalod ⛰, ☎ 44.30.22, ←, – ⋔wc Ⓟ
Pâques-25 sept. – SC : **R** 35/52 – ☕ 10 – 33 ch 58/80 – P 95/110.

BOUT-DU-PONT-DE-LARN 81 Tarn 83 ⑫ – rattaché à Mazamet.

BOUXWILLER 67330 B.-Rhin 57 ⑱ **G. Vosges** – 3 706 h. alt. 220 – ⊛ 88.

Env. Tapisseries★★ dans l'église St-Pierre et St-Paul★ de Neuwiller-les-Saverne O : 7 km.

Paris 459 – Bitche 34 – Haguenau 25 – Sarrebourg 38 – Saverne 15 – ◆Strasbourg 42.

Soleil, Gde-Rue ☎ 70.70.06 – ⌂wc ⋔ ☎ . ✻ rest
fermé 24 juin au 10 juil., vacances de fév., dim. soir et merc. – SC : **R** 32/80 ꝭ – ☕ 9 – **16 ch** 40/100 – P 80/110.

CITROEN Stehly, à Ingwiller ☎ 89.42.41 LADA, SKODA Gunther, ☎ 70.72.11 N

BOUZIGUES 34 Hérault 83 ⑯ – rattaché à Mèze.

BOYARDVILLE 17 Char.-Mar. 71 ⑬ – voir à Oléron.

BOZOULS 12340 Aveyron 80 ③ **G. Causses** – 1 817 h. alt. 610 – ⊛ 65.

Voir Trou de Bozouls★.

Paris 588 – Espalion 11 – Mende 95 – Rodez 22 – Sévérac-le-Château 41.

A la Route d'Argent, sur N 88 ☎ 44.92.27 – ⋔ ☎ Ⓟ.
SC : **R** 26/65 – ☕ 9 – 20 ch 42/58 – P 70/75.

BRACIEUX 41250 L.-et-Ch. 64 ⑱ **G. Châteaux de la Loire** – 1 019 h. alt. 81 – ⊛ 54.

Paris 183 – Blois 18 – Châteauroux 91 – Montrichard 40 – ◆Orléans 57 – Romorantin-Lanthenay 32.

Le Cygne et rest. Autebert, r. Brun ☎ 46.41.07 – ⌂wc Ⓟ
fermé 15 janv. au 28 fév. – SC : **R** 40/120 – ☕ 10 – 20 ch 60/120 – P 120/150.

XX ✿ **Le Relais** (Robin), 1 av. Chambord ☎ 46.41.22, ←
fermé 15 au 23 juin, 21 déc. au 21 janv., lundi soir du 1er sept. au 1er juil. et mardi – SC : **R** (nombre de couverts limité - prévenir) 88/140
Spéc. suivant produits de saison. Vins Cheverny.

RENAULT Gar. Warsemann, ☎ 46.42.46 Gar. Dardeau, ☎ 46.45.21
Gar. Chambon, ☎ 46.41.10 N

La BRAGUE 06 Alpes-Mar. 84 ⑨, 195 ㉕㊵ – rattaché à Antibes.

BRANCION 71 S.-et-L. 70 ⑪ – rattaché à Tournus.

BRANDÉRION 56 Morbihan 63 ① – rattaché à Hennebont.

Si vous devez faire étape dans une station ou dans un hôtel isolé, prévenez par avance, ***surtout en saison.***

Une réservation confirmée par écrit est toujours plus sûre.

BRANNE 33420 Gironde 75 ⑫ – 764 h. alt. 15 – 56.

Syndicat d'Initiative à la Mairie (fermé sam. et dim.) ✆ 84.52.33.

Paris 556 – Bergerac 55 – ♦Bordeaux 32 – Libourne 13 – Marmande 57.

France, ✆ 84.50.06 – wc. *fermé oct. et mardi de nov. à fin avril* – SC : **R** 32/90 – 10 – 15 ch 85/140 – P 110/150.

RENAULT Peyron, ✆ 84.50.16

BRANTÔME 24310 Dordogne 75 ⑤ **G. Périgord** – 2 086 h. alt. 103 – 53.

Voir Site★ – Clocher★★ de l'église abbatiale.

Env. Bourdeilles : château★ et mobilier★★ SO : 10 km.

Syndicat d'Initiative Pavillon Renaissance (juin-sept.) ✆ 05.70.21.

Paris 481 – Angoulême 58 – ♦Limoges 90 – Nontron 22 – Périgueux 27 – Ribérac 37 – Thiviers 26.

Chabrol (Charbonnel), ✆ 05.70.15 – . *fermé 12 nov. au 5 déc., vacances de fév., dim. soir et lundi d'oct. à mars* – SC : **R** (dim. prévenir) 65/180 – 15 – 21 ch 100/150
Spéc. Salade fermière, Poissons à la nage, Steack de pigeon aux gousses d'ail. **Vins** Leparon, Pécharmant.

XXX **Moulin de l'Abbaye** (Bulot) M avec ch, ✆ 05.80.22, ←, « Terrasse au bord de l'eau », – wc. AE GB E
16 mai-1er oct. – SC : **R** *(fermé lundi midi)* 75/100 – 20 – **8 ch** 230/290
Spéc. Foie gras frais de canard, Emincé de truite saumonée, Gourmandises du Moulin.

X **Aub. du Soir** avec ch, ✆ 05.82.93 – . *fermé 15 au 31 janv. et lundi du 1er oct. au 1er avril* – **R** 29/110 – 9 – **8 ch** 37/85 – P 120/150.

à Champagnac de Belair NE : 6 km par D 78 et D 83 – ✉ **24530** Champagnac de Belair :

XXX **Moulin du Roc** (Mme Gardillou) avec ch, ✆ 54.80.36, ←, « Ancien moulin à huile au bord de l'eau », – TV wc. AE. rest
fermé 2 nov. au 18 déc. – SC : **R** *(fermé mardi)* (nombre de couverts limité-prévenir) 65/120 – 20 – 8 ch 170/190 – P 250/300
Spéc. Filets de truite fourrés aux cèpes, Foie gras poêlé à la ciboulette, Aiguillettes de canette. **Vins** Pécharmant.

à Bourdeilles SO : 10 km – ✉ **24310** Brantôme :

Griffons, ✆ 05.75.61 – wc. AE
1er mai-15 oct. – SC : **R** 60/120 – 14 – **10 ch** 135/165 – P 165/180.

CITROEN Tournier et Tamisier, ✆ 05.70.29 RENAULT Périgord Vert Autom., ✆ 05.70.24

BRAS 83149 Var 84 ⑤ – 638 h. alt. 315 – 94.

Paris 811 – Aix-en-Provence 53 – Aubagne 43 – Brignoles 15 – Draguignan 52 – ♦Toulon 57.

X **des Allées** avec ch, ✆ 78.73.03 – . *oct. à Pâques rest. seul.; fermé janv. et jeudi* – SC : **R** 27/65 – 9 – **14 ch** 40/60 – P 80/90.

BRASSAC-LES-MINES 63570 P.-de-D. 76 ⑤ – 4 158 h. alt. 409 – 73.

Env. Auzon : site★, statue de N.-D.-du-Portail★★ dans l'église SE : 6,5 km, G. Auvergne.

Paris 442 – Brioude 17 – Issoire 20 – Murat 60 – Le Puy 77 – St-Flour 59.

Le Limanais, rte Lempdes ✆ 54.13.98 – wc wc. *fermé sept. et lundi* – SC : **R** 30/60 – 10 – **18 ch** 45/90.

FORD Gar. Jourdes, ✆ 54.10.02 PEUGEOT Gar. Maisonneuve, ✆ 54.19.21

BRÉDANNAZ 74 H.-Savoie 74 ⑥⑯ – alt. 450 – ✉ **74210** Faverges – 50.

Paris 551 – Albertville 30 – Annecy 15 – Megève 45.

Azur du Lac, ✆ 68.67.49, ←, – wc.
1er mars-30 sept. – SC : **R** 40/100 – 11 – 30 ch 55/135 – P 100/150.

Port et Lac, ✆ 68.67.20, ←, – wc wc – 25. rest
fermé déc. et janv. – SC : **R** 40/150 – 13 – **19 ch** 70/200 – P 110/180.

à Chaparon S : 1,5 km par VO – ✉ **74210** Faverges :

Châtaigneraie , ✆ 44.30.67, ←, « Prairie ombragée », – wc wc – 25. GB.
fermé 1er nov. au 20 déc., 1er au 8 mars et lundi d'oct. à Pâques – SC : **R** 42/125 – 12 – **21 ch** 70/135 – P 110/145.

La BRÉE-LES-BAINS 17 Char.-Mar. 71 ⑬ – voir à Oléron.

BRÉHAL 50290 Manche 59 ⑦ – 2 043 h. alt. 52 – 33.

9 ☎ 61.60.73 O : 5 km.

Syndicat d'Initiative r. Gén.-de-Gaulle (15 juin-15 sept. et fermé dim.) ☎ 61.64.13.

Paris 344 – Coutances 19 – Granville 10 – St-Lô 46 – Villedieu-les-Poêles 26.

Gare, ☎ 61.61.11 – . ch
fermé 15 déc. au 1er fév., dim. soir et lundi – SC : **R** 28/80 – 9 – 10 ch 43/48 – P 90/119.

CITROEN Jardin, ☎ 61.61.30 PEUGEOT Lehodey, ☎ 61.63.12

BRÉHAT (Ile de) 22870 C.-du-N. 59 ② **G. Bretagne** – 553 h. alt. 52 – 96.

Voir Tour de l'île en vedette 1 h – Phare du Paon* – Croix de Maudez ⩤* – Chapelle St-Michel ⩤*.**

Accès : Transports maritimes, pour Port-Clos .

depuis St-Quay-Portrieux. En 1980 : de juin à août, services quotidiens suivant marées - Traversée 1 h 20 – 60 F (AR). Renseignements : Vedettes de Bréhat ☎ 20.00.66 (Bréhat).

depuis la Pointe de l'Arcouest. En 1980 : de 5 (hiver) à 20 (été) services quotidiens - Traversée 12 mn – 8 F (AR). Renseignements : Vedettes de Bréhat ☎ 20.00.66 et 20.82.30 (Bréhat).

Vieille Auberge , au bourg ☎ 20.00.24 – wc wc . ch
12 avril-fin nov. – SC : **R** 37/200 – 13 – 15 ch 110/150 – P 170/200.

Bellevue , Port-Clos ☎ 20.00.05, ⩤ – .
Pâques-fin sept. – SC : **R** *(1er juin-15 sept.)* 35/65 – 10 – 12 ch 50/80 – P 125/130.

BREIL-SUR-ROYA 06540 Alpes-Mar. 84 ⑳, 195 ⑱ **G. Côte d'Azur** – 2 232 h. alt. 286 – 93.

Env. Saorge : site, ⩤*, Couvent des Franciscains ⩤* et gorges** N : 9 km.**

Paris 992 – Menton 36 – ♦Nice 60 – Tende 21 – Ventimiglia 25.

Relais des Salines M, N : 1 km sur N 204 ☎ 04.43.66, parc – wc . . rest
fermé déc. et janv. – SC : **R** 50/110 – 15 – **14 ch** 165.

BREITENBACH 68 H.-Rhin 62 ⑱ – rattaché à Munster.

BRÊMES 62 P.-de-C. 51 ② – rattaché à Ardres.

La BRESSE 88250 Vosges 62 ⑰ **G. Vosges** – 5 395 h. alt. 636 – Sports d'hiver : 636/1 350 m 26, – 29.

Office de Tourisme 21 quai Iranées (fermé lundi et dim. après-midi) ☎ 61.11.29.

Paris 431 – Colmar 54 – Épinal 60 – Gérardmer 14 – Remiremont 33 – Thann 42 – Le Thillot 19.

Vallées, r. P.-Claudel ☎ 61.11.39, Télex 960573, ⩤, , parc – TV wc – 25.
SC : **R** 40/80 – 10 – **65 ch** 85/120 – P 140/160.

Lac des Corbeaux, E : 2,5 km par rte de la Schlucht ☎ 61.11.17, ⩤, – wc .
fermé 30 sept. au 15 déc. – SC : **R** *(fermé lundi)* 40/55 – 9,50 – 28 ch 50/100.

au NE : 6,5 km par D 34 et D 34D – 88250 La Bresse :

Aub. du Pêcheur, ☎ 61.13.86, ⩤ – . GB
fermé 1er au 10 mars, 7 au 22 sept. et merc. – SC : **R** 30/60 .

aux Belles Huttes NE : 8 km par D 34 et D 34D – 88250 La Bresse :

Le Slalom, ☎ 61.11.71, ⩤ –
fermé 12 nov. au 10 déc. – SC : **R** 40/80 .

BRESSOLLES 03 Allier 69 ⑭ – rattaché à Moulins.

BRESSON 38 Isère 77 ⑤ – rattaché à Grenoble.

BRESSUIRE SP 79300 Deux-Sèvres 67 ⑰ **G. Côte de l'Atlantique** – 18 090 h. alt. 184 – 49.

Office de Tourisme (fermé sam. après-midi hors sais. et dim.) avec A.C. pl. Hôtel de Ville ☎ 65.10.27.

Paris 356 ① – Angers 82 ① – Cholet 45 ④ – Niort 62 ③ – Poitiers 82 ② – La Roche-sur-Yon 82 ④.

Plan page ci-contre

Boule d'Or, 15 Pl. E.-Zola **(e)** ☎ 65.02.18 – . ch
fermé 28 juin au 12 juil., 20 déc. au 5 janv. et lundi – SC : **R** 35/90 – 9 – 15 ch 40/95.

BRESSUIRE

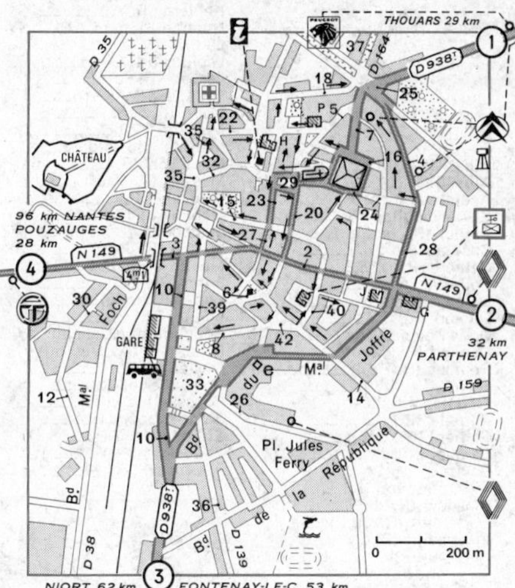

CITROEN, MERCEDES-BENZ Chesse, 27 bd du Col.-Aubry ☎ 74.01.43
CITROEN Gar. Blanquart, 29 Bd St. Porchaire ☎ 74.05.21 N
CITROEN Gar. Jolly, 7 r. de la Cave ☎ 74.15.42
FIAT Chauvin-Besse, 5 r. du Gén.-André : ☎ 65.00.04
PEUGEOT Gar. Cornu, bd de Thouars ☎ 74.20.44

RENAULT Goyault et Jolly, rte de Poitiers ☎ 74.15.33
TALBOT Chollet, rte de Nantes ☎ 65.04.00

Bressuire-Pneus, 89 bd de Poitiers ☎ 74.13.86

BREST SP **29200** Finistère 58 ④ **G. Bretagne** – 172 176 h. alt. 34 – 98.

Voir Cours Dajot ≤★★ BZ – Traversée de la rade★ et promenade en rade★ – Visite arsenal et base navale ★ AZ – Musée★ BZ M.

Env. Pont Albert-Louppe ≤★ 7,5 km par ④.

18 d'Iroise ☎ 85.16.17 par ③ : 25 km.

✈ de Brest-Guipavas : ☎ 84.61.49 par ③ : 10 km.

Office de Tourisme pl. Liberté (fermé dim.) ☎ 44.24.96 – A.C.O. Finistère 9 r. Siam ☎ 44.32.89.

Paris 592 ② – Lorient 138 ④ – Quimper 71 ④ – ♦Rennes 241 ② – St-Brieuc 144 ②.

Plan pages suivantes

Oceania M, 82 r. Siam ☎ 80.66.66, Télex 940951 – |♦| ☎ – 200. AE GB ◑
SC : **R** 45/100 – 18 – **82 ch** 195/215. BZ **r**

Continental, square Tour d'Auvergne ☎ 80.50.40, Télex 940575 – |♦| ▤ rest TV ☎ ♿. AE GB ◑ E BZ **f**
R *(fermé dim.)* 36/80 – 13,50 – **81 ch** 94/170.

❀ **Voyageurs,** 15 av. Clémenceau ☎ 80.25.73 – |♦| TV ⇔wc ⋒wc ☎. ◑ E
fermé 13 juil. au 3 août et 4 au 14 janv. – **R** *(fermé lundi)* rez-de-chaussée 40, 1er étage 100 – 15 – **39 ch** 65/190 CZ **k**
Spéc. Brochettes de Saint Jacques grillées (oct. à avril), Fricassée de turbot aux cèpes, Tourteau farçi à l'Indienne.

Liberté M sans rest, 9 r. Duquesne ☎ 80.40.40 – |♦| ▤ TV ⇔wc ⋒wc ☎. AE GB ◑ E. BZ **n**
fermé 12 déc. au 12 janv. – SC : 15 – **45 ch** 130/180.

Bretagne sans rest, 24 r. Harteloire ☎ 80.47.21 – ⇔wc ⋒wc ☎. BY **d**
fermé 24 déc. au 1er janv. – SC : 9,50 – **21 ch** 70/130.

tourner →

BREST

Clemenceau (Av. G.) BCZ
Jaurès (R. Jean) CDY
Liberté (Pl. de la) BCZ 10
Lyon (R. de) BZ
Siam (R. de) BZ

Albert-Ier (Pl.) BY
Algésiras (R.) BZ 2
Anatole-France (R.) AZ
C.-Desmoulins (R.) BCY 3
Carnot (Pl. Sadi) BZ
Château (R. du) BZ
Colbert (R.) BZ 4
Collet (R. Yves) CDY
Dajot (Cours) BZ
Danton (R.) CY
Dr-S.-Penquer (Av.) CZ
Donnart (R. Mathieu) BCY
Doumer (R. Paul) BY
Foch (Av. Mar.) BY
Frégate-La-Belle-Poule (R.) CZ 6
Gallieni (R.-Gén.) AZ
Gambetta (Bd) CDZ
Gaulle (Pl. Général de) BZ
Glasgow (R. de) CY
Harteloire (R. de l') BY
Inkermann (R. d') DY
Kerinou (⊕) BY
Kervern (R. A.) BY
Lamotte-Picquet (R.) BY
Le-Bris (R. J.-M.) BCZ
Leclerc (Pl. Gén.) BZ 8
Lesven (R. Jules) DY
Louppe (R. Albert) DY
Macé (R. Jean) BZ
Malakoff (R.) CY 12
Marfille (Bd Isidore) DZ
Massillon (R.) CDY
Masson (R. Paul) CY
Michelet (R.) BZ
Montaigne (Bd) CY
Mouchotte (Bd Cdt) AZ
Moulin (R. Jean) ABZ
Moulin-à-Poudre (R.) BY
Paris (Rte de) DY
Porte (R. de la) AZ
Poullic (R.) CDZ
République (R. de la) DYZ
Réveillère (Av. Amiral) CZ 16
Richelieu (R.) DY
Robespierre (R.) BY 17
Roosevelt (Av. F.) BZ 18
Saint-Exupéry (R.) AZ
St-François (⊕) DYZ
St-Joseph (⊕) DY 20
St-Louis (Pl. et ⊕) BZ 21

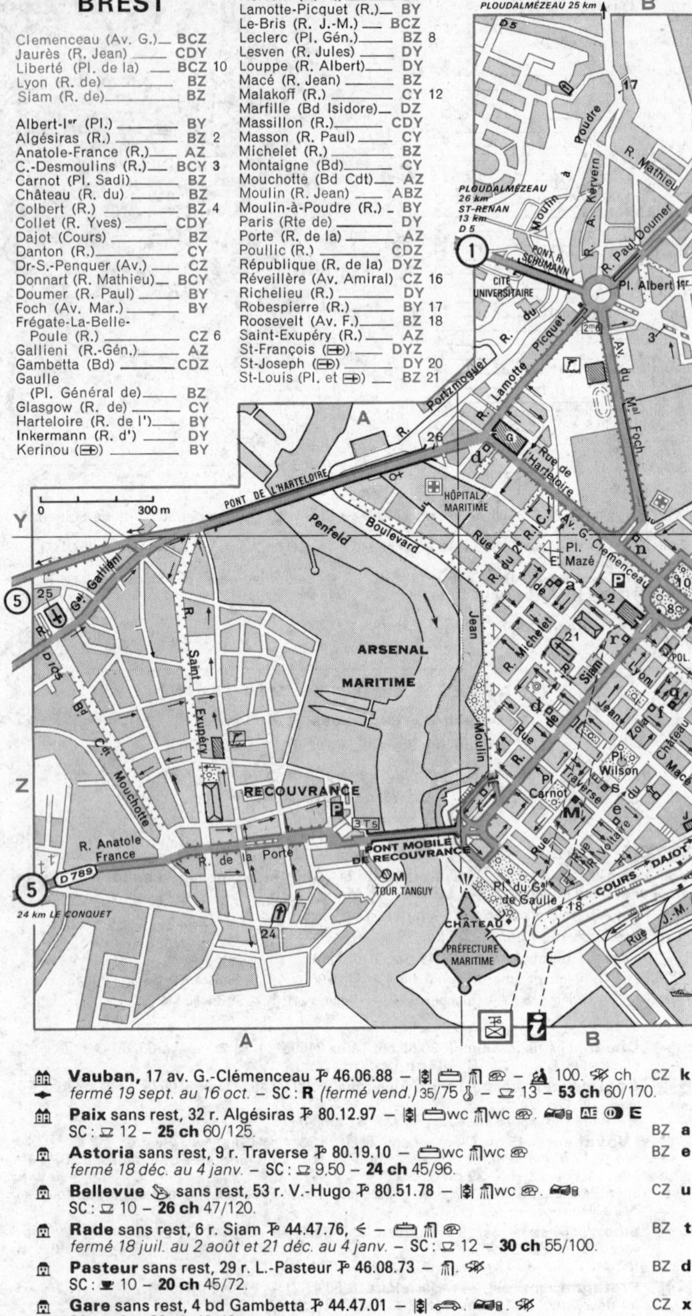

Vauban, 17 av. G.-Clémenceau ☎ 46.06.88 – |‡| ⇔ ⋒ ☎ – 100. ✱ ch — CZ **k**
fermé 19 sept. au 16 oct. – SC : **R** *(fermé vend.)* 35/75 ⅄ – ☕ 13 – **53 ch** 60/170.

Paix sans rest, 32 r. Algésiras ☎ 80.12.97 – |‡| ⇔wc ⋒wc ☎. AE ◐ E — BZ **a**
SC : ☕ 12 – **25 ch** 60/125.

Astoria sans rest, 9 r. Traverse ☎ 80.19.10 – ⇔wc ⋒wc ☎ — BZ **e**
fermé 18 déc. au 4 janv. – SC : ☕ 9,50 – **24 ch** 45/96.

Bellevue sans rest, 53 r. V.-Hugo ☎ 80.51.78 – |‡| ⋒wc ☎. — CZ **u**
SC : ☕ 10 – **26 ch** 47/120.

Rade sans rest, 6 r. Siam ☎ 44.47.76, ≤ – ⇔ ⋒ ☎ — BZ **t**
fermé 18 juil. au 2 août et 21 déc. au 4 janv. – SC : ☕ 12 – **30 ch** 55/100.

Pasteur sans rest, 29 r. L.-Pasteur ☎ 46.08.73 – ⋒. ✱ — BZ **d**
SC : ☕ 10 – **20 ch** 45/72.

Gare sans rest, 4 bd Gambetta ☎ 44.47.01 – |‡| ⇔. ✱ — CZ **x**
SC : ☕ 9 – **20 ch** 42/48.

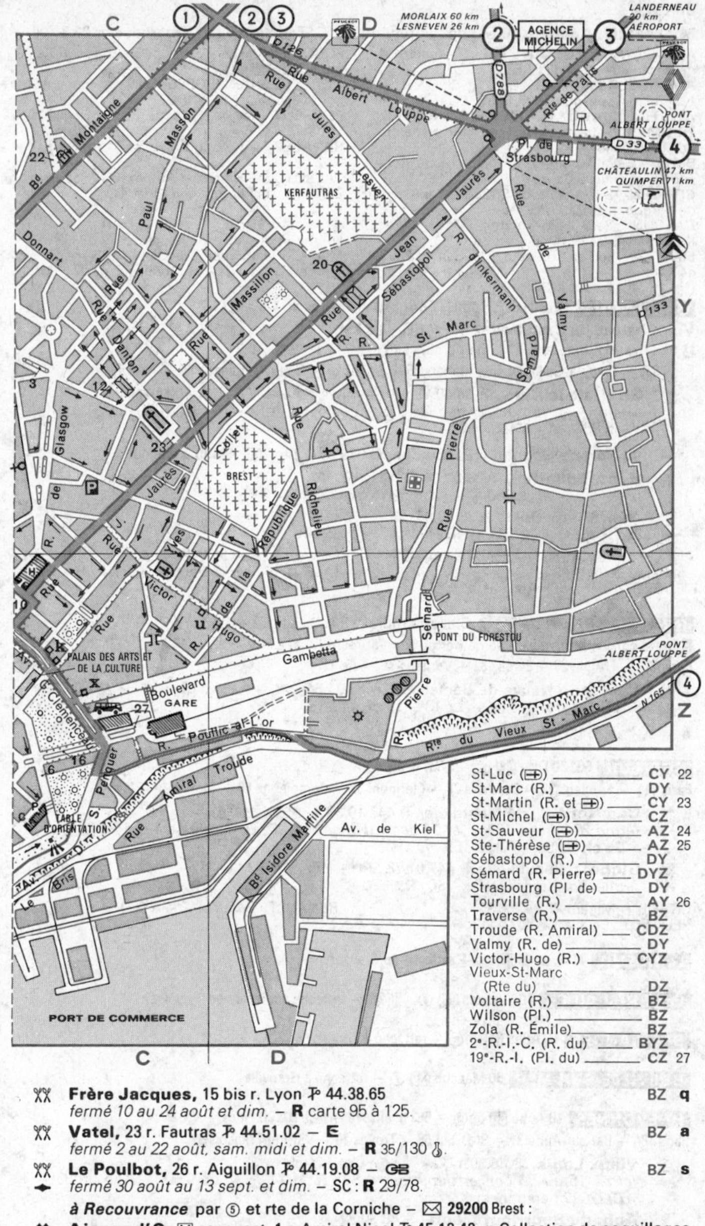

C D

XX **Frère Jacques,** 15 bis r. Lyon ☎ 44.38.65 — BZ **q**
fermé 10 au 24 août et dim. – **R** carte 95 à 125.

XX **Vatel,** 23 r. Fautras ☎ 44.51.02 – **E** — BZ **a**
fermé 2 au 22 août, sam. midi et dim. – **R** 35/130 🌡.

XX **Le Poulbot,** 26 r. Aiguillon ☎ 44.19.08 – GB — BZ **s**
fermé 30 août au 13 sept. et dim. – SC : **R** 29/78.

à Recouvrance par ⑤ et rte de la Corniche – ✉ **29200** Brest :

Ajoncs d'Or Ⓜ sans rest, 1 r. Amiral Nicol ☎ 45.12.42, **« Collection de coquillages exotiques »,** – Ⓟ.
fermé dim. – SC : ☕ 15 – **16 ch** 140/160.

par ② : 6 km – ✉ **29200** Brest :

Novotel Ⓜ, ☎ 02.32.83, Télex 940470, – rest TV ☎ ♿ Ⓟ – 25 à 240. AE GB ⓪
R snack carte environ 65 – ☕ 17 – **85 ch** 180/210.

MICHELIN, Agence, bd Gabriel-Lippmann par ② **Zone Activité Kergaradec** ☎ **02.21.08**

ALFA-ROMEO, TOYOTA Auto-Branellec, 84 rte de Gouesnou ☎ 02.21.82
AUDI-VOLKSWAGEN Gar. St-Christophe, 132 rte de Gouesnou ☎ 02.19.80
AUSTIN, JAGUAR, MORRIS, ROVER, TRIUMPH Sébastopol-Autom., 56 r. Sébastopol ☎ 44.70.48
BMW Ouest-Autom., r. G.-Plante, Zone Activité Kergaradec à Gouesnou ☎ 02.11.15
CITROEN Succursale, r. G.-Zédé, Zone Ind. de Kergonan ☎ 02.23.96
DATSUN Gar. Dollo-Quintric, Zone Ind. de Kergonan ☎ 02.20.14
FIAT Gar. Bodier, 159 rte de Gouesnou ☎ 02.64.44
FORD Herrou et Lyon, rte Gouesnou à Kerguen ☎ 02.35.62
MERCEDES-BENZ, OPEL Gar. de l'Etoile, 137 bd de Plymouth ☎ 45.48.82
PEUGEOT Gar. de Bretagne, Lavallot à Guipavas ☎ 02.14.06
RENAULT Auto-Sce Brestois, 20 rte Paris ☎ 02.20.20
TALBOT Sté Bretonne Autom., 4 r. Réaumur, Zone Ind. de Kergonan ☎ 46.04.44

Jarniou, 18 r. V.-Hugo ☎ 44.45.91
Lorans-Pneus, 70 r. P.-Sémard ☎ 02.02.11
Madec, 19 r. Kerjean-Vras ☎ 44.43.13
Simon-Pneus, 74 rte de Gouesnou ☎ 02.38.66

BRETENOUX 46130 Lot 75 ⑲ G. Périgord – 1 115 h. alt. 126 – 65.

Voir Château de Castelnau : ≤* SO : 3,5 km.**

Syndicat d'Initiative à la Mairie (fermé sam. et dim.) ☎ 38.40.23.

Paris 535 – Brive-la-Gaillarde 45 – Cahors 85 – Figeac 51 – Sarlat-la-Canéda 66 – Tulle 49.

Gd H. de la Cère, ☎ 38.40.19, – wc – 100.
fermé 1er au 15 nov., 21 déc. au 6 janv., sam. soir et dim. – SC : **R** 40/120 – 10 – 26 ch 85/120 – P 135/150.

au Port de Gagnac NE : 6 km par D 940 et D 14 – ✉ **46130** Bretenoux :

Host. Bellerive, ☎ 38.50.04 – wc .
mars-oct. – **R** 35/100 – 10 – **15 ch** 60/100 – P 95/120.

Aub. Vieux Port, ☎ 38.50.05, ≤ – wc
SC : **R** 35/90 – 8,50 – **16 ch** 40/95 – P 85/115.

CITROEN Gar. Croix Blanche, à St-Michel-Loubéjou ☎ 38.11.88
PEUGEOT Bretenoux-Auto, ☎ 38.45.60
RENAULT Bassat, ☎ 38.45.84
TALBOT Peuch, à Biars-sur-Cère ☎ 38.40.37

BRETEUIL 27160 Eure 55 ⑯ G. Normandie – 3 451 h. alt. 172 – 32.

Syndicat d'Initiative à la Mairie (fermé sam. après-midi et dim.) ☎ 32.82.45.

Paris 127 – L'Aigle 25 – Évreux 32 – Verneuil-sur-Avre 11.

Mail , r. Neuve-de-Bémécourt ☎ **32.81.54,** – wc wc – 30.
SC : **R** 51 carte le dim. – 13 – **13 ch** 110/150.

Goy, ☎ 32.71.88

BRETEUIL 60120 Oise 52 ⑱ – 3 531 h. alt. 83 – 4.

Paris 111 – •Amiens 32 – Beauvais 28 – Clermont 34 – Compiègne 56 – Montdidier 21.

Cap Nord Ⓜ, **rte Montdidier** ☎ **447.10.33** – wc – 50.
fermé 28 juin au 12 juil. et 17 déc. au 4 janv. – SC : **R** *(fermé sam.)* 36/59 – 10 – **38 ch** 88/98 – P 120/158.

Globe, r. République ☎ 447.01.78, –
fermé dim. soir et lundi – SC : **R** 35/90 .

CITROEN Minard, ☎ 447.00.36
PEUGEOT Caullier, ☎ 447.00.13
RENAULT Gueudet, ☎ 447.00.18

Le BREUIL 71 S.-et-L. 69 ⑧ – rattaché au Creusot.

Les BRÉVIAIRES 78 Yvelines 60 ⑨, 96 ㉓ – rattaché au Perray-en-Yvelines.

BRÉVIANDES 10 Aube 61 ⑯⑰ – rattaché à Troyes.

BRÉVILLE-SUR-MER 50 Manche 59 ⑦ – rattaché à Granville.

BRÉVONNES 10 Aube 61 ⑰⑱ – 563 h. alt. 116 – ✉ 10220 Piney – 25.

Paris 184 – Bar-sur-Aube 31 – St-Dizier 58 – Troyes 26 – Vitry-le-François 52.

Vieux Logis, ☎ 46.30.17, – . ch
fermé 15 au 30 oct. et dim. soir – SC : **R** 30/74 – 9,50 – 7 ch 35/86 – P 180/220 (2 personnes).

Aub. du Bourricot Fleuri, ☎ 46.30.22
fermé août, 24 au 31 déc. et merc. – **R** 25/80.

Le località sottolineate in rosso sulle ***carte stradali Michelin*** *in scala 1/200 000 figurano in questa guida.*
Approfittate di questa informazione, regolarmente aggiornata, utilizzando una carta di edizione recente.

BREZOLLES **28270** E.-et-L. **60** ⑥ – 1 317 h. alt. 162 – ✪ 37.
Paris 108 – Alençon 88 – Argentan 90 – Chartres 43 – Dreux 23.

Le Relais, ☏ 48.20.84 – ⋒wc Ⓟ
fermé dim. soir – SC : **R** 35/80 ⅄ – ☕ 10 – **22 ch** 40/80 – P 80/100.

RENAULT François, ☏ 48.21.02

BRIANÇON ⟨SP⟩ **05100** H.-Alpes **77** ⑱ **G. Alpes** – 11 201 h. alt. 1 321 – Sports d'hiver à Serre-Chevalier par ④ : 6 km, puis téléphérique – ✪ 92.

Voir Ville haute★★ : Grande-rue★, Pont d'Asfeld★, Remparts ⩤★, Citadelle ✳★, Puy St-Pierre ⩤★★ de l'église SO : 3 km par D35.

Env. Croix de Toulouse ⩤★★ par ④ et D 32 : 8,5 km.

🅱 Office de Tourisme (fermé dim. hors sais.) et A.C. Porte de Pignerol ☏ 21.08.50, Télex 410898.

Paris 680 ④ – Digne 146 ③ – Gap 87 ③ – ♦Grenoble 116 ④ – ♦Nice 263 ③ – Torino 108 ①.

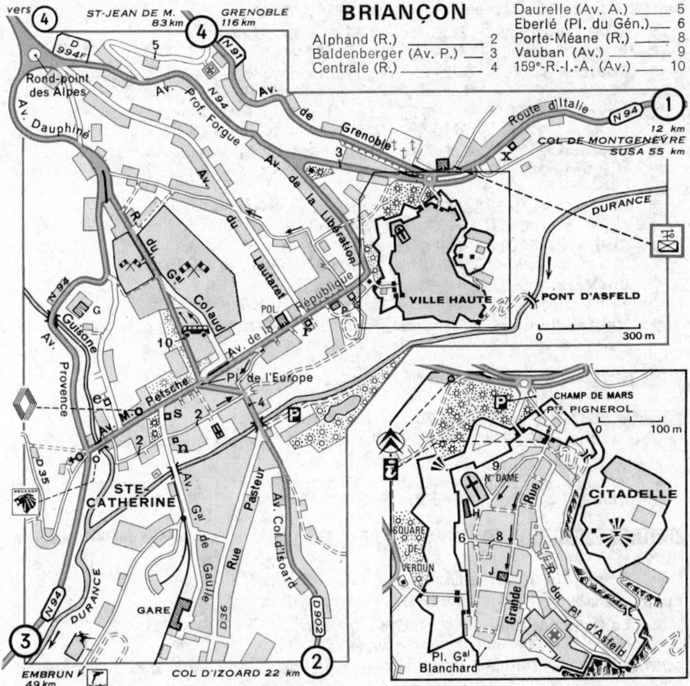

BRIANÇON

Alphand (R.) 2
Baldenberger (Av. P.) 3
Centrale (R.) 4
Daurelle (Av. A.) 5
Eberlé (Pl. du Gén.) 6
Porte-Méane (R.) 8
Vauban (Av.) 9
159e-R.-I.-A. (Av.) 10

Grande Rue : interdite à la circulation du 1er Juillet au 31 Août

Vauban, 13 av. Gén.-de-Gaulle **(n)** ☏ 21.12.11, ⩤, 🌳 – |¢| ☎ 🚗 Ⓟ
fermé 12 nov. au 16 déc. – SC : **R** 65/90 – ☕ 16 – 45 ch 80/190 – P 160/210.

Aub. Le Mt-Prorel 🐎, 5 av. R.-Froger **(e)** ☏ 21.09.50, ⩤, 🌳 – 🛁wc ⋒ ☎. AE GB ⓓ E
SC : **R** *(fermé 4 au 31 mai et 3 nov. au 20 déc.)* 50/85 – ☕ 13 – 18 ch 70/150 – P 100/160.

Le Cristol Ⓜ, 6 rte Italie **(x)** ☏ 21.19.58, ⩤ – 🛁wc ⋒wc ☎. E. ✻ ch
fermé 25 oct. au 20 déc. – SC : **R** 90 – ☕ 12 – 16 ch 100/150 – P 170/182.

Edelweiss sans rest, 32 av. République **(r)** ☏ 21.02.94 – 🛁wc ⋒wc ☎ Ⓟ. GB. ✻
fermé nov. – SC : ☕ 11 – **23 ch** 72/120.

Mont-Brison sans rest, 3 av. Gén.-de-Gaulle **(s)** ☏ 21.14.55 – |¢| 🛁wc ⋒wc ☎ Ⓟ. 🚗. ✻
fermé début nov. au 10 déc. – SC : ☕ 12,50 – **45 ch** 60/140.

Voir aussi ressources hôtelières de *Serre-Chevalier* par ④ : 6 km

ALFA-ROMEO, RENAULT Jullien, 21 av. M.-Petsche ☏ 21.00.30
CITROEN Ets Pellet, 3 av. Baldenberger ☏ 21.08.02
PEUGEOT S.E.P.R.A., 3 rte de Gap ☏ 21.10.02
RENAULT Ferrand, ☏ 31.21.18

BRICK (Anse de) 50 Manche 54 ② – rattaché à Cherbourg.

BRICQUEBEC 50260 Manche 54 ② **G. Normandie** – 3 186 h. alt. 34 – ✪ 33.

Voir Donjon★ du Château.

Paris 353 – Barneville-Carteret 16 – ♦Cherbourg 22 – Coutances 54 – St-Lô 69 – Valognes 13.

Vieux Château ⑤, ☎ 52.24.49 – ⇔wc ⋒wc ⇐ Ⓟ – 🚹 80. E
fermé 1er janv. au 5 fév. – SC : **R** *(fermé dim. soir du 1er oct. au 1er avril)* 30/65 – ☕ 10 – 20 ch 60/130 – P 100/130.

CITROEN Gar. Legarand, ☎ 52.27.72 🅽
PEUGEOT Arcens, ☎ 52.20.23
RENAULT Lecoq, ☎ 52.27.91 🅽

BRIDES-LES-BAINS 73600 Savoie 74 ⑰⑱ **G. Alpes** – 557 h. alt. 572 – Stat. therm. (15 avril-25 oct.) – Casino – ✪ 79.

Syndicat d'Initiative (fermé dim.) ☎ 55.20.64.

Paris 639 – Annecy 77 – Chambéry 79 – Courchevel 18 – Moûtiers 6.

Gd H. Thermes, ☎ 24.25.77 – |‡| ▭ ☎ ♿ Ⓟ. ✗ rest
1er mai-30 sept. – SC : **R** 60/70 – ☕ 16 – **88 ch** 180/250 – P 290/350.

Sources ⑤, ☎ 24.10.22, ← – |‡| ▭ ⇔wc ⋒wc ☎ ♿ ⇐ Ⓟ. ✗ rest
1er fév.-25 oct. – SC : **R** 46/52 – ☕ 12 – **73 ch** 69/115 – P 113/232.

Savoy, ☎ 55.20.55, ← – |‡| ▭ ⇔wc ⋒wc ☎ Ⓟ. ✗ rest
10 mai-27 sept. – SC : **R** 58/60 – ☕ 15 – **40 ch** 96/196 – P 170/220.

Verseau Ⓜ ⑤, ☎ 08.05.50, ← – |‡| ▭ ⇔wc ☎ Ⓟ. AE. ✗ rest
20 avril-10 oct. et week-ends en hiver (hôtel seul.) – SC : **R** 63 – **31 ch** ☕ 120/185 – P 152/248.

Bains Ⓜ ⑤, ☎ 55.22.05, ← – |‡| ⇔wc ⋒wc ☎ ⇐. ✗ rest
15 fév.-30 sept. – **R** 45 – ☕ 15 – **23 ch** 140/160 – P 160/215.

Golf ⑤, ☎ 24.00.12, ← – |‡| ⇔wc ⋒wc ☎ Ⓟ. ✗ rest
26 avril-30 sept. – SC : **R** 64/80 – ☕ 17 – **48 ch** 100/190 – P 150/220.

Val Vert, ☎ 55.22.62 – ⇔wc ☎ Ⓟ. ✗
15 avril-30 oct. – SC : **R** 45/65 – ☕ 13 – **20 ch** 90/160 – P 165/175.

Hautes Rives Ⓜ ⑤ sans rest, ☎ 55.23.60, ← – cuisinette ▭ ⇔wc ☎
début mars-mi-oct. – SC : **15 ch** ☕ 90/138.

BRIDORÉ 37 I.-et-L. 68 ⑥ – rattaché à Loches.

BRIEC 29112 Finistère 58 ⑮ – 4 001 h. alt. 158 – ✪ 98.

Paris 548 – Carhaix-Plouguer 43 – Châteaulin 15 – Morlaix 65 – Pleyben 17 – Quimper 16.

Midi, ☎ 91.90.10 – ✗ ch
fermé 26 avril au 10 mai, 22 déc. au 5 janv., sam. et dim. soir hors sais. – SC : **R** 32/85 🍷 – ☕ 10 – 16 ch 46/50 – P 90/95.

BRIE-COMTE-ROBERT 77170 S.-et-M. 61 ②, 96 ⑳, 101 ㊴ **G. Environs de Paris** – 8 828 h. alt. 88 – ✪ 6.

Voir Verrière★ du chevet de l'église.

Paris 29 – Brunoy 9,5 – Évry 21 – Melun 18 – Provins 56.

La Grâce de Dieu, ☎ 405.00.76 – Ⓟ. GB
fermé août, dim. soir et merc. – SC : **R** 50/78 🍷.

AUSTIN, MORRIS, TRIUMPH, ROVER Gar. Zélus, 22 r. Gén. Leclerc ☎ 405.03.10
PEUGEOT Ets Lespourci, 1 r. Gén. Leclerc ☎ 405.50.50
RENAULT Escoffier-Brie, 7 av. Gén. Leclerc ☎ 405.21.18

BRIENNE-LE-CHÂTEAU 10500 Aube 61 ⑱ **G. Nord de la France** – 4 145 h. alt. 126 – ✪ 25.

Paris 198 – Bar-sur-Aube 24 – Châtillon 72 – St-Dizier 45 – Troyes 40 – Vitry-le-François 42.

Le Briennois sans rest, à Brienne-la-Vieille S : 2 km par D 443 ☎ 77.83.71 – Ⓟ
fermé 20 fév. au 10 mars, 1er au 15 sept. et vend. de sept. à juin – SC : ☕ 9 – **8 ch** 50/73.

Croix Blanche avec ch, av. Pasteur ☎ 77.80.27 – Ⓟ. GB
fermé 6 janv. au 8 fév., dim. soir et lundi – **R** 34/72 🍷 – ☕ 8 – **11 ch** 36/47.

CITROEN Gar. Deravet, ☎ 77.80.15
FIAT Binet, ☎ 77.80.26
RENAULT Consigny, ☎ 77.80.48
TALBOT Gar. Blavot, ☎ 77.80.39

BRIGNAC 87 H.-Vienne 72 ⑱ – rattaché à St-Léonard-de-Noblat.

BRIGNOGAN-PLAGE 29238 Finistère 58 ④⑤ **G. Bretagne** – 1 039 h. – ✪ 98.

Voir Clocher★ de l'église de Goulven SE : 3,5 km.

Syndicat d'Initiative (juil.-août et fermé dim.).

Paris 591 – ♦Brest 37 – Carhaix-Plouguer 95 – Landerneau 26 – Morlaix 56 – St-Pol-de-Léon 31.

Castel Régis, plage Garo ☎ 83.40.22, ←, ⛱, ⚘, ✕ – ⌂wc ☎ **P**. ✻ rest
Pâques-30 sept. – SC : **R** *(oct. à avril ouvert seul. dim. midi)* (prévenir). 70/210 – ☐ 15 – 26 ch 90/180 – P 215/253
Spéc. Homard grillé, Brochettes de St-Jacques forestière, Turbot poché hollandaise.

à Plounéour-Trez S : 1,5 km – ✉ **29238** Brignogan-Plage :

Chaudron d'Argent, ☎ 83.41.18 – ⌂. ✻
fermé janv. – SC : **R** 40/100 ⅄ – ☕ 10 – 10 ch 45/70 – P 95/105.

BRIGNOLES ⟨SP⟩ **83170** Var **84** ⑮ **G. Côte d'Azur** (plan) – 10 482 h. alt. 215 – ⚙ 94.
Voir Sarcophage de la Gayole★ dans le musée M.
i Office de Tourisme pl. St-Louis (fermé sam. après-midi et dim.) et A.C. ☎ 69.01.78.
Paris 814 – Aix-en-Provence 57 – Cannes 98 – Draguignan 53 – ♦Marseille 64 – ♦Toulon 50.

XX **Univers** avec ch, pl. Carami ☎ 69.11.08 – ⌂wc ⌂wc ☎ ⇔. **E**
SC : **R** *(fermé lundi midi)* 45 bc/95 ⅄ – ☐ 9 – 10 ch 55/120 – P 125/155.

au Sud : 2,5 km par D 554 rte de Toulon – ✉ **83170** Brignoles :

Mas de la Cascade Ⓜ ⛰, ☎ 69.07.85, « **Bel aménagement intérieur, jardin** » – ⌂wc ☎ **P** – ⛺ 25.
fermé janv., dim. soir et lundi du 1er déc. au 30 juin – SC : **R** 55/120 – ☐ 20 – **15 ch** 150/250.

sur N 7 O : 6 km – ✉ **83170** Brignoles :

Host. St-Louis de Brignoles, ☎ 69.09.20, parc – ⌂wc **P**. ✻
fermé mardi – SC : **R** 26/120 – ☕ 7,50 – **12 ch** 50/80 – P 130/220.

CITROEN Gar. Pascal et Gasquet, rte de Nice ☎ 69.01.83
PEUGEOT Brun, 13 ch. de la Burlière ☎ 69.06.27
RENAULT S.A.D.A.P., Zone Ind. ☎ 69.03.54
TALBOT Gge Blanc et Rochebois, N 7, rte d'Aix ☎ 69.21.23
⊛ Aude, Zone Ind. ☎ 69.06.17
Omnica, N 7, Cante-Perdrix ☎ 69.02.04
Pneumatec, 28 et 32 av. Dréo ☎ 69.36.15

La BRIGUE 06 Alpes-Mar. **84** ⑳, **195** ⑨ **G. Côte d'Azur** – 493 h. alt. 765 – ✉ **06430** Tende – ⚙ 93.
Voir Église St-Martin★ : retable de l'Adoration de l'Enfant★, Notre-Dame des Neiges★ – Fresques★★ de la chapelle N.-D.-des-Fontaines E : 4 km.
Paris 871 – ♦Nice 82 – Sospel 39.

Fleur des Alpes, pl. St-Martin ☎ 04.61.05 –
1er mars-15 déc. et fermé merc. hors sais. – SC : **R** 30/60 – ☐ 8 – 7 ch 60/65 – P 85.

BRIIS-SOUS-FORGES 91640 Essonne **60** ⑩, **101** ㉝ – 1 674 h. alt. 110 – ⚙ 6.
Paris 39 – Ablis 28 – Arpajon 11 – Étampes 29 – Évry 32 – Rambouillet 27.

Aub. du Pilory, ☎ 490.70.35 – ⌂ ☎ **P** – ⛺ 30. **GB**. ✻ ch
fermé août dim. soir (sauf hôtel) et lundi – **R** carte 55 à 95 – ☕ 9 – 10 ch 46/54.

CITROEN Jousset, ☎ 490.70.53

BRINDOS (Lac de) 64 Pyr.-Atl. **78** ⑱ – rattaché à Biarritz.

BRINON-SUR-SAULDRE 18 Cher **64** ⑳ – 1 293 h. alt. 138 – ✉ **18410** Argent-sur-Sauldre – ⚙ 48 – Paris 186 – Bourges 63 – Cosne-sur-Loire 59 – Gien 36 – ♦Orléans 57 – Salbris 30.

La Solognote ⛰, ☎ 73.50.29, ⚘ – ⌂wc ☎ **P**. ✻ ch
fermé 11 au 23 mai, 1er au 12 sept., vacances de fév., mardi soir et merc. du 1er oct. au 1er juil. – SC : **R** 40/130 – 13 ch ☐ 60/150.

X **Le Dauphin,** ☎ 58.52.90 – ✻
fermé 15 au 30 août, 1er au 20 mars et jeudi – SC : **R** 35/75 ⅄.

RENAULT Gar. de la Jacque, ☎ 58.50.37
TALBOT Gar. Moderne, ☎ 58.53.17

BRIONNE 27800 Eure **55** ⑮ **G. Normandie** (plan) – 4 877 h. alt. 57 – ⚙ 32.
i Syndicat d'Initiative pl. Église (15 juin-15 sept., fermé dim. après-midi et lundi).
Paris 145 – Bernay 15 – Évreux 41 – Lisieux 39 – Pont-Audemer 28 – ♦Rouen 43.

Le Logis de Brionne, pl. St-Denis ☎ 44.81.73 – ⌂wc ☎.
fermé 25 sept. au 13 oct., 29 janv. au 16 fév., dim. soir et lundi – SC : **R** 43/95 – ☐ 10 – 16 ch 42/85.

XX **Aub. Vieux Donjon** avec ch, r. Soie ☎ 44.80.62 – **P**. **GB**
fermé 15 au 31 oct., 15 fév. au 24 mars, dim. soir d'oct. à Pâques et lundi – SC : **R** 37/90 – ☐ 10 – 9 ch 50/76.

CITROEN Rotrou, à Aclou ☎ 44.83.66
PEUGEOT Leduc, ☎ 44.82.93
RENAULT Gar. Dubos, ☎ 44.80.16 **N**
RENAULT Maulion, ☎ 44.82.02
TALBOT Leseigneur, ☎ 44.81.70

BRIOUDE <SP> 43100 H.-Loire 76 ⑤ **G. Auvergne** – 8 427 h. alt. 434 – ✪ 71.

Voir Basilique St-Julien★★.

Env. Lavaudieu : fresques★ de l'église et cloître★ de l'ancienne abbaye 9,5 km par ①.

Office de Tourisme 3 bd Dr-Devins (fermé dim. et lundi) ☎ 50.05.35.

Paris 455 ④ – Aurillac 108 ③ – ◆Clermont-Fd 70 ④ – Issoire 33 ④ – Le Puy 61 ② – St-Flour 52 ③.

BRIOUDE

Commerce (R. du) 5
Maigne (R. Jules) 15
St-Jean (Pl.) 26
Sébastopol (R.) 27
4-Septembre (R. du) 31

Alger (Pl. d') 2
Blum (Av. Léon) 3
Briand (Bd A.) 4
Dr. Devins (Bd) 6
Gare (Av. de la) 7
Lafayette (Pl.) 8
Lamothe (Av. de) 12
Liberté (Pl. de la) 13
Lyon (R. de) 14
Paris (Pl. de) 16
Pascal (R.) 23
République (R. de la) 25
Séguret (R.) 28
Vercingétorix (Bd) 29
Victor-Hugo (R.) 30
14-Juillet (R. du) 32

Les principales voies commerçantes figurent en rouge au début de la liste des rues des plans de villes.

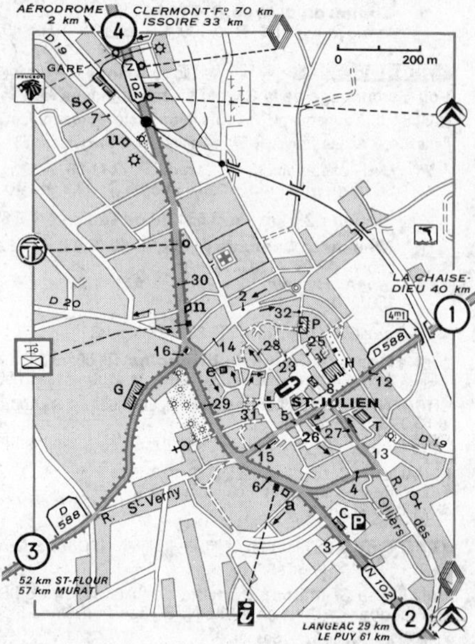

Le Brivas M, rte Puy par ② ☎ 50.10.49, ≤, – wc wc ☎ P. AE GB ⓓ E
fermé 15 nov. au 15 déc. et vend. soir du 15 oct. au 15 mars – SC : **R** 45/100 – ☕ 12 – **30 ch** 70/140.

Moderne, 12 av. Victor-Hugo **(n)** ☎ 50.07.30 – wc wc ☎. AE GB ⓓ E
fermé 2 janv. au 15 fév., dim. soir et lundi midi sauf juin, juil. et août – SC : **R** 42/110 – ☕ 13 – 17 ch 75/150.

Poste et Champanne (annexe M 10 ch - wc), 1 bd Dr-Devins **(a)** ☎ 50.14.62 – wc P – 50. ch
SC : **R** 34/40 – ☕ 10 – 20 ch 40/85 – P 80/100.

La Chaumine sans rest, 13 av. Gare **(u)** ☎ 50.14.10 –
fermé 15 au 31 janv. et dim. du 1er nov. à Pâques – SC : ☕ 10 – **13 ch** 40/100.

Continental, 35 pl. Gare **(s)** ☎ 50.09.11 –
fermé 4 sept. au 5 oct. et sam. sauf du 14 juil. au 4 sept. – SC : **R** 30/52 – ☕ 8 – **11 ch** 40/73 – P 80/90.

Julien Olivain, 7 r. Assas **(e)** ☎ 50.00.03
fermé oct. et lundi de nov. à juin – SC : **R** 35/45.

CITROEN Delmas, av. d'Auvergne ☎ 50.12.06
CITROEN Legrand G., N 102, Ste Anne, Vieille-Brioude ☎ 50.04.01
PEUGEOT Gar. d'Auvergne, av. d'Auvergne ☎ 50.06.05
RENAULT Fournier, rte de Clermont ☎ 50.02.01 N
RENAULT Moncel, av. du Velay ☎ 50.00.63
TALBOT Legrand A., 32 av. Victor-Hugo ☎ 50.08.54 N

Da-Silva-Pneu, av. d'Auvergne ☎ 50.10.86
Estager-Pneus, 46 bis av. Victor-Hugo ☎ 50.06.77

BRISON-LES-OLIVIERS 73 Savoie 74 ⑮ – rattaché à Aix-les-Bains.

BRISSAC-QUINCÉ 49320 M.-et-L. 64 ⑪ **G. Châteaux de la Loire** – 1 760 h. alt. 59 – ✪ 41.

Voir Château★.

Syndicat d'Initiative à la Mairie (fermé sam. et dim.) ☎ 91.22.13.

Paris 306 – Angers 18 – Cholet 55 – Saumur 39.

Le Castel sans rest, ☎ 91.24.74, – wc wc ☎ **P**.
fermé fév. – SC : 10,50 – **12 ch** 90/110.

CITROEN Gar. Guillot, ☎ 91.24.14 **N**

BRIVE-LA-GAILLARDE **19100** Corrèze **75** ⑧ **G. Périgord** – **54 766 h. alt. 142** – **55**.
Voir Musée Ernest-Rupin★ BY **M** – Hôtel de Labenche★ BZ **X**.
☎ 74.23.97.
Office de Tourisme (fermé dim.) et A.C. pl. 14-Juillet ☎ 24.08.80.
Paris 490 ⑦ – Albi 214 ⑤ – ♦Clermont-Ferrand 175 ② – ♦Limoges 96 ⑦ – ♦Montpellier 343 ⑤ – ♦Toulouse 216 ⑤.

BRIVE-LA-GAILLARDE

Faro (R. du Lt-Colonel) AZ 10
Gambetta (R.) BZ
Gaulle (Pl. Ch.-de) AY 12
Hôtel-de-Ville (R. de l') AZ 13
République (R. de la) AZ 23
Toulzac (R.) AY 26

Anatole-France (Bd) ABY 2
Blum (Av. Léon) AZ 3
Cardinal (Pont) AY 4
Curie (R. M. et P.) AY 5
Dr-Massénat (R.) BY 7
Dubois (Bd Cardinal) BY 8
Lattre-de-T. (Pl. de) AZ 14
Lyautey (Bd Mar.) AZ 15
Pasteur (Av.) AY 18
Puyblanc (Bd de) ABZ 19
Raynal (R. Blaise) BZ 20
République (Pl. de la) AZ 22
St-Martin AY
St-Sernin AZ
Segeral-Verninac (R.) AY 25

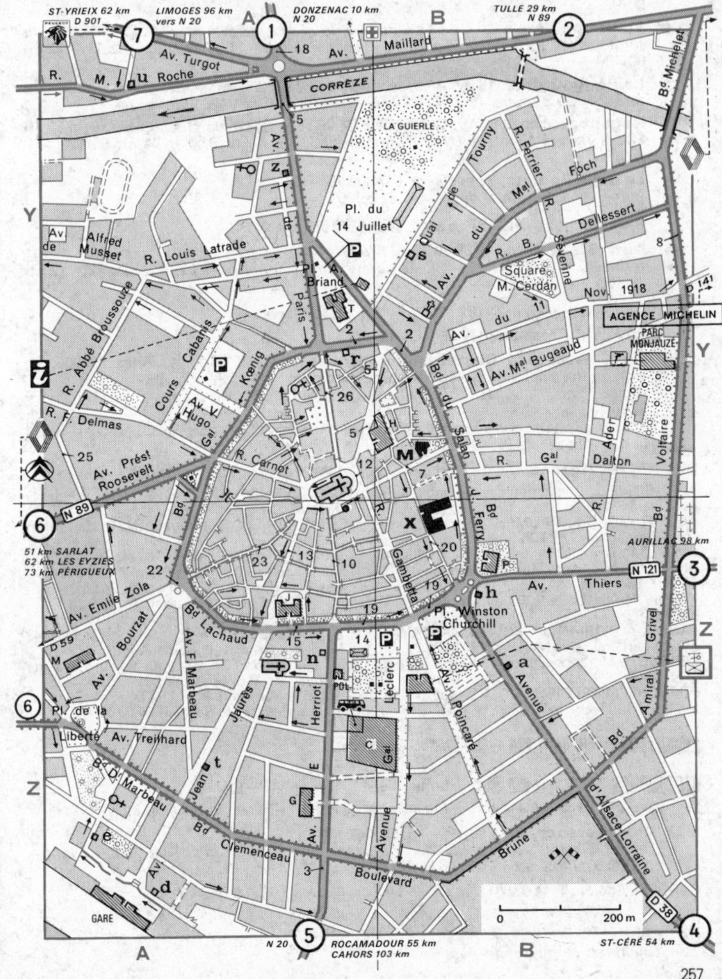

Truffe Noire, 22 bd A.-France ☎ 74.35.32 – 30. AE E AY r
SC : **R** 60 – 15 – **35 ch** 90/220.

Paris [M] sans rest, 32 r. M.-Roche ☎ 74.34.70 – wc wc . AE AY u
SC : 14 – **55 ch** 97/160.

Mercure [M], rte Varetz par ⑦ et D 170 : 5,5 km ☎ 87.15.03, Télex 590096, –
rest wc – 30 à 100. AE GB
R carte environ 70 – 17,50 – **57 ch** 150/160.

H. le Quercy sans rest, 8 bis q. Tourny ☎ 74.09.26 – wc . AE . BY s
SC : 12 – **74 ch** 80/130.

Terminus, face Gare ☎ 74.21.14, – wc wc . AZ d
SC : **R** *(fermé déc. et dim. de nov. à mars)* 45/75 – 12 – **50 ch** 41/145 – P 144/210.

Montauban, 6 av. E.-Herriot ☎ 24.00.38 – wc wc . GB AZ n
fermé mi-déc à mi-janv. – SC : **R** *(fermé lundi midi en hiver)* 30/60 – 10 – 21 ch 54/86.

Champanatier, 15 r. Dumyrat ☎ 74.24.14 – AZ e
fermé sept. – SC : **R** *(fermé vend. soir et sam. midi)* 33/70 – 9 – **14 ch** 42/65 – P 80/92.

XXX **La Crémaillère** avec ch, 53 av. Paris ☎ 74.32.47 – wc . AE. AY z
fermé 25 fév. au 5 mars, 25 août au 10 sept. et lundi – SC : **R** 55/120 – 11 – **12 ch** 80/130.

XX **La Périgourdine,** 15 av. Alsace-Lorraine ☎ 24.26.55, – GB BZ a
fermé 21 au 31 mars, 19 juil. au 12 août et dim. – SC : 45/130.

XX **Régent** avec ch, 3 pl. W.-Churchill ☎ 74.09.58 – wc . GB BZ h
SC : **R** *(fermé 15 oct. au 15 nov. et lundi)* 33/130 – 9,50 – **24 ch** 65/120 – P 140/200.

XX **La Belle Époque,** 27 av. Gare ☎ 74.08.75 – GB AZ t
fermé 1er au 21 juin et dim. – SC : **R** 26/200.

à Ussac par ① et D 57 : 5 km – ✉ **19270** Donzenac :

Aub. St-Jean , ☎ 88.30.20 – wc
fermé 15 oct. au 1er nov. – SC : **R** *(fermé vend. soir hors sais.)* 25/85 – 12 – **12 ch** 75/120 – P 105/130.

à Varetz par ⑦ et D 152 : 10 km – ✉ **19240** Allassac.

Env. Puy d'Yssandon ** NO : 11 km.

✿✿ **Château de Castel Novel** (Parveaux) , ☎ 85.00.01, Télex 590065, <, « Demeure ancienne isolée dans un grand parc », , – – 120. AE
7 mai-1er nov. – SC : **R** 130/175 et carte – 23 ch 250/360, 5 appartements 395 – P 325/410
Spéc. Papillotte de marée au vert d'herbes, Escalope de foie frais au cidre, Soufflé glacé à la liqueur de noix. **Vins** Cahors, Pécharmant.

MICHELIN, Agence, rue de l'Industrie par D 141 BY à Malemort ☎ **74.38.76**

ALFA-ROMEO Chastanet, rte de Paris, la Pigeonnie ☎ 74.39.28
AUSTIN, MORRIS, TRIUMPH Crémoux, 20 av. Mar.-Bugeaud ☎ 23.69.22
BMW Taurisson, 23 av. Ed.-Herriot ☎ 74.25.42
CITROEN Midi-Auto, Rte de Bordeaux N 89 ☎ 74.90.55
FORD Baudin-Autom., 30 av. du 18 juin ☎ 87.32.65
LANCIA-AUTOBIANCHI, POLSKI, ZASTAVA Auto-Sport, Palisse à Malemort ☎ 74.24.71
PEUGEOT Morance, Z.I. de Cana, rte d'Objat ☎ 88.04.06
PORSCHE, MITSUBISHI, VOLVO Gar. Valenti, 71 av. 11-Novembre ☎ 74.30.61

RENAULT Brive-Auto, 88 av. Prés.-Kennedy ☎ 74.20.50
RENAULT Gar. Beauregard, N 89, Estavel ☎ 87.36.67
Gar. de l'Avenue, 19 av. P.-Sémard ☎ 87.02.23
Gar. Lavigne, 13 av. Léon-Blum ☎ 24.04.75 N
Gar. Pascaloux M., 37 av. Foch ☎ 24.06.09
Gar. Vialle, 6 ter av. Roosevelt ☎ 24.05.13

Aux Bons Pneus, av. L.-Lagrange ☎ 24.40.42
Brive-Pneus, 44 av. P.-Sémard ☎ 87.27.58
Estager-Pneus, 26 av. J.-C.-Rivet, Zone de Beauregard ☎ 87.35.20
Lagier, à Malemort ☎ 24.11.43
Rouhaud, 25 bd du Salan ☎ 24.03.45

Le BROC 63 P.-de-D. 73 ⑭⑮ – rattaché à Issoire.

BROGLIE 27270 Eure 55 ⑭ **G. Normandie** – 1 136 h. alt. 142 – 32.
Paris 156 – L'Aigle 35 – Alençon 76 – Argentan 58 – Bernay 11 – Évreux 54 – Lisieux 31.

XX **Poste** avec ch, ☎ 44.60.18 – . AE GB. ch
fermé 20 sept. au 6 oct., 22 déc. au 5 janv., lundi soir et mardi sauf juil. et août – SC : **R** 60/140 – 12 – 6 ch 60/80.

CITROEN Chéron, ☎ 44.60.67

RENAULT Tavel, ☎ 44.60.40

En mars 1982, ce guide ne sera plus valable. Achetez le guide de l'année !

BROLLES 77 S.-et-M. 61 ②, 96 ㊴ – ✉ 77590 Bois-le-Roi – ⊙ 6.
Paris 58 – Chailly-en-Bière 6 – Fontainebleau 10 – Melun 7,5.

Host. Forêt, ☎ 069.60.31, – wc wc ☎ P – 30. AE GB E
SC : **R** *(fermé lundi)* 65/80 – ☕ 13 – **24 ch** 90/120 – P 180/200.

BRON 69 Rhône 74 ⑫ – rattaché à Lyon.

BROQUIÈS 12480 Aveyron 80 ⑬ – 881 h. alt. 388 – ⊙ 65.
Paris 664 – Albi 62 – Lacaune 69 – Rodez 57 – St-Affrique 30.

Le Pescadou, S : 2,5 km rte St-Izaire ☎ 99.40.21, ≤, – wc
fermé 13 au 31 oct. – SC : **R** 27/60 – ☕ 8 – **14 ch** 40/50 – P 85/110.

BROU 01 Ain 74 ③ **G. Bourgogne.**
Curiosités*** et ressources hôtelières : rattachées à Bourg-en-Bresse.

BROU 28160 E.-et-L. 60 ⑯ **G. Châteaux de la Loire** – 3 638 h. alt. 159 – ⊙ 37.
Voir Yèvres : boiseries* de l'église 1,5 km par ③.
Paris 128 ② – Alençon 93 ⑦ – Chartres 38 ② – Châteaudun 22 ③ – Dreux 69 ② – ♦Le Mans 81 ⑦.

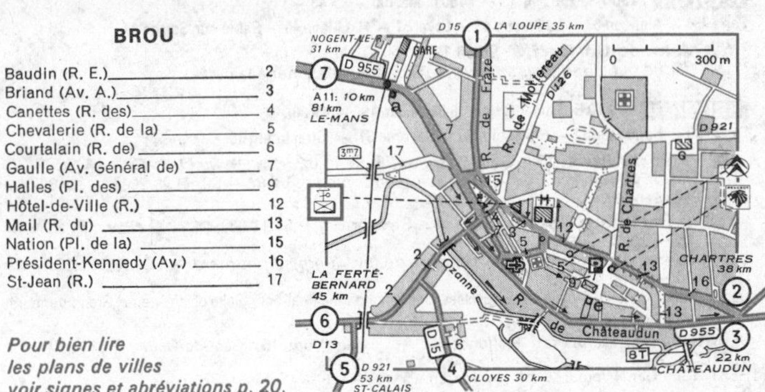

Baudin (R. E.) 2
Briand (Av. A.) 3
Canettes (R. des) 4
Chevalerie (R. de la) 5
Courtalain (R. de) 6
Gaulle (Av. Général de) 7
Halles (Pl. des) 9
Hôtel-de-Ville (R.) 12
Mail (R. du) 13
Nation (Pl. de la) 15
Président-Kennedy (Av.) 16
St-Jean (R.) 17

Pour bien lire les plans de villes voir signes et abréviations p. 20.

Plat d'Étain, pl. Halles **(e)** ☎ 47.03.98 – P.
fermé 15 déc. au 15 janv. – SC : **R** 31/66 – ☕ 11 – **18 ch** 43/90.

France, av. Gén.-de-Gaulle **(a)** ☎ 47.00.16 – P. AE GB
fermé 1er au 21 sept., vend. soir et sam. – SC : **R** 28/60 – ☕ 7 – 8 ch 40/60 – P 80/100.

CITROEN Froissant, ☎ 47.00.44 PEUGEOT Henry, ☎ 47.00.68 N ☎ 21.94.39

BROUIS (Col de) 06 Alpes-Mar. 84 ⑳, 195 ⑱ – rattaché à Sospel.

BROUSSE-LE-CHÂTEAU 12 Aveyron 80 ⑫ **G. Causses** – 219 h. alt. 232 – ✉ **12480** Broquiès – ⊙ 65.
Paris 667 – Albi 54 – Cassagnes-Bégonhès 34 – Lacaune 54 – Rodez 60 – St-Affrique 39.

Relays du Chasteau, ☎ 99.40.15, ≤ – wc P.
fermé 15 déc. au 15 janv., vend. soir et sam. midi du 1er oct. au 1er avril – SC : **R** 35/48 – ☕ 10 – **14 ch** 38/60 – P 85/95.

BROUVELIEURES 88 Vosges 62 ⑯⑰ – 638 h. alt. 400 – ✉ **88600** Bruyères – ⊙ 29.
Paris 401 – Épinal 28 – Gérardmer 26 – Lunéville 56 – Remiremont 33 – St-Dié 22 – Sarrebourg 77.

Dossmann, ☎ 58.86.14 – wc wc ☎ P. ch
fermé 16 déc. au 16 janv. – SC : **R** 40/90 – ☕ 11 – 15 ch 70/120 – P 105/130.

BRUAY-EN-ARTOIS 62700 P.-de-C. 51 ⑭ – 25 951 h. alt. 40 – ⊙ 21.
Syndicat d'Initiative pl. Europe (fermé sam. après-midi et lundi matin) ☎ 26.46.63 - A.C. 63 r. H.-Cadot ☎ 26.47.46.
Paris 213 – Arras 34 – Béthune 9 – Lens 26 – ♦Lille 47 – St-Omer 41 – St-Pol-sur-Ternoise 20.

Park H. sans rest, pl. Cdt-Lherminier ☎ 26.40.28, – wc wc ☎ P.
SC : ☕ 9,50 – **20 ch** 52/120.

Univers, 30 r. H.-Cadot ☎ 26.40.31 – wc ☎ P. GB
SC : **R** *(fermé sam. et dim. soir)* 35/50 – ☕ 10 – **16 ch** 39/81.

tourner →

à Gauchin-Legal S : 8 km par D 341 53 ① – ✉ 62150 Houdain.
Voir Château★ d'Olhain NE : 3 km, G. Nord de la France.

XX **Hatton,** ☎ 59.00.10
fermé 23 mars au 5 avril, 15 au 23 sept. et lundi – SC : **R** 55/119.

ALFA-ROMEO Arauto, 94 r. Léon Blum à Labuissière ☎ 53.35.41
FIAT Catteau, 45 rte Nationale à Labuissière ☎ 26.44.45
PEUGEOT Mizon, 41 rte Nationale à Labuissière ☎ 26.45.19 N ☎ 25.16.83
RENAULT Gar. Lourme, 6 r. d'Aire à Labuissière ☎ 52.28.19
TALBOT Gar. Ste-Barbe, 1 r. A.-France ☎ 26.43.19

BRUÈRE-ALLICHAMPS 18 Cher 69 ① – rattaché à St-Amand-Montrond.

Le BRUGERON 63 P.-de-D. 73 ⑯ – 539 h. alt. 817 – ✉ 63880 Olliergues – ⚙ 73.
Paris 417 – Ambert 28 – ♦Clermont-Ferrand 71 – Montbrison 57 – Roanne 67 – Thiers 36.

Gaudon, ☎ 95.57.16, ≤ –
13 ch.

BRÛLON 72350 Sarthe 60 ⑫ – 1 150 h. alt. 100 – ⚙ 43.
Paris 234 – Alençon 63 – La Flèche 43 – Laval 51 – ♦Le Mans 40 – Sablé-sur-Sarthe 17.

XX **Aub. du Gd-Cerf,** ☎ 95.60.19
fermé oct., lundi soir et mardi – SC : **R** 35/140, dîner à la carte.

BRUMATH 67170 B.-Rhin 57 ⑲ – 6 890 h. alt. 150 – ⚙ 88.
Paris 470 – Haguenau 11 – Molsheim 30 – Saverne 31 – ♦Strasbourg 18.

Ville de Paris, 13 r. Gén.-Rampont ☎ 51.11.02 – wc – 30
fermé 20 juin au 13 juil., dim. soir (sauf hôtel) et vend. – SC : **R** 25/90 – 8,50 – **14 ch** 40/80.

XXX ✿ **Écrevisse** (Orth) avec ch, 4 r. Strasbourg ☎ 51.11.08, – wc – 30.
fermé 15 juil. au 6 août, vacances de fév., lundi soir et mardi – SC : **R** 80/200 – 10 – 21 ch 42/130
Spéc. Parfait de foie gras, Écrevisses Fine Champagne (mai-oct.), Selle de chevreuil "Grand Veneur".
Vins Riesling, Pinot noir.

PEUGEOT Gar. Pierre, 1 r. Plaffenhoffen ☎ 51.11.29
RENAULT Gar. Weibel, 6 pl. du Marché ☎ 51.12.12
Gar. Vogt, 15 r. Gén.-de-Gaulle ☎ 51.10.71

BRUNEHAMEL 02 Aisne 53 ⑰ – 592 h. alt. 242 – ✉ 02360 Rozoy-sur-Serre – ⚙ 23.
Paris 182 – Charleville-Mézières 49 – Hirson 23 – Laon 51 – Reims 68 – St-Quentin 77.

H. de la Hure, ☎ 97.60.14 – .
fermé 2 au 23 août – **R** *(fermé dim.)* 23/45 – 8,50 – **10 ch** 34/47 – P 75/85.

BRUNOY 91800 Essonne 61 ①, 101 ㊲ – voir à Paris, Proche banlieue.

Le BRUSC 83 Var 84 ⑭ G. Côte d'Azur – alt. 10 – ✉ 83140 Six-Fours-Plages – ⚙ 94.
Excurs. à l'île des Embiez★ : Observatoire de la mer★ : ≤★★ en bateau 12 mn.
Paris 834 – Aix-en-Provence 77 – La Ciotat 33 – ♦Marseille 60 – Sanary-sur-Mer 6 – ♦Toulon 15.

XX **Mont-Salva,** chemin Mt-Salva ☎ 25.03.93, – . GB
fermé en oct. et 15 janv. au 1er mars – SC : **R** *(fermé merc. soir et jeudi hors sais.)* 45/105.

XX **Trou Normand,** ☎ 25.00.47 – GB
fermé janv. – SC : **R** *(fermé lundi)* 50/100.

X **Chez Marcel, Au royaume de la Bouillabaisse,** au Gaou SO : 1,2 km par D 16 ☎ 25.00.40, Produits de la mer –
fermé nov. et mardi – SC : **R** 67/80.

BRUSQUE 12 Aveyron 83 ④ – 540 h. alt. 465 – ✉ 12360 Camares – ⚙ 65.
Paris 696 – Albi 91 – Béziers 76 – Lacaune 35 – Lodève 50 – Rodez 107 – St-Affrique 35.

La Dent de St-Jean , ☎ 99.52.87, ≤ – wc . ch
1er mars-1er nov. – SC : **R** 45/80 – 9 – **20 ch** 60/70 – P 90/110.

BRUYÈRES 88600 Vosges 62 ⑯⑰ – 4 001 h. alt. 500 – ⚙ 29.
Syndicat d'Initiative pl. Stanislas (1er juil.-31 août et fermé dim. après-midi) ☎ 50.51.33.
Paris 400 – Colmar 68 – Épinal 27 – Gérardmer 23 – Lunéville 55 – Remiremont 30 – St-Dié 25.

Renaissance (provisoirement sans rest), 25 pl. J.-Jaurès ☎ 50.12.00 – wc wc .
SC : 10 – **23 ch** 62/147.

BRY-SUR-MARNE 94 Val-de-Marne [56] ⑪, [101] ⑱ – voir à Paris, Proche banlieue.

BUAIS 50 Manche [59] ⑨⑲ – 822 h. alt. 231 – ✉ 50640 Le Teilleul – 33.

Paris 280 – Domfront 27 – Fougères 34 – Laval 58 – Mayenne 44 – St-Hilaire-du-H. 11 – St-Lô 80.

XX **Rôtisserie Normande,** ☎ 59.41.10, Cadre Vieux Normand – Ⓟ. GB
fermé 20 janv. au 20 fév. et lundi du 15 sept. à Pâques – SC : **R** 29/70.

BUBRY 56310 Morbihan [63] ② – 2 865 h. alt. 183 – 97.

Paris 480 – Carhaix-Plouguer 56 – Lorient 34 – Pontivy 22 – Quimperlé 32 – Vannes 53.

Coet Diquel [M] , O : 1 km par VO ☎ 51.70.70, ←, « parc », , – wc wc ☎ Ⓟ – 25 à 30. GB E
SC : **R** 45/100 – 16,50 – 22 ch 60/150 – P 125/170.

BUCHY 76750 S.-Mar. [55] ⑦ – 1 053 h. alt. 192 – 35.

Paris 133 – Les Andelys 43 – Dieppe 46 – Neufchâtel-en-Bray 23 – ♦Rouen 27 – Yvetot 54.

X **Nord** avec ch, gare de Buchy NO : 3 km par D 41 ☎ 34.40.16 – Ⓟ. ch
fermé 6 au 24 juil., dim. soir et lundi – SC : **R** 30/54 – 8 – 8 ch 40/56.

CITROEN Guérard, ☎ 34.40.33
PEUGEOT Gar. du Centre, ☎ 34.41.01
RENAULT Lucas, ☎ 34.40.30

Le BUET 74 H.-Savoie [74] ⑨ – rattaché à Vallorcine.

Le BUGUE 24260 Dordogne [75] ⑯ **G. Périgord** – 2 778 h. alt. 68 – 53.

Voir Gouffre de Proumeyssac★ S : 3 km.

Syndicat d'Initiative à l'Hôtel de Ville (Pâques et 1er juin-15 sept.) ☎ 06.20.48.

Paris 526 – Bergerac 48 – Brive-la-Gaillarde 73 – Cahors 83 – Périgueux 41 – Sarlat-la-Canéda 33.

Royal Vézère [M], pl. H. de Ville ☎ 06.20.01, Télex 540710, ←, « Au bord de la Vézère, sur le toit-terrasse : » – [TV] – 30 à 150. AE GB E
17 avril-12 oct. – SC : **R** carte 95 à 155 – 20 – **49 ch** 160/225, 4 appartements 310 – P 232/364.

La Ferme Gourmande sans rest, rte Eyzies : 2 km ☎ 06.24.97, – wc wc Ⓟ.
17 avril-30 sept. – SC : 12 – **12 ch** 80/110.

X **Trois Fontaines,** ☎ 06.23.44
Pâques-15 nov. – SC : **R** 40/135.

à Campagne SE : 4 km – ✉ 24260 Le Bugue :

du Château, ☎ 06.23.50, – wc ☎ Ⓟ. ch
1er avril-31 oct. – SC : **R** 40/150 – 10 – **14 ch** 70/120 – P 120/150.

CITROEN Rieupeyroux, ☎ 06.21.58 N
PEUGEOT Potier, ☎ 06.20.24
RENAULT Gouaud, ☎ 06.20.49

BUIS-LES-BARONNIES 26170 Drôme [81] ③ **G. Provence** – 1 831 h. alt. 370 – 75.

Syndicat d'Initiative Pavillon du Tourisme pl. Champ-de-Mars (1er juin-30 sept. et fermé dim.) ☎ 28.04.59.

Paris 692 – Carpentras 40 – Nyons 30 – Orange 49 – Sault 37 – Sisteron 75 – Valence 130.

Les Oliviers [M] , quartier du Pont Neuf ☎ 28.08.77, ← – wc ☎ Ⓟ.
fermé janv. et merc. – SC : **R** 45/80 – 10 – **17 ch** 105/135 – P 140/160.

Lion d'Or sans rest, sous les Arcades ☎ 28.11.31, – .
SC : 9 – **17 ch** 36/80.

X **Les Tilleuls,** ☎ 28.00.45
fermé nov. et lundi – SC : **R** 32/80 .

PEUGEOT Enguent, ☎ 28.09.97
RENAULT Mathieu, ☎ 28.05.80

BUJALEUF 87460 H.-Vienne [72] ⑱⑲ – 1 059 h. alt. 380 – 55.

Paris 430 – Aubusson 64 – Guéret 61 – ♦Limoges 36 – Tulle 87.

H. Alary, r. Lac ☎ 69.50.18 – .
fermé oct. – SC : **R** 25/45 – 8 – **7 ch** 40/70 – P 72/85.

BULLY-LES-MINES 62160 P.-de-C. [51] ⑮ – 12 257 h. alt. 60 – 21.

Paris 200 – Arras 18 – Béthune 14 – Bruay-en-Artois 18 – Lens 9 – ♦Lille 42.

Moderne et rest. Johnny, 144 r. Gare ☎ 29.14.22 – wc wc Ⓟ – 250.
SC : **R** *(fermé sam.)* 33/100 – 9 – **38 ch** 45/60 – P 95 bc/120 bc.

PEUGEOT Pruvost-Desfassiaux, 13 r. Gare ☎ 29.12.08
RENAULT Derache, 59 R.-Salengro ☎ 29.17.99 N

BUSSANG 88540 Vosges 66 ⑧ G. Vosges – 2 058 h. alt. 599 – ⚙ 29.
Env. Petit Drumont ※** NE : 9 km puis 15 mn.
Syndicat d'Initiative 7 r. Alsace (vacances scolaires) ☎ 61.50.37.
Paris 434 – Belfort 43 – Épinal 61 – Gérardmer 44 – •Mulhouse 49 – Thann 27.

Sources ⛰, NE : 2,5 km par D 89 ☎ 61.51.94, ←, – TV wc wc ☎ P. GB. ✗
SC : **R** 40/95 – 12 – **9 ch** 96/136 – P 120/136.

Deux Clefs, ☎ 61.51.01, – wc wc ☎ . GB. ✗ rest
fermé 1er au 15 déc., mardi soir et merc. – SC : **R** 35/90 – 10 – **20 ch** 45/100 – P 95/110.

Tremplin, ☎ 61.50.30 – wc wc ☎ P. GB. ✗ ch
fermé 20 sept. au 20 oct. et lundi hors sais. – SC : **R** 33/65 – 9,50 – **20 ch** 45/100 – P 90/140.

RENAULT Hans, ☎ 61.50.32

BUSSEAU 23 Creuse 72 ⑩ – ✉ 23150 Ahun – ⚙ 55.
Paris 370 – Aubusson 30 – Guéret 18.

XX **Viaduc** avec ch, ☎ 62.40.62, ← – P
fermé fév., dim. soir et lundi – SC : **R** 28/85 – 9 – **8 ch** 45/61 – P 80/100.

BUSSET 03 Allier 73 ⑤⑥ G. Auvergne – 820 h. alt. 507 – ✉ 03270 St-Yorre – ⚙ 70.
Voir Château*.
Paris 363 – •Clermont-Ferrand 68 – Thiers 32 – Vichy 13.

XXX ✿ **Haut Tourne-Bride** (Mme Lemaire) ⛰, ☎ 41.26.87 – AE ⓓ
11 avril-2 nov. et fermé lundi soir et mardi – SC : **R** 90/155
Spéc. Soupe d'écrevisses aux fines herbes (sauf juin), Foie de canard frais, Millefeuille aux myrtilles. Vins Côtes d'Auvergne, St-Pourçain.

BUSSIÈRE-POITEVINE 87320 H.-Vienne 72 ⑥ – 1 161 h. alt. 225 – ⚙ 55.
Syndicat d'Initiative à la Mairie (fermé sam. et dim.) ☎ 68.40.83.
Paris 387 – Confolens 40 – •Limoges 61 – Montmorillon 24 – Poitiers 59 – La Souterraine 49.

Le Relais, ☎ 68.40.26 –
fermé 10 au 20 oct. et dim. du 1er nov. à Pâques – SC : **R** 50 – 9 – 10 ch 50/70 – P 70/90.

PEUGEOT Sélébran, Le Bourg Rte de Gueret-Montluçon ☎ 68.40.81
RENAULT Lebraud, ☎ 68.40.18

BUXIÈRES-LES-MINES 03440 Allier 69 ⑬ G. Auvergne – 1 397 h. alt. 295 – ⚙ 70.
Paris 308 – Montluçon 38 – Moulins 34 – St-Amand-Montrond 60 – St-Pourçain-sur-Sioule 35.

Commerce, ☎ 66.01.11
fermé 31 juil. au 25 août, vend. soir et sam. – SC : **R** 25/80 – 7 – **8 ch** 32/42 – P 70/80.

CITROEN Robin, ☎ 66.01.66

Les CABANNES 09310 Ariège 86 ⑤ – 470 h. alt. 535 – ⚙ 61.
Paris 815 – Ax-les-Thermes 15 – Foix 27.

Taverne Larcatoise, ☎ 64.77.84 – wc. GB
fermé début nov. à début déc. et merc. – SC : **R** 30/110 – 8 – **16 ch** 50/80 – P 121/139.

CABANNES 13440 B.-du-R. 81 ⑫ – 2 767 h. alt. 52 – ⚙ 90.
Paris 695 – Avignon 16 – Carpentras 32 – Cavaillon 10 – •Marseille 83 – Orange 39.

Golden H., ☎ 95.21.48 – . ✗ ch
fermé fév. et vend. – SC : **R** 29/90 – 11 – 12 ch 46/90 – P 90/115.

Les CABANNES 81 Tarn 79 ⑳ – rattaché à Cordes.

CABASSON 83 Var 84 ⑯ – rattaché à Bormes-les-Mimosas.

CABELLOU (Plage du) 29 Finistère 58 ⑪⑮ – rattaché à Concarneau.

CABOURG 14390 Calvados 55 ② G. Normandie – 3 329 h. – Casino A – ⚙ 31.
18 ☎ 91.25.56 par ⑤ : 3 km.
Office de Tourisme Jardins du Casino (fermé dim. après-midi hors saison) ☎ 91.01.09.
Paris 225 ③ – •Caen 24 ④ – Deauville-Trouville 19 ① – Lisieux 33 ② – Pont-l'Évêque 26 ②.

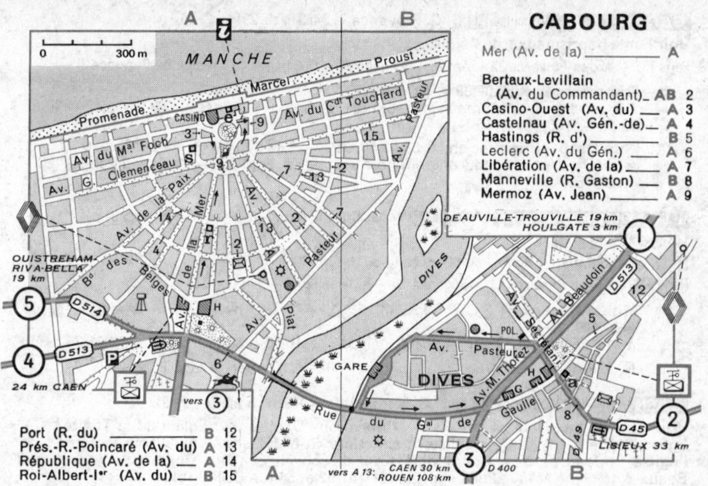

Gd Hôtel P.L.M et rest Le Balbec Ⓜ, prom. M. Proust ☎ 91.01.79, Télex 171364, ≤ – |≬| TV ☎ P – 30 à 200. AE GB ⓓ. ✻ rest A **e**
SC : **R** 80/110 – ⊒ 25 – **68 ch** 200/410 – P 295/400.

Chat Botté sans rest, av. Casino Ouest ☎ 91.27.01 – wc ⋒wc ☎ – 50. AE. ✻ A **s**
Pâques-sept. – SC : ⊒ 20 – **30 ch** 125/295.

Paris sans rest, 39 av. Mer ☎ 91.31.34 – wc ⋒wc ☎ A **r**
fermé déc. et janv. – SC : ⊒ 12 – **22 ch** 43/140.

à Dives-sur-Mer : Sud du plan – 6 175 h. – ✉ **14160** Dives-sur-Mer :

XX **Guillaume le Conquérant,** 2 r. Hasting ☎ 91.07.26 – AE GB ⓓ B **a**
fermé 10 au 31 oct., 1er au 15 fév. et merc. hors sais. – **R** 90/170.

par ④ et rte de Gonneville : 7,5 km – ✉ **14860** Ranville :

XXX **Host. Moulin du Pré** avec ch, ☎ 78.83.68, ≤, parc – ⋒wc ☎ P. ✻ ch
fermé oct., 1er au 15 mars, dim. soir et lundi sauf juil., août et fériés – SC : **R** carte 95 à 130 – ⊒ 12 – **10 ch** 70/120.

RENAULT Gar. Palace, av. Piat ☎ 91.28.14

RENAULT Popelin, 15 r. du Port, à Dives ☎ 91.04.51

CABRERETS 46330 Lot **79** ⑨ G. Périgord – 236 h. alt. 130 – ✪ 65.

Voir Château de Gontaut-Biron★ – ≤★ sur village de la rive gauche du Célé – Grotte du Pech Merle★★ NO : 3 km.

Paris 591 – Cahors 33 – Figeac 44 – Gourdon 44 – St-Céré 64 – Villefranche-de-Rouergue 42.

Grottes, ☎ 31.27.02, ≤, « Terrasse sur la rivière », – wc ⋒ ☎ P. ✻ ch
12 avril-2 nov. – SC : **R** *(fermé sam. midi sauf du 1er juin au 15 sept.)* 35/68 – ⊒ 11 – 17 ch 60/102.

Aub. de la Sagne, rte Pech-Merle : 1 km ☎ 31.26.62, ≤, – ⋒wc P.
fermé 15 nov. au 20 déc. et 5 janv. au 1er mars – SC : **R** (en saison dîner résidents seul. et fermé merc. midi hors sais.) 30/48 – ⊒ 11 – **10 ch** 60/104 – P 100/120.

à la Fontaine de la Pescalerie NE : 2,5 km rte Figeac – ✉ **46330** Cabrerets :

La Pescalerie Ⓜ, ☎ 31.22.55, ≤ parc – TV ☎ P. AE ⓓ
15 mars-15 nov. – SC : **R** (nombre de couverts limité - prévenir) 120 – ⊒ 25 – **10 ch** 200/320 – P 300/350.

RENAULT Redon, ☎ 31.27.17

CABRIS 06 Alpes-Mar. **84** ⑧, **195** ㉔ – rattaché à Grasse.

CADÉAC 65 H.-Pyr. **85** ⑲ – rattaché à Arreau.

P 85/115

Les **prix de pension** sont donnés, dans le guide, à titre indicatif.

Pour un séjour, consultez toujours l'hôtelier.

CADENET 84160 Vaucluse 84 ③ **G. Provence** – 2 483 h. alt. 234 – ⓒ 90.

Voir Fonts baptismaux★ de l'église.

Paris 737 – Aix-en-Provence 32 – Apt 23 – Avignon 60 – Manosque 48 – Salon-de-Provence 31.

Commerce, ☎ 68.02.35 – ⋒ ⇔. ✻
Pâques-1er nov. et fermé sam. sauf hôtel en saison – SC : **R** 21/27 ⅄ – ☐ 7 – **10 ch** 30/55 – P 65/75.

XX **Aux Ombrelles** avec ch, ☎ 68.02.40, ⚘ – ⊟wc ⋒ ☏ Ⓟ. ⇔. ✻ rest
fermé 1er déc. au 1er fév. et lundi hors sais. – SC : **R** 40/120 – ☐ 11 – 11 ch 53/120 – P 120/160.

La CADIÈRE-D'AZUR 83740 Var 84 ⑭ **G. Côte d'Azur** – 2 044 h. alt. 144 – ⓒ 94.

Voir ⋞★.

Syndicat d'Initiative Rond-Point R.-Salengro (1er juin-30 sept. après-midi seul.) ☎ 29.32.56.

Paris 820 – Aix-en-Provence 63 – Brignoles 53 – ♦Marseille 46 – ♦Toulon 22.

Host. Bérard [M] ⅋, ☎ 29.31.43, ⋞, ⛱, ⚘ – ⊟wc ⋒wc ☏ ⇔ Ⓟ – ♙ 40. ⇔ GB. ✻
fermé 25 oct. au 30 nov. – SC : **R** 50/120 – ☐ 16,50 – **38 ch** 75/240 – P 154/240.

CITROEN Jansoulin, ☎ 29.30.36 RENAULT Gar. St-Éloi, ☎ 29.32.47

CAEN [P] 14000 Calvados 55 ⑪⑫ **G. Normandie** – 122 942 h. alt. 8 – ⓒ 31.

Voir Abbaye aux Hommes★★ AY – **Abbaye aux Dames** BX : **Église de la Trinité★★** – **Église St-Pierre★★** AY **L** – **Église et cimetière St-Nicolas★** AY **E** – **Tour-lanterne★ de l'église St-Jean** BZ **D** – **Cour★ de l'Hôtel d'Escoville** AY **B** – **Château★ : musée des Beaux-Arts★★** AX **M1** – **Vieilles maisons★ (n° 52 et 54 rue St-Pierre)** AY **K.**

Env. Ruines de l'abbaye d'Ardenne★ AV **6 km par ⑩.**

Office de Tourisme et Accueil de France (Informations, change et réservations d'hôtels, pas plus de 5 jours à l'avance), pl. St-Pierre (fermé dim. et fêtes hors saison) ☎ 86.27.65, Télex 170353 – A.C.O. 20 av. 6-juin ☎ 85.47.35 - T.C.F. 28 r. Montoir-Poissonnerie ☎ 93.72.70.

Paris 240 ④ – Alençon 102 ⑥ – ♦Amiens 240 ④ – ♦Brest 367 ⑧ – ♦Cherbourg 119 ⑩ – Évreux 121 ⑤ – ♦Le Havre 108 ④ – ♦Lille 350 ④ – ♦Le Mans 151 ⑥ – ♦Rennes 175 ⑧ – ♦Rouen 124 ④.

Plans page ci-contre

Relais des Gourmets [M], 15 r. Geôle ☎ 86.06.01 – |♣| TV ☎ – ♙ 45. AE GB ① E AY **t**
R *(fermé 1er au 28 août)* carte 80 à 130 – ☐ 14 – **26 ch** 100/150.

Moderne, 116 bd Mar.-Leclerc ☎ 86.04.23,, Télex 171106 – |♣| TV ☎ ⇔. AE GB ① E AY **d**
SC : **R** *(fermé dim. soir du 15 oct. au 15 mars)* 49/75 – ☐ 15 – 53 ch 98/190, 3 appartements 220 – P 188/234.

Malherbe sans rest, pl. Foch ☎ 84.40.06, Télex 170555, ⋞ – |♣| TV ☎. AE GB ① E BZ **z**
SC : ☐ 13,50 – **43 ch** 63/175.

Métropole sans rest, 16 pl. Gare ✉ 14300 ☎ 82.26.76, Télex 170165 – |♣| TV ⊟wc ⋒wc ☎ Ⓟ. ⇔ GB E. ✻ BZ **y**
fermé 22 déc. au 2 janv. – SC : ☐ 12 – **71 ch** 48/135.

France sans rest, 10 r. Gare ✉ 14300 ☎ 82.16.99 – |♣| ⊟wc ⋒wc ☏ Ⓟ – ♙ 45. ⇔ ①. ✻ BZ **h**
SC : ☐ 12 – **41 ch** 58/140.

Bristol sans rest, 31 r. 11-Novembre ✉ 14300 ☎ 84.59.76 – |♣| ⊟wc ⋒wc ☏. ⇔ BZ **v**
SC : ☐ 13 – **24 ch** 61/165.

Quatrans sans rest, 17 r. Gemare ☎ 76.25.57 – |♣| ⊟wc ☏. ⇔. ✻ AY **p**
SC : ☐ 10 – **26 ch** 52/126.

Château sans rest, 5 av. du 6-juin ✉ 14300 ☎ 76.15.37 – ⊟wc ⋒wc ☏ BY **a**
fermé 15 déc. au 3 janv. – SC : ☐ 12 – **20 ch** 58/115.

Univers sans rest, 12 quai Vendeuvre ✉ 14300 ☎ 85.46.14 – ⊟wc ⋒wc ☏. ⇔ GB. ✻ BY **k**
fermé 4 au 12 janv. – SC : ☐ 10 – **24 ch** 64/120.

Central H. sans rest, 23 pl. J.-Letellier ✉ 14300 ☎ 76.18.52 – ⊟ ⋒ ☏ AY **u**
SC : ☐ 8,50 – **24 ch** 45/90.

St-Jean sans rest, 20 r. Martyrs ✉ 14300 ☎ 76.23.35 – ⊟ Ⓟ. ✻ BZ **s**
fermé dim. soir d'oct. à fin mars – SC : ☐ 8,50 – **15 ch** 38/73.

XXX **Joignant,** 6 pl. St-Pierre ✉ 14300 ☎ 76.37.75, ⋞ – AE GB ① BY **m**
fermé 23 juin au 13 juil., dim. soir et lundi – SC : **R** 75/130.

XXX **Le Dauphin** [M] avec ch, 29 r. Gemare ✉ 14300 ☎ 76.22.26 – |♣| TV ⊟wc ⋒wc ☎ Ⓟ. ⇔ AE GB ① E AXY **a**
fermé 16 juil. au 12 août – SC : **R** *(fermé sam.)* 44/95 ⅄ – ☐ 15 – **21 ch** 75/165.

XXX **Le Rabelais,** pl. Foch ☎ 84.46.32 – Ⓟ. AE GB ① BZ **z**
fermé 15 déc. au 15 janv., sam. midi et dim. – SC : **R** 45/100 ⅄.

tourner →

CAEN

- Alliés (Bd des) — ABY 2
- Ecuyère (R.) — AY 17
- Guillouard (Pl. L.) — AY 23
- Leclerc (Bd Mar.) — AYZ 26
- St-Jean (R.) — BYZ
- St-Pierre (R.) — AY 47
- Strasbourg (R. de) — AY 50
- 6-Juin (Av. du) — BYZ

- Bernières (R. de) — ABY 7
- Clemenceau (Av. G.) — BV 9
- Côte-Feurie (Rte de la) — AV 10
- Courtonne (Pl.) — BY 13
- Délivrande (R. de la) — AV, BX 16
- G.-le-Conquérant (R.) — AY 20
- Havre (R. du) — BZ 24
- Juifs (R. aux) — AX 25
- Libération (Av. de la) — ABX 27
- Montalivet (Cours) — BV, BZ 28

- Montoir-Poissonnerie (R.) — AY 29
- Pasteur (R.) — BV 33
- Père Ch. de Foucauld (Av.) — ABV 34
- République (Pl. de la) — AY 35
- Richemond (Bd) — AV 36
- St-Manvieu (R.) — AY 45
- Vaucelles (R. de) — BZ 52
- Vaugueux (R. du) — BX 53
- Verdun (Av. de) — BZ 55

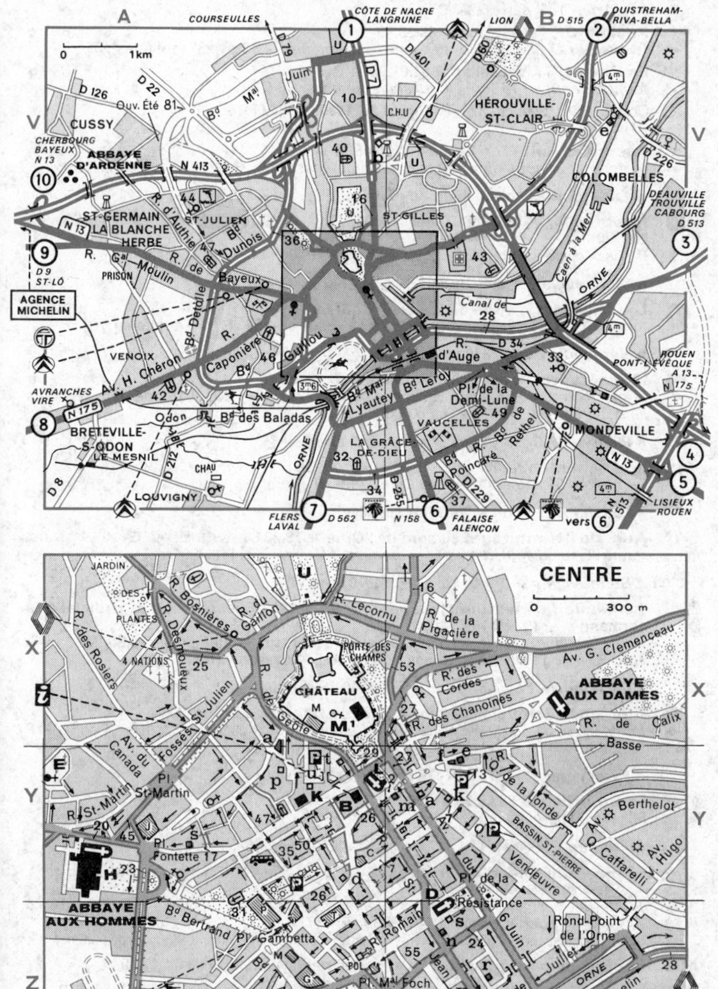

ÉGLISES

- N.-D. GLORIETTE — AY 31
- N.-D. DE LA GRÂCE DE DIEU — AV 32
- SACRÉ-CŒUR — BV 37
- ST-ANDRÉ — AV 40
- ST-GERBOL — AV 42
- ST-JEAN — BZ D
- ST-JEAN-EUDES — BV 43
- ST-JOSEPH — AV 44
- ST-JULIEN — AX
- ST-MICHEL-DE-V. — BZ
- ST-OUEN — AV 46
- ST-PAUL — AV 47
- ST-SAUVEUR — AY
- STE-THÉRÈSE — BV 49

XX **Echevins,** 36 r. Ecuyère ✉ 14300 ☎ 86.37.44 – AE GB — AY **s**
fermé 28 mai au 17 juin, dim. et lundi midi – SC : **R** 65/110.

XX **Alcide,** 1 pl. Courtonne ☎ 93.58.29 — BY **f**
fermé 1er au 30 juil. et sam. – SC : **R** 35/65.

XX **Relais Normandy** (Buffet de la Gare), pl. Gare ✉ 14300 ☎ 82.24.58 — BZ
R 38/100 ₰.

XX **Pub William's,** pl. Courtonne ☎ 93.45.52 – GB — BY **e**
fermé dim. – **R** carte 65 à 90.

X **Poêle d'Or,** 7 r. Laplace ☎ 85.39.86 — BZ **r**
fermé 6 au 27 juil., 23 déc. au 4 janv., sam. et dim. – SC : **R** 28 (sauf fêtes)/75.

X **Le Chalut,** 3 r. Vaucelles ☎ 82.01.06 – GB — BZ **q**
fermé 16 août au 16 sept., lundi soir et mardi – SC : **R** 37/85.

X Coq en Pâte avec ch, 37 r. P.-Girard ✉ 14300 ☎ 82.08.16 — BZ **x**
10 ch.

X **Pomme d'Api,** 127 r. St-Jean ☎ 85.46.75 – GB — BZ **n**
fermé 3 au 24 août, dim. soir et lundi sauf fériés – SC : **R** 25/72.

rte de Douvres (bretelle du bd périphérique) – ✉ **14000** Caen :

Novotel M, ☎ 93.05.88, Télex 170563, – rest TV ☎ & P – 200. AE GB — AV **b**
R snack carte environ 65 – 20 – **85 ch** 189/204.

à Mondeville 3,5 km – 10 533 h. – ✉ **14120** Mondeville :

XX **Les Gourmets,** 41 rte de Rouen ☎ 82.37.59 – — BV **r**
fermé 10 juil. au 10 août, 29 janv. au 8 fév. et dim. – SC : **R** 40 (sauf fêtes)/70.

à Hérouville Bourg 3 km – 23 927 h. – ✉ **14200** Hérouville :

X **L'Espérance** avec ch, r. Abbé Alex ☎ 93.20.33, ← – P — BV **e**
fermé 15 août au 15 sept., vacances de fév. et lundi – SC : **R** *(fermé dim. soir hors sais.)* 35/60 – 9,50 – 11 ch 50/60.

à Fleury-sur-Orne par ⑦ : 4 km – ✉ **14000** Caen :

XX **Ile Enchantée,** D 562 ☎ 82.15.52 – P. AE GB
fermé 3 au 31 août, dim. soir et lundi – SC : **R** 70/85.

à Louvigny S : 4 km – ✉ **14111** Louvigny :

XX **Aub. de l'Hermitage,** au bord de l'Orne ☎ 73.38.66 – P. AE E
fermé 15 au 30 août, dim. soir et lundi sauf fériés – SC : **R** 63/90.

à Bénouville par ② : 10 km – ✉ **14970** Bénouville :

XXX ✿✿ **Manoir d'Hastings** (Scaviner), ☎ 93.30.89, « Prieuré du 17e s., jardin et clos normand » – P.
fermé fév., dim. soir et lundi hors sais. – SC : **R** (sam. et dim. prévenir) 80/200
Spéc. Panaché d'huîtres chaudes, Homard au cidre, Bar au sel beurre blanc.

à La Jalousie par ⑥ : 13 km – ✉ **14540** Bourguébus :

XX **Aub. de la Jalousie** avec ch, ☎ 23.51.69, – P.
fermé 25 au 31 août, fév. et lundi sauf fériés – SC : **R** 35/100 – 10 – 4 ch 50 – P 100/140.

à Evrecy par ⑧ et D 8 -AV- 15 km – ✉ **14210** Evrecy :

XX **La Bourride,** ☎ 80.50.23 – GB
SC : **R** 66/110.

à Audrieu par ⑩ et D 94 : 17 km – ✉ **14250** Tilly-sur-Seulles :

✿ **Relais Château d'Audrieu** M, ☎ 80.21.52, ←, « Château du 18e, parc », – TV ☎ P. GB. rest
fermé déc. et janv. – SC : **R** *(fermé merc. hors sais.)* 100/150 – 24 – 18 ch 276/400, 4 appartements 560 – P 338/466
Spéc. Andouille de Vire tiède à la crème, Noisettes d'agneau à la crème d'ail, Confit de pommes.

MICHELIN, Agence régionale, Z.I. Carpiquet, rte Bayeux par ⑩ ☎ **74.47.30**

BMW Regnault, 19 prom. du Fort ☎ 86.17.61
CITROEN Succursale, rte de Lion-sur-Mer ☎ 94.72.82
CITROEN Gar. Hôtel de Ville, 10 r. Bayeux ☎ 76.32.90
CITROEN Lenrouilly, 35 av. Chéron ☎ 74.55.98
FORD Viard, 6 av. de Paris ☎ 82.09.98
MERCEDES-BENZ Gar. Royal, 30 rte Paris ☎ 82.38.42
PEUGEOT S.I.A. de Normandie, 17 r. 11-Novembre ☎ 82.44.40
RENAULT Succursale, 2 r. de la Gare ☎ 82.21.22
RENAULT Fortier, 77 r. Falaise ☎ 82.38.01
RENAULT Gar. Université, 18 r. Bosnières ☎ 85.49.63
TALBOT Caennaise des Autom., 135 r. Bayeux ☎ 86.37.32
VOLVO Modern Gar., 81 av. Chéron ☎ 74.53.09
Gar. Ste-Thérèse, 130 bd Poincaré ☎ 82.21.70

Bouet L., 24 r. d'Auge ☎ 82.37.63
Clabeaut-Pneus, 13 prom. du Fort ☎ 76.12.05
Laguerre, 56 quai Vendeuvre ☎ 85.33.34
Vallée-Pneus, 2 r. du Chemin Vert ☎ 74.44.09

Périphérie et environs

ALFA-ROMEO, TOYOTA Inter-Auto, Zone Ind. de la Sphère à Hérouville ☎ 93.02.31
CITROEN Petit Gar., 8 rte Paris, Mondeville ☎ 82.20.28
FIAT, LANCIA-AUTOBIANCHI Caen-Auto-Service, Zone Ind. de la Sphère à Hérouville ☎ 93.34.25
PEUGEOT Gar. Caen-Sud-Lechat, 619 r. de Caen, à Ifs ☎ 82.32.33
PEUGEOT Gar. Marie, 42 rte Paris à Mondeville ☎ 82.19.32

RENAULT Succursale, r. Pasteur à Hérouville St. Clair ☎ 94.59.65
RENAULT Gar. Bry, à Évrecy ☎ 79.90.22

Clabeaut-Pneus, Zone Ind., rte de Paris, Mondeville ☎ 82.30.93
Laguerre, Zone Ind. de la Sphère à Hérouville ☎ 93.75.24
Vallée-Pneus, Zone Ind. Mondeville-Sud à Grentheville ☎ 82.37.15

CONSTRUCTEUR : RENAULT Véhicules Industriels, à Blainville-sur-Orne ☎ **84.81.33**

CAGNES-SUR-MER 06800 Alpes-Mar. 84 ⑨, 195 ㉕ **G. Côte d'Azur** – 31 958 h. alt. 77 – 93.

Voir Haut-de-Cagnes★ X – Château-musée★ X ✻★ de la tour – Musée Renoir Y M1 : Paysages des Collettes★, Vénus★ (jardin).

Office de Tourisme 26 av. Renoir (fermé dim.) ☎ 20.61.64.

Paris 921 ⑤ – Antibes 10 ④ – Cannes 21 ⑤ – Grasse 26 ⑥ – ♦Nice 13 ② – Vence 9 ①.

Plans page suivante

Le Cagnard M, r. Pontis-Long au Haut-de-Cagnes ☎ **20.73.22**, ← – AE GB — X e
SC : **R** *(fermé 1er nov. au 15 déc.)* 165 – **10 ch** 150/250, 8 appartements 290/450.

Tiercé H. M, bd Kennedy ☎ **20.02.09**, ← – wc ☎ ℗. ch — Y v
fermé nov. – **R** *(fermé jeudi)* – 15 – **23 ch** 135/190.

Brasilia M sans rest, les Grands-Plans ☎ **20.25.03** – wc ℗ – 30. — Y r
SC : 11 – **18 ch** 160/190.

Savournin, 17 av. Renoir ☎ **20.60.58**, – rest wc wc ℗. GB. — Z a
Hôtel : fermé 30 sept. au 30 nov., Rest : fermé 30 sept. au 31 mars et dim. – SC : **R** 60/90 – 32 ch 100/220 – P 150/220.

Les Collettes M sans rest, av. Collettes ☎ **20.80.66**, ←, – cuisinette wc ℗. — Y f
fermé 1er nov. au 15 déc. – SC : 15 – **13 ch** 150/200.

Le Derby, av. Germaine ☎ **20.08.57** – wc ℗. — Y b
fermé nov. – SC : **R** 40 – 10 – **11 ch** 60/90 – P 72/122.

Josy-Jo, 8 r. Planastel ☎ **20.68.76** — X a
fermé 20 déc. au 20 janv., sam. et dim. – SC : **R** carte 85 à 120.

Peintres, 71 montée Bourgade au Haut de Cagnes ☎ **20.83.08** — X s
fermé 15 déc. au 15 janv. et merc. – SC : **R** 40.

Le Neptune, rte Bord-de-Mer ☎ **20.10.59**, ← – ℗ — Y x
R 57/76.

Gd Large, bd Plage ☎ **20.30.57** — Y w
fermé 15 au 30 avril, 15 au 30 nov. et sam. – **R** 40.

Le Grimaldi avec ch, 6 pl. Château au Haut de Cagnes ☎ **20.60.24** – — X w
fermé 28 oct. au 6 nov. et 28 fév. au 1er mars – **R** *(fermé mardi hors sais.)* 45/65 – 14 – **6 ch** 45/70 – P 110/130.

FORD Coll-Auto-Sce, 81 bis av. Gare ☎ 20.98.26
OPEL Gar. du Stade, 17 bd Mar.-Juin ☎ 20.92.09
PEUGEOT Ortelli, rte la Pénétrante, quartier St-Jean ☎ 20.30.40

PEUGEOT Gd Gar. Principal, 34 av. Renoir ☎ 20.65.04

Massa-Pneus, rte la Pénétrante ☎ 20.94.01

à Cros-de-Cagnes SE : 2 km – ✉ **06800** Cagnes :

Horizon sans rest, 111 bd Plage ☎ **31.09.95**, ← – cuisinette wc wc ℗. AE — Y k
fermé 15 nov. au 15 déc. – SC : **44 ch** 140/260.

Val Duchesse sans rest, 11 r. Paris ☎ **20.10.04**, – cuisinette wc wc — Y a
SC : 10 – **14 ch** 85/165, 4 appartements 230.

Le Minaret sans rest, allée Serres ☎ **20.16.52**, – cuisinette wc wc ℗. — Y a
SC : 10 – **20 ch** 70/120.

tourner →

- **La Serre,** 22 bd Plage ☎ 20.10.54, ≤, 🌳 – ⊟wc ⋔ ☎ Ⓟ. ⚹ rest — Y **a**
  fermé 1er oct. au 10 déc. – SC : **R** *(fermé merc.)* 55/90 – ☕ 15 – 26 ch 70/140 – P 110/150.
- **Aub. du Moulin,** 34 av. Nice ☎ 20.03.55 – ⊟wc ⋔wc ☎. 🚗 — Y **u**
  fermé 15 oct. au 10 déc. – **R** *(fermé lundi sauf été)* 48/60 – ☕ 10 – **11 ch** 75/95 – P 125/145.
- **Beaurivage,** bd Plage ☎ 20.16.09, ≤ – ⋔wc ☎ Ⓟ — Y **m**
  fermé 5 nov. au 15 déc. – SC : **R** *(fermé lundi)* 45/65 – ☕ 12 – **21 ch** 60/95 – P 125/160.
- **Turf H.** sans rest, 9 r. Capucines ☎ 20.11.07 – ⋔ ☎ Ⓟ. ⚹ — Y **p**
  fermé nov. – SC : **17 ch** ☕ 55/85.

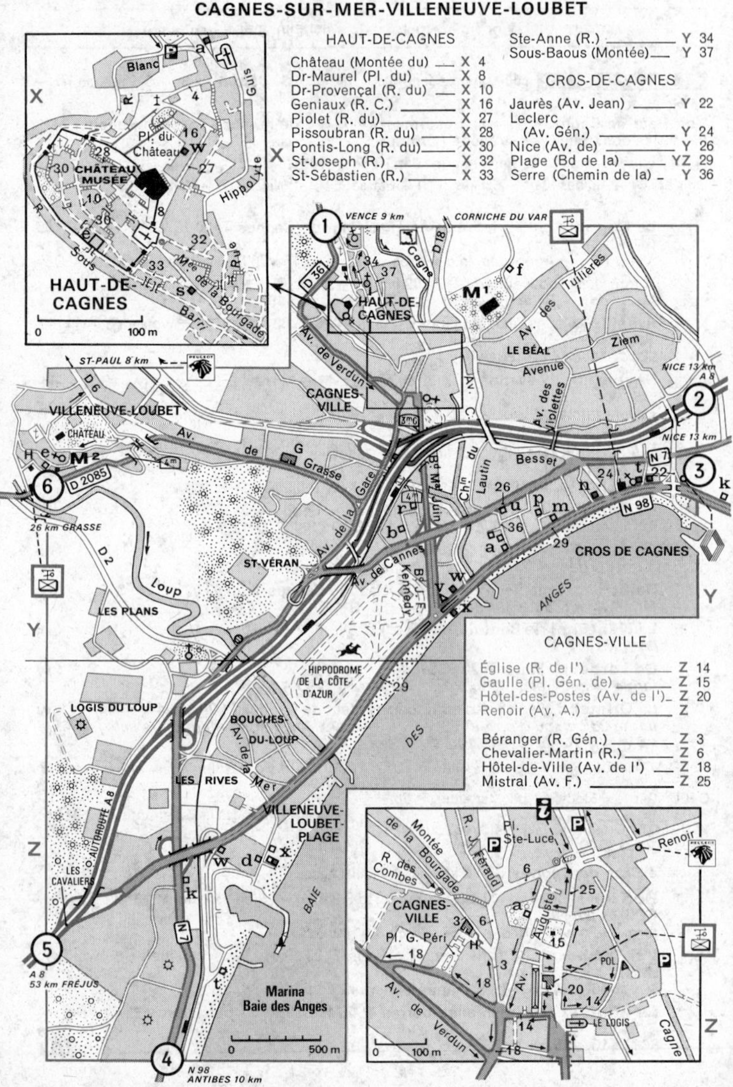

XXX ✿ **La Réserve** (Bertho), 91 bd Plage ☎ 31.00.17 – ▤ Y **t**
fermé juil., août, Noël-Jour de l'An, sam. soir, dim. et fêtes – SC : **R** (nombre de couverts limité - prévenir) carte 115 à 155
Spéc. Soupe de poissons, Langouste grillée, St-Pierre au four.

XX **Aub. du Port** avec ch, 93 bd Plage ☎ 07.25.28 – cuisinette TV wc ☎ – 30. AE GB ① E Y **t**
fermé 1 nov. au 27 déc. et merc. sauf juil. et août – **R** 45/100 – ☕ 15 – **5 ch** 150 – P 180.

XX **Deauville,** 60 bd Plage ☎ 31.06.77 Y **n**
fermé nov. et merc. – **R** 56, carte dim. et fêtes.

RENAULT Succursale, 104 bd de la Plage ☎ 20.01.02

au Hameau du Soleil NO : 3,5 km par D 6 - Y – ✉ **06270** Villeneuve-Loubet :

Hamotel M sans rest, ☎ 20.86.60, Télex 470623, ⛱, ✂ – ⎮ TV ⇔ P – 80. AE GB ① E
fermé 10 nov. au 15 déc. – SC : **33 ch** ☕ 140/190.

CAGNOTTE 40 Landes 78 ⑦ – 441 h. – ✉ 40300 Peyrehorade – ☎ 58.

Paris 720 – ♦Bayonne 43 – Dax 14 – Pau 76.

Boni, ☎ 73.03.78 – wc ☎ P. ✂ rest
SC : **R** 30 bc/100 – ☕ 10 – **10 ch** 58/80 – P 84/100.

Pour visiter une région,
les trois inséparables ***Michelin*** *: le guide Rouge,*
le guide Vert,
la carte à 1/200 000.

CAHORS P 46000 Lot 79 ⑧ G. Périgord – 21 903 h. alt. 128 – ☎ 65.

Voir Site★ – Pont Valentré★★ AZ – **Cathédrale★** BY **E** : **portail Nord★★ et cloître★ – Barbacane et tour St-Jean★** ABY **K** – **Mont-St-Cyr ≤★** BZ.

i Office de Tourisme (fermé dim.) et T.C.F. pl. A.-Briand ☎ 35.09.56 - A.C. Chambre de Commerce, quai Cavaignac ☎ 35.28.89.

Paris 593 ① – Agen 92 ④ – Albi 111 ④ – Aurillac 136 ② – Bergerac 105 ① – ♦Bordeaux 197 ① – Brive-la-Gaillarde 103 ① – Castres 138 ④ – Montauban 61 ④ – Périgueux 137 ① – Rodez 118 ③.

Plan page suivante

France M sans rest, 252 av. J.-Jaurès ☎ 35.16.76, Télex 520394 – ⎮ TV ☎ ⇔ P – 50. AE GB ① E. ✂ AY **n**
SC : ☕ 13 – **77 ch** 80/160.

Wilson M sans rest, 72 r. Prés.-Wilson ☎ 35.41.80, Télex 520265 – ⎮ TV ☎ P – 50. AE GB ① E BZ **t**
SC : ☕ 15 – **36 ch** 130/200.

Terminus sans rest, 5 av. Ch.-de-Freycinet ☎ 35.24.50 – ⎮ wc wc ☎ ♿ ⇔. ✂ AY **s**
SC : ☕ 14 – **31 ch** 98/160.

La Chartreuse, fg St-Georges ☎ 35.17.37, ≤ – wc wc ☎ P – 120
fermé 1er au 23 nov., 24 déc. au 1er janv. et vacances de fév. – SC : **R** *(fermé lundi sauf juil. et août)* 27/80 – ☕ 13 – **34 ch** 100/170. BZ **u**

XX ✿ **La Taverne,** 41 r. J.-B.-Delpech ☎ 35.28.66 – AE ① E BY **v**
fermé nov. et lundi – SC : **R** 50/120
Spéc. Truffes en croustade, Foie gras frais périgourdine, Tournedos au foie gras frais. **Vins** Cahors, Blanc du Lot.

XX **Fénelon,** 4 pl. Imbert (Galerie Marchande) ☎ 35.32.38 – AE GB ① E BZ **e**
fermé 5 janv. au 5 fév. et sam. – SC : **R** 35/96.

X **Remparts,** 212 r. la Barre ☎ 35.71.87 ABY **r**
fermé 1er au 8 juil., 2 au 31 janv. et merc. – SC : **R** 38/100.

X **Préfecture,** 64 r. Préfecture ☎ 35.12.54 – AE BY **a**
SC : **R** (prévenir) 38/120.

à Laroque-des-Arcs par ② : 5 km – alt. 121 – ✉ **46000** Cahors :

Host. Beau Rivage, ☎ 35.30.58, ≤, – wc ☎ P. AE E
fermé 15 janv. au 15 mars – SC : **R** *(fermé mardi en été et dim. en hiver)* 50/120 – ☕ 12 – **15 ch** 90/125.

à Lamagdelaine par ② : 7 km – ✉ **46000** Cahors :

XX **Marco,** ☎ 35.30.64 – P. AE ①
fermé 25 oct. au 3 nov., fév. et lundi – SC : **R** 48/110.

au Montat par ④ et D 47 : 8,5 km – ✉ **46000** Cahors :

XX **Les Templiers,** ☎ 35.36.55
fermé 29 juin au 7 juil. et lundi sauf fêtes – SC : **R** 51/116.

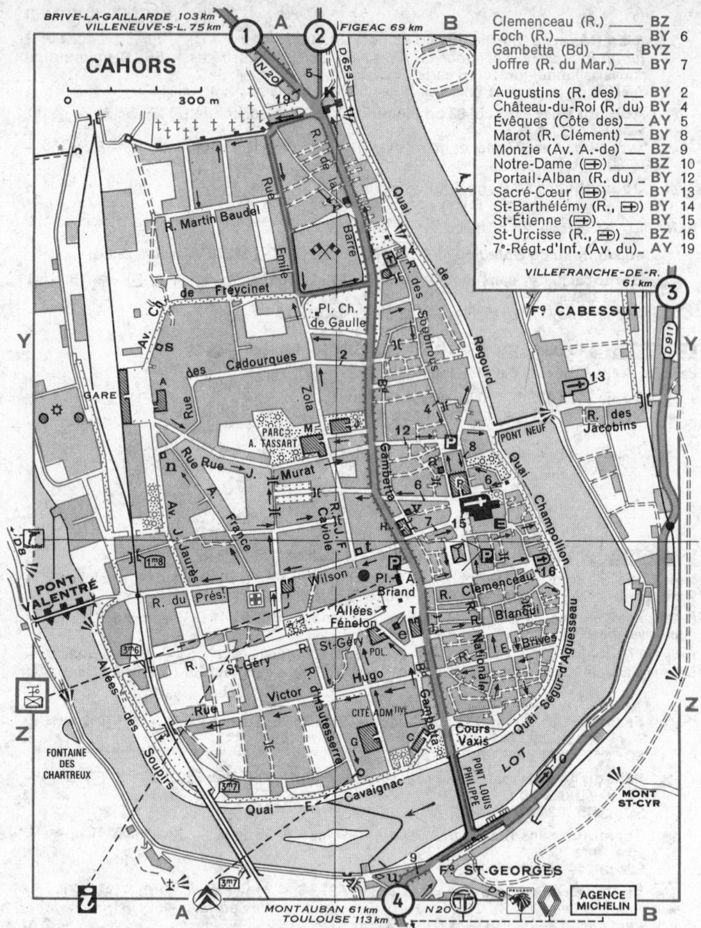

à Mercuès par ① et D 911 : 8 km – ✉ **46000** Cahors.
Voir Site★ du château et ≼★.

✿ **Château de Mercuès** ⚘, ☎ 36.00.01, Télex 520602, ≼ Vallée du Lot, parc, ⛱, 🎾 – |‡| Ⓟ – 30. AE
1er avril- 30 oct. – SC : **R** carte 150 à 200 – ☕ 30 – **16 ch** 300/500, 7 appartements
Spéc. Foie gras frais, Lapereau braisé aux pruneaux, Fonds d'artichauts périgourdine. **Vins** Cahors.

route de Toulouse par ④ : 13 km – ✉ **46230** Lalbenque :

Aquitaine M, ☎ 35.38.78, ≼, ⛱ – |‡| wc ☎ Ⓟ – 40. AE GB
fermé 25 déc. au 24 janv. – SC : **R** *(fermé lundi hors sais.)* voir rest. Aquitaine – ☕ 13 – **44 ch** 130/160 – P 170/190.

Rest. Aquitaine, ☎ 35.41.11 – Ⓟ. GB E
fermé janv., lundi midi du 15 juin au 15 oct., dim. soir et lundi hors sais. – SC : **R** 39/85.

MICHELIN, Agence, Z.I. de l'Aerodrome - Le Montat par ④ ☎ **En attente, se renseigner auprès des P et T**

AUDI-VOLKSWAGEN, MERCEDES-BENZ Gar. Navarre, rte de Toulouse ☎ 35.77.00
CITROEN Succursale, 182 quai Cavaignac ☎ 35.27.61
FIAT, LANCIA-AUTOBIANCHI Gar. Avenue, rte de Toulouse ☎ 35.16.37
PEUGEOT Gd Gar. du Boulevard, rte de Toulouse ☎ 35.16.57
RENAULT Noyer, rte de Toulouse ☎ 35.15.95
TALBOT Gds Gar. Rech, rte de Toulouse ☎ 35.67.25

Central Pneu, rte de Toulouse ☎ 35.09.02
Desprat, 129 bd Gambetta ☎ 35.04.36
Vidaillac A., av. de Paris ☎ 35.06.36
Vidaillac J.-L., 68 bd Gambetta ☎ 35.32.17

Le CAILAR 30740 Gard 83 ⑧ – 1 222 h. – ☎ 66.

Paris 740 – ♦Montpellier 38 – Nîmes 31.

🏨 **Le Sanglier,** N 572 ☎ 88.04.20, ⛱, 🌳 – 🛁wc 🚿wc ☎ Ⓟ – 🏛 80. 💳 GB
SC : **R** 65/110 – ☕ 10 – 28 ch 115/135 – P 180/230.

CAILLAC 46 Lot 79 ⑦⑧ – 386 h. alt. 112 – ✉ 46140 Luzech – ☎ 65.

Paris 600 – Cahors 11 – Gourdon 39 – Villeneuve-sur-Lot 70.

🏨 **Relais des Champs** Ⓜ 🐚, ☎ 30.92.35, ←, parc, ⛱ – cuisinette 🛁wc ☎ ♿ Ⓟ – 🏛 60. GB. 🚫
fermé 15 nov. au 2 janv. et lundi hors saison – SC : **R** voir H. Nadal – ☕ 13 – **22 ch** 95/195 – P 185/265.

🏨 **Nadal** 🐚, ☎ 30.91.55, parc – 🚿wc Ⓟ – 🏛 100. GB
fermé 15 nov. au 2 janv. et lundi hors sais. – SC : **R** 40/110 – ☕ 9 – 22 ch 39/95 – P 120/165.

CAJARC 46160 Lot 79 ⑨ – 1 184 h. alt. 152 – ☎ 65.

Paris 607 – Cahors 52 – Figeac 25 – Villefranche-de-Rouergue 26 – Villeneuve-d'Aveyron 18.

🏨 **Roses d'Or** Ⓜ, rte Figeac ☎ 34.65.35, 🌳 – 🛁wc 🚿 ☎ Ⓟ. 💳 AE GB ⓓ E
SC : **R** 45/180 – ☕ 18 – **22 ch** 100/200 – P 200/280.

au NE : 9 km sur D 662 – ✉ **46160** Cajarc :

XX **La Ferme de Montbrun,** ☎ 40.67.71, ← – Ⓟ. AE
Pâques-1er oct. et fermé merc. sauf juil. et août – SC : **R** carte 90 à 135.

CITROEN Couybes, ☎ 40.66.48 RENAULT Gineste, ☎ 40.66.17

CALAIS ⟨SP⟩ **62100** P.-de-C. 51 ② **G. Nord de la France** – 79 369 h. – ☎ 21.

Voir Monument des Bourgeois de Calais** Y – Phare ✳** X E – Musée* X M.

🚗 ☎ 96.61.04.

ℹ Office de Tourisme et Accueil de France (Informations et réservations d'hôtels, pas plus de 5 jours à l'avance) 12 bd Clemenceau (fermé dim. hors sais.) ☎ 96.62.40, Télex 130886 - A.C. 74 bd Jacquard ☎ 34.34.22.

Paris 294 ② – ♦Amiens 156 ③ – Boulogne-sur-Mer 34 ③ – Dunkerque 43 ① – ♦Le Havre 276 ③ – ♦Lille 113 ① – Oostende 94 ① – ♦Reims 287 ② – ♦Rouen 212 ③ – St-Omer 40 ②.

Plans page suivante

🏨 **Meurice** 🐚 sans rest, 5 r. E.-Roche ☎ 34.57.03, 🌳 – 🛗 📺 🚗. AE ⓓ — X v
SC : ☕ 12 – **40 ch** 80/145.

🏨 **Sauvage,** 46 r. Royale ☎ 34.60.06 – 🛁wc ☎ Ⓟ. 💳 AE ⓓ E — X t
SC : **R** 42/85 – ☕ 12 – **36 ch** 70/125.

🏨 **Bellevue** sans rest, 23 pl. Armes ☎ 34.53.75 – 🛗 🛁 🚿wc ☎ ♿. 💳 — X a
SC : **40 ch** ☕ 50/130.

🏨 **Windsor** Ⓜ sans rest, 2 r. Cdt-Bonningue ☎ 34.59.40 – 🛁wc 🚿 ☎ 🚗. 💳 AE GB ⓓ — X z
SC : ☕ 11 – **15 ch** 60/130.

🏨 **H. Sole Meunière** sans rest, 53 r. Mer ☎ 34.36.08 – 🛁wc 🚿 ☎ Ⓟ. 💳 GB. 🚫 — X e
SC : ☕ 12,50 – **15 ch** 86/128.

🏨 **Victoria** sans rest, 8 r. Cdt-Bonningue ☎ 34.38.32 – 🛁wc 🚿wc ☎. 💳 — X z
SC : ☕ 9 – **15 ch** 53/100.

🏨 **George V** sans rest, 36 r. Royale ☎ 34.40.29 – 🛁wc 🚿wc ☎ Ⓟ. 💳 AE ⓓ E — X m
15 mars-30 nov. – SC : ☕ 10 – **48 ch** 45/125.

🏨 **Beffroi** sans rest, 8 r. A.-Gerschell ☎ 34.47.51 – 🛁wc 🚿. 💳 — X n
SC : ☕ 9,50 – **20 ch** 60/95.

XX **St-Jacques,** 46 bd Alliés ☎ 34.44.05 – AE GB — X r
fermé jeudi du 1er mai au 30 sept. et dim. du 1er oct. au 1er mai – **R** carte 90 à 115.

XX **Le Channel,** 3 bd Résistance ☎ 34.42.30 – AE GB ⓓ E — X e
◆ *fermé 15 déc. au 15 janv., dim. soir d'oct. à mars et mardi* – SC : **R** 30 bc/98.

XX **Côte d'Argent,** Plage de Calais ☎ 34.68.07, ← – AE GB ⓓ E — V u
◆ *fermé 1er au 15 sept., 15 au 28 fév. et lundi en été* – **R** (hiver : en sem. déj. seul.) 32/120.

X **Rest. Sole Meunière,** 1 bd Résistance ☎ 34.43.01 – AE. 🚫 — X e
◆ *fermé 20 déc. au 20 janv., dim. soir hors sais. et lundi* – SC : **R** 34/85.

X **Moulin à Poivre,** 10 r. Neuve ☎ 36.22.32 – GB — Z s
fermé 1er au 15 août, dim. et lundi midi – SC : **R** carte 80 à 120.

à Blériot-Plage par ④ : 2 km – ✉ **62100** Calais :

XX **Dunes** avec ch, ☎ 34.54.30 – Ⓟ. 💳 GB. 🚫 ch
fermé oct. – SC : **R** *(fermé lundi)* 45/130 – ☕ 13 – 12 ch 60/85 – P 115/130.

tourner →

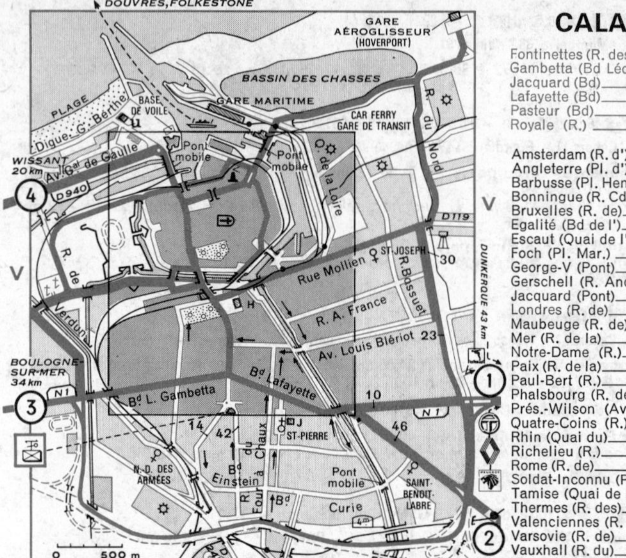

CALAIS

Fontinettes (R. des) V 14
Gambetta (Bd Léon) Z
Jacquard (Bd) Z
Lafayette (Bd) Z
Pasteur (Bd) Z
Royale (R.) X 36

Amsterdam (R. d') Y 2
Angleterre (Pl. d') X 3
Barbusse (Pl. Henri) X 5
Bonningue (R. Cdt) X 7
Bruxelles (R. de) Y 8
Egalité (Bd de l') V 10
Escaut (Quai de l') Y 12
Foch (Pl. Mar.) Y 13
George-V (Pont) Y 15
Gerschell (R. André) X 16
Jacquard (Pont) Y 19
Londres (R. de) X 22
Maubeuge (R. de) V 23
Mer (R. de la) X 24
Notre-Dame (R.) X 26
Paix (R. de la) X 27
Paul-Bert (R.) Y 28
Phalsbourg (R. de) V 30
Prés.-Wilson (Av.) Y 31
Quatre-Coins (R.) Z 32
Rhin (Quai du) Y 33
Richelieu (R.) YZ 34
Rome (R. de) Y 35
Soldat-Inconnu (Pl.) Y 37
Tamise (Quai de la) Y 40
Thermes (R. des) X 41
Valenciennes (R. de) V 42
Varsovie (R. de) Y 43
Vauxhall (R. du) Z 44
Victor-Hugo (Bd) V 46

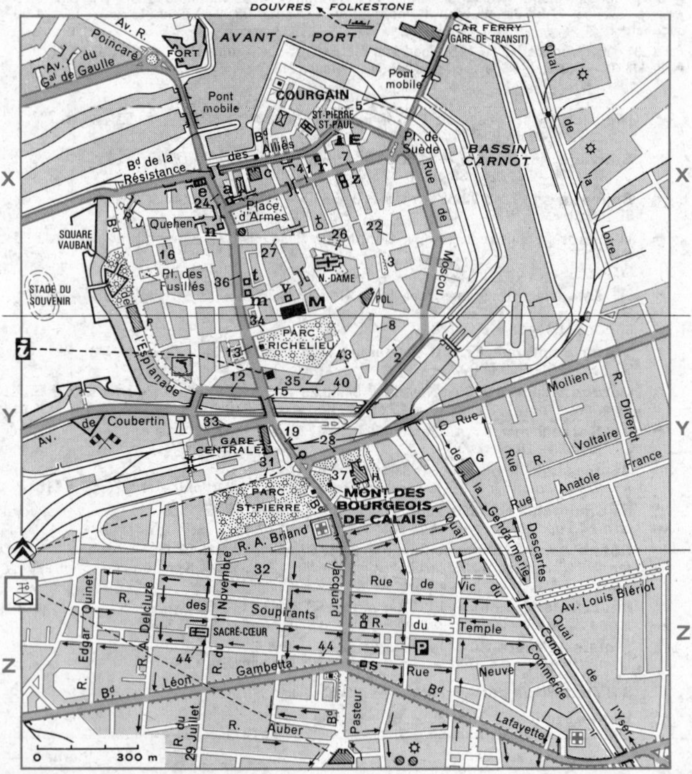

ALFA-ROMEO, OPEL Gar. Chantilly, 138 r. Chantilly ☎ 36.21.96
AUDI-VOLKSWAGEN Minne, 229 bis bd V.-Hugo ☎ 34.44.08
CITROEN Succursale, 15 r. P.-Bert ☎ 34.50.90 N ☎ 97.92.13
FORD Gar. Europe, 58 rte St-Omer ☎ 34.35.75
PEUGEOT Sté Calaisienne d'Autom., 361 av. A.-de-St-Exupéry ☎ 96.72.42 N
RENAULT Gar. Dieu, 58 av. A.-de-St-Exupéry ☎ 97.20.99
TALBOT Calais-Nord-Autom., 56 av. A.-de-St-Exupéry ☎ 97.02.88

Argot, 62 av. A.-de-St-Exupéry ☎ 96.58.34
François, r. C.-Ader, Zone Ind. ☎ 96.42.36
Haffringues, 155 rte St-Omer ☎ 34.68.17

CALAS 13 B.-du-R. 84 ③⑬ – ✉ **13480** Cabriès – ☎ 42.
Paris 765 – Aix-en-Provence 12 – Marignane 15 – ♦Marseille 21 – Salon-de-Provence 43.

XXX **Aub. Bourrelly** avec ch, ☎ 22.04.20 – wc ☎ P.
fermé 10 août au 1er sept., 10 fév. au 2 mars, dim soir et lundi – SC : **R** 75/140 – ☕ 16 – **16 ch** 125/145 – P 220/240.

Ouest : 2 km sur D 9 – ✉ **13480** Cabriès :

Auberge Barillot, ☎ 22.00.07, , – wc ☎ P – 25.
SC : **R** *(fermé dim. soir de sept. à avril)* 85/95 – ☕ 15 – 13 ch 100/160 – P 200.

CALÈS 46 Lot 75 ⑱ **G. Périgord** – 131 h. alt. 271 – ✉ **46200** Souillac – ☎ 65.
Paris 550 – Brive-la-Gaillarde 56 – Cahors 57 – Gourdon 20 – Rocamadour 16 – St-Céré 41.

Pagès, ☎ 37.95.87 – wc wc P. rest
fermé 1er au 30 oct. et mardi hors sais. – **R** (nombre de couverts limité-prévenir) 30/100 – ☕ 9 – 15 ch 50/125 – P 100/130.

Petit Relais, ☎ 37.96.09 – . rest
avril-nov. et fermé sam. – SC : **R** 30/120 – ☕ 10 – 9 ch 46/90 – P 85/100.

CALVINET 15340 Cantal 76 ⑪ – 493 h. alt. 600 – ☎ 71.
Paris 584 – Aurillac 39 – Entraygues-sur-Truyère 32 – Figeac 39 – Maurs 17 – Rodez 61.

Beauséjour, ☎ 49.91.68 – P. . rest
SC : **R** 29/60 – ☕ 9 – **25 ch** 37/53 – P 80/85.

Terrasse, ☎ 49.91.59 – P.
1er avril-31 oct. – SC : **R** 25/50 – ☕ 10 – 13 ch 30/40 – P 70/80.

PEUGEOT Lavigne, ☎ 49.91.57

CAMARET-SUR-MER 29129 Finistère 58 ③ **G. Bretagne** – 3 272 h. – ☎ 98.
Voir Pointe de Penhir★★★ SO : 3,5 km.
Paris 593 – ♦Brest 66 – Châteaulin 43 – Crozon 8,5 – Morlaix 84 – Quimper 64.

Styvel, ☎ 27.92.74, ← – .
1er avril-30 sept. – **R** 50/80 – ☕ 11 – **13 ch** 65/75.

Vauban sans rest, ☎ 27.91.36, ← –
1er mars-15 nov. – SC : ☕ 10,50 – **14 ch** 55/75.

CITROEN Kergroach, ☎ 27.91.53 Boënnec, ☎ 27.90.61

CAMBES 33880 Gironde 71 ⑩ – 844 h. alt. 10 – ☎ 56.
Paris 572 – ♦Bordeaux 19 – Langon 29 – Libourne 34.

XX **Host. A la Varenne** avec ch, à Esconac NO : 1 km ☎ 21.31.15, ←, – wc wc ☎ P – 30
SC : **R** *(fermé dim. soir)* 40/88 – ☕ 13,50 – **12 ch** 85/125.

CAMBO-LES-BAINS

Chiquito de Cambo 2
Espagne (Av. d') 3
Mairie (Av. de la) 4
Marronniers (Allée des) 5
Navarre (Av. de) 6
Neubourg (Allées A.-de) 7
Professeur-Grancher (Bd du) 8
Rostand (Allées) 9
Terrasses (R. des) 12
Thermes (Av. des) 13

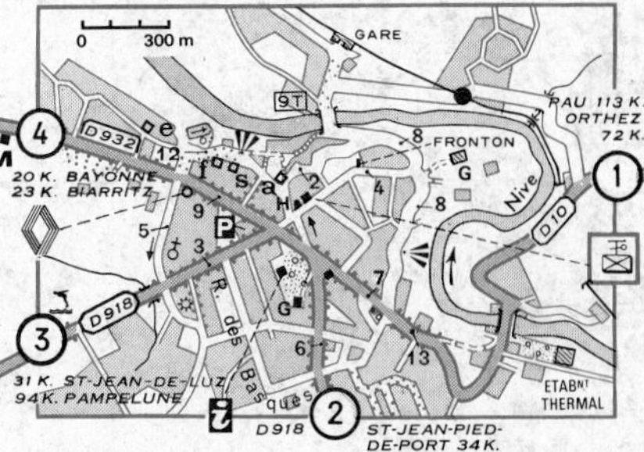

To go a long way quickly, use ***Michelin maps*** *at a scale of 1/1000 000.*

CAMBO-LES-BAINS **64250** Pyr.-Atl. **85** ③ **G. Pyrénées** – 5 126 h. alt. 65 – Stat. therm. (1er avril-31 oct.) – 59

Voir Arnaga★ (villa d'Edmond Rostand) M – Vallée de la Nive★ au sud.

Office de Tourisme parc St-Joseph (fermé nov., dim. et fêtes) ☎ 29.70.25.

Paris 761 ④ – ♦Bayonne 20 ④ – Pau 113 ① – St-Jean-de-Luz 31 ③ – St-Jean-Pied-de-Port 34 ② – S.-Sebastiàn 63 ③.

Plan page précédente

Errobia sans rest, av. Chanteclerc **(e)** ☎ **29.71.26,** ≤, **« Villa basque, parc, rivière »** – wc
Pâques et mai-30 oct. – SC : ☕ 9,50 – **15 ch** 85/145.

Bellevue, r. Terrasses **(f)** ☎ **29.73.22,** ≤, – wc wc . GB. rest
fermé 15 nov. au 15 déc. et lundi – SC : **R** 42/78 – ☕ 9 – **27 ch** 48/117.

St-Laurent, r. Terrasses **(s)** ☎ **29.71.10, parc** – wc
fermé 1er oct. au 30 nov. – SC : **R** *(fermé mardi)* 30/80 – ☕ 8 – 14 ch 40/75 – P 90/120.

Trinquet sans rest, r. Trinquet **(a)** ☎ **29.73.38** –
fermé nov. et mardi hors sais. – SC : ☕ 8 – **13 ch** 45/60.

RENAULT Gar. Etchegaray, ☎ 29.72.08 Goytino, ☎ 29.71.13

CAMBRAI

Briand (Pl. A.) AYZ 6
St-Martin (Mail) AZ 40
Victoire (Av. de la) AZ 47

Albert-1er (Av.) BY 2
Allende (Pl. Salvator) AZ 3
Als.-Lorraine (R. d') BYZ 4
Berlaimont (Bd de) BZ 5
Cantimpré (R.) AY 7
Capucins (R. des) AY 8
Chât.-de-Selles (R. du) AY 10
Clefs (R. des) AY 12
Épée (R. de l') AZ 13
Fénelon (Gde-Rue) AY 15
Fénelon (Pl.) AY 16
Feutriers (R. des) AY 17
Gaulle (R. Gén.-de) BZ 18
Grand-Séminaire (R. du) AZ 19
Landrecies (R. de) BY 20
Lattre-de-Tassigny (R. du Mar.-de) BZ 21
Leclerc (Pl. du Mar.) BZ 22
Liniers (R. des) AZ 23
Nice (R. de) AY 27
Pasteur (R.) AY 29
Porte-Notre-Dame (R.) BY 31
Porte-de-Paris (Pl. de la) AZ 32
Râtelots (R. des) AYZ 33
Sadi-Carnot (R.) AY 35
St-Aubert (R.) AY 36
St-Géry (R.) ABY 37
St-Ladre (R.) BZ 39
St-Sépulcre (Pl.) AZ 41
Selles (R. de) AY 43
Vaucelette (R.) AZ 45
9-Octobre (Pl. du) AY 48

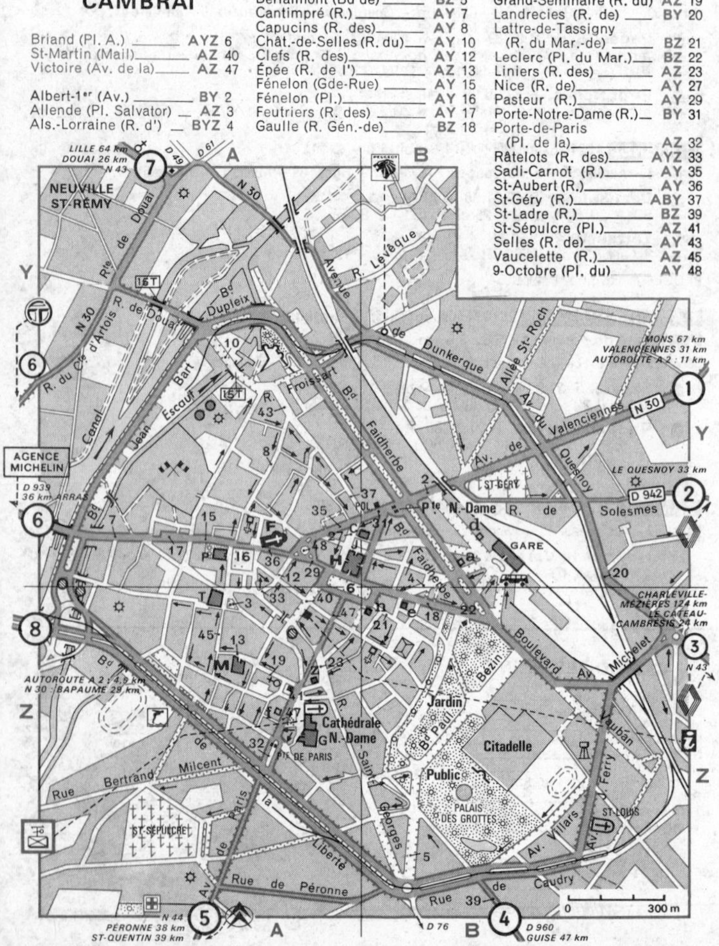

CAMBRAI 59400 Nord 53 ③ **G. Nord de la France** – 41 109 h. alt. 75 – 27.

Voir Mise au tombeau★ dans l'église St-Géry AY F.

Syndicat d'Initiative (fermé lundi matin) et A.C. 17 mail St-Martin ☎ 81.30.75.

Paris 177 ⑥ – ♦Amiens 78 ⑥ – Arras 36 ⑥ – ♦Lille 64 ⑦ – St-Quentin 39 ⑤ – Valenciennes 31 ①.

Plan page ci-contre

Beatus sans rest, rte Paris par ⑤ : 1,3 km ☎ 81.45.70 – Ⓟ. AE GB ⓓ E
SC : 14 – **26 ch** 140/170.

Mouton Blanc, 33 r. Alsce Lorraine ☎ 81.30.16 – cuisinette TV wc. AE GB ⓓ E BY **a**
SC : **R** *(fermé août et dim. soir)* 40/180 – 12 – **30 ch** 52/160 – P 140.

Poste sans rest, 58 av. Victoire ☎ 81.34.69 – wc Ⓟ. AZ **f**
SC : 12 – **32 ch** 65/150.

France sans rest, 37 r. Lille ☎ 81.38.80 – wc wc. BY **d**
fermé août – SC : 10 – **24 ch** 46/100.

XXX **Château de la Motte Fénelon** avec ch, square du Château (par allée St-Roch - BY) ☎ 83.61.38, Télex 120285, parc, – wc Ⓟ – 25 à 300. AE ⓓ
SC : **R** *(fermé août et dim. soir)* carte 100 à 160 – 11 – **33 ch** 61/127.

XX **L'Escargot,** 10 r. Gén.-De-Gaulle ☎ 81.24.54 – GB BZ **e**
fermé janv. et lundi sauf fériés – SC : **R** 40/85.

X **Les Arcades,** 12 r. Mar.-de-Lattre-de-Tassigny ☎ 81.30.80 – AE GB ⓓ BZ **n**
R 40/72.

X **Aux 17 Provinces,** 14 bis r. Liniers ☎ 81.27.68 – GB ⓓ AZ **z**
fermé 13 juil. au 12 août, dim. soir et lundi – SC : **R** 27/49.

par ⑥ : 2 km – ✉ **59400** Cambrai :

Motel Ulys sans rest, ☎ 83.83.25, parc – wc Ⓟ
fermé sam. – SC : 11 – **31 ch** 69/144.

par ⑥ à l'échangeur A 2 : 3 km – ✉ **59400** Cambrai :

Minimote M, ☎ 83.54.54 – wc Ⓟ. AE GB ⓓ. rest
SC : **R** *(fermé dim.)* 40/52 – 14 – **27 ch** 125/155.

*à **Marquion*** (Pas-de-Calais) par ⑥ et D 939 : 10,5 km – ✉ **62860** Marquion – 21

XX **La Crémaillère,** ☎ 22.50.31 – Ⓟ
fermé sept. et lundi – **R** 28/85.

MICHELIN, Agence, rte de Bapaume par ⑥ ☎ 81.27.72

AUSTIN, MORRIS, TRIUMPH Gds Gar. du Beffroy, 8 r. 11-Novembre ☎ 81.21.76
CITROEN Diffusion Autom. Cambraisienne, 2 095 av. Paris ☎ 83.68.45
FIAT, LANCIA-AUTOBIANCHI Générale-Autom., 26 r. Cantimpré ☎ 83.88.76
FORD Gar. Chandelier, 101 bd Faidherbe ☎ 83.82.31
OPEL Auto-Vente, 132 bd Faidherbe ☎ 81.57.05
PEUGEOT Auto du Cambrésis, 80 av. de Dunkerque ☎ 83.84.23
RENAULT Haesaert, N 43 à Beauvois-en-Cambrésis ☎ 85.62.34
RENAULT SANEAC, 200 rte Solesmes ☎ 83.82.56 N ☎ 81.58.48
TALBOT Ets Sorlin, 9 r. du Comte-d'Artois ☎ 81.54.00

Lesage-Pneus, 28 bd Faidherbe ☎ 83.84.85
S.E.B.A.T.-EST, 5 r. Froissart ☎ 81.30.34
Tonnoir, 14 av. V.-Hugo ☎ 83.70.54

Les CAMMAZES 81 Tarn 82 ⑳ – 201 h. alt. 610 – ✉ **81110** Dourgne – 63.

Paris 769 – Carcassonne 34 – Castres 37 – ♦Toulouse 63.

X **Sanègre** avec ch, SE : 2,5 km par D 629 et D 903 ✉ 11400 Castelnaudary ☎ 50.11.79, – wc Ⓟ. ch
fermé 15 au 30 sept. et merc. de nov. à Pâques – SC : **R** 35/105 – 10 – **12 ch** 50/110 – P 95/125.

CAMOËL 56 Morbihan 63 ⑭ – rattaché à Roche-Bernard.

CAMORS 56 Morbihan 63 ② – 2 300 h. alt. 113 – ✉ **56330** Pluvigner – 97.

Paris 465 – Auray 22 – Lorient 36 – Pontivy 26 – Vannes 32.

Ar Brug M, ☎ 51.07.07 – wc wc. GB.
R 30/70 – 9 – **20 ch** 52/105 – P 95/120.

CITROEN Gar. Le Brech, ☎ 51.07.23
RENAULT Gar. Thomas, ☎ 51.07.06

CAMPAGNE 24 Dordogne 75 ⑯ – rattaché au Bugue.

CAMPAN 65 H.-Pyr. 85 ⑱⑲ – rattaché à Ste-Marie-de-Campan.

CAMPIGNY 27 Eure 55 ④⑤ – rattaché à Pont-Audemer.

CAMPS 19 Corrèze 75 ⑳ – 304 h. alt. 546 – ✉ **19430** Mercoeur – ⚙ 55.

Voir Rocher du Peintre ≤★ S : 1 km, **G. Périgord.**

Paris 535 – Aurillac 44 – St-Céré 28 – Tulle 54.

X **Lac** ⛵ avec ch, ☎ 28.51.83, ≤ – Ⓟ
fermé 1er au 15 oct., 1er au 15 fév., mardi soir et merc. hors sais. – SC : **R** 25/75 ♨ – ☕ 8 – **5 ch** 40/55 – P 110.

CAMP-ST-LAURENT 83 Var 84 ⑭ – rattaché à Toulon.

CANADEL-SUR-MER 83 Var 84 ⑰ **G. Côte d'Azur** – alt. 25 – ✉ **83240** Cavalaire – ⚙ 94.

Voir Col du Canadel ≤★★ NE : 4,5 km.

Paris 890 – Draguignan 67 – Le Lavandou 12 – St-Tropez 27 – Ste-Maxime 31.

XX **Roitelet** ⛵ avec ch, rte de la Môle ☎ 05.61.39, ≤, 🌳 – 🚿wc ☎ Ⓟ
sais. – 7 ch.

CANCALE 35260 I.-et-V. 59 ⑥ **G. Bretagne** – 4 846 h. alt. 50 – ⚙ 99.

Voir Site★ du port★ – Bois sculptés★ Y **B** – ☼★ de la tour de l'église St-Méen YZ **E** – Pointe du Hock ≤★ Z **K.**

i Syndicat d'Initiative r. du Port (Pâques, Pentecôte, 1er juin-15 sept. et fermé dim. après-midi) ☎ 89.63.72.

Paris 364 ① – Avranches 59 ① – Dinan 34 ① – Fougères 74 ① – Le Mont-St-Michel 46 ①.

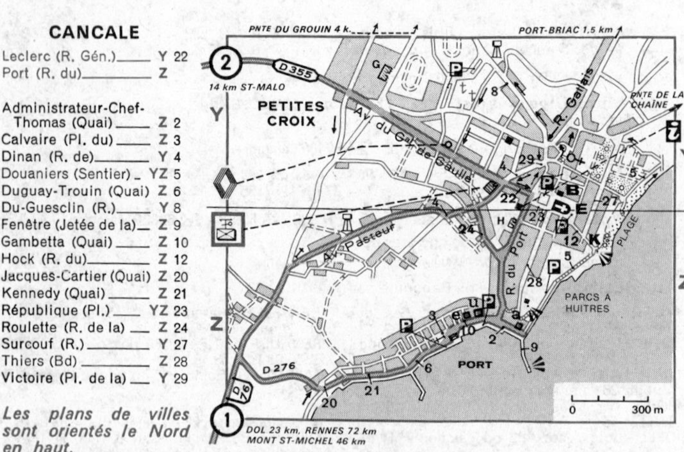

Les plans de villes sont orientés le Nord en haut.

XX **Le Cancalais** avec ch, quai Gambetta ☎ 89.61.93, ≤ — Z **u**
fermé 12 nov. au 14 déc. et 6 au 26 janv. – SC : **R** carte 60 à 95 – ☕ 11 – 8 ch 55/80.

XX **Phare** avec ch, au Port ☎ 89.60.24, ≤ – 🛁 🚿. GB — Z **a**
fermé 10 janv. au 10 fév. et merc. – SC : **R** 45/110 – ☕ 9,50 – 7 ch 52/96 – P 80/100.

XX **Ty Breiz,** quai Gambetta ☎ 89.60.26, ≤ – GB — Z **e**
fermé 11 nov. au 28 fév. et mardi – SC : **R** 59/125.

par ② et D 355 : 3 km – ✉ **35350** St-Coulomb :

XX **Aub. de la Motte-Jean,** ☎ 58.00.12 – Ⓟ
fermé merc. d'oct. à avril – SC : **R** 55/70.

à la Pointe du Grouin N : 4,5 km par D 201 – ✉ **35260** Cancale :.

Voir Site★★ et ☼★★.

🏨 **Pointe du Grouin** ⛵, ☎ 89.60.55 – 🛁wc 🚿wc ☎ Ⓟ. GB
Pâques-30 sept. et fermé mardi sauf juin, juil. et août – SC : **R** 60/85 – ☕ 12 – 16 ch 65/165 – P 140/180.

RENAULT Colson, ☎ 89.60.65

CANCON 47290 L.-et-G. 79 ⑤ – 1 281 h. alt. 158 – ⚙ 58.

Paris 593 – Agen 48 – Bergerac 41 – Cahors 81 – Marmande 42.

XX **Aub. des Glycines** avec ch, N 21 ☎ 01.61.39, 🌳 – 🛁wc 🚿wc ☎ Ⓟ. 🚗
fermé 1er au 15 oct., 1er au 15 mars et merc. sauf du 15 juin au 15 sept. – SC : **R** 38/80 – ☕ 10 – **8 ch** 70/85 – P 100.

CANDÉ-SUR-BEUVRON 41 L.-et-Ch. 64 ⑰ – 540 h. alt. 86 – ✉ 41120 Les Montils – ☎ 54.

Paris 195 – Blois 14 – Chaumont-sur-Loire 6,5 – Montrichard 23 – ♦Tours 49.

Lion d'Or, ☎ 44.04.66 – ⇔wc Ⓟ. ✗
fermé 28 sept. au 3 oct., 7 au 30 déc. et mardi – SC : **R** 29/85 ♁ – ☕ 9 – 10 ch 46/105 – P 98/125.

XX ✿ **Host. Caillère** (Guindon), rte Montils ☎ 44.03.08, ≤ – Ⓟ. ✗
fermé 29 juin au 11 juil., 1er au 15 janv. et merc. – SC : **R** carte 100 à 135
Spéc. Turbot farci, Ris de veau à la menthe et à l'orange, Millefeuille aux fruits. **Vins** Mesland, Oisly.

CANET-PLAGE 66140 Pyr.-Or. 86 ⑳ **G. Pyrénées** – Casino – ☎ 68.

ℹ Office de Tourisme pl. de la Méditerranée (fermé sam. après-midi et dim. hors saison) ☎ 80.20.65, Télex 500997.

Paris 918 – Argelès-sur-Mer 16 – Narbonne 72 – ♦Perpignan 13.

Galion Ⓜ sans rest, 20 bis av. Gd Large ☎ 80.28.23, ⛱ – ⇅ ⇔wc ☎ Ⓟ
avril-oct. – SC : ☕ 15 – **28 ch** 150/280.

Clos des Pins Ⓜ ⑤, 34 av. Roussillon ☎ 80.32.63, ⛱ – ⇔wc ⋔wc ☎ Ⓟ. 🚗. ✗
SC : **R** *(fermé lundi)* carte environ 85 – ☕ 12,50 – **20 ch** 160/180.

Les Sables Ⓜ sans rest, r. Vallée-du-Rhône ☎ 80.23.63, ⛱ – ⇅ TV ⇔wc ⋔wc ☎ Ⓟ. 🚗 AE ⓓ
SC : ☕ 12 – **41 ch** 110/165.

Althaéa Ⓜ, 120 prom. Côte Vermeille ☎ 80.28.59, ≤ – ⇅ ⇔wc ☎. 🚗 AE GB ⓓ. ✗
1er avril-1er oct. – SC : **R** (pension seul.) – ☕ 15 – 48 ch 252 – P 215.

Aquarius Ⓜ, av. Roussillon ☎ 80.25.48, ⛱, ⛱ – ⇅ ⇔wc ⋔wc ☎ ♿ Ⓟ. 🚗. ✗
1er avril-30 sept. – SC : **R** 45 bc – ☕ 12 – **40 ch** 120/160 – P 130/170.

La Chalosse sans rest, av. Méditerranée ☎ 80.35.69 – ⇅ ⇔wc ⋔wc ☎ Ⓟ. GB. ✗
fermé 15 nov. au 15 déc. – SC : ☕ 10 – **15 ch** 150.

Le Marenda, bd E.-Herriot ☎ 80.35.30 – ⇅ ⇔wc ⋔wc ☎. ✗
fermé sam. – SC : **R** 30/70 ♁ – ☕ 8,50 – 32 ch 65/100 – P 105/160.

CANILLO Principauté d' Andorre 86 ⑭ – voir à Andorre.

CANISY 50750 Manche 54 ⑬ – 705 h. alt. 65 – ☎ 33.

Paris 311 – Coutances 22 – St-Lô 8 – Tessy-sur-Vire 17 – Villedieu-les-Poêles 30.

Cheval Blanc, ☎ 56.61.31 – – 🏛 40 à 80. ✗ rest
fermé dim. soir – SC : **R** 27/45 ♁ – ☕ 8,50 – 10 ch 40/59 – P 95/120.

RENAULT Morin, ☎ 56.61.14

*Auf den **Michelin-Straßenkarten** im Maßstab 1 : 200 000 sind alle im Führer erwähnten Orte rot unterstrichen.*

CANNES 06400 Alpes-Mar. 84 ⑨, 195 ㉟㊳ **G. Côte d'Azur** – 71 080 h. – Casinos : Les Fleurs BZ, Palm Beach X – ☎ 93.

Voir Boulevard de la Croisette★★ BCZ – **Pointe de la Croisette**★ X – ≤★ **de la tour du Mont-Chevalier** AZ **A** – **Musée de la Castre**★ AZ **M** – **Observatoire de Super-Cannes** ※★★★ **E : 4 km,** VX **B** – **Chemin des Collines**★ **NE : 4 km** V – **La Croix des Gardes** V **E** ≤★ **O : 5 km puis 15 mn.**

⛳18 Country-Club de Cannes-Mougins ☎ 75.79.13 par ⑤ : 9 km ; ⛳9 ⛳18 Golf Club de Cannes-Mandelieu ☎ 47.95.39 par ② : 6,5 km ; ⛳18 de Biot ☎ 65.08.48 par ⑤ : 14 km ; ⛳18 de Valbonne ☎ 42.00.08 par ⑤ : 15 km.

ℹ Office de Tourisme et Accueil de France (Informations, change et réservations d'hôtels, pas plus de 5 jours à l'avance), Gare S.N.C.F. ☎ 99.19.77, Tèlex 470795 et Palais des Festivals et des Congrès, La Croisette (fermé dim. hors saison) ☎ 39.24.53, Télex 470749 - A.C. 21 quai St-Pierre ☎ 39.38.94.

Paris 908 ⑤ – Aix-en-Provence 151 ⑤ – ♦Grenoble 314 ④ – ♦Marseille 163 ⑤ – ♦Nice 33 ⑤ – ♦Toulon 127 ⑤.

Plans pages suivantes

✿ **Carlton,** 58 bd Croisette ☎ 68.91.68, Télex 470720, ≤, 🏖 – ⇅ ▤ TV ♿ 🚗 Ⓟ – 🏛 80. **E**. ✗ rest CZ **e**
R carte 160 à 210, **Grill** carte environ 125 – **288 ch** ☕ 300/850, 30 appartements – P 510/910
Spéc. Nouillettes "Carlton" Loup au plat, Carré d'agneau arlésienne. **Vins** Bellet, Château Minuty.

Majestic Ⓜ, bd Croisette ☎ 68.91.00, Télex 470787, ≤, ⛱, ⛱ – ⇅ ▤ TV ☎ 🚗 – 🏛 30 à 120. AE GB ⓓ **E**. ✗ rest BZ **n**
fermé mi-oct. à mi-déc. – **R** carte 130 à 195 et **Grill** – **262 ch** ☕ 400/935, 12 appartements.

tourner →

Montfleury Inter-Continental [M] ⟡, 25 av. Beauséjour ☎ 68.91.50, Télex 470039, ≤, « Jardin et ensemble sportif », ⛱, ▣, ⛰, ✂ – |♦| ▤ ▣ ☎ ⛟ – 🏛 50 à 300. AE GB ① E. ✂ rest DY **r**
fermé fév. – SC : **R** 110/170 – ☕ 30 – **225 ch** 450/600, 5 appartements.

Martinez-Concorde, bd Croisette ☎ 68.91.91, Télex 470708, ≤, ⛰ – |♦| ▤ ch ☎ ♿ Ⓟ – 🏛 40 à 500. AE ① E. ✂ rest CDZ **n**
fermé 1er nov. au 19 déc. – SC : **R** carte 110 à 150 – **400 ch** ☕ 260/660, 14 appartements.

Gray d'Albion [M], 38 r. Serbes ☎ 48.54.54, Télex 470744, ⛰ – |♦| ▤ ▣ ☎ Ⓟ – 🏛 200. AE GB ① E BZ **d**
SC : **Royal Gray R** carte 100 à 160 ♁ – ☕ 25 – **172 ch** 435/610.

Gd Hôtel [M] ⟡, 45 bd Croisette ☎ 38.15.45, Télex 470727, ≤, ⛰ – |♦| ▤ ♿ Ⓟ. AE CZ **q**
R voir rest. Lamour - SC : **75 ch** ☕ 390/660 – P 430/840.

tourner →

CANNES - LE CANNET - VALLAURIS

André (R. du Cdt) CZ
Antibes (R. d') BCZ
Belges (R. des) BZ 5
Chabaud (R.) CZ 15
Croisette (Bd de la) BCZ
Félix-Faure (R.) ABZ
Foch (R. du Mar.) BZ 25
Hôtel-de-Ville (Pl. de l') AZ 33
Joffre (R. du Mar.) BZ 35
Riouffe (R. du Mar.) BZ 64

Alexandre-III (Bd) X 2
Amouretti (R. F.) CZ 3
Beau-Soleil (Bd) V 4
Bellevue (Pl.) V 6
Bréguières (Ch. des) V 7
Broussailles (Av. des) V 8
Buttura (R.) BZ 10
Carnot (Bd) V 13
Castre (Pl. de la) AZ 14
Christ-Roi (⊞) V 16
Clemenceau (Av. G.) V 17
Coteaux (Av. des) V 18
Dr-Pierre-Gazagnaire (R.) AZ 20
Dollfus (R. Jean) AZ 22
Ferrare (Bd de la) BYZ 23
Fiesole (Av.) V 24
Fournas (Av. de) V 26
Gambetta (Bd) V 27
Gaulle (Pl. du Gén.-de) BZ 28
Grasse (Av. de) V 29
Haddad-Simon (R. J.) CY 30
Hôpital (Av. de l') V 32
Isnard (Pl. Paul) V 34
Lacour (Bd A.) V 36
Lattre-de-Tassigny (Av. J.-de) ABY 37
Leader (Bd) VX 38
Lérins (Av. de) X 39
Macé (R.) BZ 42
Montaigne (R.) BY 43
Mont-Chevalier (R. du) AZ 44
Montfleury (Bd) X 45
Myron-T.-Herrik (Bd) V 46
N.-D.-de-Bon-Voyage (⊞) BZ 49
N.-D.-d'Espérance (⊞) AZ 50
N.-D.-des-Pins (⊞) DZ 52
Observatoire (Bd de l') X 54
Oxford (Bd d') V 55
Pastour (R. L.) AZ 56
Perrier (Bd) V 57
Perrissol (R. L.) AZ 59
Pins (Bd des) X 60
République (Bd de la) X 62
République (R. de la) V 63
Roi-Albert-Ier (Av. du) DZ 65
Rouguière (R.) BZ 66
Rouvier (Bd M.) V 67
St-Charles (⊞) V 69
St-Joseph (⊞) AY 70
St-Nicolas (Av.) BY 72
Ste-Philomène (⊞) V 73
Sardou (R. L.) V 74
Serbes (R. des) BZ 75
Souvenir (⊞) DY 76
Tapis-Vert (Av. du) V 77
Tuby (Bd Victor) AZ 78
Vallauris (Av. de) V 79
Victor-Hugo (R.) V 80
Vidal (R. du Cdt) CZ 82

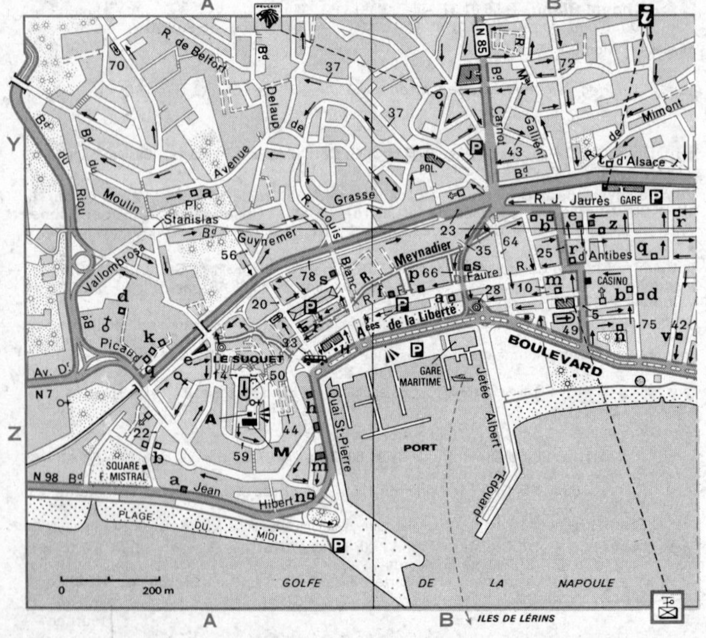

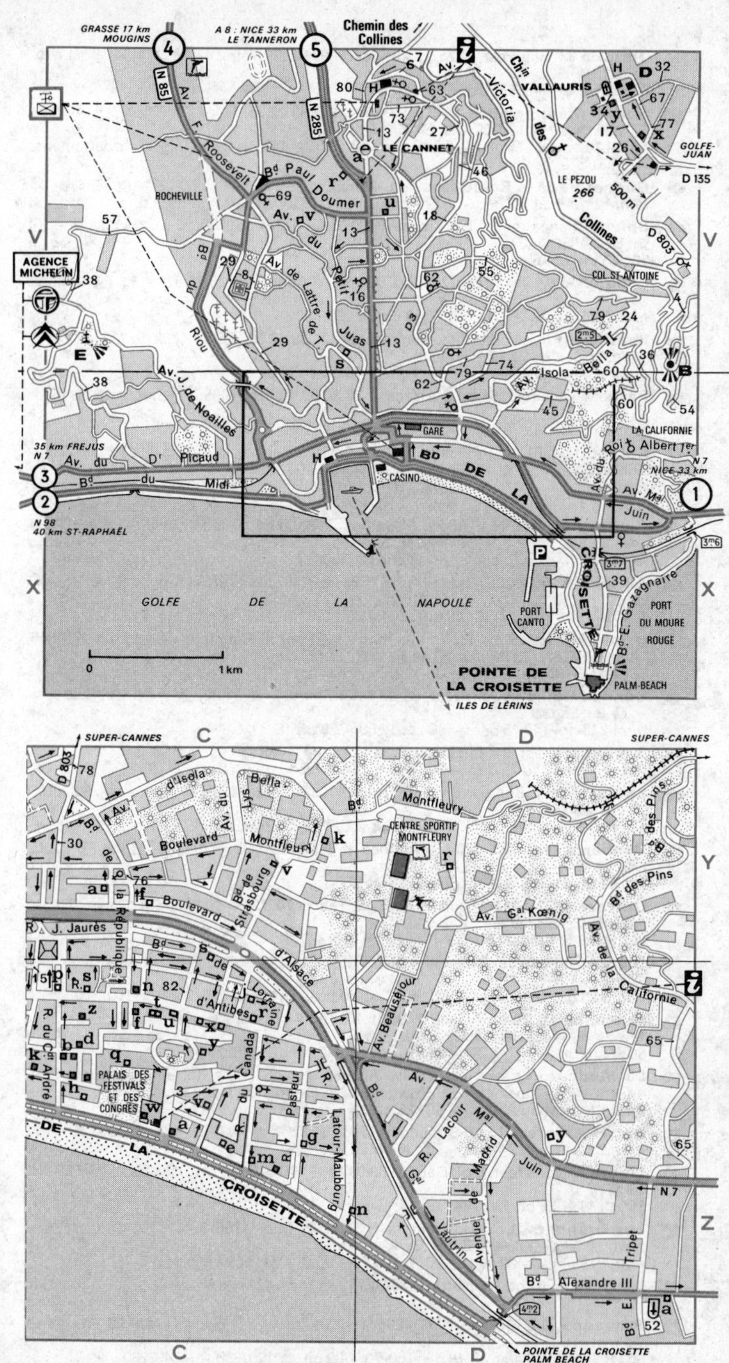
GRASSE 17 km
MOUGINS
A 8 : NICE 33 km
LE TANNERON
Chemin des Collines
LE CANNET
VALLAURIS
GOLFE-JUAN
LE PEZOU
ROCHEVILLE
AGENCE MICHELIN
COL ST ANTOINE
LA CALIFORNIE
GARE
CASINO
35 km FREJUS
N 98
40 km ST-RAPHAËL
NICE 33 km
GOLFE DE LA NAPOULE
PORT CANTO
PORT DU MOURE ROUGE
POINTE DE LA CROISETTE
PALM-BEACH
ILES DE LÉRINS
SUPER-CANNES
CENTRE SPORTIF MONTFLEURY
PALAIS DES FESTIVALS ET DES CONGRÈS
POINTE DE LA CROISETTE
PALM BEACH

Victoria [M] sans rest, 122 r. d'Antibes ✆ 99.36.36, Télex 470817 – AE GB E — CZ **x**
SC : **25 ch** 240/390.

Sofitel Méditerranée [M], 2 bd J.-Hibert ✆ 99.22.75, Télex 470728 – ⊞ 120. AE GB E. rest — AZ **n**
fermé 15 nov. au 15 déc. – SC : **R** carte 80 à 105 – **150 ch** 237/460, 5 appartements – P 300/370.

Gonnet et de la Reine sans rest, 42 bd Croisette ✆ 38.40.00 – AE GB — CZ **h**
fermé 1er oct. au 22 déc. – SC : **58 ch** 200/390, 4 appartements 500.

Splendid sans rest, 4 r. F.-Faure ✆ 99.53.11, Télex 470990 – cuisinette. AE E — BZ **a**
SC : **63 ch** 185/325.

Fouquet's [M] sans rest, 2 Rd-Pt Duboys-d'Angers ✆ 38.75.81 – AE E — CZ **y**
fermé 21 oct. au 20 déc. – SC : **10 ch** 290/490.

Beau Séjour [M], 100 r. G.-Clemenceau ✆ 39.63.00, Télex 470975 – rest. AE. rest — AZ **d**
fermé 1er nov. au 20 déc. – SC : **R** 80 – **46 ch** 220/350 – P 335/475.

Paris [M] sans rest, 34 bd d'Alsace ✆ 38.30.89, Télex 470995 – ⊞ 45 — CY **a**
fermé 1er nov. au 15 janv. – SC : **48 ch** 185/268.

Solhotel [M], 61 av. Dr Picaud par ③ ✉ 06150 Cannes La Bocca ✆ 47.63.00, Télex 970956 – ⊞ 40 à 100. GB
fermé 1er nov. au 15 déc. – SC : **R** 70 – 20 – **96 ch** 230/330, 5 appartements 380 – P 370/440.

Century [M] sans rest, 133 r. d'Antibes ✆ 99.37.64, Télex 470090 – AE — CZ **r**
fermé 15 nov. au 15 déc. – SC : **35 ch** 150/300.

Abrial [M] sans rest, 24 bd Lorraine ✆ 38.78.82, Télex 470761 – AE — CY **s**
fermé nov. et déc. – SC : **48 ch** 220/300.

Licorn'H. [M], 23 av. Fr.-Tonner par ③ ✉ 06150 Cannes-La-Bocca ✆ 47.18.46, Télex 470818 – rest P. GB E
SC : **R** 60 – **45 ch** 140/250 – P 185/235.

Cannes Gallia [M] sans rest, 36 bd Montfleury ✆ 99.34.20 – ⊞ 30. AE GB — CY **k**
fermé 15 nov. au 15 déc. – SC : 12,50 – **29 ch** 180/310.

Savoy sans rest, 3 r. F.-Einesy ✆ 38.17.74 – rest. AE — CZ **v**
fermé 1er nov. au 15 déc. – SC : **55 ch** 210/350.

Embassy, 6 r. Bône ✆ 38.79.02, Télex 470081 – ⊞ 30 à 150. AE GB E — CZ **j**
SC : **R** *(fermé merc.)* 40/50 – **60 ch** 260/280 – P 240/360.

Canberra sans rest, 120 r. d'Antibes ✆ 38.20.70, Télex 470817 – P. AE GB E — CZ **u**
SC : **37 ch** 185/340, 4 appartements 360.

Univers [M], 2 r. Mar.-Foch ✆ 39.59.19, Télex 470972 – ch wc wc. AE GB E — BZ **r**
SC : **R** (au 6e étage) 65 – 11 – 67 ch 210/320.

Clarice, 48 bd Alexandre-III ✆ 43.07.55 – wc wc. GB. rest — DZ **a**
fermé 20 oct. au 20 déc. – SC : **R** 40 bc/60 bc – **25 ch** 165/250 – P 160/210.

Acapulco [M], 16 bd Alsace ✆ 99.16.16, Télex 470929 – wc wc. AE GB E. rest — BY **t**
SC : **R** *(fermé nov.)* 45/70 – **59 ch** 230/340 – P 310/460.

La Madone sans rest, 5 av. Justinia ✆ 43.57.87, « Bel aménagement intérieur » – cuisinette wc wc P. AE GB — DZ **y**
fermé 1er nov. au 20 déc. – SC : **25 ch** 280/360.

Ruc H. sans rest, 15 bd Strasbourg ✆ 38.64.32 – wc. E — CY **v**
fermé 1er nov. au 24 déc. – SC : **30 ch** 220/285.

Ligure [M] sans rest, 5 pl. Gare ✆ 39.03.11 – wc wc. AE GB E — BY **b**
SC : 11 – **36 ch** 190/264.

Les Orangers, 1 r. des Orangers ✆ 39.99.92, Télex 470873 – wc wc – ⊞ 50. AE E. rest — AZ **k**
fermé 15 nov. au 20 déc. – SC : **R** 70 – 40 ch 175/280 – P 240/317.

Bleu Rivage, 61 bd Croisette ✆ 38.24.25 – wc wc — CZ **m**
19 ch.

Provence, 9 r. Molière ✆ 38.44.35 – ch wc wc. AE GB E. rest — CZ **t**
SC : **R** *(fermé 13 nov. au 19 déc.)* 60/70 – **30 ch** 120/230 – P 240/280.

Select sans rest, 16 r. H.-Vagliano ☎ 99.51.00 – wc wc BY **r**
fermé 15 nov. au 15 déc. – SC : **30 ch** 162/185.

Dauphins Verts sans rest, 9 r. J.-Dollfus ☎ 39.45.83, – wc wc . AE AZ **b**
fermé 30 nov. au 5 janv. – SC : **17 ch** 80/180.

Mondial sans rest, 1 r. Teisseire ☎ 39.28.70 – wc wc . CZ **p**
fermé 15 nov. au 15 déc. – SC : **65 ch** 155/196.

Belle Plage, 6 r. J.-Dollfus ☎ 39.86.26 – wc wc . rest
20 janv.-20 oct. – SC : **R** (dîner seul.) 60/70 – 15 – **38 ch** 165/300. AZ **b**

Château de la Tour , av. Font-de-Veyre par ③ 06150 Cannes-La-Bocca ☎ 47.34.64, Télex 470906 – wc wc . AE . rest
SC : **R** 60 – **42 ch** 175/210 – P 195/225.

Host. de L'Olivier sans rest, 90 r. G.-Clemenceau ☎ 39.53.29, – wc wc . AE GB AZ **k**
SC : **25 ch** 135/220.

France sans rest, 85 r. Antibes ☎ 39.23.34 – wc wc .
SC : 12 – **34 ch** 140/200. CZ **s**

Vendôme sans rest, 37 bd Alsace ☎ 38.34.33, – wc wc .
fermé nov. – SC : 11 – **18 ch** 82/300. CY **f**

Régina sans rest, 31 r. Pasteur ☎ 38.05.43 – wc wc . CZ **g**
15 janv.-15 oct. – SC : **23 ch** 150/285.

Corona sans rest, 55 r. d'Antibes ☎ 39.69.85 – wc wc . AE GB E
SC : 12 – **20 ch** 165/210. BZ **q**

Molière M sans rest, 5 r. Molière ☎ 38.16.16 – wc wc . E CZ **t**
fermé 20 nov. au 19 déc. – SC : **32 ch** 115/200.

El Puerto , 45 av. Petit-Juas ☎ 68.39.75, – wc wc . AE.
fermé 1er oct. au 15 déc. – SC : **R** *(fermé lundi hors sais.)* 50 – 22 ch (pens. seul.) – P 115/165. V **s**

Cheval Blanc sans rest, 3 r. de-Maupassant ☎ 39.88.60 – wc wc . AY **a**
fermé 15 oct. au 15 nov. – SC : 12 – **16 ch** 155/165.

Wagram, 140 r. d'Antibes ☎ 38.55.53, – ch wc wc . CZ **x**
fermé nov. – SC : **R** 70 – 10 – **23 ch** 69/228 – P 182/292.

Roches Fleuries sans rest, 92 r. G.-Clemenceau ☎ 39.28.78, – wc wc . AZ **q**
fermé 15 nov. au 20 déc. – SC : **24 ch** 55/150.

Poste sans rest, 31 r. Bivouac-Napoléon ☎ 39.22.58 – wc wc BZ **m**
SC : 10 – **22 ch** 50/150.

Modern sans rest, 11 r. Serbes ☎ 39.09.87 – wc BZ **b**
fermé 16 nov. au 20 déc. – SC : **19 ch** 110/210.

Touring sans rest, 11 r. Hoche ☎ 38.34.40 – wc . GB BYZ **z**
SC : 10 – **30 ch** 60/160.

Amirauté sans rest, 17 r. Mar.-Foch ☎ 39.10.53 – wc wc . AE GB E BY **b**
SC : 11 – **41 ch** 46/190.

XXX **Félix,** 63 bd Croisette ☎ 38.00.61, ← – . AE CZ **m**
fermé 20 oct. au 23 déc. et merc. – **R** carte 100 à 145.

XXX **Le Festival,** 52 bd Croisette ☎ 38.04.81, ← – . AE CZ **a**
fermé 1er nov. au 15 déc. – **R** 85/90.

XXX **L'Oriental,** 286 av. M.-Jourdan par ③ 06150 Cannes La Bocca ☎ 47.43.99, « Décor Mauresque », cuisine du Maghreb –
fermé 1er au 25 janv., dim. soir et lundi – SC : **R** 140.

XXX ✿ **Poêle d'Or** (Chartier), 23 r. États-Unis ☎ 39.77.65 – . AE BZ **v**
fermé 23 juil. au 12 août., 1er au 15 fév., mardi soir et merc. d'oct. à Pâques – **R** carte 135 à 180
Spéc. Terrine de ris de veau, Filet de turbotin au Château Vignelaure, Poularde de Bresse à la crème. Vins Bellet, Château-Simone.

XXX **Gaston et Gastounette,** 7 quai St-Pierre ☎ 39.47.92, ← – AE GB E AZ **h**
fermé 1er au 20 déc. et 3 au 16 janv. – **R** 100.

XXX ✿ **Reine Pédauque** (Dorange), 6 r. Mar.-Joffre ☎ 39.40.91 – BZ **s**
fermé 29 juin au 20 juil., 7 au 17 déc. et lundi – **R** (nombre de couverts limité - prévenir) 98/180
Spéc. Mousseline de rascasse, Délices de mer au corail de St-Jacques, Filet d'agneau en croûte. Vins Château-Minuty, Château-Simone.

XXX **Lamour,** 45 bd Croisette ☎ 99.49.60 – . AE GB CZ **q**
R 80.

XXX **Le Piccolo,** 14 r. Bateguier ☎ 39.75.96 – . AE GB CZ **h**
R carte 95 à 140.

XXX **Voile au Vent,** 17 quai St-Pierre ☎ 39.27.84 – AE GB AZ **m**
fermé 24 oct. au 24 déc. et jeudi hors sais. – **R** carte 100 à 140.

XX **J.-J.-Garé,** 16 r. Frères Pradignac ☎ 39.18.65 – ▤. AE GB CZ **b**
fermé mars et dim. – SC : **R** 50.

XX **Blue Bar,** Palais des Festivals ☎ 39.03.04, ← – ▤ CZ **w**
fermé juin – **R** carte 85 à 120.

XX **Caveau Provençal,** 45 r. Félix-Faure ☎ 39.06.33 – ▤. AE GB ◑ BZ **f**
fermé 10 au 25 mars – **R** 50/90.

XX **Mère Besson,** 13 r. Frères-Pradignac ☎ 39.59.24, Cuisine provençale CZ **d**
fermé juin et dim. – SC : **R** carte 95 à 120.

XX **Poivre Vert,** 11 r. L.-Blanc ☎ 39.07.67 – ▤. AE ◑ E AZ **s**
fermé 15 juin au 12 juil. et merc. – SC : **R** 37/65.

XX **Chez Eugène,** 28 bd J.-Hibert ☎ 38.32.30, ← – ▤. GB AZ **a**
fermé nov. et jeudi – SC : **R** 55/85.

XX **Toque Blanche,** 3 r. Lafontaine ☎ 38.61.95 – ▤. AE GB ◑ CZ **f**
fermé lundi – SC : **R** 50/80.

XX **Gilbert de Cassis,** 17 r. G.-Monod ☎ 39.24.95 – ▤. AE GB ◑ E CZ **h**
fermé 1er au 12 juil. et lundi – **R** carte 85 à 105.

XX **Taverna Romana,** pl. Suquet ☎ 39.96.05, spécialités italiennes – ▤ AZ **e**
R 80.

XX **La Cigale,** 1 r. Florian ☎ 39.65.79 – ▤ CZ **z**
fermé 15 nov. au 15 déc. et merc. – SC : **R** 52/80.

XX **La Croisette,** 15 r. Cdt-André ☎ 39.86.06 – AE GB ◑ CZ **b**
fermé 15 nov. au 15 déc. et mardi – SC : **R** 45/50.

XX **La Coquille,** 65 r. Félix-Faure ☎ 39.26.33 – ▤. AE GB ◑ E BZ **p**
R 39/56.

XX **Au Mal Assis,** 15 quai St-Pierre ☎ 39.13.38, ← – GB AZ **h**
fermé début oct. au 20 déc. – SC : **R** 50/200.

X **L'Esquinade,** 3 r. G.-Monod ☎ 39.36.25 – AE GB CZ **k**
fermé nov. et lundi – SC : **R** 39/50 ♨.

X **Le Monaco,** 15 r. 24-août ☎ 38.37.76 BY **e**
fermé nov. et dim. – SC : **R** 40/50.

X **Côte d'Azur,** 3 r. J.-Daumas ☎ 38.60.02 CZ **n**
◆ *fermé juil. et dim.* – SC : **R** 31 bc/40 bc.

X **Aux Bons Enfants** (Chez Romain), 80 r. Meynadier – ✻ AZ **r**
fermé 15 avril au 15 mai, merc. soir hors sais. et dim. – SC : **R** 40 ♨.

X **Au Bec Fin,** 12 r. 24-Août ☎ 38.35.86 – AE GB BY **e**
fermé 25 déc. au 25 janv., vend. soir et sam. – SC : **R** 45/55.

Voir aussi ressources hôtelières de *Mougins* par ④ : 8 km

MICHELIN, Agence, 3 bd L.-Négrin, Cannes-La Bocca par ③ ☎ **47.21.10**

CITROEN Carnot Autom., 48 bd Carnot ☎ 68. 20.25 et 205 bd Tonner, La Bocca ☎ 47.24.00
PEUGEOT Ortelli, 20 av. Petit-Juas ☎ 39.24.74
PORSCHE Gar. Gras, 17 bd Vallombrosa ☎ 39.34.27

TALBOT Cannes-Autos, 1 av. A.-Dozol, angle N 7, La Bocca ☎ 47.21.98 ◼ ☎ 47.99.57

◍ Laborier, 20 r. Cdt-Vidal ☎ 38.58.14
Massa-Pneu, 9 bd Vallombrosa ☎ 39.25.22

Le CANNET 06110 Alpes-Mar. 84 ⑨, 195 ㉟㊳ **G. Côte d'Azur** – 37 324 h. alt. 110 – ✪ 93.

ℹ Syndicat d'Initiative 2 bd Carnot (fermé après-midi hors sais. et dim.) ☎ 46.74.00 et bretelle autoroute (fermé dim.) ☎ 45.34.27.

Paris 906 – Antibes 13 – Cannes 3 – Grasse 15 – ♦Nice 31 – Vence 28.

Voir plan d'agglomération de Cannes-le-Cannet-Vallauris

🏨 **Gde Bretagne** Ⓜ **sans rest, bd Sadi-Carnot ☎ 45.66.00, Télex 470918** – cuisinette ▤ Ⓟ. ✻ V **a**
fermé 2 nov. au 19 déc. – SC : **34 ch** ☐ 140/300.

🏨 **Picardy H.** Ⓜ **sans rest, bretelle de l'autoroute ☎ 45.35.35, Télex 470942,** ⛱ – TV ⛀wc ⛆wc ☎ 🚗 Ⓟ. 🚌 AE GB ◑ E V **r**
SC : ☐ 13 – **25 ch** 100/155.

X **Marinette,** 11 r. Rebuffel ☎ 45.99.47 V **u**
fermé juil., août, jeudi, vend. et sam. – **R** (déj. seul.) 50.

ALFA-ROMEO Gar. Europa, bretelle de l'autoroute ☎ 45.17.00

Le CANNET DES MAURES 83 Var 84 ⑯ – 2 155 h. alt. 127 – ✉ **83340** Le Luc – ✪ 94.

Paris 838 – Brignoles 25 – Cannes 73 – Draguignan 26 – St-Tropez 38 – ♦Toulon 55.

🏠 **Mas du Four** ⛰, E : 2,5 km par N 7 et D 17 ☎ 60.74.64, « Jardin ombragé », parc, ⛱, 🎾 – ⛀wc Ⓟ. ✻ rest
fermé 15 janv. au 15 fév. et lundi d'oct. à mars – SC : **R** 38/80 – ☐ 12 – 10 ch 60/120 – P 145/175.

☛ *Le località citate nella **Guida Michelin** sono sottolineate in rosso sulle carte **Michelin** scala 1/200 000.*

La CANOURGUE 48500 Lozère 80 ④⑤ G. Causses – 1 374 h. alt. 563 – ⚙ 66.
Voir Sabot de Malepeyre★ SE : 4 km.

Office de Tourisme (15 juin-15 sept. et fermé dim. après-midi) ☎ 32.83.67.

Paris 579 – Espalion 54 – Florac 53 – Mende 46 – Rodez 67 – Sévérac-le-Château 22.

Commerce M, ☎ 32.80.18 – |♦| ⇔wc ⋒wc ☎ 🚗 P – 🏊 30
fermé 20 déc. au 4 janv. et sam. hors sais. – SC : **R** 30/65 ♁ – ☕ 10 – **32 ch** 86/140 – P 120/140.

PEUGEOT Condomines, ☎ 32.80.16 TALBOT Gar. Moderne, ☎ 32.80.26

CAPBRETON 40130 Landes 78 ⑰ G. Côte de l'Atlantique – 4 595 h. – Casino – ⚙ 58.

Office de Tourisme av. G.-Pompidou (fermé sam. après-midi hors saison) ☎ 72.12.11.

Paris 726 – ♦Bayonne 18 – Mont-de-Marsan 84 – St-Vincent-de-Tyrosse 12 – Soustons 21.

à la Plage NO : 1 km – ✉ 40130 Capbreton :

Atlantic, av. de-Lattre-De-Tassigny ☎ 72.11.14, 🏊 – ⇔wc ⋒wc ☎ P. 🚗. ✻ rest
15 mars-15 oct. – SC : **R** *(fermé 15 mars au 31 mai et 1er au 15 oct.)* 45/90 – ☕ 12 – **53 ch** 60/150 – P 120/175.

Océan, av. Plage ☎ 72.10.22, ← – |♦| ⇔wc ⋒wc ☎ P. 🚗 AE ⓓ. ✻ rest
fermé fin déc. à fin janv., lundi et mardi hors sais. – SC : **R** 56/110 – ☕ 11 – 47 ch 65/110 – P 120/170.

Miramar, front de Mer ☎ 72.12.82, ← – ⇔wc ⋒wc ☎ P. AE. ✻
1er mai-25 sept. – SC : **R** 50/65 – ☕ 12 – 44 ch 95/145 – P 135/170.

Terrasses, front de Mer ☎ 72.10.20, ← – ⋒wc ☎ P. ✻ rest
Pâques-fin sept. – SC : **R** 40/100 – ☕ 15 – 24 ch 55/100 – P 120/150.

XXX **Mille Sabords,** au port de Plaisance ☎ 72.26.65, ← – AE. ✻
1er juin-30 sept. – SC : **R** 50.

XX **La Sardinière,** 87 av. G.-Pompidou ☎ 72.10.49, ← – AE
fermé 15 janv. au 15 fév., mardi, merc. et jeudi – SC : **R** carte 80 à 115.

CITROEN Barbe, ☎ 72.10.15 RENAULT Gar. Puyau, ☎ 72.10.52

Lion d'Or — **Si le nom d'un hôtel figure en petits caractères demandez, à l'arrivée, les conditions à l'hôtelier.**

CAP COZ 29 Finistère 58 ⑮ – rattaché à Fouesnant.

CAP D'AGDE 34 Hérault 83 ⑯ – rattaché à Agde.

CAP D'AIL 06320 Alpes-Mar. 84 ⑩, 195 ㉗ G. Côte d'Azur – 4 282 h. alt. 96 – ⚙ 93.

Paris 950 – Menton 12 – Monte-Carlo 3 – ♦Nice 17.

Miramar, av. du 3-Septembre ☎ 78.06.60, ← – ⋒wc ☎
15 janv.-15 nov. – SC : **R** (1/2 pension seul.) – ☕ 10 – 27 ch 50/120.

Normandy, allée des Orangers ☎ 78.19.05, ← – ⇔wc ⋒wc ☎. 🚗 AE. ✻ rest
SC : **R** (dîner seul.) 40 – ☕ 12 – **20 ch** 45/150.

CAP D'ANTIBES 06 Alpes-Mar. 84 ⑨, 195 ㉟㊱㊵ – rattaché à Antibes.

La CAPELLE 02260 Aisne 53 ⑯ G. Nord de la France – 2 312 h. alt. 228 – ⚙ 23.
Voir Pierre d'Haudroy (monument commémoratif de l'Armistice 1918) NE : 2 km.

Paris 187 – Avesnes-sur-Helpe 16 – Le Cateau 30 – Fourmies 11 – Guise 23 – Laon 53 – Vervins 17.

XX **Gd Cerf,** av. Gén.-de-Gaulle ☎ 97.20.61
fermé 15 fév. au 15 mars et lundi sauf fêtes – **R** 40/130.

La CAPELLE-LÈS-BOULOGNE 62 P.-de-C. 51 ① – rattaché à Boulogne-sur-Mer.

CAPENDU 11700 Aude 83 ⑫ – 1 229 h. alt. 83 – ⚙ 68.

Paris 888 – Carcassonne 17 – Lézignan-Corbières 18 – Olonzac 21 – St-Pons 58.

Top du Roulier, ☎ 79.03.60 – ⇔wc ⋒ ☎ P – 🏊 25 à 120. 🚗. ✻ ch
fermé fév. – SC : **R** 32 bc/130 bc – ☕ 9 – **25 ch** 78/90 – P 92/104.

CAPESTANG 34310 Hérault 83 ⑭ G. Causses – 2 550 h. alt. 22 – ⚙ 67.

Paris 840 – Béziers 15 – Carcassonne 63 – ♦Montpellier 84 – Narbonne 18 – St-Pons 40.

Franche-Comté, D 11 ☎ 93.31.21 – ⇔wc ⋒ ☎ 🚗. ✻
fermé 15 au 30 sept. et 26 déc. au 26 janv. – SC : **R** *(fermé dim.)* (dîner seul. pour résidents) 35 – ☕ 11 – 15 ch 80/100.

CAP FERRAT 06 Alpes-Mar. 84 ⑩⑲ – rattaché à St-Jean-Cap-Ferrat.

CAP FERRET 33970 Gironde 78 ⑫ G. Côte de l'Atlantique – 56.

Voir ☀★ du phare.

Office de Tourisme pl. Centre (fermé lundi et dim. après midi) ☎ 60.63.26 et à la Mairie (fermé merc., sam. après-midi et dim.) ☎ 60.62.57.

Paris 629 – Andernos-les-Bains 28 – ♦Bordeaux 71 – Lacanau-Océan 58 – Lesparre-Médoc 86.

Dunes M sans rest, av. Bordeaux ☎ 60.61.81 – wc wc P
Pâques, week-ends en mai et 1er juin-22 sept. – SC : 11,50 – **13 ch** 83/120.

Pins sans rest, r. des Fauvettes ☎ 60.60.11, – wc.
1er juin-30 sept. – SC : 13 – **14 ch** 80/130.

Quatre Saisons avec ch, av. Océan ☎ 60.68.13 – GB
fermé mardi – SC : **R** 40/52 – 9 – **13 ch** 50/70 – P 92/114.

à la Pointe du Cap S : 3 km – **33970** Cap Ferret :

Mirador, ☎ 60.64.19, ≤ – P
fermé 15 au 31 déc. et merc. hors sais. – SC : **R** 40/150.

CITROEN Gar. du Phare, ☎ 60.61.20 PEUGEOT Gava, ☎ 60.64.20

CAP FREHEL 22 C.-du-N. 59 ⑤ G. Bretagne – alt. 57 – **22240** Fréhel – 96.

Voir Site★★★ – ☀★★★.

Paris 406 – Dinan 45 – Dinard 38 – Lamballe 34 – ♦Rennes 97 – St-Brieuc 49.

Relais de Fréhel , S : 2,5 km par D 16 et VO ☎ 41.43.02, – wc P – 25. .
1er mars-1er nov. et vacances de Noël – SC : **R** 38/63 – 15 – 13 ch 45/80 – P 110/130.

CAP GRIS-NEZ 62 P.-de-C. 51 ① G. Nord de la France – alt. 50 – 21.

Voir ≤★★.

Paris 263 – Arras 132 – Boulogne-sur-Mer 20 – ♦Calais 29 – Marquise 13 – St-Omer 58.

Mauves , 62250 Marquise ☎ 92.84.19, – P. .
début avril-début nov. – SC : **R** 50/100 – 12,50 – 18 ch 48/75 – P 140/170.

La Sirène, 62250 Marquise ☎ 92.84.09, ≤ mer – P
fermé 12 nov. au 24 déc. et lundi sauf juil.-août – SC : **R** 60/100.

CAP MARTIN 06 Alpes-Mar. 84 ⑩, 195 ㉘ – rattaché à Roquebrune-Cap Martin.

CAPVERN-LES-BAINS 65130 H.-Pyr. 85 ⑨ G. Pyrénées – 1 055 h. alt. 450 – Stat. therm. (2 mai-15 oct.) – Casino – 62.

Voir Donjon du château de Mauvezin ☀★ O : 4,5 km.

18 de Lannemezan et Capvern-les-Bains ☎ 98.01.01 E : 12 km.

Office de Tourisme pl. Thermes (1er mai-15 oct.) ☎ 39.00.46.

Paris 798 – Arreau 31 – Bagnères-de-Bigorre 20 – Lannemezan 9 – Tarbes 27.

Laca M , rte Mauvezin ☎ 39.02.06, ≤, – – 40. AE GB . rest
1er mai-15 oct. – 40 ch, 8 appartements.

Beau Site , rte Mauvezin ☎ 39.00.31, ≤, , – wc P. . rest
1er mai-15 oct. – SC : **R** 50/90 – 10 – **32 ch** 80/140 – P 155/200.

Paris, ☎ 30.00.15 – wc wc P. . rest
1er mai-30 sept. – SC : **R** 45/55 – 9,50 – **50 ch** 50/120 – P 110/160.

Moderne, ☎ 39.00.14 – rest wc wc . rest
1er mai-30 sept. – SC : **R** 50/100 – 12 – **82 ch** 50/160 – P 115/185.

Square, ☎ 39.03.51 – wc wc . rest
1er mai-10 oct. – SC : **R** 33/45 – 8 – **48 ch** 60/90 – P 140/150.

St-Paul, ☎ 39.03.54 – wc wc P. rest
1er mai-15 oct. – SC : **R** 32/36 – 8 – **29 ch** 48/70 – P 90/115.

Bellevue , rte Mauvezin ☎ 39.00.29, ≤, – wc P. rest
1er mai-10 oct. – SC : **R** 25/45 – 8 – **34 ch** 35/70 – P 80/90.

Central avec ch, ☎ 39.00.22 – .
1er juin-22 sept. – SC : **R** 40/75 – 8,50 – **23 ch** 30/100 – P 95/130.

à Gourgue NO : 4 km par D 81 – **65130** Capvern-les-Bains :

Relais des Bandouliers avec ch, ☎ 39.02.21 – wc P. ch
fermé 15 oct. au 15 déc. – SC : **R** (sur commande du 15 déc. au 1er mai) 45/60 – 9,50 – **10 ch** 55/90 – P 90/115.

CARANTEC 29226 Finistère 58 ⑥ G. Bretagne – 2 588 h. alt. 45 – 98.

Voir Croix de procession★ dans l'église – Pointe de Pen-Lan ≤★ E : 1,5 km.

Syndicat d'Initiative r. A.-Louppe (Pâques-15 sept. et fermé dim.) ☎ 67.00.43.

Paris 550 – ♦Brest 67 – Lannion 53 – Morlaix 15 – Quimper 91 – St-Pol-de-Léon 10.

Pors Pol ⛱, plage Pors-Pol ☎ 67.00.52, ←, ⛱ – 🚿 🅟. ✱ rest
28 mars-21 avril et 30 mai-25 sept. – SC : **R** 32/90 – ☕ 8,50 – **40 ch** 50/99 – P 88/120.

Falaise ⛱, ☎ 67.00.53, ←, ⛱ – 🚿 🅟. ✱
Pâques et 25 mai-19 sept. – SC : **R** 40/65 – ☕ 8,50 – 26 ch 40/85 – P 95/110.

Le Crustacé avec ch, r. Pasteur ☎ 67.00.19 – 🚿wc. ✱ rest
fermé 1er au 18 oct., 1er au 12 fév. et lundi – SC : **R** 38/65 – ☕ 9 – 10 ch 40/79 – P 84/99.

CITROEN Fauqueux ☎ 67.03.43 🅽 ☎ 67.04.06 RENAULT Kerrien, ☎ 67.01.71

CARCANS-PLAGE 33 Gironde **71** ⑱ – rattaché à Maubuisson.

CARCASSONNE 🅿 11000 Aude **83** ⑪ **G. Pyrénées** – **46 329 h. alt. 111** – ✪ **68.**

Voir La Cité★★★ (embrasement★★★ 14 juil.) CZ – **Basilique St-Nazaire★★** CZ **L** – **Musée du château Comtal : calvaire★ de Villanière** CZ **M1.**

✈ **de Carcassonne-Salvaza, T.A.T. : ☎ 25.12.33 par ④ : 3 km.**

🅸 Office de Tourisme bd Camille-Pelletan (fermé dim. sauf matin en saison) ☎ 25.07.04 et Porte Narbonnaise (Pâques, juil.-sept. et fermé dim. après-midi) ☎ 25.68.81 - A.C. 5 r. Aimé-Ramon ☎ 25.23.10.

Paris 905 ② – Albi 107 ① – Béziers 90 ② – Narbonne 61 ② – ♦Perpignan 113 ② – ♦Toulouse 92 ③.

CARCASSONNE

Armagnac (R.) BY 2
Barbès (R.) BZ 5
Chartran (R.) BZ 9
Clemenceau (R. G.) BY 20
Courtejaire (R.) BZ 22
Cros-Mayrevielle (R.) CZ 23
Dr-A.-Tomey (R.) BZ 26

Aude (Porte d') CZ 3
Bringer (R. Jean) BYZ 6
Bunau-Varilla (Av.) AZ 7
Carnot (Pl.) BZ 8
Combéléran (R. G.) CZ 21
Davilla (Pl.) AZ 25
Études (R. des) AZ 27
Gambetta (Square) BZ 28
Gout (Av. Henri) AZ 29
Jaurès (Bd Jean) BY 30
Joffre (Av. du Mar.) BY 32
Lespinasse (Av. R.-C.) AY 33
Liberté (R. de la) BY 34
Marcou (Bd) AZ 36
Minervoise (Route) BY 37
Mullot (Av. Arthur) BZ 38
Narbonnaise (Porte) CZ 39
Pelletan (Bd Camille) BZ 40
Pont-Vieux (R. du) BZ 41
Ramon (R. Aimé) ABZ 42
République (R. de la) BY 43
Roumens (Bd du Cdt) BZ 44
Sacré-Cœur (⛪) AY
St-Gimer (Pl. et ⛪) CZ 45
St-Joseph (⛪) CY
St-Michel (⛪) BZ
St-Vincent (⛪) BY 46
Sarraut (Bd Omer) BY 47
Varsovie (Bd de) AY 48
Verdun (R. de) BZ 50
Victor-Hugo (R.) BZ 52
4-Septembre (R. du) BY 54

Terminus sans rest, 2 av. Mar.-Joffre ☎ 25.25.00, Télex 530135 – 🛗 📺 🚗 🅟 – 🏛 150. AE GB ⓓ E — BY **t**
fermé nov. – SC : **110 ch** ☕ 55/210.

Montségur Ⓜ, 27 allée d'Iéna ☎ 25.31.41, « **Beau mobilier** » – 🛗 🚿wc 🚿wc ☎ 🅟. AE ⓓ E. ✱ ch — AZ **r**
fermé 21 déc. au 18 janv. – SC : **R** voir rest. Languedoc – ☕ 16 – **21 ch** 85/180.

Pont Vieux Ⓜ sans rest, 32 r. Trivalle ☎ 25.24.99 – 🚿wc ☎ 🚗. ✱ — CZ **s**
fermé janv., sam. et dim. du 1er nov. au 15 mars – SC : ☕ 12 – **15 ch** 90/130.

tourner →

XX **Logis de Trencavel** avec ch, 286 av. Gén.-Leclerc par ② : 3 km ☎ 25.19.53, – wc wc ☎ . E
fermé 10 janv. au 10 fév. – SC : **R** *(fermé merc. sauf du 15 juil. au 15 sept.)* 65/120 – ☕ 15 – 12 ch 65/130 – P 205/300.

XX **Languedoc,** allée d'Iéna ☎ 25.22.17 – AE E — AZ **z**
fermé 20 déc. au 18 janv. et lundi – SC : **R** 45/65 ♫.

XX **Terminus-Relais de l'Écluse,** 2 av. Mar.-Joffre ☎ 25.13.77 — BY **t**
fermé nov. – SC : **R** 38/85 ♫.

XX **Le Maillon,** au centre commercial par ② et rte de Berriac : 3 km ☎ 25.44.70 – Ⓟ. AE GB ⓓ
fermé dim. soir – SC : **R** 40 bc/50 bc.

à l'entrée de la Cité près porte Narbonnaise :

Aragon sans rest, 15 montée Combéléran ☎ 47.16.31 – wc wc ☎ Ⓟ. GB — CZ **k**
☕ 12,50 – **10 ch** 80/130.

XXX **Aub. Pont Levis,** ☎ 25.55.23, – ▤. AE GB ⓓ E. — CZ **x**
fermé 16 au 29 juin, 12 au 25 janv., dim. soir et lundi sauf fêtes – SC : **R** (1er étage) 75/115.

dans la Cité - Circulation réglementée en été :

Donjon ⛰ sans rest, 2 r. Comte-Roger ☎ 25.11.13, ←, – wc wc ☎ . AE GB ⓓ E — CZ **a**
SC : ☕ 14 – **18 ch** 95/170.

XX **Le Sénéchal,** 6 r. Viollet-le-Duc ☎ 25.00.15 — CZ **n**
1er avril-1er oct. et fermé merc. – SC : **R** 49 bc/115 bc.

X **La Crémade,** 1 r. Plo ☎ 25.16.64 – GB E — CZ **u**
fermé 5 au 16 nov., 15 au 31 janv. et jeudi – SC : **R** 30/69 ♫.

au Sud-Est : 4 km par D 104 - CZ, D 42 et D 342 – ✉ **11000** Carcassonne :

Domaine d'Auriac ⛰, rte St-Hilaire ☎ 25.72.22, Télex 500385, ←, « Demeure du 19e siècle dans un parc », ⛱, – ⧉ ▤ rest Ⓟ – 80
SC : **R** *(fermé dim. soir et lundi midi du 15 oct. au 1er mai sauf Pâques)* carte 120 à 145 – ☕ 15 – 23 ch 150/250 – P 250/350.

à l'Aéroport par ④ : 4 km – ✉ **11000** Carcassonne :

Motel Salvaza Ⓜ, ☎ 25.02.73, ← – wc ☎ Ⓟ. AE GB ⓓ E
SC : **R** *(fermé 1er au 15 janv. et dim.)* 40 bc/250 – ☕ 12 – **25 ch** 90/120.

au carrefour de Bezons par ① : 5 km – ✉ **11600** Conques-sur-Orbiel :

X **Le Grillon,** ☎ 25.23.43 – Ⓟ.
fermé fin sept. à début oct. et lundi sauf fériés – SC : **R** 35/75.

MICHELIN, Agence, bd Gay-Lussac, Z.I. de la Bouriette par ④ ☎ 25.21.77

AUDI-VOLKSWAGEN Cathala, rte Narbonne ☎ 25.90.01
AUSTIN, MORRIS, TRIUMPH Laporta, 47 av. H.-Gout ☎ 25.11.50
CITROEN Ménard, 30 av. F.-Roosevelt ☎ 25.75.36 Ⓝ ☎ 25.13.67
DATSUN, VOLVO Campagnaro, Plateau de Grazailles ☎ 25.33.34
MERCEDES-BENZ Bary, 270 av. Gén.-Leclerc ☎ 25.08.97
OPEL Bourguignon, 79 av. F.-Roosevelt ☎ 25.10.43
PEUGEOT Auto Cité, 133 av. F.-Roosevelt ☎ 47.84.36
RENAULT Alaux et Gestin, rte Narbonne ☎ 25.77.12 Ⓝ ☎ 77.13.65
TALBOT Audoise Autom., rte Montréal ☎ 47.82.00

Central-Pneu, 46 av. F.-Roosevelt ☎ 25.46.66
Gastou, Zone Ind. la Bouriette ☎ 25.35.42
Grulet, 58 av. F.-Roosevelt ☎ 25.09.46
Laguzou, 20 av. F.-Roosevelt ☎ 25.25.88
SO.DI.CA., 16 r. Châteaudun ☎ 25.54.63

CARCÈS 83570 Var 84 ⑥ **G. Côte d'Azur** – 1 807 h. alt. 138 – ✪ 94.
Paris 831 – Aix-en-Provence 74 – Draguignan 29 – ♦Marseille 81 – ♦Toulon 63.

Chez Nous, ☎ 04.50.89 –
fermé janv. – SC : **R** 35/70 – ☕ 9 – **13 ch** 44/70 – P 121/147.

CARDAILLAC 46 Lot 79 ⑩ – rattaché à Figeac.

CARENNAC 46 Lot 75 ⑲ **G. Périgord** – 388 h. alt. 126 – ✉ **46110** Vayrac – ✪ 65.
Voir Portail★ et Mise au tombeau★ dans l'église.
Paris 530 – Brive-la-Gaillarde 40 – Cahors 78 – Martel 18 – St-Céré 18 – Sarlat 62 – Tulle 58.

Host. Fénelon ⛰, ☎ 38.47.16, ← – wc Ⓟ. . ch
fermé fév., vend. et sam. midi d'oct. à Pâques – SC : **R** 40/120 – ☕ 10 – 24 ch 48/100 – P 100/127.

CARENTAN **50500** Manche **54** ⑬ **G. Normandie** – 6 578 h. alt. 6 – ⊛ 33.

ℹ Syndicat d'Initiative pl. Valnoble (juil.-août) ☎ 42.05.87.

Paris 310 ① – Avranches 84 ① – ◆Caen 69 ① – ◆Cherbourg 50 ③ – Coutances 33 ② – St-Lô 28 ①.

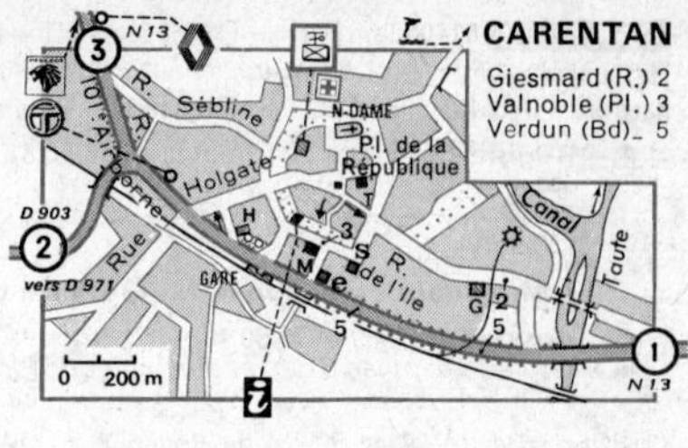

XXX **Auberge Normande** avec ch, bd Verdun **(e)** ☎ 42.02.99 – wc ⋔ P – 40. AE ⊙
fermé 6 au 13 oct. et lundi – SC : **R** (dim. et fêtes prévenir) 39/89 – ☕ 9,50 – **13 ch** 42/80.

X **Marché et des Herbagers,** pl. Valnoble **(s)** ☎ 42.06.88 – P
◆ *fermé 1er au 15 sept., 1er au 15 fév. et dim. sauf juil. et août* – SC : **R** 26/80 ß.

FIAT, FORD Santini, 7 bd de Verdun ☎ 42.02.66 **N**
PEUGEOT MECATOL, Z. I. Pommenauque, rte de Cherbourg ☎ 42.23.73
RENAULT STAGA, rte de Cherbourg ☎ 42.08.01
TALBOT Carentanaise-Automobile, 12 r. du 101e-Airborn ☎ 42.02.33
Lelandais, 2 r. Torteron ☎ 42.04.99

CARHAIX-PLOUGUER **29270** Finistère **58** ⑰ **G. Bretagne** – 9 515 h. alt. 140 – ⊛ 98.

ℹ Syndicat d'Initiative r. Brizeux (15 juin-15 sept. et fermé dim.) ☎ 93.04.42.

Paris 504 ② – ◆Brest 86 ③ – Concarneau 64 ③ – Guingamp 48 ① – Lannion 67 ① – Lorient 77 ③ – Morlaix 47 ④ – Pontivy 57 ② – Quimper 60 ③ – ◆Rennes 153 ② – St-Brieuc 78 ②.

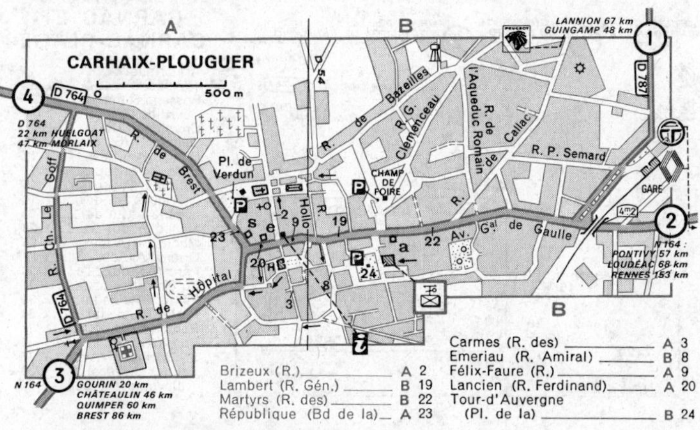

🏨 **Gradlon** Ⓜ, 12 bd République ☎ 93.15.22, – TV wc ☎ ♿ P – 30 à 100. AE GB ⊙ — A **s**
◆ SC : **R** *(fermé dim. du 1er oct. au 1er avril)* 32/95 ß – ☕ 12 – **42 ch** 105/120 – P 150/250.

🏨 **France,** 14 r. Martyrs ☎ 93.00.15 – wc ⋔wc ☎ P. GB. rest — B **a**
fermé 19 déc. au 27 janv. et sam. – SC : **R** 43/80 ß – ☕ 12 – **20 ch** 42/118.

🏨 **D'Ahès** sans rest, 1 r. F.-Lancien ☎ 93.00.09 – wc ⋔wc — A **e**
fermé fév. – ☕ 10 – **10 ch** 65/80.

à Port-Carhaix par ③ : 6,5 km sur D 769 – ✉ **29270** Carhaix-Plouguer :

XX **Aub. du Poher,** ☎ 93.42.79, – P. GB
fermé 22 juin au 6 juil., et lundi – SC : **R** 40/80.

PEUGEOT Riou, Z.A., rte de Guingamp ☎ 93.00.39
RENAULT Autom. Centre Bretagne, rte de Rennes ☎ 93.18.22
TALBOT Gar. Le Saux, 72 av. Victor-Hugo ☎ 93.04.66

Begot, rte de Callac ☎ 93.05.41
Desserrey-Pneus, rte de Rostrenen ☎ 93.05.84

CARIGNAN **08110** Ardennes **56** ⑩ – 3 724 h. alt. 167 – ⊛ 24.

Paris 259 – Charleville-Mézières 42 – Dun-sur-Meuse 37 – Longuyon 49 – Sedan 20.

🏨 **Gd Cerf,** pl. de la Fontaine ☎ 22.05.88 – ⋔. . ch
◆ *fermé 15 août au 6 sept. et 25 au 31 déc.* – SC : **R** 25/75 ß – ☕ 10 – **17 ch** 40/72 – P 90/100.

RENAULT Gar. de la Chiers ☎ 22.00.04

CARMAUX 81400 Tarn 80 ⑪ – 13 368 h. alt. 241 – ⊛ 63.

Syndicat d'Initiative pl. Gambetta (1er juil.-31 août, fermé merc. et dim.) ☎ 76.76.67.

Paris 682 – Albi 16 – Rodez 62 – St-Affrique 87 – Villefranche-de-Rouergue 64.

Regina , 92 av. A.-Thomas ☎ 76.50.81, – wc wc ☎ – 40.
fermé nov. – SC : **R** *(fermé sam. hors sais.)* 45/100 – 12 – **16 ch** 85/145 – P 130/170.

à Mirandol-Bourgnounac N : 13 km par N 88 et D 605 – ✉ **81190.**

Voyageurs , ☎ 76.90.10 – rest
fermé 19 sept. au 3 oct. et dim. soir du 1er nov. au 1er avril – **R** 26/60 – 12 – 11 ch 44/75 – P 75/85.

CITROEN Gar. Revellat, 80 av. de Rodez ☎ 76.52.63 N
RENAULT Sallélès- Castro, 97 av. A.-Thomas ☎ 76.63.55
TALBOT Rey, 173 av. A.-Thomas ☎ 76.51.52
Auriol, 101 av. A.-Thomas ☎ 76.53.75
Carrère, 67 av. J.-Jaurès ☎ 76.53.14

CARNAC 56340 Morbihan 63 ⑫ **G. Bretagne** – 3 735 h. alt. 22 – ⊛ 97.

Voir Alignements du Ménec★★ Y, **de Kermario★** par ② – **Église St-Cornély★** Y **E** – **Tumulus St-Michel★** : ≤★ Y **F** – **Musée préhistorique★★** Y **M** – **Alignements de Kerlescan★** par ② : 4,5 km – **Tumulus du Moustoir★** par ② : 4 km, **de Kercado★** par ② : 4,5 km.

de St-Laurent-Ploemel, ☎ 24.31.72 N : 8 km par D 196.

Syndicat d'Initiative av. Druides (fermé lundi hors sais.) ☎ 52.13.52.

Paris 486 ② – Auray 13 ② – Lorient 37 ① – Quiberon 18 ① – Quimperlé 56 ① – Vannes 31 ②.

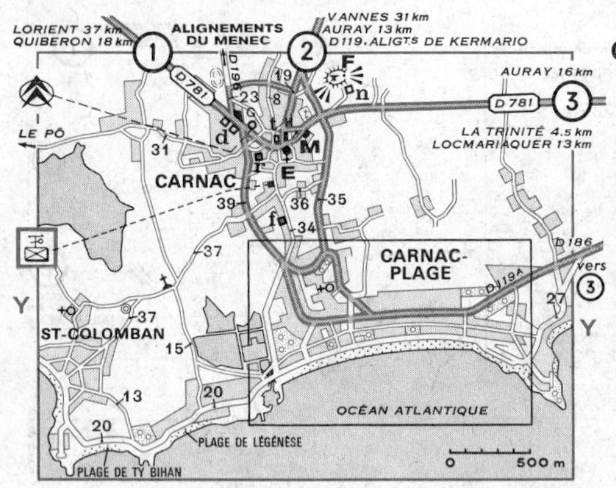

CARNAC ET CARNAC-PLAGE

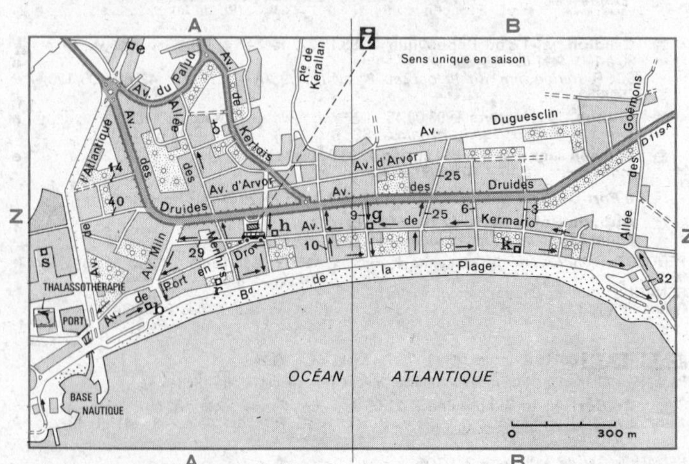

Novotel Tal Ar Mor M, av. Atlantique ☎ 52.16.66, Télex 950324, ≤, — rest TV ☎ ♿ P – 25. AE GB AZ **s**
fermé 14 nov. au 13 déc. – **R** snack carte environ 75 – 20 – **106 ch** 230/260 – P 285/385.

Diana M, 21 bd Plage ☎ 52.05.38, ≤ – TV P. rest AZ **r**
1er mai-fin sept. – SC : **R** *(fermé mardi hors sais.)* 120/180 – 22 – **32 ch** 221/282 – P 298/312.

Alignements M, 45 r. St-Cornély ☎ 52.06.30 – wc wc. Y **d**
1er juin-20 sept. – SC : **R** (dîner seul.) 50/70 – 12 – 27 ch 130/170.

Plancton M, 12 bd Plage ☎ 52.13.65, ≤ – wc wc ♿ P. AZ **b**
30 mars-6 oct. – SC : **R** 60/80 – 12 – 30 ch 105/175 – P 160/215.

Genêts, 45 av. Kermario ☎ 52.11.01, – wc wc P. rest
vacances de printemps et 1er juin-30 sept. – SC : **R** 60/75 – 15 – 33 ch 80/190 – P 150/200. BZ **g**

Armoric, 53 av. Poste ☎ 52.13.47, – wc wc P. AZ **e**
Pâques et 27 mai-15 sept. – SC : **R** 60/70 – 11 – 25 ch 80/145 – P 125/160.

Marine, pl. Chapelle ☎ 52.07.33 – wc wc. Y **t**
1er avril-15 oct. – SC : **R** *(fermé lundi hors sais.)* 60/100 – 11,50 – 36 ch 90/135 – P 140/160.

Tumulus, ☎ 52.08.21, ≤, – wc wc P. rest Y **n**
20 juin-10 sept. – SC : **R** 36/85 – 11 – 27 ch 70/170 – P 154/198.

Celtique sans rest., 17 av. Kermario ☎ 52.11.49 – wc wc P. AZ **h**
juin-20 sept. – SC : 12 – **35 ch** 65/150.

Dolmens sans rest, 35 r. St-Cornély ☎ 52.08.10, – wc wc Y **d**
sais. – **26 ch**.

Ker Ihuel, 59 bd Plage ☎ 52.11.38, ≤ – P. rest BZ **k**
Pâques et 28 mai-25 sept. – **R** 70 – 11 – 29 ch 75/132 – P 143/165.

Lann Roz avec ch, av. Poste ☎ 52.10.48, ≤, « Jardin fleuri » – wc.
fermé 15 nov. au 15 déc. et merc. hors sais. – SC : **R** 72/200 – 12 – **12 ch** 165. Y **f**

Le Râtelier avec ch, 4 chemin du Douet ☎ 52.05.04, – wc P. GB Y **r**
fermé oct., nov. et mardi – SC : **R** 40/100 – 12 – 10 ch 80/100 – P 160/185.

à ***Plouharnel*** par ① : 3 km – ✉ **56720** Plouharnel.
Voir Dolmens de Rondossec★.

Aub. de Kérank, rte Quiberon ☎ 52.01.41, ≤ – P
fermé 5 janv. au 5 fév. – SC : **R** 64.

CITROEN Piedcoq, ☎ 52.06.25 PEUGEOT Dréan, à Plouharnel ☎ 52.08.53

CARNON-PLAGE 34 Hérault 83 ⑦ – ✉ 34280 La Grande-Motte – 67.

Syndicat d'Initiative av. des Comtes (hors sais. matin seul., fermé nov. et dim.) ☎ 68.16.00.
Paris 765 – Aigues-Mortes 21 – ♦Montpellier 11.

Neptune M, ☎ 68.15.02, ≤, – wc ☎ P – 50. GB
fermé fév. – SC : **R** 40/70 – 12 – **52 ch** 153/162 – P 173/253.

CAROLLES 50740 Manche 59 ⑦ G. Normandie (plan) – alt. 60 – 33.

Voir Pignon Butor ≤★ NO : 1 km – Cabane Vauban ≤★ SO : 1 km puis 15 mn.
Paris 338 – Avranches 20 – Granville 11 – Le Mont-Saint-Michel 42 – St-Lô 67.

Relais de la Diligence, ☎ 61.86.42, – P.
fermé oct., 24 fév. au 6 mars, dim. soir et lundi – SC : **R** 38/85 – 8 – **36 ch** 35/57 – P 90/95.

CARPENTRAS SP 84200 Vaucluse 81 ⑫⑬ G. Provence – 25 463 h. alt. 102 – 90.

Voir Ancienne cathédrale de St-Siffrein★ : trésor★ BY **F.**
Office de Tourisme pl. 25 Août 1944 (fermé dim.) ☎ 63.00.78.
Paris 683 ⑥ – Aix-en-Provence 89 ⑤ – Avignon 24 ⑤ – Digne 139 ④ – Gap 150 ① – ♦Marseille 114 ⑤ – Montélimar 78 ⑥ – Le Puy 201 ⑥ – Salon-de-Provence 60 ⑤ – Valence 121 ⑥.

Plan page suivante

Safari M, Rte d'Avignon par ⑤ ☎ 63.35.35, – wc wc ♿ P – 25 à 50. AE E. rest
fermé 22 déc. au 15 janv. – SC : **R** *(fermé dim. soir hors sais.)* 44/105 – 15 – 42 ch 125/150 – P 200.

Fiacre sans rest, 153 r. Vigne ☎ 63.03.15 – wc wc. GB. CX **a**
fermé fév. – SC : 15 – **17 ch** 95/200.

Univers, pl. A.-Briand ☎ 63.00.05 – TV wc wc BZ **a**
fermé 1er au 22 déc. – SC : **R** *(fermé sam. hors sais.)* 30/65 – 12 – **25 ch** 55/135.

Marijo, 73 r. Raspail ☎ 63.18.96 – BX **e**
fermé dim. – **R** (prévenir) 40/60.

à Monteux par ⑤ : 4,5 km – 6 558 h. – ✉ 84170 Monteux :

- **La Genestière** Ⓜ, ℘ 62.27.04, Télex 431809, ⛱, 🌳, 🎾 – 📺 wc wc ☎ Ⓟ. GB E. rest
  SC : **R** *(fermé dim. soir hors sais.)* 48/72 – ☕ 15 – 20 ch 150/180 – P 230.
- **Select,** ℘ 62.27.91, ⛱ – 📺 wc ☎ Ⓟ. GB.
  fermé 1er au 22 nov. – SC : **R** *(fermé sam. midi)* 40/80 – ☕ 12 – **9 ch** 125/150 – P 165/180.

à Mazan par ③ : 7 km – ✉ 84380 Mazan :

- **Le Siècle** sans rest, ℘ 69.75.70 –
  fermé dim. soir hors sais. – ☕ 12 – **12 ch** 70/120.

AUDI-VOLKSWAGEN S.I.A.B., rte de Pernes ℘ 63.27.36
CITROEN Gar. Bernard, rte de Pernes ℘ 63.33.18
PEUGEOT Grimaud, rte de St-Didier ℘ 67.16.22
RENAULT S.O.V.A., rte Avignon ℘ 63.07.72
TALBOT Crescentini, 159 r. J.-Ferry ℘ 63.13.08

Ayme-Pneus, av. Pont-des-Fontaines et 131 bd Gambetta ℘ 63.11.73

CARQUEFOU 44 Loire-Atl. 67 ③ – rattaché à Nantes.

CARQUEIRANNE 83320 Var 84 ⑮ – 5 892 h. – 94.

Paris 852 – Draguignan 82 – Hyères 10 – ♦Toulon 14.

- **Richiardi** Ⓜ sans rest, port des Salettes ℘ 58.50.13, ≤ – wc wc ☎.
  1er juin-30 sept. – SC : ☕ 15 – **15 ch** 200.
- **Plein Sud** sans rest, av. Gén.-de-Gaulle ℘ 58.52.86 – wc wc ☎ ♿ Ⓟ.
  fermé 1er nov. au 15 déc. – SC : ☕ 14 – **17 ch** 100/140.
- ✕ **La Réserve** avec ch, port des Salettes ℘ 58.50.02, ≤ –
  fermé nov., vacances de fév., dim. soir et merc. hors sais. – SC : **R** 50 bc/135 bc – ☕ 9 – **18 ch** 53/68 – P 119/126.

CARROS 06510 Alpes-Mar. 84 ⑨, 195 ㉖ **G. Côte d'Azur** – 5 271 h. – 93.

Voir Site★ – ※★★ du vieux moulin.

Paris 941 – Antibes 33 – ♦Nice 25 – Puget-Théniers 52 – St-Martin-Vésubie 52 – Vence 16.

- **Host. Lou Castelet,** au plan de Carros SE : 4 km par D1 ℘ 08.12.49, ≤, 🌳 – wc wc ☎ Ⓟ – 60 à 200.
  fermé nov. et lundi – SC : **R** 40/120 – ☕ 10 – 20 ch 80/160 – P 120/130.

CARROUGES 61320 Orne 60 ② – 753 h. alt. 328 – ✪ 33.

Voir Château★ SO : 1 km, G. Normandie.

Syndicat d'Initiative à la Mairie (fermé sam. et dim.) ☎ 27.20.38.

Paris 209 – Alençon 29 – Argentan 23 – Domfront 39 – La Ferté-Macé 17 – Mayenne 54 – Sées 26.

St-Pierre, ☎ 27.20.02 – Ⓟ. GB
fermé fév. et merc. – SC : **R** 30/80 – ☐ 10 – **8 ch** 40/80 – P 100/140.

CITROEN Lehec, ☎ 27.20.13 Ⓝ

Les CARROZ-D'ARÂCHES 74 H.-Savoie 74 ⑧ **G. Alpes** – alt. 1 140 – Sports d'hiver : 1 140/2 100 m 1 13 – ✉ **74300** Cluses – ✪ 50.

Office de Tourisme (fermé dim. hors saison) ☎ 90.00.04.

Paris 598 – Annecy 73 – Bonneville 27 – Chamonix 51 – Cluses 13 – Megève 34 – Morzine 33.

Arbaron Ⓜ, ☎ 90.02.67, ←, – wc wc Ⓟ – 30. AE. rest
5 juin-15 sept. et 15 déc.-20 avril – SC : **R** 60/80 – ☐ 17 – 32 ch 120/185 – P 180/200.

Escale Blanche, ☎ 90.00.10, ← montagnes et vallée, – wc Ⓟ
12 déc.-10 mai – **R** 39/69 – ☐ 11 – **16 ch** 90/140 – P 117/180.

Croix de Savoie, S : 1 km ☎ 90.00.26, ← montagnes et vallée – wc Ⓟ.
1er juin-30 sept. et 1er déc.-30 avril – SC : **R** 45/70 – ☐ 11 – 19 ch 70/110 – P 115/142.

Pleasant hotels and restaurants
are shown in the Guide by a red sign.
Please send us the names
of any where you have enjoyed your stay.
Your Michelin Guide 1982 will be even better.

CARRY-LE-ROUET 13620 B.-du-R. 84 ⑫ **G. Provence** – 4 015 h. – Casino – ✪ 42.

Office de Tourisme à l'hôtel de Ville (fermé dim. sauf matin en saison) ☎ 45.00.08.

Paris 773 – Aix-en-Provence 40 – ♦Marseille 27 – Martigues 16 – Salon-de-Provence 51.

Modern'H., pl. C.-Pelletan ☎ 45.00.12 – wc wc Ⓟ. ch
1er mars-30 nov. – SC : **R** *(fermé merc. en hiver)* 45/60 – ☐ 15 – 14 ch 100/120 – P 180.

La Tuilière, rte Sausset ☎ 45.02.96 – Ⓟ.
hôtel : fermé nov. et vend. (d'oct. à juin) – SC : **R** *(1er juin-30 sept.)* 50/100 – ☐ 12 – **20 ch** 40/120 – P 140/160.

XXX ✿✿ **L'Escale,** ☎ 45.00.47, « Terrasses surplombant le port, belle vue » – AE
début mars-20 oct. et fermé lundi sauf le soir en juil. et août – SC : **R** (dim. prévenir) carte 155 à 210
Spéc. Casserole de poissons, Aiguillettes de St-Pierre Prince Vladimir, Langouste sauce estragon. Vins Château Simone, Cassis.

RENAULT Modern'Gar., ☎ 45.30.12

CARTERET 50 Manche 54 ① – voir à Barneville-Carteret.

CASSAGNES-BÉGONHÈS 12120 Aveyron 80 ⑫ – 1 136 h. alt. 530 – ✪ 65.

Paris 633 – Albi 60 – Millau 69 – Rodez 26 – St-Affrique 67 – Villefranche-de-Rouergue 72.

Voyageurs, ☎ 46.70.07 –
SC : **R** 32/58 – ☐ 12 – 14 ch 38/58 – P 78/80.

RENAULT Gar. Couderc, ☎ 46.71.18

CASSEL 59670 Nord 51 ④ **G. Nord de la France** (plan) – 2 492 h. alt. 175 – ✪ 28.

Voir Site★ – Jardin public ★★.

Paris 271 – Armentières 39 – Dunkerque 29 – Hazebrouck 14 – Ieper 32 – ♦Lille 53 – St-Omer 21.

XX **Sauvage,** ☎ 42.40.88
fermé 18 août au 11 sept., dim. soir et merc. – **R** 73/127.

CASSIS 13260 B.-du-R. 84 ⑬ **G. Provence** – 5 831 h. alt. 4 à 130 – Casino – ✪ 42.

Voir O : Les Calanques★★ : de Port Miou, de Port Pin★, d'En Vau★★ (à faire de préférence en bateau : 1 h) – Mt-de-la-Saoupe ★★ E : 2 km par D 41 A.

Env. Cap Canaille ←★★★ E : 9 km par D 41 A – Corniche des Crêtes★★ de Cassis à la Ciotat E : 16 km par D 41 A.

Office de Tourisme pl. Baragnon (fermé mardi et sam. hors sais.) ☎ 01.71.17.

Paris 803 ① – Aix-en-Provence 46 ② – La Ciotat 11 ② – ♦Marseille 23 ① – ♦Toulon 44 ②.

CASSIS

Abbé-Mouton (R.) 2
Agostini (Av. E.) 3
Arène (R. de l') 4
Autheman (R. V.) 5
Baragnon (Pl.) 6
Barthélemy (Bd) 7
Barthélemy (Quai Jean-Jacques) 8
Baux (Quai des) 9
Ciotat (R. de la) 10
Clemenceau (Pl.) 12
Isnard (Av. A.) 15
Jaurès (Av. J.) 16
Leriche (Av. Professeur) 17
Lombards (Promenade des) 19
Mirabeau (Pl.) 22
Moulins (Q. des) 23
République (Pl.) 25
Revestel (Av. du) 26
St-Michel (Pl.) 27
Thiers (R. Adolphe) 29
Victor-Hugo (Av.) 32
Viguerie (Av. de la) 33

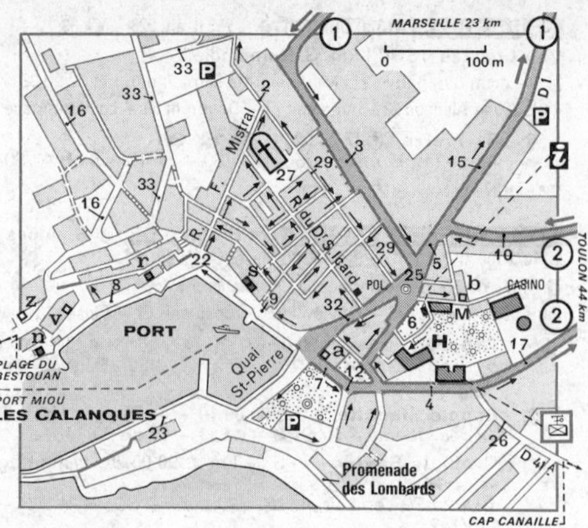

Rade Ⓜ sans rest, av. Dardanelles **(z)** ☏ 01.02.97, 🏊 – AE ⓓ
15 mars-31 oct. – SC : ☕ 14 – **24 ch** 120/170.

Plage et rest Bestouan, plage Bestouan O : 0,7 km ☏ 01.05.70, < – |≑|. ✗ ch
15 mars-15 oct. – SC : **R** carte 80 à 115 – ☕ 14 – **29 ch** 75/210 – P 170/220.

Roches Blanches 🐚, rte Port-Miou SO : 1 km ☏ 01.09.30, « Jardins en terrasse avec < mer et Cap Canaille », 🌳 – |≑| TV **P**. GB ⓓ
début mars-fin oct. – SC : **R** snack (pour résidents seul.) – ☕ 13 – **34 ch** 70/250.

Les Jardins du Campanile 🐚 sans rest, par ① : 1 km ☏ 01.84.85, 🏊, 🌳 – **P**. AE GB ⓓ
1er avril-5 oct. – SC : ☕ 18 – **30 ch** 180/250.

Vieux Moulin Ⓜ 🐚 sans rest, 3 av. Verdun par ① ☏ 01.18.28, <, 🌳 – TV 🛁wc 🚿wc ☎ – **30 ch**.

Gd Jardin Ⓜ sans rest, 2 r. P.-Eydin **(b)** ☏ 01.70.10 – 🛁wc 🚿wc ☎ 🚗. AE GB ⓓ E. ✗
fermé janv. – SC : ☕ 12 – **27 ch** 80/140.

Liautaud, 2 r. Victor-Hugo **(a)** ☏ 01.75.37, < port – |≑| 🛁wc 🚿wc ☎ 🚗. 🚌. ✗ ch
fermé nov. – SC : **R** 41/80 – ☕ 10 – 32 ch 85/140 – P 128/160.

Golfe sans rest, quai Barthélémy **(v)** ☏ 01.00.21, < – 🚿wc ☎. 🚌. ✗
mars-10 nov. – SC : ☕ 12 – **30 ch** 120/140.

XXX **La Presqu'île,** quartier Port-Miou 50 ☏ 01.03.77, < – **P**. AE ⓓ
fermé 1er janv. au 28 fév., dim. soir et lundi hors sais. – SC : **R** carte 145 à 190.

XX ✿ **Chez Gilbert,** quai Baux **(s)** ☏ 01.71.36, < – AE GB ⓓ
fermé 15 déc. au 15 fév., dim. soir et mardi hors sais. – SC : **R** carte 110 à 160
Spéc. Sardines farcies aux épinards, Pieds et paquets, Matelote de fielas (oct. à déc.). Vins Cassis.

XX **Le Flibustier,** impasse Gd Carnot **(n)** ☏ 01.02.73, < – AE ⓓ E
fermé 2 mars au 2 avril et jeudi – SC : **R** carte 110 à 185.

XX **Nino,** quai Barthélemy **(r)** ☏ 01.74.32, <
1er mars-30 nov., fermé dim. soir hors sais. et lundi – SC : **R** carte 120 à 150.

XX Chez Gève, quai Baux **(s)** ☏ 01.78.22, <.

CASTAGNIERS 06 Alpes-Mar. 84 ⑨, 195 ㉖ – 958 h. alt. 340 – ✉ **06670** St-Martin-du-Var – ✆ 93.

Voir Aspremont : ✳★ de la terrasse de l'ancien château SE : 4 km, **G. Côte d'Azur.**

Paris 944 – Antibes 35 – Cannes 44 – Contes 25 – Levens 15 – ✦Nice 18 – Vence 23.

Michel 🐚, ☏ 08.05.15, <, 🏊 – 🚿 **P**. ✗ ch
SC : **R** *(fermé merc.)* 40/75 🍷 – ☕ 10 – **11 ch** 50/70 – P 80/105.

à Castagniers-les-Moulins O : 6 km – ✉ **06670** St-Martin-du-Var :

XX **Les Moulins** avec ch, N 202 ☏ 08.10.62, 🌳 – ▤ rest 🚿 **P**. 🚌
fermé 15 au 30 oct. – SC : **R** *(fermé merc.)* 45/90 – ☕ 10 – 15 ch 60/100 – P 100/120.

CITROEN Ciossa-Autos, ☏ 08.13.48

CASTEIL 66 Pyr.-Or. 86 ⑰ – rattaché à Vernet-les-Bains.

Le CASTELET 09 Ariège 86 ⑮ – rattaché à Ax-les-Thermes.

CASTELJALOUX 47700 L.-et-G. 79 ⑬ **G. Côte de l'Atlantique** – 5 440 h. alt. 69 – 58.

Paris 657 – Agen 55 – Langon 40 – Marmande 25 – Mont-de-Marsan 73 – Nérac 30.

Cordeliers sans rest, r. Cordeliers ☎ 93.02.19 – wc ☎ P
SC : ☕ 10 – **24 ch** 50/130.

Gd H. Cadets de Gascogne, pl. Gambetta ☎ 93.00.59, – wc ☎ P. GB. rest
fermé lundi du 1er oct. à Pâques – SC : **R** 50/120 – ☕ 12 – 15 ch 55/140 – P 150/200.

Vieille Auberge avec ch, r. Posterne ☎ 93.01.36 – . AE GB
fermé 22 au 30 juin, 1er au 15 oct., 24 au 31 janv. mardi soir et merc. – SC : **R** 45/85 – ☕ 9 – 4 ch 45/55.

CITROEN Dubrana, ☎ 93.01.59 RENAULT Gloriant, ☎ 93.05.96

CASTELLANE 04120 Alpes-de-H.-P. 81 ⑱ **G. Côte d'Azur** – 1 261 h. alt. 724 – 92.

Voir Route de Demandolx ≤** sur lac de Chaudanne* et lac de Castillon* par ①.

Syndicat d'Initiative à la Mairie (fermé sam. après-midi et dim.) ☎ 83.61.14.

Paris 798 ③ – Digne 54 ③ – Draguignan 60 ② – Grasse 63 ① – Manosque 112 ③.

CASTELLANE

Les plans de villes sont orientés le Nord en haut.

Nouvel H. Commerce M, pl. Église **(e)** ☎ 83.61.00 – wc wc ☎ P. rest
5 avril-5 nov. – SC : **R** 45/120 – ☕ 15 – 44 ch 90/180 – P 170/180.

Ma Petite Auberge, (n) ☎ 83.62.06 – wc
mars-fin oct. – SC : **R** 40/120 – ☕ 12 – **18 ch** 50/110 – P 120/160.

Verdon, **(v)** ☎ 83.62.02 – wc ☎
sais. – 18 ch.

PEUGEOT Castellane-Gar., ☎ 83.61.62

Le CASTELLET 83 Var 84 ⑭ **G. Côte d'Azur** – 2 038 h. alt. 283 – ✉ **83330** Le Beausset – 94.

Circuit automobile permanent N : 11 km.

Paris 823 – Brignoles 50 – La Ciotat 18 – ♦Marseille 45 – ♦Toulon 20.

Castel Lumière M avec ch, au village ☎ 90.62.20, ≤ montagnes et vallées – wc wc ☎. AE
fermé 15 au 30 nov. et mardi hors sais. – SC : **R** 59/92 – 5 ch (1/2 pension seul.).

à Ste-Anne-du-Castellet N : 4,5 km par D 226 et D 26 – ✉ **83330** Le Beausset :

Motel M, ☎ 90.60.08, , – wc ☎ P. AE GB rest
SC : **R** 40/65 – ☕ 12 – 20 ch 90/135 – P 180/195.

CASTELNAUDARY 11400 Aude 82 ⑳ **G. Causses** – 10 847 h. alt. 165 – 68.

Paris 765 ⑥ – Carcassonne 40 ④ – Foix 65 ④ – Pamiers 49 ⑤ – ♦Toulouse 59 ④.

Plan page suivante

Palmes M, 10 r. Mar.-Foch ☎ 23.03.10, Télex 500372 – TV – 30. AE GB E AYZ **b**
SC : **R** 50/95 – ☕ 12 – **20 ch** 60/140 – P 150/180.

France et Notre-Dame, 2 r. F.-Mistral ☎ 23.10.18 – wc ☎ P – 100. AY **r**
SC : **R** 38/60 – ☕ 13 – **30 ch** 59/145.

Centre et Lauragais, 31 cours République ☎ 23.14.31 – wc ☎ .
fermé 2 nov. au 5 déc. – SC : **R** 35/55 – ☕ 10 – **16 ch** 75/100. AY **n**

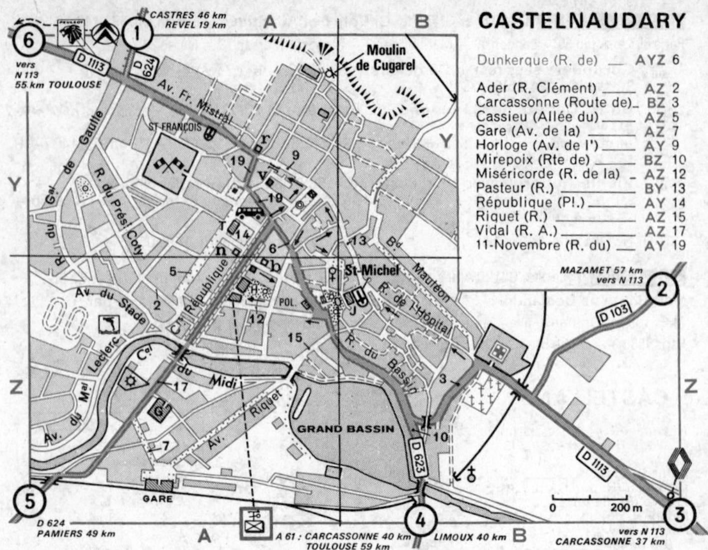

CASTELNAUDARY

Dunkerque (R. de) ___ AYZ 6

Ader (R. Clément) ___ AZ 2
Carcassonne (Route de) ___ BZ 3
Cassieu (Allée du) ___ AZ 5
Gare (Av. de la) ___ AZ 7
Horloge (Av. de l') ___ AY 9
Mirepoix (Rte de) ___ BZ 10
Miséricorde (R. de la) ___ AZ 12
Pasteur (R.) ___ BY 13
République (Pl.) ___ AY 14
Riquet (R.) ___ AZ 15
Vidal (R. A.) ___ AZ 17
11-Novembre (R. du) ___ AY 19

XX **Fourcade** avec ch, 14 r. Carmes ☎ 23.02.08 – wc wc.
fermé 1er fév. au 3 mars et merc. hors sais. – SC : **R** 40/70 – 9,50 – **19 ch** 50/165. AY **v**

X **L'Auberge,** 22 cours République ☎ 23.15.32 AYZ **b**
fermé 10 au 31 déc., vend. soir et sam. – SC : **R** 30/60.

AUDI-VOLKSWAGEN Pichot, 148 av. F.-Mistral ☎ 23.13.77
CITROEN Lauragais-Automobiles, rte de Toulouse ☎ 23.00.78
OPEL-G.M. Dupont-Magnabal, rte Carcassonne ☎ 23.13.36
PEUGEOT Gar. du Lauragais, rte Toulouse ☎ 23.13.08
RENAULT Franco, rte de Carcassonne ☎ 23.18.82
Central-Pneu, rte Carcassonne ☎ 23.11.44

CASTELNAUD-DE-GRATECAMBE 47 L.-et-G. 79 ⑤ – 428 h. alt. 212 – ✉ **47290** Cancon – 58 – Paris 600 – Agen 41 – Bergerac 48 – Marmande 48 – Villeneuve-sur-Lot 12.

Bellevue, N 21 ☎ 01.63.06, ≤, –
fermé 15 fév. au 20 mars, dim. soir et lundi du 1er oct. au 15 avril – SC : **R** 32/80 – 10 – 13 ch 45/80.

RENAULT Sanson, ☎ 01.63.12

CASTELNAU-MAGNOAC 65230 H.-Pyr. 85 ⑩ – 964 h. alt. 350 – 62.
Paris 753 – Auch 41 – Lannemezan 26 – Mirande 34 – St-Gaudens 43 – Tarbes 45 – ♦Toulouse 94.

Dupont, ☎ 99.80.02, ≤ – wc wc – 40
SC : **R** 30/50 – 8 – **28 ch** 35/75 – P 85/110.

CASTELNOU 66 Pyr.-Or. 86 ⑲ **G. Pyrénées** – 159 h. alt. 350 – ✉ **66300** Thuir – 68.
Paris 928 – Argelès-sur-Mer 32 – Céret 29 – ♦Perpignan 19 – Prades 37.

XX **La Poterie,** ☎ 06.45.75 –
fermé 1er sept. au 1er oct., 5 au 16 janv., mardi soir et merc. sauf du 14 juin au 31 août – SC : **R** 40/80.

X **L'Hostal,** ☎ 06.45.42
fermé 12 nov. au 20 déc., merc. soir et lundi – SC : **R** 35 bc/85 bc.

CASTELPERS 12 Aveyron 80 ⑫ – rattaché à Naucelle.

CASTÉRA-VERDUZAN 32410 Gers 82 ④ – 719 h. alt. 180 – Stat. therm. (1er mai-31 oct.) – 62 – Paris 700 – Agen 59 – Auch 25 – Condom 19.

Thermes, ☎ 28.53.07 – wc wc – 30. AE GB E
fermé 1er au 28 fév. vend. soir et sam. hors sais. – SC : **R** 29/120 – 9 – **24 ch** 50/90 – P 100/115.

X **Florida-Besant** avec ch, ☎ 28.53.22 – wc wc. GB
fermé 12 nov. au 2 déc., dim. soir et lundi – **R** 32/130 – 12 – **28 ch** 36/110 – P 140/150.

CASTÉTIS 64 Pyr.-Atl. 85 ⑤ – rattaché à Orthez.

CASTETS 40260 Landes 78 ⑯ – 1 517 h. alt. 48 – ✪ 58.
Paris 684 – •Bayonne 55 – Belin 75 – •Bordeaux 120 – Dax 22 – Mimizan 51 – Mont-de-Marsan 60.

Côte d'Argent, ☎ 57.40.33 – 🚗 Ⓟ.
1er avril-31 oct. – SC : **R** 40/65 – ☕ 8,50 – 12 ch 45/60 – P 100/110.

PEUGEOT Bertoni, ☎ 57.41.19 TALBOT Modern'Gar., ☎ 57.40.21 N

CASTILLON 06 Alpes-Mar. 84 ⑳, 195 ⑱ – rattaché à Menton.

CASTILLON-DU-GARD 30 Gard 80 ⑲, 81 ⑪ – rattaché à Pont-du-Gard.

CASTILLON-LA-BATAILLE 33350 Gironde 75 ⑫⑬ – 3 177 h. alt. 20 – ✪ 56.
Paris 542 – Bergerac 43 – •Bordeaux 49 – Langon 42 – Libourne 18 – Périgueux 76.

XX **La Bonne Auberge** avec ch, r. 8-Mai 1945 ☎ **40.11.56** –
fermé 1er au 31 oct. et sam. hors sais. – SC : **R** 40/120 – ☕ 11 – 10 ch 65/150 – P 88/110.

CITROEN Anconière, ☎ 40.04.26 Maison du Pneu, ☎ 40.11.67

CASTILLONNES 47330 L.-et-G. 79 ⑤ **G. Périgord** – 1 444 h. alt. 119 – ✪ 58.
Paris 579 – Agen 62 – Bergerac 27 – Cahors 88 – Marmande 43 – Villeneuve-sur-Lot 33.

Belvédère, ☎ 01.80.20, – wc Ⓟ
7 ch.

CITROEN Delmon, ☎ 36.80.06
PEUGEOT Lasgoute, ☎ 36.80.34 N
RENAULT Destang, ☎ 36.80.21
TALBOT Magimel, ☎ 36.82.99

CASTRES SP **81100** Tarn 83 ① **G. Causses** – 47 527 h. alt. 172 – ✪ 63.
Voir Musée★ : oeuvres de Goya★★ BZ **H** – **Env. le Sidobre★★ 9 km par ②.**
Office de Tourisme pl. Alsace-Lorraine (fermé lundi sauf après-midi en saison et dim.) ☎ 59.92.44 - A.C. 6 r. E.-de-Villeneuve ☎ 59.84.40.
Paris 731 ⑧ – Albi 42 ① – Béziers 102 ④ – Carcassonne 65 ④ – •Toulouse 71 ⑥.

Occitan M sans rest, 201 av. Ch.-De-Gaulle par ④ ☎ 35.34.20 – P. GB.
fermé 20 déc. au 5 janv. et sam. d'oct. à juin – SC : ☕ 14 – **30 ch** 130/170.

Gd Hôtel, 11 r. Libération ☎ 59.00.30 – TV wc wc ☎. AE GB E
fermé 15 déc. au 15 janv. – SC : **R** *(fermé sam.)* 50/90 – ☕ 11 – **36 ch** 110/150. BZ **n**

La Caravelle, 150 av. Roquecourbe ☎ 59.27.72, ≤, « Terrasse au bord de l'eau » – P. AE GB E BY **u**
15 juin-15 sept. et fermé sam. – SC : **R** 50/90.

Chapon Fin, 8 quai Tourcaudière ☎ 59.06.17 – GB BY **b**
fermé 15 au 31 juil., 1er au 15 fév. et jeudi – **R** 35/82.

Barberousse, 7 r. Malpas ☎ 59.14.43 BY **e**
fermé 1er au 15 août, Noël et lundi – SC : **R** 30/90.

Les Salvages par ② : 5 km – ✉ **81100** Castres :

Café du Pont, ☎ 35.08.21, ≤, – AE E.
fermé fév. et lundi – SC : **R** 45/120.

ALFA-ROMEO, MERCEDES-BENZ, **OPEL** Mauriès, rte Toulouse, Zone Ind. Mélou ☎ 59.16.30
AUDI-VOLKSWAGEN Gar. Négrier, rte Toulouse, Zone Ind. de la Chartreuse ☎ 59.30.55
AUSTIN, MORRIS, TRIUMPH Gar. Gonzales, 8 bd Carnot ☎ 59.24.10
CITROEN Lloret, rte Toulouse à Mélou ☎ 59.00.44 N ☎ 59.44.42
FIAT, LANCIA-AUTOBIANCHI S.A.T.A., 111 av. Albert-1er ☎ 59.26.22
FORD Chambon, rte de Toulouse, Zone Ind. Mélou ☎ 59.02.52
PEUGEOT Boyeldieu, rte Toulouse, Zone Ind. de Mélou ☎ 59.11.12
RENAULT Sté Tarnaise Autom., rte Toulouse, Mélou ☎ 59.41.17
TALBOT Gar. Maurel, r. de Crabié ☎ 59.52.19

Bernard, 52 bd de l'Arsenal ☎ 59.07.26
Escoffier-Pneus, 215 av. Albert-1er ☎ 59.27.00
P.A.P.I.-Pneus, 88 rte Toulouse, Zone Ind. Mélou ☎ 59.33.83
Pneus-Service, 9 allées Corbières ☎ 59.33.22

Le CATELET 02 Aisne 53 ⑬⑭ – 272 h. alt. 92 – ✉ **02420** Bellicourt – 23.

Paris 167 – Cambrai 21 – Le Cateau 26 – Laon 64 – Péronne 28 – St-Quentin 18.

Croix d'Or, ☎ 66.21.71 – P
fermé 3 au 10 août, 4 au 26 janv., dim. soir et lundi – SC : **R** 60/110.

Le CATON 73 Savoie 74 ⑮ – rattaché au Bourget-du-Lac.

CATUS 46150 Lot 79 ⑦ G. Périgord – 674 h. alt. 168 – 65.

Paris 587 – Cahors 16 – Gourdon 28 – Villeneuve-sur-Lot 65.

à St-Médard-Catus SO : 5 km – ✉ **46150** Catus :

Gindreau, ☎ 36.22.27, ≤
fermé 8 au 16 sept., fév., mardi soir et merc. hors sais. et lundi en juil. et août – SC : **R** (dim. prévenir) 42/115.

RENAULT Gar. Gavet, ☎ 36.70.70 N

CAUDEBEC-EN-CAUX 76490 S.-Mar. 55 ⑤ G. Normandie (plan) – 2 729 h. – 35.

Voir Église★ – Vallon de Rançon★ NE : 2 km – Pont de Brotonne★ : péage : auto 10 F, camion et véhicule supérieur à 9 t. 7 à 22 F, E : 1,5 km.

Syndicat d'Initiative à la Mairie (fermé sam. après-midi et dim.) ☎ 96.11.12.

Paris 167 – Lillebonne 16 – ♦Rouen 36 – Yvetot 12.

Marine, quai Guilbaud ☎ 96.20.11, Télex 770404, ≤, – P – 60. AE GB E
fermé 3 janv. au 8 fév. – SC : **R** (dim. et fêtes prévenir) 65/130 - **Grill R** 40 bc/50 bc – ☕ 15 – **34 ch** 70/180 – P 190/250.

Manoir de Rétival sans rest, ☎ 96.11.22, ≤ vallée de la Seine, parc – wc wc ☎ P – 30. AE
mars-30 nov. – SC : ☕ 18 – **12 ch** 100/250.

Normandie avec ch, quai Guilbaud ☎ 96.25.11, ≤ – wc ☎ P. GB
fermé 1er au 15 sept. et vacances de fév. – SC : **R** *(fermé dim. soir et lundi midi)* 32/75 – ☕ 9,50 – 11 ch 42/100.

CITROEN Modern'Gar., ☎ 96.20.44
PEUGEOT Gar. du Centre, ☎ 96.12.45
TALBOT Gar. Buquet, ☎ 96.13.44

CAUDON-DE-VITRAC 24 Dordogne 75 ⑰ – rattaché à Vitrac.

CAUDRY 59540 Nord 53 ④ – 13 633 h. alt. 119 – 27.

Paris 192 – Cambrai 15 – Le Cateau 11 – ♦Lille 79 – St-Quentin 37 – Valenciennes 30.

Nouvel H., 5 r. St-Quentin ☎ 85.12.48 – wc P. GB. rest
SC : **R** *(fermé sam. soir et dim.)* 34/56 – **24 ch** ☕ 50/110 – P 82 bc/110 bc.

à Ligny-en-Cambrésis SO : 3 km par D 16 – ✉ **59191** Ligny-en-Cambrésis :

Château de Ligny ⑤, ☎ 85.25.84, Télex 820211, parc – **P**. AE
fermé janv. – SC : **R** *(fermé lundi midi)* carte 120 à 165 – ☕ 20 – **6 ch** 250/300, 3 appartements 600.

Route de Cambrai O : 4 km – ✉ **59157** Beauvois-en-Cambrésis :

XX **La Buissonnière,** ☎ 85.29.97 – **P**. GB
fermé 17 août au 2 sept., dim. soir et lundi – SC : **R** 50/130.

PEUGEOT Caudry-Autom., 20 av. J.-Guesde ☎ 85.25.61
TALBOT Lefort, 154 r. République ☎ 85.06.13
Daffé Pneus, 35 r. de la Paix ☎ 85.15.24

CAULIÈRES 80 Somme **52** ⑰ – rattaché à Poix de Picardie.

CAUSSADE 82300 T.-et-G. **79** ⑱ **G. Périgord** – 5 890 h. alt. 109 – ✪ 63.
Paris 632 – Albi 72 – Cahors 39 – Montauban 22 – Villefranche-de-Rouergue 51.

Dupont, r. Recollets ☎ 93.05.02 – wc wc ☎ **P**. . ✗
fermé 1er au 15 nov. et vend. soir d'oct. à mai – SC : **R** 30/120 – ☕ 10,50 – 32 ch 55/100.

PEUGEOT Soccol, ☎ 93.09.87
RENAULT Mousquetaires-Autom., ☎ 93.10.26
TALBOT Bayol, ☎ 93.22.22
Caussade Pneu, ☎ 93.18.30
La Maison du Pneu, ☎ 93.10.91

CAUTERETS 65110 H.-Pyr. **85** ⑰ **G. Pyrénées** – 1 065 h. alt. 932 – Stat. therm. – Sports d'hiver : 932/2 300 m 2 13 – Casino – ✪ 62.

Voir Cascade** et vallée* de Lutour S : 2,5 km par N 21c – Route et site du pont d'Espagne** (chutes du Gave) au Sud par N 21c.

Env. SO : Site** du lac de Gaube, accès du pont d'Espagne par télésiège puis 1 h.

Office de Tourisme pl. Hôtel de Ville ☎ 97.50.27, Télex 530337.

Par ① : Paris 821 – Argelès-Gazost 17 – Lourdes 30 – Tarbes 50.

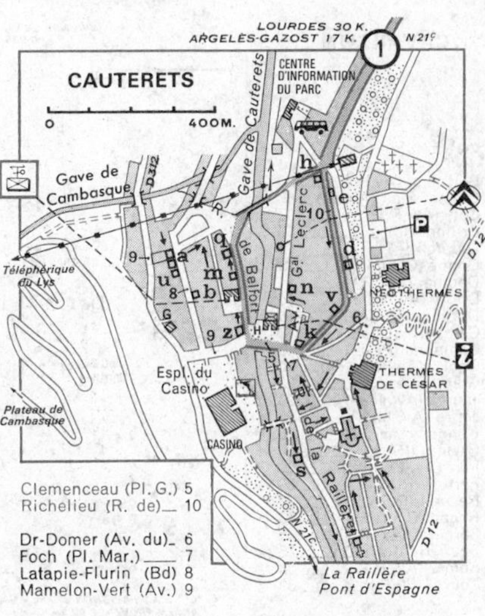

Trois Pics M, bd Leclerc **(n)** ☎ 92.53.64, ← – wc ☎ – 25.
1er juin-5 nov. et 20 déc.-20 avril – **R** 55/100 – ☕ 12 – **30 ch** 100/170 – P 165/195.

Etche Ona, r. Richelieu **(d)** ☎ 92.51.43 – wc wc ☎
1er mai-30 sept. et 15 déc.-20 avril – SC : **R** 32/80 – ☕ 12 – **35 ch** 52/130 – P 115/150.

Bellevue et George V, pl. Gare **(h)** ☎ 92.50.21 – wc wc ☎. ✗ rest
fermé oct. et nov. – SC : **R** 40 – ☕ 15 – **41 ch** 105/115 – P 130/140.

Mouré, r. Belfort **(q)** ☎ 92.51.09 – wc wc ☎ **P**. AE E. ✗ rest
4 mai-4 oct. et 15 déc.-20 avril – SC : **R** 30/100 – ☕ 12 – **36 ch** 40/140 – P 110/180.

Victoria, bd Latapie-Flurin **(a)** ☎ 92.50.43 – wc wc ☎. . ✗ rest
10 mai-fin sept. et 20 déc.-fin avril – SC : **R** 35/44 – ☕ 10,50 – **30 ch** 53/134 – P 107/156.

Du Sacca, bd Latapie-Flurin **(a)** ☎ 92.50.02 – wc wc ☎. . ✗ rest
fermé nov. – SC : **R** 30/65 – ☕ 9,50 – **30 ch** 55/140 – P 110/160.

Les Édelweiss, bd Latapie-Flurin **(u)** ☎ 92.52.75 – wc wc ☎. ✗
Pâques, 1er juin-30 sept., vacances scolaires de Noël et fév. – SC : **R** 37/40 – ☕ 9 – **26 ch** 60/120 – P 125/140.

Ste Cécile, bd Latapie-Flurin **(b)** ☎ 92.50.47, – rest wc ☎. ✗
fermé 15 oct. au 15 déc. – SC : **R** 38/70 – ☕ 10 – **36 ch** 40/105 – P 112/160.

Ambassadeurs, r. Richelieu **(v)** ☎ 92.50.46 – wc ☎. ✗
20 mai-30 sept. et 15 déc.-20 avril – SC : **R** 35/50 – ☕ 10 – **24 ch** 58/100 – P 100/140.

Centre et Poste, r. Belfort **(m)** ☎ 92.52.69 – |‡| ⌂wc ⋒ ☎
1er mai-30 sept. et 20 déc.-Pâques – SC : **R** 35/60 – ☕ 10 – **40 ch** 45/110 – P 85/110.

Paris sans rest, pl. Mar.-Foch **(k)** ☎ 92.53.85 – |‡| cuisinette ⌂wc ⋒wc ☎. ✂
fermé 2 nov. au 4 déc. – SC : ☕ 11 – **15 ch** 75/125.

La Rotonde, 38 r. Richelieu **(e)** ☎ 92.52.68 – ⋒wc. ✂ rest
fermé 1er nov. au 20 déc. – SC : **R** 35/50 – ☕ 8,50 – 22 ch 40/100.

Le Peguère, r. Raillère **(s)** ☎ 92.51.08, ≤ – ⌂. ✂
5 mai-30 sept. et vacances scolaires – SC : **R** 35/40 – ☕ 9 – **16 ch** 50/65 – P 90/98.

Astoria sans rest, av. Mamelon-Vert **(z)** ☎ 92.53.77 – ⌂wc ⋒ ☎
fermé 30 sept. au 15 déc. – SC : ☕ 9 – **19 ch** 39/85.

à La Fruitière S : 6 km par N 21c et RF – alt. 1 400 – ✉ **65110** Cauterets :

Host. La Fruitière ⛰ avec ch, ☎ 92.52.04, ≤ – **P**
15 mai-1er oct. – SC : **R** *(fermé dim. soir)* (dim. prévenir) 30/64 – ☕ 10 – **8 ch** 54 – P 110/130.

au Pont d'Espagne SO : 8 km par N 21c – alt. 1 497.

Pont d'Espagne ⛰ avec ch, ✉ 65110 Cauterets ☎ 92.54.10, ≤ – 🚗. ✂
1er avril-10 oct. – SC : **R** 26/79 – ☕ 7,50 – 16 ch 42 – P 70/80.

CITROEN Dansaut, ☎ 97.51.01

Pour bien lire les plans de villes, voir signes et abréviations p. 20.

CAVAILLON 84300 Vaucluse 81 ⑫ G. Provence – 21 530 h. alt. 75 – ✪ 90.

Voir Musée : collection archéologique* M – Chapelle St-Jacques ☀* par ① : 3,5 km B.

Syndicat d'Initiative r. Saunerie (fermé sam. après-midi hors sais. et dim.) ☎ 71.32.01.

Paris 704 ④ – Aix-en-P. 52 ④ – Arles 43 ④ – Avignon 27 ④ – Manosque 71 ②.

CAVAILLON

Bournissac (Cours) 3
Castil-Blaze (Pl.) 5
Clos (Pl. du) 7
République (R. de la) 34
Victor-Hugo (Cours) 40

Berthelot (Av.) 2
Clemenceau (Av. G.) 6
Coty (Av. R.) 9
Crillon (Bd) 10
Diderot (R.) 12
Donné (Chemin) 13
Doumer (Av. P.) 14
Dublé (Av. Véran) 15
Durance (R. de la) 16
Gambetta (Cours L.) 17
Gambetta (Pl. L.) 19
Gaulle (Av. Gén. de) 20
Grand-Rue 22
Jaurès (Av. Jean) 23
Joffre (Av. Mar.) 25
Kennedy (Av. J.F.) 26
Pasteur (R.) 28
Péri (Av. Gabriel) 29
Pertuis (Rte de) 30
Raspail (R.) 32
Renan (Cours E.) 33
Sarnette (Av. Abel) 35
Saunerie (R.) 36
Sémar (Av. P.) 38
Tourel (Pl. F.) 39

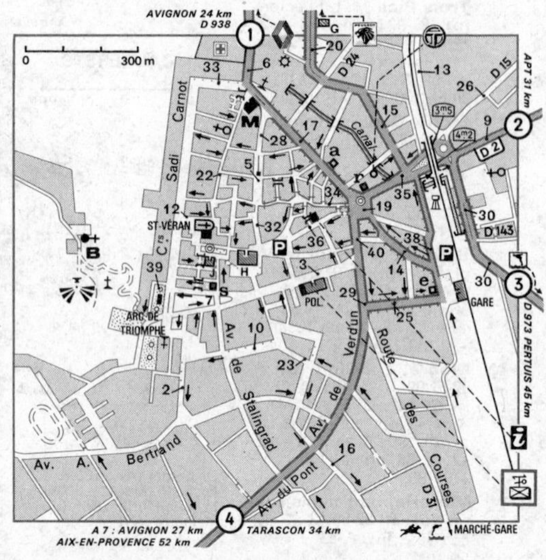

Christel ⛰, à Boscodomini par ④ ☎ 71.07.79, Télex 431547, ≤, ⛱ – |‡| ▤ ☎ **P** – 🏃 300. AE GB ⓞ
SC : **R** *(fermé week-ends et fériés hors sais.)* 65 – ☕ 13 – **105 ch** 150/180, 4 appartements 280 – P 180/250.

Toppin, 70 cours Gambetta (1er étage) **(a)** ☎ 71.30.42 – ⌂wc ⋒wc ☎ **P**. 🚗 GB
fermé 20 déc. au 20 janv. – **R** *(fermé dim. hors sais.)* 38/65 – ☕ 10 – **32 ch** 60/120 – P 120/145.

Fin de Siècle, 46 pl. Du Clos **(s)** ☎ 71.12.27
fermé 8 au 20 sept. et merc. – **R** carte 80 à 130.

Lou Miradou, 13 pl. Gambetta (1er étage) **(r)** ☎ 78.01.56 – GB
fermé déc. et mardi hors sais. – SC : **R** 32/65.

CITROEN Chabas, rte d'Avignon, q. du Grand-Grès ☎ 71.27.40
FORD Central Gar., av. Paul-Doumer ☎ 71.14.80
PEUGEOT Gar. Berbiguier, rte Isle-sur-Sorgue ☎ 71.39.23
RENAULT Bayle, 287 av. G.-Clemenceau ☎ 71.34.96

TALBOT SODIFA., 36 r. Pomme-d'or ☎ 71.33.14

Chabas, 339 route des Courses ☎ 71.04.73
Chiabaut, 154 av. Stalingrad ☎ 78.03.91
Comptoir de L'Auto, 261 av. G.-Chauvin ☎ 71.25.16
Pneus-Atrini, 154 cours Gambetta ☎ 78.01.44

CAVALAIRE-SUR-MER 83240 Var 84 ⑰ G. Côte d'Azur – 2 916 h. alt. 5 à 150 – 94.

Office de Tourisme square de-Lattre-de-Tassigny (fermé nov., sam. après-midi et dim. hors saison) ☎ 72.08.28.

Paris 899 – Draguignan 58 – Le Lavandou 21 – St-Tropez 18 – Ste-Maxime 22 – ♦Toulon 61.

Calanque, r. Calanque ☎ 72.04.27, ≤ mer, – ☎ P. GB.
15 mars-5 oct. – SC : **R** 70/150 – 13 – 32 ch (pens. seul.) – P 190/235.

Alizés, prom. Mer ☎ 72.09.32, ≤, – wc wc ☎ P
fermé 1er nov. au 15 déc. – SC : **R** 30/53 – 15 – 18 ch 170/190 – P 220/250.

Pergola M, av. Port ☎ 72.06.86 – wc wc ☎ P
1er fév.-fin oct. – SC : **R** 52, dîner à la carte – 12 – **29 ch** 138/145 – P 165/175.

Bonne Auberge, rte Nationale ☎ 72.02.96, – wc wc ☎ P.
1er mars-31 oct. – SC : **R** (pens. seul.) – 10 – 31 ch 100/180 – P 130/160.

H. Raymond et rest. Le Mistral, ☎ 72.07.32 – wc wc ☎ P. E
1er fév.-31 oct. et fermé merc. – SC : **R** 50/90 – 12 – **35 ch** 80/170 – P 115/200.

Bel Ombra, av. Maures ☎ 72.04.68, – wc wc ☎ P. rest
1er juin-23 sept. – SC : **R** 50/65 – 10 – 24 ch 80/140 – P 106/160.

Galiote, prom. Mer ☎ 72.00.81, ≤ –
1er avril-15 oct. et 20 déc.-5 janv. – SC : **R** 45/50.

PEUGEOT Guimelli, au Parc de Cavalaire ☎ 72.08.45

CAVALIÈRE 83 Var 84 ⑰ G. Côte d'Azur – 83980 Le Lavandou – 94.

Paris 886 – Draguignan 71 – Le Lavandou 8 – St-Tropez 31 – Ste-Maxime 35 – ♦Toulon 48.

Le Club M, ☎ 05.80.14, Télex 420317, ≤, « Élégant ensemble au bord de la mer, , , , » – ch ☎ P. rest
21 mai-21 sept. – **R** (nombre de couverts limité - prévenir) carte 120 à 180 – 31 ch (1/2 pens. seul.)
Spéc. Bouillabaisse de langouste, Loup en croûte, Chapon farci. **Vins** Cuers, Bandol.

Surplage, ☎ 05.84.19, ≤, , – P. rest
15 mai-8 oct. – SC : **R** 70/85 – 15 – 61 ch 180/220 – P 200/260.

Gd Hôtel Moriaz, ☎ 05.80.01, ≤, – wc wc ☎. rest
Pâques-20 oct. – SC : **R** 70/85 – 14 – 29 ch 70/190 – P 180/240.

Cap Nègre H., ☎ 05.80.46, ≤ – wc ☎ P. rest
Pâques-15 oct. – SC : **R** 70 – 18 – 30 ch 160/180 – P 200/230.

Aub. du Cap Nègre, ☎ 05.82.59 – wc wc ☎ P
saison – 14 ch.

à Pramousquier E : 2 km sur N 559 – 83980 Le Lavandou :

Beau Site, ☎ 05.80.08, ≤ – wc P. rest
1er avril-30 sept. – **R** 50 – 9,50 – 14 ch 112 – P 150/160.

CAVALIERS (Falaises des) 83 Var 84 ⑥ G. Côte d'Azur – 83630 Aups – 94.

Voir ≤** – Tunnels de Fayet ≤*** E : 2 km.

Paris 823 – Castellane 49 – Digne 80 – Draguignan 53 – Manosque 82.

Cavaliers, ☎ 76.91.31, ≤ gorges du Verdon – E
fin mars-mi nov. et fermé merc. en oct. – SC : **R** 35/75.

Le CAYLAR 34520 Hérault 80 ⑮ G. Causses – 259 h. alt. 732 – 67.

Voir Pas de l'Escalette★ S : 5 km.

Paris 672 – Ganges 48 – Lodève 19 – Millau 42 – ♦Montpellier 73 – St-Affrique 50 – Le Vigan 49.

Larzac, ☎ 44.50.02 – . GB
15 fév.-15 nov. et fermé merc. – **R** 40/65 – 8 – 14 ch 40/85 – P 110/150.

CAYLUS 82160 T.-et-G. 79 ⑲ G. Périgord – 1 460 h. alt. 320 – 63.

Syndicat d'Initiative av. Père Hue (15 juin-15 sept. et fermé lundi).

Paris 654 – Albi 67 – Cahors 61 – Montauban 44 – Villefranche-de-Rouergue 29.

Bellevue, O : 2 km par D 926 et VO ☎ 30.76.57, ≤, parc – P. AE GB E. ch
fermé déc. à mi janv. – SC : **R** 35/60 – 9 – **11 ch** 55/80 – P 80/90.

La CAYOLLE (Col de) 04 Alpes-de-H.-P. 81 ⑧⑨, 195 ② G. Alpes – alt. 2 326.
Voir ☼★★ – Paris 766 – Barcelonnette 30.

Ressources hôtelières voir à *Esteng* (Alpes-Mar.)

CAYROLS 15 Cantal 76 ⑪ – 250 h. alt. 583 – ✉ **15290** Le Rouget – ✆ 71.
Paris 560 – Aurillac 27 – Boisset 8 – Figeac 40 – Le Rouget 3,5 – Tulle 79.

Au Point du Jour, ☎ 62.11.06, – Ⓟ
fermé oct. – SC : **R** 28/40 – ☕ 7,50 – **22 ch** 38/80 – P 60/70.

CITROEN Gar. Fau, ☎ 62.11.03 N — PEUGEOT Lajarrige, ☎ 62.15.63

CAZAUBON 32 Gers 79 ⑫ – rattaché à Barbotan-les-Thermes.

La CAZE (Château de) 48 Lozère 80 ⑤ – rattaché à La Malène.

CAZÈS-MONDENARD 82 T.-et-G. 79 ⑰ – 1 514 h. alt. 140 – ✉ **82110** Lauzerte – ✆ 63.
Paris 640 – Agen 61 – Cahors 47 – Montauban 38.

L'Atre , ☎ 94.68.67 – . ch
fermé nov. et lundi – SC : **R** 27 bc/75 – ☕ 8 – **10 ch** 51 – P 88.

CÉAUX 50 Manche 59 ⑧ – rattaché à Pontaubault.

CEIGNES 01 Ain 74 ④ – 114 h. alt. 612 – ✉ **01430** Maillat – ✆ 74.
Paris 468 – Aix-les-Bains 79 – Belley 62 – Bourg-en-Bresse 40 – Meximieux 43 – Nantua 14.

Molard avec ch, à **Moulin Chabaud** N 84 ☎ 76.70.04 – Ⓟ.
fermé janv. et mardi – SC : **R** 30/80 – ☕ 8 – 9 ch 38/80.

CEILLAC 05 H.-Alpes 77 ⑱⑲ **G. Alpes** – 234 h. alt. 1 643 – Sports d'hiver : 1 643/2 500 m ⛷6 – ✉ **05600** Guillestre – ✆ 92 – **Voir Vallon du Mélezet★.**
Syndicat d'Initiative à la Mairie (fermé sam. et dim.) ☎ 45.05.74.
Paris 729 – Briançon 49 – Gap 74 – Guillestre 14.

Les Veyres , ☎ 45.01.91, ≤ – wc Ⓟ.
4 juin-4 oct. et 17 déc.-20 avril – SC : **R** 34/42 – ☕ 8,50 – 25 ch 41/66 – P 90/110.

CEINTREY 54134 M.-et-M. 62 ⑤ – 552 h. alt. 240 – ✆ 8.
Paris 324 – Épinal 50 – Lunéville 41 – ♦Nancy 21 – Neufchâteau 50 – Toul 42 – Vittel 49.

Les Chardonnerets, ☎ 325.02.57 – Ⓟ.

La CELLE-DUNOISE 23 Creuse 68 ⑱ – 732 h. alt. 236 – ✉ **23800** Dun-le-Palestel – ✆ 55.
Paris 331 – Argenton-sur-Creuse 49 – Châteauroux 65 – La Châtre 43 – Guéret 27 – La Souterraine 28.

Host. Pascaud, ☎ 89.10.66, ≤, – . ch
fermé oct., dim. soir et lundi hors sais. – SC : **R** 30/90 – ☕ 10 – **13 ch** 45/60 – P 85/110.

La CELLE-ST-CYR 89970 Yonne 65 ④ – 597 h. alt. 112 – ✆ 86.
Paris 146 – Auxerre 36 – Joigny 9 – Montargis 52 – Nemours 66 – Sens 39.

Aub. de la Fontaine aux Muses avec ch, ☎ 73.40.22, parc, – wc Ⓟ.
fermé 15 nov. au 15 déc., lundi et mardi midi – SC : **R** carte 85 à 125 – ☕ 13 – 10 ch 75/145.

La CELLE-SUR-LOIRE 58 Nièvre 65 ⑬ – 662 h. alt. 146 – ✉ **58440** Myennes – ✆ 86.
Paris 180 – Bonny-sur-Loire 12 – Cosne-sur-Loire 7 – Neuvy-sur-Loire 7 – Nevers 59.

Auberge Nivernaise, N 7 ☎ 28.26.23 – Ⓟ.
SC : **R** (déj. seul.) 48 bc/70.

CELLIERS 73 Savoie 74 ⑰ – 53 h. alt. 1 282 – ✉ **73260** Aigueblanche – ✆ 79.
Paris 643 – Albertville 36 – Chambéry 83 – Moûtiers 21 – St-Jean-de-Maurienne 39.

Gd Pic, ☎ 24.03.72, ≤ – wc. rest
15 juin-20 sept. et 20 déc.-20 avril – SC : **R** 32/50 – ☕ 10 – **16 ch** 30/70 – P 80/100.

CELON 36 Indre 68 ⑰ – 417 h. alt. 201 – ✉ **36200** Argenton-sur-Creuse – ✆ 54.
Paris 310 – Argenton-sur-Creuse 9,5 – Châteauroux 40 – ♦Limoges 84 – La Souterraine 32.

L'Étape avec ch, N 20 ☎ 47.33.19 – Ⓟ
fermé 15 nov. au 2 déc., 3 au 12 janv., lundi soir sauf juil. et août et mardi – SC : **R** 28/67 – ☕ 10 – 6 ch 39/50.

CELONY 13 B.-du-R. 84 ③ – rattaché à Aix-en-Provence.

CERBÈRE 66290 Pyr.-Or. 86 ⑳ – 1 940 h. – ☎ 68.

Voir NO : La Côte Vermeille★★, G. Pyrénées.

Syndicat d'Initiative 1 av. de la Côte Vermeille (15 juin-15 sept.).

Paris 955 – ♦Perpignan 47 – Port-Vendres 16.

Dorade, ☎ 38.41.93 – wc ☎
1er avril-30 sept. – SC : **R** 40/65 – ☕ 12 – **24 ch** 67/96 – P 120/140.

La CERCENÉE 88 Vosges 62 ⑰ – rattaché à Gérardmer.

CERCY-LA-TOUR 58340 Nièvre 69 ⑤ – 2 322 h. alt. 201 – ☎ 86.

Paris 291 – Autun 65 – Château-Chinon 39 – Digoin 62 – Moulins 51 – Nevers 52.

XX **La Clef des Champs,** rte Fours SE : 4 km ☎ 50.55.96 – **P**. GB E
fermé fév., dim. soir et lundi – SC : **R** 39/142.

CITROEN Guerin, ☎ 50.53.11
PEUGEOT Baudot, ☎ 50.51.77 N
TALBOT Nesly, ☎ 50.54.96

CERDON 01 Ain 74 ④ – 652 h. alt. 299 – ✉ 01450 Poncin – ☎ 74.

Paris 460 – Belley 67 – Bourg-en-Bresse 32 – Meximieux 35 – Nantua 23 – La Tour-du-Pin 73.

X **Aub. des Sources,** ☎ 39.96.14
fermé 1er au 20 oct. et merc. – SC : **R** 32/95.

à Labalme N : 6 km N 84 – ✉ **01450** Poncin :

Carrier, ☎ 39.97.22 – wc ☎ **P**. AE GB
fermé 15 au 25 sept., janv. et merc. – SC : **R** 35/100 – ☕ 10 – **17 ch** 60/100 – P 95/110.

CÉRET 66400 Pyr.-Or. 86 ⑲ **G. Pyrénées** (plan) – 6 189 h. alt. 171 – ☎ 68.

Voir Vieux pont★ – Musée d'Art Moderne★.

Syndicat d'Initiative av. G.-Clemenceau (fermé matin hors saison, sam. et dim.) ☎ 87.00.53.

Paris 937 – Gerona 75 – ♦Perpignan 31 – Port-Vendres 36 – Prades 55.

La Châtaigneraie M, rte Fontfrède O : 2 km par D 13F ☎ 87.03.19, ← plaine et Canigou, – wc ☎ **P**.
1er avril-15 oct. – SC : **R** *(fermé dim.)* (dîner pour résidents seul.) carte environ 75 – ☕ 15 – 8 ch 125/195.

Les Arcades M sans rest, 1 pl. Picasso ☎ 87.12.30 – wc wc ☎.
SC : ☕ 10 – **21 ch** 72/110.

Pyrénées sans rest, 7 r. République ☎ 87.11.02, – wc wc ☎
SC : ☕ 10,50 – **22 ch** 60/120.

XX **Clemenceau,** 15 av. Clemenceau ☎ 87.07.91
fermé 2 au 25 janv. et lundi – SC : **R** 67 bc/74.

CITROEN Gar. du Pont, 8 pl. du Pont ☎ 87.00.75
CITROEN Taza, rte d'Espagne ☎ 87.02.65
PEUGEOT Brousse, 8 r. St-Ferréol ☎ 87.01.31

Le CERGNE 42 Loire 73 ⑧ – 534 h. alt. 673 – ✉ 42460 Cuinzier – ☎ 74.

Paris 420 – Charlieu 16 – Chauffailles 16 – ♦Lyon 81 – Roanne 32 – ♦St-Étienne 109.

XX **Bel'vue** avec ch, ☎ 89.77.56, ← –
fermé 1er au 15 oct. et lundi – SC : **R** 35/95 – ☕ 9 – **7 ch** 55/70 – P 95/100.

CERGY-PONTOISE P 95 Val-d'Oise 55 ⑳, 101 ② **G. Environs de Paris** – ☎ 53

Cergy 95000 Val-d'Oise – 9 055 h. – **Voir** ←★ **du pont** – Paris 37 – Pontoise 4.

Novotel M, près préfecture ☎ 030.39.47, Télex 697264, – rest ☎ **P** – 25 à 200. AE GB
R snack carte environ 65 – ☕ 20 – **194 ch** 192/207.

Pontoise 95300 Val-d'Oise – 29 484 h. alt. 27.

Voir Abbaye de Maubuisson★ E : 1 km – Vallée de l'Oise★ par D 4, B

Office de Tourisme 6 pl. Petit-Martroy (fermé dim. et lundi) ☎ 464.24.45.

Paris 36 ③ – Beauvais 50 ① – Dieppe 135 ⑦ – Mantes 38 ⑥ – ♦Rouen 89 ⑥.

Plan page suivante

X **Aub. du Chou,** rte Auvers NE : 1 km par D 4 - B - ☎ 464.03.68, ← – **P**
fermé 15 sept. au 15 oct., lundi soir et mardi – SC : **R** 78.

St-Ouen-l'Aumône 95310 Val-d'Oise – 17 003 h.

XX **Gd Cerf** avec ch, 59 r. Gén.-Leclerc ☎ 464.03.13, collection d'oiseaux naturalisés – wc ☎. AE GB B **e**
fermé août et merc. – SC : **R** 38 bc/135 bc - **Pub Cintra R** 38 bc – ☕ 12 – **10 ch** 93/170.

XX Relais de la Grande Girafe, 6 r. Paris par ③ ☎ 464.02.17 – **P**.

PONTOISE

Hôtel-de-Ville (R. de l') B 7
Thiers (R.) B 30

Carnot (R.) AB 2
Coutellerie (R. de la) B 3
Delarue (Av. du Gén.) A B 4
Gaulle (Av. du Gén.-de) B 5
Grand-Martroy (Pl. du) B 6
Hôtel-Dieu (R. de l') B 8
Jaurès (Bd Jean) B 9
Lavoye (R. Pierre) B 10
Leclerc (R. du Gén.) B 12
Libération (Pl. de la) A 13
Mail (R. du) B 14
Maréchaux (R. des) A 15
Parc-aux-Charrettes (Pl. du) B 18
Paris (R. de) B 22
Petit-Martroy (Pl. du) B 23
Port (Quai du) B 24
Pothuis (Quai du) B 25
Poulain (R.) A 26
Prachay (R. A.) B 27
St-Martin (R.) A 28
Taillepied (R.) B 29
Verdun (Av. de) B 31
Viosne (Bd de la) A 32

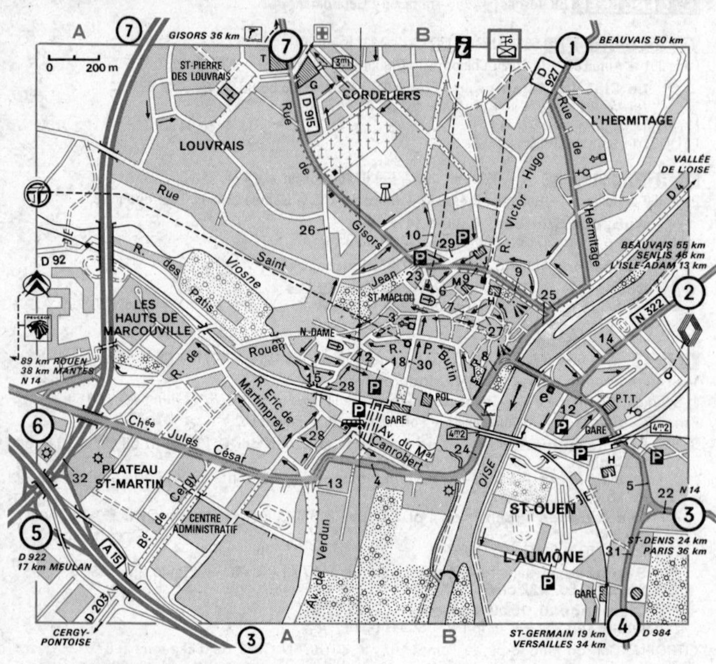

Osny 95520 Val-d'Oise – 9 679 h.
Pontoise 3.

XXX **Moulin de la Renardière,** rte Ennery ☎ 030.21.13, « Parc, rivière » – Ⓟ. GB
fermé 15 août au 1er sept., dim. soir et sam. – SC : **R** (nombre de couverts limité - prévenir) carte 105 à 140.

ALFA-ROMEO Vigneux, 44 r. Gén.-Leclerc à St-Ouen-l'Aumône ☎ 464.01.14
AUDI-VOLKSWAGEN, MERCEDES-BENZ Pontoise-Cergy-Auto, 21 chaussée J.-César à Pontoise ☎ 030.28.29
AUSTIN, MORRIS, TRIUMPH, VOLVO SOGEL, 10 r. Séré-Depoin à Pontoise ☎ 032.55.55
CITROEN Rousseau, 2 chaussée J.-César à Osny ☎ 031.00.00
FIAT LANCIA-AUTOBIANCHI STCA., 29 av. Gén.-Leclerc à St-Ouen-L'Aumône ☎ 037.31.87
FORD Gar. Marzet, 87 r. P.-Butin à Pontoise ☎ 032.56.04
OPEL Valdoise Motors, 31 r. Paris à St-Ouen-l'Aumône ☎ 037.20.78
PEUGEOT Cergy-Pontoise-Autom., 8 chaussée J.-César à Osny ☎ 030.12.12
RENAULT Hinaux, 1 r. St-Henri à St-Ouen-l'Aumône ☎ 037.14.14
TALBOT Pontoise Autos, 17 r. Thiers à Pontoise ☎ 032.23.00
TOYOTA, VOLVO Gar. Maréchal, 21 rte Nationale à Eragny ☎ 464.21.30

Ile-de-France C/c, 1 av. de Verdun à St-Ouen-l'Aumône ☎ 464.07.50
Inter-Pneu Melia, Sente St-Denis à Cergy ☎ 030.11.91

CÉRILLY 03350 Allier 69 ⑫ – 1 981 h. alt. 330 – 70.
Env. Forêt de Tronçais*** O : 7 km, G. Auvergne.
Paris 297 – Montluçon 40 – Moulins 46 – St-Amand-Montrond 32 – St-Pierre-le-Moutier 35.

Commerce, ☎ 67.53.10 – Ⓟ
fermé fév. et vend. – SC : **R** 30/50 – 8 – **14 ch** 35/60 – P 85.

CITROEN Levistre, ☎ 67.52.22

La tranquillité de l'hôtel est l'affaire de tous et donc de vous aussi.

CERIZAY 79140 Deux-Sèvres 67 ⑯ – 4 688 h. alt. 173 – 49.

Paris 369 – Bressuire 14 – Cholet 37 – Niort 66 – La Roche-sur-Yon 68.

Cheval Blanc, av. du 25-Août ✆ 80.50.13, – wc wc ℗
fermé 19 déc. au 3 janv. – SC : **R** *(fermé sam. sauf juil. et août)* 28/67 – 9 – 16 ch 36/110.

CITROEN Coulais, ✆ 80.51.51 PEUGEOT Bodet, ✆ 80.50.19

CERNAY 68700 H.-Rhin 66 ⑨ **G. Vosges** – 10 171 h. alt. 275 – 89.

Office de Tourisme Villa Carrère (1er juin-15 sept. et fermé dim.) ✆ 75.50.35.

Paris 532 – Altkirch 25 – Belfort 39 – Colmar 36 – Guebwiller 15 – ♦Mulhouse 19 – Thann 7.

Frantz, à Uffholtz N : 1 km ✆ 75.54.52 – wc ℗. GB
fermé 2 au 25 janv. – SC : **R** *(fermé lundi)* 28/150 – 12,50 – 50 ch 65/150 – P 110/160.

Aub. du Relais, à Uffholtz N : 1 km ✆ 75.56.19, – wc wc ℗.
fermé 16 au 31 août, 15 au 31 déc., sam. et dim. du 1er oct. à Pâques – SC : **R** *(fermé dim. en été)* (dîner seul. pour résidents) – 10 – 17 ch 65/120.

Host. Alsace avec ch, 61 r. Poincaré ✆ 75.59.81 – ℗. GB
fermé 20 déc. au 11 janv., dim. soir et lundi – **R** 45/150 – 11 – 10 ch 72.

PEUGEOT Soriano, 1 r. de l'Industrie ✆ 75.44.85 N ✆ 75.50.10
RENAULT Courtois, 2 fg de Belfort ✆ 75.48.27 N ✆ 75.51.23

CÉRONS 33 Gironde 79 ② – 1 281 h. alt. 15 – ✉ **33720** Podensac – 56.

Paris 597 – ♦Bordeaux 37 – Langon 11 – Libourne 42 – Villandraut 22.

Grappe d'Or, rte St Symphorien ✆ 27.11.61 – wc wc ℗.
fermé déc. – SC : **R** 55/80 – 8,50 – **10 ch** 65/75.

CESSON 22 C.-du-N. 59 ③ – rattaché à St-Brieuc.

CESSON-SÉVIGNÉ 35 I.-et-V. 59 ⑰ – rattaché à Rennes.

CÉVENNES (Corniche des) ★★★ 48 Lozère et 30 Gard 80 ⑥⑯⑰ **G. Causses.**

CEYRAT 63 P.-de-D. 73 ⑭ – 4 398 h. alt. 560 – ✉ **63110** Beaumont – 73.

Syndicat d'Initiative à la Mairie (fermé sam. après-midi et dim.) ✆ 88.42.55.

Paris 395 – ♦Clermont-Ferrand 6 – Issoire 39 – Le Mont-Dore 41 – Royat 6.

Voir plan de Clermont-Ferrand agglomération.

La Châtaigneraie M sans rest, av. Châtaigneraie ✆ 88.34.66, ← – wc wc ℗. S **p**
fermé dim. – SC : 10 – **16 ch** 90/140.

Promenade, av. Wilson ✆ 88.40.46 – wc wc . GB S **r**
fermé lundi – SC : **R** 30/86 – 9 – 12 ch 48/80.

Host. de la Poste avec ch, av. Wilson ✆ 88.30.01 – wc wc. GB S **k**
fermé 26 juil. au 10 août, vacances scolaires de fév. et lundi – SC : **R** 55/80 – 12 – **4 ch** 75/100.

à Saulzet-le-Chaud S : 3 km par N 89 – ✉ **63540** Romagnat :

Aub. du Montrognon, ✆ 88.30.51, ← – ℗
fermé oct. et mardi – SC : **R** 50/80.

CEYZÉRIAT 01250 Ain 74 ③ – 2 049 h. alt. 320 – 74.

Paris 434 – Bourg-en-Bresse 8 – Nantua 32.

Mont-July , ✆ 30.00.12, ←, – wc ℗. AE. rest
15 mars-5 nov. et fermé jeudi – SC : **R** (dim. prévenir) 38/140 – 15 – 19 ch 55/120 – P 130/150.

Balcon avec ch, ✆ 30.00.16 – wc ℗.
fermé 9 au 23 sept., 14 au 30 déc. et merc. – SC : **R** (dim. et fêtes - prévenir) 36/130 – 10 – 10 ch 45/160 – P 120/150.

du Relais de la Tour avec ch, ✆ 30.01.87 – wc.
fermé 22 sept. au 26 oct. et lundi – SC : **R** 35/120 – 11,50 – 7 ch 44/100 – P 100/130.

à Villereversure NE : 9 km par D 979 et D 81 – ✉ **01250** Ceyzériat :

Chez Condemine, à la Gare ✆ 30.65.98, – wc
fermé 1er au 7 juin, 19 au 31 oct., vacances scolaires de fév., mardi soir (sauf hôtel) et merc. – SC : **R** 26/95 – 10 – **8 ch** 40/85 – P 85/100.

RENAULT Gar. Froment, ✆ 30.03.97

CHAALIS (Abbaye de) ★★ 60 Oise 56 ⑫, 96 ⑨ **G. Environs de Paris.**

Voir Mer de sable★ O : 0,5 km – Paris 50 – Ermenonville 3 – Senlis 11.

CHABANAIS 16150 Charente 72 ⑤ – 2 443 h. alt. 156 – ✆ 45.
Paris 424 – Angoulême 57 – Confolens 18 – •Limoges 46 – Nontron 52 – St-Junien 16.

Barrière, rte Rochechouart ✆ 89.03.87 – ⋔.
SC : **R** 28/115 – ☕ 7,50 – **13 ch** 39/51 – P 85/97.

CITROEN Mourgaud, ✆ 89.00.46 RENAULT Gar. Chaux, ✆ 89.02.61

CHABEUIL 26120 Drôme 77 ⑫ – 3 916 h. alt. 205 – ✆ 75.
Paris 572 – Crest 20 – Romans-sur-Isère 16 – Valence 11.

Relais du Soleil, rte Romans ✆ 59.01.81, ≤, – wc ⋔wc. AE GB. rest
fermé 25 janv. au 1er mars et lundi – SC : **R** 60/130 – ☕ 12 – **21 ch** 60/120 – P 160.

Commerce, Pl. Génissieux ✆ 59.00.23 – wc ⋔ P. ch
fermé oct. – SC : **R** *(fermé sam. de nov. à Pâques)* 30/65 – ☕ 10 – **21 ch** 40/80 – P 95/110.

CHABLIS 89800 Yonne 65 ⑥ **G. Bourgogne (plan)** – 2 408 h. alt. 144 – ✆ 86.
Syndicat d'Initiative 9 av. Oberwesel ✆ 53.11.73.
Paris 183 – Auxerre 19 – Avallon 39 – Joigny 45 – Montbard 54 – Nemours 106 – Tonnerre 16.

Étoile-Bergerand, ✆ 53.10.50 – wc ⋔.
fermé 15 déc. au 15 fév. et lundi – SC : **R** 38/95 – ☕ 10 – 15 ch 50/105.

CITROEN Lucas ✆ 42.40.22 TALBOT Bellat, ✆ 53.11.55

CHABRELOCHE 63250 P.-de-D. 73 ⑥ – 1 400 h. alt. 620 – ✆ 73.
Paris 402 – •Clermont-Ferrand 57 – Montbrison 54 – Noirétable 10 – Roanne 45 – Thiers 14.

aux Crocs d'Arconsat N : 4 km par D 86 et D 64 – ✉ **63250** Chabreloche :

Aub. du Montoncel , ✆ 94.20.96, ≤, – wc P. ch
fermé 1er au 15 oct. – SC : **R** *(fermé merc. midi hors sais.)* 35/100 – ☕ 10 – **9 ch** 45/95 – P 120/150.

CITROEN Gardette-Therias, ✆ 94.20.19 RENAULT Gar. Pointu-Chosson, ✆ 94.21.69
PEUGEOT Chambriard-Gunther, ✆ 94.20.82

CHABRIÈRES 04 Alpes-de-H.-P. 81 ⑰ – alt. 621 – ✉ **04270** Mézel – ✆ 92.
Voir Clue de Chabrières★ O : 1,5 km, G. Côte d'Azur.
Paris 762 – Castellane 36 – Colmars 53 – Digne 18 – Manosque 59 – Puget-Théniers 70.

Relais de Chabrières, ✆ 31.06.69 – ⋔ P.
1er mai-30 sept. et fermé lundi et mardi (sauf juil.-août) – SC : **R** 30/70 – ☕ 10 – 13 ch 68/98.

CHAGNY 71150 S.-et-L. 69 ⑨ **G. Bourgogne** – 5 926 h. alt. 216 – ✆ 85.
Env. Mont de Sène ※★★ O : 10 km.
Syndicat d'Initiative à la Mairie (15 juin-15 sept., fermé dim. et lundi) ✆ 87.13.54.
Paris 330 ① – Autun 43 ① – Beaune 15 ① – Chalon-s-S. 17 ② – Mâcon 75 ② – Montceau 44 ④.

✿✿✿ **Lameloise,** pl. d'Armes **(e)** ✆ 87.08.85, « Ancienne maison bourguignonne aménagée avec élégance » – TV ☎. GB. rest
fermé 30 nov. au 17 déc., jeudi midi et merc. – SC : **R** (prévenir) carte 150 à 190 – ☕ 20 – **27 ch** 115/250
Spéc. suivant produits de saison. Vins Rully, Santenay.

Poste sans rest, 17 r. Poste **(a)** ✆ 87.08.27 – wc ⋔wc P.
15 mars-15 déc. – SC : ☕ 10 – **11 ch** 95/120.

Nouvel H. sans rest, bd Liberté **(u)** ✆ 87.07.47, – wc ⋔wc P
fermé 17 nov. au 17 déc. et dim. du 1er janv. au 1er avril – SC : ☕ 12 – **13 ch** 70/140.

sur N 6 par ② : 2 km rte Chalon – ✉ **71150** Chagny :

Bonnard, ✆ 87.21.49 – wc ⋔wc P.
fermé 5 nov. au 15 déc. et lundi hors sais. – SC : **R** 50/100 – ☕ 12,50 – **20 ch** 120/140.

à Chassey-le-Camp par ④ et D 109 : 6 km – ✉ **71150** Chagny :

Aub. du Camp Romain , ✆ 87.09.91, ≤, – wc ⋔wc P.
fermé janv. – SC : **R** *(fermé merc. du 15 sept. à Pâques)* 42/65 – ☕ 9 – **12 ch** 65/85.

RENAULT Guyot, N 6 à Les Creusottes ✆ 87.22.28

CHAILLEVETTE 17890 Char.-Mar. 71 ⑭ – 1 011 h. – ⚙ 46.

Paris 502 – Marennes 20 – Rochefort 41 – La Rochelle 73 – Royan 17 – Saintes 41.

La Brousse ⛰, ☎ 36.60.93, ≤, « Ancienne ferme aménagée », ⛱, 🌳 – ⛀wc ⛆wc ☎ Ⓟ. 🚗. ✂ ch
15 juin-15 sept. – SC : **R** carte 80 à 105 – ☕ 17 – 14 ch 130/170.

CHAILLOL 05 H.-Alpes 77 ⑯ – alt. 1 450 – ✉ **05260** Chabottes – ⚙ 92.

Paris 664 – Gap 25 – Orcières 22 – St-Bonnet 10.

L'Étable ⛰, ☎ 55.04.05, ≤ – ⛀ ⛆ Ⓟ. ✂
15 juin-30 sept. et 20 déc.-24 avril – SC : **R** 33/40 – ☕ 8,50 – 9 ch 57 – P 84/94.

à Chaillol 1600 N : 2 km – ✉ **05260** Chabottes :

La Louzière ⛰, ☎ 55.02.79, ≤ – |♦| ⛀wc ⛆wc ☎. 🚗. ✂
1er juin-12 nov. et 15 déc.-30 avril – SC : **R** 42/65 – ☕ 12 – **29 ch** 65/130 – P 120/165.

CHAILLY-EN-BIÈRE 77960 S.-et-M. 61 ②, 96 ㊴ **G. Environs de Paris** – 1 494 h. alt. 64 – ⚙ 6.

Paris 58 – Étampes 41 – Fontainebleau 9,5 – Melun 9.

XXX **Chalet du Moulin,** S : 1,5 km par N 7 et VO ☎ 066.43.42, ≤, « Chalet dans un cadre de verdure » – Ⓟ
fermé août, lundi soir et mardi – **R** carte 120 à 165.

XX **Aub. de l'Empereur,** N 7 ☎ 066.43.38
fermé 20 janv. au 25 fév., dim. soir du 8 nov. au 1er avril, merc. soir et jeudi – SC : **R** 44/72.

Les **cartes Michelin** sont constamment tenues à jour.

La CHAISE-DIEU 43160 H.-Loire 76 ⑥ **G. Auvergne** (plan) – 1 049 h. alt. 1 082 – ⚙ 71.

Voir Église abbatiale** : tapisseries***.

ℹ Syndicat d'Initiative pl. Mairie (15 juin-15 sept.) ☎ 00.01.16.

Paris 468 – Ambert 33 – Brioude 40 – Issoire 57 – Le Puy 41 – ♦St-Étienne 79 – Yssingeaux 57.

Au Tremblant, ☎ 00.01.85, 🌳 – ⛀wc ⛆wc ☎ 🚘 Ⓟ – 🎤 25. 🚗
fermé 5 janv. au 15 fév. et vend. du 1er nov. au 1er avril – SC : **R** 34/66 – ☕ 10 – 28 ch 45/130 – P 90/140.

L'Écho et de l'Abbaye ⛰, pl. Écho ☎ 00.00.45 – ⛀wc ⛆wc ☎ 🚘. 🚗 AE GB. ✂
fermé 5 nov. au 1er fév. – SC : **R** 35/75 – ☕ 13 – 11 ch 70/150 – P 110/150.

au Plan d'eau de la Tour N : 2 km par D 906 – ✉ **43160** La Chaise-Dieu :

Le Vénéré ⛰, ☎ 00.01.08, ≤, 🌳 – ⛀wc ⛆wc ☎ 🚘 Ⓟ. ✂ ch
7 juin-30 sept. – SC : **R** (dîner seul. pour résidents) – ☕ 10 – **18 ch** 39/100.

au NO : 3 km D 499 – ✉ **43160** La Chaise-Dieu :

Cigogne ⛰, ☎ 00.01.45, 🌳 – ⛆wc
10 ch.

CITROEN Gar. D'Auvergne ☎ 00.00.44 — RENAULT Fayet, ☎ 00.00.88
PEUGEOT Gar. Causse, ☎ 00.00.62

Les CHAISES 78 Yvelines 60 ⑧, 96 ㉒㉓ – rattaché à Rambouillet.

CHALABRE 11230 Aude 86 ⑥ – 1 583 h. alt. 372 – ⚙ 68.

ℹ Syndicat d'Initiative cours Colbert (juil.-août) ☎ 69.20.10.

Paris 802 – Carcassonne 48 – Castelnaudary 51 – Foix 48 – Lavelanet 21 – Pamiers 43 – Quillan 24.

X **France,** ☎ 69.20.15 – GB
SC : **R** 28/55.

FORD Gar. Gomez, Z.A. le Cazal ☎ 69.20.35 — RENAULT Gar. Loutre, ☎ 69.20.13
N ☎ 69.26.75

CHALAMONT 01320 Ain 74 ②③ **G. Vallée du Rhône** – 1 307 h. alt. 293 – ⚙ 74.

Paris 442 – Belley 62 – Bourg-en-Bresse 24 – ♦Lyon 43 – Nantua 55 – Villefranche-sur-Saône 40.

XX **Clerc** avec ch, ☎ 61.70.30 – ⛆wc Ⓟ
fermé 15 fév. au 15 mars, mardi soir et merc. – SC : **R** 65/110 – ☕ 9 – 7 ch 45/75.

CITROEN Riondy, ☎ 61.70.12 N — RENAULT Berlie, ☎ 61.70.27

CHALLANS 85300 Vendée 67 ⑫ **G. Côte de l'Atlantique** – 12 214 h. alt. 11 – ⚙ 51.

ℹ Office de Tourisme 4 r. Gambetta (saison, fermé dim. et lundi matin) ☎ 93.19.75.

Paris 431 ② – Cholet 83 ② – ♦Nantes 60 ① – La Roche-sur-Yon 40 ③ – Les Sables-d'Olonne 43 ④.

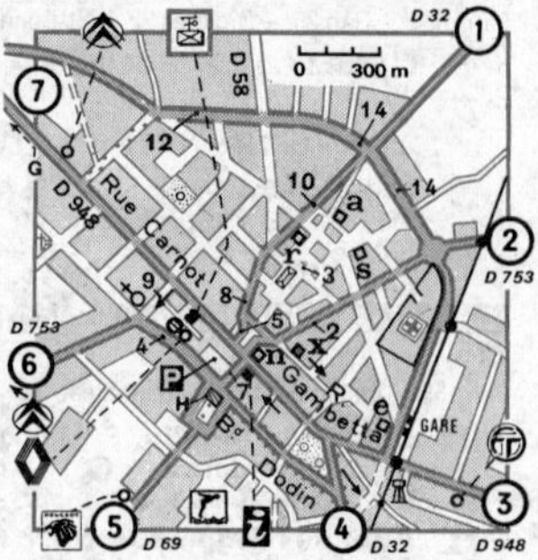

Antiquité sans rest, 14 r. Gallieni **(a)** ☎ 68.02.84, – wc wc . AE GB
fermé sept. et dim. hors sais. – SC : 12 – **12 ch** 80/130.

Rocotel M, 9 bd Gare **(e)** ☎ 93.07.48 – wc ☎ – 30. GB . rest
fermé dim. et fériés sauf hôtel du 1er juil. au 15 sept. – SC : **R** (self) carte environ 45 & et rest. **Le Dauphin R** 65 – 13 – **21 ch** 104/153.

Commerce, 17 pl. A.-Briand **(r)** ☎ 68.06.24 – wc wc – 70. GB E
fermé en janv. et dim. (sauf rest.) du 1er nov. au 31 mars – SC : 12 – **19 ch** 65/125.

La Rotonde sans rest, pl. Gén.-de-Gaulle **(n)** ☎ 93.23.56 – . GB
fermé 15 sept. au 15 oct. et dim. hors sais. – SC : 10 – **16 ch** 42/66.

Champ de Foire, 10 pl. Champ de Foire **(s)** ☎ 68.17.54 – .
fermé oct. vend. soir et sam. – SC : **R** 33/119 – 9 – 11 ch 45/68.

Le Marais avec ch, 16 pl. Gén.-de-Gaulle **(x)** ☎ 93.15.13 – wc . ch
fermé 20 sept. au 19 oct. – SC : **R** 40/90 – 9 – 15 ch 55/60 – P 144/194.

CHALLANS

Dodin (Bd)
Gambetta (R.)
Gaulle (Pl. de) 5
Bonne-Fontaine (R.) 2
Briand (Pl. A.) 3
F.F.I. (Bd des) 4
Lattre-de-T. (R. Mar.-de) 7
Leclerc (R. Gén.) 8
Monnier (R. P.) 9
Nantes (R. de) 10
Strasbourg (Bd) 12
Viaud-Gd-Marais (Bd) 14

par ⑤ : 3 km rte Soullans – ✉ **85300** Challans :

La Gîte du Tourne-Pierre, ☎ 68.14.78 – . AE GB
fermé 4 au 21 sept., vend. soir et sam. midi sauf été – SC : **R** carte 85 à 105.

par ⑦ : 5,5 km sur D 948 – ✉ **85300** Challans :

Relais des Quatre Moulins, ☎ 68.11.85 – .
fermé 1er au 15 oct., 25 déc. au 2 janv. et dim. soir – **R** 28/57 – 9 – **10 ch** 60/78 – P 97/107.

CITROEN Atlantic-Autom., rte de St-Jean-de-Monts ☎ 93.15.99
CITROEN Naulleau, rte Beauvoir, la Croix de Mission ☎ 68.02.29
PEUGEOT Retail, rte de Soullans, ☎ 93.16.52
RENAULT Vendée-Autom., 29 rte de St-Jean-de-Monts ☎ 93.26.55
RENAULT Pontoizeau, 3 Bd des F.F.I. ☎ 68.11.55
TALBOT Gar. Yvernogeau, rte de La Roche-sur-Yon ☎ 93.09.71

CHALLES-LES-EAUX

73190 Savoie 74 ⑮ **G. Alpes** – 2 556 h. alt. 310 – Stat. therm. (15 mai-25 sept.) – Casino – 79.

Office de Tourisme av. Chambéry (15 mai-25 sept., fermé dim. après-midi et lundi matin) ☎ 25.10.13.

Paris 566 – Albertville 44 – Chambéry 6 – ♦Grenoble 51 – St-Jean-de-Maurienne 66.

Château de Challes , ☎ 25.11.45, « Terrasse fleurie : parc », – rest
15 mai-25 sept. – SC : **R** 47/80 – 14 – **70 ch** 50/180 – P 120/210.

Nieder H. sans rest, av. Chambéry ☎ 25.10.72 – wc
fermé nov. – SC : 9 – **25 ch** 60/90.

CHALMAZEL

42920 Loire 73 ⑰ **G. Vallée du Rhône** – 743 h. alt. 867 – Sports d'hiver : 867/1 600 m 1 5 – 77.

Paris 437 – Ambert 37 – L'Arbresle 81 – Montbrison 37 – Roanne 67 – ♦St-Étienne 73 – Thiers 50.

Tinel avec ch, ☎ 24.81.00 – ch
fermé 6 au 14 avril, 1er au 20 sept., mardi soir et merc. – SC : **R** 35/70 – 11 – **10 ch** 60/78 – P 90/100.

RENAULT Gar. des Pistes, ☎ 24.81.84 N
Gar. Loupe, ☎ 24.81.57 N

CHALONNES-SUR-LOIRE

49290 M.-et-L. 63 ⑲⑳ **G. Châteaux de la Loire** – 4 708 h. alt. 23 – 41.

Voir E : Corniche angevine★.

Paris 312 – Ancenis 37 – Angers 25 – Châteaubriant 70 – Cholet 39 – ♦Nantes 71 – Saumur 69.

France, r. Nationale ☎ 41.00.12 – . GB
fermé 15 déc. au 15 janv., dim. soir et lundi hors sais. – SC : **R** 28/70 & – 8,50 – **10 ch** 38/58 – P 90/110.

CHALONS

17 Ch.-Mar. 71 ⑮ – rattaché à Saujon.

CHÂLONS-SUR-MARNE

Bourgeois (R. Léon)	BY	
Croix-des-Teinturiers (R.)	AZ	17
Foch (Pl. Mar.)	AY	21
Jaurès (R. Jean)	X	31
Marne (R. de la)	AYZ	37
République (Pl. de la)	AZ	51
Ablancourt (R. P. d')	AY	2
Alliés (Av. des)	X	3
Arche Mauvillan (Pt de l')	BZ	4
Arsenal (R. de l')	BZ	6
Barbat (Quai)	AY	7
Becquerel (Av. Henri)	X	8
Brossolette (Av. Pierre)	X	10
Camp-d'Attila (R. du)	X	12
Chastillon (R. de)	ABZ	13
Châtelet (R. du)	BY	14
Compère (R. du Gén.)	BY	15
Conflans (R. Eust. de)	AZ	16
Dr-Pellier (R.)	X	18
Flocmagny (R. du)	BY	20
Forêts (Allées de)	X	22
Four (R. du)	BY	23
Garinet (R.)	BY	24
Godart (Pl.)	AY	26
Grignon (R. Louis)	X	27
Jacquiert (R. Clovis)	X	28
Jeanne-d'Arc (Av.)	X	32
Leclerc (Av. du Gén.)	AZ	33
Libération (Pl. de la)	AZ	34
Lochet (R.)	AZ	35
Mariniers (Pt des)	AY	36
Martyrs-de-la-Résistance (R. des)	BY	38
Metz (Av. de)	X	39
Mgr-Tissier (Pl.)	ABY	40
Notre-Dame (Quai)	AY	41
Oehmichen (R. Étienne)	X	42
Ormesson (Cours d')	AZ	43
Patton (Av. du Gén.)	X	44
Perrier (Quai Eugène)	AY	45
Porte-Murée (R.)	BY	47
Prieur-de-la-Marne (R.)	BY	48
Récamier (R. Juliette)	AZ	49
Roosevelt (Av. du Prés.)	X	53
St-Dominique (R.)	AY	55
Sémard (Av. Pierre)	X	59
Strasbourg (Av. de)	BZ	60
Traversière (R.)	BY	61
Ursulines (Pl. des)	BY	62
Vaux (R. de)	AY	63
Vieilles-Postes (R. des)	X	64
Viviers (Pt des)	AY	65
Voltaire (Allées)	BZ	66
Zola (Bd Emile)	BY	67
29-Août 1944 (R. du)	X	68
106° R. I. (Av. du)	X	69

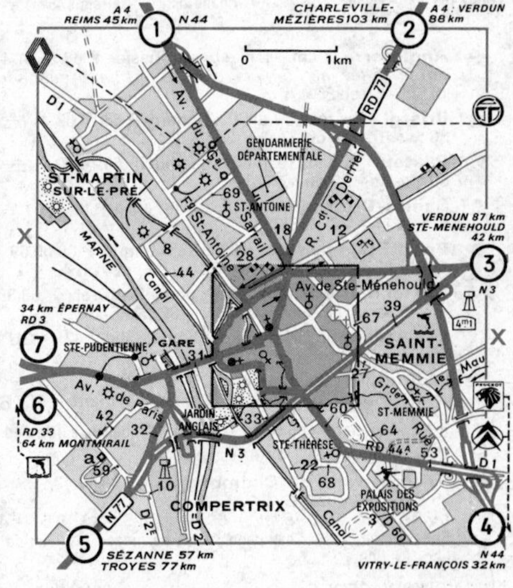

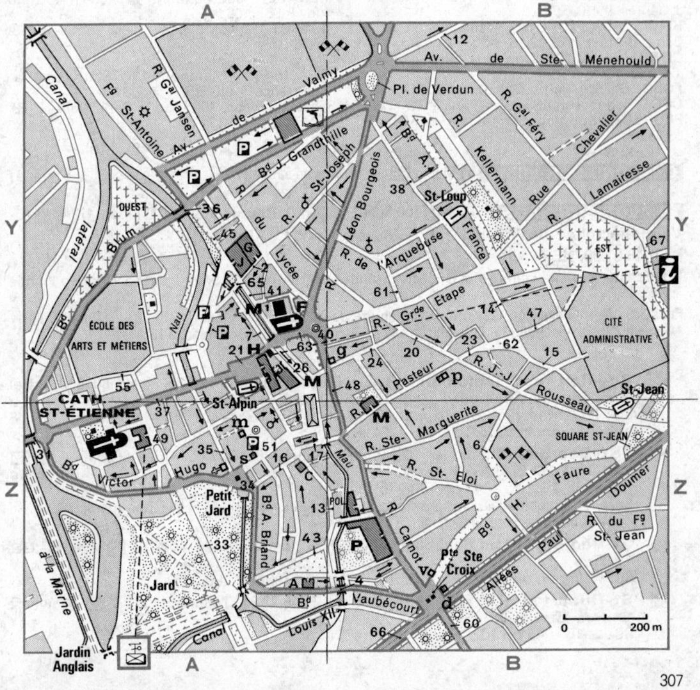

CHÂLONS-SUR-MARNE P 51000 Marne 56 ⑰ G. Nord de la France – 55 709 h. alt. 83 – ☎ 26.

Voir Cathédrale★★ AZ – Église N.-D.-en-Vaux★ : intérieur★★ AY F – Musée du cloître de N.-D.-en-Vaux★ AY **M1**.

Office de Tourisme (fermé dim. et fêtes) et T.C.F. pl. Godart (change assuré en dehors des heures et jours d'ouverture des banques) ☎ 68.19.48.

Paris 188 ① – Belfort 309 ④ – ♦Besançon 272 ④ – Charleville-Mézières 103 ② – ♦Dijon 238 ④ – ♦Metz 156 ② – ♦Nancy 162 ④ – ♦Orléans 298 ① – ♦Reims 45 ① – Troyes 77 ⑤.

Plans page précédente

Angleterre, 19 pl. Monseigneur-Tissier ☎ 68.21.51 – P. GB E. ch — BY **g**
fermé 15 fév. au 15 mars, dim. soir et lundi midi sauf fêtes – SC : **R** 46/120 – 16,50 – 18 ch 86/175.

Bristol sans rest, 77 av. P.-Sémard ☎ 68.24.63 – wc wc P. — X **a**
SC : 10 – **24 ch** 73/95.

Pasteur sans rest, 46 r. Pasteur ☎ 68.10.00 – wc P. GB — BY **p**
SC : 12 – **28 ch** 40/120.

Sainte-Croix sans rest., 1 bd H.-Faure ☎ 68.28.81 – wc wc. E — BZ **v**
SC : 11 – **26 ch** 58/83.

Pot d'Étain sans rest, 18 pl. République ☎ 68.09.09 – wc . GB. — AZ **m**
fermé 22 déc. au 18 janv. – SC : 11 – **24 ch** 40/154.

XXX **Castel Marie-Antoinette,** porte Ste-Croix ☎ 68.38.26 – P. AE GB E — BZ **d**
fermé août, dim. soir et mardi – SC : **R** 45/100.

XX **Les Ardennes,** 34 pl. République ☎ 68.21.42 – GB — AZ **s**
fermé jeudi soir et vend. – **R** 39/110.

X **Woitier,** 42 r. Pasteur ☎ 64.38.75 – GB — BY **p**
fermé 15 au 30 juin, 24 déc. au 8 janv. et merc. – SC : **R** 32/100.

à l'Épine par ③ : 8,5 km – ✉ **51000** Châlons-sur-Marne.

Voir Basilique N.-Dame★★.

❀ **Aux Armes de Champagne,** ☎ 68.10.43, – wc wc P – 25 à 150. GB E.
fermé 15 janv. au 15 fév. – SC : **R** 46/125 – 16,50 – **41 ch** 86/180
Spéc. Escargots au Champagne, Civet de grenouilles, Filet de boeuf au foie gras et truffes. **Vins** Chouilly, Bouzy.

AUDI-VOLKSWAGEN Gar. Deux-Ponts, 1 r. J.-Jaurès ☎ 68.06.79
BMW, LADA, TOYOTA Marchand, 17 r. du Camp-d'Attila ☎ 68.22.18
CITROEN Ardon, 19 av. W.-Churchill ☎ 64.42.42 N
FORD Gar. du Centre, 21 r. Thiers ☎ 64.49.37
OPEL Rennesson, 133 av. de Paris ☎ 68.11.63
PEUGEOT Sporting Gar., 47 rte de Vitry ☎ 68.34.91
RENAULT Gar. Central, 7 av. 106e-R.-I., Zone Ind. ☎ 68.57.06
TALBOT Guyot, 170 av. Gén.-Sarrail ☎ 68.38.86

Auto-Pneu-Marché, 14 r. Martyrs-de-la-Résistance ☎ 68.26.57
Châlons-Pneus, 46 pl. de la République ☎ 68.07.17

CHÂLONS-SUR-VESLE 51 Marne 56 ⑥ – rattaché à Reims.

CHALON-SUR-SAÔNE 71100 S.-et-L. 69 ⑨ G. Bourgogne – 60 451 h. alt. 179 – ☎ 85.

Voir Réfectoire★ de l'hôpital CZ **B** – Musée Denon★ BZ **M1**.

18 ☎ 48.61.99, NE : 3 km X.

Office de Tourisme (fermé dim. sauf après-midi en saison) et A.C. Square Chabas, bd République ☎ 48.37.97.

Paris 339 ⑧ – ♦Besançon 132 ⑧ – Bourg-en-Bresse 89 ④ – ♦Clermont-Fd 219 ⑤ – ♦Dijon 69 ⑧ – ♦Genève 210 ④ – ♦Lyon 125 ④ – Mâcon 58 ④ – Montluçon 213 ⑤ – Roanne 132 ⑤.

Plans page ci-contre

Royal et rest. Trois Faisans, 8 r. Port Villiers ☎ 48.15.86, Télex 801610, « Bel aménagement intérieur » – rest TV . AE GB E — BZ **u**
SC : **R** *(fermé dim. du 16 nov. au 31 mars)* 55/150 – 18 – **43 ch** 160/220, 8 appartements 250/300.

❀ **St-Georges** (Choux) M, 32 av. Jean-Jaurès ☎ 48.27.05, Télex 800330 – TV – 30. AE GB — AZ **s**
R 60/135 – 15 – **48 ch** 120/175
Spéc. Chausson de foie gras aux truffes, Biscuit de brocheton au Chablis, Noisette de boeuf à la crème. **Vins** Rully, côte de Beaune.

St-Régis M, 22 bd République ☎ 48.07.28, Télex 801624 – TV . AE GB E — BZ **v**
SC : **R** *(fermé dim.)* 62/135 – 16 – 40 ch 98/190 – P 180/235.

St-Hubert M sans rest, 35 pl. Beaune ☎ 46.22.81, Télex 801177 – TV wc . AE GB — BY **r**
SC : 16 – **45 ch** 102/165.

tourner →

CHALON-SUR-SAÔNE

Rue	Carré	N°
Grande-Rue	BCZ	16
Leclerc (R. Gén.)	BZ	
République (Bd de la)	ABZ	32
Banque (R. de la)	BZ	2
Beaune (Pl. de)	BY	3
Boucicaut (Av.)	X	4
Châtelet (Pl. du)	BZ	6
Châtelet (R. du)	CZ	7
Citadelle (R. de la)	BY	8
Coubertin (R. P. de)	X	9
Couturier (R. Ph-L.)	BZ	10
Duhesme (Av. Gén.)	AY	12
Europe (Av. de l')	X	13
Fèvres (R. aux)	CZ	15
Hôtel-de-Ville (Pl. de l')	BZ	17
Mac Orlan (R. P.)	X	18
Messageries (Q. des)	CZ	19
Notre-Dame (⊞)	X	20
Obélisque (Pl. de l')	BYZ	21
Pasteur (R.)	BZ	23
Poilus d'Orient (R. des)	X	24
Poissonnerie (R. de la)	CZ	25
Pont (R. du)	CZ	27
Porte-de-Lyon (R.)	BZ	28
Port-Villiers (R. du)	BZ	29
Poterne (Quai de la)	CZ	31
Sacré-Cœur (⊞)	X	33
St-Cosme (⊞)	AZ	
St-Cosme (Quai)	AZ	35
St-Georges (R.)	BZ	36
St-J.-des-Vignes (⊞)	X	37
St-Paul (⊞)	X	38
St-Pierre (⊞)	BZ	
St-Vincent (R. et ⊞)	CZ	39
Ste-Thérèse (⊞)	X	40
Strasbourg (Rte de)	X	41
Strasbourg (R. de)	CZ	42
Thénard (R. L.-J.)	X	43
Thiard (R. de)	BZ	44
Trémouille (R.)	BCY	45
Verdun (Av. de)	X	47
8-Mai 1945 (Av. du)	X	48

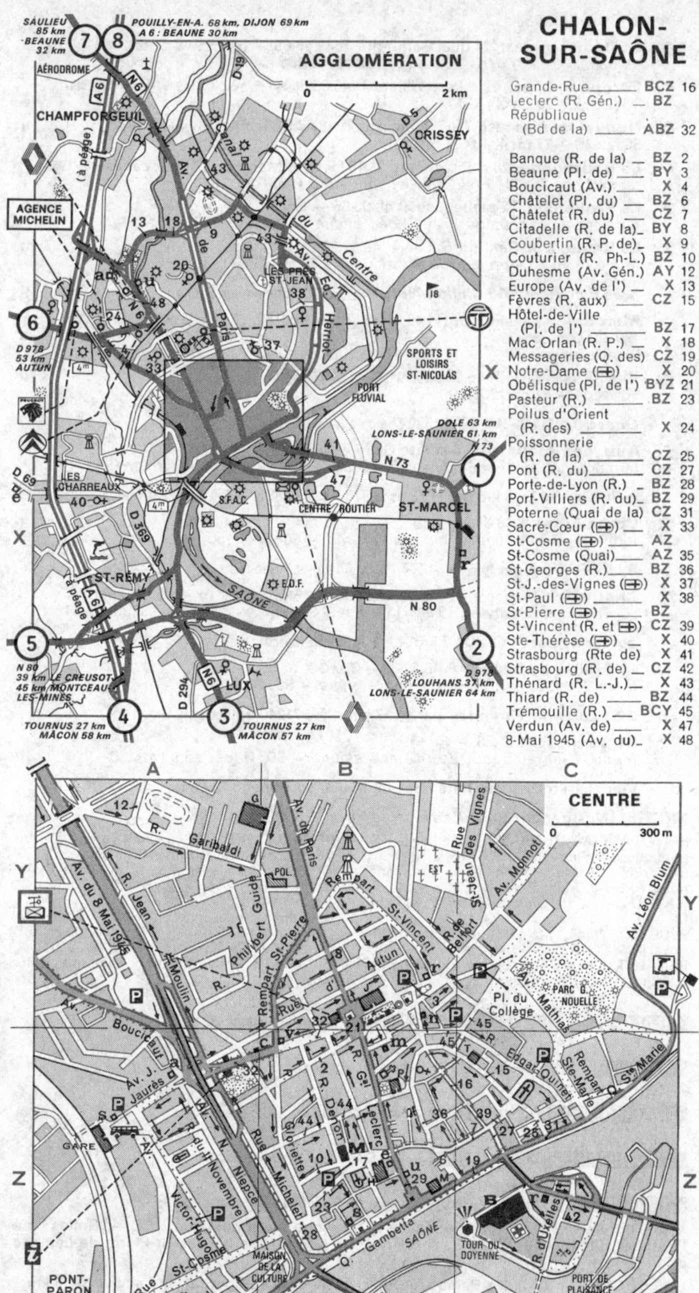

- **St-Jean** sans rest, 24 quai Gambetta ☎ 48.45.65 – TV ⇔wc ⋒ ☎. — BZ s
  fermé du 15 au 31 déc. – SC : ☕ 9 – **25 ch** 48/135.
- **Europe** sans rest, 13 r. Port-Villiers ☎ 48.03.86 – ⇔wc ⋒ ☎ . GB
  SC : ☕ 11 – **20 ch** 55/120. — BZ e
- **Nouvel H.** sans rest, 7 av. Boucicaut ☎ 48.07.31 – ⋒wc ☎ Ⓟ. — AZ a
  SC : ☕ 10 – **27 ch** 42/100.
- XX **Le Bourgogne,** 28 r. Strasbourg ☎ 48.89.18, « Maison du 17ᵉ s., caveau ». GB
  fermé 12 au 26 juil., 1ᵉʳ au 8 fév. et dim. – SC : **R** 63/120. — CZ r
- XX **Le Provençal,** 22 pl. Beaune ☎ 48.03.65 – GB — BY n
  fermé 1ᵉʳ au 15 août, du 15 au 31 déc. et dim. – SC : **R** 55/120.
- X **La Réale,** 8 pl. Gén.-de-Gaulle ☎ 48.07.21 — BZ m
  fermé 1ᵉʳ au 15 sept., vac. de fév. et lundi – SC : **R** 40/68.

près Échangeur A6 Chalon-Nord – ✉ **71100** Chalon-sur-Saône :

- **Mercure** Ⓜ, av. Europe ☎ 46.51.89, Télex 800132, ⛱ – ⇅ ▤ TV ☎ ♿ Ⓟ –
  150. AE GB ⓓ — X a
  R carte environ 70 – ☕ 15,50 – **87 ch** 188/284.
- **Ibis** Ⓜ sans rest, ☎ 46.64.62 – ⇔wc ☎ Ⓟ. — X u
  SC : ☕ 11 – **41 ch** 120/150.

Ouest par D 69 - X – ✉ **71530** Chalon-sur-Saône :

- XX **Aub. des Alouettes,** 4 km rte Givry ☎ 48.32.15 – Ⓟ — X e
  fermé 30 juil. au 31 août, dim. soir et jeudi – SC : **R** (dim. prévenir) 32/80 ♖.

à St-Marcel E : 3 km par N 73 et D 978 - X – 4 286 h. – ✉ **71380** St-Marcel :

- XX **Commerce,** ☎ 48.38.20 – Ⓟ — X r
  fermé 15 déc. au 15 janv., dim. soir et lundi – SC : **R** 45/150.

à Lux S : 5 km par N 6 - X – ✉ **71100** Chalon-sur-Saône :

- **Charmilles** Ⓜ, par ③ : 5 km ☎ 48.58.08 – ⇔wc ⋒ ☎ Ⓟ. . ⛌ rest
  SC : **R** *(fermé 22 janv. au 15 fév.)* (dîner seul.) 35/95 ♖ – ☕ 10,50 – **32 ch** 65/110.

à Alleriot par ① et VO : 7 km – ✉ **71380** St-Marcel :

- X **La Frairie de Saône,** ☎ 46.42.39 – Ⓟ. GB
  fermé 1ᵉʳ au 15 oct., fév., jeudi midi et merc. – SC : **R** 52/89.

à St-Loup-de-Varennes par ③ : 7 km – ✉ **71240** Sennecey-le-Grand :

- X **St-Loup,** ☎ 44.21.58 – Ⓟ. ⛌
  fermé 1ᵉʳ juil. au 5 août, 2 au 12 janv. et lundi – SC : **R** (déj. seul.) 42/135.

Voir aussi ressources hôtelières de Mercurey par ⑥ : 13 km.

MICHELIN, Agence, Z.I. de Châtenoy-le-Royal X ☎ **46.22.51**

BMW, LANCIA-AUTOBIANCHI Gar. de la République, 8 pl. République ☎ 48.16.90
CITROEN Gar. Moderne de Chalon-sur-Saône r. des Poilus-d'Orient ☎ 46.52.12
FIAT Duval, 10 rte Lyon, St-Rémy ☎ 48.76.63 N
PEUGEOT Nedey, Rte d'Autun à Châtenoy-le-Royal ☎ 46.30.12
RENAULT Chalon Sud, Centre routier-bd de Verdun ☎ 48.54.85

RENAULT SODIRAC, av. de l'Europe, Centre Commercial de la Thalie ☎ 46.25.89
TALBOT Rocade-Autom., 91 av. Paris ☎ 43.00.77

Ⓜ Chalon-Pneus Zone Ind. Verte - Chatenoy-Le-Royal ☎ 46.45.77
Perret-Pneu, 24 quai St-Cosme ☎ 48.30.21
Piot-Pneu, r. P.-de-Coubertin, Zone Ind. ☎ 46.50.12

CHALO-ST-MARS 91 Essonne 60 ⑨, 96 ㉟ – rattaché à Étampes.

La CHALP 05 H.-Alpes 77 ⑱ – rattaché à Arvieux.

CHALVIGNAC 15 Cantal 76 ① – rattaché à Mauriac.

CHAMALIÈRES 63 P.-de-D. 73 ⑭ – Voir Clermont-Ferrand et Royat.

CHAMBÉRY P **73000** Savoie 74 ⑮ **G. Alpes** – 56 788 h. alt. 272 – ✪ 79.

Voir Château★ AZ – **Diptyque★ dans la basilique métropolitaine** BY **D** – **Grilles★ de l'hôtel de Châteauneuf (rue Croix-d'Or)** BZ – **Crypte★ de l'église St-Pierre de Lémenc** BX **B.**

✈ **de Chambéry-Aix-les-Bains : Air Alpes ☎ 61.46.00 au Bourget-du-Lac par ⑤ : 8 km.**

ℹ Office de Tourisme pl. Monge (fermé dim.) ☎ 33.42.47 - A.C. 222 av. Comte-Vert ☎ 69.14.72 - T.C.F. 6 pl. Château ☎ 33.24.42.

Paris 560 ⑤ – Annecy 49 ⑤ – ♦Grenoble 55 ② – ♦Lyon 98 ⑤ – Torino 209 ② – Valence 124 ④.

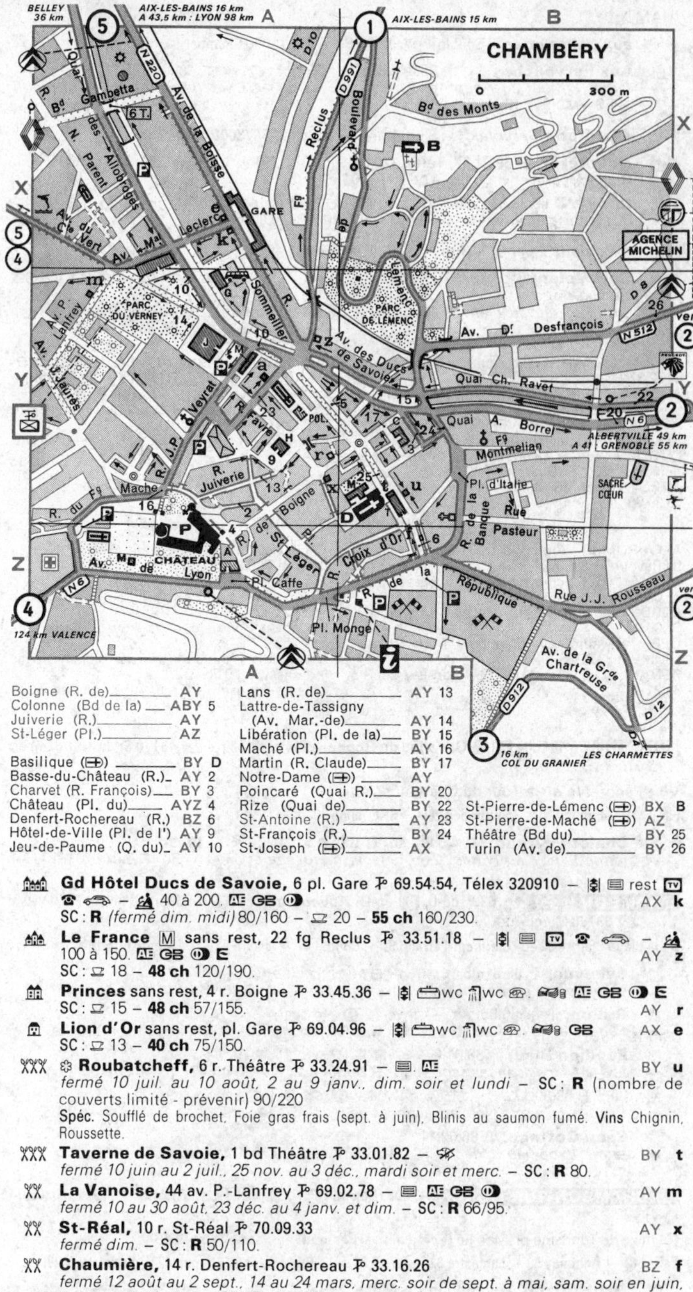

Boigne (R. de) AY
Colonne (Bd de la) ABY 5
Juiverie (R.) AY
St-Léger (Pl.) AZ

Basilique (⊞) BY D
Basse-du-Château (R.) AY 2
Charvet (R. François) BY 3
Château (Pl. du) AYZ 4
Denfert-Rochereau (R.) BZ 6
Hôtel-de-Ville (Pl. de l') AY 9
Jeu-de-Paume (Q. du) AY 10

Lans (R. de) AY 13
Lattre-de-Tassigny (Av. Mar.-de) AY 14
Libération (Pl. de la) BY 15
Maché (Pl.) AY 16
Martin (R. Claude) BY 17
Notre-Dame (⊞) AY
Poincaré (Quai R.) BY 20
Rize (Quai de) BY 22
St-Antoine (R.) AY 23
St-François (R.) BY 24
St-Joseph (⊞) AX

St-Pierre-de-Lémenc (⊞) BX B
St-Pierre-de-Maché (⊞) AZ
Théâtre (Bd du) BY 25
Turin (Av. de) BY 26

Gd Hôtel Ducs de Savoie, 6 pl. Gare ☎ 69.54.54, Télex 320910 – ascenseur ▤ rest TV ☎ – 40 à 200. AE GB ◑ — AX **k**
SC : **R** *(fermé dim. midi)* 80/160 – ☕ 20 – **55 ch** 160/230.

Le France M sans rest, 22 fg Reclus ☎ 33.51.18 – ascenseur ▤ TV ☎ – 100 à 150. AE GB ◑ E — AY **z**
SC : ☕ 18 – **48 ch** 120/190.

Princes sans rest, 4 r. Boigne ☎ 33.45.36 – ascenseur wc wc ☎. AE GB ◑ E — AY **r**
SC : ☕ 15 – **48 ch** 57/155.

Lion d'Or sans rest, pl. Gare ☎ 69.04.96 – ascenseur wc wc ☎. GB — AX **e**
SC : ☕ 13 – **40 ch** 75/150.

XXX ✿ **Roubatcheff,** 6 r. Théâtre ☎ 33.24.91 – ▤. AE — BY **u**
fermé 10 juil. au 10 août, 2 au 9 janv., dim. soir et lundi – SC : **R** (nombre de couverts limité - prévenir) 90/220
Spéc. Soufflé de brochet, Foie gras frais (sept. à juin), Blinis au saumon fumé. Vins Chignin, Roussette.

XXX **Taverne de Savoie,** 1 bd Théâtre ☎ 33.01.82 – — BY **t**
fermé 10 juin au 2 juil., 25 nov. au 3 déc., mardi soir et merc. – SC : **R** 80.

XX **La Vanoise,** 44 av. P.-Lanfrey ☎ 69.02.78 – ▤. AE GB ◑ — AY **m**
fermé 10 au 30 août, 23 déc. au 4 janv. et dim. – SC : **R** 66/95.

XX **St-Réal,** 10 r. St-Réal ☎ 70.09.33 — AY **x**
fermé dim. – SC : **R** 50/110.

XX **Chaumière,** 14 r. Denfert-Rochereau ☎ 33.16.26 — BZ **f**
fermé 12 août au 2 sept., 14 au 24 mars, merc. soir de sept. à mai, sam. soir en juin, juil. et août et dim. – SC : **R** 43/76 ₰.

X **Le Tonneau,** 2 r. St-Antoine ☎ 33.78.26 – AE E — AY **a**
fermé 1er au 24 août et lundi – **R** 30/75 ₰.

aux Charmettes SE : 2 km par D 4 - BZ – ✉ **73000** Chambéry :

Aux Pervenches ⛰, ☎ 33.34.26, ≤ – ⋒wc ☎ Ⓟ. 🚗. ✂
fermé 17 août au 7 sept. et 24 fév. au 3 mars. – SC : **R** *(fermé dim. soir et lundi)* 35/90 – ☕ 9 – 13 ch 45/80.

à La Motte Servolex N : 3 km par ⑤ 7 269 h. – ✉ **73000** Chambéry :

Novotel Ⓜ, ☎ 69.21.27, Télex 320446, 🏊 – 🛗 📺 ♿ Ⓟ – 🎪 230. AE GB ⓓ
R snack carte environ 65 – ☕ 20 – **103 ch** 175/195.

Ibis Ⓜ, ☎ 69.28.36, Télex 320457, ≤ – 🛁wc Ⓟ. 🚗 GB
SC : **R** carte environ 45 🍷 – ☕ 10 – **92 ch** 125/150.

à Voglans : par ⑤ : 9 km – ✉ **73420** Viviers-du-Lac :

Cerf Volant Ⓜ ⛰, ☎ 63.40.44, ≤, 🏊, 🌳, 🎾 – 📺 ☎ 🚗 Ⓟ – 🎪 40. AE GB ⓓ E. ✂ rest
fermé 20 déc. au 2 janv. – **R** 70/100 – ☕ 15 – **30 ch** 170/220 – P 265/300.

MICHELIN, Agence, av. Chambéry BY St-Alban-Leysse ☎ **33.45.91**

AUDI-VOLKSWAGEN Lain, 123 r. Garibaldi ☎ 62.37.91
AUSTIN, MORRIS, ROVER, TRIUMPH Falletti, 35 pl. Caffe ☎ 33.19.91
AUSTIN, MORRIS, ROVER, TRIUMPH Gar. Actual-Auto, 381 av. du Covet ☎ 69.16.96
CITROEN Gd Gar. Central, V.R.U. sortie Motte Servolex, 250 r. E.-Ducretet ☎ 62.25.90
CITROEN Gar. du Château, 11 av. de Lyon ☎ 69.39.08
FIAT Gar. Gare, 29 av. de la Boisse ☎ 62.36.37
MERCEDES-BENZ, TOYOTA Savoisienne Voitures Particulières 1 av. Lyon ☎ 69.44.73
PEUGEOT Gauthier et Coudurier, 15 quai Rize ☎ 33.28.09
RENAULT Lapierre, 547 r. N.-Parent ☎ 62.08.44

Périphérie et environs

ALFA-ROMEO Alpha-Savoie, rte de Challes, La Ravoire ☎ 33.77.27
CITROEN Gar. Schiavon, av. Turin, Bassens ☎ 33.03.53
FORD Madelon, 70 rte de Lyon, Cognin ☎ 69.09.27
OPEL Savauto, av. Chambéry à St-Alban-Leysse ☎ 33.30.63
RENAULT Lapierre, N 6 à St-Alban-Leysse ☎ 33.21.45
TALBOT Gar. Favre, rte de Challes, N 6 La Ravoire ☎ 33.07.27

Ⓜ Auto-Diffusion-Service, r. Boliet à Bassens ☎ 33.22.49
Piot-Pneu, Zone Ind. de la Trousse, La Ravoire ☎ 70.52.27
Savoy-Pneus, av. de la Houille Blanche, Zone Ind. Bissy ☎ 69.30.72
Tessaro-Cavasin, N 6 à St-Alban-Leysse ☎ 33.20.09

CHAMBLES

CHAMBLES 42 Loire 73 ⑱ **G. Vallée du Rhône** – 514 h. alt. 580 – ✉ **42170** St-Just-St-Rambert – ⚙ 77.

Voir Panorama de la Tour du Château★

Paris 471 – Firminy 10 – Montbrison 28 – ♦St-Etienne 20.

Chalet Ecureuil, N : 4,5 km sur D 108 ☎ 52.30.55, ≤ – Ⓟ. ✂
fermé 17 nov. au 17 déc., 2 au 19 janv., mardi soir et merc. – SC : **R** carte 70 à 100.

CHAMBON (Lac)

CHAMBON (Lac) ** 63 P.-de-D. 73 ⑬ **G. Auvergne** – alt. 877 – Sports d'hiver : 877/1 800 m ⛷7 – ✉ **63790** Murol – ⚙ 73.

De la plage : Paris 434 – ♦Clermont-Ferrand 37 – Condat 41 – Issoire 33 – Le Mont-Dore 18.

Bellevue, ☎ 88.61.06, ≤, 🌳 – 🛁wc ⋒wc ☎ Ⓟ
vacances de printemps, mai-27 sept. et fév. – SC : **R** 46/98 – ☕ 10 – 22 ch 48/150.

Grillon, ☎ 88.60.66, 🌳 – ⋒wc ☎ Ⓟ. ✂ rest
Pâques et 1er juin-mi sept. – SC : **R** 30/60 – ☕ 9,50 – 16 ch 40/100 – P 100/120.

Pavillon Bleu, ☎ 88.61.07, ≤, 🌳 – 🛁wc ⋒ ☎ Ⓟ. ✂ rest
fév.-nov. et vacances scol. – SC : **R** 30/80 – ☕ 9 – **20 ch** 42/78 – P 80/100.

Lac, ☎ 88.60.17, ≤ – 🛁wc ⋒wc ☎ Ⓟ. ✂ rest
Pâques-fin sept., Noël et vacances de fév. – SC : **R** 32/90 – ☕ 8 – 13 ch – P 120.

Beau Cottage, ☎ 88.62.11, ≤ – ⋒ Ⓟ
fermé 15 oct. au 15 déc. – SC : **R** 26/55 🍷 – ☕ 7,50 – **14 ch** 37/55 – P 74/85.

Le CHAMBON-SUR-LIGNON

Le CHAMBON-SUR-LIGNON 43400 H.-Loire 76 ⑧ **G. Vallée du Rhône** – 3 092 h. alt. 960 – ⚙ 71.

ℹ Office de Tourisme pl. Marché (fermé dim. après-midi et mardi) ☎ 59.71.56.

Paris 581 – Annonay 50 – Lamastre 32 – Privas 84 – Le Puy 46 – ♦St-Étienne 62 – Yssingeaux 28.

Bel Horizon ⛰, chemin de Molle ☎ 59.74.39, ≤, 🏊, 🌳, 🎾 – 🛁wc ⋒wc ☎ Ⓟ. 🚗
fermé 23 sept. au 16 oct. et 30 nov. au 11 déc. – SC : **R** *(fermé merc. sauf vacances scolaires)* 46/56 – ☕ 12 – **21 ch** 65/150 – P 135/160.

Central, ☎ 59.70.67 – wc wc ☎.
fermé oct., lundi (hôtel) et mardi (rest.) – SC : **R** 35/100 – ☕ 10 – **25 ch** 55/115 – P 100/125.

Beauséjour, ☎ 59.72.35, ←, ⛱, ✗ – wc ☎ Ⓟ. rest
Pâques-1er nov. – SC : **R** 40/70 – ☕ 10 – **17 ch** 40/120 – P 100/140.

à l'Est 3,5 km par D 157 et D 185 – ✉ **43400** Chambon-sur-Lignon :

Clair Matin, ☎ 59.73.03, ←, parc, ⛱, ✗ – wc wc ☎ Ⓟ – 25.
15 mars-30 sept., 15 oct.-20 nov. et vacances scolaires – SC : **R** 45/55 – ☕ 11 – **22 ch** 50/120 – P 105/150.

CITROEN Grand, ☎ 59.76.18
CITROEN Roustain, ☎ 59.73.63
PEUGEOT Argaud, ☎ 59.74.49 N
RENAULT Roux Ch., à le Sarzier ☎ 59.74.31
TALBOT Gar. Bruel, ☎ 59.72.41

Le CHAMBON-SUR-VOREY 43 H.-Loire 76 ⑦ – rattaché à Vorey.

CHAMBORD 41 L.-et-Ch. 64 ⑦⑧ – 230 h. alt. 71 – ✉ **41250** Bracieux – 54.
Voir Château* (spectacle Son et Lumière**), G. Châteaux de la Loire.**
Paris 175 – Blois 18 – Châteauroux 99 – •Orléans 49 – Romorantin-Lanthenay 40 – Salbris 54.

St-Michel, ☎ 46.31.31, « Face au Château », ✗ – wc ☎ Ⓟ. GB. ch
fermé 12 nov. au 19 déc. – SC : **R** (dim. et fêtes prévenir) 59/95 – ☕ 13 – 38 ch 65/170.

à St-Laurent-Nouan NE : 11 km par D 112B et D 951 – ✉ **41220** La Ferté-St-Cyr.
Syndicat d'Initiative à la Mairie (fermé sam. après-midi et dim.) ☎ 81.71.89.

Vannier M, ☎ 81.71.37, ⛱, ✗ – wc wc Ⓟ – 50. GB . rest
fermé 20 déc. au 15 fév. – **R** 80/120 – ☕ 18 – **53 ch** 115/175.

La CHAMBOTTE 73 Savoie 74 ⑮ – rattaché à Aix-les-Bains.

CHAMBOULIVE 19450 Corrèze 75 ⑨ – 1 281 h. alt. 435 – 55.
Paris 466 – Aubusson 92 – Bourganeuf 80 – Brive-la-Gaillarde 42 – Seilhac 9 – Tulle 23 – Uzerche 16.

Deshors Foujanet, ☎ 21.62.05, – ☎ Ⓟ. rest
fermé 3 au 28 oct. – SC : **R** 28/85 – ☕ 8,50 – **30 ch** 32/62 – P 76/90.

CITROEN Gar. Meyrignac, ☎ 21.60.42 N
Gar. Constanty, ☎ 21.61.54
Gar. Verdier, ☎ 21.60.69

CHAMBRAY 27 Eure 55 ⑰ – 336 h. – ✉ **27120** Pacy-sur-Eure – 32.
Paris 96 – Evreux 18 – Louviers 20 – Mantes-la-Jolie 37 – •Rouen 52 – Vernon 18.

XX ✿ **Le Vol au Vent,** ☎ 36.70.05 – AE E
fermé fév., dim. et lundi – SC : **R** carte 100 à 140
Spéc. Marmite Chambraysienne, Feuilleté de ris de veau, Tarte chaude aux pommes.

CHAMONIX-MONT-BLANC 74400 H.-Savoie 74 ⑧⑨ **G. Alpes** – 9 002 h. alt. 1 037 – Sports d'hiver : 1 037/3 842 m 14 29, – Casino BZ – 50.
Env. E : **Mer de glace*** et le Montenvers*** par chemin de fer électrique – SE : Aiguille du midi ✻*** par téléphérique – (station intermédiaire : plan de l'Aiguille**) – NO : Le Brévent*** par téléphérique (station intermédiaire : Planpraz**).**
9 ☎ 53.06.28 par ① : 3 km – **Tunnel du Mont-Blanc : Péage en 1980 aller simple : autos 35 à 73 F, camions 165 à 330F - Tarifs spéciaux AR pour autos et camions.**
Office de Tourisme pl. Église ☎ 53.00.24, Télex 385022.
Paris 626 ③ – Albertville 67 ③ – Annecy 96 ③ – Aosta 62 ② – Bern 175 ① – Bourg-en-Bresse 200 ③ – •Genève 83 ③ – Lausanne 114 ① – Mont-Blanc (Tunnel du) 7 ② – Torino 174 ②.

Plans pages suivantes

Alpina M, av. Mt-Blanc ☎ 53.05.38, Télex 385849, ← – TV ☎ – 250. AE E. rest — BY **t**
20 déc.-30 sept. – SC : **R** 65 – **143 ch** ☕ 164/252, 8 appartements 330/476 – P 200/280.

Mont-Blanc et rest. Le Matafan, pl. Église ☎ 53.05.64, Télex 385614, ←, ⛱, ✗ – ☎ Ⓟ. AE GB E — AZ **g**
fermé 1er nov. au 15 déc. – SC : **R** 70/100 – **50 ch** ☕ 185/290, 4 appartements 420 – P 208/260.

✿ **Albert I et Milan** (Carrier) M, ☎ 53.05.09, « Jardin fleuri », ⛱, ✗ – TV ☎ Ⓟ. AE GB . rest — BY **f**
fermé 3 au 25 mai et 28 sept. au 5 nov. – SC : **R** 60/95 – ☕ 18 – **31 ch** 170/200, 3 appartements 340 – P 155/220
Spéc. Ris de veau aux queues d'écrevisses, Escalope de foie gras aux airelles, Délice aux framboises. **Vins** La Ripaille, Mondeuse.

CHAMONIX-MONT-BLANC

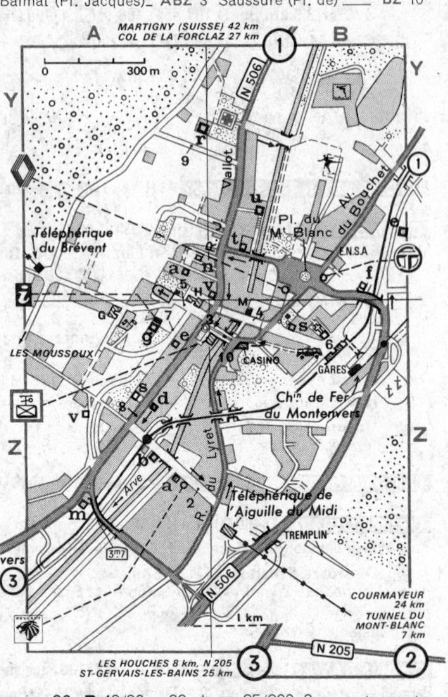

Aub. du Bois Prin [M], aux **Moussoux** - AZ - ☎ 53.33.51, ≤ massif du Mont-Blanc, – ▮ TV ☎ P. AE GB ⓓ. rest
fermé 3 au 22 mai et 5 oct. au 5 déc. – SC : **R** *(fermé merc.)* (dîner seul.) 62/75 – **11 ch** ▭ 240/350.

Park H. et rest. La Calèche, av. Majestic ☎ 53.07.58, Télex 385720, – ▮ TV ☎ – 150. AE ⓓ E. rest AZ **e**
fermé 5 nov. au 20 déc. – SC : **R** 55/65 – **75 ch** ▭ 135/215 – P 200/215.

Croix Blanche, 81 r. Vallot ☎ 53.00.11, ≤ – ▮ P. AE GB ⓓ E ABY **v**
fermé juin – **R** brasserie carte environ 60 – **38 ch** ▭ 110/210.

Le Prieuré [M], av. Payot ☎ 53.20.72, ≤, – ▮ cuisinette wc ☎ ♿ P – 120. AE GB ⓓ E AZ **v**
fermé 15 oct. au 15 déc. – SC : **R** 45/55 – **89 ch** ▭ 135/200 – P 168/190.

Sapinière et rest. le Montana, r. Mummery ☎ 53.07.63, ≤, – ▮ wc ☎ P. AE GB ⓓ E. AY **r**
fermé 1er oct. au 15 déc. – SC : **R** 55/80 – 35 ch ▭ 120/230 – P 170/225.

Hermitage et Paccard, r. Cristalliers ☎ 53.13.87, ≤, – wc ☎ P. AE BY **e**
1er juin-1er oct. et 15 déc.-3 mai – SC : **R** 48/90 – 32 ch ▭ 85/200, 3 appartements 350 – P 145/195.

Richemond, 228 r. Dr.-Paccard ☎ 53.08.85, ≤, – ▮ wc ☎ P. AE GB AZ **s**
19 juin-20 sept. et 19 déc.-Pâques – SC : **R** 47/54 – **52 ch** ▭ 78/193 – P 145/188.

Pointe Isabelle [M], 165 av. M. Croz ☎ 53.12.87 – ▮ wc wc ☎ P. AE BZ **s**
fermé hôtel : 5 nov. au 20 déc. ; rest : fin sept. au 20 déc., 4 au 24 mai et merc. hors saison – SC : **R** 35/85 – 39 ch ▭ 120/210 – P 145/180.

Arve, r. J.-Vallot ☎ 53.02.31, ≤ – ▮ wc wc ☎ P. AE. BY **u**
15 juin-30 sept., 15 janv.-15 avril et sans rest. en oct., du 20 déc. au 5 janv. et du 15 avril au 15 juin – SC : **R** 40/50 – ▭ 12 – 40 ch 70/150 – P 135/160.

Roma sans rest, 289 r. Ravanel-le-Rouge ☎ 53.00.62, ≤, – wc wc ☎ P. AZ **m**
fermé 15 oct. au 15 déc. – SC : ▭ 12 – **34 ch** 65/135.

Arveyron, par ① av. du Bouchet : 2,5 km ☎ 53.18.29, ≤, – wc wc ☎ P. rest
6 juin-20 sept. et 20 déc.-Pâques – SC : **R** 35/50 – ▭ 12 – **22 ch** 69/145 – P 112/150.

Au Bon Coin sans rest, 80 av. Aiguille-du-Midi ☎ 53.15.67, ≤, – wc ☎ P. AZ **b**
5 juin-5 nov. et 20 déc.-5 mai – SC : **20 ch** ▭ 80/140.

Marronniers sans rest, r. J.-Vallot ☎ 53.05.73, ≤ – wc wc ☎. AY **a**
15 juin-20 sept. et 18 déc.-26 avril – SC : **19 ch** ▭ 100/175.

Midi sans rest, r. J.-Vallot ☎ 53.05.62, ≤ – wc AY **n**
SC : ▭ 12 – **18 ch** 75/115.

Fin Godet, av. Aiguille du Midi ☎ 53.20.04 – AE ⓓ AZ **a**
fermé 15 nov. au 15 déc., 15 au 30 juin et lundi – SC : **R** 55/75, dîner à la carte.

Lion d'Or avec ch, r. Dr-Paccard ☎ 53.15.09 – AE GB ⓓ AZ **d**
fermé juin, 20 oct. au 20 déc. et lundi hors sais. – SC : **R** 46/70 – ▭ 12 – **10 ch** 50/80 – P 100/120.

RESSOURCES HOTELIÈRES
AUX ENVIRONS DE CHAMONIX ET SAINT-GERVAIS

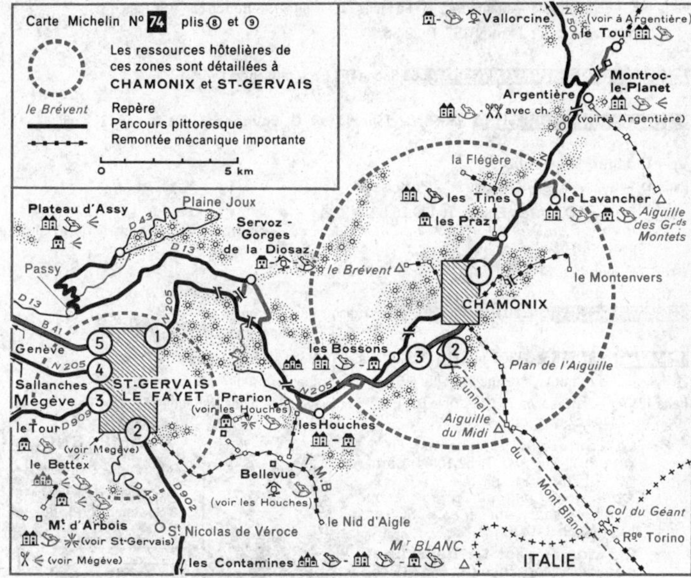

aux Praz-de-Chamonix par ① : 2,5 km – alt. 1 060 – ✉ **74400** Chamonix.
Voir la Flégère ≤★★ par téléphérique.

Rhododendrons, ☎ 53.06.39, ≤ – wc ⋒ ☎ ℗. 🚗. ✻ rest
10 juin-20 sept. et 20 déc.-1er mai – SC : **R** 35/50 – ☕ 15 – 16 ch 70/135 – P 100/140.

Simond et Golf, ☎ 53.06.08, ≤, – wc ⋒wc ☎ ℗. ✻ rest
1er juin-30 sept., Noël, fév. et avril – SC : **R** 33/44 – ☕ 11 – 24 ch (pens. seul.) – P 119/150.

aux Bossons par ③ : 3,5 km – alt. 1 005 – ✉ **74400** Chamonix :

Novotel Ⓜ, ☎ 53.26.22, Télex 385372, – rest ☎ ♿ ℗ – 30 à 100. AE GB ⓓ
R snack carte environ 65 – ☕ 20 – **85 ch** 175/190 – P 225.

Aiguille du Midi ⛰, ☎ 53.00.65, ≤, « Jardin fleuri », – wc ⋒wc ☎ ℗. 🚗. ✻ rest
Pâques, 12 mai-20 sept., vacances de Noël et de fév. – SC : **R** 60/90 – ☕ 14 – 48 ch 100/160 – P 132/190.

Dôme, ☎ 53.00.01, ≤ – ⋒ ℗. 🚗. ✻ rest
fermé 23 au 30 avril et 15 oct. au 8 déc. – SC : **R** 34/42 – ☕ 11 – 16 ch 45/86 – P 94/110.

aux Tines par ① : 4 km – alt. 1 085 – ✉ **74400** Chamonix :

Excelsior ⛰, ☎ 53.18.36, ≤, – wc ⋒wc ☎ ℗. 🚗. ✻ rest
1er mai-30 sept. – SC : **R** 50/70 – ☕ 15 – **43 ch** 80/250 – P 130/250.

au Lavancher par ① : 6 km – alt. 1 100 – Sports d'hiver : Voir à Chamonix – ✉ **74400** Chamonix – **Voir** ≤★★.

Les Gentianes ⛰, ☎ 54.01.31, ≤, « Jardin fleuri » – wc ⋒wc ☎ ℗. 🚗. ✻
23 mai-27 sept et 20 déc.-20 avril – SC : **R** 60/75 – ☕ 16 – 14 ch 75/190 – P 216.

Beausoleil ⛰, ☎ 54.00.78, ≤, « jardin fleuri », – ⋒wc ☎ ℗. 🚗. ✻ rest
fermé 20 sept. au 15 déc. – SC : **R** 40/60 – 17 ch (pens. seul.) – P 94/135.

AUDI-VOLKSWAGEN Gar. Vouillamoz, av. Aiguille-du-Midi ☎ 53.12.76
DATSUN Gar. J.P.-Vouillamoz, Les Pélerins ☎ 53.09.37
PEUGEOT Gar. de Warens, 200 av. Aiguille-du-Midi ☎ 53.19.94
RENAULT Gar. du Bouchet, pl. Mont-Blanc ☎ 53.01.75
TALBOT Gar. Olympic, av. du Bouchet ☎ 53.09.15
Stat. du Beau-Site 73 r. Ravanel-le-Rouge ☎ 53.13.43

CHAMPAGNAC-DE-BELAIR 24530 Dordogne 75 ⑤ – rattaché à Brantôme.

CHAMPAGNÉ 72470 Sarthe 60 ⑭. – 3 702 h. alt. 53 – 43.

Paris 199 – Écommoy 33 – Mamers 46 – •Le Mans 13 – Nogent-le-Rotrou 68 – St-Calais 35.

X d'Auvours, S : 2 km N 157 ☎ 29.50.06.

CHAMPAGNE-AU-MONT-D'OR 69 Rhône 74 ⑪ – rattaché à Lyon.

CHAMPAGNE-SUR-OISE 95660 Val-d'Oise 55 ⑳ **G. Environs de Paris** – 3 121 h. alt. 47 – 3.

Voir Clocher* de l'église.

Paris 41 – Beauvais 39 – Chantilly 21 – Pontoise 20.

XXX **Épis d'Or,** près Église ☎ 470.25.92 – GB
fermé 16 au 24 août, 1er fév. au 2 mars, dim. soir et lundi – SC : **R** (sam. soir et dim. prévenir) 70.

TALBOT Blondeau, ☎ 470.10.27

CHAMPAGNEY 70290 H.-Saône 66 ⑦ – rattaché à Ronchamp.

CHAMPAGNOLE 39300 Jura 70 ⑤ **G. Jura** – 10 714 h. alt. 538 – 84.

Syndicat d'Initiative à l'Hôtel de Ville (15 juin-15 sept. et fermé dim.) ☎ 52.14.56.

Paris 425 ④ – •Besançon 71 ④ – Dole 60 ④ – •Genève 89 ② – Lons-le-Saunier 34 ③ – Pontarlier 43 ① – St-Claude 52 ②.

La Vouivre M sans rest, O : 2 km par D 5 et VO ☎ 52.10.44, parc, – TV ☎ P – 30
fermé du 23 déc. au 25 janv., dim. soir hors sais. sauf fériés – SC : 14 – **20 ch** 110/135.

Ripotot et rest La Belle Époque, 54 r. Mar.-Foch **(e)** ☎ 52.15.45, parc, – . AE GB E
hôtel : 1er avril-30 oct., Noël et vac. de fév. – SC : **R** *(fermé 1er au 22 mars, 3 au 24 nov. et merc. sauf juin à sept.)* 75/120 – 15 – **60 ch** 55/175 – P 180/220.

Parc, 13 r. P.-Cretin **(v)** ☎ 52.13.20, – wc wc P. GB
fermé nov. et dim. hors sais. – SC : **R** 36/70 – 12 – **20 ch** 53/120 – P 100/140.

CHAMPAGNOLE

République (Av. de la) 4

Delort (R. Baronne) 3
3-Septembre (Pl. du) 5

Pont de Gratteroche, par ④ : 5 km sur N 5 ☎ 52.05.52, – P
fermé 15 sept. au 15 oct., 23 déc. au 1er janv., dim. soir et lundi hors sais. – SC : **R** 35, carte le dim. – 7,50 – **23 ch** 30/50 – P 75/80.

*à **Bourg-de-Sirod*** SE : 8 km par D 84 et D 277 – ✉ **39300** Champagnole :

XX **Pertes de l'Ain,** ☎ 52.26.31 – P
fermé 20 avril au 18 mai et lundi – SC : **R** 30/70.

*à **Sirod*** E : 8 km par D 84 – ✉ **39300** Champagnole :

X **Le Campagnard,** ☎ 52.27.96 – GB
fermé fév. et merc. – SC : **R** 25/40.

ALFA-ROMEO, TALBOT Gar. Cuynet, r. Baronne-Delort ☎ 52.09.78
OPEL Gar. Prost-Boucle, 22 r. Baronne-Delort ☎ 52.00.54
PEUGEOT Ganeval, av. De-Lattre-de-Tassigny ☎ 52.07.78

RENAULT Gar. Pillard, rte de Genève ☎ 52.09.99

Girardot, r. Gédéon David ☎ 52.21.52
Pneus-Maréchal, 44 r. de la Liberté ☎ 52.07.96

CHAMPDIEU 42 Loire 73 ⑰ – rattaché à Montbrison.

CHAMPEIX 63320 P.-de-D. 73 ⑭ **G. Auvergne** – 1 106 h. alt. 456 – 73.

Paris 414 – •Clermont-Ferrand 30 – Condat 50 – Issoire 13 – Le Mont-Dore 38 – Thiers 56.

X **Promenade** avec ch, ☎ 96.70.24 – .
fermé sept., Noël, mardi soir et merc. sauf juil. et août – SC : **R** 40/100 – 12 – 7 ch 50 – P 100/110.

PEUGEOT Gar. Thiers, ☎ 96.73.18

CHAMPENOUX 54 M.-et-M. 62 ⑤ – 924 h. alt. 231 – ✉ 54280 Seichamps – ☎ 8.
Paris 320 – Château-Salins 17 – Lunéville 23 – •Metz 62 – •Nancy 15 – Sarreguemines 76.

XX **Aub. Lion d'Or,** ☎ 326.61.23 – Ⓟ. AE ⓓ
fermé 4 au 17 fév., 15 au 29 juil., lundi soir et mardi – SC : **R** 75.

CHAMPIGNY 89370 Yonne 61 ⑬ – 1 143 h. alt. 59 – ☎ 86.
Paris 100 – Auxerre 76 – Fontainebleau 34 – Montereau-faut-Yonne 17 – Nemours 37 – Sens 19.

XXX **La Vieille France, au Petit Chaumont** O : 2,5 km ☎ 66.21.07, – Ⓟ. GB ⓓ
fermé 27 juil. au 4 sept., et le soir sauf sam. – **R** carte 70 à 100.

CHAMPILLON 51 Marne 56 ⑯ – rattaché à Épernay.

CHAMPLITTE 70600 H.-Saône 66 ③ **G. Jura** – 1 348 h. alt. 225 – ☎ 84.
Voir Musée d'histoire et de folklore*.
Paris 323 – Bourbonne-les-Bains 47 – •Dijon 54 – Gray 20 – Langres 36 – Vesoul 67.

Lion d'Or, ☎ 31.64.04 – ⋔ Ⓟ. GB
fermé 15 déc. au 15 janv. et merc. – SC : **R** 38/120 – ☕ 10 – 12 ch 46/97 – P 130/180.

CHAMPROSAY 91 Essonne 61 ①, 101 ㊲ – voir à Paris, Proche banlieue.

Le CHAMP-ST-PÈRE 85720 Vendée 67 ⑭ – 1 239 h. alt. 25 – ☎ 51.
Paris 438 – Fontenay-le-Comte 46 – Luçon 17 – La Roche-sur-Yon 24 – Les Sables-d'Olonne 36.

XX **Aub. de la Motte Freslon** (ch. prévues), 1 km par rte Roche-sur-Yon ☎ 98.94.66 – Ⓟ. E
fermé 1er oct. au 1er nov., lundi soir et mardi – SC : **R** 48/64.

CITROEN Chabot, ☎ 98.94.09

CHAMPS-SUR-TARENTAINE 15270 Cantal 76 ② – 1 200 h. alt. 495 – ☎ 71.
Env. Gorges de la Rhue** SE : 9 km, **G. Auvergne**.
Paris 477 – Aurillac 93 – •Clermont-Ferrand 92 – Condat 24 – Mauriac 37 – Ussel 37.

Aub. du Vieux Chêne Ⓜ ⛰, ☎ 78.71.64, – wc ⋔ ☎ Ⓟ
fermé janv., fév., dim. soir et lundi – SC : **R** 40/120 – ☕ 12 – **20 ch** 75/120 – P 110/130.

Host. de l'Artense, ☎ 78.70.15. rest
fermé 10 nov. au 15 déc. et dim. soir – SC : **R** 35/65 – ☕ 9,50 – 29 ch 40/65 – P 80/90.

CHAMPTOCEAUX 49 M.-et-L. 63 ⑱ **G. Châteaux de la Loire** – 1 252 h. alt. 70 – ✉ 49270 St-Laurent-des-Autels – ☎ 40 (Loire-Atlantique).
Voir Site* – Promenade de Champalud ≤**.
ℹ Syndicat d'Initiative à la Mairie (fermé sam. et dim.) ☎ 83.52.31.
Paris 347 – Ancenis 10 – Angers 63 – Beaupréau 30 – Cholet 48 – Clisson 33 – •Nantes 31.

Côte, ☎ 83.50.39 – wc ⋔wc ☎ Ⓟ – 80.
R 33/60 – ☕ 10 – **28 ch** 48/110 – P 110/160.

Voyageurs, ☎ 83.50.09 – wc ⋔wc – 25 à 30. GB
avril-oct. et fermé lundi – SC : **R** 30/100 – ☕ 9 – **18 ch** 38/120 – P 100/150.

Chez Claudie, Le Cul du Moulin NE : 1 km sur D 751 ☎ 83.50.43 – ⋔ ☎ Ⓟ – 30
fermé 1er au 25 sept., dim. soir (sauf rest.) et lundi – SC : **R** 35/85 – ☕ 9 – **21 ch** 40/60.

CHAMROUSSE 38 Isère 77 ⑤ **G. Alpes** – alt. 1 650 – Sports d'hiver : 1 650/2 250 m 1 22, – ✉ 38410 Uriage – ☎ 76.
Env. E : Croix de Chamrousse *** par téléphérique.
ℹ Office de Tourisme Le Recoin ☎ 97.02.65.
Paris 597 – Allevard 59 – Chambéry 81 – •Grenoble 29 – Uriage-les-Bains 19 – Vizille 28.

Hermitage, le Recoin ☎ 97.03.21, ≤ – . ch
20 déc.-20 avril – SC : **R** 60/80 – ☕ 18 – **46 ch** 140/200 – P 178/230.

Roche Bé ⛰, **à La Roche Béranger** ☎ 97.21.14, ≤ – wc ☎
sais. – **R** voir rest Malatras 2000 – **23 ch**.

Belledonne ⛰, le Recoin ☎ 97.00.24, ≤ – ⋔wc ☎ Ⓟ.
1er nov.-25 avril – SC : **R** 45/65 – ☕ 14 – 13 ch 90/130 – P 130/180.

La Grenouillère ⛰, le Recoin ☎ 97.00.27, ≤ – ⋔ ☎. rest
15 déc.-20 avril – SC : **R** 45/70 – ☕ 10 – 17 ch 99 – P 135/155.

X **Malatras 2000, à La Roche Béranger** ☎ 97.22.54
juil. et août, déc.-avril – SC : **R** 35/60.

CHANAC 48230 Lozère 80 ⑤ – 953 h. alt. 650 – ✪ 66.

ℹ Syndicat d'Initiative pl. Triadou (fermé dim. après-midi) ☎ 48.20.08.

Paris 579 – Espalion 77 – Florac 46 – Mende 21 – Rodez 85 – Sévérac-le-Château 38.

Voyageurs, ☎ 48.20.16, – – 🅿
SC : **R** 30/80 – 9 – 15 ch 45/65 – P 85/95.

CITROEN Daudé, ☎ 48.20.99

CHANDAI 61 Orne 60 ⑤ – rattaché à L'Aigle.

CHANGÉ 72 Sarthe 60 ⑬ – rattaché au Mans.

CHANTELLE 03140 Allier 73 ④ **G. Auvergne** – 1 069 h. alt. 324 – ✪ 70.

ℹ Syndicat d'Initiative pl. Oscambre (15 juin-1er sept. et fermé dim. après-midi).

Paris 338 – Aubusson 109 – Gannat 17 – Montluçon 54 – Moulins 45 – St-Pourçain-sur-Sioule 14.

Poste, ☎ 56.62.12 – 🅿. rest
fermé 28 sept. au 27 oct. – SC : **R** 25/45 – 10 – 12 ch 45/70 – P 75.

PEUGEOT Gar. Arnaud, ☎ 56.66.54 RENAULT Touzain, ☎ 56.61.55

CHANTELOUBE 87 H.-Vienne 72 ⑧ – rattaché à Bessines-sur-Gartempe.

CHANTEMERLE 05 H.-Alpes 77 ⑱ – rattaché à Serre-Chevalier.

CHANTEMESLE 95 Val-d'Oise 55 ⑱, 96 ②③ – rattaché à La Roche-Guyon.

Une réservation confirmée par écrit est toujours plus sûre.

CHANTILLY 60500 Oise 56 ⑪, 96 ⑦⑧ **G. Environs de Paris** – 10 684 h. alt. 57 – ✪ 4.

Voir Château** BY : **musée** M** – **Parc**** BY – **Grandes Écuries**** BY **E.**

Env. S : **Forêt*** – **Site*** des étangs de Commelles S : 5,5 km – **Église**** de St-Leu-d'Esserent 5,5 km par ⑤.

9 18 ☎ 457.04.43 N : 1,5 km par D 44 BY.

ℹ Office de Tourisme av. Mar.-Joffre (1er mars-15 nov. et fermé mardi) ☎ 457.08.58.

Paris 50 ② – Beauvais 51 ⑤ – Clermont 25 ⑤ – Compiègne 45 ① – Meaux 52 ② – Pontoise 36 ④.

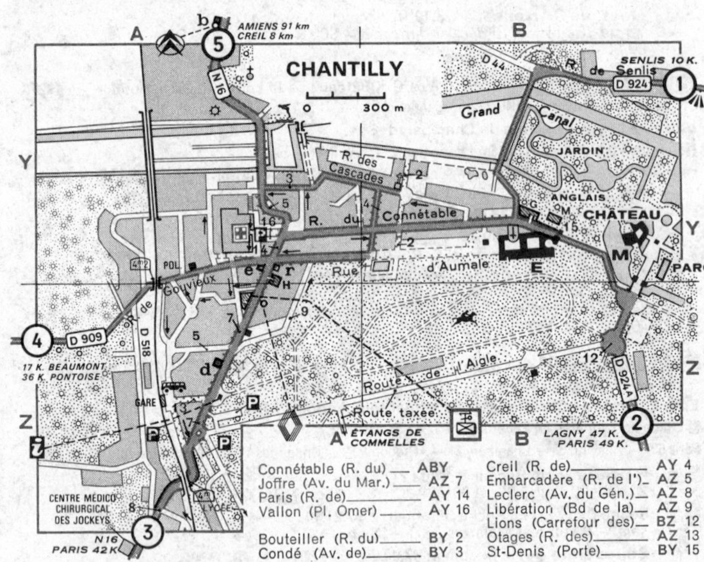

Connétable (R. du)	ABY	
Joffre (Av. du Mar.)	AZ	7
Paris (R. de)	AY	14
Vallon (Pl. Omer)	AY	16
Bouteiller (R. du)	BY	2
Condé (Av. de)	BY	3
Creil (R. de)	AY	4
Embarcadère (R. de l')	AZ	5
Leclerc (Av. du Gén.)	AZ	8
Libération (Bd de la)	AZ	9
Lions (Carrefour des)	BZ	12
Otages (R. des)	AZ	13
St-Denis (Porte)	BY	15

Campanile, par ⑤ : 0,5 km ☎ 457.39.24, – wc 🅿. GB
SC : **R** 43 bc/56 bc – 17 – **50 ch** 130 – P 168/218.

Étoile sans rest, 3 av. Mar.-Joffre ☎ 457.02.55 – wc wc 🅿. AY **r**
SC : 10 – **10 ch** 40/90.

XX **Relais Condé,** 42 av. Mar.-Joffre ℡ 457.05.75 – AZ **d**
fermé juil., vacances de fév., lundi soir et mardi – SC : **R** (dim. prévenir) 75.

XX **Relais du Coq Chantant,** 21 rte de Creil ℡ 457.01.28 – P. AE AY **b**
fermé fév. – SC : **R** 65/83.

XX **Tipperary,** 6 av. Mar.-Joffre ℡ 457.00.48 – AE GB AY **e**
fermé 15 août au 3 sept., 22 déc. au 10 janv. et jeudi – **R** 61 bc, carte le dim.

rte de Creil par ⑤ : 3,5 km – ✉ **60740** St-Maximin :

XX Verbois (travaux, s'informer), ℡ 455.96.22, – P.

à Gouvieux par ④ : 3 km – 8 506 h. – ✉ **60270** Gouvieux :

Château de la Tour, ℡ 457.07.39, ≤, parc, – wc P. AE
fermé 16 juil. au 12 août – SC : **R** *(fermé dim. soir en hiver)* 65/95 – 15 – **15 ch** 110/234 – P 200/240.

à Toutevoie par ④ et D 162 : 6,5 km – ✉ **60270** Gouvieux :

Pavillon St-Hubert, ℡ 457.07.04, ≤, « Terrasse au bord de l'eau » – wc P – 30
SC : **R** *(fermé août)* carte 85 à 115 – 15 – 19 ch 60/95.

au Lys-Chantilly par ③ : 7 km – ✉ **60260** Lamorlaye.

Voir Abbaye de Royaumont** S : 1,5 km – 9 18 ℡ 421.26.00 au NO.

Host. du Lys, rond-point de la Reine ℡ 421.26.19, Télex 150298, – wc wc P – 120. AE E
fermé 20 déc. au 4 janv. – SC : **R** 75/90 – 16 – **35 ch** 160/220 – P 230/260.

AUDI, **OPEL** Gar. Sadell, 33 av. Mar.-Joffre ℡ 457.05.09
CITROEN Mainguy, à Gouvieux ℡ 457.02.98
LANCIA-AUTOBIANCHI Chantilly-Gar., 29 av. Mar.-Joffre ℡ 457.13.83
RENAULT Gar. Condé, 37 av. Joffre ℡ 457.01.59

CHANTONNAY 85110 Vendée 67 ⑮ – 6 484 h. alt. 65 – 51.

Syndicat d'Initiative r. Église (1er juil.-31 août, fermé dim. et lundi) et à la Mairie (1er sept.-30 juin, fermé sam. et dim.) ℡ 94.46.51.

Paris 400 – Cholet 52 – •Nantes 73 – Niort 69 – Poitiers 118 – La Roche-sur-Yon 33.

Petit Lundi sans rest, 40 av. G. Clemenceau ℡ 94.31.45 – wc
SC : 9,50 – **10 ch** 46/80.

Mouton, ℡ 94.30.22 – P. GB
fermé oct. et lundi sauf du 14 juil. au 10 sept. – SC : **R** 29/80 – 10 – 12 ch 43/75 – P 100/140.

CITROEN Chauveau-Puaud, av. G.-Clemenceau ℡ 94.32.55
RENAULT Gar. Réau, 42 av. Batiot ℡ 94.30.23 N ℡ 94.36.70
RENAULT Villeneuve, 59 av. G. Clémenceau ℡ 94.31.86

CHAPARON 74 H.-Savoie 74 ⑯ – rattaché à Brédannaz.

CHAPEAUROUX 48 Lozère 76 ⑯ **G. Auvergne** – alt. 745 – ✉ **48600** Grandrieu – 66.

Paris 553 – Auroux 17 – Cayres 15 – Langogne 32 – Mende 67 – Le Puy 37.

Beauséjour, ℡ 46.32.01 – wc P. rest
SC : **R** 28/40 – 9 – **26 ch** 43/92 – P 87/96.

La CHAPELLE 19 Corrèze 73 ⑪ – ✉ **19250** Meymac – 55.

Paris 452 – Meymac 12 – Tulle 45 – Ussel 15.

Le Châtel M, N 89 ℡ 94.22.23, ≤, – wc P. AE
fermé janv., dim. soir et lundi sauf vacances scolaires – SC : **R** 40/100 – 12 – **11 ch** 85/120 – P 150/160.

La CHAPELLE 56 Morbihan 63 ④ – rattaché à Ploërmel.

La CHAPELLE-AUBAREIL 24 Dordogne 75 ⑦ – 280 h. – ✉ **24290** Montignac – 53.

Paris 507 – Bergerac 84 – Brive-la-Gaillarde 49 – Périgueux 58 – Sarlat-la-Canéda 19.

Jardin, ℡ 50.72.09 – P.
fermé 28 sept. au 1er nov. et lundi hors sais. – SC : **R** 35/60 – 10 – **9 ch** 60/75 – P 90/110.

La CHAPELLE-D'ABONDANCE 74 H.-Savoie 70 ⑱ – 538 h. alt. 1 020 – Sports d'hiver : 1 020/1 700 m 8, – ✉ **74360** Abondance – 50.

Syndicat d'Initiative (15 juin-15 sept. et 15 déc.-20 avril) ℡ 73.02.64.

Paris 610 – Annecy 106 – Châtel 5,5 – Évian-les-Bains 34 – Morzine 45 – Thonon-les-Bains 34.

Le Chabi M, ☎ 73.23.34, ≤ – wc wc ☎ P. ✻
1er juil.-30 août et 15 déc.-30 avril – SC : **R** 40/55 – ☕ 10 – **24 ch** 110/150 – P 125/165.

Cornettes, ☎ 73.20.01, – wc ☎ P
20 mai-30 oct. et 15 déc.-20 avril – SC : **R** 38/90 – ☕ 9 – 35 ch 55/110 – P 110/145.

L'Ensoleillé, ☎ 73.23.29, – wc wc ☎ P
20 juin-10 sept. et Noël-Pâques – SC : **R** 38/80 – ☕ 9,50 – **29 ch** 58/110 – P 95/135.

L'Alpage, ☎ 73.20.26, ≤, – wc wc P. ✻
15 juin-15 sept. et 20 déc.-20 avril – SC : **R** 25/40 – ☕ 8 – **26 ch** 35/60 – P 72/92.

La CHAPELLE-D'ANGILLON 18380 Cher 65 ⑪ **G. Châteaux de la Loire** – 744 h. alt. 192 – 48.

Paris 197 – Bourges 32 – Cosne-sur-Loire 45 – Gien 44 – •Orléans 91 – Salbris 35 – Vierzon 33.

✕ **Bonne Auberge** avec ch, ☎ 73.41.18, – wc P.
fermé 15 sept. au 1er oct et jeudi – SC : **R** 40/70 – ☕ 12 – **6 ch** 75/100.

CITROEN Pawlowicz, ☎ 73.40.79 N — RENAULT Gar. Turpin, ☎ 73.40.14

La CHAPELLE-EN-VALGAUDEMAR 05 H.-Alpes 77 ⑯ **G. Alpes** – 181 h. alt. 1 100 – ✉ **05800** St-Firmin – 92.

Voir Chemin des Portes ≤ S : 3,5 km – Cascade du Casset* NE : 3,5 km.**

Paris 655 – Gap 48 – •Grenoble 91 – La Mure 53.

Mont-Olan, ☎ 55.23.03, – wc P
Pâques-20 sept. – SC : **R** 35/61 – ☕ 9 – 37 ch 45/85 – P 96/120.

La CHAPELLE-EN-VERCORS 26420 Drôme 77 ⑭ **G. Alpes** – 817 h. alt. 945 – Sports d'hiver au Col de Rousset : 1 254/1 700 m 4 – 75.

Syndicat d'Initiative à l'Hôtel de Ville avec A.C. (fermé dim.) ☎ 48.22.54.

Paris 606 – Die 40 – •Grenoble 62 – Romans-sur-Isère 45 – St-Marcellin 32 – Valence 63.

✻ **Bellier**, ☎ 48.20.03, – wc ☎ P. AE GB
10 juin-25 sept. – SC : **R** 90/130 – ☕ 12 – **14 ch** 40/190 – P 150/200
Spéc. Terrine de grives, Truite au vin rouge, Poulet aux écrevisses. Vins Clairette de Die.

Nouvel H., ☎ 48.20.09, ≤ – . ✻
fermé 1er oct. au 20 déc. – SC : **R** 32/54 – ☕ 9 – 31 ch 50/62 – P 85/100.

Sports, ☎ 48.20.39 – . ✻ ch
fermé 12 nov. au 22 déc. et 23 au 31 mars – SC : **R** 27/55 – ☕ 8 – 15 ch 45/55 – P 82/90.

à St-Agnan S : 4 km par D 518 – ✉ **26420** La Chapelle-en-Vercors :

Le Veymont, ☎ 48.20.19 – wc ☎.
fermé nov. et mardi en oct. – SC : **R** 48/105 – ☕ 11 – **23 ch** 65/115 – P 125/148.

Le CHAPUS 17 Char.-Mar. 71 ⑭ – voir Marennes (Bourcefranc-le-Chapus).

CHARAVINES 38850 Isère 74 ⑭ **G. Vallée du Rhône** – 1 161 h. alt. 510 – 76.

Voir Lac de Paladru* N : 1 km.

Syndicat d'Initiative (15 juin-15 sept., fermé mardi et dim. après-midi) ☎ 06.60.31.

Paris 539 – Belley 50 – Chambéry 52 – •Grenoble 44 – La Tour-du-Pin 22 – Voiron 13.

Poste, ☎ 06.60.41 – wc ☎. . ✻ rest
fermé nov., 26 avril au 3 mai, en fév., dim. soir et lundi – SC : **R** 42/100 – ☕ 13 – 20 ch 72/176 – P 110/155.

Host. Lac Bleu, N : 1,5 km par D 50 ☎ 06.60.48, ≤, – wc ☎ P. . ✻ ch
15 mars-1er nov. et fermé mardi en sept. et oct. – SC : **R** 45/90 – ☕ 11 – 15 ch 55/125 – P 105/135.

Le Fayard, NO : 1 km par D 50 et VO ☎ 06.60.01, ≤ – P. ✻
fermé oct. et merc. – SC : **R** 45/70 – ☕ 8,50 – 9 ch 45/55 – P 85.

TALBOT Gar. Lambert, ☎ 06.60.43

CHARBONNIÈRES-LES-BAINS 69 Rhône 74 ⑪ – rattaché à Lyon.

CHARBONNIÈRES-LES-VIEILLES 63 P.-de-D. 73 ④ – 730 h. alt. 618 – ✉ **63410** Manzat – 73.

Voir Gour (lac) de Tazenat* S : 2 km, G. Auvergne.

Paris 378 – Aubusson 84 – •Clermont-Ferrand 36 – Montluçon 72 – Riom 21 – Vichy 48.

Parc, ☎ 86.63.20, – . ✻ ch
1er mars-30 nov. – SC : **R** 28/70 – ☕ 8 – **11 ch** 38/65 – P 80/90.

CITROEN Gar. Chaud, ☎ 86.63.15 — RENAULT Gar. Marchand, ☎ 86.63.05

CHARENTILLY 37 I.-et-L. 64 ⑭⑮ – 509 h. alt. 88 – ✉ **37390** La Membrolle-sur-Choisille – 47.

Paris 243 – Château-la-Vallière 25 – •Le Mans 70 – •Tours 12.

X **Espérance,** ☎ 56.60.51 – P
fermé 15 au 30 sept., 1er au 15 fév., dim. soir et lundi – SC : **R** 30/80.

CHARENTON 58 Nièvre 65 ⑬ – rattaché à Pouilly-sur-Loire.

La CHARITÉ-SUR-LOIRE 58400 Nièvre 65 ⑬ **G. Bourgogne** – 6 468 h. alt. 175 – 86.

Voir Basilique N.-Dame E : ←** sur chevet.**

Office de Tourisme 49 Grande-Rue (1er juil.-15 sept. et fermé dim. après-midi) et à l'Hôtel de Ville (15 sept.-1er juil., fermé sam. après-midi et dim.) ☎ 70.16.12.

Paris 215 ① – Autun 127 ③ – Auxerre 95 ② – Bourges 51 ④ – Montargis 101 ① – Nevers 24 ③.

Terminus, 23 av. Gambetta **(s)** ☎ 70.09.61, – wc P. E.
fermé 23 déc. au 31 janv. et lundi sauf du 15 juil. au 15 sept. – SC : **R** 33/73 – 11 – 10 ch 43/90.

Bon Laboureur, 31 r. Gén.-Auger (Ile de la Loire) par ④ ☎ 70.01.99, – wc wc P. ch
fermé 1er au 15 oct.et 25 déc. au 15 janv. – SC : **R** *(fermé dim. hors sais.)* (déjeuner sur commande) 50/120 – 13 – 15 ch 75/140.

XX **A la Bonne Foi,** 91 r. C.-Barrère **(a)** ☎ 70.15.77
fermé 14 sept. au 5 oct., 15 au 28 fév., dim. soir et lundi – SC : **R** 41/90.

rte de Paris par ① : 5 km sur N 7 – ✉ **58400** La Charité-sur-Loire :

Castor Motel sans rest, ☎ 70.10.80 – wc wc P.
13 – **12 ch** 78/103.

LA CHARITÉ-SUR-LOIRE

Barrère (R.) 2
Chapelains (R. des) 3
Gaulle (Pl. Général-de) 4
Pont (R. du) 7
Verrerie (R. de la) 8

CITROEN Sanchez, pl. Gén.-de-Gaulle ☎ 70.18.00
PEUGEOT Minetti, N 7, rte de Nevers ☎ 70.13.03
RENAULT Violette, 26 av. Gambetta ☎ 70.04.78
Gar. Blanc, 53 av. Gambetta ☎ 70.05.07
Pasquette, 21 r. Gén.-Auger ☎ 70.15.93

CHARLEVAL 27 Eure 55 ⑦ – 1 654 h. alt. 47 – ✉ **27380** Fleury-s-Andelle – 32.

Voir Ruines de l'Abbaye de Fontaine Guérard* SO : 5 km, G. Normandie.

Paris 105 – Les Andelys 17 – Évreux 53 – Gournay-en-Bray 35 – Lyons-la-Forêt 10 – •Rouen 26.

XX **Charles IX,** ☎ 49.01.51 – GB
fermé août et lundi – SC : **R** 55/90.

TALBOT Collemare, ☎ 49.01.01

CHARLEVILLE-MÉZIÈRES P **08000** Ardennes 53 ⑱ **G. Nord de la France** – 63 347 h. alt. 150 – 24.

Voir Place Ducale* ABX.

Office de Tourisme, 2 r. Mantoue (fermé dim. et lundi) ☎ 33.00.17 - A.C. 10 cours A.-Briand ☎ 33.35.89.

Paris 226 ⑤ – Charleroi 90 ⑥ – Liège 152 ① – Luxembourg 122 ④ – •Metz 161 ④ – Namur 110 ⑥ – •Nancy 205 ④ – •Reims 83 ⑤ – St-Quentin 119 ⑥ – Sedan 22 ④ – Valenciennes 132 ⑥.

Plan page suivante

Le Clèves M, 37 r. Clèves ☎ **33.10.75, Télex 840016** – wc wc P – 100. GB BY **b**
fermé août – SC : **R** 44/150 – 15 – **47 ch** 100/150 – P 190.

Paris sans rest, 24 av. G.-Corneau ☎ **33.34.38** – wc wc . BY **n**
SC : 12 – **28 ch** 50/130.

tourner →

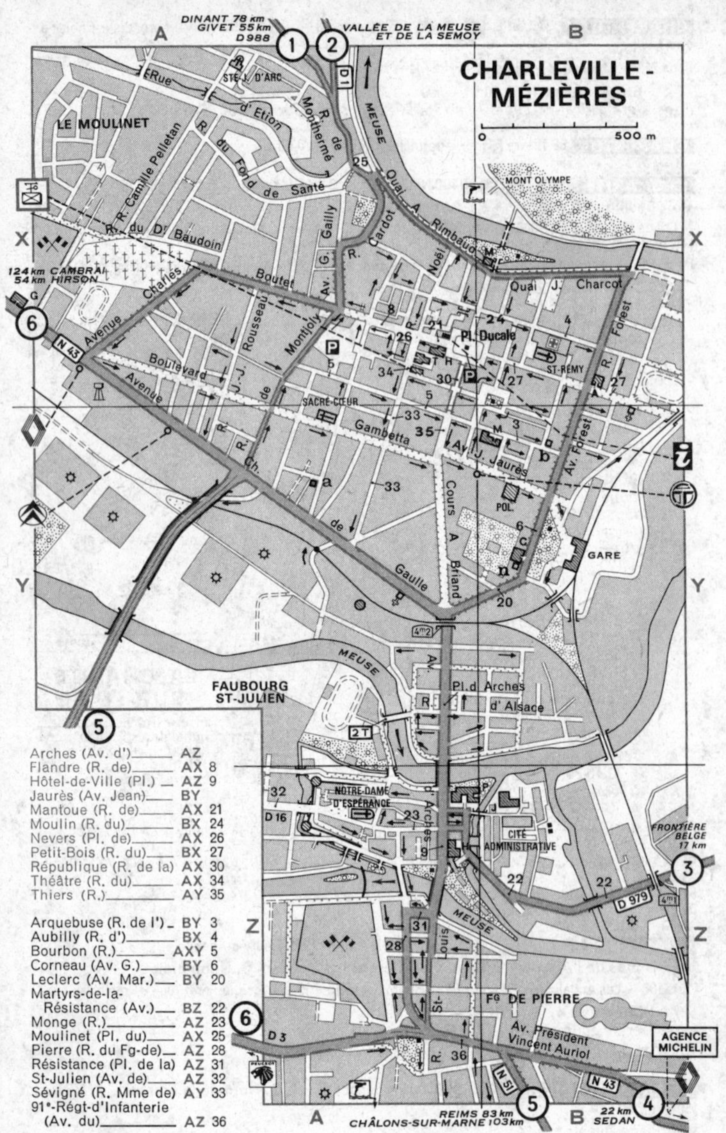

Arches (Av. d') AZ
Flandre (R. de) AX 8
Hôtel-de-Ville (Pl.) AZ 9
Jaurès (Av. Jean) BY
Mantoue (R. de) AX 21
Moulin (R. du) BX 24
Nevers (Pl. de) AX 26
Petit-Bois (R. du) BX 27
République (R. de la) AX 30
Théâtre (R. du) AX 34
Thiers (R.) AY 35

Arquebuse (R. de l') BY 3
Aubilly (R. d') BX 4
Bourbon (R.) AXY 5
Corneau (Av. G.) BY 6
Leclerc (Av. Mar.) BY 20
Martyrs-de-la-Résistance (Av.) BZ 22
Monge (R.) AZ 23
Moulinet (Pl. du) AX 25
Pierre (R. du Fg-de) AZ 28
Résistance (Pl. de la) AZ 31
St-Julien (Av. de) AZ 32
Sévigné (R. Mme de) AY 33
91e-Régt-d'Infanterie (Av. du) AZ 36

XX **La Cigogne,** 40 r. Dubois-Crancé ✉ 08100 Charleville ☎ 33.25.39 – GB AY **a**
fermé août, dim. soir et lundi – SC : **R** (1er étage) 35/115 ⅃ - **Grill** (rez-de-chaussée) **R** carte environ 60.

X **Aub. de la Forest,** par ② : 4 km sur D 1 ✉ 08100 Charleville ☎ 33.37.55 – **P**.
fermé lundi – SC : **R** 27/80.

à Villers-Semeuse par ④ : 5 km – 3 284 h. – ✉ **08340** Villers-Semeuse :

Mercure M, ☎ 57.05.29, Télex 840076, – TV ☎ P – 25 à 160. AE GB
R carte environ 70 – 18 – **67 ch** 170/200.

MICHELIN, Agence, Z.I. de Mohon, r. C.-Didier, Villers-Semeuse par ④ ☎ **57.13.21**

ALFA-ROMEO Gar. Toury, 148 av. Ch.-Boutet ☎ 56.00.44
AUDI-VOLKSWAGEN Gar Petit, r. du Stade ☎ 58.07.36
BMW, TOYOTA Avril, 17 r. Baudelaire ☎ 33.23.85
CITROEN Froussart, 129 av. Charles-de-Gaulle ☎ 56.11.33 🅽
FORD, LANCIA-AUTOBIANCHI Cailloux, 50 chaussée de Sedan ☎ 57.01.01
OPEL Ardennes Motors, centre cial Ayvelles à Villers Semeuse ☎ 58.22.73
PEUGEOT S.I.G.A., rte de Warnecourt à Prix-lès-Mézières ☎ 57.06.45
RENAULT Ardennes-Auto - Charleville-Nord, 165 av. Charles-de-Gaulle ☎ 56.00.22
RENAULT Ardennes-Auto-Charleville-Sud, 2 r. C.-Didier, Zone Ind. de Mohon ☎ 57.10.01
TALBOT Gar. Central, 20 av. J.-Jaurès ☎ 33.22.11

Ⓜ Legros, 87 r. Bourbon ☎ 33.31.13
Palais-du-Pneu, 7 av. Ch.-de-Gaulle ☎ 33.28.32
SO.NE.GO., rte Paris ☎ 57.06.22

CHARLIEU 42190 Loire **73** ⑧ **G. Bourgogne** – 5 063 h. alt. 265 – ✪ 77.

Voir Ancienne abbaye bénédictine★ : grand portail★★ E – Cloître des Cordeliers★ K.

ℹ Syndicat d'Initiative r. A.-Farinet (1er juil.-31 août, fermé dim. et lundi) ☎ 60.12.42.

Paris 404 ④ – Digoin 45 ④ – Lapalisse 56 ④ – Mâcon 77 ② – Roanne 19 ④ – ♦St-Étienne 96 ④.

CHARLIEU

Abbaye (Pl. de l') 2
Bouverie (Pl.) 3
Chanteloup (R.) 4
Écoles (R. des) 5
Farinet (R. André) 7
Gaulle (R. Charles-de) 9
Grenette (R.) 10
Jacquard (Bd) 12
Jaurès (R. Jean) 13
Morel (R. Jean) 14
Moulins (R. des) 15
République (Bd de la) 17
Rouillier (R. Ch.-H.) 19
St-Philibert (Pl.) 20
Valorge (Bd) 22

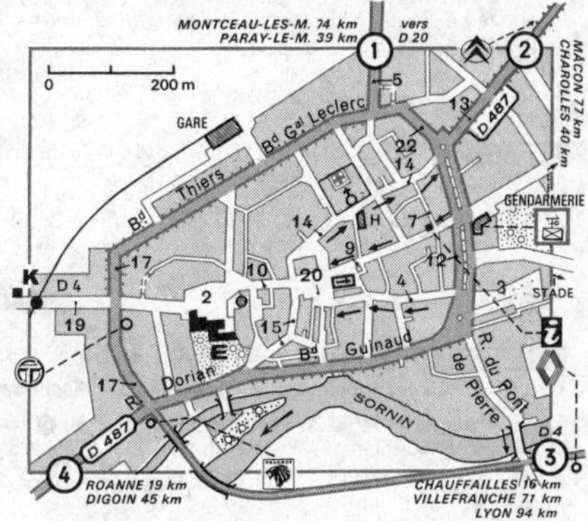

Pour bien lire les plans de villes voir signes et abréviations p. 20.

CITROEN Buisson, à St Denis-de-Cabanne ☎ 60.09.40
PEUGEOT Saunier, ☎ 60.07.55
RENAULT Dechavanne, ☎ 60.03.30
TALBOT Chirat, ☎ 60.09.13

à Fleury-la-Montagne (Saône et Loire) : NO : 6 km par D 227 – ✉ **71340** Igueranale – ✪ 85 :

XX **Ferme des Bruyères,** Les Carjots S : 2 km ☎ 25.23.28 – Ⓟ
fermé sept. et merc. – SC : **R** (prévenir) 55/80.

CHARMES 88130 Vosges **62** ⑤ **G. Vosges** – 5 959 h. alt. 283 – ✪ 29.

Paris 346 – Épinal 24 – Lunéville 35 – ♦Nancy 44 – Neufchâteau 58 – St-Dié 59 – Toul 54 – Vittel 41.

Central, r. Capucins ☎ 38.02.40 – wc wc ☎.
fermé lundi – SC : **R** 45/160 – 11 – 12 ch 75/135 – P 115/200.

CHARMES-SUR-RHÔNE 07 Ardèche **77** ⑪⑫ – 1 473 h. alt. 111 – ✉ **07800** La Voulte-sur-Rhône – ✪ 75.

Paris 578 – Crest 25 – Montélimar 38 – Privas 28 – St-Péray 11 – Valence 11.

XX **La Vieille Auberge** Ⓜ avec ch, ☎ **60.80.10** – wc ☎. AE GB ⓓ E
fermé 16 août au 16 sept., 2 au 7 janv., dim. soir et merc. – SC : **R** 60/150 – 12 – **10 ch** 120/150.

CITROEN Gar. Saint-Cierge, ☎ 60.80.02

CHARMETTES 73 Savoie **74** ⑮ – rattaché à Chambéry.

CHARNY 89120 Yonne **65** ③ – 1 626 h. alt. 139 – ✪ 86.

ℹ Syndicat d'Initiative à la Mairie (fermé sam. après-midi et lundi) ☎ 63.63.56.

Paris 148 – Auxerre 49 – Cosne-sur-Loire 77 – Gien 47 – Joigny 27 – Montargis 35 – Sens 46.

Gare, ☎ **63.61.59** – wc. ch
fermé 15 déc. au 15 janv. et lundi – SC : **R** 24/36 – 10 – **12 ch** 65/98 – P 80/88.

PEUGEOT Carpentier, ☎ 63.65.99 🅽
RENAULT Hivon, ☎ 63.65.12
TALBOT Guérin, ☎ 63.61.81 🅽

CHAROLLES <SP> 71120 S.-et-L. 69 ⑰⑱ G. Bourgogne – 4 349 h. alt. 282 – 85.

Syndicat d'Initiative r. Baudinot (fermé sam. hors sais. et lundi en sais.) 24.05.95.

Paris 408 ① – Autun 75 ⑤ – Chalon-sur-Saône 69 ① – Mâcon 55 ① – Moulins 83 ④ – Roanne 59 ③.

Moderne (Dussably), av. Gare **(a)** 24.07.02, – wc wc . GB
fermé fin déc. à début fév., lundi (sauf le soir en sais.) et dim. soir hors sais. – SC : **R** 50/130 – 12 – 19 ch 50/160
Spéc. Terrine de foies, Jambonnette de volaille, Entrecôte marchand de vin. **Vins** Julienas, Rully.

France, (e) 24.06.66 – wc
fermé 15 déc. au 23 janv. et dim.

à Viry NE : 7 km – 71120 Charolles :

Le Monastère, 24.14.24
femé 1er au 15 janv. et merc. sauf juil. et août – **R** 30/95.

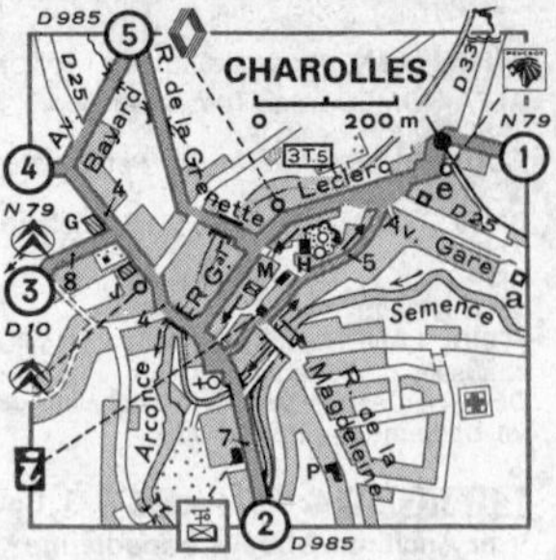

Champagny (R.) 4 Gambetta (R.) 5
Libération (Av.) 7 Verdun (Av. de) 8

CITROEN Gar. Central, 24.08.54
CITROEN Moulin, 24.01.10
FORD Pluriel Modern gar., 24.01.36
PEUGEOT François, 24.03.83
RENAULT Bague, 24.12.38

CHAROST 18290 Cher 68 ⑩ G. Périgord – 1 166 h. alt. 127 – 48.

Paris 237 – Bourges 26 – Issoudun 12 – Vierzon 29.

Relais de Charost, 26.20.39 – wc . ch
fermé 15 oct. au 15 nov. et 9 au 15 fév. – **R** 46/140 – 10 – 12 ch 80/125 – P 120/140.

CITROEN Maxime, 26.20.21
RENAULT Martinat, 26.20.13

CHARQUEMONT 25140 Doubs 66 ⑱ – 2 485 h. alt. 900 – 81.

Paris 484 – Bâle 102 – Belfort 66 – •Besançon 75 – Montbéliard 48 – Pontarlier 60.

Poste, 44.00.20, – wc wc .
SC : **R** 40/80 – 11 – **32 ch** 50/100 – P 95/125.

CITROEN Gar. Cassard, 44.01.06
RENAULT Gar. Binetruy-Linozzi, 44.01.29
TALBOT Gar. Aubry, 44.00.27

CHARROUX 86250 Vienne 72 ④ G. Côte de l'Atlantique – 1 644 h. alt. 165 – 49.

Voir Ancienne abbaye St-Sauveur★ : tour★★, sculptures★★ du cloître, trésor★.

Paris 400 – Confolens 27 – Niort 76 – •Poitiers 52.

Host. Charlemagne avec ch, face aux Halles 87.50.37 – wc.
fermé 1er au 24 oct. et vend. – SC : **R** 38/58 – 7,50 – **9 ch** 38/62 – P 65/75.

RENAULT Gar. Fournier, 87.50.36

CHARTRES P 28000 E.-et-L. 60 ⑦⑧, 96 ㉛ G. Environs de Paris – 41 251 h. alt. 142 - Grand pélerinage des étudiants (fin avril-début mai) – 37.

Voir Cathédrale★★★ BY – Vieux Chartres★ BYZ – Église St-Pierre★ : verrières★ BZ **B** – ≤★ – ≤★ sur l'église St-André des bords de l'Eure BX – ≤★ du Monument des Aviateurs militaires – Musée : émaux★ BY **M.**

Office de Tourisme 7 Cloître Notre-Dame (fermé dim. du 1er nov. à fin mars) 21.54.03 – A.C.O. 10 av. Jehan-de-Beauce 21.03.79.

Paris 88 ② – Évreux 77 ① – •Le Mans 116 ④ – •Orléans 73 ④ – •Tours 139 ④.

Plan page ci-contre

Grand Monarque, 22 pl. Épars 21.00.72, Télex 760777 – TV . AE GB E AZ **e**
fermé 3 fév. au 1er mars – SC : **R** (nombre de couverts limité - prévenir) 98/145 – 18 – **43 ch** 90/240 – P 211/302
Spéc. Pâté de Chartres, Turbotin au vin de Touraine, Agneau à la mousse de cresson.

Jehan de Beauce sans rest, 19 av. Jehan-de-Beauce 21.01.41 – wc AY **m**
fermé 20 déc. au 10 janv. – SC : 11 – **46 ch** 50/110.

Paris, 6 pl. Gare 21.10.13 – . AY **v**
fermé 17 au 31 août, 1er au 15 fév. et sam. – SC : **R** 38/75 – 12 ch 49/99.

Ouest sans rest, 3 pl. P.-Sémard 21.43.27 – wc . AY **m**
SC : 11 – **26 ch** 55/105.

Métropole sans rest, 1 r. Bourgneuf 21.59.34 – wc wc. BX **r**
fermé 25 déc. au 25 janv., sam. soir et dim. du 1er nov. au 1er avril – SC : 11 – **26 ch** 50/100.

Ballay (R. Noël) ____ AY 3
Bois-Merrain (R. du) ____ AZ 5
Changes (R. des) ____ BY 12
Delacroix (R.) ____ AZ 20
Guillaume (R. Porte) ____ BY 34
Marceau (Pl.) ____ BY 39
Marceau (R.) ____ BZ 40
Morard (R. Porte) ____ CZ 44
Soleil-d'Or (R. du) ____ BY 55

Alsace-Lorraine (R. d') ____ AX 2
Beauce (Av. Jehan-de) ____ AY 4
Bourg (R. du) ____ BY 6
Bourgneuf (R. du) ____ BX 7
Cardinal-Pie (R. du) ____ BY 8
Casanova (R. Danièle) ____ AY 9
Cathédrale (Pl. de la) ____ BY 10
Chantault (R.) ____ BX 13
Châtelet (Pl.) ____ AY 14
Chauveau-Lagarde (R.) ____ AZ 15
Cheval-Blanc (R. du) ____ AY 16
Clemenceau (Bd) ____ CY 17
Collin-d'Harleville (R.) ____ AY 18
Couronne (R. de la) ____ AY 19
Drouaise (R. Porte) ____ BX 22
Écuyers (R. des) ____ BY 23
Épars (Pl. des) ____ AZ 24
Félibien (R.) ____ AY 30
Ferrière (R. de) ____ CY 31
Grenets (R. des) ____ BY 32
Guillaume (R. du Fg) ____ CY 33
Kœnig (R. du Gén.) ____ AY 36
Leclerc (R. du Gén.) ____ AZ 37
Lelong (R. Gabriel) ____ AZ 38
Marché aux Fleurs ____ BY 41
Morard (Pl.) ____ CY 43
Moulin (Pl. Jean) ____ AY 45
Pasteur (Pl.) ____ BZ 46
République (Pl. de la) ____ AY 47
Résistance (Bd de la) ____ AY 48
St-Aignan (⊞) ____ BYZ
St-André (⊞) ____ BX D
St-Barthélemy (R.) ____ CY 50
St-Maurice (R.) ____ BX 52
St-Michel (R.) ____ BZ 53
St-Pierre (⊞) ____ BZ B
Sémard (Pl. Pierre) ____ AY 54
14-Juillet (R. du) ____ AZ 56

XXX ✿ **Henri IV** (Cazalis), 31 r. Soleil-d'Or ℗ 36.01.55 – AE ⓓ — BY **a**
fermé lundi soir et mardi – SC : **R** 80/150
Spéc. Homard rôti, Foie de canard frais aux pommes, Confit de lapin aux bolets.

XX **La Vieille Maison,** 5 r. au Lait ℗ 34.10.67 — BY **s**
fermé 21 juin au 7 juil., 3 au 18 janv., dim. soir et lundi – SC : **R** 60/170.

XX **Normand,** 24 pl. Épars ℗ 21.04.38 — AZ **e**
fermé lundi – **R** carte 50 à 85.

XX **Buisson Ardent,** 10 r. au Lait ℗ 21.04.66 — BY **v**
fermé août, dim. soir et merc. – SC : **R** 46/68.

par ② : N 10 – ✉ **28000** Chartres :

Novotel M, à 4 km ℗ 34.80.30, Télex 781298, 🏊 – 🛗 ▤ rest TV ☎ ♿ P – 🧑‍🏫 250. AE GB ⓓ
R snack carte environ 65 – ☕ 20 – **78 ch** 180/200.

XX **Aub. Bois Paris,** à 6 km ℗ 22.61.72 – P. AE ⓓ
fermé août, mardi soir et merc. – SC : **R** 44/86

à Thivars par ④ : 7,5 km N 10 – ✉ **28630** Chartres :

XX **La Sellerie,** ☎ 22.41.59 – Ⓟ.
fermé 3 au 19 août, 1er au 17 fév., lundi soir et mardi – SC : **R** 82.

à Cintray par ⑥ : 8,5 km sur N 23 – ✉ **28300** Mainvilliers :

XX **Aub. Grande Vallée,** ☎ 32.98.55 – Ⓟ. E
fermé 8 au 20 janv. et merc. du 1er oct. au 30 mars. – SC : **R** 60/150.

MICHELIN, Agence régionale, r. de Fontenay, Z.I. de Lucé par ⑤ ☎ **36.66.42**

AUDI-VOLKSWAGEN Gar. Electric-Auto, av. d'Orléans, N 154 ☎ 28.07.35
BMW Thireau, 20 bd Foch ☎ 34.82.76
CITROEN S.E.R.A.C., N 10, Zup la Madeleine ☎ 34.57.80 N ☎ 36.56.40
FIAT Saussereau, 86 r. du Gd-Faubourg ☎ 36.01.33
OPEL Gar. Ouest, 37 r. Gén.-Patton ☎ 36.37.87
RENAULT Ruelle, 104 r. fg-la-Grappe ☎ 28.51.19
TALBOT Gar. Bellenger, Z.I., av. d'Orléans ☎ 21.33.83

Breton, 26 r. G.-Fessard ☎ 21.18.98

Périphérie et environs

ALFA-ROMEO, LANCIA-AUTOBIANCHI, MERCEDES-BENZ Laos-Automobile, 158 av. République à Lucé ☎ 21.88.80
AUSTIN, JAGUAR, MORRIS, ROVER, TRIUMPH Chartres-Auto-Sport, rte d'Illiers à Lucé ☎ 21.24.79
FORD Gar. Paris-Brest, 80 r. F.-Lépine à Luisant ☎ 21.13.88
PEUGEOT Gar. St-Thomas, r. Gutenberg à Luisant ☎ 21.00.85
RENAULT Gar. Chartrain, 23 r. Kennedy à Lucé ☎ 21.00.99
TOYOTA Socalu, 5 r. de Fontenay à Lucé ☎ 36.02.40

Marsat-Chartres-Pneus, 14 r. République à Lucé ☎ 21.86.94

La CHARTRE-SUR-LE-LOIR 72340 Sarthe 64 ④ **G. Châteaux de la Loire** – 1 901 h. alt. 57 – 43.

Env. Escalier du château de Poncé NE : 8 km.**

Syndicat d'Initiative Centre de Gérigondie (15 juin-15 sept.) ☎ 44.40.04.

Paris 214 – La Flèche 57 – ♦Le Mans 46 – St-Calais 29 – ♦Tours 40 – Vendôme 43.

France, ☎ 44.40.16 – wc wc – 30.
fermé fév. – SC : **R** (dim. prévenir) 33/90 – 10 – 32 ch 45/110 – P 102/110.

Cheval Blanc, ☎ 44.40.01 – wc . GB
fermé janv. et lundi – SC : **R** 36/90 – 10 – 12 ch 45/86 – P 95/115.

CITROEN Loir-Automobiles, ☎ 44.40.15
PEUGEOT Gar. Vallée du Loir, ☎ 44.41.12
RENAULT Gar. Chanteau, ☎ 44.47.28

CHASSE 38 Isère 74 ⑪ – rattaché à Vienne.

CHASSELAY 69 Rhône 73 ⑩ – 1 438 h. alt. 211 – ✉ **69380** Lozanne – 7.

Paris 447 – L'Arbresle 14 – ♦Lyon 21 – Villefranche-sur-Saône 15.

XX **Lassausaie,** ☎ 847.62.59 – Ⓟ. GB
fermé 12 août au 12 sept., mardi soir et merc. – SC : **R** 30/130.

CITROEN Gar. du Mont-Verdun, ☎ 847.62.23

CHASSENEUIL-SUR-BONNIEURE 16260 Charente 72 ⑭⑮ **G. Côte de l'Atlantique** – 3 102 h. alt. 120 – 45.

Voir Mémorial de la Résistance.

Paris 446 – Angoulême 33 – Confolens 30 – ♦Limoges 70 – Nontron 52 – Ruffec 40.

XX **Gare avec ch,** ☎ 20.50.36 – wc .
fermé 29 juin au 18 juil., 2 au 13 janv. et lundi – SC : **R** 30/130 – 8 – **12 ch** 30/95 – P 90/150.

PEUGEOT Morisseau ☎ 20.56.92

CHASSERADES 48 Lozère 80 ⑦ – 247 h. alt. 1 174 – ✉ **48250** La Bastide Puylaurent – 66.

Paris 588 – Langogne 30 – Mende 41 – Villefort 39.

Sources, ☎ 46.01.14, ← – Ⓟ.
fermé merc. – SC : **R** 33/50 – 8,50 – **10 ch** 41/58 – P 88/100.

CHASSEY-LE-CAMP 71 S.-et-L. 69 ⑨ – rattaché à Chagny.

CHÂTEAU-ARNOUX 04160 Alpes-de-H.-P. 81 ⑯ **G. Côte d'Azur** – 6 240 h. alt. 440 – 92.

Voir * de la chapelle St-Jean S : 2 km puis 15 mn.

Syndicat d'Initiative 22 av. Gén.-de-Gaulle (fermé matin et sam. après-midi hors saison et dim.) ☎ 64.02.64.

Paris 719 – Digne 25 – Forcalquier 30 – Manosque 39 – Sault 74 – Sisteron 14.

❀❀ **La Bonne Étape** (Gleize) Ⓜ, 64.00.09, « Bel aménagement intérieur », – . AE GB E
fermé 3 janv. au 15 fév., dim. soir et lundi hors sais. – SC : **R** 98/200 et carte – 25 – 11 ch 140/270, 7 appartements 370
Spéc. Gâteau de mostèle, Agneau de Sisteron, Pâtisseries. **Vins** Vacqueyras, Château-Simone.

au Nord 3 km N 85 – ✉ **04290** Volonne :

Relais Alpes-Côte d'Azur, 64.16.26, – . AE
fermé 5 au 20 nov., mardi soir et merc. midi – SC : **R** 39/85 – 10 – **12 ch** 45/58 – P 90.

à St-Auban SO : 4 km par N 96 :

Villiard sans rest, ✉ 04600 St-Auban 64.17.42, – wc wc .
mi mars-fin nov. – SC : 16 – **20 ch** 80/170.

Le Barrasson, ✉ 04160 Château-Arnoux 64.17.12 – . GB
fermé dim. soir et lundi – SC : **R** 50/120.

CITROEN Plantevin, N 85 64.06.15 N
RENAULT Banon, av. du Gén. de Gaulle 64.04.22
RENAULT Guillaume, N 96 à St-Auban 64. 17.10 N
VOLVO Gar. de la Durance, N 96 à St-Auban 64.17.37

CHÂTEAU-BERNARD 38 Isère 77 ⑭ – 147 h. – ✉ **38650** Monestier-de-Clermont – 76.
Paris 600 – ♦Grenoble 36 – Monestier-de-Clermont 12.

au col de l'Arzelier N : 4 km – ✉ **38650** Monestier-de-Clermont :

Deux Soeurs Ⓜ, 72.37.68, ←, – wc wc – 30. AE
fermé 1er au 19 sept. – SC : **R** 38/80 – 10 – **24 ch** 90/100 – P 125/135.

Lion d'Or

Si le nom d'un hôtel figure en petits caractères demandez, à l'arrivée, les conditions à l'hôtelier.

CHÂTEAUBOURG 07 Ardèche 77 ⑪⑫ **G. Vallée du Rhône** – 165 h. alt. 125 – ✉ **07130** St-Péray – 75 (Drôme).
Paris 563 – Lamastre 42 – Tournon 8 – Valence 10.

❀ **Host. du Château** (Reynaud), 60.33.28 –
fermé 16 au 24 août, 10 janv. au 10 fév., dim. soir et lundi – SC : **R** 70/140
Spéc. Filet de barbue vigneronne (sais.), Aiguillettes de canard au cassis (sais.), Lapereau aux écrevisses (sauf mai). **Vins** St-Joseph, Hermitage.

CHÂTEAUBOURG **35220** I.-et-V. 59 ⑰⑱ – 2 128 h. alt. 125 – 99.
Paris 329 – Angers 109 – Châteaubriant 56 – Fougères 44 – Laval 53 – ♦Rennes 21.

Ar Milin (Annexe - 20 ch), 00.30.91, Télex 740083, « Vieux moulin dans un parc au bord de l'eau », – – 60. GB
fermé 15 déc. au 15 janv. et dim. soir sauf juil. et août – SC : **R** 88, carte le dim. – 15 – **33 ch** 80/190 – P 220/300.

CHÂTEAUBRIANT <SP> **44110** Loire-Atl. 63 ⑦⑧ **G. Bretagne** – 13 826 h. alt. 56 à 70 – 40.
Voir Château★ B.
Office de Tourisme 40 r. Château (fermé sam. après-midi et lundi matin) 81.04.53.
Paris 354 ② – Ancenis 47 ③ – Angers 71 ③ – La Baule 100 ⑤ – Cholet 92 ③ – Fougères 80 ① – Laval 67 ② – ♦Nantes 70 ⑤ – ♦Rennes 55 ⑥ – St-Nazaire 87 ⑤ – Vannes 115 ⑤.

Plan page suivante

Host. La Ferrière Ⓜ, par ④ : 1,5 km 28.00.28, ←, parc – wc wc – 35. AE GB
fermé sam. du 15 oct. au 15 mars – SC : **R** 53/90 – 14 – **15 ch** 95/155 – P 145/192.

Armor sans rest, 19 pl. Motte **(x)** 81.11.19 – wc .
SC : 10 – **20 ch** 45/95.

Terminus, 3 r. Gare **(b)** 81.10.54 – . GB . ch
fermé vend. (sauf hôtel de juin à sept.) – SC : **R** 35/65 – 8 – **23 ch** 36/56 – P 100/120.

AUDI-VOLKSWAGEN Gar. du Centre, 15 bis r. St-Georges 81.19.89
CITROEN Cavalan, rte St-Nazaire, Zone Ind. 81.00.07
FORD Mérel, Zone Ind., rte d'Ancenis 81. 15.29
PEUGEOT Charron, 42 r. M.-Grimaud 81. 01.05
RENAULT SADAC, rte de St-Nazaire, Zone Ind. 81.26.84
TALBOT ARVOR-Autom., r. A.-Franco 81. 03.83
Castel-Pneus, Z.I. r. du Prés. Kennedy 81. 01.94

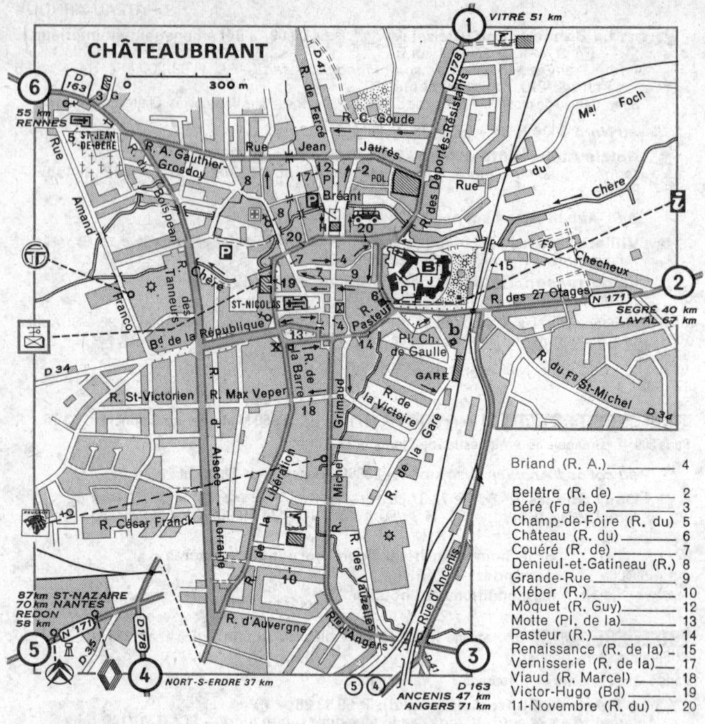

CHÂTEAU-CHINON <SP> **58120** Nièvre **69** ⑥ **G. Bourgogne** (plan) – 2 905 h. alt. 534 – ⚙ 86.

Voir Site* – **Calvaire** ✲** – **Promenade du château***.

ℹ Office de Tourisme porte Notre-Dame (15 juin-15 sept., et fermé dim.) ☎ 85.06.58.

Paris 286 – Autun 37 – Avallon 62 – Clamecy 68 – Moulins 86 – Nevers 66 – Saulieu 49.

🏠 **Au Vieux Morvan,** ☎ 85.05.01, ≤ – ⋔wc ☎. 🚗
fermé 12 nov. à début janv. – SC : **R** (dim., fêtes et sais. prévenir) 38/95 🍷 – ☕ 12 – 23 ch 42/140 – P 110/160.

CITROEN Gagnard, ☎ 85.07.80
CITROEN Gar. Saint-Christophe, ☎ 85.13.60 **N**
FIAT Gar. de la Poste, ☎ 85.11.65 **N**
PEUGEOT Jeannot-Roblin, ☎ 85.02.76
RENAULT Gar. Moderne-Maiella, ☎ 85.09.99

CHÂTEAU D'IF (Ile du) **13** B.-du-R. **84** ⑬ **G. Provence.**

⛴ **au départ de Marseille pour le château d'If**** (✲***) **1 h 30.**

Le CHÂTEAU D'OLÉRON **17** Char.-Mar. **71** ⑭ – Voir à Oléron (Ile d').

CHÂTEAU-DU-LOIR **72500** Sarthe **64** ④ **G. Châteaux de la Loire** – 6 155 h. alt. 50 – ⚙ 43.

ℹ Syndicat d'Initiative à la Mairie (fermé sam. après-midi, dim. et fêtes) ☎ 44.00.38.

Paris 238 – Château-la-Vallière 20 – La Flèche 41 – ♦Le Mans 40 – ♦Tours 42 – Vendôme 59.

🏠 **Gare,** 170 av. J.-Jaurès ☎ 44.00.14 – **P**. ✲
fermé 23 août au 13 sept., 20 déc. au 2 janv. et dim. (sauf le midi) en été – SC : **R** 28/65 🍷 – ☕ 8,50 – 16 ch 40/70 – P 75/90.

à Coëmont SE : 2 km par N 138 – ✉ **72500** Château-du-Loir :

✗✗ ✿ **André Paul** (Plunian), 2 r. Basse ☎ 44.11.75 – **GB**
fermé 15 nov. au 7 déc., 15 au 28 fév., lundi et le soir sauf vend. et sam. – SC : **R** carte 90 à 120
Spéc. Quiche aux poissons, Fricassée de volaille, Feuilleté aux pommes (oct. à avril). **Vins** Jasnières, Chinon.

CITROEN Chapu, 97 av. J.-Jaurès ✆ 44.00.40
FORD Moderne Gar., 28 r. A.-Briand ✆ 44.00.55
PEUGEOT Boutellier, rte du Mans à Luceau ✆ 44.00.67
RENAULT Gar. Wahl, rte du Mans à Luceau ✆ 44.00.92 N

CHÂTEAUDUN SP **28200** E.-et-L. **60** ⑰ **G. Châteaux de la Loire – 16 113 h. alt. 140 –** 37.

Voir Château★★ A – Vieille ville★ A

Office de Tourisme 3 r. Toufaire (fermé sam. hors sais. et dim.) ✆ 45.22.46.

Paris 131 ① – Alençon 115 ⑥ – Argentan 142 ⑥ – Blois 57 ③ – Chartres 44 ① – Fontainebleau 121 ② – ♦Le Mans103 ⑥ – Nogent-le-Rotrou 53 ⑥ – ♦Orléans 48 ② – ♦Tours 95 ③ – Vendôme 40 ③.

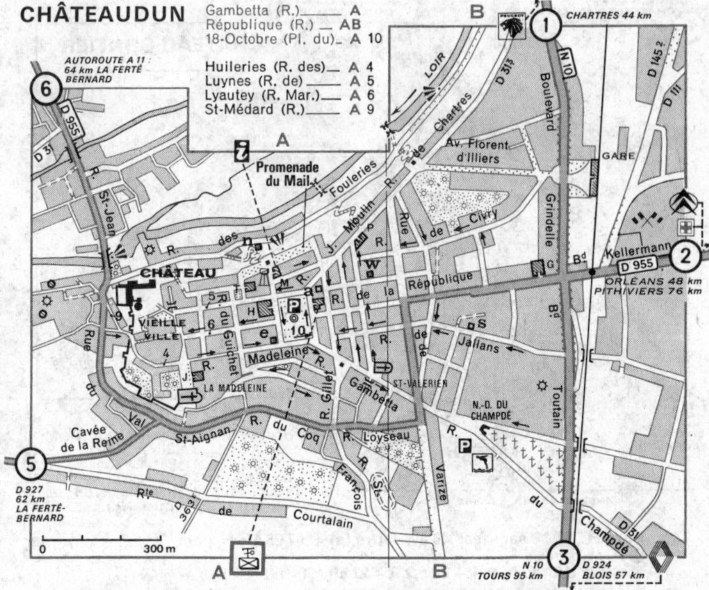

🏨 **Beauce** sans rest, 50 r. Jallans ✆ 45.14.75 – wc wc ☎ . AE GB ⓓ E B **s**
fermé 5 au 20 janv. et dim. hors sais. – SC : 10 – **23 ch** 64/125.

🏨 **St-Michel** sans rest, 5 r. Péan ✆ 45.15.70 – wc wc ☎. GB A **a**
fermé 9 au 23 août, 27 déc. au 10 janv. et dim. soir – SC : 10 – **19 ch** 50/95.

XX **La Rose** avec ch, 12 r. Lambert-Licors ✆ 45.21.83 – rest wc . GB ⓓ. ch A **w**
fermé 14 au 30 sept., 21 déc. au 5 janv., dim. soir et lundi – SC : **R** 45/90 – 10 – 8 ch 59/74.

XX **Caveau des Fouleurs,** 33 r. Fouleries ✆ 45.23.72, « Caves troglodytiques » – Ⓟ. GB A **n**
fermé 15 août au 1er sept., 1er au 15 fév., dim. soir et lundi – SC : **R** 45 bc/72.

X **La Licorne,** 6 pl. 18-Octobre ✆ 45.32.32 A **e**
Fermé janv., mardi soir et merc. sauf juil. et août – SC : **R** 38/88 .

AUDI-VOLKSWAGEN Touchard, bd du 8-Mai ✆ 45.03.32
CITROEN Gar. Mourice-Rebours, 91 bd Kellermann ✆ 45.10.87
OPEL Lejeune-Arsant, 67 bd Kellermann ✆ 45.23.98
PEUGEOT Gar. Lemasson, rte Chartres ✆ 45.20.98
RENAULT Giraud, rte Tours à la Chapelle du Noyer ✆ 45.10.74

Central Pneu, N 10 ✆ 45.11.17
Le Pneu Dunois, 98 r. Varize ✆ 45.06.03

CHÂTEAU-FARINE **25** Doubs **66** ⑮ – rattaché à Besançon.

CHÂTEAUFORT **78** Yvelines **60** ⑩, **101** ㉒ – voir à Paris, Proche banlieue.

CHÂTEAUGIRON 35410 I.-et-V. 63 ⑦ G. Bretagne – 3 104 h. alt. 60 – ⚙ 99.

Paris 337 – Angers 107 – Châteaubriant 42 – Fougères 51 – Nozay 63 – ♦Rennes 16 – Vitré 27.

- **Cheval Blanc et Château,** ☎ 00.40.27 – ⌂ Ⓟ
  fermé 13 au 23 juil. et du 10 fév. au 4 mars – SC : **R** *(fermé dim. soir et lundi du 15 sept. au 15 juin)* 30/63 🍷 – ☕ 9 – **14 ch** 40/75 – P 90/108.
- **Aubergade,** ☎ 00.41.35 – Ⓟ
  fermé 3 au 24 août, dim. soir et lundi – SC : **R** 75/150.

RENAULT Josse, 7r. de Noyal ☎ 00.40.74

CHÂTEAU-GONTIER ⟨SP⟩ 53200 Mayenne 63 ⑩ G. Châteaux de la Loire – 8 645 h. alt. 43 – ⚙ 43 – 🅸 Syndicat d'Initiative à la Mairie (fermé sam. sauf matin en sais. et dim.) ☎ 07.07.10.

Paris 283 ② – Angers 43 ④ – Châteaubriant 56 ⑥ – Laval 30 ① – ♦Le Mans 80 ② – ♦Rennes 86 ⑥.

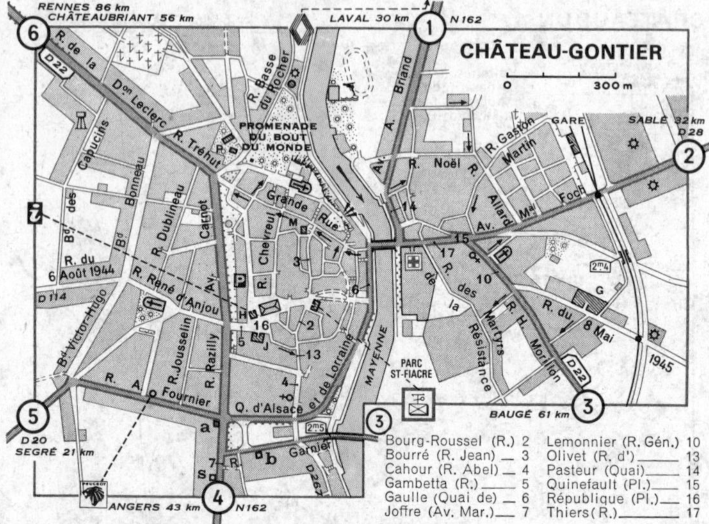

- **Parc H.** Ⓜ sans rest, 46 av. Joffre **(s)** ☎ 07.28.41, ←, parc, 🏊, 🎾 – ⌂wc ☎ Ⓟ – 🏛 50.
  fermé 15 déc. au 5 janv. – SC : ☕ 9 – **22 ch** 120/160 – P 170/260.
- **Cerf** Ⓜ sans rest, 31 r. Garnier **(b)** ☎ 07.25.13 – ⌂wc ⌂wc ☎ Ⓟ.
  SC : ☕ 8,50 – **21 ch** 44/68.
- **La Brasserie** avec ch, av. Joffre **(a)** ☎ 07.10.80 – ⌂wc ⌂ ☎ – 🏛 50.
  fermé 15 déc. au 5 janv. – SC : **R** *(fermé dim. d'oct. à avril)* 44/150 🍷 – ☕ 9 – **20 ch** 70/90 – P 120/140.
- **Host. Mirwault** avec ch, N : 2 km par r. Basse-du-Rocher ☎ 07.13.17, « Au bord de la Mayenne », – ⌂wc Ⓟ. E. ch
  fermé 24 déc. au 31 janv., dim. soir et vend. hors sais. – SC : **R** 38/120 🍷 – ☕ 12 – 10 ch 55/90.

PEUGEOT Gar. Huchedé, 28 r. A.-Fournier ☎ 07.21.72
RENAULT Henry, Z.I. de Bellitourne à Azé ☎ 07.22.31
TALBOT Lemaire, r. des Carrières ☎ 07.32.67
Gar. Fourmond, 6 av. Mar.-Joffre ☎ 07.22.57
Cailleau, 1 pl. Quinefault ☎ 07.12.10

CHÂTEAULIN ⟨SP⟩ 29150 Finistère 58 ⑮ G. Bretagne (plan) – 5 857 h. alt. 8 – ⚙ 98.

Env. Enclos paroissial** de Pleyben E : 10 km.

🅸 Office de Tourisme quai Cosmao (1er juin-15 sept., fermé dim. après-midi et lundi) et à la Mairie (hors sais., fermé sam. et dim.) ☎ 86.02.11.

Paris 550 – ♦Brest 47 – Carhaix-Plouguer 46 – Concarneau 50 – Douarnenez 27 – Landerneau 38 – Lorient 91 – Morlaix 59 – Quimper 28 – Vannes 142.

- **Au Bon Accueil,** à Port Launay ☎ 86.15.77, ← – ⌂wc ⌂wc ☎ Ⓟ – 🏛 25 à 150. AE GB ⓓ E.
  fermé janv. – SC : **R** *(femé lundi du 15 sept. à Pâques)* 38/150 – ☕ 12 – 59 ch 55/130 – P 110/190.
- **Aub. Ducs de Lin** avec ch, rte Quimper : 1,5 km ☎ 86.04.20, ←, – ⌂wc Ⓟ
  fermé 9 au 23 mars, fin sept. au 15 oct. et lundi sauf en juil., août et fériés – SC : **R** 52/135 – ☕ 16 – 6 ch 135.

CITROEN Gar. de Cornouaille, ℡ 86.04.40
CITROEN Tanguy, ℡ 86.00.12
PEUGEOT Viénot, ℡ 86.06.50
RENAULT Gar. de l'Aulne ℡ 86.12.08 N
TALBOT Bernard, ℡ 86.08.67

CHÂTEAUNEUF 21 Côte-d'Or 65 ⑲ – rattaché à Pouilly-en-Auxois.

CHATEAUNEUF 83 Var 84 ⑭ – rattaché à Nans-les-Pins.

CHÂTEAUNEUF-DU-FAOU 29119 Finistère 58 ⑯ **G. Bretagne** – 3 924 h. alt. 130 – 98.

Syndicat d'Initiative 7 r. Mairie (avril-fin sept., fermé lundi et sam. après-midi) ℡ 81.83.90.

Paris 528 – •Brest 69 – Carhaix-Plouguer 23 – Châteaulin 24 – Morlaix 50 – Quimper 36.

Relais de Cornouaille, r. P.-Serusier ℡ 81.75.36 –
fermé oct., sam. et dim. soir – SC : **R** 27/60 – 8 – **8 ch** 36/44 – P 75/80.

Gai Logis, rte Quimper ℡ 81.73.87 – ch
fermé 15 nov. au 1er déc. et lundi de déc. à mars – SC : **R** 28/55 – 12 ch.

à Pont-Pol-Ty-Glas SO : 5 km D 72 – ✉ **29119** Châteauneuf-du-Faou.

Voir ≤★ de Laz SE : 5 km.

Aub. du Saumon, ℡ 81.72.01, ≤ –
fermé mardi – SC : **R** 60/120, dim. seul et carte en sem.

RENAULT Deniel, ℡ 81.73.88
TALBOT Le Page, ℡ 81.74.64

CHÂTEAUNEUF-DU-PAPE 84230 Vaucluse 81 ⑫ **G. Provence** – 2 113 h. alt. 117 – 90.

Voir ≤★★ du château des Papes.

Syndicat d'Initiative pl. Portail (fermé nov., dim. et lundi matin) ℡ 39.71.08.

Paris 673 – Alès 78 – Avignon 18 – Carpentras 24 – Orange 13 – Roquemaure 10.

XXX ✿ **Host. Château des Fines Roches** avec ch, S : 3 km par D 17 et voie privée ℡ 39.70.23, « Dans un domaine viticole, belle vue » ≤ – 50 à 80. ch
fermé janv., lundi sauf le soir en juil. et août et dim. soir de sept. à juin – SC : **R** (nombre de couverts limité - prévenir) 75/120, dîner à la carte – 25 – 7 ch 150/300
Spéc. Brouillade aux truffes, Suprême de pintadeau, Chariot de desserts.

XXX **Mule-du-Pape,** ℡ 39.73.30, ≤ – GB
fermé nov., lundi soir et mardi – **R** 52/100.

CHÂTEAUNEUF-EN-THYMERAIS 28170 E.-et-L. 60 ⑦ – 2 248 h. alt. 212 – 37.

Paris 103 – Chartres 25 – Châteaudun 64 – Dreux 21 – •Le Mans 115 – Verneuil-sur-Avre 31.

XX ✿ **Écritoire** (Gysemans) avec ch, ℡ 48.60.57 – wc
fermé 17 août au 11 sept., 25 janv. au 10 fév. et lundi sauf fériés – SC : **R** 90/130 – 16 – 5 ch 80/130
Spéc. Délices de sole, Poularde aux écrevisses, Gâteau Forêt Noire.

à St-Jean-de-Rebervilliers N : 4 km – ✉ **28170** Châteauneuf-en-Thymerais :

XX **Aub. St-Jean,** ℡ 48.62.83, –
fermé 21 juil. au 14 août, 24 fév. au 19 mars, jeudi soir et vend. – SC : **R** 80/120.

TALBOT Mériaux, ℡ 48.61.65

CHÂTEAUNEUF-LE-ROUGE 13 B.-du-R. 84 ③ – 922 h. alt. 230 – ✉ **13790** Rousset – 42.

Paris 769 – Aix-en-Provence 12 – Aubagne 30 – Brignoles 52 – •Marseille 35 – Rians 30.

La Galinière, N7 ℡ 58.62.04 – wc E
SC : **R** 45/90 – 14 – **21 ch** 90/200 – P 150/250.

CHÂTEAUNEUF-LES-BAINS 63 P.-de-D. 73 ③ **G. Auvergne** – 453 h. alt. 390 – Stat. therm. (2 mai-30 sept.) – ✉ **63390** St-Gervais-d'Auvergne – 73.

Office de Tourisme (mai-fin sept. et fermé lundi) ℡ 86.67.86.

Paris 377 – Aubusson 82 – •Clermont-Ferrand 49 – Montluçon 55 – Riom 34 – Ussel 96.

Château, ℡ 86.67.01, ≤, – wc wc GB
avril-oct. – SC : **R** 25/58 – 10 – **39 ch** 40/95 – P 70/115.

La Pergola (annexe 10 ch), ℡ 86.67.95, ≤ – wc wc
Pâques-1er oct. – SC : **R** 25/58 – 10 – **8 ch** 39/80 – P 75/125.

CHÂTEAUNEUF-SUR-CHER 18190 Cher 68 ⑩ **G. Périgord** – 1 736 h. alt. 138 – 48.

Paris 258 – Bourges 29 – La Châtre 42 – Issoudun 30 – St-Amand-Montrond 22.

Le Tivoli, rte Bourges ℡ 60.66.42 – wc – 30. ch
fermé nov. et lundi – SC : **R** 38/120 – 13,50 – 12 ch 60/120 – P 140/200.

To go a long way quickly, use Michelin maps at a scale of 1: 1 000 000.

CHÂTEAUNEUF-SUR-LOIRE 45110 Loiret 64 ⑩ G. Châteaux de la Loire – 5 658 h. alt. 135 – 38.

Voir Germigny-des-Prés : mosaïque de l'église* SE : 4,5 km.**

Office de Tourisme pl. château (1er juin-30 sept., fermé dim. après-midi et lundi) 89.44.79.

Paris 133 – Bourges 102 – Gien 39 – Montargis 46 – ♦Orléans 25 – Pithiviers 39 – Vierzon 89.

La Capitainerie, Gde-Rue 58.42.16 – wc ⋒ ☎ Ⓟ. GB
fermé 1er janv. au 15 fév. et mardi sauf hôtel en saison – SC : **R** 50/90 – 13 – 15 ch 51/120 – P 120/160.

Nouvel H. du Loiret, pl. A.-Briand 58.42.28 – wc ⋒wc ☎. GB
fermé 10 déc. au 5 janv. et dim. de nov. à juin – **R** *(fermé lundi)* – 20 ch.

CITROEN Gar. du Centre, 89.43.14
RENAULT Carrascosa, 58.42.57
RENAULT Poignard, 58.42.11

CHÂTEAUNEUF-SUR-SARTHE 49330 M.-et-L. 63 ① – 2 061 h. alt. 23 – 41.

Syndicat d'Initiative 1 Grande-Rue (juil.-août, fermé merc. et dim. après-midi).

Paris 273 – Angers 31 – Château-Gontier 26 – La Flèche 33.

Ondines Ⓜ, 42.10.40, ≤ – |‡| wc ⋒wc ☎ Ⓟ – 50. GB
fermé 15 déc. au 15 janv. – SC : **R** *(fermé dim. soir de nov. au 15 mars)* 35/90 – 10 – **30 ch** 50/140 – P 125/210.

Sarthe avec ch, 42.11.30, ≤ –
fermé oct., dim. soir et lundi sauf juil. et août – SC : **R** 33/95 – 7 – **7 ch** 36 – P 90/95.

CHÂTEAURENARD 13160 B.-du-R. 81 ⑫ G. Provence – 11 027 h. alt. 43 – 90.

Voir château féodal : ※* de la tour du Griffon.

Syndicat d'Initiative à la Mairie (fermé dim.) 94.07.27.

Paris 697 – Avignon 10 – Carpentras 34 – Cavaillon 21 – ♦Marseille 96 – Nîmes 44 – Orange 41.

Phec Ⓜ, chemin Configues 94.23.78 – |‡| rest TV ⋒wc ☎. AE GB E.
fermé 15 déc. au 15 janv. – SC : **R** *(fermé dim.)* (dîner seul.) 60 – 15 – **20 ch** 110/130.

Provence, 10 av. Prés.-Wilson 94.01.20 – wc ⋒ ☎.
fermé 15 nov. au 15 déc. – SC : **R** *(fermé vend. soir et sam. midi)* 39/60 – 10 – **17 ch** 70/120 – P 120/140.

Central, 27 cours Carnot 94.10.90 – ⋒ ☎.
fermé 20 déc. au 20 janv., vend. soir et sam. midi du 1er oct. au 31 mars – SC : **R** 27/70 – 10 – 15 ch 57/95 – P 105/130.

Les Glycines avec ch, 14 av. V. Hugo 94.10.66 – wc ⋒ ☎. GB E. ch
fermé 24 août au 14 sept. – SC : **R** *(fermé lundi)* 38/70 – 10 – **10 ch** 65/100 – P 140/170.

CITROEN Pagenel, 19 bis bd J.-Ferry 94.10.05
CITROEN S.A.A.C., rte de Tarascon 94.19.67
FIAT Abbé, rte Avignon 94.12.05
RENAULT Châteaurenard-Autom., 9 bd Genevet 94.24.98
TALBOT Blanc, 10 av. F.-Mistral 94.04.80
Omnica, 30 bd Gambetta 94.10.93

CHÂTEAU-RENAULT 37110 I.-et-L. 64 ⑤⑥ G. Châteaux de la Loire (plan) – 6 048 h. alt. 88 – 47.

Syndicat d'Initiative Parc Vauchevrier (mai-sept.) 56.54.43 et 206 r. République 56.50.11.

Paris 197 – Angers 118 – Blois 34 – Loches 60 – ♦Le Mans 86 – ♦Tours 30 – Vendôme 26.

Lurton sans rest, 37 pl. J.-Jaurès 56.53.16 – wc ☎ Ⓟ
fermé 20 sept. au 5 oct. et 1er au 15 mars – SC : 12 – **10 ch** 60/90.

Lion d'Or, r. République 56.50.60 – ⋒ ☎.
fermé 10 au 25 juin, 15 au 30 janv. vend. soir et sam. midi – SC : **R** 35/65 – 10 – 10 ch 44/65 – P 120/145.

Écu de France avec ch, pl. J.-Jaurès 56.50.72 – wc ⋒ ☎. AE GB
fermé 1er au 15 sept., dim. soir sauf juil. et août et lundi midi – **R** 42/85 – 12 – **7 ch** 105/135.

au NE **: sur N 10:**

Aub. de la Diligence avec ch, 3 km ✉ 37110 Chateau-Renault 56.28.11 – ⋒wc ☎ Ⓟ. GB
fermé 18 au 24 mai, 28 sept. au 4 nov., 1er au 15 fév., sam. midi et lundi soir – SC : **R** 38/68 – 12 – 6 ch 80/120 – P 120/150.

Le Gastinais, 7 km ✉ 41310 St-Amand-Longpré (L.-et-Ch.) (54) 82.83.30 – Ⓟ
fermé 2 au 16 sept., 2 au 23 janv., mardi soir et merc. – SC : **R** (dim. et fêtes - prévenir) 35/68.

RENAULT Tortay, 19 r. Gambetta 56.50.97
TALBOT Bordier et Macon, 22 r. de la République 56.82.45

CHÂTEAUROUX P 36000 Indre 68 ⑧ G. Périgord – 55 629 h. alt. 154 – ✪ 54.

Voir Clocher★ de l'ancienne abbaye de Déols 2 km par ① – Office de Tourisme pl. République (fermé dim. et lundi) ☎ 34.10.74 - A.C. 57 r. Belle Isle ☎ 22.92.24.

Paris 266 ① – Blois 98 ⑧ – Bourges 67 ① – Châtellerault 103 ⑦ – Guéret 89 ③ – ♦Limoges 125 ⑤ – Montluçon 98 ③ – ♦Orléans 137 ① – Poitiers 120 ⑤ – ♦Tours 111 ⑦ – Vierzon 58 ①.

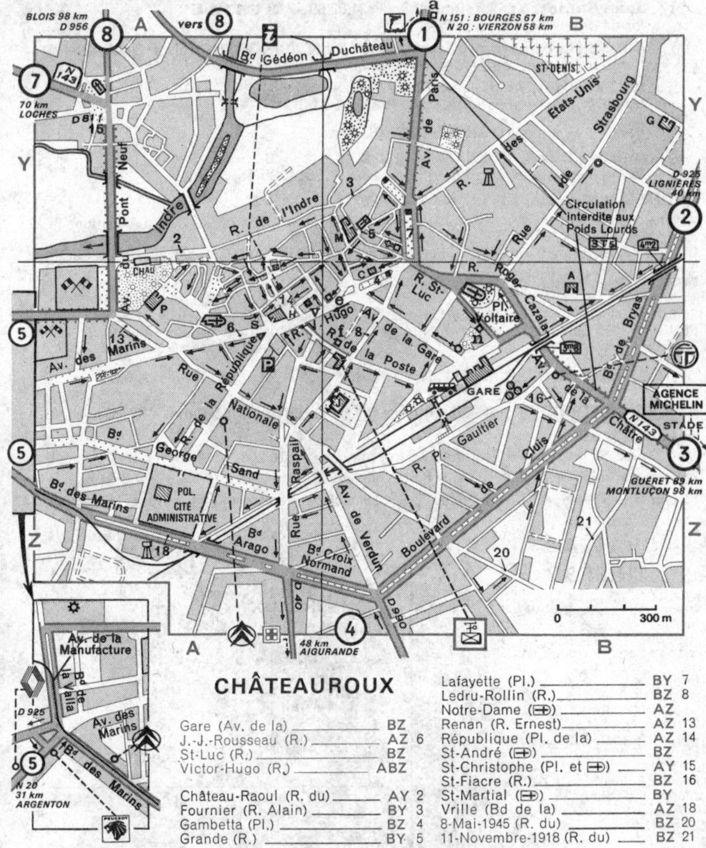

CHÂTEAUROUX

Gare (Av. de la)	BZ	
J.-J.-Rousseau (R.)	AZ	6
St-Luc (R.)	BZ	
Victor-Hugo (R.)	ABZ	
Château-Raoul (R. du)	AY	2
Fournier (R. Alain)	BY	3
Gambetta (Pl.)	BZ	4
Grande (R.)	BY	5
Lafayette (Pl.)	BY	7
Ledru-Rollin (R.)	BZ	8
Notre-Dame (⊞)	AZ	
Renan (R. Ernest)	AZ	13
République (Pl. de la)	AZ	14
St-André (⊞)	BZ	
St-Christophe (Pl. et ⊞)	AY	15
St-Fiacre (R.)	BZ	16
St-Martial (⊞)	BY	
Vrille (Bd de la)	AZ	18
8-Mai-1945 (R. du)	BZ	20
11-Novembre-1918 (R. du)	BZ	21

France, 16 r. Victor-Hugo ☎ 27.00.80, Télex 751676 – rest – 30 à 200. AE GB E — BZ **e**
SC : **R** Grill *(fermé dim. de nov. à mars)* carte 60 à 85 – 16,50 – **43 ch** 135/175 – P 173/213.

Elysée H., ☎ 22.33.66 – wc ☎. AE GB E — AZ **s**
SC : **R** voir rest. J. Bardet – 15 – **18 ch** 130/170.

Relais St-Jacques M, par ① : 5 km sur N 20 ✉ 36130 Déols ☎ 22.87.10, Télex 751176, – wc ☎ P – 80. AE GB
SC : **R** 40/80 – 12,50 – **46 ch** 120/130.

Boischaut sans rest, 135 av. Châtre par ③ ☎ 22.22.34 – wc wc ☎ P. GB
SC : 11 – **27 ch** 60/125.

Christina sans rest, 250 av. La Châtre par ③ ☎ 34.01.77 – wc wc ☎ P. GB E.
fermé 25 déc. au 4 janv. – SC : 11 – **33 ch** 60/115.

Aub. Arc en Ciel sans rest, à la Forge de l'Isle par ③ : 6 km ✉ 36330 Le Poinçonnet ☎ 34.09.83 – wc wc ☎ P – 100
SC : 11 – **26 ch** 60/105.

Voltaire, 42 pl. Voltaire ☎ 34.17.44 – wc wc ☎ P. AE GB E
R snack *(fermé dim.)* carte environ 60 – 12 – **29 ch** 78/105. — BZ **n**

tourner →

- **St-Hubert,** 25 r. Poste ☎ 34.06.74 – wc ☎ 🚗. — BZ **f**
  SC : **R** Brasserie *(fermé dim. et fêtes)* carte environ 45 – 10,50 – **12 ch** 77/117.
- **Le Parc,** 148 av. Paris ☎ 34.36.83 – wc wc ☎ **P**. — BY **a**
  SC : **R** *(fermé oct. et sam. de nov. à mai)* 30/60 – 12 – **27 ch** 50/100 – P 145.
- XXX **Jean Bardet,** 1 r. J. J.-Rousseau ☎ 34.82.69 – AE GB (D) E — AZ **s**
  fermé dim. soir – **R** 55/138.
- XXX **Aub. de la Renardière,** par ① : 6 km sur N 20 ✉ 36130 Déols ☎ 34.45.42 – **P**
  fermé août, dim. soir et lundi – **R** 56/114.
- X **A l'Escargot,** 7 r. J.-Jaurès ☎ 22.06.75 – GB — AZ **v**
  fermé 1er au 8 avril et lundi – SC : **R** 36 bc/95 bc.

par ② : 10 km sur D 925 – ✉ **36130** Déols :

- XX **Aub. de Diors,** ☎ 36.01.84 – **P**. GB
  fermé 6 janv. au 6 fév. et merc. hors sais. – SC : **R** 35/55.

MICHELIN, Agence, Z.I., 19 bd d'Anvaux par ③ ☎ **22.23.31**

AUDI-VOLKSWAGEN Centre Auto-Berry, 124 rte de Blois ☎ 22.14.49
CITROEN Lauvergnat, 47 r. République ☎ 22.57.57
CITROEN Gar. Bisson, 76 bd des Marins ☎ 34.12.66
FORD Pabanel, 54 av. Gare ☎ 22.97.17
PEUGEOT Gd Gar. du Berry, 9 av. Argenton ☎ 22.35.88
RENAULT Sarraf, 34 Av. d'Argenton ☎ 22.22.22 **N**
TALBOT Maublanc, 28 av. de La Châtre ☎ 22.29.68

Central Pneu, 86 bd de Cluis ☎ 34.12.22
Chirault, r. Folie-Comtois ☎ 34.40.78
Récup-Auto, rte d'Issoudun à Déols ☎ 34.91.90
Tous les pneus, 206 av. de Verdun ☎ 22.37.26

La tranquillité de l'hôtel est l'affaire de tous et donc de vous aussi.

CHÂTEAU-THIERRY

CHÂTEAU-THIERRY SP **02400** Aisne **56** ⑭ **G. Environs de Paris** – 13 856 h. alt. 63 – 23.

Voir Église St-Ferréol* d'Essômes 2,5 km par ⑤ – Cote 204 ≤* 4,5 km par ⑥.

Office de Tourisme pl. Hôtel de Ville (fermé dim. après-midi) ☎ 83.10.14.

Paris 97 ① – Épernay 48 ③ – Meaux 50 ⑥ – ♦Reims 58 ① – Soissons 41 ① – Troyes 110 ④.

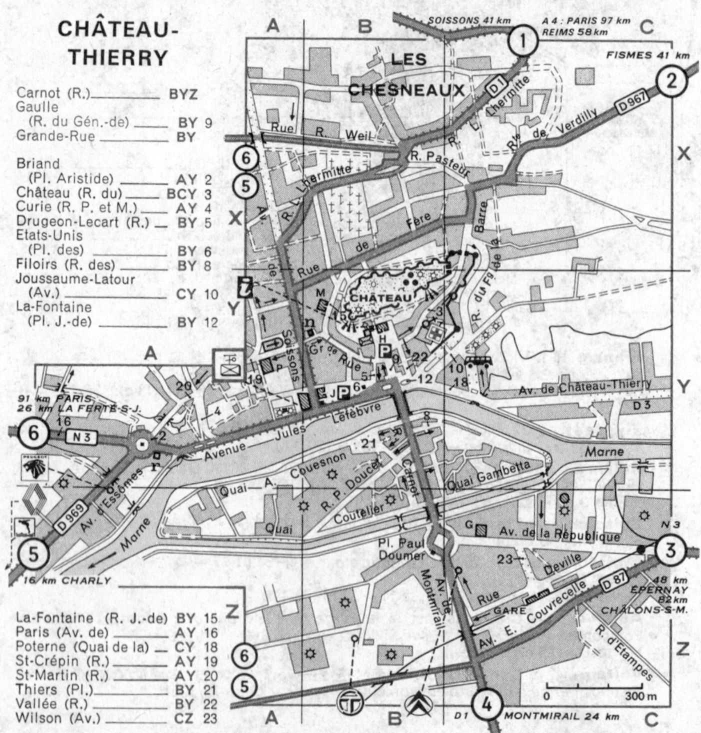

Carnot (R.) BYZ
Gaulle (R. du Gén.-de) BY 9
Grande-Rue BY

Briand (Pl. Aristide) AY 2
Château (R. du) BCY 3
Curie (R. P. et M.) AY 4
Drugeon-Lecart (R.) BY 5
Etats-Unis (Pl. des) BY 6
Filoirs (R. des) BY 8
Joussaume-Latour (Av.) CY 10
La-Fontaine (Pl. J.-de) BY 12

La-Fontaine (R. J.-de) BY 15
Paris (Av. de) AY 16
Poterne (Quai de la) CY 18
St-Crépin (R.) AY 19
St-Martin (R.) AY 20
Thiers (Pl.) BY 21
Vallée (R.) BY 22
Wilson (Av.) CZ 23

Ile de France, par ① : 2 km rte de Soissons ☎ 69.10.12 – wc wc ☎ Ⓟ – 20. AE GB E
fermé 22 déc. au 2 janv. – **R** 28/75 – 12 – 31 ch 47/135.

Girafe sans rest, pl. Aristide-Briand ☎ 83.02.06 – wc Ⓟ. AY **r**
SC : 10 – **30 ch** 45/100.

St-Éloi avec ch, 27 av. Soissons ☎ 83.02.33, – BY **n**
fermé 1er au 15 sept., 1er au 15 fév. et merc. – SC : **R** 35/100 – 10 – **14 ch** 60/80.

AUDI-VOLKSWAGEN Gar. Delattre, N 3, Blesmes ☎ 83.12.09
CITROEN Aisne-Auto, 8 av. Montmirail ☎ 83.24.04
FORD Desaubeau, N 3 à Chierry ☎ 83.00.86
LANCIA-AUTOBIANCHI-OPEL-GM-US Bachelet, av. Gén.-de-Gaulle à Essômes ☎ 83.21.78
MERCEDES-BENZ Gar. des Cordeliers, 8 r. de la Plaine, Zone Ind. ☎ 83.45.88
PEUGEOT Verdel, 18 av. Essômes ☎ 83.20.25
RENAULT Armand, 51 av. Essômes ☎ 83.14.48
TALBOT Gar. de la Prairie, Zone Ind. ☎ 83.24.42

La Maison du Pneu, 38 av. de Paris ☎ 83.02.79

CHÂTEL

74390 H.-Savoie **70** ⑱ **G. Alpes** – 848 h. alt. 1 235 – **Sports d'hiver : 1 235/2 080 m** 3 31 – 50 – **Voir Site**★ – **Pas de Morgins**★ S : 3 km.

Env. Pic de Morclan ★★ **par télécabine.**

Office de Tourisme (fermé sam. et dim. hors saison) ☎ 73.22.44, Télex 385856.

Paris 616 – Annecy 111 – Évian-les-Bains 40 – Morzine 50 – Thonon-les-Bains 39.

Macchi Ⓜ, ☎ 73.24.12, ← – Ⓟ – 50
juil.-août et Noël-Pâques – **R** 40/60 – 10 – **32 ch** 140/200 – P 160/200.

Fleur de Neige, ☎ 73.20.10, ← – wc wc ☎ Ⓟ.
13 juin-13 sept. et 13 déc.-20 avril – SC : **R** 48/90 – 15 – **27 ch** 120/190 – P 160/220.

Panoramic Ⓜ, ☎ 73.22.15, ←, – wc ☎ Ⓟ.
10 juil. au 1er sept. (sans rest) et 18 déc. au 1er avril – SC : **R** 38/110 – 18 – **28 ch** 120/165 – P 163/217.

Belalp, ☎ 73.24.39, ← – wc wc ☎ Ⓟ. ch
1er juil.-31 août et 15 déc.-Pâques – SC : **R** 38/95 – 12 – **30 ch** 86/125 – P 112/160.

Stella , ☎ 73.23.26, ← – wc wc ☎ Ⓟ. rest
1er juin-15 sept. et 15 déc.-30 avril – SC : **R** 45/60 – 20 – 22 ch 80/160 – P 160/180.

Le Choucas sans rest ☎ 73.22.57, ← – wc ☎ Ⓟ
20 juin-15 sept. et Noël-Pâques – SC : 10 – **14 ch** 80/95.

Christiania, ☎ 73.24.19, ← – wc wc ☎ Ⓟ. rest
fermé 20 avril au 15 mai, sam. et dim. en oct. – SC : **R** 35/80 – 12 – **26 ch** 60/100 – P 120/140.

La Savoyarde , ☎ 73.23.13, ← – Ⓟ
juin-sept. et déc.-avril – SC : **R** 36/45 – 10 – 30 ch 40/70 – P 86/110.

PEUGEOT Premat, ☎ 73.24.87 ☎ 73.22.36

CHÂTELAILLON-PLAGE

17340 Char.-Mar. **71** ⑬ **G. Côte de l'Atlantique** – 5 374 h. – Casino – 46 – Office de Tourisme Parc Municipal, bd République (15 mai-15 sept.) ☎ 46.26.97.

Paris 470 – Niort 62 – Rochefort 21 – La Rochelle 12 – Surgères 28.

Host. Select, 1 r. G.-Musset ☎ 46.24.31 – wc ☎ Ⓟ – 100. AE GB ⓓ
SC : **R** 60/140 – 10 – **21 ch** 55/100 – P 115/150.

Gd Hôtel, 13 av. Gén.-Leclerc ☎ 46.20.97 – wc ☎ Ⓟ. AE GB ⓓ
Pâques-30 oct. – SC : **R** 60/90 – 10 – **27 ch** 55/100 – P 115/150.

Majestic, bd Libération ☎ 46.20.53 – wc ☎ . AE. rest
fermé début nov., 20 déc. au 10 janv., sam. et dim. en hiver – SC : **R** (résidents seul.) 40/60 – 11 – **30 ch** 60/110 – P 110/150.

Centre, 45 r. Marché ☎ 46.23.57 – wc Ⓟ.
SC : **R** *(fermé dim. soir et lundi midi du 1er oct. au 31 mars)* 35/80 – 12 – 20 ch 50/120 – P 125/155.

Jeanne d'Arc, 12 r. G.-Musset ☎ 46.20.01 – Ⓟ. rest
fermé 21 déc. au 2 janv. – SC : **R** 40/75 – 8,50 – 24 ch 44/100 – P 92/135.

✿ **Océan** (Bailly) avec ch, 121 bd République ☎ 46.25.91 – . rest
fermé fév., dim. soir et lundi hors sais. – SC : **R** (nombre de couverts limité - prévenir) 52/180 – 10 – 24 ch 49/105 – P 120/150
Spéc. Homard flambé, Sole Océan, Salade des boucholeurs. **Vins** Graves, Neuville de Poitou.

Armor, au port de Plaisance ☎ 46.27.91 – Ⓟ
mars-oct. – SC : **R** 70/110.

Aub. Chez Yannick, 23 bd Libération ☎ 46.25.08
fermé lundi soir et mardi hors sais. – SC : **R** 38/85.

CHÂTELARD 38 Isère 77 ⑥ – rattaché à Bourg d'Oisans.

CHÂTELGUYON 63140 P.-de-D. 73 ④ **G. Auvergne** – 2 980 h. alt. 409 – Stat. therm. (25 avril-15 oct.) – Casino BZ – 73.

Voir Gorges d'Enval* 3 km par ③ puis 30 mn.

Office de Tourisme parc E.-Clementel (avril-oct.) ☎ 86.01.17.

Paris 377 ① – Aubusson 99 ③ – ♦Clermont-Fd 21 ② – Gannat 28 ① – Vichy 47 ① – Volvic 12 ③.

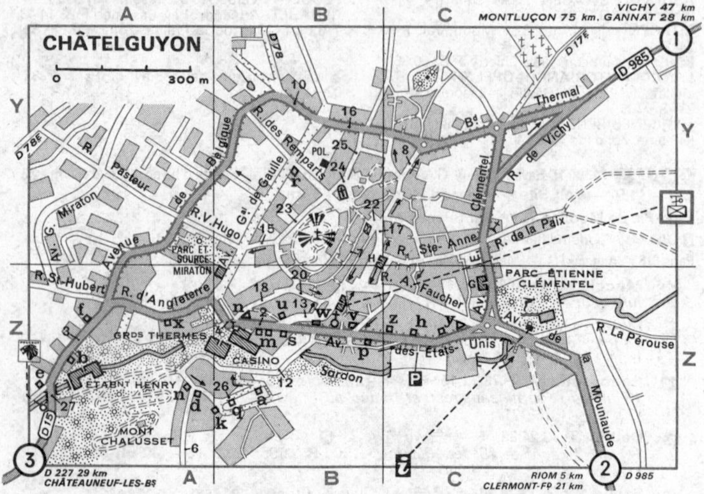

Baraduc (Av.) BZ 2
Commerce (R. du) CY 8
Hôtel-de-Ville (R. de l') CY 17

Brocqueville (Av. de) AZ 3
Brosson (Pl.) BZ 4
Chalusset (R. du) AZ 6

Château (R. du) BY 7
Coulon (R. Roger) BY 10
Dr-Gubler (R. du) BZ 12
Dr-Levadoux (R. du) BZ 13
Fénelon (R.) BY 15
Groslier (R. J.) BY 16
Lacroix (R.) BZ 18

Levadoux-Bragga (R.) BZ 20
Marché (Pl. du) BY 22
Maupassant (R. Guy-de) BY 23
Orme (Pl. de l') BY 24
Ormeau (R. de l') BY 25
Punett (R.) BZ 26
Russie (Av. de) AZ 27

Splendid ⑤, r. Angleterre ☎ 86.04.80, Télex 390867, ←, « Jardin ombragé en terrasses », – ||| ⓟ – 30. rest AZ **x**
25 avril-30 oct. – SC : **R** 86 – 18 – **94 ch** 117/303 – P 258/357.

International ⑤, r. Punett ☎ 86.06.72, ←, – |||. rest ABZ **k**
8 mai-30 sept. – SC : **R** 60/85 – 15 – **68 ch** 100/150 – P 170/240.

Mont Chalusset ⑤, r. Punett ☎ 86.00.17, ←, – ||| – 30. AE E. rest BZ **q**
25 avril-15 oct. – SC : **R** 65/75 – 20 – **70 ch** 95/180 – P 130/250.

Paris, 1 r. Dr Levadoux ☎ 86.00.12 – ||| wc wc. rest BZ **u**
fermé 15 oct. au 15 nov. – SC : **R** 65/110 – 11 – **62 ch** 90/145 – P 171/195.

Castel-Régina, av. Brocqueville ☎ 86.00.15, ←, – ||| wc wc. GB. rest AZ **b**
20 avril-18 oct. – SC : **R** 46/60 – 11 – **43 ch** 50/92 – P 118/180.

Bains, av. Baraduc ☎ 86.07.97, – ||| wc wc. rest BZ **m**
fin avril-début oct. – SC : **R** 40/70 – 10 – **37 ch** 80/120 – P 138/193.

Hirondelles, av. États-Unis ☎ 86.09.11, – wc wc ⓟ. rest BZ **p**
20 avril-15 oct. – SC : **R** 32/65 – 10 – **50 ch** 40/125 – P 100/160.

Établissement, av. Brocqueville ☎ 86.03.43, ←, – ||| wc wc ☎ ⓟ. rest AZ **e**
2 mai-30 sept. – SC : **R** 50/60 – **65 ch** 50/130 – P 117/190.

Excelsior, r. Brocqueville ☎ 86.06.63, ←, – ||| wc ⓟ. rest AZ **f**
2 mai-30 sept. – SC : **R** 39/48 – 10 – **54 ch** 44/92, 3 bungalows 104 – P 122/165.

Thermalia, av. Baraduc ☎ 86.00.11, – ||| wc wc. rest BZ **m**
début mai-30 sept. – SC : **R** 58/130 – 11 – **49 ch** 73/130 – P 146/200.

Beau Site ⑤, 2 r. Chalusset ☎ 86.00.49, – wc ☎ ⓟ. rest AZ **n**
25 avril-30 sept. – SC : **R** 45/65 – 10 – **32 ch** 80/95 – P 100/145.

Univers, av. Baraduc ☎ 86.02.71, – wc. BZ **v**
fermé 15 au 24 avril – SC : **R** *(fermé dim. soir en hiver)* 44/65 – 9 – **41 ch** 42/95 – P 102/130.

Bérénice, av. Baraduc ☎ 86.09.86 – rest wc wc. rest — BZ n
25 avril-10 oct. – SC : **R** *(fermé dim.)* (déj. seul.) 30/55 – **13 ch** 55/135.

Bellevue, r. Punett ☎ 86.07.62, ←, – wc. rest — BZ a
23 avril-15 oct. – SC : **R** 38/42 – 11 – **40 ch** 40/102 – P 105/157.

Les Bruyères, r. Chalusset ☎ 86.01.09 – wc wc. — AZ d
25 avril-30 sept. – SC : **R** 45/58 – 10 – **26 ch** 50/130.

Régence Central H., av. États-Unis ☎ 86.02.60 – wc wc. rest — CZ y
3 mai-15 oct. – SC : **R** 42/54 – 11,50 – **28 ch** 40/105 – P 114/148.

Métropole, av. États-Unis ☎ 86.00.28, – wc. rest — CZ z
27 avril-9 oct. – SC : **R** 40/44 – 12 – **40 ch** 50/110 – P 108/140.

Lutétia, av. États-Unis ☎ 86.06.50 – rest wc. rest — CZ h
28 avril-9 oct. – **R** 60/70 – 12 – **36 ch** 65/85 – P 110/140.

Paix, av. États-Unis ☎ 86.06.90 – wc. AE GB — CZ y
mai-sept. – SC : **R** 35/60 – 9 – **30 ch** 42/90 – P 93/107.

Modern'H., av. Baraduc ☎ 86.01.13 – . — BZ s
début mai-début oct. – SC : **R** 34 – 8,50 – **28 ch** 45/85 – P 100/105.

Chante-Grelet, av. Gén.-de-Gaulle ☎ 86.02.05 – wc wc. rest — BY r
20 mars-fin oct. – SC : **R** 42/68 – 9 – **35 ch** 70/95 – P 108/142.

XX **Manoir Fleuri** avec ch, rte Château-de-Chazeron (par r. St-Hubert AZ et D78 E 1 km) ☎ 86.01.27, ←, parc – wc wc. GB. rest
hôtel : Pâques-30 sept. – SC : **R** *(fermé 15 janv. au 1er mars et lundi hors sais.)* 50/80 – 14 – **15 ch** 47/90 – P 220/300.

XX **La Grilloute,** av. Baraduc ☎ 86.04.17 — BZ w
10 mai-5 oct. et fermé mardi – SC : **R** 46/55.

à St-Hippolyte par r. du Chalusset : 2 km AZ – ✉ **63140** Châtelguyon :

Le Cantalou, ☎ 86.04.67, ← – wc wc.
15 mars-15 oct. – SC : **R** *(fermé lundi)* 29/60 – 9,50 – **30 ch** 45/80 – P 90/110.

PEUGEOT Gar. Thermal, ☎ 86.08.77

Routes enneigées
Pour tous renseignements pratiques, consultez
les cartes Michelin **« Grandes Routes »** 998 999 916 ou 989

CHÂTELLERAULT

86100 Vienne 68 ④ **G. Côte de l'Atlantique** – 37 691 h. alt. 60 – 49.

Voir Musée de l'automobile et de la technique* AZ **M.**

Office de Tourisme bd Blossac (fermé lundi hors sais. et dim.) ☎ 21.05.47 – A.C.O. r. C.-Krebs ☎ 21.03.46.

Paris 304 ① – Châteauroux 103 ② – Cholet 128 ⑤ – Poitiers 35 ④ – •Tours 71 ①.

Plan page suivante

Gd H. Moderne et rest. La Charmille, 74, bd Blossac ☎ 21.30.11, Télex 791801 – wc wc – 40. AE GB E — BY n
R *(fermé 3 au 30 janv. et dim. soir)* 90/100 - **Grill** *(fermé 20 déc. au 6 janv.)* **R** 35 bc/50 bc – 20 – **37 ch** 70/260.

Univers, 4 av. G.-Clemenceau ☎ 21.23.53 – wc – 30. AE GB E — BY n
fermé 20 déc. au 20 janv., sam. soir et dim. du 25 oct. à Pâques – SC : **R** 41/115 – 11 – 30 ch 52/109.

Ibis M, quartier de la Forêt ☎ 21.75.77, Télex 791488 – wc. GB — BZ e
SC : **R** carte environ 50 – 11,50 – **72 ch** 120/140.

Croissant, 19 av. J.-F.-Kennedy ☎ 21.01.77 – wc. GB — BZ a
fermé 15 déc. au 2 janv., lundi (sauf Hôtel) et dim. soir – SC : **R** 40/150 – 14 – 20 ch 50/150.

L'Escale sans rest, 17 av. d'Argenson par ① ☎ 21.13.50, – wc. E
SC : 12 – **32 ch** 54/105.

X **Buffet Gare,** 2 bis bd Sadi-Carnot ☎ 21.02.23 – — BY
fermé mardi – SC : **R** 30/60.

FIAT, TOYOTA Touzalin, 107 r. d'Antran ☎ 21.14.29
FORD Tardy, 40 bd d'Estrées ☎ 21.48.44
PEUGEOT Georget, N 10, Sortie Sud ☎ 21.08.32
RENAULT Burban et Lanoue, l'Orée du Bois, N 10 Sud ☎ 21.30.90
RENAULT Robin, 159 bd d'Estrées ☎ 21.09.85
Aux Cent Mille Pneus 124 r. Camille Page ☎ 21.58.22
Leroux, 44 bd V.-Hugo ☎ 21.11.42
Tours-Pneus, Av. Robert Schumann ☎ 21.56.66

Blossac (Bd) .... BYZ
Cygne-Châteauneuf (R. du) .... AY 4
Dupleix (Pl.) .... BY 6
Grande-Rue Châteauneuf AZ

Abelin (Av. Pierre) .... BZ 2
Clemenceau (Av. G.) .... BY 3
Deschazeaux (R.) .... BY 5
Gaudeau-Lerpinière (R.) .... BY 7
Kennedy (Av. John-F.) .... BZ 8
Lattre-de-T. (Av. Mar.-de) AY 9
Napoléon-Ier (Quai) .... BY 10
Prés.-Roosevelt (Av.) .... ABZ 12
Ripault (Av. Louis) .... BY 13
St-Jacques (R. du Fg) .... BZ 14
St-Jacques (⊞) .... BZ
St-Jean-Baptiste (⊞) .... BY
St-Jean-l'Évangél. (⊞) AZ
Sully (R.) .... BZ 15
Treuille (Av.) .... BY 16
Trois-Pigeons (R. des) .... BZ 17
Villeneuve (R. Chanoine-de) .... BZ 18

CHÂTENOIS 67 Bas-Rhin 62 ⑲ – rattaché à Sélestat.

CHÂTILLON 39 Jura 70 ⑭ – 174 h. alt. 511 – ✉ **39130** Clairvaux-les-Lacs – ☉ 84.

Paris 426 – Champagnole 23 – Lons-le-Saunier 20 – Morez 44 – Poligny 24.

XX **Chez Yvonne** avec ch, E : 2,5 km D 39 ☎ 25.70.82, ← – [P]
fermé 1er janv. au 7 fév. et mardi – SC : **R** 50/65 – ☐ 9 – 8 ch 40/55.

CHÂTILLON-SUR-CHALARONNE 01400 Ain 74 ② **G. Vallée du Rhône** – 3 432 h. alt. 230 – ☉ 74.

Voir Triptyque★ dans l'Hôtel de Ville.

🅸 Syndicat d'Initiative pl. Champ-de-Foire (15 mai-15 sept., fermé merc., jeudi et matin sauf sam.) ☎ 55.02.27.

Paris 419 – Bourg-en-Bresse 23 – ♦Lyon 54 – Mâcon 25 – Meximieux 34 – Villefranche-sur-Saône 27.

Chevalier Norbert, av. C. Desormes ☎ 55.02.22 – ▤ rest ⇔wc ☎ ♿ 🚗
fermé janv. – SC : **R** *(fermé lundi)* 78/170 – ☐ 15 – 33 ch 80/200 – P 160/280.

XX **de la Tour** avec ch, pl. République ☎ 55.05.12 – ⇔ ⌂wc ☎.
fermé 10 fév. au 15 mars, mardi soir hors sais. et merc. – SC : **R** 48/120 – ☐ 10 – 12 ch 45/120.

X **Commerce** avec ch, av. Clément Désormes ☎ 55.00.33 – ⌂ ☎
fermé déc., lundi soir et mardi – SC : **R** 30/70 ⅃ – ☐ 10 – 9 ch 36/60 – P 90/95.

route de Marlieux SE : 2 km sur D 7 – ✉ **01400** Châtillon-sur-Chalaronne :

XX **Aub. de Montessuy,** ☎ 55.05.14, ← – [P]. GB
fermé 2 janv. au 5 fév., 12 au 19 oct., lundi soir et mardi – SC : **R** 55/150.

CITROEN Ferrari ☎ 55.03.23
PEUGEOT Ambrosi, ☎ 55.00.73
Gar. de l'Hippodrome, ☎ 55.02.16

CHÂTILLON-SUR-INDRE 36700 Indre 68 ⑥ G. Châteaux de la Loire (plan) – 3 650 h. alt. 88 – ✪ 54.

🅸 Syndicat d'Initiative 81 r. Grande (fermé dim. après-midi et lundi matin) ☎ 38.70.96.

Paris 256 – Le Blanc 43 – Blois 76 – Châteauroux 48 – Châtellerault 64 – Loches 22.

XX **Auberge de la Tour** avec ch, ☎ 38.72.17 – wc.
fermé 15 déc. au 31 janv. et lundi – SC : **R** 35/68 – 11 ch ☕ 62/140 – P 106/180.

X **Promenade** avec ch, r. Grande ☎ 38.71.95 –
fermé 1er au 15 sept., vacances de fév., mardi soir et merc. – SC : **R** 32/70 ⅃ – ☕ 8,50 – 11 ch 35/55 – P 90.

CITROEN Cholet, ☎ 38.75.04
RENAULT Goullier, ☎ 38.71.09
Gar. Moderne, ☎ 38.75.27

CHÂTILLON-SUR-SEINE
21400 Côte-d'Or 65 ⑧ G. Bourgogne – 7 931 h. alt. 224 – ✪ 80.

Voir Source de la Douix★ F – Musée★ M : trésor de Vix★★.

🅸 Syndicat d'Initiative avec A.C. pl. Marmont (fermé dim. et lundi) ☎ 91.13.39.

Paris 247 ⑤ – Auxerre 83 ⑤ – Avallon 79 ⑤ – Chaumont 58 ① – ♦Dijon 84 ③ – Langres 72 ① – Saulieu 78 ④ – Troyes 68 ⑥.

🏨 **Côte d'Or** , r. Ronot **(t)** ☎ 91.13.29, « Jardin ombragé » – wc wc ☎ 🅿 – 25.
AE GB ⓓ
fermé 6 janv. au 25 fév., dim. soir et lundi sauf fêtes, juil. et août – SC : **R** 155 – ☕ 20 – 10 ch 90/220.

🏨 **Sylvia H.** sans rest, 9 av. Gare **(a)** ☎ 91.02.44, – wc wc ☎ ♿ 🅿.
GB
fermé 15 janv. au 7 fév. et dim. en hiver – SC : ☕ 13 – **21 ch** 46/130.

🏨 **Jura** sans rest, 19 r. Dr Robert **(s)** ☎ 91.26.96 – wc ☎ 🅿
fermé janv. et vend. hors sais. – SC : ☕ 9 – **9 ch** 45/80.

X **Europa H.,** pl. Résistance **(n)** ☎ 91.04.10
R 25/58.

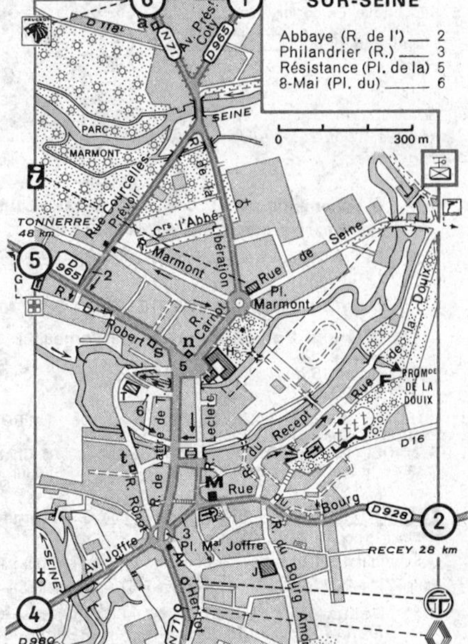

CITROEN Folléa Auto., av. E.-Hériot ☎ 91.19.63
FIAT Gar. Châtillonnais, 20 av. Gare ☎ 91.11.13
FORD Gar. Centre, 3 r. Marmont ☎ 91.01.44
OPEL Gar. du Val-de-Seine, av. E.-Herriot ☎ 91.06.84
PEUGEOT Berthier, rte de Troyes ☎ 91.13.80
RENAULT STECA, 14 bis av. Ed.-Herriot ☎ 91.14.04
TALBOT Junot-Autom., 13 av. Ed.-Herriot ☎ 91.12.68

Pneus-Service-Deschamps, 17 r. Courcelles-Prévoir ☎ 91.05.34

CHÂTILLON-SUR-THOUET 79 Deux-Sèvres 67 ⑱, 68 ⑪ – rattaché à Parthenay.

La CHÂTRE 36400 Indre 68 ⑲ G. Périgord – 5 218 h. alt. 222 – ✪ 54.

🅸 Syndicat d'Initiative square G.-Sand (15 juin-15 sept.) ☎ 48.22.64 et à la Mairie (hors sais. et fermé dim.) ☎ 48.03.53.

Paris 299 ① – Bourges 71 ② – Châteauroux 36 ① – Guéret 53 ④ – Montluçon 62 ③ – Poitiers 138 ⑤ – St-Amand-Montrond 49 ②.

Plan page suivante

🏨 **Notre Dame** sans rest, 4 pl. N.-Dame **(a)** ☎ 48.01.14 – wc wc ☎ . GB ⓓ.
fermé dim. – SC : ☕ 12 – **16 ch** 50/130.

X **Poste,** 10 r. Basse-du-Mouhet **(n)** ☎ 48.05.62 – AE GB ⓓ
fermé 1er au 22 sept., Noël au 1er janv., dim. soir et lundi – SC : **R** 40/110 ⅃.

X **Aub. du Moulin Bureau,** r. fg. St-Abdon S : 1 km par pl. de l'Abbaye ☎ 48.04.20 – 🅿. AE GB
fermé 7 au 15 oct., 7 au 31 janv., mardi soir et merc. – SC : **R** 37/56 ⅃.

LA CHÂTRE

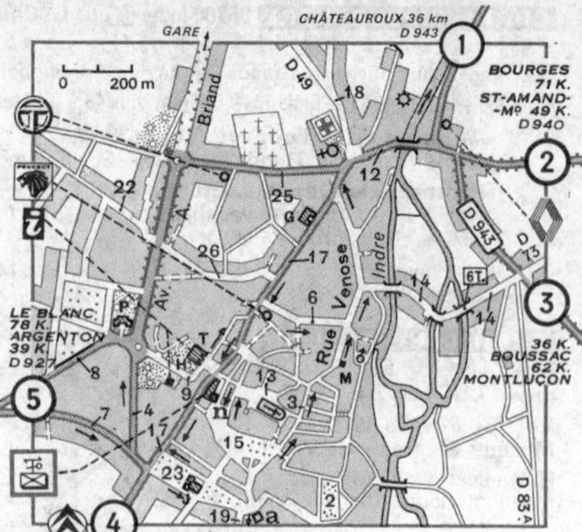

Pour un bon usage des plans de villes, voir les signes conventionnels p. 20.

à *Nohant-Vic* par ① : 6 km – ✉ **36400** La Châtre.
Voir Vic : fresques★ de l'église NO : 2 km.

La Petite Fadette ⛭, ☎ 31.01.48, ⛬ – ⌂wc ⌂wc ☎ Ⓟ – 🔔 80
15 ch.

à *St-Chartier* par ① et D 918 : 9 km – ✉ **36400** La Châtre :

Château Vallée Bleue ⛭, rte Verneuil ☎ 31.01.91, ←, parc – ⌂wc ⌂wc ☎ 🚗 Ⓟ. ✂
fermé 15 déc. au 15 fév. et merc. midi – **SC** : **R** 52/65 – ☕ 14 – 10 ch 50/126 – P 150/200.

CITROEN Gar. Patry, ☎ 48.04.83 🅽
PEUGEOT Chavegrand, ☎ 48.14.88
RENAULT Gar. du Lion d'Argent, Rte de Chateauroux à Montgivray ☎ 48.01.03
TALBOT Jamet, ☎ 48.02.79
⊕ Chirault, ☎ 48.04.10
Récup-Auto, ☎ 48.04.62

CHAUDES-AIGUES **15110 Cantal** **76** ⑭ **G. Auvergne (plan) – 1 383 h. alt. 750 – Stat. therm. (1er mai-15 oct.) – ⊕ 71.**

🅸 Syndicat d'Initiative 1 av. G.-Pompidou (1er mai-15 oct.) ☎ 23.52.75.

Paris 522 – Aurillac 94 – Entraygues-sur-T. 62 – Espalion 56 – St-Chély-d'Apcher 29 – St-Flour 32.

Beauséjour, ☎ 23.52.37, ⛬ – 🛗 ⌂wc ☎ 🚗 Ⓟ – 🔔 80. 🅴
fermé 15 nov. au 15 déc., janv., fév. et sam. – **SC** : **R** 30/80 – ☕ 11 – 44 ch 60/130 – P 110/160.

Aux Bouillons d'Or Ⓜ, ☎ 23.51.42 – 🛗 📺 ⌂wc ☎. 🚗. ✂
fermé 7 déc. au 7 fév. et mardi du 15 oct. au 1er mai – **SC** : **R** 30/130 – ☕ 10,50 – **12 ch** 95/105 – P 110/150.

Thermes, ☎ 23.51.18 – 🛗 ⌂wc ⌂wc ☎ ♿ 🚗
25 avril-15 oct. – **SC** : **R** 30/70 – ☕ 10 – 34 ch 52/110 – P 90/130.

Valette, ☎ 23.52.43 – 🛗 ⌂wc ☎. ✂ rest
1er mai-15 oct. – **SC** : **R** 30/60 – ☕ 10 – 45 ch 40/118 – P 103/120.

Résidence sans rest, ☎ 23.51.89 – 🛗 ⌂wc ☎ 🚗
Pâques-15 oct. – **SC** : ☕ 9 – **14 ch** 40/75.

CITROEN Gar. Moderne, ☎ 23.52.52
RENAULT Gascuel, ☎ 23.52.82

CHAUFFAILLES **71170 S.-et-L.** **73** ⑧ **– 5 002 h. alt. 405 – ⊕ 85.**

Paris 441 – Charolles 32 – ♦Lyon 88 – Mâcon 68 – Roanne 36 – Vichy 99 – Villefranche-sur-Saône 61.

❀ **Paix (Jury), pl. République** ☎ 26.02.60 – ⌂wc ☎ 🚗. 🚗
fermé 9 au 15 juin, fév., dim. soir et lundi du 15 sept. au 15 juin – **SC** : **R** (dim. prévenir) 36/140 – ☕ 12 – 18 ch 55/100 – P 120/150
Spéc. Beignets de queues d'écrevisses, St-Jacques en chemise au citron vert (oct. à mai), Panaché de pâtés au poivre rose. **Vins** St-Véran, St-Amour.

AUDI-VOLKSWAGEN Comte, La Bardinière ☎ 26.00.71
CITROEN Gar. Millière, à Le Foulon ☎ 26.02.09
FIAT Demurger, rte de Lyon ☎ 26.04.67
PEUGEOT Matamoros, ☎ 26.03.25
RENAULT Gar. Moderne, ☎ 26.04.12
TALBOT Gar. Gonachon, ☎ 26.14.47
⊕ Pneu-Service, à Le Foulon ☎ 26.10.87

CHAUFFRY **77 S.-et-M.** **61** ③ **– rattaché à Coulommiers.**

CHAUFOUR-LÈS-BONNIÈRES 78 Yvelines 55 ⑱. 96 ① – 185 h. alt. 158 – ✉ 78270 Bonnières-sur-Seine – ⚙ 3.

Paris 77 – Bonnières-sur-Seine 8 – Évreux 25 – Mantes-la-Jolie 19 – Vernon 10 – Versailles 61.

✕ **Au Bon Accueil** avec ch, N 13 ☎ 476.11.29 – Ⓟ. 🚘 GB
◆ *fermé 30 juin au 30 juil. et sam.* – SC : **R** 33/70 – ☕ 8 – **15 ch** 35/45.

La CHAULME 63 P.-de-D. 73 ⑰ – 194 h. alt. 1 150 – ✉ **63660** St-Anthème – ⚙ 73.

Paris 466 – Ambert 31 – •Clermont-Ferrand 116 – Montbrison 33 – Le Puy 65 – •St-Étienne 47.

✕ **Creux de l'Oulette** ⛰ avec ch, ☎ 95.41.16 – 🚿
◆ *fermé 15 nov. au 15 déc. et 8 au 15 mars* – SC : **R** 28/90 🌡 – ☕ 8 – **11 ch** 40/55 – P 68/75.

La CHAUME 85 Vendée 67 ⑫ – rattaché aux Sables-d'Olonne.

CHAUMONT P 52000 H.-Marne 62 ⑪ **G. Nord de la France** – 29 978 h. alt. 314 – ⚙ 25.

Voir Viaduc★ AZ – **Basilique St-Jean-Baptiste★** BY **E**.

i Syndicat d'Initiative (fermé matin hors sais., sam. et dim.) et A.C. (☎ 03.02.10), 18 bd Thiers ☎ 03.04.74.

Paris 252 ⑤ – Auxerre 141 ④ – Épinal 130 ② – Langres 35 ③ – St-Dizier 74 ① – Troyes 94 ⑤.

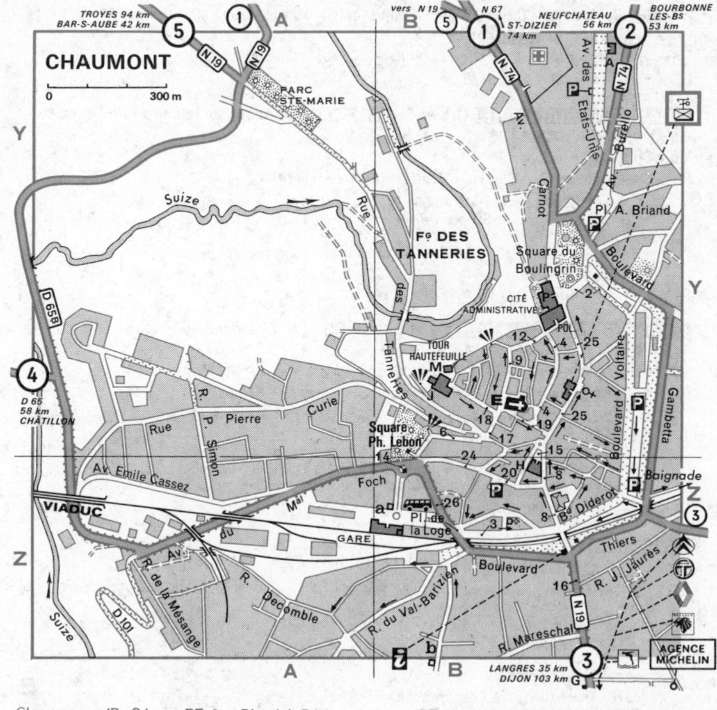

Clemenceau (R. G.) BZ 8
Toupot-de-Béveaux (R.) BZ 20
Verdun (R. de) BYZ 24
Victoire-de-la-Marne (R.) BY 25

Barotte (Bd) BY 2
Blondel (R.) BZ 3
Bouchardon (R.) BY 4
Charton (R. de la Tour) BY 6
Decrès (R.) BY 9
Dutailly (R. G.) BY 12
Goguenheim (Pl.) BYZ 14
Hôtel-de-Ville (Pl. de l') BY 15
Leclerc (Av. du Gén.) BZ 16
Mgr-Desprez (R.) BY 17
Palais (R. du) BY 18
St-Jean (R.) BY 19
21e-R.-I.-Coloniale (R.) BZ 26

🏨 **Terminus-Reine,** pl. Gare ☎ 03.66.66, Télex 840920 – 🛗 📺 🛁wc 🚿wc ☎ 🚗 – 🏛 50. 🚘 AE ⦿ E BZ **a**
R *(fermé Noël-Jour de l'An et dim. soir du 1er nov. à Pâques)* 50/150 🌡 – ☕ 14 – **63 ch** 55/180 – P 160/220.

🏨 **Le Gd Val,** rte Langres par ③ : 2,5 km ☎ 03.15.90 – 🛗 🛁wc 🚿wc ☎ 🚗 Ⓟ.
◆ 🚘 AE ⦿ E
fermé 22 déc. au 10 janv. – SC : **R** 27/75 – ☕ 10 – 64 ch 55/105.

Étoile d'Or, 103 av. République par ③ ☏ 03.02.23 – wc wc ☎ Ⓟ.
fermé oct., dim. soir et lundi midi – SC : **R** 35/75 – 10 – 16 ch 55/120.

Royal sans rest, 31 r. Mareschal ☏ 03.01.08 – . BZ **b**
fermé 28 juil. au 23 août et sam. soir – SC : 9 – **16 ch** 38/56.

Buffet de France, pl. Gén. de Gaulle ☏ 03.15.49. GB E BZ
SC : **R** 35/80.

MICHELIN, Agence, 11 r. du Clos-Voillemin BZ ☏ 03.07.09

AUDI-VOLKSWAGEN, MERCEDES-BENZ Petitprêtre, 5 rte de Choignes ☏ 03.06.18
BMW, TOYOTA SODECO, 38 av. Gen. Leclerc ☏ 03.49.04
CITROEN Montigny, 34 av. Gén.-Leclerc ☏ 03.00.95
FIAT Gar. Diderot, rte de Neuilly ☏ 03.23.37
FORD Boni, 11 r. P.-Burello ☏ 03.04.55
Peugeot Gar. Lorinet, rte de Neuilly ☏ 03.14.50
RENAULT Relais Paris-Bâle, rte Langres, km 3 ☏ 03.72.22
TALBOT Gar. François, N 19, rte de Langres ☏ 03.08.88 N ☏ 03.23.36
Station-Pernot-Delord, 60 av. République ☏ 03.08.43

CHAUMONTEL 95 Val-d'Oise 56 ⑪, 96 ⑦⑧ – rattaché à Luzarches.

CHAUMONT-EN-VEXIN 60240 Oise 55 ⑨ **G. Environs de Paris** – 2 027 h. alt. 69 – 4.

Voir Église★.

18 de Bertichères ☏ 449.00.81 NO : 2 km.

Paris 70 – Beauvais 29 – Gisors 9 – Magny-en-Vexin 18 – Mantes-la-Jolie 40 – Pontoise 32.

Gd Cerf, ☏ 449.00.57
fermé août, 15 au 31 janv. et lundi – SC : **R** (déj. seul.) 33/80 .

PEUGEOT Gaillet, ☏ 449.00.01 N

CHAUMONT-SUR-LOIRE 41 L.-et-Ch. 64 ⑯⑰ **G. Châteaux de la Loire** – 793 h. alt. 65 – ✉ 41150 Onzain – 54.

Voir Château★★.

Paris 199 – Amboise 17 – Blois 17 – Montrichard 18 – ♦Tours 41.

✿ **Host. Château,** ☏ 46.98.04, , – wc ☎ Ⓟ. .
15 mars-15 nov. – SC : **R** *(fermé mardi)* 95/120, dîner à la carte – 20 – 15 ch 160/300
Spéc. Mousse de légumes, Escalope de bar aux langoustines, Magret aux framboises. **Vins** Oisly, Touraine mesland.

RENAULT Gar. du Château, ☏ 46.98.65

CHAUMONT-SUR-THARONNE 41 L.-et-Ch. 64 ⑨ **G. Châteaux de la Loire** – 932 h. alt. 126 – ✉ 41600 Lamotte-Beuvron – 54.

Voir Parc Zoologique de Montévran★ N : 4 km.

Paris 165 – Blois 51 – ♦Orléans 35 – Romorantin-Lanthenay 33 – Salbris 26.

✿ **Croix Blanche** (Madame Crouzier) avec ch, ☏ 08.55.12, – wc wc ☎ Ⓟ. AE . ch
fermé 5 au 11 juil., 11 janv. au 20 fév. et merc. sauf juil.-août – SC : **R** (dim. et fêtes prévenir) carte 125 à 190 – 18 – 15 ch 90/280 – P 330/480
Spéc. Foie gras frais, Boudin d'anguilles, Mique royale. **Vins** Montlouis, Sancerre rouge.

RENAULT Brinet, ☏ 88.55.09

CHAUNAY 86510 Vienne 72 ③ – 1 281 h. alt. 131 – 49.

Paris 379 – Angoulême 64 – Confolens 55 – Montmorillon 71 – Niort 56 – Poitiers 46.

✿ **Central H.** (Benoist) avec ch, ☏ 49.25.04 – wc wc ☎ Ⓟ. AE GB
fermé fév. et mardi – SC : **R** (nombre de couverts limité-prévenir) carte 80 à 130 – 11 – **12 ch** 55/120
Spéc. Terrine de brochet et d'écrevisses, Feuilleté de ris de veau aux morilles, Aiguillettes de caneton au Chinon. **Vins** Cheverny, Bourgueil.

Grill Poitevin, rte Poitiers : 2 km ☏ 49.25.62 – Ⓟ
fermé janv. et merc. – SC : **R** 40.

Garage Pallu, ☏ 49.25.09 N

Die im Michelin-Führer
verwendeten Zeichen und Symbole haben – **fett** oder dünn gedruckt, in rot oder schwarz – jeweils eine andere Bedeutung.
Lesen Sie daher die Erklärungen (S. 37 - 44) aufmerksam durch.

41 ch – **28 ch**

CHAUNY 02300 Aisne 56 ③④ – 14 937 h. alt. 47 – ⚙ 23.

ℹ Office de Tourisme pl. Hôtel de Ville (fermé matin sauf vend. et sam., dim. et lundi) ☎ 52.10.79.

Paris 123 ③ – Laon 36 ① – Noyon 17 ③ – St-Quentin 30 ① – Soissons 32 ②.

XX **Gare et rest Chateaubriand** avec ch, **(a)** ☎ 52.11.91 – wc wc ☎ – 19 ch.

à Ognes par ③ : 1 km – ✉ **02300** Chauny :

XX **Relais St-Sébastien,** ☎ 52.15.77
fermé août, dim. soir et lundi – **R** 151 bc /52 ♁.

PEUGEOT Chaunoise Autom., 108 r. Pasteur ☎ 52.11.59
RENAULT Charbonnier, 137 r. Pasteur ☎ 52.31.47

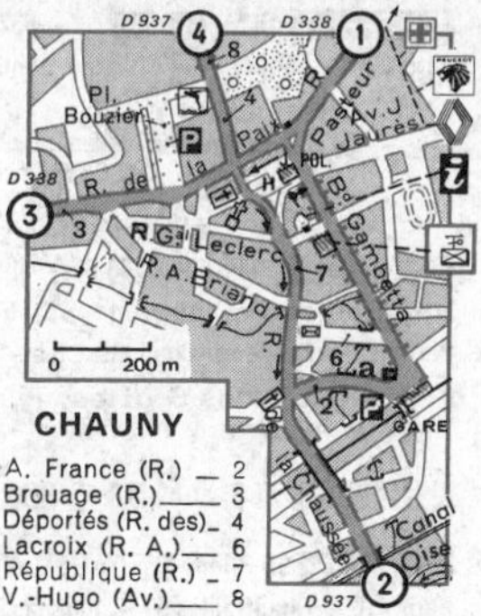

CHAUNY

A. France (R.) 2
Brouage (R.) 3
Déportés (R. des) 4
Lacroix (R. A.) 6
République (R.) 7
V.-Hugo (Av.) 8

CHAUSEY (Iles) 50 Manche 59 ⑦ **G. Normandie.**

Voir Grande Ile★.

Accès par transports maritimes.

depuis **Granville.** En 1980 : 1er mai au 30 sept. 1 à 3 services quotidiens - Traversée 1 h – 40 F (AR) par Vedettes Vertes Granvillaises 1 r. Le Campion ☎ 50.16.36 (Granville) et du 1er mai au 30 sept., 1 à 2 services quotidiens, hors saison : 3 services hebdomadaires - Traversée 1 h - 40 F (AR) par Vedettes Jolie France Gare Maritime ☎ 50.31.81 (Granville).

depuis **St-Malo.** En 1980 : du 10 juil. au 25 août, 1 service quotidien - Traversée 1 h 30 – 50 F (AR) par Vedettes Blanches Gare Maritime de la Bourse ☎ 56.63.21 (St-Malo).

CHAUSSÉE 51 Marne 56 ⑯ – rattaché à Épernay.

La CHAUSSÉE-ST-VICTOR 41 L.-et-Ch. 64 ⑦ – rattaché à Blois.

CHAUVIGNY 86300 Vienne 68 ⑭⑮ **G. Côte de l'Atlantique** (plan) – 6 600 h. alt. 67 – ⚙ 49.

Voir Ville haute★ – Église St-Pierre★ : chapiteaux du choeur★★.

ℹ Syndicat d'Initiative pl. Marché aux Volailles (juil.-août et fermé dim. après-midi) et à la Mairie (fermé sam. après-midi, dim. et lundi matin) ☎ 46.30.21.

Paris 334 – Bellac 63 – Le Blanc 37 – Châtellerault 30 – Montmorillon 26 – Poitiers 23 – Ruffec 74.

Beauséjour, 18 r. Vassalour ☎ 46.31.30, – wc Ⓟ. GB
fermé 24 déc. au 8 janv. – SC : **R** *(fermé dim.)* 31/42 ♁ – ☕ 10 – **17 ch** 43/95.

Lion d'Or, 8 r. Marché ☎ 46.30.28 – Ⓟ.
fermé 15 déc. au 15 janv. et dim. soir hors sais. – SC : **R** 38/65 – ☕ 9 – 12 ch 45/65.

CITROEN Chargelegue, 48 rte St-Savin ☎ 46.30.65
RENAULT Vignaud, rte Poitiers ☎ 46.32.25

CHAUX-DES-PRÉS 39 Jura 70 ⑮ – 173 h. alt. 876 – ✉ **39150** St-Laurent-en-Grandvaux – ⚙ 84 – Paris 461 – Champagnole 33 – Lons-le-Saunier 44 – Morez 18 – St-Claude 22.

X **Aub. du Grandvaux** avec ch, ☎ 60.40.65 – wc Ⓟ – 100. rest
fermé 8 au 19 sept., janv. et merc. hors sais. – SC : **R** 31/64 – ☕ 9,50 – **10 ch** 44/90 – P 75/100.

CHAVAGNES 49 M.-et-L. 64 ⑪ – 713 h. alt. 86 – ✉ **49380** Thouarcé – ⚙ 41.

Paris 305 – Angers 28 – Cholet 45 – Saumur 35.

Faisan, ☎ 91.43.18 – wc
fermé 15 au 30 sept. – SC : **R** *(fermé dim. soir et lundi)* 28/75 ♁ – ☕ 9 – **9 ch** 44/95 – P 86/115.

CHAVANAY 42 Loire 77 ① – 1 666 h. alt. 154 – ✉ **42410** Pelussin – ⚙ 74.

Paris 508 – Annonay 27 – ♦St-Étienne 50 – Serrières 12 – Tournon 49 – Vienne 18.

X **Alain Charles,** rte Nationale ☎ 59.10.02 –
fermé 2 au 22 janv., 17 au 23 août et merc. – SC : **R** 34/108.

CITROEN Milamant, ☎ 59.10.45
PEUGEOT Gar. Jay, ☎ 59.10.15

CHAVOIRE 74 H.-Savoie 74 ⑥ – rattaché à Annecy.

La CHEBUETTE 44 Loire-Atl. 67 ④ – rattaché à Nantes.

CHEF-DU-PONT 50 Manche 54 ② – 807 h. alt. 12 – ✉ **50360** Picauville – ⚙ 33.

Paris 323 – Carentan 13 – Carteret 38 – ♦Cherbourg 40.

Normandie, pl. Gare ☎ 41.32.06, – Ⓟ
fermé 15 déc. au 15 janv. et dim. – SC : **R** 28/50 ♁ – ☕ 9 – **9 ch** 45/48 – P 95/120.

CHEFFES 49 M.-et-L. 64 ① – 632 h. alt. 20 – ✉ **49330** Châteauneuf-sur-Sarthe – ☎ 41.

Paris 277 – Angers 24 – Château-Gontier 33 – La Flèche 38.

Château de Teildras ⛰, ☎ 42.61.08, ≤, « Demeure du 16e s. dans un parc » – 🅟. AE GB ⓓ E. ✻ rest
15 fév.-15 nov. – SC : **R** *(fermé mardi midi)* carte 125 à 160 – ☕ 24 – **11 ch** 220/400 – P 385/440.

Le CHEIX 63 P.-de-D. 73 ⑭ – alt. 682 – ✉ **63320** Champeix – ☎ 73.

Voir Gorges de Courgoul★ SE : 5 km, G. Auvergne.

Paris 428 – Besse-en-Chandesse 8,5 – ♦Clermont-Ferrand 43 – Issoire 27 – Le Mont-Dore 33.

Relais des Grottes, ☎ 96.77.65, ≤ – ⫿ 🅟. ✻ ch
fermé 15 nov. au 15 déc. – SC : **R** 24/45 ₰ – ☕ 8 – **10 ch** 45/56 – P 75/80.

CHELLES 77 S.-et-M. 56 ⑫, 101 ⑲ – voir à Paris, Proche banlieue.

CHÉNAS 69 Rhône 74 ① **G. Vallée du Rhône** – 402 h. alt. 250 – ✉ **69840** Juliénas – ☎ 85.

Paris 410 – Chauffailles 50 – Juliénas 5 – ♦Lyon 62 – Mâcon 17 – Villefranche-sur-Saône 35.

XX ✿ **Robin,** aux Deschamps ☎ 36.72.67, ≤, « Terrasse et jardin ouvrant sur le vignoble »
fermé début fév. à début mars et merc. – SC : **R** (déj. seul.) 85/155
Spéc. Foie gras frais de canard, Andouillette de Chenas, Charolais sauce échalotes. **Vins** Beaujolais.

CHENECEY-BUILLON 25 Doubs 66 ⑮ – 388 h. alt. 279 – ✉ **25440** Quingey – ☎ 81.

Paris 419 – ♦Besançon 18 – Poligny 49 – Salins-les-Bains 33.

Gervais Pape ⛰, ☎ 87.67.71 – 🅟. ✻
fermé oct. et mardi – SC : **R** 26/55 – ☕ 9 – **8 ch** 38/52.

CHÊNEHUTTE-LES-TUFFEAUX 49 M.-et-L. 64 ⑫ – rattaché à Saumur.

CHENNEVIÈRES-SUR-MARNE 94 Val-de-Marne 61 ①, 101 ㉘ – voir à Paris, Proche banlieue.

CHENONCEAUX 37 I.-et-L. 64 ⑯ – 316 h. alt. 62 – ✉ **37150** Bléré – ☎ 47.

Voir Château★★★ G. Châteaux de la Loire.

ℹ Syndicat d'Initiative 1 bis r. Château (Pâques, Pentecôte et 15 juin-15 sept.) ☎ 29.94.45.

Paris 223 – Amboise 12 – Château-Renault 35 – Loches 32 – Montrichard 9,5 – ♦Tours 35.

✿ **Bon Laboureur et Château** (Louis Jeudi), ☎ 29.90.02, ⛱ – ⛀wc ⫿wc ☎ 🅟. 🚗 AE GB ⓓ E
fin mars-début nov. – SC : **R** 63/118 – ☕ 17 – 26 ch 90/185
Spéc. Mousseline de brochet, Sandre beurre blanc, Tournedos "Vendôme". **Vins** Montlouis, Gamay de Touraine.

X **Gâteau Breton,** ☎ 29.90.14 – GB
15 fév.-15 nov. et fermé mardi – SC : **R** 22/45 ₰.

à Civray-de-Touraine O : 1,5 km N 76 – ✉ **37150** Bléré :

X **La Taverne** avec ch, ☎ 29.92.18, ⛱ – ☎ 🅟. 🚗
15 mars-15 nov. – SC : **R** 37/55 – ☕ 9 – 11 ch 60/110.

Garage Bodin, à Civray ☎ 29.92.03

CHERBOURG <SP> **50100** Manche 54 ② **G. Normandie** – 34 637 h. – Casino BY – ☎ 33.

Voir Fort du Roule ※★ CZ – Château de Tourlaville★ : parc★ 5 km par ①.

⛳9 La Glacerie ☎ 53.53.49 par ② et D 122 : 7 km.

✈ de Cherbourg-Maupertus ☎ 53.57.04 par ① : 13 km.

ℹ Office de Tourisme (fermé dim.) avec A.C.O. (☎ 53.05.44), 2 quai Alexandre-III ☎ 53.11.10.

Paris 360 ② – ♦Brest 401 ② – ♦Caen 119 ② – Laval 222 ② – ♦Le Mans 270 ② – ♦Rennes 209 ②.

Plan page ci-contre

Sofitel Ⓜ ⛰, Gare Maritime ☎ 44.01.11, Télex 170613, ≤ – 🛗 TV ☎ 🅟 – 🏛 25 à 50. AE GB ⓓ E. ✻ rest — CX **s**
SC : **R** carte 85 à 125 ₰ – ☕ 25 – **72 ch** 190/310.

Louvre sans rest, 2 r. H.-Dunant ☎ 53.02.28 – 🛗 ⛀wc ⫿wc ☎ ♿ 🚗. 🚗. ✻ — BX **e**
SC : ☕ 10 – **42 ch** 49/155.

Moderna sans rest, 28 r. Marine ☎ 53.04.89 – ⛀wc ⫿wc. 🚗 — BX **a**
SC : ☕ 9,50 – **24 ch** 45/120.

Torgistorps Ⓜ sans rest, 14 pl. République ☎ 43.32.32 – TV ⛀wc ⫿wc ☎. 🚗 AE E — BX **r**
SC : ☕ 10,50 – **13 ch** 60/155.

Angleterre sans rest, 8 r. Thiers ☎ 53.70.06 – ⛀wc ⫿ ♿. ✻ — BX **k**
☕ 9 – **22 ch** 38/114.

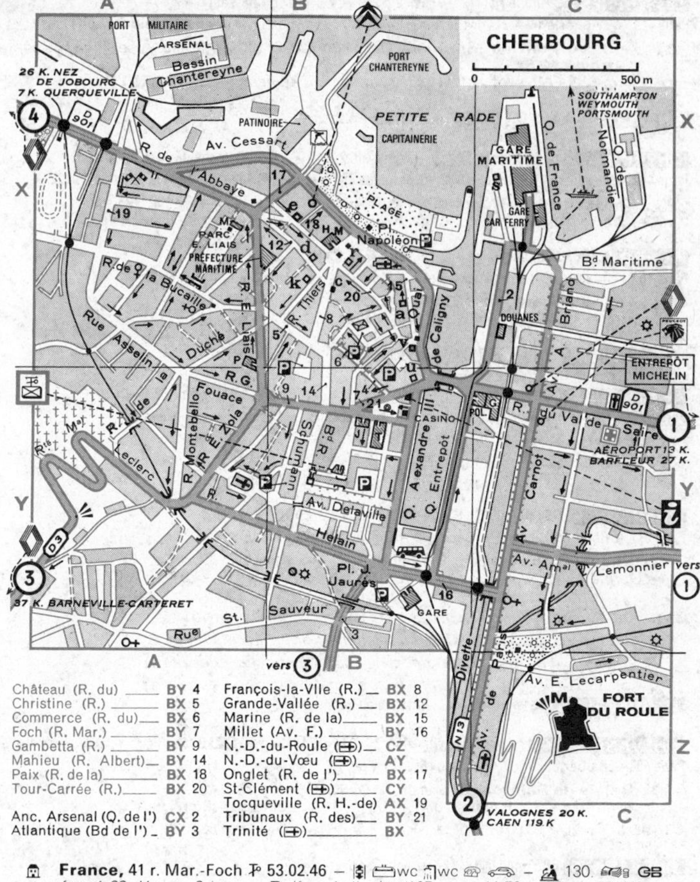

Château (R. du)	BY	4
Christine (R.)	BX	5
Commerce (R. du)	BX	6
Foch (R. Mar.)	BY	7
Gambetta (R.)	BY	9
Mahieu (R. Albert)	BY	14
Paix (R. de la)	BX	18
Tour-Carrée (R.)	BX	20
Anc. Arsenal (Q. de l')	CX	2
Atlantique (Bd de l')	BY	3
François-la-Vlle (R.)	BX	8
Grande-Vallée (R.)	BX	12
Marine (R. de la)	BX	15
Millet (Av. F.)	BY	16
N.-D.-du-Roule (⊞)	CZ	
N.-D.-du-Vœu (⊞)	AY	
Onglet (R. de l')	BX	17
St-Clément (⊞)	CY	
Tocqueville (R. H.-de)	AX	19
Tribunaux (R. des)	BY	21
Trinité (⊞)	BX	

France, 41 r. Mar.-Foch ☎ 53.02.46 – wc wc – 130. GB
fermé 22 déc. au 3 janv. – **R** *(fermé dim.)* 30/105 – 11,50 – **50 ch** 56/135 – P 129/187. BXY **u**

Beauséjour sans rest, 26 r. Gde Vallée ☎ 53.10.30 – wc. BX **d**
SC : 9 – **27 ch** 40/143.

à l'Anse de Brick par ① et D 116 : 11 km – ✉ **50840** Fermanvillé :

Maison Rouge, ☎ 54.33.50, ← – **P**. AE GB E
SC : **R** 26/120.

MICHELIN, Entrepôt, 8 r. Carnot à Tourlaville par ① ☎ **44.21.61**

AUDI-VOLKSWAGEN Gar. du Stade, Pl. Hôtel de Ville, Equeurdreville ☎ 53.34.28
CITROEN Burnouf, 36 pl. Napoléon ☎ 53.17.82 **N** ☎ 53.11.61
DATSUN Relet, 85 r. du Roule ☎ 53.21.89
FIAT Gar. Marie, 95 r. Gén.-de-Gaulle, Equeurdreville ☎ 53.78.23
LANCIA-AUTOBIANCHI Gar. Renouf, bd de l'Est à Tourlaville ☎ 53.33.98
PEUGEOT Gar. de la Manche, 5 av. Carnot ☎ 44.02.22
RENAULT Ganche, 47 r. Val-de-Saire ☎ 44.12.00
RENAULT Gar. Ecourtemer, 76 r. S.-Carnot, Octeville ☎ 53.27.35
RENAULT Gar. Rives, 1 r. P. Curie, à Equeurdreville ☎ 53.66.55
Gar. Continental, 10 r. L.-Philippe ☎ 53.07.55
Leprévost, 46 bis r. Ancien-Quai ☎ 53.03.34

Cherbourg-Pneus, 12 r. Loysel ☎ 53.06.49
Destres, r. A.-Briand à Tourlaville ☎ 53.13.99
Francis-Pneus, 117 r. Val-de-Saire ☎ 53.40.41

Si vous êtes retardé sur la route, dès 19 h, confirmez votre réservation par téléphone, c'est plus sûr... et c'est l'usage.

Les CHÈRES 69 Rhône 74 ① – 756 h. alt. 210 – ✉ **69750** Chasseley – ⚙ 7.
Paris 443 – L'Arbresle 14 – •Lyon 21 – Meximieux 45 – Trévoux 10 – Villefranche-sur-Saône 11.

XX **Aub. du Pont de Morancé,** O : 1 km par D 100 ✉ 69480 Anse ☎ 847.65.14, « Jardin » – P
fermé 1er au 15 sept., 1er au 15 fév., mardi soir et merc. – SC : **R** 45/100 ₰.

CHÉRISY 28 E.-et-L. 60 ⑦, 96 ㉑ – rattaché à Dreux.

CHÉRONNAC 87 H.-Vienne 72 ⑯ – 463 h. alt. 269 – ✉ **87600** Rochechouart – ⚙ 55.
Paris 444 – Angoulême 57 – Bellac 54 – Confolens 38 – •Limoges 49 – Nontron 32 – St-Junien 22.

Château de Cheronnac ⑤, ☎ 78.10.51, « Parc » – P. AE. rest
fermé 3 janv. au 1er mars – SC : **R** 50/130 – ☕ 17 – **14 ch** 130/250 – P 230/300.

CHÉROY 89690 Yonne 61 ⑬ – 981 h. alt. 127 – ⚙ 86.
Paris 103 – Auxerre 68 – Fontainebleau 40 – Montargis 39 – Nemours 24 – Sens 22.

XX **Tour d'Argent,** ☎ 88.53.43 – P.
fermé 1er janv. au 15 fév., lundi et mardi – SC : **R** 45/75.

CHERVINGES 69 Rhône 74 ① – rattaché à Villefranche-sur-Saône.

Le CHESNE 08390 Ardennes 56 ⑨ **G. Nord de la France** – 1 047 h. alt. 168 – ⚙ 24.
Paris 216 – Charleville-Mézières 37 – Rethel 35 – Sedan 30 – Stenay 35 – Vouziers 17.

Charrue d'Or, ☎ 30.10.41 –
fermé lundi – **R** 35/65 ₰ – ☕ 10 – 8 ch 38/50 – P 75/95.

RENAULT Gar. Guillon, ☎ 30.10.44 TALBOT Gar Touzelet ☎ 30.10.68

CHEVAGNES 03230 Allier 69 ⑮ – 711 h. alt. 224 – ⚙ 70.
Paris 311 – Bourbon-Lancy 18 – Decize 30 – Digoin 40 – Moulins 18.

XX **Cheval Blanc** avec ch, ☎ 43.40.15 – P.
fermé 25 nov. au 22 déc. et mardi – SC : **R** 35/50 – ☕ 10 – 19 ch 50/90.

☛ *Die numerierten Ausfallstraßen auf den Stadtplänen (①, ②, ③) finden Sie ebenfalls auf den Michelin-Karten im Maßstab 1: 200 000. Dadurch wird das Auffinden der Anschlußstrecke erleichtert.*

Le CHEVALON 38 Isère 77 ④ – rattaché à Grenoble.

CHEVANCEAUX 17 Char.-Mar. 75 ② – 1 159 h. alt. 127 – ✉ **17210** Montlieu-la-Garde – ⚙ 46.
Paris 496 – Barbezieux 20 – •Bordeaux 65 – Jonzac 23.

XX **Relais de Saintonge** avec ch, ☎ 04.60.66, – P.
avril-nov. – SC : **R** *(fermé dim. midi)* 37/61 ₰ – ☕ 8.50 – **9 ch** 50/75.

CITROEN Ravail, ☎ 04.60.07 Gar. Guiet, ☎ 04.60.76 N

CHEVANNES 89 Yonne 65 ⑤ – rattaché à Auxerre.

CHEVILLY 45 Loiret 60 ⑲ – 2 408 h. alt. 114 – ✉ **45410** Artenay – ⚙ 38.
Paris 102 – Chartres 58 – Châteaudun 45 – Étampes 52 – •Orléans 14 – Pithiviers 42.

Gerbe de Blé M, ☎ 80.10.31 – wc wc P – 200. GB.
fermé fév., dim. soir et lundi – SC : **R** 32/110 ₰ – ☕ 9 – 11 ch 70/85.

CHEVREUSE 78460 Yvelines 60 ⑨, 101 ㉛ **G. Environs de Paris** (plan) – 4 198 h. alt. 85 – ⚙ 3.
Voir Ruines du château de la Madeleine★ : ※★ N : 1 km.
Env. Vallée de Chevreuse★★.
Paris 32 – Étampes 45 – Longjumeau 23 – Rambouillet 19 – Versailles 16.

XX **Lou Basquou,** rte Madeleine ☎ 052.15.77, ≤ – P. GB.
fermé 15 août au 15 sept., merc. soir et jeudi – SC : **R** 45/90.

X **Aub. du Moulin,** 38 r. Porte-de-Paris ☎ 052.16.45, – GB.
fermé 17 août au 11 sept., vacances de fév., lundi soir et mardi – SC : **R** 72/100.

PEUGEOT Baudouin, ☎ 052.15.07 RENAULT Follain, ☎ 052.15.05

CHEVRY 01 Ain 70 ⑮ – rattaché à Gex.

Le CHEYLARD 07160 Ardèche 76 ⑲ – 4 559 h. alt. 430 – ⚙ 75.
Voir Vallée de l'Eyrieux★ SE, **G. Vallée du Rhône.**
ℹ Syndicat d'Initiative r. Poste (juil.-août et fermé dim.) ☎ 29.15.48.
Paris 603 – Aubenas 51 – Crest 72 – Lamastre 21 – Privas 48 – Le Puy 77 – St-Agrève 25.

Voyageurs, r. Temple ☎ 29.05.88 – ⊟ ⁂. GB. rest
fermé 18 sept. au 12 oct., 23 fév. au 1er mars et dim. hors sais. – SC : **R** 27/54 – ☕ 8 – **17 ch** 39/59 – P 72/87.

Midi, 21 av. Saunier ☎ 29.00.67 – ⊟wc ⁂ ☎. GB
fermé janv. – SC : **R** *(fermé vend. soir)* 25/80 ♀ – ☕ 10 – **22 ch** 40/130 – P 90/180.

CITROEN Gar. des Cévennes, ☎ 29.05.10
FIAT Farge, ☎ 29.07.83
RENAULT Ponce, ☎ 29.05.66 N ☎ 29.07.28
TALBOT Desoches, ☎ 29.02.09

CHÉZERY-FORENS 01410 Ain 74 ⑤ – 362 h. alt. 582 – ⊛ 50.

Paris 513 – Bellegarde-sur-Valserine 17 – Bourg-en-Bresse 85 – Gex 40 – Nantua 31 – St-Claude 44.

Commerce, ☎ 59.71.97 – ⁂.
fermé 15 au 30 sept. et merc. hors sais. – SC : **R** 28/70 ♀ – ☕ 12 – 9 ch 70/80 – P 90.

La CHIGNOLLE 16 Charente 72 ⑭ – rattaché à Angoulême.

CHILLEURS-AUX-BOIS 45 Loiret 60 ⑳ – 1 160 h. alt. 120 – ✉ **45170** Neuville-aux-Bois – ⊛ 38.

Paris 97 – Châteauneuf-sur-Loire 28 – Etampes 47 – ♦Orléans 27 – Pithiviers 15.

Au Bon Laboureur, 27 Gde Rue ☎ 39.87.21. GB
fermé 15 au 31 août, vacances de fév., lundi soir et mardi – SC : **R** 35/100.

CITROEN Gar. Guinet, ☎ 39.87.11 N
RENAULT Gar. Baechler, ☎ 39.87.16

CHILLY-MAZARIN 91380 Essonne 60 ⑩, 101 ㉟ – voir à Paris, Proche banlieue.

CHINAILLON 74 H.-Savoie 74 ⑦ – rattaché au Grand Bornand.

CHINDRIEUX 73310 Savoie 74 ⑮ – 800 h. alt. 282 – ⊛ 79.

Env. Abbaye de Hautecombe★★ (chant grégorien) SO : 10 km G. Alpes.

Paris 513 – Aix-les-Bains 17 – Bellegarde-sur-Valserine 38 – Bourg-en-Bresse 85 – Chambéry 31.

Relais de Chautagne, ☎ 63.20.27 – ⊟wc ⁂wc ☎ Ⓟ
fermé janv. et lundi – SC : **R** 35/120 ♀ – ☕ 12 – **15 ch** 80/120 – P 130/140.

Colombié avec ch, ☎ 63.20.13 – Ⓟ.
fermé 7 au 21 sept., 16 au 28 fév., mardi soir et merc. du 1er oct. au 1er mai – SC : **R** *(fermé merc. du 1er oct. au 1er mai)* 50/160 – ☕ 12 – 8 ch 50/80.

CITROEN Gar. de Chautagne, ☎ 63.20.32 N

CHINON ⟨SP⟩ 37500 I.-et-L. 67 ⑨ **G. Châteaux de la Loire** – 8 303 h. alt. 37 – ⊛ 47.

Voir Vieux Chinon★★ : Grand Carroi★★ A **D, Rue Voltaire★** A – **Château★★ : ⩽★★** A – **Quai Danton ⩽★★** A – **Écho★** A **E** – **Rue J.-J. Rousseau★** B.

Env. Château d'Ussé★★ 14 km par ①.

ℹ Office de Tourisme (fermé dim. et lundi hors saison) avec T.C.F. pl. Hôtel de Ville ☎ 93.17.85.

Paris 283 ① – Châtellerault 51 ③ – Poitiers 96 ③ – Saumur 29 ③ – Thouars 44 ③ – ♦Tours 49 ①.

Plan page suivante

France sans rest, 47 pl. H. de Ville ☎ 93.33.91 – ⊟wc ⁂wc ☎. AE GB ⓓ E. AB **s**
fermé 15 au 30 nov., 1er au 15 fév. et dim. hors sais. – SC : ☕ 12 – **25 ch** 60/160.

La Giraudière ⛭ sans rest, rte Savigny par ④ : 5 km ✉ 37420 Avoine ☎ 58.40.36, parc – cuisinette ⊟wc ⁂wc ☎ Ⓟ. ⓓ
4 avril-3 nov. – SC : ☕ 11 – **17 ch** 60/150, 4 appartements 190.

Boule d'Or, 66 quai Jeanne-d'Arc ☎ 93.03.13 – ⊟wc ⁂ ☎. AE GB ⓓ
fermé mi déc. à fin janv. et vend. de nov. à mars – SC : **R** 35/120 ♀ – ☕ 12 – 19 ch 45/140 – P 95/195. B **a**

Diderot sans rest, 7 r. Diderot ☎ 93.18.87 – ⊟wc ⁂wc ♿ Ⓟ. GB B **n**
fermé 15 fév. au 31 mars – SC : ☕ 10 – **20 ch** 40/130.

Host. Gargantua, r. Haute St-Maurice ☎ 93.04.71, « Maison 15e s. » – AE ⓓ E
1er mars-2 nov. – SC : **R** 60/96. A **e**

à Marçay par ③ et D 116 : 7 km – ✉ **37500** Chinon :

✿ **Château de Marçay** ⛭, ☎ 93.03.47, ⩽, « Château 15e s., parc », ⛱, ✂ – |‡| Ⓟ – 🏊 40 à 150. GB. rest
fermé début janv. à début mars – SC : **R** carte 115 à 165 – ☕ 23 – **22 ch** 180/430, 4 appartements 480 – P 350/460
Spéc. Huîtres au Vouvray (oct. à déc.), Aiguillettes de canard aux groseilles, Feuilleté aux fruits. **Vins** Chinon, Bourgueil.

tourner →

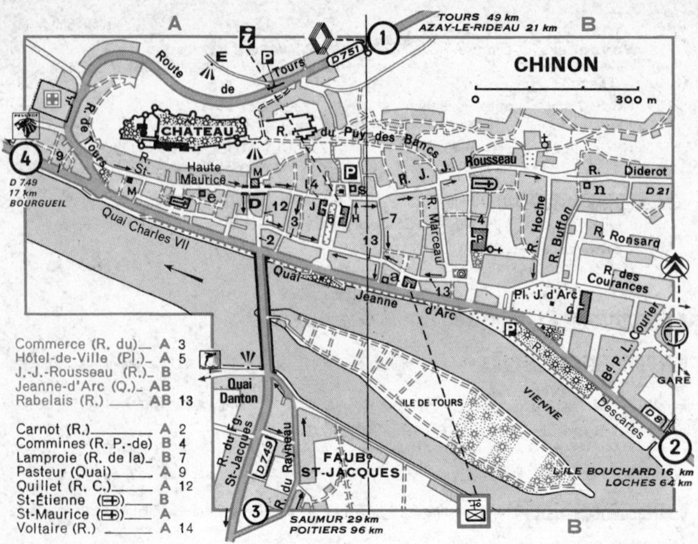

CITROEN S.A.R.V.A., 10 r. A.-Correch ☎ 93.06.58 N

FIAT, LANCIA-AUTOBIANCHI Gar. Central, 7 r. du Commerce ☎ 93.04.86

PEUGEOT Gd Gar. du Chinonais, à St-Louans ☎ 93.28.29

RENAULT S.I.V.A., rte de Tours ☎ 93.05.27

TALBOT Gar. de la Gare, 8 pl. Gare ☎ 93.03.67

CHITENAY 41 L.-et-Ch. 64 ⑰ – 689 h. alt. 88 – ✉ **41120** Les Montils – ☎ 54.

Voir Galerie de tableaux★ du château de Beauregard N : 5 km, G. Châteaux de la Loire.

Paris 192 – Blois 12 – Châteauroux 88 – Contres 12 – Montrichard 24 – Romorantin-Lanthenay 38.

- **Aub. du Centre,** ☎ 44.22.11, – wc wc P – 30. GB
  fermé 21 au 28 sept., 11 janv. au 8 fév. et lundi du 1er oct. à Pâques – SC : **R** 32/125 – ☕ 10 – 16 ch 46/120 – P 84/140.
- La Clé des Champs avec ch, ☎ 44.22.03, – P. GB
  fermé 15 janv. au 15 fév., lundi et mardi – SC : **R** 80/100 – 10 ch.

CHOISY-AU-BAC 60 Oise 56 ② – rattaché à Compiègne.

CHOLET 49300 M.-et-L. 67 ⑤⑥ **G. Châteaux de la Loire** – 52 698 h. alt. 125 – ☎ 41.

Office de Tourisme (fermé dim.) et T.C.F. pl. Rougé ☎ 62.22.35.

Paris 348 ① – Ancenis 47 ⑥ – Angers 61 ① – ♦Nantes 61 ⑤ – Niort 107 ② – Poitiers 125 ② – La Rochelle 125 ④ – La Roche-sur-Yon 65 ④ – Les Sables-d'Olonne 101 ④.

Plan page ci-contre

- **Chotel** M sans rest, av. Sables-d'Olonne par ④ ☎ 62.45.45 – TV P – 200. AE GB
  fermé 1er au 15 août, 24 déc. au 2 janv. et sam. – SC : ☕ 14,50 – **42 ch** 98/159.
- **Poste,** 20 bd G.-Richard ☎ 62.07.20 – wc wc P – 100. GB. rest — Y e
  SC : **R** *(fermé dim.)* 37/105 – ☕ 10 – **60 ch** 42/140 – P 125/190.
- **Europe,** 8 pl. Gare ☎ 62.00.97 – wc wc AE GB — Y n
  SC : **R** 50/100 – ☕ 14 – **23 ch** 80/120.
- Lac, 2 av. A.-Manceau ☎ 62.65.45 – wc wc – 50. — Z x
  ☕ 11 – **46 ch** 68/100.
- **Aub. du Vieux Chouan,** par ① ☎ 46.10.99, – wc P. GB. rest
  fermé sam. midi et dim. – SC : **R** 50 bc/75 – ☕ 12 – **19 ch** 55/100.
- **Pasteur** sans rest, 44 r. Pasteur ☎ 62.22.79 – P — Y r
  SC : ☕ 7,50 – **12 ch** 38/50.
- **La Grange,** O : 2 km par r. Mutualité -Z- ☎ 62.09.83 – P. GB
  fermé août, dim. soir et lundi – SC : **R** 55/80.

par ④ : 4,5 km rte Sables-d'Olonne – ✉ **49300** Cholet :

- **Cormier** sans rest, ☎ 62.46.24 – wc wc P. GB.
  fermé dim. – SC : ☕ 12 – **14 ch** 63/110.

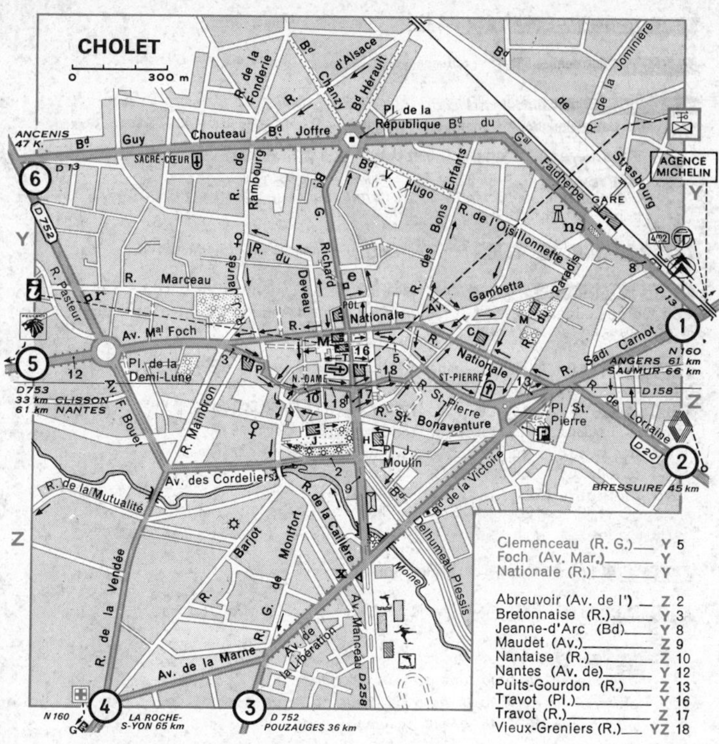

au Lac de Ribou par ② : 5 km par D 20 – ✉ **49300** Cholet :

XXX **Le Belvédère** Ⓜ 🐎 avec ch, ☏ 62.14.02, ≤ – TV ⛀wc ☎ Ⓟ – 🚣 25 à 50. AE GB ⓓ
fermé août et dim. soir – SC : **R** 60/135 – ☕ 12 – 8 ch 110/150.

à La Tessoualle S : 6,5 km par D 258 – ✉ **49300** Cholet :

🏠 **Central,** ☏ 62.21.48 – ⛀wc ⛆wc ☎ Ⓟ
fermé 3 au 23 août, 20 au 27 déc. vend. soir et sam. – SC : **R** 30/90 🌡 – ☕ 9 – **22 ch** 37/80 – P 125/190.

à Nuaillé par ① : 7,5 km – ✉ **49340** Trémentines :

XX **Baumotel et Relais des Biches** avec ch, pl. Église ☏ 62.38.99, 🏊, 🌳 – TV ⛀wc ⛆wc ☎ 🚗 Ⓟ. GB
fermé 8 au 22 août et sam. – **R** 45/85 – ☕ 15 – **12 ch** 100/160.

à La Trique par ③ : 11 km – ✉ **85290** Mortagne-sur-Sèvre (85 Vendée) – ⚙ 51:

XXX **Baumotel La Chaumière** avec ch, ☏ 67.71.12, ≤, **« Atmosphère originale évoquant l'époque de la Vendée Militaire »,** 🏊, 🌳 – TV ⛀wc ⛆ ☎ Ⓟ – 🚣 30. 🏧 GB
fermé vacances de fév. – **R** *(fermé vend. hors sais.)* 45/125 – ☕ 19 – 17 ch 95/195.

Voir aussi ressources hôtelières à ***Mortagne-sur-Sèvre*** par ④ : 10 km

MICHELIN, Agence, 2 r. de la Blanchardière, Z.I. la Blanchardière par ① ☏ **62.22.34**

ALFA-ROMEO Hall des Sports, 1 pl. République ☏ 62.08.48
AUDI-VOLKSWAGEN Dugast, 27 bd Delhumeau-Plessis ☏ 62.03.74
BMW, LANCIA-AUTOBIANCHI Gar. de la Victoire, 5 av. Libération ☏ 62.12.73
CITROEN Succursale, av. Ed.-Michelet ☏ 65.42.77 N ☏ 62.58.97
FIAT Chauvin-Besse, 30 bd Victoire ☏ 62.65.63
OPEL Ets Belloeil, 97 bd Richard ☏ 62.27.78 N ☏ 62.58.97
PEUGEOT Menanteau, rte Nantes ☏ 62.32.54

RENAULT Bussereau, 169 r. de Lorraine ☏ 62.52.44
TALBOT Autom. Choletaise, 17 bd du Poitou ☏ 62.25.91
Gar. Boucheron, 7 av. F.-Bouet ☏ 62.66.02
Gar. Merand, av. Ed.-Michelet ☏ 62.06.71

Ⓜ Bossard, 15 r. St-Martin ☏ 62.29.53
Buloup-Pneus, 100 bd de Strasbourg ☏ 65.28.09
Griffon, 29 bd G.-Richard ☏ 62.21.55

CHONAS-L'AMBALLAN 38 Isère 74 ⑪ – rattaché à Vienne.

CHOOZ 08 Ardennes 53 ⑨ – rattaché à Givet.

CHORGES 05230 H.-Alpes 77 ⑰ – 1 242 h. alt. 854 – 92.

Paris 684 – Barcelonnette 57 – Briançon 70 – Digne 79 – Gap 17 – Guillestre 43 – Sisteron 61.

à Prunières E : 4 km par D 9 et D 109 – ✉ **05230** Chorges :

Le Preyret, ☎ 54.62.00, ≤ – wc ☎ P. rest
fermé 30 oct. au 15 déc. – SC : **R** *(fermé merc.)* (résidents seul.) carte 60 à 95 – 11,50 – 20 ch 118/134 – P 143/157.

CHOUVIGNY (Gorges de) ** 03 Allier 73 ④ – rattaché à Pont-de-Menat.

CIANS (Gorges du) *** 06 Alpes-Mar. 81 ⑲, 195 ⑭ **G. Côte d'Azur.**

Voir Gorges supérieures*** (D 28 de Beuil à Pra d'Astier) et gorges inférieures** (de Pra d'Astier au Pont de Cians).

CIBOURE 64 Pyr.-Atl. 85 ② – rattaché à St-Jean-de-Luz.

CIERP-GAUD 31 H.-Gar. 86 ① – 935 h. alt. 500 – ✉ **31440** St-Béat – 61.

Paris 811 – Lannemezan 38 – Luchon 16 – St-Gaudens 30 – •Toulouse 120.

Pyrénées, ☎ 79.50.12 – wc wc. . ch
fermé nov. – SC : **R** 28/80 – 8 – **15 ch** 40/60 – P 78/95.

La Bonne Auberge avec ch, ☎ 79.54.47
SC : **R** 48 – 9 – 6 ch 50/75 – P 85/95.

RENAULT Fraysse, à Cierp ☎ 79.50.10 Gar. Fernandez, à Gaud ☎ 79.50.26

CIERZAC 17 Char.-Mar. 72 ⑫ – rattaché à Cognac.

CINTRAY 28 E.-et-L. 60 ⑦ – rattaché à Chartres.

In questa guida
uno stesso simbolo, uno stesso carattere
stampati in rosso o in nero, in magro o in ***grassetto***
non hanno certo lo stesso significato.
Leggete attentamente le pagine esplicative (p. 29 a 36).

La CIOTAT 13600 B.-du-R. 84 ⑭ **G. Provence** (plan) – 32 733 h. – Casino – 42.

Voir Calanque de Figuerolles* SO : 1,5 km puis 15 mn AZ.

Env. Sémaphore ≤*** O : 5,5 km AZ.

Excurs. à l'Ile Verte ≤* en bateau 30 mn BZ.

Office de Tourisme (fermé dim. hors saison) Vieux Port ☎ 08.61.32, Télex 420656.

Paris 805 ⑤ – Aix-en-Provence 49 ⑤ – Brignoles 60 ⑤ – •Marseille 32 ⑤ – •Toulon 37 ③.

Plans page ci-contre

La Rotonde M sans rest, 44 bd République ☎ 08.67.50 – wc ☎ P. . BZ **a**
SC : 9 – **36 ch** 50/105.

Lavandes M sans rest, 38 bd République ☎ 08.42.81 – wc wc ☎. . AE E BZ **e**
SC : 11 – **15 ch** 90/155.

Golfe, 14 bd A.-France ☎ 08.42.59 – E BZ **b**
fermé nov. et mardi – **R** 30/50.

à La Ciotat-Plage NE : 1,5 km par N 559 - ABY – ✉ **13600** La Ciotat :

Provence Plage, 3 av. Provence ☎ 83.09.61 – ☎ P. BY **d**
SC : **R** 60/70 – 10 – 20 ch 50/150 – P 130/160.

le Liouquet par ③ : 6 km – ✉ **13600** La Ciotat :

Ciotel M, ☎ 83.90.30, , , – rest ☎ P – 60. GB .
5 avril-5 oct. – SC : **R** (dîner seul. pour résidents) – **43 ch** 380/440.

Aub. Le Revestel avec ch, ☎ 83.11.06, ≤ – ☎ P. ch
fermé 1er janv. au 15 fév. et lundi – SC : **R** 70 – 7 ch (pens. seul.) – P 150.

AUDI-VOLKSWAGEN Gar. des Nations, av. de la Pétanque ☎ 08.65.94
CITROEN Gar. de la Poste, 53 bd République ☎ 08.41.69
CITROEN Viviani, rte Marseille ☎ 83.46.14
FORD Electric Gge, rte de Marseille ☎ 08.48.67
RENAULT Gimenes, Carrefour de-Lattre-de-Tassigny ☎ 83.90.10
RENAULT Gar. Allaix, 10 av. Camugli ☎ 83.46.88
TALBOT Mistral-Auto, 5 bd J.-Jaurès ☎ 08.40.60

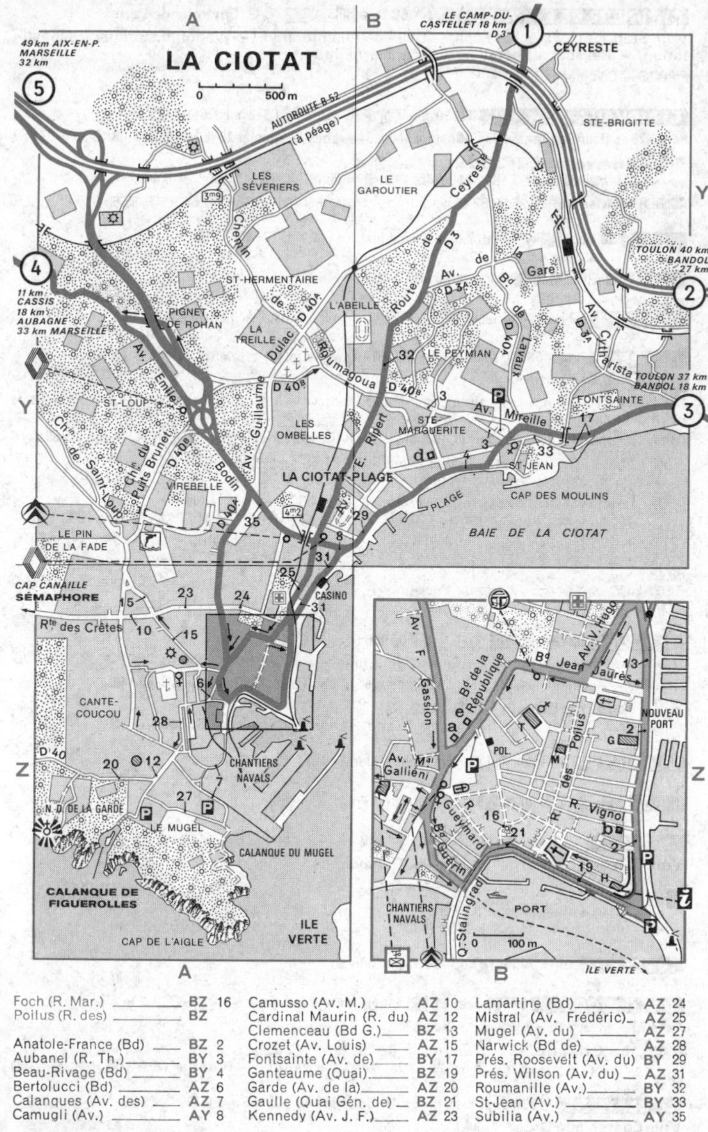

Foch (R. Mar.) .... BZ 16	Camusso (Av. M.) .... AZ 10	Lamartine (Bd) .... AZ 24
Poilus (R. des) .... BZ	Cardinal Maurin (R. du) AZ 12	Mistral (Av. Frédéric) AZ 25
	Clemenceau (Bd G.) .... BZ 13	Mugel (Av. du) .... AZ 27
Anatole-France (Bd) .... BZ 2	Crozet (Av. Louis) .... AZ 15	Narwick (Bd de) .... AZ 28
Aubanel (R. Th.) .... BY 3	Fontsainte (Av. de) .... BY 17	Prés. Roosevelt (Av. du) BY 29
Beau-Rivage (Bd) .... BY 4	Ganteaume (Quai) .... BZ 19	Prés. Wilson (Av. du) AZ 31
Bertolucci (Bd) .... AZ 6	Garde (Av. de la) .... AZ 20	Roumanille (Av.) .... BY 32
Calanques (Av. des) .... AZ 7	Gaulle (Quai Gén. de) BZ 21	St-Jean (Av.) .... BY 33
Camugli (Av.) .... AY 8	Kennedy (Av. J. F.) .... AZ 23	Subilia (Av.) .... AY 35

CIRQUE Voir au nom propre du cirque.

CIVAUX **86** Vienne 68 ⑭⑮ – rattaché à Lussac-les-Châteaux.

CIVRAY-DE-TOURAINE **37** I.-et-L. 64 ⑯ – rattaché à Chenonceaux.

CIVRIEUX-D'AZERGUES **69** Rhône 74 ① – 784 h. alt. 212 – ✉ **69380** Lozanne – ⚙ 7.
Paris 448 – L'Arbresle 9 – ♦Lyon 19 – Villefranche-sur-Saône 16.

La Roseraie, ☎ 843.01.78 – wc ☎
fermé 5 au 20 sept., mardi soir et merc. – **SC** : **R** 30/90 🍷 – ☕ 10 – 12 ch 52/98.

CLAIRIÈRE DE L'ARMISTICE ** 60 Oise 56 ③, 96 ⑩ G. Environs de Paris.
Voir Statue du Maréchal Foch – Dalle commémorative – Wagon historique (reconstitution) – Ressources hôtelières voir à *Compiègne.*
Paris 89 – Compiègne 7.

CLAIRVAUX-LES-LACS 39130 Jura 70 ⑭ G. Jura – 1 379 h. alt. 541 – 84.
Paris 428 – Bourg-en-Bresse 83 – Champagnole 34 – Lons-le-Saunier 22 – Morez 36 – St-Claude 37.

Ethevenard, ☎ 25.82.21, – wc. ch
28 mai-20 sept. – SC : **R** 28/45 – 9 – 26 ch 40/62 – P 65/73.

CITROEN Martelet, ☎ 25.82.52 N
RENAULT Gar. Romand, ☎ 25.80.81

CLAIX 38 Isère 77 ④ – rattaché à Grenoble.

CLAM 17 Char.-Mar. 71 ⑥ – rattaché à Jonzac.

CLAMART 92 Hauts-de-Seine 60 ⑩, 101 ㉔ – voir à Paris, Proche banlieue.

CLAMECY SP 58500 Nièvre 65 ⑮ G. Bourgogne (plan) – 6 145 h. alt. 160 – 86.
Voir Église St-Martin*.
Office de Tourisme r. Grand-Marché (Pâques, Pentecôte, 1er juin-15 sept., fermé dim. après-midi et lundi matin) ☎ 27.02.51.
Paris 210 – Auxerre 43 – Avallon 38 – Bourges 103 – Cosne-sur-Loire 54 – •Dijon 142 – Nevers 69.

Host. de la Poste, 9 pl. E.-Zola ☎ 27.01.55 – . ch
fermé 20 déc. au 20 janv. et lundi – SC : **R** 35/65 – 9 – 17 ch 39/53.

Bon Accueil avec ch, 3 rte Auxerre ☎ 27.06.32 – .
fermé déc., janv. et mardi – SC : **R** 50/80 – 10 – 10 ch 45/160 – P 100/120.

CITROEN Rougeaux, rte Beaugy ☎ 27.11.87
FIAT Gar. Michel, 22 av. Gén.-Leclerc ☎ 27.00.48
RENAULT S.A.M.A.S., 22 rte de Pressures ☎ 27.02.78 N
Gar. Lenoir, 3 à 7 rte d'Armes ☎ 27.05.45 et N 151 à Dornecy ☎ 27.14.34

CLAOUEY 33 Gironde 78 ①⑪ – 33950 Lège – 56.
Office de Tourisme av. Ch.-de-Gaulle (fermé lundi matin) ☎ 60.70.70.
Paris 616 – Andernos-les-Bains 13 – •Bordeaux 56 – Cap-Ferret 15 – Lacanau-Océan 43.

Aub. du Bassin, ☎ 60.70.22,
fermé 20 déc. au 15 janv., mardi soir et merc. hors sais. – SC : **R** 40/110.

CLAPIERS 34 Hérault 83 ⑦ – rattaché à Montpellier.

La CLARTÉ 22 C.-du-N. 59 ① – rattaché à Perros-Guirec.

Le CLAUX 15 Cantal 76 ③ – 352 h. alt. 1 060 – 15400 Riom-ès-Montagne – 71.
Voir Cascade du Sartre* N : 3,5 km, G. Auvergne.
Paris 514 – Aurillac 50 – Mauriac 57 – Murat 24.

Poste avec ch, ☎ 78.93.32 –
fermé 10 au 30 nov. – SC : **R** 35/50 – 10 – 4 ch 30/45 – P 75/80.

Les CLAUX 05 H.-Alpes 77 ⑱ – rattaché à Vars.

CLAYE-SOUILLY 77410 S.-et-M. 56 ⑫, 96 ⑲ – 7 800 h. alt. 50 – 6.
Paris 30 – Meaux 15 – Melun 52 – Senlis 48.

La Grillade, 19 r. J.-Jaurès ☎ 026.00.68 – . AE
fermé 1er au 22 fév., 5 au 26 août, dim. soir et lundi – **R** carte 100 à 160.

La CLAYETTE 71800 S.-et-L. 69 ⑰⑱ G. Bourgogne – 2 965 h. alt. 369 – 85.
Voir Château de Drée* N : 4 km.
Paris 428 – Charolles 19 – Lapalisse 62 – •Lyon 97 – Mâcon 57 – Roanne 41.

Poste, ☎ 28.02.45 – wc . AE GB E. ch
fermé 22 déc. au 5 janv., 14 au 23 fév., vend. soir et sam. hors sais. – SC : **R** 35/120 – 11 – **15 ch** 45/110 – P 120/140.

CITROEN Devaivre, ☎ 28.14.08
PEUGEOT Gar. Jugnet, à Varennes-sous-Dun ☎ 28.03.60
RENAULT Éts Hermey, ☎ 28.04.81
TALBOT Aucourt et Augoyard, à Varennes-sous-Dun ☎ 28.04.96
Matequip, ☎ 28.11.46

Passez à table aux heures normales de repas.
Vous faciliterez le travail de la cuisine et du personnel de salle.

CLÉCY **14570** Calvados 55 ⑪ **G. Normandie** – 1 188 h. alt. 81 – ✪ 31.

Voir Croix de la Faverie ≤★ S : 2 km puis 15 mn.

Paris 246 – ♦Caen 37 – Condé-sur-Noireau 9,5 – Falaise 30 – Flers 21 – Vire 35.

Moulin du Vey et Relais de Surosne ⟡, E : sur D 133 ☎ **69.71.08,** ≤, « Parc au bord de l'eau » – ⌂wc ☎ Ⓟ – 🎪 50. AE GB. ⚒ rest
SC : **R** 78/160 – ☕ 16 – **19 ch** 140/190 – P 180/230.

Site Normand "Chez Hélix" avec ch, ☎ **69.71.05** – ⌂wc Ⓟ.
fermé fév. – SC : **R** 35/80 – ☕ 12 – 12 ch 65/140 – P 160/197.

PEUGEOT Pichon, ☎ 69.71.40 RENAULT Gar. Suisse Normande, ☎ 69.71.12 **N**

CLÉDEN-CAP-SIZUN **29** Finistère 58 ⑬ – 1 642 h. alt. 45 – ✉ **29113** Audierne – ✪ 98.

Voir Pointe de Brézellec ≤★ N : 2 km, **G. Bretagne.**

Paris 600 – Audierne 10 – Douarnenez 32 – Quimper 45.

L'Étrave, pl. Église ☎ **70.66.87**
Pâques-27 sept. et fermé merc. – SC : **R** 35/100 ♁.

CLEEBOURG **67** B.-Rhin 57 ⑲ – rattaché a Wissembourg.

CLELLES **38930** Isère 77 ⑭ – 285 h. alt. 766 – ✪ 76.

Paris 613 – Die 50 – Gap 75 – ♦Grenoble 49 – La Mure 32 – Serres 58.

Ferrat, ☎ **34.42.70,** ⚘ – ⌂wc ☎ 🚗 Ⓟ. ⚒
1er mars-1er nov. et fermé mardi hors sais. – SC : **R** 55/70 ♁ – ☕ 12 – 15 ch 60/125 – P 115/150.

RENAULT Barbe, ☎ 34.40.35 **N**

CLÈRES **76690** S.-Mar. 55 ⑥ **G. Normandie** – 1 091 h. alt. 113 – ✪ 35.

Voir Parc zoologique★ – Musée d'automobiles de Normandie.

Paris 165 – Dieppe 40 – Forges-les-Eaux 33 – Neufchâtel-en-Bray 36 – ♦Rouen 29 – Yvetot 31.

Cheval Noir, ☎ **33.23.02** – Ⓟ.
SC : **R** 40/70.

CITROEN Gar. du Parc, ☎ 33.23.21 RENAULT Letailleur, ☎ 33.23.19

CLEREY-SUD **10** Aube 61 ⑰ – rattaché à Troyes.

CLERGOUX **19** Corrèze 75 ⑩ – 397 h. alt. 540 – ✉ **19320** Marcillac-la-Croisille – ✪ 55.

Paris 505 – Mauriac 46 – St-Céré 74 – Tulle 24 – Ussel 47.

Chammard, ☎ **27.84.04,** ⚘ – ⌂ 🚗 Ⓟ. ⚒ ch
Pentecôte-30 sept. – SC : **R** 38/100 ♁ – ☕ 9 – 18 ch 37/48 – P 83/86.

Lac ⟡, NE : 2 km par D 10 ☎ **27.83.15,** ≤ – ⌂ Ⓟ. ⚒
Pâques-10 sept. – SC : **R** 35/60 – ☕ 10 – 30 ch 35/65 – P 90/98.

CLERMONT ⟨SP⟩ **60600** Oise 56 ① **G. Environs de Paris** – 8 679 h. alt. 119 – ✪ 4.

i Syndicat d'Initiative 10 r. Martin du Gard (fermé août) ☎ 450.02.74.

Paris 77 ③ – ♦Amiens 66 ① – Beauvais 26 ⑤ – Mantes-la-Jolie 95 ④ – Pontoise 56 ④.

Clermotel, par ⑤ : 1 km ☎ **450.09.90** – TV ⌂wc ⌂wc ☎ Ⓟ – 🎪 40. GB
SC : **R** 36/80 ♁ – ☕ 13 – **30 ch** 106/133.

France, 36 av. Déportés **(a)** ☎ **450.00.56**
fermé vend. – SC : **R** 26/60 ♁ – ☕ 8 – 22 ch 38/40.

CITROEN Thiré-Drouard, 53 bis r. Gén.-de-Gaulle ☎ 450.28.17 **N** ☎ 450.09.88
PEUGEOT Carlier, av. des Déportés, rte Compiègne ☎ 450.00.94
RENAULT SOCLA, 1 av. des Déportés ☎ 450.08.73

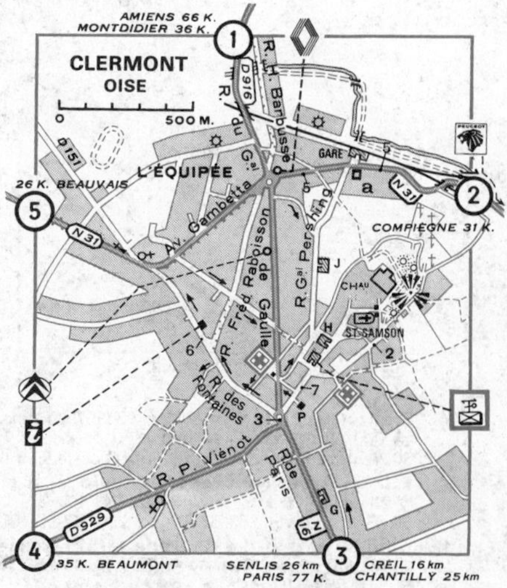

CLERMONT
OISE
0 500 M.
AMIENS 66 K. MONTDIDIER 36 K.
COMPIÈGNE 31 K.
26 K. BEAUVAIS
35 K. BEAUMONT
SENLIS 26 km PARIS 77 K.
CREIL 16 km CHANTILLY 25 km
L'ÉQUIPÉE
GARE
ST-SAMSON
CHAU
R. H. Barbusse
R. du Gal de Gaulle
Av. Gambetta
R. Fréd. Raboisson
R. Gal Pershing
R. des Fontaines
R. P. Viénot
R. de Paris
D 916 D 151 N 31 D 929 N 16

Chatellier (R. du) 2
Decuignières (Pl.) 3
Déportés (Av. des) 5
Martin du Gard (R. Roger) 6
République (R. de la) 7

CLERMONT-FERRAND P 63000 P.-de-D. 73 ⑭ G. Auvergne – 161 203 h. alt. 401 – ✪ 73.

Voir Basilique N.-D.-du-Port★★ : choeur★★★ – Cathédrale★★ : vitraux★★ – Fontaine d'Amboise★ – Vieux Clermont★ : cour★ de la maison de Savaron BX **B** – Jardin Lecoq★ BCZ – Musée du Ranquet★ BX **D** – Belvédère de la D 941A ⩽★★ R – Av. Thermale ⩽★ RS – Le Vieux Montferrand★ : Hôtel Fontfreyde★ – Hôtel de Lignat★ – Hôtel Régin : cour★ – Porte★ de l'Hôtel d'Albiat – Bas-relief★ de la Maison d'Adam et d'Ève.

Env. Puy de Dôme ※★★★ 15 km par ⑥.

Circuit automobile d'Auvergne S.

✈ de Clermont-Ferrand-Aulnat ☎ 91.71.00 par ② et D 54 : 6 km.

ℹ Office de Tourisme, 69 bd Gergovia (fermé dim. du 15 sept. au 15 juin) ☎ 93.30.20 et pl. Jaude (15 juin-15 sept. sauf dim.) - A.C. 62 r. Bonnabaud ☎ 93.47.67.

Paris 389 ① – ♦Bordeaux 369 ⑥ – ♦Grenoble 288 ② – ♦Lyon 179 ② – ♦Marseille 483 ② – ♦Montpellier 360 ③ – Moulins 96 ① – ♦Nantes 453 ⑥ – ♦St-Étienne 149 ② – ♦Toulouse 391 ⑥.

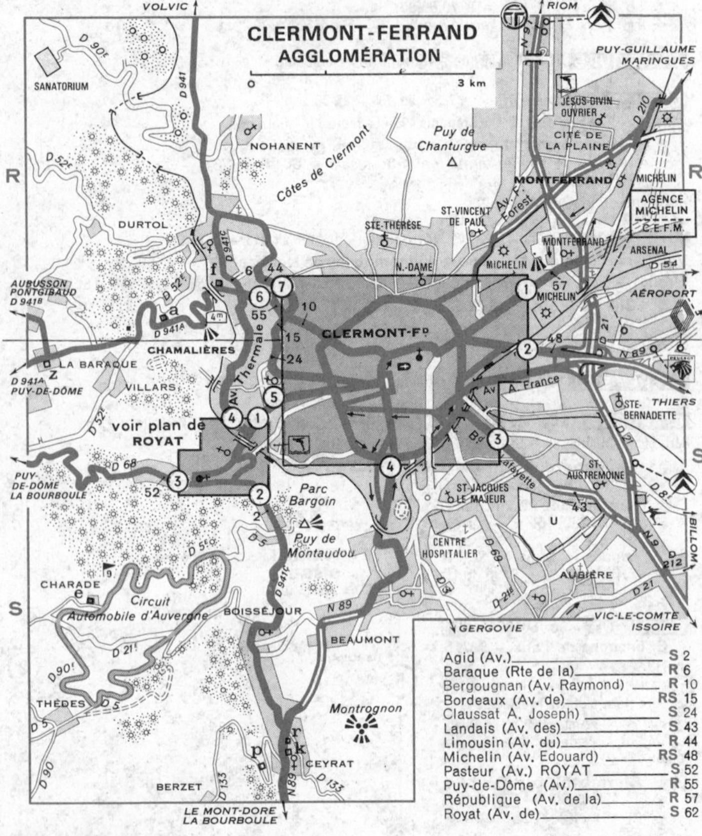

Frantel Ⓜ, 82 bd Gergovia ☎ 93.05.75, Télex 390656 – |‡| ▤ rest TV ☎ ♿ 🚗 – 👥 300. AE GB ⓓ E. ✗ rest BZ **v**
SC : rest. **La Rétirade** *(fermé dim.)* **R** carte 85 à 145 – ☕ 21 – **124 ch** 190/270.

P.L.M. Arverne et rest Gergovie Ⓜ, 16 pl. Delille ☎ 91.92.06, Télex 390741 – |‡| ▤ rest TV ☎ 🚗 – 👥 30. AE GB ⓓ CX **f**
SC : **R** *(fermé dim.)* 53/67 🍷 – ☕ 22 – **57 ch** 120/212 – P 228.

Gallieni et rest. Le Charade Ⓜ, 51 r. Bonnabaud ☎ 93.59.69, Télex 390990 – |‡| ▤ rest TV 🛁wc 🚿wc ☎ ♿ Ⓟ – 👥 35 à 50. 🚌 GB. ✗ rest AY **t**
R carte 75 à 110 – ☕ 16 – **79 ch** 79/220.

St-André et rest. l'Auvergnat Ⓜ, 27 av. Union Soviétique ☎ 91.40.40 – |‡| ▤ rest TV 🛁wc 🚿wc ☎. 🚌 AE GB DX **d**
SC : **R** *(fermé dim.)* 38/55 🍷 – ☕ 12 – **25 ch** 92/120 – P 140/210.

Lafayette [M] sans rest, 53 av. Union Soviétique ☏ 91.82.27 – wc ☎ P. GB
SC : 12 – **50 ch** 110/150. DX **n**

Europe H. [M] sans rest, 29 av. Royat à Chamalières ✉ 63400 Chamalières ☏ 37.61.35 – wc wc. AY **a**
SC : 13,50 – **34 ch** 76/157.

Colbert sans rest, 19 r. Colbert ☏ 93.25.66, Télex 990125 – wc wc. AE GB E AY **q**
SC : 15 – **65 ch** 65/207.

Albert-Élisabeth sans rest, 37 av. A.-Élisabeth ☏ 92.47.41 – wc
SC : 10 – **38 ch** 60/130. CX **v**

Midi, 39 av. Union-Soviétique ☏ 92.44.98 – rest wc wc ☎. AE GB
SC : **R** 34/60 – 12 – **42 ch** 57/110 – P 110/190. DX **s**

Bordeaux sans rest, 39 av. F.-Roosevelt ☏ 37.32.32 – wc wc. AE. AY **w**
SC : 13 – **32 ch** 65/140.

Lyon, 16 pl. Jaude ☏ 93.32.55 – wc wc. GB ABY **b**
R 41/90 – 12 – **34 ch** 110/160.

Excelsior sans rest, 12 r. Lamartine ☏ 93.03.74 – wc wc. AE GB E AY **u**
SC : 10 – **39 ch** 60/135.

Minimes sans rest, 10 r. Minimes ☏ 93.31.49 – wc. AE GB
SC : 10 – **28 ch** 52/135. AX **v**

Régina sans rest, 14 r. Bonnabaud ☏ 93.44.76 – wc. AY **x**
SC : 10 – **27 ch** 36/95.

Beaulieu sans rest, 13 av. Paulines ☏ 92.46.99 – wc P. CY **t**
SC : 9 – **16 ch** 45/75.

Gare sans rest, 76 av. Charras ☏ 92.07.82 – wc DX **e**
fermé 25 août au 10 sept. – SC : 8,50 – **16 ch** 60/72.

Ravel sans rest., 8 r. Maringues ☏ 91.51.33 – wc wc ☎. CX **m**
SC : 10 – **20 ch** 60/100.

Fleury sans rest, 2 bd Fleury ☏ 91.43.13 – CY **r**
fermé 18 au 25 août – SC : 8 – **25 ch** 33/68.

Blatin sans rest, 3 r. F.-Roosevelt ☏ 37.36.31 – AY **v**
SC : 9 – **14 ch** 42/66.

XXX **Buffet Gare Routière,** 69 bd Gergovia ☏ 93.13.32 – AE GB E BZ
(fermé sam. en juil. et août) – **R** (1er étage) carte 75 à 105, snack (rez-de-chaussée) carte environ 50.

XX **Truffe d'Argent,** 17 r. Lamartine ☏ 93.22.42 AY **r**
fermé août, sam. midi et dim. – SC : **R** 65/149.

X **Le Brezou,** 51 r. St-Dominique ☏ 93.56.71 AX **n**
fermé dim. – SC : **R** 35/65.

X **Le Machon,** 26 pl. St. Pierre ☏ 37.15.02 BX **k**
fermé 1er au 23 août, dim. et fériés – SC : **R** (prévenir) carte 60 à 95.

X **Le Roi Mage,** 7 r. Ste-Rose ☏ 37.16.07 ABX **e**
fermé fév. et merc. – SC : **R** 38/50.

rte de La Baraque par ⑥ – ✉ **63830** Durtol :

XX **L'Aubergade,** ☏ 37.84.64 – P R **a**
fermé 1er au 21 sept., 24 fév. au 17 mars, dim. soir et lundi – **R** 58/106.

XX **Aub. des Touristes** avec ch, ☏ 37.00.26 – P R **f**
fermé 15 juin au 1er juil., 12 oct. au 3 nov., dim. soir et lundi de sept. à juin et dim. en juil. et août – SC : **R** 45/130 – 9 – 11 ch 45/95 – P 90/125.

à Beaumont par ④ : 4 km sur N 89 – ✉ **63110** Beaumont :

XX **Monijo,** 3 pl. Verdun ☏ 26.24.51 – P. GB.
fermé août, dim. et lundi – **R** 100/160.

à La Baraque par ⑥ : 7 km – ✉ **63870** Orcines :

Relais des Puys, ☏ 88.10.51 – wc wc ☎ P. rest S **z**
fermé 15 oct. au 1er déc., lundi (sauf hôtel) et dim. soir hors sais. – SC : **R** 38/75 – 12 – 28 ch 60/120 – P 102/140.

à Pérignat-lès-Sarliève par ③ : 8 km – ✉ **63170** Aubière :

XXX **Le Gergovie,** ☏ 79.11.22 – GB
fermé août, dim. soir et lundi sauf fêtes – SC : **R** 55/90.

XX **Le Petit Bonneval** avec ch, ☏ 79.11.11, – wc wc P.
fermé 28 juin au 16 juil. et vacances de fév. – SC : **R** *(fermé dim. soir et merc.)* 55/130 – 8 – **10 ch** 40/100.

à l'Ouest par ⑥ sur D 941 A : 10 km – ✉ **63870** Orcines :

XXX **La Clef des Champs,** ☏ 88.10.69, – P. GB
fermé août, sam., dim. et fériés – **R** carte environ 150.

Voir aussi ressources hôtelières de *Royat* ⑤ : 4,5 km et de *Ceyrat* ④ : 6 km

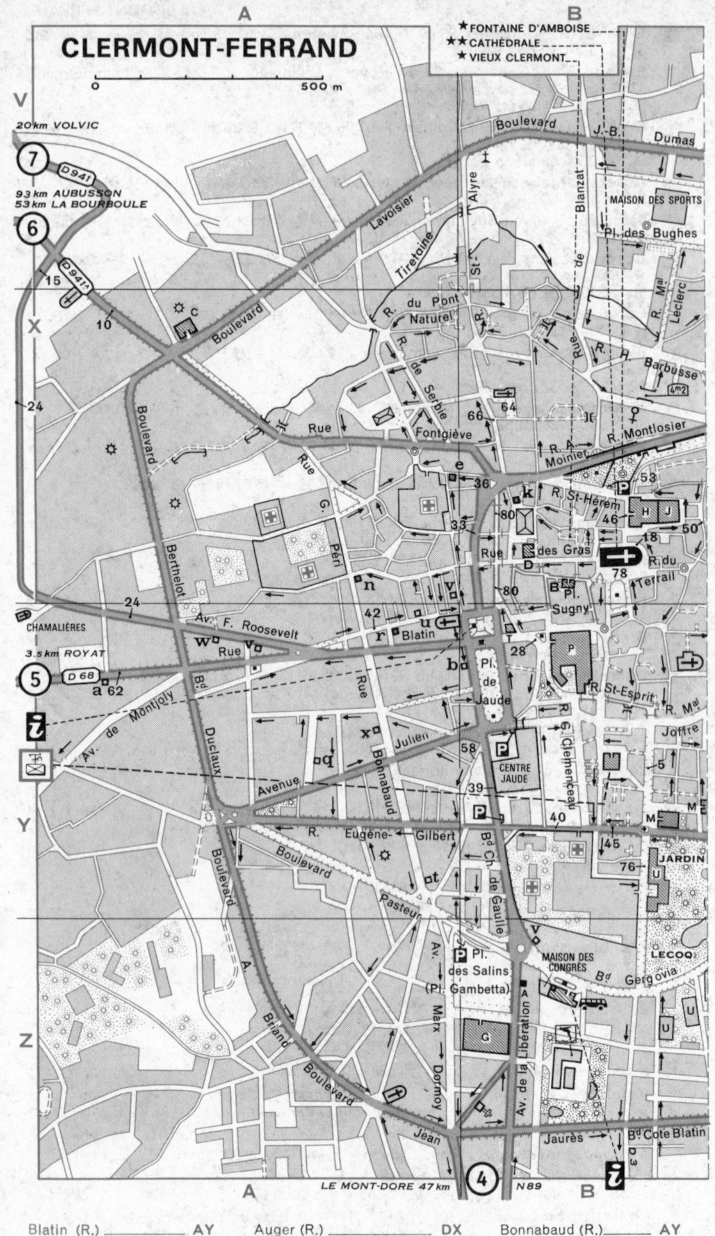

- Blatin (R.) .... AY
- Centre Jaude .... BY
- États-Unis (Av. des) .... ABX 33
- Gras (R. des) .... BX
- Port (R. du) CX
- St-Esprit (R.) .... BY
- 11-Novembre (R. du) .... BX 80

- Anatole-France (R.) .... DY 3
- Auger (R.) .... DX
- Ballainvilliers (R.) .... BY 5
- Bansac (R.) .... CXY
- Barbier-Daubrée (Av.) CV
- Barbusse (R. Henri) .... BCX
- Bergougnan (Av. R.) .... AX 10
- Berthelot (Bd) .... AX
- Blanzat (R. de) .... BVX
- Blum (Av. Léon) .... CYZ
- Bonnabaud (R.) .... AY
- Bordeaux (Av. de) .... AV 15
- Bourse (Pl. de la) .... BX 18
- Briand (Bd A.) .... AYZ
- Bughes (Pl. des) .... BV
- Carmes-Déchaux (Pl., ⊕) CX
- Carnot (Av.) .... CY
- Chanteranne (R. de) .... DV

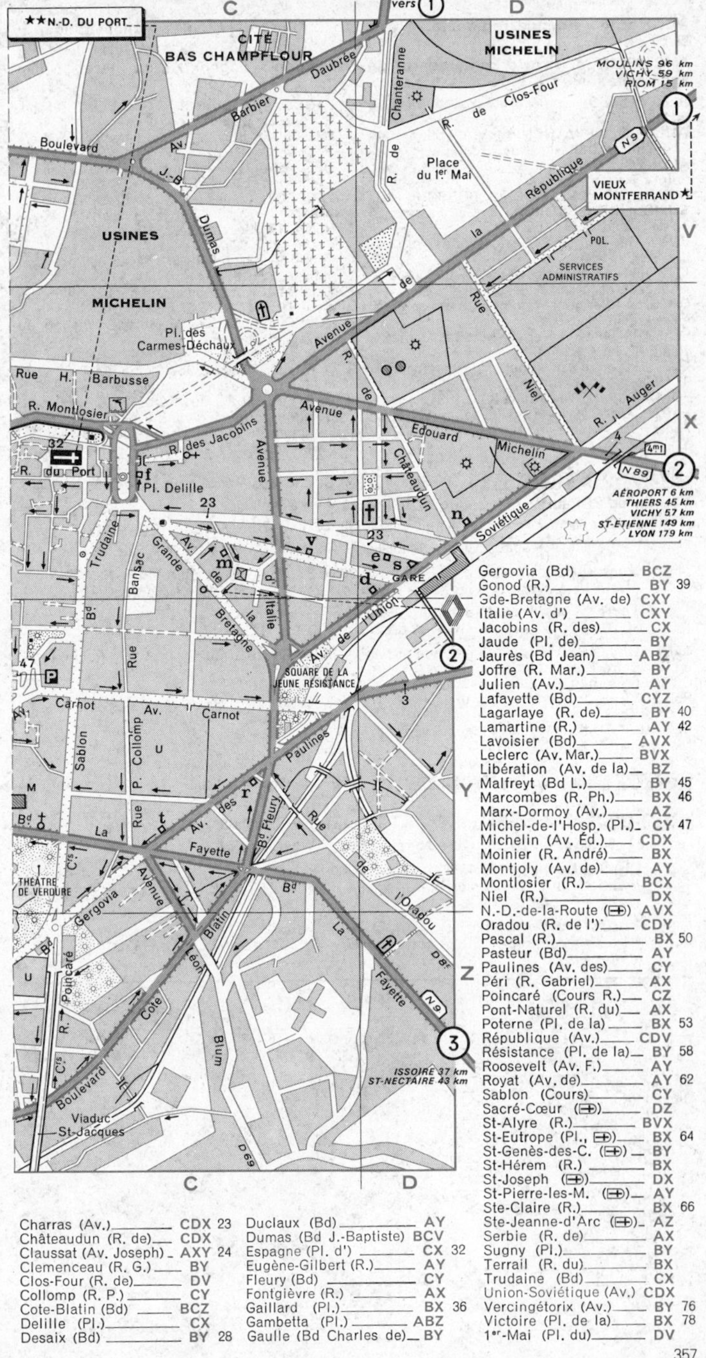

Charras (Av.) CDX 23
Châteaudun (R. de) CDX
Claussat (Av. Joseph) AXY 24
Clemenceau (R. G.) BY
Clos-Four (R. de) DV
Collomp (R. P.) CY
Cote-Blatin (Bd) BCZ
Delille (Pl.) CX
Desaix (Bd) BY 28

Duclaux (Bd) AY
Dumas (Bd J.-Baptiste) BCV
Espagne (Pl. d') CX 32
Eugène-Gilbert (R.) AY
Fleury (Bd) CY
Fontgièvre (R.) AX
Gaillard (Pl.) BX 36
Gambetta (Pl.) ABZ
Gaulle (Bd Charles de) BY

Gergovia (Bd) BCZ
Gonod (R.) BY 39
Gde-Bretagne (Av. de) CXY
Italie (Av. d') CXY
Jacobins (R. des) CX
Jaude (Pl. de) BY
Jaurès (Bd Jean) ABZ
Joffre (R. Mar.) BY
Julien (Av.) AY
Lafayette (Bd) CYZ
Lagarlaye (R. de) BY 40
Lamartine (R.) AY 42
Lavoisier (Bd) AVX
Leclerc (Av. Mar.) BVX
Libération (Av. de la) BZ
Malfreyt (Bd L.) BY 45
Marcombes (R. Ph.) BX 46
Marx-Dormoy (Av.) AZ
Michel-de-l'Hosp. (Pl.) CY 47
Michelin (Av. Éd.) CDX
Moinier (R. André) BX
Montjoly (Av. de) AY
Montlosier (R.) BCX
Niel (R.) DX
N.-D.-de-la-Route (⊞) AVX
Oradou (R. de l') CDY
Pascal (R.) BX 50
Pasteur (Bd) AY
Paulines (Av. des) CY
Péri (R. Gabriel) AX
Poincaré (Cours R.) CZ
Pont-Naturel (R. du) AX
Poterne (Pl. de la) BX 53
République (Av.) CDV
Résistance (Pl. de la) BY 58
Roosevelt (Av. F.) AY
Royat (Av. de) AY 62
Sablon (Cours) CY
Sacré-Cœur (⊞) DZ
St-Alyre (R.) BVX
St-Eutrope (Pl., ⊞) BX 64
St-Genès-des-C. (⊞) BY
St-Hérem (R.) BX
St-Joseph (⊞) DX
St-Pierre-les-M. (⊞) AY
Ste-Claire (R.) BX 66
Ste-Jeanne-d'Arc (⊞) AZ
Serbie (R. de) AX
Sugny (Pl.) BY
Terrail (R. du) BX
Trudaine (Bd) CX
Union-Soviétique (Av.) CDX
Vercingétorix (Av.) BY 76
Victoire (Pl. de la) BX 78
1er-Mai (Pl. du) DV

MICHELIN, Agence régionale, r. Cugnot, Z.I. du Brézet (R **plan agglomération)** ☎ 91.29.31

MICHELIN, Centre d'Échanges et de Formation r. Cugnot, Z.I. du Brézet (R **plan agglomération)** ☎ **92.91.55**

ALFA-ROMEO Domes-Auto, rte de Paris, la Plaine ☎ 24.67.72
AUDI-VOLKSWAGEN A.V.A., 65 av. de l'Agriculture ZI Brézet ☎ 91.23.89
AUDI-VOLKSWAGEN B Gar. Carnot, 17 av. Carnot ☎ 91.70.46
AUSTIN, JAGUAR, MORRIS, PORSCHE-MITSUBISHI, ROVER, TRIUMPH Gar. Estager, 26 bd de Gaulle ☎ 93.41.65
BMW Gar. Gergovie, N 9, rte Issoire ☎ 79.11.41 N
CITROEN Succursale, 240 bd E.-Clémentel R ☎ 24.22.66 et 111 bd. G. Flaubert S
DATSUN Clermont-Automobiles, rte de Paris, à Cébazat ☎ 24.75.65
FERRARI, FIAT Auvergne-Moteurs-Gardette, 10 r. E.-Dolet ☎ 93.62.07
FIAT Gd Gar. d'Auvergne, 17 r. Bonnabaud ☎ 93.18.18
FORD Dugat, 23 av. Agriculture ☎ 91.17.67
LADA, TOYOTA, Bonaldi, 36 av. de Cournon, Zone Ind. à Aubière ☎ 26.34.48

LANCIA-AUTOBIANCHI Gar. Buire, 157 bd. G.-Flaubert ☎ 26.44.25
MERCEDES-BENZ Ets Portier, N 9, Aubière ☎ 26.34.50
OPEL, GM-US Auvergne-Auto, 3 r. B.-Palissy, Z.I. du Brézet ☎ 91.76.56
PEUGEOT Chalas, 27 av. du Brezet RS ☎ 92.14.12
RENAULT Succursale, r. Blériot, Zone Ind. du Brézet RS ☎ 92.42.30
RENAULT Mondial-Gar., 24 av. Grande-Bretagne CX ☎ 91.35.14
TALBOT Clermontoise-Autom., 222 bd E.-Clémentel R ☎ 24.60.10 N ☎ 91.01.01
VOLVO Gar. Casas, r. E.-Reclus, Zone Ind. du Brézet ☎ 92.51.42

Ⓜ Estager-Pneus, 238bd Clémentel ☎ 92.42.51 et 11 av. J.-Claussat, Chamalières ☎ 37.36.05
Piot-Pneu, 80 av. du Brézet ☎ 92.13.50 et r. Gutenberg, Zone Ind. du Brézet ☎ 91.10.20
Poughon-Pneus, 15 r. Dr-Nivet ☎ 92.12.48
Ravel-Pneus, 9 av. Julien ☎ 93.24.84

CLERMONT-L'HÉRAULT

34800 Hérault 83 ⑤ G. Causses – 5 551 h. alt. 90 – ✪ 67.

Voir Église St-Paul★ – Env. Cirque de Mourèze★★ SO : 8 km.

ℹ Office de Tourisme r. René Gosse (juil.-sept. et fermé dim.) ☎ 96.23.86.

Paris 801 – Béziers 44 – Lodève 20 – ♦Montpellier 41 – Pézenas 21 – St-Pons 74 – Sète 52.

Sarac Ⓜ **sans rest, rte de Béziers ☎ 96.06.81,** ≤ – wc ⋒wc ☎ ♿ Ⓟ. ✗
fermé 15 déc. au 15 janv., sam. et dim. d'oct. à fév. – SC : ☐ 9 – **22 ch** 80/100.

Terminus, allées R.-Salengro ☎ **96.10.66** – . GB
SC : **R** 45 bc/62 bc – ☐ 10 – **32 ch** 37/60 – P 103/116.

ALFA-ROMEO, FIAT Gar. St-Christophe, 45 bis bd Gambetta ☎ 96.12.07
CITROEN Aubert, av. Wilson ☎ 96.08.54
PEUGEOT Rychwaert, rte Montpellier N 9 ☎ 96.07.31 N
RENAULT Diffusion-Auto-Clermontaise rte Montpellier ☎ 96.03.42

RENAULT Bouzou, 11 bd Ledru-Rollin ☎ 96.01.17

Ⓜ Roques, av. de Montpellier ☎ 96.00.62

CLICHY

92 Hauts-de-Seine 55 ⑳, 101 ⑮ – voir à Paris, Proche banlieue.

CLIMBACH

67 B.-Rhin 57 ⑲ – 496 h. alt. 354 – ✉ 67510 Lembach – ✪ 88.

Paris 465 – Bitche 38 – Haguenau 28 – ♦Strasbourg 60 – Wissembourg 9.

Cheval Blanc, ☎ **94.43.80** – ⋒wc. . ✗ ch
fermé 15 janv. au 15 fév., mardi soir et merc. – SC : **R** 25/65 ₰ – ☕ 8,50 – 10 ch 40/78 – P 75/95.

Ange, ☎ **94.43.72** – wc ⋒wc Ⓟ. ✗
fermé nov. et jeudi – SC : **R** carte 55 à 80 – ☐ 10 – 15 ch 80/85 – P 120.

CLISSON

Bertin (R.) 2
Cacault (R.) 3
Clisson (R. O. de) 4
Dr-Boutin (R.) 6
Dimerie (R. de la) 7
Grand-Logis (R. du) 8
Halles (R. des) 12
Leclerc (Av. Gén.) 13
Nid-d'Oie (Pont de) 14
Nid-d'Oie (Rte de) 16
St-Hilaire (R. de) 17
St-Jacques (R.) 18
Trinité (Gde-R. de la) 22
Vallée (R. de la) 23

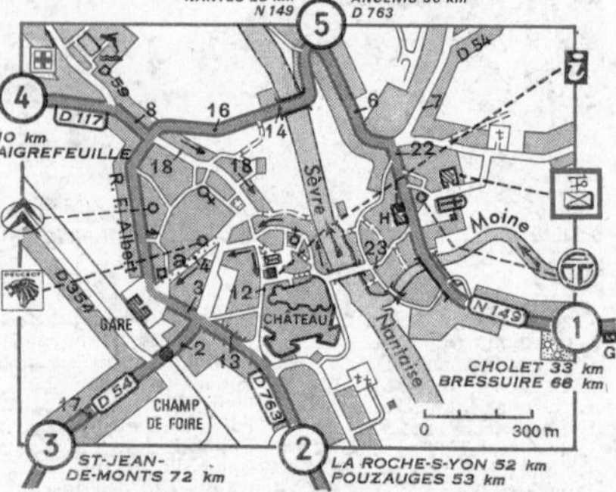

Les plans de villes sont orientés le Nord en haut.

CLISSON 44190 Loire-Atl. 67 ④ **G. Côte de l'Atlantique** – 4 663 h. alt. 42 – 40.

Syndicat d'Initiative pl. Minage (juil.-août) ☎ 78.02.95 et Château de Clisson (fermé mardi) ☎ 78.02.22.

Paris 373 ⑤ – •Nantes 28 ⑤ – Niort 124 ② – Poitiers 150 ① – La Roche-sur-Yon 52 ② – Les Sables-d'Olonne 85 ③.

Plan page ci-contre

Aub. de la Cascade, à Gervaux **(h)** ☎ 78.02.41, ←, – wc.
fermé 28 sept. au 18 oct., lundi (sauf hôtel) et dim. soir – **R** 26/75 – 8 – **10 ch** 38/85.

Gare, pl. Gare **(a)** ☎ 36.16.55 – wc – 150. ch
fermé 6 au 26 juil. – SC : **R** 30/60 – 10 – 35 ch 55/120 – P 118/150.

CITROEN Boullenger, ☎ 78.00.78
PEUGEOT Baudu, ☎ 78.00.67
TALBOT Girard, ☎ 78.01.84

CLOHARS-CARNOËT 29121 Finistère 58 ⑫ – 3 327 h. alt. 42 – 98.

Paris 511 – Concarneau 31 – Lorient 22 – Quimper 48 – Quimperlé 10.

La Brissandière, rte de Lorient : 4 km ☎ 71.51.34 – AE GB
fermé fin sept. à fin oct., 15 au 30 janv., lundi soir et mardi – SC : **R** 56/115.

CLOUANGE 57 Moselle 57 ③ – rattaché à Rombas.

CLOYES-SUR-LE-LOIR 28220 E.-et-L. 60 ⑯⑰ **G. Châteaux de la Loire** – 2 552 h. alt. 105 – 37.

Paris 143 – Blois 52 – Chartres 56 – Châteaudun 12 – •Le Mans 92 – •Orléans 61.

St-Georges, r. Temple ☎ 98.54.36 –
SC : **R** 30/80 – 12 – 11 ch 42/80.

Host. St-Jacques avec ch, r. Nationale ☎ 98.50.08, – wc wc – 30 à 80. AE GB E.
fermé 20 déc. au 1er fév., vacances de fév., dim. soir et lundi sauf juil.-août et fêtes – SC : **R** 66/124 – 13 – **21 ch** 78/154 – P 144/172.

Dauphin, r. J.-Chauveau ☎ 98.51.14
fermé fév. et merc. – SC : **R** 27/75.

CITROEN Gar. Val de Loir, ☎ 98.54.42
PEUGEOT Cassonnet, ☎ 98.51.90 N ☎ 98.55.84

CLUNY 71250 S.-et-L. 69 ⑲ **G. Bourgogne** – 4 680 h. alt. 248 – 85.

Voir Anc. abbaye★ : clocher de l'Eau Bénite★★ – Clocher★ de l'église St-Marcel **B** – Musée Ochier★ **M.**

Env. Berzé-la-Ville : fresques★★ de la chapelle 13 km par ③ – Mt St-Romain ★★ 15 km par ② – Prieuré★ de Blanot 10 km par ② – Château★ de Berzé-le-Châtel 10 km par ③ – Syndicat d'Initiative r. Mercière (fermé janv.) ☎ 59.05.34.

Paris 390 ① – Chalon-sur-Saône 52 ① – Charolles 38 ③ – Mâcon 25 ③ – Montceau-les-Mines 42 ④ – Roanne 79 ③ – Tournus 37 ②.

Bourgogne, pl. Abbaye **(n)** ☎ 59.00.58, « Face à l'abbaye » – wc wc AE GB. rest
fermé 15 nov. au 10 fév., mardi et merc. midi – SC : **R** 80/150 – 16 – 18 ch 80/176.

Moderne, par ③ : 1 km au pont de l'Etang ☎ 59.05.65 – wc GB
fermé 1er fév. au 7 mars, dim. soir et lundi de nov. à Pâques – SC : **R** 50/130 – 13 – 15 ch 75/140.

Abbaye, av. Gare **(e)** ☎ 59.11.14 – wc
fermé 18 déc. au 5 fév., dim. soir et lundi midi – SC : **R** 45/70 – 11 – 20 ch 45/95.

CITROEN Bay, ☎ 59.08.85
PEUGEOT Gd Gar. Commerce, ☎ 59.10.72
RENAULT Pechoux et Couratin, ☎ 59.04.61
TALBOT Beaufort, ☎ 59.11.76

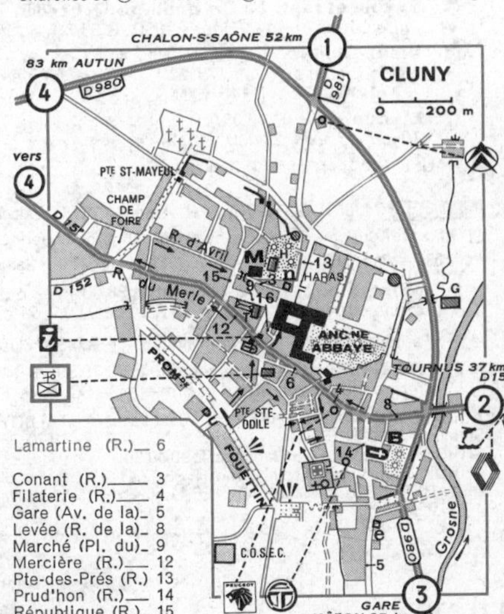

La CLUSAZ 74220 H.-Savoie 74 ⑦ **G. Alpes** – 1 695 h. alt. 1 040 – Sports d'hiver : 1 040/2 600 m 3 35, – 50.

Voir E : Vallon des Confins★ – Col de la Croix-Fry★ : ★ SO : 5 km.

Office de Tourisme (fermé dim. hors sais.) 02.60.92, Télex 385125.

Paris 568 – Albertville 40 – Annecy 32 – Bonneville 26 – Megève 29 – Morzine 65.

Beauregard M, 02.60.17, Télex 385001, – P. AE E. rest
juil.-août et 15 déc.-Pâques – SC : **R** 130/160 – 30 – 32 ch 190/340, 10 appartements 320/400 – P 300/380.

Le Panorama M sans rest, 02.42.12, montagnes – P.
1er juil.-31 août et 19 déc.-vacances de printemps – SC : 13,50 – **30 ch** 85/140.

Carlina, 02.43.48, pistes et montagnes, – P. rest
juil.-août et Noël-Pâques – SC : **R** 58/68 – 15 – **39 ch** 150 – P 125/196.

Aravis 1500 M, les Étages S : 3 km par D 909 02.61.13, – P. AE. rest
1er juil.-10 sept. et 15 déc.-20 avril – SC : **R** 28/62 – 18 – **13 ch** 170, 5 appartements 395 – P 180.

Cythéria, 02.41.81, – wc wc P
sais. – 30 ch.

Christiania, 02.60.60, – wc wc. .
20 juin-18 sept. et 18 déc.-20 avril – SC : **R** 46/80 – 14 – **30 ch** 85/150 – P 120/185.

Sapins, 02.40.12, – wc wc P. rest
14 juin-10 sept. et 15 déc.-25 avril – SC : **R** 40/46 – 14 – **27 ch** 80/145 – P 125/180.

Beaulieu, 02.41.85, pistes et montagnes, – wc wc P. . rest
juil.-août et Noël-Pâques – SC : **R** 52/57 – 14 – **33 ch** 120 – P 108/160.

Nouvel H., 02.40.08 – wc . rest
1er juil.-20 sept. et 20 déc.-15 avril – SC : **R** 30/72 – 12 – **25 ch** 50/130 – P 110/165.

Le Gotty, les Étages SE : 3 km par D 909 02.43.28, – wc wc P. .
19 déc.-20 avril – SC : **R** 45/80 – 14 – 28 ch 120/150 – P 125/185.

Floralp, 02.41.46 – wc wc . rest
20 juin-15 sept. et 18 déc.-20 avril – SC : **R** 42/50 – 12 – 22 ch 60/130 – P 100/155.

Aravis Village, 02.60.31, , , – wc wc . . rest
15 juin-10 sept. et 20 déc.-Pâques – SC : **R** 38/80 – 12,50 – **41 ch** 56/155 – P 130/185.

Le Borderan, les Étages SE : 3 km par D 909 74220 La Clusaz 02.43.26, – TV wc wc P. . rest
1er juil.-7 sept. et 1er déc.-20 avril – SC : **R** 45/60 – 14 – **15 ch** 130 – P 150/170.

Savoie et rest. La Crémaillère, 02.40.51 – wc wc .
juil.-août et 1er nov.-Pâques – SC : **R** 33/59 – 11 – **15 ch** 80/90 – P 130/150.

XX **Vieux Chalet** avec ch, 02.41.53, , – TV wc wc P.
fermé 15 juin au 5 juil., 15 oct. au 10 nov. et merc. hors sais. – SC : **R** 80/120 – 17 – **7 ch** 105/170 – P 145/190.

XX **L'Écuelle**, 02.42.03
10 juil.-23 août, 23 déc.-Pâques et fermé merc. – SC : **R** carte environ 75.

RENAULT Gar. du Rocher, 02.40.38

CLUSES 74300 H.-Savoie 74 ⑦ **G. Alpes** – 15 268 h. alt. 485 – 50.

Office de Tourisme Chalet Savoyard, pl. Allobroges (fermé mardi et dim.) 98.31.79.

Paris 585 – Annecy 64 – Bonneville 15 – Chamonix 42 – ♦Genève 43 – Megève 28 – Morzine 29.

Mont-Blanc, 10 r. J.-Nicollet 98.00.14 – wc .
fermé oct. et dim. – SC : **R** 40 – 9,50 – 21 ch 45/105.

à ***Magland*** SE : 8 km par N 205 – 74300 Cluses :

XX **Relais Mont-Blanc** avec ch, 90.70.50, , – wc P. GB
fermé lundi (sauf hôtel) et dim. soir – SC : **R** 48/110 – 12 – **15 ch** 51/115.

AUDI-VOLKSWAGEN Fillion, av. des Lacs, Scionzier 98.24.15
CITROEN Gander, rte Sallanches 98.49.38
CITROEN Stat. du Stade r. Carnot 98.12.41
RENAULT SECA, rte Scionzier 98.11.50
TALBOT Gar. Savoie, av. des Glières 98.18.70

Ets Blanc, 10 pl. des Allobroges 98.35.60
Vaillant, 3 fg St-Nicolas 98.63.80

COARAZE 06 Alpes-Mar. 84 ⑲, 195 ⑯⑰ **G. Côte d'Azur** – 327 h. alt. 640 – ✉ **06390** Contes – ✪ 93 – **Voir** Vieilles rues★.
Paris 961 – Contes 9,5 – ♦Nice 27 – St-Martin-Vésubie 45 – Sospel 41.

XX **La Petite Auberge** ≫ avec ch, S : 3 km D 15 ✆ 91.30.91, ≤ village et montagnes – ⇔wc ☎ ♿ Ⓟ
fermé 9 au 20 juin, 2 nov. au 8 déc. et 4 au 12 janv. – SC : **R** *(fermé lundi sauf Pâques et Pentecôte)* (déj. seul., nombre de couverts limité - prévenir) 65/75 – ☕ 10 – **7 ch** 110/120 – P 175/180.

COCURÈS 48 Lozère 80 ⑥ – rattaché à Florac.

COËMONT 72 Sarthe 64 ④ – rattaché à Château du Loir.

COGNAC ⟨SP⟩ **16100** Charente 72 ⑫ **G. Côte de l'Atlantique** – 22 612 h. alt. 27 – ✪ 45.
ℹ Office de Tourisme pl. J.-Monnet (fermé dim.) ✆ 82.10.71.
Paris 458 ⑥ – Angoulême 44 ① – ♦Bordeaux 113 ③ – Libourne 96 ③ – Niort 81 ⑥ – Poitiers 128 ① – La Roche-sur-Yon 158 ⑥ – Saintes 26 ⑤.

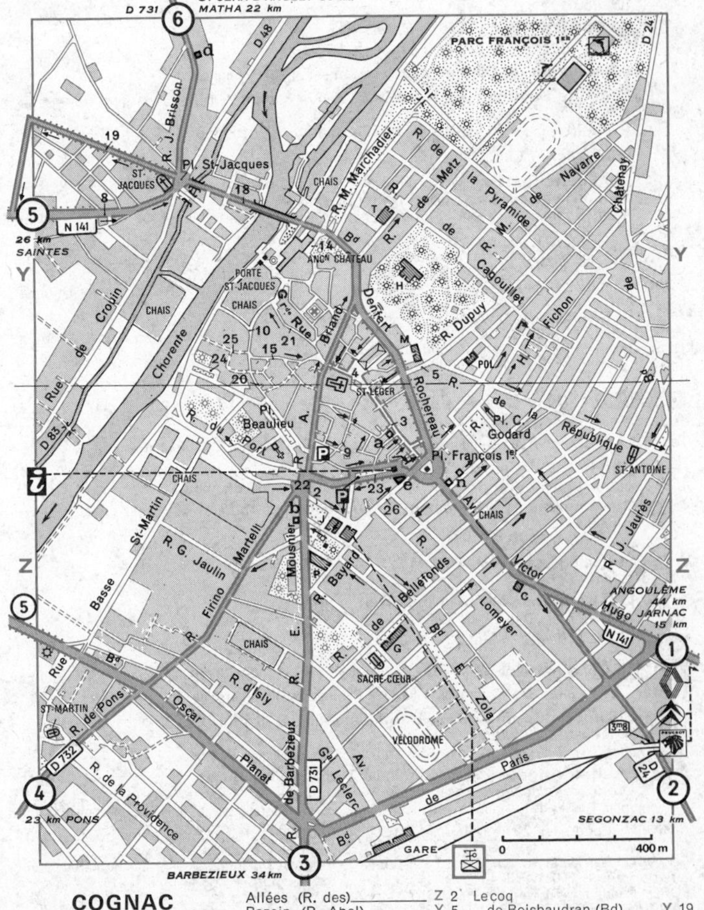

COGNAC

Angoulême (R. d')	Z	3
Armes (Place d')	Y	4
Briand (R. Aristide)	Y	
Victor-Hugo (Av.)	Z	
14-Juillet (R. du)	Z	26
Allées (R. des)	Z	2
Bazoin (R. Abel)	Y	5
Boucher (R. Cl.)	Y	8
Chalais (R. de)	Z	9
Cordeliers (R. des)	Y	10
François-Ier (R.)	Y	14
Isle-d'Or (R. de l')	Y	15
Lattre-de-Tassigny (R. de)	Y	18
Lecoq de Boisbaudran (Bd)	Y	19
Lusignan (R. de)	Y	20
Magdeleine (R.)	Y	21
Martell (Pl. Ed.)	Z	22
Monet (Pl.)	Z	23
Salle Verte (Pl. de la)	Y	24
Saulnier (R.)	Y	25

Moderne sans rest, 24 r. E.-Mousnier ☎ 82.19.53 – ⛻ ⇔wc ☎ 🚗. AE GB ⓓ E — Z **b**
fermé 23 déc. au 2 janv. – SC : ☕ 11 – **26 ch** 84/105.

François 1er Ⓜ sans rest, pl. François 1er ☎ 32.07.18 – ⛻ ⇔wc ⋒ ☎ 🚗. GB — Z **n**
SC : ☕ 9,50 – **29 ch** 61/120.

L'Étape Ⓜ, 2 av. Angoulême N 141 par ① ☎ 32.16.15 – ⇔wc ⋒wc ☎ Ⓟ. AE ⓓ E
SC : **R** *(fermé dim. du 15 nov. au 15 juin)* 35/71 ♨ – ☕ 12 – **22 ch** 45/113.

L'Auberge, 13 r. Plumejeau ☎ 32.08.70 – ⇔wc ⋒wc ☎. GB — Z **n**
rest. fermé sam. hors sais. – **27 ch**.

Gd H. Orléans sans rest, 25 r. Angoulême ☎ 82.01.26 – ⇔wc ⋒wc ☎ 🚗. — Z **a**
SC : ☕ 9,50 – **42 ch** 38/90.

XXX **Pigeons Blancs** ⛰ avec ch, 110 r. J.-Brisson ☎ 82.22.76, parc, 🌳 – ⇔wc ⋒wc ☎ ♿ Ⓟ. AE GB ⓓ. ✗ ch — Y **d**
fermé 1er au 15 fév. et dim. sauf le midi en été – SC : **R** 58/95 – ☕ 16 – 6 ch 100/150.

XX **Le Coq d'Or,** ☎ 82.02.56 – AE GB ⓓ — Z **e**
fermé dim. – SC : **R** 38/130 ♨.

à St-Laurent-de-Cognac par ⑤ : 6 km – ✉ **16100** Cognac :

Logis de Beaulieu ⛰, N 141 ☎ 82.30.50, ≤, parc – TV ⇔wc ⋒wc ☎ 🚗 Ⓟ. AE ⓓ. ✗ rest
fermé 15 déc. au 1er janv. – SC : **R** 50/120 – ☕ 20 – 21 ch 65/210 – P 210/365.

à Cierzac (17 Char.-Mar.) par ③ : 13 km D 731 :

XXX **Moulin de Cierzac** Ⓜ ⛰ avec ch, ✉ 16660 St-Fort-sur-le-Né ☎ 83.61.32, « Au bord de l'eau, parc » – TV ⇔wc ⋒ ☎ Ⓟ.
fermé 3 janv. au 15 fév. et lundi hors sais. – SC : **R** carte 95 à 140 – ☕ 20 – **10 ch** 140/220.

CITROEN Gar. Santuret, rte Angoulême à Châteaubernard ☎ 32.27.50 N
FORD Comptoir Auto de Cognac r. Locusol ☎ 82.00.88
MERCEDES-BENZ SO.CO.VA., 21 av. Angoulême ☎ 32.27.77
OPEL Inter-Auto, 17 r. de Bellefonds ☎ 82.19.12
PEUGEOT Cognac Gar., Le Buisson Moreau à Châteaubernard ☎ 32.25.29
RENAULT G.A.M.C., 242 av. Victor-Hugo ☎ 32.18.93 N ☎ 90.40.76

Moyet-Pneus, rte Barbezieux ☎ 82.24.66

COGOLIN 83310 Var 84 ⑰ G. Côte d'Azur – 4 713 h. alt. 14 – 94.

ℹ Syndicat d'Initiative pl. République (avril-oct. et fermé dim. sauf matin en saison) ☎ 56.36.52.
Paris 869 – Hyères 42 – Le Lavandou 31 – St-Tropez 9 – Ste-Maxime 13 – ♦Toulon 60.

Coq H. Ⓜ, pl. Gén.-de-Gaulle ☎ 56.12.66 – ⇔wc ☎. ✗ ch
fermé nov. – SC : **R** *(fermé lundi)* 35/70 – ☕ 15 – **17 ch** 165.

Clemenceau Ⓜ sans rest, pl. République ☎ 56.19.23 – ⛻ ⇔wc ⋒wc ☎. AE GB E
SC : ☕ 13 – **30 ch** 90/155.

St-Roch ⛰ sans rest, ☎ 43.41.82, ≤ – ⇔wc ⋒ ☎ Ⓟ
sais. – **19 ch**.

XX **Lou Capoun,** r. Marceau ☎ 54.44.57 – Ⓟ. GB
fermé 24 au 30/4, 23 au 30/11, 24/1 au 17/2, lundi midi du 15/6 au 15/9, dim. soir et lundi du 15/9 au 15/6 – SC : **R** 45/70.

COIGNIÈRES 78 Yvelines 60 ⑨, 96 ㉔ – 3 289 h. alt. 169 – ✉ 78310 Maurepas – 3.

Paris 40 – Longjumeau 33 – Mantes-la-Jolie 42 – Rambouillet 13 – Versailles 18.

XXX ✿ **Aub. du Capucin Gourmand** (Lebrault), N 10 ☎ 050.30.06, 🌳 – AE GB
SC : **R** carte 135 à 185
Spéc. Terrine d'escargots, Tournedos capucin, Feuillantine aux pommes.

XX ✿ **Aub. d'Angèle,** 296 rte Nationale ☎ 050.58.23 – Ⓟ. ⓓ
fermé août, vacances de fév., merc. soir et dim. – SC : **R** carte 140 à 190
Spéc. Cuisses de grenouilles, Ecremoul'hui (oct. à avril), Aiguillettes de canard aux pêches.

CITROEN Gar. Collet, 21 rte Nationale ☎ 050.11.30
CITROEN Gar. de la Fourche, 33 r. P.-V.-Couturier à Trappes ☎ 051.48.36 N
FORD Pouillat, N 12, Trappes ☎ 051.61.71
LANCIA-AUTOBIANCHI S.I.A.D.Y., 2 av. Armée-Leclerc, Trappes ☎ 062.97.09
OPEL Éts Bigoteau, 46 av. Komarov, Zone Ind., Trappes ☎ 050.31.18
PEUGEOT Trujas, 5 av. Komarov, Zone Ind., Trappes ☎ 050.34.09
RENAULT Succursale, 2 av. Komarov, Zone Ind., Trappes ☎ 062.43.19

Burlat, 42 av. Komarov, Zone Ind., Trappes ☎ 050.20.63
La Centrale du Pneu, N 10, Zone Ind. Pont-d'Aulneau ☎ 050.27.36

COL voir au nom propre du col.

COLIGNY 01270 Ain 70 ⑬ – 1 077 h. alt. 291 – ⊛ 74.

Paris 417 – Bourg-en-Bresse 21 – Lons-le-Saunier 40 – Mâcon 45 – Tournus 53.

XX ✿ **Le Petit Relais** (Guy), ☎ 30.10.07 – GB
fermé 9 au 30 juin, vacances de fév., mardi soir sauf juil.-août et merc. – SC : **R** (nombre de couverts limité - prévenir) 48/130
Spéc. Terrine de lapereau au genièvre, Mousse de sandre, Aiguillettes de canard. Vins St-Véran, Brouilly.

à Moulin-des-Ponts S : 5,5 km sur N 83 – ✉ 01270 Coligny :

Solnan M, ☎ 51.50.78, – wc – 40. AE. rest
fermé déc., dim. soir et lundi midi d'oct. à mars – SC : **R** 40/100 – 13 – 20 ch 70/150 – P 130/170.

La COLLE-SUR-LOUP 06480 Alpes-Mar. 84 ⑨, 195 ㉕ G. Côte d'Azur – 3 700 h. alt. 96 – ⊛ 93.

Voir Vallée du Loup** O : 2 km.

Paris 925 – Antibes 15 – Cagnes-sur-Mer 6 – Cannes 26 – Grasse 19 – •Nice 19 – Vence 8.

Host. de l'Abbaye, av. Libération ☎ 22.66.77, « Ancienne abbaye du 12e s. », – ☎ – 50. AE GB
fermé 12 nov. au 20 déc. – **R** *(fermé lundi en hiver)* 75/180 – **19 ch** 180/250.

Marc Hély M sans rest, SE : 0,8 km par D 6 ☎ 22.64.10, « Confortable villa dans un jardin » – wc wc ☎ .
1er mars-31 oct. – SC : **11 ch** 165/260.

XXX ✿ **La Belle Époque** (Compagnat), SE : 2 km D 6 ☎ 20.10.92, – . AE GB .
fermé 5 janv. à fin fév., dim. d'oct. à mars et lundi – SC : **R** 120/165
Spéc. Foie gras frais à l'ail doux, Fricassée de lotte, Canard de Barbarie aux fruits.

X **La Vieille Ferme** avec ch, au Pas de Sénès SE : 1 km par D 6 ☎ 22.62.42 – wc
fermé nov. et merc. – SC : **R** 50/90 – 10 ch 82/99 – P 164.

Voir aussi ✿ Mas d'Artigny à ***St-Paul***

Le COLLET 88 Vosges 62 ⑱ – rattaché à la Schlucht.

Le COLLET-D'ALLEVARD 38 Isère 74 ⑯ – rattaché à Allevard.

COLLIOURE 66190 Pyr.-Or. 86 ⑳ G. Pyrénées (plan) – 2 691 h. – ⊛ 68.

Voir Site** – Retables* dans l'église.

Syndicat d'Initiative av. C.-Pelletan (fermé matin hors saison et dim.) ☎ 82.15.47.

Paris 935 – Argelès-sur-Mer 6 – Céret 32 – •Perpignan 27 – Port-Vendres 4 – Prades 64.

Casa Païral sans rest, face au parking ☎ 82.05.81, « Bel aménagement intérieur et jardin fleuri », – ☎.
1er avril-5 nov. – SC : 15 – **24 ch** 140/220.

Ambeille M sans rest, rte Port-d'Avail ☎ 82.08.74, – wc wc .
Pâques-fin sept. – SC : 12,50 – **21 ch** 125/175.

Madeloc M sans rest, r. R.-Rolland ☎ 82.07.56, , – wc wc . AE
1er mai-15 oct. – SC : 12 – **22 ch** 130/180.

Méditerranée M sans rest, av. A.-Maillol ☎ 82.08.60, – wc wc .
fermé 15 nov. au 15 déc. – SC : 13 – **23 ch** 115/170.

La Frégate, 24 quai Amirauté ☎ 82.06.05 – wc wc .
fermé 15 nov. au 31 janv. – SC : **R** *(fermé vend. hors sais.)* 67/180 – 12,50 – 27 ch 127/220 – P 225/233.

Villa Basque sans rest, av. République ☎ 82.04.82, – wc wc .
Pâques-fin oct. – SC : 12 – **22 ch** 110/180.

Les Templiers, av. C.-Pelletan ☎ 82.05.58, « Collection de tableaux » – wc .
fermé 3 janv. au 5 fév. – SC : **R** 45/90 – 12 – **54 ch** 70/200 – P 120/220.

Le Bon Port, rte Port-Vendres ☎ 82.06.08, , – wc wc . rest
Pâques et 15 mai-30 sept. – SC : **R** 47/52 – 11 – 22 ch 125/145 – P 121/138.

Les Caranques , rte Port-Vendres ☎ 82.06.68, « Terrasses et vieux port » – wc .
Pâques-15 oct. – SC : **R** *(Pâques-30 sept.)* (1/2 pens. seul.) – 15 – 16 ch 70/150.

Boramar sans rest, r. J.-Bart ☎ 82.07.06, vieux port – .
15 mars-31 oct. – SC : 12 – **14 ch** 90/150.

Bona Casa, av. République ☎ 82.06.62 – . ch
début avril-fin oct. – SC : **R** 31/45 – 10 – 8 ch 58/65 – P 95/100.

tourner →

XXX La Balette, rte Port-Vendres ☎ 82.05.07, « Terrasses et ≤ vieux port » – P sais.

XX ✿ **La Marinade,** 14 pl. République ☎ 82.09.76 – GB. ✻
fermé janv., fév. et merc. hors sais. – SC : **R** 68.

XX **La Bodega,** r. République ☎ 82.05.60 – AE GB ①
fermé 12 nov. au 23 déc., lundi soir et mardi du 15 sept. au 30 juin – SC : **R** 65/155.

X **Le Lamparo** avec ch, r. Pasteur ☎ 82.05.34 – ✻
1er janv.-30 sept. – SC : **R** *(fermé merc.)* 32/65 – ☕ 10 – **10 ch** 55.

X Le Puits, r. Arago ☎ 82.06.24.

X **Chiberta,** 18 rte Nationale ☎ 82.06.60
12 avril-30 sept. – SC : **R** 31/46 ₰.

COLLONGES-AU-MONT-D'OR 69 Rhône 74 ⑪ – rattaché à Lyon.

COLLONGES-LA-ROUGE 19 Corrèze 75 ⑨ **G. Périgord** (plan) – 360 h. alt. 230 – ✉ **19500** Meyssac – ⚙ 55.

Voir Village★.

Paris 511 – Aurillac 88 – Brive-la-Gaillarde 21 – Martel 19 – St-Céré 41 – Tulle 45.

Relais St-Jacques de Compostelle ⛰, ☎ 25.41.02, 🌳 – ⛀wc ⛆ ☎. 🚗
fermé nov. – SC : **R** 30/120 – ☕ 11 – **12 ch** 53/100 – P 85/120.

COLMAR P **68000** H.-Rhin 62 ⑲ **G. Vosges** – 67 410 h. alt. 193 – Sports d'hiver : 986/1 850 m ≴25 – ⚙ 89.

Voir Retable d'Issenheim★★★ (musée d'Unterlinden★★) BY – Ville ancienne★★ BY : Maison Pfister★★ BY **K**, Église St-Martin★ BY **F**, Maison des Arcades★ BY **E** – Maison Schongauer★ BY **R**, Maison des Têtes★ BY **Y**, Ancienne Douane★ BY **N**, Ancien Corps de garde BY **L** – Vierge au buisson de roses★★ et vitraux★ de l'église des Dominicains BY **B** – Quartier de la Krutenau★ BZ : Tribunal civil★ BY **J**, ≤★ du pont St-Pierre BZ **V** sur "la petite Venise" – Vitrail de la Crucifixion★ de l'église St-Mathieu CY **D**.

✈ de Colmar-Houssen : Air Alsace ☎ 23.99.33 par ① : 3 km.

ℹ Office de Tourisme, 4 r. Unterlinden (fermé sam. après-midi hors sais. et dim. sauf matin en saison) ☎ 41.02.29 - A.C. 1 pl. Gare ☎ 41.31.56.

Paris 451 ⑥ – ♦Bâle 70 ③ – Freiburg 52 ② – ♦Nancy 148 ⑥ – ♦Strasbourg 71 ①.

Plan page ci-contre

Terminus-Bristol, 7 pl. Gare ☎ 23.59.59, Télex 880248 – 🛗 TV ☎ – 🏛 50. AE ① E — AZ **g**
R voir rest. Rendez-vous de Chasse - SC : ☕ 17 – **85 ch** 100/250 – P 260/320.

Champ de Mars M, 2 av. Marne ☎ 41.54.54, Télex 880928, ≤ – 🛗 TV 🚗 – 🏛 150. AE GB ① E — AY **b**
R 42/69 ₰ – ☕ 17 – **75 ch** 150/185.

Park H., 52 av. République ☎ 41.34.80 – 🛗 ⛀wc ⛆wc ☎ P. 🚗 AE GB ① E
fermé 20 déc. au 15 janv. – SC : **R** 40/80 ₰ – ☕ 12,50 – **45 ch** 85/170 – P 200/300. — AZ **f**

Colbert M sans rest, 2 r. Trois-Épis ☎ 41.31.05 – 🛗 TV ⛀wc ☎. 🚗 — AY **d**
SC : ☕ 10 – **30 ch** 86/106.

Turenne M sans rest, 10 rte Bâle ☎ 41.12.26 – TV ⛀wc ⛆wc ☎ 🚗 P. AE E — BZ **x**
SC : ☕ 10 – **60 ch** 85/130.

de la Fecht, 1 r. Fecht ☎ 41.34.08 – TV ⛀wc ⛆wc ☎. 🚗 GB — BX **u**
fermé 15 au 30 déc. et 15 au 28 fév. – SC : **R** *(fermé dim. soir et lundi)* 33/62 ₰ – ☕ 11 – **39 ch** 90/150 – P 150/165.

Beau Séjour, 25 r. Ladhof ☎ 41.37.16, 🌳 – ⛀wc ⛆wc ☎. 🚗 — CX **a**
SC : **R** *(fermé dim. hors sais.)* 37/95 ₰ – ☕ 10 – 30 ch 50/110 – P 100/130.

XXX ✿ **Schillinger,** 16 r. Stanislas ☎ 41.43.17 – AE ① — AY **n**
fermé 15 juil. au 6 août, dim. soir et lundi sauf fériés – **R** 85/170 ₰
Spéc. Foie gras frais maison, Délice de sandre, Caneton au citron.

XXX Maison des Têtes, 19 r. Têtes ☎ 41.21.10, « Belle maison du 17e s., atmosphère locale » — BY **y**

XXX ✿ **Rendez-vous de Chasse,** 7 pl. Gare ☎ 23.59.59 – AE ① E — AZ **g**
fermé 24 déc. au 10 janv. et dim. de janv. au 31 mars – **R** 85/180
Spéc. Foie gras frais d'oie au naturel, Noisettes de chevreuil (15 juin-10 janv.), Vacherin glacé à l'Alsacienne. **Vins** Sylvaner, Edelzwicker.

XXX **Meistermann,** 2a av. République ☎ 41.26.35 – AE GB ① — AY **t**
fermé mardi du 1er nov. au 30 juin – **R** 35/140 ₰.

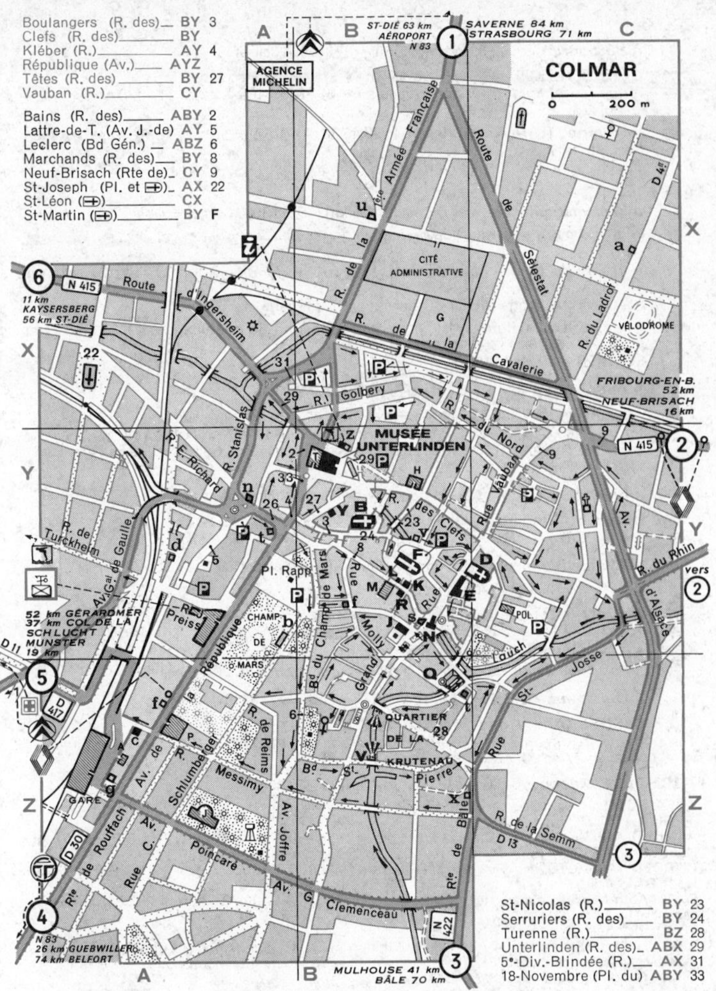

XX ✿ **Fer Rouge** (Fulgraff), 52 Gde-Rue ☎ 41.37.24, « Vieille maison alsacienne » — BY s
fermé 27 juil. au 7 août, 4 au 27 janv., dim. soir et lundi – **R** 60/140
Spéc. Foie d'oie tiède, Rouget à la tomate, Crépinette de blanc de pintadeau. **Vins** Riesling, Pinot noir.

X **Rapp** avec ch, 16 r. B.-Molly ☎ 41.62.10 – BY f
fermé 16 nov. au 5 janv. – SC : **R** *(fermé vend.)* 33/105 – 9,50 – **12 ch** 40/85.

X **Unterlinden,** 2 r. Unterlinden ☎ 41.18.73 – AE GB – BY z
fermé mi-nov. à mi-déc., lundi soir et mardi hors sais. – SC : **R** 38/98.

X **Trois Poissons,** 15 quai Poissonnerie ☎ 41.25.21 – BZ t
fermé 7 au 30 juil., mardi soir et merc. – SC : **R** 45/100, dîner à la carte.

au Nord par ① : 2 km – ✉ **68000** Colmar :

Novotel M, à l'Aérodrome ☎ 41.49.14, Télex 880915, – TV wc ☎ P – 25 à 100. AE GB
R snack carte environ 65 – 20 – **66 ch** 175/205.

Motel Azur sans rest, 50 rte Strasbourg ☎ 41.32.15 – cuisinette wc P.
SC : 11 – **21 ch** 50/115.

tourner →

à Horbourg par ② : 3,5 km – 3 229 h. – ✉ **68000** Colmar :

Cerf, ☎ 41.20.35, – wc ☎ Ⓟ
fermé fév. et jeudi (sauf hôtel en sais.) – SC : **R** 35/100 – 11 – 30 ch 55/110 – P 100/125.

Romains, 13 rte Neuf-Brisach ☎ 23.46.46 – wc ☎ Ⓟ – 80. GB. rest
SC : **R** *(fermé dim. soir et lundi de nov. à mars)* 35/100 – 13 – **69 ch** 80/155 – P 148/220.

à Wettolsheim par ⑤ et D 1bis II : 4,5 km – ✉ **68000** Colmar :

XXX ✲ **Aub. Père Floranc** avec ch, ☎ 41.39.14, – wc Ⓟ. GB . ch
fermé 1er au 15 juil., nov., dim. soir hors sais. et lundi – **R** 58/173 – 20 – **13 ch** 55/150
Spéc. Foie gras, Tourte de cailles, Gratin de fruits. **Vins** Edelzwicker, Riesling.

Annexe : Le Pavillon M , « Collection de coquillages » – wc wc Ⓟ. GB .
SC : 20 – **19 ch** 140/276.

à Andolsheim par ② : 6 km – ✉ **68600** Neuf-Brisach :

✲ **Soleil** , ☎ 71.40.53, – wc wc Ⓟ.
fermé 1er au 8 juil., fév. et mardi – **R** 70/125 – 14 – **17 ch** 50/160
Spéc. Foie gras frais, Florentine de brochet, Faisan au chou rouge (saison de chasse). **Vins** Edelzwicker, Pinot blanc.

à Bischwihr par ② et D 111 : 8 km – ✉ **68320** Muntzenheim :

Relais du Ried M , ☎ 47.47.06, – wc wc ☎ Ⓟ
fermé 22 déc. au 1er fév. – SC : **R** 30/50 – 10,50 – **42 ch** 85/130.

à Wintzenheim par ⑤ : 6 km – 6 637 h. – ✉ **68000** Colmar.

Voir O : route des Cinq Châteaux★.

Meyer, ☎ 27.04.36 – wc Ⓟ.
15 mars-31 oct. – SC : **R** *(fermé vend. hors sais.)* 35/90 – 10 – 15 ch 45/80.

X **Au Bon Coin,** 4 r. Logelbach ☎ 27.00.68
fermé 13 au 31 juil., 8 au 26 fév., merc. soir et jeudi – SC : **R** 42/110 .

à Logelheim SE par D 13 et D 45 - CZ - 9 km – ✉ **68600** Neuf-Brisach :

X **Stoffel "A la Vigne"** avec ch, ☎ 41.73.40 – .
fermé 15 juin au 2 juil., 15 au 31 déc., mardi soir et merc. – **R** 45/85, dîner à la carte – 9 – 7 ch 50/70 – P 90.

MICHELIN, Agence, 3 r. Curie, Z.I. Nord par ① ☎ **41.15.42**

ALFA-ROMEO Auto-Central, 11 r. Grenouillère ☎ 41.24.69
AUDI-VOLKSWAGEN Gar. Dittel, 138 rte de Neuf-Brisach ☎ 41.47.15
CITROEN ALSAUTO, 4 r. Timkem, Zone Ind. Nord ☎ 41.34.58
FIAT Auto-Market-Colmar, rte de Neuf-Brisach ☎ 41.57.80
FORD Bolchert, 77 r. Morat ☎ 41.31.25
LANCIA-AUTOBIANCHI Autos-Sport-Colmar, 20 pl. Haslinger ☎ 23.19.71 N
OPEL Gangloff, 15 r. Stanislas ☎ 41.19.50
RENAULT Gar. Zeh, 50 av. République ☎ 23.99.43
RENAULT Gar. Reech, 1 Gde-Rue, Horbourg-Wihr ☎ 41.26.86
RENAULT Gar. Reecht, 71 a Gde-Rue à Horbourg-Wihr ☎ 41.27.28
TALBOT Europe-Autos-Colmar, 101 rte Rouffach ☎ 41.07.73
TOYOTA, VOLVO Auto-Hall, 84 rte de Neuf-Brisach ☎ 41.81.10

Daesslé et Klein, 5 r. J.-Preiss ☎ 41.26.01 et r. des Frères-Lumière, Zone Ind. Nord ☎ 41.94.72
Kautzmann, 64 r. Papeteries ☎ 41.06.24

à Wintzenheim :

CITROEN Gar. Schaffhauser, 25 rte Rouffach ☎ 41.01.07 N
RENAULT Gar. Lauber, 6 r. Clemenceau ☎ 27.02.02

COLMARS 04370 Alpes-de-H.-Pr 81 ⑧ G. Côte d'Azur (plan) – 311 h. alt. 1 235 – 92.

Paris 815 – Barcelonnette 44 – Cannes 129 – Digne 71 – Draguignan 109 – ♦Nice 124.

Le Chamois, ☎ 83.43.29, ← – wc wc Ⓟ. .
Pentecôte-oct. et 23 déc.-Pâques – SC : **R** 36/45 – 12 – **26 ch** 66/115 – P 135/155.

COLOMARS 06 Alpes-Mar. 84 ⑨, 195 ㉖ – 1 241 h. alt. 334 – ✉ 06670 St-Martin-du-Var – 93.

Paris 940 – Antibes 32 – Cannes 43 – Grasse 49 – Levens 22 – ♦Nice 17 – Vence 22.

Rédier , ☎ 08.11.36, ←, – wc wc Ⓟ – 40.
fermé 2 au 15 janv. – SC : **R** 55/100 – 12 – **28 ch** 130/200 – P 150/180.

Allacciate le cinture di sicurezza sia in viaggio sia in città.

COLOMBEY-LES-DEUX-ÉGLISES 52330 H.-Marne 61 ⑲ **G. Nord de la France** – 396 h. alt. 352 – ✪ 25.

Voir Mémorial du Général-de-Gaulle.

Paris 225 – Bar-sur-Aube 15 – Châtillon-sur-Seine 62 – Chaumont 27 – Neufchâteau 70.

Dhuits M, N 19 ☎ 01.50.10 – TV wc – P – 50. AE E
fermé dim. soir et lundi du 1er déc. au 15 mars – **R** 35/70 – 12 – **30 ch** 120/140.

Montagne avec ch, ☎ 01.51.69, – P. ch
fermé 3 janv. au 10 fév., lundi soir sauf rest. et mardi de sept. à mai – SC : **R** 35/100 – 9 – **11 ch** 37/57.

Garage Archambaux, ☎ 01.51.43

COLOMBIER 83 Var 84 ⑧, 195 ㉝ – rattaché à Fréjus.

COLPO 56 Morbihan 63 ③ – 1 476 h. alt. 117 – ✉ **56390** Grandchamp – ✪ 97.

Paris 449 – Auray 28 – Josselin 28 – Locminé 9 – Plumelec 14 – Pluvigner 18 – Vannes 19.

Aub. Korn er Hoët, ☎ 66.82.02, – wc P.
fermé 25 sept. au 25 oct., dim. soir et lundi midi – SC : **R** 40/140 – 12 – **17 ch** 60/130 – P 135/170.

COLROY-LA-ROCHE 67 B.-Rhin 62 ⑧ – 307 h. alt. 424 – ✉ **67420** Saales – ✪ 88.

Paris 403 – Lunéville 65 – St-Dié 31 – Sélestat 30 – ♦Strasbourg 62.

✿ **Host. La Cheneaudière** M, ☎ 97.61.64, ←, « Coquette hostellerie dans un jardin », – TV P. AE
fermé janv. – SC : **R** 90/150 – 20 – **28 ch** 210/300 – P 260/280
Spéc. Truite saumonée fumée, Pot au feu de volailles, Glace au miel de sapin.

RENAULT Gar. Wetta, St-Blaise-la-Roche ☎ 97.60.84 N

COMBEAUFONTAINE 70120 H.-Saône 66 ⑤ – 366 h. alt. 252 – ✪ 84.

Paris 338 – Bourbonne-les-B. 37 – Épinal 85 – Gray 40 – Langres 51 – Luxeuil-les-B. 47 – Vesoul 24.

Balcon, ☎ 78.62.34 – wc P.
fermé 21 au 26 sept., 24 déc. au 6 janv., dim. soir hors sais. et lundi – SC : **R** 45/100 – 10 – **26 ch** 45/150 – P 90/150.

La COMBE-DES-ÉPARRES 38 Isère 74 ⑬ – rattaché à Bourgoin-Jallieu.

COMBE-LAVAL *** 26 Drôme 77 ③⑬ **G. Alpes.**

COMBLOUX 74 H.-Savoie 74 ⑧ **G. Alpes** – 1 219 h. alt. 986 – Sports d'hiver : 1 000/1 760 m 11 – ✉ **74700** Sallanches – ✪ 50.

Voir la Cry ※** O : 3 km.

Office de Tourisme ☎ 58.60.49, Télex 385550.

Paris 607 – Annecy 65 – Bonneville 37 – Chamonix 33 – Megève 5 – Morzine 52 – St-Gervais-les-B. 8.

Ducs de Savoie M, au Bouchet ☎ 58.61.43, ← Mt-Blanc, – P – 50. rest
1er juin-1er oct. et 15 déc.-20 avril – SC : **R** 65/85 – 16 – **50 ch** 150/210 – P 180/250.

Coeur des Prés, ☎ 58.63.37, ← Aravis et Mt-Blanc, – wc P – 40. rest
1er juin-15 sept. et 20 déc.-Pâques – SC : **R** 40/60 – 12 – **34 ch** 100/150 – P 145/165.

Aiguilles de Warens, ☎ 58.60.18 – wc wc. AE. rest
16 juin-25 sept. et 20 déc.-vacances de printemps – SC : **R** 58/68 – 15 – **34 ch** 110/160 – P 150/190.

Plein Soleil, ☎ 58.60.81, ← Mt-Blanc, – wc P. rest
25 juin-25 sept. et Noël-Pâques – SC : **R** 60/73 – 16,50 – 27 ch 125/176 – P 160/203.

Idéal-Mont-Blanc, ☎ 58.60.54, ← Mt-Blanc, – wc P. GB. ch
20 juin-15 sept. et 18 déc.-20 avril – SC : **R** 65/80 – 16,50 – 27 ch 120/185 – P 160/210.

L'Fredi, ☎ 58.61.80 – wc P. rest
15 juin-20 sept. et 15 déc.-Pâques – SC : **R** 50/62 – 12,50 – **18 ch** 60/120 – P 120/150.

Édelweiss, ☎ 58.64.06, – wc P. rest
20 juin-15 sept. et 20 déc.-Pâques – SC : **R** 45/65 – 12 – **25 ch** 55/135 – P 115/150.

tourner →

à Gemoën SE : 2 km – alt. 1 050 – ✉ **74700** Sallanches :

Caprice des Neiges, D 909 ☎ 58.63.22, ≤ Aravis, – wc ☎ P. *10 juin-20 sept. et 15 déc.-20 avril* – SC : **R** 36/50 – ☕ 15 – **20 ch** 70/115 – P 100/130.

Les Aravis, rte Megève ☎ 58.63.93, ≤ Aravis – wc ☎ P. *fermé 1er au 15 juin et 15 sept. au 20 déc.* – SC : **R** 35/50 – ☕ 10 – 14 ch 60/100 – P 95/140.

au Haut-Combloux O : 3,5 km – ✉ **74700** Sallanches :

Rond-Point des Pistes , ☎ 58.61.38, ≤ Mt-Blanc, – wc ☎ P. rest *25 juin-8 sept. et 20 déc.-15 avril* – SC : **R** 55/80 – ☕ 15 – 19 ch 150 – P 165/180.

rte de St-Gervais 3,5 km par D 909 – ✉ **74700** Sallanches :

Savoie H., ☎ 58.60.25 – P. rest *1er juin-30 sept. et 1er déc.-30 avril* – SC : **R** 42/55 – ☕ 12 – 10 ch 50/70 – P 105/115.

CITROEN Gar. du Perret, ☎ 58.60.92 N — RENAULT Gar. des Cimes, ☎ 58.63.61

COMBOURG 35270 I.-et-V. 59 ⑯ G. Bretagne – 4 719 h. alt. 66 – 99.

Voir Château★.

Syndicat d'Initiative pl. A.-Parent (juin-août et fermé dim. après-midi) ☎ 73.13.93.

Paris 368 – Avranches 50 – Dinan 24 – Fougères 47 – ♦Rennes 37 – St-Malo 36 – Vitré 56.

Château et Voyageurs, pl. Chateaubriand ☎ 73.00.38, – wc ☎ – 25 à 35. GB E *fermé 15 déc. au 15 janv., dim. soir et lundi hors sais.* – SC : **R** 40/150 – ☕ 11 – 33 ch 50/190 – P 120/190.

RENAULT Gar. St-Christophe, ☎ 73.04.90

COMBREUX 45 Loiret 64 ⑩ – 208 h. alt. 127 – ✉ 45530 Vitry-aux-Loges – 38.

Voir Étang de la Vallée★ NO : 2 km, G. Châteaux de la Loire.

Paris 124 – Châteauneuf-sur-Loire 13 – Gien 49 – Montargis 36 – ♦Orléans 33 – Pithiviers 29.

L'Auberge , ☎ 59.47.63, « Cadre campagnard », – wc wc ☎ P. *fermé 1er au 18 sept.* – SC : **R** *(fermé merc. hors sais. sauf fêtes)* 38/46 – ☕ 12 – **14 ch** 39/90 – P 110/130.

COMMENTRY 03600 Allier 73 ③ G. Auvergne – 10 203 h. alt. 385 – 70.

Paris 336 – Aubusson 77 – Gannat 49 – Montluçon 15 – Moulins 67 – Riom 68.

St-Christophe M sans rest, 30 r. Lavoisier ☎ 51.31.27, – wc wc ☎ P *fermé sam. du 2 nov. au 1er avril* – SC : ☕ 9,50 – **19 ch** 70/90.

XX **L'Auberge,** 47 r. J.-J.-Rousseau ☎ 51.30.41 – P *fermé août, dim. soir et lundi* – SC : **R** 40/140.

CITROEN Gauvin, 16 r. Danton ☎ 51.33.32 — TALBOT Debizet, 25 r. J.-J.-Rousseau ☎ 51.30.91

COMMERCY 55200 Meuse 62 ③ G. Vosges – 8 180 h. alt. 232 – 29.

A.C. 13 pl. Ch.-de-Gaulle ☎ 91.01.15.

Paris 260 ③ – Bar-le-Duc 38 ③ – ♦Metz 71 ① – Neufchâteau 51 ② – St-Dizier 55 ③ – Toul 32 ② – Verdun 53 ④.

Stanislas M, 13 r. Grosdidier **(a)** ☎ 91.12.36 – wc ☎ – 100. SC : **R** *(fermé lundi soir)* 48/125 – ☕ 11 – **32 ch** 85/95.

XX **Paris** avec ch, pl. Gare **(s)** ☎ 91.01.36, – wc wc ☎ – 40. ch SC : **R** 30/115 – ☕ 10 – 16 ch 48/90 – P 90/130.

PEUGEOT Billet, 112 r. 155e-Régt.-Inf. ☎ 91.20.22

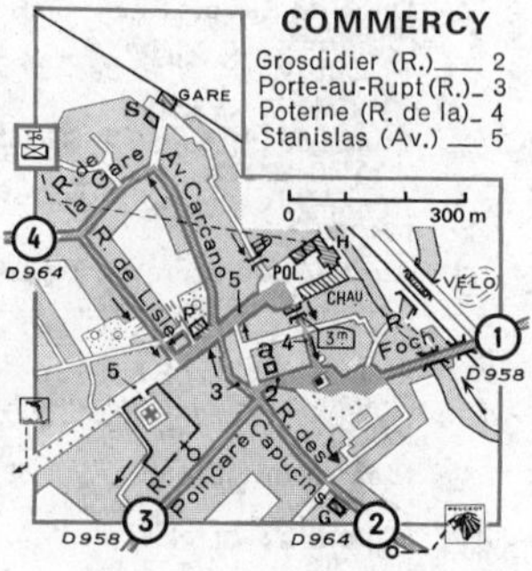

COMMERCY

Grosdidier (R.) 2
Porte-au-Rupt (R.) 3
Poterne (R. de la) 4
Stanislas (Av.) 5

COMPIÈGNE 60200 Oise 56 ②, 96 ⑩ G. Environs de Paris – 40 720 h. alt. 41 – 4.

Voir Palais★★★ CX **: musée de la voiture★★ – Parc★** CXY **– Hôtel de Ville★** BX **H – Boiseries★ de l'ancien Hôtel-Dieu** BX **B – Musée Vivenel★ : vases grecs★★** BX **M.**

Env. Forêt★★★ : clairière de l'Armistice★★.

18 ☎ 440.15.73 - CY – Office de Tourisme et A.C. pl. Hôtel de Ville ☎ 440.01.00.

Paris 82 ⑦ – ♦Amiens 77 ⑧ – Arras 106 ⑧ – Beauvais 57 ⑦ – Douai 121 ⑧ – St-Quentin 64 ① – Soissons 38 ③.

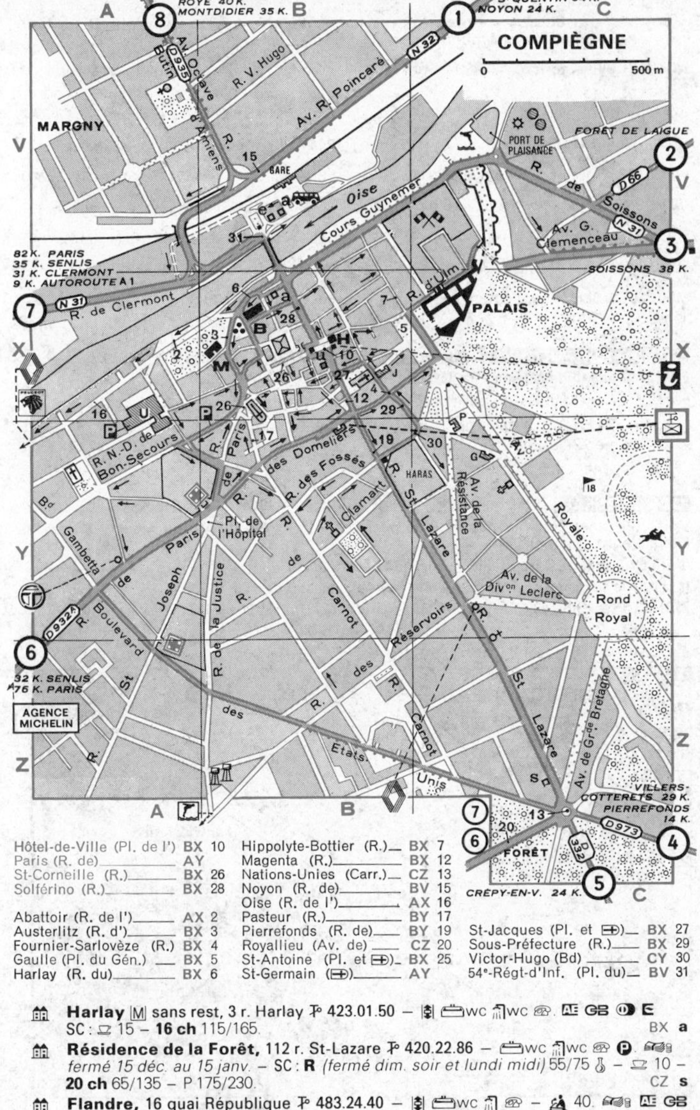

Harlay Ⓜ sans rest, 3 r. Harlay ☎ 423.01.50 – ascenseur bain wc douche wc ☎. AE GB ① E — BX **a**
SC : ☕ 15 – **16 ch** 115/165.

Résidence de la Forêt, 112 r. St-Lazare ☎ 420.22.86 – bain wc douche wc ☎ Ⓟ. — CZ **s**
fermé 15 déc. au 15 janv. – SC : **R** *(fermé dim. soir et lundi midi)* 55/75 🍷 – ☕ 10 – **20 ch** 65/135 – P 175/230.

Flandre, 16 quai République ☎ 483.24.40 – ascenseur bain wc douche ☎ – 40. AE GB ① — BV **e**
fermé 15 déc. au 15 janv. – SC : **R** 40/45 🍷 – **44 ch** ☕ 65/135.

XXX **Host. Royal Lieu** (ch. prévues), 9 r. Senlis à Royallieu par ⑥ D 932A : 2 km ☎ 420.10.24, ←, « Terrasse fleurie », parc – Ⓟ. AE GB ①
SC : **R** 80/150.

XX **Nord** avec ch, pl. Gare ☎ 483.22.30 – ascenseur TV bain wc douche wc ☎. GB. ✻ ch — BV **a**
SC : **R** *(fermé dim. soir)* 55/90 – ☕ 12 – **20 ch** 80/135.

X **Le Picotin,** 22 pl. H. de Ville ☎ 440.04.06 — BX **u**
fermé sept., mardi soir et merc. – SC : **R** 35/75.

à Choisy-au-Bac par ③ : 5 km – ✉ **60750** Choisy-au-Bac :

XX **Aub. des Étangs du Buissonnet,** ☎ 440.17.41 – Ⓟ
fermé 24 déc. au 21 janv., dim. soir et lundi sauf fêtes – SC : **R** carte 85 à 125.

en forêt de Compiègne - voir ressources hôtelières à ***St-Jean-aux-Bois, Vaudrampont, Vieux Moulin***

MICHELIN, Agence, r. Jacques de Vaucanson, Z.A.C. de Royallieu-Mercières par ⑥ ☎ 420.15.24

ALFA-ROMEO Gar. Deneuville, 2 bis r. du Chevreuil ☎ 420.29.94
AUDI-VOLKSWAGEN Éts Thiry, Centre Commercial, Jaux-Venette ☎ 483.29.92
BMW, OPEL Saint-Merri-Auto, 20 r. de Clermont ☎ 483.27.17
CITROEN Gar. Collard, N 31 à Venette ☎ 483.28.28 N ☎ 483.28.84
FIAT Ets Pacotte-Guy, 34 r. Amiens ☎ 483.24.34
FORD Gar. Ile-de-France, 186 av. O.-Butin à Margny ☎ 483.32.32
MERCEDES-BENZ SAFI 60, ZAC de Mercière ☎ 423.08.22
PEUGEOT Safari-Compiègne, r. Cl.-Bayard ☎ 420.19.63
RENAULT Guinard, av. Gén.-Weigand ☎ 420.32.57
RENAULT Gar. Salin, 23 r. St-Lazare ☎ 440.14.89
TALBOT Gar. St-Jacques, 80 r. Paris ☎ 420.08.85 N ☎ 440.03.84
Gar. Leclère, 8 r. Pierrefonds ☎ 440.02.89

Bouvet, 6 r. Austerlitz ☎ 423.22.17
Fischbach, r. J.-de Vaucanson, ZAC de Royallieu-Mercières ☎ 420.20.22

COMPS-SUR-ARTUBY 83840 Var 84 ⑦ G. Côte d'Azur – 206 h. alt. 898 – 94.

Env. Balcons de la Mescla*** NO : 14,5 km.

Paris 826 – Castellane 28 – Draguignan 32 – Grasse 60 – Manosque 99.

Gd H. Bain, ☎ 76.90.06 – wc wc P. ch
fermé 12 nov. au 20 déc. et merc. hors sais. – SC : **R** 35/75 – 9,50 – **17 ch** 50/90 – P 120/150.

CONCARNEAU 29110 Finistère 58 ⑪⑮ G. Bretagne – 19 040 h. – 98.

Voir Ville close** B – Musée de la pêche B **M1** – Pont du Moros ≤* B – Fête des Filets bleus* (fin août).

de Quimper et Cornouaille ☎ 56.97.09 par ① : 8 km.

Office de Tourisme pl. J.-Jaurès (fermé merc. et dim. hors sais.) ☎ 97.01.44.

Paris 543 ② – ♦Brest 93 ① – Lorient 52 ① – Quimper 24 ① – St-Brieuc 129 ① – Vannes 103 ①.

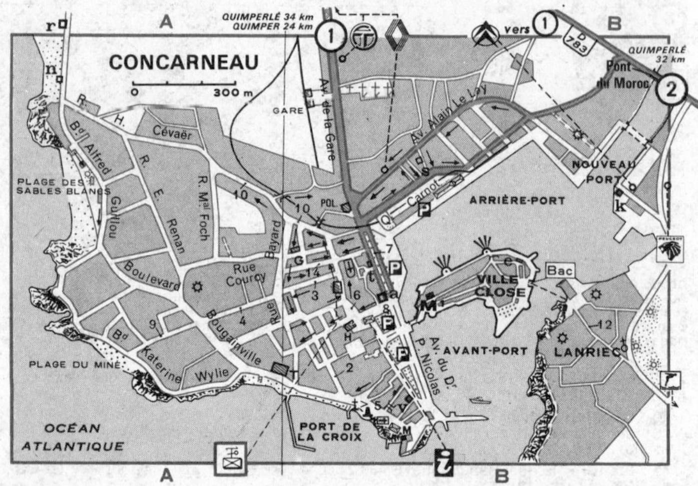

Ville Close :
Circulation réglementée l'été.

Gare (Av. de la)	B	
Guéguin (Av. Pierre)	B	7
Le-Lay (Av. Alain)	B	
Bart (R. Jean)	B	2
Berthou (R. Joseph)	B	3
Courbet (R. Amiral)	A	4
Croix (Quai de la)	B	5
Ecoles (R. des)	B	6
Jaurès (Pl. Jean)	B	8
Libération (R. de la)	A	9
Malakoff (R.)	B	10
Mauduit-Duplessis (R.)	B	12
Moros (R. du)	B	13
Morvan (R. Gén.)	B	14
Renan (R. Ernest)	A	15

Ty Chupen Gwenn M sans rest, plage Sables-Blancs ☎ 97.01.43, ≤ – wc wc. rest — A **n**
SC : 16 – **15 ch** 148/211.

Gd Hôtel, av. P.-Guéguin ☎ 97.00.28 – wc — B **a**
1er mai-30 sept. – SC : **R** 55/70 – 33 ch 85/180 – P 138/195.

Sables Blancs ⛬, plage Sables-Blancs ☎ 97.01.39, ≤ – ⇔wc ⋒wc ☎ – 40. AE GB ⓓ — A r
6 fév.-6 nov. – SC : **R** 46/165 – ⊒ 11,50 – 49 ch 65/165 – P 125/180.

Jockey sans rest, 11 av. P.-Gueguin ☎ 97.31.52 – ⋒. ✕ — B t
fermé 15 déc. au 15 janv. et dim. – ⊒ 10,50 – **14 ch** 84/120.

Modern sans rest, 5 r. Lin ☎ 97.03.36 – ⇔wc ⋒wc ☎ ⇔. ✕ — B s
SC : ⊒ 15 – **19 ch** 74/155.

XXX **Galion,** 15 r. St-Guénolé "Ville Close" ☎ 97.30.16 — B e
fermé 15 nov. au 15 déc., vacances de fév., dim. soir hors sais. et lundi – SC : **R** 92/225.

XX **Chez Armande,** 15 av. Dr.-P.-Nicolas ☎ 97.00.76 – AE GB — B v
fermé dim. soir hors sais. et lundi – SC : **R** 45/180.

X **Relais la Coquille,** ☎ 97.08.52 – GB — B k
fermé 11 au 26 mai, 20 déc. au 15 janv., dim. soir hors saison et lundi – SC : **R** 45/100.

à la plage du Cabellou par ② : 5,5 km – ✉ **29110** Concarneau – **Voir** ≤★.

Belle Étoile ⛬, ☎ 97.05.73, ≤, ⛬, ⛬ – ⇔wc ☎ Ⓟ. AE ⓓ
mai-sept. – SC : **R** 116/192 – ⊒ 26 – 31 ch 276/418 – P 296/398.

CITROEN Gar. Duquesne 4 r. du Moros ☎ 97.48.00
PEUGEOT Gar. du Moros, Zone Ind. du Moros ☎ 97.46.33
RENAULT Gar. de Penanguer, rte Quimper ☎ 97.36.06
RENAULT Thelin, 13 av. A.-Le-Lay ☎ 97.00.62
TALBOT Tilly, 106 av. Gare ☎ 97.35.00 Ⓝ

CONCHES-EN-OUCHE 27190 Eure 55 ⑯ **G. Normandie (plan)** – 3 785 h. alt. 144 – ⊛ 32.
Voir Église Ste-Foy★.
Paris 120 – L'Aigle 37 – Bernay 34 – Dreux 47 – Évreux 18 – ♦Rouen 60.

Normandie, 10 r. St-Étienne ☎ 30.04.58, ⛬ – ⇔
fermé 15 janv. au 15 fév. et vend. – SC : **R** 30/40 ♁ – ⊒ 8 – 11 ch 35/56 – P 70.

XX **Aub. du Donjon,** 55 r. Ste-Foy ☎ 30.04.75, ⛬
fermé du 4 au 27 nov., vacances de fév. et merc. – SC : **R** 45/75 ♁.

CITROEN Lemercier-Jourdain, ☎ 30.04.13 Ⓝ
PEUGEOT Marie, ☎ 30.23.50
RENAULT Peuret, ☎ 30.23.09 Ⓝ
Gar. Portier, ☎ 30.06.60 Ⓝ

CONCOULES 30 Gard 80 ⑦ **G. Vallée du Rhône** – 262 h. alt. 635 – ✉ **30450** Génolhac – ⊛ 66.
Paris 618 – Alès 44 – Florac 56 – Génolhac 7 – Nîmes 88 – Villefort 11.

Beauséjour, D 906 ☎ 83.72.43, ≤, ⛬ – Ⓟ. ⛬. ✕ ch
fermé 12 nov. au 25 déc. et merc. – SC : **R** 35/49 – ⊒ 8,50 – **16 ch** 44/75 – P 99.

CONCRESSAULT 18 Cher 65 ⑪⑫ – 232 h. alt. 190 – ✉ **18260** Vailly-sur-Sauldre – ⊛ 48.
Paris 182 – Bourges 57 – Cosne-sur-Loire 31 – ♦Orléans 74 – Salbris 43 – Vierzon 54.

XX **Cheval Rouge** avec ch, ☎ 73.71.56 – ⋒. ✕ ch
fermé fév., lundi (sauf rest.) et mardi – **R** 35/70, dîner a la carte ♁ – ⊒ 10 – 4 ch 65.

La CONDAMINE Principauté de Monaco 84 ⑩, 195 ㉗㉘ – voir à Monaco.

CONDÉ-STE-LIBIAIRE 77 S.-et-M. 56 ⑫, 96 ⑳ – rattaché à Esbly.

CONDÉ SUR L'ESCAUT 59163 Nord 53 ⑤ **G. Nord de la France** – 13 994 h. alt. 22 – ⊛ 27.
ℹ Syndicat d'Initiative Beffroi (Pâques-15 sept., après-midi seul.).
Paris 223 – Gent 74 – ♦Lille 53 – Valenciennes 13.

X **Host. du Berry,** ☎ 40.07.97
fermé 14 déc. au 4 janv. et lundi – SC : **R** 45/64 ♁.

CITROEN Gar. Kot, 211 rte de Bonsecours ☎ 40.09.46

CONDÉ-SUR-NOIREAU 14110 Calvados 55 ⑪ – 7 861 h. alt. 84 – ⊛ 31.
Paris 250 – Argentan 49 – ♦Caen 45 – Falaise 31 – Flers 12 – Vire 26.

XX **Cerf** avec ch, rte Aunay-sur-Odon ☎ 69.04.12 – ⇔wc ⋒ ☎ Ⓟ. ⛬ GB ⓓ. ✕ ch
fermé 24 août au 4 sept., 21 au 27 déc., 15 au 23 fév., dim. soir soir et lundi – SC : **R** 34/149 – ⊒ 10,50 – 10 ch 77/101 – P 123/151.

à St-Germain-du-Crioult O : 4,5 km – ✉ **14110** Condé-sur-Noireau :

XX **Aub. St-Germain** avec ch, ☎ 69.08.10 – GB. ✕
fermé lundi – SC : **R** 50/80 – ⊒ 10 – 4 ch 50/100.

CITROEN Robbe, 272 r. St-Martin ☎ 69.00.73
PEUGEOT Chrétien, 27 r. Vieux-Château ☎ 69.00.50
RENAULT Sevestre, 2 r. Vaubaillon ☎ 69.00.45

CONDOM <SP> 32100 Gers 79 ⑭ G. Pyrénées – 8 076 h. alt. 81 – ✪ 62.

Voir Cathédrale St-Pierre★ E, Cloître★ H – ℹ Syndicat d'Initiative pl. Bossuet ☎ 28.00.80.

Paris 681 ① – Agen 40 ② – Auch 44 ⑤ – Mont-de-Marsan 80 ⑦ – ♦Toulouse 112 ④.

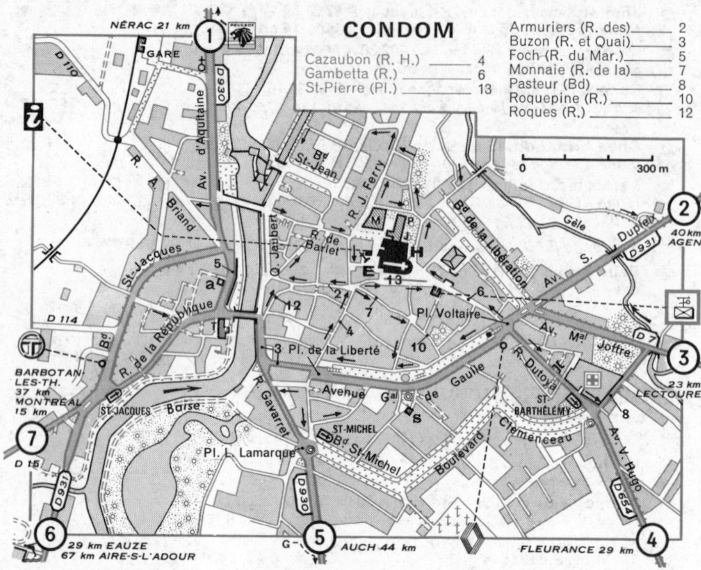

🏨 **Continental** (travaux prévus), 20 av. Mar.-Foch **(a)** ☎ 28.00.58 – wc
SC : **R** 32/90 – 10 – **25 ch** 50/85 – P 134/159.

XXX ✿✿ **Table des Cordeliers** avec ch, Rue des Cordeliers **(s)** ☎ 28.03.68, « Salle gothique », – rest TV wc ☎ ♿ P. AE GB ⓓ
fermé janv. et lundi sauf de juin à sept. – SC : **R** (dim. et fêtes prévenir) 55/190 et carte – 15 – **20 ch** 100/170 – P 230/300
Spéc. Parfait de lapereau en gelée, Foie frais de canard aux pommes, Aiguillettes de canette en civet. **Vins** Côtes de Buzet, Madiran.

FIAT, FORD Calmels, 28 bd St-Jacques ☎ 28.01.67
PEUGEOT Armagnac-Autom., 49 av. d'Aquitaine ☎ 28.00.17
RENAULT Rottier, pl.Voltaire ☎ 28.22.55
TALBOT Durrieu, bd St-Jacques ☎ 28.00.53
Rivière, bd Clemenceau ☎ 28.01.20

CONDRIEU 69420 Rhône 74 ⑪ G. Vallée du Rhône – 3 190 h. alt. 150 – ✪ 74.

Voir Calvaire ≤★.

Paris 501 – Annonay 34 – ♦Lyon 41 – Rive-de-Gier 21 – Tournon 52 – Vienne 11.

✿✿ **Hôt. Beau Rivage** (Mme Castaing) M, ☎ 59.52.24, « Terrasse avec vue agréable sur le Rhône », – P. AE GB ⓓ E
fermé 5 janv. au 15 fév. – **R** 115/175 et carte – 18 – 22 ch 130/200
Spéc. suivant produits de saison. **Vins** Côte Rotie, Viognier.

Voir aussi ressources hôtelières de *Roches de Condrieu* S : 1 km

CITROEN Migot, ☎ 59.53.24
Gar.Baronnier, ☎ 59.50.16

CONFLANS-STE-HONORINE 78700 Yvelines 55 ⑳, 101 ② G. Environs de Paris (plan) – 31 069 h. alt. 28 - Pardon national de la Batellerie (fin juin) – ✪ 3.

Voir ≤★ **de la terrasse du Parc.**

ℹ Office de Tourisme (fermé dim. après-midi et lundi) avec T.C.F. 23 r. M.-Berteaux ☎ 972.66.91.

Paris 31 – Mantes-la-Jolie 40 – Poissy 11 – Pontoise 8 – St-Germain-en-Laye 13 – Versailles 28.

X **Au Confluent de l'Oise,** 15 cours Chimay ☎ 972.60.31, ≤ – P. GB
fermé août, vacances de fév., dim. soir du 1er nov. à Pâques, merc. soir et lundi – **R** 48/116 ♨.

X **Au Bord de l'Eau,** 15 quai Martyrs-de-la-Résistance ☎ 972.86.51
fermé 10 au 24 août et lundi – **R** (déj. seul. sauf vend. et sam. : déj. et dîner) carte 70 à 100.

PEUGEOT Conflans-Autos, 123 av. Carnot ☎ 919.78.78

CONFOLENS 16500 Charente 72 ⑤ **G. Côte de l'Atlantique** (plan) – 3 200 h. alt. 152 – 45.

Office de Tourisme pl. Marronniers (fermé dim.) ✆ 84.00.77.

Paris 406 – Angoulême 63 – Bellac 36 – ♦Limoges 57 – Niort 103 – Périgueux 119 – Poitiers 72.

Émeraude, r. E.-Roux ✆ 84.12.77 – wc – 30. *fermé 16 mars au 23 avril, 16 sept. au 5 oct. et lundi hors sais.* – **R** 35/70 – 9 – 18 ch 60/110 – P 100/140.

Mère Michelet, rte de Niort ✆ 84.04.11 – SC : **R** 35/85 – 9 – 24 ch 40/100 – P 95/110.

Vienne, r. Ferrandie ✆ 84.09.24 – E *fermé 22 oct. au 12 nov. et sam. hors sais.* – SC : **R** 32/60 – 8 – **15 ch** 40/80 – P 80/100.

Aub. Belle Étoile avec ch, rte Angoulême ✆ 84.02.35, – wc *fermé 1er au 21 oct. et lundi d'oct. à juin* – SC : **R** 36/75 – 11 – 14 ch 55/110 – P 120/150.

CITROEN David, ✆ 84.12.42
RENAULT Nord-Charente-Autom., ✆ 84.07.00
TALBOT Ets Vergnaud, ✆ 84.00.79
Gar. Duchiron, ✆ 84.07.68

CONLEAU 56 Morbihan 63 ③ – rattaché à Vannes.

CONNAUX 30 Gard 80 ⑲⑳ – rattaché à Bagnols-sur-Cèze.

CONNERRÉ 72160 Sarthe 60 ⑭ **G. Châteaux de la Loire** – 2 523 h. alt. 76 – 43.

Paris 182 – Châteaudun 75 – Mamers 43 – ♦Le Mans 25 – Nogent-le-Rotrou 40 – St-Calais 27.

Gare, N : 1,5 km par D 33 ✆ 29.00.02, – *fermé 15 au 31 oct., 10 au 20 janv. et vend.* – SC : **R** 35/70 – 8,50 – **12 ch** 40/55 – P 85.

Aub. Tante Léonie, ✆ 29.00.24.

à Thorigné-sur-Dué SE : 4 km par D 302 – **72160** Connerré :

St-Jacques avec ch, ✆ 29.95.50 – wc *fermé janv. et lundi* – SC : **R** 35/120 – 10 – **11 ch** 45/110 – P 85/110.

CITROEN Gar. Guérin, ✆ 29.00.51
PEUGEOT Gar., Boulay, à Thorigné-sur-Dué ✆ 29.08.03
TALBOT Chancerel, à Thorigné-sur-Dué ✆ 29.05.23

CONQUES 12 Aveyron 80 ①② **G. Causses** (plan) – 432 h. alt. 250 – **12320** St-Cyprien-sur-Dourdou – 65.

Voir Site★★ – Église Ste-Foy★★ : tympan du portail Ouest★★★ et trésor★★★ – Site du Bancarel ≤★ S : 3 km par D 601n.

Paris 602 – Aurillac 57 – Espalion 50 – Figeac 54 – Rodez 37.

Ste-Foy , ✆ 69.84.03 – wc wc . rest *15 mars-5 nov.* – SC : **R** (dîner seul.) (nombre de couverts limité - prévenir) 53/70 – 16 – **20 ch** 70/200.

Le CONQUET 29217 Finistère 58 ③ **G. Bretagne** – 1 881 h. – 98.

Paris 616 – ♦Brest 24 – Brignogan-Plage 57 – St-Pol-de-Léon 78.

Pointe Ste-Barbe , ✆ 89.00.26, ≤ mer – wc wc . rest *fermé janv. et 1 au 9 fév.* – SC : **R** *(fermé lundi sauf juil.et août)* 48/185 – 12 – 33 ch 70/173 – P 151/202.

à la Pointe de St-Mathieu S : 4 km – **29217** Le Conquet.

Voir Phare ★★ – Ruines de l'église abbatiale★.

Pointe St-Mathieu, ✆ 89.00.19 – *fermé 12 nov. au 15 déc. et mardi hors sais.* – SC : **R** 35/150 .

RENAULT Gar. Taniou-le Goff ✆ 89.00.29

CONSOLATION (Cirque de) ★★ 25 Doubs 66 ⑰ **G. Jura** – alt. 793 – 81.

Voir la Roche du Prêtre ≤★★★ du D 41 15 mn – Vallée du Dessoubre★ N.

Paris 465 – Baume-les-Dames 47 – ♦Besançon 56 – Montbéliard 63 – Morteau 19.

Faivre avec ch, près D 39 à 5,5 km de Fuans 25390 Orchamps-Vennes ✆ 43.55.38, ≤ – . ch *fermé 15 nov. au 31 déc. et mardi hors sais.* – SC : **R** 45/90 – 9 – **10 ch** 40/50 – P 95/100.

Les CONTAMINES-MONTJOIE 74 H.-Savoie 74 ⑧ **G. Alpes** – 853 h. alt. 1 164 – Sports d'hiver : 1 164/2 500 m 3 18, – **74190** Le Fayet – 50.

Voir ≤★ sur gorges de la Gruvaz NE : 5 km.

Office de Tourisme (fermé dim. hors saison) ✆ 47.01.58, Télex 385730.

Paris 620 – Annecy 94 – Bonneville 50 – Chamonix 34 – Megève 20 – St-Gervais-les-B. 8,5.

La Chemenaz et rest La Trabla M, 47.02.44, ≤, – ☎ P
29 avril-30 sept. et 14 déc.-24 avril – SC : **R** 55/75 – 18 – **38 ch** 176/200 – P 189/215.

Le Chamois, 47.03.43, ≤, – cuisinette wc wc P.
27 juin-6 sept. et Noël-Pâques – SC : **R** 57/72 – 12 – **19 ch** 100/146 – P 152/160.

Gai Soleil M, 47.02.94, ≤, – wc wc P. rest
14 juin-18 sept. et 20 déc.-20 avril – SC : **R** 50/62 – 15 – **19 ch** 140/180 – P 140/180.

Le Christiania sans rest, 47.02.72, ≤, – wc P.
20 juin-8 sept. et 20 déc.-Pâques – SC : 11,50 – **15 ch** 65/140.

Grizzli, 47.02.43, ≤ – wc wc P. ch
10 juin-10 sept. et 18 déc.-Pâques – SC : **R** 38/60 – 11,50 – **16 ch** 90/140 – P 100/155.

Dômes, 47.02.86 – wc wc.
15 juin-15 sept. et 15 déc.-15 avril – SC : **R** 38/50 – 12 – **23 ch** 76/140 – P 118/148.

La Cordée, 47.03.97, ≤ – wc wc P.
15 juin-15 sept. et Noël-Pâques – SC : **R** 40/80 – 15 – **15 ch** 90/140 – P 120/150.

CONTES 06390 Alpes-Mar. 84 ⑩, 195 ⑰ **G. Côte d'Azur** – 4 277 h. alt. 260 – 93.
Voir Prédelle* dans l'église – Paris 952 – Levens 22 – ♦Nice 18 – Sospel 32.

X **Cellier** avec ch, D 15 79.00.64 – .
fermé 15 au 30 nov. et 15 au 31 déc. – SC : **R** *(fermé lundi)* 32/70 – 10 – 6 ch 80/90 – P 115/150.

CONTEVILLE 27 Eure 55 ④ – 463 h. alt. 30 – ✉ **27210** Beuzeville – 32.
Paris 181 – Évreux 81 – ♦Le Havre 42 – Honfleur 13 – Pont-Audemer 13 – Pont-l'Évêque 26.

XXX ✿ **Aub. Vieux Logis** (Louet), 57.60.16 – AE
fermé 15 janv. au 15 fév., merc. soir et jeudi – SC : **R** (nombre de couverts limité - prévenir) carte 100 à 165
Spéc. Foie gras frais de canard, Sole soufflée au Pouilly, Canard F. Revert.

CONTIS-PLAGE 40 Landes 78 ⑮ – ✉ **40170** St-Julien-en-Born – 58.
Paris 690 – ♦Bayonne 87 – Castets 30 – Mimizan 24 – Mont-de-Marsan 77.

Neptune, 42.85.28 – wc P. rest
Pâques-30 sept. – SC : **R** 35/60 – 11 – 16 ch 59/97.

CONTRES 41700 L.-et-Ch. 64 ⑰ – 2 811 h. alt. 100 – 54.
Paris 201 – Blois 21 – Châteauroux 77 – Montrichard 21 – Romorantin-Lanthenay 26.

France, 79.50.14 – wc wc P.
fermé 1er fév. au 8 mars et vend. – SC : **R** 39/92 – 9,50 – 30 ch 49/105 – P 98/135.

XX **Botte d'Asperges,** 79.50.49 –
fermé 13 déc. au 4 janv. et lundi – SC : **R** (nombre de couverts limité - prévenir) 45 (sauf sam. soir)/90.

CITROEN Gar. Coutant, 79.52.37
PEUGEOT Morin, 79.50.42
RENAULT Gar. Réunis, 79.50.70 N 71.32.71

CONTREXÉVILLE 88140 Vosges 62 ⑭ **G. Vosges** – 4 598 h. alt. 337 – Stat. therm. (mai-sept.) – Casino Y – 29
– Syndicat d'Initiative galeries du Parc Thermal (10 mai-20 sept. et fermé dim. après-midi) 08.08.68. (hors saison) 08.13.70.
Paris 322 ③ – Épinal 48 ① – Langres 67 ② – Luxeuil 71 ② – ♦ Nancy 76 ① – Neufchâteau 28 ③.

Cosmos, r. Metz 08.15.90, ≤, « Parc » – P. AE GB. rest — Y **u**
mai-sept. – SC : **R** 80/90 – 15 – **74 ch** 141/170 – P 255/291.

Gd H. Établissement, 08.17.30, ≤, parc – P. AE. rest — Z **e**
10 mai-15 sept. – SC : **R** 80/90 – 15 – **29 ch** 65/170 – P 209/291.

CONTREXÉVILLE

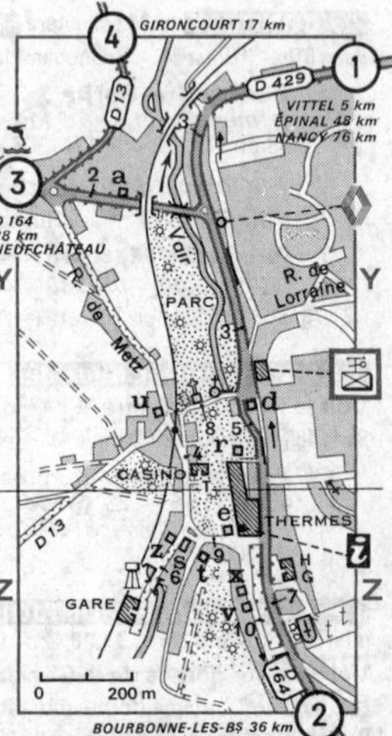

Souveraine, dans le parc ☎ 08.13.79, ≤ – wc wc ☎ & P. AE ⓓ. ⚔ rest Y r
10 mai-15 sept. – SC : **R** voir rest. H. Établissement – ☐ 15 – **31 ch** 65/170 – P 209/291.

Paris, av. Gde-Duchesse-Wladimir ☎ 08.01.76 – |‡| wc wc ☎ P. ⚔ rest Z s
2 mai-30 sept. – SC : **R** 70/140 – ☐ 15 – 48 ch 55/150 – P 150/200.

Sources, r. Ziwer-Pacha ☎ 08.04.48 – wc ☎. AE Z x
1er mai-30 sept. – SC : **R** 60/100 – ☐ 11 – **36 ch** 42/130 – P 120/180.

France, av. Roi-Stanislas ☎ 08.04.13 – wc wc ☎ P. GB E. ⚔ rest Z z
SC : **R** 40/80 ♨ – ☐ 10 – **40 ch** 45/140 – P 100/160.

Parc, 334 r. Shah-de-Perse ☎ 08.04.28 – wc wc ☎. Y d
Pâques-oct. – SC : **R** 35/60 ♨ – ☐ 10 – **31 ch** 60/120 – P 140/180.

Beauséjour, r. Ziwer-Pacha ☎ 08.04.89, – wc. GB Z v
1er mai-30 sept. – SC : **R** 38/55 ♨ – ☐ 10 – **29 ch** 40/80 – P 100/135.

Bains, r. Dr-Bagard ☎ 08.04.68 – ⚔ rest Z t
10 mai-20 sept. – SC : **R** 40/55 ♨ – ☐ 9,50 – 25 ch 50/92 – P 100/150.

Dalia, av. E.-Daudet ☎ 08.04.40, – P. ⚔ rest Y a
5 mai-22 sept. – SC : **R** 28/55 ♨ – ☐ 9,50 – **21 ch** 42/75 – P 95/115.

AUSTIN, BMW, MORRIS, TRIUMPH, TOYOTA Sud-Auto-Contrex, ☎ 08.03.17
RENAULT Frottier, ☎ 08.03.04

La COQUILLE 24450 Dordogne 72 ⑯ – 1 692 h. alt. 340 – ✪ 53.

Syndicat d'Initiative r. République (fermé dim. après-midi) ☎ 52.81.21.

Paris 439 – Brive-la-Gaillarde 98 – ♦Limoges 48 – Nontron 31 – Périgueux 53 – St-Yrieix-la-Perche 23.

Voyageurs, N 21 ☎ 52.80.13, – wc ☎ P. AE
1er avril-31 oct. – SC : **R** 50/125 – ☐ 15 – **10 ch** 72/115 – P 130/160.

à Mavaleix S : 4,5 km par N 21, VO et voie privée – ✉ **24800** Thiviers :

Château de Mavaleix , ☎ 52.82.01, ≤, parc – P – 100. ⚔
fermé janv. – SC : **R** 52/100 – ☐ 17 – **30 ch** 170/200 – P 210/230.

PEUGEOT Fauriat, ☎ 52.80.60 N
RENAULT Gar. Fayol, ☎ 52.81.35

CORBEIL-ESSONNES 91100 Essonne 61 ①, 96 ㉘ – voir Évry.

CORBIGNY 58800 Nièvre 65 ⑮ **G. Bourgogne** – 2 529 h. alt. 215 – ✪ 86.

Syndicat d'Initiative à la Mairie (fermé sam. après-midi et dim.) ☎ 20.11.98.

Paris 240 – Avallon 42 – Château-Chinon 38 – Nevers 61.

La Grange aux Loups, ☎ 20.01.86 – E
fermé 1er au 15 sept., 7 fév. au 1er mars, mardi soir hors sais. et merc. – SC : **R** 43/60 ♨.

CITROEN Gar. Philizot, ☎ 20.00.34
FORD, LADA Gar. Poinsard, ☎ 20.10.88 N
RENAULT Gar. Burguière, ☎ 20.15.91

CORDEMAIS 44 Loire-Atl. 63 ⑯ **G. Bretagne** – 1 817 h. alt. 16 – ✉ **44360** St-Étienne-de-Mont-Luc – ✪ 40.

Paris 403 – ♦Nantes 29 – St-Nazaire 35.

Aub. Les Bleuets, ☎ 72.85.36 – P. ⚔
fermé 3 au 24 août, dim. soir et lundi – SC : **R** 45/120.

CORDES 81170 Tarn 79 ⑳ **G. Causses** (plan) – 1 067 h. alt. 274 – ✪ 63.

Voir Site★★ – Maisons gothiques★.

Syndicat d'Initiative "Maison du Grand Fauconnier" (Pâques-1er nov.) ☎ 56.00.52.

Paris 681 – Albi 25 – Montauban 71 – Rodez 85 – ♦Toulouse 78 – Villefranche-de-Rouergue 47.

Grand Écuyer , ☎ 56.01.03, ≤, « Demeure gothique, bel intérieur ». AE ⓓ. ⚔ rest
15 mars-2 janv. et fermé dim. soir et lundi hors sais. – SC : **R** 80/170 – ☐ 25 – **17 ch** 150/280.

Les Cabannes O : 1,5 km par D 600 – ✉ **81170** Cordes :

Host. du Parc avec ch, ☎ 56.02.59, parc – wc wc ☎ P. ⚔ rest
fermé janv. et lundi du 15 sept. au 15 juin – SC : **R** 48/150 ♨ – ☐ 10 – **15 ch** 50/120 – P 95 bc/140 bc.

PEUGEOT Barrié, ☎ 56.02.61
TALBOT Andrieu, ☎ 56.00.33

CORDON 74 H.-Savoie 74 ⑦⑧ – rattaché à Sallanches.

CORENC-MONTFLEURY 38 Isère 77 ⑤ – rattaché à Grenoble.

CORLAY 22320 C.-du-N. 59 ⑫ – 1 215 h. alt. 172 – ✆ 96.
Paris 471 – Carhaix-Plouguer 44 – Guingamp 30 – Loudéac 35 – Pontivy 31 – St-Brieuc 35.

Armoric'H., Gde-Rue ✆ 29.41.17 –
SC : **R** *(fermé merc.)* 27/80 – 10 – **18 ch** 46/56 – P 85.

CORMEILLES-EN-VEXIN **95830** Val-d'Oise 55 ⑲, 96 ⑤ **G. Environs de Paris** – 729 h. alt. 148 – ✆ 3.
Paris 47 – Les Andelys 57 – Beauvais 46 – Gisors 27 – Mantes-la-Jolie 36 – Pontoise 9,5.

XXX ✿ **Relais Ste-Jeanne** (Cagna), sur D 915 ✆ 466.61.56, « Jardin » – P. AE GB
fermé 2 au 30 août, Noël, lundi soir et mardi – SC : **R** (nombre de couverts limité - prévenir) 130/190
Spéc. Turbot sauce hollandaise, Fricassée de homard (juin à sept.), Ris de veau au Sauternes.

CORNEVILLE-SUR-RISLE **27** Eure 55 ⑤ – rattaché à Pont-Audemer.

CORNILLON-CONFOUX **13** B.-du-R. 84 ② **G. Provence** – 810 h. – ✉ **13250** St-Chamas – ✆ 90.
Paris 737 – Aix-en-Provence 37 – ♦Marseille 54 – Salon-de-Provence 12.

Donjon sans rest, r. de l'Oratoire ✆ 58.12.88 –
SC : 7 – **10 ch** 35/80.

CORNIMONT **88310** Vosges 62 ⑰ – 5 225 h. alt. 490 – ✆ 29.
Syndicat d'Initiative pl. Pranzière (juil.-août et fermé dim.) ✆ 61.42.17.
Paris 427 – Colmar 59 – Épinal 54 – Gérardmer 20 – Thann 36 – Le Thillot 13.

Vosges, ✆ 61.40.46, – P
22 ch.

CITROEN Gar. Albert, ✆ 61.40.41

CORPS **38970** Isère 77 ⑮⑯ **G. Alpes** – 465 h. alt. 937 – N.-Dame-de-la-Salette : Pèlerinage (15 août) – ✆ 76.
Voir Barrage**, pont* et lac* du Sautet O : 4 km.
Env. Route** et Basilique N.-D.-de-la-Salette : site*, * N : 15 km.
Office de Tourisme (1er juil.-31 août) ✆ 30.03.85.
Paris 627 – Gap 40 – ♦Grenoble 63 – La Mure 25.

Poste, ✆ 30.00.03 – wc wc .
fermé nov. – SC : **R** 38/100 – 11,50 – **15 ch** 42/120 – P 100/140.

Le Napoléon sans rest, ✆ 30.00.42 – wc wc .
fermé 1er oct. au 15 nov. – SC : 10 – **22 ch** 35/120.

X **Tilleul,** ✆ 30.00.43
fermé 1er nov. au 15 déc. – SC : **R** 25/50.

au NE : 4 km par rte La Salette et D 212c – alt. 1 260 – ✉ **38970** Corps :

Boustigue H. , ✆ 30.01.03, ←, , , – wc wc P. rest
Pentecôte-25 sept. et Noël-Pâques – SC : **R** 50/80 – 13,50 – 19 ch 85/125 – P 155/180.

à Pellafol SO : 7 km par D 537 rte Superdevoluy – ✉ **38970** Corps :

Obiou , ✆ 30.03.13, ←, – wc wc P. AE GB. rest
1er mai-30 oct. – **R** 38/100 – 12 – 19 ch 48/120 – P 100/150.

PEUGEOT, RENAULT Rivière, ✆ 30.01.13 N

CORRENÇON-EN-VERCORS **38** Isère 77 ④ – 193 h. alt. 1 109 – Sports d'hiver : 1 109/2 150 m 11 – ✉ **38250** Villard-de-Lans – ✆ 76.
Paris 592 – ♦Grenoble 40 – Villard-de-Lans 5,5.

La Clé des Champs sans rest, ✆ 95.16.63, ←, – wc P.
SC : 9 – **10 ch** 60/80.

Lièvre Blanc , ✆ 95.16.79, ← – wc P. ch
1er juin-30 sept. et 20 déc.-20 avril – SC : **R** 55/65 – 12 – 22 ch 100 – P 145/150.

Dans ce guide
un même symbole, un même caractère,
imprimés en noir ou en rouge, en maigre ou en **gras**
n'ont pas tout à fait la même signification
Lisez attentivement les pages explicatives (p. 13 à 20).

41 ch – **28 ch**

CORSE **2A** Corse du Sud **2B** Haute Corse Carte 90 **G. Corse** – 293 287 h. – 95 – **Relations avec le continent : 50 mn env. par avion, 6 à 10 h par bateau (voir à Marseille, Nice, Toulon).**

Ajaccio P **2A** Corse-du-Sud 90 ⑰ – 51 770 h. alt. 18 – Casino Z – ✉ **20000** Ajaccio.

Voir Maison Bonaparte★ Z – **Place d'Austerlitz** Y : **monument de Napoléon Ier★** Y **N** – **Jetée de la Citadelle ≤★** Y – **Place Gén.-de-Gaulle ≤★** Z – **Musée Fesch★★** Z**M1**.

Env. S : **golfe d'Ajaccio★★** – **Pointe de la Parata ≤★★ 12 km par ③ puis 30 mn.**

Excurs. aux Iles Sanguinaires★★.

d'Ajaccio-Campo dell'Oro, Air France ☎ 21.16.70 par ② : 7 km.

Office de Tourisme pl. Maréchal-Foch (fermé sam. hors sais. et dim.) ☎ 21.40.87 - A.C. 1 av. E.-Macchini ☎ 21.14.07.

Bastia 153 ① – Bonifacio 140 ② – Calvi 159 ① – Corte 83 ① – L'Ile-Rousse 155 ①.

Plan page suivante

Campo dell'Oro M, par rte aéroport ☎ 22.32.41, Télex 460087, ≤ baie, – ▣ ☎ P – 500. AE E. rest
SC : **R** 100 – **138 ch** 280/420 – P 510/600.

Albion M sans rest, 15 av. Gén.-Leclerc ☎ 21.66.70 – ▣ P. AE E — Y **k**
SC : **64 ch** 175/205.

Fesch M sans rest, 7 r. Fesch ☎ 21.50.52 – . AE E — Z **y**
SC : **77 ch** 160/200.

Costa M sans rest, 2 bd Colomba ☎ 21.43.02, ≤ – . AE GB E. — Y **x**
SC : **54 ch** 156/196.

Napoléon M sans rest, 4 r. Lorenzo-Vero ☎ 21.30.01 – wc wc ☎. AE GB E — Z **s**
SC : **40 ch** 100/200.

Impérial, 6 bd Albert-Ier ☎ 21.50.62, – wc wc ☎. AE . rest — Y **e**
29 mars-30 oct. – **R** 50/70 – 15 – 44 ch 120/175.

San Carlu M sans rest, bd Casanova ☎ 21.13.84 – wc wc ☎. AE GB E — Z **f**
SC : 10 – **44 ch** 170/190.

Étrangers , 2 r. Rossi ☎ 21.01.26, « Jardin exotique » – wc wc ☎. AE E. rest — Y **m**
SC : **R** 65 – **40 ch** 175/245 – P 450/505 (pour 2 pers.).

Tamaco M sans rest, av. Col.-Colonna-d'Ornano ☎ 23.23.00 – cuisinette wc ☎ — Y **a**
34 ch.

Ile de Beauté sans rest, 18, Av. Dr N.-Franchini par① ☎ 22.32.31 – wc ☎
28 ch.

Spunta Di Mare, par ① ☎ 22.41.42, ≤ – P – 30. . rest — Y **s**
SC : **R** *(fermé 15 déc. au 15 janv. et dim. du 1er oct. au 30 juin)* 38 – 64 ch 90/165 – P 135/226.

XXX **Bec Fin,** 3 bis bd Roi-Jérôme ☎ 21.30.52 – ▣. AE GB — Z **n**
fermé dim. sauf le soir en été – SC : **R** 55.

XX **Chez Fredante,** ☎ 21.31.85 – — Z **a**
fermé 15 nov. au 27 déc., dim. et fêtes – **R** (fermé le soir hors saison) carte 105 à 155.

XX **Point "U",** 59 bis r. Fesch ☎ 21.59.92 – GB — Z **t**
fermé mars et merc. – SC : **R** 50.

X **La Grange,** 4 r. N.-Dame ☎ 21.25.32 – AE — Z **r**
1er mars-15 déc. et fermé lundi – **R** carte 65 à 85.

X **France,** 59 r. Fesch ☎ 21.11.00 — Z **t**
fermé 20 janv. au 15 fév. et dim. – SC : **R** 28/130.

X **Pardi** (chez Charlot), 60 r. Fesch ☎ 21.43.08 — Z **q**
fermé 20 déc. au 31 janv. et dim. – **R** 30 bc/65 bc.

X **Chez Gambarelli,** 3 r. Porta ☎ 22.52.24 – AE GB — Z **u**
SC : **R** 28/80.

route des Sanguinaires – ✉ **20000** Ajaccio :

Eden Roc M , par ③ : 8 km ☎ 21.39.47, ≤ golfe, – P.
4 mai-30 sept. – SC : **R** 110 – 30 ch (pens. seul.) – P 270/300.

Cala di Sole , par ③ : 6 km ☎ 21.39.14, ≤, , , – ▣ ch P. AE E. rest
1er avril-31 oct. – SC : 31 ch (pens. seul.) – P 225/265.

Dolce Vita M , par ③ : 8 km ☎ 21.35.20, « **Terrasses ombragées sur le golfe** » ≤, , , – ▣ ch TV P – 32 ch.

Palm Beach, rte Sanguinaires ☎ 21.35.62, – wc wc ☎ – *sais.* – 14 ch.

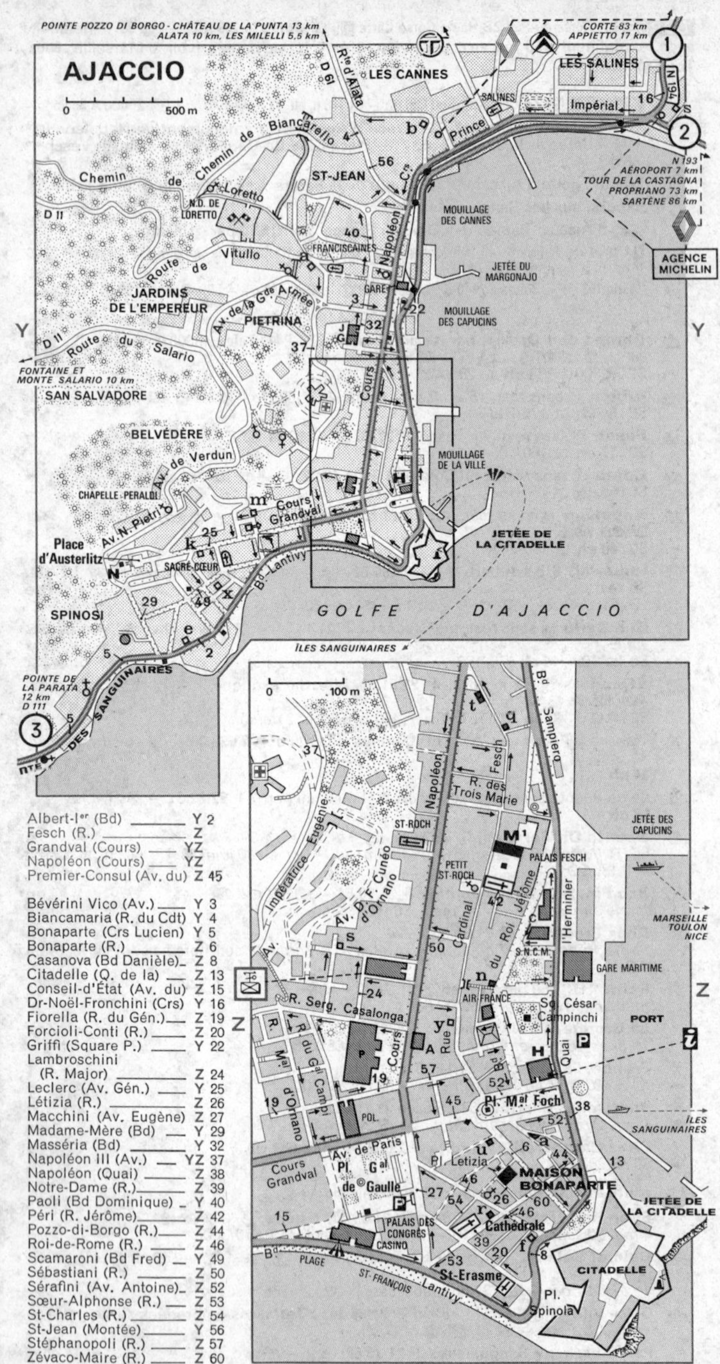
AJACCIO
0 500 m
POINTE POZZO DI BORGO - CHÂTEAU DE LA PUNTA 13 km
ALATA 10 km, LES MILELLI 5,5 km
CORTE 83 km
APPIETTO 17 km
LES CANNES
LES SALINES
Impérial
Prince
SALINES
Rte d'Alata
D 61
Chemin de Biancarello
Chemin de Loretto
N.D. DE LORETTO
D 11
ST-JEAN
MOUILLAGE DES CANNES
N 193
AÉROPORT 7 km
TOUR DE LA CASTAGNA
PROPRIANO 73 km
SARTÈNE 86 km
AGENCE MICHELIN
Route de Vitullo
FRANCISCAINES
JETÉE DU MARGONAJO
GARE
JARDINS DE L'EMPEREUR
Av. de la Gde Armée
PIETRINA
MOUILLAGE DES CAPUCINS
Route du Salario
FONTAINE ET MONTE SALARIO 10 km
SAN SALVADORE
Cours Napoléon
BELVÉDÈRE
Av. de Verdun
MOUILLAGE DE LA VILLE
CHAPELLE PERALDI
Cours Grandval
Av. N. Pietri
JETÉE DE LA CITADELLE
Place d'Austerlitz
SACRÉ-CŒUR
Bd Lantivy
SPINOSI
GOLFE D'AJACCIO
ÎLES SANGUINAIRES
POINTE DE LA PARATA 12 km D 111
Rte DES SANGUINAIRES
PTE
0 100 m
Bd Sampiero
R. des Trois Marie
Napoléon
Fesch
Impératrice Eugénie
Av. D. F. Cunéo d'Ornano
ST-ROCH
PETIT ST-ROCH
PALAIS FESCH
Cardinal
du Roi Jérôme
l'Herminier
JETÉE DES CAPUCINS
MARSEILLE TOULON NICE
S.N.C.M.
GARE MARITIME
AIR FRANCE
R. Serg. Casalonga
Sq. César Campinchi
PORT
R. du Gal Campi
Mal d'Ornano
Cours
Rue
Bd
Quai
Pl. Mal Foch
ÎLES SANGUINAIRES
POL.
Av. de Paris
Cours Grandval
Pl. Gal de Gaulle
Pl. Letizia
MAISON BONAPARTE
JETÉE DE LA CITADELLE
PALAIS DES CONGRÈS
CASINO
Cathédrale
Bd PLAGE
ST-FRANÇOIS
Lantivy
St-Erasme
Pl. Spinola
CITADELLE
Albert-Ier (Bd) Y 2
Fesch (R.) Z
Grandval (Cours) YZ
Napoléon (Cours) YZ
Premier-Consul (Av. du) Z 45
Bévérini Vico (Av.) Y 3
Biancamaria (R. du Cdt) Y 4
Bonaparte (Crs Lucien) Y 5
Bonaparte (R.) Z 6
Casanova (Bd Danièle) Z 8
Citadelle (Q. de la) Z 13
Conseil-d'État (Av. du) Z 15
Dr-Noël-Fronchini (Crs) Y 16
Fiorella (R. du Gén.) Z 19
Forcioli-Conti (R.) Z 20
Griffi (Square P.) Y 22
Lambroschini (R. Major) Z 24
Leclerc (Av. Gén.) Y 25
Létizia (R.) Z 26
Macchini (Av. Eugène) Z 27
Madame-Mère (Bd) Y 29
Masséria (Bd) Y 32
Napoléon III (Av.) YZ 37
Napoléon (Quai) Z 38
Notre-Dame (R.) Z 39
Paoli (Bd Dominique) Y 40
Péri (R. Jérôme) Z 42
Pozzo-di-Borgo (R.) Z 44
Roi-de-Rome (R.) Z 46
Scamaroni (Bd Fred) Y 49
Sébastiani (R.) Z 50
Sérafini (Av. Antoine) Z 52
Sœur-Alphonse (R.) Z 53
St-Charles (R.) Z 54
St-Jean (Montée) Y 56
Stéphanopoli (R.) Z 57
Zévaco-Maire (R.) Z 60

MICHELIN, Agence, av. du Prince-Impérial Y ☏ **22.08.51**

ALFA-ROMEO Auto-Hall, Tahiti-Plage ☏ 22.02.97
DATSUN, LADA, SKODA A.T.A., Résidence 1er Consul, r. Mar.-Lyautey ☏ 22.15.83
FIAT Gar.Liberté, 4 r. du Dr. Dell-Pellegrino ☏ 23.11.31
RENAULT S.I.C.A., N 193, les Salines ☏ 22.38.00
RENAULT Gar. Lombardi, r. Bonardi ☏ 22.43.85
TALBOT Gar. Casanova, rte de Mezzavia, "Le Pozzo" ☏ 22.37.96
Gar. Emmanuelli, av. Prince-Impérial ☏ 22.09.76
Gar. Méditerranée, 2 av. Prés.-J.-Kennedy ☏ 22.14.77

Maison du Pneu, 6 r. M.-Bozzi ☏ 23.38.88

Les hôteliers souhaitent que vous dîniez à leur restaurant, toutefois certains vous logeront même si vous ne prenez pas de repas. Nous indiquons leurs ***chambres en caractères gras*** *(voir p. 18).*

Aléria **2B** H.-Corse 90 ⑥ – 2 726 h. – ✉ **20270** Aléria.

Voir Musée Jérôme Carcopino★.

Env. NO : Vallée du Tavignano★.

Ajaccio 112 – Bastia 72 – Bonifacio 98 – Corte 50 – Porto-Vecchio 71.

Le Petit Bosquet, N 198 ☏ 57.02.16 – ⋒wc Ⓟ. ✻
avril-nov. et fermé dim. hors sais. – SC : **R** 45 bc/55 bc – ☕ 10 – **18 ch** 50/75 – P 150/180.

Algajola **2B** H.-Corse 90 ⑬ – 174 h. – ✉ **20220** Ile-Rousse.

Voir Citadelle★ – Descente de Croix★ dans l'église.

Ajaccio 164 – Calvi 15 – L'Ile-Rousse 9.

Plage, ☏ 60.72.12, ≤ – ⋒wc Ⓟ. ✻
1er mai-30 sept. – SC : 36 ch (pens. seul) – P 120/130.

Asco **2B** H.-Corse 90 ⑭ – 315 h. alt. 620 – ✉ **20276** Asco.

Env. E : Gorges★★.

Ajaccio 125 – Bastia 64 – Corte 42.

au Haut-Asco SO : 12 km par D 147 – alt. 1 450 – ✉ **20276** Asco.

Voir Site★.

Le Chalet ⛰, ☏ 46.81.08, ≤, montagnes – ⌂wc ⋒wc Ⓟ. ✻ ch
15 juin-15 sept. et 15 déc.-30 mars – **R** 50/65 – ☕ 15 – **22 ch** 90/120 – P 130/160.

Aullène **2A** Corse-du-Sud 90 ⑦ – 821 h. alt. 850 – ✉ **20116** Aullène.

Ajaccio 70 – Bonifacio 88 – Corte 107 – Porto-Vecchio 61 – Propriano 43 – Sartène 34.

Poste avec ch, ☏ 78.61.21, ≤ – ✻ rest
1er avril-30 sept. – SC : **R** 40/50 – ☕ 9 – **20 ch** 50/70 – P 105/130.

Barcaggio **2B** H. Corse 90 ① – ✉ **20275** Essa.

Ajaccio 210 – Bastia 57 – St-Florent 67.

La Giraglia ⛰, ☏ 35.60.54, ≤ La Giraglia, – ⌂wc ⋒wc Ⓟ.
1er avril-30 sept. – SC : **R** 57/75 – 23 ch (pens. seul.) – P 161/178.

Barracone **2A** Corse-du-Sud – rattaché à Cauro.

Bastelica **2A** Corse-du-Sud 90 ⑥ – 1 780 h. alt. 770 – ✉ **20119** Bastelica.

Env. Col de Mercujo ≤ sur cirque★★ SO : 13,5 km et à 1 km du col : Belvédère – N : route du col de Scalella★.

Ajaccio 41 – Corte 62 – Propriano 71 – Sartène 84.

Chez Paul, ☏ 28.71.59 – ✻
SC : **R** 26 bc/35 bc.

Bastia P **2B** H.-Corse 90 ③ – 52 000 h. alt. 15 à 71 (citadelle) – ✉ **20200** Bastia.

Voir Terra-Vecchia★★ Y : le vieux port★★ Y – Terra-Nova★ Z : chapelle Ste-Croix★ Z K – Assomption de la Vierge★★ dans l'église Ste-Marie Z F, ≤★ des jardins suspendus (Musée d'Ethnographie corse Z M) - Église Ste-Lucie ≤★★ NO par D 31 X.

Env. ✻★★★ de la Serra di Pigno 14 km par ③ – ≤★★ du col de Teghime 10 km par ③.

✈ **de Bastia-Poretta,** ☏ **36.02.03 par ② : 20 km.**

Office de Tourisme pl. St Nicolas (fermé sam. hors sais. et dim.) ☏ 31.00.89 - A.C. Le Cimbalo, av. César-Vezzani ☏ 31.42.75.

Ajaccio 153 ② – Bonifacio 170 ② – Calvi 93 ③ – Corte 70 ② – Porto 135 ②.

BASTIA

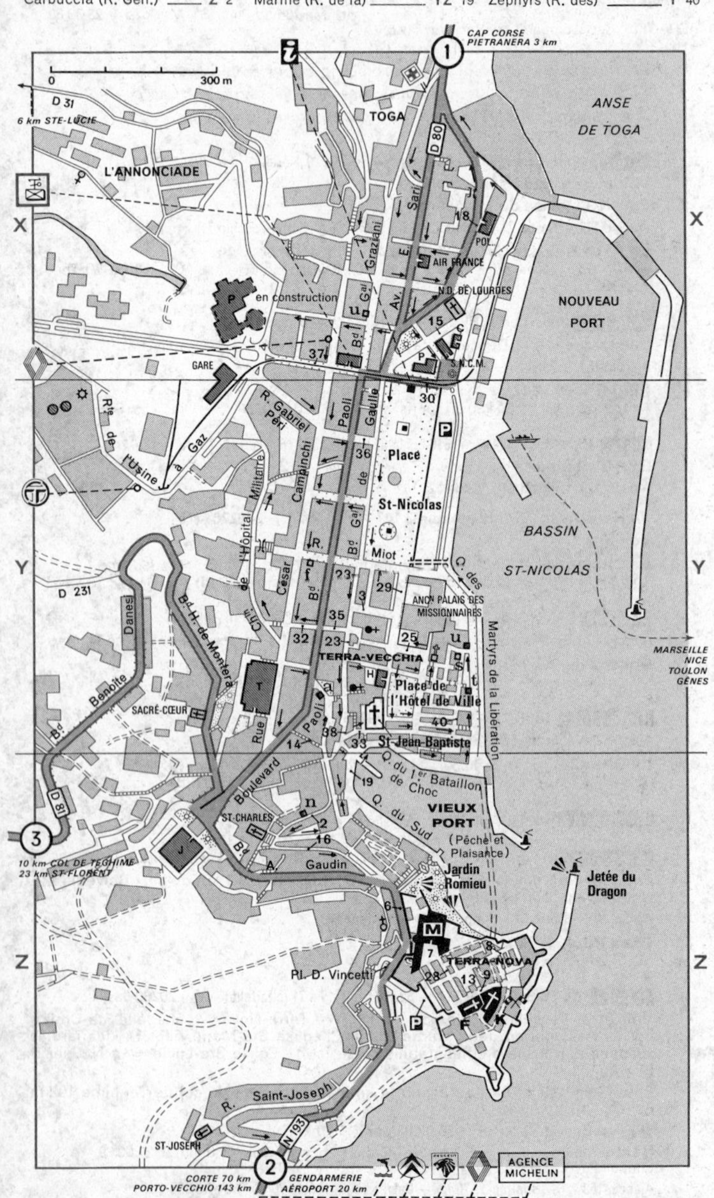

CAP CORSE
PIETRANERA 3 km
6 km STE-LUCIE
D 31
TOGA
ANSE DE TOGA
L'ANNONCIADE
NOUVEAU PORT
AIR FRANCE
N.D. DE LOURDES
en construction
GARE
S.N.C.M.
Rte de l'Usine à Gaz
R. Gabriel Péri
Place St-Nicolas
BASSIN ST-NICOLAS
D 231
Bd H. de Montera
Bd Benoite Danesi
ANCN PALAIS DES MISSIONNAIRES
TERRA-VECCHIA
Place de l'Hôtel de Ville
St-Jean-Baptiste
Q. des Martyrs de la Libération
MARSEILLE
NICE
TOULON
GÊNES
SACRÉ-CŒUR
Q. du 1er Bataillon de Choc
Q. du Sud
VIEUX PORT (Pêche et Plaisance)
ST-CHARLES
Boulevard
Bd A. Gaudin
Jardin Romieu
Jetée du Dragon
10 km COL DE TEGHIME
23 km ST-FLORENT
TERRA-NOVA
Pl. D. Vincetti
R. Saint-Joseph
ST-JOSEPH
N 193
CORTE 70 km
PORTO-VECCHIO 143 km
GENDARMERIE
AÉROPORT 20 km
AGENCE MICHELIN

O'Stella M, 4 km rte Ajaccio par ② ☎ 32.70.58, – P
R 70 – 15 – **30 ch** 130/170 – P 440.

Posta Vecchia M sans rest, quai Martyrs ☎ 32.32.38 – wc wc ☎. AE GB E — Y s
SC : 13 – **25 ch** 100/160.

Le Tyrrhénien M sans rest, quai Martyrs-de-la-Libération ☎ 31.67.56, < – wc wc ☎. AE GB E — Y u
SC : 13 – **19 ch** 100/160.

Bonaparte sans rest, 45 bd Gén.-Graziani ☎ 31.44.81 – wc wc ☎. GB — X u
SC : 12 – **24 ch** 100/160.

Central sans rest, 3 r. Miot ☎ 31.71.12 – wc . — Y f
SC : 10 – **18 ch** 70/120.

XXX Chez Assunta, pl. Neuve Fontaine ☎ 31.67.06, « Belle installation dans une ancienne chapelle » – — Y a

XX **Bistrot du Port,** quai Martyrs Libération ☎ 32.19.83 — Y u
fermé oct. et dim. – **R** carte 60 à 95.

X **La Taverne,** 9 r. du Lycée ☎ 31.17.87 – — Z n
fermé nov. et dim. – **R** 45.

X **Chez Mémé,** quai Martyrs-de-la-Libération ☎ 31.44.12, < — Y t
fermé fév. et dim. – **R** 32/40.

à Palagaccio par ① : 2,5 km :

L'Alivi M sans rest, ☎ 31.61.85, < – ☎ P. GB.
SC : **35 ch** 135/240.

à Pietranera par ① : 3 km – ✉ **20200** Bastia :

Pietracap M sans rest, D 131 ☎ 31.64.63, <, , parc – ☎ P. AE GB
fermé 15 déc. au 15 janv. – SC : 15 – **22 ch** 150/250.

Cyrnea M sans rest, ☎ 31.41.71, <, – wc P.
fermé 23 déc. au 1er fév. – SC : 9 – **20 ch** 60/110.

Thalassa, ☎ 31.56.63, < – wc wc P.
1er avril-30 oct. – SC : **R** 50 – 12 – 32 ch 120/220 – P 209/260.

à Miomo par ① : 5,5 km – ✉ **20200** Bastia.

Voir Erbalunga : village★ N : 4,5 km.

Sablettes, ☎ 31.06.13, < – P. ch
1er fév.-15 nov. – SC : **R** 45/80 – 12 – 48 ch 75/180 – P 170/200.

annexe **Motel les Sablettes,** M, ☎ 31.19.43 – TV wc – **20 ch.**

à Casatorra par ② : 9 km – ✉ **20200** Bastia :

Lancôme sans rest, ☎ 31.42.54 – wc wc P.
10 – **32 ch** 120/150.

à San Martino di Lota par ① et D 13 : 11 km – ✉ **20200** Bastia :

Coin de la Corniche , ☎ 31.40.98, < mer et vallée – P.
fermé 1er déc. au 15 fév., dim. soir et lundi hors sais. – SC : **R** 26/55 – 11 – 16 ch (pension seul) – P 120.

à la plage de Bastia par ② et rte bord de mer : 14 km – ✉ **20290** Borgo :

Isola M , ☎ 31.05.27, Télex 460695, <, , , – rest P – 60. AE E.
20 mars-31 oct. – SC : **R** 55 – 70 ch 130/250 – P 180/260.

à Crocetta par ② et rte aéroport : 17 km – ✉ **20290** Borgo :

Soleil Levant, ☎ 36.02.25, , – wc wc P. AE E.
SC : 43 ch 70/140.

à Casamozza par ② : 20 km – ✉ **20290** Borgo.

Env. Mariana : église de la Canonica★★ NE : 6 km.

Chez Walter M, ☎ 36.00.09, , , – TV wc P. AE GB
SC : **R** *(fermé lundi)* 55/60 – 15 – **32 ch** 130/185 – P 240/250.

MICHELIN, Agence, Z.I. par ② ☎ 31.62.83

CITROEN Succursale, N 193, sortie Sud Erbajolo ☎ 31.42.09
FIAT Corsauto, N 193 à Furiani ☎ 31.10.61
FORD Ets Schmitt, Zone Ind. ☎ 31.13.41
PEUGEOT Insulaire-Auto, N 193 Lupino à Furiani ☎ 31.22.27 N ☎ 31.53.89
RENAULT Doria-Autom., N 193 Lupino à Furiani ☎ 31.23.38
RENAULT Ginanni, 35 r. C.-Campinchi ☎ 31.09.02
TALBOT S.A.D.E.R.O., ch. Usine à Gaz ☎ 31.43.38

Ferrari, N 193 Précojo à Furiani ☎ 31.64.38
Seddas-Pneus, N 193 à Furiani ☎ 31.52.96

tourner →

Bavella (Col de) 2A Corse-du-Sud 90 ⑦ – alt. 1 243 – ✉ **20124** Zonza.

Voir ☀*** – **Env.** E : Forêt de Bavella** – Col de Larone ⩽** NE : 13 km.

Ajaccio 100 – Bastia 132 – Bonifacio 76 – Porto-Vecchio 49 – Propriano 48 – Sartène 46.

X **Aub. du Col,** ☎ 57.43.87
1er mai-30 sept. – **R** 32/95 🍷.

Bocognano 2A Corse-du-Sud 90 ⑥ – 616 h. alt. 640 – ✉ **20136** Bocognano.

Ajaccio 40 – Corte 43.

Premier Consul 🐢, ☎ 27.82.96, ⩽ – wc ⓟ. 🚗. 🚫
19 avril-30 sept. – SC : **R** 35/50 🍷 – ☕ 9 – **15 ch** 75/100 – P 154/179.

Bonifacio 2A Corse-du-Sud 90 ⑨ **G. Corse** (plan) – 3 015 h. – ✉ **20169** Bonifacio.

Voir Site*** – Vieille ville** – La Marine* : Col St-Roch ⩽** – Phare de Pertusato ☀*** SE : 5 km – **Env.** Ermitage de la Trinité ⩽** NO : 6,5 km – Grotte du Sdragonato* et tour des falaises.

✈ de Figari, ☎ 71.00.22 N : 21 km.

Ajaccio 140 – Bastia 170 – Corte 148 – Sartène 54.

Solemare sans rest, ☎ 73.01.06, ⩽ – ascenseur wc wc ☎ ⓟ. 🚗. 🚫
avril-oct. – SC : **59 ch** ☕ 125/200.

Étrangers sans rest, ☎ 73.01.09 – wc ⓟ. 🚗 GB
SC : ☕ 10 – **30 ch** 65/85.

XX **La Rascasse,** quai Port ☎ 73.01.26, ⩽ – ⓓ
1er avril-17 oct. – SC : **R** 40/80.

X **U. Ceppu,** golfe Santa Manza NE : 6 km par D 58 ☎ 73.05.83, ⩽ – ⓟ
fermé 5 janv. au 10 fév. et merc. du 1er oct. au 31 mai – SC : **R** 55/115.

Bussaglia 2A Corse-du-Sud 90 ⑮ – rattaché à Porto.

Calacuccia 2B H.-Corse 90 ⑮ – 1 100 h. alt. 830 – ✉ **20224** Calacuccia.

Voir Site** – Tour du lac de barrage** – Défilé de la Scala di Santa Régina** NE : 5 km – Casamaccioli ⩽* SO : 3 km – Chapelle St-Pancrace ⩽* NE : 4 km puis 15 mn.

Ajaccio 104 – Bastia 76 – Calvi 102 – Corte 27.

Touristes, ☎ 48.00.04, ⩽, 🍴 – wc ⓟ
Pâques-30 sept. – 36 ch.

Calvi ⟨SP⟩ 2B H.-Corse 90 ⑬ – 3 684 h. alt. 29 – ✉ **20260** Calvi.

Voir Citadelle** : Fortifications** – Église St-Jean-Baptiste** **B** – Oratoire de la Confrérie St-Antoine** **E** – la Marine* : port*.

Env. Belvédère N.-D. de-la-Serra ⩽*** 6 km par ② – ☀** de la terrasse de l'église de Montemaggiore 11 km par ①.

Excurs. en bateau : Calvi-golfe de Porto*** – Grotte des Veaux Marins**.

✈ de Calvi-Ste-Catherine : Air Inter ☎ 65.00.63, par ① : 7 km.

ℹ Office de Tourisme(fermé sam. hors sais. et dim.) ☎ 65.05.87, Télex 460709.

Ajaccio 159 ① – Bastia 93 ① – Corte 96 ① – L'Ile-Rousse 24 ① – Porto 76 ①.

Gd Hôtel Ⓜ sans rest, bd Président-Wilson **(a)** ☎ 65.09.74, Télex 460718, ⩽ – ascenseur ♿ – 🏛 50. AE GB ⓓ
1er mars-30 sept. – SC : ☕ 18 – **52 ch** 240/370, 6 appartements.

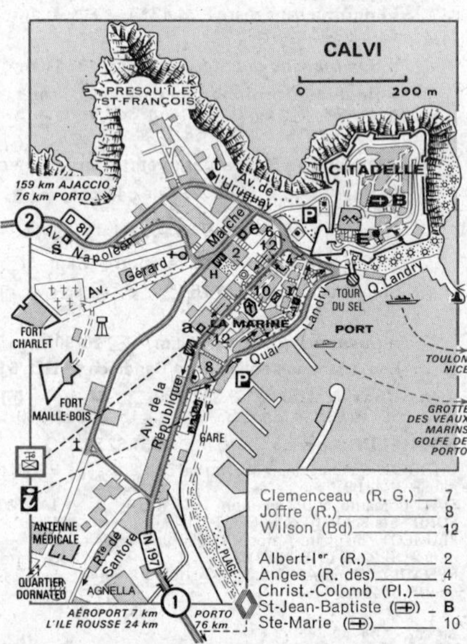

St-Érasme M sans rest, rte Ajaccio par ② : 0,8 km ☎ 65.04.50, ≤ – wc ☎ P. AE ⓓ
1er avril-20 oct. – SC : 12 – **32 ch** 70/140.

Kallisté, av. Cdt-Marche **(e)** ☎ 65.09.81, ≤, – wc wc ☎. . rest
mai-oct. – **R** 50/60 – 20 – **24 ch** 130/190 – P 165/210.

Résidence des Aloës, quartier Donatéo SO : 1,5 km ☎ 65.01.46, ≤ golfe, – wc wc ☎ P. AE. rest
mai-oct. – SC : **R** (dîner seul.) 75 – **25 ch.**

Revellata M, rte Ajaccio **(s)** ☎ 65.01.89, ≤ – wc wc ☎ P. .
1er avril-30 oct. – **R** carte 75 à 110 – 15 – 45 ch 130/150.

Les Arbousiers sans rest, par ① ☎ 65.04.47, ≤ – wc ☎ P. AE
1er mai-15 oct. – SC : **40 ch** 110/140.

Caravelle, à la plage par ① : 0,5 km par N 197 ☎ 65.01.21, ≤, pavillons dans un jardin – wc P. .
1er mai-30 sept. – SC : **R** 55/75 – 20 ch 110/140 – P 150/170.

Clos des Amandiers, par ① : 1,8 km par N 197 et route Pietra Major ☎ 65.08.32, ≤, parc, , – wc wc P
sais. – 20 ch.

Aria Marina sans rest, rte Ajaccio par ② : 1 km ☎ 65.04.42, ≤ – wc wc ☎ P
5 mai-10 oct. – SC : **30 ch** 130/140.

XXX ✿ **Ile de Beauté,** quai Landry **(r)** ☎ 65.00.46, ≤ port et golfe – ⓓ.
12 avril-15 oct. et fermé merc. sauf de juin à août – **R** carte 115 à 180
Spéc. Huîtres tièdes au citron vert, Terrine de poisson chaude, Ragoût de homard aux poivrons verts. **Vins** Calenzana, Calvi.

RENAULT Lafay, ☎ 65.11.63

Cap Corse (Tour du) ★★★ **2B** H.-Corse 90 ①② – 123 km au départ de Bastia.

Cargèse 2A Corse-du-Sud 90 ⑯ – 913 h. alt. 82 – ✉ **20130** Cargèse.
Voir Église latine ≤★.
Ajaccio 51 – Calvi 108 – Corte 106 – Piana 20 – Porto 32.

Helios M, E : 2 km par D 81 ☎ 26.41.24, – wc ☎ P.
15 janv.-oct. et fermé merc. hors sais. – SC : **R** 46/160 – 15 – **16 ch** 115/125 – P 160.

Lentisques M, plage Pero ☎ 26.42.34, ≤ – wc wc ☎ P. GB.
mai-fin sept., Noël-1er janv. et fév.-mars – SC : **R** 56/90 – 16 – **20 ch** 115/165 – P 172/210.

Thalassa, à la plage du Pero N : 1,5 km ☎ 26.40.08, ≤, – wc P. rest
1er mai-30 sept. – SC : 20 ch (pens. seul) – P 130/140.

La Spelunca, ☎ 26.40.12, ≤ – wc ☎ . rest
Pâques-oct. – SC : **R** 50/70 – 15 – 20 ch 100/130.

Casamozza 2B H.-Corse 90 ③ – rattaché à Bastia.

Casatorra 2B H.-Corse 90 ③ – rattaché à Bastia.

Cauro 2A Corse-du-Sud 90 ⑰ – 735 h. alt. 356 – ✉ **20117** Cauro.
Ajaccio 22 – Sartène 64.

Sampiero, ☎ 28.70.05 – wc P.
avril-oct. – 10 – **20 ch** 60/90 – P 130/140.

à Barracone O : 3 km sur N 196 – ✉ **20117** Cauro :

XX **U Barracone,** O : 3 km sur N 196 ☎ 28.40.55, « Cadre de verdure » – P. AE GB ⓓ
fermé 15 janv. au 1er mars et jeudi du 15 sept. à Pâques – SC : **R** 60.

Centuri-Port 2B H.-Corse 90 ① – 271 h. – ✉ **20238** Centuri.
Voir La Marine★.
Env. ★★ du moulin Mattei NE : 6,5 km puis 30 mn.
Ajaccio 212 – Bastia 59 – St-Florent 60.

Vieux Moulin, ☎ 35.60.15, ≤ – wc P. GB
fermé 1er au 25 nov. – SC : **R** 50/110 – 12 – **14 ch** 70/95 – P 140/155.

This symbol indicates restaurants serving a plain meal at a moderate price.

Corte ⟨SP⟩ **2B** H.-Corse **90** ⑤ **G. Corse** (plan) – 6 062 h. alt. 396 – ✉ **20250** Corte.

Voir Site★ – Ville haute★ : belvédère ※★.

Env. ※★★ du Monte Cecu N : 7 km – SO : Vallée★★ et forêt★ de la Restonica – SE : Vallée du Tavignano★.

Ajaccio 83 – Bastia 70 – Bonifacio 148 – Calvi 96 – L'Ile-Rousse 72 – Porto 86 – Sartène 141.

Sampiero Corso M sans rest, av. Prés.-Pierucci ☎ 46.09.76 – wc wc ☎ ♿ P.
avril-oct. – SC : ☕ 11 – **31 ch** 90/105.

Crocetta **2B** H.-Corse **90** ③ – rattaché à Bastia.

Evisa **2A** Corse-du-Sud **90** ⑮ – 723 h. alt. 830 – ✉ **20126** Evisa.

Voir Forêt d'Aïtone★★ – Belvédère ≤★★★ NE : 3 km puis 15 mn – Cascades d'Aïtone★★ NE : 3 km puis 30 mn.

Env. Col de Vergio ≤★★ NE : 10 km.

Ajaccio 72 – Calvi 99 – Corte 63 – Piana 33 – Porto 23.

Scopa Rossa M, ☎ 26.20.22, ≤ – wc wc P. GB.
1er fév.-31 oct. – SC : **R** 45/60 – ☕ 15 – **25 ch** 100/120 – P 280/320.

Aïtone, ☎ 26.20.04, ≤ – P.
fermé mi nov. à fin déc. – SC : **R** 38/80 – ☕ 10 – **30 ch** 60/90 – P 120/130.

Favone **2A** Corse du Sud **90** ⑦ – ✉ **20216** Ste-Lucie-de-Porto-Vecchio.

Ajaccio 143 – Bastia 114 – Bonifacio 56.

U Dragulinu, ☎ 57.41.49, – wc P.
mai-oct. – **R** 52 – ☕ 13 – 16 ch 110 – P 170/180.

Feliceto **2B** H.-Corse **90** ⑬ – 160 h. alt. 370 – ✉ **20225** Muro.

Ajaccio 156 – Calvi 26 – Corte 73 – L'Ile-Rousse 19.

Gd H. "Mare E Monti", ☎ 61.73.06, ≤, parc – wc wc ☎ P.
1er mai-30 sept. – SC : **R** 50/100 – ☕ 10 – **18 ch** 50/120 – P 117/150.

Galéria **2B** H.-Corse **90** ⑭ – 524 h. alt. 35 – ✉ **20245** Galéria.

Voir Golfe★.

Env. Croisière Galéria-Porto★★★.

Ajaccio 133 – Calvi 33 – Porto 50.

Filosorma, ☎ 62.00.02, ≤ – wc wc ☎ P. rest
1er avril-15 oct. – SC : **R** 50/60 – ☕ 15 – **12 ch** 100/150 – P 140/160.

L'Auberge avec ch, ☎ 62.00.15 –
Pâques-fin sept. – SC : **R** 33/40 – ☕ 12 – **6 ch** 70/85 – P 105.

à Ferayola N : 14 km par D 351 et D 81 – ✉ **20260** Calvi :

Aub.de Ferayola, ☎ 62.01.52, ≤ – wc wc P.
1er mai-30 sept. – **R** 40/50 – ☕ 10 – **10 ch** 95/120 – P 120/140.

Ghisoni **2B** H.-Corse **90** ⑥ – 950 h. alt. 658 – ✉ **20227** Ghisoni.

Ajaccio 79 – Bonifacio 112 – Corte 42 – Sartène 99.

Kyrie (chez Bontempi), ☎ 56.02.57, ≤ –
sais. – 28 ch.

Golfe de la Liscia **2A** Corse-du-Sud **90** ⑯ – ✉ **20111** Calcatoggio.

Voir Calcatoggio ≤★ SE : 5 km.

Ajaccio 26 – Calvi 137 – Corte 96 – Vico 26.

Transat H. de San-Bastiano (Hôtel Village), ☎ 28.20.35, Télex 460991, , , – wc wc ☎, sans P – 35 à 200. AE GB E rest
20 avril-15 oct. – SC : **R** 75 – ☕ 18 – 200 ch 185/260 – P 200/290.

Cinarca M, à Tiuccia ☎ 28.21.39, ≤, , , – cuisinette wc ☎ P
sais. – 46 ch.

Liscia M sans rest, ☎ 28.21.40, ≤, , – cuisinette wc wc ☎ P
2 mai-30 sept. – SC : **18 ch** ☕ 150/200.

Castel D'Orcino, à la pointe de Palmentojo ☎ 28.20.63, ≤ golfe, , – wc ☎ P. rest
1er mai-1er oct. – SC : **R** 44 – ☕ 18 – 23 ch 120/170.

Chez André avec ch, à Tiuccia ☎ 28.21.12, ≤, – P
sais. – 17 ch.

Golfo di Sogno **2A** Corse-du-Sud **90** ⑧ – rattaché à Porto-Vecchio.

L'Ile-Rousse 2B H.-Corse 90 ⑬ – 2 650 h. – ✉ **20220** l'Ile-Rousse.
Voir Ile de la Pietra★ : phare ⩽★ N : 2 km.
Syndicat d'Initiative pl. Paoli (1er avril-30 sept. et fermé dim.) ☎ 60.04.35.
Ajaccio 155 – Bastia 69 – Calvi 24 – Corte 72.

La Pietra Ⓜ, rte du Port ☎ **60.01.45,** ⩽ **mer et montagne** – wc wc ☎ Ⓟ. AE GB. ✻
Pâques-31 oct. – SC : **R** 65 – ☕ 15 – 40 ch 160/220 – P 220/310.

Isola Rossa Ⓜ **sans rest, rte du Port** ☎ **60.01.32,** ⩽ – wc Ⓟ. ✻
SC : ☕ 11 – **20 ch** 85/105.

Le Grillon, av. P.-Doumer ☎ **60.00.49** – wc wc Ⓟ.
fermé déc., janv. et dim. du 1er oct. au 31 mars – SC : **R** 45/65 – ☕ 13,50 – 20 ch 112/145 – P 173/215.

XX **California,** rte du Port ☎ **60.01.13,** ⩽ – Ⓟ
fermé nov. à janv. et merc. – **R** 50, carte le dim..

XX **Le Laetitia,** sur le Port ☎ **60.01.90,** ⩽ – GB
20 mars-10 oct. et fermé mardi hors sais. – SC : **R** carte 60 à 100 🍷.

X **Le Relais,** av. Piccioni ☎ **60.00.72**
fermé 15 déc. au 15 janv. et merc. – SC : **R** 35/55 🍷.

CITROEN Pissard, ☎ 60.00.73 N ☎ 60.11.65

à Monticello SE : 3 km – ✉ **20220** l'Ile-Rousse :

A Pastorella, ☎ **60.05.65,** ⩽ – wc. ✻ rest
fermé nov. – **R** *(fermé dim. du 1er oct. au 1er mars)* 45/60 – ☕ 12 – **14 ch** 70/110 – P 130/150.

à Lozari E : 7 km – ✉ **20226** Belgodère :

Les Mouettes, ☎ **60.09.32,** ⩽, **parc** – Ⓟ. ✻
1er avril-1er oct. – **R** *(fermé nov. et déc.)* 40/50 – ☕ 10 – **21 ch** 120/130.

Miomo 2B H.-Corse 90 ② – rattaché à Bastia.

Monticello 2B H.-Corse 90 ⑬ – rattaché à l'Ile-Rousse.

Partinello 2A Corse-du-Sud 90 ⑮ – 254 h. alt. 200 – ✉ **20150** Ota.
Env. Col de la Croix ⩽★★ NO : 9,5 km.
Ajaccio 96 – Calvi 63 – Corte 99 – Porto 13.

Chardon Bleu, ☎ **26.11.41,** ⩽ – , sans
1er avril-30 sept. – SC : **R** 40/50 – ☕ 10 – **11 ch** 80 – P 95.

Petreto-Bicchisano 2A Corse-du-Sud 90 ⑰ – 1 102 h. alt. 412 – ✉ **20140** Petreto-Bicchisano.
Ajaccio 50 – Sartène 36.

France, à Bicchisano ☎ **24.30.55** – Ⓟ. ✻
1er mai-3 nov. – SC : **R** 75/100 – 7 ch ☕ 65/150 – P 135/150.

Piana 2A Corse-du-Sud 90 ⑮ – 661 h. alt. 435 – ✉ **20115** Piana.
Voir Col de Lava ⩽★★ S : 1 km.
Env. NO : Route de Ficajola ⩽★★★ – Capo Rosso ⩽★★ O : 9 km.
Ajaccio 71 – Calvi 92 – Évisa 33 – Porto 12.

Capo Rosso Ⓜ, ☎ **26.12.35,** ⩽ **mer et golfe,** – wc wc ☎ Ⓟ. AE GB . ✻ ch
25 mars-15 oct. – **R** 45/110 – ☕ 17 – 55 ch 90/150 – P 145/160.

Continental, ☎ **26.12.02,** – wc Ⓟ.
1er avril-30 sept. – SC : **R** 40/65 – ☕ 13 – 17 ch 55/80.

Pietracorbara 2B H.-Corse 90 ② – 248 h. – ✉ **20233** Sisco.
Env. Sisco : chapelle St-Michel ⩽★★ 30 mn et Chef-reliquaire de St-Jean-Chrysostome★ dans l'église St-Martin, SO : 12 km.
Ajaccio 173 – Bastia 20.

Macchia E Mare, à la Marine ☎ **35.21.36,** ⩽ – wc, sans Ⓟ. ✻ rest
20 mai-20 sept. – SC : **R** 45 – ☕ 10 – 12 ch 60/100 – P 110/150.

Pietranera 2B H.-Corse 90 ②③ – voir à Bastia.

Pinarello 2A Corse-du-Sud 90 ⑧ – ✉ **20216** Ste-Lucie de Porto-Vecchio.
Ajaccio 151 – Bastia 131 – Bonifacio 47 – Porto-Vecchio 20.

La Tour Gênoise, ☎ **71.44.10,** ⩽ – wc ☎ Ⓟ. ✻ rest
1er juin-fin sept. – SC : **R** 60 – ☕ 14 – **32 ch** 150 – P 265.

Porticcio 2A Corse-du-Sud 90 ⑰ – ✉ **20000** Ajaccio.
Ajaccio 17 – Sartène 80.

Sofitel Thalassa M, ☎ 25.00.34, Télex 460708, ≤ golfe, – ch – 25 à 120. AE GB E. rest
SC : rest. **Le Caroubier R** carte 135 à 160 - **Sofi-Shop R** carte environ 80 – 100 ch (pens. seul.) – P 630/780.

Le Maquis, ☎ 25.05.55, Télex 460597, ≤, – AE
R carte environ 120 – **24 ch**.

Isolella, à Agnarello S : 4,5 km ☎ 25.41.36, ≤ – wc wc .
SC : **R** *(Pâques-fin oct.)* 46 – 13 – **28 ch** 100/115 – P 350 (pour 2 pers.).

Club, plage de la Viva ☎ 25.00.42, ≤ – . AE GB
fermé 8 janv. au 1er mars et mardi en hiver – SC : **R** 33/120.

Porticciolo 2B H.-Corse 90 ② – ✉ **20228** Luri.
Ajaccio 178 – Bastia 25.

Caribou M, à la Marine de Porticciolo ☎ 35.00.33, ≤, – cuisinette wc wc . AE GB
15 juin-1er oct. – **R** carte 120 à 165 – 40 ch, 6 pavillons – P 210/230.

Porto 2A Corse-du-Sud 90 ⑮ – ✉ **20150** Ota.
Voir La Marine★.
Env. Golfe de Porto★★★ – en vedette : SO : les Calanche★★★, N : Golfe de Girolata★★★ – Girolata★ ≤★★★ de la tour.
Syndicat d'Initiative 9 rte Forestière (1er avril-30 sept., fermé sam. après-midi et dim.) ☎ 26.10.55.
Ajaccio 83 – Bastia 135 – Calvi 76 – Corte 86 – Évisa 23.

Le Porto M, ☎ 26.11.20, ≤ – wc wc . AE E.
1er mai-30 sept. – **R** 50/90 – 30 ch 140/170.

Capo d'Orto M, ☎ 26.11.14, ≤ – wc . rest
15 avril-15 oct. – SC : **R** 46/75 – 12 – 30 ch 125 – P 145/195.

Vaïta, rte de la Marine ☎ 26.10.37, ≤ – wc wc . AE
1er avril-15 oct. – SC : **R** 38/52 – 26 ch 140/180.

Le Cyrnée, à La Marine ☎ 26.12.40, ≤ – wc wc .
1er avril-15 oct. – SC : **R** 50 – 10 ch (pension seul) – P 145.

Bella Vista sans rest, ☎ 26.11.08, ≤, – wc .
1er mai-1er oct. – SC : 10 – **18 ch** 50/80.

Le Maquis avec ch, ☎ 26.12.19, ≤ – wc
1er mars-15 nov. – SC : **R** 46 – 10 – **8 ch** 60/100.

vers la plage de Bussaglia N : 6 km par D 81 et VO – ✉ **20150** Ota :

L'Aiglon, ☎ 26.10.65, ≤, dans le maquis, – wc wc , sans .
1er mai-30 sept. – **R** 40/45 – **19 ch** 100/140 – P 112/135.

Porto-Pollo 2A Corse-du-Sud 90 ⑱ – ✉ **20156** Serra di Ferro.
Env. Station préhistorique de Filitosa★★ NE : 9,5 km.
Ajaccio 60 – Sartène 33.

Les Eucalyptus, ☎ 74.01.52, ≤, – wc . rest
8 mai-30 sept. – SC : **R** 40/55 – 11 – 24 ch 135 – P 135/148.

L'Escale, ☎ 74.01.54, ≤, – wc wc
sais. – 24 ch.

Kallisté, ☎ 74.02.38, ≤ – wc, sans . rest
1er avril-31 oct. – SC : **R** 40/50 – 12 – 10 ch 124/130 – P 135/240.

Porto-Vecchio 2A Corse-du-Sud 90 ⑧ – 7 802 h. alt. 70 – ✉ **20137** Porto-Vecchio.
Env. Golfe de Porto-Vecchio★★ – Castello★ d'Arraggio ≤★★ N : 7,5 km – Phare de la Chiappa ≤★★ E : 14 km.
Syndicat d'Initiative 2 r. Mar.-Juin (fermé sam. après-midi et dim.) ☎ 70.09.58.
Ajaccio 131 – Bastia 143 – Bonifacio 27 – Corte 121 – Sartène 63.

Cala Verde M sans rest, ☎ 70.11.55, – . AE E
Pâques-15 oct. – SC : **40 ch** 170/220.

Ziglione M, rte Palombaggia E : 5 km par N 198 et VO ☎ 70.09.83, ≤ golfe, –
mai-fin sept. – SC : **R** 100/150 – 32 ch 300/360 – P 720/750 (pour 2 pers.).

L'Aiglon sans rest, rte du Port ☎ 70.13.06 – wc
1er mars-15 nov. – SC : **16 ch** 90/140.

Le Goëland sans rest, à La Marine ☎ 70.14.15, ←, – wc wc ☎ P.
SC : **21 ch** 100/200.

Roches Blanches, à La Marine ☎ 70.06.96, ← – wc ☎ P.
début avril-fin oct. – SC : **R** 68 – 11,50 – 15 ch 55/135.

XX **Lucullus,** r. Gén.-de-Gaulle ☎ 70.10.17 – AE GB E
fermé 20 déc. au 20 janv., lundi midi et dim. du 1er oct. au 1er juin – SC : **R** 45.

au Golfe di Sogno NE : 7 km – ✉ **20137** Porto-Vecchio :

XX **Stagnolo** avec ch, rte de Cala Rossa ☎ 70.02.07, « Parmi les chênes lièges », ← golfe, – cuisinette wc P
1er mai-1er oct. – SC : **R** *(15 mars-1er nov.)* carte 65 à 105 – 14 – **27 ch** 80/160 – P 192/232.

RENAULT Balesi-Auto, N 198, La Poretta ☎ 70.15.55 N ☎ 70.21.43

Propriano

Propriano 2A Corse-du-Sud 90 ⑱ – 2 942 h. – Stat. therm. (3 janv.-fin nov.) aux Bains de Baracci, NE : 3 km – ✉ **20110** Propriano.

Voir Port★.

Syndicat d'Initiative 2 av. Napoléon (fermé sam. hors sais. et dim.) ☎ 76.01.49.

Ajaccio 73 – Bonifacio 67 – Corte 138 – Sartène 13.

Miramar M, ☎ 76.06.13, ←, « Bel aménagement intérieur, jardin, » – P – 50.
1er avril-10 oct. – SC : **R** *(en été seul.)* grill carte environ 105 – 18 – 30 ch 110/290.

Roc é Mare, ☎ 76.04.85, Télex 460962, ←, – P. AE GB E. rest
12 avril-15 oct. – SC : **R** 85 – 60 ch 190/330 P 320/360.

Ollandini, rte Barraci NE : 2 km ☎ 76.05.10, – wc wc ☎ P. AE. rest
mai-fin sept. – SC : **R** 60/80 – 51 ch 170/250 – P 200/230.

Valinco, ☎ 76.06.69, ←, – wc wc ☎ P – 80. rest
R 60/65 – 60 ch.

XX **Lido** avec ch, ☎ 76.06.37, ← – wc ☎. AE
avril-sept. – **R** carte 80 à 120 – 10 – 17 ch 130/150.

X **Thalassa,** av. Gén.-de-Gaulle ☎ 76.08.39 – AE GB
fermé 20 déc. au 5 fév. et dim. – **R** 40/110.

par rte de Baracci et voie privée NE : 4,5 km – ✉ **20110** Propriano :

La Bergerie M, ☎ 76.00.37, ←, « dans le maquis », – wc ☎ P. AE. rest
15 juin-15 sept. – SC : **R** carte 85 à 105 – 18 – **15 ch** 235/340 – P 304/351.

PEUGEOT Casabianca, rte Corniche ☎ 76.00.91

RENAULT Vesperini, N 196 Arconcello ☎ 76.04.08

Quenza

Quenza 2A Corse-du-Sud 90 ⑦ – 758 h. alt. 800 – ✉ **20122** Quenza.

Ajaccio 84 – Bonifacio 74 – Porto-Vecchio 47 – Sartène 44.

Sole e Monti, ☎ 78.62.53, ← – wc P. AE GB E. rest
15 mai-1er nov. – **R** 50 – 15 – **20 ch** 100 – P 150/200.

Sagone

Sagone 2A Corse-du-Sud 90 ⑯ – ✉ **20118** Sagone.

Voir Golfe de Sagone★.

Ajaccio 38 – Piana 33 – Porto 45.

Santana, à Esigna S : 2 km N 119 ✉ 20118 Sagone ☎ 28.00.09, ← – wc wc ☎, sans P. rest
15 avril-30 sept. – SC : **R** 51 – 13 – 30 ch 107 – P 155.

X **La Rascasse,** ☎ 28.02.22 –
1er avril-1er oct. – **R** 40.

St-Florent

St-Florent 2B H.-Corse 90 ③ – 1 355 h. – ✉ **20217** St-Florent.

Voir Anc. cathédrale de Nebbio★★ – Vieille Ville★.

Env. Col de San Stéfano ←★★ S : 13 km – Défilé de Lancone★★ SE : 13 km.

Ajaccio 176 – Bastia 23 – Calvi 70 – Corte 93 – L'Ile-Rousse 46.

Dolce Notte M, ☎ 37.06.26, ←, – wc wc ☎ P. rest
15 mars-15 nov. – SC : **R** *(juil. et août)* (dîner seul. pour résidents) 70 – 15 – **19 ch** 110/220.

Centre sans rest, ☎ 37.00.68 – .
SC : **12 ch** 55/90.

tourner →

au Nord 2 km par D 81 et voie privée – ✉ **20217** St-Florent :

Bungalows de Treperi ⛰, ☎ 37.02.75, ≤ mer et montagne, – cuisinette wc Ⓟ. . rest
Pâques-30 sept. – 20 ch (1/2 pens. seul.).

San-Martino-di-Lota **2B** H.-Corse 90 ② – 1 506 h. – voir à Bastia.

San Pellegrino **2B** H.-Corse 90 ④ – ✉ **20213** Castellare di Casinca.

Ajaccio 147 – Bastia 34 – Corte 64 – Porto-Vecchio 115.

San Pellegrino (H. pavillonnaire) Ⓜ ⛰, ☎ 36.90.61, ≤, parc, , – wc wc Ⓟ. E. rest
1er mai-10 oct. – SC : **R** 45/55 – 10,50 – **61 ch** 130/180 – P 173.

Sant'Antonino **2B** H.-Corse 90 ⑬ – 113 h. alt. 497 – ✉ **20269** Aregno.

Voir ≤★★ – Village★ – Aregno : église de la Trinité★ S : 5 km.

Env. Col de Salvi ≤★★ SO 6 km – Lavatoggio : ≤★ de la terrasse de l'église SO : 5 km.

Ajaccio 167 – Calvi 20 – L'Ile-Rousse 12.

Antonini, ☎ 61.70.05, ≤ mer et montagne
1er mai-10 oct. – SC : **R** 50 bc.

Santa Maria-Siché **2A** Corse-du-Sud 90 ⑰ – 712 h. alt. 480 – ✉ **20190** Santa-Maria-Siché.

Ajaccio 36 – Sartène 53.

Santa Maria, N 850 ☎ 24.72.65, ≤, – wc wc . .
R 55/75 – 13 – **22 ch** 70/100 – P 150/160.

Sartène **2A** Corse-du-Sud 90 ⑱ **G. Corse** (plan) – 6 049 h. alt. 305 – ✉ **20100** Sartène.

Voir Vieille ville★★ – Procession de Catenacciu★★ (vend. Saint) – Foce : belvédère ≤★★ E : 5 km.

Ajaccio 86 – Bastia 178 – Bonifacio 54 – Corte 141.

La Chaumière, 39 r. Capitaine Benedetti ☎ 77.07.13 – AE GB
fermé nov. et lundi – SC : **R** 45 .

RENAULT Gar. Le Rond-Point, r. J.-Nicoli ☎ 77.02.14

Soccia **2A** Corse-du-Sud 90 ⑮ – 552 h. – ✉ **20125** Soccia.

Ajaccio 70 – Calvi 139 – Corte 99 – Vico 18.

U Paese, ☎ 26.65.28, ≤ – wc Ⓟ. .
R 40/70 – 10 – **22 ch** 85/110 – P 100/180.

Solenzara **2A** Corse-du-Sud 90 ⑦ – ✉ **20145** Solenzara.

Ajaccio 131 – Bastia 103 – Bonifacio 67 – Sartène 77.

Maquis et Mer Ⓜ sans rest, ☎ 57.42.37 – wc wc Ⓟ. AE GB
fermé 15 nov. au 31 déc. – SC : **50 ch** 140/200.

Solenzara sans rest, ☎ 57.42.18, , – wc wc Ⓟ
1er mai-15 oct. – SC : 10 – **29 ch** 60/120.

✿ **Caravelle** (Tiran), ☎ 57.42.27
fermé 1er oct. au 15 déc. et merc. hors sais. – **R** carte 75 à 100
Spéc. Toast de saumon, Assiette du pêcheur (juin à sept.), Délices de la Côte des Nacres (mars à mai). **Vins** Porto Vecchio, Rogliano.

Speloncato **2B** H.-Corse 90 ⑬ – 265 h. alt. 550 – ✉ **20281** Speloncato.

Voir ≤★ – Village★.

Ajaccio 150 – Calvi 32 – Corte 67 – L'Ile-Rousse 19.

Spelunca ⛰, ☎ 61.31.21 – wc. rest
1er juin-15 sept. – SC : **R** 45/60 – 10 – 20 ch 62/120 – P 130/150.

Tarco **2A** Corse-du-Sud 90 ⑦ – ✉ **20144** Ste-Lucie de Porto-Vecchio.

Ajaccio 145 – Bastia 117 – Bonifacio 53.

Playa di Tarco, ☎ 57.43.08, ≤, – cuisinette wc Ⓟ. . rest
R 39/168 – 11,50 – **22 ch** 151/235 – P 142/264.

Tiuccia **2A** Corse-du-Sud 90 ⑯ – rattaché à Golfe de la Liscia.

Venaco 2B H.-Corse 90 ⑤ – 1 501 h. alt. 600 – ✉ **20231** Venaco.
Voir Col de Bellagranajo ** N : 3 km.
Env. Col de Morello ≤** SE : 14,5 km.
Ajaccio 71 – Corte 12 – Sartène 128.

Paesotel E Caselle , au SE : 5 km par D 43 ✉ 20231 Venaco ☎ 47.02.01, Télex 460145, « Pavillons dans le maquis » ≤, , – wc wc ☎ P. AE ①. rest
mi-avril-fin sept. – **R** carte 70 à 100 – 30 – **47 ch** 135/205.

Le Torrent , à **St-Pierre-de-Venaco** N : 4 km par N 193 ✉ 20250 Corte ☎ 47.00.18, – wc P
sais. – 25 ch.

Vero 2A Corse-du-Sud 90 ⑯ – 408 h. alt. 430 – ✉ **20133** Ucciani.
Ajaccio 27 – Cargèse 65 – Corte 62.

Aub. Mamy, à La Vignole SO : 5 km sur N 193 ✉ 20133 Ucciani ☎ 27.80.37 – P
15 mars-30 oct. et fermé dim. soir – SC : **R** *(prévenir)* carte 80 à 155.

Vico 2A Corse-du-Sud 90 ⑮ – 1 970 h. alt. 385 – ✉ **20160** Vico.
Voir Couvent St-François : christ en bois* dans l'église conventuelle.
Ajaccio 52 – Calvi 121 – Corte 81.

U Paradisu , ☎ 26.61.62, ≤ – wc ☎ . . ch
R 50/72 – 12 – **20 ch** 90/130 – P 125/140.

Vizzavona (Col de) 2B H.-Corse 90 ⑥ – alt. 1 161 – ✉ **20219** Vivario.
Env. Forêt**.
Ajaccio 49 – Bastia 104 – Bonifacio 144 – Corte 34.

Monte d'Oro, ☎ 47.21.06, ≤, , en forêt – P. rest
1er juil.-15 sept. – 50 ch.

Zicavo 2A Corse-du-Sud 90 ⑦ – 773 h. alt. 730 – ✉ **20132** Zicavo.
Ajaccio 63 – Bonifacio 114 – Corte 81 – Porto-Vecchio 87 – Sartène 60.

Tourisme, ☎ 24.40.06, ≤ – wc. .
R 35/60 – 9 – **15 ch** 70/90 – P 140/160.

Zonza 2A Corse-du-Sud 90 ⑦ – 1 693 h. alt. 784 – ✉ **20124** Zonza.
Ajaccio 91 – Aleria 56 – Bonifacio 67 – Corte 128 – Porto-Vecchio 40 – Sartène 37.

Incudine, ☎ 78.42.76.

Tourisme avec ch, ☎ 78.42.31 – . rest
15 mars-30 oct. – **R** 40/65 – 8 – 10 ch 60/70.

COSNE-D'ALLIER 03430 Allier 69 ⑫ **G. Auvergne** – 2 294 h. alt. 230 – 70.
Paris 313 – Montluçon 25 – Moulins 42 – St-Amand-Montrond 47 – St-Pierre-le-Moutier 51.

Globe, ☎ 07.50.26
fermé fév. dim. soir hors sais. et lundi – SC : **R** 30/90 – 8 – **8 ch** 36/46 – P 88.

CITROEN Larnaud, ☎ 07.50.01 FORD Beaufrère, ☎ 07.53.53

COSNES-ET-ROMAIN 54 M.-et-M. 57 ② – rattaché à Longwy.

COSNE-SUR-LOIRE SP 58200 Nièvre 65 ⑬ **G. Bourgogne** – 10 975 h. alt. 148 – 86.
Office de Tourisme 17 r. A.-Baudin (15 juin-15 sept., fermé dim., et lundi) ☎ 28.11.85.
Paris 187 ① – Auxerre 84 ① – Bourges 61 ④ – Montargis 73 ① – Nevers 52 ③ – Orléans 105 ①.

Plan page suivante

Gd Cerf, 43 r. St-Jacques **(e)** ☎ 28.04.46 – wc wc ☎ .
fermé 10 déc. au 10 janv., dim. soir et lundi midi – SC : **R** 30/70 – 8,50 – 21 ch 45/125 – P 110/120.

Vieux Relais, 11 r. St-Agnan **(r)** ☎ 28.20.21 – wc wc ☎ – 25.
fermé 20 déc. au 31 janv. – SC : **R** (dîner seul.) 40/160 – 15 – 11 ch 75/160.

St-Christophe, pl. Gare **(u)** ☎ 28.02.01 – . rest
fermé 5 au 19 sept., 1er au 24 fév. et vend. – SC : **R** 37/63 – 10 – 15 ch 42/47 – P 88/90.

tourner →

COSNE-SUR-LOIRE

St-Jacques (R. et ⊞) 22

Baudin (R. Alphonse) 2
Buchet-Desforges (R.) 4
Clemenceau (Pl. G.) 5
Dr-J.-Moineau (Pl. du) 6
Donzy (R. de) 7
Frères-Gambon (R. des) 8
Gambetta (R.) 9
Gaulle (R. du Général de) 12
Leclerc (R. du Maréchal) 13
Pêcherie (Pl. de la) 14
Pelletan (R. Eugène) 16
République (Bd de la) 17
Rousseau (R. W.) 18
St-Agnan (R.) 21
Victor-Hugo (R.) 24
Vieille-Route (R.) 25
14-Juillet (R. du) 26

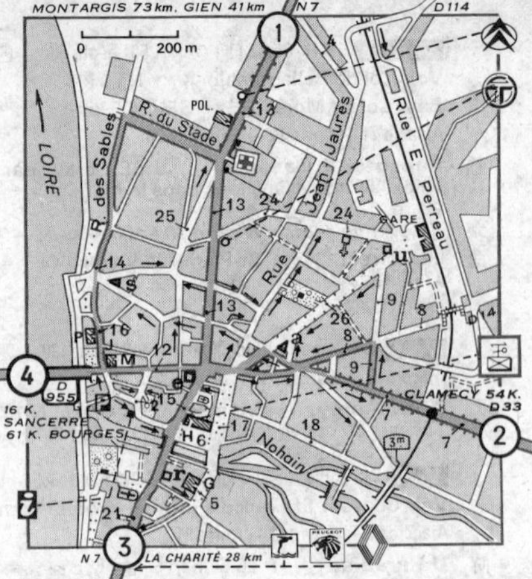

Pour un bon usage des plans de villes, voir les signes conventionnels p. 20.

XX **Sévigné,** av. Gare **(a)** ℡ 28.27.50 – E
fermé 1er au 15 oct., 1er au 15 mars et lundi – SC : **R** 50/75.

XX **La Panetière,** 18 pl. Pêcherie **(s)** ℡ 28.11.70
fermé 17 au 31 août, vacances de fév., dim. soir et lundi – SC : **R** 55.

à ***Myennes*** par ① : 4 km – ✉ **58440** Myennes :

Aub. des Croquets, ℡ 28.18.23 – wc. GB
fermé 5 nov. au 5 déc. et dim. soir – SC : **R** 42/120 – 13 – **19 ch** 55/130 – P 135/165.

CITROEN Barre, 97 r. Mar.-Leclerc ℡ 28.45.22
FIAT Gar. Van Muylders, Les Gatines de Cours ℡ 28.19.65
FORD Reynauto, 7 bis av. du 85e de ligne ℡ 28.23.18 N
PEUGEOT Gar. du Nivernais, N 7 Sud ℡ 28.46.11
RENAULT Ets Simonneau, 80 av. du 85e ℡ 28.27.34
TALBOT Brochet et Cassier, 58 r. Mar.-Leclerc ℡ 28.07.01
Benoît R., 33 r. Ch.-Floquet ℡ 28.08.59
Cosne-Pneus, N 7, à l'Escargotière ℡ 28.23.70

COSQUEVILLE 50 Manche [54] ② – 385 h. alt. 24 – ✉ **50330** St-Pierre-Église – 33.

Env. Phare du Cap Lévy★ : ★★ O : 6,5 km, **G. Normandie.**

Paris 365 – Barfleur 13 – ♦Cherbourg 20 – St-Lô 83 – Valognes 25.

Plage, place du Vicq ℡ 54.32.81 – ch
fermé 1er nov. au 15 déc. et merc. – 11 ch.

PEUGEOT Salley, à St-Pierre-Eglise ℡ 54.32.73
Nicollet, à St-Pierre-Eglise ℡ 54.30.48

COSTAROS 43490 H.-Loire [76] ⑰ – 509 h. alt. 1 070 – 71.

Paris 535 – Aubenas 72 – Cayres 5,5 – Langogne 23 – Le Puy 19.

Jouhannel, ℡ 57.16.05 –
SC : **R** 32/50 – 8 – **15 ch** 45/60 – P 85/100.

XX **Au Bec Fin,** N 88 ℡ 57.16.22
fermé 1er au 15 juil. et 15 au 28 fév. – SC : **R** 35/75.

COSTEBELLE 83 Var [84] ⑯ – rattaché à Hyères.

Le COTEAU 42 Loire [73] ⑦ – rattaché à Roanne.

La CÔTE-ST-ANDRÉ 38260 Isère [77] ③ **G. Vallée du Rhône** (plan) – 4 448 h. alt. 374 – 74.

Paris 527 – ♦Grenoble 51 – ♦Lyon 65 – La Tour-du-Pin 36 – Valence 84 – Vienne 41 – Voiron 30.

XX **France** avec ch, pl. St. André ℡ 20.25.99 –
fermé 6 janv. au 6 fév. et lundi hors sais. – SC : **R** 38/100 – 12 – **20 ch** 55/85 – P 90/100.

CITROEN Mary, ℡ 20.50.99
PEUGEOT Cuzin, ℡ 20.21.65
RENAULT Porcher, ℡ 20.40.44
TALBOT Marazzi, ℡ 20.32.33

COTIGNAC 83 Var 84 ⑤⑥ G. Côte d'Azur – 1 636 h. alt. 260 – ✉ 83570 Carcès – 94.
Syndicat d'Initiative 10 cours Gambetta (juil.-août et fermé dim. après-midi) ☎ 04.62.87.
Paris 838 – Brignoles 24 – Draguignan 36 – St-Raphaël 66 – Ste-Maxime 68 – ♦Toulon 70.

Lou Calen, 1 crs Gambetta ☎ 04.60.40, ←, – wc P
15 mars-3 nov. – SC : **R** *(fermé jeudi hors sais.)* 58/130 – 15 – **13 ch** 120/200 – P 135/220.

à Fox-Amphoux NO : 11 km – ✉ 83670 Barjols :

XX **Aub. du Vieux Fox** avec ch, ☎ 80.71.69, ← – wc wc P.
11 avril-15 nov. – SC : **R** *(fermé mardi, merc. et jeudi : le midi sauf de juin à sept.)* 69 – 15 – **10 ch** 116/168 – P 183/256.

La COTINIÈRE 17 Char.-Mar. 71 ⑬⑭ – voir à Oléron (Ile d').

COU (Col de) 74 H.-Savoie 70 ⑰ – rattaché à Habere-Poche.

COUBERT 77 S.-et-M. 61 ②, 96 ㉙, 101 ㊵ – 1 158 h. alt. 92 – ✉ 77170 Brie-Comte-Robert – 6.
Paris 36 – Coulommiers 38 – Évry 28 – Melun 15 – Provins 49.

X **Aub. de l'Écureuil**, ☎ 407.71.29 – P.
fermé 27 avril au 5 mai, 15 au 31 août, 22 au 25 déc. et lundi – SC : **R** (déj. seul; vend. sam. déj. et dîner) 28 bc/80 bc.

COUCOURON 07470 Ardèche 76 ⑰ G. Vallée du Rhône – 710 h. alt. 1 139 – 66.
Paris 564 – Langagne 25 – Privas 86 – Le Puy 48.

Carrefour des Lacs, ☎ 46.12.70 – wc wc P
fermé 11 nov. au 20 déc. – SC : **R** 27/80 – 9 – **19 ch** 56/91 – P 85/110.

Garage Bonnet, ☎ 46.10.08

Le COUGOU 44 Loire-Atl. 63 ⑮ – rattaché à Guenrouet.

COUHÉ 86700 Vienne 68 ⑬ – 2 129 h. alt. 130 – 49.
Syndicat d'Initiative à la Mairie (juil.-août et fermé dim.) ☎ 49.20.17.
Paris 369 – Confolens 65 – Montmorillon 61 – Niort 56 – Poitiers 36 – Ruffec 30.

Chêne Vert, rte Les Bons Enfants ☎ 49.20.42 –
R 35/40 – 9 – 10 ch 45/55 – P 90.

CITROEN Senelier, ☎ 49.22.30 RENAULT François, ☎ 49.20.45

COUILLY-PONT-AUX-DAMES 77740 S.-et-M. 56 ⑫, 96 ⑳ G. Environs de Paris – 1 044 h. alt. 54 – 6.
Paris 46 – Coulommiers 18 – Fontenay-Trésigny 21 – Lagny 13 – Meaux 10 – Melun 47.

XX **Relais des 4 Fils Aymon**, ☎ 004.00.14 – GB E
fermé janv., mardi soir et merc. sauf fériés – SC : **R** 60 (sauf fêtes)/110.

COULANDON 03 Allier 69 ⑭ – rattaché à Moulins.

COULANGES-SUR-YONNE 89480 Yonne 65 ⑮ – 609 h. alt. 148 – 86.
Paris 201 – Auxerre 34 – Avallon 47 – Clamecy 9 – Gien 84 – Montargis 95 – Toucy 35.

Lion d'Or, ☎ 29.71.72 – P
fermé 6 au 20 oct., 20 déc. au 8 janv. et lundi d'oct. à fin mars – SC : **R** 32/50 – 9 – 14 ch 37/67 – P 80/90.

COULLONS 45 Loiret 65 ① – rattaché à Gien.

COULOMBIERS 86 Vienne 68 ⑬ – 858 h. alt. 135 – ✉ 86600 Lusignan – 49.
Paris 349 – Parthenay 50 – Poitiers 16 – Ruffec 57 – St-Jean-d'Angély 84 – St-Maixent-l'École 34.

Centre, ☎ 43.30.55 – .
fermé 10 oct. au 1er nov. et vacances de fév. – SC : **R** *(fermé mardi)* 35/120 – 11,50 – **16 ch** 45/120 – P 95/150.

Garage Morin, ☎ 43.30.60

COULOMBS 28 E.-et-L. 60 ⑧ – rattaché à Nogent-le-Roi.

COULOMMIERS 77120 S.-et-M. 61 ③ G. **Environs de Paris** – 11 989 h. alt. 73 – ⚙ 6.

Voir Vallée du Grand Morin★.

Office de Tourisme avec T.C.F. 11 r. Gén.-de-Gaulle (fermé dim. après-midi) ☎ 403.27.46.

Paris 61 ④ – Châlons-sur-Marne 107 ③ – Château-Thierry 43 ① – Créteil 54 ④ – Meaux 29 ④ – Melun 46 ③ – Provins 38 ③ – Sens 77 ③.

COULOMMIERS

Beaurepaire (R.)	2
Brie (Av. Jehan-de)	3
Clavier (R. Marcel)	4
Cordier (R. M.)	5
De-Gaulle (R. Gén.)	6
Dr-René-Arbeltier (R. du)	7
Gambetta (Cours)	8
Leclerc (R. du Gén.)	9
Marché (Pl. du)	12
Melun (R. de)	13
Palais-de-Justice (R.)	14
Patras (R.)	16
Pêcherie (R. de la)	17
Rebais (Av. de)	18
Strasbourg (Av. de)	21
Varennes (R. de)	22
Victor-Hugo (Av.)	23
27-Août (Pl. du)	25

Benutzen Sie bitte immer die neuesten Ausgaben der Michelin Straßenkarten und -Reiseführer.

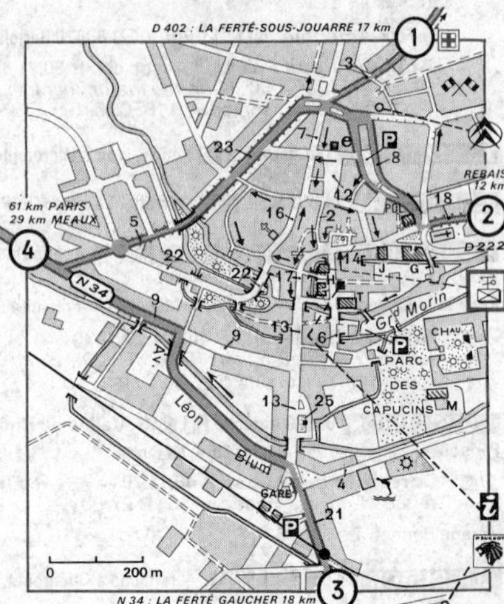

XX **Central,** 34 pl. Marché **(e)** ☎ 403.01.69 – AE GB ① E. ✻
fermé 17 août au 4 sept., fin fév.-8 mars, dim. soir, lundi soir et mardi sauf fériés – **R** 72/120.

X **Aub. de Montapeine,** 72 av. Strasbourg par ③ ☎ 403.09.16, 🏞 – GB
fermé 1er au 20 sept., merc. soir, dim. soir et lundi – SC : **R** 30/51 ♁.

à Boissy-le-Chatel par ② : 4 km – ✉ **77120** Coulommiers :

Place, ☎ 403.08.47 – ☎
SC : **R** *(fermé lundi)* 35/80 ♁ – ☕ 12 – 7 ch 55/70.

à Chauffry par ② et D 66 : 8 km – ✉ **77120** Coulommiers :

XX **Taverne du Pot d'Étain,** ☎ 404.42.08 – AE GB
fermé janv. lundi soir et mardi soir – **R** 75/150.

CITROEN Gautier, 11 av. République ☎ 403.01.19
PEUGEOT Riester, bd de la Marne, Zone Ind. ☎ 403.01.92

Centrale du Pneu, 22 av. V.-Hugo ☎ 403.01.95

COULON 79 Deux-Sèvres 71 ② G. **Côte de l'Atlantique** – 1 462 h. alt. 15 – ✉ **79270** Frontenay-Rohan-Rohan – ⚙ 49.

Env. Marais poitevin★ (promenades en barque★★, 1 h à 1 h 30).

Syndicat d'Initiative pl. Colombier (15 juin-15 sept.) ☎ 25.90.12.

Paris 419 – Fontenay-le-Comte 26 – Niort 11 – La Rochelle 59 – St-Jean-d'Angély 46.

XX **Central** avec ch, pl. Église ☎ 25.90.20, 🏞 – ⋔. ⚐
fermé 15 fév. au 8 mars, 15 sept. au 8 oct., dim. soir et lundi – SC : **R** 35/70 ♁ – ☕ 8,50 – **11 ch** 45/78 – P 110/125.

XX **Au Marais,** 46 quai Louis-Tardy ☎ 25.90.43, ← – GB ①. ✻ ch
fermé en janv., dim. soir et lundi – **R** 39/72 ♁.

X Venise Verte, ☎ 25.90.10 – ⓟ

COUPIAC 12550 Aveyron 80 ② – 663 h. – ⚙ 65.

Paris 677 – Albi 65 – Rodez 69 – St-Affrique 50.

Host. Renaissance ⛰, ☎ 99.78.44, ← – ⊟wc ⋔wc
fermé sam. en hiver – SC : **R** 35 bc/120 bc – ☕ 9,50 – 10 ch 55/85 – P 90/105.

SC — Cette mention n'est indiquée que si l'établissement pratique le service compris (ou prix nets) pour tous ses prix.

La COUR-BARRÉE 89 Yonne 65 ⑤ – rattaché à Auxerre.

COURBEVOIE 92 Hauts-de-Seine 55 ⑳, 101 ⑭ – voir à Paris, Proche banlieue.

COURCHEVEL 73120 Savoie 74 ⑱ **G. Alpes** – Sports d'hiver : 1 850/2 870 m 9 51, – 79.

De Courchevel 1850 par ① Paris 657 – Bozel 17 – Brides-les-Bains 18 – Chambéry 97 – Moûtiers 24.

à Courchevel 1850.

Voir ✻★.

Env. SO : Sommet de la Saulire ✻★★ télécabine puis téléphérique.

Altiport ☎ 08.00.49 SE : 4 km.

Office de Tourisme (1er déc.-30 avril) ☎ 08.00.29, Télex 980083.

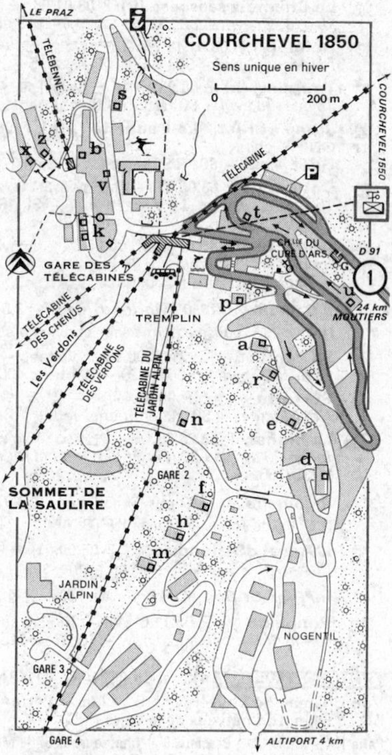

COURCHEVEL 1850
Sens unique en hiver
0 200 m
LE PRAZ
TÉLÉBENNE
TÉLÉCABINE
COURCHEVEL 1550
GARE DES TÉLÉCABINES
TÉLÉCABINE DES CHENUS
Les Verdons
TÉLÉCABINE DES VERDONS
TÉLÉCABINE DU JARDIN ALPIN
TREMPLIN
CHLLE DU CURÉ D'ARS
D 91
24 km MOÛTIERS
SOMMET DE LA SAULIRE
GARE 2
JARDIN ALPIN
GARE 3
GARE 4
NOGENTIL
ALTIPORT 4 km

❀ **Carlina** 🐎, **(a)** ☎ 08.00.30, Télex 980248, ≤ – ▯ ☎ P. AE GB ⓓ. ✻ rest
Noël-Pâques – SC : **R** 120/140 – ☐ 28 – 59 ch 200/390 – P 320/430
Spéc. Terrine de foie frais truffé, Suprême de turbot, Carré d'agneau rôti. Vins Crépy.

❀ **H. Pralong 2000** (Parveaux) M 🐎, rte Altiport ☎ 08.24.82, Télex 980231, ≤, – ▯ ☎ P
20 déc.-15 avril – SC : **R** 105/130 **Le Paral** (sous-sol) **R** carte 140 à 185 – 70 ch (Pens. seul.) – P 350/450
Spéc. Soupe de Baudroie au safran, Filet de turbot cressonnière, Rable de lapin aux navets. Vins Chignin, Crépy.

Gd H. Rond-Point des Pistes M, **(b)** ☎ 08.02.69, Télex 980083, ≤, « Intérieur élégant » – ☎ ♿ P. AE GB. ✻ rest
18 déc.-20 avril – SC : **R** 100 – ☐ 19 – **40 ch** 290/500 – P 350/460.

Lana M 🐎, **(p)** ☎ 08.01.10, Télex 980014, ≤ – ▯ ☎ P. AE GB ⓓ. ✻ rest
16 déc.-19 avril – SC : **R** 90/160 – 72 ch (pens. seul.), 8 appartements – P 350/400.

Bellecôte M 🐎, **(d)** ☎ 08.01.80, Télex 980421, ≤ vallée, – ▯ ☎ P. GB. ✻
18 déc.-20 avril – SC : **R** 90 – 55 ch (pens. seul.) – P 250/430.

Neiges M 🐎, **(e)** ☎ 08.03.77, Télex 980463, ≤ – ▯ ☎ ♿ P. ✻
Noël-Pâques – SC : **R** 105 – 50 ch (pens. seul.) – P 285/400.

Ducs de Savoie M 🐎, au Jardin Alpin **(f)** ☎ 08.03.00, ≤ – ▯ ☎ P. ✻
20 déc.-20 avril – SC : **R** 85 – ☐ 25 – **40 ch** 190/250 – P 260/300.

Savoy M 🐎, **(r)** ☎ 08.01.33, ≤ – ▯ P. ✻ rest
20 déc.-20 avril – SC : **R** 120/160 – **32 ch** ☐ 250/350.

La Sivolière M 🐎 sans rest, ☎ 08.08.33, ≤ – ☎. ✻
10 juil.-30 août et 1er déc.-1er mai – SC : ☐ 25 – **16 ch** 200/320.

❀ **Chabichou** (Rochedy) M 🐎, **(z)** ☎ 08.00.55, ≤ – ☎. AE GB ⓓ E. ✻ rest
25 juin-31 août et 1er déc.-1er mai – SC : **R** 75/150 – ☐ 30 – **31 ch** 180/300, 6 appartements – P 250/560
Spéc. Cressonnette de cèpes et d'escargots, Ragoût de sole et de pétoncles, Sabayon aux pommes et au genépi. Vins Chignin, Chautagne.

Airelles M 🐎, au Jardin Alpin **(h)** ☎ 08.02.11, ≤ – ▯ ☎ P. ✻
15 déc.-15 avril – SC : **R** 90 – 43 ch (pens. seul.) – P 230/345.

Caravelle M 🐎, au Jardin Alpin **(m)** ☎ 08.02.42, Télex 980821, ≤, – ▯ ☎ P – 45. ⓓ. ✻ rest
10 déc.-23 avril – SC : **R** 100 – 45 ch (1/2 pens. seul.).

tourner →

Pomme de Pin M, (x) ☎ 08.02.46, ≤ vallée et montagnes – ascenseur, ch. avec bain wc ☎, garage. rest
Noël-Pâques – **R** 75/120 – ☕ 22 – **36 ch** 160/250 – P 270/320.

New Solarium, (n) ☎ 08.02.01, ≤, piscine – ascenseur TV bain wc douche wc ☎. AE GB ◐. rest
15 déc.-Pâques – SC : **R** 90 – ☕ 20 – **55 ch** 200/260 – P 250/330.

L'Albaron M sans rest, (s) ☎ 08.03.57, ≤ – bain wc douche wc ☎.
15 déc.-5 mai – **30 ch** ☕ 280/350.

Le Chamois sans rest, (k) ☎ 08.01.56, ≤ – TV bain wc douche wc ☎.
15 déc.-25 avril – SC : **32 ch** ☕ 290/415, 9 studios.

Dahu, (v) ☎ 08.01.18, ≤ – bain wc douche ☎.
mi déc.-fin avril – SC : **R** 65/100 – ☕ 15 – 30 ch 100/200 – P 175/240.

Tournier, (k) ☎ 08.03.19 – bain wc douche ☎. rest
15 déc.-18 avril – SC : **R** 125 – 38 ch (pens. seul.) – P 225/300.

Jump et rest "Le Panache", (k) ☎ 08.06.47, ≤ – ascenseur TV bain wc douche wc ☎. GB. ch
6 déc.-4 mai – SC : **R** 90 – ☕ 20 – 19 ch 220/350 – P 230/315.

Catina, (t) ☎ 08.00.57 – ascenseur bain wc ☎. AE GB.
15 juin-6 sept. et 1er déc.-1er mai – SC : **R** 50/100 – ☕ 15 – **35 ch** 180/220 – P 190/255.

Aub. Ensoleillée, (u) ☎ 08.05.38 – bain wc douche ☎ **P**. rest
fermé sam. soir, dim. du 1er mai au 30 juin et du 1er sept. au 15 déc. – **R** 45 – ☕ 15 – **30 ch** 110/120 – P 135/155.

à Courchevel 1650 (Moriond) par ① : 3,5 km – ✉ **73120** Courchevel.

Office de Tourisme (fermé sam. et dim. hors sais.) ☎ 08.03.29.

Le Zénith M, ☎ 08.00.54, ≤ vallées – ascenseur ☎ **P** – 50.
10 déc.-20 avril – SC : **R** 120 – **70 ch** ☕ 400/500 – P 265/700.

Portetta M, ☎ 08.01.47, ≤ – ascenseur ☎.
Noël-Pâques – SC : 42 ch (pens. seul.) – P 150/250.

Le Signal, ☎ 08.26.36, ≤ – bain wc douche wc ☎.
fermé 20 avril au 20 juin et dim. en oct. et nov. – SC : **R** 35/65 – **28 ch** ☕ 120/150 – P 135/155.

à Courchevel 1550 par ① : 5,5 km – ✉ **73120** Courchevel.

Office de Tourisme (saison) ☎ 08.04.56.

L'Adret d'Ariondaz, ☎ 08.00.01, ≤ – ascenseur bain wc ☎. GB.
déc.-avril – SC : **R** 48 – 33 ch (pens. seul.) – P 200/250.

au Praz-St-Bon N : 8 km – alt. 1 300 – ✉ **73120** Courchevel :

Peupliers M, ☎ 08.11.61, ≤ – ascenseur bain wc ☎. rest
fermé début oct. au 20 nov. – SC : **R** 38/145 – ☕ 15 – 20 ch 80/160 – P 150/200.

COUR-CHEVERNY 41 L.-et-Ch. 64 ⑰⑱ – 1 863 h. alt. 89 – ✉ 41700 Contres – 54.

Voir Château de Cheverny★★ S : 1 km – Porte★ de la Chapelle du Château de Troussay SO : 3,5 km, G, Châteaux de la Loire.

Paris 194 – Blois 13 – Bracieux 9 – Châteauroux 87 – Montrichard 28 – Romorantin-Lanthenay 28.

Trois Marchands, ☎ 79.96.44 – bain wc douche wc ☎ **P** – 40. AE ◐
fermé 10 janv. au 1er mars et mardi du 1er oct. au 31 déc. – SC : **R** 55/130 – ☕ 13 – 44 ch 65/150 – P 140/185.

St-Hubert, ☎ 79.96.60 – bain wc douche wc ☎ **P** – 50.
fermé 5 déc. au 15 janv. et merc. du 1er oct. à Pâques – SC : **R** 48/120 – ☕ 12 – 21 ch 48/140 – P 175/200.

CITROEN Girault, ☎ 79.96.41
PEUGEOT Duceau, ☎ 79.98.67

COURLANS 39 Jura 70 ⑭ – rattaché à Lons-le-Saunier.

COURNON-D'AUVERGNE 63800 P.-de-D. 73 ⑭ – 14 885 h. alt. 400 – 73.

Paris 395 – ♦Clermont-Ferrand 11 – Issoire 29 – Le Mont-Dore 52 – Thiers 38 – Vichy 53.

Cep d'Or, au Pont SE : 1,5 km ☎ 84.80.02, ≤ – ascenseur douche ☎ **P**.
fermé oct. – SC : **R** *(fermé vend. hors sais.)* 30/55 – ☕ 8 – **11 ch** 40/50 – P 110/130.

CITROEN Gar. Chambon, 33 av. République ☎ 84.80.97 **N**
CITROEN S.D.R.A.-Chazaud, bd Pasteur, la Ribeyre ☎ 84.63.13 **N**
PEUGEOT Chalas, 20 av. Foch ☎ 84.66.88
RENAULT Gar. Bony, 23 av. Liberté ☎ 84.80.31

Les localités dont les noms sont soulignés de rouge sur les cartes Michelin à 1/200 000 sont citées dans ce guide. Utilisez une carte récente pour profiter de ce renseignement régulièrement mis à jour.

COURPIÈRE 63120 P.-de-D. 73 ⑯ G. Auvergne – 4 602 h. alt. 331 – 73.
Voir Église★.
Paris 396 – Ambert 39 – ♦Clermont-Ferrand 50 – Issoire 53 – Lezoux 21 – Thiers 16.

XX **Clef des Champs,** S : 3,5 km sur D 906 ☎ 53.01.83, ←, – P. GB
fermé fév. et lundi – SC : **R** 28/65 .

X **Au Bon Coin,** à Aubusson d'Auvergne E : 7 km par D 7 et D 7E ✉ 63120 Courpière ☎ 53.07.82 –
fermé 15 au 30 sept., 5 au 31 janv. et lundi hors sais. – SC : **R** 30/100 .

CITROEN Gar. Brouillet, à Neronde sur Dore ☎ 53.17.28
PEUGEOT Fédide, ☎ 53.10.88
RENAULT Bedel, ☎ 53.15.90

COURS 69470 Rhône 73 ⑧ – 5 141 h. alt. 553 – 74.
Paris 419 – L'Arbresle 53 – Chauffailles 17 – ♦Lyon 78 – Roanne 29 – Villefranche-sur-Saône 55.

XX **du Pavillon** avec ch, au Col du Pavillon E : 4 km par D 64 ✉ 69470 Cours ☎ 89.61.70 – P
fermé fév. et mardi – SC : **R** 35/110 – 10,50 – 8 ch 50/60.

X **Chalet des Tilleuls,** à Thel NE 8 km par D 64 ✉ 69470 Cours ☎ 89.61.53, ← – P
R 25/72 .

CITROEN Jalabert, ☎ 89.71.10
CITROEN Central Gar., ☎ 89.75.91
PEUGEOT Deveaux, ☎ 89.75.45 N
RENAULT Mondel, ☎ 89.75.50 N
TALBOT Pothier, ☎ 89.71.40 N

COUR-ST-MAURICE 25 Doubs 66 ⑰⑱ – 200 h. alt. 520 – ✉ 25380 Belleherbe – 81.
Paris 476 – Baume-les-Dames 45 – ♦Besançon 65 – Montbéliard 44 – Maiche 11 – Morteau 40.

X **La Truite du Moulin,** à Moulin Bas E : 2 km par VO et D 39 ☎ 44.30.59, ← – P
fermé 25 juin au 7 juil., 20 oct. au 10 nov. et merc. – SC : **R** 45/65 .

COURSEULLES-SUR-MER 14470 Calvados 55 ① G. Normandie – 2 553 h. – 31.
Voir Clocher★ de l'église de Bernières-sur-Mer E : 2,5 km.
Env. Château★★ de Fontaine-Henry S : 6,5 km.
Office de Tourisme 54 r. Mer (Pâques, 1er juin-30 sept.) ☎ 97.46.80.
Paris 262 – Arromanches-les-Bains 13 – Bayeux 20 – Cabourg 34 – ♦Caen 18.

Belle Aurore M, sur le port ☎ 97.46.23, ← – wc wc . AE GB. rest
fermé 5 nov. au 1er déc., vacances de fév. et lundi – SC : **R** 55/130 – 12 – **7 ch** 100/120 – P 160.

Crémaillère (Annexe), ☎ 97.46.73, ← – wc wc P – 25. AE GB
SC : **R** *(fermé merc. hors sais.)* 32/115 – 12 – 20 ch 46/103 – P 96/180.

Paris, ☎ 97.45.07, ← – wc P. AE GB
fermé janv. et jeudi – SC : **R** 58/85 – 12 – 25 ch 60/120.

XXX Pêcherie, ☎ 97.45.84, produits de la mer.

XX **Le Cursella** avec ch, ☎ 97.95.29, ← – wc wc . AE GB
fermé mardi – SC : **R** 38/110 – 12 – 7 ch 100/120 – P 130/170.

PEUGEOT Gar. du Port, ☎ 97.97.21 N
RENAULT Courseulles-Gar., ☎ 97.94.13 N

COURTENAY 45320 Loiret 61 ⑬ – 2 576 h. alt. 161 – 38.
de Savigny sur Clairis ☎ 86.33.90 N : 7,5 km.
Syndicat d'Initiative à la Mairie (fermé sam. après-midi et dim.) ☎ 94.40.46.
Paris 121 – Auxerre 53 – Nemours 44 – ♦Orléans 96 – Sens 26.

X **Le Relais** avec ch, 26 r. Nationale ☎ 94.41.60 – ch
fermé 1er au 15 déc., 10 janv. au 2 fév., dim. soir et lundi – SC : **R** 35/65 – 9 – 12 ch 55/70.

X **Le Raboliot,** pl. Marché ☎ 94.44.52 – GB
fermé 26 janv. au 16 fév. et jeudi – SC : **R** 38/80.

COURTHEZON 84350 Vaucluse 81 ⑫ – 4 382 h. alt. 48 – 90.
Paris 668 – Avignon 21 – Carpentras 16 – Cavaillon 38 – Nyons 42 – Orange 8 – Sorgues 10.

X **Porte des Princes** avec ch, ☎ 70.70.26 –
fermé 12 nov. au 7 déc., vend. soir et sam. midi – SC : **R** 32/85 – 8 – 9 ch 40/65 – P 100/107.

COURT-PAIN 91 Essonne 60 ⑩ – rattaché à Étampes.

COUSIN (Vallée du) 89 Yonne 65 ⑯ – rattaché à Avallon.

COUSSAC-BONNEVAL 87 H.-Vienne 72 ⑦⑱ – 1 723 h. alt. 343 – ✉ 87500 St-Yriex-la-Perche – ☎ 55.

Voir Château★, G. Périgord.

Paris 438 – Brive-la-Gaillarde 67 – ♦Limoges 44 – St-Yrieix 11 – Uzerche 32.

XX **Voyageurs** M avec ch, ☎ 75.20.24, – wc ☎. GB
fermé janv., vacances de fév. et lundi du 1er oct. au 1er avril – SC : **R** 45/90 – 11 – **12 ch** 45/95 – P 110.

COUSTELLET 84 Vaucluse 81 ⑬ – ✉ 84220 Gordes – ☎ 90.

Paris 709 – Apt 22 – Avignon 30 – Carpentras 26 – Cavaillon 9 – Sault 41.

XX **Lou Revenent,** avec ch (annexe : **les Oliviers** - wc ☎), N 100 ☎ 71.91.21, – ⓟ – 100
fermé 15 au 30 oct. et 15 au 28 fév. – SC : **R** *(fermé lundi hors sais.)* 30/100 – 10 – **15 ch** 60/90 – P 100/120.

COUTAINVILLE 50 Manche 54 ⑫ G. Normandie – Casino – ✉ 50230 Agon-Coutainville – ☎ 33.

☎ 47.03.31.

Office de Tourisme pl. 28-Juillet-1944 (15 juin-10 sept.) ☎ 47.01.46.

Paris 343 – Barneville-Carteret 49 – Carentan 45 – Cherbourg 76 – Coutances 13 – St-Lô 40.

Neptune M sans rest, ☎ 47.07.66, ← – wc wc ☎. AE.
22 mars-fin oct. – SC : 15 – **11 ch** 115/165.

Hardy, ☎ 47.04.11 – ☎. AE GB
fermé 15 au 27 oct., 1er janv. au 4 fév. et lundi hors sais. sauf fériés – SC : **R** 40/160 – 11 – 9 ch 52/120 – P 191.

RENAULT Huchet, ☎ 47.08.55

COUTANCES ⟨SP⟩ 50200 Manche 54 ⑫ G. Normandie – 11 920 h. alt. 92 – ☎ 33.

Voir Cathédrale★★★ Z – Jardin public★ YZ – Office de Tourisme 27 c bd Als.-Lorraine (fermé matin hors saison, sam. après-midi, dim. et fêtes) ☎ 45.17.74.

Paris 330 ② – Avranches 47 ③ – ♦Cherbourg 75 ⑤ – St-Lô 27 ② – Vire 60 ③.

Gd Hôtel, pl. Gare ☎ 45.06.55 – wc wc ☎ ⓟ. GB Z a
SC : **R** 45/80 – 12 – 25 ch 45/120.

Moderne, 25 bd Alsace-Lorraine ☎ 45.13.77 – ⓟ. GB E Y e
fermé vend. soir, sam. et dim. hors sais. – **R** 34/61 – 8 – 17 ch 40/64.

X **Au P'tit Home,** 4 r. Harcourt ☎ 45.00.67 – GB
fermé 14 sept. au 12 oct. et lundi – **R** 30/65. Y v

à Gratot par ④ et D 244 : 4 km – ✉ 50200 Coutances :

X **Le Tourne-Bride,** ☎ 45.11.00, – ⓟ
fermé nov., fév. et jeudi sauf juil. et août – SC : **R** 27/85.

à Montpinchon SE : 13 km par D 7 et D 27 - Z – ✉ 50210 Cerisy-la-Salle :

Château de la Salle ☎ 46.95.19, « Demeure ancienne dans un parc » – TV wc wc ☎ ⓟ. AE GB. rest
fermé 5 janv. au 29 mars – SC : **R** 100/200 – 22 – 10 ch 320 – P 442/542.

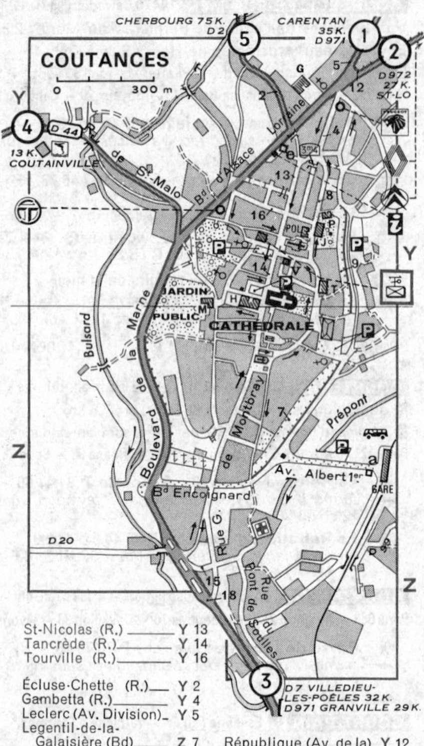

St-Nicolas (R.)	Y 13
Tancrède (R.)	Y 14
Tourville (R.)	Y 16
Écluse-Chette (R.)	Y 2
Gambetta (R.)	Y 4
Leclerc (Av. Division)	Y 5
Legentil-de-la-Galaisière (Bd)	Z 7
Palais-de-Justice (R.)	Y 8
Paynel (Prom. Jeanne)	Y 9
République (Av. de la)	Y 12
Teintures (R. des)	Z 15
Verdun (Av. de)	Z 18

AUSTIN, MORRIS, ROVER Bernard, rte Lessay ☎ 45.16.33
CITROEN Lebouteiller, rte de St-Lô, Zone Ind. ☎ 45.12.70
PEUGEOT Lecointe, 64 bis r. Gambetta ☎ 45.01.22
RENAULT S.O.D.I.A.M., rte de St-Lô ☎ 45.02.55
TALBOT Gar. de l'Ouest, 43 bd Alsace-Lorraine ☎ 45.02.44

Chanut, av. Div.-Leclerc ☎ 45.59.96
Chatel, 10 bd de la Marne ☎ 45.02.06

COUTERNE 61410 Orne 60 ① – 1 047 h. alt. 123 – 33.

Paris 234 – Alençon 42 – Argentan 44 – Bagnoles-de-l'Orne 6 – Domfront 19 – Flers 33.

Relais d'Andaines avec ch, ☎ 37.93.43 – . rest
fermé janv., sam. hors sais. et vend. soir – SC : **R** 27/55 – 8 – **10 ch** 38/42 – P 65/70.

COUTRAS 33230 Gironde 75 ② – 6 145 h. alt. 14 – 56.

Syndicat d'Initiative à la Mairie (sept.-juin, fermé sam. après-midi et dim.) ☎ 49.04.60 et pl. E.-Barrand (juil.-août).

Paris 521 – Bergerac 67 – Blaye 53 – ♦Bordeaux 48 – Jonzac 54 – Libourne 18 – Périgueux 77.

Tivoli, r. Gambetta ☎ 49.04.97
fermé lundi – **R** 22/90

à Rolland NE : 6 km par D 674 – ✉ **33230** Coutras :

Aub. la Rollandière , ☎ 49.11.63, ←, – wc wc .
fermé avril et lundi – SC : **R** 48/85 – 13 – **9 ch** 80/130.

CITROEN Debenat, Rte de Montpon, Zone Ind. ☎ 49.19.36
PEUGEOT Billard, rte d'Angoulême ☎ 49.12.67
RENAULT Gar. de Palard, rte d'Angoulême ☎ 49.16.77

Les pastilles numérotées des plans de ville ①, ②, ③ sont répétées sur les cartes Michelin à 1/200 000. Elles facilitent le passage entre les cartes et les guides Michelin.

La COUTURE-BOUSSEY 27750 Eure 55 ⑰, 96 ⑪ **G. Normandie** – 967 h. alt. 133 – 32.

Paris 84 – Dreux 23 – Évreux 26 – Mantes-la-Jolie 29 – Pacy-sur-Eure 22.

Normandy, ☎ 36.75.28 – . AE . ch
fermé merc. soir et jeudi – SC : **R** 33/70 – 7,50 – **16 ch** 30/55 – P 100/120.

COUZEIX 87 H.-Vienne 72 ⑦⑰ – rattaché à Limoges.

COYE-LA-FORÊT 60580 Oise 56 ⑪, 96 ⑧ – 3 287 h. alt. 30 – 4.

Paris 38 – Beauvais 58 – Chantilly 8,5 – Luzarches 6,5 – Senlis 15.

Étangs, r. Clos-des-Vignes ☎ 458.60.15, – AE GB
fermé 15 fév. au 1er mars et merc. – SC : **R** 55/85.

COZ (Cap) 29 Finistère 58 ⑮ – rattaché à Fouesnant.

CRACHES 78 Yvelines 60 ⑨ – rattaché à Ablis.

CRANSAC 12 Aveyron 80 ① **G. Causses** (plan) – 2 930 h. alt. 279 – Stat. therm. (15 avril-15 oct.) – ✉ **12110** Aubin – 65.

Syndicat d'Initiative pl. J.-Jaurès (15 avril-15 oct.) ☎ 63.06.80.

Paris 615 – Aurillac 75 – Espalion 57 – Figeac 33 – Rodez 37 – Villefranche-de-Rouergue 37.

Parc , r. Prés-Wilson ☎ 63.01.78, ←, parc – wc wc . rest
15 avril-15 oct. – SC : **R** 32/45 – 10 – **30 ch** 42/98 – P 95/140.

CRAON 53400 Mayenne 63 ⑨ **G. Châteaux de la Loire** – 4 763 h. alt. 48 – 43.

Paris 307 – Angers 56 – Châteaubriant 37 – Château-Gontier 19 – Laval 30 – ♦Rennes 67.

Boule d'Or, pl. 11-Novembre ☎ 06.10.01 – wc wc – 50
SC : **R** 28/100 – 10,50 – 22 ch 40/85 – P 115/200.

Ancre d'Or, 2 avenue des promenades Ch. de Gaulle ☎ 06.14.11
fermé 15 au 25 oct., 8 au 21 janv., lundi soir et mardi – SC : **R** 35/100.

CITROEN Ferron, ☎ 06.17.88
PEUGEOT Boisseau, ☎ 06.10.94
RENAULT Gar. Lebascle, ☎ 06.17.29
TALBOT Lemaire, ☎ 06.16.54

CRAPONNE 69290 Rhône 73 ⑳ **G. Vallée du Rhône** – 5 365 h. alt. 285 – 74.

Paris 466 – ♦Lyon 11 – Montbrison 66 – Vaugneray 7.

Poste, av. E.-Millaud ☎ 57.00.53
fermé août et merc. – **R** 23/88 .

CRÉCY-EN-PONTHIEU 80150 Somme **52** ⑦ **G. Nord de la France** – 1 438 h. alt. 36 – 22.

Syndicat d'Initiative à la Mairie (fermé sam. après-midi et dim.) ☎ 29.54.43.

Paris 182 – Abbeville 19 – ♦Amiens 55 – Montreuil 32 – St-Omer 72.

Maye, 13 r. St-Riquier ☎ 29.54.35 – ⓟ. ch
fermé vacances de fév. – SC : **R** 20/55 – 7 – 11 ch.

CRÉCY-LA-CHAPELLE 77580 S.-et-M. **56** ⑬ **G. Environs de Paris** – 2 193 h. alt. 50 – 6.

Paris 47 – Coulommiers 14 – Meaux 15 – Melun 44.

Aub. Pont Dam'Gilles, ☎ 004.82.30 – ⓟ
fermé fév. et merc. – SC : **R** 40/65.

CRÉHEN 22130 C.-du-Nord **59** ⑤ – 1 418 h. alt. 51 – 96.

Paris 391 – Dinan 20 – Dinard 18 – St-Brieuc 50.

Deux Moulins, D 768 ☎ 84.15.40, ≤, – ⓟ E
fermé 15 déc. au 15 fév., vend. soir et dim. soir sauf juil. et août – SC : **R** 32/80 – 9,50 – 16 ch 50/70 – P 100/120.

CREIL 60100 Oise **56** ① ⑪ **G. Environs de Paris** – 35 794 h. alt. 30 – 4.

Syndicat d'Initiative pl. Gén.-de-Gaulle (après-midi seul., fermé dim. et lundi) ☎ 455.16.07.

Paris 59 ③ – Beauvais 41 ① – Chantilly 8 ④ – Clermont 15 ① – Compiègne 38 ①.

CREIL

Aval (Quai d')	2
Barluet (R. H.)	3
Bertaux (R. M.)	4
Blum (R. Léon)	5
Briand (R. A.)	6
Boursier (R.)	7
Carnot (Pl.)	8
Dugué (Pl.)	12
Duguet (R. Ch.-A.)	13
Jaurès (R. J.)	14
Juillet (R. J.)	15
Lattre-de-Tassigny (R. Mar. de)	16
Marl (R. de)	17
Michelet (R. J.)	18
Péroche (R. Cl.)	19
Philippe (R. M.)	21
République (R. de la)	22
Ribot (R.)	23
St-Médard (⊟)	
Schumann (R.)	26
Uhry (Av. J.)	27
Vaux (Rte de)	29
Victor-Hugo (R.)	31
Voltaire (R.)	32

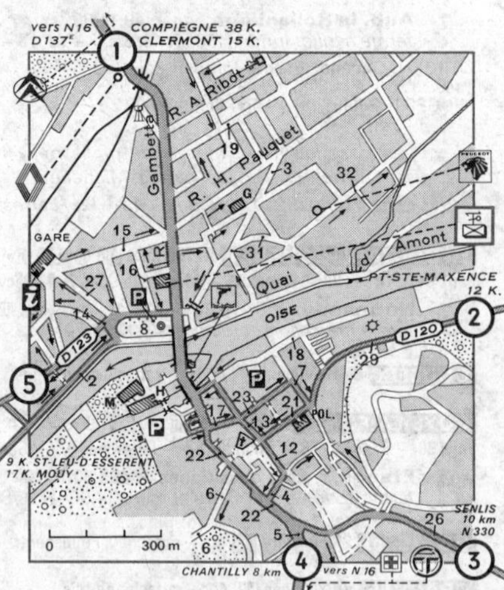

à Nogent-s-Oise par ① : 2 km – 15 682 h. – ✉ **60100** Creil :

Sarcus Ⓜ, ☎ 455.01.31, Télex 150047 – wc wc ☎ ⓟ – 150. GB
SC : **R** *(fermé dim. soir)* 60 bc/100 bc – 13 – **62 ch** 130/150.

Host. des Trois Rois, ☎ 455.03.23, – ⓟ

ALFA-ROMEO, BMW Lemaire-Napoléon, 110 rte de Vaux ☎ 425.08.29
CITROEN Gd Gar. des Obiers, 38 av. du 8-Mai, Nogent-sur-Oise ☎ 455.12.62
FORD Gar. Brie et Picardie, r. du Marais Sec, Zone Ind., Nogent-sur-Oise ☎ 425.69.40
MERCEDES-BENZ SAFI-60, 3 r. du Marais Sec, Zone Ind., Nogent-sur-Oise ☎ 425.18.38
PEUGEOT Safari-Creil, 28 r. Voltaire ☎ 425.10.38
RENAULT Palais Autom., 12 r. Gambetta à Nogent-sur-Oise ☎ 455.10.54
TALBOT Gar. Debuquoy, rte de Chantilly ☎ 425.11.50

Creil-Paris-Pneu, 2 rte de Creil, St-Leu-d'Esserent ☎ 456.62.56
Piot-Pneu, 21 r. Faure-Robert ☎ 425.44.74

CREISSELS 12 Aveyron **80** ⑭ – rattaché à Millau.

CRÉMIEU 38460 Isère **74** ⑬ **G. Vallée du Rhône (plan)** – 2 488 h. alt. 212 – ☺ 74.

ℹ Office de Tourisme à la Mairie (fermé sam. après-midi et dim.) ☎ 94.70.92.

Paris 498 – Belley 48 – Bourg-en-B. 59 – ♦Grenoble 85 – ♦Lyon 37 – La Tour-du-Pin 34 – Vienne 40.

La Petite Auberge, ☎ 94.75.45 – ⇔wc ⋒wc ☎ Ⓟ. 🚘 GB
fermé 4 janv. au 4 fév., dim. soir et lundi d'oct. à mai – SC : **R** 35/130 – ☕ 12 – **14 ch** 45/130 – P 110/150.

✕ **Aub. de la Chaite** avec ch, pl. Tilleuls ☎ 94.76.63 – ⋒ 🚗 Ⓟ. 🚘. ✻
fermé 1er déc. au 2 janv. et vend. – SC : **R** 35/80 ♁ – ☕ 10 – **10 ch** 46/90.

PEUGEOT Gar. Bernard, ☎ 94.76.32

CRÉPIEUX-LA-PAPE 69 Rhône **74** ⑪⑫ – rattaché à Lyon.

CRÉPY-EN-VALOIS 60800 Oise **56** ⑫⑬ **G. Environs de Paris** – 10 920 h. alt. 93 – ☺ 4.

Voir Statues★ dans le musée du Valois M.

Paris 70 ⑥ – Beauvais 74 ⑥ – Compiègne 24 ① – Meaux 37 ⑤ – Senlis 23 ⑥ – Soissons 38 ③.

Trois pigeons, 4 pl. Paon **(a)** ☎ 459.11.21 – ⇔wc ⋒wc ☎ Ⓟ – 🏊 120. 🚘
fermé lundi – SC : **R** 46/70 – ☕ 10 – 14 ch 60/99 – P 105/180.

CITROEN Gar. Inglot, 2 av. P.-Pauchet ☎ 459.12.02
CITROEN Vautier, 10 r. Ste-Agathe ☎ 459.10.60
FORD Marette, 46 av. Pasteur ☎ 487.04.34
OPEL Duval, 48 rte Soissons ☎ 459.10.59
PEUGEOT Derville, 29 av. S.-Carnot ☎ 459.11.24
RENAULT Levasseur, 71 av. Senlis ☎ 487.10.10
TALBOT Éloi, 17 pl. République ☎ 459.11.70

Clair (R. H.)	3	Sadi-Carnot (Av.)	9
Gaulle (R. Ch.-de)	4	St-Lazare (R.)	10
J.-J.-Rousseau (R.)	7	Senlis (Av. de)	12
Nationale (R.)	8	Soissons (R.)	13

CRESSENSAC 46 Lot **75** ⑱ – 620 h. alt. 309 – ✉ 46600 Martel – ☺ 65.

Env. Turenne : site★ du château★ et ✳★★ de la tour de César NE : 9,5 km, G. Périgord.

Paris 510 – Brive-la-Gaillarde 20 – Cahors 83 – Gourdon 46 – Larche 17 – Sarlat-la-Canéda 46.

La Truffière, S : 5 km sur N 20 ☎ 37.88.95, parc – ⇔wc ⋒ ☎ 🚗 Ⓟ. 🚘
1er avril-1er nov., fermé dim. soir et lundi du 1er avril au 1er juin sauf fêtes – SC : **R** 40/120 – ☕ 11 – 20 ch 60/135 – P 115/150.

✕ **Chez Gilles** avec ch, N 20 ☎ 37.70.06 – ⇔ ⋒wc ☎ 🚗. 🚘
fermé fév. et merc. – SC : **R** 43/90 – ☕ 13 – **19 ch** 59/125 – P 110/150.

In this guide,

*a symbol or a character, printed in red or black in **bold** or light type, does not have the same meaning.*

Please read the explanatory pages carefully (pp. 21 to 28).

CREST 26400 Drôme **77** ⑫ **G. Vallée du Rhône** – 7 992 h. alt. 192 – ☺ 75.

Voir Donjon★ : ✳★ F.

ℹ Syndicat d'Initiative bd Belgique (juin-sept. et après-midi en avril et mai) ☎ 75.11.38.

Paris 589 ④ – Die 37 ① – Gap 132 ① – ♦Grenoble 117 ④ – Montélimar 38 ② – Valence 28 ④.

Agirond (Av.)	2
Archinard (R.)	3
Barbéyère (Mtée de la)	4
Belgique (Bd de)	5
Calade (R. de la)	6
Cordeliers (Escaliers des)	9
Dumont (R. Aristide)	10
Faure (Quai Maurice)	12
Gaulle (Pl. du Gén.-de)	13
Grivel (R. Roch)	15
Hôtel-de-Ville (R.)	16
Joubernon (Cours de)	17
Latune (Quai Henri)	18
Long (R. Maurice)	19
Loubet (R. Émile)	20
Pons (R. Paul)	23
Remparts (Ch. des)	24
République (R. de la)	26
St-François (R.)	28
Tour (R. de la)	30
Verdun (Cours de)	32

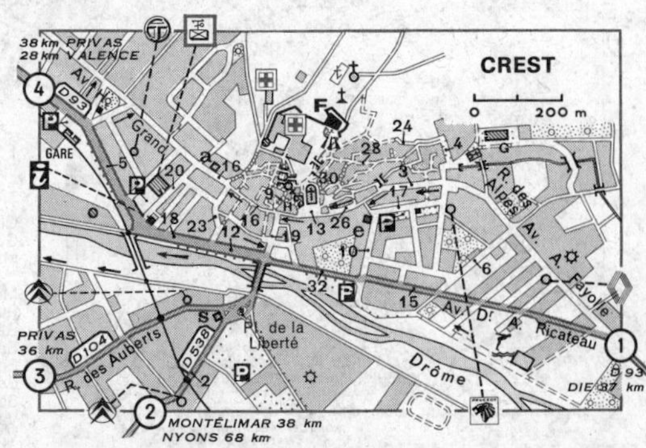

🏨 **Grand Hôtel,** 60 r. Hôtel de Ville **(a)** ☎ 75.08.17 – wc wc ☎. GB
fermé janv., dim. soir et lundi midi sauf été – SC : **R** 36/90 – ☕ 10 – **20 ch** 50/110 – P 100/160.

XX **Porte Monségur,** par ① : 0,5 km ☎ 75.41.48 – Ⓟ GB
fermé vacances de fév. et merc. – SC : **R** 50/115.

X **Kléber** avec ch, cours Joubernon **(e)** ☎ 75.11.69 wc. GB
fermé du 1er oct. au 23 oct., vacances de fév., dim. soir et lundi hors sais. – SC : **R** 35/75 – ☕ 8 – 7 ch 40/70 – P 100.

CITROEN Rolland, rte de Grâne ☎ 75.01.13 N ☎ 75.44.06
CITROEN Terrail, rte de Montélimar ☎ 75.00.84 N ☎ 75.45.75
PEUGEOT Gar. Fontayne, cours Joubernon ☎ 75.10.63
RENAULT Didier, av. A.-Fayolle ☎ 75.10.85
TALBOT Dromauto, 18 r. E.-Branly ☎ 75.00.07

CREST-VOLAND 73 Savoie 74 ⑰ **G. Alpes** – 282 h. alt. 1 230 – Sports d'hiver : 1 230/1 650 m ≤12 – ✉ **73590** Flumet – 79.

ℹ Syndicat d'Initiative (hors saison matin seul. et fermé dim. sauf matin en saison) ☎ 31.62.57.

Paris 593 – Albertville 27 – Annecy 56 – Bonneville 51 – Chambéry 77 – Megève 14.

🏨 **Caprice des Neiges** , rte Saisies ☎ 31.62.95, ← – wc ☎ Ⓟ. rest
25 juin-15 sept. et 15 déc.-20 avril – **R** 33/55 – ☕ 13 – **16 ch** 80/100 – P 115.

🏨 **Aravis** , Au Cernix S : 1,5 km par VO ☎ 31.63.81, ← Aravis – wc wc ☎ Ⓟ
juil.-août et 20 déc.-20 avril – SC : **R** 45 – ☕ 11 – **17 ch** 78/100 – P 125/139.

🏨 **Les Bartavelles,** ✉ 73590 Flumet ☎ 31.61.23, ← – wc ☎ Ⓟ. . rest
1er juil.-28 août et 18 déc.-20 avril – SC : **R** 38 – ☕ 10 – **18 ch** 55/90 – P 114/125.

🏨 La Gelinotte , ☎ 31.60.62, ←, Ambiance chalet, , – Ⓟ.
juil.-août et déc.-fin avril – SC : 10 ch (pension seul.) – P 90/109.

CRÊT-DE-CHATILLON 74 H.-Savoie 74 ⑯ **G. Alpes** – alt. 1 699.

Voir ★★★.

Paris 555 – Aix-les-Bains 43 – Annecy 18.

CRÉTEIL 94 Val-de-Marne 61 ①, 101 ㉗ – voir à Paris, Proche banlieue.

Le CREUSOT 71200 S.-et-L. 69 ⑧ **G. Bourgogne** – 33 480 h. alt. 347 – 85.

ℹ Syndicat d'Initiative avec A.C. 1 r. Mar.-Foch (fermé dim. et lundi) ☎ 55.02.46.

Paris 377 ② – Autun 29 ③ – Beaune 47 ① – Chalon-sur-Saône 39 ② – Mâcon 90 ②.

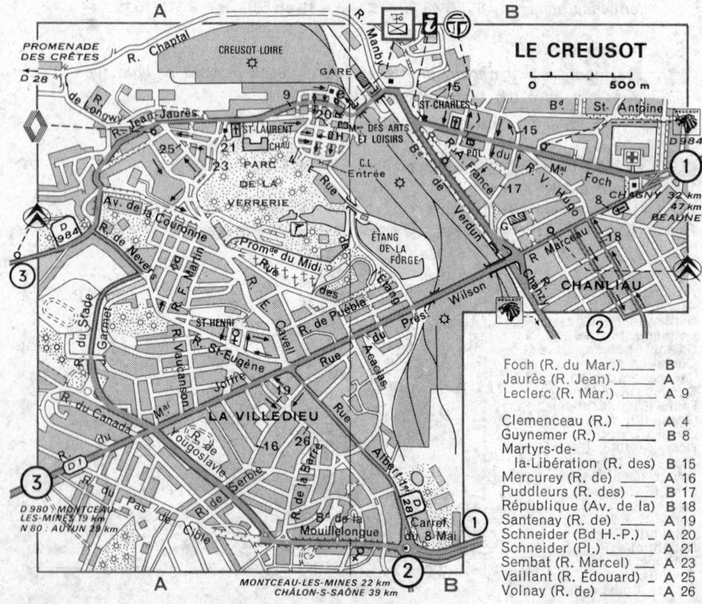

Moderne, 41 r. Mar.-Leclerc ☎ 55.16.63 – wc. GB. rest
SC : **R** *(fermé dim.)* 35/100 – 10 – 40 ch 55/130 – P 135. A **e**

au Breuil par ① : 3 km – 3 067 h. – ✉ **71670** Le Breuil :

Moulin Rouge, ☎ 55.14.11, – wc wc ☎ – 40. AE GB E
fermé 16 au 31 août, 12 au 28 déc. vend. soir et dim. soir – SC : **R** carte 80 à 110 – 12 – **32 ch** 50/160, 3 appartements 180.

à Montchanin par ② : 8 km – ✉ **71210** Montchanin :

Novotel M, ☎ 55.72.11, Télex 800588, parc, – rest ☎ – 250. AE GB
R snack carte environ 65 – 18,50 – **87 ch** 200/215.

AUDI-VOLKWAGEN Gar. du Vieux Saule, à Torcy ☎ 56.20.72
CITROEN Broin, 77 rte de Montcenis ☎ 55.20.09
CITROEN Rameau, 31 r. Marceau ☎ 55.34.22
FORD Gar. Lemonnier et Fuchey, 13 r. Mar.-Joffre ☎ 55.27.06
PEUGEOT Nedey-Guillemier, 97 r. Foch ☎ 55.21.81 et 57 r. de Chanzy ☎ 55.20.63
RENAULT Creusot-Gar., pl. Bozu ☎ 55.10.44
TALBOT Gar. Busseuil-Deshays, 10 r. A.-France ☎ 55.24.72

Creusot-Pneus, av.des Abattoirs ☎ 55.60.93
Robert, 75 rte de Montcenis ☎ 55.21.78

CREUTZWALD **57150** Moselle 57 ⑤ – 15 689 h. alt. 219 – 8.
Paris 376 – Forbach 26 – ♦Metz 50 – Saarbrücken 35 – Sarreguemines 36 – Saarlouis 17.

Aub. du Vieux Cerf, 23 r. Houve ☎ 793.04.17 – GB
fermé 23 fév. au 9 mars, mardi soir et merc. – SC : **R** 30/75.

Faisan d'Or, rte Saarlouis NE : 2 km N 33 ☎ 793.01.36 –
fermé août et lundi – SC : **R** 50/85.

CREUZIER-LE-NEUF **03** Allier 73 ⑤ – rattaché à Cusset.

CREVOUX **05** H.-Alpes 77 ⑱ **G. Alpes** – 127 h. alt. 1 577 – Sports d'hiver : 1 577/2 300 m 3 – ✉ **05200** Embrun – 92.
Paris 720 – Briançon 59 – Embrun 16 – Gap 54 – Guillestre 32.

Parpaillon, ☎ 43.18.08, – wc wc.
SC : **R** 35/55 – 9 – **28 ch** 55/80 – P 95/130.

CRILLON **60** Oise 52 ⑰ – 424 h. alt. 82 – ✉ **60112** Milly-sur-Thérain – 4.
Paris 92 – Aumale 36 – Beauvais 16 – Breteuil 34 – Gournay-en-Bray 18.

La Petite France, ☎ 481.01.13 –
fermé 24 août au 18 sept., vacances de fév., dim. soir, lundi soir et mardi – SC : **R** 30/55.

Les CROCS D'ARCONSAT **63** P.-de-D. 73 ⑥ – rattaché à Chabreloche.

La CROISETTE **74** H.-Savoie 74 ⑥ – rattaché à Salève (Mont).

Le CROISIC **44490** Loire-Atl. 63 ⑭ **G. Bretagne** (plan) – 4 305 h. – 40.
Voir Mont-Esprit ★ – Aquarium de la Côte d'amour★ – ★ du Mont-Lénigo.
Office de Tourisme pl. Gare (fermé jeudi hors sais. et dim.) ☎ 23.00.70.
Paris 452 – La Baule 10 – Guérande 10 – ♦Nantes 83 – Le Pouliguen 7 – Redon 68 – Vannes 75.

Les Nids, 83 bd Gén.-Leclerc à **Port-Lin** ☎ 23.00.63, – wc.
2 au 22 avril et 25 mai-fin sept. – SC : **R** 36/110 – 12,50 – 28 ch 60/145 – P 134/169.

Trehic, rest. l'Estacade, 4 quai Lénigo ☎ 23.03.77 – . GB
fermé 5 janv. au 5 fév. et vend. – SC : **R** 37/125 – 10 – 10 ch 55/95.

Océan avec ch, à **Port-Lin** ☎ 23.00.03, côte et mer – wc.
début fév.-1er nov. – **R** carte 95 à 155 – 15 – 21 ch 60/160.

Bretagne, sur le Port ☎ 23.00.51,
1er mars-1er nov. et fermé merc. hors sais. – SC : **R** 49/140.

Le Brick, 5 quai Lénigo ☎ 23.01.76,
Pâques, 1er mai-30 sept., week-ends hors saison et fermé vend. – SC : **R** 60/130.

CITROEN Gar. Rochard, ☎ 23.00.32
RENAULT Deleplanque, ☎ 23.02.09

The numbered circles on the town plans ①, ②, ③ are duplicated on the Michelin maps at a scale of 1/200 000. These references, common to both guide and map, make it easier to change from one to the other.

CROIX (Col des) 88 Vosges 66 ⑦ – rattaché au Thillot.

La CROIX-BAYARD 38 Isère 77 ④ – rattaché à Voirons.

La CROIX-BLANCHE 71 S.-et-L. 69 ⑲ – alt. 204 – ✉ 71960 Pierreclos – ⚙ 85.
Paris 408 – Charolles 42 – Clermain 15 – Cluny 12 – Mâcon 13 – Roanne 83 – Verzé 7.

Relais du Mâconnais M, N 79 ☎ 36.60.72, ⛟, ✂ – ⛀wc ☎ P. 🐕 AE GB ① E
fermé janv. – SC : **R** 55/120 – ☕ 15 – **12 ch** 70/140.

La CROIX-DU-BREUIL 87 H.-Vienne 72 ⑧ – rattaché à Bessines-sur-Gartempe.

CROIX-FRY (Col de) 74 H.-Savoie 74 ⑦ – rattaché à Manigod.

La CROIX-VALMER 83420 Var 84 ⑰ **G. Côte d'Azur** – 1 869 h. alt. 120 – ⚙ 94.
Paris 879 – Brignoles 65 – Draguignan 52 – Le Lavandou 27 – Ste-Maxime 16 – ♦Toulon 62.

Mer ⛰, SO : 2 km par N 559 ☎ 79.60.61, ≤, « Parc », ⛱ – ⛀wc ⛆wc ☎ P. 🐕. ✂
1er avril-30 sept. (sans rest. en avril et mai) – SC : **R** 70 – ☕ 15 – 31 ch 220/280 – P 220/295.

Parc ⛰ sans rest, E : 1 km par D 93 ☎ 79.64.04, ≤, parc – ⛓ ⛀wc ⛆wc ☎ P. 🐕 ①. ✂
15 avril-1er oct. – SC : ☕ 14 – **33 ch** 90/200.

La Gastronomie Bourguignonne, domaine de Barbigoua SO : 3 km par rte Cavalaire ☎ 79.64.78 – P
24 mai-20 sept. – SC : **R** 48.

à Gigaro SE : 5 km par D 93 et VO – ✉ **83420** La Croix-Valmer :

Souleias M ⛰, ☎ 79.61.91, ≤, « Au faîte d'une colline dominant le littoral », ⛱, ⛟, ✂ – ☎ P – 🏛 30 à 60. AE GB. ✂ rest
31 mars-15 oct. – SC : **R** 75/100 ♨ – ☕ 20 – **34 ch** 175/395.

CRONENBOURG 67 B.-Rhin 62 ⑩ – rattaché à Strasbourg.

CROS-DE-CAGNES 06 Alpes-Mar. 84 ⑨, 195 ㉖ – rattaché à Cagnes.

Le CROTOY 80550 Somme 52 ⑥ **G. Nord de la France** – 2 429 h. – Casino – ⚙ 22.
Voir Butte du Moulin ≤*.
ℹ Office de Tourisme Digue J.-Noiret (avril-sept.) ☎ 27.81.97.
Paris 184 – Abbeville 21 – Berck-Plage 28 – Montreuil 34 – St-Valéry-sur-Somme 13 – Le Tréport 40.

Paris, ☎ 27.80.46, ≤ – ⛀wc ⛆. 🐕
SC : **R** *(fermé vend. d'oct. à Pâques)* 31/120 – ☕ 9,50 – **14 ch** 50/120 – P 100/140.

Baie avec ch, ☎ 27.81.22, ≤ – ⛀wc ⛆wc ☎. 🐕
fermé 10 à fin janv. – SC : **R** 75/95 – ☕ 10 – 15 ch 65/90 – P 120/140.

Les CROTS 05 H.-Alpes 77 ⑰ – rattaché à Embrun.

La CROUZILLE 87 H.-Vienne 72 ⑦⑧ alt. 432 – ✉ **87140** Nantiat – ⚙ 55.
Voir St-Sylvestre : buste reliquaire* dans l'église E : 4,5 km.
Env. Ambazac : trésor** de l'église SE : 7 km, **G. Périgord.**
Paris 374 – Argenton-sur-Creuse 74 – Bellac 34 – Guéret 61 – ♦Limoges 20

à Margnac NO : 1 km – ✉ **87140** Nantiat :

Aub. du Moulin ⛰ avec ch, ☎ 39.91.12, ≤ parc – P
fév.-nov. et fermé merc. – SC : **R** 27/80 – ☕ 8 – 7 ch 40 – P 80/100.

CROZANT 23 Creuse 68 ⑱ **G. Périgord** – 862 h. alt. 277 – ✉ **23160** St-Sébastien – ⚙ 55.
Voir Ruines du château** – Vallée de la Creuse* au N.
Paris 332 – Argenton-sur-C. 32 – La Châtre 48 – Guéret 40 – Montmorillon 76 – La Souterraine 30.

Lac ⛰, E : 1 km par D 72 et D 30 ☎ 89.81.96, ≤ – ⛀wc ⛆ P. ✂ ch
Pâques-1er oct. – SC : **R** 32/58 ♨ – ☕ 9 – 10 ch 70/115 – P 85/115.

CROZON 29160 Finistère 58 ④ G. Bretagne – 7 993 h. alt. 81 – ⚙ 98.

Voir Retable★ de l'église.

Env. Pointe de Dinan ✻★★ SO : 6 km.

Office de Tourisme bd de la plage (Pâques, 1er juin-15 sept.) ☏ 27.07.92.

Paris 584 – ♦Brest 57 – Châteaulin 34 – Douarnenez 46 – Morlaix 75 – Quimper 55.

au Fret N : 5,5 km par D 155 et D 55 – ✉ **29160** Crozon :

Host. de la Mer, ☏ 27.61.90, ≤, – wc wc ☎.
10 avril-3 nov. – SC : **R** *(fermé lundi hors sais.)* 50/115 – ☕ 12 – **30 ch** 52/160 – P 140/150.

Voir aussi ressources hôtelières de *Morgat* S : 3 km par D 887

CITROEN Gar. Le Clech, 53 r. de Poulpatré ☏ 27.04.00
RENAULT Gar. Broennec, Rocade Nord ☏ 27.03.11 N
Prat-Pneus, rte Châteaulin ☏ 27.12.51

CUCHERON (Col du) 38 Isère 77 ⑤ – rattaché à St-Pierre-de-Chartreuse.

CUCUGNAN 11 Aude 86 ⑧ – 102 h. alt. 320 – ✉ **11350** Tuchan – ⚙ 68.

Voir Col Grau de Maury ✻★★ S : 2,5 km – Site★★ château de Quéribus★ SE : 3 km.

Env. château de Peyrepertuse★★ : ≤★★ NO : 7 km, G. Pyrénées.

Paris 910 – Carcassonne 100 – Limoux 77 – ♦Perpignan 40 – Quillan 50.

✕ **Aub.de Cucugnan,** ☏ 45.40.84 – P
fermé 1er au 15 sept. – SC : **R** 38 bc/60 bc.

à Duilhac-sous-Peyrepertuse NO : 4,5 km – ✉ **11350** Tuchan :

✕ **Le Claouzo,** ☏ 45.42.74 –
15 avril-15 sept., dim. et jours de fêtes hors saison – **R** 35 bc/70 bc.

CUCURON 84 Vaucluse 84 ③ G. Provence – 1 206 h. alt. 350 – ✉ **84160** Cadenet – ⚙ 90.

Paris 745 – Aix-en-Provence 34 – Apt 26 – Avignon 67 – Manosque 35.

L'Étang M, ☏ 77.21.25 – wc
fermé 20 déc. au 10 janv. et merc. hors sais. – **R** 60/80 – ☕ 12 – **8 ch** 100 – P 145.

CUISEAUX 71480 S.-et-L. 70 ⑬ – 1 816 h. alt. 273 – ⚙ 85.

Paris 399 – Chalon-sur-S. 57 – Lons-le-Saunier 25 – Mâcon 57 – Orgelet-le-Bourget 29 – Tournus 47.

✿ **Nord,** ☏ 76.71.02 – wc ☎ P. rest
fermé 1er au 8 mai et jeudi – SC : **R** 45/140 – ☕ 14 – **25 ch** 50/120
Spéc. Cassolette d'escargots, Poulet aux écrevisses, Marquise au chocolat.

CUISERY 71290 S.-et-L. 70 ⑫ – 1 583 h. alt. 211 – ⚙ 85.

Paris 372 – Bourg-en-Bresse 46 – Lons-le-Saunier 48 – Mâcon 37 – St-Amour 39 – Tournus 8.

✕✕ **Host. Bressane** avec ch, ☏ 40.11.63 – wc P
fermé 15 au 23 juil., 1er déc. au 1er fév. sauf Noël, mardi soir et merc. sauf août – SC : **R** 50/120 – ☕ 12 – 9 ch 60/120.

CITROEN Picard, ☏ 40.13.52
PEUGEOT Hengy, ☏ 40.14.36

CULAN 18270 Cher 69 ⑪ G. Périgord – 1 164 h. alt. 280 – ⚙ 48.

Voir Château★.

Paris 300 – Bourges 69 – La Châtre 29 – Guéret 68 – Montluçon 33 – St-Amand-Montrond 25.

Poste, ☏ 56.66.57 – . rest
fermé 10 janv. au 10 fév. et lundi – SC : **R** 28/55 – ☕ 9,50 – **14 ch** 36/100.

CITROEN Sauthon, ☏ 56.63.08
PEUGEOT Plaveret M., ☏ 56.64.10

La CURE 39 Jura 70 ⑯ – rattaché aux Rousses.

CUREBOURSE (Col de) 15 Cantal 76 ⑫⑬ – rattaché à Vic-sur-Cère.

Le CURTILLARD 38 Isère 77 ⑥ – alt. 1 012 – Sports d'hiver à Sept Laux-Le Pleyney : 1 450/2 100 m ≰5 – ✉ **38580** Allevard – ⚙ 76.

Paris 610 – Allevard 15 – ♦Grenoble 53 – Pinsot 8.

Baroz ⛰, ☏ 97.50.81, ≤, parc, – wc wc ☎ P. ch
Pentecôte, 22 juin-début sept. et 22 déc.-Pâques – SC : **R** 40/80 – ☕ 9 – 24 ch 53/93 – P 110/130.

Curtillard ⛰, ☏ 97.50.82, ≤, , – cuisinette wc wc ☎ P.
15 mai-15 sept. et 20 déc.-25 avril – SC : **R** 40/80 – ☕ 10 – 36 ch 55/110 – P 85/145.

CUSSAY 37 I.-et-L. 68 ⑤ – rattaché à Ligueil.

CUSSET 03300 Allier 73 ⑤ **G. Auvergne** – 14 507 h. alt. 274 – ✪ 70.

Syndicat d'Initiative r. de la Constitution (juil.août et fermé dim.) ✆ 31.39.41.

Paris 347 ② – Lapalisse 23 ② – Moulins 54 ② – Vichy 3 ①.

CUSSET

Arloing (R. S.) Z 2
Constitution (R.) Z 8
Gambetta (R.) Z 12
Rocher-Favyé (R.) Z 25

Barge (R. de la) Z 3
Carnot (R.) Z 5
Centenaire (Pl. du) Z 6
Gaulle (Bd Gén.-de) Z 9
Giraudoux (R. J.) Y 13
Industrie (R. de l') Y 14
Lafayette (Cours) Z 15
Louis-Blanc (Pl.) Z 19
Prés.-Wilson (R.) Z 20
Radoult-de-la Fosse (Pl.) Z 22
République (Pl.) Z 23
République (R.) Z 24
Tracy (Cours) Z 26
Victor-Hugo (Pl.) Z 27
29-Juillet (R. du) Z 28

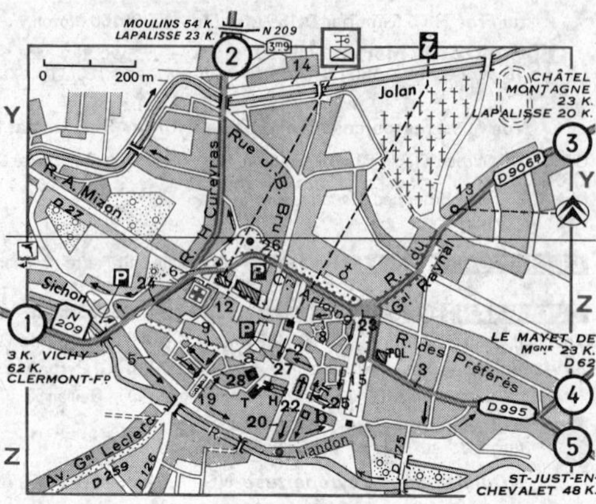

Globe, 1 r. Pasteur ✆ 98.37.25 – wc wc ☎ Ⓟ – 30. — Z **b**
fermé 5 au 26 janv. – SC : **R** 30/70 – 11 – 27 ch 43/120 – P 94/120.

XX **Taverne Louis XI,** près Église ✆ 98.39.39 — Z **a**
fermé 5 au 26 oct., vacances de fév., dim. soir et lundi sauf fériés – SC : **R** 60/110.

à Creuzier-le-Neuf par ② : 5,5 km – ✉ **03300** Cusset :

XX **Bon Accueil** avec ch, N 209 ✆ 98.06.01 – Ⓟ
fermé oct. et mardi – SC : **R** 25/110 – 7,50 – 7 ch 36/56 – P 70/75.

CITROEN Gar. Getenet, 7 r. J.-Giraudoux ✆ 98.39.34
OPEL, LADA Bourdin, 77 rte Paris ✆ 98.98.26
Gar. Coutelard, 39 r. Liandon ✆ 98.38.17

CUSTINES 54670 M.-et-M. 57 ⑭ – 2 902 h. alt. 196 – ✪ 8.

Paris 311 – •Metz 43 – •Nancy 12 – Pont-à-Mousson 18 – Toul 28.

L'Ile sans rest, NO : 2 km D 40 ✆ 349.39.56, ≤ – cuisinette wc ☎ Ⓟ.
fermé 24 déc. au 4 janv. – SC : 9 – **32 ch** 47/105.

DABO 57850 Moselle 62 ⑧ **G. Vosges** – 3 014 h. alt. 450 – ✪ 8.

Voir Site★ – Rocher de Dabo ✻★ SE : 2 km.

Syndicat d'Initiative 19 pl. Église (fermé dim. et mardi après-midi) ✆ 707.40.04.

Paris 412 – Haguenau 63 – •Metz 116 – Sarrebourg 21 – Saverne 25 – •Strasbourg 49.

Belle Vue ⛰, ✆ 707.40.21, ≤ – Ⓟ.
fermé 22 déc. au 5 fév., mardi soir et merc. d'oct. au 31 mars – **R** 38/95 – 9 – 16 ch 40/80 – P 70/85.

XX **Rocher** ⛰ avec ch, au Rocher de Dabo SE : 2 km ✆ 707.40.14, ≤ forêt et montagne – ch
mars-oct. – SC : **R** 40/150 – 10 – 10 ch 40/70 – P 100.

Garage Erb, à Schaeferhof ✆ 707.41.11

La DAILLE 73 Savoie 74 ⑲ – rattaché à Val-d'Isère.

DAMAZAN 47160 L.-et-G. 79 ⑭ – 1 313 h. alt. 55 – ✪ 58.

Paris 663 – Agen 37 – •Bordeaux 102 – Mont de Marsan 83 – Villeneuve-sur-Lot 40.

du Canal, ✆ 79.42.84, ≤ – wc ☎ Ⓟ
SC : **R** 37/59 – 9 – **20 ch** 60/95 – P 135/150.

DAMGAN 56750 Morbihan 63 ⑬ – 874 h. alt. 6 – 97.

Syndicat d'Initiative pl. Presbytère (1er mai-15 sept. et fermé dim. après-midi) ☎ 41.11.32.

Paris 446 – Muzillac 9,5 – Redon 47 – La Roche-Bernard 25 – Vannes 26.

L'Albatros M, bd Océan ☎ 41.16.85, ← – wc ☎ P. rest
Pâques-1er oct. – **R** 33/48 – 9,50 – 16 ch 70/120 – P 105/130.

DAMPIERRE-EN-YVELINES 78720 Yvelines 60 ⑨, 101 ㉛ **G. Environs de Paris** – 740 h. alt. 100 – 3.

Voir Château★★.

Paris 36 – Coignières 11 – Longjumeau 27 – Rambouillet 16 – Versailles 18.

Aub. du Château avec ch, ☎ 052.52.89 – ☎. GB ⓓ.
fermé dim. soir et lundi – SC : **R** 65/85 – 12 – **16 ch** 60/100

au Nord 3 km par D 91, carrefour D 13 – ✉ **78460** Chevreuse :

La Puszta avec ch, ☎ 461.18.35, Cuisine hongroise, « Décor rustique hongrois, jardin » – wc P – 70. ch
fermé lundi soir et mardi – **R** 75 – 25 – 6 ch 200.

Les **cartes Michelin** sont constamment tenues à jour.

DAMPRICHARD 25450 Doubs 66 ⑱ – 2 016 h. alt. 825 – 81.

Paris 491 – ♦Bâle 95 – Belfort 67 – ♦Besançon 82 – Montbéliard 49 – Pontarlier 67.

Lion d'Or, ☎ 44.22.84 – wc wc ☎ P – 100. GB
fermé 20 oct. au 3 nov., 14 au 28 fév., vend. soir et sam. midi hors sais. – SC : **R** 40/120 – 12 – 16 ch 50/120 – P 100/140.

Les DAMPS 27 Eure 55 ⑦ – rattaché à Pont-de-l'Arche.

DAMVILLE 27240 Eure 55 ⑯ – 1 478 h. alt. 145 – 32.

Paris 107 – Bernay 48 – Dreux 33 – Évreux 20 – Verneuil-sur-Avre 19.

Relais de la Poste avec ch, 12 r. Verdun ☎ 34.50.21 – P
fermé jeudi – SC : **R** 37/63 – 10 – **14 ch** 43/78 – P 92/115.

CITROEN Sagot, ☎ 34.51.81
PEUGEOT Métayer, ☎ 34.52.25
RENAULT Gar. de la Poste, ☎ 34 52.27

DAMVILLERS 55150 Meuse 57 ① – 697 h. alt. 208 – 29.

Paris 289 – Bar-le-Duc 82 – Longuyon 27 – ♦Metz 75 – Sedan 66 – Verdun 26.

Croix Blanche, ☎ 85.60.12 – P. ⓓ E. rest
fermé fév., dim. soir et lundi du 1er oct. au 1er avril – SC : **R** 32/70 – 8,50 – 9 ch 41/60 – P 85/93.

CITROEN Gar. Iori, ☎ 85.60.25 N

DANCHARIA 64 Pyr.-Atl. 85 ② – rattaché à Aïnhoa.

La DANCHÈRE 38 Isère 77 ⑥ – – ✉ **38143** Vénosc – 76.

Paris 624 – Le Bourg-d'Oisans 11 – La Grave 29 – ♦Grenoble 60 – Col du Lautaret 40.

Lauvitel , ☎ 80.06.77, ←, – , sans P. rest
28 juin-30 août – SC : **R** 45/55 – 15 – **22 ch** 50/80 – P 90/110.

DANGÉ-ST-ROMAIN 86220 Vienne 68 ④ – 2 605 h. alt. 48 – 49.

Paris 291 – Le Blanc 59 – Châtellerault 16 – Chinon 53 – Loches 40 – Poitiers 49 – ♦Tours 57.

Gare, ☎ 86.40.28 – P.
fermé oct. et dim. – SC : **R** 30/40 – 8 – **13 ch** 40 – P 80.

CITROEN Chavanel, ☎ 86.42.63 N ☎ 86.41.16
RENAULT Judes, ☎ 86 40 39

DANJOUTIN 90 Ter.-de-Belf. 66 ⑧ – rattaché à Belfort.

DANNEMARIE 68210 H.-Rhin 66 ⑨ – 1 965 h. alt. 317 – 89.

Paris 518 – ♦Bâle 41 – Belfort 24 – Colmar 59 – ♦Mulhouse 30 – Thann 26.

Wach avec ch, ☎ 25.00.01 – . ch
hôtel : ouvert 1er avril-30 sept. et fermé lundi ; rest : fermé 15 déc au 15 janv et lundi – SC : **R** 28/90 – 9 – 8 ch 45/70 – P 90/105.

Ritter, ☎ 25.04.30, – P
fermé 14 au 30 déc., lundi soir et mardi – SC : **R** 25/100 .

PEUGEOT Gar. Christen, ☎ 25.00.33
TALBOT Gar. Ingold, ☎ 25.00.23
Raab, ☎ 25.02.71 N

DARNEY 88260 Vosges 62 ⑭ **G. Vosges** – 2 029 h. alt. 268 – ⚙ 29.
Paris 342 – Bourbonne-les-Bains 31 – Épinal 38 – Luxeuil-les-Bains 52 – Vesoul 73 – Vittel 19.

Éléphant 🐎, ☎ 09.43.36, ←, 🌳 – ⊟wc ⋒ ☎ 🚗
fermé 15 janv. au 15 fév. et vend. du 1er oct. à Pâques – SC : **R** 38/190 🍷 – ☕ 12 – 18 ch 50/130 – P 160/250.

DAVÉZIEUX 07 Ardèche 76 ⑩ – rattaché à Annonay.

DAX ⟨SP⟩ 40100 Landes 78 ⑥⑦ **G. Côte de l'Atlantique** – 20 294 h. alt. 12 – Stat. therm. : Atrium – Casino BY – ⚙ 58.
ℹ Office de Tourisme (fermé sam. après-midi et dim.) et A.C. pl. Thiers ☎ 74.82.33.
Paris 706 ① – ♦Bayonne 49 ⑤ – ♦Bordeaux 142 ① – Mont-de-Marsan 52 ② – Pau 78 ③.

DAX

Carmes (R. des) ____ BY 5
Liberté (Av. de la) ST-PAUL-LÈS-DAX ____ AZ 16
Verdun (Cours de) ____ BY 38

Augusta (Cours Julia) ____ BY 2
Borda (Pl.) ____ BY 3
Bouvet (Pl. Camille) ____ BZ 4
Chanoine-Bordes (Pl.) ____ BZ 6
Clemenceau (Av. G.) ____ BZ 7
Croix-Blanche (R. de la) ____ AZ 8
Ducos (Pl. Roger) ____ BZ 9
Évêché (R. de l') ____ BZ 10
Foch (Cours Mar.) ____ BY 12
Foch (R. Mar.) ST-PAUL-LÈS-DAX ____ AZ 13
Fusillés (R. des) ____ BY 14
Gaulle (Espl. Gén.-de) ____ BY 15
Lorrain (Bd Claude) ____ AZ 18
Manoir (Bd Yves du) ____ AZ 19
Millies-Ladroix (Bd E.) ____ BY 20
Pasteur (Cours) ____ BY 23
Résistance (Av. de la) ST-PAUL-LÈS-DAX ____ AZ 24
St-Pierre (R.) ____ BYZ 26
St-Pierre (Bd et Pl.) ____ BY 27
St-Vincent (R.) ____ BYZ 28
St-Vincent-de-Paul (Av.) BY 30
St-Vincent-de-Paul (Bd) ST-PAUL-LÈS-DAX ____ AZ 32
Sully (R.) ____ BZ 35

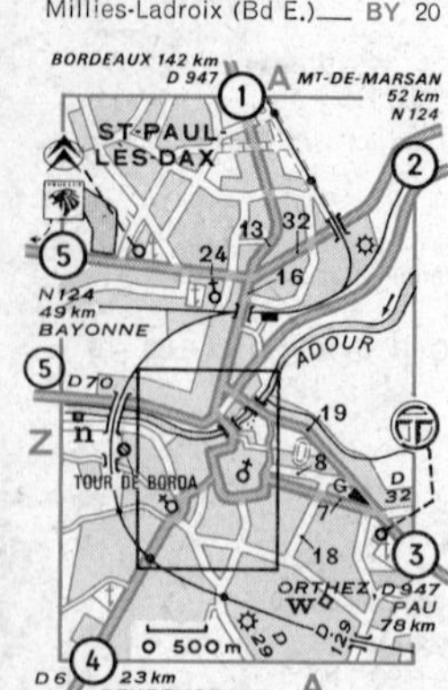

Gd Hôtel Ⓜ, r. Source ☎ 74.91.75, 🌳 – 🛗 cuisinette ▤ rest 📺 🅟 – 🎤 50 à 150. AE. 🚫 rest — BY **d**
R 50/104 – ☕ 12 – **128 ch** 115/145, 8 appartements – P 140/195.

Splendid, cours Verdun ☎ 90.17.04, Télex 540085, ←, 🏊, 🌳 – 🛗 – 🎤 50. AE ⓓ E. 🚫 rest — BY **a**
31 mars-29 nov. – SC : **R** 70 – ☕ 15 – **170 ch** 126/280, 6 appartements 300/315 – P 156/408.

Parc, 1 pl. Thiers ☎ 74.86.17, Télex 540481 – 🛗. AE GB ⓓ E. 🚫 rest — BY **e**
SC : **R** grill 60/90 – ☕ 20 – **41 ch** 130/180 – P 250/300.

Miradour Ⓜ, av. Milliès-Lacroix ☎ 74.98.86, Télex 540085, ← – 🛗 ⊟wc ⋒wc ☎. 🚗. AE. 🚫 rest — BY **v**
SC : **R** 60 – ☕ 13 – **120 ch** 120/125 – P 155/160.

Ecureuils Ⓜ sans rest, 1 r. Croix Blanche ☎ 74.07.71 – 🛗 cuisinette 📺 ⊟wc ⋒wc ☎ ♿ 🅟. 🚗 — BY **k**
1er mars-déc. – SC : ☕ 11 – **58 ch** 80/110.

Régina Ⓜ, bd Sports ☎ 74.84.58, 🌳 – 🛗 📺 ⊟wc ⋒wc ☎ 🅟. 🚗 AE. 🚫 rest
1er mars-30 nov. – SC : **R** 46/104 – ☕ 11 – **112 ch** 104/184, 20 appartements 187 – P 124/218. — BY **d**

- **Tarbelli** [M] sans rest, bd St-Pierre ☎ 74.29.56 – 🛗 TV ⛀wc ☎ P. 🚗 AE
  1er avril-15 nov. – SC : ☐ 11 – **35 ch** 95/102, 5 appartements 205. BY **t**
- **Thermotel** [M] sans rest, 3 cours Joffre ☎ 74.51.50 – 🛗 cuisinette ⛀wc ☎ ♿
  1er mars-30 nov. – SC : ☐ 9 – **71 ch** 100/130. BZ **e**
- **Sully** [M] sans rest, 9 r. L.-Barthou ☎ 74.20.12 – 🛗 cuisinette TV ⛀wc ☎. AE. 🐕
  1er mars-30 nov. – SC : ☐ 12 – **27 ch** 95/125. BZ **u**
- **Vascon,** pl. Fontaine-Chaude ☎ 74.12.14 – 🛗 ⛀wc ☎ BY **u**
  1er mars-23 déc. – SC : **R** (résidents seul.) – ☐ 13 – **30 ch** 80/100 – P 110/140.
- **Tuc d'Eauze,** 3 r. Tuc-d'Eauze ☎ 74.02.71 – ⛀wc 🚿 ☎. 🚗 GB. 🐕 BZ **b**
  1er mars-1er déc. – **R** 45/80 – ☐ 10,50 – **28 ch** 80/115 – P 150/180.
- **Nord** sans rest, 68 av. St-Vincent-de-Paul ☎ 74.19.87 – 🚿 P BY **s**
  fermé 24 déc. au 4 janv. – SC : ☐ 8,50 – **19 ch** 46/57
- **Aub. des Pins** 🐦, 86 av. F.-Planté (Village des Pins) ☎ 74.22.46, 🌳 – 🚿 ☎ P.
  ◆ AE GB ① 🐕 AZ **w**
  fermé 20 déc. au 5 janv., sam. soir et dim. soir hors sais. – SC : **R** 30/80 🍷 – ☐ 8 – **16 ch** 40/62 – P 92/105.
- **Peyroux,** 8 av. V.-Hugo ☎ 74.26.10 – ⛀ 🚿 ☎ P. 🚗 BZ **v**
  ◆ *fermé 23 déc. au 10 janv.* – SC : **R** 28/60 – ☐ 8 – **29 ch** 45/75 – P 90/95.
- XX **Richelieu** avec ch, 13 av. V-Hugo ☎ 90.05.78 – 🚿 ☎. AE GB ①. 🐕 rest BZ **r**
  fermé fév. – SC : **R** *(fermé dim. soir et lundi du 1er oct. au 31 mai)* 45/75 🍷 – ☐ 10 – **20 ch** 55/75 – P 115/135.
- XX **Bois de Boulogne,** O : 1 km par allée des Baignots ☎ 74.23.32, ← – P AZ **n**
  ◆ *fermé oct., mardi soir et merc.* – SC : **R** 35/65 🍷.
- X **Fin Gourmet,** 3 r. Pénitents ☎ 74.04.26 – ▤. E BY **x**
  fermé 20 déc. au 10 fév. – SC : **R** 37/98 🍷.

à l'ouest par ⑤ : 3 km – ✉ **40990** St-Paul-lès-Dax :

- XX **Relais des Plages** [M] avec ch, ☎ 74.08.86, 🏊 – ⛀wc 🚿 ☎ P. 🚗. 🐕 ch
  ◆ *fermé 15 au 30 janv. et lundi* – SC : **R** 26 bc/34 🍷 – ☐ 9,50 – **10 ch** 65/95 – P 85/105.

AUSTIN, MORRIS, OPEL, TRIUMPH Duprat-Desclaux, rte Bayonne, St-Paul-lès-Dax ☎ 74.38.04
CITROEN P. Gigot, 40 av. Résistance, St-Paul-lès-Dax ☎ 74.21.01
FIAT Debibié, 145 av. V.-de-Paul ☎ 74.88.74
LANCIA-AUTOBIANCHI Modern Gar., r. J.-Delaurens ☎ 74.10.51
PEUGEOT Dax-Auto, rte Bayonne, St-Paul-lès-Dax ☎ 74.67.42
TALBOT Gar. Ducasse, rte d'Orthez à Narrosse ☎ 74.44.58
VOLVO Baradat, rte Orthez, Narosse ☎ 74.03.42

Ⓜ Bizet, rte Montfort ☎ 74.21.00
Frey, 122 av. V.-de-Paul ☎ 74.08.40
Morès, pl. du Chanoine-Bordes ☎ 74.05.26

DEAUVILLE

DEAUVILLE 14800 Calvados 55 ③ **G. Normandie** – 5 743 h. – Casinos : été AY, et hiver BY – ✪ 31.

Voir Mont Canisy ←* 5 km par ③ puis 20 mn.

⛳18 ⛳9 New-Golf ☎ 88.20.53 S : 3 km par D 278 BZ.

✈ de Deauville-St-Gatien : ☎ 88.31.27 par D 74 : 7 km CY.

🅸 Office de Tourisme Résidence Desmoulins (fermé dim. hors sais.) ☎ 88.21.43, Télex 170220.

Paris 206 ② – ◆Caen 43 ③ – Évreux 101 ② – ◆Le Havre 74 ② – Lisieux 29 ② – ◆Rouen 90 ②.

Plan page suivante

- **Royal,** bd E.-Cornuché ☎ 88.16.41, Télex 170549, ← – 🛗 TV ♿ P – 🏛 25 à 80.
  AE ①. 🐕 rest AY **y**
  15 avril-fin sept. – **R** 115 – **320 ch** ☐ 290/550, 18 appartements – P 190.
- **Normandy,** r. J.-Mermoz ☎ 88.09.21, Télex 170617, ←, 🌳 – 🛗 TV – 🏛 30 à 120.
  AE ①. 🐕 rest ABY **h**
  R 115 – **316 ch** ☐ 350/570, 24 appartements – P 365/475.
- **P.L.M.** [M] 🐦 sans rest, port de Deauville ☎ 88.62.62, Télex 170364, ← – 🛗 TV ☎
  – 🏛 60. AE GB ① E BX **s**
  SC : ☐ 18 – **70 ch** 225/280.
- **La Fresnaye** sans rest, 81 av. République ☎ 88.09.71 – TV ⛀wc 🚿 ☎ P. 🐕
  fermé janv. – SC : ☐ 15 – **14 ch** 100/350. BY **r**
- **Continental** sans rest, 1 r. Désiré-Le-Hoc ☎ 88.21.06 – ⛀wc 🚿wc ☎ 🚗 GB
  fin mars-fin sept. – SC : **51 ch** ☐ 63/163. BY **n**
- **Marie-Anne** sans rest, 142 av. République ☎ 88.35.32 – ⛀wc 🚿wc ☎ P
  SC : ☐ 13,50 – **22 ch** 80/205, 3 appartements 265. BY **k**
- **Résidence** sans rest, 55 av. République ☎ 88.07.50 – ⛀wc 🚿wc ☎. 🚗
  fermé oct. – SC : ☐ 11 – **17 ch** 100/160. BY **m**
- **Patio** sans rest, 180 av. République ☎ 88.25.07 – ⛀wc 🚿 ☎ AZ **v**
  SC : ☐ 12 – **11 ch** 120/160.

tourner →

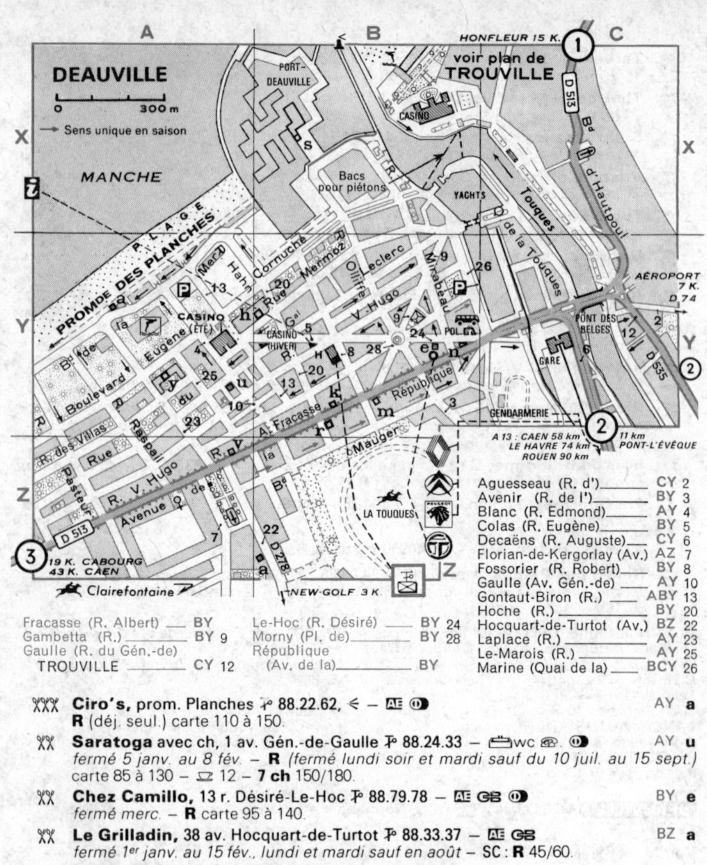

Aguesseau (R. d') CY 2
Avenir (R. de l') BY 3
Blanc (R. Edmond) AY 4
Colas (R. Eugène) BY 5
Decaëns (R. Auguste) CY 6
Florian-de-Kergorlay (Av.) AZ 7
Fossorier (R. Robert) BY 8
Gaulle (Av. Gén.-de) AY 10
Gontaut-Biron (R.) ABY 13
Hoche (R.) BY 20
Hocquart-de-Turtot (Av.) BZ 22
Laplace (R.) AY 23
Le-Marois (R.) AY 25
Marine (Quai de la) BCY 26

Fracasse (R. Albert) BY
Gambetta (R.) BY 9
Gaulle (R. du Gén.-de) TROUVILLE CY 12
Le-Hoc (R. Désiré) BY 24
Morny (Pl. de) BY 28
République (Av. de la) BY

XXX **Ciro's,** prom. Planches ☎ 88.22.62, ≤ – AE DC — AY **a**
R (déj. seul.) carte 110 à 150.

XX **Saratoga** avec ch, 1 av. Gén.-de-Gaulle ☎ 88.24.33 – wc ☎. DC — AY **u**
fermé 5 janv. au 8 fév. – **R** *(fermé lundi soir et mardi sauf du 10 juil. au 15 sept.)* carte 85 à 130 – 12 – **7 ch** 150/180.

XX **Chez Camillo,** 13 r. Désiré-Le-Hoc ☎ 88.79.78 – AE GB DC — BY **e**
fermé merc. – **R** carte 95 à 140.

XX **Le Grilladin,** 38 av. Hocquart-de-Turtot ☎ 88.33.37 – AE GB — BZ **a**
fermé 1er janv. au 15 fév., lundi et mardi sauf en août – SC : **R** 45/60.

*au **New-Golf*** S : 3 km par D 278 - BZ – ✉ **14800** Deauville :

Golf, ☎ 88.19.01, Télex 170448, alt. 100, « Dans la campagne normande, ≤ mer et vallée », parc, – TV P – 30. AE DC. rest
Pâques-1er nov. – **R** 115 – **190 ch** 330/570, 10 appartements – P 490/600.

à Touques par ② : 2,5 km – ✉ **14800** Deauville :

L'Amirauté M, ☎ 88.90.62, Télex 171665, – TV ☎ P – 50 à 200. AE GB DC
SC : **R** carte 90 à 120 – 15 – **120 ch** 300/350, 6 appartements 550.

XX **Aux Landiers,** ☎ 88.00.39 – P. GB.
fermé fév., dim. soir et lundi hors sais. – **R** 60/80.

Voir aussi ressources hôtelières de ***Blonville.***

AUSTIN, MERCEDES-BENZ, **MORRIS,** PORSCHE **TRIUMPH** Clairefontaine Automobile, 30-32 r. Hoche ☎ 88.21.79
CITROEN Succursale, r. de Paris ☎ 88.85.44
FIAT, LANCIA-AUTOBIANCHI Moreau, 41 av. République ☎ 88.21.15
FORD Bastien, 22 r. Fracasse ☎ 88.04.31
OPEL Gar. de la Plage, 26 r. Gén.-Leclerc ☎ 88.28.67

PEUGEOT SODEVA, rte de Paris ☎ 88.66.22
RENAULT Deauville-Auto, rte de Paris ☎ 88.21.34
TALBOT Capton, 96 av. République ☎ 88.23.29
Callac, 23 r. Oliffe ☎ 88.36.32

Dans ce guide

un même symbole, un même caractère
imprimé en noir ou en rouge, en maigre ou en ***gras***
n'ont pas tout à fait la même signification.
Lisez attentivement les pages explicatives (p. 13 à 20).

DECAZEVILLE 12300 Aveyron 80 ① **G. Causses** – 10 811 h. alt. 225 – 65.
Syndicat d'Initiative 15 av. Cabrol (fermé sam. et dim.) 43.06.27.
Paris 610 – Aurillac 68 – Figeac 28 – Rodez 37 – Villefranche-de-Rouergue 38.

France, pl. Cabrol 43.00.07 – wc wc . GB
R *(fermé lundi)* 25 – 15 – **24 ch** 80/120 – P 125.

Pontier, 71 Av. Paul Ramadier 43.04.04 – wc – 30
SC : **R** 28/100 – 9,50 – **24 ch** 45/100 – P 80/110.

Moderne, 16 av. A.-Bos 43.04.33 – . ch
fermé 15 au 30 sept. – **R** 30/50 – 8 – **17 ch** 35/52 – P 80/90.

à Port d'Agrès N : 8,5 km par D 633n – **12300** Decazeville :

Pont, 43.04.94 – wc wc . E
fermé janv. – **R** *(fermé vend. soir et sam. midi)* 25/80 – 10 – **22 ch** 55/90 – P 70/110.

CITROEN Larroque, 26 r. Maruejouls 43.08.77
TALBOT Fiches, pl. de la Gare 43.01.27
Sigal, pl. G.-Abraham 43.02.33

When looking for a hotel or restaurant use the most efficient method.
Look for the names of towns underlined in red
on the ***Michelin maps*** *scale : 1:200 000.*
But make sure your have an up to date map !

DECIZE 58300 Nièvre 69 ④⑤ **G. Bourgogne** – 7 713 h. alt. 197 – 86.
Office de Tourisme à l'Hôtel de Ville (fermé sam. après-midi et dim.) 25.03.23.
Paris 273 ① – Autun 78 ② – Bourbon-Lancy 38 ② – Château-Chinon 53 ② – Clamecy 75 ① – Digoin 66 ② – Moulins 33 ③ – Nevers 34 ①.

DECIZE

Champ-de-Foire (Pl.) 2
Foch (R. Mar.) 3
Hôtel-de-Ville (Pl.) 4
Jaurès (Pl. Jean) 5
J.-J.-Rousseau (R.) 6
Loire (Quai de) 7
Moulins (Rte de) 9
République (R.) 12
St-Just (Pl.) 20
Saint-Just (R.) 21
Verdun (Av. de) 22
Voltaire (Bd) 24
14-Juillet (Av. du) 25

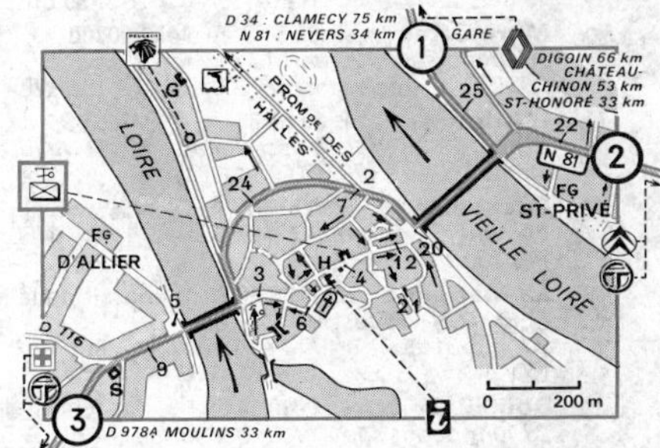

Agriculture, 20 rte Moulins **(s)** 25.05.38 – .
fermé 27 sept. au 18 oct. et dim. de nov. à avril – SC : **R** 27/60 – 10 – 18 ch 40/80.

Capucines, av. Gare ① 25.04.12, « Jardin au bord de la rivière » –
SC : **R** *(fermé lundi du 1er oct. au 30 juin)* 24/65 – 10 – 29 ch 33/60 – P 88.

AUDI-VOLKSWAGEN Gar. Boiteau, 8 av. du 14-Juillet 25.06.12
CITROEN Dubois-Dallois, 109 bis av. Verdun 25.15.88
PEUGEOT Decize-Autos, 6 bd Dr-Galvaing 25.09.23
RENAULT SAVRAL, à St-Léger-des-Vignes 25.09.73
TALBOT Becouse-Autom., rte Moulins 25.13.32
TALBOT Gonin, 50 av. Verdun 25.08.91
Jousse, Les Champs Monares rte de Moulins 25.14.39

DELLE 90100 Ter.-de-Belf. 66 ⑧ – 6 534 h. alt. 360 – 84.
Office de Tourisme av. Gén.-de-Gaulle (fermé matin et dim.) 36.08.76.
Paris 495 – ♦Bâle 51 – Belfort 19 – Montbéliard 18.

National, à la Gare 36.03.97, – wc wc . GB .
SC : **R** *(fermé 26 juil. au 16 août, 24 déc. au 3 janv. et dim.)* 30/75 – 12 – **14 ch** 45/90 – P 120/160.

DELME 57590 Moselle 57 ⑭ – 620 h. alt. 221 – 8.
Paris 358 – Château-Salins 13 – ♦Metz 32 – ♦Nancy 35 – Pont-à-Mousson 32 – St-Avold 41.

A la Douzième Borne, 705.30.18 – – 130. GB
R 34/120 – 9 – **19 ch** 34/65 – P 54/71.

DEMOISELLES (Grotte des) ★★★ 34 Hérault 80 ⑯⑰ **G. Causses.**

DÉSAIGNES 07 Ardèche 76 ⑲ – rattaché à Lamastre.

DESCARTES 37160 I.-et-L. 68 ⑤ **G. Châteaux de la Loire** – 4 481 h. alt. 51 – 47.

Syndicat d'Initiative à la Mairie (fermé sam. après-midi et dim.) 59.70.50.

Paris 290 – Châteauroux 91 – Châtellerault 23 – Chinon 52 – Loches 31 – Tours 56.

Aub. de l'Islette, à Lilette (86 Vienne) O : 3 km par D 58 et D 5 37160 Descartes (37 I.-et-L.) 59.72.22 – wc wc. GB
fermé déc. et sam. hors sais. – SC : **R** 28/65 – 8,50 – **18 ch** 39/70 – P 87/105.

à Abilly S : 5 km par D 750 et D 42 – **37160** Descartes :

Relais de Touraine, 59.78.04 –
fermé 15 au 31 janv. hôtel fermé dim. soir hors sais., rest fermé lundi midi hors sais. – SC : **R** 28/80 – 9,50 – 9 ch 63 – P 90.

RENAULT Chabauty, 59.70.40

Les DEUX-ALPES (Alpes de Mont-de-Lans et de Vénosc) 38860 Isère 77 ⑥ **G. Alpes** – alt. 1 644 Alpe de Vénosc, 1 660 m Alpe de Mont-de-Lans – Sports d'hiver : 1 650/3 568 m 6 44, – 76.

Voir Belvédère de la Croix*.

Office de Tourisme 80.52.23 et réservations hôtelières 80.54.38, Télex 320883.

De l'Alpe de Vénosc : Paris 639 – Le Bourg-d'Oisans 25 – La Grave 26 – Grenoble 74 – Col du Lautaret 37.

La Farandole M, 80.50.45, ≤ massif de la Muzelle, – – 60. AE GB E. rest
20 juin-13 sept. et début déc.-début mai – SC : **R** 70/100 – 20 – **46 ch** 100/350, 14 appartements 450/600 – P 170/300.

Bérangère M, 80.56.22, ≤, – . GB. rest
15 déc.-2 mai – SC : **R** 80/170 – 25 – **59 ch** 150/280 – P 190/290.

Marmottes M, 80.51.91, Télex 320700, ≤, – . rest
25 juin-5 sept., 25 oct.-12 nov. et 1er déc.-1er mai – SC : **R** 65/90 – 19 – **30 ch** 120/220, 10 appartements 200/250 – P 180/275.

L'Adret M, 80.51.66, ≤, , , – . rest
21 juin-30 août et 15 déc.-2 mai – SC : **R** 55/75 – 14 – **21 ch** 120/220, 4 appartements 250 – P 170/270.

Edelweiss M, 80.51.07, ≤, – wc – 40. rest
21 juin-13 sept. et 13 déc.-3 mai – SC : **R** 50/85 – 15 – **30 ch** 140/200 – P 140/230.

La Mariande , 80.50.60, ≤ massif de la Muzelle, , , – wc . . rest
20 juin-31 août et 20 déc.-25 avril – SC : **R** 75/90 – 17 – 23 ch 130/245 – P 160/240.

Souleil'Or M, 80.54.69, ≤ – wc . rest
28 juin-début sept. et 15 déc.-3 mai – SC : **R** 55 – 12,50 – **33 ch** 125/145 – P 140/175.

Muzelle-Sylvana, 80.50.93 – wc wc – 30. rest
1er nov.-20 avril – **R** 50/55 – 13,50 – **30 ch** 179 – P 180/195.

Mélèzes, 80.50.50, ≤ – wc . rest
20 déc.-1er mai – SC : **R** 41/80 – 12 – **32 ch** 100/140 – P 130/170.

Le Cairn, 80.52.38, ≤ – wc . . rest
juil.-août et 15 déc.-1er mai – SC : **R** 38/60 – 12 – **22 ch** 70/140 – P 120/150.

Le Provençal, 80.52.58 – wc .
4 juil.-31 août et 20 déc.-25 avril – SC : **R** 50 – 13 – **18 ch** 100/135 – P 140/165.

Chalet H. Mounier , 80.56.90, , – wc – 30. . rest
28 juin-7 sept. et 15 déc.-2 mai – SC : **R** 42/54 – 11 – **37 ch** 85/150 – P 125/165.

Gar. de la Vallée, Alpes-de-Mont-de-Lans 80.56.64 N

DHUIZON 41 L.-et-Ch. 64 ⑧ – 1 086 h. alt. 130 – **41220** La Ferté-St-Cyr – 54.

Paris 173 – Beaugency 22 – Blois 28 – Orléans 43 – Romorantin-Lanthenay 27.

XX **Gd Dauphin** avec ch, 98.31.12 – . GB
fermé 15 janv. au 26 fév., mardi soir et merc. – SC : **R** 34/98 – 11 – **9 ch** 58/64.

Les hôtels ou restaurants agréables sont indiqués dans le guide par un signe rouge.

Aidez-nous en nous signalant les maisons où, par expérience, vous savez qu'il fait bon vivre.

Votre guide Michelin 1982 sera encore meilleur.

...

XXXXX ... X

DIE <SP> 26150 Drôme 77 ⑬⑭ G. Alpes (plan) – 4 191 h. alt. 410 – ✪ 75.

☐ Syndicat d'Initiative avec A.C. pl. St-Pierre (15 juin-15 sept.) ☎ 22.03.03.

Paris 626 – Gap 95 – •Grenoble 97 – Montélimar 77 – Nyons 83 – Sisteron 99 – Valence 65.

- **La Petite Auberge,** av. Sadi-Carnot ☎ 22.05.91, ← – wc wc ☎ P. rest
  fermé du 1er déc. au 1er fév. et lundi sauf juil., août et fêtes – SC : **R** 38/100 – 12 – 15 ch 60/100 – P 100/150.
- **St-Dominique, 44** r. C.-Buffardel ☎ 22.03.08 – wc wc ☎ .
  fermé 5 nov. au 11 déc. – SC : **R** *(fermé mardi hors sais.)* 28/60 – 9,50 – **23 ch** 91/101 – P 91/157.
- **Relais de Chamarges,** rte Valence : 1 km ☎ 22.00.95 – wc wc ☎ P.
  fermé fév. et lundi hors sais. – SC : **R** 34/95 – 10 – 9 ch 90 – P 115/130.

CITROEN Gar. des Alpes, ☎ 22.01.89
FIAT Favier, ☎ 22.02.11
FORD Mocellin, ☎ 22.04.97 N
PEUGEOT Querol, ☎ 22.06.47
RENAULT Bouffier, ☎ 22.01.55
TALBOT Sibourg, ☎ 22.01.47
Gar. du Dauphiné, ☎ 22.05.13 N

DIEFMATTEN 68 H.-Rhin 66 ⑨ – 214 h. alt. 300 – ✉ 68780 Sentheim – ✪ 89.

Paris 521 – Belfort 24 – Colmar 49 – •Mulhouse 25 – Thann 17.

- XX **Cheval Blanc,** ☎ 26.91.08, – P
  fermé 15 janv. au 15 fév. et lundi – SC : **R** 75/145.

DIENNE 15 Cantal 76 ③ G. Auvergne – 496 h. alt. 1 050 – ✉ 15300 Murat – ✪ 71.

Paris 504 – Allanche 22 – Aurillac 56 – Condat 31 – Mauriac 52 – Murat 10 – St-Flour 35.

- **Manoir des Gentianes** , ☎ 20.80.06 – wc P.
  fermé 15 nov. aux vacances de Noël – SC : **R** 25/45 – 8 – **12 ch** 40/80 – P 72/100.
- **Poste,** ☎ 20.80.40 – wc P. ch
  fermé 10 nov. au 10 déc. – SC : **R** 28/45 – 10 – **10 ch** 55/95 – P 80/100.

DIEPPE <SP> 76200 S.-Mar. 52 ④ G. Normandie – 26 111 h. – Casino Municipal AXY – ✪ 35.

Voir Église St-Jacques★ – Boulevard de la Mer ←★ – Chapelle N.-D.-de-Bon-Secours ←★ – Musée du château : ivoires★.

18 ☎ 84.25.05 par ⑥ : 2 km.

☐ Office de Tourisme bd Gén.-de-Gaulle (fermé dim.) ☎ 84.11.77 et Rotonde plage (juil.-août, fermé lundi et mardi matin) ☎ 84.28.70 – A.C.O. 63 r. St-Jacques ☎ 84.24.71.

Paris 200 ④ – Abbeville 63 ① – Beauvais 98 ④ – •Caen 167 ④ – •Le Havre 104 ④ – •Rouen 61 ④.

Plan page suivante

- **La Présidence** M, bd Verdun ☎ 84.31.31, Télex 180865, ← – rest TV ☎ P – 150. AE GB E — AY **z**
  SC : **R** (4e étage) grill 50 bc – 18 – **89 ch** 115/300.
- **Univers,** 10 bd Verdun ☎ 84.12.55, Télex 770741, ←, « Beau mobilier ancien » – TV ☎ P – 30. AE GB E. rest — AX **f**
  fermé 15 déc. au 30 janv. – SC : **R** 60/85 – 18 – 28 ch 120/220 – P 195/250.
- **Aguado** sans rest, 30 bd Verdun ☎ 84.27.00, ← – TV wc wc ☎. — BX **s**
  SC : 15 – **53 ch** 138/200.
- **Windsor,** 18 bd Verdun ☎ 84.15.23, ← – rest TV wc ☎ – 40. AE GB E. rest — AX **a**
  fermé 13 nov. au 18 déc. – SC : **R** *(fermé dim. soir d'oct. au 28 fév.)* 54/80 – 13 – 46 ch 85/160 – P 150/270.
- **Select H.** sans rest, r. Toustain ☎ 84.14.66 – wc ☎. AE GB — AY **v**
  SC : 13 – **25 ch** 80/145.
- **Plage** sans rest, 20 bd Verdun ☎ 84.18.28 – wc ☎. GB. — AX **n**
  fermé 11 nov. au 20 déc. – SC : 12,50 – **36 ch** 90/135.
- **Relais Gambetta,** 95 r. Gambetta ☎ 84.12.91 – wc ☎ P. AE GB
  fermé 20 sept. au 20 oct., dim. soir et lundi hors sais. – SC : **R** 50/130 – 13,50 – 16 ch 85/150 – P 150/190. — AZ **s**
- XXX ✿ **Horizon,** au casino 2e étage ☎ 82.33.60, ← – AE GB E — AXY **e**
  fermé merc. – SC : **R** 90 bc
  Spéc. Gratin de moules aux herbes, Steack de lotte au vinaigre de cidre, Marmite "Horizon"
- XX **Marmite Dieppoise,** 8 r. St-Jean ☎ 84.24.26 – AE GB — BXY **k**
  fermé 27 juin au 6 juil., 18 déc. au 4 janv., dim. soir et lundi – SC : **R** 33/80 (vend. et sam. soir dîner à la carte).
- XX **Armorique,** 17 quai Henri-IV ☎ 84.28.14 – GB — BX **t**
  fermé 1er au 15 juin, 21 sept. au 6 oct., dim. soir et lundi – SC : **R** carte 70 à 110.
- XX **Le Sully,** 97 quai Henri-IV ☎ 84.23.13 — BX **h**
  fermé 15 nov. au 15 déc., mardi soir et merc. – SC : **R** 38/72.

à Puys par ① : 4 km – ✉ **76370** Neuville-lès-Dieppe :

- XX **Aub. du Vieux Puits** avec ch, ☎ 84.15.70, – P. AE GB
  fermé 15 nov. au 15 déc., lundi soir et mardi – SC : **R** 40/120 – 12 – 8 ch 70/120.

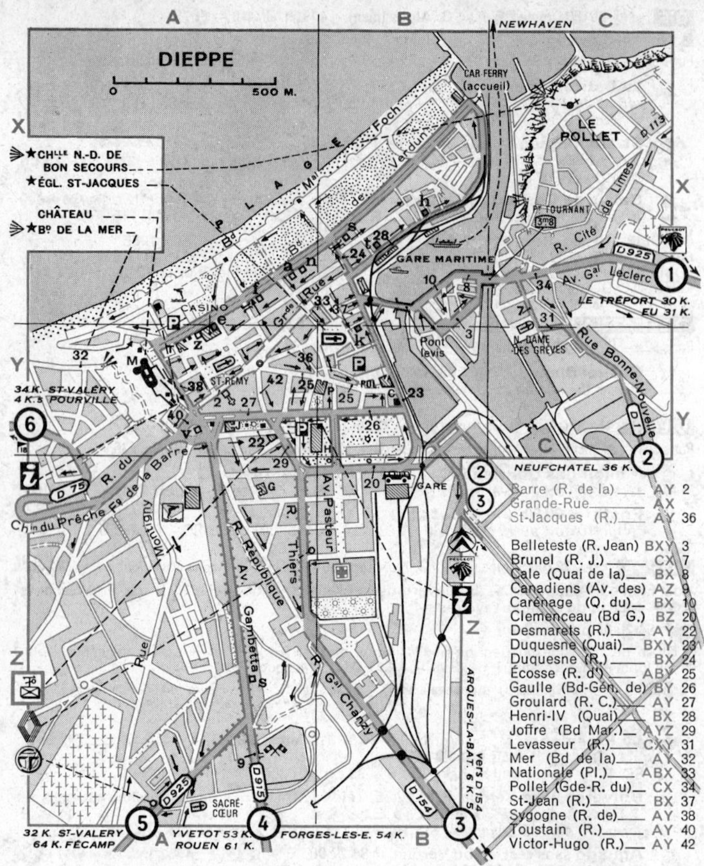

à Rouxmesnil-Bouteilles par ③ : 4,5 km – ✉ **76370** Neuville-lès-Dieppe :

Aub. Maison Rouge, ☎ 85.50.44 – 🚿 Ⓟ. rest
SC **R** *(fermé dim. soir et lundi midi)* 38/45 – 10 – 8 ch 46/60 – P 78/90.

aux Vertus par ④ : 3,5 km sur N 27 – ✉ **76550** Offranville :

La Bucherie, ☎ 84.83.10 – Ⓟ. AE
fermé 10 au 31 oct., 10 au 20 fév., merc. soir et jeudi – SC : **R** (nombre de couverts limité - prévenir) 65/130.

Voir aussi ressources hôtelières de *Martin-Église* par ② : 6,5 km

AUDI-VOLKSWAGEN Picard, Zone Ind. à Neuville-lès-Dieppe ☎ 82.02.16
AUSTIN-MORRIS-ROVER Bretel, 10 av. Gambetta ☎ 84.19.09
CITROEN Ets Leprince, Zone Ind., voie La Pénétrante ☎ 84.16.77 N ☎ 84.67.62
DATSUN Gar. Gosse, 1 r. J.-Flouest ☎ 84.21.49
FIAT, LANCIA AUTOBIANCHI, MERCEDES-BENZ Vasseur 17 ch. Course, à Rouxmesnil-Bouteilles ☎ 84.18.54
FIAT Gar. J. Jaurès 8 av. J. Jaurès ☎ 84.72.35
FORD Gar. de la Plage, 4 r. Bouzard ☎ 84.10.36
PEUGEOT Laffillé, Zone Ind. "La Pénétrante" ☎ 82.24.50
PEUGEOT Gar. Rope, Zone Ind., Rte d'Envermeu à Neuville lès Dieppe ☎ 82.50.76
RENAULT Gds Gar. Normandie, 33 r. Thiers ☎ 82.23.40
TALBOT Novocar, 36 av. J.-Jaurès ☎ 82.40.40

Diepneu, 46 r. Thiers ☎ 84.39.99
Léveillard, 7 quai Trudaine ☎ 84.17.00

CONSTRUCTEUR . Alpine, av. de Bréauté ☎ **84.37.21**

Le località sottolineate in rosso sulle carte stradali Michelin in scala 1/200 000 figurano in questa guida. Approfittate di questa informazione, regolarmente aggiornata, utilizzando una carta di edizione recente.

DIEULEFIT 26220 Drôme 81 ② G. Vallée du Rhône – 2 919 h. alt. 386 – 75.

Syndicat d'Initiative pl. Église (1er juin-30 sept.) ☎ 46.42.49.

Paris 634 – Crest 37 – Montélimar 27 – Nyons 31 – Orange 58 – Pont-St-Esprit 61 – Valence 72.

Chez Nous, ☎ 46.40.59, « jardin » – wc wc ☎ – 30. rest
fermé 25 nov. au 22 déc. – SC : **R** 36/80 – 12 – 22 ch 45/200 – P 120/200

Relais du Serre, rte Nyons ☎ 46.43.45 – wc ☎ . AE GB
fermé fév. et merc. – SC : **R** 30/110 – 10 – **8 ch** 75/95 – P 120/140.

Les Brises, rte Nyons à 2 km ☎ 46.41.49 –
fermé janv. et mardi – SC : **R** 35/70 – 7 – 8 ch 45/48 – P 80.

au Poët-Laval O : 5 km par 540 – 26160 La Bégude-de-Mazenc.
Voir Site★.

Les Hospitaliers M, ☎ 46.22.32, ≤ vallée, « Au vieux village », – – 30. AE
fermé 3 janv. au 1er mars – SC : **R** 180/230 – 28 – 20 ch 160/360
Spéc. Ballotine de pigeon, Feuilleté aux langoustines, Gigot "Patte bleue".

CITROEN Chauvin, ☎ 46.44.47
PEUGEOT Henri, ☎ 46.43.59 N
RENAULT Gar. Bonnel, ☎ 46.44.36
RENAULT Guerrier, à Graveyron-les-Promenades ☎ 46.41.88

Si vous êtes retardé sur la route, dès 19 h, confirmez votre réservation par téléphone, c'est plus sûr... et c'est l'usage.

DIGNE P 04000 Alpes-de-H.-Pr 81 ⑰ G. Côte d'Azur – 16 576 h. alt. 608 – Stat. therm. (3 mars-15 nov.) Ét. thermal, E : par D 19 B et D 20 : 3,5 km – 92.

Voir Cadre★.

Env. Courbons ≤★ de l'église 6 km par ③ – ≤★ du Relais de télévision 8 km par ③

Syndicat d'Initiative 2 bd Victor-Hugo ☎ 31.26.12, Télex 430605 - A.C. allées Fontainiers ☎ 31.29.26.

Paris 744 ③ – Aix-en-Provence 110 ③ – Antibes 139 ② – Avignon 143 ③ – Cannes 134 ② – Carpentras 139 ③ – Gap 87 ③ – ♦Grenoble 180 ③ – ♦Nice 153 ② – Valence 203 ③.

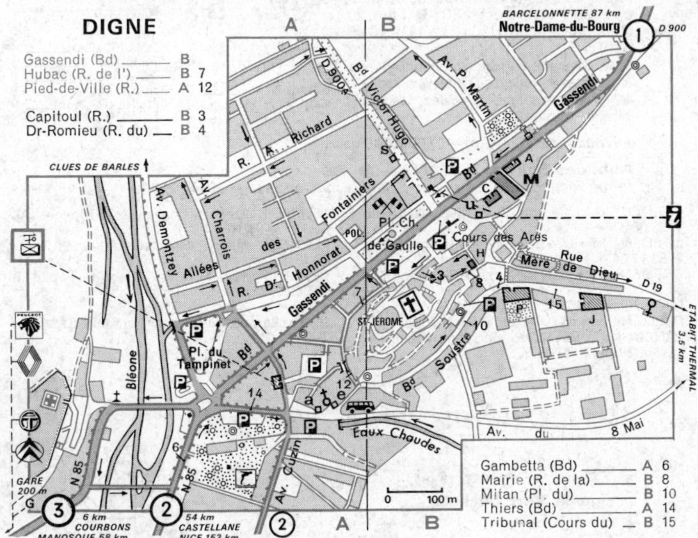

Gd Paris (Ricaud), 19 bd Thiers ☎ 31.11.15 – ☎ – 25. A **a**
fermé début janv. à mi-fév. – SC : **R** *(fermé dim. soir et lundi hors saison)* 80/180 – 19 – **27 ch** 125/200, 5 appartements 310 – P 180/250
Spéc. Mousseline de grive, Agneau persillé et moutarde, Charlotte aux fruits. Vins Lirac, Vignelaure.

Ermitage Napoléon, bd Gambetta par ② ☎ 31.01.09, Télex 401768 – wc wc ☎ – 100. AE E
fermé 1er fév. au 15 mars – SC : **R** *(fermé dim. soir hors sais.)* 65/100 – 17 – **59 ch** 130/260 – P 230/250.

tourner →

Host. Aiglon, 1 r. Provence ☎ 31.02.70 – wc wc ☎ P. AE GB E
fermé déc. et janv. – SC : **R** *(fermé vend.)* 34/87 – 11,50 – 33 ch 52/120 – P 108/139. A **e**

Coin Fleuri, 9 bd V.-Hugo ☎ 31.04.51, – wc ☎. AE. rest B **s**
fermé oct. et dim. hors sais. – SC : **R** 36/120 – 10 – 15 ch 51/105 – P 130/180.

Le Petit St-Jean, 14 cours Arès ☎ 31.30.04 – . B **u**
fermé 25 déc. au 25 janv. – SC : **R** 35/65 – 9,50 – 18 ch 38/75 – P 100/120.

Bourgogne, av. Verdun par ③ ☎ 31.00.19, ← – P
fermé nov. – SC : **R** 35/75.

CITROEN Autos Hory, quartier de la Tour, rte Marseille ☎ 31.31.24 N ☎ 31.05.56
FIAT Liotard, quartier des Siéyes, rte Marseille ☎ 31.05.56 N
PEUGEOT Gar. Giraud, quartier St-Christophe, rte Marseille ☎ 31.06.11
RENAULT Gar. Hte Provence, quartier de la Tour, rte Marseille ☎ 31.25.86
TALBOT Meyran, 77 av. Verdun ☎ 31.02.47

Parenti-Pneus, pl. Tampinet ☎ 31.34.67

DIGOIN 71160 S.-et-L. 69 ⑯ G. Bourgogne – 11 402 h. alt. 236 – 85.

Office de Tourisme 6 r. Guilleminot (1er juin-30 sept. et fermé dim.) ☎ 53.00.81.

Paris 359 ① – Autun 67 ① – Charolles 25 ② – Moulins 59 ④ – Roanne 54 ③ – Vichy 71 ④.

Gare (Billoux) 79 av. Gén.-de-Gaulle **(s)** ☎ 53.03.04 – rest wc wc ☎ P. AE GB
fermé 15 au 23 juin, janv. et lundi sauf du 13 juil. au 14 sept. – SC : **R** 90/170 et carte – 16 – 15 ch 50/150
Spéc. Terrine de pigeonneau à l'ail, Fricassée d'écrevisses, Côte de boeuf à l'estragon. **Vins** Morgon, St-Véran.

Diligences (Beck) avec ch, 14 r. Nationale **(a)** ☎ 53.06.31 – rest wc wc ☎ P. AE GB . rest
fermé 2 au 13 mai, 16 nov. au 16 déc., dim. soir et mardi – SC : **R** (dim. et fêtes prévenir) 70/150 – 14 – 10 ch 50/105
Spéc. Meurette d'escargots bourguignonne, Aiguillettes de canard au citron vert, Papillote de ris de veau forestière. **Vins** Beaujolais-Villages, Mâcon blanc.

Gaulle (Av. Gén.-de)		Crots (R. des)	4
Nationale (R.)	10	Dombe (R. de la)	5
		Grève (Pl. de la)	6
Bartoli (R.)	2	Launay (Av. de)	8
Centre (R. du)	3	Moulin (R. Jean)	9

à Neuzy par ① : 4 km – ✉ **71160** Digoin :

Aub. des Sables, ☎ 53.07.64 – P. GB
fermé vacances de fév. et merc. sauf le midi en sais. – SC : **R** 38/120.

CITROEN Gar. Central, 2 av. Gén.-de-Gaulle ☎ 53.08.37
CITROEN Martel, rte Vichy à Molinet (Allier) ☎ 53.11.04
CITROEN Michel, Neuzy, rte de Gueugnon ☎ 53.11.70
FIAT Pulcina, 20 r. L.-Pic ☎ 53.24.74
FORD Narbot, 68 r. Bartoli ☎ 53.04.38 N
LANCIA-AUTOBIANCHI Gar. de la Brierette, 44 r. V.-Hugo ☎ 53.06.70
PEUGEOT Brechat, Chavannes à Molinet (Allier) ☎ 53.01.10
PEUGEOT Henry, 19 av. des Platanes ☎ 53.03.15
RENAULT Portrat, 71 av. Gén.-de-Gaulle ☎ 53.05.25

Gouillardon-Gaudry, La Fontaine St-Martin ☎ 53.12.21

DIJON Ⓟ **21000** Côte-d'Or 66 ⑫ **G. Bourgogne** – 156 787 h. alt. 247 – ✪ 80.

Voir Palais des Ducs et des États de Bourgogne★ DY – **Tour Philippe-le-Bon ⩤★** DY **L** – **Rue des Forges★** DY – **Église N.-Dame★** DY **E** – **Quartier du Palais de Justice★ : plafonds★ (Palais de Justice)** DY **J** – **Chartreuse de Champmol★ : Puits de Moïse★★** A – **Église St-Michel★**DY **F** – **Jardin de l'Arquebuse★**CY – **Crypte★ de la cathédrale**CY **K** – **Musées : Beaux-Arts★★ (salle des Gardes★★★)** DY **M1**, **Archéologique★** CY **M2**.

de Norges ☎ 31.71.10 par ① : 10 km.

Office de Tourisme et Accueil de France (Informations, change et réservations d'hôtels, pas plus de 5 jours à l'avance), pl. Darcy ☎ 43.42.12, Télex 350912 et 34 r. Forges (fermé sam. après-midi et dim.) ☎ 32.18.54 - A.C. 4 r. Montmartre ☎ 41.61.35 - T.C.F. 10 r. Millotet ☎ 43.47.01.

Paris 312 ⑦ – Auxerre 148 ⑦ – ♦Bâle 249 ③ – ♦Besançon 98 ③ – ♦Clermont-Ferrand 287 ④ – ♦Genève 199 ③ – ♦Grenoble 298 ④ – ♦Lyon 192 ④ – ♦Reims 283 ① – ♦Strasbourg 331 ③.

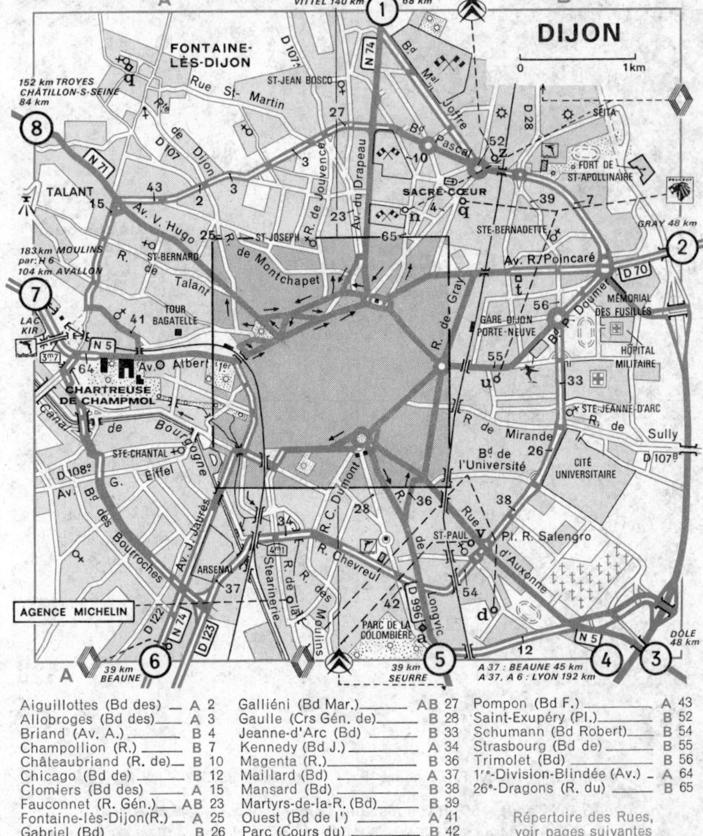

Aiguillottes (Bd des) A 2
Allobroges (Bd des) A 3
Briand (Av. A.) B 4
Champollion (R.) B 7
Châteaubriand (R. de) B 10
Chicago (Bd de) B 12
Clomiers (Bd des) A 15
Fauconnet (R. Gén.) AB 23
Fontaine-lès-Dijon(R.) A 25
Gabriel (Bd) B 26
Galliéni (Bd Mar.) AB 27
Gaulle (Crs Gén. de) B 28
Jeanne-d'Arc (Bd) B 33
Kennedy (Bd J.) A 34
Magenta (R.) B 36
Maillard (Bd) A 37
Mansard (Bd) B 38
Martyrs-de-la-R. (Bd) B 39
Ouest (Bd de l') A 41
Parc (Cours du) B 42
Pompon (Bd F.) A 43
Saint-Exupéry (Pl.) B 52
Schumann (Bd Robert) B 54
Strasbourg (Bd de) B 55
Trimolet (Bd) B 56
1re-Division-Blindée (Av.) A 64
26e-Dragons (R. du) B 65

Répertoire des Rues, voir pages suivantes

Frantel Ⓜ, 22 bd Marne ☎ 72.31.13, Télex 350293, – 400. AE GB ⓞ E — EX **z**
SC : **R** 90/140 – 21 – **116 ch** 180/280, 8 appartements – P 260/360.

✿ **Chapeau Rouge,** 5 r. Michelet ☎ 30.28.10, Télex 350535 – AE GB ⓞ E. rest — CY **a**
fermé 21 déc. au 4 janv. – SC : **R** (nombre de couverts limité - prévenir) carte 105 à 160 – 19 – **31 ch** 145/275 – P 355/410
Spéc. Saumon au Bourgogne (mars à sept.), Ris de veau aux écrevisses, Canard aux framboises (juil. à oct.). **Vins** Bourgogne Aligoté, Haute Côte de Nuits.

Central, 10 r. Château ☎ 30.44.00, Télex 350606 – rest – 30 à 80. AE GB ⓞ E — DY **e**
SC : **R** *(fermé dim.)* grill carte environ 100 – 14,50 – **90 ch** 95/160 – P 210/350.

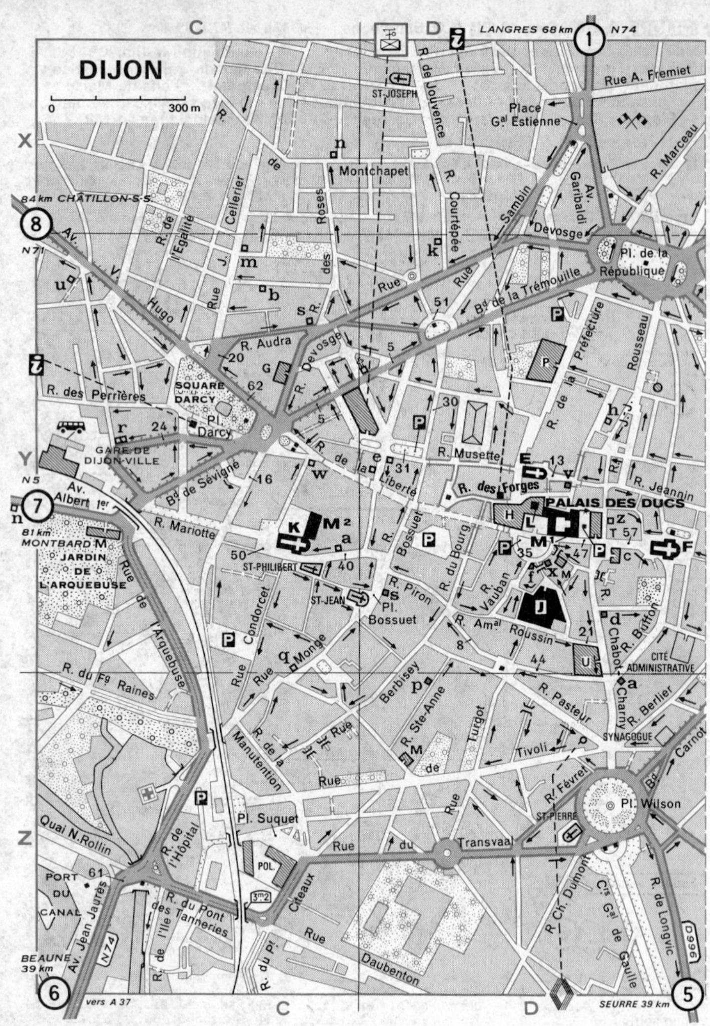

Grésill'H. M, 16 av. R.-Poincaré ☎ 71.10.56, Télex 350912 – 🛗 P – 25. AE GB — B **t**
fermé 3 au 27 août – SC : **R** voir rest. des Congrés – ☕ 13 – **49 ch** 80/140.

Jura sans rest, 14 av. Mar.-Foch ☎ 41.61.12, – 🛗 wc wc ☎ ♿ – 60. AE ⓓ E — CY **r**
SC : ☕ 12,50 – **75 ch** 79/161.

Victor Hugo M sans rest, 23 r. Fleurs ☎ 43.63.45 – wc wc ☎ — CY **b**
SC : ☕ 11 – **23 ch** 70/120.

Villages H. M, 15 av. Albert-1er ☎ 43.01.12, Télex 350515 – 🛗 TV wc ☎ P – 40 à 100. — CY **n**
R carte environ 75 – ☕ 12 – **128 ch** 110/135.

Nord, 2 r. Liberté ☎ 30.55.20 – 🛗 wc ☎. AE GB ⓓ E — CY **w**
fermé 23 déc. au 14 janv. – SC : **R** 65/85 – ☕ 13 – **22 ch** 65/160 – P 188/273.

Poste et rest Gd Café, 5 r. Château ☎ 30.51.64 – 🛗 wc wc ☎. ⓓ — DY **e**
SC : **R** 38/82 – ☕ 10 – **63 ch** 62/154 – P 132/151.

Montchapet sans rest, 26 r. J.-Cellerier ☎ 32.12.78 – wc wc ☎. — CY **m**
SC : ☕ 13 – **45 ch** 60/125.

Terminus et Gde Taverne, 22 av. Mar.-Foch ☎ 43.53.78 – wc wc AE E — CY **r**
30 ch.

Europe sans rest, 4 r. Audra ☎ 32.73.37, – TV wc wc P. AE GB E — CY **s**
SC : ☐ 10,50 – **28 ch** 125/165.

St-Bernard sans rest, 7 bis r. Courtépée ☎ 32.67.91 – wc wc — DY **k**
SC : ☐ 10 – **19 ch** 49/110.

Jacquemart sans rest, 32 r. Verrerie ☎ 73.39.74 – wc wc — DY **h**
SC : ☐ 10 – **33 ch** 44/95.

Thurot sans rest, 4 passage Thurot ☎ 43.57.46 – wc P. — CY **u**
fermé août – SC : ☐ 9 – **20 ch** 45/100.

Les Rosiers sans rest, 22 bis r. Montchapet ☎ 32.12.72 – wc GB — CX **n**
SC : ☐ 9 – **10 ch** 49/120.

Host. Le Sauvage sans rest, 64 r. Monge ☎ 41.31.21 – wc — CY **q**
SC : ☐ 9 – **24 ch** 41/130.

XXX **Pré aux Clercs et Trois Faisans,** 13 pl. Libération ℱ 32.02.21 – GB ⓓ E
fermé dim. soir et lundi – SC : **R** 68/100. DY **x**

XX ❀ **La Chouette** (Breuil), 1 r. la Chouette ℱ 32.07.89 – AE ⓓ E DY **v**
fermé 15 au 30 août et mardi – SC : **R** 65/150
Spéc. Saumon en papillote, Foie gras chaud aux raisins, Rognon de veau à la moutarde. Vins Pernand-Vergelesses, Beaune.

XX **Parc** avec ch, 49 cours Parc ℱ 65.18.41, – – 50 à 80 B **a**
fermé 15 août au 8 sept. et merc. – SC : **R** 32/80 – 9 – **8 ch** 35/80.

XX ❀ **Le Rallye,** 39 r. Chabot-Charny ℱ 32.04.26 DY **d**
fermé 14 juil. au 1er août, 11 fév. au 1er mars, dim. et fêtes – SC : **R** 55/85
Spéc. Les Trois Terrines, Oeufs cocotte aux écrevisses, Poire Dijonnaise.

XX **des Congrès,** 16 av. R.-Poincaré ℱ 71.52.84 – B **t**
fermé août et dim. – SC : **R** 39/104.

XX **Compagnie Bourguignonne des Oenophiles,** 18 r. Ste-Anne ℱ 30.73.52, « Demeures anciennes, caveau-musée ». AE GB DZ **p**
fermé août, sam. midi et dim. – SC : **R** 65/95.

XX **Le Vinarium,** 23 pl. Bossuet ℱ 30.36.23, « aménagé dans une crypte du 13es. » – AE DY **s**
fermé 15 déc. au 15 janv. et dim. – SC : **R** (dîner seul.) 43.

XX **Pierre Fillion** (Le Tagada), 39 r. Buffon ℱ 66.65.77. AE GB ⓓ DZ **a**
fermé 15 au 30 mai, 24 déc. au 1er janv., dim. et lundi – **R** 33/100.

X **Chasse Royale,** 15 place de la Libération ℱ 32.70.13 – GB ⓓ E DY **f**
fermé lundi – **R** carte 60 à 90.

à Talant par ⑧ : 3 km – 10 082 h. – ✉ **21240** Talant.
Voir ※★.

La Bonbonnière sans rest, 24 r. Orfèvres (près église) ℱ 43.20.88, ≤, – wc . GB ⓓ
SC : 13 – **20 ch** 95/140.

à Fontaine-lès-Dijon par ⑧ et D 107 : 4 km – 6 373 h. – ✉ **21121** Fontaine-lès-Dijon :

Fontaine sans rest, 40 r. J.-Bachelier ℱ 56.46.19 – wc A **q**
SC : 9 – **17 ch** 41/75.

à Sennecey-lès-Dijon par ③ : 5 km – ✉ **21800** Quétigny :

La Flambée Ⓜ, ℱ 23.01.67, – – 25. AE GB E
SC : **R** grill 49/63 – 16 – **22 ch** 150/205.

à Plombières-lès-Dijon par ⑦ : 6 km – ✉ **21370** Plombières-lès-Dijon :

XX **L'Auberge,** 9 rte Paris ℱ 41.69.11 – GB.
fermé janv., lundi soir et mardi – SC : **R** 50/90.

à Hauteville-lès-Dijon par ⑧ et D 107 : 7 km – ✉ **21121** Fontaine-lès-Dijon :

Le Clos , ℱ 56.22.82, – wc . GB
fermé janv., dim. soir et lundi – SC : **R** 28/75 – 10 – **10 ch** 54/106.

à Marsannay-la-Côte par ⑥ : 8 km – 6 590 h. – ✉ **21160** Marsannay-la-Côte :

Novotel Ⓜ, rte Beaune ℱ 52.14.22, Télex 350728, – rest – 25 à 140. AE GB ⓓ
R snack carte environ 65 – 20 – **124 ch** 180/210.

XX **Gourmets,** au bourg ℱ 52.16.32,
fermé 2 au 31 janv., lundi soir et mardi – SC : **R** 65/95.

MICHELIN, Agence régionale, 15 r. de la Stearinerie A ℱ 41.26.01

CITROEN Succursale, Impasse Chanoine-Bardy B **z** ℱ 71.81.42
CITROEN Gar. Bartman, 154 r. Auxonne B **v** ℱ 66.46.73
FERRARI, FIAT Gar. Bohner, 2 av. R.-Poincaré ℱ 71.14.12
FORD Gar. Montchapet, 12 r. Gagnereaux ℱ 30.78.11
PEUGEOT S.I.A. de Bourgogne, 42 av. A.-Briand B **q** ℱ 71.47.23
PEUGEOT Gar. Château-d'Eau, 1 bd Fontaine-des-Suisses B **u** ℱ 65.40.34
PEUGEOT Morin, 18 bd Champagne EX ℱ 71.21.02
RENAULT Succursale, 139 av. J.-Jaurès A ℱ 52.51.34 N
RENAULT Doyen, r. Dr-Bertillon B **d** ℱ 66.37.71
RENAULT Moyse, 2 r. de Cluj, Zone Ind. Nord B ℱ 71.25.75
RENAULT Rigaud, 26 r. La Fayette B **n** ℱ 71.43.92
RENAULT Rouillé, 34 r. Pasteur DZ ℱ 66.11.91
RENAULT Segelle, 5 bd de l'Europe à Quetigny B ℱ 65.39.30
VOLVO Gar. du Transvaal, 25 r. du Transvaal ℱ 30.26.69
Gar. Heudelet, 65 av. Drapeau ℱ 71.32.80
Gar. Lignier, 3 r. Gds-Champs ℱ 66.39.05 N

Ⓜ Dijon-Pneus, 29 r. Manutention ℱ 30.29.32
MADICA, 29 r. Mulhouse ℱ 30.77.94
Radial-Pneu, 29 r. Tivoli ℱ 30.32.64
Station V.U., 11 r. A.-Becquerel, Zone Ind. à Chenoue ℱ 43.07.89

Périphérie et environs

ALFA-ROMEO, MERCEDES-BENZ Gar. Vincent, 2 r. Gay Lussac à Chenove ☎ 52.11.66
BMW Gar. Massoneri, Impasse des Charrières, à Quetigny ☎ 65.24.34
CITROEN Succursale, rte de Beaune à Marsannay-la-Côte ☎ 52.11.20
CITROEN Gar. ERVA, rte de Bray à Longvic B ☎ 66.17.17
DATSUN Gar. de la Rocade, rte de Gray à St-Apollinaire ☎ 71.10.12
OPEL Gar. Heinzlé, r. Prof.-L.-Neel, Zone Ind. à Longvic ☎ 30.43.13
RENAULT Maréchal, 47 RN 74 à Marsannay-la-Côte ☎ 52.12.15
TALBOT Bourgogne Autom., 5 rte Beaune à Chenove ☎ 52.21.20

Piot-Pneu, rte de Gray, St-Apollinaire ☎ 71.40.44

DIMECHAUX 59 Nord 53 ⑥ – 193 h. alt. 178 – ✉ 59740 Solre-le-Château – ✪ 27.
Paris 217 – Avesnes-sur-Helpe 14 – Hirson 36 – Jeumont 14 – ♦Lille 101 – Maubeuge 13.

XX **Chez la Mère Maury,** N : 1 km D 27 ☎ 62.01.15, ⩽ – Ⓟ. AE GB ①
fermé 17 août au 4 sept., 16 au 25 fév., mardi soir et merc. sauf fériés – **R** carte 105 à 140.

DINAN SP 22100 C.-du-N. 59 ⑮ **G. Bretagne** – 16 367 h. alt. 76 – ✪ 96.
Voir Jardin anglais ⩽★★ – Vieille ville★ : place des Merciers★ BY 32, **rue du Jerzual★** BY 27, **Tour de l'Horloge** ☼★ BZ **F** – **Château★ :** ☼★ BZ **B** – **Basilique St-Sauveur★** BZ **D** – **Descente de la Rance★★ en bateau** BY – **Lanvallay ⩽★ 2 km par ②.**
Office de Tourisme 6 r. Horloge (fermé dim. sauf matin en sais.) ☎ 39.75.40.
Paris 372 ② – Alençon 180 ② – Avranches 67 ② – Flers 140 ② – Fougères 77 ② – Lorient 151 ③ – ♦Rennes 51 ② – St-Brieuc 59 ④ – St-Malo 29 ① – Vannes 114 ③.

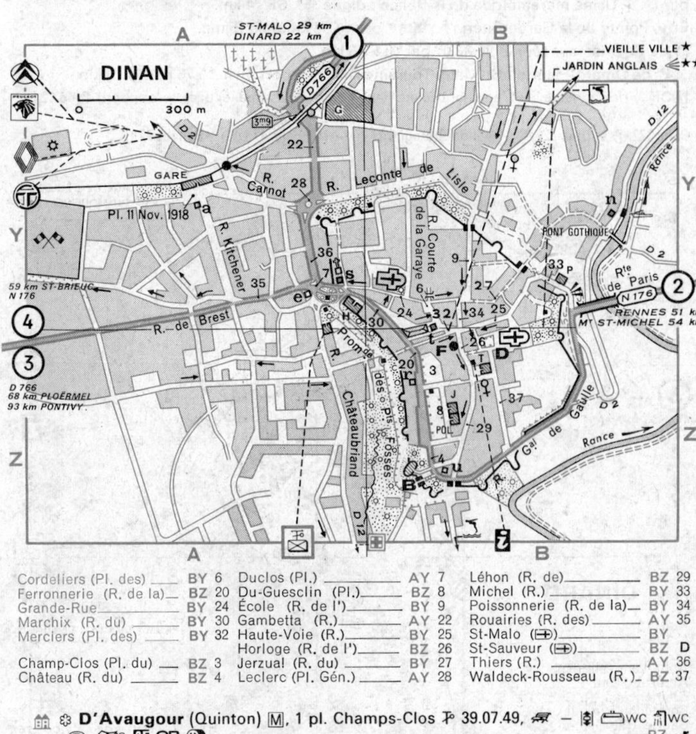

Cordeliers (Pl. des)	BY	6	Duclos (Pl.)	AY	7	Léhon (R. de)	BZ	29
Ferronnerie (R. de la)	BZ	20	Du-Guesclin (Pl.)	BZ	8	Michel (R.)	BY	33
Grande-Rue	BY	24	École (R. de l')	BY	9	Poissonnerie (R. de la)	BY	34
Marchix (R. du)	BY	30	Gambetta (R.)	AY	22	Rouairies (R. des)	AY	35
Merciers (Pl. des)	BY	32	Haute-Voie (R.)	BY	25	St-Malo (⊞)	BY	
			Horloge (R. de l')	BZ	26	St-Sauveur (⊞)	BZ	D
Champ-Clos (Pl. du)	BZ	3	Jerzual (R. du)	BY	27	Thiers (R.)	AY	36
Château (R. du)	BZ	4	Leclerc (Pl. Gén.)	AY	28	Waldeck-Rousseau (R.)	BZ	37

D'Avaugour (Quinton) M, 1 pl. Champs-Clos ☎ 39.07.49, – wc wc ☎, AE GB ① — BZ **r**
R 45/200 – 15 – **27 ch** 150/240 – P 300/340
Spéc. Foie gras frais breton, Petit homard breton en salade (juin à oct.), Poissons.

Remparts sans rest, 6 r. Château ☎ 39.10.16 – wc wc ☎ — BZ **u**
fermé 20 déc. au 15 janv. – SC : 12 – **31 ch** 87/140.

Bretagne M, 1 pl. Duclos ☎ 39.46.15 – wc wc. AE GB ① E — AY **e**
SC : **R** 40/80 – 15 – **45 ch** 95/130 – P 150/180.

Océan sans rest, 9 pl. 11-Novembre-1918 ☎ 39.21.51 – Ⓟ — AY **a**
fermé oct. et sam. – 8,50 – **14 ch** 35/55.

XX **Relais Corsaire,** 5 et 7 r. du quai (au port) ☎ 39.40.17, maison 18e s. – ▤. AE GB ⓓ E — BY **n**
fermé dim. soir et lundi – **R** 38/85.

XX **Mère Pourcel,** 3 pl. Merciers ☎ 39.03.80, « Maison bretonne du 15e s. » – AE GB ⓓ E — BYZ **t**
fermé fév., dim. soir du 1er nov. au 15 juin et lundi – SC : **R** 55/90.

X ✿ **Caravelle** (Marmion) (annexe –), 14 pl. Duclos ☎ 39.00.11 – . ⓓ
fermé 5 oct. au 5 nov. et merc. de nov. au 1er juil. – SC : **R** carte 120 à 160 – ☕ 10 – **11 ch** 45/90 — AY **s**
Spéc. Pâté d'anguilles, Fricassée de langoustines au Sancerre, Civet de homard au Bouzy.

par ④ : 12 km – ✉ **22270** Jugon :

X **Relais de la Blanche Hermine,** ☎ 27.62.19 – Ⓟ.
◆ *fermé 15 au 30 juin, mardi soir et merc. sauf juil. et août* – SC : **R** 34/75.

CITROEN Gar. Jago, Zone Ind. ☎ 39.04.91
OPEL Meyer, 21 r. Pivents ☎ 39.12.72
PEUGEOT Gd Gar. Dinan, Zone Ind. ☎ 39.24.38
RENAULT S.A.D.A., Zone Ind. ☎ 39.34.83
TALBOT Dinannaise-Autom., rte de Ploubalay ☎ 39.64.95
Savouré-Henry, Zone Ind. ☎ 39.00.62

DINARD **35800** I.-et-V. 59 ⑤ **G. Bretagne** – 9 588 h. – Casino CY – ⚙ 99.

Voir Pointe du Moulinet ≤** – **Grande Plage ou Plage de l'Écluse*** – **Promenade du Clair de Lune*** – **Pointe de la Vicomté** ≤** **par avenue Vicomté** CZ **2,5 km** – **La Rance**** en bateau** – **St-Lunaire : pointe du Décollé** ≤** **et grotte des Sirènes*** **4,5 km par** ③ – **Usine marémotrice de la Rance : digue** ≤* **SE : 4 km.**

Env. Pointe de la Garde Guérin* : ☼** **par** ③ : **6 km puis 15 mn.**

18 de St-Briac-sur-Mer ☎ 88.32.07 par ③ : **7,5 km.**

✈ **de Dinard-Pleurtuit St-Malo, Touraine Air Transport ☎ 46.15.76 par** ② : **5 km.**

ℹ Office de Tourisme 5 r. Maréchal-Leclerc (fermé sam. après-midi et dim. hors saison) ☎ 46.12.54, Télex 450970.

Paris 372 ① – Dinan 22 ② – Dol-de-Bretagne 27 ① – Lamballe 47 ② – ♦Rennes 72 ①.

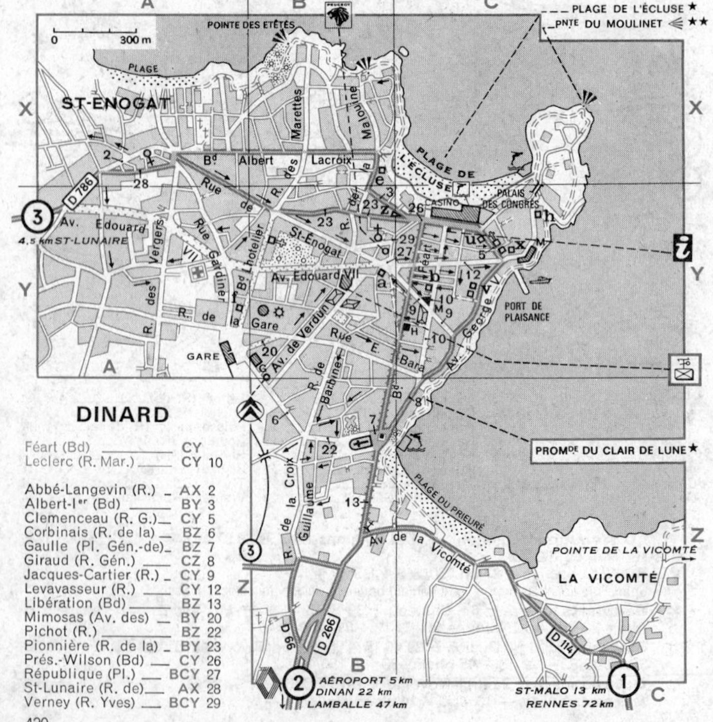

DINARD

Féart (Bd)	CY	
Leclerc (R. Mar.)	CY	10
Abbé-Langevin (R.)	AX	2
Albert-Ier (Bd)	BY	3
Clemenceau (R. G.)	CY	5
Corbinais (R. de la)	BZ	6
Gaulle (Pl. Gén.-de)	BZ	7
Giraud (R. Gén.)	CZ	8
Jacques-Cartier (R.)	CY	9
Levavasseur (R.)	CY	12
Libération (Bd)	BZ	13
Mimosas (Av. des)	BY	20
Pichot (R.)	BZ	22
Pionnière (R. de la)	BY	23
Prés.-Wilson (Bd)	CY	26
République (Pl.)	BCY	27
St-Lunaire (R. de)	AX	28
Verney (R. Yves)	BCY	29

Grand Hôtel, 46 av. George-V ☎ 46.10.28, ≤, 🌳 – |♦| ☎ Ⓟ. AE ⓓ E. ⛔ rest
Pâques-début oct. – SC : **R** 75 – ☐ 16 – 101 ch 195/325 – P 184/411. CY **v**

Reine Hortense 🐎 sans rest, 19 r. Malouine ☎ 46.54.31, ≤ St-Malo, 🌳 – Ⓟ. AE GB ⓓ BX **e**
25 mars-15 nov. – SC : ☐ 20 – **9 ch** 250/350.

Roche Corneille, 4 r. G.-Clemenceau ☎ 46.14.47, 🌳 – AE ⓓ E. ⛔ rest CY **x**
fermé 15 nov. au 15 déc. – SC : **R** *(fermé merc. hors sais.)* 75 – ☐ 12,50 – 22 ch 85/228 – P 221/325.

Balmoral, 26 r. Mar.-Leclerc ☎ 46.16.97 – |♦| ⛀wc ⚲wc ☎. 🚗 AE ⓓ E. ⛔ rest CY **b**
SC : **R** 65/90 – ☐ 12 – 33 ch 90/180 – P 165/220.

Dinard H., 42 av. George-V ☎ 46.13.10, ≤, 🌳 – ⛀wc ☎ Ⓟ. 🚗 ⓓ E. ⛔
Pâques-15 oct. – SC : **R** 45/75 – ☐ 11 – 18 ch 130/190 – P 150/200. CY **v**

Émeraude-Plage, 1 bd Albert-1er ☎ 46.15.79 – ⛀wc ⚲ ☎ 🚗. 🚗. ⛔
10 avril-20 sept. – SC : **R** (dîner seul.) 65/75 – ☐ 12 – **50 ch** 60/230. BCY **z**

Printania, 5 av. George-V ☎ 46.13.07, ≤ St-Malo et la Rance – ⛀wc ⚲wc ☎. 🚗 AE. ⛔ rest CY **h**
Pâques-1er oct. – SC : **R** 60 – ☐ 15 – 77 ch 60/200 – P 140/200.

Dunes, 5 r. G.-Clemenceau ☎ 46.12.72, 🌳 – ⛀wc ☎. 🚗 E CY **u**
fermé 4 nov. au 20 déc. – SC : **R** *(fermé lundi sauf 15 juin au 15 sept.)* 53/85 – ☐ 13 – 32 ch 53/210.

Bains sans rest du 1er oct. au 31 mars, 38 av. George-V ☎ 46.13.71 – |♦| ⛀wc ⚲wc ☎. 🚗 AE GB. ⛔ rest CY **x**
fermé janv. – SC : ☐ 10,50 – **40 ch** 55/150 – P 110/150.

Mont St-Michel, 54 bd Lhotelier ☎ 46.10.40 – ⛀wc ⚲wc ☎. 🚗. ⛔ rest
Pâques-20 sept. – SC : **R** 36/76 – ☐ 11 – **22 ch** 59/130 – P 125/153. AY **f**

Cornouailles, 17 pl. République ☎ 46.14.08 – ⛀wc ☎ ♿. 🚗 BY **a**
fermé fév. – SC : **R** *(fermé mardi hors sais.)* 38/95 – ☐ 10 – 27 ch 60/140 – P 150/175.

XX **Host. Le Petit Robinson,** par ① : 3 km sur D 114 ✉ 35780 La Richardais ☎ 46.14.82 – Ⓟ. AE GB ⓓ
fermé nov., mardi soir et merc. hors sais. – SC : **R** 38 (sauf sam. soir)/65.

AUSTIN, MORRIS, TRIUMPH Gar. Parc, 10 r. Y.-Verney ☎ 46.13.38
CITROEN Macé, 21 r. de la Corbinais ☎ 46.13.43
LADA Gar. Crolard, Z A de l'Hermitage, la Richardais ☎ 46.62.21
PEUGEOT Gar. Robert, 4 pl. République ☎ 46.14.19
RENAULT Martin, Z.A. la Richardais ☎ 46.10.69 N
Emeraude Pneumatiques, La Fourberie à St-Lunaire ☎ 46.11.26

La DIOSAZ (Gorges de) 74 H.-Savoie 74 ⑧ – voir à Servoz.

DIOU 36 Indre 68 ⑨ – rattaché à Issoudun.

DIVES-SUR-MER 14 Calvados 55 ⑰ – rattaché à Cabourg.

DIVONNE-LES-BAINS 01220 Ain 70 ⑯ **G. Jura** (plan) – 4 240 h. alt. 500 – Stat. therm. – Casino – ✪ 50.

18 ☎ 20.07.19 O : 2 km.

Office de Tourisme pl. Bains (fermé dim. en hiver) ☎ 20.01.22.

Paris 505 – Bourg-en-Bresse 112 – ♦Genève 19 – Gex 7,5 – Lausanne 50 – Nyon 13.

Golf et Gd Hôtel 🐎, ☎ 20.06.63, Télex 385716, ≤, « Parc ombragé », 🏊, 🎾 – |♦| ☎ Ⓟ – 🏠 120. AE ⓓ E. ⛔ rest
SC : **R** 100/130 – **141 ch** ☐ 220/370, 6 appartements.

Château de Divonne 🐎, ☎ 20.00.32, ≤ lac et Mt-Blanc, « Dans un parc, terrasse » – Ⓟ. AE. ⛔ rest
2 mai-31 oct. – SC : **R** 120/275 – ☐ 25 – **34 ch** 270/340, 8 appartements 550 – P 400/410.

Alpes 🐎, Gde-Rue ☎ 20.14.44, « Parc ombragé » – |♦| ⛀wc ⚲wc ☎ Ⓟ. 🚗. ⛔ rest
10 avril-23 oct. – SC : **R** 70/150 – **60 ch** ☐ 90/250 – P 185/260.

Mont-Blanc-Favre M 🐎, rte Grilly ☎ 20.12.54, ≤ lac et Mt-Blanc, 🌳, 🎾 – ⛀wc ⚲wc ☎ Ⓟ
20 mars-1er nov. – SC : **R** *(fermé merc.)* 65/100 – ☐ 12 – **18 ch** 46/120 – P 170/200.

Coccinelles M 🐎 sans rest, rte Lausanne ☎ 20.06.96, ≤, 🌳 – |♦| ⛀wc ⚲wc ☎ Ⓟ. 🚗
fermé déc. et janv. – SC : ☐ 11 – **18 ch** 85/120.

Jura sans rest, rte Arbère ☎ 20.05.95, – wc wc ☎ P.
fermé nov. – SC : 9,50 – **24 ch** 55/100.

Truite sans rest, Gde-Rue ☎ 20.04.41, – wc wc ☎.
fermé déc. – **22 ch**.

XX **Champagne,** av. Genève ☎ 20.13.13, ≤, « Terrasse » – P
fermé 24 déc. au 20 janv., jeudi midi et merc. – SC : **R** carte 65 à 110.

XX ✿ **Bellevue-rest. Marquis** avec ch, par av. d'Arbère ☎ 20.02.16, ≤, – wc wc ☎ P. AE GB
2 mai-15 oct. – SC : **R** 65/130 – 10 – 17 ch 55/100 – P 130/180
Spéc. Truite au bleu, Ecrevisses (15 mai-25 sept.), Ris de veau Périgourdine. Vins Crépy, Arbois.

XX **Provençal** avec ch, r. Genève ☎ 20.01.87 – ☎. AE GB E. ch
fermé 18 oct. au 12 nov. et vacances de fév. – SC : **R** *(fermé mardi et merc. midi)* 80/140 – 15 ch (pens. seul.) – P 105/130.

X **Aub. Vieux Bois,** rte Gex : 1 km ☎ 20.01.43 – P AE
fermé fin sept. au début oct., fév., dim. soir et lundi – SC : **R** 40/110 .

X **Mouton Noir** avec ch, ☎ 20.12.69 – wc wc. . ch
fermé déc. et janv. – SC : **R** *(fermé dim. soir et lundi)* 40/95 – 8 – **8 ch** 36/85.

à Grilly S : 4 km – ✉ **01220** Divonne-les-Bains

XX **Auberge de Grilly,** ☎ 20.71.63
fermé janv. et lundi – SC : **R** 80/120.

DOLANCOURT 10 Aube 61 ⑱ – rattaché à Bar-sur-Aube.

DOL-DE-BRETAGNE 35120 I.-et-V. 59 ⑥ G. Bretagne – 5 042 h. alt. 16 – 99.

Voir Cathédrale★★ – Promenade des Douves★ : ≤★ – Mont-Dol ★ 4,5 km par ④.

Syndicat d'Initiative pl. Mairie (15 mai-15 sept. et fermé dim.) ☎ 48.15.37.

Paris 346 ① – Alençon 154 ① – Dinan 26 ③ – Fougères 51 ① – ♦Rennes 54 ② – St-Malo 24 ④.

DOL-DE-BRETAGNE

Chateaubriand (Pl.) 5
Grande-Rue-des-Stuarts 14
Le-Jamptel (R.) 15

Briand (Av. Aristide) 2
Carmes (R. des) 3
Cathédrale (Pl. de la) 4
Deminiac (Bd) 6
Dinan (R. de) 8
Douves (Prom. des) 10
Gaulle (Pl. Gén.-de) 12
Nominoë (Square) 17
Ponts (R. des) 19
Rennes (R. de) 20
Résistance (Square de la) 22
St-Malo (R. de) 24
Semard (R. Pierre) 25
Toullier (Pl.) 26

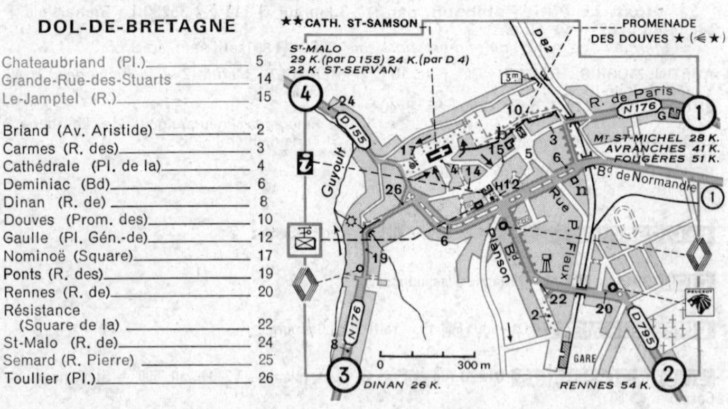

Logis Bresche Arthur, 36 bd Deminiac **(n)** ☎ 48.01.44, – wc wc ☎ P. AE GB E
fermé 6 nov. au 4 déc. – SC : **R** 38/85 – 14 – 25 ch 60/110 – P 155/175.

Bretagne, pl. Châteaubriand **(b)** ☎ 48.02.03 – ☎ .
hôt. : fermé Noël et Jour de l'an – SC : **R** *(fermé du 22 sept. au 20 oct., Noël, Jour de l'An, vacances de fév. et sam. du 8 nov. au 31 mars)* 32/57 – 9,50 – 30 ch 42/78 – P 80/100.

Le Vivier-sur-Mer par ④ et D 155 : 8 km – ✉ **35960** Le Vivier-sur-Mer :

Bretagne, ☎ 48.91.74, ≤ – wc ☎ P – 40. AE GB E. rest
fermé janv., fév. et merc. – SC : **R** 40/120 – 12 – 23 ch 50/105 – P 100/135.

PEUGEOT Bonnot-Nicole, ☎ 48.01.80
RENAULT Hocquart, ☎ 48.02.12
RENAULT Gar. Nominoé, ☎ 48.02.63 N

DOLE SP 39100 Jura 70 ③ G. Jura – 30 228 h. alt. 231 – 84.

Voir Le Vieux Dole★ – Grille★ en fer forgé de l'église St-Jean-l'Evangéliste AZ N.

Office de Tourisme (fermé lundi matin et dim.) et A.C. 6 pl. Grévy ☎ 72.11.22.

Paris 369 ⑤ – ♦Besançon 52 ① – Chalon-sur-Saône 63 ④ – ♦Dijon 48 ⑤ – ♦Genève 149 ③ – Lons-le-Saunier 52 ③.

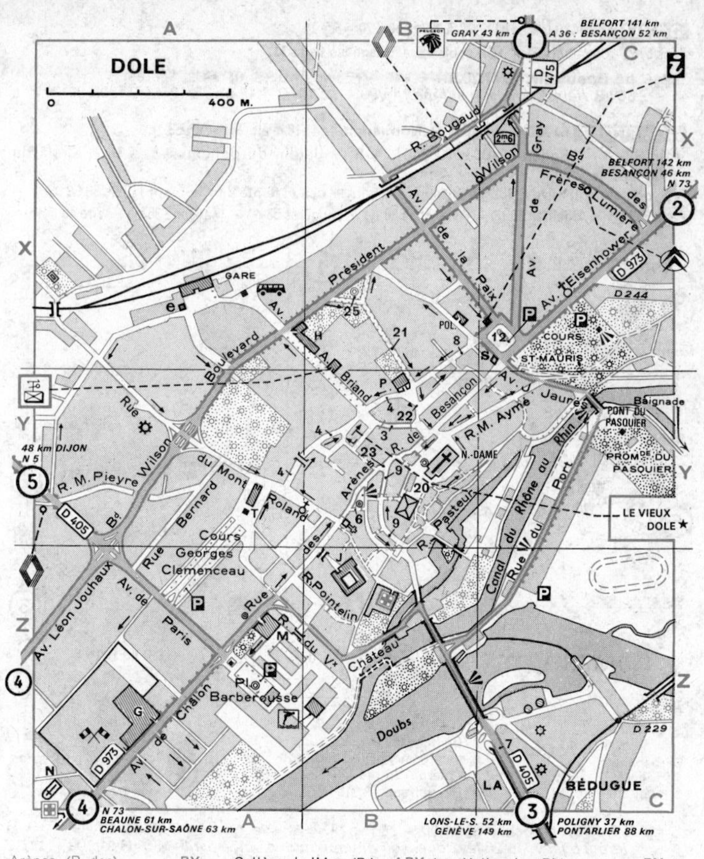

Arènes (R. des)	BY	Collège-de-l'Arc (R.)	ABY 4	Nationale (Pl.)	BY 20
Besançon (R. de)	BY	Fleurs (Pl. aux)	BY 6	Rockefeller (Av. J.)	BX 21
Grande-Rue	BY 9	Genève (Av. de)	CZ 7	S.-Préfecture (R. de la)	BY 22
		Gouvernement (R. du)	BX 8	8-Mai-1945 (Pl. du)	BY 23
Boyvin (R.)	BY 3	Grévy (Pl. Jules)	CX 12	11-Novembre-1918 (Pl. du)	BX 25

Grand H. Chandioux, pl. Grévy ☎ 79.00.66, Télex 360498 – TV ☎ Ⓟ – 70. AE GB ◑ E — CX **s**
SC : **R** *(fermé dim. soir du 15 nov. au 1er mars)* 67/115 – **40 ch** 140/240 – P 225/320.

La Chaumière M, 346 av. Genève par ③ : 3 km ☎ 79.03.45, – TV wc wc ☎ Ⓟ – 25. ch
fermé 15 au 25 juin, 15 déc. au 15 janv., sam. midi et dim. soir (sauf hôtel) et vend. soir hors sais. – SC : **R** 45/120 – 15 – 18 ch 120/182.

Buffet Gare, ☎ 72.13.78 — AX **e**
fermé jeudi soir – SC : **R** 35/70.

à Baverans NE : 4 km par D 244 - CX – ✉ **39100** Dole :

Mon Plaisir, ☎ 72.22.50 – Ⓟ
SC : **R** 30/90 – 8,50 – 10 ch 50/60 – P 90.

BMW Jeanblanc, 34 av. Eisenhower ☎ 72.27.44
CITROEN Jeanperin, 2 av. de Gray ☎ 72.20.23
CITROEN Bongain, 8 av. Landon ☎ 72.07.97
FIAT, MERCEDES-BENZ Est-Autom., av. Eisenhower ☎ 72.71.20
FORD Gar. Sussot, 52 av. Eisenhower ☎ 72.10.44
PEUGEOT Dole-Autom., 32 av. de Lattre de Tassigny ☎ 72.26.38

RENAULT Morilhat, 8 bd Wilson ☎ 72.20.85
RENAULT Chifflet, 4 r. C.-de-Persan ☎ 72.24.69 N
Gar. Jacquot, r. des Gardes ☎ 72.08.98
Piquet, 104 fg de Chalon ☎ 72.24.37

R.-Lehmann, 42 av. de Genève ☎ 72.61.77

DOMÈNE 38420 Isère 77 ⑤ – 5 297 h. alt. 220 – ⚙ 76.

Paris 576 – Chambéry 51 – ♦Grenoble 8,5 – Uriage-les-Bains 11.

Le Beauvoir, [phone] 77.20.91, ≤, [garden] – wc wc [phone] **P**. [dogs]. rest
SC : **R** *(fermé dim. soir et lundi)* 45/80 – 13,50 – **15 ch** 72/125 – P 120/150.

DOMFRONT 61700 Orne 59 ⑩ **G. Normandie** – 4 518 h. alt. 209 – ⚙ 33.

Voir Site★ – Église N.-D.-sur-l'Eau★ A **B** – **Jardin du donjon** ✲★ A **D** – **Croix du Faubourg** ✲★ B **E.**

i Syndicat d'Initiative r. Fossés Plissons (1er juin-1er oct. et fermé dim. après-midi) [phone] 38.53.97.

Paris 253 ③ – Argentan 55 ② – Avranches 66 ⑥ – Fougères 58 ⑥ – Mayenne 35 ⑤ – Vire 40 ⑧.

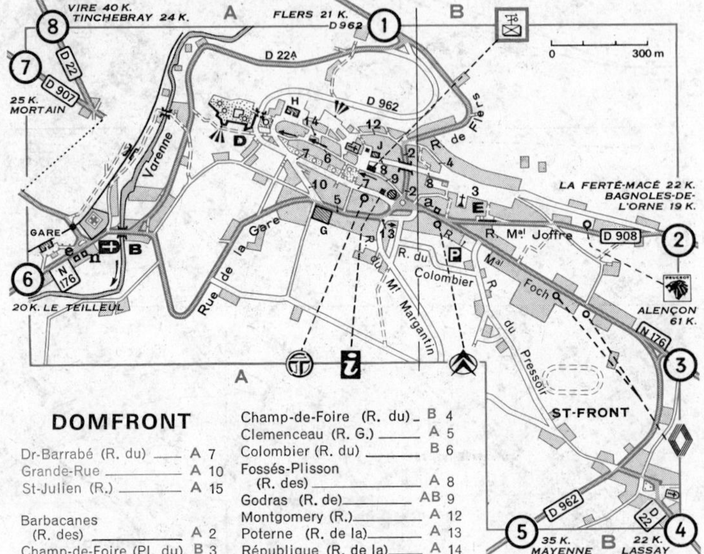

DOMFRONT

Dr-Barrabé (R. du)	A 7
Grande-Rue	A 10
St-Julien (R.)	A 15
Barbacanes (R. des)	A 2
Champ-de-Foire (Pl. du)	B 3
Champ-de-Foire (R. du)	B 4
Clemenceau (R. G.)	A 5
Colombier (R. du)	B 6
Fossés-Plisson (R. des)	A 8
Godras (R. de)	AB 9
Montgomery (R.)	A 12
Poterne (R. de la)	A 13
République (R. de la)	A 14

Poste, r. Foch [phone] 38.51.00 – wc wc [phone] **P** – 50. AE ① B **a**
fermé 6 janv. au 26 fév., dim. soir et lundi midi d'oct. à avril – SC : **R** 39/100 – 12 – 27 ch 55/120 – P 155/180
Spéc. Terrine de homard, Cailles à la normande, Négresse en chemise.

France, r. Mt-St-Michel [phone] 38.51.44, [garden], – wc [phone] **P** – 30 à 100. AE GB ① E A **e**
SC : **R** *(fermé 3 nov. au 4 déc. et mardi)* 32/62 – 11 – 22 ch 54/130 – P 90/120.

Gare (Villa annexe), r. Mt-St-Michel [phone] 38.64.99, [garden] – wc **P**. AE GB E A **n**
fermé 1er au 15 nov. et lundi du 1er oct. au 30 mai – SC : **R** 26/60 – 9,50 – **28 ch** 40/100 – P 75/90.

CITROEN Hochet, [phone] 38.51.63
PEUGEOT Savary, [phone] 38.66.28
RENAULT S.A.D.A., [phone] 38.62.44
RENAULT Fossey, [phone] 38.53.35 N
TALBOT Champ, [phone] 38.51.54

DOMFRONT-EN-CHAMPAGNE 72 Sarthe 60 ⑬ – 666 h. alt. 132 – ✉ **72240** Conlie – ⚙ 43.

Paris 214 – Alençon 44 – Laval 76 – ♦Le Mans 18 – Mayenne 56.

Midi, D 823 [phone] 20.52.04
fermé fév., dim. soir et lundi – SC : **R** 31/80.

DOMME 24250 Dordogne 75 ⑰ **G. Périgord** (plan) – 891 h. alt. 212 – ⚙ 53.

Voir Belvédère de la Barre ✲★★★ – **Promenade des Falaises★★** – **Grottes★.**

i Syndicat d'Initiative 50 pl. Halle (1er avril-fin oct.) [phone] 28.37.09.

Paris 550 – Cahors 52 – Fumel 57 – Gourdon 26 – Périgueux 75 – Sarlat-la-Canéda 13.

Esplanade avec ch, [phone] 28.31.41, ≤ – wc [phone]. AE
fermé nov., fév. et merc. – SC : **R** 65/140 – 13 – 14 ch 110/175 – P 175/220.

DOMONT 95 Val-d'Oise 55 ⑳, 101 ⑤ – voir à Paris, Proche banlieue.

DOMPAIRE 88270 Vosges 62 ⑮ – 906 h. alt. 303 – ✪ 29.

Paris 365 – Épinal 19 – Lunéville 63 – Luxeuil-les-Bains 60 – ♦Nancy 63 – Neufchâteau 55 – Vittel 24.

Commerce, ☏ 36.50.28 – wc ☏. GB
fermé 14 au 28 fév. – SC : **R** *(fermé lundi hors sais.)* 33/135 – 10 – **11 ch** 60/100 – P 123/165.

DOMPIERRE-SUR-BESBRE 03290 Allier 69 ⑮ – 4 121 h. alt. 234 – ✪ 70.

Voir Vallée de la Besbre★ : puy St-Amboise ≤★★ – Zoo du Pal★, G. Auvergne.

Paris 326 – Bourbon-Lancy 18 – Decize 45 – Digoin 26 – Lapalisse 36 – Moulins 32.

Paix, pl. Commerce ☏ 34.50.09 – wc ☏.
fermé 25 oct. au 15 nov. et lundi – SC : **R** 35/85 – 9,50 – 11 ch 40/93 – P 80/110.

Aub. de l'Olive avec ch, r. Gare ☏ 34.51.87 – wc.
fermé 15 nov. au 15 déc. et vend. – SC : **R** 32/55 – 10 – **11 ch** 40/90.

CITROEN Cortier, ☏ 34.50.37
PEUGEOT Bujon, ☏ 34.50.10
RENAULT Bailly, ☏ 34.52.34 N
TALBOT Blanc, ☏ 34.51.61 N
Gar. Cartier, Sept-Fons ☏ 34.54.84

DOMPIERRE-SUR-MER 17 Char.-Mar. 71 ⑫ – rattaché à La Rochelle.

DOMPIERRE-SUR-VEYLE 01 Ain 74 ③ – 632 h. alt. 355 – ✉ **01240** St-Paul-de-Varax – ✪ 74.

Paris 442 – Belley 72 – Bourg-en-Bresse 16 – ♦Lyon 53 – Nantua 50 – Villefranche-sur-Saône 50.

Aubert avec ch, ☏ 30.31.19, – P
fermé fév., lundi soir, jeudi soir et vend. – SC : **R** 24/100 – 8,50 – **3 ch** 33/40.

DOMRÉMY-LA-PUCELLE 88 Vosges 62 ③ **G. Vosges** – 267 h. alt. 270 – ✉ **88300** Neufchâteau – ✪ 29.

Voir Maison natale de Jeanne d'Arc★.

Paris 283 – Bar-le-Duc 62 – Commercy 40 – Épinal 79 – ♦Nancy 57 – Neufchâteau 11.

de la Pucelle, ☏ 94.04.60 – wc.
fermé 15 nov. au 15 déc. et lundi hors sais. – SC : **R** 28/50 – 10 – 12 ch 45/60.

Basilique avec ch, à **La Basilique du Bois Chenu S : 2 km par D 53** ☏ **94.07.81,** ≤ – wc ☏ P – 300. GB. rest
fermé janv., dim. soir et lundi – SC : **R** 55/130 – 11 – 28 ch 55/90 – P 130/150.

*à **Maxey-sur-Meuse*** E : 1,5 km – ✉ **88300** Neufchâteau :

Écusson, ☏ 94.12.02
fermé vend. – SC : **R** 30/40.

DONGES 44480 Loire-Atl. 63 ⑮ **G. Bretagne** – 6 285 h. – ✪ 40.

Voir Église★.

Paris 418 – La Baule 33 – ♦Nantes 51 – Redon 44 – St-Nazaire 17.

La Closerie des Tilleuls, N : 1 km par D4 ☏ 45.20.23, – P.
fermé 27 avril au 4 mai, 6 au 24 août, sam. et dim. – SC : **R** 60/110.

Le DONJON 03130 Allier 69 ⑯ – 1 447 h. alt. 293 – ✪ 70.

Paris 341 – Digoin 24 – Moulins 48 – Roanne 55 – Vichy 47.

La Bonne Marmite, ☏ 99.53.87 –
SC : **R** 29/75 – 9 – 9 ch 39/55 – P 100/110.

PEUGEOT Gar. Rotat, ☏ 99.53.89
RENAULT Gar. Pascalini et Périchon, ☏ 99.50.76 N

DONON (Col du) 67 B.-Rhin 62 ⑧ **G. Vosges** – alt. 727 – ✉ **67130** Schirmeck – ✪ 88.

Paris 394 – Lunéville 56 – St-Dié 50 – Sarrebourg 40 – Sélestat 53 – ♦Strasbourg 59.

Donon , ☏ 97.20.69, ≤, – wc wc ☏ P. rest
fermé 15 nov. au 1er déc., 1er au 15 mars et merc. – SC : **R** 26/65 – 8,50 – **20 ch** 60/100 – P 110/130.

DONZENAC 19270 Corrèze 75 ⑧ **G. Périgord** – 1 796 h. alt. 204 – ✪ 55.

Syndicat d'Initiative r. M.-Lagarre (1er juin-30 sept. et fermé dim. après-midi).

Paris 476 – Brive-la-Gaillarde 9,5 – ♦Limoges 83 – Tulle 28 – Uzerche 26.

H. La Gamade et rest. Le Périgord, ☏ 85.71.07 – wc ☏. AE
SC : **R** 40/120 – 11 – 10 ch 55/80 – P 140/150.

Sur N 20 – ✉ **19270** Donzenac :

Relais Bas Limousin, N : 6 km rte Uzerche ☏ 85.73.23, – wc wc P.
fermé 21 sept. au 6 oct., dim. soir hors sais. et lundi midi – SC : **R** 28/80 – 10 – **19 ch** 46/85 – P 100/150.

tourner →

La Maleyrie, N : 5 km ☎ 85.73.12, – wc ☎ P. rest
Pâques-1er oct. – SC : **R** *(fermé sam. midi)* 25/65 – 10 – **15 ch** 38/100.

RENAULT Cabet, ☎ 85.72.21 TALBOT Gar. Chanourdie, ☎ 85.72.37 N

DONZÈRE **26290** Drôme 81 ① **G. Vallée du Rhône** – 3 369 h. alt. 64 – 75.

Paris 623 – Aubenas 47 – Montélimar 13 – Nyons 41 – Orange 39 – Pont-St-Esprit 23 – Valence 60.

Roustan, ☎ 98.61.27, – TV wc wc ☎ . rest
fermé 5 janv. au 5 fév. et lundi – SC : **R** 70/100 – 15 – **10 ch** 100/170.

RENAULT Gonnet, ☎ 98.61.09 N ☎ 98.65.00

DONZY **58220** Nièvre 65 ⑬ **G. Bourgogne** – 1 939 h. alt. 188 – 86.

Paris 204 – Auxerre 65 – Château-Chinon 87 – Clamecy 37 – Cosne-sur-Loire 17 – Nevers 49.

Ermitage M, ☎ 39.30.62 – TV wc wc ☎ P. GB. ch
fermé 14 au 25 sept., vacances de fév. et vend. sauf juil. et août – SC : **R** voir rest Talvanne – 11 – **20 ch** 88/105 – P 130/150.

Gd Monarque, près Église ☎ 39.35.44 – P
fermé 1er au 12 juil., 1er au 20 janv., dim. soir et lundi midi – SC : **R** 26/90 – 8 – **19 ch** 37/90 – P 73/95.

Talvanne, ☎ 39.35.61 – P. GB
fermé 14 au 25 sept., vacances de fév. et vend. sauf juil. et août – SC : **R** 35/95.

Le DORAT **87210** H.-Vienne 72 ⑦ **G. Périgord** – 2 581 h. alt. 209 – 55.

Voir Collégiale St-Pierre★★.

Syndicat d'Initiative pl. Église (juil.-15 sept. et fermé dim.) ☎ 68.76.81.

Paris 408 – Bellac 12 – Le Blanc 49 – Guéret 68 – ♦Limoges 53 – Poitiers 74.

La Promenade avec ch, 3 av. Verdun ☎ 68.72.09 – P. ch
fermé 15 au 30 sept., 15 au 28 fév., dim. soir et lundi – SC : **R** 25/80 – 7,50 – 8 ch 37/55.

CITROEN Laguzet, ☎ 68.72.79

DORDIVES **45** Loiret 61 ⑫ – 1 733 h. alt. 71 – ✉ **45210** Ferrières – 38.

Paris 96 – Montargis 18 – Nemours 15 – ♦Orléans 89 – Sens 45.

César sans rest, 8 r. République ☎ 92.73.20 – wc wc P.
SC : 15 – **20 ch** 42/130.

DORMANS **51700** Marne 56 ⑮ **G. Nord de la France** – 2 975 h. alt. 71 – 26.

Paris 120 – Châlons-sur-Marne 57 – Château-Thierry 23 – Fère-en-Tardenois 27 – ♦Reims 39.

Demoncy avec ch, ☎ 50.20.86, – wc wc ☎ P. ch
fermé fév. et mardi – SC : **R** 70/110 – 12 – 10 ch 65/90.

CITROEN François, ☎ 50.20.17 RENAULT Chaplart, ☎ 50.20.47
PEUGEOT Richon, ☎ 50.20.38

DORNAS **07** Ardèche 76 ⑱⑲ – 317 h. alt. 630 – ✉ **07160** Le Cheylard – 75.

Paris 613 – Aubenas 41 – Le Cheylard 10 – Lamastre 31 – Privas 46 – Le Puy 76.

de la Dorne, ☎ 29.10.13, – rest
fermé 1er au 15 nov. et vend. – SC : **R** 27/45 – 7 – 10 ch 36/46 – P 70/75.

DORNES **58390** Nièvre 69 ⑭ – 1 295 h. alt. 228 – 86.

Paris 278 – Decize 17 – Luzy 61 – Moulins 18 – Nevers 39 – St-Pierre-le-Moutier 22.

Commerce avec ch, ☎ 50.60.21 – P
fermé 1er au 15 sept. et lundi – SC : **R** 25/70 – 8,50 – **9 ch** 37/53 – P 70.

CITROEN Dachet, ☎ 50.61.21

DORRES **66** Pyr.-Or. 86 ⑯ **G. Pyrénées** – 154 h. alt. 1 450 – ✉ **66800** Saillagouse – 68.

Voir Angoustrine : Retables★ dans l'église O : 5 km.

Paris 889 – Ax-les-Thermes 58 – Bourg-Madame 10 – ♦Perpignan 110 – Prades 67.

Marty, ☎ 30.07.52 – P. rest
fermé nov. – **R** 30 bc/60 – 10 – **34 ch** 50/80 – P 100/180.

DOUAI SP **59500** Nord 53 ③ **G. Nord de la France** – 47 570 h. alt. 24 – 27.

Voir Beffroi★ BY **D** – **Musée★ dans l'ancienne Chartreuse** AX **M** – **Cortège des Gayants★ (début juil.).**

Office de Tourisme 70 pl. d'Armes (fermé sam. matin) ☎ 87.26.63 - A.C. 155 pl. Armes ☎ 88.90.79.

Paris 193 ④ – ♦Amiens 89 ④ – Arras 26 ④ – Beauvais 168 ④ – Charleville-Mézières 150 ③ – Lens 22 ⑤ – ♦Lille 38 ⑤ – St-Quentin 65 ③ – Tournai 38 ① – Valenciennes 37 ②.

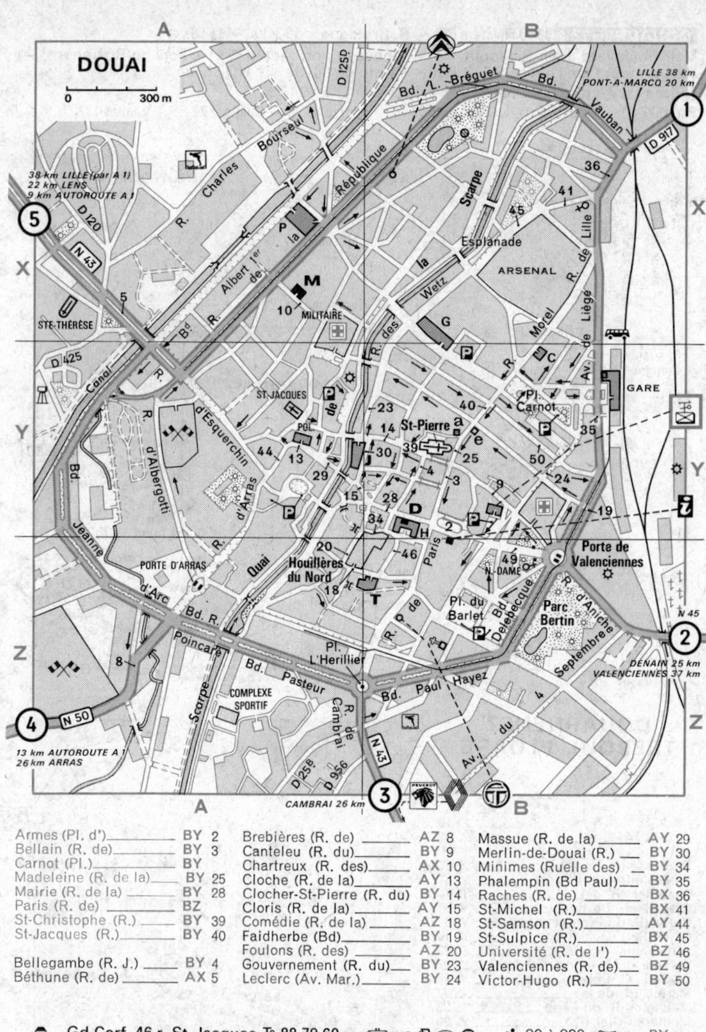

Armes (Pl. d') BY 2
Bellain (R. de) BY 3
Carnot (Pl.) BY
Madeleine (R. de la) BY 25
Mairie (R. de la) BY 28
Paris (R. de) BZ
St-Christophe (R.) BY 39
St-Jacques (R.) BY 40

Bellegambe (R. J.) BY 4
Béthune (R. de) AX 5

Brebières (R. de) AZ 8
Canteleu (R. du) BY 9
Chartreux (R. des) AX 10
Cloche (R. de la) AY 13
Clocher-St-Pierre (R. du) BY 14
Cloris (R. de la) AY 15
Comédie (R. de la) AZ 18
Faidherbe (Bd) BY 19
Foulons (R. des) AZ 20
Gouvernement (R. du) BY 23
Leclerc (Av. Mar.) BY 24

Massue (R. de la) AY 29
Merlin-de-Douai (R.) BY 30
Minimes (Ruelle des) BY 34
Phalempin (Bd Paul) BY 35
Raches (R. de) BX 36
St-Michel (R.) BX 41
St-Samson (R.) AY 44
St-Sulpice (R.) BX 45
Université (R. de l') BZ 46
Valenciennes (R. de) BZ 49
Victor-Hugo (R.) BY 50

Gd Cerf, 46 r. St-Jacques ℡ 88.79.60 – wc ☎ Ⓟ – 30 à 200. BY **e**
rest., fermé août, dim. soir et sam. – **38 ch**.

XX **La Terrasse,** 8 terrasses St-Pierre ℡ 88.70.04 – Ⓟ BY **a**
SC : **R** 33/180.

XX **Buffet Gare,** ℡ 88.99.26 BY
R 31/100.

par ④ : 7 km sur N 50 – ✉ **62117** Brébières – 21 :

XX **Air Accueil,** ℡ 50.02.66 – Ⓟ.
fermé août et dim. soir – SC : **R** 70/180.

ALFA-ROMEO, OPEL Faidherbe-Auto, 211 bd Faidherbe ℡ 87.34.27
CITROEN Cabour, 884 r. de la République ℡ 87.36.22
FIAT C.A.D.O., 124 av. R.-Salengro à Sin-le-Noble ℡ 88.82.28
LADA, TOYOTA Gar. du Nord, rte de Cambrai à Ferin ℡ 88.55.09
PEUGEOT Charpentier, 537 rte Cambrai ℡ 87.22.76
RENAULT Gd Gar. Douaisien, rte Cambrai ℡ 87.29.72
TALBOT Douai-Nord-Autom., 334 r. de Paris ℡ 87.56.14

Europneus, 5 r. de Warenghien ℡ 87.00.63 et 174 av. R.-Salengro à Sin-le-Noble ℡ 88.69.70

DOUARNENEZ 29100 Finistère 58 ⑭ G. Bretagne – 19 311 h. – 98.

Voir Boulevard Jean-Richepin ≤★ – Nouveau port : jetée ≤★ – Port du Rosmeur★ – Ploaré : tour★ de l'église SE : 1 km – Pointe de Leydé ≤★ NO : 5 km.

Syndicat d'Initiative r. Docteur-Mével (fermé dim.) ☎ 92.13.35.

Paris 577 ① – ◆Brest 74 ① – Châteaulin 27 ① – Lorient 86 ② – Quimper 22 ② – Vannes 137 ②.

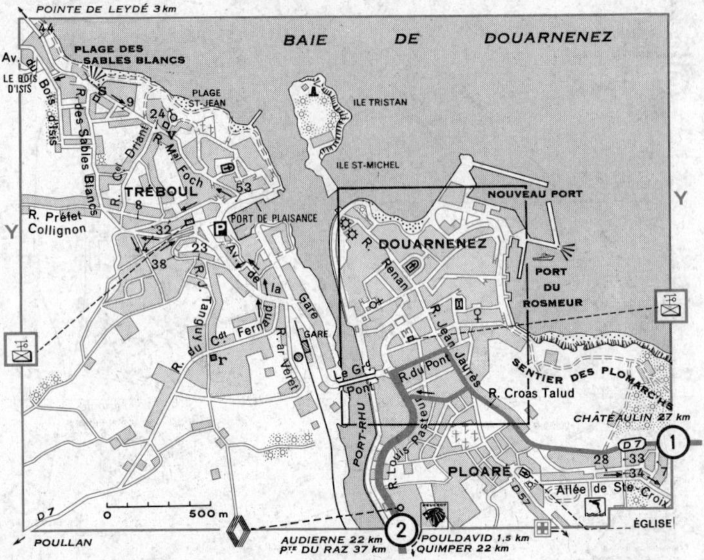

DOUARNENEZ TRÉBOUL PLOARÉ

Anatole-France (R.) Z 2
Duguay-Trouin (R.) Z 13
Jaurès (R. Jean) Z
Jean-Bart (R.) Z 18
Voltaire (R.) Z 52

Barbusse (R. Henri) Z 3
Brossolette (R. Pierre) Y 4
Coataner (R. de) Y 7
Croas-Men (R. du) Y 8
Curie (R. du Professeur) Y 9
Grand-Port (Quai du) Z 14
Lamennais (R.) Z 22
La-Tour-d'Auvergne (R. de) Y 23
Le-Goff (Pl. Robert) Y 24
Marine (R. de la) Z 27
Maunoir (R. du Père) Y 28
Monte-au-Ciel (R.) Z 29
Moulin (R. du) Y 32
Partisans (R. des) Z 33
Pen-ar-Menez (R. de) Y 34
Péri (Pl. Gabriel) Z 35
Plomarc'hs (R. des) Z 36
Pont-Neuf (R. du) Y 38
Port (R. du) Z 39
Richepin (Bd Jean) Z 43
Roches-Blanches (Rte des) Y 44
Stalingrad (Pl.) Z 48
Vaillant (Pl. Édouard) Z 49
Yser (Quai de l') Y 53

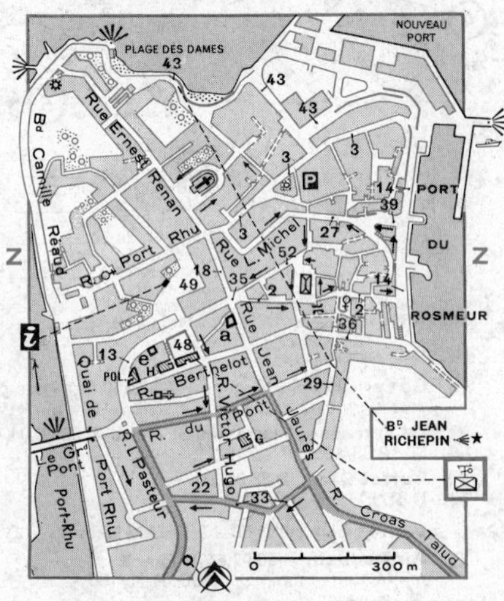

Le Bretagne M, 23 r. Duguay-Trouin ☎ 92.30.44 – wc wc . rest — Z **e**
SC : **R** *(mai-sept. et fermé lundi)* 42/88 – 12 – **27 ch** 65/123 – P 115/155.

Aub. de Kervéoc'h, par ② : 4 km rte Quimper ☎ 92.07.58, – wc wc – 25. rest
hôtel : fermé 15 nov. au 15 déc. et lundi hors saison – SC : **R** *(1er avril-30 sept.)* 45/100 – 14 – 10 ch 70/130 – P 140/165.

France, 2 r. J.-Jaurès ☎ 92.00.02, Mobilier breton – wc – 30 ch — Z **a**

CITROEN Belbéoch, 33 r. L.-Pasteur ☎ 92.29.00
PEUGEOT Barré, 42 rte Quimper ☎ 92.11.72
RENAULT Carrot, 89 r. L.-Pasteur ☎ 92.04.11

Tréboul – Y du plan – ✉ **29100** Douarnenez :

Armor, ☎ 75.04.05, ⩤ – ⌂wc ⚐wc ☎ **P**. ✂ rest — Y **s**
Pâques et 1er mai-30 sept. – SC : **R** (dîner seul.) 50/70 – ☕ 12 – 21 ch 48/140.

✕ **Arcades,** 67 r. Cdt-Fernand ☎ 92.03.40 – ✂ — Y **r**
fermé 1er oct. au 7 nov., dim. soir et lundi – SC : **R** 39/97.

DOUBS 25 Doubs **70** ⑥ – rattaché à Pontarlier.

DOUBS (Vallée du) ** 25 Doubs **70** ⑥⑦, **66** ⑰⑱ **G. Jura.**
Voir Gorges ** – Lac de Chaillexon** et saut du Doubs***.**

DOUCIER 39 Jura **70** ⑭⑮ **G. Jura** – 192 h. alt. 528 – ✉ **39130** Clairvaux-les-Lacs – ⚙ 84.
Voir Lac de Chalain ** N : 4 km.**
Paris 432 – Champagnole 21 – Lons-le-Saunier 26.

Garage Gaillard, ☎ 25.70.94

DOUÉ-LA-FONTAINE **49700** M.-et-L. **67** ⑧ **G. Châteaux de la Loire** – 6 501 h. alt. 76 – ⚙ 41.
i Syndicat d'Initiative pl. Hôtel de Ville (fermé dim. et lundi) ☎ 59.18.53.
Paris 316 – Angers 41 – Châtellerault 84 – Cholet 49 – Saumur 17 – Thouars 26.

France, 17 pl. du Champ-de-Foire ☎ 59.12.27 – ⚐. GB
fermé 8 au 24 juin, 20 déc. au 12 janv. et lundi – SC : **R** 30/75 – ☕ 9,50 – 18 ch 42/70 – P 80/100.

CITROEN Belien, rte de Saumur ☎ 59.12.59
PEUGEOT Hayot, rte de Saumur ☎ 59.18.57
RENAULT Bouchet, 11 rte de Montreuil ☎ 59.10.72
RENAULT Chaillou, 49 r. de Cholet ☎ 59.10.55
N ☎ 59.12.16
TALBOT Blondeau, 20 r. de Cholet ☎ 59.11.00

DOUELLE 46 Lot **79** ⑦⑧ – 648 h. – ✉ **46140** Luzech – ⚙ 65.
Paris 601 – Cahors 11 – Gourdon 41 – Villeneuve-sur-Lot 67.

Marine, ☎ 36.02.06 – ⇌
fermé 2 au 15 fév., 15 au 30 nov. et mardi – SC : **R** 30/90 – ☕ 9 – **12 ch** 50/95 – P 80/120.

DOULAINCOURT **52270** H.-Marne **62** ⑪⑫ – 1 060 h. alt. 220 – ⚙ 25.
Paris 255 – Bar-sur-Aube 48 – Chaumont 32 – Joinville 19 – Neufchâteau 44.

Paris ⚘, pl. Ch.-de-Gaulle ☎ 95.31.18 – ✂ ch
fermé sept. et lundi du 1er nov. au 31 mai – SC : **R** 26/48 🍷 – ☕ 8,50 – **10 ch** 34/50 – P 73/80.

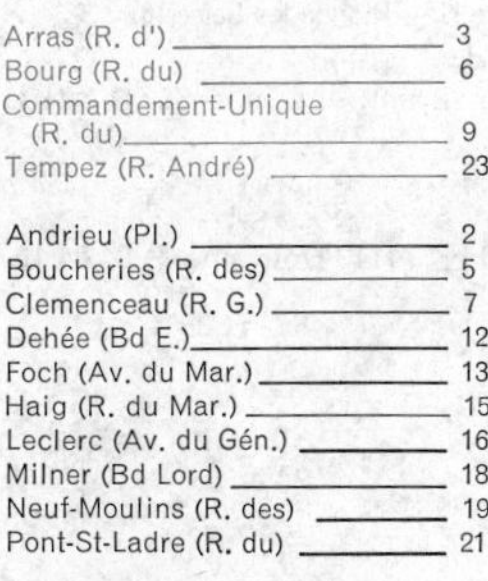

DOULLENS

Arras (R. d') 3
Bourg (R. du) 6
Commandement-Unique (R. du) 9
Tempez (R. André) 23

Andrieu (Pl.) 2
Boucheries (R. des) 5
Clemenceau (R. G.) 7
Dehée (Bd E.) 12
Foch (Av. du Mar.) 13
Haig (R. du Mar.) 15
Leclerc (Av. du Gén.) 16
Milner (Bd Lord) 18
Neuf-Moulins (R. des) 19
Pont-St-Ladre (R. du) 21

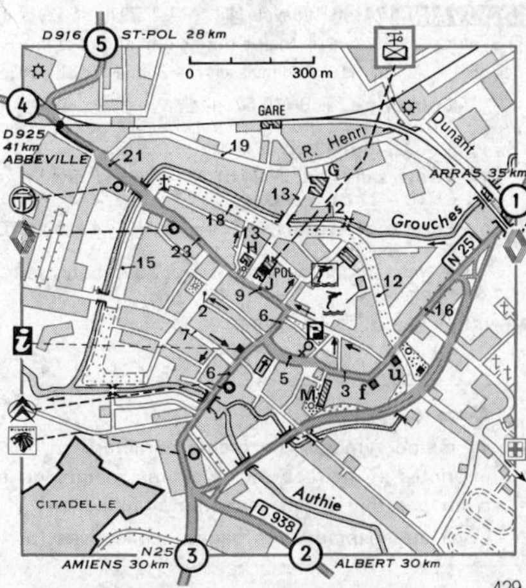

Les plans de villes sont orientés le Nord en haut.

DOULLENS 80600 Somme 52 ⑧ G. Nord de la France – 8 520 h. alt. 64 – ✪ 22.

Voir Vallée de l'Authie★ par ④.

Office de Tourisme Beffroi r. Bourg (1er juil.-16 août) et 10 r. Marjolaine (fermé dim.) ✆ 77.09.28.

Paris 179 ③ – Abbeville 41 ④ – ♦Amiens 30 ③ – Arras 35 ① – Péronne 54 ② – St-Omer 83 ⑤.

Plan page précédente

XX **Le Sully** avec ch, 45 r. Arras **(u)** ✆ **77.10.87** –
fermé fév., lundi du 1er oct. au 1er avril et merc. du 1er avril au 1er oct. – SC : **R** 30/70 – 9 – 8 ch 50/64.

XX **Aux Bons Enfants,** 23 r. Arras **(f)** ✆ **77.06.58** – Ⓟ. GB
fermé sept. et sam. – SC : **R** 38/78.

à Pommera par ① : 7,5 km sur rte Arras – ✉ **62760** Pas en Artois – ✪ 21

XX **Faisanderie,** ✆ **24.20.76** – Ⓟ. AE GB
fermé 4 au 22 août, vacances de fév., dim. soir et lundi – **R** 40/74.

CITROEN Therasse, 9 r. Bourg ✆ 77.02.76
PEUGEOT Gar. Cailly, 14 rte Amiens ✆ 77.08.36
RENAULT Gar. Moderne, 55 rte d'Arras ✆ 77.02.77
RENAULT Roger, 32 r. A.-Tempez ✆ 77.08.42
TALBOT Gar. St-Christophe, 6 r. Pont-St-Ladre ✆ 77.06.54

DOURDAN 91410 Essonne 60 ⑨, 96 ㉟ G. Environs de Paris – 7 487 h. alt. 117 – ✪ 6.

Voir Place du Marché aux grains★ – Église★.

Office de Tourisme pl. Gén.-de-Gaulle (fermé dim. après-midi et lundi) ✆ 492.86.97.

Paris 54 – Chartres 42 – Étampes 18 – Évry 41 – ♦Orléans 79 – Rambouillet 22 – Versailles 37.

✿ **Host. Blanche de Castille** M, pl. Halles ✆ **492.92.72,** Télex 690902, – Ⓟ – 100. GB.
fermé 4 au 14 août – **R** 100/150 – 30 – **40 ch** 120/200
Spéc. Assiette correzienne au foie gras frais, Crêpe farcie de homard à l'américaine, Ragoût de rognons et ris de veau.

AUDI-VOLKSWAGEN, **LANCIA-AUTOBIANCHI, TOYOTA** Huberty, rte d'Etampes, D 836 ✆ 459.66.65
PEUGEOT C.A.D., Zone Ind. de la Gaudrée ✆ 459.64.00
PEUGEOT Gar. Côte de Liphard, 10 rte Liphard ✆ 459.71.86
RENAULT Lesage, 30 av. de Paris ✆ 492.70.83

DOURLERS 59228 Nord 53 ⑥ – 710 h. alt. 171 – ✪ 27.

Paris 211 – Avesnes-sur-Helpe 8 – ♦Lille 97 – Maubeuge 13 – Le Quesnoy 26 – Valenciennes 42.

XXX ✿ **Aub. Grand St-Pierre** (Mme Drouin), Les Haies à Charmes N 2 ✉ 59440 Avesnes-sur-Helpe ✆ **61.17.58,** – Ⓟ. GB
fermé 16 sept. au 4 oct., 15 fév. au 3 mars, dim. soir et lundi sauf fériés – **R** (dim. et fêtes - prévenir) 80/190
Spéc. Prélude des "Haies à Charmes", Pêche de St-Pierre, Pâtisseries.

XXX **Le Caribou** avec ch, N : 2 km sur N 2 ✆ **61.15.80,** – wc Ⓟ.
R 60/120, carte le dim. – 15 – **4 ch** 100.

DOUSSARD 74 H.-Savoie 74 ⑯ – rattaché à Bout-du-Lac.

DOUVAINE 74140 H.-Savoie 70 ⑯ – 2 279 h. alt. 429 – ✪ 50.

Syndicat d'Initiative pl. Mairie (fermé dim., lundi et fêtes) ✆ 94.10.55.

Paris 561 – Annecy 59 – Annemasse 17 – Bonneville 31 – ♦Genève 17 – Thonon-les-Bains 16.

Couronne, ✆ **94.10.62** – wc wc Ⓟ. ch
fermé 10 au 23 mars, 15 sept. au 1er oct., 23 déc. au 14 janv. et sam. – SC : **R** 31/108 – 10 – **13 ch** 49/100 – P 90/125.

Poste sans rest, ✆ **94.01.19** – wc wc Ⓟ
10 – **17 ch** 50/100.

Écaille d'Argent, à Tougues NO : 4 km par D 20 ✉ 74140 Douvaine ✆ **94.04.16,** – Ⓟ
1er mai-15 oct. et fermé mardi soir, merc. sauf juil. et août – SC : **R** 38 – 11 – **11 ch** 55.

RENAULT Gar. du Chablais, ✆ 94.00.36

Dans ce guide
un même symbole, un même caractère,
imprimés en noir ou en rouge, en maigre ou en **gras**
n'ont pas tout à fait la même signification
Lisez attentivement les pages explicatives (p. 13 à 20).

41 ch – **28 ch**

DRAGUIGNAN <SP> 83300 Var **84** ⑦ **G. Côte d'Azur** – 25 240 h. alt. 181 – ✪ 94.

Env. Le Malmont ≤** N : 6 km.

i Office de Tourisme (fermé dim. sauf matin en sais.) et A.C. 9 bd Clemenceau ☎ 68.05.05, Télex 970059.

Paris 863 ② – Aix-en-Provence 106 ② – Antibes 72 ② – Cannes 65 ② – Digne 114 ④ – Fréjus 29 ② – Grasse 56 ① – Manosque 89 ③ – ♦Marseille 118 ② – ♦Nice 90 ② – ♦Toulon 81 ②.

Cisson (R.) .... AB 3
Clemenceau (Bd) .... B 4

Blanqui (Bd) .... A 2
Daudet (Av. A.) .... A 6
Joffre (Bd Mar.) .... B 9
Juiverie (R. de la) .... A 12
Lattre-de-Tassigny (Rond-Point de) .... B 14
Leclerc (Bd Gén.) .... B 15
Marchands (R. des) .... A 16
Marché (R. du) .... A 17
Marx-Dormoy (Bd) .... B 18
Mireur (R. F.) .... A 19
Observance (R. de l') .... A 20
République (R. de la) .... B 23
Victoire (Pl. de la) .... B 25

Col de l'Ange Ⓜ, par ③ : 2,5 km ☎ 68.23.01, Télex 970423, ≤, – TV wc ☎ **P**. AE GB E.
SC : **R** *(fermé dim. hors sais.)* (dîner seul.) 45/65 – ☕ 18 – **30 ch** 130/185.

Parc, 21 bd Liberté ☎ 68.53.84, – wc wc ☎ **P**. — A **a**
fermé 15 déc. au 15 janv. – SC : **R** *(fermé dim. hors sais.)* 43/100 – ☕ 15,50 – 20 ch 100/140 – P 335/360 (pour 2 pers.).

Séméria, 12 av. L.-Carnot ☎ 68.03.57 – wc wc ☎. — B **s**
fermé oct. – SC : **R** *(fermé dim. soir et lundi)* 47/68 – ☕ 12,50 – 23 ch 60/165.

XX **La Calèche,** 7 bd G.-Péri ☎ 68.13.97 – ▤. GB — B **v**
fermé dim. sauf le midi du 15 sept. au 31 mai et lundi – SC : **R** 48/150.

à Flayosc par ③ et D 557 : 7 km – ✉ **83780** Flayosc :

Provençal, ☎ 70.41.44 – **P**
fermé 15 au 31 oct. – SC : **R** *(fermé lundi)* 35/71 – ☕ 9 – 10 ch 42/60 – P 116/133.

X **Oustaou,** ☎ 70.42.69
fermé 10 au 22 juin, 7 au 21 oct., vacances de fév., dim. soir en hiver et merc. – SC : **R** 34/88.

AUDI, VOLKSWAGEN S.O.D.R.A., Zone Ind., rte de Lorgues ☎ 68.82.44
CITROEN S.I.V.A., rte de Trans ☎ 68.12.43
FIAT Joffre-Automobiles, 56 av. Carnot ☎ 68.02.03
FORD Gar. d'Azur, 748 rte de Lorgues ☎ 68.18.71
PEUGEOT SO.VA.OR., 4 av. 4-Septembre ☎ 68.00.48
RENAULT S.A.V.A., quartier de la Foux ☎ 68.15.64
TALBOT Gar. Labrette, 386 av. P.-Brossolette ☎ 68.14.20
Forni, 49 bd Carnot ☎ 68.06.83

DREUIL-LÈS-AMIENS 80 Somme **52** ⑧ – rattaché à Amiens.

DREUX 28100 E.-et-L. 60 ⑦ G. Environs de Paris – 34 025 h. alt. 104 – 37.

Voir Beffroi★ – Vitraux★ de la chapelle royale.

Syndicat d'initiative 4 r. Porte-Chartraine (fermé dim.) ☎ 46.01.73.

Paris 82 ② – Alençon 110 ⑥ – Argentan 112 ⑥ – ♦Caen 163 ⑥ – Chartres 35 ④ – Évreux 42 ⑥ – ♦Le Havre 162 ⑥ – ♦Le Mans 136 ④ – Mantes-la-Jolie 48 ② – ♦Orléans 108 ④ – ♦Rouen 97 ⑥.

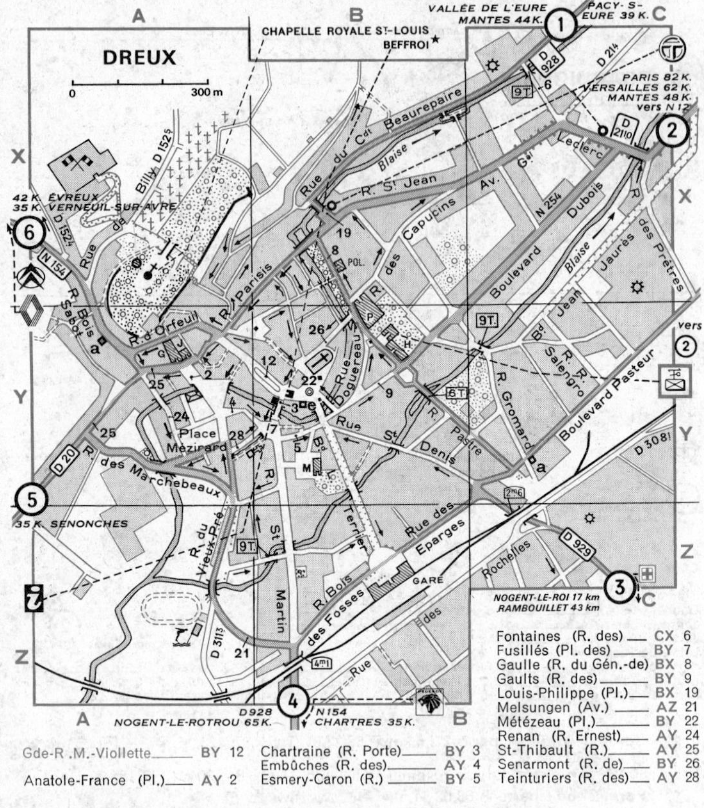

- Fontaines (R. des) — CX 6
- Fusillés (Pl. des) — BY 7
- Gaulle (R. du Gén.-de) BX 8
- Gaults (R. des) — BY 9
- Louis-Philippe (Pl.) — BX 19
- Melsungen (Av.) — AZ 21
- Métézeau (Pl.) — BY 22
- Renan (R. Ernest) — AY 24
- St-Thibault (R.) — AY 25
- Senarmont (R. de) — BY 26
- Teinturiers (R. des) — AY 28
- Gde-R. M.-Viollette — BY 12
- Anatole-France (Pl.) — AY 2
- Chartraine (R. Porte) — BY 3
- Embûches (R. des) — AY 4
- Esmery-Caron (R.) — BY 5

Bec Fin M, 8 bd Pasteur ☎ 42.04.13 – TV wc wc . — CY **a**
fermé 10 au 25 août et 23 déc. au 2 janv. – **R** *(fermé dim.)* 48/60 – 12 – **20 ch** 60/120 – P 120/150.

H. de l'Aub. Normande sans rest, 12 pl. Métézeau ☎ 46.02.03 – wc . — BY **e**
SC : 10 – **16 ch** 110/185.

Rest. Auberge Normande, 6 pl. Métézeau ☎ 46.74.51 – . — BY **e**
fermé août, Noël-Jour de l'An et dim. – SC : **R** 58/165.

Au Trou Normand, 19 r. Bois-Sabot ☎ 46.05.21 — AY **a**
fermé 10 au 25 sept., 11 au 26 fév., merc. soir et jeudi – SC : **R** 32/63 .

à Chérisy par ② : 4,5 km – ✉ **28500** Vernouillet :

Vallon de Chérisy, ☎ 43.70.08
fermé 1er déc. au 5 janv., mardi soir et merc. – SC : **R** 43 .

à Ste-Gemme-Moronval par ② N 12 puis D 308 2 : 6 km – ✉ **28500** Vernouillet :

L'Escapade, ☎ 43.72.05, – P
fermé 24 août au 10 sept., 16 fév. au 4 mars et le soir sauf vend. et sam. du 1er oct. au 1er mars – SC : **R** 68/88.

par rte de Montreuil ①, D 928 et D 116 : 8,5 km :

Aub. Gué des Grues avec ch, ☎ 43.50.25, ←, – P. GB
fermé 7 au 20 janv., lundi soir et mardi – SC : **R** 80 – 17 – **5 ch** 70/150.

AUSTIN, MORRIS Gar. de l'Ouest, 51 av. Fenots ℱ 46.11.45
CITROEN Mauger, 64 av. Fenots ℱ 46.12.51
FIAT Gar. Favières-Mesnil, 22 r. d'Orléans ℱ 42.08.75
FORD Perrin, bd Europe à Vernouillet ℱ 46.23.31
MERCEDES-BENZ Gar. Avenue, Zone Ind. Nord ℱ 46.17.98
PEUGEOT C.A.D., 33 rte Chartres, Vernouillet ℱ 46.17.25
RENAULT Chanoine, N 12, Les Fenots ℱ 46.17.35 N
TALBOT Gar. Bidault, pl. Louis-Philippe ℱ 46.02.95
TALBOT Touchard et Girot, 49 av. Gén.-Leclerc ℱ 46.12.72
TOYOTA Gimenez, 86 av. Fenots ℱ 46.76.89

Dubreuil-Pneus, 115 r. Bois-Sabot ℱ 46.04.11
Marsat-Dreux-Pneus, 27 av. des Fenots ℱ 46.23.51

DRUSENHEIM 67410 B.-Rhin 57 ⑳ – 3 827 h. alt. 125 – 88.
Paris 491 – Brumath 21 – Haguenau 17 – Saverne 52 – ♦Strasbourg 27.

XXX **Auberge du Gourmet,** rte Strasbourg SO : 1 km ℱ 63.30.60, – P. GB
fermé août, mardi soir et merc. – SC : **R** 50/100.

X **Au Saumon,** ℱ 63.31.55 – P.
fermé juil. et lundi – SC : **R** 65/87.

DUCEY 50220 Manche 59 ⑧ **G. Normandie** – 2 079 h. alt. 15 – 33.
Paris 308 – Avranches 11 – Fougères 37 – ♦Rennes 71 – St-Hilaire-du-Harcouët 16 – St-Lô 67.

Voyageurs, ℱ 48.53.62 – P
fermé 15 janv. au 15 fév. et vend. hors sais. – SC : **R** 27/70 – 8,50 – 10 ch 37/42 – P 77/80.

PEUGEOT Gar. Débesne, ℱ 48.50.55

DUCLAIR 76480 S.-Mar. 55 ⑥ **G. Normandie** (plan) – 2 977 h. alt. 8 – 35.
Bac : renseignements ℱ **64.53.11.**
Paris 159 – Dieppe 59 – Lillebonne 32 – ♦Rouen 20 – Yvetot 20.

XX **Parc,** rte de Caudebec ℱ 64.50.31, ← – P. AE GB
fermé juil., dim. soir et lundi soir – SC : **R** 45/65.

XX **Poste** avec ch, 286 quai Libération ℱ 37.50.04, ← – wc wc.
fermé 30 juin au 6 juil. et 15 janv. au 15 fév. – SC : **R** *(fermé lundi)* 40/75 – 15 – 19 ch 65/85 – P 130.

CITROEN Dutrait, ℱ 64.51.02
PEUGEOT Gar. de la Poste, ℱ 37.50.75
RENAULT Huré, ℱ 37.50.70

DUILHAC-SOUS-PEYREPERTUSE 11 Aude 86 ⑧ – rattaché à Cucugnan.

DUINGT 74 H.-Savoie 74 ⑥ **G. Alpes** – 330 h. alt. 450 – ✉ **74410** St-Jorioz – 50.
Voir Site★ – Paris 549 – Albertville 33 – Annecy 12 – Megève 48 – St-Jorioz 3,5.

Clos Marcel, ℱ 68.67.47, ←, – wc P. rest
1er mai-30 sept. – SC : **R** 50/95 – 11 – **18 ch** 55/125 – P 120/190.

Bains, ℱ 68.66.48, – wc wc P. AE GB
fermé nov. et mardi – SC : **R** 35/78 – 10,50 – 24 ch 52/120 – P 102/140.

XX **Aub. du Roselet** avec ch, ℱ 68.67.19, – wc P.
fermé 15 au 30 oct., 10 au 30 janv. et merc. hors sais. – SC : **R** 45/120 – 13 – **16 ch** 100/140 – P 110/160.

DUNES 82 Tarn-et-Gar. 79 ⑮ – 710 h. alt. 120 – ✉ **82340** Auvillar – 63.
Paris 662 – Agen 21 – Auch 75 – Moissac 25 – Montauban 54.

XX **Aub. des Templiers,** ℱ 39.91.34 – AE
fermé 1er au 15 sept., 15 fév. au 1er mars, mardi soir et merc. – SC : **R** 80.

DUNKERQUE SP 59 Nord 51 ③④ **G. Nord de la France** – 83 759 h. – 28.
Voir Port★★ – **Musée★** CZ **M.**

Office de Tourisme Beffroy, r. Clemenceau (fermé dim.) ℱ 66.79.21 et Digue de Mer (15 juin-15 sept. et fermé dim. après-midi) ℱ 69.61.34 - A.C. 2 r. Amiral-Ronarc'h ℱ 66.70.68 - T.C.F. 2 passage P. et M.-Curie ℱ 66.90.10.
Paris 292 ② – ♦Amiens 145 ② – ♦Calais 43 ③ – Ieper 48 ② – ♦Lille 74 ② – Oostende 51 ①.

Plans pages suivantes

à Dunkerque 01 – ✉ **59140** :.

Frantel M, r. J.-Jaurès ℱ 65.97.22, Télex 110587, ← – rest – 150. AE GB E. rest CY **r**
SC : rest. **Les Corderies** *(fermé dim.)* **R** carte 95 à 145.– 21 – **126 ch** 170/210.

Europ'H. M, 13 r. Leughenaer ℱ 66.29.07, Télex 120084 – . AE GB E CY **s**
SC : **R** *(fermé dim.)* 55/85 – 15 – **99 ch** 115/155 – P 160.

Borel M sans rest, 6 r. L'Hermitte ☏ 66.51.80, Télex 820050 – |‡| TV ⇔wc ☎. AE GB ◑ E — CY **u**
⊐ 13 – **30 ch** 116/135.

Métropole sans rest, 28 r. Thiers ☏ 66.84.18 – ⇔wc ⫪ ☎. AE GB — CZ **y**
SC : ⊐ 12 – **18 ch** 39/135.

XXX **Richelieu** (Buffet gare), pl. Gare ☏ 66.52.13 – GB — CZ **v**
fermé dim. soir – **rest. : R** 71/99 (sauf fêtes) **brasserie R** 31 bc/40 bc (sauf fêtes).

XX **Rest. Métropole,** 28 r. Thiers ☏ 66.85.01 – AE GB ◑ — CZ **y**
fermé lundi en juil. et sam. – SC : **R** 50/90 ⅉ.

XX **Aux Ducs de Bourgogne,** 29 r. Bourgogne ☏ 66.78.69 — CY **h**
fermé 29 juin au 17 juil. et le soir sauf sam. – **R** 35/65.

XX **Gd Morien,** 35 pl. J.-Bart ☏ 66.55.18 – AE GB ◑ E — CZ **a**
fermé lundi – SC : **R** 60.

X **Moderne** avec ch, 2 r. Nationale ☏ 66.80.24 – ⇔wc ☎ Ⓟ. — CZ **f**
SC : **R** *(fermé dim. soir en hiver)* 39/95 ⅉ – ⊐ 9,50 – 20 ch 43/90 – P 130/175.

à Malo-les-Bains (Dunkerque 02) – ✉ **59240** Dunkerque :

Hirondelle, 46 av. Faidherbe ☏ 69.17.65 – ⇔ ⫪wc ☎ – 🔬 100. ⚘
SC : **R** *(fermé 31 août au 24 sept., dim. soir et lundi)* 28/80 ⅉ – ⊐ 10 – **33 ch** 48/100 – P 100. — DY **r**

Trianon ⛭ sans rest, 20 r. Colline ☏ 69.39.15 – ⇔wc ⫪ ☎ — DY **d**
SC : ⊐ 12 – **13 ch** 55/100.

XX **Au Rivage** avec ch, 7 r. Flandre ☏ 69.19.62 – ⇔wc ☎ – 🔬 50. GB — DY **n**
SC : **R** *(fermé oct. et lundi hors saison)* 38/75 ⅉ – **15 ch** ⊐ 44/98 – P 95/105.

à Teteghem par ① et D 204 : 6 km – ✉ **59229** Teteghem :

XXX ✿ **La Meunerie** (Delbé), SE : 2 km par D 4 ☏ 69.00.48 – GB. ⚘
fermé 25 déc. au 1er fév., dim. soir et lundi – SC : **R** carte 125 à 175
Spéc. Poissons, Feuillantins de truffes et d'écrevisses, Chariots de pâtisseries.

au Lac d'Armbouts-Capell S : 7 km par D 202 - A – ✉ **59380** Bergues :

Novotel M ⛭, Z.I Petite Synthe ☏ 65.97.33, Télex 820916, ⛱, ⛰ – ▤ TV ⇔wc ⫪wc ☎ Ⓟ – 🔬 30 à 150. AE GB ◑
R snack carte environ 65 – ⊐ 20 – **64 ch** 165/200.

MICHELIN, Agence, 11 r. G.-Péri, Z.I. St-Pol-sur-Mer AX ☏ 66.68.94

DUNKERQUE

Berteaux (Av. M.) AX 10
Bonpain (Pl. de l'Abbé) BX 13
Cambon (Bd P.) BX 17
Clemenceau (R.) ST-POL AX 22
Coquelle (R. Félix) BX 24
Darses (Chaussée des) AX 25
Jaurès (R. Jean) BX 38
Lille (R. de) BX 45
Malo (R. Célestin) BX 50
Pasteur (R.) BX 56
République (R. de la) AX 61
Waldeck-Rousseau (R.) BX 73

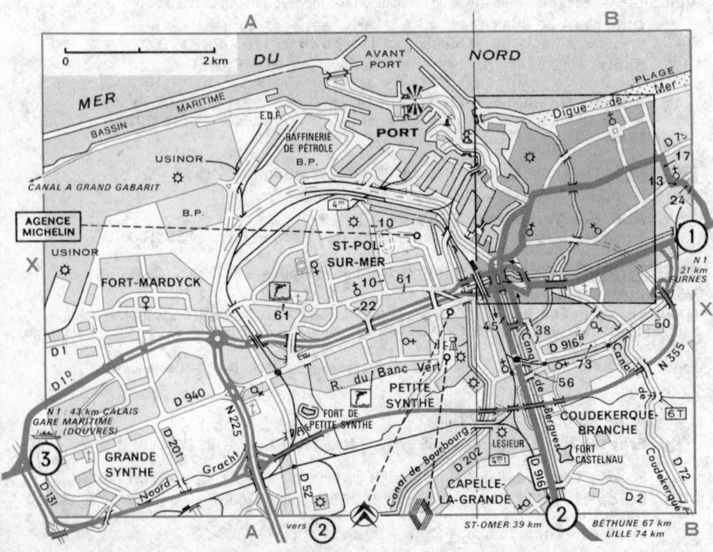

DUNKERQUE

Albert-Ier (R.) — CZ 2
Alexandre-III (Bd) — CZ 3
Clemenceau (R.) — CZ 21
Digue de Mer — DY
Faidherbe (Av.) — DY 29
Geeraert (Av. Adolphe) — DY
Jean-Bart (Pl.) — CZ 41
Malo (Av. Gaspard) — DY
Thiers (R.) — CZ 65
Turenne (Pl.) — DY 67

Arbres (R. des) — CY 6
Asseman (Pl. P.) — DY 8
Bergues (R. du Canal-de) — CZ 9
Bollaert (Pl. Émile) — CZ 12
Calonne (Pl.) — CZ 16
Churchill (R. W.) — DY 20
Écluse-de-Bergues (R.) — CZ 26
Europe (Pl. de l') — DY 28
Fusiliers-Marins (R.) — CZ 30
Gare (Pl. de la) — CZ 32
Gaulle (Pl. du Gén.-de) — CZ 33
Hermitte (R. l') — CY 35
Hollandais (Quai des) — CY 36
Jardins (Quai des) — CZ 37
Jaurès (R. Jean) — CY 40
Jeu-de-Paume (R. du) — CY 42
Leughenaer (R. du) — CY 44
Lille (R. de) — CZ 45
Machy (R. P.) — DY 46
Magasin-Général (R.) — CZ 48
Mar.-de-France (Av. des) — DY 52
Minck (Pl. du) — CY 53
Paris (R. de) — CZ 54
Prés.-Poincaré (R. du) — CZ 57
Prés.-Wilson (R. du) — CZ 58
Quatre-Écluses (Quai) — CZ 60
Sainte-Barbe (Bd) — CZ 63
Valentin (Pl. C.) — CY 68
Verley (Bd Paul) — CDY 69
Victoire (Pl. et R. de la) — CY 70
Victor-Hugo (Bd) — CZ 72

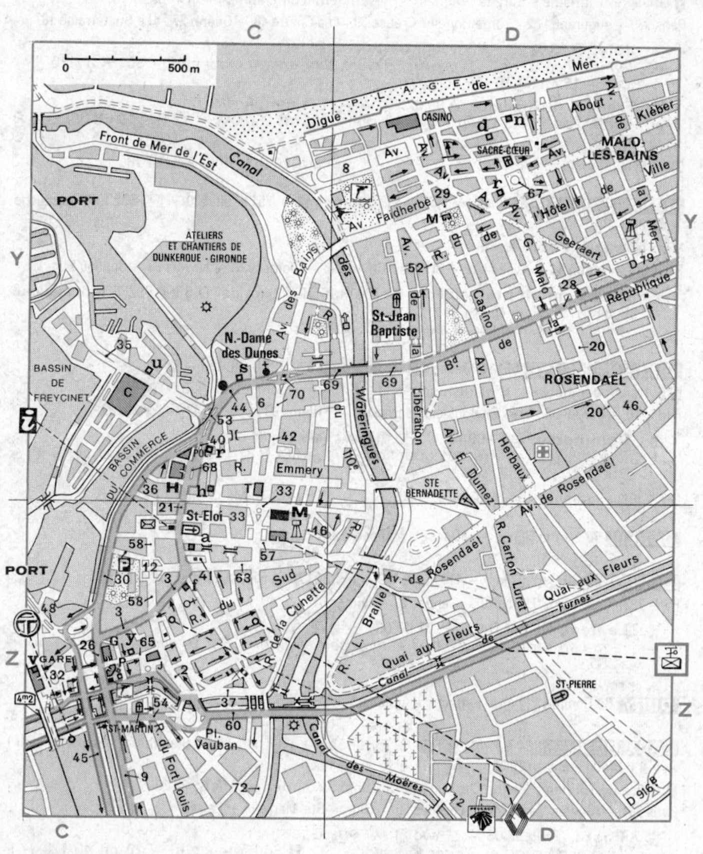

BMW Munter, 6 bis r. Bel-air ☎ 69.26.63
FIAT Patfoort, 9 r. du Leughenaer ☎ 66.51.12
FORD Flandres-Auto, 70 r. de Lille ☎ 25.06.00
OPEL Gar. des Hauts de France, 11 r. du Jeu-de-Mail ☎ 24.43.04
PEUGEOT Dubus, 23 pl. République ☎ 66.34.05
RENAULT Renault-Dunkerque, 561 av. de la Villette ☎ 25.25.11
RENAULT Gar. Dewynter, 12 r. Esplanade ☎ 66.41.55
TALBOT SOVERDIAM-NORD, 9 r. Calais ☎ 24.20.44

La Clinique du Pneu, 12 quai des 4 écluses ☎ 66.62.70
Renova-Pneu, 60 r. du Fort Louis ☎ 24.36.15

Périphérie et environs

ALFA-ROMEO SOCATRI, 1 bd de la République ☎ 69.54.25
AUDI-VOLKSWAGEN Toussaint, r. Samaritaine à St-Pol-sur-Mer ☎ 66.16.55
AUSTIN, MORRIS, ROVER, TRIUMPH Littoral-Autom., r. Samaritaine, Zone Ind. à St-Pol-sur-Mer ☎ 66.66.20

tourner →

CITROEN Sté Dunkerquoise-Cabour, 715 av. de Petite-Synthe ☎ 24.40.22
DATSUN Gar. Waucquier, quai Wilson à St-Pol-sur-Mer ☎ 66.82.37
TOYOTA Gibon, 7 quai Wilson à St-Pol-sur-Mer ☎ 66.39.07

Flandres-Pneus, 70 r. A.-Guenin à Rosendaël ☎ 69.66.64
Hamez, 98 r. A. Mahieu à Rosendaël ☎ 69.52.01 et 11 rte Mardyck à Grande-Synthe ☎ 25.04.73
Réform-Pneus, r. Albeck, Zone Ind. à Petite-Synthe ☎ 24.41.06

Daesslé et Klein, 16 r. Samaritaine à St-Pol-sur-Mer ☎ 66.76.74

DUN-LE-PALESTEL 23800 Creuse 68 ⑱ – 1 330 h. alt. 366 – 55.

Office de Tourisme r. Sabots (Pâques-1er nov. et fermé dim. après-midi) ☎ 89.07.18.

Paris 339 – Aigurande 22 – Argenton-sur-Creuse 39 – La Châtre 48 – Guéret 27 – La Souterraine 18.

Joly, ☎ 89.00.23 – wc . . rest
fermé 15 au 30 oct., 20 fév. au 15 mars, dim. soir et lundi midi – SC : **R** 29/115 – 9 – **15 ch** 50/75 – P 75/100.

France, rte Argenton ☎ 89.07.72, – . .
fermé 3 au 11 oct., 2 au 15 fév. et sam. – SC : **R** 25/80 – 8 – **16 ch** 38/75 – P 75/90.

CITROEN Constantin, ☎ 89.01.26
PEUGEOT Martin, ☎ 89.01.78

DUN-LES-PLACES 58 Nièvre 65 ⑯ **G. Bourgogne** – 551 h. alt. 530 – 58230 Montsauche – 86.

Voir Calvaire ☼★ N : 30 mn.

Paris 248 – Autun 54 – Avallon 32 – Château-Chinon 33 – Clamecy 54 – Nevers 93 – Saulieu 21.

Chalet du Montal, au Pont du Montal NE : 2 km par D 6 58230 Montsauche ☎ 84.61.38, ≤ –
fermé 6 janv. au 6 fév. et merc. – SC : **R** 46/110.

DUN-SUR-MEUSE 55110 Meuse 56 ⑩ **G. Vosges** – 782 h. alt. 175 – 29.

Syndicat d'Initiative à la Mairie (après-midi seul.; fermé sam. et dim.) ☎ 80.90.55.

Paris 276 – Bar-le-Duc 89 – Châlons-sur-Marne 101 – ♦Reims 99 – Sedan 47 – Verdun 33.

Commerce, ☎ 80.90.25 – . E. ch
fermé 25 déc. au 7 fév. et lundi hors sais. – SC : **R** 32/100 – 9 – 11 ch 44/85 – P 90/100.

CITROEN Ravarini, le Bouvret ☎ 80.94.06
RENAULT Marchetich, ☎ 80.90.50

DUREIL 72 Sarthe 64 ② – rattaché à Malicorne-sur-Sarthe.

DURFORT 30 Gard 80 ⑰ – 410 h. alt. 140 – 30170 St-Hippolyte-du-Fort – 66.

Paris 733 – Alès 25 – Florac 79 – Ganges 23 – Nîmes 51.

Le Real, NE sur D 982 ☎ 77.50.68, ≤ –
fermé en sept., 1er au 15 mars, dim. soir et lundi – SC : **R** *(fermé le soir en hiver)* 35/80.

DURY 80 Somme 52 ⑱ – rattaché à Amiens.

EAUX-BONNES 64 Pyr.-Atl. 85 ⑯ **G. Pyrénées** – 421 h. alt. 750 – Stat. therm. (15 mai-30 sept.) – 64440 Laruns – 59.

Office de Tourisme, Jardin Darralde (fermé sam. et dim. en oct.) ☎ 05.33.08.

Paris 794 – Argelès-Gazost 42 – Lourdes 55 – Oloron-Ste-Marie 38 – Pau 43.

Poste, ☎ 05.33.06 – wc . E. rest
15 mai-30 sept. et 20 déc.-20 avril – SC : **R** 36/85 – 10 – **20 ch** 40/120 – P 112/140.

Valentin, ☎ 05.31.57 – ch
20 mai-20 sept. et vacances scolaires d'hiver – SC : **R** 32/43 – 9,50 – 11 ch 37/70 – P 114/117.

EAUZE 32800 Gers 82 ③ **G. Pyrénées** – 476 h. alt. 141 – 62.

Syndicat d'Initiative pl. Mairie (fermé sam., dim. et fêtes) ☎ 09.85.62.

Paris 709 – Aire-sur-l'Adour 38 – Auch 52 – Condom 29 – Mont-de-Marsan 52.

à ***Manciet*** SO : 9 km – **32370** Manciet :

La Bonne Auberge avec ch, ☎ 08.50.04 – wc wc . .
SC : **R** *(fermé dim. soir et lundi)* 45/120 – 12 – 13 ch 80/120 – P 120.

CITROEN Fitée J.P., à Manciet ☎ 08.50.15
FIAT Fourteau, ☎ 09.80.04
PEUGEOT Ducos, ☎ 09.86.21
RENAULT Junca, ☎ 09.83.23 ☎ 09.71.01

ÉBREUIL 03450 Allier 73 ④ G. Auvergne – 1 316 h. alt. 316 – ✪ 70.
Voir Église St-Léger★.
Syndicat d'Initiative à l'Hôtel de Ville (fermé sam. après-midi et dim.) ☎ 90.71.33.
Paris 359 – Aigueperse 18 – Aubusson 105 – Gannat 10 – Montluçon 58 – Moulins 66 – Riom 31.

Commerce, ☎ 90.72.66 – ⋒ P. ✂ ch
fermé oct. et lundi hors sais. – SC : **R** 35/80 – ☕ 10 – 10 ch 39/85 – P 90/100.

CITROEN Jarles, ☎ 90.71.88
PEUGEOT Pouzadoux, ☎ 90.72.05
TALBOT Bégué, ☎ 90.73.69

ÉCHALLON 01 Ain 74 ④⑤ – 423 h. alt. 760 – ✉ **01490** St-Germain-de-Joux – ✪ 74.
Voir Site★ du lac Génin O : 3 km, G. Jura.
Paris 500 – Bellegarde-sur-V. 17 – Bourg-en-Bresse 62 – Nantua 18 – Oyonnax 13 – St-Claude 29.

Poncet ⛰, au Crêt N : 1,5 km ☎ 76.48.53, ≤, ☘ – ⇔wc ⋒wc ☎ ⇔ P. ⛟. ✂
fermé 16 au 31 mars, 1er nov. au 20 déc., 11 au 25 janv. et mardi sauf vacances scolaires – SC : **R** 36/100 – ☕ 11 – **16 ch** 45/130 – P 90/130.

Aub. de la Semine ⛰ avec ch, ☎ 76.48.75, ☘ – ⋒ P. ✂ rest
fermé 10 oct. au 10 déc., dim. soir et lundi sauf vacances scol. – SC : **R** 32/90 – ☕ 10 – 11 ch 43/72 – P 85/100.

Les ECHARMEAUX 69 Rhône 73 ⑨ G. Vallée du Rhône – alt. 720 – ✉ **69870** Lamure-sur-Azergues – ✪ 74.
Paris 449 – L'Arbresle 49 – Chauffailles 13 – ♦Lyon 75 – Mâcon 55 – Villefranche-sur-Saône 48.

Scierie, à la Scierie E : 1,5 km ☎ 03.64.89, ≤ – P. ✂ ch
fermé 14 au 29 sept. et 22 déc. au 22 janv. – SC : **R** 29/60 🍷 – ☕ 9 – 14 ch 30/40 – P 75/80.

Les ÉCHELLES 73360 Savoie 74 ⑮ G. Alpes – 1 197 h. alt. 387 – ✪ 79.
Voir Grotte des Échelles : grotte inférieure★ et ≤★ de la sortie sud NE : 5 km.
Paris 555 – Bourg-en-Bresse 100 – Chambéry 23 – ♦Grenoble 42 – ♦Lyon 94.

La Commanderie, ☎ 36.60.46, ≤ – GB. ✂
fermé 1er au 15 sept. et merc. – SC : **R** 60/180.

RENAULT Gar. Sauge-Merle, Le Maillet ☎ 36.62.68 N

ÉCHENEVEX 01 Ain 70 ⑮ – rattaché à Gex.

Les ÉCHETS 01 Ain 74 ② – alt. 276 – ✉ **01700** Miribel – ✪ 7.
Paris 457 – L'Arbresle 28 – Bourg-en-Bresse 45 – ♦Lyon 17 – Meximieux 28 – Villefranche-sur-S. 26.

Aub. Le Sarto avec ch, ☎ 891.80.02, « Jardin fleuri » – ⇔wc ⋒ ☎ P. ⛟. ✂ rest
fermé août, 2 au 15 janv., dim. soir et lundi – SC : **R** 85/160 – ☕ 15 – **10 ch** 75/95.

✪ **Douillé** avec ch, ☎ 891.80.05, ☘ – ⇔wc ☎ ⇔ P. ⛟ AE
fermé fév., lundi soir et mardi – SC : **R** 100/180 – ☕ 16 – **10 ch** 70/140
Spéc. Assiette du Pêcheur, Salade Maître Roger, Fricassée de poulet. Vins Mâcon, Chiroubles.

✪ **Marguin** avec ch, ☎ 891.80.04, ☘ – ⇔wc ⋒wc ☎ ⇔ P. ⛟ AE GB ⓓ. ✂ ch
fermé 2 au 12 sept., 23 déc. au 20 janv., mardi soir et merc. – SC : **R** 55/180 – ☕ 16 – 9 ch 65/150
Spéc. Escalope de saumon frais, Queues d'écrevisses au gratin (sauf mai), Volaille à la crème. Vins Beaujolais-Villages, Bugey.

ÉCHIROLLES 38 Isère 77 ⑤ – rattaché à Grenoble.

L'ÉCLUSE 66 Pyr.-Or. 86 ⑲ – rattaché au Boulou.

ÉCOMMOY 72220 Sarthe 64 ③ – 4 071 h. alt. 87 – ✪ 43.
Paris 218 – Château-la-Vallière 39 – La Flèche 35 – ♦Le Mans 21 – St-Calais 44 – ♦Tours 61.

Commerce, 19 pl. République ☎ 27.10.34 – ⋒ ⇔. ✂ ch
fermé 20 sept. au 10 oct., 1er au 15 janv., dim. soir et lundi midi – SC : **R** 36/85 🍷 – ☕ 14 – 13 ch 50/85 – P 120/140.

CITROEN Pichon, ☎ 27.11.04 N
TALBOT Glinche, ☎ 27.10.43 N

ECULLY 69 Rhône 74 ⑪ – rattaché à Lyon.

ÉCURIE 62 P.-de-C. 53 ② – rattaché à Arras.

ÉGLETONS 19300 Corrèze 75 ⑩ – 5 885 h. alt. 650 – ✪ 55.

Env. Ruines du château de Ventadour** SE : 7 km, G. Périgord.

Syndicat d'Initiative av. Ventadour (saison et fermé dim.) ☎ 93.04.34.

Paris 455 – Aubusson 77 – ♦Limoges 101 – Mauriac 53 – Tulle 31 – Ussel 29.

Armes de Ventadour sans rest, N 89 ☎ 93.12.73 – P. *fermé 20 déc. au 20 janv. et dim.* – SC : 8,50 – **13 ch** 36/63.

CITROEN Courteix M., ☎ 93.07.64
FIAT, LANCIA-AUTOBIANCHI Duvert, ☎ 93.03.18 N
RENAULT Robin, ☎ 93.12.71
Gar Courteix P., à Rosiers-d'Egletons ☎ 93.05.12

ÉGLISENEUVE-D'ENTRAIGUES 63850 P.-de-D. 76 ③ – 1 010 h. alt. 952 – ✪ 73.

Paris 453 – Besse-en-Chandesse 17 – ♦Clermont-Ferrand 67 – Issoire 52 – Le Mont-Dore 42.

d'Entraigues, ☎ 71.90.09 – ch
fermé 25 nov. au 20 déc. et 3 au 25 janv. – **R** 35/55 – 9 – 20 ch 43/50 – P 79/85.

L'ÉGUILLE 17 Char.-Mar. 71 ⑮ – rattaché à Saujon.

ÉGUILLES 13 B.-du-R. 84 ③ – rattaché à Aix-en-Provence.

EGUISHEIM 68 H.-Rhin 62 ⑱⑲ G. Vosges – 1 461 h. alt. 204 – ✉ **68420** Herrlisheim – ✪ 89.

Voir Village* – O : route des cinq châteaux*.

Paris 447 – Belfort 71 – Colmar 6,5 – Gérardmer 52 – Guebwiller 21 – ♦Mulhouse 39 – Rouffach 10.

Aub. Alsacienne M, ☎ 41.50.20 – wc wc P. ch
fermé 15 déc. au 1er fév., lundi soir (sauf hôtel) et mardi – **R** (dîner seul) carte environ 40 – 11 – **19 ch** 65/130.

✿ **Le Caveau,** ☎ 41.08.89 –
fermé 26 juin au 1er juil., 15 janv. au 1er mars, merc. soir et jeudi – **R** (nombre de couverts limité - prévenir) 51 bc/85
Spéc. Tarte à l'oignon, Grenouilles au Riesling, Choucroute du Caveau. **Vins** Eguisheim, Edelzwicker.

ÉGUZON 36270 Indre 68 ⑱ G. Périgord – 1 422 h. alt. 267 – ✪ 54.

Voir Site* du barrage NE : 4 km.

Syndicat d'Initiative r. A.-Bassinet (saison) ☎ 47.43.69.

Paris 319 – Aigurande 27 – Châteauroux 50 – Guéret 48 – ♦Limoges 85 – Montmorillon 63.

Pont des Piles, NE : 3 km par D 45 ☎ 47.43.33, – wc P. GB
1er mars-31 oct. et fermé jeudi hors sais. – SC : **R** 28/55 – 8 – **11 ch** 45/80 – P 78/102.

CITROEN Dumonteil, ☎ 47.40.08 N
RENAULT Pillaire, ☎ 47.40.97

ELBEUF 76500 S.-Mar. 55 ⑥ G. Normandie – 19 506 h. alt. 11 – ✪ 35.

Office de Tourisme 28 r. Henry (fermé sam. et dim.) ☎ 77.02.16.

Paris 130 ⑥ – Bernay 43 ④ – Évreux 37 ② – ♦Le Havre 82 ⑤ – Lisieux 67 ④ – ♦Rouen 20 ⑤.

Plan page ci-contre

Nouvel H. sans rest, 43 r. Jean-Jaurès ☎ 81.01.02 – wc BY **k**
fermé 1er au 30 août – SC : 11 – **17 ch** 53/70.

Europe sans rest, 18 r. Mar.-Gallieni ☎ 81.10.63 – wc P BZ **s**
fermé 10 au 30 août et dim. – SC : 13 – **13 ch** 48/85.

Naudin, 1 r. Mar.-Gallieni ☎ 77.06.94 – GB BZ **a**
fermé août, dim. et fêtes – **R** carte environ 65.

Au Gastronome, 56 cours Carnot ☎ 77.01.69 BZ **r**
fermé 15 août au 15 sept., vacances de fév., dim. soir et lundi – SC : **R** 32/53.

à St-Aubin-lès-Elbeuf N par D 144 - BY – 8 897 h. – ✉ **76410** St-Aubin-lès-Elbeuf :

Campanile, par ⑥ ☎ 81.38.00 – wc P. GB
SC : **R** 43 bc/56 bc – 17 – **42 ch** 140 – P 168/218.

Château Blanc sans rest, 65 r. J.-Jaurès ☎ 77.10.53 – wc wc P
SC : 8,50 – **21 ch** 40/78.

Parc Fleuri, 96 r. Gén.-Leclerc D 7 ☎ 81.04.06, – P
fermé 7 août au 1er sept. et lundi – SC : **R** 40/80.

CITROEN Étienne, 26 r. J.-Jaurès ☎ 77.44.77
CITROEN S.E.M.V.A., 40 bis r. Henry ☎ 77.06.65
FORD S.E.D.R.A., 40 r. J.-Jaurès ☎ 81.05.22
OPEL S.E.A., 15 r. Mar.-Leclerc à St-Aubin ☎ 81.23.34
PEUGEOT S.E.C.A., 2 r. J.-Jaurès ☎ 77.46.87
RENAULT SCEMAMA, 44 r. J.-Jaurès ☎ 81.31.55
TALBOT Morin, angle r. du Port et r. d'Alsace ☎ 81.18.24
Comptoir Elbeuvien du Pneu, 1 r. Mar.-de-Lattre-De-Tassigny ☎ 81.06.22
Subé-Pneurama, 23 r. de Roanne ☎ 81.04.47

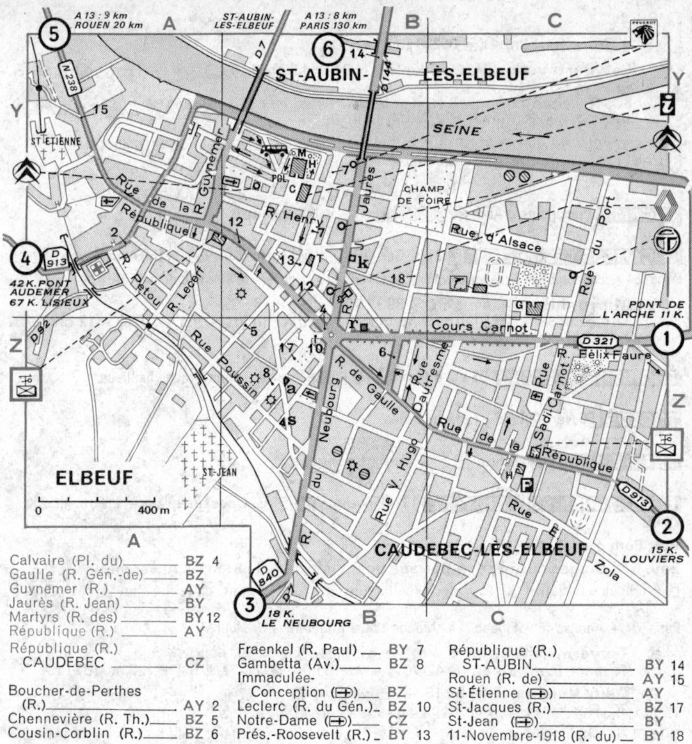

Calvaire (Pl. du) ______ BZ 4
Gaulle (R. Gén.-de) ______ BZ
Guynemer (R.) ______ AY
Jaurès (R. Jean) ______ BY
Martyrs (R. des) ______ BY 12
République (R.) ______ AY
République (R.) CAUDEBEC ______ CZ

Boucher-de-Perthes (R.) ______ AY 2
Chennevière (R. Th.) ______ BZ 5
Cousin-Corblin (R.) ______ BZ 6
Fraenkel (R. Paul) ______ BY 7
Gambetta (Av.) ______ BZ 8
Immaculée-Conception (⊞) ______ BZ
Leclerc (R. du Gén.) ______ BZ 10
Notre-Dame (⊞) ______ CZ
Prés.-Roosevelt (R.) ______ BY 13
République (R.) ST-AUBIN ______ BY 14
Rouen (R. de) ______ AY 15
St-Étienne (⊞) ______ AY
St-Jacques (R.) ______ BZ 17
St-Jean (⊞) ______ BY
11-Novembre-1918 (R. du) ______ BY 18

ELINCOURT-STE-MARGUERITE 60157 Oise 56 ② – 519 h. alt. 97 – ⚙ 4.

Paris 96 – Beauvais 63 – Compiègne 15 – Montdidier 27 – Noyon 20 – Roye 22 – St-Just-en-C. 34.

- **Château de Bellinglise** ⛿, ☎ 476.04.76, ≤, parc, ⚔ – wc wc ☎ 🚗 Ⓟ – ⛺ 50. ▤ Ⓓ
  fermé dim. soir et lundi – SC : **R** 65/145 – ☕ 16 – **32 ch** 160/185 – P 240.

ELNE 66200 Pyr.-Or. 86 ⑳ **G. Pyrénées (plan)** – 6 019 h. alt. 52 – ⚙ 68.

Voir Cloître★★.

ℹ Syndicat d'Initiative pl. République (juil.-août, fermé sam., dim. et fêtes) ☎ 22.05.07.

Paris 922 – Argelès-sur-Mer 7 – Céret 29 – ♦Perpignan 14 – Port-Vendres 17 – Prades 51.

- **Le Carrefour,** 1 av. P.-Reig ☎ 22.06.08 – ▤ rest wc wc 🚗. ⚔
  fermé 15 oct. au 15 nov., 20 déc. au 2 janv. et dim. hors saison – SC : **R** 30/70 – ☕ 10 – **20 ch** 50/160 – P 100/120.

CITROEN Mary, rte de Perpignan ☎ 22.01.01
PEUGEOT Jammet, 9 bd Voltaire ☎ 22.08.58
RENAULT Martre, av. Gén.-de-Gaulle ☎ 22.07.10

ÉLOISE 74 H.-Savoie 74 ⑤ – rattaché à Bellegarde-sur-Valserine.

EMBRUN 05200 H.-Alpes 77 ⑰⑱ **G. Alpes** – 5 277 h. alt. 870 – ⚙ 92.

Voir Église N.-Dame★ : trésor★.

ℹ Office de Tourisme pl. Général-Dosse (fermé dim. hors saison) ☎ 43.01.80.

Paris 705 – Barcelonnette 56 – Briançon 49 – Digne 97 – Gap 38 – Guillestre 22 – Sisteron 82.

- **Notre-Dame,** av. Gén.-Nicolas ☎ 43.08.36, ⛱ – wc. E
  fermé 1er nov. au 15 déc. et lundi. – SC : **R** 32/76 – ☕ 11 – **15 ch** 50/80 – P 132/148.
- XX **Lac,** au Plan d'Eau SO : 1 km ☎ 43.11.08 – Ⓟ
  début juin-fin sept. – SC : **R** 38/50.

tourner →

à Crots S : 4 km – ✉ **05200** Embrun :

Les Bartavelles [M], O : 1 km sur N 94 ☎ 43.20.69, ≤, ⛱, – wc wc ☎ ♿ P – 70.
SC : **R** *(fermé 12 nov. au 10 déc. et dim. soir hors saison)* 48/80 – 12 – **38 ch** 108/152, 6 appartements 225 – P 140/236.

PEUGEOT Gar. Esmieu, ☎ 43.04.18
RENAULT Dusserre-Bresson, à Baratier ☎ 43.02.79 N
TALBOT Espitallier, ☎ 43.02.49

ENCAMP Principauté d'Andorre 86 ⑭, 43 ⑥ – voir à Andorre.

ENCAUSSE-LES-THERMES 31 H.-Gar. 86 ① – 548 h. alt. 363 – ✉ **31160** Aspet – 61.

Paris 784 – Luchon 51 – St-Gaudens 11 – St-Girons 42 – Sauveterre 8 – •Toulouse 101.

XX **Marronniers** avec ch, ☎ 89.17.12 – P
fermé oct. – SC : **R** *(fermé lundi du 1er nov. au 1er mars)* 37/65 – 10 – **12 ch** 30/50 – P 80/87.

ENGHIEN-LES-BAINS 95 Val-d'Oise 55 ⑳, 101 ⑤ – voir à Paris, Proche banlieue.

ENGLOS 59 Nord 51 ⑮ – rattaché à Lille.

ENTRAIGUES 84 Vaucluse 81 ⑫ – rattaché à Sorgues.

ENTRAYGUES-SUR-TRUYÈRE 12140 Aveyron 76 ⑫ **G. Causses** (plan) – 1 590 h. alt. 230 – 65.

Voir Pont gothique★ – Rue Basse★.

Env. SE : Gorges du Lot★★ – Barrage de Couesque★ N : 8 km, **G. Auvergne.**

Syndicat d'Initiative 30 Tour-de-Ville (Pâques, 1er juin-15 sept. et fermé dim. après-midi) ☎ 44.50.06.

Paris 594 – Aurillac 49 – Figeac 71 – Mende 128 – Rodez 47 – St-Flour 95.

Truyère, ☎ 44.51.10, ≤ – wc ☎ ♿ P. rest
15 mars-15 nov. – SC : **R** 42/70 – 13,50 – 20 ch 77/175 – P 127 bc/187 bc.

Deux Vallées, ☎ 44.52.15 – wc wc P
SC : **R** 26/50 – 10 – 18 ch 80/120 – P 100/130.

CITROEN Volpilhac, ☎ 44.53.37
RENAULT Marty, Pont de Truyère ☎ 44.51.14

ENTRECHAUX 84 Vaucluse 81 ③ **G. Provence** – 637 h. alt. 281 – ✉ **84340** Malaucène – 90.

Paris 677 – Avignon 49 – Montélimar 72 – Nyons 23 – Orange 34 – Pont-St-Esprit 48 – Sault 46.

XX **St-Hubert,** ☎ 36.07.05, – P.
fermé 27 sept. au 1er nov., merc. soir et jeudi – SC : **R** 30/65 .

ENVEITG 66 Pyr.-Or. 86 ⑯ – 644 h. alt. 1 200 – ✉ **66800** Saillagouse – 68.

Paris 901 – Andorre-la-Vieille 60 – Ax-les-Thermes 49 – Font-Romeu 17 – •Perpignan 106.

Transpyrénéen , ☎ 04.81.05, ≤, – wc wc ☎ ♿ P. rest
femé 1er au 20 mai et 15 oct. au 15 nov. – SC : 38/55 – 12 – 40 ch 70/140 – P 120/150.

X **Mirasol** avec ch, ☎ 04.80.16, ≤ –
fermé oct. et lundi hors saison – SC : **R** 29 bc/35 bc – 8 – 14 ch 35/50 – P 85/90.

ENVERMEU 76630 S.-Mar. 52 ⑤ **G. Normandie** – 1 488 h. alt. 11 – 35.

Voir Choeur★ de l'église.

Paris 165 – Blangy 34 – Dieppe 15 – Neufchâtel-en-Bray 27 – •Rouen 69 – Le Tréport 28.

XX **Aub. Caves Normandes,** rte Longueville ☎ 85.71.28 – P
fermé lundi – SC : **R** 35/50.

ÉPAGNETTE 80 Somme 52 ⑦ – rattaché à Abbeville.

ÉPERNAY <SP> 51200 Marne 56 ⑯ **G. Nord de la France** – 31 108 h. alt. 72 – 26.

Voir Caves de Champagne★ ABZ **E** – Musée du Champagne et de Préhistoire★ BYZ **M** – Côte des Blancs★ par ③.

Office de Tourisme (fermé dim. hors sais. et merc. sauf après-midi en saison) et A.C. pl. Thiers ☎ 51.51.66.

Paris 140 ③ – Châlons-sur-Marne 34 ② – Château-Thierry 48 ④ – Meaux 93 ③ – •Reims 27 ① – Soissons 72 ① – Troyes 111 ②.

Berceaux, 13 r. Berceaux ☎ 51.28.84 – wc wc ☎. AE GB — AZ **a**
fermé 9 au 23 août, 20 déc. au 3 janv. et dim. – SC : **R** 85/160 – 14 – **23 ch** 96/125.

Champagne M sans rest, 30 r. E.-Mercier ☎ 51.30.22 – wc wc ☎. — AZ **v**
SC : 11,50 – **30 ch** 90/110.

Europe, 18 r. Porte-Lucas ☎ 51.80.28 – TV wc ☎ – 120. AE ◑ E — AY **e**
fermé 1er au 5 janv. et lundi – SC : **R** 36/120 – 12 – **29 ch** 48/80 – P 130/160.

St-Pierre sans rest, 14 av. P.-Chandon ☎ 51.95.55 – ☎. E. — AZ **s**
fermé 20 août au 10 sept. et merc. – SC : 10 – **15 ch** 39/56.

La Terrasse avec ch, 7 quai Marne ☎ 51.31.12 – ☎. GB E — BY **d**
fermé 15 au 31 juil., vac. scol. de fév., mardi soir et merc. – SC : **R** (prévenir) 35/80 – 10 – **7 ch** 42/59.

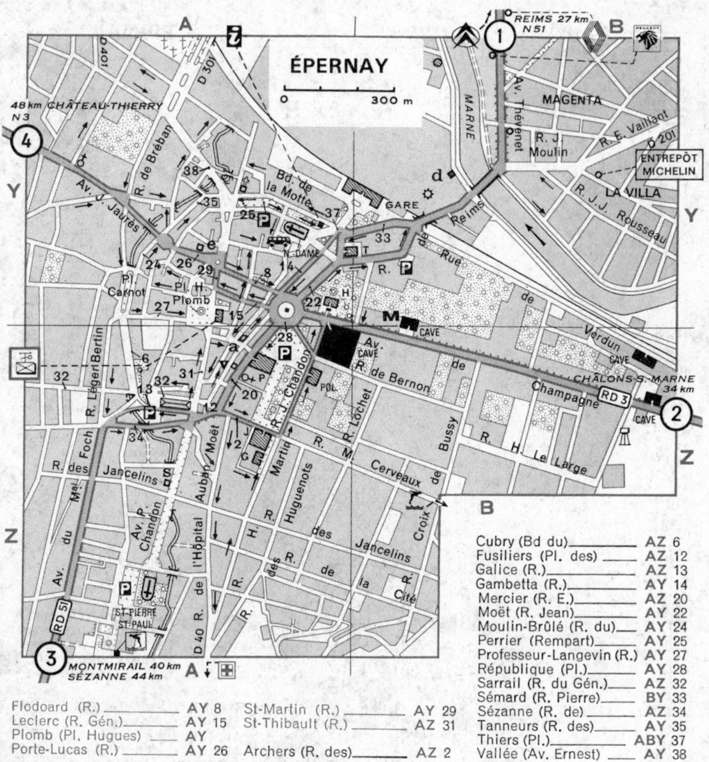

Flodoard (R.)	AY	8
Leclerc (R. Gén.)	AY	15
Plomb (Pl. Hugues)	AY	
Porte-Lucas (R.)	AY	26
St-Martin (R.)	AY	29
St-Thibault (R.)	AZ	31
Archers (R. des)	AZ	2
Cubry (Bd du)	AZ	6
Fusiliers (Pl. des)	AZ	12
Galice (R.)	AZ	13
Gambetta (R.)	AY	14
Mercier (R. E.)	AZ	20
Moët (R. Jean)	AY	22
Moulin-Brûlé (R. du)	AY	24
Perrier (Rempart)	AY	25
Professeur-Langevin (R.)	AY	27
République (Pl.)	AY	28
Sarrail (R. du Gén.)	AZ	32
Sémard (R. Pierre)	BY	33
Sézanne (R. de)	AZ	34
Tanneurs (R. des)	AY	35
Thiers (Pl.)	ABY	37
Vallée (Av. Ernest)	AY	38

à Champillon par ① : 6 km – alt. 180 – ✉ **51160** Ay :

XXX ✿ **Royal Champagne** M avec ch, N 51 ☎ 51.25.06, ← – wc ☎ P – 80. AE GB ◑
SC : **R** carte 120 à 180 – 17 – **10 ch** 190/280
Spéc. Soupe d'écrevisses au concombre, Poissons au champagne, Ragoût fin. **Vins** Chouilly, Cumières.

à Vinay par ③ : 6 km – ✉ **51200** Épernay :

La Briqueterie M, ☎ 51.47.12, – & P – 40. AE GB ◑ E
fermé janv. – SC : **R** 95 – 15 – **38 ch** 120/240, 4 appartements 240 – P 260.

à La Chaussée par ④ : 7 km – ✉ **51200** Épernay :

X **Aub. de la Chaussée,** ☎ 52.40.66 – P
fermé 26 août au 15 sept. et lundi – SC : **R** 38/68.

MICHELIN, Entrepôt, 1 r. J.-de-La-Fontaine, rive droite BY ☎ 51.29.77

BMW Guimier, 5 av. E.-Vallé ☎ 51.50.89
CITROEN Ardon-Épernay, rte de Reims à Dizy ☎ 53.15.11
FIAT Magenta-Automobiles, 64 av. A.-Thévenet à Magenta ☎ 51.04.56
FORD Rebeyrolle, 7 quai la Villa ☎ 51.49.85
PEUGEOT Champagne Autom., 75 av. A.-Thévenet à Magenta ☎ 51.03.77
RENAULT Automotor, 100 av. A.-Thévenet à Magenta ☎ 51.43.26

La Centrale du Pneu, 25 av. de Champagne ☎ 51.28.58
Guillemin, 6 r. G.-Cagneaux à Magenta ☎ 51.27.47

ÉPINAL P **88000** Vosges **62** ⑯ **G. Vosges** – 42 810 h. alt. 340 – ✪ 29.

Voir Basilique★ – Parc du château★ BY – **Église N.-Dame★** AX **D** – **Bibliothèque : manuscrits★ et évangéliaire★** AX **B** – **Musées : Vosges et Imagerie★★** – Office de Tourisme 13 r. Comédie (fermé dim. hors sais.) ☎ 82.53.32 - A.C. 10 r. Claude-Gelée ☎ 35.18.14.

Paris 373 ⑥ – Belfort 108 ④ – Colmar 93 ② – ♦Mulhouse 109 ④ – ♦Nancy 70 ⑥ – Vesoul 85 ④.

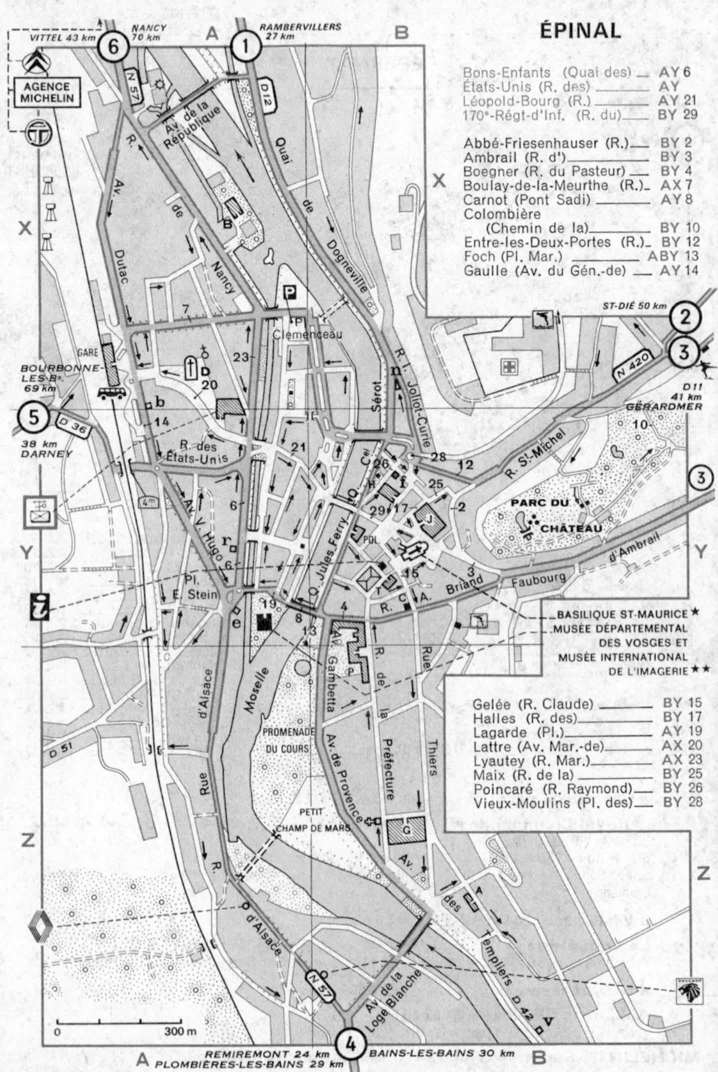

Relais des Ducs de Lorraine, 16 quai Colonel-Sérot ☎ 34.39.87 – wc wc ☎ – 30. ch BX n
fermé août, 2 au 12 janv., dim. soir (sauf hôtel) et sam. – SC : **R** 65/160 – 13 – 10 ch 90/165
Spéc. Casserolette d'escargots au Champagne et noisettes, Paupiette de truite à la Vosgienne, Queue de cochon en surprise. Vins Pinot rouge.

La Résidence sans rest, 39 av. Templiers ☎ 82.45.64, – wc wc ☎ . AE E BZ v
fermé 24 déc. au 2 janv. – SC : 12 – **18 ch** 85/115.

Central Mouton Blanc, 13 pl. E.-Stein ☎ 35.18.68 – wc wc ☎ – 180. AE GB E AY e
SC : **R** *(fermé 20 déc. au 9 fév. et jeudi)* 48/110 – 15 – **76 ch** 55/160 – P 140/200.

Bristol sans rest, ☎ 82.10.74 – wc wc ☎ . AX b
fermé 23 déc. au 1er janv. – SC : 8,50 – **34 ch** 56/86.

Azur sans rest, 54 quai des Bons-Enfants ☎ 82.29.15 – wc ☎ AY r
fermé dim. d'oct. à mai – SC : 9 – **21 ch** 36/75.

Petit Robinson, 24 r. R.-Poincaré ☎ 34.23.51 – GB BY f
fermé 24 déc. au 2 janv., dim., mardi soir, fêtes et le soir du 1er oct. au 15 mars – SC : **R** carte 65 à 100.

Aub. Cheval Blanc, par ② : 3,5 km ☎ 34.51.24, ←, –
fermé 15 sept. au 15 oct. et jeudi – SC : **R** 25/38 .

à Golbey par ⑥ : 5 km sur N 57 – 8 840 h. – ✉ **88190** Golbey :

La Mansarde M avec ch, ☎ 34.18.75, – wc ☎ – 30. AE GB.
fermé 20 sept. au 1er oct. et dim. – SC : **R** 40/140 – 12 – **16 ch** 120/140 – P 160/170.

à Thaon-les-Vosges par ⑥ et D 157 : 10 km – 7 814 h. – ✉ **88150** Thaon-les-Vosges :

Marigny, 147 r. Lorraine ☎ 39.14.31 – .
SC : **R** (dîner seul. et pour résidents) – 8 – **15 ch** 36/60.

MICHELIN, Agence, Voie B, Z.I. à Golbey par ⑥ ☎ 34.39.29

ALFA-ROMEO, FIAT Lorraine-Auto., av. de St-Dié ☎ 34.20.20
CITROEN Anotin, Zone Ind., Golbey ☎ 34.42.87
FORD Gds Gar. Spinaliens, 17 r. Mar.-Lyautey ☎ 82.47.47
LANCIA-AUTOBIANCHI Thietry, 40 quai Dogneville ☎ 34.06.51
OPEL Gar. Europe, 7 r. Ponscarme ☎ 35.45.05
PEUGEOT Epinal-Autom., 91 r. d'Alsace ☎ 82.05.94
RENAULT Succursale, 58 r. d'Alsace ☎ 82.98.44
TALBOT Habonnel Autom., 31 av. de Beaulieu à Golbey ☎ 82.54.05

Burke, 47 av. de la Fontenelle ☎ 34.21.53
Louis-Pneus, 15 r. Mal. Lyautey ☎ 35.42.08
Malnoy-Pneus, 17 fg de Nancy ☎ 82.22.93

L'ÉPINE 51 Marne 56 ⑱ – rattaché à Châlons-sur-Marne.

ERDEVEN 56 Morbihan 63 ① – 1 998 h. alt. 18 – ✉ **56410** Étel – 97.

Voir Alignements de Kerzerho★ SE : 1 km – Dolmen de Crucuno★ SE : 4 km, G. Bretagne.

Paris 487 – Auray 14 – Carnac 8,5 – Lorient 28 – Quiberon 21 – Quimperlé 47 – Vannes 32.

Château de Keravéon , NE : 1,5 km par D 105 ☎ 52.34.14, ←, parc, – . GB . rest
1er mai-20 sept. – SC : **R** *(fermé lundi en mai)* 98 – 22 – 20 ch 265/310.

Relais du Sous-Bois M , NO : 1 km rte Pont-Lorois ☎ 52.34.31, parc – wc wc .
15 mars-1er nov. et fermé mardi soir et merc. midi sauf du 15 avril au 15 sept. – SC : **R** carte 70 à 120 – 13 – **22 ch** 109/147 – P 168/211.

Voyageurs, r. Océan ☎ 52.34.04 – wc ☎ . ch
1er avril-30 sept. et fermé mardi – SC : **R** 31/66 – 9,50 – 20 ch 54/120 – P 86/120.

Hubert, ☎ 52.34.06 – wc . GB
fermé oct. et lundi hors sais. – SC : **R** 35/80 – 9,50 – **14 ch** 60/95 – P 107/125.

ERIGNÉ 49 M.-et-L. 63 ⑳ – rattaché à Angers.

ERMENONVILLE 60 Oise 56 ⑫, 96 ⑨ G. Environs de Paris – 604 h. alt. 92 – ✉ **60440** Nanteuil-le-Haudouin – 4.

Voir Parc★.

Paris 47 – Beauvais 65 – Compiègne 45 – Meaux 24 – Senlis 14 – Villers-Cotterêts 35.

Croix d'Or, ✆ 454.00.04, – ⌂ ⋒ Ⓟ – 30. ✈ . ✻ ch
1er mars-15 déc. et fermé vend. – SC : **R** 62 – ☕ 8 – 11 ch 69/95 – P 115/135.

à Ver-sur-Launette S : 3 km par D 84 – ✉ **60520** La Chapelle-en-Serval :

✗ **Rabelais,** ✆ 454.01.70 – Ⓟ
fermé nov., lundi et mardi – SC : **R** carte 100 à 145.

ERMITAGE 66 Pyr.-Or. 86 ⑯ – rattaché à Font-Romeu.

ERMITAGE DU FRÈRE JOSEPH 88 Vosges 62 ⑰ – rattaché à Ventron.

ERNÉE 53500 Mayenne 59 ⑲ **G. Normandie** – 5 998 h. alt. 116 – 43.

Syndicat d'Initiative à la Mairie (15 juin-15 sept. et fermé dim.) ✆ 05.21.10.

Paris 303 – Domfront 45 – Fougères 20 – Laval 30 – Mayenne 24 – Vitré 29.

Relais Poste, pl. Église ✆ 05.20.33 – TV ⌂wc ⋒wc ☎ Ⓟ – 35.
fermé 15 au 30 sept. et dim. soir – SC : **R** 35/85 – ☕ 10 – **35 ch** 65/120 – P 110/180.

CITROEN Coulange, 2 bd Pasteur ✆ 05.12.43 N
PEUGEOT Garnier, 8 rte de Fougères ✆ 05.11.60
RENAULT Sadon, 29 av. A.-Briand ✆ 05.16.68 N
Gar. Lory, 14 bd Duvivier ✆ 05.11.89 N

ERQUY 22430 C.-du-N. 59 ④ **G. Bretagne** – 3 347 h. – 96.

Voir Cap d'Erquy★ NO : 3,5 km.

Office de Tourisme bd Mer (15 mai-30 sept.) ✆ 32.30.12.

Paris 410 – Dinan 47 – Dinard 40 – Lamballe 23 – St-Brieuc 35 – St-Malo 48.

Plage, bd Mer ✆ 32.30.09, ≤ port – ⋒wc ☎ Ⓟ
Pâques-mi sept. – SC : **R** 60/80 – ☕ 14 – 24 ch 75/120 – P 120/160.

Eden sans rest, r. Castelnau ✆ 32.32.58, ≤, – ⌂ ⋒. ✻
12 avril-fin sept. – SC : ☕ 12 – **17 ch** 45/78.

CITROEN Clerivet, ✆ 72.14.20

ERSTEIN 67150 B.-Rhin 62 ⑩ – 7 496 h. alt. 150 – 88.

Paris 456 – Colmar 49 – Molsheim 27 – St-Dié 68 – Sélestat 25 – ♦Strasbourg 24.

Motel au Brochet, 94 r. Gén.-de-Gaulle ✆ 98.03.70 – ⌂wc ⋒wc ☎ Ⓟ
SC : **R** *(fermé vend.)* 35/75 – ☕ 13 – **31 ch** 68/125 – P 140.

✗ **Agneau** avec ch, 50 r. 28-Novembre ✆ 98.02.12 – Ⓟ. ✻ ch
fermé 13 au 31 juil. – SC : **R** *(fermé merc.)* 28/32 – ☕ 8,50 – **9 ch** 40/45 – P 90.

CITROEN Fechter, 10 r. Gen.-de-Lattre ✆ 98.04.24
TALBOT Busche, r. de la Dordogne ✆ 98.23.87

ERTS Principauté d'Andorre 86 ⑭ – voir Andorre (Arinsal).

ESBLY 77450 S.-et-M. 56 ⑫, 96 ⑳ – 4 035 h. alt. 50 – 6.

Paris 44 – Coulommiers 23 – Lagny 11 – Meaux 9 – Melun 50.

à Condé-Ste-Libiaire SE : 2,5 km – ✉ **77450** Esbly :

✗✗ **Vallée de la Marne,** quai Marne ✆ 004.31.01, ≤, – Ⓟ. GB
fermé 22 juil. au 14 août, vacances de fév., mardi soir et merc. – SC : **R** 80/120.

PEUGEOT Luce et Riester, ✆ 004.34.21

Les ESCALDES Principauté d'Andorre 86 ⑭, 43 ⑥ – voir à Andorre.

L'ESCARÈNE 06440 Alpes-Mar. 84 ⑲, 195 ⑰ – 1 553 h. alt. 357 – 93.

Voir Gorges du Paillon★ SE.

Env. Lucéram : site★, retables★★ et trésor★ dans l'église N : 7 km, G. Côte d'Azur.

Paris 955 – Contes 10 – ♦Nice 21 – St-Martin-Vésubie 54 – Sospel 22.

✗ **Host. Castellino** avec ch, ✆ 91.50.11, ≤, cuisine toulousaine, – ⌂ Ⓟ. ✻ ch
fermé 15 sept. au 30 oct. et lundi – SC : **R** 29/65 – ☕ 8,50 – 10 ch 56 – P 90/110.

ESCONAC 33 Gironde 71 ⑨⑩ – rattaché à Cambes.

ESCOS 64 Pyr.-Atl. 78 ⑧ – 269 h. alt. 40 – ✉ **64270** Salies-de-Béarn – 59.

Paris 744 – Cambo-les-Bains 47 – Orthez 27 – Pau 68 – Peyrehorade 15 – St-Jean-Pied-de-Port 52.

✗✗ **Relais des Voyageurs** avec ch, ✆ 38.42.39, « Jardin fleuri » – . ✻
fermé 15 déc. au 15 janv., dim. soir et lundi sauf du 1er juil. au 15 sept. – SC : **R** 36/130 – ☕ 10 – **10 ch** 43/98 – P 125/180.

L'ESCOULIN 26 Drôme 77 ⑬ – alt. 520 – ✉ 26400 Crest – ☎ 75.
Paris 612 – Crest 23 – Die 21 – Valence 51.

- **Capoue** ⑤, ☎ 76.41.29, ≤, ⛱, ✂ – ⇔wc ☎ Ⓟ – 🏊 40
  1er juil.-15 sept. – SC : **R** 68/95 – ☕ 20 – 15 ch 100/200 – P 200/250.

ESCRINET (Col de l') 07 Ardèche 76 ⑲ – rattaché à Privas.

ESNANDES 17 Ch.-Mar. 71 ⑫ **G. Côte de l'Atlantique** – 912 h. alt. 12 – ✉ **17140** Lagord – ☎ 46.
Voir Église★.
Paris 449 – Fontenay-le-Comte 40 – Luçon 28 – La Rochelle 12.

- **Port,** ☎ 01.32.11 – ⋔ ⇔. ⇔. ✂ ch
  fermé 15 au 31 oct. et mardi hors sais. – SC : **R** 39/65 – ☕ 11 – 12 ch 46/100 – P 99/125.
- XX **Paix,** ☎ 01.32.02, ⇔ – Ⓟ
  fermé mardi sauf juil. et août – SC : **R** 70/120 ♁.

ESPALION 12500 Aveyron 80 ③ **G. Causses (plan)** – 4 807 h. alt. 343 – ☎ 65.
Voir Église de Perse★ SE : 1 km.
ℹ Office de Tourisme à la Mairie (fermé sam. après-midi et dim.) ☎ 44.05.46.
Paris 577 – Aurillac 76 – Figeac 94 – Mende 95 – Millau 79 – Rodez 30 – St-Flour 88.

- **Central H.** sans rest, av. Gare ☎ 44.05.25, ⇔ – ⇔wc ☎
  1er avril-31 déc. – SC : ☕ 11 – **26 ch** 45/110.
- **Moderne,** bd Guizard ☎ 44.05.11 – ⇔wc ⋔wc ☎ ⇔. ⇔. ✂ ch
  15 mars-15 oct. – SC : **R** 45/120 – ☕ 12 – **36 ch** 45/150 – P 100/150.
- X **Soleil d'Or,** pl. St-Georges ☎ 44.03.30 – GB
  fermé 21 sept. au 20 oct. et lundi – **R** 25/42 ♁.

à St-Côme-d'Olt E : 4,5 km par D 587 N – ✉ **12500** Espalion .
Voir Bourg fortifié★.

- **Voyageurs,** ☎ 44.05.83 – ⋔ ⇔
  R 28/38 ♁ – ☕ 8 – 23 ch 32/55 – P 75/80.

CITROEN Vayssettes, ☎ 44.00.88
PEUGEOT Privat, ☎ 44.01.64 N
RENAULT Cadars, ☎ 44.00.73
TALBOT Gar. Guerin-Pons, ☎ 44.05.10
Vulcanisation-Espalionnaise, ☎ 44.01.78

ESPELETTE 64 Pyr.-Atl. 85 ③ **G. Pyrénées** – 1 188 h. alt. 80 – ✉ **64250** Cambo-les-Bains – ☎ 59.
Paris 762 – ♦Bayonne 20 – Biarritz 23 – Cambo-les-Bains 5,5 – Pau 119 – St-Jean-de-Luz 25.

- **Euzkadi,** ☎ 29.91.88, ⇔ – ⇔wc ⋔wc ☎
  fermé 3 au 17 mai, 2 nov. au 7 déc., mardi (sauf juil. et août) et lundi – SC : **R** 35/85 – ☕ 10 – **22 ch** 65/80 – P 120 bc/130 bc.

L'ESPÉROU 30570 Gard 80 ⑯ **G. Causses** – alt. 1 230 – ☎ 66.
Paris 653 – Alès 95 – Mende 85 – Millau 98 – Nîmes 111 – Le Vigan 30.

- **La Source** ⑤, ☎ 92.60.35 – ⇔wc ☎ Ⓟ. ⇔. ✂
  juin-sept. et Noël-mars – **R** 38/60 – ☕ 13 – **10 ch** 120/140 – P 209.

ESPIAUBE 65 H.-Pyr. 85 ⑲ – rattaché à St-Lary-Soulan.

ESQUIÈZE-SÈRE 65 H.-Pyr. 85 ⑱ – rattaché à Luz-St-Sauveur.

Les ESSARTS-LE-ROI 78690 Yvelines 60 ⑨, 96 ㉔ – 3 323 h. alt. 100 – ☎ 3.
Paris 44 – Mantes-la-Jolie 44 – Montfort-l'Amaury 12 – Rambouillet 11 – Versailles 22.

- XX La Perdriole, ☎ 483.61.99.

ESTAING 12190 Aveyron 80 ③ **G. Causses** – 677 h. alt. 300 – ☎ 65.
Voir Château★.
ℹ Syndicat d'Initiative à la Mairie (juil.-15 sept. et fermé dim.).
Paris 588 – Aurillac 66 – Conques 40 – Espalion 10 – Figeac 75 – Rodez 41.

- **Aux Armes d'Estaing,** ☎ 44.70.02 – ⋔ ⇔. ⇔
  fermé 25 oct. au 8 nov. et janv. – SC : **R** 28/50 ♁ – ☕ 9 – 47 ch 42/80 – P 80/90.
- **Raynaldy,** ☎ 44.70.03, ⇔ – ⇔. ✂ ch
  avril-oct. – SC : **R** 25/52 – ☕ 9,50 – **15 ch** 38/60 – P 80/85.

RENAULT Rigal, ☎ 44.70.09

ESTAING 65 H.-Pyr. 85 ⑰ – 101 h. alt. 1 000 – ✉ **65400** Argelès-Gazost – ⚙ 62.

Paris 815 – Argelès-Gazost 11 – Arrens 6, 5 – Laruns 43 – Lourdes 24 – Tarbes 44.

✗ **Lac** ⛓, avec ch, au Lac S : 4 km ☎ 97.06.25, ≤ – Ⓟ
fermé 1er au 15 mars – **R** 35/70 – ☕ 10 – **11 ch** 42/60 – P 95/105.

ESTENG 06 Alpes-Mar. 81 ⑧⑨, 195 ② – alt. 1 800 – ✉ **06470** Guillaumes – ⚙ 93.

Paris 775 – Barcelonnette 39 – Castellane 81 – Digne 119 – ♦Nice 122 – St-Martin-Vésubie 97.

⌂ **Relais de la Cayolle** ⛓, ☎ 05.51.33, ≤ – Ⓟ. ✈ ch
◆ *fermé oct. et nov.* – SC : **R** 30/75 – ☕ 9 – **18 ch** 45/90 – P 100.

ESTÉNOS 31 H.-Gar. 85 ⑳ – 228 h. alt. 468 – ✉ **31440** St-Béat – ⚙ 61.

Paris 806 – Bagnères-de-Luchon 20 – Lannemezan 34 – St-Gaudens 26 – ♦Toulouse 116.

⌂ **Host. Jeanne d'Arc,** ☎ 79.51.52, ⛱ – ⛀wc ⛆wc ☎ Ⓟ. 🚗. ✈
◆ *18 avril-30 sept. et 20 déc.-4 janv.* – SC : **R** *(fermé merc.)* 30/50 – ☕ 10 – 10 ch 50/130 – P 100/150.

L'ESTEREL (Massif de) *** **83** Var 84 ⑧ **G. Côte d'Azur** – NE de St-Raphaël.

ESTÉRENÇUBY 64 Pyr.-Atl. 85 ③ – 512 h. alt. 231 – ✉ **64220** St-Jean-Pied-de-Port – ⚙ 59.

Paris 804 – ♦Bayonne 61 – Pau 79 – St-Jean-Pied-de-Port 8.

⌂ **Artzain-Etchéa** ⛓, S : 3 km par VO ☎ 37.11.55 – ⛀wc ⛆wc ☎ Ⓟ
◆ *fermé 1er janv. au 10 fév. et merc. hors sais.* – SC : **R** 25/85 – ☕ 10 – 16 ch 50/100 – P 90/120.

ESTÉZARGUES 30 Gard 80 ⑳ – 213 h. alt. 148 – ✉ **30390** Aramon – ⚙ 66.

Paris 692 – Alès 57 – Arles 45 – Avignon 16 – Nîmes 29 – Pont-St-Esprit 47 – Remoulins 8.

⌂ **La Fenouillère** Ⓜ, sur N 100 ☎ 57.03.08 – ⛀wc ⛆ ☎ Ⓟ. 🚗. ✈
25 mars-10 oct. – SC : **R** (snack le soir pour résidents seul.) – ☕ 8 – **23 ch** 82/105.

ESTIVAREILLES 03 Allier 69 ⑫ – rattaché à Montluçon.

ESTRABLIN 38 Isère 74 ⑫ – rattaché à Vienne.

ÉTABLES 86 Vienne 68 ③ – ✉ **86170** Neuville-de-Poitou – ⚙ 49.

Paris 335 – Bressuire 60 – Châtellerault 35 – Chinon 61 – Parthenay 47 – Poitiers 20 – Saumur 71.

⌂ **Regina H.** Ⓜ, N 147 ☎ 51.21.99, ⛱ – ⛀wc ⛆ ☎ Ⓟ – 🏛 80. 🚗
fermé dim. soir – SC : **R** 39/85 🍷 – ☕ 12 – **15 ch** 59/96.

ÉTABLES-SUR-MER **22680** C.-du-N. 59 ③ **G. Bretagne** – 2 041 h. – ⚙ 96.

⛳18 des Ajoncs d'Or ☎ 70.48.13 O : 9 km.

ℹ Syndicat d'Initiative r. République (fermé sam. hors sais. et dim. sauf matin en saison) ☎ 70.65.41.

Paris 467 – Guingamp 28 – Lannion 55 – Paimpol 28 – St-Brieuc 17.

⌂ **Terrasse,** ☎ 70.61.32 – Ⓟ
◆ *fermé 19 déc. au 2 janv., sam. soir et dim. d'oct. au 4 avril* – SC : **R** 27/87 🍷 – ☕ 8 – 27 ch 37/52 – P 78/85.

ÉTAIN **55400** Meuse 57 ⑫ **G. Voges** – 3 773 h. alt. 205 – ⚙ 29.

A.C. pl. Martinique ☎ 87.11.12.

Paris 287 – Briey 24 – Longwy 46 – ♦Metz 47 – Stenay 55 – Verdun 20.

⌂ **Sirène,** r. Prud'homme-Havette ☎ 87.10.32 – ⛀wc ☎ Ⓟ – 🏛 150. 🚗. ✈ ch
fermé janv. – SC : **R** 45/90 🍷 – ☕ 10 – **30 ch** 42/110 – P 150 bc.

RENAULT Beauguitte et Cao, ☎ 87.12.90 Ⓝ Gar. Cao, ☎ 87.10.68 Ⓝ ☎ 87.12.41

ÉTAMPES ⟨SP⟩ **91150** Essonne 60 ⑩, 96 ㉟㊱ **G. Environs de Paris** – 19 755 h. alt. 90 – ⚙ 6.

Voir Église N.-D.-du-Fort★.

ℹ Office de Tourisme Maison Anne de Pisseleu, pl. Hôtel-de-Ville (fermé dim. et lundi) ☎ 494.13.37.

Paris 50 ① – Chartres 61 ⑦ – Évry 37 ① – Melun 43 ② – ♦Orléans 68 ⑤ – Versailles 51 ①.

Plans page ci-contre

⌂ **L'Europe "A l'Escargot",** 71 r. St-Jacques ☎ 494.02.96 – ⛀wc ⛆wc ☎ 🚗.
◆ 🚗 GB. ✈ ch — Y **e**
fermé 20 juin au 25 juil. et 15 sept. au 4 oct. – SC : **R** *(fermé merc.)* 28/35 – ☕ 8 – **25 ch** 40/90 – P 110/140.

XXX **Le Gd Monarque,** 1 pl. Romanet ☎ 494.29.90 – AE GB E — Y **r**
fermé 3 au 17 fév., lundi soir et mardi – SC : **R** 38/50.

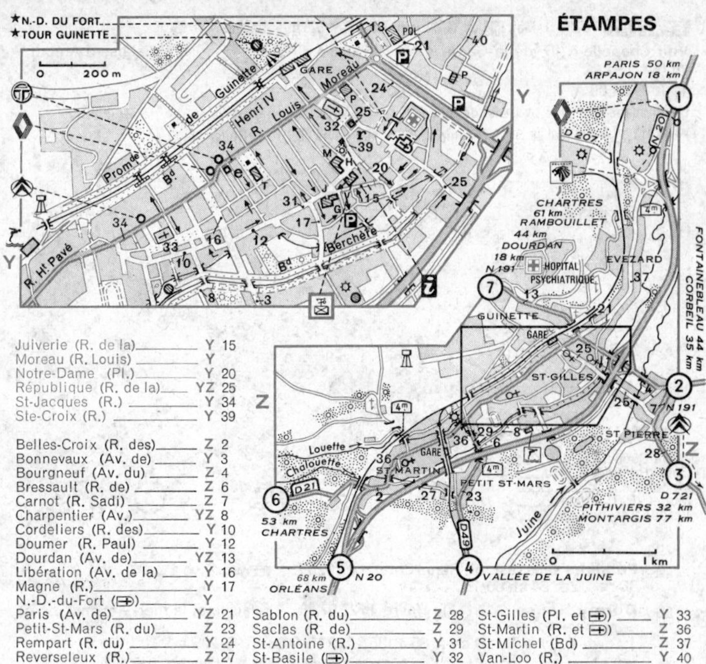

Juiverie (R. de la) Y 15
Moreau (R. Louis) Y
Notre-Dame (Pl.) Y 20
République (R. de la) YZ 25
St-Jacques (R.) Y 34
Ste-Croix (R.) Y 39

Belles-Croix (R. des) Z 2
Bonnevaux (Av. de) Y 3
Bourgneuf (Av. du) Z 4
Bressault (R. de) Z 6
Carnot (R. Sadi) Z 7
Charpentier (Av.) YZ 8
Cordeliers (R. des) Y 10
Doumer (R. Paul) Y 12
Dourdan (Av. de) YZ 13
Libération (Av. de la) Y 16
Magne (R.) Y 17
N.-D.-du-Fort Y
Paris (Av. de) YZ 21
Petit-St-Mars (R. du) Z 23
Rempart (R. du) Y 24
Reverseleux (R.) Z 27
Sablon (R. du) Z 28
Saclas (R. de) Z 29
St-Antoine (R.) Y 31
St-Basile Y 32
St-Gilles (Pl. et) Y 33
St-Martin (R. et) Z 36
St-Michel (Bd) Z 37
Van-Loo (R.) Y 40

à Châlo-St-Mars par ⑥ : 7,5 km – ✉ **91780** Châlo-St-Mars :

XX **Aub. des Alouettes,** ☎ **495.40.20**
fermé 10 août au 10 sept., 10 au 25 janv. merc. et jeudi.

à Court-Pain par ③ et D 721 : 9 km – ✉ **91690** Saclas :

Aub. de Courpain, ☎ 495.67.04, – wc wc ☎ **P** – 50 à 100. AE
SC : **R** 80/100 – 15 – **18 ch** 180/250.

CITROEN Sté Ind. Autom., 146 r. St-Jacques ☎ 494.01.81
CITROEN Gar. St-Pierre, rte de Pithiviers ☎ 494.04.03
MERCEDES-BENZ, TOYOTA Dagte, 31 av. de Paris ☎ 494.16.64
PEUGEOT J. Auclert, ZI à Morigny ☎ 494.49.09
RENAULT Gar. Rempart, N 20 à Morigny-Champigny ☎ 494.35.45
RENAULT Roulleau, 100 r. St-Jacques ☎ 494.52.22
TALBOT Sergent, 90 r. St-Jacques ☎ 494.57.27
Central-Pneu, 69 av. de Paris ☎ 494.52.18

ÉTANG-DES-MOINES 59 Nord 53 ⑯ – rattaché à Fourmies.

ÉTANG-SUR-ARROUX 71190 S.-et-L. 69 ⑦ – 1 634 h. alt. 277 – 85.
Env. Uchon : site★ et ** du signal SE : 11 km, G. Bourgogne.
Paris 309 – Autun 17 – Chalon-sur-Saône 62 – Decize 66 – Digoin 50 – Mâcon 102.

Host. du Gourmet, rte Toulon ☎ 82.20.88 – wc ☎.
fermé fév. et merc. hors sais. – SC : **R** *(fermé lundi sauf le soir en sais.)* 31/110 – 9,50 – 17 ch 45/88 – P 95/155.

PEUGEOT Déchaume, ☎ 82.22.23 **N** ☎ 82.31.19
RENAULT Raffin, N 494 ☎ 82.21.48

ÉTIOLLES 91 Essonne 61 ①, 101 ㊲ – rattaché à Évry (Corbeil-Essonnes)

ÉTOUVELLES 02 Aisne 56 ⑤ – rattaché à Laon.

ETRÉAUPONT 02580 Aisne 53 ⑯ – 969 h. alt. 127 – 23.
Paris 178 – Avesnes 25 – Hirson 15 – Laon 44 – St-Quentin 51.

X **Aub. du Val d'Oise,** N 2 ☎ 97.40.18
fermé 1er au 10 mars, lundi soir et mardi – SC : **R** 34/100.

ÉTRETAT 76790 S.-Mar. 52 ⑪ **G. Normandie** – 1 525 h. – Casino A – ☎ 35.

Voir Chapelle N.-D.-de-la-Garde ≤★ A – Falaise d'Aval★★★ A : 1 h – Falaise d'Amont★ au N.

18 ☎ 27.04.89 A.

Office de Tourisme pl. Hôtel de Ville (1er juin-15 sept. et fermé mardi en juin) ☎ 27.05.21.

Paris 218 ③ – Bolbec 28 ③ – Fécamp 17 ② – ♦Le Havre 28 ④ – ♦Rouen 86 ②.

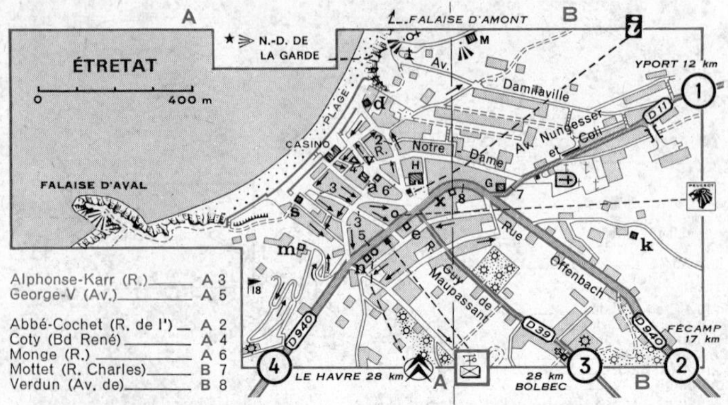

Falaises sans rest, bd René-Coty ☎ 27.02.77 – wc wc ☎. ✱ — A **v**
SC : 12 – **24 ch** 60/150.

Dormy House ⑤, rte du Havre ☎ 27.07.88, ≤ falaises et la mer – wc ☎ **P** – 50. ✱ rest — A **m**
1er avril-4 oct. – SC : **R** carte 85 à 135 – 15 – 28 ch 95/225 – P 200/270.

Welcome ⑤, 10 av. Verdun ☎ 27.00.89, – wc ☎ **P**. ✱ rest
fermé vacances de fév. et merc. – **R** 47/90 – 12 – 10 ch 115/135 – P 145/165. — AB **x**

L'Escale, pl. Mar.-Foch ☎ 27.03.69 – . ✱ ch — A **a**
fermé déc., janv., mardi soir et merc. – SC : **R** 50/60 – 10 – 10 ch 55/100.

Angleterre, av. George-V ☎ 27.01.65 – wc wc. ✱ — A **n**
fermé 26 sept. au 29 oct., merc. (sauf restaurant) et mardi soir – SC : 9 – 16 ch 50/115 – P 115/135.

Windsor, 9 av. George-V ☎ 27.07.27 – wc — A **e**
fermé 15 au 30 nov. et lundi – SC : **R** 36/80 – 14 – 13 ch 40/90.

XXX **Le Donjon** ⑤ avec ch, Chemin St-Clair ☎ 27.08.23, « Belle demeure dominant Etretat et la mer », parc, – wc wc **P**. AE GB ✱ ch — B **k**
fermé janv., fév. et merc. sauf le soir du 15 juin au 15 sept. – **R** 85 – 6 ch 133/290.

XX **Aiguille Creuse,** pl. Gén.-de-Gaulle ☎ 27.04.21 – GB — A **s**
fermé 15 déc. au 31 janv., dim. soir du 11 nov. au 1er mars et lundi (sauf juil.-août) – **R** carte 90 à 120.

X **Roches Blanches,** r. Abbé-Cochet ☎ 27.07.34, ≤. GB — A **d**
fermé oct., fév., mardi et jeudi hors sais. et merc. – SC : **R** 41/75.

CITROEN Gar. Enz, ☎ 27.04.69 — PEUGEOT Capron, ☎ 27.03.98

ÉTUZ 70 H.-Saône 66 ⑮ – 201 h. alt. 210 – ✉ **70150** Marnay – ☎ 81 (Doubs).

Paris 415 – ♦Besançon 16 – Combeaufontaine 46 – Gray 39 – Vesoul 41.

XX ✿ **La Sablière** (Chardigny), rte Cussey-sur-l'Ognon ☎ 56.78.50, – **P**
fermé 1er au 15 sept., 14 au 23 fév., dim. et fériés le soir et jeudi – SC : **R** (dim. et fêtes prévenir) 75/135, dîner à la carte
Spéc. Truite Belle-Comtoise, Délice de brochet, Coq au vin aux morilles. Vins Pupillin.

EU 76260 S.-Mar. 52 ⑤ **G. Normandie** – 8 899 h. alt. 17 – ☎ 35.

Voir Église★ E – Mausolées★ dans la chapelle du Collège K.

Syndicat d'Initiative pl. Carnot (fermé jeudi et dim. hors saison) ☎ 86.04.68.

Paris 165 ⑤ – Abbeville 32 ⑥ – Blangy 21 ⑤ – Dieppe 31 ③ – ♦Rouen 92 ③ – Le Tréport 4,5 ①.

Plan page ci-contre

Relais, 1 pl. Albert-1er **(s)** ☎ 86.14.88, – wc wc ☎ &.
fermé 24 août au 23 sept. – SC : **R** *(fermé dim. soir et lundi)* 37/65 – 12 – 14 ch 55/160 – P 114/165.

CITROEN Amand, pl. Gén.-de-Gaulle ☎ 86.00.89
CITROEN Hebert, 205 rte du Tréport ☎ 86.30.13
LADA, SKODA Gar. de la Pipe, à Étalondes ☎ 86.12.94
OPEL Gar. Gérard, 6 pl. Albert-1er ☎ 86.00.45
PEUGEOT Roussel, 21 bd Victor-Hugo ☎ 86.56.44
PEUGEOT Vassard, 22 r. des Belges ☎ 86.34.16
RENAULT Carrosserie Eudoise, 26 bd Faidherbe ☎ 86.11.44
RENAULT Sonnet, 19 r. République ☎ 86.01.90
TALBOT Gar. de Picardie, 141 chaussée de Picardie ☎ 86.11.99

Morelle, 7 r. des Belges ☎ 86.29.12

EU

Abbaye (R. de l') 2
Carnot (Pl.) 4
Collège (R. du) 5
Faidherbe (Bd) 6
Hélène (Bd) 7
Lecomte (R. Octave) 8
Morin (R. Charles) 9
Normandie (R. de) 10
Verdun (R. de) 15

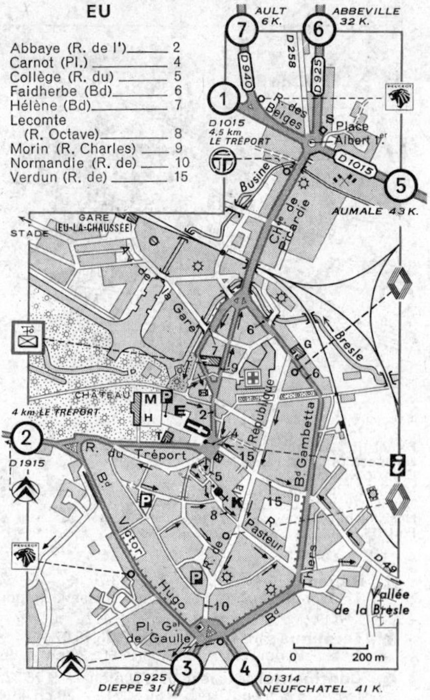

AULT 6 K.
ABBEVILLE 32 K.
D 258
D 940
D 925
R. des Belges
Place Albert 1er
D 1015 4,5 km LE TRÉPORT
D 1015
Busine
Chée de Picardie
AUMALE 43 K.
GARE (EU-LA-CHAUSSEE)
STADE
Av. de la Gare
Bresle
CHATEAU
4 km LE TRÉPORT
R. du Tréport
République
Bd Gambetta
D 1915
Bd Victor Hugo
R. de Morin
R. Pasteur
Thiers
D 49
Vallée de la Bresle
Pl. Gal de Gaulle
Bd
0 200 m
D 925 DIEPPE 31 K.
D 1314 NEUFCHATEL 41 K.

EUGÉNIE-LES-BAINS **40** Landes **82** ① – 392 h. alt. 90 – Stat. therm. (1er avril-31 oct.) – ✉ **40320** Geaune – ✆ 58.

Syndicat d'Initiative (1er avril-31 oct.) ☎ 58.19.09.

Paris 712 – Aire-sur-l'Adour 14 – Dax 69 – Mont-de-Marsan 26 – Orthez 53 – Pau 53.

✿✿✿ **Les Prés d'Eugénie** (Guérard) M, ☎ 58.19.01, Télex 540470, « Parc ombragé fleuri », – ☎ AE.
1er avril-2 nov. – **R** (menu minceur, résidents seul.) 98 **rest. Michel Guérard R** (nbre de couverts limité - prévenir) 190/230 et carte – 30 – **33 ch** 180/390, 3 appartements 550
Spéc. Ravioli de truffes au beurre de mousserons, Homard rôti et fumé, Poire au four et gratin d'amandes. **Vins** Pomerol, Graves.

ÉVAUX-LES-BAINS **23110** Creuse **73** ② **G. Périgord** (plan) – 1 790 h. alt. 469 – Stat. therm. (avril-oct.) – ✆ 55.

Voir Église★ de Chambon-sur-Voueize NO : 5 km.

Office de Tourisme pl. Église (avril-oct., fermé merc. et dim. sauf juil. à sept.) ☎ 65.50.90.

Paris 347 – Aubusson 44 – Gannat 71 – Guéret 52 – Montluçon 25 – Riom 79 – Ussel 88.

Chardonnet, ☎ 65.51.78 – wc wc rest
fermé 5 au 30 oct. et dim. soir – SC : **R** *(fermé dim. soir du 1er nov. à Pâques)* 25/70 – 9 – 28 ch 38/100 – P 78/120.

PEUGEOT Cudicio, ☎ 65.52.36
RENAULT Gomy, ☎ 65.52.17

ÉVIAN-LES-BAINS **74500** H.-Savoie **70** ⑰ **G. Alpes** – 6 178 h. alt. 374 – Stat. therm. – Casino B – ✆ 50.

Voir Lac Léman★★★.

Royal Golf Club ☎ 75.00.61 SO : 2,5 km.

☎ 75.25.26.

Office de Tourisme et Accueil de France (Informations et réservations d'hôtels, pas plus de 5 jours à l'avance), pl. d'Allinges (fermé dim.) ☎ 75.04.26, Télex 385661.

Paris 586 ③ – Annecy 83 ③ – Chamonix 109 ③ – ♦Genève 42 ③ – Montreux 38 ①.

Plan page suivante

Bellevue, face au Port ☎ 75.01.13, ← – wc wc rest C **f**
16 mai-22 sept. – SC : **R** 75/85 – **51 ch** 180/250 – P 210/250.

Plage, av. Gén.-Dupas ☎ 75.29.50, ← – wc rest A **y**
1er juin-15 sept. – SC : **R** 80/95 – **40 ch** 180/250 – P 210/250.

Terrasse, 10 r. B.-Moutardier ☎ 75.00.67 – wc wc GB C **r**
SC : **R** 50 – **32 ch** 90/160 – P 110/160.

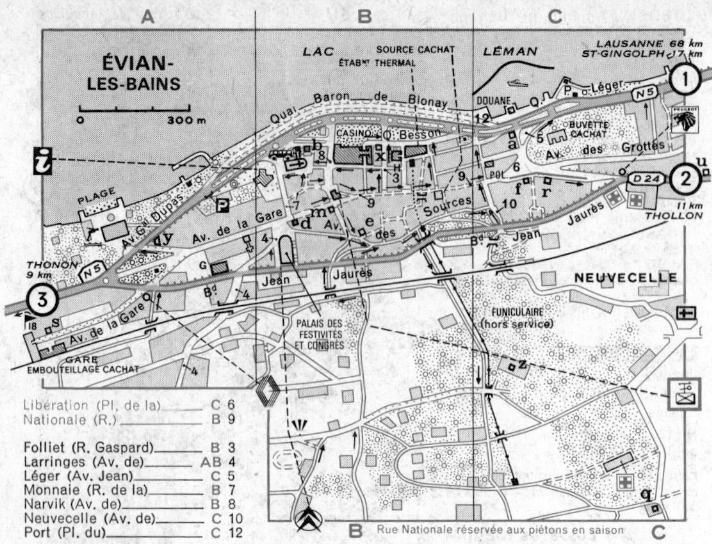

Régence, 2 av. J.-Léger 75.13.75, – wc . AE GB C **a**
17 avril-30 sept. – SC : **R** voir Brasserie Régence – 12 – **25 ch** 55/120 – P 155/180.

Terminus sans rest, pl. Gare 75.15.07, – wc wc A **s**
1er fév.-1er nov. et vac. de Noël – SC : **20 ch** 65/150.

Continental sans rest, 65 r. Nationale 75.37.54 – wc wc B **m**
fermé 15 oct. au 20 déc. – SC : 10 – **29 ch** 46/140.

Paris sans rest, 3 r. Casino 75.12.33 – wc . AE B **x**
1er mai-30 sept. – SC : **31 ch** 70/147.

Palmiers, 28 av. des Sources 75.03.16 – wc wc. B **e**
1er avril-30 sept. – SC : **R** (pour résidents seul.) – 9,50 – **24 ch** 52/105 – P 96/130.

Bourgogne M avec ch, 73 r. Nationale 75.01.05 – TV wc . AE GB B **d**
fermé 2 nov. au 18 déc. – SC : **R** *(fermé mardi soir et merc. sauf juil.-août)* 65/90 – **10 ch** 170/180
Spéc. Rognon de veau beaugé, Omble chevalier sauce whisky, Crêpes bourgogne. **Vins** Crépy, Roussette.

Da Bouttau, quai Ch.-Besson 75.02.44 – . AE GB B **b**
fermé 15 janv. au 1er mars et mardi en hiver – SC : **R** 60/150.

Brasserie Régence, 2 av. J.-Léger 75.13.75, – AE GB C **a**
17 avril-30 sept. – SC : **R** 55.

hors de l'agglomération :

Royal , 75.14.00, Télex 385759, lac et montagnes, parc, , – 30 à 170. AE GB E. rest C **z**
mi avril-mi oct. – SC : **R** 130 – 30 – **200 ch** 350/650, 20 appartements.

La Verniaz et ses Chalets , rte Abondance 75.04.90, Télex 385715, « Chalets isolés dans la verdure et hameau hippique : jolie vue », – 40. AE GB E C **q**
fermé déc. et janv. – SC : **R** 100/150 – 25 – **35 ch** 250/500 -P 400/520, **5 chalets** – P 550/650
Spéc. Filet de féra poêlé, Truite saumonée Sylvette, Filet de charolais à la broche. **Vins** Crépy, Marin.

Lumina sans rest, à **Maxilly Petite-Rive** par ① : 2 km 75.28.67, « Terrasses et jardins au bord du lac, , club nautique » – – 80. AE . rest
1er mai-30 sept. – SC : **62 ch** 160/300, 4 appartements 400.

Cygnes, Grande-Rive par ① : 1,5 km 75.01.01, – wc
25 mai-22 sept. – SC : **R** 55/65 – 45 ch 72/170 – P 120/170.

Florida sans rest, à **Milly** par rte d'Abondance ② : 2 km 75.00.44, , – wc wc
15 juin-15 sept. – SC : 12 – **25 ch** 80/140.

Flots Bleus ⛱, rte Abondance par ② ☎ 75.14.64, ≤, 🚗 – ⊟wc ☎ **P**. 🏊 GB. ✗ rest — C **u**
Pentecôte-15 sept. – SC : **R** 40/45 – ☕ 12 – **30 ch** 55/150 – P 120/150.

Panorama, Grande-Rive par ① : 1,8 km ☎ 75.14.50, ≤, 🚗 – wc 🚗
1er mai-début oct. – SC : **R** 38/72 – ☕ 10 – 54 ch 46/100 – P 88/120.

rte de Thollon par ② : 7 km – alt. 825 – ✉ **74500** Évian-les-Bains :

Les Prés Fleuris sur Evian M ⛱, ☎ 75.29.14, ≤ lac et montagnes, 🚗 – TV ☎ **P**. AE GB ◑. ✗ rest
4 avril-22 oct. – SC : **R** (nombre de couverts limité - prévenir) 95/180 – ☕ 30 – **12 ch** 270/520 – P 330/480.

CITROEN Gar. du Boulevard bd Jaurès ☎ 75.13.99
OPEL, TOYOTA Giroud, Petite-Rive, Maxilly-sur-Léman ☎ 75.13.00
PEUGEOT Impérial-Gar., 9 av. d'Abondance ☎ 75.01.90
RENAULT Gar. Sautenet, av. Gare ☎ 75.00.32

ÉVRECY **14210** Calvados 55 ⑪ – 1 089 h. – rattaché à Caen.

ÉVREUX P **27000** Eure 55 ⑯⑰ **G. Normandie** – 50 358 h. alt. 65 – ✪ 32.

Voir Cathédrale★★ – Châsse★★ dans l'église St-Taurin – Musée★ BY M.

ℹ Office de Tourisme 35 r. Dr.-Oursel (Chambre de commerce) (fermé sam. après-midi et dim.) ☎ 38.21.61, Télex 770581 – A.C.O. 6 r. Borville-Dupuis ☎ 33.03.84.

Paris 102 ② – Alençon 118 ⑤ – Beauvais 98 ② – ♦Caen 121 ⑤ – Chartres 77 ④ – ♦Le Havre 120 ① – Laval 209 ⑤ – Lisieux 72 ⑤ – ♦Le Mans 153 ⑤ – ♦Rennes 279 ⑤ – ♦Rouen 55 ①.

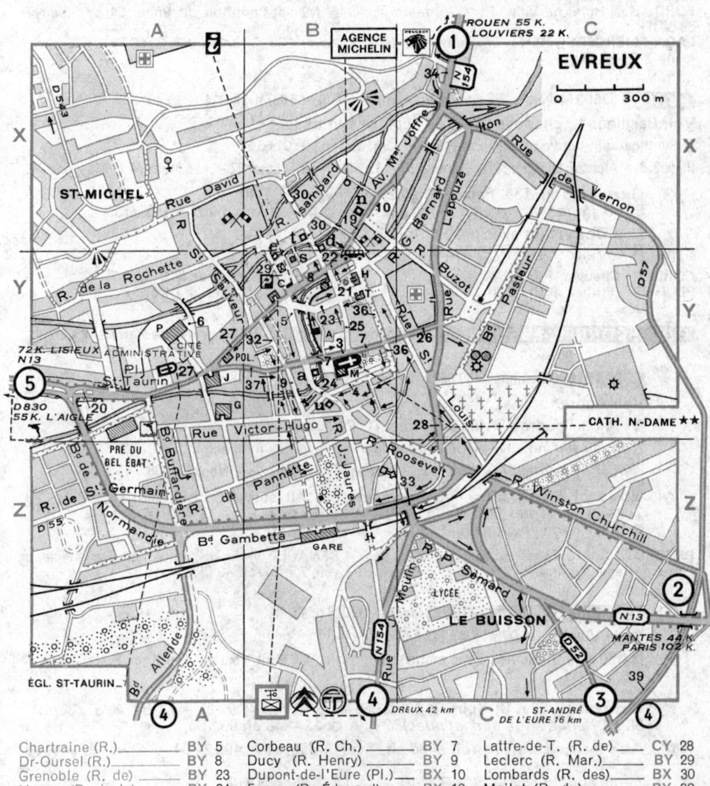

Chartraine (R.)	BY 5	Corbeau (R. Ch.)	BY 7	Lattre-de-T. (R. de)	CY 28
Dr-Oursel (R.)	BY 8	Ducy (R. Henry)	BY 9	Leclerc (R. Mar.)	BY 29
Grenoble (R. de)	BY 23	Dupont-de-l'Eure (Pl.)	BX 10	Lombards (R. des)	BX 30
Harpe (R. de la)	BY 24	Ferray (R. Édouard)	BX 19	Meilet (R. du)	BY 32
Joséphine (R.)	AY 27	Foch (Av. Mar.)	AY 20	Résistance (Bd)	CZ 33
		Gaulle (Pl. de)	BY 21	St-Léger (R. du Fg)	CX 34
Cathédrale (Pl.)	BY 3	Grand-Carrefour (Pl. du)	BY 22	Soupirs (Allée des)	BY 36
Chambeaudoin (Bd)	BY 4	Horloge (R. de l')	BY 25	Verdun (R. de)	BY 37
Chauvin (Bd G.)	AY 6	Janin (Bd Jules)	CY 26	14-Juillet (Bd)	CZ 39

Gd Cerf, 11 r. Harpe ☎ 33.14.01, ←, « Exposition de peintures et tapisseries » – 🛗 ⇔. AE GB ⓓ E BY **a**
fermé fév. – SC : **R** *(fermé lundi)* carte 90 à 120 – ☕ 16 – 26 ch 115/275 – P 230/360.

Normandy, 37 r. E.-Feray ☎ 33.14.40 – TV ⇔ P – 🔑 40. AE GB ⓓ BX **n**
SC : **R** *(fermé août et dim.)* 40/80 🍷 – ☕ 13,50 – **26 ch** 72/190 – P 207/275.

France, 29 r. St-Thomas ☎ 39.09.25 – TV ⇔wc ☎ P. AE. ✻ ch BXY **e**
fermé 15 au 31 août et 15 au 28 fév. – SC : **R** *(fermé sam.)* 70 🍷 – ☕ 11,50 – **16 ch** 58/135.

L'Orme sans rest, 13 r. Lombards ☎ 39.34.12 – TV ⇔wc ⇔wc ☎. ⇔. ✻
SC : ☕ 11 – **27 ch** 70/150. BX **t**

Grenoble sans rest, 17 r. St-Pierre ☎ 33.07.31 – ⇔wc ⇔ ☎ ⇔. ⇔. ✻
fermé 15 au 31 juil. – SC : ☕ 11 – **18 ch** 62/112. BX **d**

XX Vieille Gabelle, 3 r. Vieille-Gabelle ☎ 39.38.54 BY **s**

MICHELIN, Agence, angle r. Isambard et r. 28e-R.I. BX ☎ **39.16.60**

ALFA-ROMEO Sté Joffre-Autom., 57 r. Mar.-Joffre ☎ 39.54.63 N ☎ 34.74.08
AUDI-VOLKSWAGEN S.A.G.G.A.M., rte d'Orléans ☎ 39.12.56
AUSTIN, MORRIS, TRIUMPH Lemoine, Zone Ind. n° 1, r. de Cocherel ☎ 39.40.73
CITROEN Succursale, rte Orléans ☎ 39.32.54 N ☎ 34.04.10
FIAT Normandy-Gar., N 13 rte de Paris ☎ 33.13.88
FORD Gar. Hôtel de Ville, 4 r. G.-Bernard ☎ 39.58.63
LADA, MERCEDES-BENZ Blondel, rte Orléans ☎ 39.27.45
OPEL Gar. de Paix de Coeur, 101 av. A.-Briand, Gravigny ☎ 33.16.15
PEUGEOT Gar. Ouest, N 154, rte Rouen à Normanville ☎ 39.38.78 N ☎ 34.74.08
RENAULT Succursale, 2 r. Jacquard, Zone Ind. n° 2 ☎ 38.11.47
TALBOT Vendôme-Autom., 180 rte d'Orléans ☎ 39.38.10
Gar. Guilmin, 2 r. Jean-Moulin ☎ 33.02.19 N

Ⓜ Marsat-Comptoir du Pneu, 54 av. Foch ☎ 33.42.43
Royer, 23 r. G.-Bernard ☎ 33.06.72

ÉVRON 53600 Mayenne 60 ⑪ G. Normandie (plan) – 5 867 h. alt. 114 – ✪ 43.

Voir Basilique★ : chapelle N.-D.-de l'Épine★★ et trésor★★.

ℹ Syndicat d'Initiative pl. Basilique (fermé sam. et dim.) ☎ 01.63.75.

Paris 258 – Alençon 59 – La Ferté-Bernard 90 – La Flèche 66 – Laval 32 – ♦Le Mans 64 – Mayenne 24.

XX **Gare** avec ch, 13 r. Paix ☎ 01.60.29 – ⇔ ⇔ – 🔑 40
SC : **R** *(fermé dim. soir et lundi)* 38/85 🍷 – ☕ 9 – **10 ch** 37/52 – P 85/105.

X **Les Coevrons** avec ch, 4 r. Prés ☎ 01.62.16 – ⇔. GB
R 25/75 🍷 – ☕ 8,50 – **6 ch** 55/60 – P 100/120.

CITROEN Chauvat, ☎ 01.60.44
PEUGEOT Pottier, ☎ 01.60.56
RENAULT Lemercier, ☎ 01.60.10
TALBOT Le Dantec, ☎ 01.61.37

ÉVRY CORBEIL-ESSONNES 91 Essonne 61 ①, 101 ㊲ G. Environs de Paris – ✪ 6

Évry 91000 Essonne – 17 803 h. alt. 55.

Voir Agora★.

⛳9, ⛳18 du Coudray ☎ 498.51.76 par ④ : 7,5 km.

ℹ Syndicat d'Initiative pl. de l'Agora (fermé sam. après-midi et dim.) ☎ 077.36.98.

Paris 33 – Chartres 87 – Créteil 20 – Étampes 37 – Melun 25 – Versailles 38.

Novotel Paris Évry Ⓜ, par autoroute A6 sortie Corbeil Nord et Evry Z.I. ☎ 077.82.70, Télex 600685, ⛱, ⇔ – 🛗 ▤ TV ☎ ♿ P – 🔑 400. AE GB ⓓ
R snack carte environ 65 – ☕ 20 – **180 ch** 197/207.

PEUGEOT Gar. du bras de Fer, Bd Mar. de Lattre de Tassigny ☎ 077.72.90
RENAULT Mazière, Angle bd Decauville et voie 7 ☎ 077.32.48 N

Corbeil-Essonnes 91100 Essonne – 39 223 h. alt. 38.

⛳18 de Villeray ☎ 075.17.47 NE : 5 km.

ℹ Office de Tourisme (fermé matin et dim.) avec T.C.F. pl. Vaillant-Couturier ☎ 496.23.97.

Plan page ci-contre

Central Ⓜ, 68 r. St-Spire ☎ 496.23.56 – 🛗 ⇔wc ⇔ ☎ P – 🔑 80. ⇔. ✻ ch
SC : **R** *(fermé août, dim. et fêtes)* 52 🍷 – ☕ 12 – **48 ch** 90/160. BY **n**

XX **Aux Armes de France** avec ch, 1 bd J.-Jaurès ☎ 496.24.04 – ⇔wc ☎ ⇔ P. ⓓ. ✻ rest AZ **a**
fermé août et Noël – SC : **R** 37/71 – ☕ 11 – **12 ch** 50/120.

à Étiolles par ① : 2,5 km – ✉ **91450** Soisy-sur-Seine :

X **La Fontaine,** N 448 ☎ 075.45.33, ←. GB
fermé juil., dim. soir et jeudi – SC : **R** 40/120.

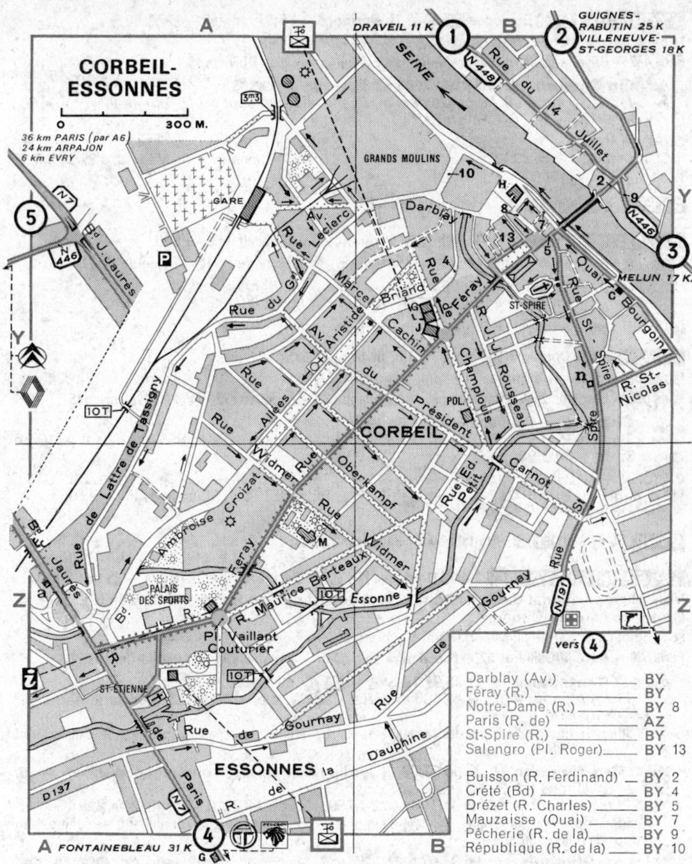

AUDI-VOLKSWAGEN Diffusion-Auto-Européenne, 27 bd Fontainebleau ☎ 089.14.14
CITROEN Corbeil Essonnes Automobiles, 33 av. 8 Mai 1945 ☎ 089.21.10
FIAT Corbeil-Autos, 119 bd J.-Kennedy ☎ 088.16.30
LANCIA-AUTOBIANCHI, OPEL, TOYOTA Gar. du Stade, 86 r. St-Spire ☎ 089.28.54
PEUGEOT Desrues, 29 bd J.-Kennedy ☎ 088.20.90
RENAULT Gd Gar. Féray, 46 av. 8-Mai-1945 ☎ 088.92.20
TALBOT France-Europe-Auto, 35 bd Fontainebleau ☎ 089.26.72
Gar. G.T.C., 52 r. de La Liberté ☎ 496.26.24

Coursaux-Pneus, 116 bd J.-Kennedy ☎ 496.30.45
Piot-Pneu, 80 bd de Fontainebleau ☎ 496.06.36

EXCENEVEX 74 H.-Savoie **70** ⑰ **G. Alpes** – 447 h. alt. 375 – ✉ **74140** Douvaine – 50.

Syndicat d'Initiative à la Mairie (fermé sam. après-midi, dim. et lundi) ☎ 72.81.27.

Paris 571 – Annecy 69 – Bonneville 41 – Douvaine 10 – ♦Genève 27 – Thonon-les-Bains 13.

- **Les Crêtes,** ☎ 72.81.05, ≤ lac, [beach], [park], [terrace] – [lift] [bath]wc [shower]wc ☎ **P** – [camp] 50
  1er fév.-31 oct. et fermé jeudi – SC : **R** 60/160 – ☕ 15 – 33 ch 95/180 – P 120/200.
- **Léman,** ☎ 72.81.17 – [shower]wc **P**.
  hôtel ouvert Pâques-1er nov. et fermé mardi soir et merc. – SC : **R** *(fermé janv., fév. et merc.)* 39/70 – ☕ 10 – **24 ch** 44/80 – P 115/135.
- **Plage** [quiet], ☎ 72.81.12, ≤, [park], [terrace] – [bath]wc **P**.
  1er avril-31 oct. – SC : **R** 38/55 – ☕ 10 – **20 ch** 45/72 – P 94/110.

EXCIDEUIL 24160 Dordogne 75 ⑥⑦ G. Périgord – 1 849 h. alt. 150 – ✆ 53.

Syndicat d'Initiative pl. château (15 mai-30 sept.) ✆ 55.40.30.

Paris 462 – Brive-la-Gaillarde 63 – ♦Limoges 68 – Périgueux 35 – Thiviers 19.

Fin Chapon, pl. Château ✆ 55.42.38 – wc. GB E
fermé 28 sept. au 7 oct., 22 déc. au 6 janv. et lundi sauf du 15 juin au 22 sept. – SC : **R** 35/100 – 10 – **12 ch** 49/130.

CITROEN Bossavy, ✆ 55.42.48
FIAT Combreze, ✆ 55.40.19
PEUGEOT Gge Moderne, ✆ 55.46.91
RENAULT Portail, ✆ 55.40.47
TALBOT Latour, à St Médard d'Excideuil ✆ 55.40.45

EYBENS 38 Isère 77 ⑤ – rattaché à Grenoble.

EYGALIÈRES 13810 B.-du-R. 84 ① G. Provence – 1 284 h. alt. 105 – ✆ 90.

Paris 714 – Avignon 28 – Cavaillon 13 – ♦Marseille 81 – St-Rémy-de-Pr. 12 – Salon-de-Pr. 27.

Aub. Provençale, ✆ 95.91.00
fermé 15 au 30 nov., 15 au 28 fév. et merc. – SC : **R** 88/130.

CITROEN gar. Barrouyer, ✆ 95.90.83

EYMET 24500 Dordogne 75 ⑭ – 3 051 h. alt. 50 – ✆ 53.

Syndicat d'Initiative Château (1er juil.-5 sept.) ✆ 23.81.60.

Paris 577 – Bergerac 25 – ♦Bordeaux 95 – Marmande 33 – Périgueux 72 – Villeneuve-sur-Lot 51.

Château, r. Couvent ✆ 23.81.35 – wc
1er juin-15 oct. – **R** *(fermé vend. soir et sam. hors sais.)* 28/55 – 8 – 10 ch 35/60 – P 80/90.

CITROEN Bello Jean, ✆ 23.80.31
FIAT Augieras, ✆ 23.81.09
FORD De Bortoli, ✆ 23.82.03
PEUGEOT Jauberthie, ✆ 23.80.46
RENAULT Sud Ouest Gge, ✆ 23.82.60

EYNE 66 Pyr.-Or. 86 ⑯ – rattaché à Saillagouse.

Les EYZIES-DE-TAYAC 24620 Dordogne 75 ⑯ G. Périgord – 782 h. alt. 74 – ✆ 53.

Voir Musée national de Préhistoire★ – Grotte du grand Roc★★ – Gorges d'Enfer★ – Grotte de Font-de-Gaume★.

Syndicat d'Initiative pl. Mairie (Pâques-31 oct. et fermé dim.) ✆ 06.97.05.

Paris 530 – Brive-la-Gaillarde 62 – Fumel 64 – Lalinde 37 – Périgueux 45 – Sarlat-la-Canéda 21.

❀❀ **Centenaire** M, ✆ 06.97.18, – TV P. AE ⓓ E.
11 avril-2 nov. – SC : **R** 70/180 et carte – 17 – 29 ch 110/180, 3 appartements 265 – P 165/200
Spéc. Terrine de foie gras frais, Feuilletés d'escargots et de cèpes, Aiguillettes de canard. **Vins** Bergerac, Cahors.

❀ **Cro-Magnon** M, ✆ 06.97.06, « Jardin fleuri, terrasse ombragée, piscine » – ☎ P. AE GB ⓓ E. rest
11 avril-11 oct. – SC : **R** 60/170 – 16,50 – 27 ch 140/210 – P 145/240
Spéc. Truffe sous la cendre, Feuilleté de lotte à la crème de ciboulette , Aiguillettes de canard. **Vins** Clos de Gamot, Sigoulès.

Les Glycines, ✆ 06.97.07, ←, « Parc » – wc ☎ P. AE GB. rest
11 avril-15 oct. – SC : **R** 58/145 – 15 – 27 ch 100/175 – P 135/190.

Centre, ✆ 06.97.13 – wc ☎. GB. rest
2 mars-10 nov. – SC : **R** 50/120 – 12 – 19 ch 85/120 – P 110/150.

Les Roches sans rest, rte Sarlat ✆ 06.96.59, – wc ☎ P.
1er mars-15 oct. – SC : 11,50 – **20 ch** 105/115.

France et Aub. du Musée, ✆ 06.97.23 – wc wc ☎ P
Pâques-2 nov. – SC : **R** 32/98 – 11 – 16 ch 70/108 – P 95/154.

CITROEN Gar. de la Patte-d'Oie, ✆ 06.97.29
RENAULT Dupuy, ✆ 06.97.32

ÈZE 06 Alpes-Mar. 84 ⑩, 195 ㉗ G. Côte d'Azur (plan) – 1 860 h. alt. 427 – ✉ 06360 Èze-Village – ✆ 93 – Voir Site★★ (village perché) – Jardin exotique ★★★ – Les rues d'Eze★ – Belvédère d'Eze ←★★ O : 4 km.

Syndicat d'Initiative à la Mairie (fermé sam. aprés-midi et dim.) ✆ 41.03.03.

Paris 945 – Cap-d'Ail 7 – Menton 18 – Monte-Carlo 8 – ♦Nice 12.

❀ **Château de la Chèvre d'Or** avec ch, r. Barri ✆ 41.12.12, « Site pittoresque dominant la mer », – wc ☎. AE GB ⓓ
mi fév.-mi nov. – **R** *(fermé merc. du 1er oct. à Pâques)* 165,dîner à la carte – 26 – **6 ch** 230/450, 4 appartements 600
Spéc. Huîtres chaudes au Champagne, Escalope de loup, Carré d'agneau. **Vins** Bellet.

❀ **La Couletta** (Ferri), pl. de Gaulle ✆ 41.05.23 – AE ⓓ
fermé 1er déc. au 31 janv., dim. soir et lundi – **R** carte 135 à 185
Spéc. Mesclun tiède de ris de veau aux écrevisses, Cassolette de belons aux poivrons rouges (sept. à avril), Pigeon au pistou. **Vins** Bellet.

Mas Provençal avec ch, av. Verdun ✆ 41.19.53 – ☎ P.
fermé 1er au 20 déc. – SC : **R** *(fermé lundi)* 45/65 – 6 ch (pens. seul.) – P 170.

ÈZE-BORD-DE-MER 06360 Alpes-Mar. 84 ⑩, 195 ㉗ G. Côte d'Azur – 93.

Paris 946 – Beaulieu 3 – Cap d'Ail 5 – Menton 18 – ♦Nice 13.

Cap Estel M, 01.50.44, Télex 470305, ≤, « Parc, , , » – ch
rest
1er fév.-31 oct. – **R** 130/155 – 37 ch (1/2 pens. seul.), 8 appartements – P 580/680.

H. Cap Roux sans rest, Basse Corniche 01.51.23, ≤ – cuisinette wc
wc .
1er mars-30 sept. – SC : 11 – **36 ch** 53/158.

Aub. Le Soleil, Basse Corniche 01.51.46 – wc wc . ch
fermé 12 nov. au 12 déc. – SC : **R** 28/55 – 10 – 11 ch 115/135 – P 115/130.

Rest. Cap Roux, rte Nationale 01.50.17 – GB E
fermé 15 oct. au 15 déc., mardi soir et merc. en hiver – SC : **R** 28/65.

ÉZY-SUR-EURE 27 Eure 55 ⑰, 96 ⑪ – rattaché à Anet.

FACTURE 33 Gironde 78 ② – alt. 13 – 56.

Paris 609 – Andernos-les-Bains 16 – Arcachon 24 – ♦Bordeaux 39.

à Biganos NO : 1 km – 4 416 h. – ✉ **33380** Biganos :

Chez Marie, D 3E 82.60.37 –
fermé oct. et sam. sauf juil. et août – **R** 25/85 – 8,50 – 20 ch 40/100 – P 97/160.

FADES (Viaduc des) ★ 63 P.-de-D. 73 ③ G. **Auvergne** – alt. 576 – ✉ **63770** Les Ancizes-Comps – 73.

Paris 385 – Aubusson 71 – ♦Clermont-Ferrand 56 – Montluçon 64 – Riom 40 – Ussel 85.

Gare avec ch, 86.80.05, ≤ viaduc et vallée
Pâques-fin sept. – SC : **R** 25/60 – 7,50 – **5 ch** 38/52 – P 74.

FALAISE 14700 Calvados 55 ⑫ G. **Normandie** – 8 607 h. alt. 132 – 31.

Voir Château★★ – Église de la Trinité★ – Mont Myrrha ≤★ 3,5 km par ① puis 15 mn.

Office de Tourisme (hors saison fermé dim. et lundi, saison fermé mardi) 32 r. G.-Clemenceau 90.17.26.

Paris 216 ③ – Argentan 23 ③ – ♦Caen 34 ① – Flers 43 ⑤ – Lisieux 49 ① – St-Lô 79 ①.

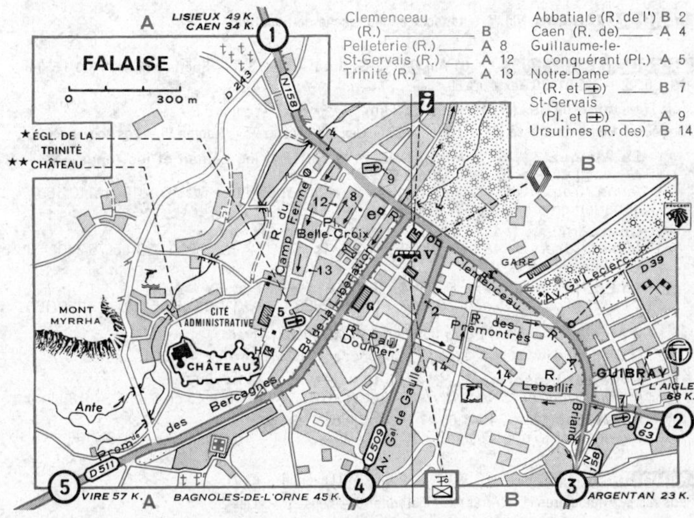

Normandie, 4 r. Amiral-Courbet 90.18.26 – wc . A **e**
SC : **R** *(fermé dim.)* 27/40 – 10 – **30 ch** 50/100 – P 100/130.

Poste, 38 r. G.-Clemenceau 90.13.14 – wc . GB B **v**
fermé 20 déc. au 15 janv., dim. soir et lundi – SC : **R** 30/65 – 9 – **20 ch** 39/76 – P 84/103.

Fine Fourchette, 52 r. G.-Clemenceau 90.08.59 – . GB B **r**
fermé merc. hors sais. – SC : **R** 43/110.

FALAISE

FIAT, LANCIA Lacoudrée, 51 av. Hastings ☎ 90.19.69
PEUGEOT Falaise-Autos., 11 r. A.-Briand ☎ 90.04.89
RENAULT Gar. Poste, 34 r. G.-Clemenceau ☎ 90.01.00
TALBOT Cornu, pl. Reine-Mathilde ☎ 90.11.53 N ☎ 90.11.57

Le FALGOUX 15 Cantal 76 ② – 350 h. alt. 930 – Sports d'hiver : 930/1 400 m 2 – ✉ **15380** Anglards de Salers – 71.

Env. Cirque du Falgoux** SE : 6 km – Pas de Peyrol** SE : 12 km, **G. Auvergne.**

Paris 517 – Aurillac 51 – Mauriac 33 – Murat 34 – Salers 14.

Voyageurs et Touristes, ☎ 69.51.59, ← –
fermé 12 nov. au 7 déc. – **R** 24/50 – 8 – **18 ch** 45 – P 71/78.

FALICON 06950 Alpes-Mar. 84 ⑩, 195 ㉖ **G. Côte d'Azur** – 877 h. alt. 307 – 93.

Voir Terrasse ←*.

Env. Mont Chauve d'Aspremont ** N : 8,5 km puis 30 mn.

Paris 945 – Aspremont 10 – Colomars 15 – Levens 17 – ♦Nice 10 – Sospel 44.

XX **Bellevue,** ☎ 84.94.57, ←
fermé oct. et mardi – SC : **R** 50/60.

Le FAOU 29142 Finistère 58 ⑤ **G. Bretagne** – 1 611 h. alt. 10 – 98.

Voir Site* – Retables* dans l'église de Rumengol E : 2,5 km – Quimerc'h ←* SE : 4,5 km.

Paris 561 – ♦Brest 30 – Carhaix-P. 60 – Châteaulin 19 – Landerneau 22 – Morlaix 48 – Quimper 41.

Vieille Renommée M, pl. Mairie ☎ 81.90.31 – TV wc wc – 40 à 150.
fermé 1er au 10 sept., 15 au 31 oct., vac. de fév. et lundi sauf juil., août et fêtes – SC : **R** 42/115 – 11 – **38 ch** 95/120.

Relais de la Place, pl. Mairie ☎ 81.91.19 – wc wc .
fermé 4 au 15 mai, 21 sept. au 15 oct. et sam. – SC : **R** 45/120 – 10 – **42 ch** 50/95.

CITROEN Le Velly, ☎ 81.91.06 N
RENAULT Gar. Central, ☎ 81.91.62 N
TALBOT Kervella, ☎ 81.90.69

FARROU 12 Aveyron 79 ⑩ – rattaché à Villefranche-de-Rouergue.

La FAUCILLE (Col de) ** 01 Ain 70 ⑮ **G. Jura** – alt. 1 323 – Sports d'hiver : 1 323/1 550 m 1 9, – ✉ **01170** Gex – 50.

Voir Descente sur Gex (N 5) ←** SE : 2 km.

Paris 486 – Bourg-en-Bresse 131 – ♦Genève 28 – Gex 11 – Morez 27 – Nantua 75 – Les Rousses 18.

La Mainaz , S : 1 km par N5 ☎ 41.77.17, ← lac Léman et les Alpes, – wc P. AE E. rest
fermé 15 au 30 juin et 3 nov. au 15 déc. – SC : **R** 55/115 – 16 – 18 ch 110/165, 7 appartements 160/185 – P 180/200.

Couronne , ☎ 41.81.26, ← – wc wc P.
fermé 23 mars au 18 avril et nov. – SC : **R** 45/160 – 9,50 – 23 ch 75/140 – P 115/145.

La Petite Chaumière , ☎ 41.75.02, ← – wc P.
1er juin-15 oct. et 15 déc.-20 avril – SC : **R** 40/85 – 10 – **33 ch** 55/120 – P 120/160.

à Mijoux O : 8,5 km par D 936 – ✉ **01410** Chézery-Forens.

Syndicat d'Initiative à la Mairie (juil.-août et 15 déc.-1er mai) ☎ 41.48.31.

Vallée et Valserine , ☎ 41.80.13 – wc P – 60
1er juin-5 nov. et 15 déc.-1er mai – SC : **R** 31/70 – 10 – 13 ch 60/130 – P 88/160.

Egravines M , ☎ 41.66.47, ← – wc P. ch
juil.-août et 15 déc.-20 avril – SC : **R** 40/75 – 14 – 16 ch 90/130 – P 130/165.

FAUQUISSART 62 Pas-de-C. 51 ⑮ – ✉ **62840** Laventie – 21.

Paris 225 – Armentières 11 – Arras 42 – Béthune 16 – Lens 21 – ♦Lille 25.

X **La Flamiche,** ☎ 27.62.21 – P
fermé 17 août au 1er sept., 2 au 19 fév., dim. soir et lundi sauf fériés – **R** 30 (sauf sam.)/60.

La FAUTE-SUR-MER 85 Vendée 71 ⑪ – rattaché à Aiguillon-sur-Mer.

La FAVÈDE 30 Gard 80 ⑦ – rattaché à La Grand-Combe.

FAVERGES 74210 H.-Savoie 74 ⑯⑰ **G. Alpes** – 5 796 h. alt. 516 – ⓞ 50.

Syndicat d'Initiative pl. Hôtel de ville (Pâques, 15 juin-15 sept., Noël, vacances de fév. et fermé dim.) ☎ 44.60.24.

Paris 563 – Albertville 19 – Annecy 26 – Megève 34.

Alpes, pl. Gambetta ☎ **44.50.05** – wc wc ☎ P. AE GB E
fermé 23 oct. au 1er déc., dim. soir et lundi sauf juil. et août – SC : **R** 45/140 – 13,50 – **20 ch** 60/145.

Parc, rte Albertville ☎ **44.50.25,** – wc wc P.
fermé 14 sept. au 12 oct. et mardi – SC : **R** 32/90 – 10 – **14 ch** 50/130 – P 90/140.

à Vesonne NO : 4 km par D 282 puis rte de Montmin – ✉ **74210** Faverges.

Env. Col de la Forclaz ≤** NO : 11,5 km.

Bon Repos , sur D 42 ☎ **44.50.92,** ≤, – P
fermé oct. – SC : **R** 32/50 – 8,50 – **14 ch** 53/76 – P 85/98.

au Tertenoz SE : 4 km par D 12 et VO – ✉ **74210** Faverges :

Gay Séjour , ☎ **44.52.52,** ≤ – wc ☎ P.
fermé 14 oct. au 3 nov., 23 déc. au 23 janv., dim. soir (sauf hôtel) et sam. hors saison – SC : **R** 40/85 – 15 – **14 ch** 50/150 – P 125/160.

PEUGEOT Gar. de l'Étoile, ☎ 27.43.27 RENAULT Gar. Fontaine, ☎ 44.51.09

FAVERGES-DE-LA-TOUR 38 Isère 74 ⑭ – 731 h. alt. 394 – ✉ **38110** La Tour du Pin – ⓞ 74.

Paris 527 – ♦Lyon 65 – Morestel 13 – La Tour du Pin 10.

Le Château de Faverges , ☎ 97.42.52, ≤, parc, « Très beaux aménagements intérieurs », – TV ☎ P. AE GB
fermé 2 janv. à début fév. – **R** *(fermé lundi)* 85/160 – 25 – 35 ch 250/500 – P 420/540.

FAVIÈRE (Plage de) 83 Var 84 ⑯ – rattaché au Lavandou.

FAYENCE 83440 Var 84 ⑦, 195 ㉒ **G. Côte d'Azur** – 2 146 h. alt. 325 – ⓞ 94.

Voir ≤* de la terrasse de l'église.

Syndicat d'Initiative pl. Léon-Roux (Pâques, 15 juin-15 sept., Noël et fermé lundi) ☎ 76.20.08.

Paris 904 – Castellane 55 – Draguignan 35 – Fréjus 34 – Grasse 27 – St-Raphaël 37.

Moulin de la Camandoule , SO : 3 km par D 19 et chemin N.-D.-des-Cyprès ☎ 76.00.84, ≤, « Ancien moulin à huile », parc, – wc wc ☎ P.
hôtel fermé 10 janv. au 28 fév. – SC : **R** *(ouvert 13 avril-30 sept. et fermé mardi sauf juil. et août)* 85/120 – 18 – 10 ch 90/185 – P 240/335.

France, 1 r. du Château ☎ 76.00.14
fermé 15 mai au 15 juin, 15 déc. au 15 janv., merc. soir et jeudi – SC : **R** (prévenir) 36/74.

Le FAYET 74 H.-Savoie 74 ⑧ – rattaché à St-Gervais-les-Bains.

FAYL-BILLOT 52500 H.-Marne 66 ④ **G. Jura** – 1 595 h. alt. 333 – ⓞ 25.

Voir École nationale d'Osiériculture et de Vannerie.

Paris 311 – Bourbonne-les-Bains 29 – Chaumont 59 – ♦Dijon 80 – Gray 46 – Langres 26 – Vesoul 49.

Cheval Blanc, pl. Barre ☎ **84.61.44** – E
fermé fév. et lundi – SC : **R** 28/70 .

FAY-SUR-LIGNON 43430 H.-Loire 76 ⑱ **G. Vallée du Rhône** – 527 h. alt. 1 180 – ⓞ 71.

Voir ≤* du cimetière.

Paris 598 – Aubenas 80 – Langogne 69 – Le Puy 46 – St-Agrève 22 – ♦St-Étienne 78.

du Lignon sans rest, ☎ **59.51.44**
SC : 9 – **7 ch** 38/50.

PEUGEOT Gar. Soleilhac, ☎ 59.53.55 N RENAULT Debard, ☎ 59.54.80 N ☎ 59.74.76

FÉAS 64 Pyr.-Atl. 85 ⑤ – rattaché à Oloron-Ste-Marie.

FÉCAMP 76400 S.-Mar. 52 ⑫ **G. Normandie** – 22 228 h. alt. 14 – Casino AZ – ⓞ 35.

Voir Église de la Trinité** – Musée de la Bénédictine*.

Env. Chapelle N.-D.-du-Salut ≤** AY.

Office de Tourisme pl. Bellet (fermé lundi hors saison et dim. matin en saison) ☎ 28.20.51.

Paris 214 ③ – ♦Amiens 162 ② – ♦Caen 118 ③ – Dieppe 64 ① – ♦Le Havre 40 ③ – ♦Rouen 69 ②.

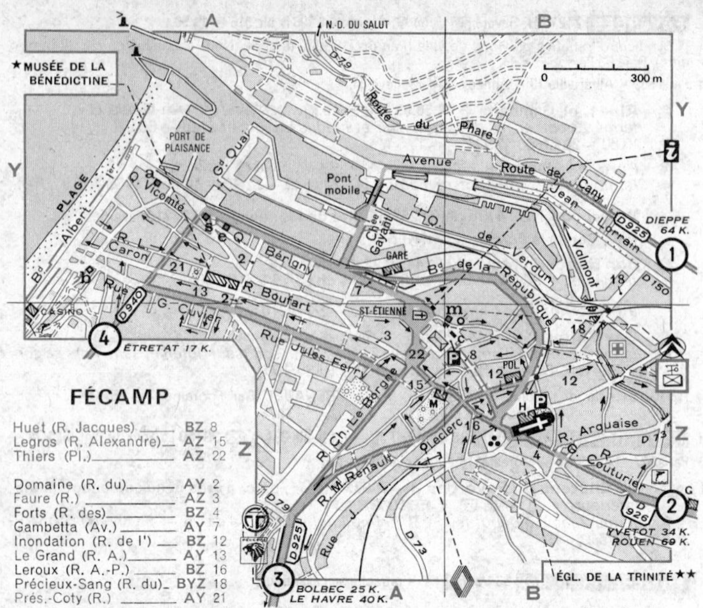

Angleterre sans rest, 93 r. Plage ☎ 28.01.60 – wc. — AY **b**
fermé 15 déc. au 15 janv. et dim. soir hors sais. – 12,50 – **25 ch** 58/135.

Aub. de la Rouge, par ③ : 2 km ☎ 28.07.59 – GB
fermé 1er au 15 juil. et vend. – SC : **R** 40/120.

La Marine, 23 quai Vicomté ☎ 28.15.94, ← – AE GB — AY **a**
fermé 20 au 30 avril, 21 déc. au 13 janv., mardi soir et merc. – SC : **R** 50/100.

Le Maritime, 2 pl. N.-Selles ☎ 28.21.71, ← – AE GB — AY **s**
fermé 1er au 18 avril, 22 sept. au 11 oct. et mardi – SC : **R** 48/105.

L'Escalier, 101 quai Berigny ☎ 28.26.79 – AE GB. — AY **e**
fermé 8 au 21 juin, 14 déc. au 7 janv., dim. soir de nov. à mars et lundi – SC : **R** 50/75.

Martin avec ch, 18 pl. St-Étienne ☎ 28.23.82 – ch — ABZ **m**
fermé 1er au 15 sept. et 16 au 28 fév. – SC : **R** *(fermé dim. soir et lundi)* 30/70 – 9 – **7 ch** 49/70.

CITROEN Rouen, 10 pl. Bigot ☎ 28.14.24
FIAT, LANCIA-AUTOBIANCHI Gar. des Hallettes, rue Queue de Menard ☎ 28.71.47
FORD Lefebvre, 15 r. Prés.-Coty ☎ 28.05.75
OPEL Auto Gar. Fécampois, 29 r. A.-Legros ☎ 28.13.37
PEUGEOT Lachèvre, rte du Havre à St-Léonard ☎ 28.20.30
RENAULT S.E.L.C.O., 23 r. J.-L.Leclerc ☎ 28.24.02
TALBOT Boivin, D 925 à St-Léonard ☎ 28.00.22
VOLVO Gar. Lair, 22 pl. Bigot ☎ 28.09.44

Brument, 209 r. G.-Couturier ☎ 28.26.84
Comptoir Fécampois du Pneu, 8 r. Ch.-Le-Borgne ☎ 28.14.99

La FÉCLAZ 73 Savoie **74** ⑮ **G. Alpes** – alt. 1 380 – Sports d'hiver : 1 380/1 550 m 12, –
73230 St-Alban-Leysse – 79.

Syndicat d'Initiative Les Déserts (15 juin-31 août et 15 déc.-21 avril) ☎ 25.80.49.

Paris 580 – Aix-les-Bains 25 – Annecy 41 – Chambéry 20 – Lescheraines 14.

Bon Gîte, ☎ 25.82.11, ←, – cuisinette wc – 30
20 juin-20 sept. et 20 déc.-Pâques – SC : **R** 38/85 – 12 – 28 ch 60/200, 6 appartements 250/300 – P 105/150.

Central et Terrasses Fleuries, ☎ 25.81.68, ← –
juil.-août et 20 déc.-20 avril – **R** 40/50 – 10 – 20 ch 46/80 – P 95/125.

au Col de Plainpalais E : 4 km par D 913 et D 912 – **73230** St-Alban-Leysse :

Plainpalais, ☎ 25.81.79, ← – wc wc
fermé 1er au 15 mai – SC : **R** 41/75 – 12,50 – **20 ch** 110 – P 145.

FÉRANVILLE 78 Yvelines 55 ⑱, 96 ⑬ – ✉ 78910 Orgerus – ☎ 3.

Paris 56 – Dreux 36 – Mantes-la-Jolie 21 – Rambouillet 31 – St-Germain-en-Laye 33 – Versailles 34.

XX **Clos d'Élan,** ☎ 487.23.44, – P
fermé vacances de fév. et merc. – **R** carte 70 à 90.

La FÈRE 02800 Aisne 56 ④ **G. Nord de la France** – 4 400 h. alt. 51 – ☎ 23.

Voir Musée Jeanne-d'Aboville*.

Syndicat d'Initiative Musée Municipal (fermé matin et vend.) ☎ 56.23.47.

Paris 135 – Laon 25 – Noyon 29 – St-Quentin 23 – Soissons 42 – Vervins 50.

à Vendeuil N : 7 km N 44 – ✉ **02800** La Fère :

XX **Le Chinchilla,** ☎ 56.28.80 – P
fermé janv. et mardi – SC : **R** 48/68.

CITROEN Gar. Marchand, ☎ 56.20.52
PEUGEOT Gar. Ménoire, ☎ 56.21.34
RENAULT Gar. Central, ☎ 56.22.39

FÈRE-CHAMPENOISE 51230 Marne 61 ⑥ – 2 517 h. alt. 110 – ☎ 26.

Paris 132 – Châlons-sur-Marne 36 – Épernay 38 – Sézanne 21 – Troyes 66 – Vitry-le-François 44.

France, ☎ 42.40.24 – P – 50 à 80.
fermé 15 au 30 juil. – SC : **R** *(fermé lundi)* 25/60 – 10 – **12 ch** 40/88 – P 80.

FÈRE-EN-TARDENOIS 02130 Aisne 56 ⑭⑮ **G. Env. de Paris** – 3 066 h. alt. 125 – ☎ 23.

Voir Ruines du château de Fère* N : 3 km.

Paris 111 – Château-Thierry 26 – Laon 53 – •Reims 46 – Soissons 26.

au Nord 3 km par D 967 et rte Forestière – ✉ **02130** Fère-en-Tardenois :

✿✿ **Host. du Château** , ☎ 82.21.13, ≤, « Belle demeure du 16e s., parc », – ☎ P – 30. AE GB. rest
fermé janv. et fév. – SC : **R** (nombre de couverts limité - prévenir) 140/260 et carte – 25 – 20 ch 185/300, 7 appartements 330
Spéc. Filet de loup au beurre de truffes, Canard de Challans au cassis, Farandole des desserts. Vins Crémant, Bisseuil.

PEUGEOT Dumont, ☎ 82.22.05
RENAULT Huguenin, ☎ 82.21.85
TALBOT Bellier, ☎ 82.24.30
Gojard, ☎ 82.23.23

FERNEY-VOLTAIRE 01210 Ain 70 ⑯ **G. Jura** – 6 906 h. alt. 436 – ☎ 50.

de Genève-Cointrin : Air France ☎ 31.33.30 S : 4 km.

Paris 507 – Bellegarde-sur-Valserine 36 – Bourg-en-Bresse 117 – •Genève 7 – Gex 10 – Nyon 23.

Voir plan agglomération de Genève

Novotel M, par D 35c ☎ 40.85.23, Télex 385046, , – TV ☎ P – 120. AE GB — AU x
R snack carte environ 65 – 20 – **79 ch** 180/199.

Campanile M, Chemin de la Planche Brûlée ☎ 40.74.79 – wc P. GB — AU e
SC : **R** 43 bc/56 bc – 17 – **42 ch** 130 – P 168/218.

Bellevue, 5 r. Gex ☎ 40.58.68, – — AU s
fermé 15 oct. au 15 nov. – SC : **R** *(fermé dim. soir et sam.)* 38/75 – 11 – **12 ch** 42/78 – P 85/100.

XXX ✿ **Le Pirate** (Bechis), av. Genève ☎ 40.63.52 – P. AE — BU r
fermé 14 juil. au 4 août, Noël au 7 janv., dim. et lundi midi – SC : **R** (nombre de couverts limité - prévenir) 140/200
Spéc. Produits de la Mer.

X **Bourgogne,** 13 r. Versoix ☎ 40.56.97 – AE — BU a
fermé août, dim. et fériés – SC : **R** carte 75 à 115.

CITROEN Gar. Dunand, ☎ 40.61.94
RENAULT Pinget, ☎ 40.59.52

FERRETTE 68480 H.-Rhin 66 ⑨⑩ **G. Vosges** – 783 h. alt. 470 – ☎ 89.

Voir Site* – Ruines du Château ≤*.

Syndicat d'Initiative à l'Hôtel de Ville (fermé sam. et dim.) ☎ 40.40.01.

Paris 523 – Altkirch 19 – •Bâle 27 – Belfort 47 – Colmar 80 – Montbéliard 46.

Bonne Auberge , ☎ 40.40.34 – wc wc ☎ P.
fermé 2 janv. au 8 fév. – SC : **R** *(fermé lundi et mardi midi)* 22/110 – 10 – 20 ch 40/100 – P 95/110.

à Moernach O : 5 km par D 473 – ✉ **68480** Ferrette :

XX **Au Raisin avec ch,** ☎ 40.80.73 – P.
fermé 1er au 9 sept., 2 au 18 mars et merc. – **R** 32/75 – 8 – **5 ch** 40/50.

RENAULT Fritsch, ☎ 40.41.41

La FERRIERE-SUR-RISLE 27760 Eure 55 ⑲⑳ G. Normandie – 336 h. alt. 128 – ✪ 32.
Paris 134 – Bernay 20 – Evreux 32 – ♦Rouen 70.

Croissant, ✆ 30.70.13 – fermé 5 janv. au 5 fév., dim. soir et lundi – SC : R 55/75 🍷 – ☕ 12,50 – 15 ch 44/130 – P 120/160.

La FERTÉ-ALAIS 91590 Essonne 61 ①, 96 ㊲ G. Environs de Paris – 1 952 h. alt. 62 – ✪ 6.
Paris 50 – Étampes 16 – Évry 25 – Fontainebleau 34 – Melun 29.

✕ **Au Relais,** 12 pl. Marché ✆ 457. 78.48 – GB
fermé 15 juil. au 14 août et lundi – SC : R 28/65 🍷.

La FERTÉ-BERNARD 72400 Sarthe 60 ⑮ G. Normandie – 9 797 h. alt. 91 – ✪ 43.
Voir Église N.-D.-des Marais★★ B.
🅘 Syndicat d'Initiative à la Mairie (fermé sam. et dim.) ✆ 93.04.42.
Paris 163 ③ – Alençon 56 ⑥ – Chartres 76 ③ – Châteaudun 64 ③ – ♦Le Mans 49 ③ – Mortagne-au-Perche 40 ⑦.

✕✕ **Perdrix** avec ch, 2 r. Paris (e) ✆ 93.00.44 –
fermé 6 au 26 juin et mardi – SC : R 45/60 – ☕ 12 – 10 ch 55/85.

✕ **Chapeau Rouge,** 3 pl. L.-Rollin (a) ✆ 93.00.13 – Ⓟ. GB
fermé 15 déc. au 15 janv., dim. soir et lundi midi – SC : R 30/48 🍷.

Bourgneuf (R.)	2
Châteaudun (R. de)	3
Denfert-Rochereau (R.)	4
Faidherbe (R.)	5
Gambetta (R.)	6
Marceau (R.)	8
Paris (R. de)	10
République (Pl.)	12
Thiers (R.)	13
Voltaire (Pl.)	14
4-Septembre (R.)	15
8-Mai-1945 (Av.)	17

CITROEN Brion, 2 r. Virette ✆ 93.00.37
PEUGEOT Gar. Val d'Huisne, 39 av. Verdun ✆ 93.01.15
RENAULT Gd Gar. Fertois, av. Verdun ✆ 93.05.10
TALBOT Grassin, 32 av. Gén.-Leclerc ✆ 93.01.36

Ⓜ Botras, 12 pl. Dr-Collière ✆ 93.03.03

La FERTÉ-IMBAULT 41 L.-et-Ch. 64 ⑲ – 1 123 h. alt. 99 – ✉ 41300 Salbris – ✪ 54.
Paris 194 – ♦Orléans 65 – Romorantin-Lanthenay 17 – Vierzon 23.

✕✕ **Tête de Lard** avec ch, ✆ 83.22.32 – Ⓟ. GB
fermé 15 au 28 sept., 15 janv. au 8 fév. et lundi – SC : R 36/100 – ☕ 10 – 10 ch 41/50 – P 115/130.

La FERTÉ-MACÉ 61600 Orne 60 ①② G. Normandie – 7 700 h. alt. 111 – ✪ 33.
🅘 Syndicat d'Initiative 11 r. Victoire (fermé oct., sam. après-midi, lundi matin et dim.) ✆ 37.10.97.
Paris 226 ② – Alençon 53 ④ – Argentan 33 ② – Domfront 22 ⑤ – Falaise 39 ① – Flers 25 ⑥ – Mayenne 41 ④.

Nouvel H., 6 r. Victoire (n) ✆ 37.22.33 – wc. GB.
fermé oct. et lundi de nov. à Pâques – SC : R 40/55 🍷 – ☕ 9 – 22 ch 42/120 – P 75/95.

Château sans rest, (r) ✆ 37.15.55, – wc. ☕ 10 – 17 ch 42/50.

✕✕ **Aub. de Clouet** avec ch, (a) ✆ 37.18.22, ← – wc Ⓟ. GB. ch
fermé 14 janv. au 6 fév., dim. soir et lundi du 1er oct. au 31 mars – SC : R 40/120 – ☕ 15 – 7 ch 120/150 – P 180/210.

Hautvie (R. d')	8
Leclerc (Pl. du Gén.)	9
République (Pl.)	13
Amonic (Bd)	2
Armand-Macé (R.)	3
Barre (R. de la)	4
Gaulle (Pl. Gén.-de)	7
Prés.-Coty (Av. du)	12
Teinture (R. de la)	14

par ④ : 2 km par D 916 :

✕ **Aub. d'Andaines** avec ch, ✆ 37.20.28, « Jardin fleuri » – 🏠 Ⓟ. ✂ ch
fermé janv., mardi soir et merc. midi – SC : **R** 35/150 – ☕ 9,50 – 9 ch 43/100 – P 85/100.

à St-Michel-des-Andaines par ⑤ : 4,5 km – ✉ **61600** La Ferté-Macé :

La Bruyère, ✆ 37.22.26, 🌳 – wc wc ☎ Ⓟ. GB
fermé nov. et lundi en hiver – SC : **R** 35/75 – ☕ 12 – **20 ch** 80/130 – P 110/130.

AUDI-VOLKSWAGEN Jamoteau-Bouquet, 35 fg Argentan ✆ 37.29.02
CITROEN Gar. Central, 74 r. Dr-Poulain ✆ 37.09.11 N
PEUGEOT Derouet, 76 r. Dr-Poulain ✆ 37.16.33
PEUGEOT Férandin, 34 r. de la Barre ✆ 37.21.98
RENAULT Dubourg, 9 r Dr-Poulain ✆ 37.20.97
RENAULT Guillochin, rte de Paris ✆ 37.07.11 N

La FERTÉ-SAINT-AUBIN 45240 Loiret 64 ⑨ **G. Châteaux de la Loire** – 4 909 h. alt. 92 – ⚙ 38.

18 ✆ 91.52.30 à l'ouest : 5 km.

ℹ Syndicat d'Initiative 68 r. Mar.-Leclerc (fermé lundi) ✆ 91.51.16.

Paris 150 – Blois 54 – ♦Orléans 21 – Romorantin-Lanthenay 47 – Salbris 35.

Perron, r. Gén.-Leclerc ✆ 91.53.36 – wc wc ☎ Ⓟ. GB E
fermé 4 au 24 janv. et lundi du 1er oct. au 30 juin – SC : **R** 34/120 – ☕ 13 – 32 ch 43/115 – P 137/164.

✕✕ **Aub. de L'Écu de France,** 6 r. Gén.-Leclerc ✆ 91.52.20 – Ⓟ
fermé 15 sept. au 1er oct., fév., merc. soir et jeudi – SC : **R** 50/90.

CITROEN Gorin, ✆ 91.50.36
PEUGEOT Trémillon, ✆ 91.64.09
RENAULT Lhuillier, ✆ 91.57.11 N ✆ 91.63.28
TALBOT Pinto, ✆ 91.52.32

La FERTÉ-SOUS-JOUARRE 77260 S.-et-M. 56 ⑬ **G. Environs de Paris** – 6 872 h. alt. 62 – ⚙ 6.

Voir Jouarre : crypte★ de l'abbaye 3 km par ⑤.

Paris 67 ⑥ – Melun 63 ⑤ – ♦Reims 82 ① – Troyes 119 ③.

LA FERTÉ-SOUS-JOUARRE

Chanzy (R.) 2
Clemenceau (Bd) 3
Faubourg (R. du) 5
Fauvet (R. M.) 6
Gare (R. de la) 7
Jaurès (R. Jean) 9
Jouarre (R. de) 12
Leclerc (Av.) 13
Montmirail (Av. de) 14
Pasteur (Bd) 15
Pelletiers (R.) 16
Reuil (R. de) 18
Turenne (Bd) 19

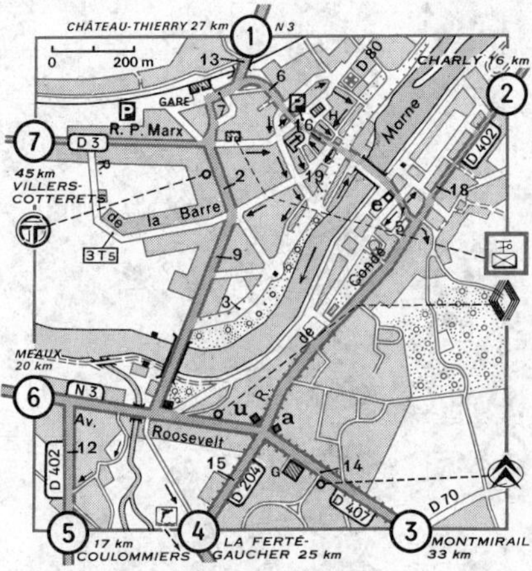

Ne cherchez pas au hasard un hôtel agréable et tranquille mais consultez les cartes p. 46 à 53.

Bec Fin, 1 quai Anglais **(e)** ✆ 022.01.27 – wc wc.
fermé 16 août au 15 sept., 4 au 15 janv., mardi soir et merc. – SC : **R** 33/75 – ☕ 12 – **8 ch** 55/85.

✕✕✕ ✿✿ **Auberge de Condé,** 1 av. Montmirail **(a)** ✆ 022.00.07 – Ⓟ. AE GB ⓓ
fermé 17 août au 2 sept., 4 au 22 fév., lundi soir et mardi sauf fériés – **R** (dim. prévenir) 160 et carte
Spéc. Suprême de turbot sauce caviar, Feuilleté de ris de veau aux morilles, Poularde de Bresse à la briarde.

✕✕ **Le Relais,** 4 av. F.-Roosevelt **(u)** ✆ 022.02.03 – Ⓟ. GB
fermé 15 au 31 juil., 8 au 31 déc., fermé merc. soir et jeudi sauf fériés – **R** 45/80.

CITROEN Gar. du Parc, 10 av. Montmirail ✆ 022.01.36 N
RENAULT SOGAF, 12 av. F.-Roosevelt ✆ 022.39.54
TALBOT Gar. de la Gare, 9 r. Chanzy ✆ 022.02.95
Gar. Pont-Neuf, 3 r. J.-Jaurès ✆ 022.01.95 N

FEURS 42110 Loire **73** ⑱ **G. Vallée du Rhône** – 8 096 h. alt. 345 – 77.

Syndicat d'Initiative 3 r. V.-de-Laprade (fermé matin) ☎ 26.05.27.

Paris 430 – ♦Lyon 68 – Montbrison 25 – Roanne 39 – ♦St-Étienne 38 – Thiers 69 – Vienne 87.

La Sauzée, 30 av. J.-Jaurès ☎ 26.07.22 – wc ☎ P.
fermé nov. – SC : **R** *(fermé mardi soir et merc.)* 42/120 – 12,50 – **30 ch** 60/140.

XXX **Chapeau Rouge** avec ch, 21 r. de Verdun ☎ 26.02.56 – ☎ . GB
fermé merc. du 15 sept. au 15 juin – SC : **R** 40/180 – 4 ch 42/80.

XX **Chalet Boule d'Or,** rte Lyon ☎ 26.20.68 – P. GB
fermé mardi – SC : **R** 45/115.

X **Commerce,** 2 r. Loire ☎ 26.05.87 P
fermé 17 au 24 juin, 1er au 15 fév. et merc. hors sais. – SC : **R** 40/110.

ALFA-ROMEO Gar. Cheminal, 15 r. de la Loire ☎ 26.08.14 N ☎ 26.24.63
AUSTIN, MORRIS, ROVER, TRIUMPH Sporting-Gar., rte de St-Étienne ☎ 26.27.12
CITROEN Gar. du Parc, rte de St-Étienne ☎ 26.14.34
FIAT Boichon, 9 r. de la Minette ☎ 26.15.96
FORD Gar. du Forez, r. Victor-Hugo ☎ 26.15.14
PEUGEOT Faure, 16 rte de Lyon ☎ 26.03.65
RENAULT Fraisse, 10 Ch. de la Minette ☎ 26.06.00
Gar. Brunel, 32 r. de Verdun ☎ 26.07.96
Feurs-Pneus, 4 r. Bonnassieux ☎ 26.14.09

FIGANIÈRES 83125 Var **84** ⑦ – 1 000 h. alt. 310 – 94.

Paris 874 – Castellane 52 – Comps-sur-Artuby 24 – Draguignan 12 – Grasse 51.

X **Aub. Limousine,** ☎ 68.31.22 – P
fermé mardi soir et merc. – SC : **R** 32/60.

FIGEAC SP 46100 Lot **79** ⑩ **G. Périgord** – 10 859 h. alt. 214 – 65.

Voir Vallée du Célé★ par ⑤.

Office de Tourisme pl. Vival (fermé matin et dim. hors saison) ☎ 34.06.25.

Paris 582 ⑥ – Aurillac 67 ① – Brive-la-Gaillarde 92 ⑥ – Cahors 69 ⑤ – Rodez 65 ② – Villefranche-de-Rouergue 36 ③.

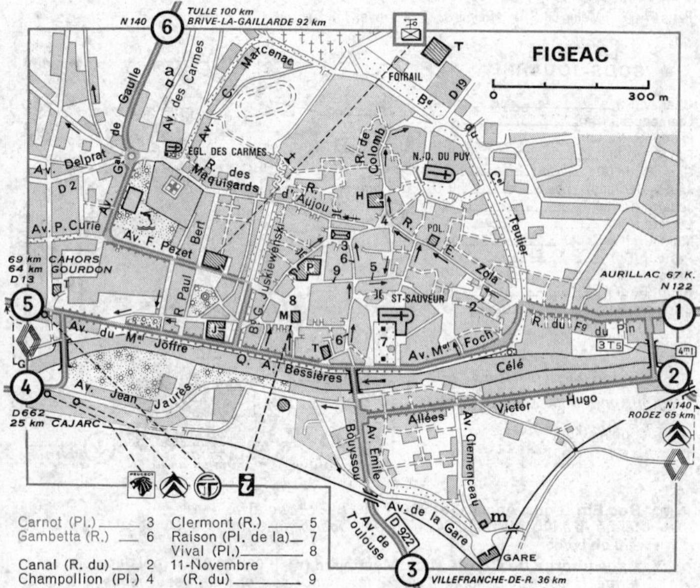

Carnot (Pl.) 3
Gambetta (R.) 6
Canal (R. du) 2
Champollion (Pl.) 4
Clermont (R.) 5
Raison (Pl. de la) 7
Vival (Pl.) 8
11-Novembre (R. du) 9

des Carmes M, Enclos des Carmes **(a)** ☎ 34.20.78, Télex 520794, – TV wc wc ☎ P – 30. AE GB E
fermé 15 au 31 déc., 1er au 15 janv. et sam. d'oct. à Pâques – SC : **R** 60/135 – 15 – 34 ch 117/175.

Terminus St-Jacques, 27 av. Clemenceau **(m)** ☎ 34.00.43 – wc P.
SC : **R** *(fermé 15 janv. au 15 fév. et dim. hors sais.)* 30/75 – 9,50 – **14 ch** 40/85 – P 85/100.

au Pont de la Madeleine par ③ : 8,5 km – ✉ **12700** Capdenac-Gare (Aveyron) – ⚙ 65 :

Belle Rive, ☎ 64.62.14, ≤ – ⇔wc ⋒wc ☎ ⇔ **P**. ⇔ GB ⊕
fermé 31 déc. au 15 mars et sam. hors sais. – SC : **R** 28/65 ⅓ – ☕ 10 – **11 ch** 53/95 – P 100/145.

à Cardaillac par ⑥ et D 15 : 9,5 km – ✉ **46100** Figeac :

Chez Marcel, ☎ 34.13.16
fermé 15 au 31 oct. et lundi sauf fin juil. et août – **R** 35/95.

à St-Julien-d'Empare par ② : 10 km – ✉ **12700** Capdenac-Gare (Aveyron) :

Aub. la Diège, ☎ 64.70.54, parc – ⇔wc ⋒wc ☎ **P**
fermé 15 déc. au 15 janv. et sam. – SC : **R** 28/92 – ☕ 12 – **16 ch** 48/110 – P 130/170.

ALFA-ROMEO Chabbaud, 9 av. F.-Pezet ☎ 34.24.03
AUDI-VOLKSWAGEN, MERCEDES-BENZ Navarre, 38 av. J. Loubet ☎ 34.18.78
CITROEN Larroque, 31 av. J.-Jaurès ☎ 34.06.67
CITROEN Regy, 38 av. Salvador Allendé à Capdenac-Gare ☎ 64.76.40
PEUGEOT Chartrou A., 15 av. G.-Pompidou ☎ 34.10.38
RENAULT S.A.F.D.A., rte de Cahors, Zone Ind. ☎ 34.00.23
RENAULT Central Gar., 16 av. Ch.-de-Gaulle à Capdenac Gare ☎ 64.74.78
TALBOT Fréjaville, rte de Cahors ☎ 34.43.98
Bessieres, 19 av. Gén.-de-Gaulle ☎ 34.22.74

Quercy-Auvergne-Pneus, 21 av. G.-Pompidou ☎ 34.20.30

FILLÉ 72 Sarthe 64 ③ **G. Châteaux de la Loire** – 617 h. alt. 40 – ✉ **72210** La Suze-sur-Sarthe – ⚙ 43.

Paris 215 – Château-Gontier 71 – La Flèche 29 – ♦Le Mans 16.

Aub. du Rallye, ☎ 21.14.08 – **P**.
fermé 15 janv. au 15 fév., dim. soir du 1er oct. au 1er avril et lundi – SC : **R** carte 75 à 110.

FIRMINY 42700 Loire 76 ⑧ **G. Vallée du Rhône** – 25 432 h. alt. 473 – ⚙ 77.

Paris 530 ② – Ambert 85 ⑤ – Montbrison 39 ⑤ – ♦St-Étienne 12 ② – Yssingeaux 39 ③.

Firm'H M, 37 r. J.-Jaurès **(s)** ☎ 56.08.99 – ⇔wc ⋒wc ☎ – 50. ⇔ AE GB ⊕ E
SC : **R** *(fermé dim. soir)* 33/120 ⅓ – ☕ 11 – **20 ch** 85/125 – P 149/173.

Pavillon, 4 av. Gare **(a)** ☎ 56.00.45 – ⇔wc ⋒wc ☎ ⇔ **P**. ⇔ AE GB ⊕ E
SC : **R** 40 (sauf fêtes)/95 ⅓ – ☕ 12 – **24 ch** 55/110.

au Pertuiset par ④ : 5 km – ✉ **42240** Unieux.

Env. Ruines du château d'Essalois ≤** N : 13 km.

Verdier Riffat, ☎ 35.71.11, ≤ Loire – **P**. AE
fermé fév., mardi soir et merc. – SC : **R** 30/90.

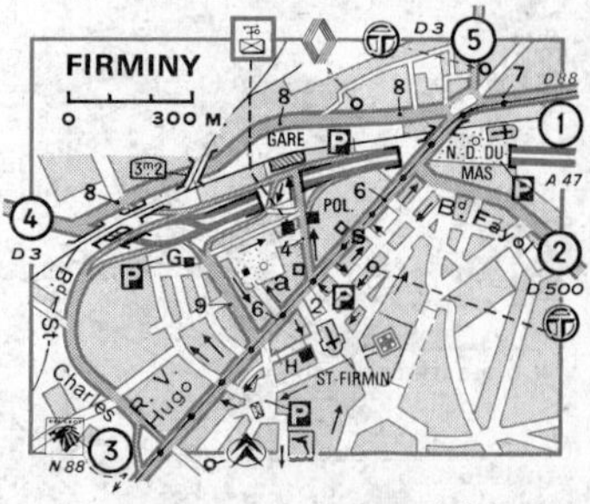

FIRMINY

Jean-Jaurès (R.) 6
Victor-Hugo (R.)
Breuil (Pl. du) 2
Gare (Av. de la) 4
République (R.) 7
Tour de Varan (R.) 8
Verdier (R.) 9

CITROEN Barel, 10 bd St-Charles ☎ 56.12.22
FORD Gar. Sias, 1 r. du Vigneron à Fraisses ☎ 56.00.73
PEUGEOT Masson, ZAC des Bruneaux, 82 r. V.-Hugo ☎ 56.14.32
RENAULT Durand, 16 r. de la Tour-de-Varan ☎ 56.35.66
TALBOT Gar. Porte, 33 r. de l'Abattoir ☎ 56.02.85
TALBOT Jouve, 23 r. Gambetta ☎ 56.09.88

Technique Pneus, 13 r. des Razes ☎ 56.30.12
Saumet, 1 rte de Roche ☎ 56.04.78

FISMES 51170 Marne 56 ⑤ – 4 395 h. alt. 62 – ⚙ 26.

Paris 130 – Château-Thierry 45 – Laon 34 – ♦Reims 26 – Soissons 30.

Le Pinot, r. d'Ardre ☎ 78.05.30 – GB
fermé 23 juil. au 10 août, 11 au 18 fév., dim. soir et lundi – SC : **R** 30/80 ⅓.

AUDI-VOLKSWAGEN Fismes-Auto-Sce, ☎ 78.08.52
CITROEN Lévêque, ☎ 78.06.82
PEUGEOT Crochet, ☎ 78.05.46 N ☎ 78.13.28

FIXIN 21 Côte-d'Or 66 ⑫ **G. Bourgogne** – 879 h. alt. 292 – ✉ **21220** Gevrey-Chambertin – ⚙ 80 – Paris 315 – Beaune 30 – ♦Dijon 11 – Dole 64.

Chez Jeannette avec ch, ☎ 52.45.49 – ⋒. ⇔ AE GB ⊕ E
fermé 25 nov. au 20 déc., 4 au 20 janv. et jeudi – SC : **R** 50/85 – ☕ 10 – 11 ch 48/85 – P 124/193.

FLAGY 77 S.-et-M. 61 ⑬ – rattaché à Montereau.

FLAINE 74 H.-Savoie 74 ⑧ **G. Alpes** – alt. 1 600 – Sports d'hiver : 1 600/2 500 m ⛰3 ⛷24 – ✉ **74300** Cluses – ⓞ 50.

Paris 613 – Annecy 79 – Bonneville 42 – Chamonix 66 – Megève 49 – Morzine 48.

- ✿ **Totem** Ⓜ, ₮ 90.80.64, ← – ⇅ TV ☎ ♿. AE ⓓ. ✗ rest
  1er juil.-31 août. et 20 déc.-30 avril – SC : **R** 140 – **54 ch** ☐ 135/250 – P 245/285
  Spéc. Mousseline de St Jacques aux truffes, Feuilleté de pigeon, Marquise au chocolat.
- **Gradins Gris** Ⓜ, ₮ 90.81.10, ← – ☎ – 60. AE ⓓ. ✗ rest
  20 déc.-20 avril – SC : **R** 63 – **51 ch** ☐ 135/230 – P 220/250.
- **Aujon** Ⓜ, ₮ 90.80.10, ← – ⇅ wc wc ☎ – 60. AE GB ⓓ E. ✗ rest
  20 déc.-avril – SC : **R** 45 bc – **190 ch** ☐ 125/220.

FLASSANS-SUR-ISSOLE 83 Var 84 ⑯ – rattaché au Luc.

FLAYOSC 83 Var 84 ⑦ – rattaché à Draguignan.

La FLÈCHE SP **72200** Sarthe 64 ② G. Châteaux de la Loire – 16 352 h. alt. 30 – ⓞ 43.

Voir Prytanée militaire★ – Boiseries★ de la chapelle N.-D.-des-Vertus – Parc zoologique du Tertre Rouge★ 5 km par ② puis D 104.

Syndicat d'Initiative 23 pl. Marché-au-Blé (fermé 1er au 15 août, dim. et lundi) ₮ 94.02.53, et Maison du Tourisme bd Montréal (15 juin-15 sept., fermé dim. et lundi) ₮ 94.49.82.

Paris 240 ① – Angers 47 ④ – Châteaubriant 109 ④ – Laval 68 ⑤ – ♦Le Mans 42 ① – ♦Tours 72 ②.

- **Relais Cicéro**, 18 bd Alger **(a)** ₮ 94.14.14, « Belle décoration intérieure » – wc wc ☎. ✗ rest
  fermé 20 déc. au 1er fév. – SC : **R** *(fermé mardi)* 70/90 – ☐ 17 – **16 ch** 130/170.
- **Quatre Vents** sans rest, 11 r. Marché-au-Blé **(z)** ₮ 94.00.61 –
  fermé dim. hors sais. – SC : ☐ 8,50 – **15 ch** 39/60.
- ✕ **Vert Galant** avec ch, 70 Gde-Rue **(r)** ₮ 94.00.51 – AE GB. ✗
  fermé 7 au 14 juil., 20 déc. au 15 janv. et vend. – SC : **R** 36/95 – ☐ 9,50 – 11 ch 40/85 – P 95/125.

AUDI-VOLKSWAGEN Gar. Clerfond, la Jalêtre, rte de Sablé ₮ 94.10.48
CITROEN Bastard, bd de Montréal ₮ 94.01.41
CITROEN Gar. Boistard, rte du Lude ₮ 94.09.59
FORD Bouttier, av. de Verdun ₮ 94.04.08
PEUGEOT Gar. Rhin-et-Danube, av. Rhin-et-Danube ₮ 94.01.73
RENAULT Gar. du Loir, 24 bd Latouche ₮ 94.04.35
TALBOT Gar. du Maine, av. Rhin-et-Danube ₮ 94.13.46

FLERS 61100 Orne 60 ① G. Normandie – 21 242 h. alt. 188 – ✪ 33.

ℹ Office de Tourisme (fermé dim. et lundi) et T.C.F. pl. Gén.-de-Gaulle ☎ 65.06.75.

Paris 238 ② – Alençon 77 ② – Argentan 45 ② – ♦Caen 57 ① – Fougères 79 ④ – Laval 86 ④ – Lisieux 92 ① – St-Lô 70 ⑥ – St-Malo 138 ④ – Vire 31 ⑥.

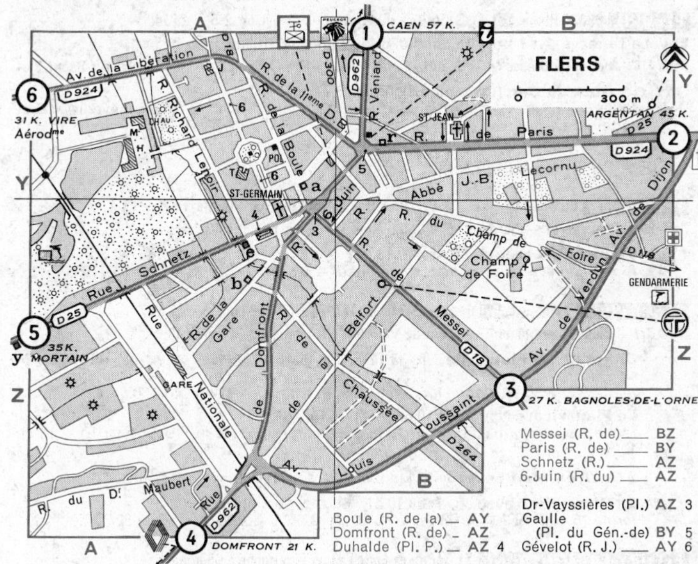

🏨 **Galion** sans rest, 22 r. Gare ☎ 65.03.45 – ⋒wc ☎ Ⓟ. GB. ✂ — AZ **b**
SC : ☕ 9,50 – **11 ch** 68/90.

🏨 **Oasis** 🐕 sans rest, 3 bis r. de Paris ☎ 65.10.34 – ⊟wc ⋒wc ☎ 🚗 — BY **r**
fermé 24 déc. au 4 janv. – SC : ☕ 12 – **31 ch** 57/140.

🏨 **Ouest,** 14 r. Boule ☎ 65.23.10 – ⊟wc ⋒ 🚗. ✂ ch — AY **a**
◆ *fermé août et sam.* – SC : **R** 30/75 🍷 – ☕ 10 – **12 ch** 36/95.

XXX **Aub. Relais Fleuri,** 115 r. Schnetz ☎ 65.23.89 — AZ **y**
fermé 20 juil. au 24 août, sam. soir et dim. – **R** carte 90 à 120.

XX **Normandie** avec ch, 44 pl. P.-Duhalde ☎ 65.23.38 – ✂ — AZ **e**
◆ *fermé 4 juil. au 3 août, vacances de fév. et vend.* – SC : **R** 35/60 – ☕ 8,50 – **8 ch** 40/55.

AUDI-VOLKSWAGEN Masseron, rte de Caen à St-Georges-des-Groseilliers ☎ 65.24.88
CITROEN Gar. Basse-Normandie-Auto, 17 r. d'Athis ☎ 65.22.53
FIAT, **LANCIA-AUTOBIANCHI** Guilleux, 6 av. Libération ☎ 65.04.91
FORD Gar. Deshayes, r. des Canadiens à St-Georges-des-Groseillers ☎ 65.08.55
OPEL Bedouelle, 29 r. Abbé-Lecornu ☎ 65.22.21
PEUGEOT Savary, rte Caen à St-Georges-des-Groseilliers ☎ 65.75.77
RENAULT Groussard, rte Domfront, Zone Ind. ☎ 65.77.55
TALBOT Bazil, 59 r. Messei ☎ 65.25.98
Gar. Debeugny, 97 r. Messei ☎ 65.31.81

Ⓜ Clabeaut-Pneus, pl. du 14-Juillet ☎ 65.26.18
Grosos, Le Tremblay ☎ 65.29.60

FLEURAC 16 Charente 72 ⑬ – rattaché à Jarnac.

FLEURANCE 32500 Gers 82 ⑤ G. Pyrénées – 5 817 h. alt. 98 – ✪ 62.

ℹ Syndicat d'Initiative à la Mairie (fermé sam. et dim.) ☎ 06.10.01.

Paris 688 – Agen 47 – Auch 24 – Castelsarrasin 59 – Condom 29 – Montauban 70 – ♦Toulouse 83.

🏨 **Le Relais** Ⓜ, rte Auch ☎ 06.21.10 – ⊟wc ⋒wc ☎ 🚗 Ⓟ – 🏢 70
28 ch.

🏨 **Fleurance** Ⓜ, rte Agen ☎ 06.14.85, ≤, 🌳 – ⊟wc ⋒ ☎ ♿ Ⓟ – 🏢 30. 💳
fermé janv. et du 1er oct. au 31 mai ; hôtel : fermé dim. et rest. fermé dim. soir et lundi – SC : **R** 50/130 – ☕ 16 – **25 ch** 60/150 – P 160/230.

CITROEN Maigné, ☎ 06.11.73
RENAULT Carol, ☎ 06.11.81
TALBOT Collodel, ☎ 06.18.78

FLEUREY-SUR-OUCHE 21 Côte-d'Or 66 ⑪ – 661 h. – ✉ 21410 Pont-de-Pany – ☎ 80.

Paris 298 – Autun 70 – Avallon 89 – Beaune 51 – •Dijon 18 – Montbard 65 – Saulieu 58.

✕ **Le Sanglier,** ☎ 33.61.39 – GB
fermé 15 sept. au 1er oct., 15 au 28 fév., dim. soir et lundi – SC : **R** 35/120 ♗.

FLEURIE 69820 Rhône 74 ① **G. Vallée du Rhône** – 1 256 h. alt. 295 – ☎ 74.

Env. La Terrasse ✻★★ près du col du Fut d'Avenas O : 10 km.

Paris 415 – Bourg-en-Bresse 48 – Chauffailles 46 – •Lyon 58 – Mâcon 21 – Villefranche-sur-Saône 31.

✕✕ ✿✿ **Aub. du Cep** (Cortembert), ☎ 04.10.77
fermé début déc. à début janv. et jeudi sauf fériés – SC : **R** (dîner prévenir) 100 et carte
Spéc. Suivant saison. **Vins** Beaujolais-Villages, Fleurie.

CITROEN Gar. Renon, ☎ 04.10.36 N

FLEURINES 60 Oise 56 ① – 1 458 h. alt. 116 – ✉ 60700 Pont-Ste-Maxence – ☎ 4.

Paris 56 – Beauvais 51 – Clermont 26 – Compiègne 31 – Roye 59 – Senlis 6,5.

✕✕✕ **Vieux Logis** avec ch, ☎ 454.10.13, – wc ⋒wc P. ✈. ⊛. ✻ ch
fermé 12 juil. au 2 août, dim. soir et lundi – SC : **R** 65 – ☕ 13 – 5 ch 100/125.

FLEURVILLE 71 S.-et-L. 69 ⑲⑳ – 343 h. alt. 177 – ✉ 71260 Lugny – ☎ 85.

Paris 377 – Cluny 24 – Mâcon 17 – Pont-de-Vaux 5 – St-Amour 40 – Tournus 13.

🏨 **Château de Fleurville,** ☎ 33.12.17, ≤, parc – wc ☎ ♿ P. ✈ AE ⊛. ✻ rest
fermé fév. – SC : **R** *(fermé lundi midi)* 55/90 – ☕ 17 – **11 ch** 140/160.

✕✕ **Le Fleurvil** avec ch, ☎ 33.10.65 – ⋒ ☎ P. ✈
fermé 9 au 17 juin, 23 nov. au 18 déc. et mardi – SC : **R** 40/110 ♗ – ☕ 10 – 10 ch 40/85.

*à **St-Oyen-Montbellet*** N : 3 km par N6 – ✉ 71260 Lugny :

✕✕ **La Chaumière** avec ch, ☎ 33.10.41, – wc ⋒ P
fermé 15 nov. au 20 déc. et merc. – SC : **R** 43/95 ♗ – ☕ 9,50 – 10 ch 52/115.

FLEURY-LA-MONTAGNE 71 Saône-et-Loire 73 ⑧ – rattaché à Charlieu.

FLEURY-SUR-ORNE 14 Calvados 55 ⑪ – rattaché à Caen.

FLÉVIEU 01 Ain 74 ⑭ – alt. 205 – ✉ 01470 Serrières-de-Briord – ☎ 74.

Paris 483 – Belley 31 – Bourg-en-B. 56 – •Lyon 66 – Meximieux 33 – Nantua 70 – La Tour-du-Pin 34.

✕ **Mille,** ☎ 36.71.20
fermé oct. – **R** 25/60.

FLORAC ⟨SP⟩ 48400 Lozère 80 ⑥ **G. Causses** (plan) – 2 077 h. alt. 545 – ☎ 66.

ℹ Syndicat d'Initiative av. Jean-Monestier (15 juin-15 sept., fermé dim. et fêtes) ☎ 45.01.14.

Paris 610 – Alès 71 – Mende 39 – Millau 83 – Rodez 133 – Le Vigan 73.

🏨 **Gd H. Parc** ⛰, ☎ 45.03.05, ≤, parc – wc ⋒wc ☎ P. ✈. ✻
11 mars-1er déc. et fermé dim. soir et lundi hors sais. – SC : **R** 39/85 – ☕ 12 – 50 ch 60/130 – P 110/140.

🏨 **Gorges du Tarn** ⛰ sans rest, ☎ 45.00.63 – wc ⋒ ☎ P. ✻
Pâques-1er oct. – SC : ☕ 9 – **31 ch** 45/120.

*à **Cocurès*** NE : 5,5 km – alt. 600 – ✉ 48400 Florac :

🏨 **La Lozerette** ⛰, par N 106 et D 998 ☎ 45.06.04 – wc ⋒wc P. ✻
10 juil.-31 août – SC : **R** 40/60 ♗ – ☕ 12 – 17 ch 50/90 – P 100/130.

CITROEN Gar. Peyre, ☎ 45.00.27 TALBOT Gar. Baubrier, à le Bézet ☎ 45.01.52

FLORANGE 57190 Moselle 57 ③ – rattaché à Thionville.

FLORENSAC 34510 Hérault 83 ⑮ – 3 009 h. – ☎ 67.

Paris 811 – Agde 9,5 – Béziers 24 – Lodève 55 – Mèze 16 – •Montpellier 50 – Pezenas 14.

🏨 **Léonce,** pl. République ☎ 77.03.05 – |♣| ▤ rest wc ⋒wc ☎. ✈. ✻ ch
fermé 15 sept. au 8 oct., janv., dim. soir et lundi – SC : **R** 65/110 ♗ – ☕ 12 – **19 ch** 60/110.

FLORENT-EN-ARGONNE 51 Marne 56 ⑲ – rattaché à Ste-Menehould.

La FLOTTE 17 Char.-Mar. 71 ⑫ – voir à Ré (Ile de).

FLUMET 73590 Savoie 74 ⑦ **G. Alpes** – 769 h. alt. 917 – Sports d'hiver : 917/1 800 m ⛷9 – ✪ 79.

Altiport de Megève-Mont d'Arbois ☎ 21.31.57 E : 15 km.

ℹ Syndicat d'Initiative "Le Dodécagone" (fermé sam. hors saison et dim. sauf matin en saison) ☎ 31.61.08.

Paris 587 – Albertville 21 – Annecy 50 – Chambéry 71 – Megève 10.

Host. Parc des Cèdres, ☎ 31.72.37, ≤, « parc » – TV wc wc ☎ P. GB
6 juin-30 sept., 15 déc.-Pâques – SC : **R** 48/98 – ☕ 16 – **18 ch** 85/160, 3 appartements 190 – P 135/190.

Balances, ☎ 31.71.70.
20 mai-20 oct., 15 déc.-20 avril et fermé lundi en juin et sept. – SC : **R** 30/60 – ☕ 10 – 12 ch 52/60 – P 86/90.

Garage Joly, ☎ 31.71.86

FOIX P 09000 Ariège 86 ④⑤ **G. Pyrénées** – 10 235 h. alt. 380 – ✪ 61.

Voir Site★.

Env. Rivière souterraine de Labouiche★ NO : 6,5 km par D1.

ℹ Office de Tourisme 45 cours G.-Faure (fermé sam. et dim. hors sais.) ☎ 65.12.12 - A.C. allées de Villote (Chambre de Commerce) ☎ 65.01.19 - T.C.F. 3 av. Barcelone ☎ 65.12.06.

Paris 789 ① – Andorre-la-Vieille 103 ② – Auch 144 ① – Barcelona 328 ② – Carcassonne 81 ① – Castres 111 ① – ♦Perpignan 136 ② – St-Gaudens 90 ③ – Tarbes 155 ③ – ♦Toulouse 83 ①.

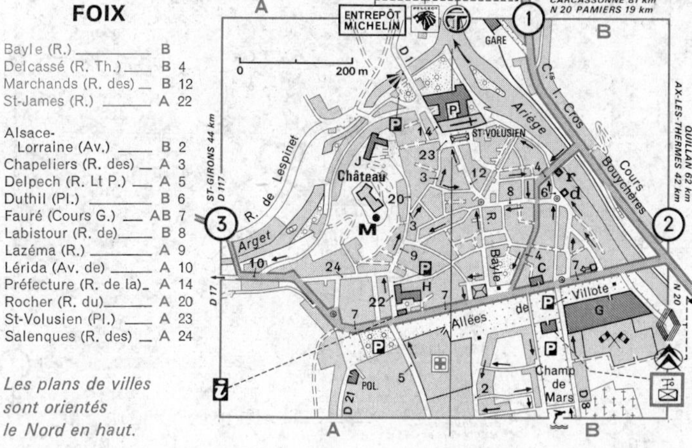

Audoye, 6 pl. G.-Duthil ☎ 65.01.25, ≤ – wc ☎ – 50. AE GB E
fermé 20 déc. au 20 janv. et sam. en hiver – SC : **R** 34/70 – ☕ 10 – **35 ch** 47/100 – P 105/150. BY **d**

XIX Siècle, 2 r. Delcassé ☎ 65.12.10 BY **r**
fermé 1er fév. au 15 mars et sam. hors sais. – SC : **R** 35/85.

au Sud par ② : 7 km bifurcation N 20 et D 117 – ✉ **09260** St-Paul-de-Jarrat :

La Charmille, ☎ 64.17.03 – P
fermé janv., fév. et lundi – SC : **R** 42/130.

MICHELIN, Entrepôt 1 r. des Bruilhols par ① ☎ 65.12.21

AUDI-VOLKSWAGEN Marhuenda, 35 av. Gén.-Leclerc ☎ 65.12.44
CITROEN S.C.A. Grau-Lopez, N 20, Peyssales ☎ 65.03.73
PEUGEOT Stival-Auto, N 20, Zone Ind. de Labarre ☎ 65.42.22
RENAULT Autorama, rte d'Espagne ☎ 65.06.20
TALBOT Léonetti, 18 av. Gén.-Leclerc ☎ 65.11.33

C.C.A., 16 av. de Barcelone ☎ 65.01.41
Central Pneu, 33 av. Mar.-Leclerc ☎ 65.01.68

FONSEGRIVES 31 H.-Gar. 82 ⑧ – rattaché à Toulouse.

FONTAINE-BELLENGER 27 Eure 55 ⑰ – rattaché à Gaillon.

FONTAINEBLEAU 77300 S.-et-M. 61 ②⑫, 96 ㊴ **G. Environs de Paris** – 19 595 h. alt. 77 – ❂ 6 – **Voir Palais***** – **Jardins*** ABZ – **Forêt***** – **Gorges de Franchard**** par ⑥ : 5 km. **Env.** Samois-sur-Seine : ensemble* (quai, île du Berceau) NE : 7,5 km.

18 ☎ 422.22.95 par ⑤ : 1,5 km.

Syndicat d'Initiative 38 r. Grande (fermé dim. après-midi) ☎ 422.25.68.

Paris 65 ⑦ – Auxerre 104 ④ – Châlons-sur-Marne 163 ① – Chartres 118 ⑦ – Meaux 73 ① – Melun 16 ① – Montargis 51 ④ – ♦Orléans 88 ⑤ – Sens 53 ③ – Troyes 118 ③.

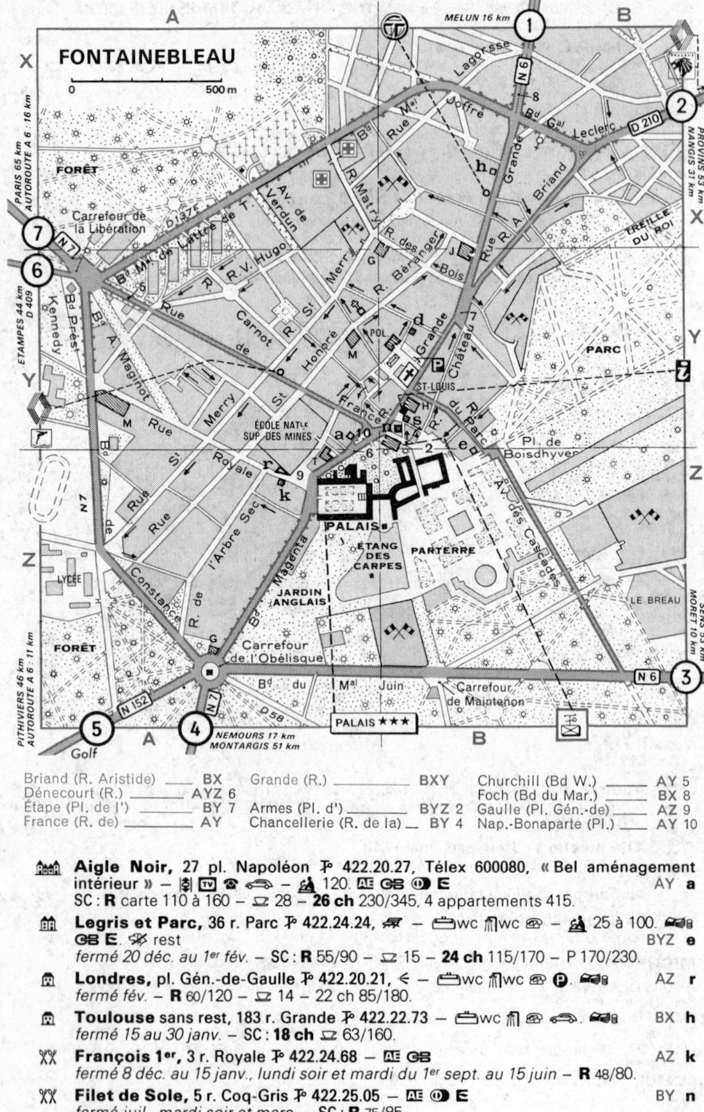

Aigle Noir, 27 pl. Napoléon ☎ 422.20.27, Télex 600080, « Bel aménagement intérieur » – TV ☎ – 120. AE GB E — AY **a**
SC : **R** carte 110 à 160 – 28 – **26 ch** 230/345, 4 appartements 415.

Legris et Parc, 36 r. Parc ☎ 422.24.24, – wc wc ☎ – 25 à 100. GB E. rest — BYZ **e**
fermé 20 déc. au 1er fév. – SC : **R** 55/90 – 15 – **24 ch** 115/170 – P 170/230.

Londres, pl. Gén.-de-Gaulle ☎ 422.20.21, ← – wc wc ☎ P. — AZ **r**
fermé fév. – **R** 60/120 – 14 – 22 ch 85/180.

Toulouse sans rest, 183 r. Grande ☎ 422.22.73 – wc ☎ . — BX **h**
fermé 15 au 30 janv. – SC : **18 ch** 63/160.

François 1er, 3 r. Royale ☎ 422.24.68 – AE GB — AZ **k**
fermé 8 déc. au 15 janv., lundi soir et mardi du 1er sept. au 15 juin – **R** 48/80.

Filet de Sole, 5 r. Coq-Gris ☎ 422.25.05 – AE E — BY **n**
fermé juil., mardi soir et merc. – SC : **R** 75/85.

Le Dauphin, 24 r. Grande ☎ 422.27.04 – GB E — BY **s**
fermé fév. et merc. – SC : **R** 38/62.

Le Grillardin, 12 r. Pins ☎ 422.36.83. GB — BY **d**
fermé dim. soir et lundi – SC : **R** 34/72.

à Recloses par ④ et D 63E : 7 km – ✉ **77116** Ury :

Casa Del Sol ⑤, ☎ 424.20.35, – wc ☎ Ⓟ. AE ⓓ
fermé déc., janv., dim. soir et lundi – SC : **R** 55/110 – 12 – 7 ch 120/160.

à Ury par ⑤ : 10 km – ✉ **77116** Ury :

Novotel M ⑤, NE par N 152 et VO ☎ 422.48.25, Télex 600153, parc, ⛱, ✗ – rest TV ☎ ♿ Ⓟ – 150. AE GB ⓓ
R snack carte environ 65 – 20 – **127 ch** 202/212.

Voir aussi à *Vulaines-sur-Seine* par ② : 5 km, *Hericy* par ② : 7 km, *Samois* par ② : 8 km *Barbizon* par⑦ : 9,5 km.

ALFA-ROMEO, LADA Ile-de-France-Auto, 86 r. de France ☎ 422.31.59
AUSTIN, JAGUAR, MORRIS, ROVER, TRIUMPH Gar. St-Antoine, 111 r. de France ☎ 422.31.88
FIAT Rucheton, 44 r. du Château ☎ 422.24.19
FORD Gar. François 1er, 9 r. Chancellerie ☎ 422.15.08
LANCIA-AUTOBIANCHI, OPEL Gar. Europe, 2 av. F.-Roosevelt à Avon ☎ 422.38.71
PEUGEOT S.B.A., 29 av. Gén.-de-Gaulle à Avon ☎ 422.21.79
RENAULT Gar. Centre, 56 av. de Valvins à Avon ☎ 072.25.75
RENAULT Gar. St-Merry, 74 r. de France ☎ 422.24.52
TALBOT Sud-Auto, 177 r. Grande ☎ 422.10.60
VOLVO Avon-Auto-Sport, 9 r. République à Avon ☎ 422.17.15

Fièvre, 61 r. A.-Briand ☎ 422.29.38

FONTAINE-CHAALIS
60 Oise 56 ⑫, 96 ⑨ – 262 h. alt. 120 – ✉ **60300** Senlis – ⚙ 4.

Voir Boiseries★ de l'église de Baron E : 4 km, G. Environs de Paris.

Paris 49 – Beauvais 62 – Compiègne 40 – Meaux 31 – Senlis 9 – Villers-Cotterets 34.

XX **Aub. De Fontaine** ⑤ avec ch, ☎ 454.20.22 – wc wc. ch
fermé fév. mardi et merc. – SC : **R** 80/130 – 12 – **7 ch** 90/130.

FONTAINE-DE-LA-PESCALERIE
46 Lot 79 ⑨ – rattaché à Cabrerets.

FONTAINE-DE-VAUCLUSE
84 Vaucluse 81 ⑬ **G. Provence** (plan) – 532 h. alt. 80 – ✉ **84800** L'Isle-sur-la-Sorgue – ⚙ 90.

Voir La fontaine de Vaucluse★★★ 30 mn.

Syndicat d'Initiative pl. Église (Pâques-15 oct.) ☎ 20.32.22.

Paris 705 – Apt 33 – Avignon 30 – Carpentras 21 – Cavaillon 17 – Orange 48.

XX **Parc** ⑤ avec ch, ☎ 20.31.57, ←, parc, « Terrasse au bord de l'eau » – wc wc ☎ Ⓟ. AE ⓓ
1er mars-15 nov. – SC : **R** 55/120 – 13 – **12 ch** 120.

XX **Host. du Château,** ☎ 20.31.54, ←, « Au bord de l'eau » – ⓓ
fermé fév. et mardi – SC : **R** 45/90 ₰.

X **Philip,** ☎ 20.31.81, ←, « Au pied des Cascades »
1er avril-30 sept. – SC : **R** (du 1er avril au 30 juin et sept. : déj. seul.) 45/110.

La FONTAINE-DU-BUIS
30 Gard 81 ⑪ – rattaché aux Angles.

FONTAINE FRANÇAISE
21610 Côte-d'Or 66 ⑬ **G. Bourgogne** – 823 h. – ⚙ 80.

Paris 349 – ♦Besançon 68 – ♦Dijon 37 – Langres 47.

X **de la Tour** avec ch, pl. Cerés ☎ 95.80.36, – . GB
fermé fév. et lundi – SC : **R** 33/60 ₰ – 8 – 7 ch 40/50.

TALBOT Gar. Perdrizet, ☎ 95.80.41 N ☎ 95.82.82

FONTAINE-LE-DUN
76740 S.-Mar. 52 ⑬ – 650 h. – ⚙ 35.

Paris 188 – Dieppe 24 – ♦Le Havre 79 – ♦Rouen 49 – St-Valéry-en-Caux 16 – Yvetot 28.

XX **Le Gastronome,** ☎ 97.40.10 – Ⓟ
fermé merc. – SC : **R** 50/70 ₰.

FONTAINE-LÈS-DIJON
21 Côte-d'Or 66 ⑫ – rattaché à Dijon.

FONTAINE-STANISLAS
88 Vosges 62 ⑯ – rattaché à Plombières.

FONTENAI-SUR-ORNE
61 Orne 60 ② – rattaché à Argentan.

FONTENAY-LE-COMTE
<SP> **85200** Vendée 71 ① **G. Côte de l'Atlantique** – 16 768 h. alt. 23 – ⚙ 51.

Voir Clocher★ de l'église N.-Dame.

Syndicat d'Initiative Tour de l'Octroi (fermé dim. et lundi) ☎ 69.44.99.

Paris 409 ① – Cholet 76 ① – La Rochelle 49 ④ – La Roche-sur-Yon 57 ⑤.

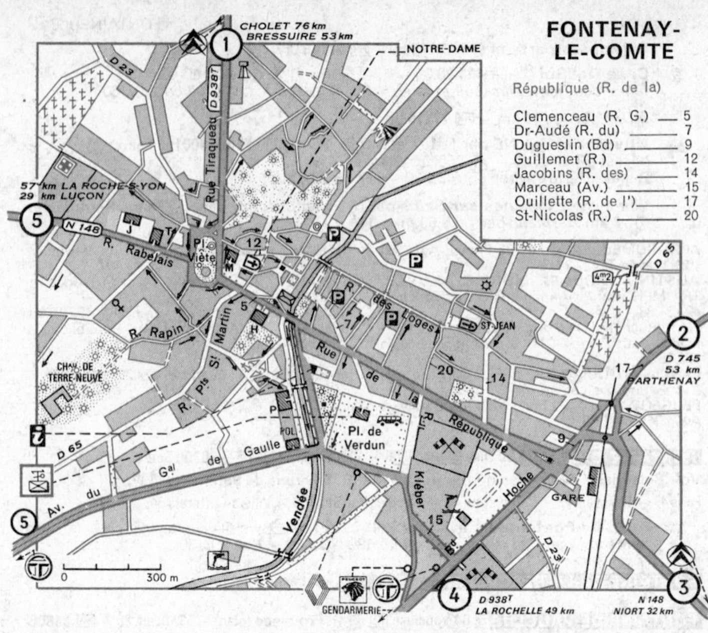

à Mervent N : 11 Km par D 65 – ✉ **85200** Fontenay-le-Comte.

Voir Ruines du château ≤★ – Barrage★ SO : 2 km – Forêt de Mervent-Vouvant★ O : 3 km.

Syndicat d'initiative "Vieux Château" (15 juin-31 août et fermé matin) ☎ 00.20.97.

Aub. de la Forêt 🐎, NE : 3 km sur D 99A ☎ 00.21.09 – wc wc Ⓟ SC : **R** *(fermé lundi)* 38/80 – 12 – **9 ch** 75/80 – P 143/148.

à la Grotte du Père Montfort N : 16 km – ✉ **85200** Fontenay-le-Comte :

XX **Ermitage Pierre Brune** 🐎 avec ch, ☎ 00.21.02, ≤, – wc Ⓟ E
fermé fév. et merc. du 1er oct. au 28 fév. – SC : **R** 40/95 – 9,50 – **10 ch** 45/69 – P 90/100.

CITROEN Les Gar. Murs, Zone Ind., r. de l'Ancienne capitale du Bas Poitou ☎ 69.06.76
CITROEN Gar. de la Forêt, à Mervent ☎ 00.20.33 N
FIAT Gar. Bourge, 86 r. République ☎ 69.30.98
PEUGEOT Vendée-Automobiles 24 r. Kléber ☎ 69.15.15
RENAULT Gar. Bichon, pl. Verdun ☎ 69.49.74
TALBOT Gar. Couturier, av. Gén.-de-Gaulle ☎ 69.21.47
Aubert, 101 ter r. République ☎ 69.30.79

FONTENAY-TRÉSIGNY 77610 S.-et-M. 61 ②, 96 ㉚ – 3 531 h. alt. 130 – ✪ 6.

Paris 44 – Coulommiers 23 – Meaux 30 – Melun 26 – Provins 39 – Sézanne 66.

Le Manoir 🐎, E : 4 km par N 4 et D 402 ☎ 409.21.17, ≤, parc, « Décoration intérieure recherchée » – Ⓟ – 100. AE ⓓ
fermé 2 janv. au 15 mars et mardi – SC : **R** carte 125 à 160 – 20 – **11 ch** 200/320 – P 400.

X **Le Relais,** ☎ 409.20.41
fermé 15 au 31 juil., vacances de fév., mardi soir et merc. – SC : **R** 50/75.

FONTEVRAUD-L'ABBAYE 49590 M.-et-L. 67 ⑨ **G. Châteaux de la Loire** – 1 868 h. alt. 80 – ✪ 41.

Voir Abbaye★★ – Église St-Michel★.

Paris 305 – Angers 69 – Chinon 23 – Loudun 19 – Poitiers 74 – Saumur 16 – Thouars 36.

Croix Blanche, 7 pl. Plantagenets ☎ 51.71.11 – wc wc Ⓟ
SC : **R** 28/125 – 10 – 19 ch 50/157 – P 112/159.

X **Abbaye,** ☎ 51.71.04 – Ⓟ
fermé 6 au 26 oct., 10 au 26 fév., mardi soir et merc. – SC : **R** 25/63.

FONT-ROMEU 66120 Pyr.-Or. 86 ⑯ G. Pyrénées – 3 026 h. alt. 1 800 – Sports d'hiver : 1 800/2 250 m 1 22, – Casino – 68.

Voir Ermitage* : camaril** et calvaire ** de Font-Romeu NE : 2 km puis 15 mn.

Office de Tourisme, av. E.-Brousse ☎ 30.02.74, Télex 500802.

Paris 897 – Andorre-la-Vieille 77 – Ax-les-Thermes 66 – Bourg-Madame 18 – •Perpignan 88.

- **L'Orée du Bois** Ⓜ sans rest, ☎ 30.01.40, ←, – – 40
  SC : 11 – **36 ch** 110/150.
- **Carlit H.,** ☎ 30.07.45 – wc wc – 50. rest
  SC : **R** 45/120 – 12 – **60 ch** 90/180 – P 136/235.
- **Gd Tétras** Ⓜ, ☎ 30.01.20 – wc wc . AE E
  1er juin-14 oct. et 11 déc.-30 avril – SC : **R** voir rest. la Potinière – 12 – **36 ch** 100/150, 4 appartements 240 – P 140/165.
- **Clair Soleil** Ⓜ, rte Odeillo : 1 km ☎ 30.13.65, ← montagnes et four solaire, – wc . E. rest
  5 mai-26 oct. et 15 déc.-25 avril – SC : **R** *(fermé merc. du 5 mai au 26 oct.)* 50 – 12 – 31 ch 70/140 – P 140/180.
- **Y Sem Bé** , ☎ 30.00.54, ← Cerdagne – wc wc . .
  fermé mai (sauf hôtel) et du 1er oct. au 15 déc. – SC : **R** 50/75 – 12 – 27 ch 70/160 – P 140/190.
- **Cara Sol,** ☎ 30.08.11, ←, – wc
  1er juin-30 sept. et 15 déc.-30 avril – SC : **R** 36/80 – 11 – 21 ch 80/120 – P 205/300 (pour 2 pers.).
- **Les Cimes** Ⓜ sans rest, ☎ 30.17.77, – cuisinette wc wc .
  10 juin-20 sept. et 10 déc.-30 avril – SC : 12 – **23 ch** 90/180.
- XX **La Potinière,** ☎ 30.11.56 – E
  fermé 13 oct. au 12 déc. et 5 mai au 13 juin – **R** 39/69.

à l'Ermitage N : 1 km par D 618 – alt. 1 800 – ✉ **66120** Font-Romeu :

- XX **Ermitage** avec ch, ☎ 30.00.02, – wc wc . .
  20 juin-10 sept. et 20 déc.-20 avril – **R** 42 – 12 – **32 ch** 58/150 – P 110/195.

à Odeillo SO : 3 km par D 29 – alt. 1 596 – ✉ **66120** Font-Romeu :

- **Romarin,** ☎ 30.09.66, ← Cerdagne, – wc wc . rest
  fermé 20 avril au 20 juin – SC : **R** (1/2 pens. seul.) – 11 – 14 ch 66/115.
- **Coq Hardi,** ☎ 30.11.02, ← – . . rest
  1er juil.-30 sept. et 15 déc.-31 mai – SC : **R** 36/50 – 10 – **28 ch** 50/120.

à Targassonne O : 4 km par D 10 E et D 618 – ✉ **66120** Font-Romeu :

- **La Tourane** Ⓜ , ☎ 30.15.03, ← –
  fermé 15 sept. au 15 déc. – SC : **R** 35/65 – 11 – 30 ch 55/65 – P 90/100.

à Via S : 5 km par D 29 – ✉ **66120** Font-Romeu :

- **L'Oustalet** , ☎ 30.11.32, ←, – wc . .
  1er juin-30 sept. et 20 déc-20 avril – SC : **R** 25/65 – 9 – **32 ch** 65/120 – P 95/120.

PEUGEOT Tissandier, ☎ 30.08.26 TALBOT Gar. Joffre, ☎ 30.00.91

FONTVIEILLE 13990 B.-du-R. 83 ⑩ G. Provence – 3 007 h. alt. 20 – 90 (Vaucluse).

Voir Moulin de Daudet ←* – Chapelle St-Gabriel* N : 5 km.

Syndicat d'Initiative à la Mairie (fermé sam. et dim.) ☎ 97.70.01.

Paris 717 – Arles 9,5 – Avignon 30 – •Marseille 92 – St-Rémy-de-Pr. 18 – Salon-de-Pr. 37.

- ✽ **La Regalido** (Michel) Ⓜ, ☎ 97.70.17, « Jardin fleuri » – . AE GB
  fermé 30 nov. au 15 janv. – SC : **R** *(fermé mardi midi et lundi)* (nombre de couverts limité - prévenir) 115/165 – 25 – **11 ch** 240/350 – P 320/400
  Spéc. Mousseline de poissons, Gratin de moules, Pièce d'agneau en casserole. **Vins** Côteaux-des-Baux, Châteauneuf-du-Pape.
- **La Peiriero** Ⓜ sans rest, av. Baux ☎ 97.76.10, , – – 40. GB
  1er avril-31 oct. – SC : 15 – **28 ch** 180/200, 8 appartements.
- **Valmajour** Ⓜ sans rest, rte d'Arles ☎ 97.70.37, ←, « Parc », , – wc wc . .
  1er mars-15 nov. – SC : 15 – **26 ch** 80/180, 4 appartements 260.
- **A la Grâce de Dieu** Ⓜ , rte de Tarascon ☎ 97.71.90, ← – wc . AE
  15 mars-31 oct. – SC : **R** *(fermé mardi)* (dîner seul) 66/80 – 18 – **10 ch** 145/180 – P 195/230.
- **Bernard,** ☎ 97.70.35 – wc wc. . ch
  fermé 10 oct. au 20 déc. – SC : **R** 40/50 – 9 – 25 ch 52/90 – P 100/140.
- XX **Le Patio,** ☎ 97.73.10, « Cadre rustique »
  fermé 15 janv. au 15 fév., mardi soir et merc. – SC : **R** 75/108.
- XX **Le Homard,** 29 r. Nord ☎ 97.75.34 – AE GB.
  15 fév.-15 déc. et fermé sam. midi et vend. – SC : **R** 35/75.
- X **Amistadouso,** 14 rte Nord ☎ 97.73.17 – GB
  fermé 15 nov. au 15 déc. et merc. – SC : **R** 56/70.

FORBACH 57600 Moselle 57 ⑥ **G. Vosges** – 25 385 h. alt. 210 – 8.

Office de Tourisme à l'Hôtel de Ville (fermé dim.) ☎ 785.02.43.

Paris 386 ② – •Metz 60 ② – St-Avold 23 ② – Sarreguemines 20 ② – Saarbrücken 9 ①.

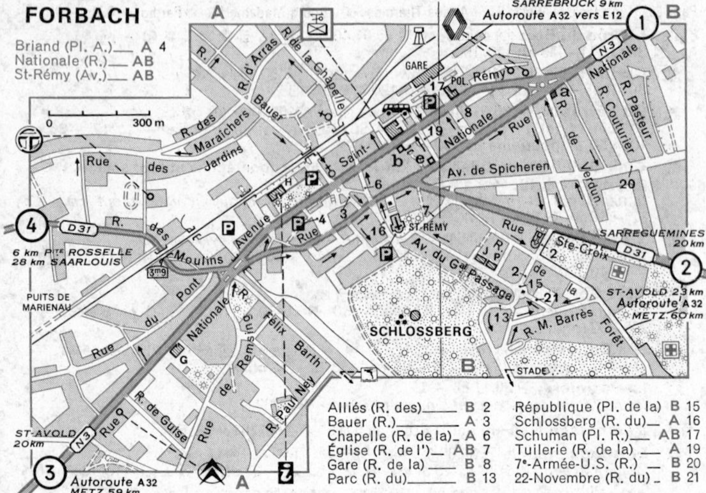

Alliés (R. des) B 2
Bauer (R.) A 3
Chapelle (R. de la) A 6
Église (R. de l') AB 7
Gare (R. de la) B 8
Parc (R. du) B 13
République (Pl. de la) B 15
Schlossberg (R. du) A 16
Schuman (Pl. R.) AB 17
Tuilerie (R. de la) A 19
7e-Armée-U.S. (R.) B 20
22-Novembre (R. du) B 21

Poste sans rest, 57 r. Nationale ☎ 785.08.80 – wc wc – SC : 10 – **29 ch** 65/95. A e

Berg sans rest, 50 av. St-Rémy ☎ 785.09.12 – wc – 30. – SC : 13,50 – **21 ch** 94/118. A b

XXX **La Salamandre,** 59 r. Poincaré ☎ 785.22.32 – *fermé dim. soir et lundi* – SC : **R** 45/140. B a

à Rosbruck par ③ : 4 km – 57800 Freyming-Merlebach :

XX **Aub. Albert Marie,** 1 r. Nationale ☎ 704.70.76 – *fermé août, dim. soir et lundi* – **R** 55/110, dîner à la carte.

AUSTIN, JAGUAR, MORRIS, ROVER, TRIUMPH Gar. du Centre, 105 r. Nationale à Morsbach ☎ 785.06.70
CITROEN Gar. Herber, 210 r. Nationale ☎ 785.11.89 N
FORD Lehmann, 143 r. Nationale à Stiring-Wendel ☎ 785.26.98
OPEL Gar. de Guise, 208 r. Nationale ☎ 785.90.88
RENAULT Pierrard, 7 pl. R.-Schuman ☎ 785.47.37 et 3 av. St-Rémy ☎ 785.40.65
TALBOT Est-Autom., r. de la Piscine Schoeser ☎ 785.11.23

Berwald, 21 av. Spicheren ☎ 787.40.54
Leclerc-Pneus, carr. de l'Europe, Zone Ind. ☎ 785.46.26

FORCALQUIER 04300 Alpes-de-H.-Pr 81 ⑮ **G. Côte d'Azur** (plan) – 3 436 h. alt. 550 – 92.

Voir Cimetière ★ – ★ de la terrasse N.-D. de Provence.

Office de Tourisme pl. Bourguet (fermé mardi et dim. après-midi) ☎ 75.10.02.

Paris 773 – Aix-en-Provence 66 – Apt 42 – Digne 49 – Manosque 23 – Sisteron 44.

Lavandes, pl. Bourguet ☎ 75.00.29 – wc. ch – *fermé 5 janv. au 5 fév.* – SC : **R** (dîner seul.) 55 – 10 – **15 ch** 50/120 – P 120/150.

XX **Aub. Charembeau** avec ch, E : 3,5 km par N 100 ☎ 75.05.69, ←, – wc – *fermé oct. et janv.* – SC : **R** *(fermé lundi)* 38,carte le dim. – 10 – 10 ch 46/80 – P 90/130.

RENAULT Forcalquier-Auto, ☎ 75.01.38 N ☎ 75.15.84

FOREST-SUR-MARQUE 59 Nord 51 ⑯ – rattaché à Roubaix.

FORÊT voir au nom propre de la forêt.

La FORÊT 33 Gironde 71 ⑨ – rattaché à Bordeaux.

LA FORÊT-FOUESNANT 29133 Finistère 58 ⑮ G. Bretagne – 2 060 h. alt. 20 – 98.

de Quimper et de Cornouaille ☎ 56.97.09.

Syndicat d'Initiative 18 r. Baie (15 juin-15 sept.) ☎ 56.96.57.

Paris 545 – Carhaix-Plouguer 66 – Concarneau 9,5 – Pont-l'Abbé 23 – Quimper 16 – Quimperlé 34.

Manoir du Stang, N : 1,5 km D 783 et chemin privé ☎ 56.97.37, « Beau manoir dans un parc fleuri, étangs », – 100. *22 mai-25 sept.* – SC : **R** 90/110 – 20 – 26 ch 150/300 – P 210/310.

Espérance, ☎ 56.96.58, – wc . rest *1er avril-20 sept.* – **R** 33/70 – 11 – **30 ch** 50/116 – P 100/140.

Beauséjour, ☎ 56.97.18 – . rest *Pâques-fin sept.* – SC : **R** 35/80 – 9,50 – **30 ch** 55/80 – P 90/100.

Aub. St-Laurent, ☎ 56.98.07 – *Pâques-30 sept., week-ends et vacances scolaires en hiver* – SC : **R** 50/80.

FORÊT-SUR-SÈVRE 79380 Deux-Sèvres 67 ⑯ – 795 h. alt. 157 – 49.

Paris 371 – Bressuire 16 – ♦Nantes 95 – Niort 61 – La Roche-sur-Yon 73.

Aub. du Cheval Blanc, ☎ 80.86.35 *fermé 8 au 15 août, sam. en hiver et sam. soir en juil. et août* – **R** 42/68.

FORGES-LES-EAUX 76440 S.-Mar. 55 ⑧ G. Normandie (plan) – 3 366 h. alt. 161 – Stat. therm. – Casino – 35.

Office de Tourisme parc Hôtel de Ville (fermé dim. et lundi) ☎ 90.52.10.

Paris 119 – Abbeville 71 – ♦Amiens 70 – Beauvais 50 – ♦Le Havre 118 – ♦Rouen 42.

aux Thermes et Casino

Continental sans rest, ☎ 90.52.67 – . AE . SC : 10 – **50 ch** 75/102.

Casino, au Casino ☎ 90.52.67, – . AE . SC : **R** 55/80.

Aub. du Beaulieu, SE : 2 km sur D 915 ☎ 90.50.36 – *fermé 16 au 31 juil., 1er au 15 fév., dim. et lundi* – SC : **R** 55/60.

CITROEN Belin, ☎ 90.50.66
PEUGEOT Gar. de Paris, à Le Fossé ☎ 90.52.34
RENAULT Gar. du Parc, ☎ 90.52.83
TALBOT Gibert, ☎ 90.51.27
Parin, ☎ 90.50.95

FORT-MAHON-PLAGE 80790 Somme 51 ⑪ – 978 h. – Casino – 22.

Office de Tourisme pl. Bacquet (Pâques, 1er juin-15 sept.) ☎ 27.70.75 et 49 r. Dunes ☎ 27.71.28.

Paris 199 – Abbeville 36 – ♦Amiens 81 – Berck-Plage 19 – Étaples 29 – Montreuil 28.

La Chipaudière, ☎ 27.70.36 – – 25. GB *fermé 15 déc. au 15 fév.* – SC : **R** 38/120 – 10 – **25 ch** 55/80 – P 120/150.

Victoria, ☎ 27.71.05 – – 25 SC : **R** 40/60 – 9,50 – **17 ch** 45/75 – P 90/100.

La FOSSETTE 83 Var 84 ⑯⑰ – rattaché au Lavandou.

FOS-SUR-MER 13270 B.-du-R. 84 ⑪ G. Provence – 7 206 h. alt. 157 – 42.

Voir Bassins de Fos★ – Office de Tourisme av. J.-Jaurès (fermé sam. et dim.) ☎ 05.27.57.

Paris 759 – Aix-en-Provence 53 – Arles 41 – ♦Marseille 51 – Martigues 11 – Salon-de-Provence 30.

Frantel M, N 2,5 km par N 569 ☎ 05.00.57, Télex 410812, , parc, – TV – 35 à 105. AE GB . rest SC : rest. **La Bastidonne R** carte 95 à 135 – 21 – **146 ch** 180/260.

Mas de Cantegrillet sans rest, N : 2,5 km par N 569 ☎ 05.03.27 – wc SC : 12 – **10 ch** 80/90.

FOUESNANT 29170 Finistère 58 ⑮ G. Bretagne – 5 041 h. alt. 30 – 98.

Office de Tourisme r. Kérourgué (fermé sam. hors sais. et dim.) ☎ 56.00.93.

Paris 548 – Carhaix-Plouguer 69 – Concarneau 13 – Quimper 15 – Quimperlé 38 – Rosporden 18.

Armorique (annexe : M - 12 ch wc wc), 33 r. de Cornouaille ☎ 56.00.19, – . *3 avril-25 sept. et fermé lundi sauf du 16 juin au 15 sept.* – SC : **R** 42/95 – 11 – 25 ch 55/125 – P 115/150.

Le Roudou, ☎ 56.01.26 – wc . rest *fermé lundi hors sais.* – SC : **R** 32/80 – 11 – 20 ch 72/120 – P 120/150.

Pommiers, 40 rte Cornouaille ☎ 56.00.26 – . ch *fermé oct. et lundi sauf juil.-août* – SC : **R** 30/70 – 10 – **17 ch** 47/90 – P 100/120.

L'Huîtrière, rte St-Evarzec ☎ 56.06.62, Fruits de mer – . *juin week-ends seul. et juil.-août* – SC : **R** *(dîner seul.)* 90/190.

CITROEN Munoz, ☎ 56.00.39
PEUGEOT Merrien, ☎ 56.00.17
RENAULT Bourhis, ☎ 56.02.65 N

au Cap Coz SE : 2,5 km par VO – ✉ **29170** Fouesnant :

🏠 **Celtique,** ☎ 56.01.79, ⩽ – 🛁wc 🚿wc ☏ Ⓟ. 🚫🐕
Pâques (sans rest.) et 1er juin-15 sept. – SC : **R** 44/90 – ☕ 9,50 – 52 ch 60/125 – P 115/160.

🏠 **Pointe Cap Coz** 🌿, ☎ 56.01.63, ⩽ – 🛁wc 🚿 ☏. 🚫🐕
Pâques, week-ends de mai et 1er juin-15 sept. – SC : **R** *(fermé 8 au 15 sept.)* 42/150 – ☕ 12 – 24 ch 55/150 – P 110/160.

près Pointe de Mousterlin SO : 6 km par D 145 et D 134 – ✉ **29170** Fouesnant :

🏠 **Pointe Mousterlin** 🌿, ☎ 56.04.12, ⩽, 🌳 – 🛁wc 🚿wc ☏ 🚗 Ⓟ. 💳. 🚫🐕
27 mai-20 sept. – SC : **R** 60/130 – ☕ 11 – **48 ch** 52/170 – P 110/210.

FOUGÈRES

FOUGÈRES ⟨SP⟩ **35300** I.-et-V. **59** ⑱ **G. Bretagne** – 27 653 h. alt. 134 – 🏌 99.

Voir Château** AY – **Place aux Arbres*** : ⩽* AZ **B** – **Église St-Sulpice*** AYZ – **Forêt*** 3 km par ①.

ℹ Office de Tourisme pl. Gambetta (fermé lundi hors saison, dim. et fêtes) ☎ 99.05.48.

Paris 321 ③ – Avranches 40 ⑦ – Laval 48 ③ – ♦Le Mans 127 ③ – ♦Rennes 48 ⑤ – St-Malo 75 ⑥.

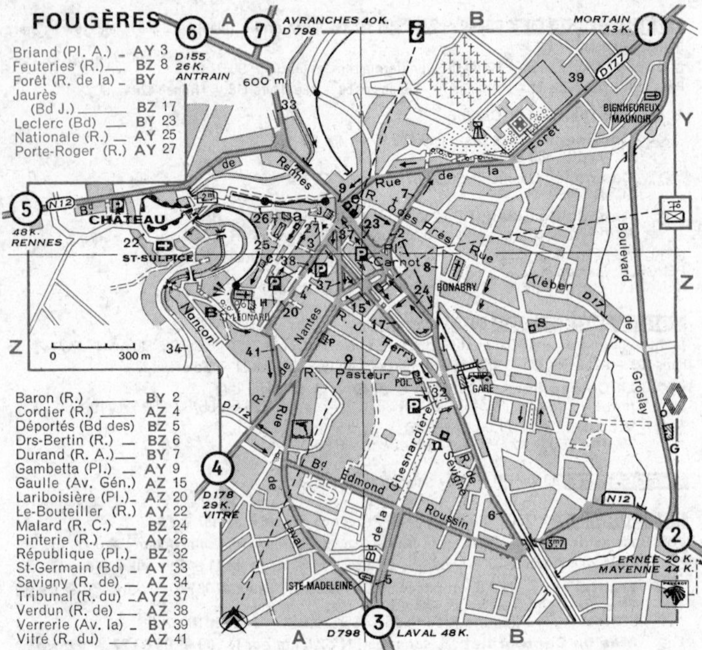

🏨 **H. Voyageurs** sans rest, 10 pl. Gambetta ☎ 99.08.20 – 🛗 🛁wc 🚿wc ☎. 💳 AE GB ⓓ — AY **e**
fermé 23 déc. au 2 janv. et sam. soir en nov., déc. et janv. – SC : ☕ 12 – **36 ch** 76/120.

🏨 **Balzac** Ⓜ sans rest, 15 r. Nationale ☎ 99.42.46 – 🛗 🛁wc 🚿wc ☏ ♿. 🚫🐕 — AY **a**
☕ 12 – **20 ch** 90/140.

🏠 **Flaubert** sans rest, 1 r. G.-Flaubert ☎ 99.00.43 – 🚿 ☏. 💳. 🚫🐕 — BZ **s**
☕ 11 – **12 ch** 46/120.

🏠 **Commerce,** pl. Gd-Marché ☎ 99.01.01, 🌳 – 🛁 ☏ Ⓟ. 💳. 🚫🐕 ch — BZ **n**
fermé 20 déc. au 2 janv. et dim. sauf hôtel en sais. – SC : **R** 35/65 – ☕ 9 – **23 ch** 42/80.

✕✕ **Rest. Voyageurs,** 10 pl. Gambetta ☎ 99.14.17 AE — BY **e**
fermé 1er au 15 sept. et sam. sauf juil. et août – SC : **R** 42/80.

à Landéan par ① : 8 km – ✉ **35300** Fougères :

✕✕ **Cellier,** ☎ 97.34.07 – GB
fermé 25 août au 15 sept., dim. soir et lundi – SC : **R** 40/65 🍷.

à la Templerie par ② : 11 km – ✉ 35300 Fougères :

XX **Chez Galloyer,** ☎ 99.57.03 – Ⓟ. GB
fermé 2 au 26 août, vacances de fév., mardi soir et merc. – SC : **R** (prévenir) 50/82.

CITROEN S.A.D.R.A.F., 17 bis r. Pasteur ☎ 99.11.92
FIAT Gar. du Centre, 12 r. J.-Ferry ☎ 99.02.07
PEUGEOT Armor-Autom., 100 rte d'Ernée ☎ 99.03.08
RENAULT S.A.F.A., Z.A.C. la Guénaudière, bd de Groslay ☎ 99.42.82
Gar. Juillé, 25 r. Pipon ☎ 99.01.98
Maison du Pneu, 12 bd de Rennes ☎ 99.01.70

FOUGEROLLES 70220 H.-Saône 66 ⑥ – 4 151 h. alt. 301 – 84.

Syndicat d'Initiative pl. du Centre (juil.-août et fermé dim. après-midi) ☎ 49.12.62.

Paris 363 – Épinal 43 – Luxeuil-les-Bains 9 – Plombières-les-Bains 11 – Remiremont 25 – Vesoul 39.

XX **Au Père Rota,** ☎ 49.12.11 – Ⓟ. GB
fermé 15 nov. au 15 déc. et lundi sauf fériés – SC : **R** 45/110.

FOULAIN 52 H.-Marne 62 ⑪⑫ – 541 h. alt. 298 – ✉ 52800 Nogent-en-Bassigny – 25.

Paris 263 – Bourbonne-les-Bains 44 – Châtillon-sur-Seine 63 – Chaumont 11 – Langres 24.

Chalet, ☎ 02.11.11 – wc Ⓟ.
fermé lundi sauf juil.-août – SC : **R** 29/75 – 9 – 12 ch 36/65 – P 80/95.

AUSTIN-MORRIS, INNOCENTI, TRIUMPH, ROVER Maitre, ☎ 02.10.16

FOURAS 17450 Char.-Mar. 71 ⑬ G. Côte de l'Atlantique – 3 617 h. alt. 40 – Casino – 46.

Voir Donjon ✻★.

Office de Tourisme pl. Bujeau (fermé sam. après-midi, dim. et lundi matin hors saison) ☎ 88.60.69.

Paris 481 – Châtelaillon-Plage 17 – Rochefort 14 – La Rochelle 27.

Résidence Le Parc sans rest, ☎ 88.61.26, « Belle demeure dans un parc » – wc wc ☎ Ⓟ.
Pâques et Pentecôte-30 sept. – SC : 16,50 – **16 ch** 92/225.

Gd H. des Bains, 15 r. Gén.-Bruncher ☎ 84.03.44, – wc wc ☎ .
1er juin-21 sept. – SC : **R** 45/110 – 11,50 – 36 ch 83/110 – P 120/150.

Roseraie sans rest, 2 av. Port-Nord ☎ 88.64.89, – wc wc
fermé 15 déc. au 15 janv. – SC : 9,50 – **20 ch** 46/90.

FOURGES 27 Eure 55 ⑱ – 419 h. alt. 115 – ✉ 27630 Ecos – 32.

Paris 76 – Les Andelys 33 – Gisors 24 – Mantes-la-Jolie 23 – Pontoise 40 – Vernon 14.

XX **Moulin de Fourges** avec ch, ☎ 52.12.12, ≤, – Ⓟ.
fermé 15 janv. au 1er mars, mardi soir et merc. – SC : **R** 65 – 10,50 – 8 ch 55/125.

FOURMIES 59610 Nord 53 ⑯ – 16 096 h. alt. 202 – 27.

A.C. pl. Verte ☎ 60.40.97.

Paris 198 ③ – Avesnes-sur-Helpe 16 ③ – Charleroi 61 ① – Guise 34 ③ – Hirson 13 ② – ♦Lille 114 ③ – Vervins 28 ③.

Providence, 12 r. Verpraet **(a)** ☎ 60.06.25 – wc ☎ . GB.
fermé 2 au 22 fév., dim. soir et lundi midi – SC : **R** 35/100 – 8 – **18 ch** 40/100 – P 120 bc/160 bc.

à l'Etang des Moines E : 1 km par D 964 et VO – ✉ 59610 Fourmies :

Ibis M sans rest, ☎ 60.21.54 – wc ☎ Ⓟ – 80. GB
SC : 12 – **29 ch** 125/135.

X **Aub. des Étangs des Moines,** ☎ 60.02.62 – Ⓟ. GB
fermé 15 déc. au 15 janv. et vend. – SC : 35/120.

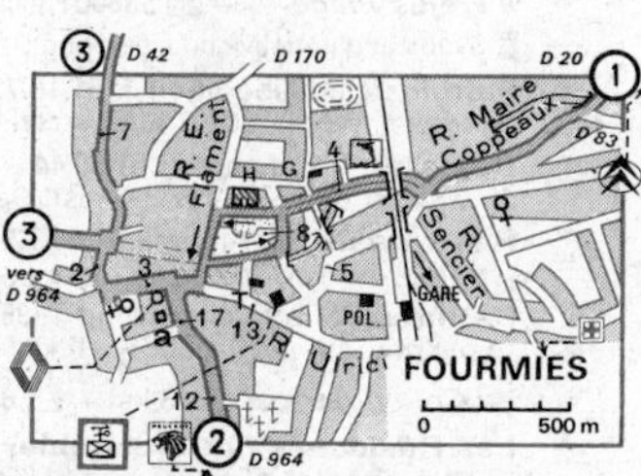

Clavon (R. Xaxier) __ 2
Cousin-Corbier (R.) __ 3
Gaulle (Av. Ch.) __ 4
Jaurès (R. J.) __ 5
Legrand (R. Th.) __ 7
République (Pl.) __ 8
Rouets (R. des) __ 12
St-Louis (R.) __ 13
Verpraet (R. Edouard) __ 17

CITROEN Losson, 13 r. A.-Renaud ☎ 60.14.68
PEUGEOT Courtois, 4 av. Prés.-Kennedy ☎ 60.02.23 ☎ 60.37.55
RENAULT Gar. Prévost, 2 r. Ed.-Verpraet ☎ 60.06.16

FOURNEAUX 23 Creuse 73 ① – rattaché à Aubusson.

Le FOUSSERET 31430 H.-Gar. 82 ⑯ – 1 414 h. alt. 319 – 61.
Paris 761 – Auch 68 – Foix 74 – Pamiers 63 – St-Gaudens 41 – St-Girons 51 – ♦Toulouse 56.

Voyageurs, ☎ 87.73.06 – .
fermé sept., sam. soir et dim. soir – SC : **R** 30 bc/70 bc – 7 – **8 ch** 28/42 – P 55.

La FOUX 83 Var 84 ⑰ – rattaché à Port-Grimaud.

FOX-AMPHOUX 83 Var 84 ⑤ – rattaché à Cotignac.

FRANCEVILLE-PLAGE 14 Calvados 55 ② – voir à Merville.

La FRANQUI 11 Aude 86 ⑩ – ✉ **11370** Leucate – 68.
Paris 881 – Carcassonne 86 – Leucate 5 – Narbonne 37 – ♦Perpignan 39 – Port-la-Nouvelle 19.

Plage, face plage ☎ 45.70.23, ← – flwc.
Pâques-oct. – SC : **R** 35/65 – 10 – 20 ch 85/90 – P 110/120.

FRAYSSINET 46 Lot 79 ⑧ – 264 h. alt. 247 – ✉ **46310** St-Germain-du-Bel-Air – 65.
Paris 561 – Brive-la-Gaillarde 71 – Cahors 32 – Figeac 54 – Gourdon 14 – Payrac 18 – St-Céré 49.

La Bonne Auberge, ☎ 31.00.02, ← – flwc.
1er mars-11 nov. – SC : **R** 30/85 – 9,50 – 10 ch 58/120.

Le Relais, à Pont de Rhodes N : 1 km sur N 20 ☎ 31.00.16, – cuisinette wc flwc.
1er avril-31 oct. – SC : **R** 35/75 – 10 – 29 ch 39/120 – P 100.

La FREISSINOUSE 05 H.-Alpes 81 ⑥ – 224 h. alt. 970 – ✉ **05000** Gap – 92.
Paris 677 – Clelles 67 – Die 87 – Gap 9 – La Saulce 22 – Serres 34 – Sisteron 52.

Azur, D 994 ☎ 54.81.30, ←, – wc flwc.
fermé 20 nov. au 10 déc. – SC : **R** 30/70 – 10 – **40 ch** 60/95 – P 90/110.

FRÉJUS 83600 Var 84 ⑧, 195 ㉝ **G. Côte d'Azur** – 30 801 h. alt. 8 – 94.

Voir Quartier épiscopal : baptistère**, cloître**, cathédrale* – Ville romaine* : arènes* – Parc Zoologique* et Safari de l'Esterel* N : 5 km.**

18 de Valescure ☎ 52.16.58, NE : 8 km.

☎ 95.13.89.

Office de Tourisme pl. Calvini (fermé sam. après-midi hors sais. et dim.) ☎ 51.53.87.

Paris 873 ③ – Brignoles 63 ③ – Cannes 40 ④ – Draguignan 29 ③ – Hyères 76 ②.

Plans page ci-contre

Le Vieux Four avec ch, 57 r. Grisolle ☎ 51.56.38, « intérieur rustique » – flwc. GB. ch — Z **a**
fermé 15 sept au 15 oct., vacances de fév., dim. et lundi soir – SC : **R** *(en sais. dîner seul.)* (prévenir) carte 90 à 140 – 12 – **8 ch** 75/105.

à Fréjus-Plage AB – ✉ **83600** Fréjus :

Syndicat d'Initiative bd Libération (1er juin-30 sept. et fermé dim.) ☎ 51.48.42.

Palmiers, bd Libération ☎ 51.18.72, ← – wc flwc. AE — Y **k**
Pâques-fin oct. – SC : **R** 45/50 – 10 – 55 ch 120/200 – P 150/200.

Oasis , r. H.-Fabre ☎ 51.50.44 – wc flwc. ch — Y **h**
15 janv.-31 oct. – SC : **R** voir rest. Oasis – **27 ch** 120/130 – P 161/171.

Rest. Oasis, bd Alger ☎ 51.06.72, ← – GB — Y **e**
fermé 1er nov. au 15 déc. et merc. – SC : **R** 60/150.

Catinou, 611 bd Victor-Hugo ☎ 95.05.37, — voir plan St-Raphaël — Y **f**
fermé nov. et merc. – SC : **R** 33/80.

au Colombier par ③ : 3 km – ✉ **83600** Fréjus :

Les Résidences du Colombier M , ☎ 51.45.92, Télex 470328, parc, , – – 50 à 250. AE GB E. rest
10 avril-31 oct. – SC : **R** 90 – 25 – 60 ch 210/280 – P 220/315.

ALFA-ROMEO, LADA Corfou, angle N 7 et rte de Bagnols ☎ 51.49.82
AUDI-VOLKSWAGEN S.O.D.R.A., av. de-Lattre-De-Tassigny ☎ 51.03.56 N
CITROEN S.D.A.C.A., rte Cannes ☎ 51.47.30 N ☎ 51.03.56
CITROEN Gar. Moderne, 151 av. Verdun ☎ 51.52.65
FIAT Gar. du Ponant, 1264 av. de-Lattre-De-Tassigny ☎ 51.30.74
FORD Gar. Vagneur, 449 bd de la Mer ☎ 51.38.39
MERCEDES-BENZ, PORSCHE-MITSUBISHI International-Gar., 7 bd Col. Dessert à Puget-sur-Argens ☎ 45.22.74
PEUGEOT Ortelli, 1370 av. de Lattre-De-Tassigny ☎ 51.33.00 N ☎ 51.03.56
RENAULT S.A.T.A.C., N7 ☎ 51.40.61
TALBOT Gar. Fréjus-Plage, bd Libération ☎ 51.23.19

Omnica, 238 av. de Verdun ☎ 51.01.54
Piot-Pneu, Lotissement Ind. La Palud ☎ 51.29.20
Vulcopneu, 1111 av. de-Lattre-De-Tassigny ☎ 51.44.72

FRÉJUS

Fleury (R. de) ______ C 28
Formigé (Pl.) ______ C 29
Grisolle (R.) ______ C 37
Jaurès (R. Jean) ______ C
Liberté (Pl. de la) ______ C 42
Montgolfier (R.) ______ C 45
Sieyès (R.) ______ C 52

Agachon (Av. de l') ______ A 2
Alger (Bd) ______ B 5
Aubenas (R. Jean) ______ C 7
Beausset (R. du) ______ C 9
Bidoure (R. Martin) ______ C 10
Blazy (R. du Cap.) ______ AC 12
Brosset (Av. du Gén.) ______ A 13
Camelin (R. de) ______ C 15
Carrara (R. Jean) ______ A 16
Clemenceau (R. G.) ______ C 19
Craponne (R.) ______ C 23
Decuers (Bd S.) ______ AC 24
Donnadieu (R.) ______ B 25
Einaudi (R. Albert) ______ A 26
Fabre (Av. Hippolyte) ______ B 27
Gallus ______ C 30
Garros (R. Roland) ______ B 32
Girardin (R.) ______ C 35
Glacière (Pl. de la) ______ C 36
Libération (Bd de la) ______ B 40
Papin (R. Denis) ______ B 46
Potiers (R. des) ______ C 48
Reynaude (R.) ______ C 49
Verdun (Av. de) ______ AC 53
Vernet (Esplanade Paul) ______ AC 54
Victor-Hugo (Av.) ______ B 56
XVe-Corps (Av. du) ______ A 59

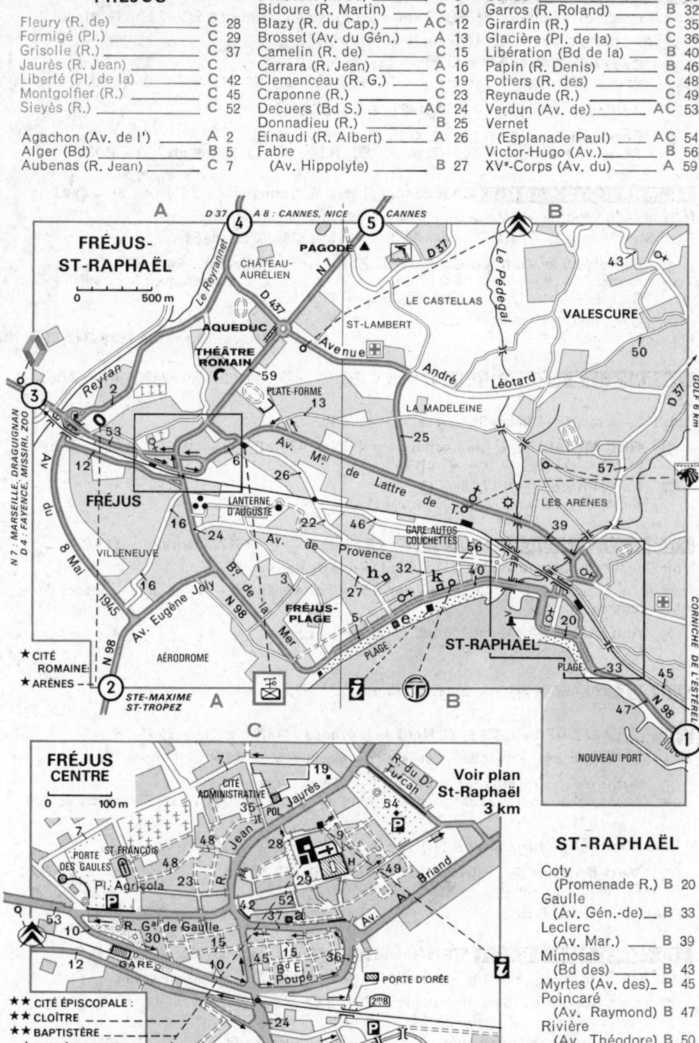

ST-RAPHAËL

Coty (Promenade R.) B 20
Gaulle (Av. Gén.-de) ______ B 33
Leclerc (Av. Mar.) ______ B 39
Mimosas (Bd des) ______ B 43
Myrtes (Av. des) ______ B 45
Poincaré (Av. Raymond) B 47
Rivière (Av. Théodore) B 50
Valescure (Av. de) ______ B 57

FRÉLAND 68 H.-Rhin 62 ⑱ – 1 102 h. alt. 420 – ✉ 68240 Kaysersberg – 89.
Paris 430 – Colmar 18 – Gérardmer 48 – St-Dié 42 – Sélestat 33.

- **Kalblin**, ☎ 47.18.30, – . rest
SC : **R** *(fermé 15 nov. au 20 déc. et 10 janv. au 15 mars)* 38/52 – 11 – **14 ch** 54/102 – P 97/124.

- **Aux Trois Ruisseaux,** NO : 2,5 km par D 11 ☎ 47.18.51, « Chalet rustique » – Ⓟ. GB
fermé janv., dim. soir et lundi – SC : **R** (sur commande) 70/106.

RENAULT Barlier, ☎ 47.18.21

Le FRENEY-D'OISANS 38142 Isère 77 ⑥ – 133 h. alt. 900 – ✪ 76.

Voir Barrage du Chambon★★ SE : 2 km – Gorges de l'Infernet★ SO : 2 km, G. Alpes.

Paris 625 – Bourg-d'Oisans 12 – La Grave 16 – ♦Grenoble 61.

- **Cassini,** ☎ 80.04.10, ≤ – ⋒ ☎ 🚗 Ⓟ. 🚌. ✈
25 mai-10 oct. et 15 déc.-5 mai – SC : **R** 42/75 – ☕ 10 – 13 ch 48/70 – P 90/135.

*à **Mizoën*** NE : 3 km – ✉ **38142** Le Freney d'Oisans :

- **Panoramique** Ⓜ ⛰, ☎ 80.06.25, ≤ – ⛀wc ☎ Ⓟ
1er juin-30 sept. et 1er déc.-30 avril – SC : **R** 50/70 – ☕ 13 – **9 ch** 120 – P 130.

FRESNAY-SUR-SARTHE 72130 Sarthe 60 ⑫⑬ **G. Normandie** – 2 770 h. alt. 81 – ✪ 43.

ℹ Syndicat d'Initiative à la Mairie (fermé sam. après-midi et dim.) ☎ 97.23.75.

Paris 234 – Alençon 20 – Laval 71 – Mamers 30 – ♦Le Mans 38 – Mayenne 58.

- **Ronsin,** 5 av. Gén.-de-Gaulle ☎ 97.20.10 – ⛀wc ⋒wc ☎. 🚌 Ⓓ
fermé sam. soir, lundi midi et dim. en fév. ; dim. soir et lundi midi hors sais. – SC : **R** 35/95 🌡 – ☕ 13,50 – 12 ch 70/135 – P 110/150.

CITROEN Goupil, ☎ 97.20.08
PEUGEOT Leroy, ☎ 97.20.34
RENAULT Labbé, ☎ 97.20.85
TALBOT Gar. de l'Espérance ☎ 97.23.65 🅽

FRESNES-LÈS-MONTAUBAN 62 P.-de-C. 53 ③ – 403 h. alt. 49 – ✉ **62490** Vitry-en-Artois – ✪ 21.

Paris 180 – Arras 14 – Cambrai 39 – Douai 13 – ♦Lille 40.

- **Grill Motel** Ⓜ ⛰, près échangeur ☎ 50.00.13 – 📺 Ⓟ – 🎤 150. AE GB Ⓓ E
SC : **R** 45/80 🌡 – ☕ 16 – **41 ch** 145/170.
- **La Frenaie,** ☎ 50.17.19 – Ⓟ
fermé 3 au 29 août, 12 au 30 janv. et lundi – SC : **R** 38/65 🌡.

FRESNOY-LA-RIVIÈRE 60 Oise 56 ③ – 305 h. alt. 61 – ✉ **60127** Morienval – ✪ 4.

Voir Église★ de Morienval N : 2 km, G. Environs de Paris.

Paris 78 – Compiègne 17 – Crépy-en-Valois 7,5 – Pierrefonds 9,5 – Senlis 31 – Soissons 38 – Villers-Cotterêts 15.

- Aub. du Valois avec ch, ☎ 488.62.00, 🌳 – Ⓟ
5 ch.

Le FRET 29 Finistère 58 ④ – rattaché à Crozon.

FRÉVENT 62270 P.-de-C. 51 ⑬ **G. Nord de la France** – 4 428 h. alt. 79 – ✪ 21.

Paris 194 – Abbeville 41 – Arras 39 – Doullens 15 – Montreuil 46 – St-Pol-sur-Ternoise 12.

- **Amiens** ⛰, r. Doullens ☎ 04.25.43 – ⛀ ☎. 🚌
fermé 1er au 15 fév. et sam. de nov. à mars – SC : **R** 32/100 🌡 – ☕ 9 – **16 ch** 42/80 – P 120.

*à **Monchel-sur-Canche*** NO : 7,5 km par D 340 – ✉ **62270** Frévent :

- **Vert Bocage** ⛰, ☎ 04.26.75, ≤, parc – Ⓟ. GB. ✈ ch
SC : **R** 50, carte le dim. – ☕ 10 – **9 ch** 45/60 – P 120/130.

RENAULT Mercier, ☎ 04.21.97

FREYMING-MERLEBACH 57800 Moselle 57 ⑯ **G. Vosges** – 15 605 h. alt. 217 – ✪ 8.

Paris 376 – Forbach 11 – ♦Metz 49 – St-Avold 12 – Saarbrücken 20 – Sarreguemines 24.

- **Le Charolais,** 16 av. Roosevelt ☎ 704.78.68 – AE Ⓓ
fermé fév. et lundi – **R** carte 95 à 115.
- **Caveau de la Bière** avec ch, face Gare routière ☎ 704.52.65 – ⋒. 🚌
fermé juil. et sam. – **R** 29/70 🌡 – ☕ 9 – **10 ch** 41/58.

PEUGEOT Gar. Derr, 1 r. Metz à Merlebach ☎ 704.70.10
RENAULT Wilmouth, 20 r. Rosselle à Merlebach ☎ 704.61.31
Ⓟ Leclerc-Pneu, 4 rte Nationale à Cocheren ☎ 704.45.87

FROMENTINE 85 Vendée 67 ① – ✉ **85550** La Barre-de-Monts – ✪ 51.

ℹ Syndicat d'Initiative pl. Gare (15 juin-15 sept.) ☎ 68.51.83.

Paris 445 – Challans 24 – ♦Nantes 69 – Noirmoutier-en-l'Ile 24 – Pornic 41 – La Roche-sur-Yon 63.

- **Plage,** ☎ 68.52.05 – ⋒wc ☎
hôtel : ouvert fév.-15 oct., rest : ouvert Pâques-15 sept. ; fermé merc. – SC : **R** 38/85 – ☕ 9,50 – **17 ch** 55/110 – P 110/135.

FROMONVILLE 77 S.-et-M. 61 ⑫ – voir à Moncourt-Fromonville.

FRONTIGNAN 34110 Hérault 83 ⑯⑰ G. Causses – 12 238 h. – 67.
Office de Tourisme Rond-Point de l'Esplanade (fermé après-midi hors saison et dim.) ☎ 48.33.94.
Paris 783 – Lodève 72 – ♦Montpellier 22 – Sète 7.

à La Peyrade SO : 3 km sur N 112 – ✉ **34110** Frontignan :

Vila sans rest, ☎ 48.77.42 – wc wc ☎ ♿ P.
SC : ☕ 12 – **30 ch** 60/140.

au Nord-Est 4 km sur N 112 – ✉ **34110** Frontignan :

Balajan, N 112 ☎ 48.13.99 – wc ☎ P. GB. rest
16 mars-1er nov., 15 nov.-2 janv. et fermé dim. soir (sauf hôtel du 1er juil. au 15 sept.) et lundi midi – SC : **R** 42/100 – ☕ 15 – 21 ch 110/220 – P 140/205.

à l'Est : 7 km par N 112 et D 114E – ✉ **34110** Frontignan :

L'Escale, passerelle des Aresquiers ☎ 78.14.86, ≤, **Produits de la mer**
1er mars-1er nov. et hors sais. sur commande – SC : **R** 50/200.

CITROEN Vernhet, av. des Vignerons ☎ 48.11.92

RENAULT Trémélat, 25 av. Gén.-de-Gaulle ☎ 48.11.58

La FRUITIÈRE 65 H.-Pyr. 85 ⑰ – rattaché à Cauterets.

FUANS 25 Doubs 66 ⑰ – rattaché à Orchamps-Vennes.

FUISSÉ 71 S.-et-L. 69 ⑲ G. Bourgogne – 391 h. alt. 250 – ✉ **71960** Pierreclos – 85.
Paris 404 – Charolles 55 – Chauffailles 59 – Mâcon 8,5 – Villefranche-sur-Saône 45.

Pouilly Fuissé, ☎ 35.60.68 – GB
fermé 2 au 9 sept., 9 fév. au 11 mars, mardi soir (sauf juil. et août) et merc. – SC : **R** (sam. et dim. prévenir) 34/60.

FUMAY 08170 Ardennes 53 ⑱ G. Nord de la France – 6 147 h. alt. 127 – 24.
Paris 253 – Charleville-Mézières 32 – Givet 23 – Rocroi 18.

Roches, 393 av. Jean-Jaurès ☎ 41.10.12, ≤ vallée de la Meuse – wc P. GB E.
fermé 29 janv. au 2 mars – SC : **R** 45/120 – ☕ 11 – 22 ch 47/135.

CITROEN Gar. Pirson, av. V.-Hugo ☎ 41.10.74 N ☎ 41.01.58

FUMEL 47500 L.-et-G. 79 ⑥ – 7 070 h. alt. 72 – 58.
Voir Église★ de Monsempron O : 2 km, G. Périgord.
Syndicat d'Initiative pl. G.-Escande (1er avril-31 juin après-midi seul., 1er juil.-15 sept. fermé dim. après-midi et lundi) ☎ 71.13.70.
Paris 608 – Agen 55 – Bergerac 73 – Cahors 49 – Montauban 75 – Villeneuve-sur-Lot 26.

Vistorte (annexe - 8 ch wc), 77 av. E.-Zola ☎ 71.01.21, – wc P. ch
fermé 16 au 31 mai, 18 juil. au 2 août, 24 au 30 déc. et sam. – **R** 38 bc/60 – ☕ 12 – 20 ch 40/85 – P 85/110.

à Touzac E : 7,5 km – ✉ **46700** Puy-l'Évêque

La Source Bleue , ☎ 36.52.01, ≤, « Parc au bord du Lot » – wc P. rest
avril-10 oct. – SC : **R** 60/150 – ☕ 13 – **7 ch** 130/150

à Montcabrier (Lot) NE : 12 km par D 911, D 673 et D 58 – ✉ **46700** Puy-l'Évêque :

Relais de la Dolce , ☎ (65) 36.53.42, ≤, parc, – wc ♿ P. AE GB. rest
du 1er oct. au 15 mars - prévenir – SC : **R** *(fermé mardi hors sais.)* 75/140 – ☕ 18 – **12 ch** 160/180.

CITROEN Calassou, rte de Périgueux, Zone Ind. ☎ 71.01.80
MERCEDES-BENZ Gras, 4 av. de la Gare, Monsempron-Libos ☎ 71.01.16
PEUGEOT Cousset, Montayral ☎ 71.03.58

PEUGEOT Lachat, rte de Périgueux, Florimont ☎ 71.04.98
RENAULT S.E.V.A., 5 r. L.-Jouhaux ☎ 71.00.28
TALBOT Rodriguez, r. de Jarrou, Mosempron-Libos, ☎ 71.12.47

La FUSTE 04 Alpes-de-H.-P. 81 ⑮ – rattaché à Manosque.

FUTEAU 55 Meuse 56 ⑲ – 175 h. alt. 181 – ✉ **55120** Clermont-en-Argonne – 29.
Paris 234 – Bar-le-Duc 42 – Ste-Ménehould 13 – Verdun 40.

L'Orée du Bois, à Courupt S : 1 km ☎ 87.28.41, ≤ – P
fermé fév., dim. soir et lundi – SC : **R** 40/90.

CITROEN Gar. Noel-Bievelot, à Les Islettes ☎ 87.28.20

FUVEAU 13710 B.-du-R. 84 ③ – 3 348 h. alt. 283 – 42.
Paris 771 – Aix-en-Provence 14 – ♦Marseille 38 – St-Maximin-la-Ste-Baume 28.

Mas d'Aurumy, rte Gréasque ☎ 58.71.24 – P
fermé août, dim. et fêtes le soir et merc. – SC : **R** 90.

GABAS 64 Pyr.-Atl. 85 ⑯ G. Pyrénées – alt. 1 020 – ⊠ **64440** Laruns – ✪ 59 – **Voir** Pic de la Sagette ✲** E : 2 km et téléphérique puis 30 mn – Lac* de Bious Artigues : ≤** SO : 4,5 km – Paris 802 – Argelès-Gazost 58 – Eaux-Bonnes 16 – Laruns 14 – Pau 51.

Vignau, ☏ 05.34.06 – Ⓟ.
SC : **R** 33/80 – 9 – **16 ch** 46/60 – P 107/116.

GABRIAC 12 Aveyron 80 ③ – 470 h. alt. 575 – ⊠ **12340** Bozouls – ✪ 65.
Paris 591 – Espalion 13 – Mende 88 – Rodez 27 – St-Geniez-d'Olt 19 – Sévérac-le-Château 34.

Bouloc, ☏ 44.92.89, – wc Ⓟ
fermé oct. et merc. hors sais. – SC : **R** 26/85 – 10 – 14 ch 40/85 – P 80/95.

GACÉ 61230 Orne 60 ④ – 2 678 h. alt. 186 – ✪ 33.
Paris 166 – Alençon 46 – Argentan 27 – Bernay 42 – Mortagne-au-Perche 41 – Vimoutiers 18.

Host. des Champs , rte Alençon ☏ 35.51.45, , – wc Ⓟ – 25 à 40.
fermé 19 janv. au 23 fév. et mardi sauf le soir en sais. – SC : **R** 50/85 – 15 – 24 ch 60/180.

Étoile d'Or avec ch, Gde-Rue ☏ 35.50.03 – Ⓟ
fermé 9 fév. au 9 mars et lundi – SC : **R** 38/50 – 9,50 – 14 ch 38/60.

CITROEN Gar. Lafosse, ☏ 35.62.47 N
PEUGEOT Anjou, ☏ 35.53.35
RENAULT Gar. Moderne, ☏ 35.60.84 N

La GACILLY 56200 Morbihan 63 ⑤ – 1 720 h. alt. 20 – ✪ 99.
Paris 393 – Châteaubriant 66 – Dinan 87 – Ploërmel 30 – Redon 15 – ♦Rennes 58 – Vannes 54.

France et Square (Annexe : M - 16 ch wc), ☏ 08.11.15 – Ⓟ – 25.
R 31/75 – 9 – 41 ch 51/102 – P 85/102.

PEUGEOT Gérard, ☏ 08.10.17
RENAULT Gar. Moderne, ☏ 08.10.37

GAGES-LE-HAUT 12630 Aveyron 80 ③ – rattaché à Rodez.

GAGNAC (Port de) 46 Lot 75 ⑲ – rattaché à Bretenoux.

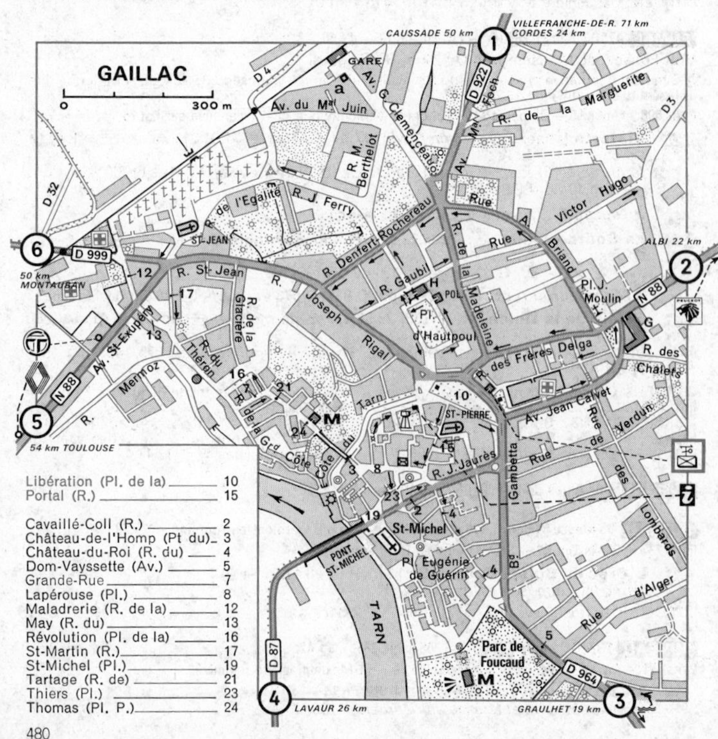

GAILLAC **81600** Tarn **82** ⑨⑩ **G. Causses** – 10 912 h. alt. 143 – ✪ 63.

ℹ Syndicat d'Initiative avec A.C. pl. Libération (fermé dim. après-midi) ☎ 57.14.65.

Paris 682 ① – Albi 22 ② – Cahors 89 ① – Castres 49 ③ – Montauban 50 ⑥ – ♦Toulouse 54 ⑤.

Plan page ci-contre

Occitan Ⓜ **sans rest, pl. de la Gare (a)** ☎ **57.11.52** – wc ☎ 🚗 Ⓟ. GB.
fermé 24 déc. au 8 janv. et dim. du 1er oct. au 30 avril – SC : ☐ 12 – **13 ch** 90/120.

XX **Le Vigneron,** par ⑤ : 1,5 km ☎ **57.07.20** – Ⓟ.
fermé 15 août au 15 sept. et 1er au 15 janv. – SC : **R** 30/130 ₰.

ALFA-ROMEO, OPEL Sacilotto, rte Albi ☎ 57.13.45
PEUGEOT S.A.M.A.D., 83 av. de Gaulle ☎ 57.08.48
RENAULT Gaillac-Auto, av. St-Exupéry ☎ 57.17.50
TALBOT Capmartin, 40 av. St-Exupéry ☎ 57.02.08

Ⓜ François, 24 bd Gambetta ☎ 57.13.96
Pradel, 92 r. J.-Rigal ☎ 57.03.29

La GAILLARDE **83** Var **84** ⑱. – rattaché aux Issambres.

GAILLON **27600** Eure **55** ⑰ **G. Normandie** – 5 630 h. alt. 15 – ✪ 32.

Paris 98 – Les Andelys 12 – Évreux 24 – Louviers 14 – ♦Rouen 42 – Vernon 14.

X **Aub. du Relais,** à Fontaine-Bellenger NO : 5 km N 15 ☎ **53.40.52** – Ⓟ
fermé 14 juil. au 10 août, 1er au 15 fév., mardi soir et merc. – **R** 27/70, carte dim. et fêtes ₰.

CITROEN Maro, ☎ 53.11.13
RENAULT Gar. Gaillonnais, ☎ 53.14.35
TALBOT Montreuil, D 65 à La Verte Bonne ☎ 53.05.71
Gar. Reignier, ☎ 53.05.02 N

La GALÈRE **06** Alpes-Mar. **84** ⑧, **195** ㉞ – rattaché à Théoule.

GALIMAS **47** L.-et-G. **79** ⑮ – rattaché à Agen.

GALLARDON **28320** E.-et-L. **60** ⑧, **96** ㉜㉝ **G. Environs de Paris** – 1 888 h. alt. 140 – ✪ 37.

Voir Choeur* de l'église.

Paris 75 – Ablis 13 – Chartres 21 – Dreux 37 – Épernon 11 – Maintenon 12 – Rambouillet 18.

X **Commerce,** pl. Église ☎ 23.40.07 – GB ⓓ.
fermé août, dim. soir et lundi – SC : **R** 68/135.

GAMACHES **80220** Somme **52** ⑥ – 3 555 h. alt. 32 – ✪ 22.

ℹ Office de Tourisme 46 r. Ch.-de-Gaulle (juil.-août et fermé mardi) ☎26.16.79.

Paris 153 – Abbeville 28 – ♦Amiens 58 – Blangy 9 – Le Tréport 17.

X **Gd Cerf,** ☎ 26.10.38 – Ⓟ
fermé lundi du 15 oct. au 30 mars – SC : **R** 50/90.

PEUGEOT Charpentier, ☎ 26.11.19
Ⓜ Comptoir du Caoutchouc, ☎ 26.11.23

GAMBAIS **78950** Yvelines **60** ⑧, **96** ㉒ – 1 239 h. alt. 119 – ✪ 3.

Paris 58 – Dreux 27 – Mantes-la-Jolie 31 – Montfort-l'Amaury 12 – Rambouillet 23 – Versailles 37.

X **Poule Faisane** avec ch, ☎ 487.01.09,
SC : **R** *(fermé mardi)* 30/100 ₰ – ☐ 7 – **8 ch** 55/90 – P 100.

GANGES **34190** Hérault **80** ⑯ **G. Causses** – 3 858 h. alt. 183 – ✪ 67.

Voir Gorges de la Vis SO : 3 km.**

ℹ Syndicat d'Initiative plan de l'Ormeau avec A.C. (1er juin-30 sept., fermé jeudi et dim. après-midi) ☎ 73.84.79.

Paris 756 – Alès 48 – Béziers 96 – Lodève 51 – ♦Montpellier 46 – Nîmes 64 – Le Vigan 17.

Caves de l'Hérault, av. Jeu-de-Ballon ☎ 73.81.09, – wc
fermé mars et sam. hors sais. – SC : **R** 32/46 ₰ – ☐ 9 – 15 ch 45/86 – P 86/108.

Poste sans rest, 8 plan Ormeau ☎ **73.85.88** – wc wc ☎.
☐ 9 – **26 ch** 45/100.

CITROEN Cayrel, ☎ 73.81.30 N
RENAULT Gar. Renault., ☎ 73.92.47
RENAULT Boissière, ☎ 73.82.15 N

GANNAT 03800 Allier 73 ④ G. Auvergne – 6 602 h. alt. 337 – ✪ 70.

Voir Musée du château : évangéliaire★.

Syndicat d'Initiative pl. Halle (15 mai-15 oct., fermé dim. et lundi) ☎ 90.17.78.

Paris 349 ① – ◆Clermont-Ferrand 40 ③ – Montluçon 68 ④ – Moulins 56 ① – Vichy 19 ②.

GANNAT

Grande-Rue 13
Hennequin (Pl.) 14
Notre-Dame (R.) 23

Augustins (R. des) 2
Capucins (R. des) 4
Collège (R. du) 5
Fossés (R. des) 8
Frères-Degand (R. des) 10
Gare (Av. de la) 12
Hôpital (R. de l') 15
Jaurès (Av. Jean) 16
Marche (R. de la) 18
Martinot (R.) 20
Nationale (R.) 22
Pasteur (Pl.) 24
Rabusson (R. du Gén.) 25
Rantian (Pl.) 26
République (Av. de la) 27
République (Cours de la) 28
St-James (Pl.) 29
Vannaire (R.) 30
Verdun (Sq. de) 31

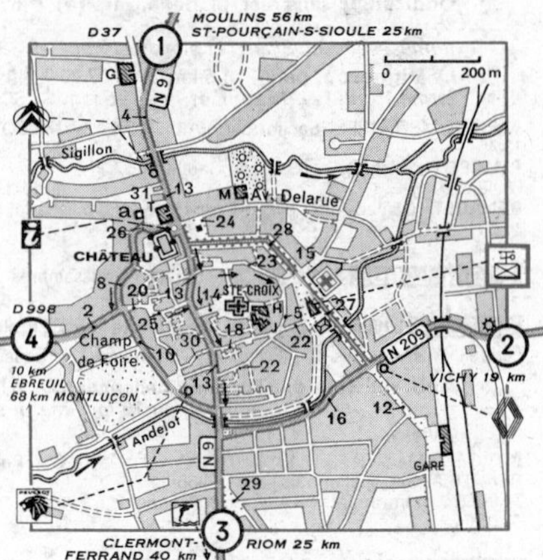

Agriculture, pl. Rantian (a) ☎ 90.00.17 – wc P E
fermé lundi sauf juil.-août – SC : **R** 25/65 – 9 – 28 ch – P 71/95.

CITROEN Ray, 4 Gde-Rue ☎ 90.06.15
PEUGEOT Larchet, 10 r. Frères-Degand ☎ 90.00.54
RENAULT Gar. Gras, 1 av. Gare ☎ 90.06.68
Gar. Gaume, 2 av. Gare ☎ 90.00.38
Gar. Pera, 14 r. des Capucins ☎ 90.15.13

Estager-Pneu, rte de la Batisse ☎ 90.02.83
Touzain, 36 r. Croix-des-Rameaux ☎ 90.20.97
N ☎ 97.72.44

GAP P 05000 H.-Alpes 77 ⑯ G. Alpes – 28 947 h. alt. 733 – ✪ 92 – ☎ 51.24.84.

Office de Tourisme (fermé dim.) et A.C. 16 r. Carnot ☎ 51.39.49, Télex 400331.

Paris 667 ① – Alès 212 ④ – Avignon 179 ④ – ◆Grenoble 103 ① – Montélimar 153 ④.

GAP

Carnot (R.) Y
France (R. de) Y 12
Mazel (R. du) Z 16
Roux (R. Colonel) Z 19

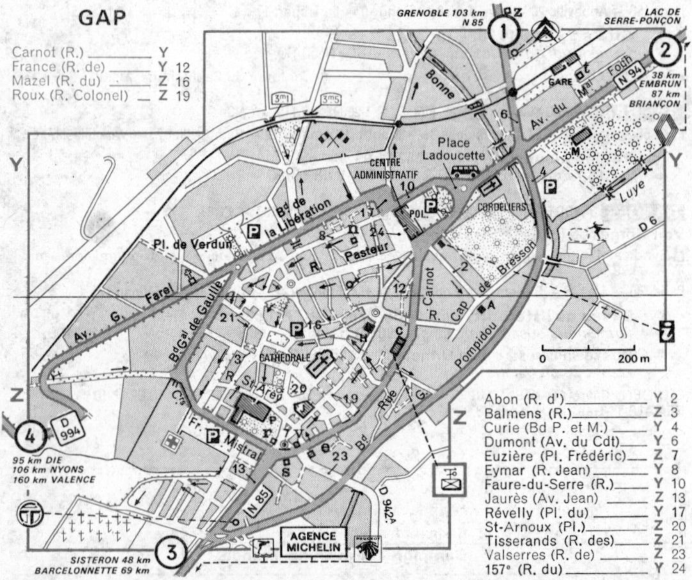

Abon (R. d') Y 2
Balmens (R.) Z 3
Curie (Bd P. et M.) Y 4
Dumont (Av. du Cdt) Y 6
Euzière (Pl. Frédéric) Z 7
Eymar (R. Jean) Y 8
Faure-du-Serre (R.) Y 10
Jaurès (Av. Jean) Z 13
Révelly (Pl. du) Y 17
St-Arnoux (Pl.) Z 20
Tisserands (R. des) Z 21
Valserres (R. de) Z 23
157e (R. du) Y 24

La Grille, 2 pl. F.-Euzière ☎ 51.14.84 – wc wc. E
fermé déc. – SC : **R** (fermé lundi sauf août) 33/70 – 12 – **30 ch** 80/140 – P 150/170. Z r

Le Poyo, 4 pl. F.-Euzière ☎ 51.04.13 – wc wc. Z s
fermé 20 déc. au 1er fév. – SC : **R** (fermé dim. sauf août) (dîner seul.) 30/45 – 11 – 17 ch 75/100.

Le Clos, 20 ter av. Cdt-Dumont ☎ 51.37.04, – wc. rest Y z
fermé 15 oct. au 7 nov. – SC : **R** (fermé dim. soir) 35/80 – 10,50 – 42 ch 42/125 – P 200/350 (pour 2 pers.).

Paix sans rest, 1 pl. F.-Euzière ☎ 51.03.29 – wc wc. Z v
fermé 15 oct. au 6 nov. – SC : 10 – **25 ch** 45/100.

Michelet, pl. Gare ☎ 51.27.86 – wc. ch Y t
fermé 25 sept. au 25 oct. – SC : **R** (fermé lundi) 38/50 – 10 – 11 ch 72/125 – P 180.

Unic H., La Placette ☎ 51.05.96 – Y n
SC : **R** 29/48 – 8 – **14 ch** 39/56 – P 90/99.

La Roseraie, par ① et D 92 : 2 km ☎ 51.43.08, ≤ –
fermé 15 nov. au 15 déc., dim. soir et jeudi – SC : **R** 60/90.

La Petite Marmite, 79 r. Carnot ☎ 51.14.20 Z e
fermé 10 mai au 10 juin et vend. sauf été – SC : **R** 30/95.

MICHELIN, Agence, rte de la Luye par ③ **et D 900B ☎ 51.63.32**

AUDI-VOLKSWAGEN Gar. Alpes-Service, rte de Briançon ☎ 51.04.94
AUSTIN, MORRIS, ROVER, TRIUMPH Gar. de Verdun, 4 r. P.-Bert ☎ 51.26.18
BMW, FIAT Transalp-Auto, av. d'Embrun ☎ 52.02.57
CITROEN Gap Injection Service, 10 av. Cdt.-Dumont ☎ 52.29.26
LANCIA-AUTOBIANCHI Gar. Rouit, rte Marseille Fontreyne ☎ 51.18.26
OPEL Provensal, Cours Victor-Hugo ☎ 51.02.95
PEUGEOT Éts Brotons, rte Marseille ☎ 52.15.17
RENAULT Gap-Autom., av. d'Embrun ☎ 52.05.61
TALBOT Gar. Guay, 15 av. J.-Jaurès ☎ 51.05.35
Barneaud-Pneus, rte de Barcelonnette ☎ 51.00.59
Meizenq-Pneus, 39 bis bd. de la Libération ☎ 51.09.15
Piot-Pneu, av. d'Embrun ☎ 51.01.47
Provence C/c, 1 av. Mar.-Foch ☎ 51.33.03

GARABIT (Viaduc de) ** 15 Cantal 76 ⑭ G. Auvergne – alt. 835 – ✉ 15390 Loubaresse – 71.

Env. Belvédère de Mallet ≤** SO : 13 km puis 10 mn.

Paris 501 – Aurillac 88 – Mende 71 – Le Puy 100 – St-Flour 12.

Panoramic, N 9 ✉ 15100 St-Flour ☎ 23.40.24, ≤ lac, – wc wc. E
1er avril-1er nov. – SC : **R** 27/70 – 9 – 30 ch 48/110 – P 90/130.

Garabit H., ☎ 23.42.75, ≤, – wc wc – 60 à 110. E
15 avril-1er nov. – SC : **R** 30/75 – 12 – 48 ch 85/155 – P 95/160.

Beau Site, N 9 ☎ 23.41.46, ≤ – wc – 30. E
15 mars-1er nov. – SC : **R** 25/70 – 10 – **30 ch** 45/98 – P 75/120.

Viaduc, ☎ 23.43.20, ≤ –
1er mars-15 nov. – SC : **R** 27/70 – 9 – 22 ch 48/100 – P 71/115.

La GARDE 48 Lozère 76 ⑮ – alt. 1 054 – ✉ 48200 St-Chély-d'Apcher – 66.

Paris 515 – Garabit (Viaduc de) 14 – Mende 57 – Le Puy 86 – St-Chély-d'Apcher 9 – St-Flour 26.

Rocher Blanc, N9 ☎ 31.90.09 – wc wc
21 ch.

La GARDE 69 Rhône 74 ⑪, 93 ⑳ – rattaché à Lyon.

La GARDE-FREINET 83 Var 84 ⑰ G. Côte d'Azur – 1 241 h. alt. 405 – ✉ 83310 Cogolin – 94.

Paris 857 – Brignoles 47 – Hyères 55 – ♦Toulon 73 – St-Tropez 20 – Ste-Maxime 23.

La Faücado, ☎ 43.60.41 –
fermé du 12 nov. au 5 déc. et mardi – SC : **R** 52/138, dîner à la carte.

La GARENNE-COLOMBES 92 Hauts-de-Seine 55 ⑳, 101 ⑭ – voir à Paris, Proche banlieue.

GARGILESSE-DAMPIERRE 36 Indre 68 ⑱ G. Périgord – 363 h. alt. 140 – 54.

Paris 313 – Argenton-sur-Creuse 13 – Châteauroux 44 – Guéret 61 – ♦Limoges 98 – La Souterraine 45.

au Pin NO : 1,5 km – ✉ **36200** Argenton-sur-Creuse :

Pont Noir, ☎ 47.85.20, ≤, – wc.
15 mars-15 nov. – SC : **R** 30/60 – 10 – 17 ch 46/95 – P 75/110.

La GARONNE 83 Var 84 ⑮ – rattaché au Pradet.

GARONS 30 Gard 80 ⑲ – rattaché à Nîmes.

GASSIN 83580 Var 84 ⑰ **G. Côte d'Azur** – 1 519 h. alt. 201 – ✪ 94.
Voir Boulevard circulaire ≤★ – Moulins de Paillas ✻★★ SE : 3,5 km.
Paris 879 – Brignoles 67 – Le Lavandou 32 – St-Tropez 7,5 – Ste-Maxime 15 – Toulon 73.

XX **Aub. la Verdoyante,** N : 2 km ☎ 56.16.23, ≤ – Ⓟ. GB
fermé 15 janv. à fin fév. et merc. hors sais. – SC : **R** 80/200.

X **Bello Visto** 🔇 avec ch, au Village ☎ 56.17.30, ≤ – ⇔wc ⋒wc. ✗ ch
hôtel : 1er avril-30 sept., rest. : 15 mars-15 oct. – SC : **R** *(fermé mardi hors sais.)* 58 – ☕ 13 – **12 ch** 65/130.

GATTIÈRES 06 Alpes-Mar. 84 ⑨, 195 ㉖ **G. Côte d'Azur** – 1 430 h. alt. 295 – ✉ **06510** Carros – ✪ 93.
Paris 941 – Antibes 32 – Cannes 43 – La Gaude 7 – ♦Nice 24 – St-Martin-Vésubie 51 – Vence 10.

XXX **Aub. de Gattières,** ☎ 08.60.05, ⌂
fermé 1er juin au 2 juil., 1er au 13 déc. et merc. – SC : **R** (hors saison dîner sur commande) 95/165.

XX **Le Panoramic,** au N : 1,5 km par D 2209 ☎ 08.60.56, ≤, ⌇, ⌂ – Ⓟ
SC : **R** 55/85.

GAUCHIN-LÉGAL 62 P.-de-C. 53 ① – rattaché à Bruay-en-Artois.

La GAUDE 06610 Alpes-Mar. 84 ⑨, 195 ㉕㉖ **G. Côte d'Azur** – 2 309 h. alt. 230 – ✪ 93.
Voir Corniche du Var★ E : 2 km par D 118.
Paris 931 – Antibes 19 – Cagnes-sur-Mer 9 – Grasse 35 – ♦Nice 21 – St-Laurent-du-Var 12 – Vence 9.

⌂ **Brise des Pins,** ☎ 59.40.26, ≤ – ▤ rest ⇔wc ⋒ ☎ Ⓟ
fermé 30 oct. au 10 déc. – SC : **R** 45/65 – ☕ 10 – **20 ch** 70/120 – P 98/123.

⌂ **Trois Mousquetaires,** rte St-Laurent-du-Var ☎ 59.40.60, ⌂ – ⋒ ☎ Ⓟ
◆ *fermé nov. et mardi* – SC : **R** 28/70 🍷 – ☕ 10 – **10 ch** 65/125 – P 90/110.

XX **Host. Hermitage** 🔇 avec ch, D 18 ☎ 59.40.05, ≤, ⌂ – ⇔wc ⋒wc ☎ Ⓟ. ⓓ. ✗ ch
fermé 18 oct. au 19 déc. – **R** *(fermé vend.)* 65/110 – ☕ 9 – 10 ch 100/140 – P 115/130.

GAVARNIE 65 H.-Pyr. 85 ⑱ **G. Pyrénées** – 162 h. alt. 1 357 – ✉ **65120** Luz-St-Sauveur – ✪ 62 – Voir Cirque de Gavarnie★★★ S : 3 h. – Pic de Tantes ✻★★ SO : 11 km.
Paris 842 – Lourdes 51 – Luz-St-Sauveur 20 – Tarbes 71.

⌂ **Taillon** 🔇, ☎ 92.48.20, ≤ – ⋒. ⌂. ✗ ch
◆ *fermé 1er nov. au 20 déc.* – SC : **R** 31/40 – ☕ 11 – **20 ch** 47/60 – P 86/95.

⌂ **Astazou,** ☎ 97.48.07, ≤ – ⋒ Ⓟ
◆ *1er fév.-15 oct.* – SC : **R** 30/80 – ☕ 9 – 14 ch 40/80 – P 87/100.

GAVRINIS (Ile) 56 Mobihan 63 ⑫ **G. Bretagne.**
Voir Tumulus★★ 15 mn en bateau de Larmor-Baden.

GAZERAN 78 Yvelines 60 ⑨, 96 ㉓ – rattaché à Rambouillet.

GÉMENOS 13420 B.-du-R. 84 ⑭ **G. Côte d'Azur** – 3 721 h. alt. 150 – ✪ 42.
Voir Parc de St-Pons★ E : 3 km et route de la Ste-Baume★.
Paris 793 – Aix-en-Provence 36 – Brignoles 48 – ♦Marseille 23 – ♦Toulon 50.

⌂ **Relais de la Magdeleine,** ☎ 82.20.05, ≤, 🔇 dans un parc, ⌇ – TV ☎ Ⓟ – ⛺ 45
15 mars-1er nov. – SC : **R** 90/115 – ☕ 22 – 16 ch 140/280, 3 appartements 300 – P 270/290.

⌂ **Parc** 🔇, vallée de St-Pons par D2 ✉ 13420 Gémenos ☎ 82.20.34, ≤, ⌂ – ⇔wc Ⓟ
Pâques-oct. – SC : **R** *(hors sais. ouvert sam. et dim. midi)* 55/85 – 15 ch (pens. seul.) – P 110/130.

XX **Fer à Cheval,** pl. Mairie ☎ 82.21.19 – GB ⓓ
fermé août et sam. – SC : **R** carte 85 à 105.

GEMOËN 74 H.-Savoie 74 ⑧ – rattaché à Combloux.

GENÇAY 86160 Vienne 68 ⑭ **G. Côte de l'Atlantique** – 1 392 h. alt. 128 – ✪ 49.
Paris 366 – Confolens 47 – Montmorillon 39 – Niort 77 – Poitiers 25.

⌂ **Du Guesclin,** 4 r. Carnot ☎ 49.33.53 – ⇔wc ⋒wc. ✗ ch
◆ *fermé 20 déc. au 5 janv. et dim. soir* – SC : **R** 28/58 🍷 – ☕ 9 – **10 ch** 42/75.

CITROEN Bouzier, ☎ 49.31.11

GÉNELARD 71 S.-et-L. 69 ⑰ – 2 041 h. alt. 298 – ✉ **71420** Perrecy-les-Forges – ✪ 85.

Voir Perrecy-les-Forges : porche-narthex★ de l'église NO : 4 km, G. Bourgogne.

Paris 349 – Charolles 18 – Digoin 29 – Mâcon 73 – Montceau-les-Mines 17 – Paray-le-Monial 19.

Gare, ☎ 79.20.58 – wc ☎ P.
fermé janv. – SC : **R** 30/65 – ☕ 10 – **18 ch** 50/70 – P 120/200.

RENAULT Lapalus, ☎ 79.20.44

Le GENESTOUX 63 P.-de-D. 73 ⑬ – rattaché au Mont-Dore.

GENÈVE Suisse 74 ⑥, 28 ⑪ **G. Suisse** – 169 960 h. alt. 375 – Casino – ✪ Genève et les environs : de France 19-41-22 ; de Suisse 022.

Voir Bords du Lac ≤★★★ – Parcs★★ : Mon Repos, la Perle du Lac et Villa Barton – Jardin botanique★ : jardin alpin★★ – Cathédrale★ : ✻★★ – Monument de la Réformation★ – Palais des Nations★ – Parc de la Grange★ – Parc des Eaux-Vives★ – Vaisseau★ de l'église du Christ-Roi BV **E – Musées : Art et Histoire★★★** FZ **M1, Ariana★★** BU **M, Histoire naturelle★★** GZ **M2, Petit Palais★** FZ **M3, Collections Baur★ (dans Hôtel particulier)** FZ **M4, des Instruments de musique★** FZ **M5.**

Excurs. en bateau sur le lac. Rens. Cie Gén. de Nav., Jardin Anglais ☎ 21.25.21 – Mouettes genevoises, 8 quai du Mt-Blanc ☎ 32.29.44 – Swiss Boat, 4 quai du Mont-Blanc ☎ 32.47.47.

18 à Cologny ☎ 35.75.40 CU.

✈ de Genève-Cointrin : Air France ☎ 31.33.30 AU.

Office de Tourisme, 1 Tour de l'Isle (fermé dim. sauf sais.) ☎ 28.72.33, Télex 22795 - A.C. Suisse, 10 bd Théâtre ☎ 28.07.66 - T.C. Suisse, 9 r. P.-Fatio ☎ 36.60.00.

Paris 544 ⑦ – Bern 155 ② – Bourg-en-B. 120 ⑦ – Lausanne 63 ② – ♦Lyon 177 ⑦ – Torino 253 ⑥.

Plans : GENÈVE p. 2 à 5

Les prix sont donnés en francs suisses

1er - ***Rive droite (Gare Cornavin - Les Quais - B.I.T.)*** – ✉ **1201.**

Noga Hilton M, 19 quai Mt-Blanc ✉ 1201, ☎ 31.98.11, Télex 289704, ≤ lac et Mt-Blanc, – cuisinette ch TV ☎ – 1300. AE ① E. rest — FY **y**
SC : rest. **Le Cygne R** 60/100 - **La Grignotière R** carte environ 40 - **Le Bistroquai R** carte environ 20 – ☕ 14 – **260 ch** 145/275.

Rhône M, quai Turrettini, ✉ 1211, ☎ 31.98.31, Télex 22213, ≤ – TV ☎ ♿ P – 25 à 150. AE — EY **r**
SC : **R** voir Rôtisserie Le Neptune – **300 ch** ☕ 105/290, 18 appartements 270/520.

Président M, 47 quai Wilson, ✉ 1211, ☎ 31.10.00, Télex 22780, ≤ lac – TV ☎ ♿ P – 25 à 80. AE ① E. rest — FX **d**
SC : **R** 60 – ☕ 12 – **240 ch** 172/360, 33 appartements.

Richemond, jardin Brunswick, ✉ 1211, ☎ 31.14.00, Télex 22598, ≤ – rest TV ☎ – 40. AE ① E VISA. rest — FY **u**
SC : **rest Le Jardin R** carte 45 à 65 et voir rest Le Gentilhomme – **138 ch** ☕ 104/330, 11 appartements 300/600.

Les Bergues, 33 quai Bergues, ✉ 1201, ☎ 31.50.50, Télex 23383, ≤ – TV ☎ – 100 à 300. AE ① E VISA — FY **a**
SC : **R** voir rest. Amphitryon – **109 ch** ☕ 160/260, 8 appartements.

Beau Rivage, 13 quai Mont-Blanc, ✉ 1201, ☎ 31.02.21, Télex 23362, ≤ lac – TV ☎ P – 30 à 200. AE ① E VISA. rest — FY **n**
SC : **R** voir rest. Le Chat Botté – **120 ch** ☕ 130/260, 6 appartements.

Paix, 11 quai Mont-Blanc, ✉ 1211, ☎ 32.61.50, Télex 22552, ≤ – rest TV ☎ – 50. AE ① E VISA — FY **s**
SC : **R** carte 55 à 80 – **94 ch** ☕ 95/230, 11 appartements – P 178.

Ramada M, 19 r. Zurich, ✉ 1201, ☎ 31.02.41, Télex 289109 – TV ☎ – 150. AE ① E VISA. rest — FX **s**
SC : **La Clef d'Or** *(fermé dim.)* (dégustation de fromages) - **Rive Droite R** carte 45 à 60 – ☕ 12 – **220 ch** 140/200, 7 appartements.

Méditerranée M, 14 r. Lausanne, ✉ 1201, ☎ 31.62.50, Télex 23630 – TV ☎ – 420. AE ① E VISA — EY **n**
SC : **R** carte 45 à 65 – **160 ch** ☕ 87/164, 7 appartements 194/334 – P 137/157.

P.L.M. Rotary M, 18 r. Cendrier, ✉ 1201, ☎ 31.52.00, Télex 289999 – cuisinette TV ☎. AE GB ①. rest — FY **p**
SC : **R** carte 40 à 60 – **95 ch** ☕ 115/190.

Bristol M, 10 r. Mont-Blanc, ✉ 1201, ☎ 32.44.00, Télex 23739 – rest TV ♿ – 40 à 120. AE ① E — FY **w**
SC : **R** *(fermé sam. soir et dim.)* carte 45 à 75 – **69 ch** ☕ 100/210, 6 appartements 210/400 – P 170/210.

tourner →

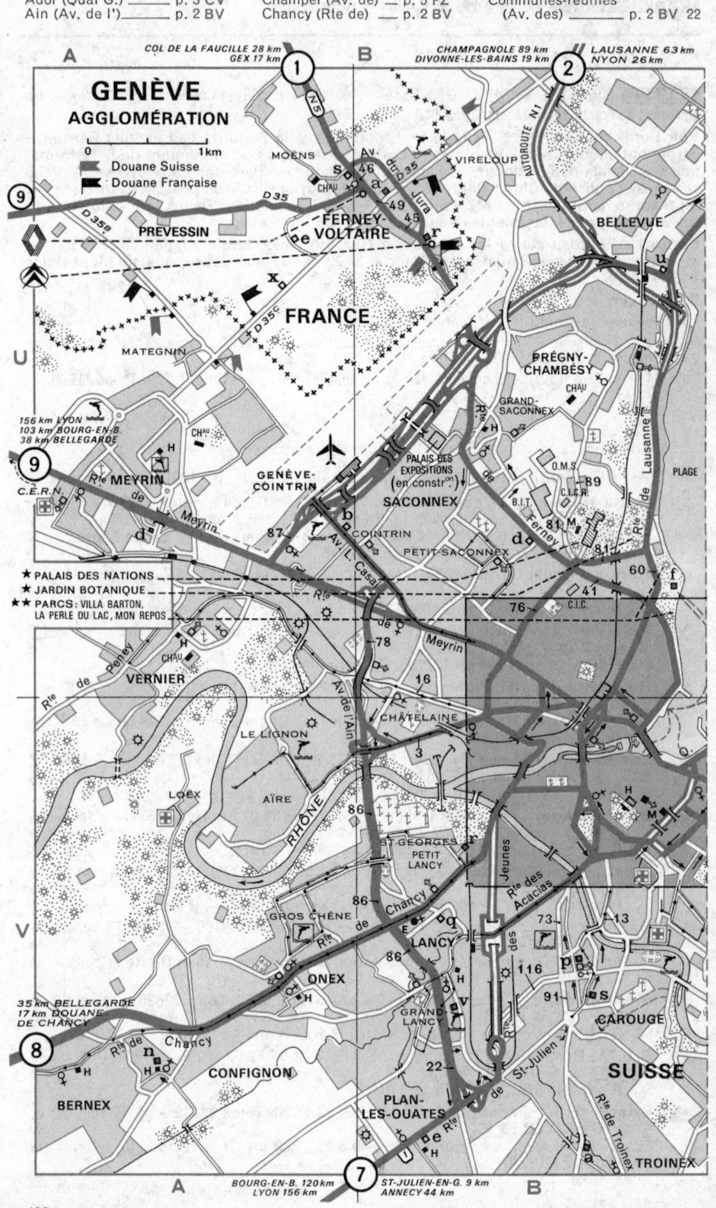

GENÈVE
AGGLOMÉRATION
0
1 km
Douane Suisse
Douane Française
COL DE LA FAUCILLE 28 km
GEX 17 km
CHAMPAGNOLE 89 km
DIVONNE-LES-BAINS 19 km
LAUSANNE 63 km
NYON 26 km
MOENS
VIRELOUP
AUTOROUTE N1
FERNEY-VOLTAIRE
PREVESSIN
BELLEVUE
FRANCE
MATEGNIN
PRÉGNY-CHAMBÉSY
GRAND-SACONNEX
156 km LYON
103 km BOURG-EN-B.
38 km BELLEGARDE
MEYRIN
C.E.R.N.
GENÈVE-COINTRIN
PALAIS DES EXPOSITIONS (en constr.on)
SACONNEX
O.M.S.
B.I.T.
C.I.C.R.
PLAGE
COINTRIN
PETIT-SACONNEX
★ PALAIS DES NATIONS
★ JARDIN BOTANIQUE
★★ PARCS : VILLA BARTON, LA PERLE DU LAC, MON REPOS
C.I.C.
VERNIER
CHÂTELAINE
LE LIGNON
LOËX
AÏRE
RHÔNE
ST GEORGES
PETIT LANCY
GROS CHÊNE
LANCY
ONEX
GRAND-LANCY
CAROUGE
35 km BELLEGARDE
17 km DOUANE DE CHANCY
CONFIGNON
BERNEX
PLAN-LES-OUATES
SUISSE
TROINEX
BOURG-EN-B. 120 km
LYON 156 km
ST-JULIEN-EN-G. 9 km
ANNECY 44 km

PLAN DE GENÈVE

Confédération (R.) — p. 4 EY 23
Conseil-Général (R.) p. 4 EZ 24
Contamines (R. de) — p. 5 FZ
Cornavin (Pl. de) — p. 4 EY 26
Corraterie (R. de) — p. 4 EY 27
Coulouvrenière (Pt) — p. 4 EY 28
Croix-d'Or (R. de la) p. 5 FY 31
Croix-Rouge (R.) — p. 5 FY 32
Délices (R. des) — p. 4 DY
Deux-Ponts (R. des) p. 4 DY
Dunant (Av. H.) — p. 4 EZ
Dussaud (R. Fr.) — p. 4 DZ
Eaux-Vives (Pl.) — p. 5 FY 33
Eaux-Vives (R.) — p. 5 GY
Favon (Bd G.) — p. 4 EZ
Fazy (Bd James) — p. 4 EY
Ferney (Rte de) — p. 2 BU
Florissant (Rte de) — p. 3 CV 39
France (Av. de) — p. 2 BU 41
Frontenex (Av. de) — p. 5 FY 42
Frontenex (Rte de) — p. 5 GY
Genève (R. de) — p. 2 BU 45
Gex (R. de) — p. 2 BU 46
Grand-Pré (R. du) — p. 4 DX
Grand-Rue FERNEY-V. — p. 2 BU 49
Grand-Rue GENÈVE — p. 5 FY
Grottes (R. des) — p. 4 EX 52
Guisan (Q. Gén.) — p. 5 FY
Helvétique (Bd) — p. 5 FZ
Hodler (R. F.) — p. 5 FZ
Hoffmann (R.) — p. 4 DX
Hollande (R. de) — p. 4 EY 53
Italie (R. d') — p. 5 FY 56
J.-Dalcroze (Bd) — p. 5 FZ
Jargonnant (R. de) — p. 5 GY 57
Jeunes (Rte des) — p. 2 BV
Jonction (Rd-Pt) — p. 5 DY 59
Jura (Av. du) — p. 2 BU
Lausanne (Rte de) — p. 2 BU
Lausanne (R. de) — p. 2 BU 60
Leschot (R.) — p. 5 EZ 61
Longemalle (Pl.) — p. 5 FY 62
Lyon (R. de) — p. 4 EY
Mail (Av. du) — p. 4 EZ
Malagnou (Rte de) — p. 3 CV
Marché (R. du) — p. 5 FY 63
Marziano (R.) — p. 4 DZ 65
Mercier (Pl. Isaac) — p. 4 EY 66
Meyrin (Rte de) — p. 2 BU
Molard (Pl. du) — p. 5 FY 67
Mont-Blanc (Pt) — p. 5 FY
Mont-Blanc (Q.) — p. 5 FY 68
Mont-Blanc (R.) — p. 5 FY 69
Montbrillant (Pl.) — p. 4 EY 72
Montbrillant (R.) — p. 4 EX
Montfalcon (R. L. de) p. 2 BV 73
Monthoux (R. de) — p. 5 FY 74
Motta (Av. G.) — p. 2 BU 76
Neuve (Pl.) — p. 4 EY 77
Pailly (Av. du) — p. 2 BU 78
Paix (Av. de la) — p. 2 BU 81
Pâquis (R. des) — p. 5 FY
Peney (Rte de) — p. 2 AU
Pépinière (R. de la) p. 4 EY 83
Pestalozzi (R.) — p. 4 DX
Philosophes (Bd) — p. 5 FZ
Pictet de Rochemont (Av.) — p. 5 GY
Plainpalais (Rd-Pt) — p. 4 EZ
Plantamour (R. Ph.) p. 5 FY 85
Pont Butin (Rte du) — p. 2 BV 86
Pont d'Arve (Bd du) — p. 4 EZ
Prairie (R. de la) — p. 4 DY
Prébois (Rte de) — p. 2 AU 87
Pregny (Rte de) — p. 2 BU 89
Promenades (Bd) — p. 2 BV 91
Rhône (R. du) — p. 5 FY
Rive (Rd-Pt de) — p. 5 FY 93
Rive (R. de) — p. 5 FY 94
Rousseau (R.) — p. 4 EY
St-Georges (Bd de) — p. 4 DY
St-Georges (Pt de) — p. 4 DZ 95
St-Jean (R. de) — p. 4 DY
St-Julien (Rte de) — p. 2 BV
St-Léger (R.) — p. 5 FZ 97
Scie (R. de la) — p. 5 FY
Servette (R. de la) — p. 4 DY
Sous-Terre (Pt) — p. 4 DY 101
Stand (R. du) — p. 4 EY
Temple (R. du) — p. 4 EY 102
Terrassière (R.) — p. 5 GZ
Terreaux-du-Temple (R. des) — p. 4 EY 103
Théâtre (Bd du) — p. 4 EY 106
Thonon (Rte de) — p. 3 CU
Tour (Bd de la) — p. 5 FZ 109
Tranchées (Bd des) p. 5 FZ
Troinex (Rte de) — p. 2 BV
Turrettini (Q. Th.) — p. 4 EY 112
Valais (R. du) — p. 5 FX
Vermont (R. de) — p. 4 DX
Versonnex (R.) — p. 5 FY 114
Vibert (Av.) — p. 2 BV 116
Vidollet (R. du) — p. 4 DX
Vignier (R.) — p. 4 EZ 117
Villereuse (R. de) — p. 5 GZ 118
Voltaire (R.) — p. 4 DY
Wendt (Av.) — p. 4 DY
Wilson (Quai W.) — p. 5 FX
22-Cantons (Pl.) — p. 4 EY 121
31-Décembre (R. du) p. 5 GY 122

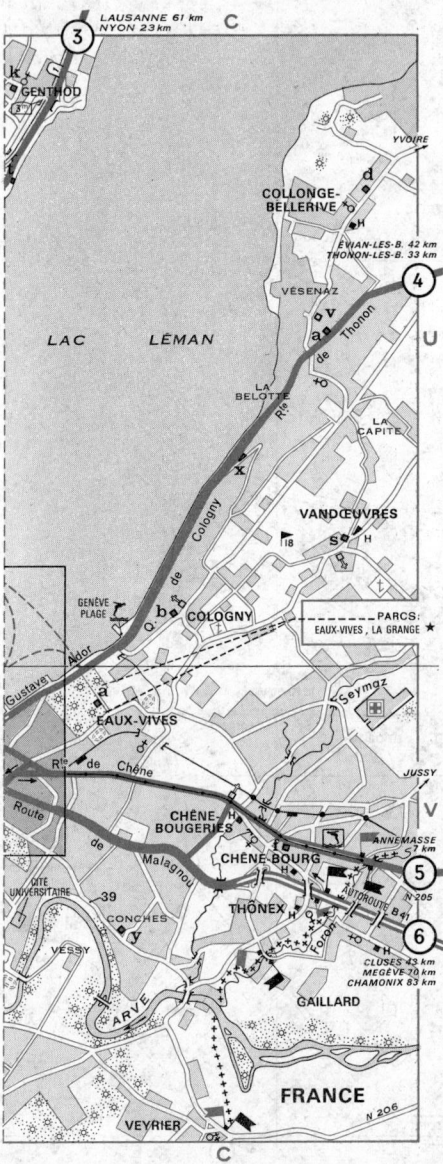

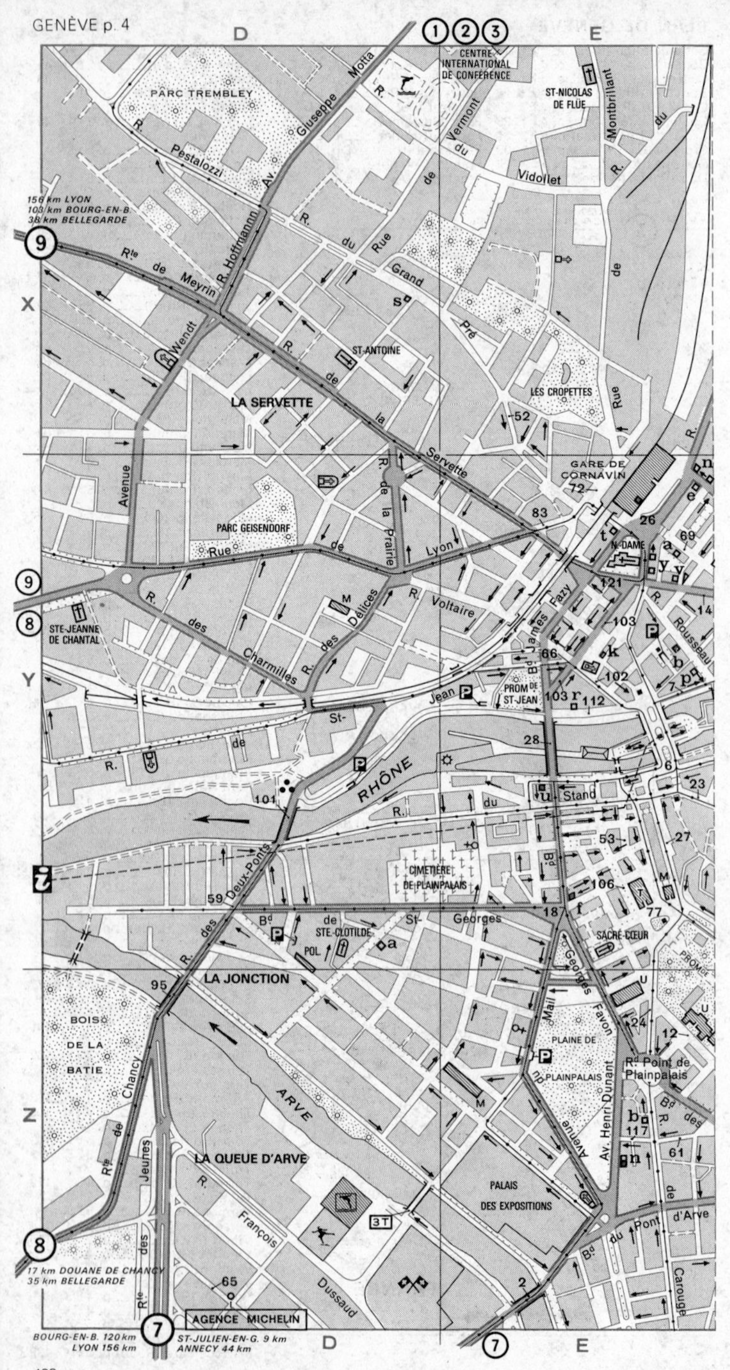

PARC TREMBLEY
CENTRE INTERNATIONAL DE CONFÉRENCE
ST-NICOLAS DE FLÜE
156 km LYON
103 km BOURG-EN-B.
38 km BELLEGARDE
LA SERVETTE
ST-ANTOINE
LES CROPETTES
GARE DE CORNAVIN
PARC GEISENDORF
N-DAME
STE-JEANNE DE CHANTAL
PROM DE ST-JEAN
RHÔNE
CIMETIÈRE DE PLAINPALAIS
STE-CLOTILDE
SACRÉ-CŒUR
LA JONCTION
BOIS DE LA BATIE
PLAINE DE PLAINPALAIS
Rd Point de Plainpalais
LA QUEUE D'ARVE
ARVE
PALAIS DES EXPOSITIONS
17 km DOUANE DE CHANCY
35 km BELLEGARDE
AGENCE MICHELIN
BOURG-EN-B. 120 km
LYON 156 km
ST-JULIEN-EN-G. 9 km
ANNECY 44 km

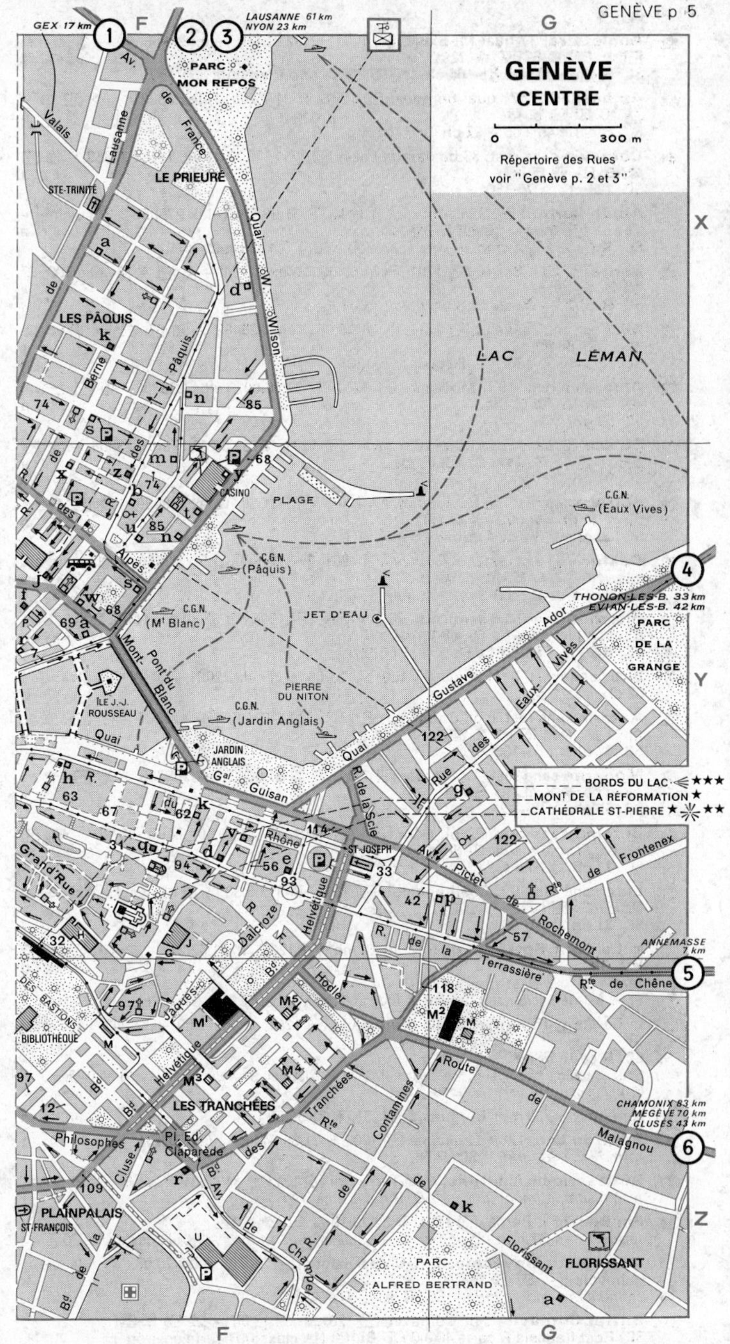
GENÈVE
CENTRE
0 300 m
Répertoire des Rues voir "Genève p. 2 et 3"
GEX 17 km
LAUSANNE 61 km
NYON 23 km
PARC MON REPOS
LE PRIEURÉ
LES PÂQUIS
STE-TRINITÉ
LAC LÉMAN
PLAGE
CASINO
C.G.N. (Eaux Vives)
C.G.N. (Pâquis)
C.G.N. (Mt Blanc)
C.G.N. (Jardin Anglais)
JET D'EAU
PIERRE DU NITON
ÎLE J.-J. ROUSSEAU
JARDIN ANGLAIS
THONON-LES-B. 33 km
EVIAN-LES-B. 42 km
PARC DE LA GRANGE
BORDS DU LAC ★★★
MONT DE LA RÉFORMATION ★
CATHÉDRALE ST-PIERRE ★ ★★
ST-JOSEPH
ANNEMASSE 7 km
DES BASTIONS
BIBLIOTHÈQUE
LES TRANCHÉES
CHAMONIX 83 km
MEGÈVE 70 km
CLUSES 43 km
Pl. Ed. Claparède
PLAINPALAIS
ST-FRANÇOIS
PARC ALFRED BERTRAND
FLORISSANT

Angleterre, 17 quai Mt-Blanc, ✉ 1201, ☎ 32.81.80, Télex 22668, ≤ – |♦| ▤ rest TV ☎. AE ⓓ E VISA. ⅋ rest FY **t**
SC : **R** carte 30 à 45 ⅋ – **64 ch** ⊐ 105/225, 8 appartements 360/450.

Ambassador, 21 quai Bergues, ✉ 1201, ☎ 31.72.00, Télex 23231 – |♦| TV Ⓟ – ⅋ 40. AE ⓓ E VISA EY **p**
SC : **R** carte 45 à 65 – **92 ch** ⊐ 72/154.

Cornavin sans rest, 33 bd James-Fazy, ✉ 1211, ☎ 32.21.00, Télex 22853 – |♦| TV ☎ Ⓟ. AE ⓓ E VISA EY **t**
SC : **125 ch** ⊐ 75/150.

Amat-Carlton [M], 22 r. Amat., ✉ 1202, ☎ 31.68.50, Télex 27595 – |♦| cuisinette ▤ rest TV ☎ ⅋. AE ⓓ E VISA. ⅋ rest FX **a**
SC : **R** *(fermé dim. midi et sam.)* carte 20 à 40 ⅋ – **123 ch** ⊐ 90/145.

Berne [M], 26 r. Berne, ✉ 1201, ☎ 31.60.00, Télex 22764 – |♦| TV – ⅋ 30 à 100. AE ⓓ E. ⅋ rest FY **x**
SC : **R** 18/22 – **80 ch** ⊐ 85/125 – P 103/125.

Midi [M], pl. Chevelu, ✉ 1211, ☎ 31.78.00, Télex 23482 – |♦| TV ⇔wc ⅋wc ☎. ⅋ AE ⓓ VISA FY **r**
SC : **R** carte 35 à 45 ⅋ – **85 ch** ⊐ 75/120.

Alba sans rest, 19 r. Mt-Blanc, ✉ 1201, ☎ 32.56.00, Télex 23930 – |♦| TV ⇔wc ☎. ⅋ AE ⓓ E VISA EY **a**
SC : **60 ch** ⊐ 80/140.

Suisse [M] sans rest, 10 pl. Cornavin, ✉ 1201, ☎ 32.66.30, Télex 23868 – |♦| TV ⇔wc ⅋wc ☎. ⅋ AE ⓓ E VISA EY **y**
SC : **81 ch** ⊐ 70/120.

Balzac sans rest, pl. Navigation, ✉ 1201, ☎ 31.01.60, Télex 289430 – |♦| TV ⇔wc ⅋wc ☎ Ⓟ. ⅋ AE ⓓ E VISA FX **n**
SC : **40 ch** ⊐ 35/98, 4 appartements 110.

California sans rest, 1 r. Gevray, ✉ 1201, ☎ 31.55.50, Télex 23560 – |♦| cuisinette ⇔wc ☎. ⅋ AE ⓓ E VISA. ⅋ FY **m**
SC : **60 ch** ⊐ 85/150, 9 appartements 200/260.

International et Terminus, 20 r. Alpes, ✉ 1201, ☎ 32.80.95, Télex 27808 – |♦| ⇔wc ⅋wc ☎. ⅋ AE ⓓ E VISA. ⅋ rest EY **n**
SC : **R** 20 ⅋ – **55 ch** ⊐ 35/95 – P 66/95.

Rivoli sans rest, 6 r. Pâquis, ✉ 1201, ☎ 31.85.50, Télex 22091 – |♦| ⇔wc ⅋wc ☎ **62 ch**. FY **b**

Astoria sans rest, 6 pl. Cornavin, ✉ 1211, ☎ 32.10.25, Télex 22307 – |♦| TV ⇔wc ⅋wc ☎. ⅋ AE ⓓ E VISA EY **y**
SC : **62 ch** ⊐ 53/105.

Moderne sans rest, 1 r. Berne, ✉ 1211, ☎ 32.81.00, Télex 289738 – |♦| TV ⇔wc ⅋wc ☎. ⅋ AE ⓓ E VISA EY **v**
SC : **55 ch** ⊐ 35/95.

Bernina sans rest, 22 pl. Cornavin, ✉ 1201, ☎ 31.49.50, Télex 28795 – |♦| TV ⇔wc ⅋wc ☎. ⅋ AE E VISA EY **e**
SC : **77 ch** ⊐ 37/84.

Lido sans rest, 8 r. Chantepoulet, ✉ 1201, ☎ 31.55.30 – |♦| ⇔wc ⅋wc ☎. ⅋ AE ⓓ E VISA EY **v**
SC : **31 ch** ⊐ 45/80.

XXXX ✿ **Le Chat Botté,** 13 quai Mont-Blanc, ✉ 1201, ☎ 31.02.21 – ▤ Ⓟ. AE ⓓ E VISA. ⅋ FY **n**
fermé dim. midi et sam. – SC : **R** 60/80
Spéc. Salade d'écrevisses, Daurade en brunoise, Lapin au basilic. **Vins** Gamay, Pinot gris.

XXXX ✿ **Le Gentilhomme,** jardin Brunswick, ✉ 1211, ☎ 31.14.00 – ▤. AE ⓓ E VISA. ⅋ FY **u**
SC : **R** carte 55 à 80
Spéc. Suprême de saumon, Filet de boeuf, Selle de chevreuil Gd-Veneur (oct.-mars). **Vins** Pinot noir et gris.

XXXX Amphitryon, 33 quai Bergues, ✉ 1201, ☎ 31.50.50 FY **a**

XXX **Perle du Lac,** 128 r. Lausanne ✉ 1202, ☎ 31.35.04, ≤ – AE ⓓ VISA BU **f**
fermé janv. et lundi – SC : **R** 58/78.

XXX **Rôtisserie Le Neptune,** quai Turrettini ✉ 1211 ☎ 31.98.31 – ▤ Ⓟ. AE E. ⅋
fermé sam., dim. et fériés – SC : **R** carte 55 à 80. EY **r**

XXX **Fin Bec,** 55 r. Berne, ✉ 1201, ☎ 32.29.19 – AE ⓓ E VISA FX **k**
fermé 1er au 20 août, 25 déc. au 5 janv., sam. midi et dim. – SC : **R** carte 45 à 70 ⅋.

XXX **Aub. Mère Royaume,** 9 r. Corps-Saints, ✉ 1201, ☎ 32.70.08, « Style vieux genevois » – AE ⓓ E VISA EY **k**
fermé sam. midi et dim. – SC : **R** carte 50 à 75 ⅋.

XX **Buffet Cornavin,** 3 pl. Cornavin, ✉ 1201, ☎ 32.43.06 – AE ⓓ E VISA EY
SC : **Rest français R** carte 40 à 60 ⅋ - **Buffet (1er classe) R** carte environ 35.

XX **Mövenpick-Cendrier** (Beef Club), 17 r. Cendrier, ✉ 1201, ☎ 32.50.30, Télex 23676 – ▤. AE ⓓ E VISA FY **f**
SC : **R** carte 40 à 60 ♁.

XX **Locanda Ticinese,** 13 r. Rousseau, ✉ 1201, ☎ 32.31.70, Cuisine tessinoise et italienne – AE EY **b**
fermé 28 juin au 27 juil., dim. soir et lundi – SC : **R** carte 40 à 55 ♁.

X **Boeuf Rouge,** 17 r. A.-Vincent ✉ 1201 ☎ 32.75.37, cuisine lyonnaise FY **z**
fermé 6 au 26 juil., 23 déc. au 4 janv., sam., dim. et fériés – SC : **R** carte 30 à 50 ♁.

X **A la Diligence,** 2 r. Pécolat, ✉ 1201, ☎ 32.44.95 – AE VISA FY **j**
fermé dim. – SC : **R** carte 30 à 50 ♁.

2e - *Au Nord (Palais des Nations, Servette) :*

Intercontinental Ⓜ, 7 petit Saconnex, ✉ 1211, Genève 19 ☎ 34.60.91, Télex 23130, ≤, ⛱ – |‡| ▤ rest TV ☎ ⇔ Ⓟ – 🏛 25 à 750. AE ⓓ E VISA. ✗ rest
SC : **Les Continents** (1er étage) *(fermé dim.)* **R** carte 55 à 80 - **Le Carnaval** (18e étage) ≤ Genève et les Alpes *(fermé lundi)* (dîner seul.) **R** carte 60 à 85 - – ☕ 11 – **320 ch** 145/200, 80 appartements. BU **d**

Grand Pré sans rest, 35 r. Gd-Pré, ✉ 1211, Genève 16 ☎ 33.91.50, Télex 23284 – |‡| cuisinette TV ⛀wc ⛆wc ☎. AE ⓓ E VISA DX **s**
SC : **100 ch** ☕ 65/130, 4 appartements 160.

3e - *Rive gauche (Centre des affaires) :*

Armures Ⓜ, 1 r. Puits-Saint-Pierre ✉ 1204 ☎ 21.98.72 – |‡| ▤ rest TV ☎ ♿. AE ⓓ E VISA
SC : **R** *(fermé dim.)* carte environ 35 ♁ – **24 ch** ☕ 110/210.

L'Arbalète Ⓜ, 3 r. Tour-Maîtresse, ✉ 1204, ☎ 28.41.55, Télex 427293 – |‡| ▤ TV ♿ – 🏛 30. AE ⓓ VISA FY **v**
SC : **R** *(fermé dim. midi et sam.)* snack, carte environ 30 ♁ – **29 ch** ☕ 110/210, 3 appartements 380.

Century sans rest, 24 av. Frontenex ✉ 1207 ☎ 36.80.95, Télex 23223 – |‡| cuisinette Ⓟ – 🏛 35. AE ⓓ E VISA GY **p**
SC : **125 ch** ☕ 45/145, 15 appartements.

Lutetia Ⓜ sans rest, 12 r. Carouge, ✉ 1205, ☎ 20.42.22, Télex 28845 – |‡| cuisinette ⛀wc ☎ EZ **b**
30 ch.

Plaine sans rest, 11 av. H.-Dunant ✉ 1205, ☎ 20.92.88, Télex 28845 – |‡| ⛀wc ⛆ ☎. 🚗. AE ⓓ EZ **n**
SC : **47 ch** ☕ 40/85.

Touring Balance, 13 pl. Longemalle, ✉ 1201, ☎ 28.71.22, Télex 27634 – |‡| TV ⛀wc ⛆wc ☎ – 🏛 40. 🚗. AE ⓓ VISA. ✗ rest FY **k**
SC : **R** 20/25 ♁ – **60 ch** ☕ 38/105 – P 73/105.

Le Grenil, 7 av. Ste-Clotilde, ✉ 1205, ☎ 28.30.55, Télex 429307 – |‡| ⛆wc ☎ – 🏛 220. 🚗. AE ⓓ E VISA DY **a**
SC : **R** *(fermé lundi)* carte environ 35 ♁ – **50 ch** ☕ 38/78 – P 62/79.

XXXX ✿ **Parc des Eaux-Vives,** 82 quai Gustave-Ador, ✉ 1207, ☎ 35.41.40, « Agréable situation dans un grand parc, belle vue » – Ⓟ. AE ⓓ E VISA CV **a**
fermé 1er janv. au 15 fév. et lundi – SC : **R** carte 60 à 80
Spéc. Gratin de cuisses de grenouilles (saison), Bar braisé, Sabayon glacé à la "Williamine". Vins Clos-du-Roussillon, Dézaley.

XXX **Aub. de l'Or du Rhône,** 19 bd G. Favon, ✉ 1204, ☎ 28.25.21 – ▤. AE ⓓ E VISA
fermé 17 au 20 avril, 24 déc. au 4 janv., sam. midi et dim. – SC : **R** carte 50 à 75 ♁. EY **f**

XXX **Via Veneto,** 10 r. Tour Maitresse ✉ 1204 ☎ 21.65.93 – ▤. AE ⓓ E VISA FY **d**
fermé juil. et dim. sauf d'oct. à déc. – SC : **R** 35 bc/100 bc.

XXX **Aub. Trois Bonheurs,** 39 rte Florissant ✉ 1206 ☎ 46.60.98 – AE ⓓ GZ **k**
fermé lundi midi – SC : **R** carte 35 à 70.

XXX **Roberto,** 10 r. P.-Fatio, ✉ 1204, ☎ 21.80.33, Spécialités italiennes – ▤ FY **e**
fermé sam. soir et dim. – SC : **R** carte 45 à 65 ♁.

XX **Mövenpick Fusterie,** 40 r. Rhône ✉ 1204 ☎ 21.88.55 – ▤. AE ⓓ E FY **h**
SC : **R** carte 45 à 60 ♁.

XX **Laurent,** 13 r. Madeleine, ✉ 1204, ☎ 21.24.22 – AE ⓓ E VISA FY **q**
fermé dim. – SC : **R** carte 40 à 60 ♁.

XX ✿ **Béarn** (Godard), 4 quai Poste, ✉ 1204, ☎ 21.00.28 – AE E VISA EY **u**
fermé 20 juil. au 17 août, sam. midi et dim. – SC : **R** carte 55 à 80
Spéc. Petit feuilleté de truffes et foie gras, Gigot de volaille, Gratin d'oranges et kiwis.

XX **Sénat,** 1 r. E.-Yung, ✉ 1205, ☎ 46.58.10 – AE ⓓ E VISA FZ **r**
fermé sam. midi – SC : **R** carte 45 à 60 ♁.

XX Plat d'Argent, 7 r. Cherbuliez, ✉ 1207, ☎ 35.09.56 – ▤ GY **g**

XX Parc Bertrand, 62 rte Florissant, ✉ 1206, ☎ 47.59.57 – ▤ GZ **a**

XX **La Pescaille,** 15 av. H.-Dunant, ✉ 1205, ☎ 29.71.60 – ▤. AE ⓓ E VISA EZ **n**
fermé sam. midi et dim. midi – SC : **R** carte 55 à 75.

Environs

Route de Lausanne au bord du lac - BCU :

à Bellevue : 6 km - BU – ✉ **1293** Bellevue :

🏨 **La Réserve** Ⓜ 🐎, 4 chemin des Romelles ☎ 74.17.41, Télex 23822, ≤, « Bel ensemble dans un parc près du lac, port aménagé », 🏊, 🎾 – |‡| 📺 ♿ Ⓟ – 🏛 80. AE ⓓ E VISA. 🚫 rest BU **u**
SC : **R** carte 55 à 80 – **53 ch** ☕ 175/275, 4 appartements.

XXX ✪ Tsé Fung, 4 chemin des Romelles ☎ 74.17.41 BU **u**
Spéc. spécialités chinoises.

X **Lacustre,** ☎ 74.10.02, ≤, Plein air CU **t**
fermé 15 déc. au 10 janv. – **R** carte 30 à 50 🍷.

à Genthod : 7 km – ✉ **1294** Genthod :

XX **Rest. du Château de Genthod,** 1 rte Rennex ☎ 74.19.72 – AE ⓓ VISA CU **k**
fermé 15 au 31 août, 20 déc. au 10 janv., dim. soir et lundi – SC : **R** 35/60.

vers la Savoie et bord du lac - CU :

à Cologny : 3,5 km - CU – ✉ **1223** Cologny :

XXX ✪ **Aub. du Lion d'or** (Large), au Village ☎ 36.44.32, ≤, « Situation dominant le lac et Genève, terrasse » – Ⓟ. AE ⓓ CU **b**
fermé 20 déc. au 20 janv., merc. midi et mardi – SC : **R** carte 65 à 95
Spéc. Saumon mariné, Savarin de rouget, Aiguillettes de pintade. Vins Villeneuve, Ivorne.

X **Pavillon de Ruth,** 86 quai Cologny ☎ 52.14.38, ≤ – Ⓟ CU **x**
fermé janv., fév. et jeudi – SC : **R** carte 40 à 55 🍷.

à Vandoeuvres : 5,5 km - CU – ✉ **1253** Vandoeuvres :

XX **Cheval Blanc,** ☎ 50.14.01, cuisine italienne – AE E. 🚫 CU **s**
fermé 1er au 21 juil., mardi midi et lundi – SC : **R** carte 45 à 70 🍷.

à Vésenaz : 6 km par rte de Thonon - CU – ✉ **1222** Vésenaz :

🏠 **La Tourelle** sans rest, 26 rte Hermance ☎ 52.16.28, 🌳 – 🛁wc 🚿 ☎ Ⓟ. 🚗 AE ⓓ E VISA. 🚫 CU **v**
fermé 1er déc. au 15 janv. – SC : **24 ch** ☕ 35/95.

XXX **Chez Valentino,** 63 rte Thonon ☎ 52.14.40, Cuisine italienne, 🌳 – Ⓟ. AE. 🚫
fermé 21 déc. au 25 janv., mardi midi et lundi – SC : **R** carte 45 à 60 🍷. CU **a**

à Collonges : 8 km - CU – ✉ **1245** Collonges :

XXX **Le Chambord,** ☎ 52.25.85 – AE ⓓ E CU **d**
fermé 1er au 25 juil., sam. midi et merc. – SC : **R** 22/65.

par route de Chêne - CV :

à Chêne-Bourg : 4,5 km - CV – ✉ **1225** Chêne-Bourg :

X Au Coq à la Broche, 48 r. Genève ☎ 48.51.73 – Ⓟ. ⓓ E CV **f**

à Jussy : 11 km - CV – ✉ **1254** Jussy :

X **Aub. Vieux Jussy,** ☎ 59.11.10 – ⓓ
fermé fév., mardi soir et merc. – SC : **R** carte 35 à 50.

route de Florissant - CV :

à Conches : 2,5 km - CV – ✉ **1231** Conches :

X **Le Catalan,** 175 rte Florisant ☎ 47.06.23, cuisine espagnole – Ⓟ. AE ⓓ E VISA
fermé 20 déc. au 20 janv., sam. et dim. – SC : **R** carte environ 50. CV **y**

à Carouge : 3 km par r. Carouge - BV – ✉ **1227** Carouge :

XX **Olivier de Provence,** 13 r. J.-Dalphin ☎ 42.04.50 – AE ⓓ BV **p**
fermé dim. – SC : **R** carte 45 à 70.

XX **Aub. Communale** avec ch, 39 r. Ancienne ☎ 42.22.88 – 🚗 BV **s**
SC : **R** *(fermé lundi soir et mardi)* carte 35 à 55 🍷 – **9 ch** ☕ 30/45 – P 60/70.

à Troinex : 5 km - BV – ✉ **1256** Troinex :

XXX ✪ **Vieux Moulin** (Bouilloux), 89 rte Drize ☎ 42.29.56 – Ⓟ BV **a**
fermé dim. soir et lundi – SC : **R** 40/75
Spéc. Feuilleté de foie de canard, Fricassée de homard au Sauterne, Rognon de veau aux grains de moutarde.

XX La Chaumière, r. Fondelle ☎ 42.24.60, 🌳 – Ⓟ.

par route de St-Julien - BV :

au Grand-Lancy : 3 km - BV – ✉ **1212** Lancy :

XXX **Marignac,** 32 av. E.-Lance ☎ 94.04.24, parc – ▤ Ⓟ. AE ⓓ E VISA BV **v**
fermé 24 déc. au 11 janv., dim. soir et lundi – SC : **R** carte 50 à 75.

au Petit Lancy : 3 km - BV – ✉ **1213** Petit Lancy :

Host. de la Vendée et rest. Pont Rouge Ⓜ, 28 chemin Vendée ☎ 92.04.11 – wc wc ☎ Ⓟ – 50. AE E BV **q**
fermé 19 déc. au 3 janv. et 17 au 20 avril – SC : **R** *(fermé dim.)* 35/60 – **30 ch** 66/120
Spéc. Foie gras d'oie frais, Poissons, Coquelet en pie truffé. Vins Pinot gris, Gamay.

Le Curling, chemin du Fief-de-Chapitre ☎ 93.62.44, ≤ BV **r**
fermé 4 au 27 juil., 24 déc. au 5 janv., lundi midi et dim. – SC : **R** 35/70
Spéc. Mille feuille de foie gras de canard, Escalopine de truite au St-Amour, Noisette d'agneau.

au Plan-les-Ouates : 5 km - BV – ✉ **1228** Plan-les-Ouates :

Plan-les-Ouates Ⓜ sans rest, 135 rte St-Julien ☎ 94.92.44 – wc ☎. AE E VISA BV **e**
SC : 5 – **24 ch** 35/59.

par route de Chancy - ABV :

à Confignon : 6 km - AV – ✉ **1232** Confignon :

Aub. de Confignon, 6 pl. Église ☎ 57.19.44, – AE AV **n**
fermé lundi – SC : **R** 35/70 .

à Cartigny par ⑧ : 12 km – ✉ **1236** Cartigny :

L'Escapade (Studhalter), 31 r. Trably ☎ 56.12.07 –
fermé 21 déc. au 4 fév., lundi et mardi – SC : **R** carte 60 à 85.

vers le jura - AUV :

à Cointrin : par route de Meyrin : 4 km - ABU – ✉ **1216** Cointrin :

Hôtel 33, 82 av. L.-Casai ☎ 98.02.00 – wc ☎ Ⓟ. AE E VISA AU **b**
SC : **R** *(fermé dim.)* carte environ 40 – **33 ch** 60/95.

à l'Aéroport de Cointrin : 4 km - AU – ✉ **1215** Genève :

Aéroport, ☎ 98.22.88, Télex 23922, ≤ – Ⓟ. AE E VISA AU
SC : **R** carte 50 à 60.

à Meyrin : 5 km – ✉ **1217** Meyrin :

Levant, 10 r. Cardinal Journet ✉ 1217 ☎ 82.51.14 AU **d**
fermé 6 juil. au 2 août et dim. – SC : **R** carte 35 à 50.

à Peney-Dessus O : 10 km par rte de Peney - AUV – ✉ **1242** Satigny :

Aub. de Châteauvieux avec ch, ☎ 53.14.45, ≤ – wc ☎ Ⓟ
12 ch.

à La Plaine par ⑧ : 17 km – ✉ **1249** La Plaine :

Buffet Gare, à la Gare ☎ 54.12.16
fermé dim. soir et lundi – SC : **R** carte 40 à 70 .

MICHELIN, (S.A. des Pneumatiques Michelin) 14 r. Marziano DZ ☎ **43.45.50,** case postale CH - 1211 Genève 24, Télex 22733 + Pneumiclin-Gve.

GENIN (Lac de) 01 Ain **74** ④ – rattaché à Oyonnax.

GENLIS 21110 Côte d'Or **66** ⑫⑬ – 5 188 h. alt. 199 – 80.

Paris 329 – Auxonne 15 – •Dijon 17 – Dole 31 – Gray 51.

Gare, ☎ 31.30.11 – Ⓟ.
fermé 2 au 23 août, 25 déc. au 3 janv. et dim. – SC : **R** 32/65 – 11 – **19 ch** 40/55 – P 90.

CITROEN Gar. du Centre, ☎ 34.71.22
RENAULT Côte-d'Or Auto., ☎ 34.81.04
TALBOT Gar. Conclois, ☎ 34.71.86

GENNES 49350 M.-et-L. **64** ⑫ **G. Châteaux de la Loire** – 1 668 h. alt. 29 – 41.

Voir Église** de Cunault SE : 2,5 km.

Paris 285 – Angers 31 – Bressuire 63 – Cholet 61 – La Flèche 45 – Saumur 15.

Aux Naulets d'Anjou , r. Croix-de-Mission ☎ 51.81.88, ≤, – wc ☎ Ⓟ
15 mars-2 nov. et fermé lundi – SC : **R** 65/130 – 12 – 20 ch 80/130 – P 140/160.

Host. Loire avec ch, ☎ 51.81.03, – wc Ⓟ.
fermé 27 déc. au 10 fév., lundi soir et mardi sauf juil. et août – SC : **R** 30/80 – 14 – 11 ch 55/130.

GENNEVILLIERS 92 Hauts-de-Seine **55** ⑳, **101** ⑮ – voir à Paris, Proche banlieue.

GÉNOLHAC 30450 Gard 80 ⑦ **G. Vallée du Rhône** – 936 h. alt. 470 – ✪ 66.

ℹ Syndicat d'Initiative à la Mairie (fermé sam. et dim.) ☎ 83.70.55.

Paris 625 – Alès 37 – Florac 49 – La Grand-Combe 27 – Nîmes 81 – Villefort 18.

Mont Lozère, D 906 ☎ 83.70.72 – ⋒wc 🚗 Ⓟ. ✂ rest
20 déc.-30 sept. et fermé merc. hors sais. – SC : **R** 36/65 ⸗ – ☕ 9 – 17 ch 40/90 – P 85/95.

GÉRARDMER 88400 Vosges 62 ⑰ **G. Vosges** – 9 984 h. alt. 665 – Sports d'hiver : 665/1 130 m ⸗12, ⸗ – Casino AZ – ✪ 29.

Voir Lac★.

ℹ Office de Tourisme pl. Déportés (fermé dim. et fêtes hors saison) ☎ 63.08.74, Télex 961408.

Paris 418 ① – Belfort 77 ② – Colmar 52 ① – Épinal 41 ③ – St-Dié 30 ① – Thann 56 ②.

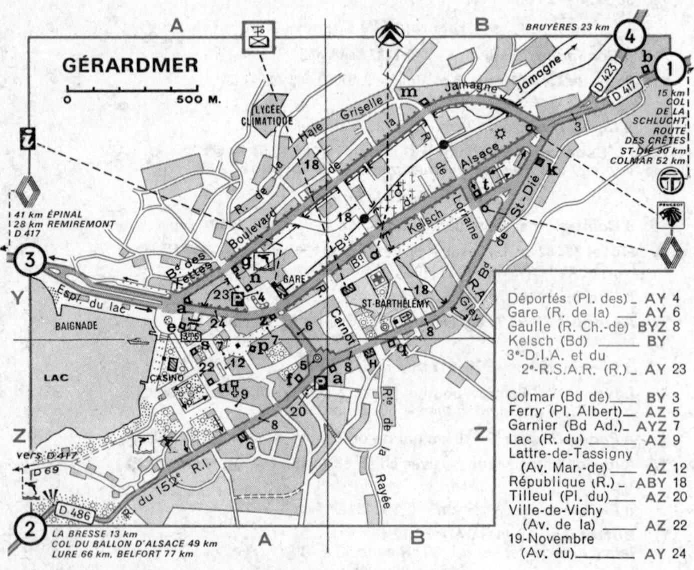

✿ **Gd Hôtel Bragard et rest. Gd Cerf** M, pl. Tilleul ☎ 63.06.31, « Décoration élégante, ⸗, parc » – |‡| TV Ⓟ – ⸗ 120. GB ⦿ E. ✂ rest AZ **f**
fermé 2 nov. au 20 déc. – SC : **R** 68/165 – ☕ 22 – **55 ch** 150/258, 20 appartements 275/341 – P 231/319
Spéc. Soupe de truite, Caille fumée aux choux, Feuilleté aux pêches. Vins Riesling, Pinot noir.

Beau Rivage, face au lac ☎ 63.22.28, ⸗, « Belle terrasse avec ⸗ sur le lac » – |‡| ♿ Ⓟ. ✂ rest AY **e**
15 mai-14 sept. – SC : **R** *(1er juil.-31 août)* 70/110 – ☕ 18 – **48 ch** 150/265 – P 245/290.

Réserve-Beau Séjour M, esplanade du Lac ☎ 63.21.60, Télex 961509, ⸗ – TV Ⓟ. AE GB ⦿ E AY **a**
16 avril-13 nov. et 21 déc.-5 janv. – SC : **R** 55/120 – ☕ 16 – **32 ch** 120/220 – P 200/240.

Jamagne, 2 bd de la Jamagne ☎ 63.36.86, ⸗ – ⸗wc ⋒wc ☎ Ⓟ – ⸗ 30 à 100. ⸗. ✂ rest AY **g**
11 avril-11 oct., 23 déc.-3 janv. et vacances de fév. – SC : **R** 55/65 – ☕ 13 – 50 ch 72/180 – P 160/210.

Relais de la Mauselaine ⸗, au pied des pistes SE : 2,5 km rte de la Rayée ☎ 63.05.74, ⸗ – ⸗wc ☎ Ⓟ ✂
fermé oct. et nov. – SC : **R** 35/100 ⸗ – ☕ 12 – 15 ch 120/140 – P 140/150.

Viry et rest. l'Aubergade, pl. Déportés ☎ 63.02.41 – ⋒wc ☎ Ⓟ. ⸗ GB E
fermé 15 nov. au 15 déc. – SC : **R** *(fermé vend. hors sais.)* 35/60 ⸗ – ☕ 12 – 20 ch 75/145 – P 150/185. AY **n**

Bains sans rest, 16 bd Garnier ☎ 63.08.19, ⸗ – ⸗wc ⋒wc ☎ Ⓟ. ⸗ AZ **p**
1er avril-1er nov. et 20 déc.-1er mars – SC : ☕ 12 – **56 ch** 70/150.

Parc, 12 av. Ville-de-Vichy ☎ 63.32.43 – wc wc AZ u
Pâques-oct. et vac. de fév. – SC : **R** 48/140 – 12 – 38 ch 48/125 – P 115/155.

Route Verte, 61 bd Jamagne ☎ 63.12.97 – wc wc BY m
fermé 1er oct. au 15 nov. – SC : **R** 40/85 – 12 – **18 ch** 55/130 – P 120/150.

Plein Air, la Cercenée par ① : 2 km ☎ 63.32.11, ≤, – wc wc rest
fermé 15 nov. au 15 déc. – SC : **R** 50 – 12 – 10 ch 50/100 – P 100/150.

Paix, 6 av. Ville-de-Vichy ☎ 63.38.78, ≤ – wc E rest AZ s
SC : **R** 55/65 – 11 – **24 ch** 58/120 – P 135/160.

Roméo sans rest, 57 bd Kelsch ☎ 63.00.90 – wc BY t
fermé 1er oct. au 15 nov. – SC : 12 – **17 ch** 50/100.

Progrès, 11 bd Colmar ☎ 63.01.75, ≤ – wc wc BY b
fermé 15 nov. au 15 déc. et vend. hors sais. – SC : **R** 40/75 – 12 – 25 ch 50/150 – P 98/160.

La Petite Hostellerie, 50 r. Ch.-de-Gaulle ☎ 63.38.99, – wc wc BZ q
Pâques, weeks-ends d'avril à mi juin, 15 juin-fin sept., 20 déc.-5 janv. et vacances de fév. – SC : **R** 42/60 – 12 – 12 ch 52/120 – P 135/175.

Écho de Ramberchamp sans rest, à **Ramberchamp O : 1,5 km par D 69** ☎ 63.02.27, ≤, – AZ
fermé 10 nov. au 20 déc., 10 janv. aux vacances de fév. et lundi hors sais. – SC : 10 – **16 ch** 49/75.

Chalet du lac, par ③ : 1 km ☎ 63.38.76, ≤ lac, – ch
fermé 1er oct. au 1er nov. – SC : **R** *(fermé vend.)* 35/155 – 10 – 12 ch 45/100 – P 110/145.

Vosges sans rest, pl. A.-Ferry ☎ 63.30.01 – BZ a
fermé 1er au 15 juin et dim. soir sauf vacances scolaires – SC : 10 – **22 ch** 45/80.

Aub. de Lorraine avec ch, 44 bd St-Dié ☎ 63.09.82 – BY k
fermé dim. soir et lundi hors sais. – **R** (nombre de couverts limité-prévenir) 40/90 – 11 – 8 ch 60/90 – P 120/150.

Terminus, pl. Déportés ☎ 63.00.20 AY z
SC : **rest** (1er étage) *(Pâques, Pentecôte et 29 juin au 30 août)* **R** 45/62 - **libre-service** *(fermé 1er oct. au 4 nov. et lundi)* **R** carte environ 30.

au Saut des Cuves rte de la Schlucht par ① : 3 km – alt. 700 – ✉ **88400** Gérardmer.
Voir Saut des Cuves★ – Lac de Longemer★ SE : 3,5 km.
Env. Roche du Diable ≤ ★★ SE : 7 km puis 15 mn.

Saut des Cuves, rte de Schlucht ☎ 63.30.46 – wc
fermé 5 nov. au 20 déc. – SC : **R** *(fermé mardi)* 55/65 – 15 – 27 ch 130/200 – P 160/210.

au Col de Martimpré par ① et D 8 : 5 km – ✉ **88400** Gerardmer :

Bonne Auberge de Martimprey, ☎ 63.19.08, parc – wc E
fermé 3 nov. au 17 déc. et merc. du 15 sept. au 15 avril – SC : **R** 55 – 13 – **13 ch** 65/130 – P 130/200.

Bas Rupts par ② : 4 km – alt. 800 – ✉ **88400** Gérardmer :

✿ **Bas-Rupts** (Philippe) avec ch, ☎ 63.09.25, Télex 960992, ≤, « Élégante installation » – wc wc rest
SC : **R** *(fermé merc. midi hors sais.)* (dim. et fêtes prévenir) 55/170 – 16 – **20 ch** 120/170 – P 200/240
Spéc. Marmite du Pêcheur, Feuilleté de langoustines, Noisette de marcassin sauce poivrade. Vins Pinot noir, Riesling.

La Belle Marée, ☎ 63.06.83, ≤, Produits de la mer –
fermé 16 nov. au 18 déc., dim. soir hors sais. et lundi – SC : **R** 35/80.

CITROEN Auto-Gar. Géromois, 31 bd Kelsch ☎ 63.35.77
FORD Gar. Lahache, 22 r. 152e-R.-I. ☎ 63.01.79 N
PEUGEOT Gar. Thiébault, bd Jamagne ☎ 63.14.50 N
RENAULT Gérardmer-Autom., rte de Remiremont à Le Costet Beillard ☎ 63.24.51
RENAULT Gar. Lorraine, 60 bd Kelsch ☎ 63.01.95
TALBOT Choux-Autom., rte Colmar ☎ 63.00.88

GERBIER DE JONC 07 Ardèche 76 ⑱ **G. Vallée du Rhône** – alt. 1 551 – ✉ **07510** St-Cirgues-en-Montagne – 75.
Voir ★★.
Accès 45 mn du Châlet Hôtel D 378.
Paris 569 – Aubenas 43 – Lamastre 57 – Privas 48 – Le Puy 53 – St-Martin-de-Valamas 23.

Chalet H. avec ch, ☎ 38.80.79, alt. 1450, ≤ – ch
1er juin-15 sept. – SC : **R** 35/45 – 10 – **11 ch** 50/90.

GERMIGNY 58 Nièvre 69 ③ – rattaché à Pougues-les-Eaux.

GERMINY-L'ÉVÊQUE 77 S.-et-M. 56 ⑬ – rattaché à Meaux.

Les GETS 74260 H.-Savoie 74 ⑧ **G. Alpes** – 986 h. alt. 1 163 – Sports d'hiver : 1 163/1 850 m 2 22 – 50.

Voir Mont Chéry ** O par télésiège.

Office de Tourisme 79.75.55, Télex 385026.

Paris 599 – Annecy 77 – Bonneville 37 – Chamonix 64 – •Genève 56 – Megève 50 – Thonon-les-B. 37.

Marmotte M, 79.75.39, ←, – . rest
10 juin-12 sept. et 20 déc.-Pâques – SC : 45 ch (pens. seul.) – P 220/350.

Le Sabaudia, 79.74.22, ←, , – . rest
20 juin-10 sept. et 15 déc.-Pâques – SC : **R** 60/95 – 15 – **35 ch** 110/195, 6 appartements 170/290 – P 160/295.

Le Labrador M sans rest, à la Turche 79.74.53, ←, , – wc .
juil.-août et 15 déc.-fin avril – SC : **22 ch** 145/175.

Mont Chéry, 79.74.55, ←, – rest wc .
15 juin-15 sept. et 20 déc.-20 avril – SC : **R** 40/80 – 18 – **26 ch** 150/200.

Lion d'Or, 79.70.06, ←, – wc wc .
27 juin-5 sept. et 15 déc.-20 avril – SC : **R** 40/70 – 12 – **21 ch** 60/130 – P 135/195.

Le Caribou , à la Turche 79.73.22, ←, – wc . rest
20 juin-31 août et 15 déc.-20 avril – SC : **R** 38/64 – **27 ch** 154/196 – P 124/220.

Stella, 79.70.87, ← – wc – 31 ch.

Week-End, 79.73.33, ← – wc wc . ch
27 juin-13 sept. et Noël à Pâques – SC : **R** 45/60 – 18 ch (pens. seul.) – P 140/185.

Régina, 79.74.76, ← – cuisinette wc wc
juil.-août et 15 déc.-20 avril – SC : **R** 42/60 – 10 – 24 ch 42/120 – P 100/160.

Alpina , 79.73.76, ← –
juil.-août et 18 déc.-20 avril – SC : **R** 38/50 – 10 – 25 ch 42/80 – P 110/150.

Maroussia , à La Turche 79.71.06, ← – wc wc . rest
SC : **R** 35/50 – 13 – **18 ch** 95/140 – P 130/175.

Chamois, 79.73.11, ← – wc .
15 juin-15 sept. et 15 déc.-Pâques – **R** 44/60 – 13,50 – **18 ch** 90/130 – P 120/160.

National, 79.75.06 – wc . rest
juil.-août et 20 déc.-Pâques – SC : **R** 45/48 – 14 – **35 ch** 70/140 – P 145/190.

RENAULT Pernollet, 79.75.64 79.70.14

GEVREY-CHAMBERTIN 21220 Côte-d'Or 66 ⑫ **G. Bourgogne** – 3 001 h. alt. 287 – 80.

Paris 314 – Beaune 27 – •Dijon 12 – Dole 62.

Grands Crus M sans rest, 34.34.15 – wc .
fermé 20 déc. au 1er fév. et dim. de nov. à avril – SC : 12 – **24 ch** 120/150.

Les Terroirs sans rest, rte Dijon 34.30.76, **« Belle décoration intérieure »,** – wc wc .
fermé du 23 déc. au 10 janv. – SC : 14 – **18 ch** 80/160.

Vendanges de Bourgogne, rte Beaune 34.30.24 – wc wc . ch
fermé 27 janv. au 1er mars et lundi – SC : **R** 42/75 – 11 – 18 ch 40/130.

XXX ❀ **La Rotisserie du Chambertin** (Mme Menneveau), 34.33.20, **« Caves anciennes aménagées »** – .
fermé 26 juil. au 26 août, 22 au 28 fév., dim. soir et lundi – SC : **R** carte 120 à 155
Spéc. Foie frais de canard, Gigot de poulette aux morilles, Foie de veau au cassis. Vins Bourgogne-Aligoté, Gevrey-Chambertin.

PEUGEOT Jouan, 34.30.62

GEX 01170 Ain 70 ⑮⑯ **G. Jura** (plan) – 4 518 h. alt. 628 – 50.

Syndicat d'Initiative r. A.-Reverchon (hors saison fermé matin, sam. et dim.) 41.53.85.

Paris 497 – •Genève 17 – Lons-le-Saunier 96 – Pontarlier 92 – St-Claude 44.

Parc, av. Gare 41.50.18, – wc wc
24 mai-15 nov. – SC : **R** 65/150 – 15 – 20 ch 40/170 – P 120/170.

XXX **Aub. des Chasseurs** avec ch, à Echenevex S : 4 km - alt. 650 01170 Gex 41.54.07, ←, **« Terrasse fleurie, jardin »** – wc .
1er avril-30 nov. – SC : **R** *(fermé dim. soir et lundi)* (sam. et dim. prévenir) 60/120 – 15 – **11 ch** 120/140.

X **Le Florimont** avec ch, N : 6 km par N 5 01170 Gex 41.53.34, ← – wc .
fermé oct. et mardi – SC : **R** 29/75 – 8 – 9 ch 36/38.

à Chévry S : 7 km par D 984c – ⊠ **01170** Gex :

XX **Aub. Gessienne,** ☎ 41.01.67 – Ⓟ
fermé 1er au 15 avril, 1er au 15 oct., dim. soir, lundi midi et merc. – SC : **R** 40/120.

CITROEN Prodon, ☎ 41.55.17
FORD Piron, Le Martinet Cessy ☎ 41.50.94
PEUGEOT Gar. Gerauto, ☎ 41.51.98
RENAULT Gar. Modernes, Les Vertes Campagnes ☎ 41.54.24
TOYOTA, **VOLVO** Jordan-Meille, à Sauverny ☎ 20.70.67
Gar. Dago, Le Martinet Cessy ☎ 41.55.52

GIAT **63620** P.-de-D. **73** ⑫ – 1 565 h. alt. 779 – ✆ 73.

Paris 402 – Aubusson 37 – •Clermont-Ferrand 69 – Le Mont-Dore 55 – Montluçon 80 – Ussel 43.

Commerce, ☎ 21.72.38, – Ⓟ.
SC : **R** 29/55 – ☕ 8 – 14 ch 40/57 – P 70/75.

CITROEN Simonnet, ☎ 21.72.86
RENAULT Richin, ☎ 21.72.16 N

GIEN **45500** Loiret **65** ② G. Châteaux de la Loire – 15 250 h. alt. 161 – ✆ 38 – **Voir Église★ – Château : musée de la Chasse★, grande salle★★ – Vieux pont** ←★ – Office de Tourisme r. Anne-de-Beaujeu (Pâques-fin oct., fermé dim. après-midi et lundi) ☎ 67.25.28.

Paris 153 ① – Auxerre 87 ② – Bourges 76 ④ – Cosne 41 ② – •Orléans 64 ⑥ – Vierzon 73 ④.

GIEN

Gambetta (R.)	6
Thiers (R.)	21
Victor-Hugo (R.)	22
Beaujeu (R. A.-de)	2
Château (Pl. du)	3
Clemenceau (R. G.)	5
Hôtel-de-Ville (R. de l')	7
Jeanne-d'Arc (R.)	9
Leclerc (Av. Gén.)	12
Louis-Blanc (R.)	13
Marienne (R. Adj.)	14
Paul-Bert (R.)	16
Président-Wilson (Av. du)	17
République (Av. de la)	18

Une voiture bien équipée possède à son bord des cartes Michelin à jour.

Munite la vostra vettura di carte stradali Michelin aggiornate.

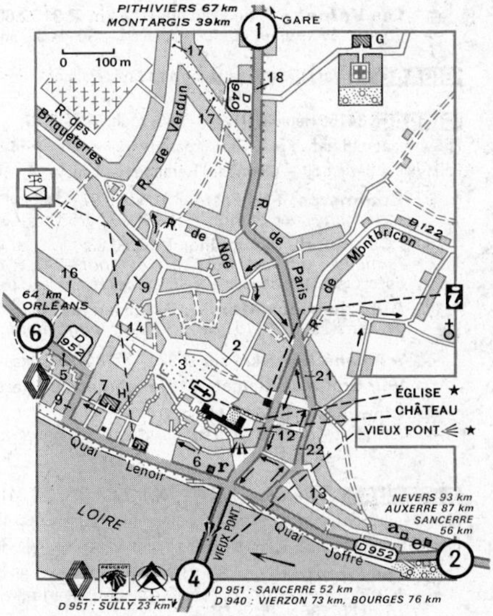

Rivage, 1 quai Nice **(a)** ☎ 67.20.53, ← – wc wc ☎ Ⓟ.
SC : **R** 50/90 – ☕ 12 – 26 ch 55/120.

XX **Beau Site et La Poularde** avec ch, 13 quai Nice **(e)** ☎ 67.36.05, ← – ☎.
ch
fermé 26 avril au 20 mai, 20 sept. au 14 oct., dim. soir et lundi – SC : **R** 45/120 – ☕ 12 – 8 ch 48/70.

X **Loire,** 18 quai Lenoir **(r)** ☎ 67.00.75 – GB.
fermé 1er au 15 sept., fév., mardi soir et merc. – SC : **R** 36/82.

X **La Marmite,** rte Paris par ① ☎ 67.37.23 – Ⓟ
fermé août, 24 déc. au 2 janv. et dim. – SC : **R** (déj. seul.) 42/65 ♂.

à Coullons par ④ : 12 km sur D 940 – ⊠ **45720** Coullons :

Don Quichotte, ☎ 35.12.45, – wc ☎ Ⓟ – 30. GB
SC : **R** 45/50 ♂ – ☕ 12 – **20 ch** 130 – P 180/200.

AUDI-VOLKSWAGEN Relais St-Christophe, 91 rte d'Orléans ☎ 67.34.02
BMW, FIAT Europe-Gar., 58 r. Paris ☎ 67.09.63
CITROEN S.A.G.V.R.A., rte Bourges, Poilly-lez-Gien, par ④ ☎ 67.30.82 N ☎ 67.07.33
PEUGEOT Auto-Giennoise, rte Bourges, Poilly-lez-Gien, par ④ ☎ 67.35.43
RENAULT Reverdy, rte Bourges, Poilly-lez-Gien, par ④ ☎ 67.28.98
RENAULT Prieur, 102 r. G.-Clemenceau, par ⑥ ☎ 67.15.32

Pneu-Service, r. J.-César ☎ 67.42.08

GIENS 83 Var 84 ⑯ G. Côte d'Azur – alt. 54 – ✉ **83400** Hyères – ⚙ 94.

Voir Ruines du château ☼★★.

Paris 868 – Carqueiranne 13 – Draguignan 91 – Hyères 12 – La Londe-des-Maures 18 – ♦Toulon 27.

Voir plan de Giens à Hyères

- **Le Provençal,** ☎ 58.20.09, ≤, « Parc ombragé en terrasses », ⛱, 🎾 – |♦| Ⓟ. ⓓ E. 🚫 rest X v
  fermé nov. – SC : **R** 75/130 – 49 ch ☕ 170/270 – P 355/405.
- **Relais du Bon Accueil** 🐌, ☎ 58.20.48, ≤, « Jardin fleuri » – 📺 🛁wc 🚿wc ☎ Ⓟ. 🚗
  fermé 1er nov. au 15 déc. – SC : **R** 70/130 – ☕ 15 – 10 ch 150/180 – P 190/250.
- **Riviera Résidence** 🐌, NE : 3 km rte La Capte ☎ 58.21.24, ≤, parc, ⛱, ⛺ – 🛁wc 🚿wc ☎ Ⓟ – 🎪 80. 🚗. 🚫 rest X h
  1er avril-31 oct. – SC : **R** 62 – 45 ch (pens. seul.) – P 234/259.

La GIETTAZ 73 Savoie 74 ⑦ – 511 h. alt. 1 100 – ✉ **73590** Flumet – ⚙ 79.

ℹ Syndicat d'Initiative (fermé matin, sam. hors saison et dim.) ☎ 31.70.36.

Paris 593 – Albertville 27 – Annecy 56 – Bonneville 39 – Chambéry 76 – Flumet 6 – Megève 16.

- **Relais des Aravis,** ☎ 31.62.28, ≤ – |♦| 🛁wc ☎ Ⓟ. 🚗. 🚫
  ◆ *1er juin-15 sept. et 1er déc.-25 avril* – SC : **R** 35/95 🍷 – ☕ 10 – **24 ch** 55/115 – P 100/145.
- **Les Vernes** 🐌, au Plan NE : 3,5 km ☎ 31.72.60, ≤ – 🛁wc 🚿 Ⓟ. 🚫
  ◆ *15 juin-15 sept. et 20 déc.-20 avril* – SC : **R** 32/38 – ☕ 9 – 16 ch 50/70 – P 85/98.

GIGARO 83 Var 84 ⑰ – rattaché à La Croix-Valmer.

GIGNAC 34150 Hérault 83 ⑥ – 2 848 h. alt. 53 – ⚙ 67.

ℹ Syndicat d'Initiative pl. Gén.-Claparède (juil.-août) ☎ 57.58.83.

Paris 790 – Béziers 50 – Clermont-l'Hérault 11 – Lodève 24 – ♦Montpellier 30 – Sète 44.

- **Commerce,** 1 bd Pasteur ☎ 57.50.97 – 🛁wc 🚗
  fermé janv., fév. et dim. – SC : **R** 40 bc/55 bc – ☕ 10 – **17 ch** 40/100.
- XX ✿ **Capion,** rte Montpellier ☎ 57.50.83
  fermé fév., dim. soir hors sais. et lundi – SC : **R** 70/170
  Spéc. Croquettes de volaille, Feuilleté aux écrevisses, Sole aux cèpes.
- XX **Aub. du Vieux Moulin,** O : 1,5 km par N 109 ☎ 57.52.77 – Ⓟ. 🚫
  1er mars-20 sept., 15 nov.-1er fév. et fermé mardi – SC : **R** 36/90.

à Aniane NE : 5 km sur D 32 – ✉ **34150** Gignac :

Voir Grotte de Clamouse★★ et gorges de l'Hérault★ NO : 4 km, **G. Causses.**

- **Clamouse,** ☎ 57.71.63 – 🚿
  ◆ *fermé 15 janv. au 15 mars, lundi soir et mardi hors sais.* – SC : **R** 33/96 🍷 – ☕ 11 – 10 ch 45/97 – P 100/107.

GIGONDAS 84 Vaucluse 81 ② – 703 h. alt. 400 – ✉ **84190** Beaumes-de-Venise – ⚙ 90.

ℹ Office de Tourisme pl. Portail (Pâques-fin sept.) ☎ 65.85.46.

Paris 678 – Avignon 39 – Nyons 31 – Orange 18 – Vaison-la-Romaine 15.

- **Les Florets** Ⓜ 🐌, E : 1,5 km par VO ☎ 65.85.01 – 🛁wc 🚿wc ☎ Ⓟ. 🚫 rest
  ◆ *fermé 2 janv. au 7 fév. et merc.* – SC : **R** (dim. et fêtes prévenir) 35/90 🍷 – ☕ 13 – 15 ch 60/135 – P 170/180.

GIMBELHOF 67 B.-Rhin 57 ⑲ – rattaché à Lembach.

GIMEL-LES-CASCADES 19 Corrèze 75 ⑨ G. Périgord – 538 h. alt. 375 – ✉ **19800** Corrèze – ⚙ 55.

Voir Site★ – Cascades★★ dans le parc Vuillier – Trésor★ de l'église – Étang de Ruffaud★ NE : 2 km.

Paris 493 – Égletons 25 – Tulle 12.

GIMONT 32200 Gers 82 ⑥ G. Pyrénées – 2 867 h. alt. 154 – ⚙ 62.

Paris 724 – Agen 85 – Auch 26 – Castelsarrasin 59 – Montauban 70 – St-Gaudens 73 – ♦Toulouse 53.

- **Château Larroque** 🐌, rte Toulouse ☎ 67.77.44, ≤, « Parc » – 🛁wc ☎ 🚗 Ⓟ – 🎪 30 à 250. 🚗 AE GB ⓓ
  fermé janv. – SC : **R** 45/135 – ☕ 22 – **10 ch** 168/257 – P 290.
- X **France** avec ch, 8 pl. Marché ☎ 67.72.93 – 🛁 🚗. 🚗
  ◆ SC : **R** 31/75 🍷 – ☕ 9 – **15 ch** 36/70 – P 125 bc.

GIROMAGNY 90200 Ter.-de-Belf. 66 ⑧ G. Vosges – 3 548 h. alt. 476 – ✪ 84.

ℹ Syndicat d'Initiative à la Mairie (fermé sam. et dim.) ☎ 27.14.18.

Paris 425 – Belfort 12 – Lure 30 – Masevaux 21 – ♦Mulhouse 50 – Thann 41 – Le Thillot 32.

Tourtet, à Malvaux N : 4 km par D 465 - alt. 558 ✉ 90200 Giromagny ☎ 29.30.23, – Ⓟ.
fermé 12 nov. au 20 déc., merc. soir et jeudi – **R** 40/80, dîner à la carte – 10 – 10 ch 40/50.

Rosemont, NE : 3 km par D 14 ☎ 29.30.77, ← – Ⓟ
fermé merc. – SC : **R** 50/75.

Saut de la Truite avec ch, N : 7 km D 465 - alt. 701 ✉ 90200 Giromagny ☎ 29.32.64, ←, – Ⓟ.
fermé 20 nov. au 20 déc. et vend. – SC : **R** 40/95 – 10 – 7 ch 42/55 – P 85/100.

GIRONDE-SUR-DROPT 33 Gironde 79 ② – rattaché à La Réole.

GISORS 27140 Eure 55 ⑧⑨ G. Normandie – 8 255 h. alt. 58 – ✪ 32.

Voir Château fort★★ Y – Église St-Gervais et St-Protais★ Z E.

ℹ Office de Tourisme pl. Carmélites (fermé mardi) ☎ 55.20.28.

Paris 74 ③ – Beauvais 32 ② – Évreux 66 ④ – Mantes-la-J. 38 ③ – Pontoise 36 ③ – ♦Rouen 58 ⑤.

GISORS

Cappeville (R.) Y 6
Dauphine (R.) Z 10
Frères-Planquais (R. des) YZ 23
Paris (R. de) Z
Vienne (R. de) YZ 34

Argilières (R. des) Y 2
Baléchoux (R.) Z 3
Blamont (Pl. de) YZ 4
Caroline (Pl.) Z 7
Chambord (R. de) Z 8
Champ-Fleury (R. du Grand) Z 9
Dieppe (R. de) Z 12
Durand (R. P.) Z 14
Epte (R. de l') Y 16
Fontaines (R. des) YZ 22
Gare (Av. de la) Y 24
Hospice (R. de l') Z 25
Libération (R. de la) Z 26
Monument (Av. du) Y 27
Neaufles (R. du fg-de) Z 28
Ometeau-Ferré (Av. de l') Y 29
St-Gervais (R.) Z 30
St-Ouen (R.) Z 32
Troësne (R. de) Y 33
Vierge-Dorée (Pt de la) Z 35

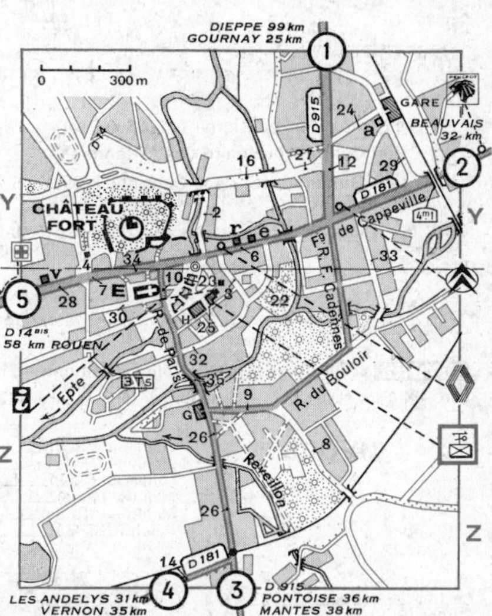

Moderne, pl. Gare ☎ 55.23.51 – wc wc ☎ Ⓟ. E — Y **a**
fermé 15 juil. au 9 août et 22 déc. au 9 janv. – SC : **R** *(fermé dim. soir et jeudi)* 57/90 – 16,50 – **31 ch** 77/150.

Host. des 3 Poissons avec ch, 13 r. Cappeville ☎ 55.01.09 – rest — Y **r**
fermé juin, lundi soir et mardi – SC : **R** 60/80 – 8,50 – 10 ch 35/48.

Le Cappeville, 17 r. Cappeville ☎ 55.11.08, – GB E — Y **e**
fermé 25 août au 15 sept., 5 au 20 janv., mardi soir et merc. – SC : **R** 45/110.

Aub. du 14 Juillet, 28 r. Fg de Neaufles ☎ 55.13.42 – GB — YZ **v**
fermé 1er au 15 sept., 1er au 15 fév., dim. soir et mardi – SC : **R** 46/150.

CITROEN Gisors Autom., 5 r. Dieppe ☎ 55.22.29
PEUGEOT SCAG, N 181, Trie-Château ☎ (4) 449.19.70
RENAULT Chales, 3 r. Cappeville ☎ 55.21.66 N

Berry-Pneus, 24 fg Cappeville ☎ 55.27.64
Bertault, 4 r. Pré-Nattier ☎ 55.17.51

GIVET 08600 Ardennes 53 ⑨ G. Nord de la France – 8 152 h. alt. 103 – ✪ 24.

ℹ Syndicat d'Initiative Tour Victoire, quai de la Meuse (juil.-août et fermé mardi).

Paris 257 ④ – Avesnes-sur-Helpe 72 ④ – Charleville-Mézières 55 ③ – Hirson 69 ④ – Namur 46 ①.

Plan page suivante

Baudoin, 2 pl. 148e R.I. **(a)** ☎ 55.00.70
fermé 17 août au 7 sept., vacances de fév. et lundi, mardi, merc. le soir – SC : **R** 60/83.

GIVET

Gambetta (R.) 5

Bourck (Bd Gén.) 2
Flayelle (R.) 3
Fours (Quai des) 4
Gaulle (R. Gén.-de) 6
Leclerc (R. Mar.) 7
Remparts (Quai des) 8

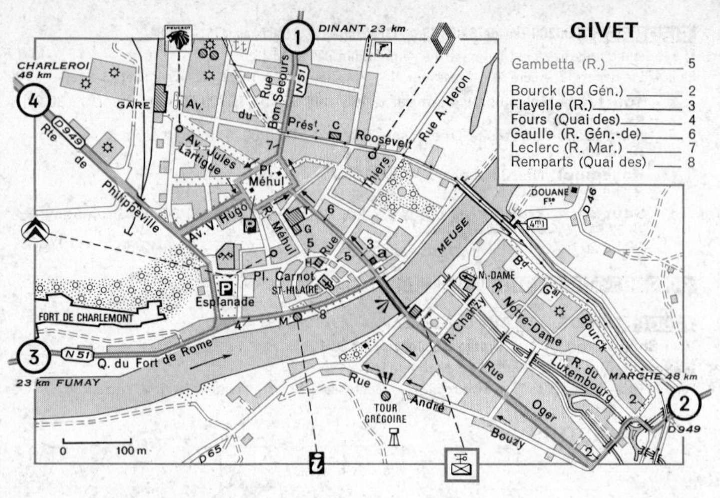

à Chooz par ③ : 6 km – ✉ **08600** Givet.

Voir Centrale nucléaire des Ardennes★.

✕ **Les Genêts,** près de la Centrale ☎ 55.02.56 – Ⓟ
SC : **R** 75/180.

CITROEN Lamasse, 5 r. G.-Clemenceau ☎ 55.09.70
PEUGEOT Gar. de la Gare, pl. Gare ☎ 55.03.81
RENAULT Gar. Franco-Belge, 23 av. Roosevelt ☎ 55.01.85 N

Une réservation confirmée par écrit est toujours plus sûre.

GIVORS 69700 Rhône 74 ⑪ **G. Vallée du Rhône** – 21 979 h. alt. 161 – ۞ 7.

Paris 484 ② – ♦Lyon 22 ② – Rive-de-Gier 15 ⑤ – Vienne 12 ③.

GIVORS

Barbusse (Pl. H.) B 2
Gambetta (R.) B
Salengro (R. R.) B
Victor-Hugo (R.) B 24

Bourg (R. du) B 3
Cachin (R. Marcel) A 4
Carnot (Pl.) B 5
Denfert-Rochereau (R.) B 6
Gizard (Chemin de) A 7
Idoux (R. Édouard) A 8
Jaurès (Pl. Jean) B 9
Liauthaud (R. J.) AB 10
Ligonnet (R. Jean) AB 12
Longarini (R. J.) B 13
Mas (R. Marie) B 14
Montrond (R. de) A 15
Pétetin (R. H.) A 16
Projetée (R.) B 17
République (R. de la) B 18
Sémard (R. Pierre) AB 19
St-Gérald (R.) B 20
Verreries (R. des) B 23
Vieille-du-Bourg (R.) B 25

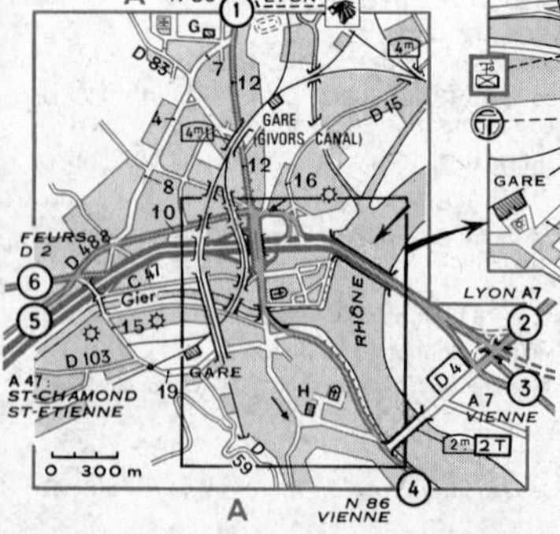

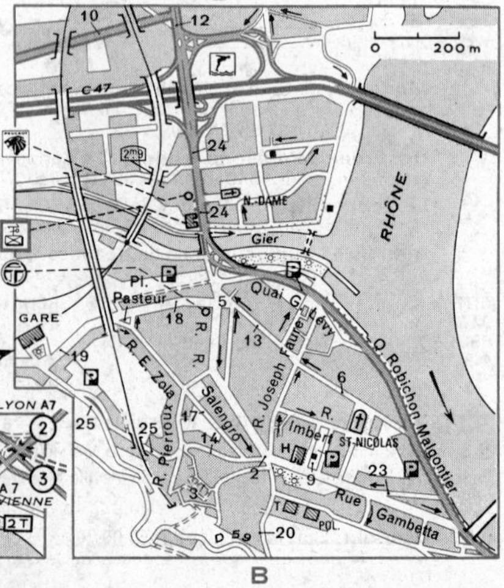

au Nord par ① : 2,5 km – ✉ **69520** Grigny :

XXX **Les Sources** M ⛰ avec ch, chemin de Grigny ☎ 873.05.61, ≤, parc – TV ⌂wc ☎ Ⓟ – 🏋 30. 🐕 ✕ ch
fermé août, lundi (sauf hôtel) et dim. soir – SC : **R** 85 bc/170 – ☐ 17 – **10 ch** 160/180.

à Loire-sur-Rhône par ④ : 5 km – ✉ **69700** Givors :

XX **Camerano,** ☎ 873.20.07
fermé août, week-ends s'informer – SC : **R** 50/140, carte le dim..

XX **Francizod** avec ch, ☎ 873.20.06 – ⌂ Ⓟ
fermé 15 janv. au 15 fév., mardi soir et merc. de juin à sept., dim. soir et lundi d'oct. à mai – SC : **R** 52/130 – ☐ 10 – 4 ch 55/90.

FORD Gar. Magris, 9 r. des Tuileries ☎ 873.13.07
PEUGEOT Central-Gar., 9 r. Victor-Hugo ☎ 873.00.88
PEUGEOT Gar. Moret, 31 r. de Dobëln, les Vernes ☎ 873.01.69
TALBOT Gar. Sports, 61 r. Salengro ☎ 873.02.34

GIVRY 71640 S.-et-L. 69 ⑨ **G. Bourgogne** – 3 349 h. alt. 220 – ☎ 85.

Paris 354 – Autun 48 – Chagny 15 – Chalon-sur-Saône 9 – Mâcon 67 – Montceau-les-Mines 37.

Halle, pl. Halle ☎ 44.32.45 – ▤ rest ⌂ ⌂. 🐕 E
fermé fin sept. au 15 oct. et lundi – SC : **R** 29/150 ⅄ – ☐ 10 – 10 ch 50/70 – P 120/165.

GIVRY-EN-ARGONNE 51330 Marne 56 ⑲ – 528 h. alt. 176 – ☎ 26.

Paris 231 – Bar-le-Duc 33 – Châlons-sur-M. 44 – Ste-Ménehould 16 – Verdun 61 – Vitry-le-François 35.

L'Espérance, ☎ 60.00.08 – 🐕
fermé 15 sept. au 15 oct. – SC : **R** *(fermé dim. soir)* 26/72 ⅄ – ☐ 9 – **7 ch** 37/55 – P 80/100.

CITROEN Louis, ☎ 60.01.48
RENAULT Breville, ☎ 60.02.29
RENAULT Lallemand, Les Charmontois ☎ 60.00.47

GLANDELLES 77 S.-et-M. 61 ⑫ – alt. 40 – ✉ **77167** Bagneux-sur-Loing – ☎ 6.

Paris 86 – Melun 39 – Montargis 26 – Nemours 7 – Pithiviers 46 – Sens 49.

XX **La Glandelière,** S : 1 km N 7 ☎ 428.10.20 – Ⓟ. GB
fermé 15 au 30 sept., 15 au 28 fév., lundi soir et mardi – SC : **R** 37/85.

XX **Les Marronniers,** ☎ 428.07.04 – Ⓟ. GB
fermé 23 juil. au 5 août, mardi soir et merc. – SC : **R** 45/250.

GLÉNIC 23 Creuse 72 ⑩ – rattaché à Guéret.

GLUGES 46 Lot 75 ⑱⑲ – rattaché à Martel.

GOLBEY 88 Vosges 62 ⑯ – rattaché à Épinal.

GOLFE-JUAN 06 Alpes-Mar. 84 ⑨, 195 ㉟㊴ **G. Côte d'Azur** – ✉ **06220** Vallauris – ☎ 93.

ℹ Office de Tourisme 84 av. Liberté (fermé sam. après-midi, dim. et fêtes) ☎ 63.73.12.

Paris 914 – Antibes 5 – Cannes 6 – Grasse 21 – ♦Nice 27.

Le Petit Trianon M sans rest, 18 av. Liberté ☎ 63.70.51 – ⌂wc ☎ Ⓟ. 🐕 ⓓ. ✕
fermé 20 oct. au 20 déc. – SC : ☐ 15 – **14 ch** 170/250.

Beau Soleil M ⛰, impasse Beausoleil par N 7 ☎ 63.71.32 – |$| ▤ ⌂wc ⌂wc ☎ 🚗. 🐕. ✕
21 mars-31 oct. – SC : **R** 46/55 – ☐ 16 – 30 ch 105/165 – P 155/175.

Les Jasmins M, N 7 ☎ 63.80.83, Télex 970935, ⛱, 🌳 – |$| ▤ rest ⌂wc ⌂wc ☎ Ⓟ – 🏋 30. 🐕 AE GB ⓓ
SC : **R** *(fermé mardi hors saison)* (dîner seul.) 50 – 37 ch ☐ 90/270.

Golf Motel M sans rest, av. Mer ☎ 61.12.29, ⛱ – cuisinette ⌂wc ⌂wc ☎ ♿ Ⓟ
☐ 13 – **52 ch** 140/250, 12 appartements.

De Crijansy M, av. J.-Adam ☎ 63.84.44, 🌳 – ⌂wc ⌂wc ☎ Ⓟ – 🏋 25. 🐕. ✕ rest
fermé 15 oct. au 20 déc. – SC : **R** 35/100 – ☐ 11 – **22 ch** 140/160 – P 145/180.

Golfe sans rest, bd Plage ☎ 63.71.22, ≤ – ⌂wc ⌂wc ☎ 🚗. 🐕 GB
fermé 1er nov. au 15 déc. – SC : ☐ 11 – **20 ch** 100/160.

XX ✿ **Tétou,** à la plage ☎ 63.71.16, ≤, ⛱ – ▤ Ⓟ
fermé 1er oct. au 20 déc. et merc. de Pâques à fin sept. – SC : **R** *(20 déc. au 12 avril déj. seul.)* carte environ 250
Spéc. Bouillabaisse, Langouste grillée, Poissons. **Vins** Bellet.

tourner →

XX **Relais Impérial** avec ch, 21 r. L.-Chabrier ☎ 63.70.36 – wc ⋒ ☎ . GB E
fermé déc. et janv. – SC : **R** 55/80 – ☕ 9 – **10 ch** 57/95 – P 295/306.

XX **Chez Christiane,** au port ☎ 63.72.44 – GB
fermé 5 nov. au 20 déc. et mardi de Pâques au 5 nov. – **R** (en hiver déj. seul.) 70/90.

X **Nounou,** à la plage ☎ 63.71.73, ≤, – Ⓟ. AE GB ⓓ
fermé 15 nov. au 20 déc., 1er au 20 mars et jeudi – SC : **R** (en hiver déj. seul.) 36/68.

X **Bruno,** au port ☎ 63.72.12
fermé 12 nov. au 10 déc., merc. et le soir de déc. à Pâques – SC : **R** 38/68.

RENAULT Gd Gar. du Golfe, 92 av. Liberté, N 7 ☎ 63.70.76

GONCELIN 38570 Isère 77 ⑤⑥ – 1 506 h. alt. 242 – ✪ 76.

Paris 591 – Albertville 58 – Allevard 10 – Chambéry 29 – ♦Grenoble 28.

XX **Clos du Château,** ☎ 71.72.04, ≤, – Ⓟ
fermé août et lundi – SC : **R** 70/80.

RENAULT Gar. Couplaix, ☎ 71.70.19 N ☎ 71.70.41

GONNEVILLE-LA-MALLET 76 S.-Mar. 52 ⑪ – 868 h. alt. 126 – ✉ **76280** Criquetot-l'Esneval – ✪ 35.

Paris 212 – Bolbec 23 – Étretat 9 – Fécamp 20 – ♦Le Havre 22 – ♦Rouen 79.

X **Normandie,** ☎ 20.78.42 – Ⓟ. AE
fermé 1er au 15 oct., 1er au 15 fév. et lundi – SC : **R** 42/90 ♫.

PEUGEOT Gar. Lebarq, ☎ 20.76.45 N
RENAULT Gar. Carpentier, ☎ 20.75.34

GORDES 84220 Vaucluse 81 ⑬ **G. Provence** – 1 574 h. alt. 373 – ✪ 90.

Voir Site★ – Château : cheminée★, musée Vasarely★ – Abbaye de Sénanque★ : collections sahariennes★ NO : 4 km.

ℹ Office de Tourisme pl. Château (1er juin-30 sept.) ☎ 72.02.75.

Paris 717 – Apt 20 – Avignon 38 – Carpentras 34 – Cavaillon 17 – Sault 35.

La Mayanelle ⛰, ☎ 72.00.28, ≤ Le Luberon – wc ☎. AE ⓓ E
fermé 2 janv. au 1er mars et mardi – SC : **R** carte 90 à 135 – ☕ 20 – **10 ch** 100/160.

Le Gordos Ⓜ ⛰ sans rest, rte Cavaillon : 1,5 km ☎ 72.00.75, ≤, – wc ⋒wc ☎ Ⓟ.
10 fév.-fin nov. – SC : ☕ 15 – **15 ch** 125/170.

La Gacholle ⛰, N : 1,5 km par D 15 ☎ 72.01.36, ≤ – wc ☎ Ⓟ.
15 fév.-15 oct. – SC : **R** grill (dîner seul.) carte environ 60 – ☕ 15 – 11 ch 140/160.

au NO : 2 km par D 177 – ✉ **84220** Gordes :

XXX ✿ **Les Bories** (Rousselet), ☎ 72.00.51, ≤, « Pittoresque aménagement dans de vieilles cabanes en pierre » – Ⓟ.
15 mars-30 nov. et fermé merc. – SC : **R** (déj. seul.) (nombre de couverts limité - prévenir) carte 135 à 180
Spéc. Bourride de baudroie, Croustade de pintadeau, Crêpes soufflées à l'orange. **Vins** Châteauneuf-du-Pape, Tavel.

CITROEN Eboli, ☎ 72.00.24

GORGES voir au nom propre des gorges.

GORRON 53120 Mayenne 59 ⑲⑳ – 2 555 h. alt. 172 – ✪ 43.

Paris 266 – Alençon 74 – Domfront 28 – Fougères 32 – Laval 47 – Mayenne 22.

XX **Bretagne** avec ch, ☎ 04.63.67 – wc ⋒wc Ⓟ
fermé 23 déc. au 19 janv., lundi (sauf hôtel) et dim. soir du 15 oct. au 15 mars – SC : **R** 31/70 ♫ – ☕ 10 – **12 ch** 45/100 – P 105/140.

CITROEN Juillet, ☎ 04.62.95
FIAT Lelièvre-Angot, ☎ 04.61.57
RENAULT Anjuère, ☎ 04.60.97
RENAULT Gayet, ☎ 04.61.26

GORZE 57 Moselle 57 ⑬ **G. Vosges** – 1 204 h. alt. 240 – ✉ **57130** Ars-sur-Moselle – ✪ 8.

Paris 312 – Jarny 20 – ♦Metz 19 – Pont-à-Mousson 21 – St-Mihiel 42 – Verdun 52.

XX **Host. du Lion d'Or** avec ch, ☎ 760.93.93, – wc ⋒wc. ⓓ
fermé 1er au 15 fév. et vend. – SC : **R** 32/90 – ☕ 8 – **10 ch** 60/90 – P 90/110.

GOUAREC 22570 C.-du-N. 58 ⑱ – 1 101 h. alt. 130 – ✪ 96.

Paris 473 – Carhaix-Plouguer 31 – Guingamp 46 – Loudéac 37 – Pontivy 28 – St-Brieuc 51.

Blavet, ☎ 24.90.03, – wc ⋒wc ☎ Ⓟ
15 ch.

CITROEN Darcel, ☎ 24.91.49 N
RENAULT Martin B., ☎ 24.90.28 N
TOYOTA, VOLVO Gar. du Centre, ☎ 24.90.44 N

GOUDARGUES 30630 Gard 80 ⑨ **G. Vallée du Rhône** – 654 h. alt. 70 – ✆ 66.
Paris 673 – Alès 49 – Avignon 50 – Nîmes 54 – Pont-St-Esprit 25 – Vallon-Pont-d'Arc 33.

Commerce, ✆ 82.20.68 – wc ☎ – 30. rest
fermé nov. – SC : **R** 42/80 – 9 – 36 ch 46/100 – P 90 bc/140 bc.

GOUDET 43 H.-Loire 76 ⑰ **G. Vallée du Rhône** – 82 h. alt. 760 – ✉ **43490** Costaros – ✆ 71.
Paris 543 – Aubenas 80 – Costaros 8 – Langogne 31 – Le Puy 27.

Loire , ✆ **57.16.83,** – wc P.
12 avril-fin sept. – SC : **R** 38/70 – 10 – 22 ch 40/130 – P 100/150.

GOUESNACH 29 Finistère 58 ⑮ – 1 229 h. alt. 33 – ✉ **29118** Bénodet – ✆ 98.
Paris 553 – Bénodet 6 – Concarneau 23 – Pont-l'Abbé 16 – Quimper 13 – Rosporden 28.

Aux Rives de l'Odet, ✆ **91.61.09,** – wc wc P
fermé 15 sept. au 15 oct. et lundi hors sais. – SC : **R** 40/80 – 8 – **35 ch** 50/90 – P 90/115.

La GOUESNIÈRE 35 I.-et-V. 59 ⑥ – 799 h. alt. 22 – ✉ **35350** St-Méloir-des-Ondes – ✆ 99.
Paris 358 – Dinan 23 – Dol-de-Bretagne 12 – Lamballe 57 – ♦Rennes 61 – St-Cast 36 – St-Malo 12.

Gare, à la Gare N : 1,5 km D 76 ✆ **58.10.46,** – ☎ P – 50 à 200
fermé 15 déc. au 2 janv. – SC : **R** *(fermé lundi du 1er oct. au 31 mars)* (dim. et fêtes prévenir) 55/190 – 13 – 50 ch 43/115 – P 120/155.

GOULETS (Grands) 26 Drôme 77 ③④ **G. Alpes.**
Voir Gorges★★★.

GOUMOIS 25 Doubs 66 ⑱ – 134 h. alt. 490 – ✉ **25470** Trévillers – ✆ 81.
Voir Corniche de Goumois★★, **G. Jura.**
Paris 503 – ♦Besançon 95 – Bienne 44 – Montbéliard 53 – Morteau 48.

✿ **Taillard** , ✆ **44.20.75,** alt. 605, ←, – wc wc ☎ P. rest
15 fév.-31 oct. et fermé merc. d'oct. à avril – SC : **R** (dim. et fêtes prévenir) 65/140 – 12 – 16 ch 85/140 – P 120/150
Spéc. Caquelon de morilles à la crème, Truite "Belle Goumoise", Jambon de montagne fumé au genièvre. Vins Arbois.

Moulin du Plain , N : 5 km par VO ✉ 25470 Trévillers ✆ **44.41.99,** ← – wc wc P. rest
1er mars-15 nov. et fermé dim. soir et lundi du 1er mars au 30 sept. – SC : **R** 40/72 – 10 – **20 ch** 44/98 – P 99/121.

GOUPILLIÈRES 14 Calvados 55 ⑪ – rattaché à Thury-Harcourt.

GOURDON 06 Alpes-Mar. 84 ⑧⑨, 195 ㉔ **G. Côte d'Azur** – 254 h. alt. 758 – ✉ **06620** Le Bar – ✆ 93.
Voir Site★★ – Place ←★★ – Château : musée de Peinture naïve★, terrasses ←★★.
Paris 931 – Antibes 37 – Coursegoules 21 – Grasse 14 – ♦Nice 41 – Vence 29.

Nid d'Aigle, ✆ 42.50.04, ← vallée du Loup et mer
fermé 15 oct. au 1er déc., vend. et le soir hors sais. – SC : **R** 60/90.

Taverne Provençale, ✆ 42.50.01, ← – GB
1er fév.-11 nov. et fermé jeudi – SC : **R** 39/90.

GOURDON SP 46300 Lot 75 ⑱ **G. Périgord (plan)** – 5 106 h. alt. 256 – ✆ 65.
Voir Grottes de Cougnac★ : salle des Colonnes★★ NO : 3 km.
Office de Tourisme Allées République (hors saison matin seul., fermé dim. sauf saison et lundi) ✆ 41.06.40.
Paris 556 – Bergerac 96 – Brive-la-Gaillarde 66 – Cahors 46 – Figeac 64 – Périgueux 91.

Host. de la Bouriane , pl. Foirail ✆ 41.16.37, – wc wc ☎ P.
15 mars-25 janv. – SC : **R** *(fermé lundi du 1er oct. au 15 juin)* 40/95 – 13 – **23 ch** 50/125 – P 110/145.

Bissonnier et Bonne Auberge, bd Martyrs ✆ 41.02.48 – wc ☎ P. ch
fermé nov. – SC : **R** 30/100 – 11 – **30 ch** 50/110 – P 95/120.

Promenade sans rest, bd Galliot de Genouilhac ✆ 41.05.41 – wc wc ☎
fermé 1er au 15 mai – SC : 9 – **15 ch** 40/120.

Terminus avec ch, av. Gare ✆ 41.03.29 – P. AE
fermé 17 au 24 avril, 1er au 25 oct. et lundi hors sais. – SC : **R** 32 bc/110 bc – 9,50 – **16 ch** 50/100 – P 90/110.

CITROEN Cassagnès, ✆ 41.12.03
RENAULT S.A.B.A.G., ✆ 41.10.24
TALBOT Rhodes, ✆ 41.00.25
Quercy Pneus ✆ 41.00.71

GOURETTE 64 Pyr.-Atl. 85 ⑰ **G. Pyrénées** – alt. 1 400 – Sports d'hiver : 1 400/2 400 m 2 19 – ✉ **64440** Laruns – 59.

Voir Site★ – Col d'Aubisque ※★★ N : 4 km.

Office de Tourisme (juil.-août et déc.-20 avril) ☎ 05.12.17, télex 570317.

Paris 802 – Argelès-Gazost 34 – Eaux-Bonnes 8 – Laruns 14 – Lourdes 47 – Pau 51.

Pene Blanque M, ☎ 05.11.29, ← – wc wc ☎. rest
début juil.-10 sept. et 20 déc.-Pâques – SC : **R** 40/45 – 11 – **20 ch** 90/132 – P 148/153.

Boule de Neige M, ☎ 05.10.05, ← – wc wc ☎.
10 juil.-31 août (sans rest.) et 20 déc.-Pâques – SC : **R** 45/110 – 11 – **18 ch** 95/132 – P 148/153.

GOURGUE 65 H.-Pyr. 85 ⑨ – rattaché à Capvern-les-Bains.

GOURIN 56110 Morbihan 58 ⑰ **G. Bretagne** – 5 526 h. alt. 119 – 97.

Syndicat d'Initiative pl. Victoire (Pâques, Pentecôte, juil.-août, fermé dim. après-midi et mardi matin).

Paris 511 – Carhaix-Plouguer 20 – Concarneau 44 – Pontivy 55 – Quimper 43 – Vannes 98.

La Chaumière, 3 r. Libération ☎ 23.43.02 – wc wc. ch
fermé 20 sept. au 15 oct. – SC : **R** *(fermé sam. hors sais.)* 35/100 – 9,50 – **13 ch** 54/110 – P 95/135.

Cornouaille, face Église ☎ 23.40.31 –
fermé dim. soir et lundi midi – SC : **R** 30/60 – 8,50 – **17 ch** 36/68 – P 66/89.

Parchemin-Pneus, ☎ 23.44.66

GOURNAY 79 Deux-Sèvres 72 ③ – 446 h. alt. 132 – ✉ **79110** Chef-Boutonne – 49.

Paris 401 – Angoulême 70 – Niort 43 – Poitiers 67 – St-Jean d'Angély 52.

Château des Touches , N : 2 km par D 105 et VO ☎ 27.04.29, parc – wc ☎ P
fermé 1er janv. au 1er fév. – SC : **R** 80/110 – 17 – **14 ch** 120/200 – P 180/270.

GOURNAY-EN-BRAY 76220 S.-Mar. 55 ⑧ **G. Normandie** – 6 606 h. alt. 94 – 35.

Syndicat d'Initiative Pavillon Porte de Paris (15 mai-15 sept., fermé matin, dim. et lundi) ☎ 90.28.34.

Paris 99 ③ – Amiens 69 ① – Les Andelys 37 ④ – Beauvais 30 ② – Dieppe 74 ⑦ – Gisors 25 ③ – ♦Rouen 50 ⑤.

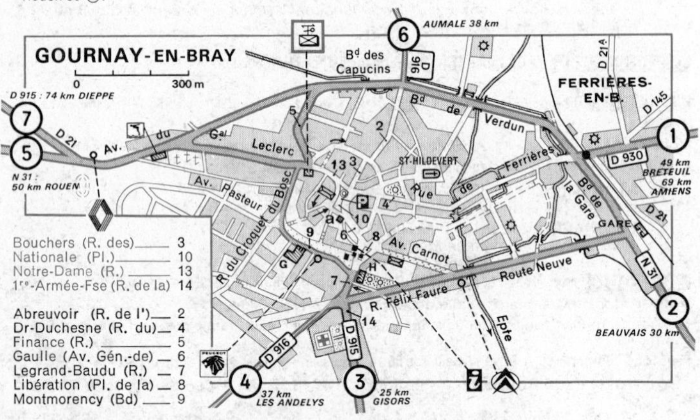

Crémaillère, 4 av. Gén.-de-Gaulle **(a)** ☎ 90.00.20 – GB
fermé 25 août au 10 sept., 1er au 15 fév. et lundi – SC : **R** 32/100 .

à St-Germer-de-Fly (Oise) par ② et D 129 : 8 km – ✉ **60850** St-Germer-de-Fly.

Voir Église★

Aub. de l'Abbaye, ☎ (4) 482.50.73
fermé 15 au 31 août, 10 au 25 fév., dim. soir, mardi soir et merc. – SC : **R** 38/65.

CITROEN Central Gar., 30 r. F.-Faure ☎ 90.00.75
PEUGEOT Gar. de Normandie, 9 bd Montmorency ☎ 90.04.51

RENAULT Gournay-Autos, av. Gén.-Leclerc ☎ 90.04.77 N ☎ 90.07.85
Prévost, 52 av. Gén.-Leclerc ☎ 90.01.46

Raban, r. des Bouchers ☎ 90.01.50

GOUVIEUX 60 Oise 56 ⑪, 96 ⑦ – rattaché à Chantilly.

GOUZON 23230 Creuse 73 ① **G. Périgord** – 1 562 h. alt. 378 – 55.

Paris 354 – Aubusson 29 – La Châtre 55 – Guéret 31 – Montluçon 34.

- **Beaune** avec ch, 62.20.01 – wc. SC : **R** 28/85 – 9 – **10 ch** 40/120 – P 85/130.

Le GRALLET 17 Char.-Mar. 71 ⑮ – rattaché à St-Palais-sur-Mer.

GRAMAT 46500 Lot 75 ⑲ **G. Périgord** – 3 529 h. alt. 305 – 65.

Office de Tourisme pl. République (Pentecôte-15 sept. et fermé dim. après midi) 38.73.16.

Paris 547 – Brive-la-Gaillarde 57 – Cahors 56 – Figeac 35 – Gourdon 39 – St-Céré 20.

- **Centre,** pl. République 38.73.37 – wc wc. *fermé sam.* – **R** 33/95 – 11 – 15 ch 55/140.
- **Promenade,** rte St-Céré 38.71.46 – wc. *fermé oct.* – SC : **R** *(fermé vend. soir d'oct. à avril)* 35/100 – 8,50 – **13 ch** 50/110 – P 90/110.
- **Lion d'Or** avec ch, pl. République 38.73.18 – wc. AE rest. *1er fév.-15 nov. et fermé lundi d'oct. à Pâques* – SC : **R** 45/140 – 12 – 18 ch 59/125.

au Nord-Ouest : 4,5 km par N 140 – **46500** Gramat :

- **Château de Roumégouse**, 33.63.81, ←, parc – . *12 avril-15 nov.* – SC : **R** *(fermé mardi)* 85/135 – 20 – **10 ch** 170/225.

OPEL Gar. Zenoni, 38.74.78 N
RENAULT Blaya, 38.72.15
RENAULT Maury, 38.71.06
TALBOT Gar. Rougié, 38.75.42
Gar de l'Alzou 38.73.39

GRAMBOIS 84 Vaucluse 84 ③ – 548 h. – **84240** La Tour-d'Aigues – 90.

Paris 760 – Aix-en-Prov. 34 – Apt 39 – Avignon 84 – Forcalquier 36 – Lourmarin 24 – Manosque 23.

- **Host. des Tilleuls,** D 956 77.75.11 – . *fermé 22 juin au 1er juil., 20 fév. au 1er mars, mardi soir et merc.* – **R** 30/60.

Le GRAND BALLON 68 H.-Rhin 62 ⑱ **G. Vosges** – alt. 1 424 – **68760** Willer-sur-Thur – 89.

Voir ★★★ 30 mn.

Paris 456 – Cernay 23 – Colmar 48 – Gérardmer 44 – Guebwiller 31 – ♦Mulhouse 40 – Thann 19.

- **Gd Ballon**, 76.83.35, ← montagnes et plaine d'Alsace – . *fermé 15 nov. au 15 déc.* – SC : **R** 42/120 – 12 – 20 ch 45/80 – P 100/115.

Le GRAND-BORNAND 74450 H.-Savoie 74 ⑦ **G. Alpes** – 1 619 h. alt. 950 – Sports d'hiver : 950/2 100 m 1 29, – 50.

Office de Tourisme pl. Église (fermé dim. hors saison) 02.20.33, Télex 385907.

Paris 568 – Albertville 46 – Annecy 32 – Bonneville 23 – Megève 35.

- **La Joyère**, rte Nant-Robert 67.42.66, ←, – wc wc . AE GB. rest. *20 juin-15 sept. et 15 déc.-Pâques* – SC : **R** 40/60 – 15 – **35 ch** 120/150 – P 150/170.
- **Croix St-Maurice,** 02.20.05 – wc wc. *13 juin-15 sept. et 19 déc.-Pâques* – SC : **R** 42/70 – 11 – **21 ch** 75/110 – P 125/160.
- **Everest H.,** rte Chinaillon : 1 km 02.20.35, ← – . rest. *20 juin-15 sept. et 20 déc.-vacances de printemps* – SC : **R** 36/45 – 9,50 – **17 ch** 50/60 – P 110/130.

au Chinaillon N : 5,5 km par D 4 – alt. 1 280 – **74450** Grand-Bornand.

Office de Tourisme (juil.-août et Noël-Pâques) 02.23.29.

- **Le Cortina,** 02.23.17, ← montagnes et pistes – wc wc . rest. *1er juil.-31 août et Noël-vacances de printemps* – SC : **R** 40/120 – 12 – **30 ch** 115/130 – P 130/165.
- **Les Amborzales** sans rest, 02.23.35, ← – wc. *juil.-août et 15 déc.-20 avril* – SC : 9 – **13 ch** 58/85.
- **L'Alpage** avec ch, 02.23.10, ← – wc wc. *mi déc.-fin avril* – SC : **R** 40/61 – 10 – **11 ch** 110/130 – P 127/142.

GRANDCAMP-LES-BAINS 14450 Calvados 54 ③ ④ – 1 399 h. – 31.

Paris 298 – ♦Caen 57 – ♦Cherbourg 71 – St-Lô 38.

- **La Marée,** sur le port 22.60.55, ← – AE GB. *fermé nov. et lundi* – SC : **R** 50/100.

RENAULT Gar. Bourgeois, 22.60.32

GRAND COLOMBIER 01 Ain 74 ⑤ G. Jura – alt. 1 534.
Voir ☀*** – Point de vue du Grand Fenestrez** S : 5 km.

La GRANDE-COMBE 30110 Gard 80 ⑦⑧ – 10 472 h. alt. 195 – ✪ 66.
Paris 722 – Alès 15 – Aubenas 78 – Florac 58 – Nîmes 59 – Vallon-Pont-d'Arc 55 – Villefort 44.

X Planque, près Pont ☎ 34.16.53.

à La Favède SO : 2,5 km par D 283 – ✉ 30110 La Grand-Combe :

Aub. Cévenole ⚘, ☎ 34.12.13, ≤, ⛱, parc – ⌂wc ⋒wc ☎ Ⓟ. ⛟. ✈ ch
1er avril-1er nov., fermé dim. soir et lundi hors sais. – SC : **R** 75/150 – ☐ 15 – **17 ch** 100/180.

au NO : 6 km par rte de Florac – ✉ 30110 La Grand Combe :

Lac, ☎ 34.12.85 – Ⓟ. ✈ ch
SC : **R** 28/63 ♁ – ☐ 10 – **10 ch** 44/61 – P 104/120.

PEUGEOT Fafournoux et Veyrun, 22 r. des Pelouses ☎ 34.09.42

La GRANDE-CÔTE 17 Char.-Mar. 71 ⑮ – rattaché à St-Palais.

La GRANDE-MOTTE 34280 Hérault 83 ⑧ G. Causses (plan) – 2 838 h. – Casino – ✪ 67.
ℹ Office de Tourisme pl. 1er oct.-1974 ☎ 56.62.62.
Paris 753 – Aigues-Mortes 14 – Lunel 16 – ♦Montpellier 20 – Nîmes 44 – Palavas-les-F. 15 – Sète 53.

Le Méditerranée M ⚘ sans rest, ☎ 56.53.38, ⛱, ⛟ – ⧉ TV ☎ Ⓟ – ⛺ 30. AE GB ⓓ
SC : ☐ 16 – **40 ch** 150/200.

Le Quetzal M ⚘ sans rest, allée Jardins ☎ 56.61.10, ⛱ – ⧉ TV Ⓟ – ⛺ 120. ⓓ
SC : **52 ch** ☐ 180/260.

Europe M ⚘ sans rest, près des PTT ☎ 56.62.60, ⛱ – ⌂wc ⋒wc ☎ Ⓟ. ✈
20 mars-fin oct. – SC : ☐ 14 – **34 ch** 130/180.

XXX **Alexandre-Amirauté** M ⚘ avec ch, ☎ 56.56.00, ≤, ⛱ – ▤ TV ⌂wc ⋒wc ☎ Ⓟ – ⛺ 30 à 60. ⛟. ✈
fermé 15 janv. au 15 fév., dim. soir et lundi de fin sept. au 15 juin – SC : **R** 120 – ☐ 16 – 16 ch 185/230.

Le GRAND-PRESSIGNY 37350 I.-et-L. 68 ⑤ G. Périgord – 1 256 h. alt. 61 – ✪ 47.
Voir Musée de Préhistoire* dans le château.
Paris 301 – Le Blanc 43 – Châteauroux 77 – Châtellerault 29 – Loches 33 – ♦Tours 67.

X **Espérance** avec ch, ☎ 94.90.12 – Ⓟ. ⛟. ✈ ch
fermé 6 janv. au 6 fév. et lundi – **R** 35/90 ♁ – ☐ 15 – 10 ch 60/80.

CITROEN Viet, ☎ 94.90.25 RENAULT Blateau, ☎ 94.90.65

GRAND-QUEVILLY 76 S.-Mar. 55 ⑥ – rattaché à Rouen.

GRAND-VABRE 12 Aveyron 76 ⑪ – 513 h. alt. 213 – ✉ 12320 St-Cyprien-sur-Dourdou – ✪ 65.
Paris 596 – Aurillac 51 – Entraygues-sur-Truyère 23 – Figeac 52 – Rodez 42 – Villefranche-de-R. 63.

Gorges du Dourdou, ☎ 69.83.03, ⛟ – ⌂wc ⋒wc. ⛟ E
SC : **R** 26/60 – ☐ 10 – 18 ch 40/120 – P 90/120.

GRAND VALTIN 88 Vosges 62 ⑱ – rattaché au Valtin.

GRANE 26 Drôme 77 ⑫ – 1 067 h. alt. 177 – ✉ 26400 Crest – ✪ 75.
Paris 595 – Crest 8 – Montélimar 31 – Privas 28 – Valence 29.

XX **Giffon** avec ch, ☎ 62.60.64 – ▤ ⋒. AE GB
fermé janv. et lundi sauf fêtes – SC : **R** 65/150 – ☐ 12 – 9 ch 60/110.

GRANGES-LES-BEAUMONT 26 Drôme 77 ② – rattaché à Romans-sur-Isère.

GRANGES-LES-VALENCE 07 Ardèche 77 ⑫ – rattaché à Valence.

GRANGES-SAINTE-MARIE 25 Doubs 70 ⑥ – rattaché à Malbuisson.

Les GRANGETTES 25 Doubs 70 ⑥ – 104 h. alt. 900 – ✉ 25160 Malbuisson – ✪ 81.
Paris 465 – ♦Besançon 70 – Champagnole 42 – Morez 57 – Pontarlier 12.

Bon Repos, ☎ 89.41.89, ⛟ – ⌂wc ⋒wc ⛟ Ⓟ. ✈
Pâques-15 oct., 20 déc.-12 janv., fév.-10 mars et fermé lundi hors sais. – SC : **R** 35/70 – ☐ 10,50 – 32 ch 58/86 – P 85/110.

GRANIER (Col du) 73 Savoie **74** ⑮ **G. Alpes** – alt. 1 164 – ✉ **73670** St-Pierre d'Entremont – ⦿ 79 – **Voir** ≤**.

Paris 575 – Chambéry 16.

GRANVILLE 50400 Manche **59** ⑦ **G. Normandie** – 15 172 h. – Casino Z – ⦿ 33.

Voir Site* – **Le tour des remparts*** : **place de l'Isthme** ≤* Z.

18 de Bréville ☎ 50.23.06 Bréville par ① : 5,5 km ; 9 de Bréhal ☎ 61.60.73 Bréhal par ① : 15 km.

i Office de Tourisme 15 r. G.-Clemenceau (fermé dim. hors saison) ☎ 50.02.67.

Paris 346 ③ – Avranches 26 ③ – ♦Caen 106 ② – ♦Cherbourg 104 ① – Coutances 29 ① – St-Lô 55 ① – Vire 56 ②.

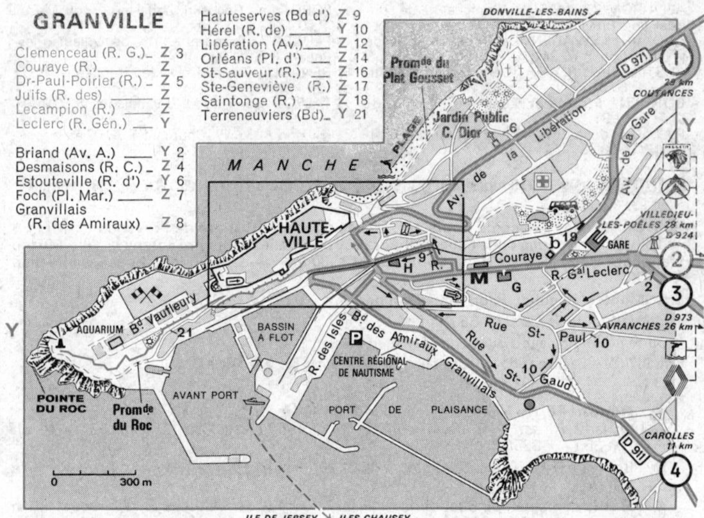

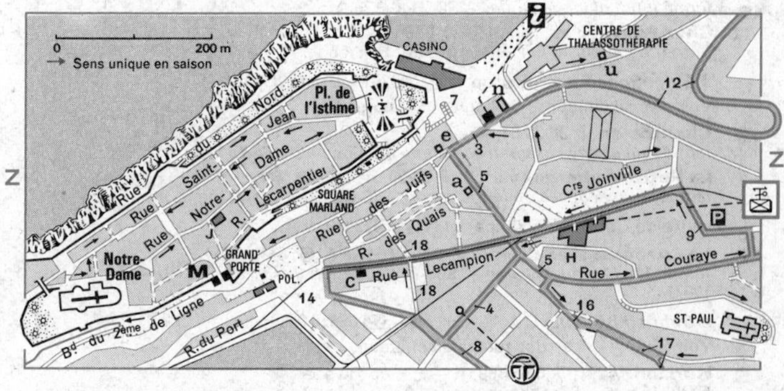

Bains, 19 r. G.-Clemenceau ☎ 50.17.31, ≤ – 🛗 wc ☎. AE GB ⓓ
fermé 1er janv. au 15 fév. – SC : **R** brasserie *(Pâques-fin sept. et fermé lundi)* – ☕ 12 – **59 ch** 65/130. Z **n**

Michelet sans rest, 5 r. J.-Michelet ☎ 50.06.55 – wc ☎. Z **u**
fermé 20 nov. au 20 déc. et dim. hors sais. – SC : ☕ 10 – **19 ch** 45/125.

Terminus sans rest, près Gare ☎ 50.02.05 – ☎ Ⓟ. Y **b**
SC : ☕ 10 – **14 ch** 36/150.

H. les Gourmets sans rest, 1 r. G.-Clemenceau ☎ 50.19.87 – wc ☎. GB E. Z **e**
fermé 19 déc. au 5 janv. – ☕ 11 – **19 ch** 45/180.

XX **Normandy-Chaumière** avec ch, 20 r. Dr-Paul-Poirier ☎ 50.01.71 – ⋒. AE ⓓ. ✻ ch — Z **a**
fermé oct., mardi soir en hiver et merc. sauf juil. et août – SC : **R** 32/90 – ☐ 9,50 – 7 ch 42/95.

*à **Bréville-sur-Mer*** par ① : 6 km – ✉ **50290** Bréval :

La Mougine des Moulins à Vent sans rest, sur D 971 ☎ 50.22.41, ≤, – ⊟wc Ⓟ. AE GB ⓓ E
SC : ☐ 16 – **7 ch** 150/180.

Aub. des Quatre Routes, ☎ 50.20.10 – ⋒wc ☎. ✻ ch
fermé 18 mars au 1er avril, 15 au 30 déc. et merc. – SC : **R** 30/55 ♁ – ☐ 9 – **7 ch** 60/85 – P 115/150.

ALFA-ROMEO, DATSUN Depince, rte de Longueville à Bréville ☎ 50.30.39 **N**
AUDI-VOLKSWAGEN Central-Auto, 25 av. de la Libération ☎ 50.34.27
AUSTIN, FIAT, ROVER Deneux, 63 av. Matignon ☎ 50.02.12
CITROEN Éts Mazet, Zone Ind. ☎ 50.09.31 **N** ☎ 58.01.84
FIAT Gar. de la Côte, 190 rte Coutances, Donville ☎ 50.08.50
FORD Gar. Gosselin, Zone Ind., r. du Mesnil ☎ 50.43.42
PEUGEOT Amourette, rte de Villedieu-les-Poëles ☎ 50.11.92
RENAULT Poulain, av. des Vendéens ☎ 50.02.14 **N**
TALBOT Harel, 5 r. C.-Desmaisons ☎ 50.01.04
Lorin, 106 r. W.-Churchill ☎ 50.02.55

GRASSE

06130 Alpes-Mar. **84** ⑧, **195** ㉔ **G. Côte d'Azur** – 35 330 h. alt. 333 – Casino Y – ✪ 93.

Voir Vieille ville★ : Place du Cours ★ Y, **musée d'Art et d'Histoire de Provence★** Y **M1: ≤★ – Toiles★ de Rubens dans l'anc. cathédrale** Y **B – Salle Fragonard★ dans la Villa-Musée Fragonard** Y **M3 – Parc de la Corniche ≤★★, 30 mn** Z **– Jardin de la Princesse Pauline ≤★** Z **K.**

Env. Montée au col du Pilon ≤★★ 9 km par ④.

18 de Valbonne ☎ 42.00.08 SE : 11 km.

Office de Tourisme pl. Foux (fermé dim. hors saison) ☎ 36.03.56.

Paris 917 ② – Cannes 17 ② – Digne 117 ④ – Draguignan 56 ③ – ♦Nice 42 ②.

Plans page ci-contre

Régent Ⓜ, rte Nice par ① : 3,5 km ☎ 36.40.10, ≤, ⛱ – |‡| Ⓟ. ✻
15 janv.-20 oct. – **R** *(fermé dim. et lundi midi)* carte 95 à 125 – ☐ 20 – **40 ch** 200/350 – P 325/375.

Bellevue, 14 av. Riou-Blanquet ☎ 36.01.96, ≤ – |‡| ⊟wc ⋒ ☎ — X **a**
30 ch.

Oasis sans rest, pl. Buanderie ☎ 36.02.72 – ⋒wc ☎. GB E. ✻ — X **n**
fermé dim. – SC : ☐ 11,50 – **13 ch** 70/115.

XX **Casino,** 2 Cours H.-Cresp ☎ 36.02.33, ≤ – AE GB ⓓ — Y
fermé lundi d'oct. à Pâques – SC : **R** 35/120 ♁.

XX **Chez Pierre,** 3 av. Thiers ☎ 36.12.99 – ▤ — X **e**
fermé 15 juin au 15 juil. et lundi – SC : **R** 45/65.

*à **Magagnosc*** par ① : 5 km – ✉ **06520** Magagnosc.
Voir ≤★ du cimetière de l'église St-Laurent.

XX **Chantecler,** ☎ 36.20.64, ≤
fermé juin et nov., le soir d'oct. à juin et merc. – SC : **R** 80/120.

X **La Petite Auberge** avec ch, ☎ 36.20.34 – ⋒ Ⓟ.
fermé juil., vacances de fév. et merc. – SC : **R** 45/55 – 5 ch (pens. seul.) – P 130.

route de Cannes : 5 km par ② – ✉ **06130** Grasse :

XX **Les Arômes** avec ch, ☎ 70.42.01 – ⊟wc ♿ Ⓟ.
fermé 1er déc. au 14 janv. – SC : **R** *(fermé lundi)* 42/75 – ☐ 10 – **7 ch** 110 – P 128/145.

*à **Cabris** :* 5 km par D 4 - Z – alt. 545 – ✉ **06820** Cabris.
Voir Site★ – ≤★★ des ruines du château.

Horizon Ⓜ ⛰, ☎ 60.51.69, ≤ – ⊟wc ⋒wc ☎. ✻
5 fév.-15 oct. – SC : **R** *(fermé jeudi)* 40/60 – ☐ 11 – 18 ch 75/140 – P 117/150.

XX **Lou Vieil Casteou,** ☎ 60.50.12
fermé 1er nov. au 15 déc. et jeudi sauf juil. et août – SC : **R** (sur réservation en sais.) 45/90.

X **Le Petit Prince** avec ch, ☎ 60.51.40.
fermé 6 au 27 janv., mardi soir et merc. hors sais. – SC : **R** 45/60 – 7 ch (pens. seul.) – P 85.

*à **Opio*** E : 6,5 km par D 7 - Z :

Mas des Géraniums ⛰, rte San-Peyre ✉ 06650 Le Rouret ☎ 77.23.23, ≤, – ⋒ Ⓟ
1er fév.-30 sept. – SC : **R** *(fermé dim. soir)* 35/100 – ☐ 12 – 7 ch 50/70 – P 128/140.

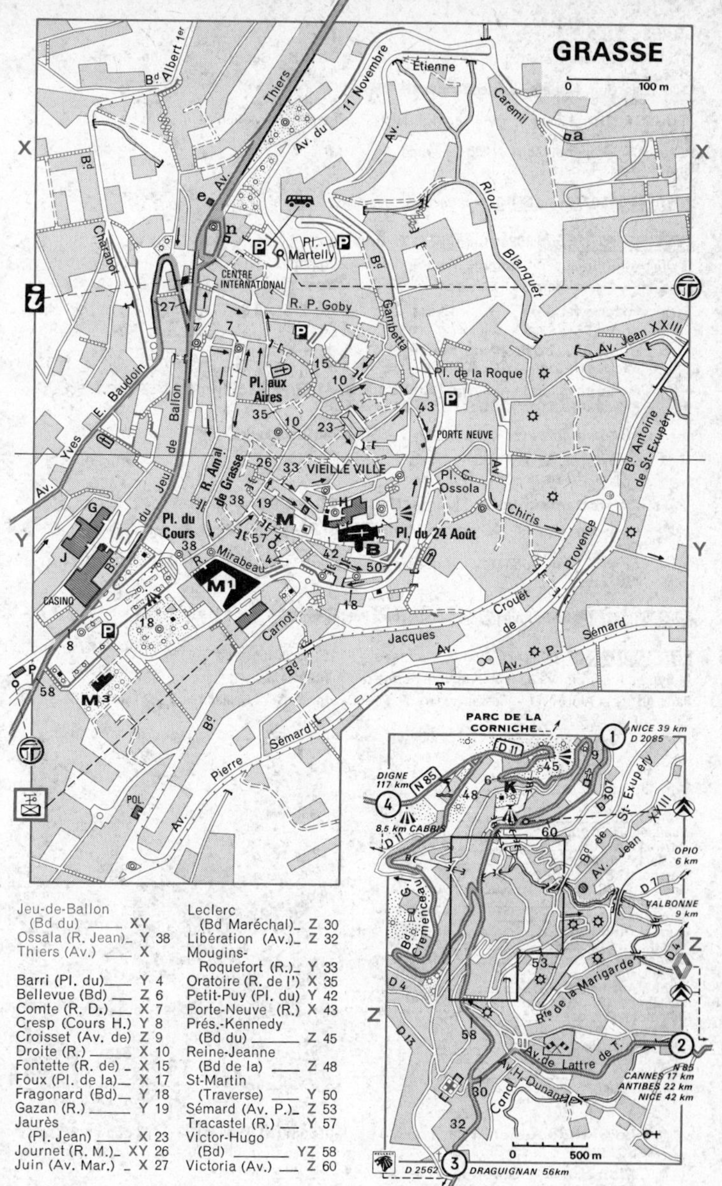

Jeu-de-Ballon (Bd du) ...... XY
Ossala (R. Jean) ...... Y 38
Thiers (Av.) X

Barri (Pl. du) ...... Y 4
Bellevue (Bd) ...... Z 6
Comte (R. D.) ...... X 7
Cresp (Cours H.) ...... Y 8
Croisset (Av. de) ...... Z 9
Droite (R.) ...... X 10
Fontette (R. de) ...... X 15
Foux (Pl. de la) ...... X 17
Fragonard (Bd) ...... Y 18
Gazan (R.) ...... Y 19
Jaurès (Pl. Jean) ...... X 23
Journet (R. M.) ...... XY 26
Juin (Av. Mar.) ...... X 27
Leclerc (Bd Maréchal) ...... Z 30
Libération (Av.) ...... Z 32
Mougins-Roquefort (R.) ...... Y 33
Oratoire (R. de l') ...... X 35
Petit-Puy (Pl. du) ...... Y 42
Porte-Neuve (R.) ...... X 43
Prés.-Kennedy (Bd du) ...... Z 45
Reine-Jeanne (Bd de la) ...... Z 48
St-Martin (Traverse) ...... Y 50
Sémard (Av. P.) ...... Z 53
Tracastel (R.) ...... Y 57
Victor-Hugo (Bd) ...... YZ 58
Victoria (Av.) ...... Z 60

à Plascassier SE : 6 km par D 4 - Z – ✉ **06130** Grasse :

Les Mouliniers, ☎ 67.10.37, ←, – wc ☎ **P**. **GB**. ch
fermé 15 oct. au 15 nov. – SC : **R** *(fermé merc.)* (prévenir) (diner résidents seul.) 52/65 – 10 ch (pens. seul.) – P 112/130.

Relais de Sartoux avec ch, rte Valbonne ✉ 06370 Mouans-Sartoux ☎ 67.10.57, – wc ☎ **P**. **GB**. ch
1er fév.-31 oct. – SC : **R** *(fermé mardi hors sais.)* 65/85 – 10 – **12 ch** 105 – P 180.

tourner →

CITROEN Grasse-Autom., 19 av. Victoria ☎ 36.05.42
CITROEN Gar. 4-Chemins, rte Cannes ☎ 70.45.96
PEUGEOT Gar. Licastro, rte Draguignan ☎ 36.36.92
RENAULT Impérial-Gar., N 85 Le plan de Grasse ☎ 70.64.38
TALBOT Gar. St-Christophe, 6 bd E.-Zola ☎ 36.04.93

Paris-Pneus, 34 bd Victor-Hugo ☎ 36.11.55
Tosello, Le Moulin de Brun ☎ 70.16.48

GRATOT 50 Manche 54 ⑫ – rattaché à Coutances.

Le GRAU-DU-ROI 30240 Gard 83 ⑧ **G. Provence** – 4 082 h. – Casino – 66.

Office de Tourisme bd Front de Mer (fermé sam. après-midi et dim. en hiver) ☎ 51 67.70.

Paris 756 – Aigues-Mortes 6 – Arles 54 – Lunel 21 – ◆Montpellier 26 – Nîmes 47 – Sète 59.

- **Acacias** (annexe - 17 ch), 21 r. Égalité ☎ **51.40.86** – wc wc ☎. ch
  21 mars-27 sept. – SC : 27 ch (pens. seul.).
- **Splendid,** bd Front-de-Mer ☎ **51.41.29,** ← – wc ☎.
  Pâques-1er oct. – SC : **R** 65/90 – ▭ 14 – 32 ch 140/220 – P 170/190.
- **Nouvel H.** sans rest, quai Colbert ☎ **51.41.77,** ← – wc wc ☎.
  Pâques-fin sept. – SC : ▭ 15 – **21 ch** 85/130.

au Nord-Ouest 2 km par D 255 – ✉ **30240** Grau-du-Roi :

- ✕ **Capriska,** ☎ **51.46.33** – 🅿
  ◆ *1er juin-15 sept.* – SC : **R** 35/60.

à Port Camargue S : 3 km par D 62B – ✉ **30240** Grau-du-Roi :

- **Le Spinaker** M, pointe Môle ☎ **51.54.93,** ←, – rest wc ☎ ♿ 🅿. GB
  fermé 2 janv. au 20 fév., dim. soir et lundi hors sais. – SC : **R** 90/140 – ▭ 15 – 20 ch 170/210.

GRAUFTHAL 67 B.-Rhin 57 ⑰ – rattaché à Petite-Pierre.

GRAULHET 81300 Tarn 82 ⑩ **G. Causses** – 14 109 h. alt. 166 – 63.

Syndicat d'Initiative à l'Hôtel de Ville (fermé dim.) ☎ 34.64.78.

Paris 701 ① – Albi 37 ② – Castelnaudary 60 ④ – Castres 30 ③ – Gaillac 19 ① – ◆Toulouse 58 ⑤.

GRAULHET

Jean-Jaurès (R.) 14
Mercadial (Pl. du) 19

Albigot (Bd) 2
Beauséjour (R.) 4
Castres (Av. de) 6
Dr-Bastié (R.) 7
Gambetta (R.) 9
Gaulle (Av. Charles-de) 10
Genève (Bd de) 12
Jaurès (Av. Amiral) 13
Jourdain (Pl. du) 15
Liberté (Bd de la) 17
Mégisserie (R. de la) 18
Notre-Dame-Val-d'Amour (⊞) 20
Peseignes (R. des) 21
Réalmont (Av. de) 22
Résistance (Av. de la) 24
St-François (⊞) 25
St-Jean (⊞) 26
St-Roch (Chemin) 27
Voûtes (Chemin des) 28

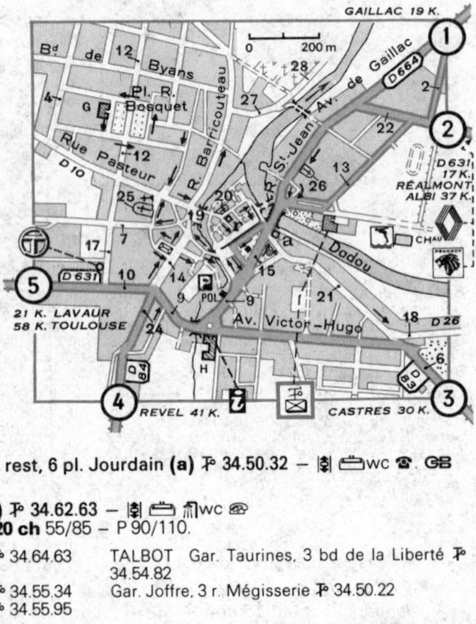

- **Le Grandgousier** M sans rest, 6 pl. Jourdain **(a)** ☎ **34.50.32** – wc ☎. GB
  SC : ▭ 13 – **21 ch** 75/130.
- **Mon Hôtel,** 2 Gde-Rue **(r)** ☎ **34.62.63** – wc ☎
  ◆ SC : **R** 30/50 – ▭ 9,50 – **20 ch** 55/85 – P 90/110.

FIAT Mauries, 84 av. Ch.-de-Gaulle ☎ 34.64.63 N
PEUGEOT S.I.V.A., rte de Réalmont ☎ 34.55.34
RENAULT Teule-Parayre, rte d'Albi ☎ 34.55.95
TALBOT Gar. Taurines, 3 bd de la Liberté ☎ 34.54.82
Gar. Joffre, 3 r. Mégisserie ☎ 34.50.22

Pour des repas simples à prix modiques choisissez les établissements marqués d'un losange ◆ ◆

La GRAVE 05320 H.-Alpes 77 ⑦ G. Alpes – 513 h. alt. 1 526 – Sports d'hiver : 1 526/3 200 m 1 6 – 76.

Voir Combe de Malaval* O : 2 km. **Env.** Oratoire du Chazelet ≤*** NO : 6 km.

Office de Tourisme ☎ 80.05.02.

Paris 641 – Briançon 39 – Gap 126 – ♦Grenoble 77 – Col du Lautaret 11 – St-Jean-de-Maurienne 66.

La Meijette, ☎ 80.05.34, ≤ – wc wc ☎ P. rest
15 fév.-15 oct. – SC : **R** *(fermé lundi)* 50/60 – 13 – 18 ch 60/230.

Le Castillan, ☎ 80.05.01, ≤, – wc wc ☎ P.
27 mai-27 sept. et 20 déc.-20 avril – SC : **R** 38/90 – 10 – **45 ch** 60/100 – P 115/145.

Edelweiss avec ch, ☎ 80.06.46, ≤ – wc.
1er juin-30 sept. – SC : **R** 35/50 – 10 – 7 ch 70/90 – P 100/120.

GRAVE (Pointe de) 33 Gironde 71 ⑮ G. Côte de l'Atlantique – 56.

Voir Dune ≤*.

Bac de Royan : renseignements ☎ 59.60.84.

Ressources hôtelières voir au *Verdon-sur-Mer*.

Paris 499 – Arcachon 145 – ♦Bordeaux 103 – Lesparre-Médoc 40.

GRAVELINES 59820 Nord 51 ③ G. Nord de la France – 10 429 h. – 28.

Paris 287 – Calais 20 – Dunkerque 20 – ♦Lille 91 – St-Omer 33.

à Petit-Fort-Philippe N : 2 km – ✉ **59820** Gravelines – 28

Beau Rivage, 7 bd Léo-Lagrange ☎ 23.12.21 – .
fermé 22 juin au 6 juil., 25 déc. au 15 janv., dim. soir (sauf hôtel) et vend. d'oct. à mars – SC : **R** 40/50 – 12 – **14 ch** 44/106.

RENAULT Rabat, r. des Islandais ☎ 23.13.50

RENAULT Verhaeghe, rte de Gravelines, à Grandfort-Philippe ☎ 23.08.85

GRAY 70100 H.-Saône 66 ⑭ G. Jura – 9 602 h. alt. 221 – 84.

Voir Collection de dessins* après Prud'hon au musée Baron-Martin **M**.

Office de Tourisme Chambre de Commerce 8 r. Victor-Hugo (fermé sam. et dim.) ☎ 65.20.14 et Ile Sauzay (15 juin-15 sept.) ☎ 65.14.24.

Paris 360 ⑤ – ♦Besançon 46 ③ – ♦Dijon 48 ⑤ – Dole 43 ④ – Langres 56 ① – Vesoul 64 ①.

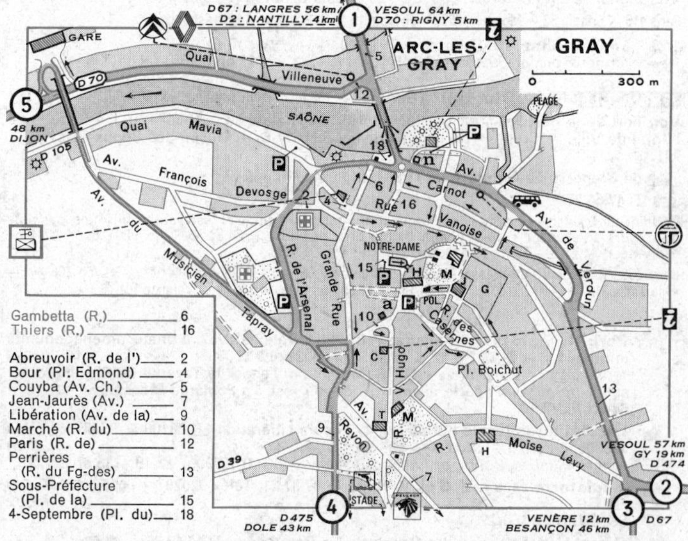

Le Fer à Cheval M sans rest, 4 av. Carnot **(n)** ☎ 65.32.55 – wc ☎ P. AE GB
fermé 20 déc. au 7 janv. – SC : 10 – **39 ch** 80/120.

Relais de la Prévôté, r. Marché **(a)** ☎ 65.10.08, « Demeure du 16e s. » – AE GB.
fermé août, dim. soir et lundi – SC : **R** 50/125.

à Nantilly O : 4 km par ① et D 2 – ✉ **70100** Gray :

Relais de Nantilly M, ☏ 65.20.12, « Parc », – **P** – 40. AE GB ① . rest
fermé 15 déc. au 15 janv. – SC : **R** 80/140 – 15 – 25 ch 180/240.

à Rigny par ① D 70 et D 2 : 5 km – ✉ **70100** Gray :

Château de Rigny, ☏ 65.25.01, « Parc aménagé en bordure de la Saône », – TV **P** – 60. AE GB ① E. rest
fermé 15 au 31 janv. – SC : **R** 80/135 – 16 – **25 ch** 80/250 – P 200/270.

à Venère par ③ : 12 km – ✉ **70100** Gray :

Comtois, ☏ 31.53.60 – wc **P**. . ch
fermé 24 déc. au 10 janv. – SC : **R** 32/85 – 10 – **14 ch** 50/125.

CITROEN Auto-Comtoise, 9 r. Paris ☏ 65.22.56
PEUGEOT Gray-Autom., 32 av. Ch.-de-Gaulle ☏ 65.25.23
RENAULT Gar. de la Croisée, 4 av. C.-Couyba, Arc-les-Gray ☏ 65.34.12
TALBOT Gar. Franco-Suisse, 28 av. Carnot ☏ 65.08.06
Bailly, Chaussée d'Arc ☏ 65.07.06

GRAYAN-ET-L'HÔPITAL

33 Gironde **71** ⑯ – 534 h. – ✉ **33590** St-Vivien-de-Médoc – 56.

Paris 518 – Andernos-les-Bains 85 – ♦Bordeaux 85 – Lesparre-Médoc 22 – Royan 20.

Le Campagnard, ☏ **41.43.58,** – **P** – *sais.*

La GRÉE-PENVINS

56 Morbihan **63** ⑬ – voir à Sarzeau.

GRENADE-SUR-L'ADOUR

40270 Landes **82** ① – 2 006 h. alt. 55 – 58.

Paris 702 – Aire-sur-l'Adour 18 – Mont-de-Marsan 15 – Orthez 51 – St-Sever 14 – Tartas 33.

Lion d'Or, N 124 ☏ **58.02.53** – wc.
fermé 1er au 15 sept. – **R** 25/45 – 6 – 7 ch 35/45 – P 60/70.

France avec ch, pl. Église ☏ **58.02.28**
fermé oct. et mardi – SC : **R** 35/90 – 9 – **14 ch** 40/90 – P 76.

PEUGEOT Gar. de l'Adour, ☏ 58.01.45

GRENDELBRUCH

67 B.-Rhin **62** ⑧⑨ – 1 021 h. alt. 555 – ✉ **67190** Mutzig – 88.

Voir Signal de Grendelbruch ☼★ SO : 2 km puis 15 mn, G. Vosges.

Paris 415 – Erstein 32 – Molsheim 22 – Obernai 16 – Sélestat 39 – ♦Strasbourg 42.

La Couronne, rte Schirmeck ☏ **97.40.94** – wc **P**
fermé 26 oct. au 30 nov. – SC : **R** 26/70 – 9 – **11 ch** 55/85 – P 85/105.

GRENOBLE

P **38000** Isère **77** ⑤ **G. Alpes** – 169 740 h. com. urbaine 394 789 h. alt. 214 – 76.

Voir Fort de la Bastille ☼★★ par téléphérique – Palais de Justice★ CV **J** – Patio★ de l'hôtel de Ville – Crypte★ de l'église St-Laurent CV **D** – Musée des Beaux-Arts★★ DX **M1**.

de Grenoble-St-Geoirs ☏ 05.71.33 par ⑩ : 45 km.

☏ 47.54.27.

Office de Tourisme et Accueil de France (Informations, change et réservations d'Hôtels, pas plus de 5 jours à l'avance), r. République (fermé dim. et fêtes) ☏ 54.34.36, Télex 980718 - A.C. 4 pl. Grenette ☏ 44.41.54 - T.C.F. 18 r. Docteur-Mazet ☏ 87.90.81.

Paris 568 ⑩ – Bourg-en-Bresse 144 ⑩ – Chambéry 55 ③ – ♦Genève 144 ③ – ♦Lyon 106 ⑩ – ♦Marseille 316 ⑩ – ♦Nice 333 ⑦ – ♦St-Étienne 139 ⑩ – Torino 246 ③ – Valence 101 ⑩.

Plans pages suivantes

Park H. M, 10 pl. Paul-Mistral ☏ 87.29.11, Télex 320767, « Beaux aménagements intérieurs » – TV ☎ – 100. AE GB ① E DY **w**
fermé 24 déc. au 2 janv. – SC : **R** *(fermé dim.)* snack **la Taverne de Ripaille** (dîner seul.) *(fermé dim.)* carte environ 75 et voir rest. **La Poularde Bressane** – 15 – **64 ch** 180/365.

Lesdiguières (École hôtelière), 122 cours Libération ✉ 38100 ☏ 96.55.36, Télex 320306, « Parc » – ☎ **P**. ①. rest T **m**
fermé 30 juil. au 2 sept. et 17 déc. au 3 janv. – SC : **R** 72/90 – 18 – **35 ch** 83/215.

Angleterre sans rest, 5 pl. V.-Hugo ☏ 87.37.21, Télex 320297 – TV ☎. AE GB ① E CX **z**
SC : **70 ch** 150/220.

Grand Hôtel et rest. La Cascade 5 r. République ☏ 44.49.36 – ☎ – 300. AE GB ① E. CX **a**
SC : **R** *(fermé dim.)* 70/105 – 14 – **76 ch** 130/180.

Savoie, 52 av. Alsace-Lorraine ☏ 46.00.20, Télex 320635 – BX **s**
R 37/65 - **Taverne de Savoie R** carte 45 à 60 – **83 ch** 70/190 – P 138/240.

Terminus sans rest, 10 pl. Gare ☏ 87.24.33 – . AE GB ① BX **e**
fermé 31 juil. au 23 août – SC : 12 – **52 ch** 70/170.

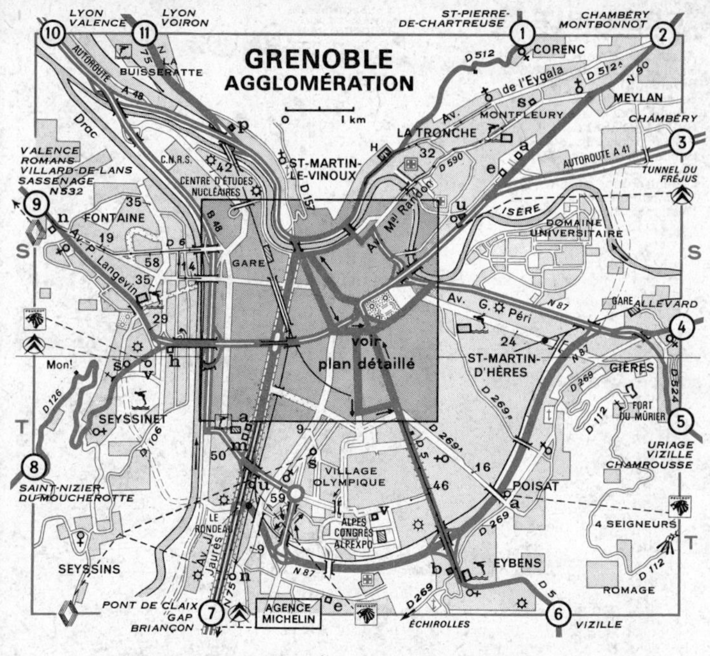

RÉPERTOIRE DES RUES DU PLAN DE GRENOBLE

Blanchard (R.) CX
Bonne (R. de) CX 10
Foch (Bd Mar.) BY
Grande-Rue CX
Grenette (Pl.) CX
Lafayette (R.) CX
Poulat (R. F.) CX 48
V.-Hugo (Pl.) CX

Abbé-Grégoire (R.) AY
Aimon-de-Chissé (R.) DV
Albert-Ier (Av.) CY
Alliés (R. des) BZ
Allobroges (Quai) DV 2
Alma (R. de l') DX
Als.-Lorr. (Av.) BX
Ampère (R.) AY
Arago (R.) AV
Augereau (R.) BY
Balzac (R.) BZ
Barrès (R. M.) DZ
Bart (R. J.) DZ
Bastille (Pl.) BX 3
Bayard (R.) DX 4
Belgrade (R.) CX 5
Berriat (Cours) BX
Berthelot (Av.) CZ
Beyle-Stendhal (R.) CX 6
Bir-Hakeim (Pl.) DX 7
Bistesi (R. J.) DY 8
Bizanet (R.) DV
Blum (Av. L.) T 9
Boissieux (R.) BY
Bouchayer (R.) AZ
Bourget (R. P.) CZ
Briand (Av. A.) FONTAINE S 14
Briand (Pl. A.) BV
Brosse (Q. Cl.) CV 15
Cachin (Av. M.) T 16
Casimir-Périer (R.) CX 17
Champollion (R.) DX 18
Chanrion (R. J.) DX
Charrel (R.) AY
Chorier (R. N.) AY
Claudel (R. P.) DZ
Cl.-Bernard (Q.) BV
Clemenceau (Bd G.) DY
Condillac (R.) CX
Condorcet (R.) BY
Créqui (Quai) BX
Croizat (Av. A.) FONTAINE S 19
Croizat (Av. A.) ST-MARTIN D'H S 24
Denf.-Roch. (R.) BX 25
Déportés-du-11-Nov.-43 (R.) CZ
Diables-Bleus (Bd des) DY
Diderot (R.) AX
Dr-Bordier (R.) CZ
Dr-Calmette (R.) AY
Dr-Girard (Pl.) DV
Dr-Mazet (R.) BX 26
Dormoy (R. M.) AX
Drac (R. du) AY
Driant (Bd Col.) DY
Eaux-Claires (R.) AZ
Esclangon (R.) AVX
Esplanade BV
Eygala (Av. de l') S
Fantin-Latour (R.) DY 27
Faure (R. E.) DX
Flandrin (R. J.) DX
Flaubert (R. G.) CZ
Fourier (R.) DX 28
France (Q. de) BV
France (R. A.) AZ
Fr.-Desaire (Bd) S 29
Gambetta (Bd) BX
Gautier (Pl. F.) AX
Gay-Lussac (R.) DZ
Genin (R. Cl.) DY
Graille (Q. de) BV
Grande-Rue LA TRONCHE S 32
Gueymard (R.) BV
Haxo (R.) DY
Hébert (R.) DX 34
Hoche (R.) CY
Irvoy (R.) BY
Jaurès (Av. J.) ECHIROLLES T
Jaurès (Crs J.) BX
Jay (Quai S.) CV
J.-d'Arc (Av.) DY
Joffre (Bd Mar.) CY
Joliot-Curie (Bd) S 35
Jongkind (Quai) DV
Jouvin (Quai) CV
Lachmann (R.) DV
Lafontaine (Crs) CX
Lagrange (R. L.) BZ
Lakanal (R.) BY
Langevin (Av. P.) S
Lanoyerie (R.) BY
Lavalette (Pl.) DV 36
Leclerc (Bd Mar.) DV
Lesdiguières (R.) CX
L'Herminier (R.) DV 37
Libération (Crs) BZ
Liberté (R.) CX 38
Lyautey (Bd) CY
Lyon (Rte de) BV
Malakoff (R.) DX
Malherbe (Av.) DZ
Mallifaud (R.) DY
Mangin (R. Gén.) BZ
Marceau (R.) BY
Martyrs (R. des) S 42
Mérimée (R. P.) CZ
Mistral (Pl. Paul) DY
Montorge (R.) CX 43
Mortillet (R. de) DV
Mounier (Quai) CV 44
Moyrand (R.) DY
N.-Dame (Pl.) CV
Pain (Bd Jean) DXY
Pasteur (Pl.) CY
Péguy (R. Ch.) ABZ
Péri (Av. G.) S
Péri (R. G.) BXY 45
Perrière (Quai) CV
Perrot (Av. J.) T 46
Ponsard (R.) DZ
Poste (R.) CX 47
Prés.-Carnot (R. du) CX
Prévost (R. J.) BY 49
Randon (Av.) DV
Raspail (R.) AY
Rey (Bd Ed.) BX
Rey (R. Joseph) BY
Reynier (R. A.) T 50
Rhin-et-Danube (Av.) AZ
Rivet (Pl. G.) CY
St-André (Pl.) CV 53
St-Bruno (Pl.) AX
St-Ferjus (R.) DX
Ste-Claire (Pl.) CX
Sémard (R. P.) AX
Sembat (Bd A.) CY
Servan (R.) DX
Sidi-Brahim (R.) BZ
Stalingrad (R.) CZ
Strasbourg (R.) CY 54
Tarze (R. H.) AV
Taulier (R. F.) CV 55
Thiers (R.) BY
Thomas (R. R.) AX
Très-Cloîtres (R.) DV 56
Turenne (R.) BY
Vallier (Bd J.) AY
Valmy (Av. de) DY
Vaucanson (Pl.) CX 57
Vercors (Av. du) FONTAINE S 58
Vercors (R. du) AX
Verdun (Pl. de) DX
Verlaine (Av. P.) T 59
Viallet (Av. F.) BX
Vicat (R.) CX 64
Villars (R.) DX 65
Voltaire (R.) DX 66
Zola (R. Émile) CZ

GRENOBLE

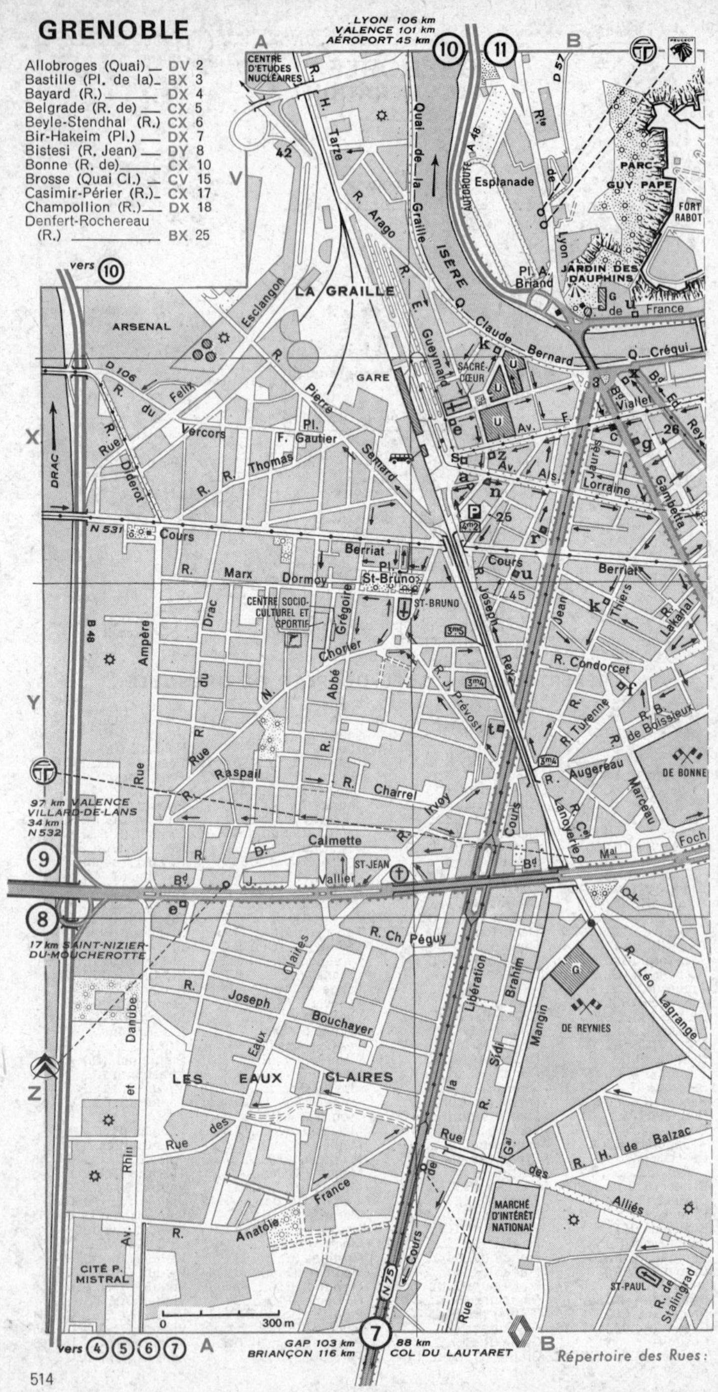

Répertoire des Rues :

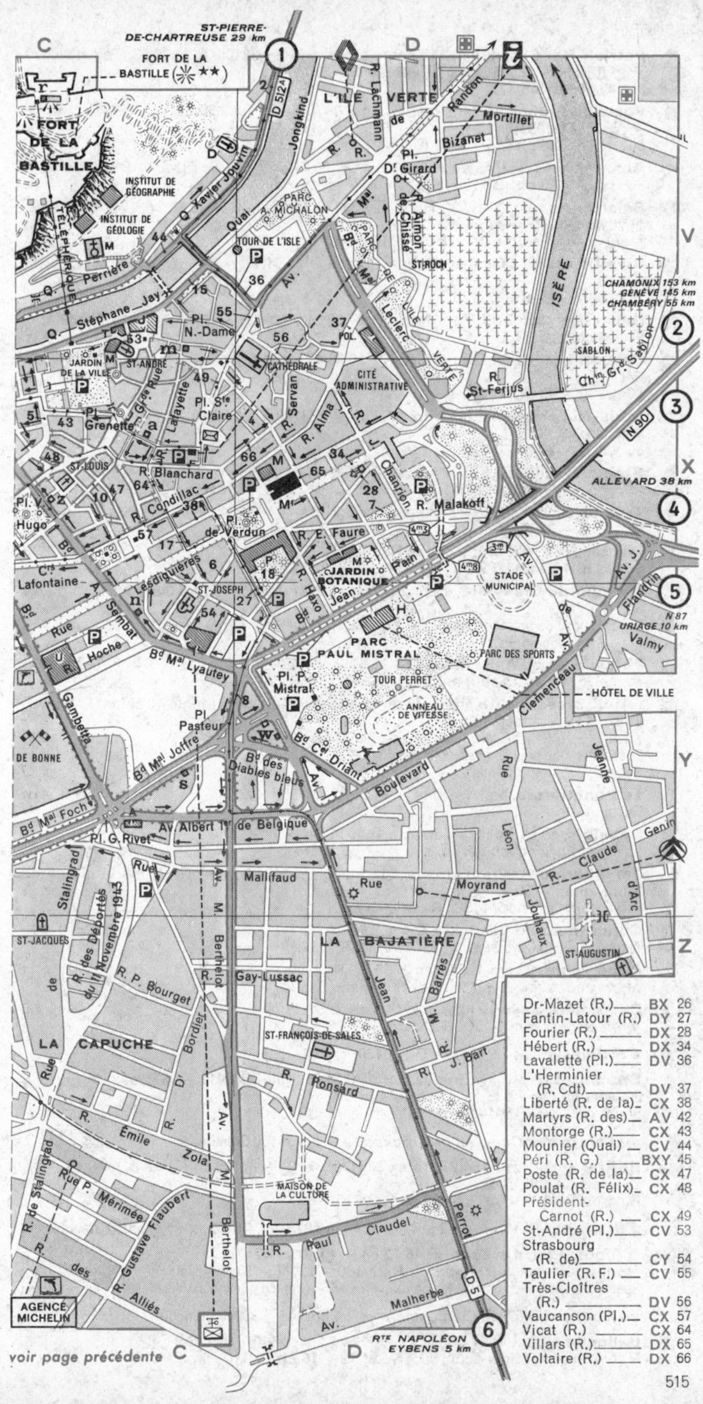

- Dr-Mazet (R.) BX 26
- Fantin-Latour (R.) DY 27
- Fourier (R.) DX 28
- Hébert (R.) DX 34
- Lavalette (Pl.) DV 36
- L'Herminier (R. Cdt) DV 37
- Liberté (R. de la) CX 38
- Martyrs (R. des) AV 42
- Montorge (R.) CX 43
- Mounier (Quai) CV 44
- Péri (R. G.) BXY 45
- Poste (R. de la) CX 47
- Poulat (R. Félix) CX 48
- Président-Carnot (R.) CX 49
- St-André (Pl.) CV 53
- Strasbourg (R. de) CY 54
- Taulier (R. F.) CV 55
- Très-Cloîtres (R.) DV 56
- Vaucanson (Pl.) CX 57
- Vicat (R.) CX 64
- Villars (R.) DX 65
- Voltaire (R.) DX 66

voir page précédente

Patrick H. [M] sans rest, 116 cours Libération ✉ 38100 ☎ 21.26.63, Télex 320320 – |$| TV ⊟wc ☎ P. AE GB ⓓ E — T **a**
SC : **40 ch** ☕ 145/175.

Porte de France [M] sans rest, 27 quai C.-Bernard ☎ 47.39.73 – |$| ⊟wc ⋒wc ☎ – 40. GB — BV **k**
SC : ☕ 12 – **36 ch** 115/140.

Alpes [M] sans rest, 45 av. F.-Viallet ☎ 87.00.71 – |$| ⊟wc ⋒wc ☎ . AE — BX **z**
SC : ☕ 10 – **40 ch** 100/127.

Belalp sans rest, 8 av. V.-Hugo ✉ 38170 Seyssinet ☎ 96.10.27 – |$| ⊟wc ⋒wc ☎ P. AE ⓓ — ST **h**
fermé 9 au 24 août – SC : **29 ch** ☕ 95/150.

Rive Droite [M] sans rest, 20 quai France ☎ 87.61.11 – |$| ⊟wc ⋒wc ☎ P. AE GB — BV **u**
SC : ☕ 15 – **48 ch** 115/135.

Gallia sans rest, 7 bd Mar.-Joffre ☎ 87.39.21 – |$| ⊟wc ⋒wc ☎. AE GB E — CY **s**
SC : **36 ch** ☕ 78/160.

Splendid sans rest, 22 r. Thiers ☎ 46.33.12 – |$| TV ⊟wc ⋒wc ☎ P. AE GB — BY **k**
SC : ☕ 12 – **49 ch** 60/130.

Paris-Nice sans rest, 61 bd J.-Vallier ✉ 38100 ☎ 96.36.18 – ⊟wc ⋒wc ☎ P. AE GB ⓓ — AY **e**
SC : ☕ 12 – **29 ch** 60/120.

Stendhal sans rest 5 r. Dr-Mazet ☎ 46.21.44 – |$| ⊟wc ⋒wc ☎. — BX **x**
fermé 3 au 29 août et 24 déc. au 3 janv. – SC : ☕ 11 – **38 ch** 55/120.

Trianon sans rest, 3 r. P.-Arthaud ☎ 46.21.62 – |$| ⊟wc ⋒wc ☎. — BY **f**
SC : ☕ 11 – **37 ch** 60/113.

Lux sans rest, 6 r. Crépu ☎ 46.41.89 – |$| ⊟ ⋒wc ☎. — BX **a**
SC : ☕ 10 – **27 ch** 56/94.

XXX ✿ **Poularde Bressane,** 12 pl. P.-Mistral ☎ 87.08.90 – ▤. AE GB ⓓ E — DY **w**
SC : **R** 90/125
Spéc. Emincé de poissons, Poularde de Bresse en vessie, Feuilleté de gibier (sais. de chasse). Vins St-Cassien, Chignin.

XX **Thibaud,** 25 bd A.-Sembat ☎ 54.31.51 – ▤. AE ⓓ — CY **n**
fermé 15 juil. au 15 août et dim. – SC : **R** carte 80 à 115.

XX ✿ **Aub. Bressane** (Décher), 38 ter impasse Beaublache (angle 40 cours J.-Jaurès) ☎ 87.64.29 – ▤. AE ⓓ — BX **r**
fermé 13 au 31 juil., dim. et fériés – SC : **R** 90/135
Spéc. Gratin de queues d'écrevisses (sauf en mai), Carré d'agneau au Brouilly, Poulet de Bresse au vinaigre. Vins Crépy, Gamay.

XX **Le Pommerois,** 1 pl. Herbes ☎ 44.30.02 — CV **m**
fermé merc. – SC : **R** 55/130.

XX **Rabelais,** 55 av. Alsace-Lorraine ☎ 46.03.44 — BX **n**
fermé août, vend. soir et sam. – **R** 32/65 🍷.

X **Téléphérique,** gare d'arrivée à la Bastille ☎ 42.09.74, ≤ Grenoble et cirque de Montagnes – AE — CV **r**
fermé janv. et mardi – SC : **R** carte 75 à 95.

X **Concorde,** 9 bd Gambetta ☎ 46.63.64 — BX **g**
fermé 1er août au 5 sept. et sam. – SC : **R** 30/60.

X **A ma Table,** 92 crs J.-Jaurès ☎ 96.77.04 — BY **t**
fermé août, dim. et lundi – SC : **R** 40,dîner à la carte.

X **Chaumière Savoyarde,** 27 r. G.-Péri ☎ 87.29.71 — BX **u**
fermé août et dim. – SC : **R** 35/45 🍷.

à Echirolles - T – 37 575 h. – ✉ **38130** Echirolles :

Dauphitel [M] ⛰, av. Grugliasco ☎ 23.24.72, Télex 980612 – |$| ⊟wc ☎ P – 30. AE GB ⓓ E. ✂ rest — T **e**
SC : **R** 43 – ☕ 10,50 – **68 ch** 120/140 – P 130.

au Centre des Congrès et Alpexpo - T – ✉ **38100** Grenoble :

Sofitel [M] ⛰, ☎ 09.54.27, Télex 980470, ≤, ⛱ – |$| ▤ ch TV ☎ ♿ P – 25 à 150. AE GB ⓓ E — T **v**
R carte 70 à 100 – ☕ 25 – **98 ch** 220/310.

à St-Martin-le-Vinoux : 2 km par A 48 et N 75 - S – 5 582 h. – ✉ **38000** Grenoble :

XXX ✿ **Pique-Pierre** avec ch, ☎ 46.12.88 – P. AE — S **p**
fermé août, dim. soir et lundi – **R** 72/160 – ☕ 11 – 10 ch 45/50
Spéc. Paupiettes de mostelle, Ris de veau Princesse, Gratin dauphinois. Vins Marestel, Pinot rouge.

au Nord par D 57 rte Clemencière - S : 4 km – ✉ **38000** Grenoble :

Bellevue [M] ⛰, ☎ 87.68.17, ≤ – ⊟wc ⋒wc ☎ P. GB
R *(fermé dim.)* (dîner seul.) 40 🍷 – ☕ 12 – **16 ch** 75/110.

à la Tronche - S - ✉ **38700** La Tronche :

XXX **Trois Dauphins,** 24 bd Chantourne ☎ 54.49.73 - ▤ P. AE ① E — S **u**
fermé sam. et dim. en juil.-août, sam. soir et dim. toute l'année - SC : **R** 75.

à Meylan : 3 km par N 90 - S - 14 511 h. - ✉ **38240** Meylan :

Alpha [M], 34 av. Verdun ☎ 90.63.09, Télex 980444, ⛱ - ‖ cuisinette ▤ [TV] ☎ ♿ P - 🏛 40 à 180. AE GB ① E — S **e**
SC : **R** 45 bc/70 🍷 - ☕ 18 - **60 ch** 153/178.

Belle Vallée [M] sans rest, 2 av. Verdun ☎ 90.42.65 - [TV] ⛀wc ☎ P. 🚗 AE GB ① E — S **a**
SC : **30 ch** ☕ 120/180.

à Corenc-Montfleury : 3 km par av. Mar.-Randon - S - ✉ **38700** La Tronche :

Trois Roses [M] sans rest, 32 av. Grésivaudan ☎ 90.35.09, Télex 980593, 🌳 - ‖ [TV] ☎ P - 🏛 75. AE GB ① E — S **s**
SC : ☕ 12 - **50 ch** 130/175, 8 appartements 290/315.

à Eybens : 5 km par D 5 - T - 5 437 h. - ✉ **38320** Eybens :

XX **Rustique Auberge,** ☎ 25.24.70 - GB E — T **b**
fermé août, vacances de fév., dim. et lundi - SC : **R** 43/100 🍷.

Par la sortie ② :

à Montbonnot : 7 km N 90 - ✉ **38330** St-Ismier.

Env. Bec de Margain ≤** NE : 13 km puis 30 mn.

XXX ✿ **Les Mésanges** (Achini) ☎ 90.21.57, ≤, « Jardin ombragé ». E
fermé août, dim. soir et lundi sauf férié le midi - SC : **R** 60/170
Spéc. Foie gras frais (sauf juil.), Gratin de queues d'écrevisses (sauf avril), Soufflé glacé au citron. Vins Crozes Hermitage, Chignin.

Par la sortie ⑥ :

à Bresson par D 264 : 8 km - ✉ **38320** Eybens :

XXX ✿ **Chavant** 🌙 avec ch, ☎ 25.15.14, « Jardin ombragé » - ▤ [TV] ⛀wc ⛆wc ☎ P. 🚗 AE. ✗ rest
fermé 26 au 31 déc. et 20 au 31 janv. - SC : **R** *(fermé jeudi)* 95 - ☕ 19 - **8 ch** 120/220 - P 220/270
Spéc. Saumon mariné, St-Jacques cressonnière, Caille Chavant. Vins Abymes, Cornas.

Par la sortie ⑦ :

à Pont-de-Claix : 8 km - 13 035 h. alt. 251 - ✉ **38800** Pont-de-Claix :

Le Villancourt [M] sans rest, cours St-André ☎ 98.18.54 - ‖ ⛀wc ⛆wc ☎ P. 🚗. ✗ - SC : ☕ 10 - **33 ch** 78/118.

XX **Globe** avec ch, 1 cours St-André ☎ 98.05.25, 🌳 - ⛆ 🚘 P. ✗ ch
fermé déc. et dim. - SC : **R** 40/90 - ☕ 10 - 11 ch 42/65.

à Claix par D 269 : 10,5 km - 4 016 h. - ✉ **38640** Claix :

Les Oiseaux 🌙, ☎ 98.07.74, Télex 980718, ≤, ⛱, 🌳 - ⛀wc ⛆wc ☎ 🚘 P. ✗
fermé 15 nov. au 31 janv. et vend. - SC : **R** *(fermé sam. midi et vend.)* 45/135 - ☕ 18 - **20 ch** 90/195 - P 140/224.

à Varces : 13 km - 4 872 h. - ✉ **38760** Varces :

XXX ✿✿ **L'Escale** (Brunet) avec ch, ☎ 72.80.19, « Jardin ombragé » - [TV] ⛀wc ⛆wc ☎ P. 🚗 AE
fermé 12 au 19 mai, 15 déc. au 15 janv., dim. soir hors sais. et lundi - SC : **R** 148/295 et carte - ☕ 30 - 12 ch 170/250
Spéc. Escalope de saumon frais aux aubergines, Chausson florentine aux truffes et foie gras, Filets de canard au vinaigre.

à St-Paul-de-Varces par N 75 et D 107 : 17 km - ✉ **38760** Varces :

XX **Aub. Messidor,** ☎ 72.80.64
fermé fév. et merc. - SC : **R** 62/98.

Par la sortie ⑩ ou ⑪ :

rte de Lyon : 12 km - ✉ **38340** Voreppe :

Novotel [M], ☎ 50.81.44, Télex 320273, ≤, ⛱, 🌳 - ‖ ▤ [TV] ☎ ♿ P - 🏛 25 à 200. AE GB ①
R snack carte environ 65 - ☕ 20 - **114 ch** 170/215.

Par la sortie ⑪ :

au Chevalon : 11,5 km - ✉ **38340** Voreppe :

XXX **La Petite Auberge,** ☎ 50.08.03 - P. AE GB ①
fermé 15 août au 15 sept., dim. soir et lundi - **R** 85/200.

MICHELIN, Agence régionale, r. A. Bergès, Z.A., Le Pont de Claix par ⑦ ☎ **98.51.54** et **Agence** 16 à 20 r. Prosper-Mérimée CZ ☎ **09.19.54**

ALFA-ROMEO Gar. St-Christophe, 65 bd Gambetta ☎ 87.50.71
AUSTIN, JAGUAR, MORRIS, ROVER, TRIUMPH Albertiny, 146 av. Léon-Blum ☎ 09.00.87 et 36 av. F.-Viallet ☎ 87.87.61
CITROEN Gar. Le Record, 46 bd J.-Vallier AY ☎ 96.43.81
LANCIA-AUTOBIANCHI Gar. du Quai, 13 quai Cl.-Bernard ☎ 87.46.63
LANCIA-AUTOBIANCHI Le Salon de l'Auto, 40 av. Cdt-Perreau ☎ 54.26.56
PEUGEOT Bernard, 237 cours Libération T **u** ☎ 09.43.54
PEUGEOT Les Gds Gar. de l'Isère, 51 rte de Lyon BV ☎ 44.66.90
RENAULT Succursale, 150 r. Stalingrad T **s** ☎ 23.13.09
RENAULT Galtier, 73 cours Libération BZ ☎ 96.69.27
RENAULT Splendid-Gar., 4 r. E.-Delacroix DV ☎ 42.74.72
TALBOT Bollard, 53 rte de Lyon BV ☎ 46.71.67
TALBOT Éts Raymond, 56 bd Foch BY ☎ 87.21.34
VOLVO Combe et Alonso, 6 bis Ch. Villebois ☎ 54.08.92

Ⓜ Gimel, 3 r. R.-Bank ☎ 46.23.74
Piot-Pneu, 27 bd Mar.-Foch ☎ 46.69.83
Radial-Pneu, 47 bd Clemenceau ☎ 44.30.71
La Station-du-Pneu, 5 r. Génissieu ☎ 46.63.63
Tessaro-Pneus, 86 cours J.-Jaurès ☎ 46.00.91

Périphérie et environs

AUDI-VOLKSWAGEN Alpes-Sport-Auto, 111 av. G.-Péri à St-Martin-d'Hères ☎ 54.52.36 **N** ☎ 96.65.69
CITROEN Ricou-Auto, 28 bd de la Chantourne à La Tronche S ☎ 42.46.36 **N**
CITROEN Gar. des Alpes, à Varces T ☎ 72.80.35
CITROEN Gar. Jourdan, 30 av. Houille-Blanche à Seyssinet T **s** ☎ 21.07.45
DATSUN CEDA, av. de la Houille Blanche à Seyssinet-Pariset ☎ 96.02.90
FIAT Gar. de Savoie, 48 av. A.-Briand à Fontaine ☎ 27.38.17
FIAT Strada, 104 av. G.-Péri à St-Martin-d'Hères ☎ 42.61.71
FORD Gauduel, 46 av. A.-Croizat à Fontaine ☎ 26.00.18
FORD Sud Alpes Autom., U2, r. du Béal à St-Martin-d'Hères ☎ 25.75.45
LADA, SKODA R.C.-Autom., av. Gén.-de-Gaulle à Seyssinet-Pariset ☎ 96.79.27
MERCEDES-BENZ, TOYOTA Gar. St-Martin, 117 av. G.-Péri à St-Martin-d'Hères ☎ 54.42.18
OPEL Gar. Majestic, 109 av. G.-Péri à St-Martin-d'Hères ☎ 42.38.18
PEUGEOT Bernard, 11 av. de la Houille-Blanche à Seyssinet T **v** ☎ 96.62.23
PEUGEOT Gds Gar. Isère, 3 r. de la Prévachère, Zone Ind. Sud, à St-Martin-d'Hères T **a** ☎ 25.27.81
PORSCHE, MITSUBISHI Auto Sporting, 110 av. G.-Péri à St-Martin-d'Hères ☎ 42.39.42
RENAULT Esso-Service du Moucherotte, 117 cours J.-Jaurès à Échirolles T **n** ☎ 09.16.24
RENAULT Lambert, 24 av. de Romans à Sassenage ☎ 27.40.62

Ⓜ Gonthier-Pneus, 131 av. G.-Péri à St-Martin-d'Hères ☎ 54.36.83
Piot-Pneu, 96 cours J.-Jaurès à Échirolles ☎ 09.11.95 11 r. C.-Kilian, St.-Martin-le-Vinoux ☎ 87.21.44 et av. G.-Péri à St-Martin-d'Hères ☎ 54.36.72
SODA-Pneu, 1 r. du 19 Mars 1962 à Echirolles ☎ 22.25.27
La Station-du-Pneu, 37 bd P.-Langevin à Fontaine ☎ 26.32.45 et rte de Lyon à St-Martin-le-Vinoux ☎ 75.07.66

GRÉOUX-LES-BAINS 04800 Alpes-de-H.-Pr 84 ④⑤ **G. Côte d'Azur** – 1 297 h. alt. 360 – Stat. therm. (8 fév.-20 déc.) – ◎ 92.

Syndicat d'Initiative pl. Hôtel de ville (fermé dim. hors saison) ☎ 78.01.08.

Paris 786 – Aix-en-Provence 51 – Brignoles 58 – Digne 62 – Manosque 15 – Salernes 53.

- **Villa Borghèse** M, ☎ 78.00.91, – 80. AE GB E. rest
  18 avril-3 nov. – SC : **R** 76/100 – 18 – **70 ch** 160/270 – P 240/300.
- **Les Cèdres** M, ☎ 78.00.40, AE GB
  début mars-fin nov. – SC : **R** 75/150 – 20 – **44 ch** 171/190 – P 210/235.
- **La Résidence H.** sans rest, ☎ 78.00.08, – wc wc
  1er avril-20 oct. – SC : 12.50 – **21 ch** 140/160.
- **Gd Jardin,** ☎ 78.00.03, parc – wc wc E. rest
  15 mars-11 nov. – SC : **R** 45/90 – 12 – **78 ch** 72/120 – P 116/135.
- **Alpes,** ☎ 78.00.05, parc – wc ch
  mars-fin oct. – SC : **R** 40/90 – 12 – **43 ch** 55/120 – P 100/140.

RENAULT Gallégo, ☎ 78.00.50

GRESSE-EN-VERCORS 38 Isère 77 ⑭ **G. Alpes** – 165 h. alt. 1 205 – Sports d'hiver : 1 205/1 800 m 8 – ✉ **38650** Monestier-de-Clermont – ◎ 76.

Voir Col de l'Allimas ≤* S : 2 km.

Paris 610 – Clelles 19 – •Grenoble 47 – Monestier-de-Clermont 14 – Vizille 43.

- **Le Chalet** , ☎ 34.02.08, ≤, – wc wc – 40.
  20 mai-30 sept. et 15 déc.-20 avril – SC : **R** 45/100 – 11 – 35 ch 70/130 – P 120/160.
- **Rochas** , ☎ 34.01.20 – ch
  fermé 27 avril au 11 mai, nov. et merc. – SC : **R** 34/86 – 12 – **8 ch** 52/75 – P 85/95.

GRESTAIN 27 Eure 55 ④ – rattaché à Honfleur.

GRÉSY-SUR-AIX 73 Savoie 74 ⑮ – rattaché à Aix-les-Bains.

GRÉSY-SUR-ISÈRE 73740 Savoie 74 ⑯ – 626 h. alt. 357 – 79.

Env. Site** et ≤** du château de Miolans* SO : 7 km, G. Alpes.

Paris 596 – Aiguebelle 13 – Albertville 19 – Chambéry 37 – St-Jean-de-Maurienne 47.

- **La Tour de Pacoret**, NE : 1,5 km par D 201 ✉ 73460 Frontenex ☎ 32.44.12, ≤ vallée et montagne, – wc . GB.
  1er mars-15 oct. – SC : **R** *(fermé jeudi hors sais.)* (nombre de couverts limité prévenir) carte environ 70 – 12 – 11 ch 80/180 – P 140/180.
- **Commerce,** ☎ 32.44.22 – .
  fermé sept. – SC : **R** 32/60 – 11 – **10 ch** 40/65 – P 90/100.

La GRIÈRE 85 Vendée 71 ⑪ – rattaché à la Tranche.

GRIGNAN 26230 Drôme 81 ② **G. Provence** (plan) – 1 110 h. alt. 197 – 75.

Voir Château** : *.

Syndicat d'Initiative ancien Musée (juil.-août et fermé matin sauf dim.) ☎ 46.54.23.

Paris 633 – Crest 47 – Montélimar 28 – Nyons 23 – Orange 44 – Pont-St-Esprit 37 – Valence 71.

- **Sévigné** sans rest, ☎ 46.50.97 – wc wc
  fermé 1er déc. au 15 janv. et lundi hors sais. – SC : 14 – **19 ch** 45/170.

CITROEN Ferretti, ☎ 46.51.78 RENAULT Monier, ☎ 46.51.24

GRILLY 01 Ain 70 ⑯ – rattaché à Divonne-les-Bains.

GRIMAUD 83360 Var 84 ⑰ **G. Côte d'Azur** – 2 559 h. alt. 75 – 94.

Paris 867 – Brignoles 57 – Hyères 45 – Le Lavandou 34 – St-Tropez 10 – Ste-Maxime 13 – Toulon 63.

- **Le Kilal et rest. Le Cabasson** M, ☎ 43.20.02, Télex 470230, « Jardin en terrasses, ≤ les Maures, » – . AE GB E
  1er mars-30 oct. – **R** 120/145 – **50 ch** 230/540 – P 410/490.
- **Coteau Fleuri,** ☎ 43.20.17, ≤ – wc wc . ch
  fermé nov. et janv. – SC : **R** (dîner seul.) 65 – 12 – 14 ch 195/250.
- XXX ✿✿ **Les Santons** (Girard), ☎ 43.21.02, « Cadre provençal » – .
  fermé 2 janv. au 28 fév., merc. et le soir du 12 oct. à mars sauf fêtes – SC : **R** 220
  Spéc. Goujonettes de St-Pierre au Champagne, Carré d'agneau de Sisteron, Gibiers (saison chasse). Vins Pierrefeu, Bandol.
- XX **La Bretonnière,** ☎ 43.25.26 – AE
  fermé 15 janv. au 15 mars, le midi du 15 juin au 15 sept., sam. midi et merc. hors sais. – SC : **R** carte 110 à 150.
- X **Café de France,** ☎ 43.20.05
  fermé 1er nov. au 20 déc. et mardi en hiver – SC : **R** 60 bc/100 bc.

à l'Est : 3 km par D 14 et D 44 – ✉ **83360** Grimaud :

- XX **Les Pétugues,** ☎ 43.22.96, ≤, , – . AE GB
  1er avril-15 oct. – SC : **R** 85.

RENAULT S.O.C.A., N 98, La Foux ☎ 56.02.60

GRISOLLES 82170 T.-et-G. 82 ⑦ – 2 364 h. alt. 110 – 63.

Paris 678 – Auch 76 – Castelsarrasin 29 – Gaillac 61 – Montauban 24 – •Toulouse 28.

- **Relais des Garrigues,** N 20 ☎ 30.31.59 – wc – 40.
  fermé 5 janv. au 5 fév. – SC : **R** *(fermé merc. midi en été et sam. midi de nov. à juin)* 40/100 – 12,50 – **27 ch** 62/135.

GRIVE 38 Isère 74 ⑬ – rattaché à Bourgoin-Jallieu.

GROIX (Ile de) 56590 Morbihan 58 ⑫ **G. Bretagne** – 2 727 h. – 97.

Voir Trou d'Enfer*.

Accès : Transports maritimes pour **Port-Tudy** (en été réservation indispensable pour le passage des véhicules : 6 F) :.

depuis **Lorient.** En 1980 : en saison, 9 services quotidiens ; hors saison, 3 services quotidiens - Traversée 45 mn – Voyageurs 40 F (AR), autos aller 75 à 190 F par Cie Morbihannaise de Navigation, bd A.-Pierre ☎ 21.03.97.

Syndicat d'Initiative 4 r. Gén.-de-Gaulle (fermé dim.) ☎ 05.81.75.

- XX **Ty Mad** avec ch, au port ☎ 05.80.19, ≤ – wc . rest
  15 mars-15 sept. – **R** 38/100 – 10 – **11 ch** 60/120 – P 130/150.
- X **Aub. du Pêcheur** avec ch, ☎ 05.80.14 –
  fermé 1er au 15 juin et 15 au 30 oct. – SC : **R** 45/55 – 9 – **8 ch** 49/64.

GROLÉJAC 19 Corrèze 75 ⑰ – 506 h. – ✉ 24250 Domme – ⚙ 53.
Paris 549 – Gourdon 13 – Périgueux 78 – Sarlat la Caneda 12.

Le Grillardin, ☎ 28.11.02 – wc wc ☎ P. AE.
fermé 6 au 30 oct. et merc. – SC : **R** 32/100 – ☕ 11,50 – 14 ch 58/135 – P 76/150.

GROSLÉE 01 Ain 74 ⑭ – 241 h. alt. 237 – ✉ 01680 Lhuis – ⚙ 74.
Paris 491 – Belley 21 – Bourg-en-B. 66 – ♦Lyon 70 – La Tour-du-Pin 27 – Vienne 72 – Voiron 44.

XX **Penelle** avec ch, à Port de Groslée SO : 1 km sur D 19 ☎ 39.71.01, ≤ – P
fermé 12 janv. au 12 fév. et mardi – SC : **R** 35/110 – ☕ 10 – **4 ch** 55/80 – P 95/115.

GROSPIERRES 07 Ardèche 80 ⑧ – 426 h. alt. 120 – ✉ 07120 Ruoms – ⚙ 75.
Paris 663 – Alès 45 – Aubenas 32 – Pont-St-Esprit 60 – Privas 62.

Le Caleou M, ☎ 35.40.00, Télex 345478, ≤, parc, , – ch TV ☎
P – 25 à 250. AE GB
SC : **R** 65/85 – ☕ 17,50 – **70 ch** 175/385.

GROTTE voir au nom propre de la grotte.

GROUIN (Pointe de) 35 I.-et-V. 59 ⑥ – rattaché à Cancale.

GRUISSAN 11430 Aude 86 ⑩ **G. Causses** (plan) – 1 269 h. – Casino – ⚙ 68.
Paris 857 – Carcassonne 72 – Narbonne 14.

Corail M, au port ☎ 45.04.43, ≤ – wc ☎ P. GB
1er mars-15 nov. – SC : **R** 40/105 – ☕ 15 – **34 ch** 135 – P 170/215.

La Plage sans rest, à la Plage ☎ 45.00.75 – ☎ P.
Pâques-fin sept. – SC : ☕ 10 – **17 ch** 90.

XX **Le Chebek,** au port ☎ 45.02.58, ≤
fermé 15 janv. au 1er mars et lundi sauf juil.-août – **R** 60/150.

GRURY 71 S.-et-L. 69 ⑯ – 1 011 h. alt. 298 – ✉ 71760 Issy-l'Évêque – ⚙ 85.
Paris 318 – Autun 54 – Bourbon-Lancy 16 – Digoin 29 – Mâcon 110.

X **Aub. Vieux-Moulin** avec ch, SO : 0,8 km par D 42 ☎ 89.81.34, ≤ – P
SC : **R** 35/60 – ☕ 8,50 – **7 ch** 40/47 – P 70/75.

GUCHAN 65 H.-Pyr. 85 ⑲ – 136 h. alt. 750 – ✉ 65170 St-Lary – ⚙ 62.
Paris 810 – Arreau 8 – Lannemezan 35 – St-Gaudens 62 – Tarbes 65.

Moderne, ☎ 39.50.10, ≤ – wc ☎ P.
fermé 1er nov. au 15 déc. – SC : **R** 30/60 – ☕ 9 – **25 ch** 50/75 – P 100/140.

GUEBWILLER SP 68500 H.-Rhin 62 ⑱ **G. Vosges** – 11 357 h. alt. 288 – ⚙ 89.
Voir Église St-Léger★ : façade Ouest★★ A **E** – Église N.-Dame★ B **B** – Hôtel de Ville★ A **H.**
Office de Tourisme 5 pl. St-Léger (fermé dim. sauf matin en saison) ☎ 76.10.63.
Paris 477 ① – Belfort 53 ③ – Colmar 26 ① – Épinal 111 ④ – ♦Mulhouse 23 ③ – ♦Strasbourg 100 ①.

Plan page ci-contre

Alsace, 140 r. République ☎ 76.83.02 – wc wc ☎ A **a**
fermé 1er au 27 déc. – SC : **R** *(fermé vend. soir et sam. midi)* 28/105 – ☕ 9 – **29 ch** 40/105 – P 90/115.

CITROEN Verrier, 10 a r. Lucerne ☎ 76.81.34 N
PEUGEOT Gar. du Parc, 11 rte Soultz ☎ 76.83.15
RENAULT Gar. Valdan, Pénétrante N 83 ☎ 76.27.27 N

à Soultz-Haut-Rhin par ③ : 3 km – 5 689 h. – ✉ 68360 Soultz-Haut-Rhin.
Syndicat d'Initiative à la Mairie (juil.-août et fermé dim.) ☎ 76.82.44.

XX **Aub. Ste-Claire,** ☎ 76.02.92. GB
fermé lundi – **R** 25/90.

RENAULT Gar. Moisset, 18 rte de Guebwiller ☎ 76.87.02
TALBOT Gar. Muller, 2 r. Marne ☎ 76.95.63
VOLKSWAGEN Gar. Salm, 47 rte Guebwiller ☎ 76.86.03

à Murbach par ④ et D 40 : 5,5 km – ✉ 68530 Buhl.
Voir Église★★.

✿ **St-Barnabé** , ☎ 76.92.15, ≤, « Maison fleurie dans la vallée, jardin » – wc wc ☎ P – 25.
fermé début janv. à mi-fév. – SC : **R** *(fermé lundi)* (en sais. prévenir) 75/160 – ☕ 15 – **26 ch** 75/190
Spéc. Médaillons de foie gras frais de canard au vinaigre de miel, Fricassée de sandre et saumon frais, Canette de Barbarie poêlée. **Vins** Sylvaner, Pinot noir.

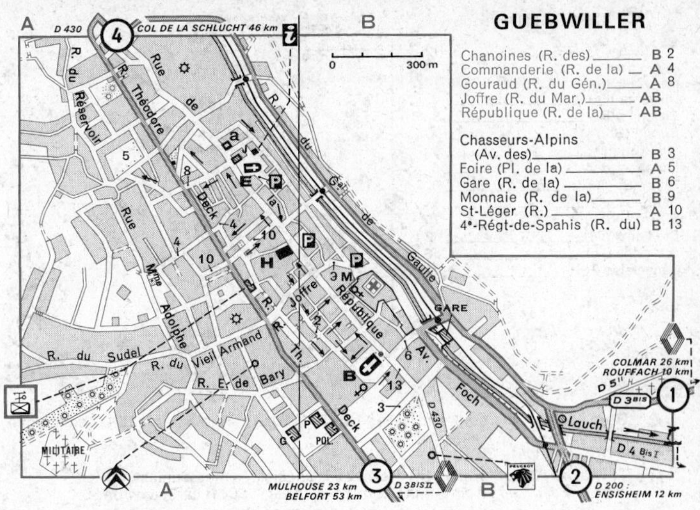

à Jungholtz par ③ et D 51 : 6 km – ✉ **68500** Guebwiller :

Résidence Les Violettes (Munsch) Ⓜ, ☎ 76.91.19, ← – wc wc ☎ Ⓟ – 40.
fermé 16 nov. au 4 déc., 24 fév. au 2 mars et mardi hors sais. – SC : **R** 85/170 – 16 – 12 ch 160/200
Spéc. Brioche de foie gras, Turbot au Champagne, Suédoise de framboise. Vins Riesling, Pinot noir.

Ferme de Thierenbach, ☎ 76.93.01, ← – wc ☎ Ⓟ
fermé lundi – SC : **R** 60/100 – 18 – 15 ch 80/150 – P 130/160.

Biebler avec ch, ☎ 76.85.75 – Ⓟ. GB ch
fermé vend. – **R** 29/65 – 9,50 – **12 ch** 40/68 – P 75/80.

Kuentz avec ch, ☎ 76.83.32, – Ⓟ.
fermé 1er au 15 nov. et 1er au 15 fév. – SC : **R** *(fermé lundi hors sais.)* 35/85 – 10 – 10 ch 50/80 – P 105/115.

à Hartmannswiller par ③ et D 5 : 7 km – ✉ **68500** Guebwiller :

Meyer, ☎ 76.73.14, ←, – wc wc ☎ Ⓟ. ch
fermé fév. – SC : **R** *(fermé vend.)* 45/90 – 11,50 – 18 ch 70/135 – P 110/155.

GUÉCÉLARD **72890** Sarthe 64 ③ – 1 479 h. alt. 45 – 43.
Paris 215 – Château-Gontier 73 – La Flèche 25 – Malicorne-sur-Sarthe 22 – •Le Mans 17.

La Belle Étoile, NE : 3 km N 23 ☎ 21.12.02 – Ⓟ. AE GB E
fermé 15 août au 7 sept. et lundi – **R** 45/110.

La Botte d'Asperges, N 23 ☎ 21.12.03
fermé 1er au 22 juil., 4 au 10 fév., lundi soir et mardi – SC : **R** 35/62.

GUÉMENÉ-PENFAO **44290** Loire-Atl. 63 ⑯ – 4 591 h. alt. 37 – 40.
Paris 392 – Châteaubriant 38 – •Nantes 62 – Redon 20 – •Rennes 61 – St-Nazaire 57.

Le Chalet, r. Moulins ☎ 79.23.38, – Ⓟ
fermé oct., dim. soir sauf rest et lundi hors sais. – SC : **R** 28/60 – 8,50 – 14 ch 40/44 – P 80.

GUENROUET **44** Loire-Atl. 63 ⑮ – 2 156 h. alt. 36 – ✉ **44530** St-Gildas-des-Bois – 40.
Paris 409 – •Nantes 53 – Nozay 28 – Redon 21 – La Roche-Bernard 29 – St-Nazaire 40.

au Cougou NO : 5 km par D 102 – ✉ **44530** St-Gildas des Bois :

Paradis des Pêcheurs avec ch, ☎ 79.64.10, – Ⓟ. ch
fermé 12 au 23 oct., 12 janv. au 6 fév., dim. soir et lundi – SC : **R** 30/135 – 8 – **6 ch** 48 – P 80.

GUÉRANDE **44350** Loire-Atl. 63 ⑭ **G. Bretagne** – 8 001 h. alt. 52 – 40.
Voir Le tour des remparts★ – Collégiale St-Aubin★.
Syndicat d'Initiative Tour St-Michel (15 juin-31 août) ☎ 24.96.71 et à la Mairie (1er sept.-14 juin, fermé sam. et dim.) ☎ 24.90.52.
Paris 446 ② – La Baule 6 ② – •Nantes 77 ② – St-Nazaire 20 ② – Vannes 65 ①.

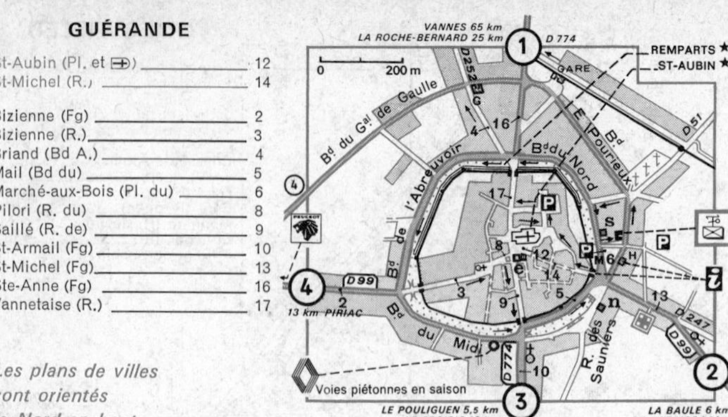

🏠 **Roc Maria** sans rest, 1 r. Halles **(e)** ☎ 24.90.51, «Maison du 15e s. aménagée avec goût » – ⊟. 🚗. ✈
1er avril-1er oct. – SC : ☐ 13 – **9 ch** 95.

✗ **Ti Marok,** 3 pl. Marhallé **(n)** ☎ 24.92.08, Spécialités marocaines
fermé 25 sept. au 28 oct., mardi et merc. en hiver – SC : **R** carte environ 65.

✗ **Les Remparts** avec ch, bd Nord **(s)** ☎ 24.90.69. ✈
fermé déc., janv., dim. soir et lundi – SC : **R** 60/130 – ☐ 12 – 9 ch 55/75.

PEUGEOT Cottais, rte la Turballe ☎ 24.90.39

RENAULT Gar. de la Promenade, bd Midi ☎ 24.91.39

La GUERCHE-DE-BRETAGNE **35130** I.-et-V. **63** ⑧ **G. Bretagne** – 3 810 h. alt. 76 – ✪ 99.

Paris 325 – Angers 82 – Châteaubriand 29 – Château-Gontier 45 – Laval 40 – •Rennes 41 – Vitré 22.

⌂ **La Calèche** ⌘, av. Gén.-Leclerc ☎ 96.20.36 – ⋔ Ⓟ
➡ *fermé 30 sept. au 11 oct., 23 au 25 déc. et vend. hors sais.* – SC : **R** 30/70 – ☐ 9 – 12 ch 45/85 – P 85/110.

CITROEN Lebreton, ☎ 96.21.20
PEUGEOT Suhard, ☎ 96.20.56
RENAULT Testard, ☎ 96.22.29

◉ Négoce du pneu, ☎ 49.22.51

GUÉRET Ⓟ **23000** Creuse **72** ⑨ **G. Périgord** – 16 147 h. alt. 436 – ✪ 55.

Voir Salle du Trésor d'orfèvrerie★ du musée Z **M** – ℹ Office de Tourisme 43 pl. Bonnyaud (15 juin-15 sept. et fermé dim.) ☎ 52.33.00 - A.C. r. E.-France ☎ 52.26.51.

Paris 352 ① – Bourges 124 ① – Châteauroux 89 ① – Châtellerault 157 ⑥ – •Clermont-Ferrand 135 ③ – •Limoges 90 ⑥ – Montluçon 65 ② – Poitiers 142 ⑥ – Tulle 136 ④ – Vierzon 143 ①.

Plan page ci-contre

🏠 **Auclair,** 19 av. Sénatorerie ☎ 52.01.26 – ⊟wc ⋔wc ☎ 🚗 Ⓟ – 🏢 30. AE GB ① E — Z **s**
➡ *fermé fév.* – SC : **R** *(fermé sam. du 1er oct. au 31 mars)* 30/90 – ☐ 13 – **33 ch** 60/145 – P 103/225.

🏠 **Nord,** 1 bd Gare ☎ 52.18.02 – ⋔wc ☎ Ⓟ. 🚗. GB. ✈ — Y **r**
➡ *fermé 26 avril au 3 mai, 13 déc. au 3 janv. et dim. (sauf hôtel du 14 juil. au 15 sept.)* – SC : **R** 28/60 – ☐ 9,50 – **31 ch** 35/68 – P 82/90.

✗✗ **Le Boueiradour,** 6 r. J.-Ducouret ☎ 52.25.86 — Y **a**
➡ *fermé août, dim. soir et lundi* – SC : **R** 35/100.

✗ **L'Univers** avec ch, 8 r. Ancienne-Mairie ☎ 52.02.03 – ⋔ — Z **u**
➡ *fermé 26 août au 22 sept. et lundi* – SC : **R** 25/120 ♁ – ☐ 8,50 – 7 ch 38/50 – P 95/120.

*à **Laschamps de Chavanat*** par ① : 5 km sur D940 – ✉ **23000** Guéret :

✗ **Chez Peltier,** ☎ 52.02.40 – Ⓟ
➡ *fermé 20 juil. au 10 août et sam.* – SC : **R** (déj. seul.) 33/60 ♁.

*à **Glénic*** par ① : 7,5 km – alt. 400 – ✉ **23000** Guéret :

✗ **Viaduc** avec ch, ☎ 52.22.04 – ⋔wc 🚗 Ⓟ. GB
➡ *fermé vend. et sam. midi hors sais.* – SC : **R** 25/75 ♁ – ☐ 12 – **8 ch** 45/110 – P 100/150.

CITROEN Samat, rte Montluçon, N 145 ☎ 52.48.52
FIAT, LANCIA-AUTOBIANCHI Gar. Bellevue, Le Verger, N 145 à Ste Feyre ☎ 52.43.65
PEUGEOT Daraud, N 145 à Ste Feyre ☎ 52.52.00

RENAULT Gar. St-Christophe, rte de Paris à Cherdemont ☎ 52.15.78 N
TALBOT Martin M., 15 r. E.-France ☎ 52.14.44

◉ Gaudon-Pneus, 25 av. Gambetta ☎ 52.00.36
Martin H. et J., 3 r. de Londres ☎ 52.01.65

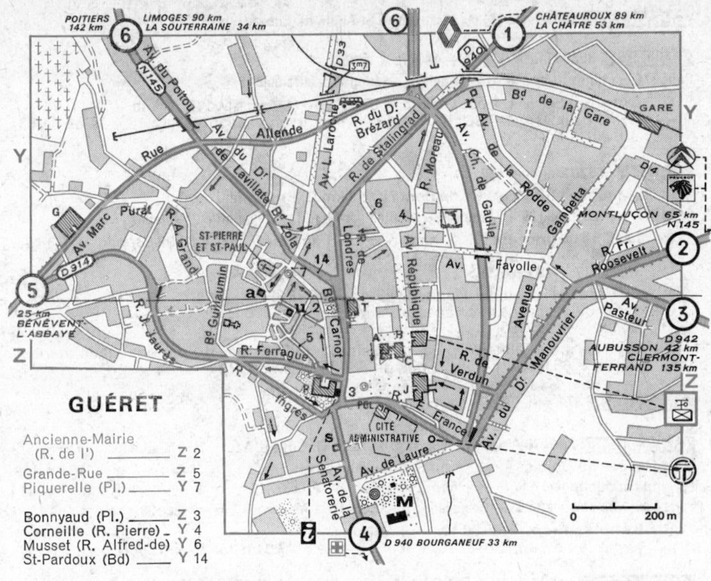

La GUÉRINIÈRE 85 Vendée 67 ① – voir à Noirmoutier.

GUERLESQUIN **29248** Finistère 58 ⑦ – 1 561 h. alt. 250 – ✪ 98.

Paris 518 – Carhaix-P. 43 – Guingamp 39 – Lannion 32 – Morlaix 25 – Plouaret 18 – Quimper 83.

- **Monts d'Arrée** M, ☏ 72.80.44 – wc wc ☎. . ch
  fermé 20 déc. au 6 janv. – SC : **R** *(fermé dim. soir)* 50/80 – 12 – 24 ch 55/130 – P 90/130.

GUÉTHARY 64 Pyr.-Atl. 78 ⑪⑱ **G. Pyrénées** – 968 h. alt. 27 – ✉ **64210** Bidart – ✪ 59.

Syndicat d'Initiative à la Mairie (fermé oct., sam. sauf matin en sais. et dim.) ☏ 26.56.60.

Paris 758 – ♦Bayonne 15 – Biarritz 9 – Pau 123 – St-Jean-de-Luz 6.

- **Pereria,** ☏ 26.51.68, €, « Beau jardin ombragé » – wc wc ☎ **P**. . rest
  1er mars-1er nov. – SC : **R** 45/90 – **30 ch** 65/120 – P 115/145.
- **Brikétenia,** ☏ 26.51.34, – wc wc ☎ **P**. GB.
  fermé 1er nov. au 15 déc. et mardi – **R** 45/85 – 11 – 22 ch 110/120 – P 130/175.
- **Marienia** sans rest, ☏ 26.51.04 – ☎
  1er juin-1er oct. – SC : 10 – **14 ch** 47/115.
- ✗ **Madrid,** ☏ 26.52.12
  Pâques-fin sept. – SC : **R** 33/60 .

Le GUÉTIN 18 Cher 69 ③ – alt. 175 – ✉ **18150** La Guerche-sur-l'Aubois – ✪ 48.

Paris 249 – Bourges 57 – La Guerche-sur-l'Aubois 10 – Nevers 11 – St-Pierre-le-Moutier 27.

- ✗ **Aub. du Pont-Canal,** D 976 ☏ 74.07.15
  fermé vacances scolaires de fév. et lundi – SC : **R** 35/75.

CITROEN Chailloux, ☏ 74.08.72

GUEUGNON **71130** S.-et-L. 69 ⑰ – 10 743 h. alt. 243 – ✪ 85.

Paris 343 – Autun 51 – Bourbon-Lancy 26 – Digoin 16 – Mâcon 91 – Montceau-les-Mines 27.

- **Commerce,** 1 r. La Fontaine ☏ 85.23.23 – wc wc ☎ . GB
  SC : **R** 35/65 – 15 – **23 ch** 70/150 – P 120/180.
- ✗✗✗ **Relais Bourguignon** avec ch, 1 rte Digoin ☏ 85.25.23 – wc ☎ **P**. GB
  fermé 17 août au 7 sept., vacances de fév. et lundi – SC : **R** 40/120 – 10 – **8 ch** 65/90.

CITROEN Milli, rte de Digoin ☏ 85.06.02 N
PEUGEOT Vadrot, 31 r. du 8-Mai ☏ 85.24.31
RENAULT Hermey, r. de la Liberté ☏ 85.20.42
Goesin, 11 r. J.-Bouveri ☏ 85.25.40

GUEYNARD 33 Gironde 71 ⑧ – rattaché à St-André-de-Cubzac.

GUICHEN 35580 I.-et-V. 63 ⑥ – 4 431 h. – 99.
Paris 374 – Châteaubriant 48 – Ploermel 50 – Redon 45 – ♦Rennes 19.

- **Commerce,** 34 r. Gén.-Leclerc ☎ 57.01.14 – wc ⋒wc Ⓟ. ch
  fermé 6 au 20 juil. – SC : **R** *(fermé dim. soir et lundi)* 30/75 – 10 – **14 ch** 44/83 – P 90/110.

GUIDEL 56520 Morbihan 58 ⑫ – 5 355 h. – 97.
Voir St-Maurice : Site★ et ←★ du pont NO : 5 km G. Bretagne.
Paris 503 – Concarneau 39 – Lorient 12 – Moëlan-sur-Mer 13 – Quimperlé 12 – Vannes 68.

- **La Châtaigneraie** Ⓜ sans rest, O : 1 km par D 162 ☎ 65.99.93, parc – TV Ⓟ. GB.
  SC : 17 – **10 ch** 200.
- **L'Auberge,** à Guidel-Plage SO : 3 km ☎ 05.98.39, ← – . GB
  avril-nov., vacances scolaires et fermé merc. – SC : **R** 40/85 – 10 – 18 ch 65/100 – P 120/160.
- Les Fusils du Palmero Ⓜ avec ch, SE : 1,5 km par rte du Meneguen et voie privée ☎ 65.98.02, « Dans la pinède » – TV wc Ⓟ – 8 ch.

GUIGNIÈRE 37 I.-et-L. 64 ⑭⑮ – rattaché à Tours.

GUILLAUMES 06470 Alpes-Mar. 81 ⑨⑲, 195 ③ **G. Côte d'Azur** – 558 h. alt. 819 – 93.
Voir Gorges de Daluis★★ : ←★★ au S à hauteur des tunnels.
Syndicat d'Initiative à la Mairie (fermé sam. et dim.) ☎ 05.50.13.
Paris 839 – Barcelonnette 63 – Castellane 57 – Digne 95 – Manosque 136 – ♦Nice 98.

- **Renaissance,** ☎ 05.50.12 – Ⓟ.
  fermé 1er nov. au 15 déc. – SC : **R** 35/50 – 8 – **20 ch** 35/45 – P 80/85.

GUILLESTRE 05600 H.-Alpes 77 ⑱ **G. Alpes** – 1 580 h. alt. 1 000 – 92.
Voir Pied la Viste ←★ E : 2 km – Peyre-Haute ←★ S : 4 km puis 15 mn.
Syndicat d'Initiative pl. Salva (fermé dim.) ☎ 45.04.37.
Paris 715 – Barcelonnette 49 – Briançon 35 – Digne 119 – Gap 60.

- **Les Barnières II** Ⓜ , ☎ 45.04.87, ← montagnes, – Ⓟ.
  fermé 25 sept. au 20 déc. – **R** 50/90 – 15 – 40 ch 170 – P 150/170.
- **Les Barnières I** Ⓜ , ☎ 45.05.07, ← vallée et montagne, – wc Ⓟ.
  fermé 15 oct. au 20 déc. – SC : **R** 50/90 – 15 – 35 ch 140 – P 140/150.
- **Host. du Queyras,** ☎ 45.00.43, ← – wc ⋒wc Ⓟ.
  15 juin-1er oct. et 15 nov.-1er mai – SC : **R** 42/95 – 12 – 32 ch 55/120 – P 140/160.

à Risoul S : 2 km – Sports d'hiver : à Risoul 1 850/2 571 m 9 – ✉ **05600** Guillestre.
Syndicat d'Initiative à la Mairie (fermé sam. et dim.) ☎ 45.01.07.

- **La Bonne Auberge** , ☎ 45.02.40, ← Pelvoux – wc ⋒wc Ⓟ. rest
  1er juin-25 sept. et 20 déc.-20 avril – SC : **R** 38/58 – 12 – 36 ch 75/95 – P 110/130.

à Mont-Dauphin-Gare NO : 4 km – alt. 900 – ✉ **05600** Guillestre :

- **Gare** avec ch, ☎ 45.03.08 – Ⓟ. rest
  fermé sam. du 1er mai au 30 juin et du 1er sept. au 20 déc. – SC : **R** 33/85 – 9,50 – 27 ch 41/80 – P 95/100

CITROEN Antoniolo, quartier St-Guillaume ☎ 45.03.33 N
PEUGEOT Doutre, ☎ 45.07.09

à La Maison du Roy NE : 5,5 km par D 902 – ✉ **05600** Guillestre :

- **Bérard,** ☎ 45.05.50, ← – wc Ⓟ.
  R 38/75 – 15 – 37 ch 70/110 – P 105/130.

GUILLIERS 56490 Morbihan 63 ④ – 1 354 h. – 97.
Paris 417 – Dinan 58 – Lorient 88 – Ploërmel 13 – ♦Rennes 66 – Vannes 58.

- **Relais du Porhoët,** ☎ 74.40.17 – wc ⋒wc Ⓟ
  fermé 15 au 30 oct. et lundi – SC : **R** 30/90 – 9 – **15 ch** 50/100 – P 90/120.

GUILVINEC 29115 Finistère 58 ⑭ **G. Bretagne** – 4 612 h. alt. 5 – 98.
Paris 578 – Douarnenez 40 – Pont-l'Abbé 11 – Quimper 31.

- **Centre,** r. Penmarch ☎ 58.10.44, – wc ⋒wc Ⓟ. rest
  fermé fév. – SC : **R** 35/90 – 9 – 18 ch 45/105 – P 100/135.

à Lechiagat E : 1 km – ✉ **29115** Guilvinec :

- **Port,** ☎ 58.10.10 – TV wc ⋒wc . GB E. rest
  fermé 22 déc. au 6 janv. – SC : **R** 55/180 – 12 – 31 ch 70/120 – P 140/175.
- **Pointe,** ☎ 58.11.32 – ⋒.
  15 mars-20 sept. – SC : **R** 37/80 – 10 – **20 ch** 52/80 – P 105/130.

GUINGAMP <SP> **22200** C.-du-N. **59** ② **G. Bretagne** – 10 752 h. alt. 74 – ✪ 96.

Voir Basilique★

ℹ Office de Tourisme 2 pl. du Vally (avril-sept. et fermé dim.) ☎ 43.73.89.

Paris 487 ③ – •Brest 113 ⑦ – Carhaix-Plouguer 48 ⑥ – Lannion 32 ⑦ – Morlaix 53 ⑦ – Pontivy 61 ④ – St-Brieuc 31 ③.

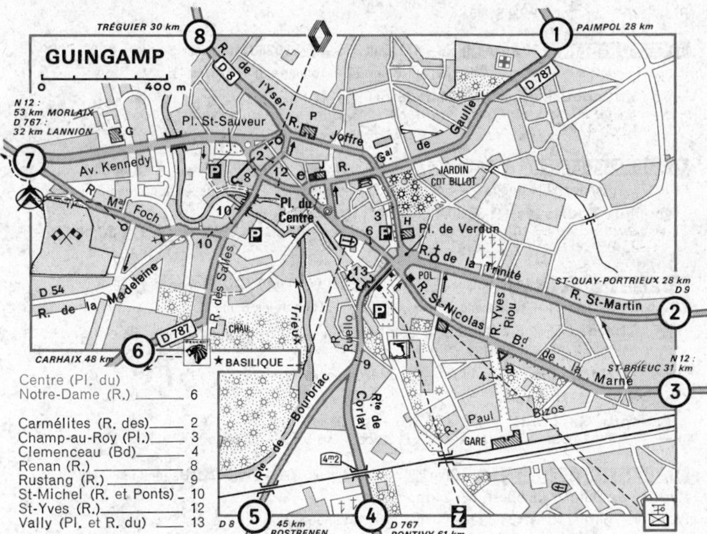

Le Goëland Ⓜ sans rest, rte Corlay par ④ ☎ 21.09.41, – wc wc ☎ ♿ Ⓟ. GB
SC : ☕ 11 – **30 ch** 78/130.

Hermine Ⓜ, 1 bd Clemenceau **(a)** ☎ 21.02.56 – wc ☎
SC : **R** snack *(fermé dim.)* 40 🍷 – ☕ 9 – **12 ch** 50/90.

XXX **Relais du Roy** avec ch, pl. Centre **(e)** ☎ 43.76.62 – TV wc wc ☎ – 30. GB ⓓ
fermé 28 août au 15 sept. et 14 au 31 janv. – SC : **R** *(fermé dim. soir et lundi)* 95/180 – ☕ 15 – 7 ch 130/200.

CITROEN Kerambrun, rte Brest à Kernilien ☎ 43.79.07
CITROEN Herniou, 21 r. Mar.-Foch ☎ 43.73.92
PEUGEOT Gds Gar. de Guingamp, Zone Ind. de Locmenard à Graces ☎ 43.85.59
RENAULT Menguy, 9 r. Carmélites ☎ 43.70.40

VOLVO Prigent, 19 r. Pors-en-Quen ☎ 43.75.25

Desserrey-Pneus Zone Ind. de Graces-Guingamp ☎ 43.96.82
Yven, 34 r. St-Nicolas ☎ 43.73.85

GUITRES 33 Gironde **75** ② **G. Côte de l'Atlantique** – 1 357 h. alt. 12 – ✉ **33230** Coutras – ✪ 56.

ℹ Syndicat d'Initiative à la Mairie (fermé sam. après-midi et dim.) ☎ 49.10.34.

Paris 526 – Angoulême 84 – Blaye 48 – •Bordeaux 46 – Libourne 16 – St-André-de-Cubzac 24.

Bellevue sans rest, ☎ 49.12.81 – Ⓟ.
fermé 12 sept. au 11 oct. – SC : ☕ 7 – **10 ch** 40/50.

X Aub. de l'Isle avec ch, ☎ 49.12.58, ←, – Ⓟ.

GUJAN-MESTRAS **33470** Gironde **78** ② **G. Côte de l'Atlantique** – 7 641 h. – ✪ 56.

ℹ Office de Tourisme pl. Marché La Hume (hors saison matin seul. et fermé dim. sauf matin en saison) ☎ 66.12.65.

Paris 618 – Andernos-les-Bains 26 – Arcachon 12 – •Bordeaux 48.

X La Coquille, à Gujan ☎ 66.08.60.

à La Hume O : 4 km – ✉ **33470** Gujan-Mestras :

X **IL Bacio,** 8 av. de-Lattre-de-Tassigny ☎ 66.12.12 – Ⓟ. GB
fermé 15 au 30 nov., 15 au 28 fév. et mardi – SC : **R** 46 🍷.

GUNDERSHOFFEN 67 B-Rhin 57 ⑲ – 2 159 h. alt. 173 – ✉ **67110** Niederbronn-les-Bains – ☎ 88.

Paris 491 – Haguenau 15 – Sarreguemines 62 – •Strasbourg 45 – Wissembourg 34.

XX **Chez Gérard** avec ch, à la Gare ☎ 09.51.20. GB
fermé 2 au 22 fév., mardi soir du 15 sept. au 15 avril et merc. – SC : **R** 28/85 – 7 – **4 ch** 38/40 – P 75/85.

RENAULT Gar. Lotz, ☎ 09.51.45

GYÉ-SUR-SEINE 10 Aube 61 ⑱ – 470 h. alt. 173 – ✉ **10250** Mussy-sur-Seine – ☎ 25.

Paris 203 – Bar-sur-Aube 40 – Châtillon-sur-Seine 24 – Tonnerre 51 – Troyes 44.

XX **Voyageurs** avec ch, N 71 ☎ 38.20.09 –
fermé 20 déc. au 6 janv. et merc. – **R** (dim. et fêtes prévenir) 35/65 – 8,50 – 10 ch 47/52.

HABÈRE-LULLIN 74 H.-Savoie 70 ⑰ – 370 h. alt. 850 – ✉ **74420** Boëge – ☎ 50.

Paris 578 – Annecy 59 – Boëge 6 – Bonneville 30 – •Genève 31 – Lullin 10 – Thonon-les-Bains 23.

Aux Touristes, ☎ 39.50.42, ≤ –
fermé 8 au 31 mars, 12 au 30 janv. et merc. – SC : **R** 35/75 – 9 – 20 ch 60 – P 80/95.

HABÈRE-POCHE 74 H.-Savoie 70 ⑰ – 464 h. alt. 945 – ✉ **74420** Boëge – ☎ 50.

Paris 580 – Annecy 61 – Bonneville 33 – •Genève 37 – Thonon-les-Bains 21.

Chardet M, **à Ramble** ☎ 39.51.46, ≤ – wc wc
fermé 15 oct. au 15 déc. et merc. – SC : **R** 35/60 – 9 – **30 ch** 68/108 – P 100/140.

au Col de Cou NO : 4 km – ✉ **74420** Boëge.

Voir ≤*, G. Alpes.

Aub. Gai Logis, ☎ 39.52.35, ≤ – rest
fermé 13 oct. au 15 déc. – SC : **R** 35/65 – 9,50 – **12 ch** 50/80 – P 90/100.

HAGENTHAL-LE-BAS 68 H.-Rhin 66 ⑩ – 814 h. alt. 360 – ✉ **68220** Hegenheim – ☎ 89.

18 privé de Bâle ☎ 68.50.91, N : 2 km.

Paris 579 – Altkirch 27 – •Bâle 12 – Colmar 76 – •Mulhouse 39.

XX **Jenny** avec ch, NE : 2,5 km par D 12B près golf ☎ 68.50.09, – AE
fermé fév. – SC : **R** *(fermé lundi en hiver)* 38/100, dîner à la carte – 12 – **10 ch** 50/85.

HAGETMAU 40700 Landes 78 ⑦ **G. Pyrénées** – 4 318 h. alt. 25 – ☎ 58.

Paris 716 – Aire-sur-l'Adour 34 – Dax 48 – Mont-de-Marsan 28 – Orthez 25 – Pau 57 – Tartas 35.

Le Jambon, r. Carnot ☎ 76.32.02 – wc
fermé lundi en hiver – SC : **R** 30/100 – 9 – **24 ch** 35/110 – P 90/110.

X **Relais Basque** avec ch, r. P.-Duprat ☎ 76.30.64 –
fermé 15 au 30 sept. et sam. – SC : **R** 29/85 – 8,50 – **7 ch** 45/65 – P 88.

CITROEN Lacourrège, ☎ 76.31.80
PEUGEOT Maurin, ☎ 76.30.40 N
RENAULT Labadie, ☎ 76.38.11

HAGONDANGE 57300 Moselle 57 ③④ **G. Vosges** – 10 048 h. alt. 161 – ☎ 8.

Paris 327 – Briey 20 – •Metz 16 – Rombas 6 – Thionville 15 – Verdun 67.

XX **Méligner,** 69 r. Gare ☎ 771.47.53 – GB
fermé août et sam. – SC : **R** 39/83.

PEUGEOT Mondelange-Auto, 21 r. de l'Église, Mondelange ☎ 771.46.32 N
TOYOTA Blanquier, r. Ch.-Lutz ☎ 771.78.10

HAGUENAU SP 67500 B.-Rhin 57 ⑲ **G. Vosges** – 26 856 h. alt. 130 – ☎ 88.

Voir Boiseries* de l'église St-Nicolas.

Office de Tourisme pl. J.-Thierry (fermé sam. et dim.) ☎ 93.12.50.

Paris 478 ④ – Baden-Baden 42 ② – Épinal 146 ④ – Karlsruhe 64 ② – Lunéville 114 ④ – •Nancy 135 ④ – St-Dié 109 ④ – Sarreguemines 74 ⑥ – •Strasbourg 32 ④.

Plan page ci-contre

National, pl. Gare ☎ 93.85.70 – rest wc – 35. ch
SC : **R** *(fermé lundi sauf fériés)* 45/120 – 12 – 26 ch 60/120 – P 135/155. Z **a**

à Schweighouse-sur-Moder par ⑤ : 4 km – 3 202 h. – ✉ **67590** Schweighouse-sur-Moder :

XX **Aub. Cheval Blanc** avec ch, 46 r. G.-de-Gaulle ☎ 93.88.02 – – 30. ch
fermé 24 août au 14 sept., dim. soir (sauf hôtel) et sam. – SC : **R** 33/80 – 8,50 – **16 ch** 45/70 – P 95/140.

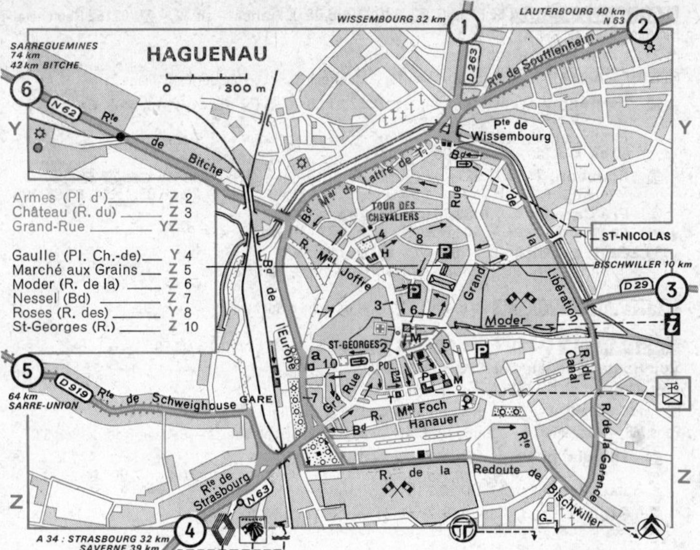

BMW, FIAT Gloeckler, 1 bd Europe ℡ 93.21.10
CITROEN Gar. Herber, rte Bischwiller ℡ 93.38.88 N
PEUGEOT Nord-Alsace-Autom., 121a rte Strasbourg ℡ 93.12.60
RENAULT Grasser, rte Strasbourg ℡ 93.02.29 N
RENAULT Koch, 3 rte Strasbourg ℡ 93.85.14

TALBOT Gar. Roser, rte Marienthal ℡ 93.44.54 N

Alsace-Pneus, 4 chemin des Prairies ℡ 93.67.24
Daesslé et Klein, 2 rte de Strasbourg ℡ 93.93.59
Kautzmann, 105 rte de Strasbourg ℡ 93.11.38

HAM **80400** Somme 53 ⑬ **G. Nord de la France** – 6 250 h. alt. 62 – ✪ 22.

Paris 135 – ♦Amiens 66 – Noyon 20 – Péronne 24 – Roye 26 – St-Quentin 20 – Soissons 56.

France (Dumont), pl. Hôtel-de-Ville ℡ 81.00.22 – wc AE GB. ch
fermé août, vacances de fév., dim. soir et lundi – SC : **R** 50/175 – 12 – 16 ch 58/120
Spéc. Terrine de canard, Suprême de turbot à l'armoricaine, Poissons et crustacés beurre blanc.

Valet, r. Noyon ℡ 81.10.87 –
fermé 8 au 18 août – SC : **R** *(fermé dim.)* 30/48 – 9 – **21 ch** 35/95 – P 90/125.

CITROEN Gar. de Picardie, 7 r. de Noyon ℡ 81.01.86
PEUGEOT Bibaut, 137 rte de Roye à Eppeville ℡ 81.02.13

RENAULT Gar. Bacquet, 48 r. de Noyon ℡ 81.00.13

HAMBYE **50650** Manche 54 ⑬ **G. Normandie** – 1 318 h. alt. 92 – ✪ 33.

Voir Ruines de l'abbaye S : 5 km.**

Paris 317 – Coutances 23 – Granville 29 – St-Lô 26 – Tessy-sur-Vire 15 – Villedieu-les-Poêles 17.

XX **Les Chevaliers** avec ch, au bourg D 13 ℡ 61.42.18 – GB
fermé 1er au 15 oct. et 1er au 15 fév. – SC : **R** *(fermé dim. soir et merc. sauf juil. et août)* (nombre de couverts limité - prévenir) 52/83 – 8 – 6 ch 50.

RENAULT Manson, ℡ 61.42.39

Gar. Lecrosnier, ℡ 61.43.12

HAMEAU du SOLEIL **06** Alpes-Mar. 84 ⑨, 195 ㉕ – rattaché à Cagnes-sur-Mer.

HANAU (Étang de) **57** Moselle 57 ⑰ – rattaché à Bitche.

HARDELOT-PLAGE 62 P.-de-C. 51 ⑪ G. Nord de la France – alt. 12 – ✉ 62152 Neufchâtel-Hardelot – ✪ 21.

18 ✆ 32.73.10 E : 1 km.

Paris 237 – Arras 112 – Boulogne-sur-Mer 15 – Montreuil 31 – Le Touquet-Paris-Plage 23.

Le Régina Ⓜ, av. François-1er ✆ 32.81.88 – wc wc ☎ ♿ Ⓟ – 70. ch
fermé janv. – SC : **R** *(fermé dim. soir et lundi d'oct. à mars)* 45/60 – 10,50 – **40 ch** 115/140 – P 150/190.

Écusson, ✆ 32.71.52 – wc wc – 50. AE GB E
fermé fév. – SC : **R** *(fermé merc.)* carte 70 à 115 – 11 – **20 ch** 83/158 – P 186/198.

Pré Catelan , ✆ 32.70.03, – Ⓟ.
fin mars-fin sept. – SC : **R** 32/63 – 9,50 – 16 ch 47/54 – P 105.

Golf, au Golf ✆ 32.71.04, – Ⓟ AE GB E
fermé 15 janv. au 1er mars, dim. soir et lundi – **R** 50/80.

HARTMANNSWILLER 68 H.-Rhin 66 ⑨ – rattaché à Guebwiller.

HASPARREN 64240 Pyr.-Atl. 85 ③ G. Pyrénées – 5 441 h. alt. 90 – ✪ 59.

Voir Route impériale des Cimes★ O : D 22.

Env. Grottes d'Oxocelhaya et d'Isturits★★ SE : 11 km.

Syndicat d'Initiative pl. St-Jean (juin-15 sept. et fermé dim.) ✆ 29.62.02.

Paris 766 – ♦Bayonne 24 – Cambo-les-B. 10 – Pau 103 – Peyrehorade 32 – St-Jean-Pied-de-Port 33.

Tilleuls, pl. Verdun ✆ 29.62.20 – wc .
fermé 31 sept. au 30 oct. et lundi sauf fêtes du 1er oct. au 31 mai – SC : **R** 35/70 – 9 – 10 ch 50/70 – P 90/110.

Argia, r. Dr.-J.-Lissart ✆ 29.60.24 – wc wc
fermé oct. et lundi – SC : **R** 30/80 – 10 – 20 ch 47/104 – P 85/105.

HAUT-COMBLOUX 74 H.-Savoie 74 ⑧ – rattaché à Combloux.

HAUTELUCE 73620 Savoie 74 ⑰⑱ G. Alpes – 705 h. alt. 1 193 – Sports d'hiver au Col des Saisies : 1 600/2 000 m 16, – ✪ 79.

Env. Signal de Bisanne ★★ O : 11 km – Col des Saisies : site★ O : 8 km.

Paris 634 – Albertville 25 – Beaufort 11 – Chambéry 75 – Megève 31 – N.-D.-de-Bellecombe 20.

HAUTE-PERCHE 49 M.-et-L. 64 ⑪ – rattaché à Angers.

Les HAUTES-RIVIÈRES 08 Ardennes 53 ⑲ G. Nord de la France – 2 320 h. alt. 163 – ✉ 08800 Monthermé – ✪ 24.

Voir Vallon de Linchamps★ N : 4 km.

Paris 247 – Charleville-Mézières 22 – Dinant 54 – Sedan 56.

Les Saisons, ✆ 34.40.94
fermé dim. soir et lundi – **R** 32/130 .

CITROEN Gar. Vion, à Sorendal ✆ 34.45.32

HAUTEVILLE-LÈS-DIJON 21 Côte-d'Or 66 ⑫ – rattaché à Dijon.

HAUTEVILLE-LOMPNES 01110 Ain 74 ④ – 4 893 h. alt. 815 – ✪ 74.

Voir Chute et gorges de l'Albarine★ G. Jura.

Syndicat d'Initiative à la Mairie (fermé sam. et dim.) ✆ 37.94.73.

Paris 478 – Aix-les-Bains 60 – Belley 33 – Bourg-en-Bresse 52 – ♦Lyon 83 – Nantua 31.

Pascal sans rest, r. Corlier D 8A ✆ 37.81.40, – wc Ⓟ.
fermé nov. et mardi – SC : 10 – **25 ch** 38/80.

CITROEN Gar. Central, ✆ 37.81.06
FORD Standard Gar., ✆ 37.90.56
PEUGEOT Gar. Jean Miguet, ✆ 37.90.74
RENAULT Micheli, ✆ 37.90.63
TALBOT Gar. Deschombeck, ✆ 37.80.45
Gar. Lay, ✆ 37.92.80

HAUTEVILLE-PLAGE 50 Manche 54 ⑫ – ✉ 50590 Montmartin-sur-Mer – ☎ 33.

Office de Tourisme 10 av. Aumesle (1er juin-15 sept., fermé matin et dim. sauf juil. et août) ☎ 47.51.80.

Paris 344 – Bréhal 10 – Coutances 14 – Granville 20 – St-Lô 41.

- **Plage** ⛱, ☎ 47.52.33, ≤ – wc ☎ Ⓟ. ✻ ch
  fermé 9 sept. au 6 oct., 5 au 31 janv., lundi (sauf hôtel) et mardi – SC : **R** 35, carte le dim. – ☕ 10 – 14 ch 60/150.

HAUT-KOENIGSBOURG 67 B.-Rhin 62 ⑱⑲ **G. Vosges** – alt. 755 – ✉ **67600** Kintzheim (H.-Rhin) – ☎ 88.

Voir Château★★ : ※★★.

Paris 426 – Colmar 28 – St-Dié 38 – Ste-Marie-aux-Mines 17 – Sélestat 13 – ♦Strasbourg 60.

- **Haut Koenigsbourg** avec ch, ☎ 92.10.92, ≤ plaine d'Alsace – wc wc ☎ Ⓟ
  fermé janv. et mardi hors sais. – SC : **R** 40/150 – ☕ 10 – **26 ch** 60/160 – P 110/140.

> *Pour vos voyages, en complément de ce guide utilisez :*
> – *Les* **guides Verts Michelin** régionaux
> paysages, monuments et routes touristiques.
> – Les **cartes Michelin** à 1/1 000 000 grands itinéraires
> 1/200 000 cartes détaillées.

Le HAVRE ⟨SP⟩ **76600** S.-Mar. 55 ③ **G. Normandie** – 216 638 h. – ☎ 35.

Voir Port★★ – Quartier moderne★ : intérieur★★ de l'église St-Joseph★, pl. Hôtel-de-Ville★, Av. Foch★ – Côte d'Ingouville ※★ – Fort de Ste-Adresse ※★★ EX – Bd Président-Félix-Faure : table d'Orientation ※★ à Ste-Adresse A – Musée des Beaux-Arts★ : FZ **M1**.

Env. Terrasse d'Orcher★ E : 10 km route Gonfreville-l'Orcher puis 15 mn.

18 ☎ 46.36.11 N par ① : 10 km.

✈ du Havre-Octeville ☎ 46.09.81, A.

Office de Tourisme (fermé dim. sauf le matin du 1er mai au 1er oct.) et Accueil de France (Informations et réservations d'hôtels, pas plus de 5 jours à l'avance), pl. Hôtel-de-Ville ☎ 21.22.88, Télex 190369 – A.C.O. 49 r. Racine ☎ 42.39.32 - T.C.F. 45 av. Foch ☎ 42.38.63.

Paris 204 ④ – ♦Amiens 180 ③ – ♦Caen 108 ④ – ♦Lille 290 ③ – ♦Nantes 401 ④ – ♦Rouen 88 ③.

Plans pages suivantes

- **Bordeaux** M sans rest, 147 r. L.-Brindeau ☎ 22.69.44, Télex 190428 – ⬍ TV ☎. AE GB ⓓ E. ✻ — FZ **v**
  SC : ☕ 20 – **31 ch** 160/270.
- **Le Marly** M sans rest, 121 r. Paris ☎ 41.72.48 – ⬍ TV ☎ ♿. AE GB ⓓ. ✻ — FZ **n**
  SC : ☕ 14,50 – **34 ch** 88/200.
- **France et Bourgogne,** 21 cours République ☎ 25.40.34 – ⬍ wc wc ☎ – 🏛 50. 🚗 AE GB — GY **z**
  SC : **R** *(fermé juil. et sam.)* 50/72 – ☕ 14 – 31 ch 128/195.
- **Astoria,** 13 cours République ☎ 25.00.03 – ⬍ TV wc ☎. 🚗 AE GB — GY **z**
  fermé 15 au 31 déc. – SC : **R** *(fermé vend.)* carte 55 à 75 – ☕ 12 – **33 ch** 79/178.
- **Foch** sans rest, 4 r. Caligny ☎ 42.50.69 – ⬍ wc wc ☎. 🚗 AE GB. ✻ — EZ **b**
  SC : ☕ 11 – **33 ch** 50/150.
- **Parisien** sans rest, 1 cours République ☎ 25.23.83 – ⬍ TV wc ☎. 🚗 AE GB ⓓ E — GYZ **e**
  SC : **22 ch** ☕ 78/190.
- **Bauza** sans rest, 15 r. G.-Braque ☎ 42.27.27 – wc ☎. 🚗. ✻ — FY **p**
  SC : ☕ 10 – **22 ch** 49/105.
- **Angleterre** sans rest, 1 r. Louis-Philippe ☎ 42.48.42 – wc wc ☎. ✻ — EY **s**
  SC : ☕ 10 – **30 ch** 45/95.
- **St-Louis** ⛱ sans rest, 18 r. Ch.-Aug.-Marande ☎ 42.53.58 – wc ☎. 🚗. ✻ — EFY **y**
  SC : ☕ 9,50 – **15 ch** 50/90.
- **Celtic** sans rest, 6 pl. Gambetta ☎ 42.39.77 – wc ☎ — FZ **h**
  SC : ☕ 12 – **14 ch** 74/95.
- **Richelieu** sans rest, 132 r. Paris ☎ 42.38.71 – wc ☎. 🚗 GB — FZ **f**
  fermé 12 déc. au 4 janv. – SC : ☕ 12 – **20 ch** 61/116.
- **Gambetta** sans rest, 20 r. J.-Macé ☎ 42.25.94 – wc ☎ — FZ **a**
  SC : ☕ 10 – **18 ch** 40/120.
- **Voltaire** sans rest, 14 r. Voltaire ☎ 41.30.91 – ☎. ✻ — EFZ **q**
  SC : ☕ 10 – **24 ch** 50/80.
- **Ile de France** sans rest, 104 r. A.-France ☎ 42.49.29 – wc ☎. 🚗. ✻ — FY **a**
  SC : ☕ 9 – **16 ch** 45/80.

tourner →

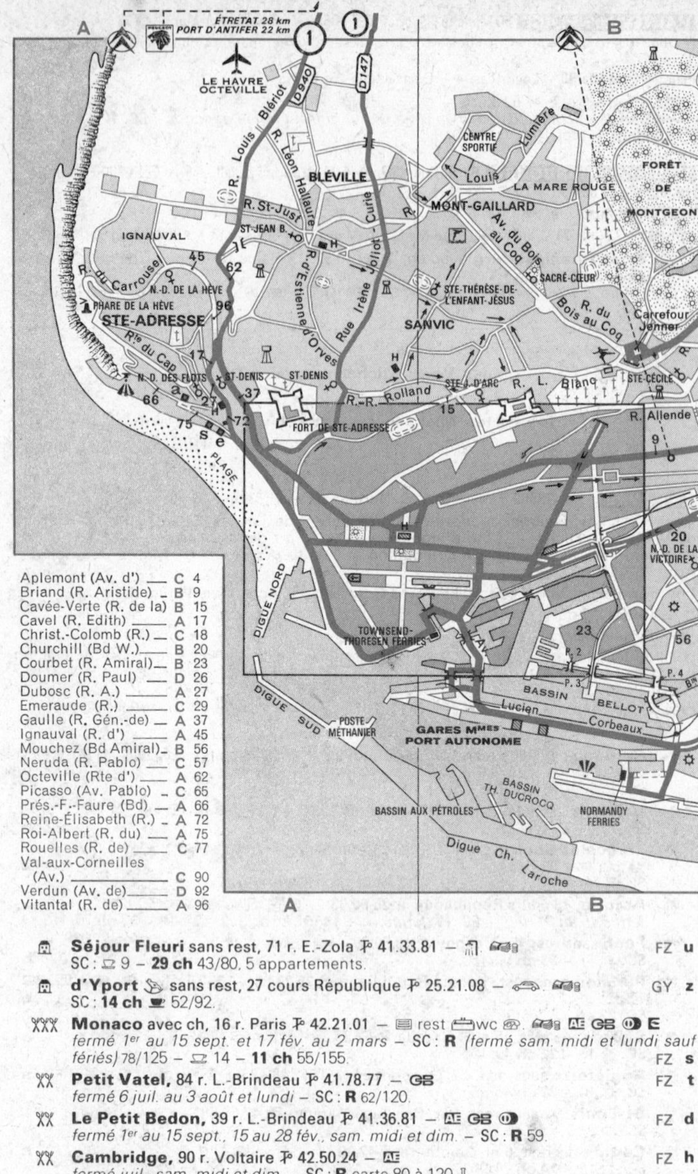

Aplemont (Av. d') — C 4
Briand (R. Aristide) — B 9
Cavée-Verte (R. de la) B 15
Cavel (R. Edith) — A 17
Christ.-Colomb (R.) — C 18
Churchill (Bd W.) — B 20
Courbet (R. Amiral) — B 23
Doumer (R. Paul) — D 26
Dubosc (R. A.) — A 27
Emeraude (R.) — C 29
Gaulle (R. Gén.-de) — A 37
Ignauval (R. d') — A 45
Mouchez (Bd Amiral) — B 56
Neruda (R. Pablo) — C 57
Octeville (Rte d') — A 62
Picasso (Av. Pablo) — C 65
Prés.-F.-Faure (Bd) — A 66
Reine-Élisabeth (R.) — A 72
Roi-Albert (R. du) — A 75
Rouelles (R. de) — C 77
Val-aux-Corneilles (Av.) — C 90
Verdun (Av. de) — D 92
Vitantal (R. de) — A 96

Séjour Fleuri sans rest, 71 r. E.-Zola ☎ 41.33.81 – FZ **u**
SC : ☕ 9 – **29 ch** 43/80, 5 appartements.

d'Yport sans rest, 27 cours République ☎ 25.21.08 – GY **z**
SC : **14 ch** ☕ 52/92.

XXX **Monaco** avec ch, 16 r. Paris ☎ 42.21.01 – rest wc AE GB ⓓ E
fermé 1er au 15 sept. et 17 fév. au 2 mars – SC : **R** *(fermé sam. midi et lundi sauf fériés)* 78/125 – ☕ 14 – **11 ch** 55/155. FZ **s**

XX **Petit Vatel,** 84 r. L.-Brindeau ☎ 41.78.77 – GB FZ **t**
fermé 6 juil. au 3 août et lundi – SC : **R** 62/120.

XX **Le Petit Bedon,** 39 r. L.-Brindeau ☎ 41.36.81 – AE GB ⓓ FZ **d**
fermé 1er au 15 sept., 15 au 28 fév., sam. midi et dim. – SC : **R** 59.

XX **Cambridge,** 90 r. Voltaire ☎ 42.50.24 – AE FZ **h**
fermé juil., sam. midi et dim. – SC : **R** carte 80 à 120 🍷.

XX **Le Rescator,** 47 r. E.-Lang ☎ 42.51.71 – AE GB ⓓ FZ **e**
fermé 13 au 30 sept., vacances de fév., sam. midi et dim. sauf fêtes – SC : **R** carte 70 à 130 🍷.

XX **L'Athanor,** 120 r. Guillemard ☎ 42.50.27 – AE GB EY **n**
fermé 1er au 15 août, 2 au 16 janv., sam. midi et lundi – SC : **R** 52/155.

XX **Buffet Gare,** 28 cours République ☎ 26.54.33 – AE GB ⓓ GYZ **k**
fermé sam. – SC : **R** 48 🍷.

X **Guimbarde,** 61 r. L.-Brindeau ☎ 42.15.36 – AE GB FZ **r**
fermé 15 juil. au 15 août, dim. et lundi midi – SC : **R** 49 bc/52 bc.

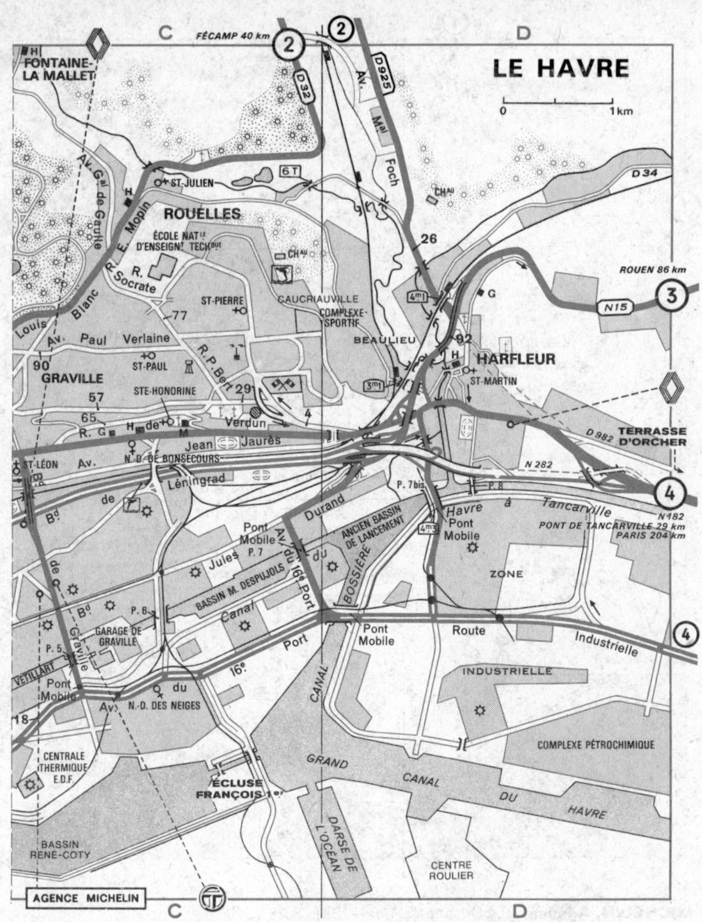

X **La Petite Auberge,** 32 r. Ste-Adresse ☎ 46.27.32 – GB — EY **r**
fermé août et lundi – SC : **R** 50 (sauf sam. soir)/73.

X **Bonne Hôtesse,** 98 r. Président-Wilson ☎ 21.31.73 — EY **k**
fermé 3 au 31 août, dim. soir et lundi – SC : **R** 30/50 ♁.

*à **Ste-Adresse*** - A – 8 943 h. – ✉ **76310** Ste-Adresse :

XXX ✿ **Nice-Havrais,** 6 pl. F.-Sauvage ☎ 46.14.59, ≤ — A **a**
fermé août et dim. – SC : **R** 62/160
Spéc. Vatapa de St-Jacques (15 oct.-30 avril), Foie de canard chaud Melrose, Magret de canard à la tsarine.

XX **Yves Page,** 7 pl. Clemenceau ☎ 46.06.09, ≤ – AE GB ⓓ E — A **s**
fermé 17 août au 9 sept., vacances de fév., dim. soir et lundi – SC : **R** 70/110.

XX **Beau Séjour,** 3 pl. Clemenceau ☎ 46.19.69, ≤ – AE GB ⓓ E — A **e**
SC : **R** 65 (sauf fêtes)/120.

*à **Octeville*** par ① : 9 km – 3 054 h. – ✉ **76930** Octeville :

XX **Le Relais,** r. F.-Faure ☎ 46.36.34 – AE GB
fermé 15 au 31 juil. et jeudi – SC : **R** *(déj. seul. sauf sam. : déj. et dîner)* 40/80.

*au **Hode*** E : 18 km par ④ et D 982 – ✉ **76430** St-Romain-de-Colbosc :

XXX ✿ **Dubuc,** D 982 ☎ 20.06.97 – Ⓟ. AE GB
fermé 10 au 31 août, dim. soir et lundi sauf fériés – SC : **R** 105/130
Spéc. Salade Ali-bab, Turbot soufflé Homardine, Tournedos Rossini.

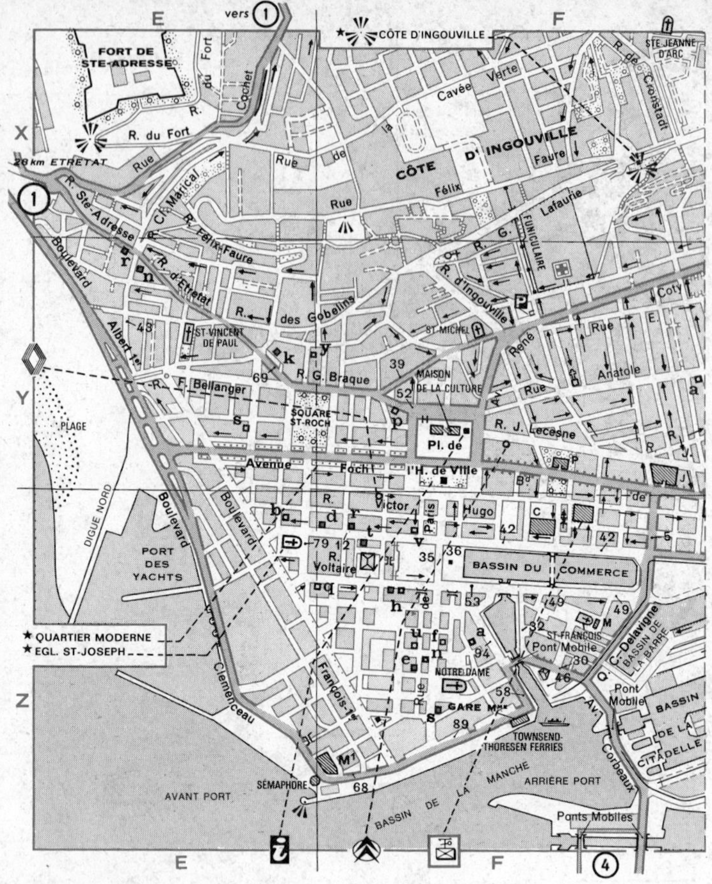

MICHELIN, Agence, 43 r. Desmarais, par N 182 C ☏ **25.22.20**

ALFA-ROMEO Thomine, 18 r. Michelet ☏ 21.02.33
AUDI-VOLKSWAGEN Gar. des Halles, 14 bis r. Berthelot ☏ 24.08.64
AUDI-VOLKSWAGEN Le Troadec, 93 r. Lesueur ☏ 21.33.03
AUSTIN, MORRIS, ROVER, TRIUMPH Girardey, 19 r. des Magasins Généraux ☏ 26.62.26
BMW Auto 76, 91 r. J.-Lecesne ☏ 22.69.69
CITROEN Succursale, 82 r. Ch.-Laffite GY ☏ 21.21.21
CITROEN Bailleau et Auber, 10 r. J.-Lecesne FY ☏ 42.22.31
CITROEN Gar. Montmorency, 370 r. A.-Briand B ☏ 24.09.32
CITROEN Palfray, r. A.-Lecomte, Octeville ☏ 46.36.19
FORD Lesueur, 53 cours République ☏ 25.41.16
LADA, SKODA Gar. St-Denis, 6 r. E.-Cavell à Ste Adresse ☏ 46.11.82
MERCEDES-BENZ Madeleine-Auto, 15 r. A.-Barbès ☏ 26.56.44
PEUGEOT S.I.A. du Havre, 94 r. Denfert-Rochereau GZ ☏ 25.25.05
PEUGEOT Lebigre, Hameau Café Blanc, Octeville ☏ 46.36.45
RENAULT Succursale, 115 r. Rispal C ☏ 26.81.21
RENAULT Gar. de la Brèque, 48 rte Oudalle à Gonfreville D ☏ 47.15.64
RENAULT Gar. St-Christophe, 90 r. P.-Doumer FZ ☏ 42.20.26
TALBOT La Normande des Autom., 200 bd de Graville C ☏ 25.33.20 N ☏ 46.86.94
TOYOTA Carrosserie-Océane, 8 r. Dr Piasceki ☏ 26.48.66
VOLVO Tanguy, 19 r. G.-Braque ☏ 42.32.96

Central-Pneu, 26 r. Lesueur ☏ 22.40.14
Danton-Pneu, 141 bd Amiral-Mouchez ☏ 26.64.64
Legay-Pneus, 34 r. Fleurus ☏ 25.07.89
Nicol-Pneus, 12 r. Dumé-d'Aplemont ☏ 25.32.85
Norais-Pneus, 203 bd Graville ☏ 26.50.68
Vulc. de la Brèque, 48 rte Oudalle à Gonfreville ☏ 47.15.64

Seat belts are compulsory in France, wear them at all times.

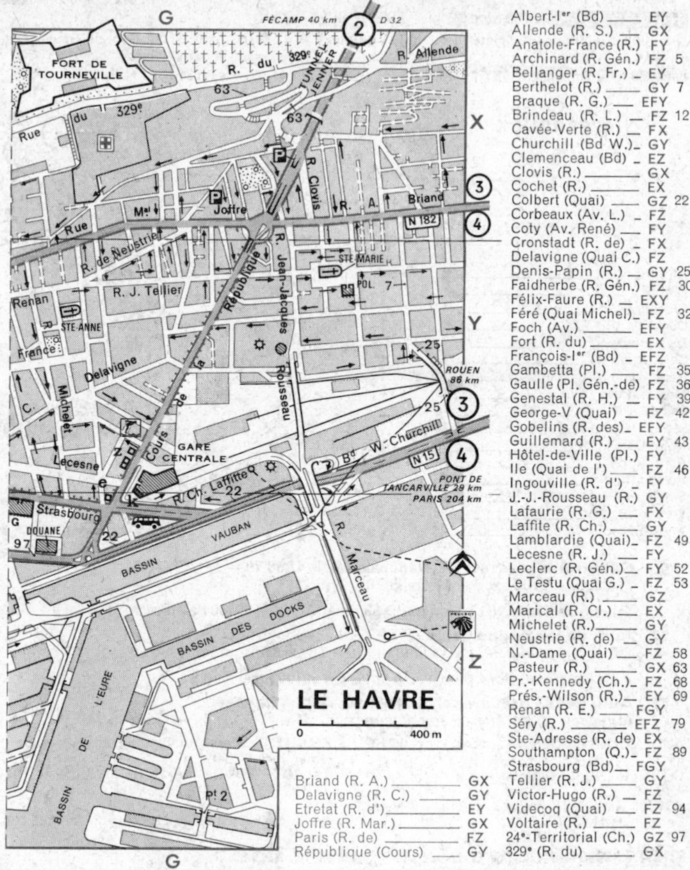

HAYBES 08 Ardennes 53 ⑱ **G. Nord de la France** – 2 142 h. alt. 117 – ✉ **08170** Fumay – ✪ 24.

Paris 256 – Charleville-Mézières 35 – Fumay 2,5 – Givet 20 – Monthermé 31 – Rocroi 21.

- **St-Hubert,** ☎ 41.11.38 – ⌂ ⌂. ✂
  fermé 10 janv. au 10 fév. – SC : **R** 29/78 ⚱ – ☕ 9 – **20 ch** 45/75 – P 78/95.
- **Robinson** ✂, SE : 1 km par VO ☎ 41.11.73, ≤ – **P**. ✂
  fermé lundi – SC : **R** 35/100 – ☕ 10 – 9 ch 45 – P 85/90.
- ✗✗ **Ermitage Moulin Labotte** ✂ avec ch, E : 2 km par D 7 et VO ☎ 36.93.44, parc – ⌂ ⌂ **P**. ✂ ch – 7 ch.

La HAYE-DU-PUITS **50250** Manche 54 ⑫ – 1 798 h. alt. 38 – ✪ 33.

Voir Mont-Castre ≤★ E : 5 km puis 30 mn, **G. Normandie.**

Paris 334 – Barneville-Carteret 19 – Carentan 24 – Coutances 29 – St-Lô 44 – Valognes 26.

- **Gare** ✂, ☎ 46.04.22 – **P** GB ◑ E
  fermé 15 déc. au 3 janv. et vend. – SC : **R** (nombre de couverts limité - prévenir) 39/69 – ☕ 10 – 12 ch 50/70 – P 110/130.

CITROEN Hardel, à St-Symphorien-le-Valois ☎ 46.03.55
PEUGEOT Leclerc, ☎ 46.01.99
RENAULT Beuve, ☎ 46.02.88

HAZEBROUCK 59190 Nord 51 ④ – 20 488 h. alt. 28 – 28.

Syndicat d'initiative à l'Hôtel de Ville (fermé dim.) ☎ 41.88.00 - A.C. 31 pl. Gén.-de-Gaulle ☎ 41.92.66.

Paris 239 ② – Armentières 28 ② – Arras 59 ④ – Dunkerque 41 ① – Ieper 34 ① – ♦Lille 42 ②.

HAZEBROUCK

Église (Grande-Rue de l') 8
Gaulle (Pl. du Général-de) 12
Leclerc (R. du Mar.) 14
Nationale (R.) 19

Aire (R. d') 2
Clef (R.) 3
Clocher (R. du) 4
Donckèle (R.) 6
Dunkerque (R. de) 7
Gare (R. de la) 10
Haute-Loge (Av. de la) 13
Masson-Beau (Av.) 15
Merville (R. de) 16
Moulin (R. du) 18
Notre-Dame (R.) 20
Pont (R. du) 22
Rivage (R. du) 23
Salengro (Place Roger) 25
Verdun (R. de) 26
Vieux-Berquin (R. de) 28

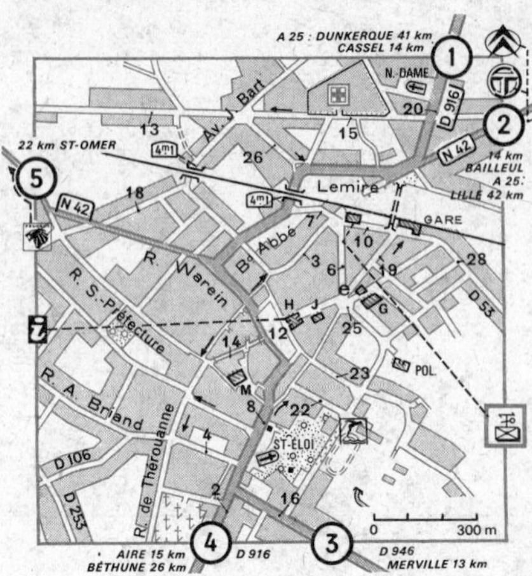

Gambrinus sans rest, 2 r. Nationale **(e)** ☎ 41.98.79 –
fermé dim. – SC : 8 – **17 ch** 38/70.

à Longue Croix NO : 8 km par D 53 et D 161 – ⊠ **59190** Hazebrouck :

Aub. de la Longue Croix, ☎ 41.93.34 –
fermé dim., lundi, fêtes le soir et mardi – SC : **R** 31/65, dîner à la carte.

à La Motte au Bois par ③ : 5,5 km – ⊠ **59190** Hazebrouck :

Aub. de la Forêt avec ch, ☎ 41.80.90, – GB
fermé fév., dim., fériés le soir et jeudi – SC : **R** 45/70 – 12 – **15 ch** 43/110.

AUDI-VOLKSWAGEN Auto-Expo, av. de St-Omer ☎ 41.55.46
CITROEN Caron-Dodon, 88 rte de Borre ☎ 41.83.73
FORD Gar. Hazebrouckois, 216 r. du Vieux Berquin ☎ 41.83.79
PEUGEOT Hazebrouckoise-Dubus, rte St-Omer ☎ 41.97.34
TALBOT Gar. Delaire, 28 rte de Borre ☎ 41.83.17

François-Pneus, 199 r. de Merville ☎ 41.89.46

HÉDÉ 35630 I.-et-V. 59 ⑯ **G. Bretagne** – 524 h. alt. 100 – 99.

Voir * du clocher de l'église.

Syndicat d'Initiative à la Mairie (fermé sam. et dim.) ☎ 45.46.18.

Paris 370 – Avranches 64 – Dinan 29 – Dol-de-Bretagne 31 – Fougères 49 – ♦Rennes 23.

Host. Vieux Moulin, N 137 ☎ 45.45.70, « Jardin fleuri » – wc – 30.
fermé 15 janv. au 15 fév. et lundi – SC : **R** 55/155 – 10 – **14 ch** 55/120.

Vieille Auberge, N 137 ☎ 45.46.25, « Cadre rustique, jardin » –
fermé 30 août au 6 sept., fév., dim. soir et lundi sauf fêtes – SC : **R** 80.

CITROEN Allard-Sauvée, ☎ 45.45.69 N
RENAULT Delacroix, N 137 à Villeneuve-St-Symphorien ☎ 45.46.23

HENDAYE 64700 Pyr.-Atl. 85 ① **G. Pyrénées** – 10 135 h. – Casino BX – 59.

Voir Gd Crucifix* dans l'église St-Vincent – Corniche basque par ①.**

Office de Tourisme 12 r. Aubépines (fermé oct., sam. hors sais. et dim. sauf matin en saison) ☎ 20.00.34.

Paris 775 ② – Pau 141 ② – St-Jean-de-Luz 14 ② – S.Sébastiàn 23 ③.

Plan page ci-contre

à Hendaye Plage :

Liliac, Rond-Point ☎ 20.02.45 – wc wc. AE GB E. rest
SC : **R** *(fermé dim. soir et lundi)* 65 – 15 – **23 ch** 120/176 – P 206/222. BX **m**

Pohoténia, rte Corniche par ① ☎ 20.04.76, – wc wc
fermé janv. – SC : **R** 65/80 – 15 – 42 ch 95/150 – P 110/155.

Paris sans rest, Rond-Point ☎ 20.05.06, – wc wc. GB
Pentecôte-1er oct. – SC : 14 – **39 ch** 84/165. BX **a**

Abbadie sans rest, 12 r. Elissacilio ☎ 20.05.49, ⛱ – ⇔wc ☎. ✗ rest — BX **b**
1er juin-fin sept. – SC : ☕ 12 – **24 ch** 80/160.

Central H., Rond-Point ☎ 20.04.72 – ⇔wc ⇔wc ☎ Ⓟ. ✗ — BX **k**
7 juin-30 sept. – SC : **R** 35/60 – ☕ 12 – 24 ch 50/120 – P 120/155.

Ondarraitz, 59 bd Gén.-Leclerc ☎ 20.00.22, ⛱ – ⇔wc ⇔wc Ⓟ. ✗ — BX **z**
hôtel : 1er avril-30 sept. et fermé merc. ; rest. 1er juin-30 sept. – SC : **R** 60/90 – ☕ 12 – **26 ch** 100/160 – P 125/160.

Valencia sans rest, bd Mer ☎ 20.01.62, ⋞ – ⇔wc ⇔wc ☎ Ⓟ — BX **e**
mi mars-fin oct. – SC : ☕ 10 – **20 ch** 68/120.

Larramendy-Baïta, bd Mer ☎ 20.04.68 – ⇔wc Ⓟ. ✗ rest — AX **t**
1er juin-15 sept. – SC : **R** 28/83 – ☕ 10 – **12 ch** 52/105 – P 125/145.

tourner →

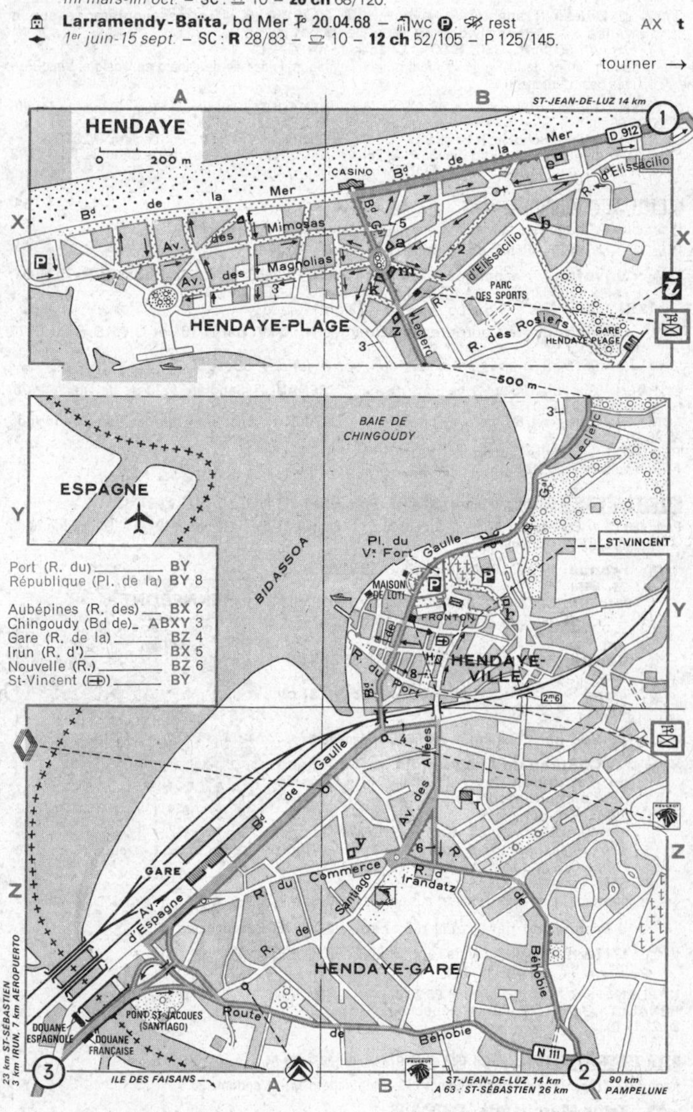

Allacciate le cinture di sicurezza sia in viaggio sia in città.

à Hendaye Ville :

⌂ ❀ **Chez Antoinette** (Haramboure) 🌿, pl. Pellot ☎ **20.08.47,** – ⌂ ⌂. AE GB ⓓ. ✂ ch BY **h**
Pâques-oct. – SC : **R** 50/80 – ☕ 10 – 24 ch 45/65 – P 120/135
Spéc. Pantxeta d'agneau, Turbotin Dugléré, Gâteau Marjolaine au chocolat. **Vins** Madiran.

⌂ **Sud-Américain** 🌿, r. Othatz ☎ **26.75.98** – ⌂ Ⓟ. ✂ rest BZ **y**
Pâques et 28 mai-fin sept. – SC : **R** 34/54 – ☕ 9,50 – 35 ch 43/85 – P 98/115.

à Biriatou **par ② et D 258 : 4 km** – ✉ **64700** Hendaye :

XXX ❀ **Bakéa (François)** 🌿 **avec ch,** ☎ **20.76.36,** ≤, **« Terrasse ombragée sur la vallée »** – ⌂wc ⌂wc ☎ Ⓟ. AE ⓓ. ✂ ch
1er juin-30 sept. – SC : **R** 60 – ☕ 15 – 15 ch 80/150
Spéc. Terrine de foie gras, Homard grillé à l'estragon, Fricassée de canard au vinaigre. **Vins** Rosé des Béarn, Jurançon.

CITROEN Gar. de la Place, 41 r. de Santiago ☎ 20.00.86
OPEL Pivot, 16 rte Behobie ☎ 20.03.93
PEUGEOT Laguillon, 23 av. de la Gare ☎ 26.70.86 et Z.I. Joncaux, r. Industrie ☎ 20.18.63
RENAULT Hendaye-Autos, 49 bd de-Gaulle ☎ 20.78.61
Gar. Bidassoan, bd Gén.-Leclerc ☎ 20.00.23
Gar. de la Frontière, 1 rte de Behobie ☎ 20.76.93

HENIN-BEAUMONT 62110 P.-de-C. 51 ⑮ – 26 490 h. alt. 31 – ✪ 21.

ℹ Syndicat d'Initiative à la Mairie (fermé sam. après-midi et dim.) ☎ 75.08.07.

Paris 193 – Arras 26 – Béthune 30 – Douai 12 – Lens 8 – ♦Lille 31.

⌂ **Novotel** Ⓜ, **échangeur Autoroute A1** ✉ **62950 Noyelles-Godault** ☎ **75.16.01, Télex 110352,** 🏊 – ▤ TV ☎ Ⓟ – 🏛 50 à 200. AE GB ⓓ
R snack carte environ 65 – ☕ 20 – **78 ch** 175/208.

XX **Le Manoir,** rte Courrières par Dourges N : 5 km par D 161 et D 161E ☎ **20.23.71** – Ⓟ
fermé 10 au 31 août, jeudi soir, dim. soir et lundi – SC : **R** 54/75 🍷.

CITROEN Gar. Six-Didier, Zone Ind. rte de Beaumont ☎ 20.44.40
FORD Gar. Universel, 590 bd A.-Schweitzer ☎ 20.06.10
PEUGEOT Hénin-Autom., 1004 bd A.-Schweitzer ☎ 20.28.10
RENAULT Sandrah, 1230 rte de Douai ☎ 75.03.78
TALBOT Beaumont-Automobiles, Zone Ind., bd Darchicourd ☎ 75.16.50

HENNEBONT 56700 Morbihan 63 ① G. Bretagne – 12 461 h. alt. 22 – ✪ 97.

Paris 486 ② – Concarneau 60 ③ – Lorient 10 ③ – Pontivy 47 ② – Quiberon 42 ③ – Quimperlé 26 ③ – ♦Rennes 137 ② – Vannes 46 ②.

⌂ **France,** 17 av. Libération **(e)** ☎ 36.21.82 – ⌂ ☎.
fermé 1er au 28 oct. et sam. de nov. au 12 avril – SC : **R** 38/70 🍷 – ☕ 10 – 24 ch 44/70 – P 105/115.

⌂ **Centre,** 44 r. Mar.-Joffre **(n)** ☎ 36.21.44 –
fermé 1er au 21 oct. – **R** 25/50 🍷 – ☕ 9 – **37 ch** 40/65 – P 85/95.

au Sud par ② : 4 km – ✉ **56700** Hennebont :

⌂ ❀❀ **Château de Locguénolé et Résidence de Kernavien** 🌿, ☎ **76.29.04,** ≤, **« Dans un parc en bordure de rivière »,** 🏊 – Ⓟ. AE GB ⓓ E. ✂ rest
1er mars-30 nov. – SC : **R** *(fermé lundi hors sais. sauf fêtes)* 116/157 et carte – ☕ 17 – **47 ch** 160/320, 3 appartements 440 – P 400/445
Spéc. Langoustines rôties, Filet d'agneau avec flan de poivrons, Millefeuille de fraises aux oranges confites.

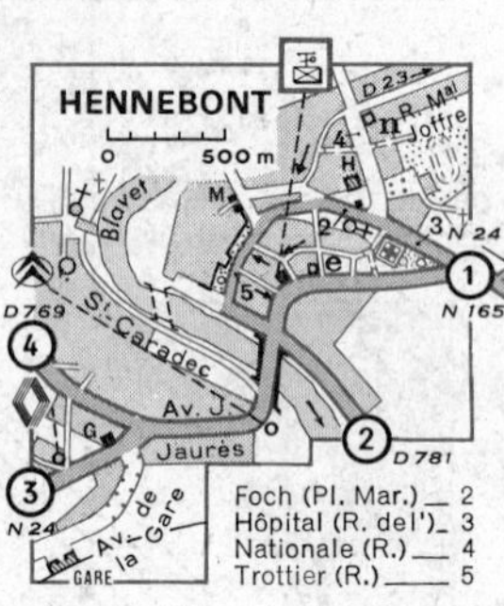

à Brandérion par ① et N 165 : 7 km – ✉ **56700** Hennebont :

⌂ **L'Hermine** Ⓜ 🌿 **sans rest,** ☎ **36.22.98** – ⌂wc ⌂wc ☎ Ⓟ
SC : ☕ 12 – **9 ch** 157/167.

CITROEN Ferré, 1 av. J.-Jaurès ☎ 36.20.61
RENAULT Gar. Hello, 68 av. République ☎ 36.21.17 N
Ⓟ Jubin-Pneus, ZI Ker André ☎ 36.16.88

HERBAULT 41190 L.-et-Ch. 64 ⑥ – 976 h. alt. 138 – ✪ 54.

Paris 197 – Blois 16 – Château-Renault 18 – Montrichard 36 – Vendôme 26.

XX **Trois Marchands,** ☎ **46.12.18**
fermé 23 déc. au 5 fév. et jeudi – SC : **R** 33/90 🍷.

CITROEN Hallouin, ☎ 46.13.13
RENAULT Beauclair, ☎ 46.12.16

Les HERBIERS 85500 Vendée 67 ⑮ **G. Côte de l'Atlantique** – 10 977 h. alt. 109 – 51.
Voir Mont des Alouettes ≤** N : 2 km.
Paris 373 – Bressuire 47 – Chantonnay 27 – Cholet 25 – Clisson 34 – La Roche-sur-Yon 40.

Relais, 18 r. Saumur ☎ 91.01.64 – wc wc ☎ P. GB E
fermé 25 août au 15 sept. et sam. hors sais. – SC : **R** 24/50 – 8 – 21 ch 44/79 – P 70/90.

Alouettes, N : 2 km N 160 ☎ 67.02.18, ≤ – P. GB
fermé 15 au 31 oct., 16 fév. au 1er mars et lundi soir – SC : **R** 28/75.

CITROEN Martineau, 40 av. G.-Clemenceau à Ardelay ☎ 67.07.50
PEUGEOT Gar. du Bocage, rte de Cholet ☎ 91.04.12 N
RENAULT Gar. Soulard, 75 r. Saumur ☎ 91.05.46
RENAULT Vrignaud, la Tisonnière ☎ 91.08.87 N ☎ 91.09.30

HÉRICOURT-EN-CAUX 76 S.-Mar. 52 ⑬ – 632 h. alt. 64 – ✉ **76560** Doudeville – 35.
Paris 187 – Bolbec 25 – Dieppe 44 – Fécamp 31 – •Rouen 45 – St-Valéry-en-Caux 25 – Yvetot 10.

Aub. de la Durdent , ☎ 96.42.44, – wc.
fermé 10 au 30 oct. et 10 au 28 fév. – **R** 35/75 – 8,50 – **15 ch** 70 – P 125.

CITROEN Gar. de la Durdent, ☎ 96.44.55

HÉRICY 77850 S.-et-M. 61 ②, 96 ⑳ **G. Environs de Paris** – 1 631 h. alt. 94 – 1.
Paris 72 – Fontainebleau 8 – Melun 16 – Montereau-faut-Yonne 20 – Nangis 24 – Provins 46.

Host. Le Clou, av. Fontainebleau ☎ 423.83.43, – wc ☎ P – 30. AE GB
fermé fév. – SC : **R** *(fermé lundi hors sais.)* (dim. et fêtes prévenir) 65 – 12 – **16 ch** 90/140 – P 140.

HÉRISSON (Cascades du) *** 39 Jura 70 ⑮ **G. Jura.**
Ressources hôtelières : voir à Bonlieu et à Ilay.

HERM 40 Landes 78 ⑯ – 595 h. alt. 67 – ✉ **40990** St-Paul-lès-Dax – 58.
Paris 696 – Castets 15 – Dax 17 – Mont-de-Marsan 65 – St-Vincent-de-Tyrosse 24.

Poste , ☎ 74.32.24 – P. rest
30 mai-15 sept. – **R** 35/55 – 9,50 – **12 ch** 50 – P 90/100.

Paix , rte Magescq ☎ 74.32.17, – P. rest
fermé janv. et lundi – SC : **R** 26/140 – 8,50 – **12 ch** 40/62 – P 80/90.

*Die auf den **Michelin-Karten** im Maßstab 1 : 200 000 rot unterstrichenen Orte sind im Roten **Michelin-Führer** des Landes erwähnt.*
*Die **Michelin-Karten** werden ständig korrigiert und verbessert ; nur eine neue Karte gibt Ihnen die aktuellsten Hinweise.*

HERMENT 63470 P.-de-D. 73 ⑫ – 367 h. alt. 823 – 73.
Paris 414 – Aubusson 48 – •Clermont-Ferrand 55 – Le Mont-Dore 43 – Montluçon 92 – Ussel 43.

Souchal, rte Giat ☎ 22.10.55 – wc wc P. ch
SC : **R** 25/50 – 8,50 – **25 ch** 35/80 – P 66/80.

HÉROUVILLE-ST-CLAIR 14 Calvados 55 ⑫ – rattaché à Caen.

HERRÈRE 64 Pyr.-Atl. 85 ⑥ – rattaché à Oloron-Ste-Marie.

HESDIN 62140 P.-de-C. 51 ⑫⑬ **G. Nord de la France** – 3 335 h. alt. 26 – 21.
A.C. 9 r. Henri-Catteau ☎ 06.85.76.
Paris 233 ③ – Abbeville 35 ③ – Arras 55 ② – Boulogne-sur-Mer 61 ④ – •Lille 88 ②.

Plan page suivante

Trois Fontaines M , 16 rte Abbeville à Marconne ☎ 06.81.65, – wc ☎ P. B **s**
R *(fermé vend. soir et dim. soir)* 35/85 – 10 – **10 ch** 80/120 – P 120/150.

H. Rotisserie des Flandres avec ch, 22 r. Arras ☎ 06.80.21 – TV wc ☎ P. B **n**
fermé 20 déc. au 15 janv. – SC : **R** 38/76 – 12 – 17 ch 40/120.

L'Écurie (Chez Gaston), 17 r. Jacquemont ☎ 06.86.86 B **r**
SC : **R** 40/100 .

CITROEN Ficheux, 33 av. Mar.-Leclerc ☎ 06.91.74
RENAULT Hibon, 5 av. Arras, Marconne ☎ 06.96.44 N
TALBOT Souza, 26 rte Arras, Marconne ☎ 06.86.98
La Maison du Pneu, 3 pl. Garbé ☎ 06.86.19
Au pneu Hesdinois, av. du Royal ☎ 06.83.97

HESDIN

Ponts sur la Canche (de la R. Fréville à la rue de l'Ancien Temple) charge maxi : 9 t sur 2 essieux.

Armes (Pl. d') ______ A 3
Arras (R. d') ______ B 4
Paroisse (R. de la) _ AB 26
St-Omer (R. de) ____ A 31
Tripier (R. du Gén.) _ B 34

Ancien Temple (R.) _ A 2
Bassins (Av. des) __ B 5
Bras-d'Or (R. du) __ B 6
Brebion (Bd L.) ____ A 7
Catteau (R. H.) _____ A 8
Charles-Quint (R.) _ AB 10
Clemenceau (R. G.) _ B 12
Domont (Bd) ______ B 14
Fressin (R.) _______ A 16
Fréville (R.) _______ B 17
Jacquemont (R.) __ AB 21
Leclerc (Av. du Mar.) B 22
Lereuil (R.) _______ A 24
Pavillon-Doré (R. du) A 28
République (Av. de) A 29
Richelieu (Bd) _____ A 30
Sébastopol (Bd) ___ B 32
Stade (Av. du) ____ B 33
Union (R. de l') ____ A 36
8-Mai (Pl. du) _____ A 37
11-Novembre (Bd du) B 38

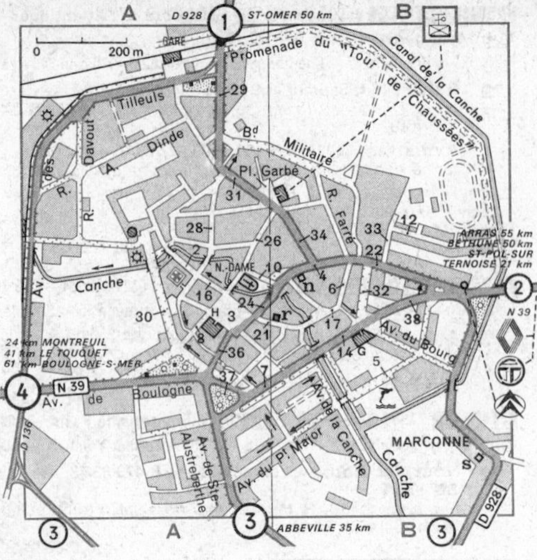

HEUDICOURT-SOUS-LES-CÔTES 55 Meuse 57 ⑫ – 165 h. alt. 240 – ✉ 55210 Vigneulles-lès-Hattonchâtel – ⚙ 29 – Paris 320 – Commercy 25 – •Metz 64 – St-Mihiel 15 – Verdun 42.

Lac de Madine, ☎ 89.34.80 – wc wc ☎ P. GB
fermé 15 au 31 oct. – SC : **R** *(fermé lundi)* 35/65 – 10 – 16 ch 46/120 – P 98/200.

HIÈRES-SUR-AMBY 38118 Isère 74 ⑬ – 747 h. alt. 216 – ⚙ 74.
Paris 476 – Belley 59 – •Grenoble 96 – •Lyon 42 – Meximieux 28 – La Tour-du-Pin 45 – Vienne 51.

Val d'Amby avec ch, ☎ 94.22.91 – ☎
fermé 8 au 23 juil. et merc. – SC : **R** 38/110 – 8 – 13 ch 30/50 – P 75/95.

HINSINGEN 67 B.-Rhin 57 ⑯ – 96 h. alt. 230 – ✉ 67260 Sarre-Union – ⚙ 88.
Paris 406 – St-Avold 36 – Sarrebourg 37 – Sarreguemines 22 – •Strasbourg 85.

La Grange du Paysan, ☎ 00.91.83, Spéc. alsaciennes de campagne – P. GB
fermé lundi – **R** 30/110

HIRSON 02500 Aisne 53 ⑯ **G. Nord de la France** – 12 505 h. alt. 192 – ⚙ 23.

Office de Tourisme 3 r. Guise (fermé matin, dim. et lundi) ☎ 58.03.91.

Paris 188 ④ – Avesnes-sur-Helpe 31 ① – Cambrai 70 ① – Charleville-Mézières 54 ③ – St-Quentin 65 ① – Vervins 18 ④.

Buffet Gare avec ch, **(u)** ☎ 58.10.43 –
fermé dim. soir – SC : **R** 25/55 – 10 – **11 ch** 35/50 – P 50/80.

CITROEN Deshayes et Courtois, 43 bis r. Ch.-de-Gaulle ☎ 58.18.78
FORD Branquart, 78 r. Ch.-de-Gaulle ☎ 58.10.62
PEUGEOT Thiérache-Autos, rte de Charleville ☎ 58.20.22
RENAULT Houdez, 138 av. Joffre ☎ 58.08.96

Joncourt, 47 bis r. Ch.-de-Gaulle ☎ 58.00.90

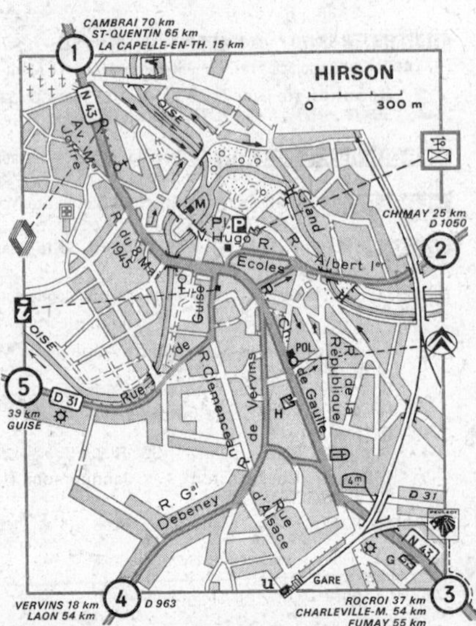

HIRTZBACH 68 H.-Rhin 66 ⑨ – rattaché à Altkirch.

Le HODE 76 S.-Mar. 55 ④ – rattaché au Havre.

HOERDT 67720 B.-Rhin 62 ⑩ – 3 792 h. alt. 140 – ✪ 88.

Paris 482 – Haguenau 18 – Saverne 39 – ♦Strasbourg 16.

✕ **La Charrue,** r. République ☎ 51.31.11 – Ⓟ
1er avril-15 juin (saison des asperges).

Le HOHNECK 88 Vosges 62 ⑯ **G. Vosges** – alt. 1 361.

Voir ✻★★★.

Paris 432 – La Schlucht 5,5.

HOHROD 68 H.-Rhin 62 ⑱ – rattaché à Hohrodberg.

HOHRODBERG 68 H.-Rhin 62 ⑱ **G. Vosges** – alt. 750 – ✉ **68140** Munster – ✪ 89.

Voir ≤★★.

Paris 448 – Colmar 27 – Gérardmer 37 – Guebwiller 47 – Munster 7,5 – Le Thillot 57.

Roess ⛰, ☎ 77.36.00, ≤ montagne – wc wc ☎ 🚗 Ⓟ – 🏛 40. ✻ ch
fermé oct. – SC : **R** 45/70 🍷 – ☕ 12 – 24 ch 55/115 – P 105/130.

Panorama ⛰, ☎ 77.36.53, ≤ vallée et montagne – wc wc ☎ Ⓟ. ✻ rest
◆ *fermé 5 nov. au 20 déc., dim. soir et lundi* – SC : **R** 30/65 🍷 – ☕ 10 – 15 ch 70/100 – P 105/125.

à Hohrod S : 5 km D5 B1 – ✉ **68140** Munster :

Beau Site, ☎ 77.31.55, ≤ – wc 🚗 Ⓟ. 🚌. ✻ rest
◆ *fermé 3 nov. au 15 déc., 5 au 20 janv. et lundi* – SC : **R** 27/50 – ☕ 8,50 – **13 ch** 36/58 – P 75/95.

Le HOHWALD 67 B.-Rhin 62 ⑨ **G. Vosges** – 492 h. alt. 575 – Sports d'hiver : 575/1 050 m ⛷3 – ✉ **67140** Barr – ✪ 88.

Env. Le Neuntelstein ≤★★ N : 6 km puis 30 mn – Champ du Feu ✻★★ SO : 14 km.

Paris 424 – Lunéville 87 – Molsheim 30 – St-Dié 46 – Sélestat 26 – ♦Strasbourg 47.

Gd Hôtel ⛰, ☎ 08.31.03, ≤, parc, 🎾 – |‡| Ⓟ – 🏛 45. ⓓ. ✻ rest
fermé 10 nov. au 20 déc. et 10 janv. au 10 fév. – SC : **R** 53/122 – 74 ch ☕ 87/190 – P 135/265.

Marchal ⛰, ☎ 08.31.04, ≤, 🌳 – wc wc ☎ Ⓟ. ✻ ch
fermé 5 nov. au 20 déc., 5 au 20 janv. et merc. hors sais. – SC : **R** 50/75 🍷 – ☕ 10 – 17 ch 58/115 – P 93/135.

Aub. de l'Ilsbach ⛰ sans rest, SE : 2 km par D 425 ☎ 08.31.47, « Recherche de décoration rustique », 🌳 – wc Ⓟ. 🚌
SC : ☕ 9 – 8 ch 55/100.

au col du Kreuzweg SO : 5 km par D 425 – ✉ **67140** Barr :

Zundelkopf ⛰, ☎ 08.30.41, ≤, 🌳 – wc wc Ⓟ
fermé 19 oct. au 20 nov. et 10 au 20 mars – SC : **R** (pour résidents seul.) – ☕ 10 – 23 ch 42/66 – P 90/105.

HOLNON 02 Aisne 53 ⑬ – rattaché à St-Quentin.

L'HOMME-D'ARMES 26 Drôme 77 ⑪ – rattaché à Montélimar.

HONFLEUR 14600 Calvados 55 ③④ **G. Normandie** – 9 083 h. – ✪ 31.

Voir Vieux bassin★★ – Église Ste-Catherine★ et clocher★ – Côte de Grâce★★ : calvaire ✻★★ A **E**.

🛈 Office de Tourisme 33 cours Fossés, Chambre de Commerce (fermé dim. hors saison) ☎ 89.23.30.

Paris 192 ① – ♦Caen 63 ② – ♦Le Havre 57 ① – Lisieux 34 ② – ♦Rouen 76 ①.

Plan page suivante

Host. Lechat, 3 pl. Ste-Catherine ☎ 89.23.85 – wc wc ☎. 🚌 AE ⓓ
fermé 18 nov. au 20 déc. – SC : **R** *(fermé lundi d'oct. à Pâques)* 155 bc/98 – ☕ 18 – 27 ch 65/155 – P 160/235. A **e**

La Tour Ⓜ sans rest, 3 quai Tour ☎ 89.21.22 – |‡| wc ☎ – 🏛 25. 🚌. ✻
fermé 15 nov. au 20 déc. – ☕ 12 – **48 ch** 145. B **r**

tourner →

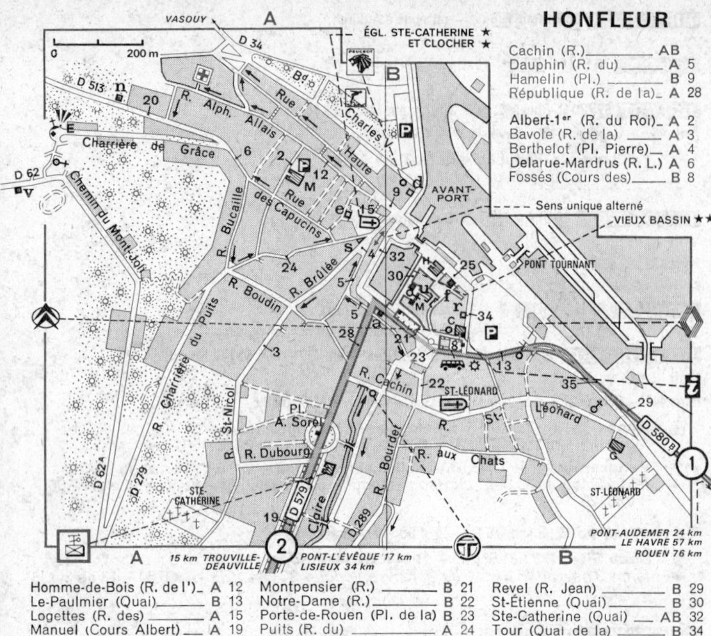

Cachin (R.)	AB	
Dauphin (R. du)	A	5
Hamelin (Pl.)	B	9
République (R. de la)	A	28
Albert-1er (R. du Roi)	A	2
Bavole (R. de la)	A	3
Berthelot (Pl. Pierre)	A	4
Delarue-Mardrus (R. L.)	A	6
Fossés (Cours des)	B	8
Homme-de-Bois (R. de l')	A	12
Le-Paulmier (Quai)	B	13
Logettes (R. des)	A	15
Manuel (Cours Albert)	A	19
Marais (Rte A.)	A	20
Montpensier (R.)	B	21
Notre-Dame (R.)	B	22
Porte-de-Rouen (Pl. de la)	B	23
Puits (R. du)	A	24
Quarantaine (Quai de la)	B	25
Revel (R. Jean)	B	29
St-Étienne (Quai)	B	30
Ste-Catherine (Quai)	AB	32
Tour (Quai de la)	B	34
Vases (R. des)	B	35

Cheval Blanc, quai Passagers ☎ 89.13.49, ≤ – wc wc ☎ ch
fermé 3 à fin janv. – SC : **R** 38/82 – 12 – 33 ch 109/155 – P 290/345 (pour 2 pers.). B **d**

Dauphin sans rest, 10 pl. P.-Berthelot ☎ 89.15.53 – wc ☎ A **s**
fermé janv. – SC : 12 – **29 ch** 120/145.

Belvédère, 36 rte E.-Renouf par ① ☎ 89.08.13, – wc wc ☎ GB E
fermé 12 nov. au 10 déc., vacances de fév. et lundi – SC : **R** 38/200 – 11 – 11 ch 95/125 – P 159/210.

XXX ✿ **Ferme St-Siméon** avec ch, rte A.-Marais ☎ 89.23.61, « Jardin et terrasse avec belle vue sur l'estuaire » – wc ☎ P A **n**
fermé 2 janv. au 1er mars – SC : **R** (nombre de couverts limité - prévenir) carte 135 à 200 – 25 – **7 ch** 120/440
Spéc. Filets de sole normande, Aiguillette de canard au sang, Feuilleté aux pommes.

XX **Au Vieux Honfleur,** 13 quai St-Étienne ☎ 89.15.31, ≤ – AE GB B **u**
fermé 2 au 31 janv. et merc. – SC : **R** carte 95 à 140.

XX **L'Ancrage,** 12 r. Montpensier ☎ 89.00.70, ≤ – GB A **a**
fermé Noël à fin janv., mardi soir et merc. – SC : **R** 75

X **Deux Ponts,** 20 quai Quarantaine ☎ 89.04.37 B **f**
fermé fin nov. à fin déc. et jeudi – SC : **R** 47/68.

X **Ferme de la Grande Cour** avec ch, Côte de Grâce ☎ 89.04.69, – wc P AE GB A **v**
fermé 11 nov. au 1er fév. et merc. hors sais. – SC : **R** 32/75 – 9,50 – 10 ch 62/120 – P 128/162.

à Pennedépie O : 5 km par D 513 A – ✉ **14600** Honfleur :

X **Moulin St-Georges,** ☎ 89.12.00 – P
11 avril-20 sept. et fermé mardi – SC : **R** 36.

à Grestain (27 Eure) par ① et D 312 : 8 km – ✉ **27210** Beuzeville – 32

X **Le Chêne Pommier** avec ch, ☎ 57.61.42, – P
1er mars-30 oct., fermé mardi soir (sauf juil. et août) et merc. – SC : **R** 44/57 – 9 – 7 ch 46.

CITROEN Gar. Thiers, 17 pl. Thiers ☎ 89.08.01
PEUGEOT Gar. du Port, 15 pl. A.-Normand ☎ 89.16.13
RENAULT Gar. Grignon, 14 quai Lepaulmier ☎ 89.18.67
TALBOT Gar. Normandie, 8 r. Cachin ☎ 89.21.64
Gar. du Cours, 16 cours Manuel ☎ 89.02.02
Honfleur-Pneus, Zone Ind. ☎ 89.20.37

HÔPITAL-CAMFROUT 29 Finistère 58 ⑤ – 1 071 h. alt. 8 – ✉ 29224 Daoulas – ✆ 98.
Voir Daoulas : enclos paroissial★ et cloître★ de l'abbaye N : 4,5 km, G. Bretagne.
Paris 568 – ♦Brest 25 – Morlaix 59 – Quimper 48.

Diverres-Bernicot, ✆ 20.01.01 –
fermé 14 au 27 sept. – SC : **R** 32/68 – 9,50 – 21 ch 47/86.

L'HÔPITAL-ST-BLAISE 64 Pyr.-Atl. 85 ⑤ **G. Pyrénées** – 74 h. alt. 159 – ✉ **64130** Mauléon-Licharre – ✆ 59.
Paris 777 – Cambo-les-B. 75 – Oloron-Ste-Marie 17 – Orthez 36 – Pau 50 – St-Jean-Pied-de-Port 53.

Touristes, ✆ 34.53.04 –
fermé lundi du 1er oct. au 1er juil. – SC : **R** 28/45 – 8 – **12 ch** 36/45 – P 70/75.

L'HÔPITAL-SUR-RHINS 42 Loire 73 ⑧ – alt. 430 – ✉ **42132** St-Cyr-de-Favières – ✆ 77.
Paris 400 – ♦Lyon 78 – Montbrison 55 – Roanne 9 – ♦St-Etienne 68 – Thizy 20.

Le Favières (Rostaing), N 7 ✆ 64.80.30 – wc wc . ch
fermé 7 au 23 août et sam. – SC : **R** 45/120 – 12 – 16 ch 65/115
Spéc. Soufflé de saumon, Rognon de veau dijonnaise, Diablotin de barbue. **Vins** Beaujolais, Côtes Roannaises.

Les HÔPITAUX-NEUFS 25370 Doubs 70 ⑦ **G. Jura** – 295 h. alt. 990 – Sports d'hiver : 1 000/1 460 m 32, – ✆ 81.
Voir Mt-Morond ★ SO : 3 km puis télésiège.
Env. Mt-d'Or ★★ S : 11 km puis 30 mn.
Syndicat d'Initiative (fermé sam. et dim. hors sais.) ✆ 89.13.81.
Paris 471 – ♦Besançon 75 – Champagnole 46 – Morez 56 – Mouthe 18 – Pontarlier 17.

Robbe, ✆ 89.11.05, – wc wc .
27 juin-15 sept. et 15 déc.-30 avril – SC : **R** 28/42 – 9 – 21 ch 42/70 – P 81/93.

CITROEN Drezet, ✆ 89.10.56

HORBOURG 68 H.-Rhin 62 ⑲ – rattaché à Colmar.

L'HORME 42 Loire 73 ⑲ – rattaché à St-Chamond.

L'HOSPITALET 09390 Ariège 86 ⑮ – 186 h. alt. 1 436 – ✆ 61.
Paris 849 – Andorre-la-Vieille 43 – Ax-les-Thermes 18 – Bourg-Madame 37 – Foix 60.

Puymorens, ✆ 64.23.03 –
SC : **R** 34/45 – 8 – 14 ch 33/52 – P 72/78.

HOSSEGOR 40150 Landes 78 ⑰ **G. Côte de l'Atlantique** – Casino – ✆ 58.
18 ✆ 43.56.99 SE : 0,5 km.
Office de Tourisme pl. Pasteur (fermé merc.) ✆ 43.72.35.
Paris 727 – ♦Bayonne 20 – ♦Bordeaux 161 – Dax 35 – Mont-de-Marsan 83.

Beauséjour, av. Genets par av. Tour-du-Lac ✆ 43.51.07, , – . rest
1er juin-17 sept. – SC : **R** (dîner seul.) 72/80 – 17 – 46 ch 105/215.

Mercédès, av. Tour-du-Lac ✆ 43.52.23, –
20 juin-10 sept. – SC : **R** 72/80 – 17 – **40 ch** 105/215 – P 160/215.

Dunes et de la Mer , à la Plage ✆ 43.50.08, ← – wc . rest
25 mai-fin sept. – SC : **R** snack – 15 – 21 ch 160.

Ermitage , allée Pins-Tranquilles ✆ 43.52.22, « Villas dans un jardin fleuri », – wc wc .
1er juin-15 sept. – SC : **R** (dîner seul. et pour résidents) 58 – 18 – 12 ch 145.

Plage , ✆ 43.50.12, ← – wc . rest
30 mai-15 sept. – SC : **R** (dîner seul.) 40/50 – 15 – 30 ch 50/170.

Picardie , av. Palombière ✆ 43.52.47 – wc wc .
1er juin-15 sept. – **R** (dîner seul.) – 22 ch.

Hélianthes sans rest, av. Côte-d'Argent ✆ 43.52.19, – wc wc .
11 avril-30 sept. – SC : 11 – **17 ch** 80/140.

Huitrières du Lac avec ch, av. Touring-Club ✆ 43.51.48, ← – wc wc .
fermé mi déc. à mi mars et merc. hors sais. – SC : **R** 33/90 – 11 – **10 ch** 95/110 – P 140/145.

L'Amiral, av. P.-Lahary ✆ **43.51.85.**

PEUGEOT Gar. de l'Avenue, ✆ 43.50.38 RENAULT Gar. du Parc, ✆ 43.73.11

HOUAT (Ile de) 56 Morbihan 63 ⑫ **G. Bretagne** – 430 h. – ✉ **56170** Quiberon – ☎ 97.

Accès par Transports maritimes :.

depuis **Quiberon.** En 1980 : 2 services quotidiens en saison ; hors saison 1 service quotidien - Traversée 45 mn – 40 F (AR) - Renseignements : Cie Morbihannaise de navigation, ☎ 50.06.90.

depuis **Port-Navalo.** En 1980 : du 1er juil. au 15 sept., 2 services quotidiens - Traversée 1 h – 50 F (AR) - Renseignements : Armement "Cambronne", r. de Verdun ☎ 41.21.74.

✕ Iles avec ch, ☎ 52.28.02, ←
sais. – 11 ch.

Les HOUCHES 74310 H.-Savoie 74 ⑧ **G. Alpes** – 1 477 h. alt. 1 008 – Sports d'hiver : 1 008/1 900 m 2 13 – ☎ 50.

Voir Bellevue ** SO par téléphérique puis Nid d'Aigle ←** par tramway du Mont-Blanc.

Env. Parc du Balcon de Merlet** : ←** NE : 9 km puis 30 mn.

Office de Tourisme pl. Église (fermé dim. hors saison) ☎ 54.40.62, Télex 385000.

Paris 618 – Annecy 85 – Bonneville 48 – Chamonix 8 – Megève 28.

Chris-Tal M, ☎ 54.40.41, ←, – wc wc P.
1er mai-5 oct. et 15 déc.-Pâques – SC : **R** 38/68 – 12 – 28 ch 80/120 – P 120/150.

Motel Delta M sans rest, N 205 ☎ 54.45.03, – TV wc P. AE GB E
SC : 15 – **30 ch** 165/195.

Piste Bleue, rte Chavants ☎ 54.40.66, ←, – P.
15 juin-15 sept. et 15 déc.-Pâques – SC : **R** 45/50 – 11 – **25 ch** 134 – P 127/156.

à Bellevue, **arrivée du téléphérique** – alt. 1 812 – ✉ **74310** Les Houches :

La Hutte , ☎ 78.09.77, ← –
20 juin-10 sept. et 18 déc.-20 avril – SC : **R** 65 – 15 – **28 ch** 40/80 – P 110/120.

au Prarion par télécabine – Sports d'hiver : 1 610/1 900 m 3 9 – ✉ **74170** St-Gervais

Le Prarion , alt.1 860 ☎ 78.27.77, sur glaciers et sommets – wc .
1er juil.-6 sept. et Noël-Pâques – SC : **R** 58/86 – 16 – **19 ch** 66/213 – P 147/264.

HOUDAN 78550 Yvelines 60 ⑧, 96 ⑫㉒ **G. Environs de Paris** – 2 873 h. alt. 104 – ☎ 3.

Voir Donjon* – Chevet* de l'église.

Syndicat d'Initiative à la Mairie (fermé sam. après-midi et dim.) ☎ 646.60.19.

Paris 63 – Chartres 51 – Dreux 21 – Évreux 47 – Mantes-la-Jolie 27 – Rambouillet 29 – Versailles 41.

Gare, ☎ 646.60.53 – . GB
fermé vacances de fév., mardi soir et merc. – SC : **R** 34/70 – 9,50 – 11 ch 40/51.

✕✕ ✿ **La Poularde** (Vandenameele) ☎ 646.60.50, – P. GB
fermé 5 au 20 août, merc. soir et jeudi – SC : **R** 75/155 , carte le dim.
Spéc. Julienne des Glenan, Jambonnette de canard au gingembre, Tarte acidulée chaude.

✕✕ **Plat d'Étain** avec ch, ☎ 646.60.28 – wc P. ch
fermé août, lundi soir et mardi – SC : **R** 48/110 – 12 – 7 ch 75/115.

✕ **Welcome Auberge,** ☎ 646.60.34 – P. GB
fermé janv., mardi soir et merc. – SC : **R** 42 bc/62

à Maulette E : 2 km – ✉ **78550** Houdan :

✕ **La Bonne Auberge,** rte Paris ☎ 646.60.84 – P.
fermé 15 au 30 août, 20 déc. au 3 janv., mardi soir et merc. – SC : **R** 33/43

à Bazainville E : 4,5 km par N 12 – ✉ **78550** Houdan :

✕✕✕ ✿ **Relais du Pavé** (M. Marguerite) avec ch, ☎ 487.61.52, « Bungalows dans un parc », – wc P. GB. ch
fermé août, lundi soir et mardi – SC : **R** carte 140 à 180 – 20 – 8 ch 220
Spéc. Assiette de Monseigneur, Saumon au chou, Canard croisé aux figues fraîches (sais.).

TALBOT Gar. Paris-Brest, à Maulette ☎ 646.60.37

HOUILLES 78 Yvelines 55 ⑳, 96 ⑯ – Voir à Paris, Proche banlieue.

HOULGATE 14510 Calvados 55 ② **G. Normandie** – 1 730 h. – Casino – ☎ 31.

Voir Falaise des Vaches Noires* au NE.

Office de Tourisme r. Axbridge (fermé oct., sam. après-midi et dim. hors saison) ☎ 91.06.28.

Paris 221 – •Caen 28 – Deauville-Trouville 15 – Lisieux 30 – Pont-L'Évêque 23.

Centre sans rest, 31 r. Bains ☎ 91.18.15 – wc wc . ch
10 avril-3 mai et 15 mai-15 sept. – SC : 11 – **24 ch** 50/130.

Host. Normande, 11 r. E.-Deschanel ☎ 91.22.36 – wc wc . GB
avril-fin août, week-ends de fév. à fin mars et fermé mardi – **R** 50/65 – 11 – 16 ch 45/150 – P 130/155.

XX **Ferme du Lieu Marot** avec ch, 21 rte de la Vallée par D 24 ☎ 91.19.44, « Au milieu des pommiers, jardin » – wc wc
fermé 1er au 25 oct. et merc. du 25 oct. au 15 mai sauf fêtes – SC : **R** 48/85 – 8 – 11 ch 60/100 – P 135/165.

CITROEN Exmelin, ☎ 91.22.61 TALBOT Morin, ☎ 91.18.37

Le HOULME 76670 S.-Mar. 55 ⑥ – rattaché à Rouen.

HOURTIN 33990 Gironde 71 ⑰ **G. Côte de l'Atlantique** – 4 764 h. alt. 19 – 56.

Syndicat d'Initiative r. des Écoles (15 juin-15 sept.).

Paris 547 – Andernos-les-Bains 53 – ♦Bordeaux 61 – Lesparre-Médoc 17 – Pauillac 26.

Le Dauphin M, pl. Église ☎ 41.61.15, – wc wc
1er juin-30 sept. – SC : **R** 31/80 – 11,50 – **18 ch** 110/135.

CITROEN Galharret, ☎ 41.61.18

La HOUSE 33 Gironde 71 ⑨ – rattaché à Bordeaux.

HUELGOAT 29218 Finistère 58 ⑥ **G. Bretagne** (plan) – 2 334 h. alt. 175 – 98.

Voir Site** – Rochers** – Gouffre* E : 2 km puis 15 mn – Roche cintrée ←* E : 1 km puis 15 mn.

Env. St-Herbot : clôture** de l'église* SO : 7 km.

Syndicat d'Initiative à la Mairie (Pâques, 1er juin-15 sept., fermé dim. après-midi et lundi matin) ☎ 99.72.32.

Paris 526 – Carhaix-Plouguer 22 – Châteaulin 37 – Landerneau 47 – Morlaix 29 – Quimper 57.

An Triskel sans rest, r. Cieux ☎ 99.71.85, –
fermé 12 nov. au 8 déc. – SC : 11 – **10 ch** 64/86.

à Locmaria SE : 7 km par D 764 – ✉ **29218** Huelgoat :

XX ✿ **Auberge de la Truite** (Mme Le Guillou) avec ch, ☎ 99.73.05, ←, Meubles bretons, – wc
fermé 11 nov. au 15 déc., dim. soir et lundi sauf juil. et août – SC : **R** (dim. prévenir) 80/190, dîner à la carte – 14 – 6 ch 50/80
Spéc. Truite de l'auberge, Homard au porto, Caille aux bigorneaux.

HUEZ 38 Isère 77 ⑥ – rattaché à Alpe d'Huez.

HUISSEAU-EN-BEAUCE 41 L.-et-Ch. 64 ⑥ – rattaché à Vendôme.

La HUME 33 Gironde 78 ② – rattaché à Gujan-Mestras.

HUNINGUE 68 H.-Rhin 66 ⑩ – rattaché à St-Louis.

HYÈRES 83400 Var 84 ⑮⑯ **G. Côte d'Azur** – 41 055 h. alt. 40 – Casino Z – 94.

Voir ←* de la place St-Paul Y **48** – Jardins Olbiers Riquier* V – ←* du parc St-Bernard Y – Chapelle N.-D. de Consolation* V **N** : verrières*, ←* de l'esplanade S : 3 km – Sommet du Fenouillet ☀* NO : 4 km puis 30 mn.

18 de Valcros ☎ 66.81.02 par ① : 16 km.

Toulon-Hyères ☎ 57.41.41 SE : 4 km V.

Office de Tourisme pl. Clemenceau (fermé dim. sauf matin en saison) ☎ 65.18.55, Télex 400280.

Paris 856 ③ – Aix-en-Provence 99 ③ – Cannes 126 ③ – Draguignan 80 ③ – ♦Toulon 18 ③.

Plans page suivante

Suisse, 1 av. A.-Briand ☎ 65.26.68 – wc AE GB — Y **v**
SC : **R** snack *(fermé dim.)* carte environ 50 – 13 – **25 ch** 50/125.

Mozart sans rest, 26 av. A.-Denis ☎ 65.09.45 – wc — Y **t**
SC : 13 – **13 ch** 65/125.

Du Portalet sans rest, 4 r. Limans ☎ 65.39.40 – wc wc — Y **r**
SC : 11 – **16 ch** 55/132.

Central sans rest, 17 av. J.-Clotis ☎ 65.03.45 – wc wc — YZ **e**
SC : 10 – **14 ch** 54/104.

XX **Le Tison d'Or,** 1 r. Galliéni ☎ 65.01.37 – AE E — Z **a**
fermé 1er au 12 juil. vacances de fév., dim. soir de nov. à mars et lundi sauf fêtes – SC : **R** 72.

X **Asia,** 28 av. A.-Denis ☎ 65.01.95, Cuisine vietnamienne – — Y **t**
fermé 1er au 15 août, 1er au 15 mars et merc. – SC : **R** carte 45 à 60.

tourner →

HYÈRES GIENS

Clemenceau (Pl.) Y 9
Denis (Av. A.) Y
Gambetta (Av.) Z
Gaulle (Av. de) Y 17
Iles-d'Or (Av.) Z
Massillon (Pl. et R.) Y 29

Barbacane (R.) Y 2
Barruc (R.) Y 3
Belgique (Av. de) Y 4
Bourgneuf (R.) Y 5
Carqueiranne (Rte de) X 6
Chateaubriand (Bd) Y 7
Clotis (Av. J.) Z 10
Costebelle (Mtée) V 12
Dr-Perron (Av.) Z 13
Foch (Av. Mar.) Z 15
Godillot (Av. A.) V 18
Herriot (Bd E.) X 20
Lattre-de-T. (Av.) V 22
Lefebvre (Pl. Th.) Z 23
Madrague (Rte) X 26
Mangin (Av. Gén.) Y 28
Millet (Av. E.) Z 32
Moulin-Premier-Roubaud (Ch.) V 33
Noailles (Mtée de) Y 35
Palivestre (Ch.) V 36
Paradis (R. de) Y 37
Plages (Rd-Pt) Y 39
Plaine-de-Bouisson (Ch.) X 40
Provence (R.) Z 41
Rabaton (R.) Y 42
République (Pl.) Y 43
Riquier (Av. O.) V 44
Roubaud (Ch.) V 45
St-Bernard (R.) Y 46
St-Esprit (R.) Y 47
St-Hilaire (Av.) V 48
St-Louis (⊕) Y K
St-Paul (Pl., R.) Y 48
Ste-Catherine (R.) Y 49
Ste-Claire (R.) Y 50
Strasbourg (Crs) Y 52
Victoria (Av.) Z 53
11-Novembre (Pl.) V 56
15e-Corps-d'Armée (Av. du) V 57

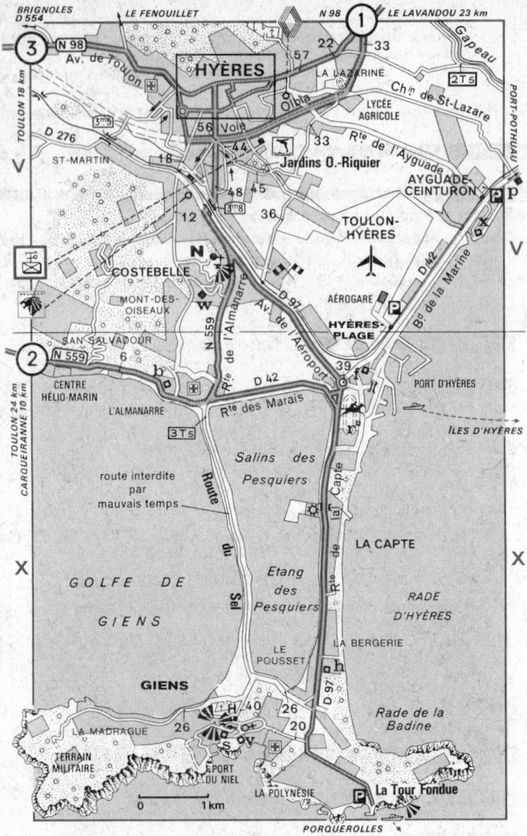

BRIGNOLES D 554
LE FENOUILLET
N 98
LE LAVANDOU 23 km
HYÈRES
LA LAZARINE
Gapeau
Ch^in de St-Lazare
LYCÉE AGRICOLE
Olbia
Av. de Toulon
D 276
ST-MARTIN
Voie
Jardins O.-Riquier
R^te de l'Ayguade
AYGUADE-CEINTURON
PORT-POTHUAU
TOULON 18 km
TOULON-HYÈRES
COSTEBELLE
MONT-DES-OISEAUX
AÉROGARE
HYÈRES-PLAGE
B^d de la Marine
Av. de l'Aéroport
R^te de l'Almanarre
N 559
D 97
D 42
SAN SALVADOUR
N 559
CENTRE HÉLIO-MARIN
L'ALMANARRE
R^te des Marais
PORT D'HYÈRES
ÎLES D'HYÈRES
TOULON 24 km
CARQUEIRANNE 10 km
route interdite par mauvais temps
Salins des Pesquiers
Route du Sel
R^te de la Capte
LA CAPTE
GOLFE DE GIENS
Etang des Pesquiers
RADE D'HYÈRES
LE POUSSET
LA BERGERIE
GIENS
Rade de la Badine
LA MADRAGUE
TERRAIN MILITAIRE
PORT DU NIEL
LA POLYNÉSIE
La Tour Fondue
0 1 km
PORQUEROLLES

HYÈRES
0 200 m
CHÂTEAU
PARC ST-BERNARD
Vieux Château
Ch^in du
Av. Paul Long
B^d Matignon
VIEILLE VILLE
Orient
JARDIN DENIS
PORTE DES PRINCES
Collégiale St Paul
R. Victor
B^d Edith
Basch
Warthon
Av. Riondet
Av. A. Denis
B^d Nocard
B^d Pasteur
Av. J. Jaurès
R. du Soldat
d'Or
Av. des Iles
R. Galliéni
CASINO
Av. A. Godillot
ÉGLISE ANGLICANE
Av. J. Aicard
Av. de D. Beauregard
Av. Gambetta
A. Thomas
Ferrari
Av. de la Paix
Av. F. Arène
JARDINS OLBIUS RIQUIER

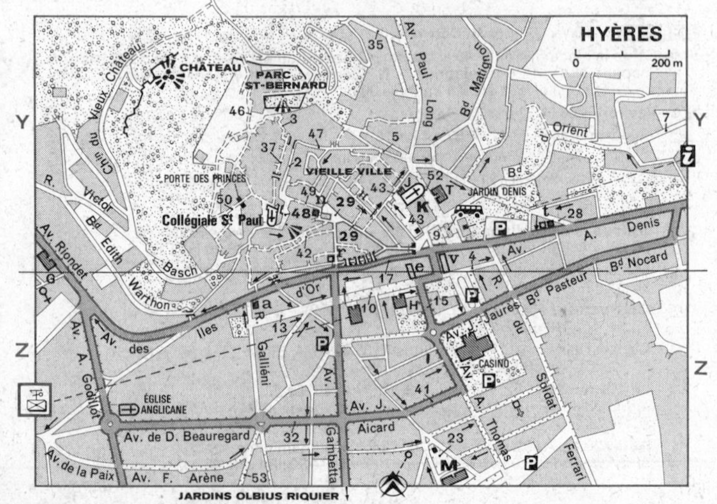

Hyères-Plage SE : 5 km - X – ✉ **83400** Hyères :

Pins d'Argent ⛺, ☎ 57.63.60, « agencement soigné, parc » – wc ☎ **P** – 50. – X **f**
SC : **R** *(fermé lundi)* 70 – 23 – **10 ch** 175 – P 220.

Le Méditerranée, ☎ 58.03.89 – wc wc ☎. X **r**
fermé 1er nov. au 20 déc. et mardi hors sais. sauf vac. scolaires – SC : **R** 45/80 – 10 – **15 ch** 75/150 – P 120/160.

à Costebelle S : 3 km - V – ✉ **83400** Hyères :

La Québécoise (Host. Provençale) avec ch, ☎ 57.69.24, – wc ☎. GB. ch V **w**
hôtel ouvert Pâques-15 sept., rest. fermé 15 sept. au 15 oct., fév., dim. soir et merc. – SC : **R** 60/200 – 13 – 10 ch 90/120.

à Ayguade-Ceinturon SE : 4 km - V – ✉ **83400** Hyères :

Reine Jane, ☎ 57.42.26, ← – ☎. . ch V **x**
12 avril-1er oct. – SC : **R** *(fermé vend.)* 45/85 – 17 – **15 ch** 60/160 – P 135/170.

Le Mérou avec ch, bd Front-de-mer ☎ 66.41.81 – **P** V **p**
fermé oct. – SC : **R** *(fermé vend.)* 50/85 – 8 – 8 ch 40 – P 100.

Sur N 98 par ① : 6 km – ✉ **83410** Les Salins d'Hyères :

Vieille Aub. St-Nicolas avec ch, ☎ 66.40.01 – wc ☎ **P** – 60.
fermé janv. et lundi hors sais. – **R** carte 90 à 115 – 15 – 11 ch 70/130.

à l'Almanarre S : 6 km - X – ✉ **83400** Hyères :

Port-Hélène sans rest, ☎ 57.72.01, ← – cuisinette wc **P** X **b**
fermé 15 oct. au 15 nov. – SC : 9 – **12 ch** 52/120.

Voir aussi ressources hôtelières de *Giens* S : 12 km (X)

ALFA-ROMEO Yvorra, 58 av. Gambetta ☎ 65.16.96
AUDI-VOLKSWAGEN Gar. Sauvaire, 7 rte de Toulon ☎ 65.25.27
CITROEN Ets Richard, 8 av. E.-Dunan ☎ 65.02.70 **N** ☎ 57.68.04
PEUGEOT Gar. Ortelli, Quartier Gare, chemin de la Villette ☎ 57.69.16

RENAULT SHEMA, 18 av. 1er-Div.-Gén.-Brosset ☎ 65.21.00

Pasero-Pneus, Pont de la Vilette ☎ 57.69.44
Pneu-Leca, av. G.-St-Hilaire ☎ 57.56.10

HYÈRES (Iles d') ★★★ 83 Var **84** ⑯⑰ – voir à Porquerolles et à Port-Cros.

HYÈVRE-PAROISSE 25 Doubs **66** ⑰ – rattaché à Baume-les-Dames.

IBARRON 64 Pyr.-Atl. **85** ② – rattaché à St-Pée-sur-Nivelle.

IGÉ 71 S.-et-L. **70** ⑪ – 646 h. alt. 264 – ✉ **71960** Pierreclos – 85.

Paris 394 – Cluny 11 – Mâcon 14 – Tournus 30.

Château d'Igé ⛺, ☎ 33.33.99, – ☎ **P**. AE . rest
fermé 5 nov. au 15 déc. – SC : **R** *(fermé jeudi midi)* carte 90 à 135 – 18 – **6 ch** 160/250, 5 appartements 350.

ILAY 39 Jura **70** ⑮ – alt. 777 – ✉ **39150** St-Laurent-en-Grandvaux – 84.

Paris 443 – Champagnole 20 – Lons-le-Saunier 37 – Morez 22 – St-Claude 38.

Aub. du Hérisson, Carrefour D 75-D 39 ☎ 25.58.18, – **P**.
15 mars-15 oct. et fermé merc. hors sais. – SC : **R** 40/75 – 10 – 16 ch 45/100 – P 95/120.

ILBARRITZ 64 Pyr.-Atl. **78** ⑪⑱ – rattaché à Bidart.

ILE voir au nom propre de l'Ile.

L'ILE-GRANDE 22 C.-du-N. **59** ① **G. Bretagne** – ✉ **22560** Trébeurden – 96.

Paris 527 – Lannion 16 – Perros-Guirec 15 – St-Brieuc 79 – Trébeurden 7 – Trégastel 8.

Rochers, ☎ 35.51.88, ← – wc wc ☎ **P**
sais. – 24 ch.

ILLHAEUSERN 68 H.-Rhin 62 ⑲ – 517 h. alt. 176 – ✉ 68150 Ribeauvillé – ✆ 89.

Paris 439 – Artzenheim 15 – Colmar 17 – St-Dié 51 – Sélestat 13 – ♦Strasbourg 60.

La Clairière M sans rest, rte Guémar ☎ 71.80.80 – 🛗 TV ☎ P
fermé 19 janv. au 28 fév. et lundi de nov. à mars – SC : ☕ 17 – **25 ch** 165/250.

XXXX ✿✿✿ **Auberge de l'Ill** (Haeberlin), ☎ 71.83.23, « Élégante installation au bord de l'Ill, ≤ jardins fleuris » – ▤ P.
fermé 1er au 8 juil., fév., lundi soir et mardi – **R** (prévenir) carte 145 à 170
Spéc. Salade de lapereau, Mousseline de grenouilles "Paul Haeberlin", Feuilleté de pigeonneaux de Bresse aux choux et aux truffes. **Vins** Riesling, Pinot blanc.

ILLIERS-COMBRAY 28120 E.-et-L. 60 ⑰ **G. Châteaux de la Loire** – 3 569 h. alt. 162 – ✆ 37.

Paris 117 – Brou 13 – Châteaudun 29 – Chartres 25 – ♦Le Mans 96 – Nogent-le-Rotrou 35.

Moulin de Montjouvin, SO : 2 km rte Brou ☎ 22.03.58, 🌳, 🍴 – 🛁wc ☎ P – 🏛 25. 🐕 **E**
fermé fév. et merc. – SC : **R** 42/75 – ☕ 13 – **14 ch** 110/130 – P 180/210.

CITROEN Gar. Biney, ☎ 22.00.53
PEUGEOT Gar. Daigneau, ☎ 22.01.17 N ☎ 21.94.39
RENAULT Gar. Thomas, ☎ 22.01.38 N ☎ 21.94.39

ILLIERS-L'ÉVÊQUE 27770 Eure 60 ⑦ – 597 h. alt. 133 – ✆ 37 (E.-et-L.).

Paris 97 – Dreux 14 – Évreux 30 – Nonancourt 9 – Verneuil-sur-Avre 30 – Vernon 44.

Aub. de la Lisière Normande, ☎ 48.11.05, 🌳 – 🛁 🚿wc
SC : **R** *(fermé dim. soir et lundi)* 46/82 🍷 – ☕ 15 – **10 ch** 40/105 – P 92/170.

ILLKIRCH-GRAFFENSTADEN 67 B.-Rhin 62 ⑩ – rattaché à Strasbourg.

IMPHY 58160 Nièvre 69 ④ – 4 690 h. alt. 184 – ✆ 86.

Paris 251 – Château-Chinon 64 – Decize 23 – La Machine 23 – Nevers 11 – St-Pierre-le-Moutier 22.

XX **Commerce** avec ch, 44 av. J.-Jaurès ☎ 68.70.13 – 🛁 🚿
fermé 8 au 31 juil. – SC : **R** *(fermé dim. et fêtes)* 25 🍷 – ☕ 9 – **14 ch** 38/90 – P 85.

CITROEN Imphy-Auto, ☎ 68.74.86

IMSTHAL 67 B.-Rhin 57 ⑰⑱ – voir à La Petite-Pierre.

INGRANDES 49 M.-et-L. 63 ⑲ **G. Châteaux de la Loire** – 1 517 h. alt. 19 – ✉ 49170 St-Georges-s.-Loire – ✆ 41.

Voir S : Route★ de Montjean-sur-Loire à St-Florent-le-Vieil (D 210).

ℹ Syndicat d'Initiative à la Mairie (fermé sam. après-midi et dim.) ☎ 41.40.21.

Paris 319 – Ancenis 21 – Angers 32 – Châteaubriant 55 – Château-Gontier 58 – Cholet 48.

XX **Chez Baudouin,** au pont rive gauche ✉ 49410 St-Florent-le-Vieil ☎ 41.40.25, ≤ – P
fermé dim. soir – SC : **R** 38/150 🍷.

INOR 55 Meuse 56 ⑩ – 248 h. alt. 175 – ✉ 55700 Stenay – ✆ 29.

Paris 250 – Carignan 17 – Longwy 67 – Sedan 27 – Verdun 53.

Faisan Doré, ☎ 80.35.45, 🌳 – 🚿wc P. 🐕. 🚫 ch
fermé 15 au 30 sept., 1er au 15 janv. et lundi – SC : **R** 23/85 🍷 – ☕ 9 – 15 ch 40/85 – P 90.

CITROEN Champeaux, à Stenay ☎ 80.31.19
PEUGEOT Gar. Tribut, à Stenay ☎ 80.31.13

L'ISERAN (Col de) 73 Savoie 74 ⑲ **G. Alpes** – alt. 2 770 – ✉ 73150 Val-d'Isère – ✆ 79.

Voir ≤★ – Belvédère de la Tarentaise ☼★★ NO : 3,5 km puis 15 mn – Belvédère de la Maurienne ≤★ S : 3,5 km.

Paris 708 – Bonneval-sur-Arc 14 – Chambéry 148 – Lanslebourg-Mont-Cenis 33 – Val d'Isère 16.

ISIGNY-SUR-MER 14230 Calvados 54 ⑬ **G. Normandie** – 3 315 h. alt. 4 – ✆ 31.

Paris 299 – Bayeux 31 – ♦Caen 58 – Carentan 11 – ♦Cherbourg 61 – St-Lô 28.

France, 17 r. E.-Demagny ☎ 22.00.33 – 🛁wc 🚿wc ☎ P – 🏛 25. 🐕
fermé 1er nov. au 1er fév., vend. soir et sam. midi hors sais. – SC : **R** 55/70 🍷 – ☕ 12 – 18 ch 57/130 – P 130/185.

Commerce, 5 r. E.-Demagny ☎ 22.01.44 – P
10 ch.

CITROEN Cailloux, ☎ 22.02.11
PEUGEOT Etasse, ☎ 22.02.52
RENAULT Isigny-Gar., ☎ 22.02.33

ISLE 87 H.-Vienne 72 ⑰ – rattaché à Limoges.

L'ISLE-ADAM 95290 Val-d'Oise [55] ⑳, [96] ⑥ **G. Environs de Paris** – 10 019 h. alt. 36 – ✪ 3.
Voir Site★ – Mobilier★ de l'église – Vallée de l'Oise★ AY.
Paris 39 ② – Beauvais 42 ① – Chantilly 23 ① – Pontoise 13 ③ – Taverny 11 ③.

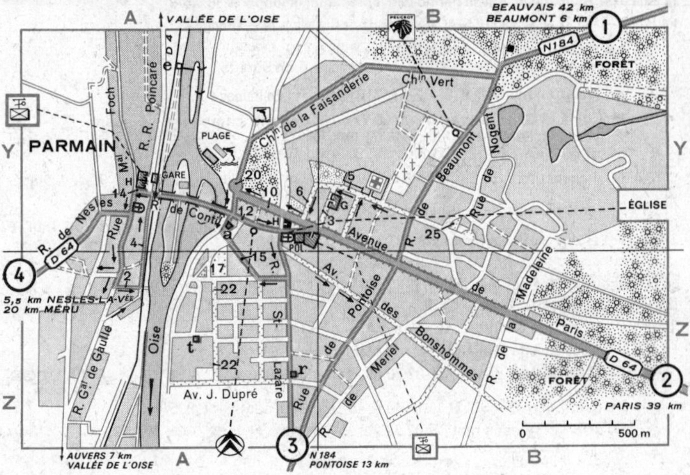

L'ISLE-ADAM

Grande-Rue	AY 12	Nogent (R. de)	BY
St-Lazare (R.)	AZ		

Abreuvoir (R. de l')	AZ 2	Guichard (R.)	AY 14
Bergeret (R.)	BY 3	Mellet (R.)	AZ 15
Blanchet (R.)	AY 4	Pâtis (Pl. du)	AZ 17
Chantepie-Mancier (R.)	BY 5	Plage (Rd-Pt de la)	AY 20
Dambry (R.)	AY 6	République (Bd de la)	AZ 22
Écuries (Av. des)	AY 10	Tillé (Pl. du)	BY 25

XX **Le Cabouillet** avec ch, 5 quai Oise ☎ 469.00.90, ≤ – [bath] [lift] [phone]. [garage] AE ⓓ E
fermé du 21 au 30 déc., du 10 janv. au 10 fév., lundi soir et mardi – **R** carte 95 à 140 – [breakfast] 13 – **8 ch** 75/115. AY **a**

XX **La Métairie,** 4 r. Oise ☎ 469.01.14 – GB. [no dogs] AZ **t**
fermé 13 au 29 janv., mardi soir et merc. – **R** carte 80 à 120.

X **Relais Fleuri,** 61 bis r. St-Lazare ☎ 469.01.85, [terrace] AZ **r**
fermé août, lundi soir et mardi – SC : **R** 45/120.

à Parmain AY : 2 km – 3 443 h. – ✉ **95620** Parmain :

X **Aub. de Jouy,** chemin de Halage ☎ 473.03.42, ≤ – Ⓟ. GB AY **e**
fermé 15 au 30 déc., merc. soir et jeudi – SC : **R** 41/57.

CITROEN Crocqfer, 6 Gde-Rue ☎ 469.00.01
FORD Hauviller, 59 bis r. St-Lazare ☎ 469.00.91
PEUGEOT Pétillon, 12 r. de Beaumont ☎ 469.01.13

L'ISLE-D'ABEAU 38 Isère [74] ⑬ – rattaché à Bourgoin-Jallieu.

ISLE-DE-NOÉ 32 Gers [82] ④ – 528 h. alt. 137 – ✉ **32300** Mirande – ✪ 62.
Paris 725 – Auch 21 – Condom 44 – Tarbes 57.

X **Aub. de Gascogne** avec ch, ☎ 64.17.05
fermé nov. et lundi – SC : **R** 35/90 [wine] – [breakfast] 9 – **7 ch** 45/72 – P 80/90.

L'ISLE-JOURDAIN 32600 Gers [82] ⑥⑦ – 4 200 h. alt. 150 – ✪ 62.
Paris 711 – Auch 43 – Montauban 57 – ♦Toulouse 35.

[hotel] **Host. du Lac** [M], O : 1 km sur N 124 ☎ 07.03.91, ≤, [terrace] – [bath] wc [lift] [phone] Ⓟ – [conference] 30. GB
fermé oct. – SC : **R** 38/120 – [breakfast] 9 – **25 ch** 60/100 – P 125/150.

CITROEN Gar. de l'Esplanade, ☎ 07.02.57
PEUGEOT Rigal, ☎ 07.03.16
RENAULT Gar. Gascogne-Sce ☎ 07.13.07

L'ISLE-JOURDAIN 86150 Vienne [72] ⑤ **G. Côte de l'Atlantique** – 1 223 h. alt. 135 – ✪ 49.
Paris 389 – Bellac 37 – Confolens 26 – Montmorillon 32 – Poitiers 56 – Ruffec 53.

[hotel] **Paix,** ☎ 48.70.38 – [lift] Ⓟ. [no dogs]
SC : **R** *(fermé sam. en hiver)* 25/55 [wine] – [breakfast] 8 – **15 ch** 35/50 – P 85/95.

CITROEN Perrin, ☎ 48.70.22
PEUGEOT Rigaud, ☎ 48.70.37 [N]
Gar. Godard, ☎ 48.71.85 [N]

L'ISLE-SUR-LA-SORGUE 84800 Vaucluse 81 ⑫⑬ G. Provence (plan) – 11 932 h. alt. 59 – ⚙ 90.

Voir Décoration intérieure★ de l'église – Église★ du Thor O : 5 km.

ℹ Office de Tourisme pl. Église (fermé dim. après-midi et lundi) ☎ 38.04.78..

Paris 698 – Apt 32 – Avignon 23 – Carpentras 17 – Cavaillon 10 – Orange 41.

Le Bassin M, av. Gén.-de-Gaulle ☎ 38.03.16 – wc. ⚭. ✂
fermé nov. et lundi – **R** 45/78 – 12 – **8 ch** 90/105.

au Nord 6 km sur D 938 – ✉ **84210** Pernes-les-Fontaines :

Host. La Grangette, ☎ 20.00.77, dans la campagne, ≤, parc, 🏊 – TV wc wc ⚭ P – 🚶 30. AE GB ⓓ
SC : **R** 80/130 – 22 – 17 ch 110/280 – P 270/310.

CITROEN Roquebrune, rte d'Apt ☎ 38.18.48 N
PEUGEOT Manni, quai de la Charité ☎ 38.00.97
TALBOT Éts Joly, rte de Carpentras ☎ 38.07.75
RENAULT Gar. de la Sorgue, 9 av. 4-Otages ☎ 38.00.41
Magnan-Pneus, Zone Ind., rte du Thor ☎ 38.00.89

ISOLA 2000 06 Alpes-Mar. 81 ⑩, 195 ⑤ – alt. 2 000 – Sports d'hiver : 2 000/2 610 m 1 19 – ✉ **06420** St-Sauveur-s.-Tinée – ⚙ 93.

Voir Vallon de Chastillon★ O, G. Côte d'Azur.

Paris 828 – Barcelonnette 92 – ♦Nice 94 – St-Martin-Vésubie 60.

Le Chastillon M, ☎ 02.70.60, Télex 970507, ≤ – ☎ P – 🚶 40. AE GB. ✂ rest
mi déc.-mi avril – SC : **R** 110/140 – 45 ch (pens. seul.) – P 375/440.

Druos M sans rest, ☎ 02.72.20, ≤ – wc wc ☎. AE GB
SC : **45 ch** 220/250.

ISPE 40 Landes 78 ⑬ – rattaché à Biscarosse.

Les ISSAMBRES 83380 Var 84 ⑱ – ⚙ 94.

ℹ Office de Tourisme Parc des Loisirs (fermé dim. et lundi) ☎ 43.02.51.

Paris 883 – Draguignan 39 – St-Raphaël 13 – Ste-Maxime 10 – Toulon 83.

à San-Peire-sur-Mer – ✉ **83380** Les Issambres :

Provençal, ☎ 43.00.49, ≤ – wc ⚭ P. GB. ✂ ch
1er fév.-30 sept. – SC : **R** 70/150 – 13 – 27 ch 100/180 – P 150/200.

au Parc des Issambres – ✉ **83380** Les Issambres :

Quiétude, ☎ 43.04.34, ≤, 🏊, – wc wc ⚭ P.
mi fév.-début oct. – SC : **R** 43/62 – 13 – 20 ch 96/118 – P 152/164.

Pointe des Issambres – ✉ **83380** Les Issambres :

Pinède, ☎ 43.05.04, ≤, – wc ⚭ P. AE GB. ✂ rest
1er fév.-15 oct. – SC : **R** 60/85 – 15 – **16 ch** 170 – P 175.

XX **La Réserve** avec ch, ☎ 43.00.41, ≤, – wc ⚭ P.
début avril-fin sept. – SC : **R** *(fermé merc.)* 105/130 – 18 – **6 ch** 120/180.

à la Calanque des Issambres – ✉ **83380** Les Issambres :

XX **La Cigale** avec ch, ☎ 43.01.15, ≤ mer – wc wc P.
12 avril-oct. et fermé jeudi hors sais. – SC : **R** 72/110 – 7 ch (pens. seul.) – P 200/220.

à La Gaillarde – ✉ **83606** Fréjus :

Host. Caravelle sans rest, ☎ 44.24.03, ≤ – wc ⚭ P. . ✂
1er avril-oct. – SC : 17 – **10 ch** 150/200.

ISSOIRE ⟨SP⟩ 63500 P.-de-D. 73 ⑭⑮ G. Auvergne – 15 688 h. alt. 386 – ⚙ 73.

Voir Église St-Austremoine★★ : chevet★★.

ℹ Office de Tourisme pl. Gén.-de-Gaulle (1er juin-15 sept. et fermé dim.) ☎ 89.15.90 et à l'Hôtel de Ville (15 sept.-1er juin, fermé sam. et dim.) ☎ 89.03.54.

Paris 422 ① – Aurillac 123 ③ – ♦Clermont-Ferrand 37 ① – ♦Lyon 197 ① – Millau 208 ③ – Le Puy 94 ③ – Rodez 186 ③ – ♦St-Étienne 141 ② – Thiers 60 ① – Tulle 168 ④ – Vichy 92 ①.

Plan page ci-contre

Floride M sans rest., rte Solignat S : 1 km par D 32 ☎ 89.04.25 – TV wc ☎ P
fermé 15 déc. au 15 janv. – SC : 10,50 – **17 ch** 85/100.

Le Pariou, 18 av. Kennedy **(e)** ☎ 89.22.11 – ☎ P – 🚶 25. GB
fermé 25 sept. au 20 oct., 22 déc. au 1er janv. et sam. (sauf l'hôtel du 15 juin au 15 sept.) – SC : **R** 32/70 – 10 – **29 ch** 55/90.

Terminus, 15 av. Gare **(n)** ☎ 89.22.34 – wc ☎ . rest
fermé 23 mai au 9 juin, vacances de Noël et dim. sauf hôtel en saison – SC : **R** 35/50 – 9,50 – 15 ch 45/80 – P 120/150.

Tourisme sans rest, 13 av. Gare **(n)** ☎ 89.23.68 – . .
fermé oct. – SC : 8 – **13 ch** 48/73.

Le Relais avec ch, 1 av. Gare **(a)** ☎ 89.16.61 – wc . .
fermé fév., mardi soir et vend. soir – SC : **R** 32/48 – 9 – 6 ch 50/70.

à Parentignat par ② : 4 km – ✉ **63500** Issoire.
Voir Château★.

Tourette, ☎ 89.08.87 – wc wc ☎ **P** ch
fermé 6 au 29 nov., 9 au 17 janv. et sam. sauf juil. et août – SC : **R** 33/72 – 9,50 – **29 ch** 70/106 – P 120/136.

au Broc par ③ : 5 km – ✉ **63500** Issoire :

Host. les Vigneaux avec ch, N9 ☎ 89.10.90, ≤ – **P**. . rest
fermé 15 déc. au 4 janv., vac. scolaires de fév. et dim. – SC : **R** 40/70 – 11 – **7 ch** 90/120.

Buisson (Bd A.) 2
Cibrand (Bd J.) 3
Manlière (Bd) 4
Palais (R. du) 5
S.-Préfecture (Bd de la) 6
Triozon-Bayle (Bd) 7

CITROEN Arverne-Autom., rte Clermont ☎ 89.16.31 **N**
FORD Guidat, 49 Rte de St Germain ☎ 89.16.51
PEUGEOT Gar. Morette, 66 av. Kennedy ☎ 89.03.76
RENAULT Bernassau, rte de Clermont ☎ 89.22.56

TALBOT Issoire-Autos, rte de St-Germain-Lembron ☎ 89.23.08

Estager-Pneus, 33 bd Triozon-Bayle ☎ 89.18.39 et 63 bd Kennedy ☎ 89.18.83

ISSOUDUN

36100 Indre **68** ⑨ **G. Périgord** – 16 548 h. alt. 129 – ✪ 54.

Voir Arbre de Jessé★ dans l'ancien Hôtel-Dieu.

Office de Tourisme à la Mairie (9 sept.-30 juin et fermé dim.) et bd Stalingrad (1er juil.-8 sept.) ☎ 21.13.23.

Paris 243 ① – Bourges 38 ② – Châteauroux 29 ⑤ – ♦Tours 133 ① – Vierzon 35 ①.

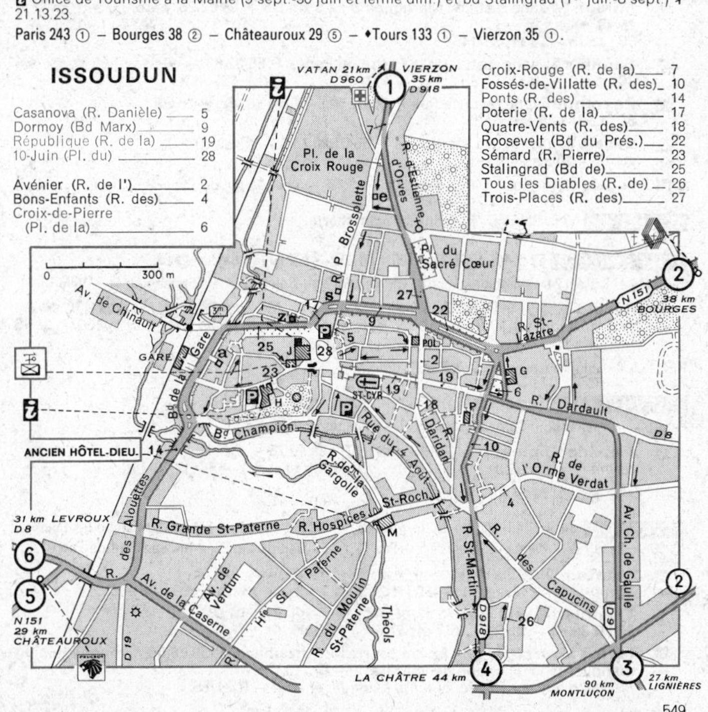

France et Commerce, Rest.des Trois Rois, 3 r. P.-Brossolette **(s)** ☎ 21.00.65, Télex 751422 – wc wc ☎ ♿ 🅿. AE GB ⓓ E
fermé 15 janv. au 28 fév. – SC : **R** *(fermé mardi du 15 nov. au 15 mars)* 65/150 – ☕ 21 – **27 ch** 73/165 – P 195/300.

Berry sans rest, 88 r. P.-Brossolette **(e)** ☎ 21.20.51 –
fermé vacances de Noël et dim. soir en hiver – SC : ☕ 10 – **16 ch** 45/80.

Gare, 9 bd Gare **(a)** ☎ 21.11.59 –
fermé 16 sept. au 10 oct. et lundi en juil. et août – SC : **R** 35/55 🍷 – ☕ 9 – **18 ch** 45/58 – P 75/80.

XXX ✿ **Aub. de la Cognette** (Nonnet), bd Stalingrad **(z)** ☎ 21.21.83 – AE GB ⓓ E
fermé 31 août au 24 sept., vacances de fév., dim. soir et lundi sauf fériés – SC : **R** (prévenir) 65/180
Spéc. Chausson d'escargots, Ragoût d'écrevisses (saison), Foie de veau au miel et citron. **Vins** Reuilly.

à Diou par ① : 12 km – ✉ **36260** Reuilly

XX **L'Aubergeade,** rte Issoudun ☎ 49.22.28, – 🅿.
fermé 17 au 30 août – SC : **R** carte 75 à 110.

AUDI-VOLKSWAGEN Poy, 79 r. des Alouettes ☎ 21.23.53
PEUGEOT Lamy, RN 151 ☎ 21.03.24
RENAULT Cousin, rte de Bourges N 151 ☎ 21.06.92

Central-Pneu, rte Bourges ☎ 21.02.68
Giraud, 38 av. Chinault ☎ 21.27.33

ISSY-L'ÉVÊQUE

71760 S.-et-L. 69 ⑯ – 1 158 h. alt. 325 – ☎ 85.
Paris 337 – Autun 46 – Bourbon-Lancy 23 – Gueugnon 16 – Montceau-les-Mines 39.

X **Voyageurs** avec ch, ☎ 89.85.35 – 🅿
fermé 1er au 15 juil. et lundi – SC : **R** 26/50 🍷 – ☕ 7,50 – **8 ch** 42/54 – P 75/85.

RENAULT Treffot, ☎ 89.82.02

ISTRES

13800 B.-du-R. 84 ① **G. Provence** – 23 446 h. alt. 8 – ☎ 42.
Office de Tourisme allées J.-Jaurès (fermé sam. après-midi et dim.) ☎ 55.21.21.
Paris 749 – Arles 41 – ♦Marseille 57 – Martigues 15 – St-Rémy-de-P. 39 – Salon-de-Provence 20.

Mirage M sans rest, av. Martigues S : 2,5 km D5 ☎ 56.02.26, parc, – wc ☎ 🅿. .
SC : ☕ 15 – **28 ch** 89/148.

Baumes M sans rest, r. de la Pierre du Pebro ☎ 55.02.63 – wc wc ☎ 🅿.
SC : ☕ 10 – **10 ch** 80/90.

Peyreguet sans rest, rte Fos ☎ 55.04.52 – wc ☎ 🅿. ⓓ
SC : ☕ 9 – **25 ch** 55/75.

Escale sans rest, rte Martigues ☎ 55.01.88, – ☎ 🅿
☕ 10 – **20 ch** 65/85.

CITROEN Gar. Clavel, bd J.-J.-Prat ☎ 55.00.65

Morcel, 12 ch. de Tivoli ☎ 56.34.46

ITTENHEIM

67 B.-Rhin 62 ⑨ – rattaché à Strasbourg.

ITTERSWILLER

67 B.-Rhin 62 ⑨ – 305 h. alt. 250 – ✉ **67140** Barr – ☎ 88.
Paris 446 – Erstein 24 – Mittelbergheim 4 – Molsheim 24 – Sélestat 14 – ♦Strasbourg 41 – Villé 13.

Arnold M , ☎ 85.50.58, ←, – TV wc wc ☎ 🅿 – 25. ⓓ. ch
fermé 29 juin au 10 juil. – SC : **R** *(fermé dim. soir hors sais. et lundi)* 35/160 – ☕ 16 – **27 ch** 160/220.

RENAULT Gar. Messmer, à Epfig ☎ 85.52.25

ITTEVILLE

91760 Essonne 61 ①, 96 ㊲ – 2 723 h. alt. 60 – ☎ 6.
Paris 50 – Arpajon 12 – Corbeil-Essonnes 17 – Étampes 22 – Melun 33.

XX **Aub. de l'Épine,** 29 r. Gén.-Leclerc ☎ 493.10.75 – 🅿
fermé 1er au 15 sept., 15 au 28 fév., mardi soir et merc. – SC : **R** 70/110.

CITROEN Gar. Les Bédouins, ☎ 493.09.73

ITXASSOU

64 Pyr.-Atl. 85 ③ **G. Pyrénées** – 1 218 h. alt. 39 – ✉ **64250** Cambo-les-Bains – ☎ 59 – Paris 765 – Cambo-les-Bains 4,5 – Pau 118 – St-Jean-de-Luz 32 – St-Jean-Pied-de-Port 31.

Fronton, ☎ 29.75.10, – wc wc ☎ 🅿. . ch
fermé 1er janv. au 1er fév. – SC : **R** 27/80 🍷 – ☕ 9 – **15 ch** 53/89 – P 90/105.

Txistulari, D 918 ☎ 29.75.09, ←, , – 🅿.
SC : **R** 39/61 – ☕ 8,50 – **17 ch** 47/67 – P 85/90.

XX **Ferme Lizarraga,** SO : 3,5 km par rte Mt-Artzamendi ☎ 29.75.08, « Aménagement rustique dans un cirque de verdure » – 🅿
fermé 15 nov. au 15 déc. et lundi sauf juil. et août – **R** 24/55.

IVRY-LA-BATAILLE 27540 Eure 55 ⑰, 96 ⑪ **G. Normandie** – 2 335 h. alt. 64 – ✪ 32.

Paris 79 – Anet 7,5 – Dreux 24 – Évreux 35 – Mantes-la-Jolie 24 – Pacy-sur-Eure 17.

Gd St-Martin, ☎ 36.41.39 – wc ⋒ ☎. GB. ch
fermé 31 janv. au 2 fév., dim. soir et lundi – SC : **R** 50 (sauf sam.)/140 – 15 – 10 ch 70/190 – P 170/200.

XXX ❀ **Moulin d'Ivry,** 10 r. Henri-IV ☎ 36.40.51, ≤, « Jardin et terrasse au bord de l'Eure » – Ⓟ. GB
fermé fév., dim. soir et lundi – SC : **R** 90/150
Spéc. Savarin d'écrevisses, Ris de veau Florentine, Assiette Gourmande.

X **Renaissance,** ☎ 36.41.24
fermé 15 sept. au 15 oct., mardi soir et merc. – SC : **R** 35/65.

IZOARD (Col d') 05 H.-Alpes 77 ⑱ **G. Alpes** – alt. 2 360.

Voir Belvédères ✱★★ 15 mn – Casse Déserte★★ S : 2 km.

Paris 701 – Briançon 22.

JALOUSIE 14 Calvados 55 ⑫ – rattaché à Caen.

JARCIEU 38 Isère 77 ② – 588 h. alt. 230 – ✉ **38270** Beaurepaire – ✪ 74.

Paris 528 – ♦Grenoble 75 – ♦Lyon 65 – Valence 58.

Chantalouette, rte de Beaurepaire ☎ 84.85.45 – wc ⋒ Ⓟ
fermé oct. – **R** 28/65 – 12 – **8 ch** 55/100 – P 95/120.

JARCY 91 Essonne 61 ①, 96 ㉘ – voir à Varennes-Jarcy.

JARD-SUR-MER 85520 Vendée 67 ⑪ – 1 413 h. alt. 13 – ✪ 51.

Syndicat d'Initiative pl. Liberté (fermé après-midi et merc. hors sais. et dim.) ☎ 33.40.47.

Paris 447 – Luçon 34 – La Roche-sur-Yon 34 – Les Sables-d'Olonne 20 – La Tranche-sur-Mer 18.

La Coquille, au Port ☎ 33.42.36, ≤ – ⋒
1er avril-25 sept. et fermé merc. hors saison – SC : **R** 38/62 – 9 – 10 ch 57/68 – P 110/120.

X Le Clemenceau avec ch, ☎ 33.40.35 – ⋒
sais. – 13 ch.

JARGEAU 45150 Loiret 64 ⑩ – 3 207 h. alt. 108 – ✪ 38.

Golf Club d'Orléans ☎ 65.75.48 NO : 3 km.

Office de Tourisme pl. Halle (15 juin-15 sept. et fermé jeudi) ☎ 59.83.42.

Paris 119 – Châteauneuf-sur-Loire 8 – ♦Orléans 19 – Pithiviers 38 – Romorantin-Lanthenay 70.

Cygne, à St-Denis-de-l'Hôtel N : 1 km ✉ 45550 St-Denis-de-L'Hôtel ☎ 59.02.43 – wc ⋒ ☎ Ⓟ.
fermé vend. soir du 1er oct. au 1er mars – SC : **R** 28/60 – 10 – 12 ch 46/75.

X **Cloche d'Argent,** fg Berry ☎ 59.71.41
R 55.

CITROEN Peronnet, ☎ 59.71.55 N

RENAULT Berthelot, ☎ 59.70.06

JARNAC 16200 Charente 72 ⑫ **G. Côte de l'Atlantique** – 5 091 h. alt. 27 – ✪ 45.

Office de Tourisme, pl. Château (fermé le matin hors saison et dim.) ☎ 81.09.30.

Paris 452 – Angoulême 29 – Barbezieux 27 – ♦Bordeaux 112 – Cognac 15 – Jonzac 38 – Ruffec 53.

Terminus, à la Gare ☎ 81.07.04 – ⋒ Ⓟ. GB E. ch
fermé 20 oct. au 10 janv. – SC : **R** 30/68 – 9 – **12 ch** 40/55 – P 80/86.

XX **La Ribaudière,** à Bourg Charente O : 6 km par N 141 et VO ☎ 81.30.54, ≤ – Ⓟ. GB
fermé fév., dim. soir et lundi sauf fériés – SC : **R** carte 60 à 95.

X **Château,** pl. Château ☎ 81.07.17
fermé 19 au 29 mai, 16 août au 12 sept., mardi et merc. – SC : **R** 39/80, dîner à la carte.

à Fleurac NE : 10 km par N 141 et D 157 – ✉ **16200** Jarnac :

Domaine de Fleurac ⑤, ☎ 81.78.22, ≤, « Parc » – wc ⋒wc ☎ Ⓟ – 30. E. rest
fermé nov., dim. soir et lundi hors sais. – SC : **R** 40/80 – 14 – 18 ch 70/160.

ALFA-ROMEO, FIAT Peignes, ☎ 81.10.29
CITROEN Gar. Soleta, ☎ 81.02.74
PEUGEOT Gar. Forgeau, ☎ 81.18.35
RENAULT Tournat, ☎ 81.10.63

RENAULT Gar. Vitrac, à Souillac ☎ 81.07.66 N
Gar. Dolimont, ☎ 81.08.55

La JARNE 17 Char.-Mar. 71 ⑫ – rattaché à La Rochelle.

JARNY 54800 M.-et-M. 57 ⑬ – 9 520 h. alt. 210 – ✪ 8 – A.C. 9 r. Verdun ☎ 223.09.96.
Paris 308 – Bar-le-Duc 82 – Briey 12 – •Metz 27 – •Nancy 71 – Pont-à-Mousson 40 – Verdun 41.

XX **Petit Vatel,** 2 r. Verdun ☎ 233.10.52
fermé 25 au 31 déc., 21 juil. au 14 août, mardi, merc., dim. et fériés le soir et lundi – SC : **R** 85/120.

CITROEN Rouy, av. Lafayette ☎ 233.02.21 N
RENAULT Leclerc, 58 av. République ☎ 233.00.32
TALBOT Bonu, 75 av. Patton ☎ 233.19.89 N ☎ 233.01.64
Leclerc-Pneu, 59 av. de la République ☎ 233.44.59

JAUNAY-CLAN 86130 Vienne 68 ⑬⑭ – 4 024 h. alt. 65 – ✪ 49.
Voir Peintures murales★ du château de Dissay NE : 5 km, **G. Côte de l'Atlantique.**
Paris 321 – Châtellerault 21 – Chinon 67 – Parthenay 50 – Poitiers 13 – Saumur 84 – Thouars 59.

Centre, pl. Fraternité ☎ 52.05.45 – . ch
fermé août, sam. soir (sauf hôtel), dim. et fériés – SC : **R** *(fermé sam. soir et dim.)* 33/60 – 10 – **24 ch** 50/80 – P 80/90.

JAUSIERS 04 Alpes-de-H.-P. 81 ⑧ **G. Alpes** – 914 h. alt. 1 220 – ✉ **04400** Barcelonnette – ✪ 92.
Paris 744 – Barcelonnette 8 – Digne 95 – Guillestre 41 – St-Étienne-de-Tinée 50 – St-Paul 14.

Bel Air, ☎ 81.06.35 – .
fermé 15 au 30 mai et 15 au 30 oct. – SC : **R** (dîner seul.) 33/36 – 9,50 – 15 ch 40/64.

Meyran-Dunand, ☎ 81.06.09 –
6 juin-13 sept. et vacances scolaires en hiver – SC : **R** 33/37 – 9 – **17 ch** 30/56 – P 80/87.

JAVRON 53 Mayenne 60 ① – 1 325 h. alt. 201 – ✉ **53250** Javron-les-Chapelles – ✪ 43.
Syndicat d'Initiative à la Mairie (fermé sam. après-midi et dim.) ☎ 03.40.67.
Paris 228 – Alençon 36 – Bagnoles-de-l'Orne 20 – •Le Mans 67 – Mayenne 25.

XX **La Terrasse** avec ch, ☎ 03.41.91 – . GB. ch
fermé fév. et lundi – SC : **R** 35/115 – 9,50 – 3 ch 48/59 – P 95/115.

CITROEN Gar. Desrochers, ☎ 03.41.24
PEUGEOT Gar. Goupy, ☎ 03.40.39

JENZAT 03 Allier 73 ④ **G. Auvergne** – 451 h. alt. 323 – ✉ **03800** Gannat – ✪ 70.
Paris 347 – Chantelle 9,5 – Gannat 7,5 – Montluçon 64 – Moulins 55 – St-Pourçain-sur-Sioule 24.

XX **Môme** avec ch, ☎ 56.80.88, – . AE GB
fermé oct. – SC : **R** 53/69 – 9 – **15 ch** 50/70 – P 87/100.

JERSEY (Ile de) ★ Ile anglo-normande 54 ⑤
Accès : Transports maritimes pour St-Hélier (réservation indispensable) :.

depuis **St-Malo :** par cargo pour les autos (1 service hebdomadaire) - Aller de 141 à 387 F - par hydroglisseur pour les voyageurs (1 à 6 départs quotidiens suivant saison) - Traversée 1 h 15 - 116 F (AR dans la journée) Renseignements : Morvan fils, gare maritime ☎ 56.42.29 (St-Malo) – par car-ferry (4 services quotidiens en saison, 6 à 8 départs hebdomadaires hors saison) - Traversée 2 h à 2 h 30 - Autos, aller 242 à 368 F ; Voyageurs 116 F (AR dans la journée) Renseignements : Emeraude Ferries, gare maritime du Naye ☎ 56.61.46 (St-Malo) – Plusieurs de ces services assurent une liaison avec Guernesey.

depuis **St-Malo :** en 1980, de mars à oct., 2 services quotidiens - Traversée 1 h 20 - 128 F (AR dans la journée), par Vedettes Armoricaines, gare maritime ☎ 40.93.27 et d'avril à nov., 3 départs quotidiens - Traversée 1 h 20 - 116 F (AR dans la journée), par Vedettes Blanches, gare maritime ☎ 56.63.21.

depuis **Granville :** en 1980, d'avril à sept., 1 à 3 services quotidiens suivant marées - Traversée 1 h 50 - 120 F (AR dans la journée) par Vedettes Armoricaines, 12 r. G.-Clemenceau ☎ 50.09.87 et du 18 avril au 20 sept., 1 service quotidien - Traversée 1 h 30 - 110 F (AR dans la journée) par Vedettes Vertes Granvillaises, 1 r. Le Champion ☎ 50.16.36.

Pour **Gorey** depuis **Carteret :** en 1980, du 15 avril au 2 nov., 1 à 3 services quotidiens suivant marées - Traversée 30 mn à 1 h - 130 F (AR dans la journée) par Service Maritime, Carteret ☎ 54.87.21 et du 28 mars au 4 nov., services quotidiens suivant marées - Traversée 45 mn - 130 F (AR), par Hovercross Peconic Queen ☎ 54.70.50 (Barneville).

depuis **Portbail :** en 1980, de mars à nov., 1 à 2 services quotidiens suivant marées - Traversée de 1 h 10 - 110 F (AR dans la journée) par Cie Côte des Isles, gare maritime ☎ 54.86.71.

Service aérien avec Paris par Air U.K. ☎ 934.50.08, avec Granville par Jersey European Airways ☎ 50.20.44, avec Cherbourg par Auvigny Air Services ☎ 53.13.55, avec Caen (☎ 73.18.00), Dinard (☎ 46.22.81) et St-Brieuc par Jersey Européan Airways ☎ 325.59.40 (Paris).

Curiosités et ressources hôtelières - v. Guide Rouge Michelin : **Great Britain and Ireland**

JOB 63990 P.-de-D. 73 ⑯ **G. Auvergne** – 1 158 h. alt. 630 – 73.
Paris 429 – Ambert 9 – Chalmazel 28 – •Clermont-Ferrand 83 – Thiers 48.

Voyageurs, ☎ 82.07.54 – ch
fermé nov., 1er au 15 janv. et vend. – SC : **R** 30/50 – 8 – **17 ch** 38/80 – P 72/77.

JOBOURG (Nez de) *** 50 Manche 54 ① **G. Normandie** – 315 h. – ✉ **50440** Beaumont-Hague – 33.
Voir ≤*** sur Nez de Jobourg par D 202 puis 30 mn.
Paris 386 – Barneville-Carteret 46 – •Cherbourg 26 – St-Lô 104.

Aub. des Grottes, ☎ 52.71.44, ≤ mer –
15 mars-15 oct. et fermé mardi sauf juil.-août – SC : **R** 41/115.

RENAULT Lecoq, à Beaumont, ☎ 52.76.58 ☎ 52.73.16

JOIGNY 89300 Yonne 65 ④ **G. Bourgogne** – 11 925 h. alt. 101 – 86.
Voir Vierge au sourire* dans l'égl. St-Thibault A **E** – Côte St-Jacques ≤* 1,5 km par ①.
Office de Tourisme Gare routière, quai H.-Ragobert (fermé dim. sauf matin en saison) ☎ 62.11.05.
Paris 147 ⑤ – Auxerre 27 ③ – Gien 74 ⑤ – Montargis 59 ⑤ – Sens 30 ⑥ – Troyes 76 ②.

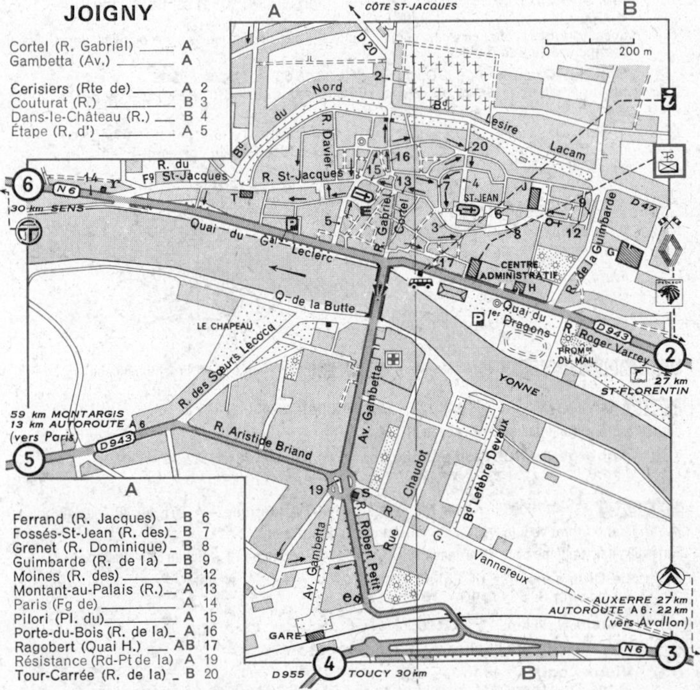

Modern'H (Godard) M, av. Robert-Petit ☎ 62.16.28, Télex 801693, – – 30. AE GB E A **e**
SC : **R** (dim. et fêtes prévenir) 110/180 – 19 – 22 ch 130/180
Spéc. Cassolette d'escargots, Canard à la "Gaston Godard", Maillotine (pâtisserie). **Vins** Bourgogne aligoté, Coulanges.

A la Côte St-Jacques (Lorain) avec ch, 14 fg Paris ☎ 62.09.70, « Belle décoration intérieure », – wc wc . AE GB A **r**
fermé début janv. à début fév., lundi soir et mardi sauf juil., août et sept. – SC : **R** (dim. prévenir) 140/250 et carte – 28 – 18 ch 180/280
Spéc. Homard aux pointes d'asperges (sais.), Ragoût de nouilles et foie gras aux écrevisses, Salade de pigeonneau aux fèves fraîches (saison). **Vins** Chablis.

Paris Nice avec ch, rd-Point Résistance ☎ 62.06.72 – A **s**
fermé janv. et lundi – SC : **R** 35/80 – 9 – 10 ch 50/110 – P 135/150.

CITROEN Joigny Automobile, N 6 à Champlay ✆ 62.06.45 N
OPEL Blondeau, 6 fg Paris ✆ 62.05.02
PEUGEOT Central Gar., av. Jean-Hemery ✆ 62.02.43
RENAULT S.A.J.A., rte de Migennes ✆ 62.22.00
TALBOT Gd Gar. de Paris, 24 fg Paris ✆ 62.12.25
Gar. de France, 60 av. Gambetta ✆ 62.23.52

Jeandot, 9 av. R.-Petit ✆ 62.18.84

JOINVILLE **52300** H.-Marne 62 ① **G. Nord de la France** – 5 122 h. alt. 188 – 25.
Syndicat d'Initiative 42 r. A.-Briand (saison) et à la Mairie (hors sais.) ✆ 96.13.01.
Paris 236 – Bar-sur-Aube 47 – Chaumont 43 – Neufchâteau 51 – St-Dizier 31 – Toul 73 – Troyes 93.

Gd Pont, r. A.-Briand ✆ **96.09.86** – wc wc – 50. AE GB E
SC : **R** *(fermé dim. soir du 1er nov. au 4 avril)* 33/90 – 10 – 27 ch 45/110 – P 100/150.

Nord, r. C.-Gillet ✆ **96.10.97** – . E
fermé 28 sept. au 5 oct., 4 au 19 janv. et lundi – SC : **R** 31/75 – 9 – 16 ch 45/88 – P 80/90.

XX ❀ **Poste** (Fournier) **avec ch, pl. Grève** ✆ **96.12.63** – wc wc . AE GB E
fermé 15 janv. au 15 fév. et dim. soir hors sais. – SC : **R** 35/120 – 10 – 11 ch 45/100
Spéc. Écrevisses amoureuses (sauf mai), Truite sire de Joinville, Poussin aux morilles. **Vins** Coteaux champenois, Gris de Toul.

XX **Soleil d'Or** avec ch, 9 r. Capucines ✆ **96.15.66** – . E
fermé 1er au 15 août, 15 au 28 fév., dim. soir et lundi – SC : **R** 55/90 – 8,50 – 11 ch 45/80.

CITROEN Roux, ✆ 96.01.93 N
FIAT Coisy, ✆ 96.07.58
PEUGEOT Guillaume, ✆ 96.09.48
RENAULT Duthoit et Jarry, ✆ 96.10.40
TALBOT Gar. du Poncelot, ✆ 96.12.32

JOINVILLE-LE-PONT **94** Val-de-Marne 61 ①, 101 ㉗ – voir à Paris, Proche banlieue.

JONS **69** Rhône 74 ⑫ – 528 h. alt. 226 – ✉ **69330** Meyzieu – 7.
Paris 483 – Bourgoin-Jallieu 36 – ♦Lyon 21.

X **Auberge du Pont,** au pont de Jons E : 1,5 km ✆ 831.21.32, ≤ – P
fermé 1er au 15 oct., vacances de fév., lundi soir et mardi – **R** 38/90.

JONZAC <SP> **17500** Char.-Mar. 71 ⑥ **G. Côte de l'Atlantique** – 4 580 h. alt. 40 – 46.
Syndicat d'Initiative à la Mairie (28 juin-31 août) ✆ 48.04.11.
Paris 499 – Angoulême 56 – ♦Bordeaux 86 – Cognac 34 – Libourne 70 – Royan 58 – Saintes 41.

Le Club sans rest, pl. Église ✆ **48.02.27** – wc . GB
fermé sam. – SC : 10 – **10 ch** 65/90.

à Clam N : 6 km – ✉ **17500** Jonzac.
Voir Abside★ de l'église de Marignac N : 4 km.

XX **Vieux Logis,** ✆ **48.15.11** – P
fermé 17 janv. au 20 fév. et lundi hors sais. – SC : **R** 60/75.

PEUGEOT Belot, ✆ 48.08.77
RENAULT Martin, ✆ 48.06.11 N

JOSSELIN **56120** Morbihan 63 ④ **G. Bretagne** – 2 995 h. alt. 59 – 97.
Voir Château★★ – Basilique N.-D.-du-Roncier★ E.
Syndicat d'Initiative pl. A. de Rohan (15 juin-15 sept. et fermé dim.) ✆ 22.24.17.
Paris 421 ② – Dinan 75 ① – Lorient 73 ④ – ♦Rennes 72 ② – St-Brieuc 75 ⑤ – Vannes 42 ④.

Plan page ci-contre

Château, 1 r. Gén.-de-Gaulle **(a)** ✆ **22.20.11,** ≤ château – wc wc P – 30 à 50. GB E
fermé 1er fév. au 1er mars et lundi du 15 sept. au 1er juil. sauf fériés – SC : **R** 40/80 – 15 – **40 ch** 60/135 – P 160/195.

CITROEN Gar. de l'Oust, ✆ 22.23.04

JOSSELIN

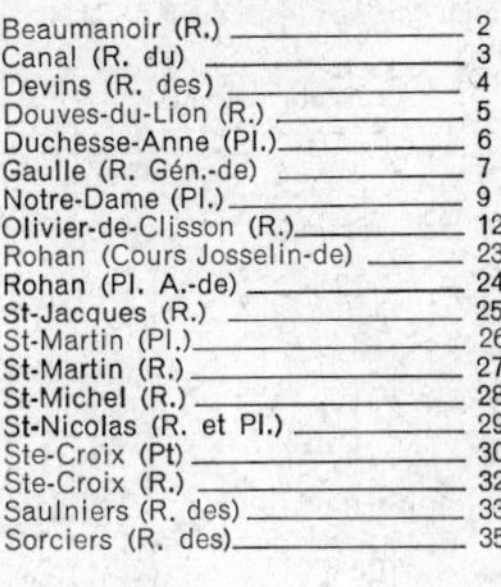

Pour un bon usage des plans de villes, voir les signes conventionnels p. 20.

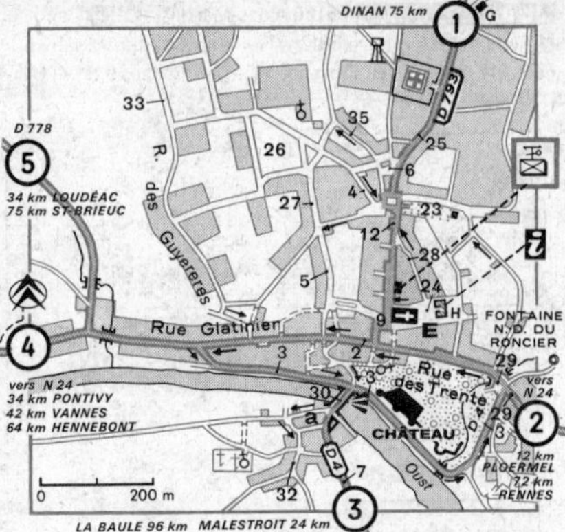

JOUCAS 84 Vaucluse 81 ⑬ – 204 h. alt. 248 – ✉ **84220** Gordes – ☎ 90.
Paris 721 – Apt 15 – Avignon 42 – Carpentras 30 – Cavaillon 21.

- **Mas des Herbes Blanches** Ⓜ, N 2,5 km sur D 102A ☎ 72.00.74, ≤ le Lubéron, ⛱, 🌳 – 📺 ☎ Ⓟ. AE
  fermé 1er déc. au 15 fév. – SC : **R** carte 130 à 180 – ☕ 30 – 14 ch 295/325.
- **Host. des Commandeurs,** ☎ 72.00.05, ≤ – wc ☎ Ⓟ
  fermé janv. et merc. – SC : **R** 45/70 – ☕ 10 – 12 ch 65/95 – P 130/145.

JOUÉ-LÈS-TOURS 37 I.-et-L. 64 ⑮ – rattaché à Tours.

JOUÉ-SUR-ERDRE 44 Loire-Atl. 63 ⑰ – 1 729 h. alt. 29 – ✉ **44440** Riaillé – ☎ 40.
Paris 357 – Ancenis 27 – Angers 70 – Chateaubriant 28 – •Nantes 36.

- **Aub. du Barrage,** ☎ 72.25.13, 🌳 – Ⓟ. GB
  fermé vacances de nov., de fév. sam. soir, dim. soir et merc. – SC : **R** 30/70.

JOUGNE 25 Doubs 70 ⑦ **G. Jura** – 858 h. alt. 1 010 – Sports d'hiver : 1 010/1 460 m 32 – ✉ **25370** Les Hôpitaux-Neufs – ☎ 81.
Paris 473 – •Besançon 77 – Champagnole 48 – Lausanne 47 – Morez 58 – Pontarlier 19.

- **Bonjour,** ☎ 89.10.45, ≤ – wc wc ☎ 🚗. ✂
  1er juin-25 sept. et 10 déc.-25 avril – SC : **R** 35/72 – ☕ 11,50 – 18 ch 56/110 – P 102/135.
- **Poste,** ☎ 89.12.37, ≤ – wc ☎. ✂ rest
  fermé 26 avril au 25 mai, 15 oct. au 16 déc. et lundi hors sais. – SC : **R** 38/100 – ☕ 11 – 15 ch 50/120 – P 90/130.
- **Au Col des Enchaux,** N 57 ☎ 89.10.75 – Ⓟ
  1er juin-15 oct. et 15 déc.-20 avril – SC : **R** 30 bc/65 – ☕ 10 – **17 ch** 45/80 – P 85/120.
- **Soléneige** sans rest, ☎ 89.12.40, ≤ – wc ☎ Ⓟ. ✂
  15 juin-30 sept. et 15 déc.-15 avril – SC : ☕ 10 – **14 ch** 46/65.
- **Deux Saisons,** ☎ 89.13.86, ≤ – wc wc ☎ 🚗 Ⓟ. ✂ rest
  1er juin-30 sept. et 18 déc.-25 avril – SC : **R** 31/60 – ☕ 11 – 21 ch 47/82 – P 95/120.
- **Suchet,** N 7 ☎ 89.10.38 – Ⓟ.
  fermé 5 au 20 juin et 15 sept. au 15 oct. – SC : **R** 27/53 – ☕ 9 – **16 ch** 38/78 – P 80/90.

JOYEUSE 07260 Ardèche 80 ⑧ **G. Vallée du Rhône** – 1 355 h. alt. 180 – ☎ 75.
Syndicat d'Initiative (fermé dim.) ☎ 39.52.80.
Paris 654 – Alès 52 – Mende 97 – Privas 52.

- **Les Cèdres** Ⓜ, ☎ 39.40.60, 🌳 – wc wc ☎ Ⓟ – 100. E
  1er avril-30 sept. – SC : **R** 32/65 – ☕ 10 – 40 ch 135 – P 150.

RENAULT Gar. Duplan, ☎ 39.43.91

JUAN-LES-PINS 06160 Alpes-Mar. 84 ⑨, 195 ㉟㊴㊵ **G. Côte d'Azur** – Casino B – 93.
Syndicat d'Initiative bd Ch.-Guillaumont (fermé sam. après-midi hors sais. et dim.) ☎ 61.04.98.
Paris 917 ② – Aix-en-Provence 160 ② – Cannes 9 ③ – •Nice 24 ①.

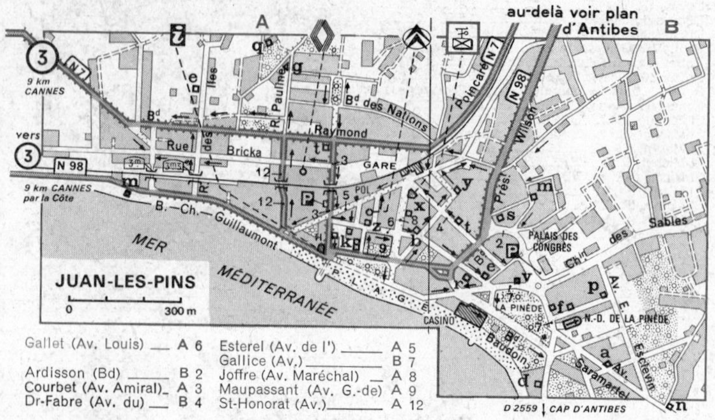

Gallet (Av. Louis) ...... A 6
Ardisson (Bd) ...... B 2
Courbet (Av. Amiral) ...... A 3
Dr-Fabre (Av. du) ...... B 4
Esterel (Av. de l') ...... A 5
Gallice (Av.) ...... B 7
Joffre (Av. Maréchal) ...... A 8
Maupassant (Av. G.-de) ...... A 9
St-Honorat (Av.) ...... A 12

Belles Rives, bd Baudoin ☎ 61.02.79, Télex 470984, ≤, – |‡| ch ☎. AE. rest — B **d**
10 avril-30 sept. – **R** carte 115 à 175 – **42 ch** 350/660 – P 550/650.

Juana et rest. La Terrasse, la Pinède av. G.-Gallice ☎ 61.08.70, Télex 470778, – |‡| ch TV ☎ P — B **f**
28 mars-31 oct. – **R** carte 155 à 210 – 42 ch (1/2 pens. seul.), 4 appartements
Spéc. Petite charlotte d'écrevisses, Filet d'agneau de Sisteron, Bûchette aux fruits. Vins Bandol, Bellet.

Hélios M, av. Dautheville ☎ 61.55.25, Télex 970906, avec snack – |‡| TV ☎. AE GB . rest — A **b**
15 mars-15 oct. – SC : **R** 130 – 70 ch (pens. seul.) – P 360/460.

Beauséjour, av. Saramartel ☎ 61.07.82, – |‡| P. AE . rest — B **n**
1er avril-30 sept. – SC : **R** 120 – **30 ch** 280/420 – P 320/420.

Parc et rest. la Tête d'Or, av. G.-de-Maupassant ☎ 61.01.16, – |‡| TV P – 25. AE GB . rest — A **k**
fermé 23 oct. au 25 déc. – SC : **R** *(fermé merc.)* 90/170 – 24 – 20 ch 230/400 – P 305/360.

Passy sans rest, 15 av. Louis-Gallet ☎ 61.11.09 – |‡| P — A **k**
15 janv.-15 oct. – SC : 15 – **36 ch** 180/320.

Welcome M sans rest, 7 av. Dr-Hochet ☎ 61.26.12, – |‡| P. AE GB E — B **y**
1er fév.-10 oct. – SC : 15,50 – **29 ch** 150/285.

Astoria, 15 av. Maréchal-Joffre ☎ 61.23.65, Télex 470800 – |‡| ☎ P. AE GB E. rest — A **x**
SC : **R** 60/75 – **50 ch** 180/320 – P 275/280.

Mimosas sans rest, r. Pauline ☎ 61.04.16, « Parc, beaux arbres », – wc wc P. — A **q**
15 mars-5 oct. – SC : **36 ch** 125/260.

Ste-Valérie, r. Oratoire ☎ 61.07.15, – TV wc wc . — B **p**
Pâques-15 oct. – SC : **R** 75 – 32 ch 180/320 – P 210/310.

Courbet sans rest, 33 av. Amiral-Courbet ☎ 61.15.94 – |‡| wc wc . AE — A **k**
12 avril-1er oct. – SC : **27 ch** 170/275.

Alexandra, r. Pauline ☎ 61.01.36, – wc wc . . — A **g**
26 mars-30 sept. – SC : **R** 55 – 12 – **20 ch** 60/200 – P 120/190.

Régence, 2 av. Amiral-Courbet ☎ 61.09.39 – wc wc . AE — A **t**
1er avril-30 sept. – SC : **R** 50/58 – 20 ch 130/165 – P 149/170.

Juan Beach, 5 r. Oratoire ☎ 61.02.89, – wc wc . — B **f**
15 mars-15 oct. – SC : **R** 50 – 10 – 30 ch 120/150 – P 150/180.

Pré Catelan, 22 av. Lauriers ☎ 61.05.11, – wc wc P. AE . — B **m**
15 janv.-31 oct. – SC : **R** 75 – 20 ch 130/200 – P 235/245.

Mexicana sans rest, 20 r. Dr-Dautheville ☎ 61.31.34 – wc . GB E — B **r**
fermé 15 déc. au 6 janv. – SC : **15 ch** 150.

Sarajan sans rest, 4 av. Palmiers ☎ 61.04.29 – wc wc P. — B **s**
1er fév.-15 oct. – SC : 12 – **18 ch** 120/170.

Emeraude, av. Saramartel ☎ 61.09.67 – wc wc. AE GB
mars-nov. – SC : **R** (dîner seul.) 55/80 – 12 – **22 ch** 60/250. B **a**

La Marjolaine sans rest, 15 av. Dr-Fabre ☎ 61.06.60 – wc B **t**
fermé 3 nov. au 15 déc. – SC : 16 ch 80/180.

Le King's, 5 av. Alexandre-III ☎ 61.21.00 – wc. A **k**
25 mars- 15 oct. – SC : **R** (dîner seul.) 40 – 16 ch (1/2 pens. seul.).

Central H. sans rest, 15 av. Dr-Dautheville ☎ 61.09.43 – wc B **e**
SC : **24 ch** 52/126.

Eden H. sans rest, 16 av. L.-Gallet ☎ 61.05.20 – wc A **z**
fermé 3 nov. au 14 déc. et 6 janv. au 9 fév. – SC : 10 – **17 ch** 70/150.

Esterel, 21 r. des Iles ☎ 61.08.67, – wc A **e**
fermé 1er nov. au 1er janv. – SC : **R** 35/55 – 12 – **16 ch** 120/180.

Bijou Plage, rte Bord-de-Mer ☎ 61.39.07, <, – . A **m**
fermé 20 oct. au 20 déc., lundi et soirs du 20 déc. à Pâques – SC : **R** 50/100, dîner à la carte.

Le Perroquet, av. G.-Gallice ☎ 61.02.20 B **v**
fermé 1er nov. au 15 déc. et merc. sauf juil. et août – SC : **R** 31/75.

CITROEN Gar. St-Charles, 6 r. St-Charles ☎ 61.08.16

FIAT, LANCIA-AUTOBIANCHI S.O.D.A., 45 bd Poincaré ☎ 61.03.36

JUJURIEUX 01 Ain 74 ③ – 1 511 h. alt. 243 – ✉ **01450** Poncin – 74.

Paris 454 – Belley 58 – Bourg-en-Bresse 28 – ♦Lyon 62 – Nantua 34 – Villefranche-sur-Saône 68.

Aub. du Bugey, ☎ 37.02.56 –
SC : **R** 26/90 – 7,50 – 10 ch 39/60 – P 70.

JULIÉNAS 69840 Rhône 74 ① **G. Vallée du Rhône** – 649 h. alt. 256 – 74.

Paris 411 – Bourg-en-Bresse 54 – ♦Lyon 65 – Mâcon 17 – Villefranche-sur-Saône 38.

Chez la Rose avec ch, pl. Marché ☎ 04.41.20 – . ch
fermé mardi – SC : **R** 34/65 – 9,50 – **12 ch** 40/82 – P 100/110.

Coq au Vin avec ch, pl. Marché ☎ 04.41.98 – .
fermé 15 janv. au 15 fév. et merc. – 7 ch.

JULIENRUPT 88 Vosges 62 ⑰ – rattaché au Tholy.

JULLOUVILLE 50610 Manche 59 ⑦ **G. Normandie** – 876 h. – 33.

Paris 341 – Avranches 22 – Granville 8 – St-Lô 64.

Casino, ☎ 61.82.82, < – wc wc – 80 à 150. GB.
30 avril-21 sept. – SC : **R** 67/100 – 13,50 – 57 ch 50/150 – P 136/184.

JUMIÈGES 76118 S.-Mar. 55 ⑤ **G. Normandie** – 1 474 h. alt. 10 – 35.

Voir Ruines de l'abbaye*** – **Bacs de Jumièges** ☎ 91.84.23 ; de Mesnil-sous-Jumièges ☎ 91.84.68 ; de Yainville ☎ 91.81.06.

Paris 167 – Caudebec-en-Caux 15 – ♦Rouen 28.

JUNGHOLTZ 68 H.-Rhin 66 ⑨ – rattaché à Guebwiller.

JURANCON 64 Pyr.-Atl. 85 ⑥ – rattaché à Pau.

JUVIGNY-SOUS-ANDAINE 61 Orne 60 ① – 1 030 h. alt. 200 – ✉ **61140** Bagnoles-de-l'Orne – 33.

Paris 242 – Alençon 50 – Argentan 49 – Bagnoles-de-l'Orne 9,5 – Domfront 11 – Mayenne 38.

Forêt, ☎ 38.11.77 –
SC : **R** 30/50 – 8 – **30 ch** 43/60 – P 75/85.

Au Bon Accueil avec ch, ☎ 38.10.04 – . ch
fermé fév., mardi soir et merc. d'oct. à avril – SC : **R** 34/100 – 9,50 – **10 ch** 42/45 – P 82.

KAYSERSBERG 68240 H.-Rhin 62 ⑱ **G. Vosges** (plan) – 2 960 h. alt. 242 – 89.

Voir Église* : retable** – Hôtel de ville* – Pont fortifié* – Maison Brief*.

Office du Tourisme à l'Hôtel de Ville (fermé sam. et dim. sauf juil. et août) ☎ 47.10.16.

Paris 433 – Colmar 11 – Gérardmer 52 – Guebwiller 35 – Munster 26 – St-Dié 46 – Sélestat 26.

Remparts M sans rest, ☎ 47.12.12, <, – TV wc . AE.
SC : 12 – **23 ch** 90/155.

Château, r. Gén.-de-Gaulle ☎ 47.12.72 – . ch
fermé 13 nov. au 20 déc. et jeudi – SC : **R** 36/90 – 10 – **12 ch** 45/70.

XXX ⊛ **Chambard** (Irrmann) (ch. prévues), r. Gén.-de-Gaulle ☎ 47.10.17 – ⓓ
fermé 1er au 21 mars, dim. soir et lundi sauf fériés – **R** 70/160
Spéc. Foie gras frais en boudin, Blanc de Turbot au gingembre, Mousse Chambard. Vins Riesling, Tokay.

XX **Lion d'Or,** r. Gén.-de-Gaulle ☎ 47.11.16, « Beau décor intérieur »
fermé 15 janv. à début mars, mardi soir et merc. – SC : **R** 55/120 ₰.

X **Arbre vert** avec ch, r. Haute-du-Rempart ☎ 47.11.51 – wc ☎. ⚘
fermé 1er au 15 nov. et 15 au 28 fév. – SC : **R** *(fermé lundi)* 45/80 – ☕ 12 – 24 ch 50/130.

à Kientzheim E : 3 km par D 28 – ✉ **68240** Kaysersberg.
Voir Pierres tombales★ dans l'église.

Host. Abbaye d'Alspach Ⓜ, ☎ 47.16.00 – wc wc ☎ Ⓟ. ⚘ ch
fermé janv. – SC : **R** *(fermé merc.)* (dîner seul.) carte environ 55 ₰ – ☕ 10 – **20 ch** 75/120.

XX **Host. Schwendi** avec ch, ☎ 47.30.50 – wc wc ☎. E
fermé 15 mars au 1er avril, 15 nov. au 1er déc., mardi soir et merc. – SC : **R** 40/80 – ☕ 10 – 7 ch 100.

TALBOT Hiltenfinck, ☎ 47.10.01

KERFANY-LES-PINS 29 Finistère 58 ⑪ – rattaché à Moëlan.

KERJOUANNO 56 Morbihan 63 ⑫ – rattaché à Port-Navalo.

KERPAPE 56 Morbihan 63 ① – rattaché à Larmor-Plage.

KERSAINT 29 Finistère 58 ③ – rattaché à Ploudalmézeau.

KESKASTEL 67 B.-Rhin 57 ⑯⑰ – 1 297 h. alt. 214 – ✉ **67260** Sarre-Union – ⚙ 88.
Paris 404 – ♦Metz 78 – St-Avold 41 – Sarreguemines 19 – ♦Strasbourg 86.

Franco-Suisse, ☎ 00.10.41, – wc wc ☎ Ⓟ.
fermé lundi – **R** 45/95 ₰ – ☕ 10 – **12 ch** 60/110 – P 110/160.

KIENTZHEIM 68 B.-Rhin 62 ⑱⑲ – rattaché à Kaysersberg.

KREUZWEG (Col du) 67 B.-Rhin 62 ⑧⑨ – rattaché à Hohwald.

LABALME 01 Ain 74 ④ – rattaché à Cerdon.

LABAROCHE 68910 H.-Rhin 62 ⑱ – 1 204 h. alt. 750 – ⚙ 89.
Paris 439 – Colmar 14 – Gérardmer 51 – Munster 25 – St-Dié 52.

Tilleul Ⓜ ⛰, ☎ 49.84.46, ← – |$| wc wc ☎ Ⓟ. . ⚘ ch
fermé janv. – **R** 35/45 ₰ – ☕ 9 – **14 ch** 90 – P 110.

Aub. La Rochette ⛰, ☎ 49.80.40, ←, – Ⓟ. . ⚘ ch
fermé janv. et merc. hors sais. – **R** 38/70 ₰ – 8 ch (pens. seul.) – P 85/95.

PEUGEOT Gar. Girard, à Correaux ☎ 49.82.68 RENAULT Munier, ☎ 49.80.52
N ☎ 49.82.76

LABARTHE-INARD 31 H.-Gar. 86 ② – 590 h. alt. 326 – ✉ **31800** St-Gaudens – ⚙ 61.
Paris 787 – Boussens 15 – St-Gaudens 9,5 – St-Girons 34 – ♦Toulouse 81.

Host. du Parc Ⓜ, N 117 ☎ 89.08.21, – wc ☎ Ⓟ. GB
fermé 10 janv. à fin fév. et lundi du 1er oct. à fin juin sauf fêtes – **R** 30/85 ₰ – ☕ 9,50 – **14 ch** 70/90.

La Tuilière, N 117 ☎ 89.08.51, – wc ☎ Ⓟ – 40. AE GB
SC : **R** 30/90 ₰ – ☕ 14 – **20 ch** 80/110 – P 110/135.

LABARTHE-SUR-LÈZE 31 Hte-Gar. 82 ⑱ – 2 096 h. – ✉ **31120** Portet-sur-Garonne.
Paris 726 – Muret 82 – Pamiers 45 – ♦Toulouse 20.

XX **Poêlon,** ☎ 08.68.49 – GB
fermé août, 4 au 11 janv., dim. soir, mardi midi et lundi – SC : **R** 75/95.

LABASTIDE-D'ARMAGNAC 40240 Landes 79 ⑫ – 809 h. alt. 94 – ⚙ 58.
Paris 680 – Aire-sur-l'Adour 35 – Auch 81 – ♦Bordeaux 119 – Casteljaloux 46 – Mont-de-Marsan 29.

Loubère ☎ 44.81.03 – Ⓟ. ⚘
fermé lundi – **R** 35/65 ₰ – ☕ 6 – **10 ch** 35/65 – P 65/90.

LABATUT 40 Landes 78 ⑦ – 1 003 h. alt. 46 – ✉ **40300** Peyrehorade – 58.

Paris 739 – •Bayonne 46 – Dax 27 – Mont-de-Marsan 73 – Orthez 20 – Sauveterre-de-Béarn 22.

Paris Gascogne, N 117 ☎ 98.18.26 – Ⓟ.
fermé 12 oct. au 5 nov. et lundi – SC : **R** 28/76 – ☕ 8,50 – 7 ch 45/64 – P 90.

LABÉGUDE 07 Ardèche 76 ⑱⑲ – rattaché à Vals-les-Bains.

LABLACHÈRE 07230 Ardèche 80 ⑧ – 1 340 h. alt. 256 – 75.

Syndicat d'Initiative à la Mairie (fermé après-midi, sam. et dim.) ☎ 36.65.72.

Paris 657 – Alès 49 – Mende 94 – Privas 55 – Pont-St-Esprit 71.

Le Commerce, ☎ 36.61.80 – E. ch
fermé 20 déc. au 1er fév. – SC : **R** 40/65 – ☕ 9 – 20 ch 45/65 – P 82/95.

à Pazanan S : 5 km par D 104 – ✉ **07230** Lablachère :

Table du Chevalier, ☎ 39.31.82 – Ⓟ
fermé sept. et sam. – SC : **R** 35/60.

à Maison-Neuve S : 8 km 5 par D 104 – ✉ **07230** Lablachère :

Relais de la Vignasse, ☎ 39.31.91, ← – wc wc Ⓟ. rest
1er mars-5 oct., vac. scol. et week-ends hors sais. – SC : **R** 50/120 – ☕ 14 – 15 ch 90/190 – P 150/180.

LABOUHEYRE 40210 Landes 78 ④ – 2 649 h. alt. 70 – 58.

Paris 642 – Biscarrosse 37 – •Bordeaux 78 – Castets 42 – Mimizan 28 – Mont-de-Marsan 53.

Unic M, rte de Bordeaux ☎ 07.00.55 – Ⓟ.
fermé janv. et merc. – **R** 35/90 – ☕ 15 – 9 ch 110/132.

AUDI-VOLKSWAGEN, MERCEDES-BENZ Gar. Lafargue, ☎ 07.00.41
CITROEN Daymard-automobile, ☎ 07.00.19
PEUGEOT Sentaurens, ☎ 07.01.12

LAC voir au nom propre du lac.

LACANAU-OCÉAN 33680 Gironde 71 ⑱ **G. Côte de l'Atlantique** – 56.

Voir Étang de Lacanau* E : 5 km.

18 ☎ 60.25.60, E : 2 km.

Office de Tourisme pl. Europe (fermé dim. hors saison) ☎ 60.21.01.

Paris 615 – Andernos-les-Bains 42 – Arcachon 83 – •Bordeaux 59 – Lesparre-Médoc 52.

Étoile d'Argent, ☎ 60.21.07, – wc Ⓟ.
fermé nov., déc. et lundi – SC : **R** 28/65 – ☕ 9 – 19 ch 50/95 – P 120/150.

au Moutchic E : 5,5 km par D 6 – ✉ **33680** Lacanau :

Le Moutchico avec ch, ☎ 60.00.05, ← – .
1er fév.-31 oct. et fermé merc. sauf été – SC : **R** 50/100 – ☕ 10 – 10 ch 40/85 – P 100/140.

PEUGEOT Barre, ☎ 60.03.07
PEUGEOT Lasserre, rte de Carcans ☎ 60.02.19
RENAULT Brun J.-Pierre, ☎ 60.20.12
RENAULT Brun Philippe, à Lacanau-Médoc ☎ 60.02.10

LACAPELLE-BARRÈS 15 Cantal 76 ⑬ – 110 h. alt. 1 000 – ✉ **15230** Pierrefort – 71.

Paris 545 – Aurillac 42 – Entraygues-sur-Truyère 49 – Murat 52 – Raulhac 11 – St-Flour 55.

Nord, ☎ 73.40.44, . rest
1er mai-1er déc. – SC : **R** 28/45 – ☕ 9 – 13 ch 40/45 – P 75/80.

LACAPELLE-MARIVAL 46120 Lot 75 ⑲⑳ **G. Périgord** – 1 356 h. alt. 400 – 65.

Syndicat d'Initiative Château (1er juil.-31 août, fermé dim. après-midi) ☎ 40.81.11.

Paris 567 – Aurillac 82 – Cahors 66 – Figeac 21 – Gramat 20 – Rocamadour 31 – Tulle 82.

Terrasse, ☎ 40.80.07 – wc . AE. rest
fermé 20 déc. au 1er fév. et sam. du 1er oct. au 1er avril – SC : **R** 38/110 – ☕ 11 – 20 ch 60/100 – P 100/120.

PEUGEOT Poncie, ☎ 40.81.50

Die im Michelin-Führer
verwendeten Zeichen und Symbole haben – **fett** oder dünn gedruckt, in rot oder schwarz – jeweils eine andere Bedeutung.
Lesen Sie daher die Erklärungen (S. 37 - 44) aufmerksam durch.

41 ch – **28 ch**

LACAUNE 81230 Tarn 83 ③ **G. Causses** – 3 532 h. alt. 800 – Casino – 63.

Syndicat d'Initiative pl. Esplanade (1er juil.-31 août) 37.00.18.

Paris 708 – Albi 68 – Béziers 86 – Castres 47 – Lodève 84 – Millau 78 – ♦Montpellier 126.

- **H. Fusiès,** r. République 37.02.03 – wc wc – 35. AE GB E *fermé 21 déc. au 21 janv.* – SC : **R** 43/150 – 11 – 70 ch 38/120 – P 115/150.
- **Glacier,** pl. Vierge 37.03.28 – . GB. ch *fermé 21 janv. au 21 fév. et vend. soir d'oct. à Pâques* – SC : **R** 36/110 – 9 – 23 ch 45/110 – P 90/100.

CITROEN Milhau, 37.06.08
PEUGEOT Gar. Rouquette R., 37.01.71
RENAULT Central-Gar., 37.03.30
TALBOT Gar. Moderne, 37.00.16 N
Lacaune-Pneus, 37.00.80

LACAVE 46 Lot 75 ⑱ – 270 h. alt. 103 – ✉ **46200** Souillac – 65.

Voir Grottes★ – Château de la Treyne★ O : 3 km – Site★ du château de Belcastel O : 2,5 km, **G. Périgord.**

Paris 538 – Brive-La-Gaillarde 49 – Cahors 63 – Gourdon 26 – Rocamadour 10 – Sarlat-La-Canéda 41.

- **Grottes,** 37.87.06, ← – wc . *29 mars-31 oct.* – SC : **R** 30/45 – 9.50 – **18 ch** 40/60 – P 80/90.
- XX **Pont de l'Ouysse** avec ch, 37.87.04, ← – wc E *1er mars-1er nov. et fermé lundi* – SC : **R** 35/80 – 9 – **12 ch** 38/100 – P 81/150.

LACOURTENSOURT 31 H.-Gar. 82 ⑧ – rattaché à Toulouse.

LACQ 64 Pyr.-Atl. 85 ⑥ **G. Pyrénées** – 748 h. alt. 117 – ✉ **64170** Artix.

Voir Exploitation de gisements de gaz naturel.

Paris 748 – Aire-sur-L'Adour 57 – Oloron-Ste-M. 33 – Orthez 16 – Pau 25 – St-Jean-Pied-de-Port 86.

LACROIX-FALGARDE 31 H.-Gar. 82 ⑱ – rattaché à Toulouse.

LACROUZETTE 81 Tarn 83 ① – 1 862 h. alt. 480 – ✉ **81210** Roquecourbe – 63.

Paris 747 – Albi 58 – Castres 16 – Lacaune 40 – Montredon-Labessonnie 19 – Vabre 15.

- **Relais du Sidobre,** 50.60.06 – wc wc – 40. AE GB E SC : **R** *(fermé mardi hors sais.)* 38/70 – 9 – **20 ch** 45/105 – P 100/120.

LADON 45 Loiret 61 ⑪ – 869 h. alt. 91 – ✉ **45270** Bellegarde – 38.

Paris 111 – Châteauneuf-sur-Loire 30 – Gien 43 – Montargis 16 – ♦Orléans 55 – Pithiviers 29.

- **Cheval Blanc,** 95.51.79 – *fermé lundi* – SC : **R** 25/55 – 7 – 9 ch 40/65.

CITROEN Gar. Central, 95.50.11
RENAULT Bossard, 95.51.87
TALBOT Gar. du Parc, 95.50.13 N

LAFFREY 38 Isère 77 ⑤ **G. Alpes** – 198 h. alt. 910 – ✉ **38220** Vizille – 76.

Voir Prairie de la Rencontre★ (monument Napoléon) au Sud – ←★ de la chapelle du Sapey NE : 4 km puis 15 mn.

Paris 588 – ♦Grenoble 24 – La Mure 14 – Vizille 7,5.

- XX **Humblot** avec ch, 68.14.18, parc – *fermé 2 au 15 déc., mardi soir et merc.* – SC : **R** 32/48 – 8 – 14 ch 41/55 – P 80/85.
- XX **Parc** avec ch, 68.12.98, parc – . *fermé oct., mardi soir et merc., du 1er nov. au 1er mars hôtel fermé sauf vacances scolaires* – SC : **R** 25/55 – 8 – 11 ch 42/75 – P 80/85.

TALBOT Bonnier, 68.12.72

LAGNY-SUR-MARNE 77400 S.-et-M. 56 ⑫, 101 ⑳ **G. Environs de Paris** – 16 874 h. alt. 44 – 6.

Voir Galerie★ du château de Guermantes S : 3 km par D 35 AZ.

Office de Tourisme cours Abbaye (fermé dim. et lundi) 430.68.77.

Paris 33 ④ – Meaux 21 ② – Melun 39 ④ – Provins 59 ③ – Senlis 51 ①.

Plan page ci-contre

à Thorigny – 7 161 h. – ✉ **77400** Lagny :

- XX **St-Martin,** 6 r. Gare 430.00.55 – . AE GB AY **e** *fermé 14 juil. au 15 août, dim. soir et lundi* – **R** 53 (carte le dim.) .

CITROEN Yvois, 15 r. Gambetta 430.02.61
FORD Gar. Jamin, 34 av. Gén.-Leclerc 430.02.90 N
PEUGEOT Métin, 2 av. du Gén.-Leclerc, Pomponne 430.30.30
TALBOT Queillé, 34 r. J.-Le-Paire 430.06.74
La Centrale du Pneu, 13 r. Pont-Hardi 430.01.18

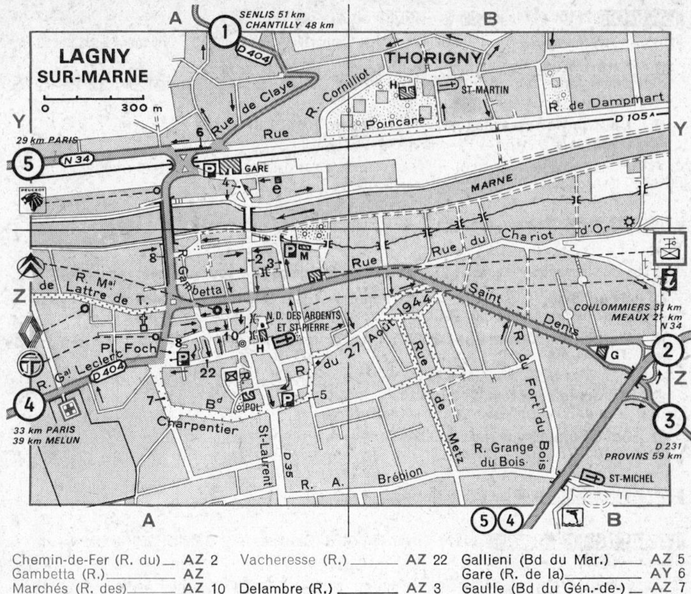

Chemin-de-Fer (R. du) AZ 2	Vacheresse (R.) AZ 22	Gallieni (Bd du Mar.) AZ 5
Gambetta (R.) AZ		Gare (R. de la) AY 6
Marchés (R. des) AZ 10	Delambre (R.) AZ 3	Gaulle (Bd du Gén.-de-) AZ 7
St-Denis (R.) BZ	Foch (R. Mar.) AY 4	Le-Paire (R. J.) AZ 8

LAGUIAN 32 Gers 85 ⑨ – 217 h. alt. 320 – ✉ **32170** Miélan – ✪ 62.

Voir Puntous de Laguian ✲★★ O : 2 km, **G. Pyrénées.**

Paris 758 – Aire-sur-l'A. 63 – Auch 44 – Lannemezan 49 – Mirande 19 – St-Gaudens 78 – Tarbes 29.

XX **Host. des Puntous,** O : 1,5 km ☎ 67.52.51, ← – 🅿
fermé 20 oct. au 20 nov. et mardi – SC : **R** 30/80 ⅌.

LAGUIOLE **12210** Aveyron 76 ⑬ **G. Auvergne** – 1 320 h. alt. 1 004 – Sports d'hiver : 1 004/1 400 m ⛷9, ⛷ – ✪ 65.

Voir Eglise ✲★.

Paris 553 – Aurillac 82 – Espalion 24 – Mende 85 – Rodez 56 – St-Flour 64.

Gd Hôtel Auguy, ☎ 44.31.11 – wc ☎ 🅿 – 25. GB
fermé 1er nov. au 15 déc. – SC : **R** 45/70 – ☕ 9 – **35 ch** 35/100 – P 100/135.

Régis, ☎ 44.30.05 – wc ☎.
fermé 2 nov. au 20 déc. et vend. – SC : **R** 40/46 ⅌ – ☕ 10 – 15 ch 76/100 – P 110/120.

XX Lou Mazuc avec ch, ☎ 44.32.24 – wc ☎.
1er avril-15 oct., vacances de fév. et fermé 9 au 14 juin, dim. soir et lundi sauf juil. et août – SC : **R** 40/140 ⅌ – 14 ch.

à Soulages-Bonneval E : 5 km par D 541 – ✉ **12210** Laguiole :

Aub. du Moulin ⛰, ☎ 44.32.36, ←, – 🅿
fermé janv. – SC : **R** *(fermé dim. de Noël à Pâques)* 28/45 ⅌ – ☕ 9 – 12 ch 43/63 – P 86/94.

CITROEN Gar. Charles, ☎ 44.34.40 — RENAULT Gar. Troussillie, ☎ 44.32.21 N

LALACELLE 61 Orne 60 ② – 350 h. alt. 272 – ✉ **61320** Carrouges – ✪ 33.

Voir Mont des Avaloirs ✲★ S : 4 km, **G. Normandie.**

Paris 211 – Alençon 19 – Argentan 35 – Carrouges 12 – Domfront 42 – Falaise 57 – Mayenne 42.

XX **La Lentillère** avec ch, E : 1,5 km sur N 12 ☎ 27.38.48, – ☎ 🅿 – 40 à 80. GB E
fermé fév., dim. soir et lundi hors sais. – SC : **R** 29/70 – ☕ 8,50 – 9 ch 45/70 – P 65/85.

LALEVADE-D'ARDÈCHE 07 Ardèche 76 ⑱ – rattaché à Vals-les-Bains.

LALINDE 24150 Dordogne 75 ⑮ – 3 070 h. alt. 46 – 53.

Paris 574 – Bergerac 22 – Brive-La-Gaillarde 99 – Cahors 89 – Périgueux 59 – Villeneuve-sur-Lot 60.

Château , r. Verdun ☎ 61.01.82, ≤ – wc. GB
fermé janv., dim. soir et lundi du 1er oct. au 30 mars – SC : **R** 45/120 – 12 – 9 ch 55/100 – P 120/140.

La Résidence sans rest, r. Prof.-Testut ☎ **61.01.81** – wc wc
Pâques-1er nov. – SC : 9 – **11 ch** 48/90.

CITROEN Groupierre, ☎ 61.03.67
PEUGEOT Arbaudie, ☎ 61.00.22
RENAULT Vergnolles, ☎ 61.01.92

LALOUVESC 07520 Ardèche 76 ⑨ **G. Vallée du Rhône** – 470 h. alt. 1 050 – 75.

Voir ✲★.

Paris 558 – Annonay 25 – Lamastre 27 – Privas 83 – St-Agrève 31 – Tournon 42 – Yssingeaux 43.

Beau Site, ☎ 33.47.02, ≤ montagnes – wc wc . rest
Pâques-fin sept. – SC : **R** 34/85 – 12 – 33 ch 50/106 – P 110/148.

Relais du Monarque, ☎ 33.50.10, ≤ montagnes, – wc – 50.
1er juin-1er oct. – SC : **R** 35/80 – 11 – 33 ch 45/115 – P 110/160.

Vivarais sans rest, ☎ 33.46.10 – . GB
1er mai-30 sept. – SC : 10 – **14 ch** 40/70.

Beau Séjour sans rest, ☎ 33.49.34 – .
1er juil.-15 sept. – **37 ch**.

LAMAGDELAINE 46 Lot 79 ⑧ – rattaché à Cahors.

LAMALOU-LES-BAINS 34240 Hérault 83 ④ **G. Causses** – 2 787 h. alt. 200 – Stat. therm. – Casino – 67.

Office de Tourisme av. Charcot (fermé sam. après-midi et dim. hors sais.) ☎ 95.64.17.

Paris 868 – Béziers 40 – Lacaune 54 – Lodève 38 – ♦Montpellier 80 – St-Affrique 79 – St-Pons 37.

Gd H. Mas, ☎ 95.62.22, parc, – wc wc – 80.
15 avril-31 oct. – SC : **R** 30/80 – 10,50 – **40 ch** 70/135 – P 105/150.

Belleville, av. Charcot ☎ 95.61.09, – wc wc . GB
SC : **R** 30/95 – 9,50 – **44 ch** 55/150 – P 120/160.

Paix , près Centre Thermal ☎ 95.63.11 – wc
sais. – 28 ch.

Commerce, ☎ 95.63.14 – wc wc
fermé 2 janv. et 28 fév. – SC : **R** 27/75 – 8,50 – **24 ch** 38/80 – P 100/138.

aux Aires E : 4 km par D 160 – ✉ **34240** Lamalou-les-Bains

Grange, ☎ 95.68.45
fermé 15 janv. au 15 fév., lundi et le soir sauf sam. du 15 oct. au 15 juin – SC : **R** 35/59 .

PEUGEOT Gd Gar. des Cévennes, ☎ 95.64.22
RENAULT Vaissière, ☎ 95.64.55

LAMASTRE 07270 Ardèche 76 ⑲ **G. Vallée du Rhône** – 3 058 h. alt. 373 – 75.

Env. Ruines du château de Rochebloine ≤★★ 12 km par ⑥ puis 15 mn.

Syndicat d'Initiative pl. Rampon (juil.-août) ☎ 06.41.92.

Paris 582 ① – Privas 56 ③ – Le Puy 73 ⑤ – ♦St-Étienne 94 ⑤ – Valence 40 ② – Vienne 91 ①.

✲ **Midi** (Perrier), pl. Seignobos **(e)** ☎ 06.41.50, Cour fleurie – wc wc – 25. ch
1er mars-15 déc., fermé dim. soir et lundi midi sauf juil. et août – SC : **R** 120/225 – 18 – 22 ch 65/180 – P 150/225
Spéc. Pains d'écrevisses sauce cardinal, Salade tiède au foie de canard, Escalope de turbot aux morilles. **Vins** St-Péray, Hermitage.

Commerce, pl. Rampon **(u)** ☎ 06.41.53, – wc wc . AE GB . rest
fermé 15 nov. au 15 janv. – SC : **R** 36/120 – 14 – **24 ch** 47/140 – P 115/146.

Négociants, pl. Rampon **(t)** ☎ 06.41.34, – wc wc .
fermé 15 déc. au 1er mars, dim. soir et lundi du 15 oct. au 15 déc. – SC : **R** 33/80 – 9 – 30 ch 55/110 – P 95/120.

LAMASTRE
Bancel (R. D.) 2
Charras (R. F.) 3
Descours (Av.) 4
Serres (Av. O.-de) 5

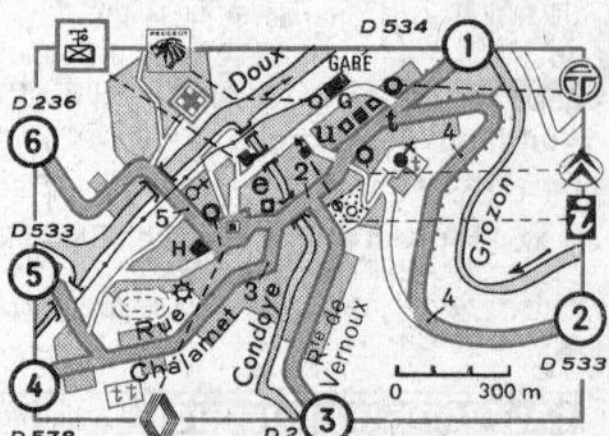

à Desaignes NO : 7 km par ⑤ – ✉ 07570 Desaignes :

Voyageurs, ☎ 06.61.48, ≤, ✂ – 🚗 Ⓟ. ✂ rest
15 mars-15 sept. – SC : **R** 35/65 – ☐ 8,50 – 20 ch 48/60 – P 83/91.

CITROEN Gar.Moderne, ☎ 06.44.24
FIAT Gar. Julien, ☎ 06.42.51
FORD Ferraton, ☎ 06.41.56
PEUGEOT Rugani, ☎ 06.42.20
RENAULT Chareyre-Autos, ☎ 06.43.32
TALBOT Traversier, ☎ 06.42.12 N

LAMBALLE 22400 C.-du-N. 59 ④⑭ **G. Bretagne** – 5 538 h. alt. 55 – ✪ 96 – **Voir Haras★.**

i Syndicat d'Initiative 2 pl. Martray (1er juin-15 sept., et fermé dim. après-midi) ☎ 31.05.38.

Paris 430 ③ – Dinan 40 ③ – Pontivy 63 ④ – Redon 114 ③ – ♦Rennes 81 ③ – St-Brieuc 21 ④ – St-Malo 55 ② – Vannes 105 ④.

LAMBALLE

Cartel (R. Ch.) 6
Martrai (Pl. du) 19
Val (R. du) 25

Augustins (R. des) 2
Beloir (Pl. du) 3
Boucouets (R. des) 4
Bouin (R. de) 5
Champ-de-Foire 8
Dr-A.-Calmette (R. du) 9
Dr-Lavergne (R.) 10
Hurel (R. du Bg) 12
Jeu de Paume (R. du) 13
Jobert (Bd A.) 14
Langevin (R. P.) 15
Marché (Pl. du) 18
N.-Dame (R. et ⊕) 20
St-Jean (R. et ⊕) 22
St-Martin (⊕) 23

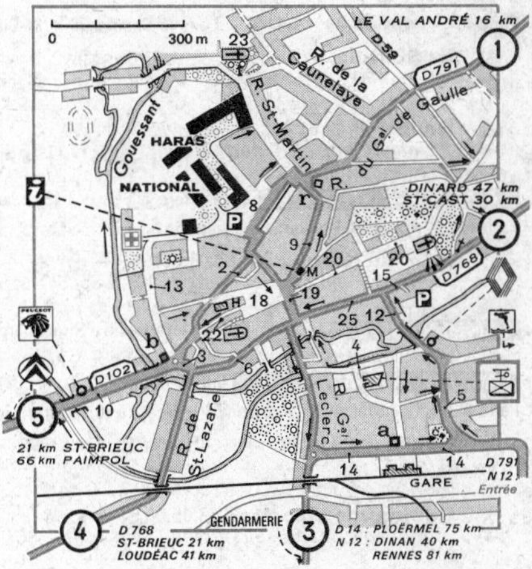

Ne cherchez pas au hasard un hôtel agréable et tranquille, mais consultez les cartes p. 46 à 53.

Angleterre M, 29 bd Jobert **(a)** ☎ 31.00.16 – ▯ ⇔wc ⋒wc ☎ 🚗. AE GB ⓓ E
SC : **R** *(fermé 7 nov. au 7 déc., dim. soir et lundi midi hors sais.)* 45/105 ♁ – ☐ 15 – 22 ch 95/130.

A la Porte St-Martin, 12 r. Porte-St-Martin **(r)** ☎ 31.02.08
fermé 25 avril au 7 mai, 12 sept. au 12 oct., vend. soir et dim. soir hors sais. – SC : **R** 32/44 ♁ – ☐ 9,50 – 16 ch 35/75 – P 80/90.

La Tour d'Argent avec ch, 2 r. Dr-Lavergne **(b)** ☎ 31.01.37 – ⇔wc ⋒wc ☎. GB. ✂ ch
fermé 10 au 31 oct. – SC : **R** *(fermé sam. sauf juil. et août)* 32/75 ♁ – ☐ 10 – **31 ch** 50/120 – P 100/140.

à Plestan par ③ et N 12 : 9 km – ✉ 22640 Plenée-Jugon :

Grill les Landes, ☎ 31.15.00 – Ⓟ. GB
fermé 1er au 18 sept., 10 au 20 fév., mardi soir et merc. – SC : **R** 40/75.

CITROEN Armor-Auto, Zone Ind. ☎ 31.04.32 N ☎ 31.05.48
PEUGEOT Léna, r. Dr-Lavergne ☎ 31.01.40
RENAULT Le Moal et Poirier, 1 r. Bouin ☎ 31.02.83
⊛ Andrieux Pneus, rte de St-Brieuc ☎ 31.05.33
Desserrey-Pneus, rte de Dinard ☎ 31.03.11

LAMBESC 13410 B.-du-R. 84 ② **G. Provence** – 4 334 h. – ✪ 42.

Paris 731 – Aix-en-Provence 21 – Apt 38 – Cavaillon 30 – ♦Marseille 51.

Moulin de Tante Yvonne, r. Raspail ☎ 28.02.46, « Ancien moulin à huile du 15e s. »
fermé 15 juil. au 20 août, lundi et mardi – SC : **R** (prévenir) carte environ 130.

LAMOTTE-BEUVRON 41600 L.-et-Ch. 64 ⑨ – 4 534 h. alt. 114 – ✪ 54.

Paris 165 – Blois 59 – Gien 57 – ♦Orléans 36 – Romorantin-Lanthenay 40 – Salbris 20.

Tatin, av. Vierzon ☎ 88.00.03 – ⋒ Ⓟ.
fermé 15 janv. au 15 mars et lundi – SC : **R** 40/110 – ☐ 10 – 15 ch 40/55 – P 90/100.

Monarque, av. H.-de-Ville ☎ 88.04.47 – ⋒wc Ⓟ. GB
fermé 16 au 31 août, fév. et merc. – SC : **R** 46/115 – ☐ 12 – 13 ch 55/102 – P 120/132.

XX **Host de la Cloche** avec ch, av. République ☎ 88.02.20 – Ⓟ. GB
fermé lundi soir et mardi – SC : **R** 36/70 – ☐ 8,50 – 8 ch 20/28.

à ***Rabot*** NO : 8 km par N 20 – ✉ **41600** Lamotte-Beuvron :

Motel des Bruyères, N 20 ☎ 88.05.70, – TV ⇔wc ⋒wc ☎ ♿ Ⓟ – 60. GB ⓓ
SC : **R** 40/60 ♂ – ☐ 13 – **38 ch** 52/140.

CITROEN Germain, ☎ 88.04.49 Gar. Gorin, ☎ 88.00.21
PEUGEOT Labé, ☎ 88.03.54

LAMOURA 39 Jura 70 ⑮ – 333 h. alt. 1 156 – Sports d'hiver : 1 156/1 480 m ≴6 – ✉ **39310** Septmoncel – ☎ 84.

Paris 484 – •Genève 48 – Gex 31 – Lons-le-Saunier 78 – St-Claude 17.

La Spatule, ☎ 42.60.23, ≤ – ⇔wc ⋒wc ☎ Ⓟ. ✻
1er juin-30 sept. et 10 déc.-26 avril – SC : **R** 30/72 – ☐ 10 – **25 ch** 50/100 – P 105/130.

Dalloz, ☎ 42.61.45, ≤ – ⇔wc ⋒ ☎. ✻ ch
20 mai-1er oct. et 10 déc.-20 avril – SC : **R** 30/75 – ☐ 10 – **27 ch** 45/95 – P 90/120.

LAMPAUL-PLOUARZEL 29 Finistère 58 ③ – 1 482 h. alt. 33 – ✉ **29229** Plouarzel – ☎ 98.

Paris 612 – •Brest 24 – Ploudalmézeau 15.

XX **Aub. du Kruguel,** ☎ 84.01.66, – Ⓟ. ✻
fermé fév., dim. soir et merc. – SC : **R** 85/130.

LAMPERTHEIM 67 B.-Rhin 62 ⑩ – rattaché à Strasbourg.

LAMURE-SUR-AZERGUES 69870 Rhône 73 ⑨ – 1 051 h. alt. 385 – ☎ 74.

Paris 449 – Chauffailles 26 – •Lyon 52 – Roanne 56 – Tarare 36 – Villefranche-sur-Saône 30.

Ravel, ☎ 03.04.72, – ⋒ Ⓟ. GB
fermé 12 au 30 nov. et vend. de nov. à mars – SC : **R** 30/100 – ☐ 9 – 10 ch 45/60 – P 75/85.

X **Commerce** avec ch, ☎ 03.05.00 – . ✻ ch
fermé janv., mardi soir et merc. sauf août – SC : **R** 28/60 ♂ – ☐ 12 – **10 ch** 50/60 – P 90.

LANCIEUX 22770 C.-du-N. 59 ⑤ **G. Bretagne** – 1 084 h. – ☎ 96.

Paris 378 – Dinan 21 – Dol-de-Bretagne 32 – Lamballe 40 – St-Brieuc 60 – St-Cast 19 – St-Malo 18.

Mer, r. Plage ☎ 86.22.07 – Ⓟ. ✻
SC : **R** *(fermé dim. en hiver)* 28/80 – ☐ 9,50 – **13 ch** 45/95 – P 90/100.

RENAULT Jégu, ☎ 86.25.17 N ☎ 86.26.17

LANÇON-PROVENCE 13 B.-du-R. 84 ② – rattaché à Salon-de-Provence.

LANCRANS 01 Ain 74 ⑤ – rattaché à Bellegarde-sur-Valserine.

LANDÉAN 35 I.-et-V. 59 ⑱ – rattaché à Fougères.

LANDERNEAU 29220 Finistère 58 ⑤ **G. Bretagne** – 15 660 h. alt. 21 – ☎ 98.

Voir Enclos paroissial★ de Pencrau S : 3,5 km Z.

18 d'Iroise ☎ 85.16.17 SE : 5 km par r. de Daoulas Z.

Office de Tourisme quai Léon (15 juin-15 sept., fermé sam. après-midi, dim. et lundi matin) ☎ 85.13.09.

Paris 572 ① – •Brest 20 ④ – Carhaix-Plouguer 78 ③ – Morlaix 38 ① – Quimper 62 ③.

Plan page ci-contre

Miossec sans rest, 13 r. Commerce ☎ 85.10.36 – ⋒ YZ **a**
SC : ☐ 9 – **13 ch** 40/60.

XXX **Clos du Pontic** avec ch, r. Pontic ☎ 85.50.91, – ⇔wc ⋒wc ☎ Ⓟ. GB E Z **y**
SC : **R** *(fermé 9 au 24 fév., dim. soir et lundi)* 38/140 – ☐ 12 – **20 ch** 110/130 – P 190/210.

XX **Mairie,** 9 r. Tour-d'Auvergne ☎ 85.01.83 Y **r**
fermé 15 nov. au 1er déc. et mardi – **R** 26/75 ♂.

à ***La Roche*** par ① et C1 : 5 km – ✉ **29220** Landerneau.

Voir Enclos paroissial★.

XX **Aub. Vieux Château,** ☎ 20.40.52
fermé 15 nov. au 1er déc. – **R** (dîner sur dem.) 40/85 ♂.

LANDERNEAU

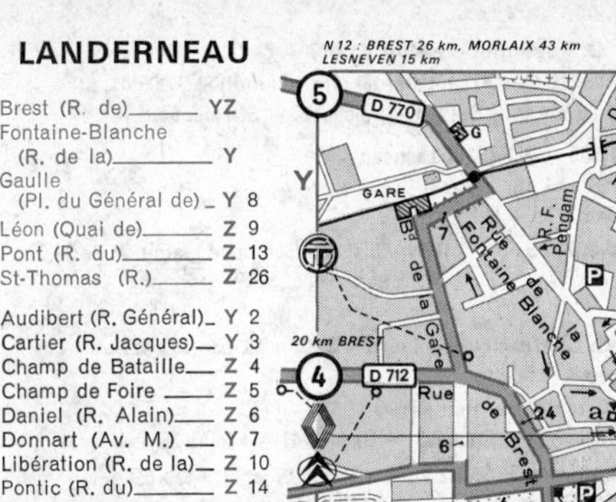

CITROEN Gd Gar. Ouest, 49 r. Brest ☎ 85.10.90
PEUGEOT Automobiles-de-l'Elorn, rte de Sizun ☎ 85.41.80
RENAULT S.A.G.A., 4 r. de la Marne ☎ 85.01.26

TALBOT Gar. St-Christophe, 30 bd Gare ☎ 85.00.29 N

Velghe, 25 r. de Guèbrient ☎ 85.01.56

LANDERSHEIM **67** B.-Rhin 62 ⑨ – 104 h. alt. 191 – ✉ **67700** Saverne – ☎ 88.

Paris 462 – Haguenau 35 – Molsheim 22 – Saverne 13 – •Strasbourg 25.

XXX **Aub du Kochersberg,** ☎ 69.91.58 – ▤ Ⓟ. AE ⓓ E
fermé 3 au 26 août, dim. soir, mardi, merc. et fêtes le soir – SC : **R** 90/180.

LANDÉVENNEC **29** Finistère 58 ④⑤ **G. Bretagne** – 423 h. alt. 80 – ✉ **29127** Plomodiern – ☎ 98.

Voir Site★ – Belvédères ≤★.

Paris 583 – •Brest 52 – Châteaulin 33 – Douarnenez 45 – Morlaix 69 – Quimper 54.

Beau Séjour, ☎ 27.70.65, ≤, – wc wc ☎ Ⓟ. GB. ch
fermé oct. et lundi de nov. à fin mars – SC : **R** 38/100 – 17 – 23 ch 50/110 – P 105/140.

LANDIVISIAU **29230** Finistère 58 ⑤ **G. Bretagne** – 7 775 h. alt. 76 – ☎ 98.

Voir Lampaul-Guimiliau : **intérieur★★ de l'église★ SE : 4 km.**

Office de Tourisme pl. des Halles (fermé lundi) ☎ 68.03.50.

Paris 556 – •Brest 38 – Landerneau 16 – Morlaix 22 – Quimper 73 – St-Pol-de-Léon 23.

Étendard M, 8 r. Gén.-de-Gaulle ☎ 68.06.60 – wc ☎ Ⓟ. ⓓ. ch
fermé 15 déc. au 15 janv. et dim. – SC : **R** *(fermé vend. soir et dim.)* 38/100 – 12,50 – **30 ch** 60/126.

Léon, 3 pl. Champ-de-Foire ☎ 68.00.11 – wc wc ☎ Ⓟ.
fermé oct., dim. soir et sam. d'oct. à mai – SC : **R** 37/90 – 11 – **50 ch** 45/130.

X **Floch,** 12 r. St-Guénal ☎ 68.00.61 – Ⓟ
fermé 15 déc. au 15 janv. et sam. – SC : **R** (déj. seul.) 28/44.

CITROEN Kerzil, 64 r. Gén.-de-Gaulle ☎ 68.01.17 N
PEUGEOT Autos-Landi, bd de Kervanous ☎ 68.07.36

TALBOT Gar. Guillou, 97 rte Morlaix ☎ 68.00.22

Desserey-Pneus, 7 allée de la Croix ☎ 68.13.88

LANESTER **56** Morbihan 63 ① – rattaché à Lorient.

LANFROICOURT **54** M.-et-M. 57 ⑭ – 90 h. alt. 226 – ✉ **54760** Leyr – ☎ 8.

Paris 326 – Custines 16 – •Metz 43 – •Nancy 20 – Pont-à-Mousson 30.

XXX ✿ **Aub. des Capucines** (Gérardin), ☎ 325.61.18, – Ⓟ
fermé 1er au 15 août, 14 au 28 fév., mardi et merc. – SC : **R** 70/170
Spéc. Cressonnette de grenouilles aux morilles, Délices du Pêcheur, Sanglier (sais.). **Vins** Côtes de Toul.

LANGEAC 43300 H.-Loire 76 ⑤ G. Auvergne – 5 040 h. alt. 507 – ✪ 71.

Office de Tourisme pl. Hôtel de Ville (15 mai-30 sept., fermé dim. et lundi) ☎ 77.05.41.

Paris 484 – Brioude 29 – Mende 95 – Le Puy 41 – St-Chély-d'Apcher 62 – St-Flour 51.

à Reilhac N : 3 km par D 585 – ✉ **43300** Langeac :

Val d'Allier, ☎ 77.02.11 – ⇔ Ⓟ. ✂ rest
SC : **R** 30/55 – ☕ 8 – **10 ch** 52/75 – P 110/135.

CITROEN Degeorges, ☎ 77.08.61 Ⓝ ☎ 77.13.58
FIAT Comte, ☎ 77.01.49
PEUGEOT Gar. Arsac, ☎ 77.02.89
RENAULT Gd Gar. de la Plaine, ☎ 77.04.07
Gar. de l'Ile, ☎ 77.02.26

LANGEAIS 37130 I.-et-L. 64 ⑭ G. Châteaux de la Loire – 3 902 h. alt. 53 – ✪ 47.

Voir Château★★ : appartements★★★.

Syndicat d'Initiative à la Mairie (20 juin-début sept.) ☎ 96.71.62.

Paris 258 – Angers 83 – Château-la-Vallière 31 – Chinon 31 – Saumur 41 – ♦Tours 25.

Hosten sans rest, 2 r. Gambetta ☎ 96.82.12 – ⇔wc ☎ ⇔. AE
fermé mardi, en hiver s'informer – SC : ☕ 20 – **14 ch** 70/170.

Duchesse Anne, 9 r. Tours ☎ 96.82.03, ⇔ – ⇔wc ⋒wc ☎ ⇔ Ⓟ
fermé 15 nov. au 10 janv., dim. soir et lundi du 15 oct. à Pâques – SC : **R** 41/60 – ☕ 10 – 22 ch 60/150 – P 140/180.

XX **Le Langeais,** parking du Château La Douve ☎ 96.70.63 – Ⓟ
fermé 20 juin au 10 juil., 15 au 30 janv. et mardi – SC : **R** carte 75 à 105.

à St-Michel-sur-Loire SO : 4 km sur N 152 – ✉ **37130** Langeais :

X **Aub. de la Bonde** avec ch, ☎ 96.83.13 – ⇔wc ☎ Ⓟ. GB
fermé 15 déc. au 15 janv. – SC : **R** *(fermé sam.)* 40/80 – ☕ 9,50 – **9 ch** 47/128.

CITROEN Vincent, ☎ 96.86.68
PEUGEOT Denis, ☎ 96.80.49
RENAULT Balester et Exposito, ☎ 96.82.10
Robles, ☎ 96.81.60

LANGOGNE 48300 Lozère 76 ⑰ G. Auvergne – 4 337 h. alt. 912 – ✪ 66.

Voir Chapiteaux★ de l'église.

Syndicat d'Initiative 15 bd Capucines (15 juin-15 sept. et fermé dim. après-midi) ☎ 69.01.38.

Paris 558 – Alès 104 – Aubenas 62 – Mende 50 – Le Puy 42 – Villefort 49.

Voyageurs, rte Nîmes ☎ 69.00.56 – ⇔wc ⋒wc ☎ Ⓟ
fermé 22 au 30 sept., 15 déc. au 15 janv., sam. soir et dim. hors sais. – SC : **R** 28/90 ♁ – ☕ 10 – 14 ch 75/130 – P 145/155.

Gaillard, av. Pont-d'Allier ☎ 69.10.55 – ⇔ ⋒ ⇔ Ⓟ. ✂ rest
1er fév.-15 nov. et fermé week-ends du 1er oct. à Pâques – SC : **R** 28/60 ♁ – ☕ 8 – 19 ch 40/55 – P 85/90.

CITROEN Philip, ☎ 69.05.82
PEUGEOT Bouveron, ☎ 69.00.71
RENAULT Blanquet, ☎ 69.11.55 Ⓝ
TALBOT Gar. De Cecco, Quartier des Abattoirs ☎ 69.02.37
Prouhèze, ☎ 69.09.30
R.I.P.A., ☎ 69.05.45

LANGOIRAN 33550 Gironde 71 ⑩ – 2 017 h. alt. 8 – ✪ 56.

Paris 578 – Belin 50 – ♦Bordeaux 27 – Cadillac 11 – Langon 23 – Libourne 34.

St-Martin, ☎ 67.02.67 – ⋒. ⇔
fermé oct. – SC : **R** *(fermé lundi)* 35/80 ♁ – ☕ 8,50 – 13 ch 40/61 – P 90/108.

LANGON ⟨SP⟩ 33210 Gironde 79 ② G. Côte de l'Atlantique – 6 124 h. alt. 22 – ✪ 56.

Office de Tourisme parc Bordes (fermé matin hors sais., dim. et lundi) ☎ 63.13.94.

Paris 607 – Bergerac 79 – ♦Bordeaux 46 – Libourne 54 – Marmande 37 – Mont-de-Marsan 83.

Modern, pl. Gén.-de-Gaulle ☎ 63.06.65 – ⇔wc ⋒wc ☎ Ⓟ
SC : **R** (brasserie) carte environ 50 ♁ – ☕ 11,50 – **14 ch** 52/85.

XXX ✿✿ **Claude Darroze** avec ch, 95 cours Gén.-Leclerc ☎ 63.00.48 – ⇔wc ⋒wc Ⓟ – 🏠 40. ⇔. ✂ ch
fermé 1er oct. au 10 nov., lundi hors sais. et fêtes – SC : **R** 75/140 et carte – ☕ 12 – **16 ch** 45/130 – P 140/175
Spéc. Panaché de poissons du marché, Coeur d'artichaut braisé ou foie de canard frais, Gibiers (sais.). **Vins** Sauternes, Graves.

CITROEN Gar. d'Aquitaine, N 113 à Toulenne ☎ 63.05.37
PEUGEOT Doux et Trouillot, 50 r. J.-Ferry ☎ 63.00.47
RENAULT Ducos, 1 pl. Libération ☎ 63.12.99
Saphore, 40 cours de Lattre-De-Tassigny ☎ 63.02.02

This symbol indicates restaurants serving a plain meal at a moderate price.

LANGRES <SP> **52200** H.-Marne **66** ③ **G. Bourgogne** – 12 277 h. alt. 466 – ✪ 25.
Voir Site★★ – Cathédrale★ Y E.

Office de Tourisme pl. Etats-Unis (Pâques-30 sept. et fermé dim.) ☎ 85.03.32 et Maison du Tourisme (1er oct.-Pâques, fermé sam. et dim.) ☎ 85.00.68.

Paris 287 ④ – Auxerre 155 ④ – ♦ Besançon 102 ③ – Chaumont 35 ④ – ♦Dijon 68 ③ – Dole 99 ③ – Épinal 112 ① – ♦Nancy 133 ① – Troyes 129 ④ – Vesoul 75 ② – Vittel 72 ①.

LANGRES

Diderot (R.) YZ
Roussat (R. Jean) Y 29
Ziegler (Pl.) Y 37

Aubert (R.) Y 2
Barbier-d'Aucourt (R.) Y 3
Belle-Allée (La) Y 4
Boulière (R.) Y 5
Canon (R.) Y 6
Chambrûlard (R.) X 9
Chavannes (R. des) Z 10
Chlore (R. Constance) Y 12
Coutellerie (R. de la) Y 13
Crémaillère (R. de la) Y 14
Croisette (R. de la) Y 15
Denfert-Rochereau (R.) Z 16
Durand (R. Pierre) Y 17
Gambetta (R.) Y 18
Grand-Bie (R. du) Y 19
Grand-Cloître (R. du) Y 20
Grouchy (Pl. Colonel-de) Z 21
Leclerc (R. Général) Y 22
Longe-Porte (R.) X 23
Mance (Square J.) Y 24
Marne (R. de la) Y 25
Roger (R.) Y 28
Terreaux (R. des) Y 33
Turenne (Av. de) Z 34
Walferdin (R.) Y 36

PORTES :
Boulière Y
Gallo-Romaine Y
Henri-IV Y
Hôtel-de-Ville Y
Moulins Z
Neuve Y

TOURS :
Longe-Porte X
Navarre et d'Orval Z
Petit-Saut X
Piquante X
St-Fergeux Z
St-Jean X

Europe, 23 r. Diderot ☎ 85.10.88 – wc wc ☎ Ⓟ. AE GB E — Z **e**
fermé 4 au 11 mai, oct., dim. soir et lundi midi de sept. à mai – SC : **R** 32/80 – ☕ 11 – 28 ch 50/140 – P 115/140.

La Grange au Prieur, par ① : 2 km D 74 ✉ 52200 Langres ☎ 85.10.27 – wc wc ☎ Ⓟ. AE GB E
fermé 5 nov. au 5 déc., Noël au 2 janv., dim. soir et lundi midi – SC : **R** 32/85 – ☕ 11 – 19 ch 52/110 – P 130/180.

Lion d'Or, rte Vesoul ☎ 85.03.30, ≤, – wc wc ☎ Ⓟ – 35. E
fermé 1er au 16 nov., vend. soir et sam. midi du 16 nov. au 15 mai – **R** 32/120 – ☕ 10,50 – 18 ch 55/125 – P 120/165. — Z **s**

Cheval Blanc, 4 r. Estrés ☎ 85.07.00 – wc wc ☎. E — Z **a**
fermé janv., fév., mardi soir et merc. midi, en nov., déc. mardi soir et merc. – SC : **R** 45/75 – ☕ 10,50 – 21 ch 45/160.

Poste sans rest, 10 pl. Ziégler ☎ 85.10.51 – wc wc Ⓟ. — Y **u**
fermé 10 nov. au 10 déc. – SC : ☕ 10 – **33 ch** 44/85.

Aub. Jeanne d'Arc avec ch, 26 r. Gambetta ☎ 85.03.18 – wc ☎. — Z **r**
fermé 15 oct. au 15 nov., lundi soir et mardi midi – SC : **R** 30/60 – ☕ 10 – **9 ch** 50/60.

AUDI-VOLKSWAGEN, BMW Europe Gar., rte Chaumont ☎ 85.03.78
CITROEN Périn, rte Dijon à St-Geosmes ☎ 85.06.33
PEUGEOT Gar. Berthier, rte de Dijon à St-Geosmes ☎ 85.02.13
RENAULT Viard, 42 bd de-Lattre-De-Tassigny ☎ 85.00.51

TALBOT Gar. Bel-Air, bd de-Lattre-De-Tassigny ☎ 85.02.28
TOYOTA Navarre Automobile, bd de-Lattre-de-Tassigny ☎ 85.02.09

Bourricard, 1 av. Cap.-Baudoin ☎ 85.36.31

LANGUEUX 22 C.-du-N. 59 ③ – rattaché à St-Brieuc.

LANNEMEZAN 65300 H.-Pyr. 85 ⑨⑲ – 8 499 h. alt. 585 – ✪ 62.

18 de Lannemezan et Capvern-les-Bains ☎ 98.01.01 par ② : 4 km.

Syndicat d'Initiative pl. République (fermé matin sauf saison et dim.) ☎ 98.08.31.

Paris 806 ④ – Auch 66 ② – Bagnères-de-Luchon 54 ② – St-Gaudens 30 ② – Tarbes 35 ④.

Pyrénées, rte Tarbes **(u)** ☎ 98.01.53 – wc wc ☎ ⓟ. AE GB E
fermé 8 au 30 nov. – SC : **R** 30/80 – 12 – **31 ch** 50/120 – P 88/128.

Host. du Pont d'Espagne avec ch, 712 r. du 8-Mai-1945 **(e)** ☎ 98.01.52, – ⓟ
10 ch.

CITROEN Gd Gar. du Plateau, rte de Tarbes ☎ 98.05.91
OPEL Gar. des Pyrénées, 13 ter rte de Tarbes ☎ 98.01.87
PEUGEOT Laffitte, 610 r. G.-Clemenceau ☎ 98.04.32
RENAULT Auto-Sce-des-4-Vallées, 489-500 r. Alsace-Lorraine ☎ 98.03.88
TALBOT Dambax, 430 r. du 8-Mai-1945 ☎ 98.04.16

Ibos, 227 rte La Barthe, Zone Ind. ☎ 98.09.78
Laborie, 538 r. du 8-Mai-1945 ☎ 98.01.67
Saint-Martin, rte de Tarbes ☎ 98.14.43

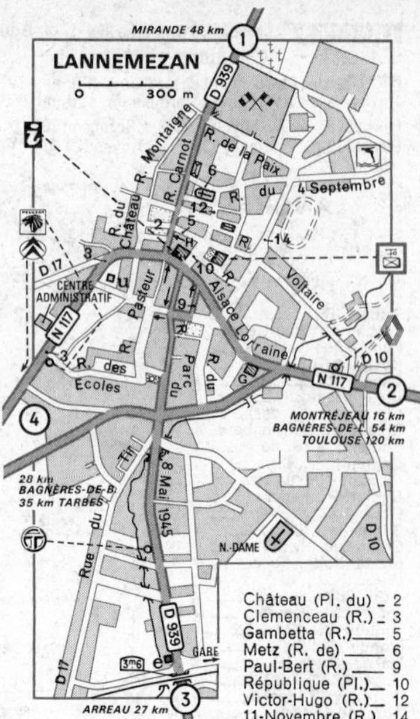

In this guide,
*a symbol or a character, printed in red or black in **bold** or light type, does not have the same meaning.*
Please read the explanatory pages carefully (pp. 21 to 28).

LANNILIS 29214 Finistère 58 ④ – 3 686 h. alt. 85 – ✪ 98.

Paris 595 – •Brest 23 – Brignogan 24 – Landerneau 30 – Lesneven 17 – Morlaix 63 – Quimper 93.

à Paluden N : 2 km par D 13 – ✉ **29214** Lannilis :

Relais de l'Aber, rte Plouguerneau ☎ 04.01.21, –
fermé oct. et mardi – SC : **R** (hors sais. déj. et week-ends seul.) 27/80.

CITROEN Ségalen, ☎ 04.02.32 N

LANNION SP 22300 C.-du-N. 59 ① **G. Bretagne** – 18 296 h. alt. 23 – ✪ 96.

Voir Place Général-Leclerc★ 27 – Église de Brélévenez★ B.

18 de St-Samson ☎ 23.87.34, par ① et D 11 : 9,5 km.

de Lannion : Touraine Air Transport ☎ 38.42.92 N par ① : 2 km.

Office de Tourisme quai d'Aiguillon (fermé dim. et lundi) ☎ 37.07.35.

Paris 511 ③ – •Brest 96 ⑤ – Lorient 150 ③ – Morlaix 38 ⑤ – Quimper 118 ⑤ – St-Brieuc 63 ③.

Plan page ci-contre

Campanile, ☎ 37.70.18 – wc ☎ ⓟ. GB
SC : **R** 43 bc/56 bc – 17 – **29 ch** 140 – P 173/223.

Terminus, 30 av. Gén.-de-Gaulle **(a)** ☎ 37.03.67 – wc ☎.
fermé 16 mai au 2 juin et 16 oct. au 1er nov. – SC : **R** *(fermé dim. soir et lundi)* 31/90 – 9,50 – **16 ch** 60/95.

Bretagne, 32 av. Gén.-de-Gaulle **(a)** ☎ 37.00.33 – wc ☎. GB ch
R *(fermé 15 au 31 mai, 25 sept. au 10 oct., vend. soir et sam.)* 30/60 – 9 – **10 ch** 55/80 – P 130/150.

L'Arrivée sans rest, 15 rte Plouaret **(s)** ☎ 37.00.67 – wc ☎.
8,50 – **12 ch** 50/75.

Aub. de la Porte de France, 5 r. J.-Savidan **(e)** ☎ 37.04.07 – ⓟ.

au Yaudet par ⑤ et D 88A : 8,5 km – ✉ **22300** Lannion :

Genêts d'Or, ☎ 37.08.64, – ⓟ. rest
fermé janv. et lundi hors saison – SC : **R** 35/80 – 8,50 – 15 ch 35/80 – P 100/120.

LANNION

Aiguillon (Quai d') ___ 2
Augustins (R. des) ___ 3
Leclerc (Pl. du Gén.) ___ 27
Pont-Blanc (R. Geoffroy-de) ___ 39

Bienfaisance (R. de) ___ 4
Buzulzo (R. de) ___ 7
Cie-Roger-Barbé (R.) ___ 8
Duguesclin (R.) ___ 9
Foch (Quai du Mar.) ___ 12
Frères-Lagadec (R. des) ___ 13
Gaulle (Av. Général-de) ___ 14
Jeanne-d'Arc (R.) ___ 17
Joffre (Quai du Mar.) ___ 18
Kérampont (R. de) ___ 19
Kériavily (R. de) ___ 22
Kermaria (Pont et R.) ___ 23
Le Bourdon (R. Isidore) ___ 24
Le-Dantec (R. F.) ___ 28
Letaillandier (R. E.) ___ 29
Mairie (R. de la) ___ 32
Marchallac'h (Pl. du) ___ 33
Morlaix (Rte de) ___ 34
Palais-de-Justice (Allée du) ___ 37
Ploubezre (R. de) ___ 38
Renan (Av. Ernest) ___ 42
St-Malo (R. de) ___ 43
St-Nicolas (R.) ___ 44
Savidan (R. Jean) ___ 47
Templiers (R. des) ___ 50
Trinité (R. de la) ___ 51
Viarmes (Pont et Q. de) ___ 52

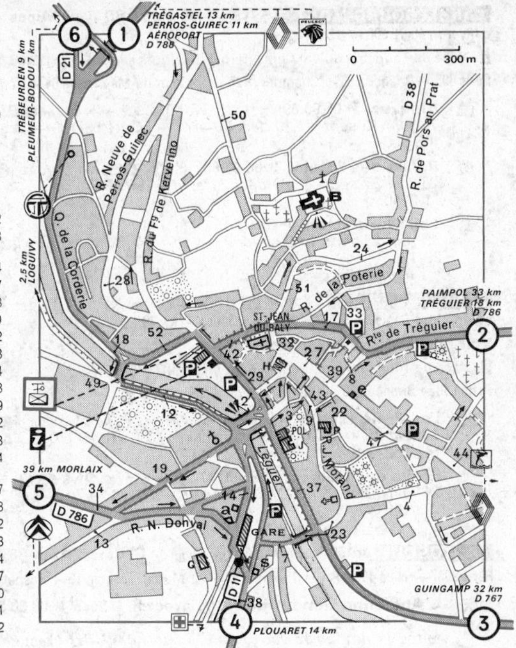

AUSTIN, MORRIS, TRIUMPH Gar. le Morvan, 69 rte de Tréguier ☎ 37.03.84
CITROEN Sylvestre, rte de Morlaix ☎ 37.04.33 N ☎ 37.40.63
DATSUN Loas, rte de Morlaix, Ploulec'h ☎ 37.08.81
FORD Gar. Guillou, rte de Guingamp ☎ 37.09.88
OPEL Audigou, 16 r. Jeanne-d'Arc ☎ 37.02.23
PEUGEOT Gd Gar. de Lannion, rte de Perros-Guirec ☎ 38.52.71

RENAULT Gar. des Côtes d'Armor, rte de Guingamp ☎ 37.00.23 N
RENAULT Gar. Corre, rte de Perros-Guirec ☎ 37.45.41
TALBOT Vitré, rte de Trébeurden ☎ 37.54.57

Desserrey-Pneus, rte de Perros-Guirec ☎ 37.44.11
Trégor Pneus, rte du Rusquet ☎ 38.58.36

LANOUAILLE 24270 Dordogne 75 ⑦ – 1 026 h. alt. 302 – 53.
Paris 451 – Brive-la-Gaillarde 60 – •Limoges 57 – Nontron 53 – Périgueux 46 – Uzerche 47.

- **Voyageurs** M, ☎ 52.60.64 – wc
  hôtel : 1er mars-4 nov. et fermé lundi – SC : **R** *(fermé fév., le soir du 4 nov. au 1er mars et lundi)* 30/65 – 10 – **13 ch** 45/100.

LANRELAS 22 C.-du-N. 59 ⑮ – 1 126 h. alt. 92 – ✉ **22250** Broons – 96.
Paris 406 – Dinan 34 – Josselin 46 – Lamballe 36 – Loudéac 39 – Redon 81 – St-Brieuc 57.

- **Aub. des Rochers,** ☎ 86.63.17,
  fermé 13 au 21 oct., 8 au 14 mars et lundi hors sais. – SC : **R** 28/68

LANS-EN-VERCORS 38 Isère 77 ④ – 946 h. alt. 1 020 – Sports d'hiver : 1 020/1 880 m 13 – ✉ **38250** Villard-de-Lans – 76.
Syndicat d'Initiative pl. Mairie (fermé vend. et dim.) ☎ 95.42.62.
Paris 580 – •Grenoble 27 – Villard-de-Lans 9 – Voiron 41.

- **Col de l'Arc,** pl. Église ☎ 95.40.08, – wc wc AE GB. rest
  1er juin-31 oct. et 15 déc.-20 avril – SC : **R** 40/80 – 12 – **22 ch** 45/90 – P 100/125.
- **Val Fleuri,** ☎ 95.41.09, ≤, – P. rest
  20 juin-20 sept. et 20 déc.-20 avril – SC : **R** 37/72 – 10 – **22 ch** 40/100 – P 100/124.

CITROEN Gar. des Gorges, ☎ 95.42.24 N

LANSLEBOURG-MONT-CENIS 73480 Savoie 77 ⑨ G. Alpes – 526 h. alt. 1 399 – Sports d'hiver : 1 400/2 800 m ≴20 – ✪ 79.

Office de Tourisme du Val Cenis (fermé dim. hors saison) ☎ 05.23.66, Télex 980213.

Paris 685 – Briançon 95 – Chambéry 126 – St-Jean-de-Maurienne 54 – Torino 93 – Val-d'Isère 49.

- **Alpazur,** ☎ 05.93.69, ≤ – wc wc ☎ 🚗 Ⓟ. AE. rest
  1er juin-15 sept. et 20 déc.-20 avril – SC : **R** 55/130 – ☐ 16 – **21 ch** 105/150 – P 165/200.
- **Relais des 2 Cols,** ☎ 05.92.83, ≤, – wc wc ☎ Ⓟ.
  25 mai-30 sept. et 20 déc.-20 avril – SC : **R** 40/55 – ☐ 10 – **30 ch** 48/110 – P 112/140.
- **Les Marmottes,** ☎ 05.93.67 – 🚗
  15 juin-20 sept. et 20 déc.-25 avril – SC : **R** 40/65 ⅄ – ☐ 10 – 16 ch 51/107 – P 99/124.

LANSLEVILLARD 73 Savoie 77 ⑨ G. Alpes – 306 h. alt. 1 479 – Sports d'hiver (voir à Lanslebourg-Mont-Cenis) – ✉ 73480 Lanslebourg – ✪ 79.

Voir Chapelle St-Sébastien★.

Office de Tourisme (juil.-août et déc.-fin avril) ☎ 05.92.43.

Paris 688 – Briançon 93 – Chambéry 129 – Val-d'Isère 46.

- **Les Prais** M, ☎ 05.93.53, ≤, – wc wc ☎. E
  15 juin-15 sept. et 15 déc.-fin avril – SC : **R** 45/110 – ☐ 12 – **24 ch** 98/110 – P 147/152.
- **Étoile des Neiges,** ☎ 05.90.41, ≤ – wc wc ☎ Ⓟ. rest
  21 juin-13 sept. et 20 déc.-20 avril – SC : **R** 48/70 – ☐ 11,50 – **18 ch** 60/120 – P 125/165.

LANTOSQUE 06450 Alpes-Mar. 84 ⑲, 195 ⑰ G. Côte d'Azur – 884 h. alt. 510 – ✪ 93.

Paris 883 – ♦Nice 49 – Puget-Théniers 53 – St-Martin-Vésubie 15 – Sospel 42.

- ✕ **L'Ancienne Gendarmerie** avec ch, D 2565 ☎ 03.00.65, ≤, – wc wc ☎ Ⓟ.
  fermé 1er nov. au 15 déc., 1er au 15 fév., hôtel : dim., rest : lundi – SC : **R** 58/88 – ☐ 12 – **9 ch** 104/105 – P 135/160.

LAON P 02000 Aisne 56 ⑤ G. Nord de la France – 30 168 h. alt. 83 à 181 – ✪ 23.

Voir Site★★ – Cathédrale★★ : nef★★★ – Rempart du Midi et porte d'Ardon★ – Église St-Martin★ AZ **D – Porte de Soissons★** AZ **E – Rue Thibesard ≤★** BZ 51 **– Musée et chapelle des Templiers★** CZ **M – Circuit du Laonnois★ par D 7** X.

Office de Tourisme pl. Parvis ☎ 23.45.87.

Paris 135 ⑤ – ♦Amiens 116 ⑥ – Charleroi 121 ① – Charleville-Mézières 108 ① – Compiègne 75 ⑤ – Mons 107 ① – ♦Reims 47 ③ – St-Quentin 46 ⑥ – Soissons 37 ⑤ – Valenciennes 99 ⑦.

Plan page ci-contre

- **Angleterre,** 10 bd Lyon ☎ 23.04.62 – wc ☎ 🚗 Ⓟ. AE GB E
  SC : **R** *(fermé sam. midi)* 45/94 – ☐ 15 – **28 ch** 69/138 – P 137/161. CY **e**
- **Les Chevaliers** sans rest, 3 r. Serurier ☎ 23.43.78 – wc ☎. AE GB E
  SC : ☐ 11,50 – **15 ch** 80/135. BY **s**
- **Commerce** sans rest, 13 pl. Gare ☎ 79.10.38 – wc wc ☎ 🚗.
  SC : **25 ch** ☐ 55/120. BY **n**
- ✕✕ **Bannière de France** avec ch, 11 r. F.-Roosevelt ☎ 23.21.44 – wc wc ☎ 🚗 – 120. AE GB E. BY **t**
  fermé 20 déc. au 10 janv. – SC : **R** 45 bc/115 ⅄ – ☐ 13 – 18 ch 45/160 – P 125/195.
- ✕✕ **Petite Auberge,** 45 bd Brossolette ☎ 23.02.38 BY **r**
  fermé juil. et sam. – SC : **R** 39/69.
- ✕ **Voyageurs,** 1 r. Bourg ☎ 23.02.34 – GB BZ **u**
  fermé 24 déc. au 2 janv. et jeudi – SC : **R** 35/80.

à Etouvelles par ⑤ : 7 km – ✉ 02000 Laon :

- ✕✕ **Au Bon Accueil,** ☎ 23.07.43, – Ⓟ
  fermé vacances de fév. et merc. – SC : **R** 42/80 ⅄.

ALFA-ROMEO, AUDI-VOLKSWAGEN Gar. St-Marcel, 45 bd Gras-Brancourt ☎ 23.41.72
AUSTIN, MORRIS, ROVER, TRIUMPH Gar. Lavoine, r. des Minimes ☎ 79.31.75
CITROEN Gds Gar. Favresse, 113 bd Brossolette ☎ 23.04.26
FIAT Gar. Colbeau, 5 pl. Victor-Hugo ☎ 23.08.78
FORD S.I.C.B., 121 av. de Belgique ☎ 23.20.67
RENAULT Gar. de la Gare, av. de Belgique ☎ 23.24.35
TALBOT Tuppin, 132 av. Belgique ☎ 23.50.36
VOLVO Europ-Auto, 97 av. Ch.-de-Gaulle ☎ 79.10.70

St-Rémy Pneu, 8 bd Gras-Brancourt ☎ 23.02.27

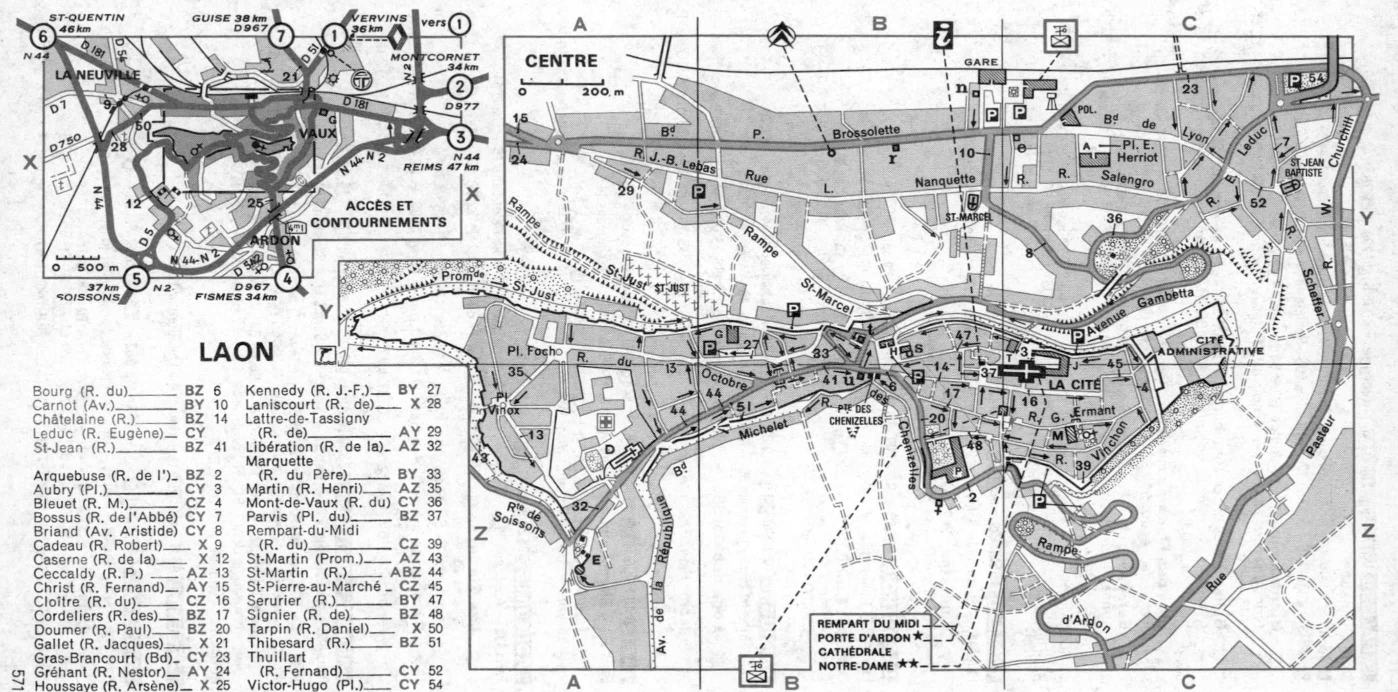

LAON

Bourg (R. du) BZ 6
Carnot (Av.) BY 10
Châtelaine (R.) BZ 14
Leduc (R. Eugène) CY
St-Jean (R.) BZ 41

Arquebuse (R. de l') BZ 2
Aubry (Pl.) CY 3
Bleuet (R. M.) CZ 4
Bossus (R. de l'Abbé) CY 7
Briand (Av. Aristide) CY 8
Cadeau (R. Robert) X 9
Caserne (R. de la) X 12
Ceccaldy (R. P.) AZ 13
Christ (R. Fernand) AY 15
Cloître (R. du) CZ 16
Cordeliers (R. des) BZ 17
Doumer (R. Paul) BZ 20
Gallet (R. Jacques) X 21
Gras-Brancourt (Bd) CY 23
Gréhant (R. Nestor) AY 24
Houssaye (R. Arsène) X 25

Kennedy (R. J.-F.) BY 27
Laniscourt (R. de) X 28
Lattre-de-Tassigny (R. de) AY 29
Libération (R. de la) AZ 32
Marquette (R. du Père) BY 33
Martin (R. Henri) AZ 35
Mont-de-Vaux (R. du) CY 36
Parvis (Pl. du) BZ 37
Rempart-du-Midi (R. du) CZ 39
St-Martin (Prom.) AZ 43
St-Martin (R.) ABZ 44
St-Pierre-au-Marché CZ 45
Serurier (R.) BY 47
Signier (R. de) BZ 48
Tarpin (R. Daniel) X 50
Thibesard (R.) BZ 51
Thuillart (R. Fernand) CY 52
Victor-Hugo (Pl.) CY 54

LAPALISSE 03120 Allier 73 ⑥ G. Auvergne – 3 775 h. alt. 299 – ✪ 70.

Voir Château★★.

ℹ Syndicat d'Initiative pl. Ch.-Bécaud (15 juin-15 sept. et fermé mardi) ✆ 99.08.39.

Paris 343 – Digoin 45 – Mâcon 125 – Moulins 50 – Roanne 48 – St-Pourçain-sur-Sioule 31.

- **Bourbonnais,** pl. 14-Juillet ✆ 99.04.11, – P. *fermé 15 mars au 1er avril, 15 nov. au 1er déc. et lundi* – SC : **R** 33/95 – 10 – 12 ch 50/75.
- **Galland** avec ch, pl. République ✆ 99.07.21 – AE ⓓ E *fermé janv. et mardi sauf juil. et août* – SC : **R** (dim. et fêtes - prévenir) 35/120 – 10 – 12 ch 40/80.
- **Lion des Flandres** avec ch, r. Prés.-Roosevelt ✆ 99.06.75 – P. ch *fermé déc. et lundi* – SC : **R** 40/85 – 12 – 10 ch 45/70.
- **Berry** avec ch, r. Prés.-Roosevelt ✆ 99.06.01 – P. GB. ch *fermé 1er au 15 oct., 15 au 30 janv. et merc.* – **R** 27/60 – 9 – **12 ch** 34/72 – P 100/150.

CITROEN Henry, ✆ 99.02.77
FIAT Gar. Rollet, ✆ 99.08.66
PEUGEOT Gar. de France, ✆ 99.00.77
RENAULT Dupereau, ✆ 99.01.01 N
TALBOT Vernisse, ✆ 99.09.23

LAPLEAU 19550 Corrèze 76 ① – 542 h. alt. 500 – ✪ 55.

Paris 473 – Égletons 18 – Mauriac 27 – Neuvic 18 – Pleaux 32 – Tulle 50 – Ussel 39.

- **Touristes,** ✆ 27.52.06 – P. rest SC : **R** 35/50 – 8 – **20 ch** 45/70 – P 75/85.

LAPOUTROIE 68650 H.-Rhin 62 ⑱ – 1 806 h. alt. 450 – ✪ 89.

Paris 425 – Colmar 19 – Munster 29 – Ribeauvillé 21 – St-Dié 37 – Sélestat 34.

- **du Faudé,** ✆ 47.50.35, – wc wc P. GB E *fermé 6 janv. au 6 fév., merc. soir en hiver et jeudi* – **R** 33/130 – 10 – 18 ch 60/100 – P 100/130.

LAPRUGNE 03 Allier 73 ⑥ – 1 015 h. – ✉ 03250 Le Mayet de Montagne – ✪ 70.

Paris 381 – ◆Clermont-Ferrand 86 – Moulins 88 – Roanne 45 – Vichy 41.

- **Loge des Gardes** , NE : 9 km par D 51 ✆ 56.43.06, – wc wc P. *fermé 19 au 31 oct. et lundi hors sais.* – SC : **R** 40/90 – 12 – **20 ch** 90/105 – P 175/190.

LAPTE 43 H.-Loire 76 ⑧ – 1 274 h. alt. 848 – ✉ 43200 Yssingeaux – ✪ 71.

Paris 572 – Bourg-Argental 40 – Le Puy 41 – ◆St-Étienne 61 – Yssingeaux 14.

- **Les Peupliers** avec ch, ✆ 59.37.68 – P *fermé 1er au 8 juin, oct., dim. soir et lundi* – SC : **R** 32/60 – 9 – **8 ch** 60 – P 80/90.

LAQUEUILLE 63820 P.-de-D. 73 ⑬ – 502 h. alt. 1 000 – ✪ 73.

Paris 432 – Aubusson 79 – ◆Clermont-Ferrand 42 – Mauriac 71 – Le Mont-Dore 15 – Ussel 44.

- **Les Clarines,** à la Gare O : 3 km par N 89 et D 82 ✆ 22.00.43, – wc wc P. *fermé janv.* – SC : **R** 50/95 – 12 – **14 ch** 110/150 – P 150/170.
- **Commerce** avec ch, à la Gare O : 3 km par N 89 et D 82 ✆ 22.00.03, – wc P. GB *fermé dim. soir hors sais.* – SC : **R** 40/70 – 9,50 – 15 ch 50/130 – P 95/130.

LARAGNE-MONTÉGLIN 05300 H.-Alpes 81 ⑤ – 3 898 h. alt. 573 – ✪ 92.

Paris 688 – Barcelonnette 88 – Gap 39 – Sault 63 – Serres 17 – Sisteron 17.

- **Le Globe,** pl. Aires ✆ 65.15.81 – wc GB. ch *fermé 10 au 25 janv. et dim.* – SC : **R** 38/65 – 10 – **10 ch** 86/97 – P 135/140.
- **Les Terrasses,** av. Provence ✆ 65.08.54, ←, – P. *1er mai-1er oct.* – SC : **R** 35/50 – 11 – **17 ch** 40/95 – P 85/120.

RENAULT Lambert, ✆ 65.00.05 N

LARCENAC 43 H.-Loire 76 ⑦ – rattaché à Lavoûte-sur-Loire.

LARCEVEAU 64 Pyr.-Atl. 85 ④ – 388 h. alt. 262 – ✉ 64120 St-Palais – ✪ 59.

Paris 776 – ◆Bayonne 69 – Pau 86 – St-Jean-Pied-de-Port 16 – St-Palais 15.

- **Espellet,** ✆ 37.81.91, – wc wc P. rest *fermé fév.* – SC : **R** 25/55 – 9 – **20 ch** 45/70 – P 85/95.

PEUGEOT Gar. Thambo, 37.80.37 N
RENAULT Gar. Aycaguer, ✆ 37.81.67

LARCHE 04540 Alpes-de-H.-Pr 81 ⑨ – 100 h. alt. 1 691 – Sports d'hiver : 1 691/2 000 m ≤3 – ✪ 92.

Paris 762 – Barcelonnette 26 – Cuneo 74 – Digne 113 – Guillestre 45 – St-Étienne-de-Tinée 68.

- **Paix,** ☎ 84.31.35, ≤ – wc ☎ P
  20 juin-1er oct. et 20 déc.-25 avril – SC : **R** 37/52 – ☐ 12 – **22 ch** 60/110 – P 100/130.

LARCHE 19600 Corrèze 75 ⑧ – 1 062 h. alt. 95 – ✪ 55.

Paris 497 – Brive-la-Gaillarde 11 – Cahors 100 – Périgueux 62 – Sarlat-la-Canéda 40 – Tulle 40.

- **Boussier** ⑤, ☎ 85.30.11, ☐, ☐ – ☐wc wc ☎ P. ☐ GB. ☐ rest
  fermé oct. et nov. – SC : **R** *(fermé lundi du 15 sept. au 15 mai)* 40/80 – ☐ 10 – 30 ch 85/140 – P 120/150.
- **Les Glycines,** ☎ 85.30.12, ≤, ☐ – ☐wc wc
  fermé déc. et janv. – SC : **R** *(fermé dim. soir)* 22/45 – ☐ 8 – 10 ch 36/85 – P 90/95.

Le LARDIN-ST-LAZARE 24 Dordogne 75 ⑦ – 2 048 h. alt. 90 – ☒ **24570** Condat – ✪ 53.

Paris 489 – Brive-la-Gaillarde 27 – Lanouaille 38 – Périgueux 46 – Sarlat-la-Canéda 36.

- **Sautet,** ☎ 50.07.22, ≤, « Jardin fleuri », ☐ – |☐| ☐wc wc ☎ ♿ P – ☐ 150. ☐ GB. ☐ rest
  fermé 20 déc. au 15 janv., sam. et dim. d'oct. à Pâques – SC : **R** 35/100 – ☐ 12 – **38 ch** 50/150 – P 90/145.
- XX **Aub. de l'Aérodrome,** à l'aérodrome de Condat-sur-Vézère S : 3 km par D 704 et VO ☎ 50.07.80, ≤ – ☐ P. AE GB
  SC : **R** 40/160.

LARDY 91510 Essonne 60 ⑩, 96 ㊱ – 2 918 h. alt. 75 – ✪ 6.

Paris 43 – Arpajon 8,5 – Corbeil-Essonnes 23 – Étampes 13 – Évry 29 – Fontainebleau 44.

- X **Aub. de l'Espérance,** Gde-Rue ☎ 491.60.82 – GB ☐
  fermé août, mardi soir et merc. – SC : **R** 29 bc (sauf sam. soir)/64.

LARMOR-BADEN 56790 Morbihan 63 ⑫ **G. Bretagne** – 751 h. alt. 21 – ✪ 97.

Paris 471 – Auray 16 – Vannes 14.

- **Aub. Parc Fétan,** ☎ 57.04.38, ☐ – ☐wc wc ☎ P. AE GB
  fermé 15 nov. au 15 déc. – SC : **R** *(fermé lundi du 1er oct. au 31 mars)* 40/75 – ☐ 12 – 23 ch 50/150 – P 125/160.

LARMOR-PLAGE 56260 Morbihan 63 ① **G. Bretagne** – 5 408 h. – ✪ 97.

Paris 502 – Lorient 6 – Quimperlé 26 – Vannes 60.

- **Beau Rivage,** plage de Toulhars ☎ 65.50.11, ≤ – ☐wc wc ☎ P. ☐ AE GB ☐
  fermé nov. – SC : **R** *(fermé dim.)* 42 (sauf fêtes)/220 – ☐ 12 – **18 ch** 54/115 – P 135/160.

à Kerpape O : 2,5 km – ☒ **56260** Larmor-Plage :

- **Plage Le Darz** ⑤, ☎ 65.50.21, ≤, ☐ – P. ☐
  21 mai-20 sept. – SC : **R** 45/65 – ☐ 8,50 – 20 ch 44/62 – P 105/110.

LAROQUE-DES-ARCS 46 Lot 79 ⑧ – rattaché à Cahors.

LARRAU 64 Pyr.-Atl. 85 ⑭ – 345 h. alt. 636 – ☒ **64560** Licq-Athérey – ✪ 59.

Paris 811 – Oloron-Ste-Marie 42 – Pau 75 – St-Jean-Pied-de-Port 70 – Sauveterre-de-Béarn 67.

- **Despouey** ⑤, ☎ 28.60.82, ☐ – ☐wc P. ☐. ☐
  SC : **R** 35/50 ♀ – ☐ 8 – **15 ch** 55/80 – P 80/100.

LARUNS 64440 Pyr.-Atl. 85 ⑯ – 1 612 h. alt. 531 – ✪ 59.

Paris 788 – Argelès-Gazost 48 – Lourdes 51 – Oloron-Ste-Marie 32 – Pau 37.

- **Ossau,** pl. Mairie ☎ 05.30.14 – ☐wc ☎. GB
  fermé 15 au 31 mai, 15 nov. au 15 déc. et mardi – SC : **R** 22/65 ♀ – ☐ 10 – **11 ch** 60/80 – P 140/160.
- X **Aub. Bellevue,** rte Pau ☎ 05.31.58 – P. AE GB
  fermé 3 au 30 janv. et lundi sauf vacances scolaires – SC : **R** 35/65.

RENAULT Camdessoucens, ☎ 05.34.64

LASALLE 30460 Gard 80 ⑰ – 1 018 h. alt. 260 – ✪ 66.

Paris 738 – Alès 30 – Florac 71 – •Montpellier 60 – Nîmes 64 – St-Jean-du-Gard 18 – Le Vigan 43.

- **des Camisards,** ☎ 85.20.50, ☐ – |☐| ☐wc ☎ P
  15 mars-10 nov. – SC : **R** 35/80 ♀ – ☐ 11 – **20 ch** 55/130 – P 125/140.

LASCHAMPS-DE-CHAVANAT 23 Creuse 72 ⑩ – rattaché à Guéret.

LATILLÉ 86 Vienne 68 ⑬ – 1 196 h. alt. 149 – ✉ **86190** Vouillé – ☎ 49.

Paris 348 – Châtellerault 48 – Parthenay 31 – Poitiers 26 – St-Maixent-l'École 37 – Saumur 84.

Centre, ☎ 51.88.75, ≤ – wc – 30
SC : **R** 30/65 – 10 – **15 ch** 40/80.

RENAULT Gar. Morineau, ☎ 51.88.07

LATRONQUIÈRE 46210 Lot 75 ⑳ – 729 h. alt. 650 – ☎ 65.

Paris 572 – Aurillac 45 – Cahors 88 – Figeac 28 – Lacapelle-Marival 22 – St-Céré 28 – Sousceyrac 12.

❀ **Tourisme** (Mme Bex) M, ☎ 40.25.11 – P
fin juin-début sept. – SC : **R** (nombre de couverts limité - prévenir) 80/120 (dîner seul.) – 15 – **40 ch** 100/150
Spéc. Foie gras truffé, Rognon de veau sauce gaillarde, Filet de boeuf aux cèpes. **Vins** Cahors, Gaillac perlé.

RENAULT Gar. Bex, ☎ 40.27.18 — TALBOT Jauliac, ☎ 40.25.12

La LATTE (Fort) 22 C.-du-N. 59 ⑤ **G. Bretagne** – ✉ **22240** Pléherel – ☎ 96.

Voir Site★★ – ※★★.

Paris 405 – Matignon 14.

Les LAUMES 21150 Côte-d'Or 65 ⑧⑱ **G. Bourgogne** – alt. 248 – ☎ 80.

Voir Mont Auxois★ : ※★ E : 4 km.

Paris 250 – Avallon 54 – ♦Dijon 67 – Montbard 14 – Saulieu 42 – Semur-en-Auxois 13 – Vitteaux 19.

Gare, ☎ 96.00.46, – P. GB
SC : **R** 24/120 – 9,50 – **26 ch** 36/65 – P 74/94.

FORD Gar. Maufront, ☎ 96.05.50 N
PEUGEOT Gar. Chalumeau, ☎ 96.03.84
RENAULT Pernet, ☎ 96.00.05
TALBOT Gar. Guerret, à Venarey les Laumes ☎ 96.05.12

LAURIÈRE 24 Dordogne 75 ⑥ – rattaché à Périgueux.

LAURIS 84360 Vaucluse 84 ② – 1 755 h. alt. 182 – ☎ 90.

Paris 731 – Aix-en-Provence 38 – Apt 23 – Avignon 54 – Cadenet 6 – Cavaillon 27 – Manosque 54.

La Chaumière , ☎ 68.01.29, ≤ vallée et chaîne des Alpilles – wc wc . rest
fermé 1er janv. au 15 fév. et mardi – SC : **R** 48/70 – 15 – 12 ch 70/180 – P 140/180.

CITROEN Gaillardon, ☎ 68.09.27

LAUTARET (Col du) 05 H.-Alpes 77 ⑦ **G. Alpes** – alt. 2 058 – ✉ **05220** Le Monêtier-les-Bains – ☎ 92.

Voir ※★★.

Env. Col du Galibier ※★★★ N : 7,5 km.

Paris 652 – Briançon 28 – ♦Grenoble 88 – Lanslebourg-Mont-Cenis 81 – St-Jean-de-Maurienne 55.

Glaciers , ☎ 24.42.21, ≤ – wc P.
20 juin-20 sept. – SC : **R** 38/55 – 12 – 40 ch 40/100 – P 115/150.

LAUTENBACH 68610 H.-Rhin 62 ⑱ **G. Vosges** – 1 315 h. alt. 396 – ☎ 89.

Voir Église★.

Paris 485 – Colmar 34 – Gérardmer 53 – Guebwiller 8 – ♦Mulhouse 31.

Marck, ☎ 76.32.03 – P
fermé 1er au 15 nov., 2 au 15 janv. et lundi sauf juil.-août – SC : **R** 35/110 – 8,50 – 12 ch 30/45 – P 85.

XX **A la Truite,** à Lautenbach-Zell ✉ 68610 Lautenbach ☎ 76.32.57 – P
fermé 19 au 30 oct., 5 au 23 fév., mardi soir et merc. – **R** 60/85

CITROEN Trautmann, ☎ 76.32.13

LAUTERBOURG 67630 B.-Rhin 57 ⑳ – 2 442 h. alt. 115 – ☎ 88.

Paris 529 – Haguenau 42 – Karlsruhe 23 – ♦Strasbourg 63 – Wissembourg 19.

XXX ❀ **La Poêle d'Or** (Gottar), 35 r. Gén.-Mittelhauser ☎ 94.84.16 – P.
fermé fin juil. au 15 août, vacances de fév., vend. midi et jeudi – SC : **R** carte 100 à 140
Spéc. Foie gras chaud aux reinettes, Poissons de mer et homard, Selle de chevreuil aux girolles (1er juin-1er mars). **Vins** Riesling, Pinot noir.

Le LAUZET-UBAYE 04340 Alpes-de-H.-P. 81 ⑦ **G. Alpes** – 221 h. alt. 900 – ☎ 92.

Paris 715 – Barcelonnette 21 – Briançon 84 – Digne 66 – Gap 48 – Guillestre 57 – Sisteron 76.

France, ☎ 85.51.02 – wc .
1er fév.-30 sept. – SC : **R** 28/60 – 9 – **18 ch** 45/120 – P 85/125.

LAVAGNAC 33 Gironde 75 ⑫ – alt. 10 – ✉ **33420** Branne – ⚙ 56.

Paris 560 – Bergerac 55 – •Bordeaux 40 – Langon 38 – Libourne 16 – Marmande 49.

Chez Clovis, ☎ 40.16.03 – 🅟. GB. rest
fermé 2 au 17 nov., 2 au 17 mars et lundi sauf fêtes – SC : **R** 39/60 – 10,50 – 10 ch 45/66 – P 100/125.

LAVAL P **53000** Mayenne 63 ⑩ **G. Châteaux de la Loire** – 54 537 h. alt. 70 – ⚙ 43.

Voir Vieille ville★ – Vieux château★ : Charpente★★ du donjon – Jardin de la Perrine★ – Chevet★ de la basilique BZ **E – Église de Pritz★ N : 2 km par D 104** AY.

☎ 53.48.70 N : 7 km par D 544 BY.

Office de Tourisme (fermé dim. et fêtes sauf matin en saison) avec T.C.F. pl. du 11-Nov. ☎ 53.09.39 - A.C.O. 7 pl. J.-Moulin ☎ 56.12.57.

Paris 277 ① – Angers 73 ④ – •Caen 143 ① – •Le Havre 243 ① – •Le Mans 83 ① – •Nantes 130 ⑤ – Poitiers 206 ④ – •Rennes 74 ⑦ – •Rouen 237 ① – St-Nazaire 154 ⑤ – •Tours 140 ③.

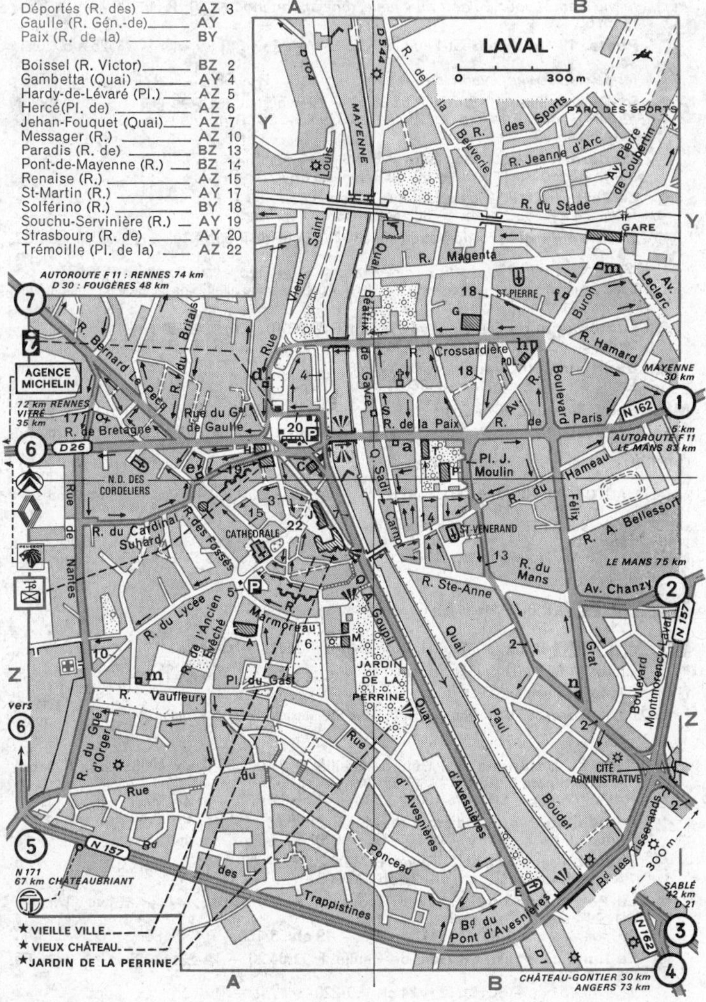

Pour un bon usage des plans de villes, voir les signes conventionnels p. 20.

Ouest H., 3 r. J.-Ferry ☎ 53.11.71 – TV wc wc ☎ P. AE GB ⓓ E
SC : **R** carte environ 50 – 10 – **30 ch** 60/110. ABY **s**

Gd H. Paris sans rest, 22 r. Paix ☎ 53.76.20 – wc wc ☎ – 100 à 300. GB ⓓ BY **a**
43 ch.

Ibis (Relais d'Armor) M, par ① rte Mayenne ☎ 53.81.82, Télex 721094, – wc ☎ P – 50. GB
SC : **R** *(fermé dim. du 15 nov. à Pâques)* carte environ 55 – 12 – **51 ch** 120/140 – P 195/230.

Impérial H. sans rest, 61 av. R.-Buron ☎ 53.55.02 – wc wc ☎. GB. BY **h**
fermé en août : du 4 au 12, du 16 au 28 et du 24 au 31 déc. – SC : 10 – **32 ch** 64/100.

A la Bonne Auberge, 168 r. Bretagne par ⑥ ☎ 53.07.81 – wc ☎. AE GB
fermé 3 au 24 août, 20 déc. au 4 janv., dim. soir et lundi – SC : **R** 38/100 – 12 – **15 ch** 55/120.

Poste, 19 r. du Vieux-St-Louis ☎ 53.19.57 – wc ☎ – 25 à 50. GB. AY **d**
fermé 5 au 30 sept., vend. soir et sam. midi – SC : **R** 29/98 – 11 – 22 ch 55/100.

St-Pierre, 95 av. R.-Buron ☎ 53.06.10 – wc wc ☎. GB BY **f**
fermé 16 août au 1er sept. et 20 déc. au 3 janv. – SC : **R** *(fermé sam.)* 30/85 – 10 – **14 ch** 45/90.

Moderne sans rest, face Gare ☎ 53.09.68 – BY **m**
fermé 24 déc. au 1er janv. – SC : 9,50 – **26 ch** 42/75.

Le Zeff sans rest, 2 carrefour aux Toiles ☎ 53.17.68 – . . AY **e**
fermé 24 déc. au 1er janv. – SC : 9 – **15 ch** 40/70.

XXX ✿ **Gerbe de Blé** (Portier) avec ch, 83 r. V.-Boissel ☎ 53.14.10 – wc . AE ⓓ. BZ **n**
fermé 2 août au 3 sept., dim. soir et lundi – SC : **R** 125 – 12 – **8 ch** 55/115
Spéc. Saumon frais fumé (mars-oct.), Boudin aux pommes, Aiguillettes de caneton au Chinon. Vins Chinon, Champigny.

XX **La Rousine,** rte Tours par ③ : 3,5 km ☎ 53.03.10 – P. GB ⓓ E
fermé 3 au 24 août, 28 déc. au 4 janv., dim. soir et lundi – SC : **R** 45/90.

XX **Vaufleury,** 10 r. Vaufleury ☎ 53.75.08 AZ **m**
fermé 4 au 27 juil. et dim. – SC : **R** carte 45 à 85.

MICHELIN, Agence, 267 à 271 r. de Bretagne par ⑥ ☎ 53.00.39

ALFA-ROMEO Gar. Chassay, 95 quai P.-Boudet ☎ 53.09.69
CITROEN Brilhault, 137 r. Bretagne ☎ 56.59.00 N
LANCIA-AUTOBIANCHI, MERCEDES-BENZ Patard, 86 r. Paris ☎ 53.17.58
OPEL Gar. des Sept Fontaines, 252 r. de Bretagne ☎ 56.32.10
PEUGEOT Gd Gar. du Maine, rte Rennes, St-Berthevin ☎ 53.09.81
RENAULT Hardy, rte de Rennes, St-Berthevin ☎ 53.26.69
TALBOT Henry, bd des Trappistines ☎ 53.00.87
VOLVO Gar. de Nantes, 17 r. de Nantes ☎ 53.28.83

Sodipneus, 4 r. du Laurier ☎ 53.10.04
Tricard, rte Rennes, St-Berthevin ☎ 53.74.08

Le LAVANCHER 74 H.-Savoie 74 ⑨ – rattaché à Chamonix.

Le LAVANDOU 83980 Var 84 ⑯ **G. Côte d'Azur** – 3 800 h. – 94.

18 de Valcros ☎ 66.81.02 par ② : 15 km.

Office de Tourisme quai G.-Péri (fermé dim.) ☎ 71.00.61.

Paris 879 ② – Cannes 103 ① – Draguignan 78 ① – Ste-Maxime 42 ① – ♦Toulon 41 ②.

Plan page ci-contre

Aub. La Calanque, av. Gén.-de-Gaulle ☎ 71.00.46, Télex 400681, ≤, « Jardin fleuri dominant le port » – . AE GB B **d**
1er fév.-12 nov. – SC : **R** 75/150 – 14 – **41 ch** 126/303 – P 220/272.

Résidence Beach, bd Front-de-Mer ☎ 71.00.66, ≤, , – P. rest
21 mai-20 sept. – **R** 90 – 20 – 55 ch 220/290 – P 620 (pour 2 pers.). A **a**

Espadon sans rest, pl. E.-Reyer ☎ 71.00.20, ≤ – . A **e**
1er fév.-30 nov. – SC : 15 – **22 ch** 170/200.

La Petite Bohème , av. F.-Roosevelt ☎ 71.10.30, ≤, – wc wc ☎. . rest B **f**
28 mai-fin sept. – SC : **R** 55/60 – 12 – **19 ch** 55/150 – P 130/180.

La Lune sans rest, av. Gén.-de-Gaulle ☎ 71.04.20 – wc wc ☎. AE GB ⓓ. A **v**
1er avril-15 oct. – SC : 12 – **24 ch** 150/220.

Beau Rivage, bd Front-de-Mer ☎ 71.11.09, ≤ – wc wc ☎ P. A **b**
1er avril-15 oct. – 24 ch (1/2 pens. seul.).

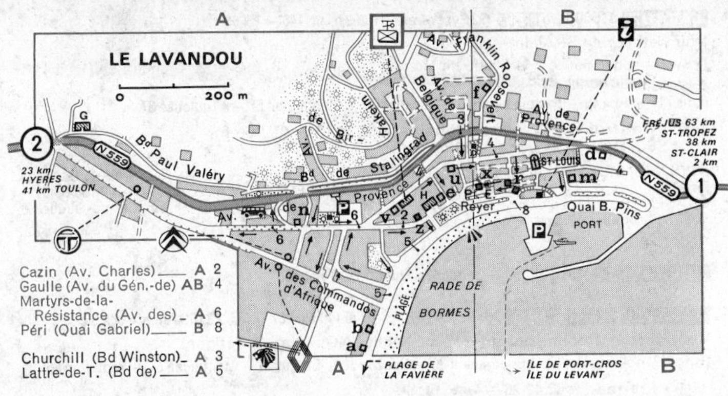

🏠 **Terminus** sans rest, pl. Gare Autobus ✆ 71.00.62 – ⇔ ⋒ — A **n**
avril-oct. – SC : ☕ 10 – **25 ch** 50/120.

🏠 **Rabelais** 🌿 sans rest, r. Rabelais ✆ 71.00.56, ≤ – ⋒wc ☎. 🐕 — B **m**
1er mars-fin oct. – SC : ☕ 12 – **20 ch** 75/126.

🏠 **Neptune** sans rest, av. Gén.-de-Gaulle ✆ 71.01.01 – ⇔wc ⋒wc ☎. 🚌 AE GB — A **u**
fév.-oct. – SC : **35 ch** ☕ 70/140.

XX ✿ **Au Vieux Port,** quai G.- Péri ✆ 71.00.21, ≤ – AE GB ⓓ — B **r**
1er mai-fin sept. – SC : **R** carte 140 à 180
Spéc. Langoustes et poissons du pays. Vins Blanc de blancs, Bandol rosé.

XX **Le Grill,** 22 r. Patron-Ravello ✆ 71.06.43, ≤ – AE GB ⓓ E — B **r**
fermé 17 nov. au 17 déc. et mardi – SC : **R** carte 80 à 140.

XX **La Bouée,** 2 av. Ch.-Cazin ✆ 71.11.88 — A **z**
fermé déc. et merc. hors sais. – SC : **R** carte 75 à 130.

X **Denise et Michel,** 6 r. Patron-Ravello ✆ 71.12.81 — B **x**
avril-oct. et fermé lundi sauf le soir en sais. – SC : **R** 50/70.

à St-Clair par ① : 3 km – ✉ **83980** Le Lavandou :

🏠 **Belle Vue,** ✆ 71.01.06, ≤, 🌳 – ⇔wc ⋒wc ☎ Ⓟ. 🚌. 🐕
mai-fin sept. – SC : **R** 70/100 – ☕ 12 – 19 ch 140/280 – P 210/280.

🏠 **L'Orangeraie** Ⓜ sans rest, ✆ 71.04.25 – cuisinette ▤ ⇔wc ⋒wc ☎ Ⓟ. 🚌 AE GB ⓓ
1er mai-fin sept. – ☕ 18,50 – **20 ch** 130/225.

🏠 Roc H. Ⓜ 🌿, ✆ 71.12.07, ≤ – ⇔wc ⋒wc ☎ Ⓟ. 🐕 rest
29 mars-20 oct. – SC : **R** carte environ 70 – ☕ 10 – 21 ch.

🏠 **Flots Bleus et Mar é Souléou** 🌿, ✆ 71.00.93, ≤, 🏖 – ⇔wc ⋒wc ☎ ♿ Ⓟ. 🚌. 🐕 rest
fin mars-fin sept. – SC : **R** 40/72 – ☕ 11,50 – 40 ch 46/117 – P 128/178.

🏠 **Méditerranée** 🌿, ✆ 71.02.18, ≤ – ⇔wc ⋒ ☎ Ⓟ. 🚌. 🐕 rest
fin fév.-fin oct. – SC : **R** 46/54 – ☕ 10 – 15 ch 150 – P 140/175.

🏠 **La Bastide** sans rest, ✆ 71.01.56, 🌳 – ⋒wc ☎ Ⓟ. 🐕
1er avril-30 sept. – SC : ☕ 10 – **15 ch** 80/110.

à la Plage de la Favière S : 2 km - A – ✉ **83230** Bormes-les-Mimosas :

🏠 **Plage,** ✆ 71.02.74 – ⇔wc ⋒wc ☎ 🚗 Ⓟ. 🚌. 🐕 rest
11 avril-1er oct. – SC : **R** 50/72 – ☕ 11 – **46 ch** 51/154 – P 112/165.

à La Fossette-Plage par ① : 3 km – ✉ **83980** Le Lavandou :

🏠 **83 Hôtel** Ⓜ, ✆ 71.20.15, ≤ côte et mer, 🏊, 🌳 – 🛗 ▤ TV ☎ Ⓟ. AE GB ⓓ E. 🐕
1er avril-30 sept. – SC : **R** 65/120 – ☕ 25 – **28 ch** 200/350.

BMW Gar. Côte-d'Azur, ✆ 71.29.71
CITROEN Gar. des Maures, ✆ 71.14.93
FORD Gar. de la Vieille, ✆ 71.08.04
MERCEDES-BENZ, RENAULT Gar. St-Christophe, ✆ 71.14.90
PEUGEOT Central-Gar., ✆ 71.10.68
TALBOT Gar. des Ilaires, ✆ 71.04.54

LAVARDAC 47230 L.-et-G. 79 ⑭ **G. Pyrénées** – 2 532 h. alt. 55 – ✪ 58.
Paris 678 – Agen 31 – Casteljaloux 25 – Houeillès 24 – Marmande 46 – Nérac 7.

🏠 **Chaumière d'Albret,** rte Nérac ✆ 65.51.75, 🌳 – ⋒ Ⓟ. 🚌. 🐕 ch
fermé oct., janv., dim. soir et lundi – SC : **R** 25/40 🍷 – ☕ 7,50 – **10 ch** 33/70 – P 75/80.

LAVARDIN 41 L.-et-Ch. 64 ⑤ – rattaché à Montoire-sur-le-Loir.

LAVAUR 81500 Tarn 82 ⑨ G. Pyrénées – 8 299 h. alt. 140 – 63.

Voir Cathédrale St-Alain★.

Syndicat d'Initiative à la Mairie (fermé sam. et dim.) 58.06.71 et 22 Grande Rue (1er juil.-15 sept. et fermé lundi) 58.02.00.

Paris 711 – Albi 48 – Castelnaudary 59 – Castres 39 – Montauban 57 – ♦Toulouse 37.

Central H., 7 r. Alsace-Lorraine 58.04.16 – ch
SC : **R** 39/50 – 9 – **10 ch** 50/58 – P 95.

AUDI-VOLKSWAGEN Rigal, rte de Castres 58.03.83
CITROEN Laurens, La Gravette 58.07.20
FIAT Barboule et Laval, 4 et 5 av. G.-Péri 58.08.16
OPEL Melou, av. A.-Malroux 58.01.06
PEUGEOT S.I.V.A., 20 av. G.-Péri 58.03.51
RENAULT Rossoni, 71 av. Ch.-de-Gaulle 58.02.08

LAVAUTS 89 Yonne 65 ⑯ – rattaché à Quarré-les-Tombes.

LAVAVEIX-LES-MINES 23 Creuse 72 ⑩ – 1 081 h. alt. 387 – 23150 Ahun – 55.

Voir Moutier d'Ahun : boiseries★★ de l'église NO : 4 km, G. Périgord.

Paris 377 – Aubusson 17 – Bourganeuf 36 – Gouzon 20 – Guéret 25 – Montluçon 54 – Pontarion 26.

France, 62.42.26 –
fermé 21 déc. au 5 janv. et vend. – **R** (dîner seul. et pour résidents) 25 – 7,50 – **16 ch** 42/62.

LAVEISSIÈRE 15 Cantal 76 ③ – 588 h. alt. 930 – 15300 Murat – 71.

Paris 500 – Aurillac 45 – Condat 36 – Le Lioran 6 – Murat 5,5.

Le Vallagnon [M], rte Murat 20.02.38, ≤, – wc wc
fermé 8 au 30 nov. et lundi du 1er oct. au 12 déc. – SC : **R** 30/55 – 11 – 24 ch 55/100 – P 95/120.

Cheval Blanc [M], 20.02.51, – wc
15 mai-1er oct. et 20 déc.-25 avril – SC : **R** 24/50 – 10 – 24 ch 45/90 – P 80/100.

Bellevue, 20.01.22, ≤ vallée et montagnes, – wc . rest
Pâques, 1er juin-15 sept., Noël, vacances de fév. et week-ends hors sais. – SC : **R** 29/50 – 10 – 20 ch 55/85 – P 75/90.

LAVELANET 09300 Ariège 86 ⑤ – 9 468 h. alt. 515 – 61.

Office de Tourisme Foyer Municipal (fermé dim. sauf matin en saison) 01.22.20.

Paris 811 – Andorre 117 – Carcassonne 66 – Foix 27 – ♦Perpignan 109 – ♦Toulouse 105.

Espagne, 20 r. J.-Jaurès 01.00.78, – wc wc . GB
SC : **R** 30/60 – 10 – **23 ch** 49/120 – P 101/179.

FIAT, LANCIA-AUTOBIANCHI Gar. Bousquet, 24 r. J.-Jaurès 01.00.86
Gar. Fourcade, 41 av. Alsace-Lorraine 01.01.77
Comptoir Pyrénéen des Pneus, 88 av. Gén.-de-Gaulle 01.03.58

LAVIGNOLLE 33 Gironde 78 ② – rattaché au Barp.

LAVIOLLE 07 Ardèche 76 ⑱ – 160 h. alt. 680 – 07530 Antraigues-sur-Volane – 75.

Paris 633 – Aubenas 21 – Lamastre 51 – Mezilhac 8 – Privas 42 – Le Puy 72.

Plantades , rte Antraigues S : 2 km D 578 38.71.58, ≤, –
fermé 3 nov. au 15 déc. – SC : **R** 30/50 – 10 – 10 ch 38/60 – P 85/100.

LAVOÛTE-SUR-LOIRE 43 H.-Loire 76 ⑦ G. Vallée du Rhône – 509 h. alt. 568 – 43800 Vorey – 71.

Voir Christ★ dans l'église – Château de Lavoûte-Polignac : souvenirs de famille★.

Paris 504 – Ambert 68 – Brioude 62 – Le Puy 13 – ♦St-Étienne 75.

Nouvel H. Accarion sans rest, 08.50.08, –
1er avril-1er oct. – SC : 9 – **30 ch** 60/90.

Le Relais, à Larcenac N : 3 km sur D 103 08.51.09, –
1er juin-30 sept. – SC : **R** 40/60 – 8,50 – 10 ch 42/55 – P 100/120.

La LÉCHÈRE 73 Savoie 74 ⑰ G. Alpes – alt. 461 – Stat. therm. – 73260 Aigueblanche – 79.

Office de Tourisme av. Isère (1er avril-27 oct. et fermé dim.) 55.51.60.

Paris 628 – Albertville 21 – Celliers 19 – Chambéry 68 – Moûtiers 6.

Radiana , 24.11.33, ≤, parc – wc wc . GB E. rest
SC : **R** 65/75 – 12 – **78 ch** 75/225 – P 140/230.

La Darentasia, 55.50.55, ≤ – wc wc
fermé en nov. – 9,50 – **32 ch** 115/135.

LECHIAGAT 29 Finistère 58 ⑭ – rattaché à Guilvinec.

Les LECQUES 83 Var 84 ⑭ **G. Côte d'Azur** – ✉ **83270** St-Cyr-sur-Mer – ☎ 94.

Syndicat d'Initiative Pavillon du Tourisme (fermé oct. et dim. hors saison) ☎ 26.13.46.

Paris 813 – Bandol 10 – Brignoles 56 – La Ciotat 8 – ♦Marseille 39 – ♦Toulon 29.

Gd Hôtel, ☎ 26.23.01, Télex 400165, « Parc fleuri », – P. GB. rest
mai-fin sept. – SC : **R** 67/80 – 17 – **58 ch** 190/230 – P 225/265.

Chanteplage M, ☎ 26.16.55, ← – wc.
Pâques-30 sept. – SC : **R** 40/78 – 9 – **22 ch** 125/165 – P 140/185.

Petit Nice, ☎ 26.22.91, – wc P.
15 mai-30 sept. – SC : **R** (résidents seul.) 50 – 11 – 29 ch 63/150 – P 120/180.

Pins provisoirement sans rest, à La Madrague SE : 1,5 km ☎ 26.28.36, ← – wc. rest
Pâques-fin sept. – SC : 11 – 20 ch 90/130 – P 135/150.

Tapis de Sable sans rest, rte Madrague ☎ 26.26.34, ← – wc P.
1er avril-30 sept. – SC : **14 ch** 150/200.

PEUGEOT Gar. Iori, à St-Cyr ☎ 26.23.80

RENAULT Marro, Quartier Banette à St-Cyr ☎ 26.31.09

LECTOURE 32700 Gers 82 ⑤ **G. Pyrénées** – 4 403 h. alt. 182 – ☎ 62.

Voir Site★ – Promenade du bastion ←★.

Syndicat d'Initiative Cour Hôtel de ville (fermé dim. hors saison) ☎ 68.76.98.

Paris 677 – Agen 36 – Auch 35 – Condom 23 – Montauban 74 – ♦Toulouse 94.

Bouviers, 8 r. Montebello ☎ 68.71.69
fermé mardi – SC : **R** 28 bc/95.

Le Gascogne avec ch, rte Agen ☎ 68.77.57, – P. ch
fermé 15 déc. au 15 janv. et lundi – SC : **R** 30/80 – 10 – **6 ch** 50/70 – P 120/150.

LÉDENON 30 Gard 80 ⑲ – rattaché à Remoulins.

LEGÉ 44650 Loire-Atl. 67 ⑬ – 3 489 h. alt. 94 – ☎ 40.

Paris 409 – Cholet 61 – Clisson 34 – ♦Nantes 40 – La Roche-sur-Yon 30 – Les Sables-d'Olonne 51.

Cheval Blanc, pl. du Gén.-Charette ☎ 26.62.31 – P. rest
SC : **R** 32/75 – 9 – 8 ch 45/58.

Étoile d'Or, r. Chaussée ☎ 26.61.48 – P. GB
fermé 1er au 23 sept. et lundi – SC : **R** 32/82.

LELEX 01 Ain 70 ⑮ – 183 h. alt. 898 – Sports d'hiver : 900/1 680 m 1 7, – ✉ **01410** Chezery-Forens – ☎ 50.

Paris 499 – Bourg-en-Bresse 83 – Gex 28 – Morez 37 – Nantua 43 – St-Claude 32.

Crêt de la Neige, ☎ 41.63.01, ←, – wc wc P. rest
28 juin-10 sept. et 20 déc.-20 avril – SC : **R** 36/70 – 10 – **28 ch** 50/130 – P 100/130.

Centre, ☎ 41.78.12, ← – wc P
15 juin-15 sept. et 15 déc.-fin avril – SC : **R** 38/60 – 9,50 – 21 ch 52/85 – P 100/130.

LEMBACH 67510 B.-Rhin 57 ⑲ – 1 648 h. alt. 190 – ☎ 88.

Env. Château de Fleckenstein★★ NO : 7 km, G. Vosges.

Syndicat d'Initiative 45 rte Bitche ☎ 94.43.81.

Paris 459 – Bitche 32 – Haguenau 24 – Niederbronn-les-B. 19 – ♦Strasbourg 56 – Wissembourg 15.

✿ **Aub. Cheval Blanc** (Mischler) avec ch, ☎ 94.41.86, – wc P. GB.
fermé 24 août au 17 sept., 15 fév. au 1er mars, lundi et mardi – SC : **R** 68/180 – 8 – 8 ch 36/75
Spéc. Foie d'oie aux navets confits, Panaché de poissons, Médaillon de chevreuil aux fruits rouges.
Vins Pinot blanc, Riesling.

à Gimbelhof N : 10 km par D 3 et RF – ✉ **67510** Lembach :

Ferme Gimbelhof, ☎ 94.43.58, ← – P
fermé 15 nov. au 25 déc. – SC : **R** *(fermé lundi)* carte environ 60 – 7 – **8 ch** 35/40 – P 75/78.

CITROEN Gar. Weisbecker, ☎ 94.41.96 N

PEUGEOT Gar. Herrmann, ☎ 94.43.93 N

LEMPDES 43410 H.-Loire 76 ⑤ – 1 536 h. alt. 439 – ✪ 71.

Voir O : Gorges de l'Alagnon★, G. Auvergne.

Paris 441 – Aurillac 108 – ♦Clermont-Ferrand 54 – Le Puy 74 – St-Flour 52.

CITROEN Girard C., ☎ 76.51.31 N
PEUGEOT Girard J., ☎ 76.51.40 N
RENAULT Gd Gar. de l'Allagnon, ☎ 76.51.10 N ☎ 76.53.62

LENS ⟨SP⟩ 62300 P.-de-C. 51 ⑮ – 40 281 h. alt. 38 – ✪ 21.

Env. Mémorial canadien de Vimy★ 9 km par ④, G. Nord de la France.

A.C. pl. Roger-Salengro ☎ 28.34.89.

Paris 203 ② – Arras 17 ④ – Béthune 18 ⑤ – Douai 22 ② – ♦Lille 34 ① – St-Omer 65 ⑤.

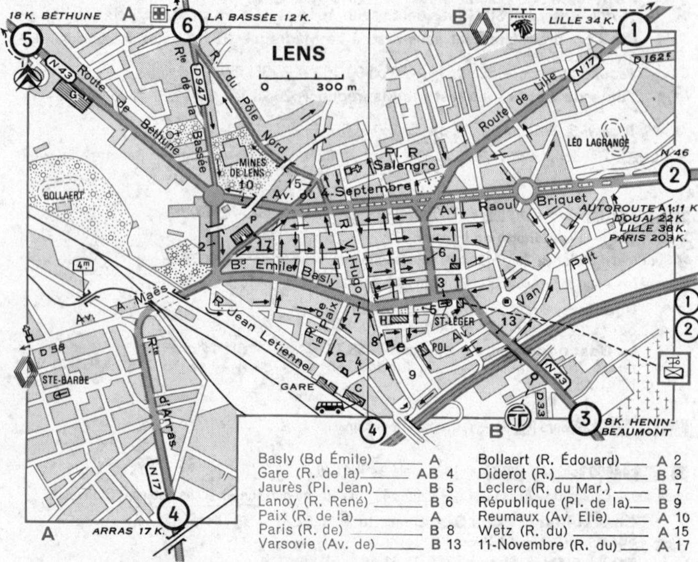

Laurentel M, Centre commercial Lens 2 par ⑥ : 3,5 km ✉ 62880 Vendin-le-Viel ☎ 78.64.53, Télex 120324, – TV ☎ Ⓟ – 50 à 200. AE GB ⓓ. rest **R** 70 bc/120 – ☕ 15 – **70 ch** 120/175 – P 220/300.

France, 2 pl. Gare ☎ 28.18.10 – ☎. A **a**
SC : **R** *(fermé dim. soir)* 33/115 🌡 – ☕ 15 – **21ch** 46/88.

Chez Robert, 13 r. Paris ☎ 28.07.29 – GB B **e**
fermé août et dim. sauf fêtes – **R** 40 🌡.

ALFA-ROMEO Arauto, 44 rte de Lille, Loison ☎ 70.61.63
CITROEN SO.CA.LE., 2 rte Béthune, Loos-en-Gohelle ☎ 70.15.76
DATSUN, VOLVO Gar. Notre-Dame, 68 av. 4-Septembre ☎ 28.22.04
FIAT Delambre, 42 rte Arras ☎ 28.32.06
FORD Lallain, Rd-Pt Bollaert ☎ 28.43.21
MERCEDES-BENZ, OPEL Thirion, 60 av. A.-Maes ☎ 79.01.96
PEUGEOT Wantiez, rte de Lille à Loison ☎ 70.17.65
PORSCHE-MITSUBISHI Artois Autom., 79 av. Van-Pelt ☎ 28.38.07
RENAULT Evrard, 75 av. J.-Jaurès à Liévin ☎ 79.02.44
RENAULT Guilbert, 14 rte de Lille, Loison ☎ 70.19.68
RENAULT S.A.N.E.G, rte de Lens à Carvin ☎ 37.18.07
TALBOT S.A.C.I., 52 r. Douai ☎ 28.22.00
Gar. Lensois, 262 rte de Lille ☎ 28.04.20

Debove, 275 bd P.-Courtin, Avion ☎ 28.02.25
François Pneus 16 r. de Lille à Annay ☎ 28.09.97
La Maison du Pneu, 346 rte de Lille ☎ 78.62.78

LENT 01 Ain 74 ③ – rattaché à Bourg-en-Bresse.

LENTIGNY 42 Loire 73 ⑦ – rattaché à Roanne.

LENTILLY 69 Rhône 73 ⑲ – 2 126 h. alt. 350 – ✉ 69210 L'Arbresle – ✪ 74.

Paris 473 – L'Arbresle 7,5 – ♦Lyon 20 – Villefranche-sur-Saône 25.

Relais de la Diligence avec ch, N 7 ☎ 01.71.26, – wc wc ☎ Ⓟ.
fermé janv. et merc. – SC : **R** 45/120 🌡 – ☕ 10 – **10 ch** 75/90.

LÉON 40550 Landes 78 ⑯ – 1 258 h. alt. 15 – ✪ 58.

Voir Courant d'Huchet★ en barque NO : 1,5 km, G. Côte de l'Atlantique.

Syndicat d'Initiative r. Poste (fermé sam. après-midi et dim.) ☎ 48.74.40.

Paris 698 – Castets 14 – Dax 30 – Mimizan 41 – Mont-de-Marsan 74 – St-Vincent-de-Tyrosse 30.

Lac , au Lac NO : 1,5 km ☎ 48.73.11, ≤ – wc .
1er avril-1er oct. – SC : **R** 35/62 – 9 – 16 ch 60/90 – P 110/130.

CITROEN Ducasse, ☎ 48.73.10 — RENAULT Modern Gar. ☎ 48.74.34

LÉPIN-LE-LAC 73 Savoie 74 ⑮ – rattaché à Aiguebelette (Lac d').

LÉRINS (Iles de) ★★ 06 Alpes-Mar. 84 ⑨ – voir à Ste-Marguerite et à St-Honorat.

LÉRY 27690 Eure 55 ⑦ – 1 656 h. alt. 10 – ✪ 32.

Paris 115 – Les Andelys 22 – Évreux 31 – Louviers 8,5 – Pont-de-l'Arche 5 – ♦Rouen 23.

XX ✿ **Beauséjour,** ☎ 59.05.28, – . GB
fermé 16 au 31 août, dim. soir et lundi – **R** (dim. prévenir) carte 90 à 125
Spéc. Terrine de foies de volaille, Civet de langouste, Pigeonneau sur canapé.

LESCAR 64 Pyr.-Atl. 85 ⑥ – rattaché à Pau.

LESCHELLES 02 Aisne 53 ⑮ – 335 h. alt. 102 – ✉ **02170** Le Nouvion-en-Thiérache – ✪ 23.

Paris 199 – Avesnes-sur-Helpe 26 – Cambrai 51 – Hirson 27 – Laon 52 – St-Quentin 41 – Vervins 25.

XX **Le Lord Godet,** ☎ 97.05.88 – . GB
fermé fév. et lundi – SC : **R** carte 55 à 85 .

LESCHERAINES 73340 Savoie 74 ⑯ – 404 h. alt. 650 – ✪ 79.

Paris 592 – Aix-les-Bains 27 – Albertville 54 – Allevard 57 – Annecy 27 – Chambéry 28.

Joly, rte Col de Plainpalais ☎ 63.30.45 – .
SC : **R** 35/65 – 12 – **22 ch** 56/70 – P 95.

LESCONIL 29138 Finistère 58 ⑭ **G. Bretagne** – alt. 12 – ✪ 98.

Paris 575 – Douarnenez 41 – Guilvinec 10 – Loctudy 8 – Pont-l'Abbé 8 – Quimper 28.

Dunes, ☎ 87.83.03, ≤ – wc . E.
1er avril-15 oct. – SC : **R** 50/160 – 12 – 48 ch 65/95 – P 110/180.

Plage M, ☎ 87.80.05 – wc wc . GB E. rest
1er mars-30 oct. et fermé lundi hors sais. – SC : **R** 55/180 – 12 – 30 ch 80/130 – P 140/175.

Port, ☎ 87.81.07, ≤ – wc wc .
Pâques et 25 mai-30 sept. – SC : **R** 45/120 – 12 – **37 ch** 52/180 – P 118/193.

Atlantic, ☎ 87.81.06, – .
fév.-1er oct. – SC : **R** 48/100 – 10 – 23 ch 95/100 – P 105/130.

RENAULT Le Minor, ☎ 87.81.12

LESCUN 64890 Pyr.-Atl. 85 ⑮ **G. Pyrénées** – 276 h. alt. 900 – ✪ 59.

Voir ★★ 30 mn.

Paris 820 – Lourdes 90 – Oloron-Ste-Marie 36 – Pau 69.

Pic d'Anie , ☎ 34.71.54, ≤ – ch
1er avril-20 sept. – SC : **R** 35/45 – 9 – **21 ch** 40/50 – P 100/105.

LESMONT 10 Aube 61 ⑧ – 260 h. alt. 112 – ✉ **10500** Brienne-le-Château – ✪ 25.

Paris 189 – Bar-sur-Aube 33 – St-Dizier 54 – Troyes 31 – Vitry-le-François 43.

XX **Aub. Munichoise,** D 960 ☎ 77.45.33
fermé 20 sept. au 8 oct., 1er au 17 mars, mardi soir et merc. – SC : **R** 40/100.

CITROEN Relais Champagne, D 960 ☎ 77.46.29 N — RENAULT Millon, D 960 ☎ 77.45.13

LESNEVEN 29260 Finistère 58 ④⑤ – 6 996 h. alt. 80 – ✪ 98.

Voir Le Folgoët : église★★ SO : 2 km, G. Bretagne.

Paris 580 – ♦Brest 26 – Landerneau 15 – Morlaix 48 – Quimper 78 – St-Pol-de-Léon 32.

Breiz Izel sans rest, 25 r. Four ☎ 83.12.33, – wc .
fermé 28 sept. au 19 oct. – SC : 8,50 – **29 ch** 44/90.

CITROEN Crauste-Guilliec, 31 r. Gén.-de-Gaulle ☎ 83.00.34 — RENAULT Colliou, 7 bis r. Jérusalem ☎ 83.01.50

LESPARRE-MÉDOC <SP> 33340 Gironde 71 ⑰ – 3 879 h. alt. 4 – ✪ 56.

Office de Tourisme pl. Mairie (1er juil.-31 août et fermé dim.) ☎ 41.05.02.

Paris 536 ④ – Arcachon 111 ③ – Blaye (Bac) 35 ① – •Bordeaux 63 ② – Royan (Bac) 38 ④.

- **Paris** sans rest, Cours Gén.-de-Gaulle **(e)** ☎ 41.00.22 – ⋒. GB
SC : ☕ 10 – **10 ch** 45/75.

par ④ : 0,5 km – ✉ **33340** Lesparre-Médoc :

- XX **La Mare aux Grenouilles,** ☎ 41.03.46, ≤, – Ⓟ. AE
fermé lundi soir et mardi soir – SC : **R** 55/65.

CITROEN SIVRAM, ☎ 41.10.94 N ☎ 41.03.56
RENAULT Larrouquère, ☎ 41.00.95

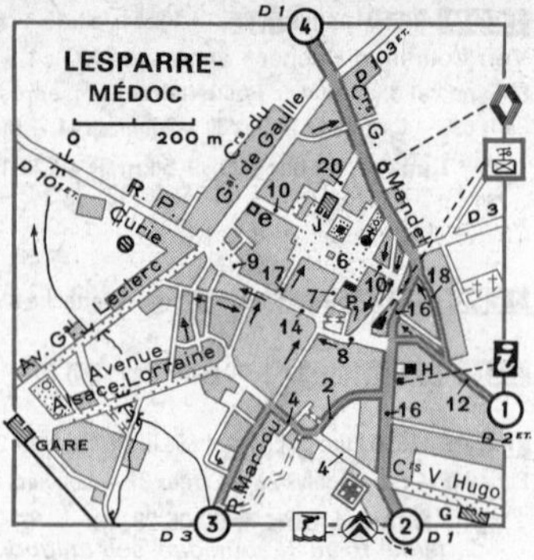

LESPARRE-MÉDOC

J.-J.-Rousseau (R.) 14	Gambetta (Pl.) 9
Alineys (R. des) 2	Gramont (R. de) 10
Briand (R. A.) 4	Jaurès (Cours J.) 12
Clemenceau (Pl.) 6	Lattre-de-T. (Crs de) 16
Église (R. de l') 7	Palais-de-Justice (R. du) 17
Foch (Pl. Mar.) 8	Pasteur (R.) 18
	St-Exupéry (R. A.-de) 20

LESQUIN 59 Nord 51 ⑯ – rattaché à Lille.

LESSAY 50430 Manche 54 ⑫ **G. Normandie** – 1 339 h. alt. 10 – ✪ 33.

Voir Église abbatiale**.

Syndicat d'Initiative à la Mairie (saison) ☎ 46.40.18.

Paris 338 – Barneville-Carteret 27 – Carentan 28 – Coutances 21 – St-Lô 36 – Valognes 34.

- **Host. de l'Abbaye,** ☎ 46.43.88, – ⊟wc ⋒ ☎.
fermé 21 sept. au 1er nov. et lundi – SC : **R** 45/85 – ☕ 10 – **12 ch** 55/120 – P 120/145.

CITROEN Féret, ☎ 46.40.96 N

LESTELLE-BÉTHARRAM 64 Pyr.-Atl. 85 ⑦ **G. Pyrénées** – 1 437 h. alt. 300 – ✉ **64800** Nay – ✪ 59.

Paris 777 – Laruns 35 – Lourdes 16 – Nay 8,5 – Oloron-Ste-Marie 45 – Pau 23.

- **Béarn,** ☎ 61.26.02, – ⋒
fermé 15 oct. au 15 nov., dim. soir et lundi – SC : **R** 30/120 ♨ – ☕ 8,50 – 15 ch 42/66 – P 73/85.
- **Touristes,** ☎ 61.27.61 – ⊟ ⋒ ☎ Ⓟ. rest
fermé 2 janv. au 25 fév. et lundi hors sais. – SC : **R** 30/95 ♨ – ☕ 8,50 – 14 ch 44/86 – P 88/110.
- XX **Central** avec ch, ☎ 61.27.18, ≤ – ⊟wc ⋒wc ☎ Ⓟ.
fermé début oct. à début nov., mardi et merc. – **R** 35 bc/85 ♨ – ☕ 10 – 14 ch 44/95 – P 90/100.

au SE : 3 km par N 637 et rte des Grottes – ✉ **64800** Nay :

- **Le Vieux Logis** , ☎ 61.34.40, parc – ⋒wc Ⓟ.
fermé 1er janv. au 15 fév. et jeudi hors sais. – SC : **R** 33/110 – ☕ 8 – 15 ch 40/120 – P 85/120.

LEUCATE 11370 Aude 86 ⑩ – 1 244 h. alt. 21 – ✪ 68.

Paris 881 – Carcassonne 86 – Narbonne 37 – •Perpignan 34 – Port-la-Nouvelle 19.

- **Jouve** M, sur la Plage ☎ 40.02.77 – ⊟wc ☎. ch
1er avril-27 sept. – SC : **R** 40/70 – ☕ 11 – **7 ch** 120/160.
- XX **Auberge de Cezelly,** ☎ 40.01.41 – GB
fermé lundi – SC : **R** 58 ♨.

LEUGNY 89 Yonne 65 ④ – 377 h. alt. 225 – ✉ **89130** Toucy – ✪ 86.

Paris 169 – Auxerre 21 – Avallon 58 – Clamecy 35 – Cosne-sur-Loire 52 – Joigny 39.

- X **Aub. Cheval Blanc** avec ch, ☎ 41.11.09
fermé 22 déc. au 22 janv., mardi soir et merc. – SC : **R** 35/75 – ☕ 7,50 – 7 ch 40 – P 84.

Routes enneigées

Pour tous renseignements pratiques, consultez les cartes Michelin **« Grandes Routes »** 998, 999, 916 ou 989.

LEVENS 06 Alpes-Mar. 84 ⑲, 195 ⑯ **G. Côte d'Azur** – 1 422 h. alt. 570 – ✉ **06670** St-Martin-du-Var – ✪ 93.

Voir ≤★.

Paris 954 – Antibes 44 – Cannes 54 – ♦Nice 23 – Puget-Théniers 48 – St-Martin-Vésubie 37.

- **La Vigneraie** ⛺, SE : 1,5 km ☎ **91.70.46**, ≤, 🌳 – ⌂wc ⌂wc ☎ **P**
  fermé oct. et nov. – SC : **R** 28/50 – ☕ 7,50 – **20 ch** 40/60 – P 90/110.
- **Malausséna,** ☎ **91.70.06** – ⌂wc ⌂ ☎ **P**. ✻ ch
  fermé nov. – **R** 35/70 – ☕ 10 – **12 ch** 90/140 – P 100/140.
- **Roses,** ☎ **91.70.17,** 🌳 – ⌂wc ⌂ ♿ **P**. ✻ rest
  12 avril-30 oct. – SC : **R** 40/60 – ☕ 10 – **25 ch** 45/120 – P 100/125.

LEVERNOIS 21 Côte-d'Or 69 ⑨ – rattaché à Beaune.

LEVIER 25270 Doubs 70 ⑥ – 1 818 h. alt. 717 – ✪ 81.

Paris 433 – ♦Besançon 47 – Champagnole 36 – Pontarlier 20 – Salins-les-Bains 23.

- **Commerce,** ☎ **89.50.56,** parc, ✂ – ⌂ 🚗 **P** – 🏛 30.
  fermé nov. – SC : **R** 25/65 🍷 – ☕ 10 – 22 ch 35/80 – P 60/80.

CITROEN, MERCEDES Cassani, ☎ 89.53.45 — PEUGEOT Cordier Ch., ☎ 89.52.06

LEVROUX 36110 Indre 68 ⑧ **G. Périgord** – 3 133 h. alt. 141 – ✪ 54.

Syndicat d'Initiative r. Gambetta (1er juil.-31 août et fermé mardi).

Paris 255 – Blois 76 – Châteauroux 21 – Châtellerault 96 – Loches 63 – Vierzon 47.

- **Cloche et St-Jacques,** r. Nationale ☎ **35.70.43** – ⌂wc ⌂wc ☎. ✻ ch
  fermé 1er fév. au 1er mars, lundi soir et mardi – SC : **R** 36/84 🍷 – ☕ 11 – **30 ch** 63/110 – P 115/145.

CITROEN Bailly, ☎ 35.70.30 — RENAULT Tranchant, ☎ 35.71.45
PEUGEOT Bottin, ☎ 35.70.28

LÉZARDRIEUX 22 C.-du-N. 59 ② – rattaché à Paimpol.

LÉZIGNAN-CORBIÈRES 11200 Aude 83 ⑬ – 7 431 h. alt. 51 – ✪ 68.

Syndicat d'Initiative 1 square M.-Albert (saison et fermé dim.) ☎ 27.05.42.

Paris 870 – Carcassonne 38 – Narbonne 21 – Prades 109.

- ✕ **Au Bon Coin** avec ch, av. G.-Clemenceau ☎ **27.01.18** – ⌂ **P**. ✻ ch
  fermé janv. et sam. – **R** 35/80 🍷 – ☕ 7,50 – 14 ch 41/60 – P 75/100.

CITROEN Armero, bd L.-Castel ☎ 27.11.57
FORD Attard H., 12 av. Gén.-de-Gaulle ☎ 27.02.42 **N**
PEUGEOT Belmas, 11 av. du Mal Foch ☎ 27.01.66
RENAULT Lézignan-Auto, 63 av. G.-Clemenceau ☎ 27.02.93
TALBOT Attard Y., 24 av. G.-Clemenceau ☎ 27.03.67
Condouret, 35 av. Mar.-Joffre ☎ 27.01.72

LEZOUX 63190 P.-de-D. 73 ⑮ **G. Auvergne** – 4 730 h. alt. 351 – ✪ 73.

Env. Moissat-Bas : Châsse de St-Lomer★★ dans l'église S : 5,5 km.

Paris 392 – Ambert 59 – ♦Clermont-Ferrand 27 – Issoire 43 – Riom 26 – Thiers 16 – Vichy 42.

- ✕✕ **Voyageurs** avec ch, pl. Hôtel-de-Ville ☎ **73.10.49** – ⌂wc ⌂ ☎. ✻ ch
  fermé 15 sept. au 20 oct., dim. soir et lundi – SC : **R** 38/120 – ☕ 9,50 – **10 ch** 55/110.

à Bort-l'Étang SE : 8 km par D 223 et D 115 – ✉ **63190** Lezoux :

- **Château de Codignat** ⛺, O : 1 km ☎ **70.43.03,** ≤, 🏊, parc – 📺 **P** – 🏛 40. AE ⓓ
  28 mars-3 nov. – SC : **R** *(fermé jeudi midi et mardi sauf saison et fériés)* 100/155 – ☕ 22 – 11 ch 240/420 – P 300/390.

CITROEN Mercier, ☎ 73.10.34 — TALBOT Bodiment, ☎ 73.11.10
RENAULT Rozière, ☎ 73.10.98 — Gar. Chalard, ☎ 73.10.77

LIANCOURT 60140 Oise 56 ① **G. Environs de Paris** – 5 762 h. alt. 105 – ✪ 4.

Paris 69 – Beauvais 35 – Chantilly 19 – Compiègne 32 – Creil 10 – Senlis 20.

- ✕✕ **Host. Parc** avec ch, av. Ile-de-France ☎ **473.04.99,** 🌳 – 📺 ⌂wc ⌂wc ☎ **P**. AE GB. ✻ ch
  fermé 3 au 29 août – SC : **R** *(fermé lundi)* 40/58 – ☕ 9 – **14 ch** 46/146.

à Rantigny SO : 2 km – ✉ **60290** Rantigny :

- **Chalet Normand** sans rest, pl. Gare ☎ **473.33.16** – **P**.
  SC : ☕ 9 – **12 ch** 45/125.

LIBOURNE ⟨SP⟩ 33500 Gironde **75** ⑫ **G. Côte de l'Atlantique** – 22 988 h. alt. 15 – ⊗ 56.

ℹ Office de Tourisme pl. A.-Surchamp (fermé lundi matin et dim.) ☎ 51.15.04.

Paris 543 ① – Agen 123 ③ – Angoulême 100 ① – Bergerac 61 ③ – ✦Bordeaux 31 ④ – Mont-de-Marsan 137 ③ – Pau 201 ③ – Périgueux 90 ② – Royan 117 ⑤ – Saintes 113 ⑤ – Tarbes 221 ③.

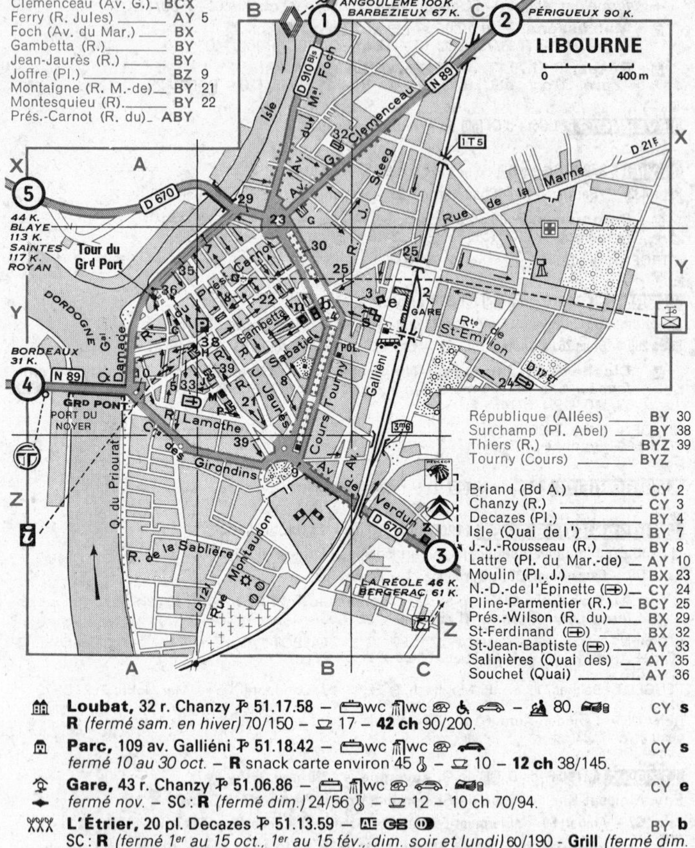

⊞ **Loubat,** 32 r. Chanzy ☎ 51.17.58 – wc wc – 80. CY **s**
R *(fermé sam. en hiver)* 70/150 – 17 – **42 ch** 90/200.

Parc, 109 av. Galliéni ☎ 51.18.42 – wc wc CY **s**
fermé 10 au 30 oct. – **R** snack carte environ 45 – 10 – **12 ch** 38/145.

Gare, 43 r. Chanzy ☎ 51.06.86 – wc. CY **e**
fermé nov. – SC : **R** *(fermé dim.)* 24/56 – 12 – 10 ch 70/94.

XXX **L'Étrier,** 20 pl. Decazes ☎ 51.13.59 – AE GB ⓓ BY **b**
SC : **R** *(fermé 1er au 15 oct., 1er au 15 fév., dim. soir et lundi)* 60/190 - **Grill** *(fermé dim. soir)* **R** 37/58.

X **Castaing,** 38 r. Lyrot ☎ 51.23.25 BY **n**
fermé juil., dim. et fêtes – SC : **R** (déj. seul.) 38/68.

X **Chez Marinette,** 127 av. Verdun ☎ 51.19.21 – CZ **z**
SC : **R** (déj. seul.) 38.

rte Périgueux par ② : 9,5 km – ✉ **33230** Coutras :

XX **Grill de Dallau,** ☎ 84.01.48 – Ⓟ.

AUDI-VOLKSWAGEN Europe-Auto, av. Gén.-de-Gaulle ☎ 51.43.85
CITROEN Libourne Autom., 140 av. Gén.-de-Gaulle ☎ 51.62.18
FIAT SA Maltord, 12 av. G.-Clemenceau ☎ 51.61.88
PEUGEOT Agence Centrale Autom. Libournaise 142 av. Gén.-de-Gaulle ☎ 51.40.81
RENAULT Bastide, Zone Ind. de la Ballastière ☎ 51.52.53
TALBOT Solica, rte Bordeaux à Arveyres ☎ 51.34.96
Ⓜ Central-Pneu, 113 av. G.-Pompidou ☎ 51.24.24

LICQ-ATHÉREY 64560 Pyr.-Atl. **85** ⑮ – 296 h. alt. 275 – ⊗ 59.

Paris 801 – Oloron-Ste-Marie 32 – Pau 65 – St-Jean-Pied-de-Port 60 – Sauveterre-de-Béarn 48.

Touristes, ☎ 28.61.01, ←, – wc Ⓟ
22 ch.

LIEPVRE 68 H.-Rhin 62 ⑱ – 1 520 h. alt. 273 – ✉ **68160** Ste-Marie-aux-Mines – ☎ 89.

Paris 417 – Colmar 36 – Ribeauvillé 23 – St-Dié 30 – Sélestat 14.

XX **A la Vieille Forge,** à Bois l'Abbesse E : 3 km rte Sélestat ☎ 58.92.54 – ♿ 🅟. AE GB ⓓ
fermé 26 au 30 juin, 15 nov. au 15 déc., lundi soir et mardi – SC : **R** carte 85 à 120.

RENAULT André et Conreaux, ☎ 58.90.29 🅽 ☎ 58.90.86 TOYOTA Gerber, ☎ 58.92.03

LIESSE 02350 Aisne 56 ⑤ **G. Nord de la France** – 1 614 h. alt. 73 – ☎ 23.

Paris 144 – Laon 14 – Marle 20 – ♦Reims 48 – Vervins 35.

X **St-Nicolas** avec ch, ☎ 22.20.31 – ✗ ch
fermé juil. et lundi – SC : **R** 33/65 – ☕ 6,50 – 7 ch 33.

LIESSIES 59 Nord 53 ⑥ **G. Nord de la France** – 597 h. alt. 220 – ✉ **59740** Solre-le-Château – ☎ 27.

Voir Lac du Val Joly★ E : 5 km.

Paris 212 – Avesnes-sur-Helpe 14 – Charleroi 45 – Hirson 24 – Maubeuge 24.

Château de la Motte ⛲, S : 1 km par VO ☎ 61.81.94, ≤, parc – 🛁 ☎ 🅟 – 🏛 50. ✗
fermé 20 déc. au 30 janv. et dim. soir – SC : **R** (dîner sur commande) 52/82 – ☕ 9 – **10 ch** 48/98 – P 99/135.

LIEUREY 27560 Eure 55 ⑭ – 1 053 h. alt. 170 – ☎ 32.

Paris 159 – Bernay 18 – Évreux 57 – Lisieux 28 – Pont-Audemer 15 – Pont-l'Évêque 27.

XX **Bras d'Or** avec ch, ☎ 57.91.07 – 🛁 🚿 ☎ 🅟. 🚗 AE. ✗
fermé fév. et lundi – **R** 40/80 – ☕ 11 – 10 ch 75/145.

CITROEN Testu, ☎ 57.93.47 RENAULT Deschamps, ☎ 57.91.77

LIFFRÉ 35340 I.-et-V. 59 ⑰ – 5 085 h. alt. 105 – ☎ 99.

Paris 351 – Avranches 65 – Dinan 64 – Fougères 30 – Mont-St-Michel 57 – ♦Rennes 17 – Vitré 27.

La Reposée Ⓜ, SO : 2 km N 12 ☎ 68.31.51, « Parc », 🎾 – 🅟 – 🏛 25 à 100. ✗ rest
1er mars-15 nov. – SC : **R** *(fermé dim.)* 41 (sauf fêtes)/120 – ☕ 12 – 21 ch 50/140 – P 200/220.

XXXX ✿✿ **Hôtellerie Lion d'Or** (Kérever), face Église ☎ 68.31.09, « Jardin » – AE ⓓ
fermé 27 juil. au 11 août, mardi midi et lundi – SC : **R** 130/200
Spéc. Aiguillettes de saumon, Fricassée de homard au Noilly (avril à nov.), Rognon de veau roti.

RENAULT Boulais, ☎ 68.31.36

LIGNY-EN-BARROIS 55500 Meuse 62 ② – 6 454 h. alt. 225 – ☎ 29.

A.C. 16 r. Morlaincourt ☎ 78.42.98.

Paris 237 – Bar-le-Duc 16 – Neufchâteau 57 – St-Dizier 32 – Toul 46.

Nouvel H. Ⓜ sans rest., pl. Église ☎ 78.01.22 – 🛗 🛁wc ☎ 🅟. 🚗. ✗
fermé 15 déc. au 15 janv. – SC : ☕ 11 – **26 ch** 80/120.

LIGNY-EN-CAMBRÉSIS 59 Nord 53 ⑭ – rattaché à Caudry.

LIGNY-LE-RIBAULT 45650 Loiret 64 ⑧⑨ – 895 h. – ☎ 38.

Paris 154 – Beaugency 17 – Blois 40 – ♦Orléans 27 – Romorantin-Lanthenay 41 – Salbris 39.

X **Aub. St. Jacques,** ☎ 65.81.54 – 🅟
fermé 23 août au 26 sept., 24 au 31 déc., 8 au 21 mars, dim. soir et lundi – SC : **R** 35/90 🍷.

LIGUEIL 37240 I.-et-L. 68 ⑤ **G. Châteaux de la Loire** – 2 436 h. alt. 77 – ☎ 47.

Paris 291 – Le Blanc 55 – Châteauroux 78 – Châtellerault 36 – Chinon 53 – Loches 18 – ♦Tours 57.

Le Colombier, ☎ 59.60.83 – 🛁wc ♿ 🅟 – 🏛 30
fermé 2 janv. au 10 fév. – SC : **R** 20/75 🍷 – ☕ 9 – 13 ch 37/83 – P 70/83.

à Cussay SO : 3,5 km – ✉ **37240** Ligueil :

X **Aub. du Pont Neuf** avec ch, ☎ 59.66.37, 🌳 – 🚿 🅟. GB
fermé fév. et merc. hors sais. – SC : **R** 28/70 🍷 – ☕ 9 – **7 ch** 45 – P 80.

PEUGEOT Gar. Clément, ☎ 59.60.27

LIGUGÉ 86 Vienne 68 ⑬ – rattaché à Poitiers.

LILETTE 86 Vienne 68 ⑤ – rattaché à Descartes (I.-et-L.).

LILLE P 59000 Nord 51 ⑯ G. Nord de la France – 177 234 h. alt. 21 – ✪ 20.

Voir Ancienne bourse* – Vieille ville* EFY : Hospice Comtesse* FY **B** – Palais de Justice* FY **J** – Citadelle* BUV – Porte de Paris* FZ **D** – Beffroi* FZ **H** – Musée des Beaux-Arts**.

des Flandres ☎ 72.20.74 par ② : 4,5 km HS ; du Sart, au château du Sart ☎ 72.02.51 par ② : 7 km JS ; de Brigode à Villeneuve d'Ascq ☎ 91.17.86 par ③ : 9 km KT ; de Bondues ☎ 78.80.03 par ① : 9,5 km HS

de Lille-Lesquin, ☎ 95.92.00 par ④ : 8 km JU

☎ 06.29.99.

Office de Tourisme (fermé dim.) et Accueil de France (Informations, change et réservations d'hôtels, pas plus de 5 jours à l'avance) au Palais Rihour ☎ 52.82.34, Télex 110213 - A.C. r. Faidherbe ☎ 55.29.44 - T.C.F. 56 bis bd Liberté ☎ 57.43.17.

Paris 219 ④ – Bruxelles 116 ② – Gent 72 ② – Luxembourg 306 ④ – ♦Strasbourg 524 ④.

Plans : Lille p. 2 à 6

Carlton sans rest, 3 r. Paris ✉ 59800 ☎ 55.24.11, Télex 110400 – 30 à 300. AE GB E — FY **n**
SC : 18 – **70 ch** 120/250, 3 appartements 350.

Bellevue sans rest, 5 r. J.-Roisin ✉ 59800 ☎ 57.45.86, Télex 820790 – 100. AE GB — FY **z**
15 – **80 ch** 110/180, 9 appartements 220/400.

Royal-Concorde sans rest, 2 bd Carnot ✉ 59800 ☎ 51.05.11, Télex 820575 – 30 à 60. AE GB E — FY **h**
SC : 16 – **106 ch** 115/270.

Chagnot M, 24 pl. Gare ✉ 59800 ☎ 06.25.50, Télex 130709 – wc wc – 30. — FY **x**
R Grill carte environ 60 – 11 – **75 ch** 106/158.

Nord-Motel M sans rest, 46 r . Fg-d'Arras par ⑤ ☎ 53.53.40 – wc wc — HU
SC : 11 – **80 ch** 77/112.

Paix sans rest, 46 bis r. Paris ☎ 54.63.93 – wc wc. — FY **r**
SC : 14 – **36 ch** 70/150.

Strasbourg sans rest, 7 r. J-Roisin ✉ 59800 ☎ 57.05.46 – wc wc. AE GB — FY **d**
SC : 11 – **40 ch** 63/135.

Univers sans rest, 19 pl, Reignaux ☎ 06.99.69 – wc wc – 30. GB — FY **k**
fermé 15 au 30 août – SC : 12 – **56 ch** 70/168.

Central sans rest, 51 r. Faidherbe ✉ 59800 ☎ 06.31.57 – wc wc. — FY **b**
SC : 14 – **34 ch** 65/140.

St-Nicolas sans rest, 11 bis r. N.-Leblanc ☎ 57.73.26 – — EZ **s**
SC : 10 – **15 ch** 48/96.

Londres sans rest, 16 pl. Gare ✉ 59800 ☎ 06.82.89 – – **20 ch** — FY **x**

St-Maurice sans rest, 8 parvis St-Maurice ✉ 59800 ☎ 06.27.40 – wc — FY **a**
fermé août – SC : 10 – **39 ch** 55/80.

France sans rest, 10 r. Béthune ☎ 57.14.78 – wc . GB — FY **e**
12 – **32 ch** 60/120.

XXX ✿ **A L'Huîtrière,** 3 r. Chats-Bossus ☎ 55.43.41 – . AE GB E — FY **g**
fermé 22 juil. au 3 sept. et dim. soir – SC : **R** carte 100 à 140
Spéc. Produits de la mer, Agneau de Pauillac (janv.-avril), Filet de turbot.

XXX ✿ **Paris,** 52 bis r. Esquermoise ☎ 55.29.41 – — EY **f**
fermé début août à début sept. et dim. soir – SC : **R** carte 110 à 150
Spéc. Coquilles St-Jacques (sais.), Terrine de homard, Foie gras de canard.

XXX ✿ **Flambard** (Bardot), 79 r. d'Angleterre ✉ 59800 ☎ 51.00.06, « Maison 17e s. du Vieux Lille » — EY **r**
fermé début août à début sept., dim. soir et lundi – SC : **R** carte 130 à 180
Spéc. Soupière d'écrevisses au beurre de concombres, Tresse de sole, Pot au feu de canette.

XXX ✿ **Le Compostelle,** 4 r. St-Étienne ☎ 54.02.49, « Ancien relais flamand de St-Jacques de Compostelle » – . AE GB E — EFY **t**
fermé 5 août au 5 sept. et dim. soir – SC : **R** 80/110, carte le dim.
Spéc. Foie gras frais de canard aux raisins secs, Contrefilet de boeuf au roquefort, Filet de barbue aux pommes.

XXX **Le Varbet,** 2 r. Pas ☎ 54.81.40 – AE GB — EFY **t**
fermé juil., lundi midi, dim. et fériés – SC : **R** 80.

XXX ✿ **Le Club,** 16 r. Pas ✉ 59800 ☎ 57.01.10 – AE — EY **n**
fermé sept., sam., dim. et fériés – **R** (nombre de couverts limité - prévenir) carte 110 à 155
Spéc. Terrine de foie d'oie frais, Marinière de queues d'écrevisses, Saumon au basilic (sais.).

XXX **La Petite Taverne,** 9 r. Plat ☎ 54.79.36 – GB. — FZ **w**
fermé août, fév., dim. soir et lundi – SC : **R** carte 60 à 100.

XX **La Belle Époque** (The Queen Victoria), 10 r. Pas ☎ 54.51.28 – ▤. AE GB ⓓ E — EY **n**
fermé dim. soir – **R** carte 100 à 150.

XX Le Champlain, 13 r. N.-Leblanc ☎ 57.49.53 — EZ **s**

XX ✿ **La Devinière** (Waterlot), 61 bd Louis-XIV ☎ 52.74.64 – ✂ — DV **t**
fermé août, sam. et dim. – SC : **R** (prévenir) carte 115 à 160
Spéc. Millefeuille de moëlle et amourettes, St-Jacques au cresson (oct. à avril), Oeufs coque de petits gris en feuilleté.

XX **Rôtisserie Le Féguide,** pl. Gare ✉ 59800 ☎ 06.15.50 – GB ⓓ — FY
fermé dim. soir – **R** 60/120 **Buffet Gare R** 32/48 ♨.

XX **Chez Roger,** 45 r. Gde-Chaussée ✉ 59800 ☎ 55.48.70 – AE ⓓ E — FY **s**
fermé juil., dim. et lundi – **R** 60 bc.

XX **La Verdière,** 25 r. Plat ✉ 59800 ☎ 54.67.66 – AE — FZ **r**
fermé juil. et dim. – SC : **R** carte 85 à 110.

XX **Charlot II,** 26 bd J-B-Lebas ☎ 52.53.38 – AE E — FZ **m**
fermé 1er juin au 31 août, sam. midi, dim. soir et lundi – SC : **R** 61.

XX **La Tacquetière,** 10 r. Arc ☎ 54.68.89 — EY **v**
fermé 10 au 20 août – **R** 50/60.

X **Chez Bernard,** 65 r. de la Barre ✉ 59800 ☎ 57.06.53 – AE — EY **a**
fermé août et 3 au 12 janv. – **R** carte 80 à 110.

X **A la Bascule,** 12 r. Cambrai ☎ 52.44.55 – GB ⓓ E — CX **d**
fermé août et dim. – SC : **R** 45/65.

à Marcq-en-Baroeul par ② : 4,5 km – 36 269 h. – ✉ **59700** Marcq-en-B. :

Holiday Inn M ⛰, av. Marne ☎ 72.17.30, Télex 132785, ⛱ – ⇅ ▤ TV ☎ ♿ P – 🏔 25 à 400. AE GB ⓓ E — JS
SC : **Grill la Braise R** carte 70 à 100 - **Coffee-Shop R** carte environ 50 ♨ – ☕ 24 – **125 ch** 210/238.

Voir aussi Tourcoing (Bondues)

A l'Aéroport de Lille-Lesquin par ④ : 8 km - JU – ✉ **59810** Lesquin :

Holiday Inn M ⛰, ☎ 97.92.02, Télex 132051, ⛱ – ⇅ ▤ TV ☎ ♿ P – 🏔 700. AE GB ⓓ E — HU
SC : **Grill La Flamme R** carte 80 à 105 - **Snack Angus R** carte environ 55 ♨ – ☕ 16 – **213 ch** 179/205.

Novotel Lille Aéroport M, ☎ 97.92.25, Télex 820519, ⛱, ⛰ – ▤ rest TV ☎ P – 🏔 25 à 200. AE GB ⓓ — HU
R snack carte environ 65 – ☕ 20 – **92 ch** 185/215.

à Englos par ⑥ : 7,5 km par échangeur de Lomme – ✉ **59320** Haubourdin :

Novotel Lille Lomme M ⛰, au Sud-Est ☎ 07.09.99, Télex 120120, ⛱ – ▤ rest TV ☎ P – 🏔 25 à 200. AE GB ⓓ — FT
R snack carte environ 65 – ☕ 20 – **118 ch** 175/205.

à Prémesques par ⑦ : 10 km – ✉ **59840** Pérenchies :

XXX ✿ **Armorial** (Lepelley), sur D 933 ☎ 08.84.24, ≤, « Parc et pièces d'eau » – P. AE ⓓ — FT
fermé 3 au 20 août, 4 au 28 janv., dim. soir, mardi soir et merc. – SC : **R** carte 125 à 180
Spéc. Foie gras de canard frais, Suprême de barbue au vert, Suprême de volaille.

à La Neuville par ⑤, N 49, D 925, D 62 et C 3 : 18 km – ✉ **59239** Thumeries :

XX **Leu Pindu,** 1 r. Gén.-de-Gaulle ☎ 90.72.21, « Grand jardin à l'orée de la forêt » – P
fermé août, dim. et fêtes – SC : **R** (déj. seul.) 45/100.

MICHELIN, Agence régionale, r. des Châteaux, Z.I de la Pilaterie à Wasquehal JS ☎ 98.40.48

AUDI-VOLKSWAGEN Gar. Continental, 289 r. Gambetta ☎ 09.43.66
CITROEN Cabour, 143 r. Wazemmes BX ☎ 93.67.46 N ☎ 93.60.50
CITROEN Gar. Janssens, 20 r. de Mulhouse CX ☎ 52.71.28
CITROEN Gar. St-Christophe, 20 r. Bonté-Pollet AX ☎ 93.69.31
FIAT Waymel, 56 r. P.-Legrand ☎ 56.73.36
LADA, VOLVO Gar. V.D.B., 8 r.J.-du-Solier ☎ 57.37.79
LANCIA-AUTOBIANCHI Gobert, 204 r. Nationale ☎ 57.18.23
LANCIA-AUTOBIANCHI, MERCEDES-BENZ Moselauto, 9 bd de la Moselle ☎ 93.63.13
PEUGEOT S.I.A.-Nord, 50 bd Carnot FY ☎ 06.92.04
RENAULT Gar. Porte Paris, 95 r. de Douai DX ☎ 52.52.48
TALBOT Sté Lilloise Auto, 58 r. des Stations BV ☎ 93.80.65

Ⓜ Daesslé et Klein, 148 bis r. d'Esquermes ☎ 93.71.36 et 50 r. du fg de Roubaix ☎ 06.51.52
Laloyer, 62 r. Abélard ☎ 53.40.34
Matthys, 10 r. Colbert ☎ 57.49.31

LILLE ROUBAIX TOURCOING

Arras (R. du Fg-d') HU 9
Bois (Av. du) GT 27
Carnot (Bd) MOUVAUX JS 35
Carnot (R.) WATTRELOS LS 36
Chanzy (R.) JU
Clemenceau (Bd) HEM KS
Clemenceau (Bd) MARCQ HS
Clemenceau (R.) WATTIGNIES HU 42
Colbert (R.) KT
Courbet (R. Gén.) GU 52
Croix (R. de) KS 56
Defaux (R. J.-B.) JT 59
Delescaux (R. Henri) GT 62
Déportés (R. des) LS 63
Doumer (R. Paul) GU
Dunkerque (Av. de) GT
Fg-des-Postes (R. du) GU 76
Flandre (Av. de) JS 79
Foch (R. Mar.) LOOS GU
Foch (Av. Mar.) MARCQ HJS 80
Gambetta (R.) JU 83
Gaulle (R. Gén.-de) LA MADELEINE HS 85
Gaulle (R. Gén.-de) MONS JT 86
Gaulle (R. Gén.-de) WATTIGNIES GU 87
Grand-Rue LR 89
Guesde (R. J.) HEM KS
Guesde (R. J.) LYS LS 92
Guesde (R. J.) WATTRELOS LS
Hem (R. d') KS
Jacquart (R.) JT 104
Jaurès (Av.) RONCHIN HU
Lalau (R.) HS 113
Lambert (Av. Oscar) GU 116
Lannoy (R. de) LILLE JT 117
Lattre de-T. (Av. de) GS
Lebas (R. J.-B.) LS 120
Leclerc (R. Gén.) HEM KS 122
Leclerc (R. Gén.) LYS LS 123
Leclerc (R. Gén.) ST-ANDRÉ GS
Legrand (R. Pierre) HT 126
Lille (R. de) LANNOY LS 127
Lille (R.) MARQUETTE HS 128

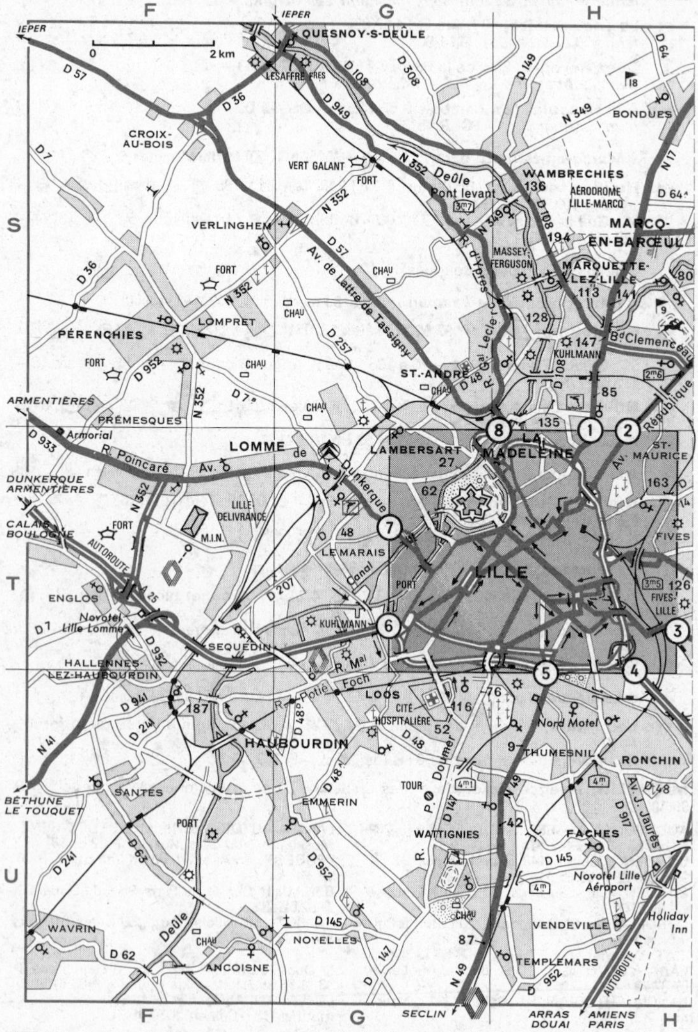

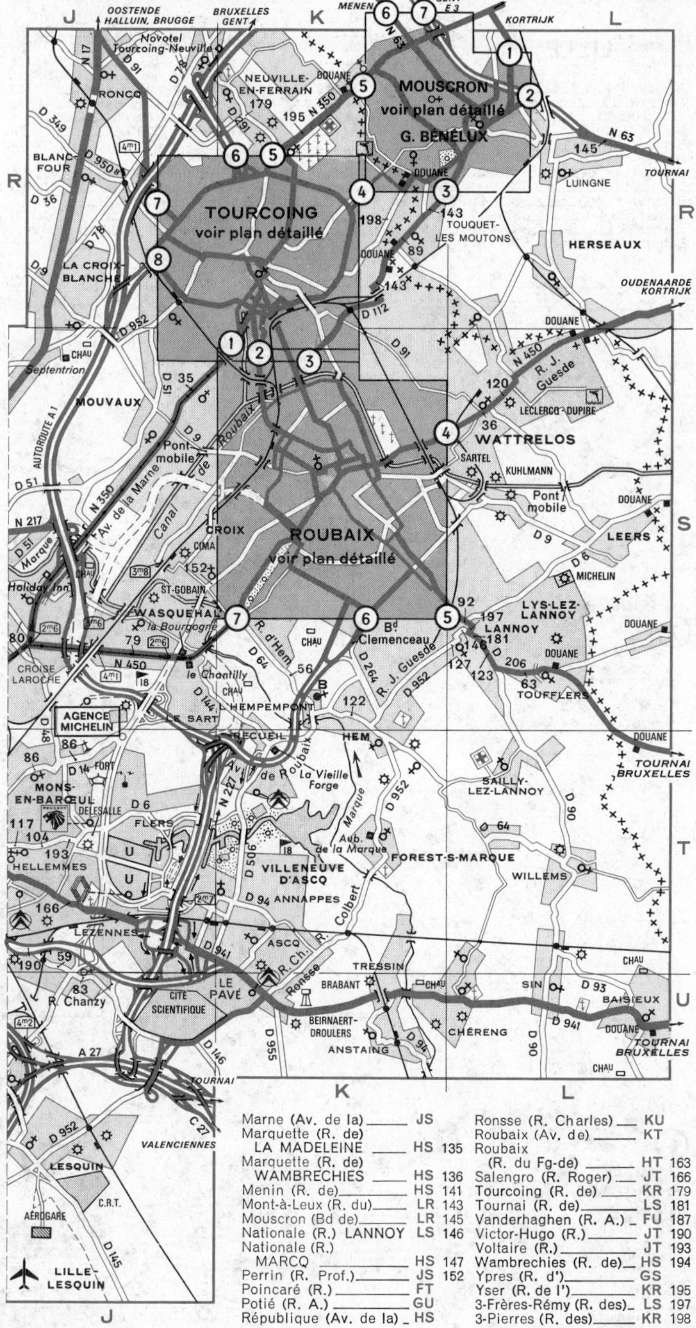
OOSTENDE
HALLUIN, BRUGGE
BRUXELLES
GENT
MENEN
GENT
E 3
KORTRIJK
Novotel
Tourcoing-Neuville
NEUVILLE-
EN-FERRAIN
DOUANE
MOUSCRON
voir plan détaillé
G. BÉNÉLUX
RONCQ
BLANC-
FOUR
N 63
TOURNAI
LUINGNE
TOURCOING
voir plan détaillé
TOUQUET-
LES MOUTONS
HERSEAUX
LA CROIX-
BLANCHE
OUDENAARDE
KORTRIJK
Septentrion
MOUVAUX
AUTOROUTE A 1
R. J. Guesde
LECLERCQ-DUPIRE
WATTRELOS
Pont
mobile
SARTEL
KUHLMANN
Canal de Roubaix
Av. de la Marne
CROIX
ROUBAIX
voir plan détaillé
LEERS
MICHELIN
Holiday Inn
ST-GOBAIN
WASQUEHAL
la Bourgogne
LYS-LEZ-
LANNOY
Bd Clemenceau
R. d'Hem
CROISE
LAROCHE
le Chantilly
L'HEMPEMPONT
TOUFFLERS
AGENCE
MICHELIN
LE SART
HEM
FORT
MONS-
EN-BARŒUL
DELESALLE
Av. de Roubaix
La Vieille
Forge
SAILLY-
LEZ-LANNOY
FLERS
TOURNAI
BRUXELLES
HELLEMMES
VILLENEUVE
D'ASCQ
Aub. de la Marque
FOREST-S-MARQUE
WILLEMS
ANNAPPES
LEZENNES
ASCQ
R. Colbert
R. Ch. Ronsse
TRESSIN
R. Chanzy
LE PAVÉ
CITÉ
SCIENTIFIQUE
BRABANT
SIN
BAISIEUX
BEIRNAERT-
DROULERS
CHÉRENG
ANSTAING
DOUANE
TOURNAI
BRUXELLES
TOURNAI
VALENCIENNES
LESQUIN
C.R.T.
AÉROGARE
LILLE-
LESQUIN

LILLE

Alsace (Bd) CDX
Arras (R. d') CX
Artois (R. d') CX
Ballon (R. du) DU
Bapaume (R. de) CX 12
Bassée (R. de la) AVX
Bateliers (R. des) CU 13
Becquart (Av.) ABU
Beethoven (Av.) AX 14
Belfort (Bd de) DX
Bernos (R.) DV 18
Béthune (R. du Fg de) AX 19
Bigo-Danel (Bd) BV 21
Blanqui (R.) DV 22
Boilly (R.) DV 25
Bois (Av. du) ABU
Bonte (R. Auguste) AU
Buisson (R. du) DU
Cambrai (R. de) CDX
Carrel (R. Armand) DX 38
Churchill (Av. W.) CU
Colbert (R.) BV
Colpin (R. du Lt) BUV 45
Cordonnier (R. Denis) DX 51
Coubertin (Bd P. de) CDU
Courmont (R.) CX 53
Cuvier (Av.) BV 57
Debierre (R. Ch.) DV 58
Défenseurs de Lille (Bd) CDX 60
Delescaux (Av. H.) AU
Destrée (Av. Julien) DV 65
Dr-Calmette (Bd) DV 67
Dorez (Pl. B.) BX 68
Douai (R. de) CDX
Dubuisson (Bd Emile) DV 69
Dunkerque (Av. de) AV
Esquermes (R. d') BX
Fébvrier (Pl. J.) CX 78
Gambetta (R. Léon) BV
Gand (R. de) CU
Gaulle (R. du Gén.-de) CU 85
Guérin (R. Camille) DV 90
Guesde (R. Jules) BX
Halle (R. de la) CU 93
Hippodrome (Av. de l') AUV
Isly (R. d') ABX

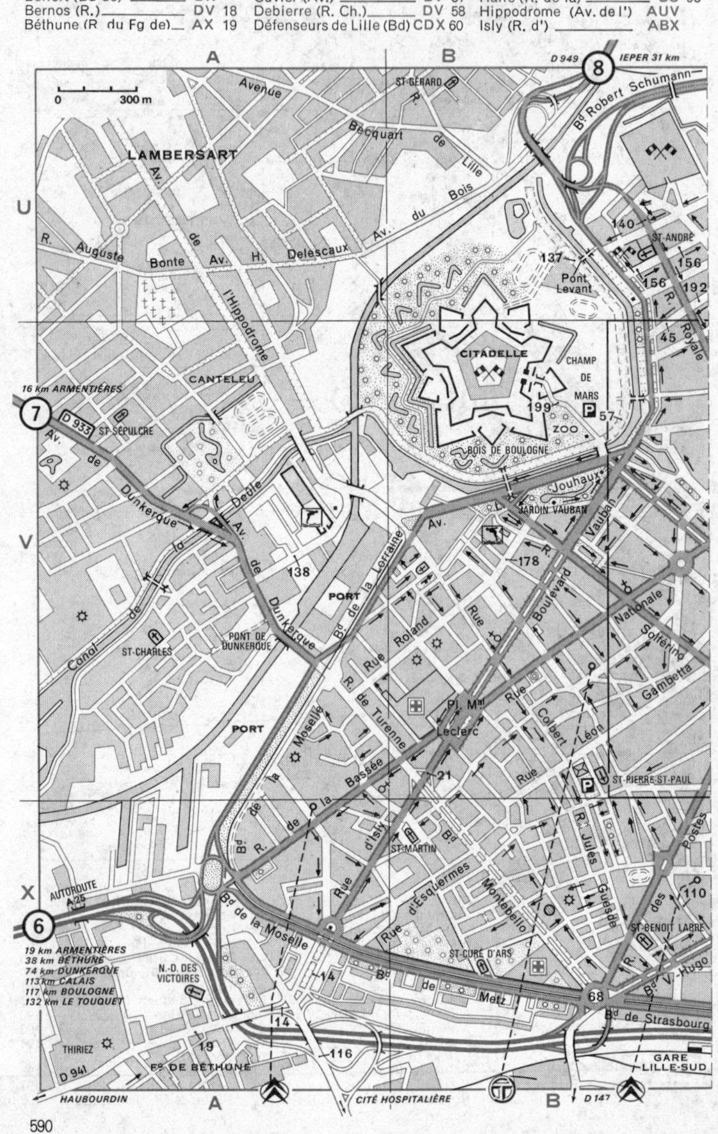

Rue	Carré	N°
Jacquet (R. Eugène)	DV	
Javary (R.)	DV	105
Jouhaux (Av. L.)	BV	
Justice (R. de la)	BX	110
Lagrange (Av. Léo)	AV	112
Lamarck (R.)	DV	115
Lambret (Av. Oscar)	AX	116
Lebas (Bd J.-B.)	CVX	119
Leclerc (Pl. Mar.)	BV	
Le Corbusier (R.)	CDV	124
Lefèvre (R. G.)	DV	125
Legrand (R. P.)	DV	
Lille (R. de)	BU	
Long Pot (R. du)	DVX	
Lorraine (Bd de la)	ABV	
Louvière (R. de la)	DU	
Marronniers (Allée des)	BU	137
Marx-Dormoy (Av.)	AV	138
Maubeuge (R. de)	DX	139
Max (Av. Adolphe)	BU	140
Metz (Bd de)	BX	
Montebello (Bd)	BX	
Moselle (Bd de la)	AVX	
Mottez (R.F.)	DV	144
Nationale (R.)	BCV	
Palissy (R. B.)	DV	150
Perrin (Av. J.)	DX	
Pont Neuf (R. du)	CU	154
Postes (R. des)	BCX	
Prés. Hoover (Bd du)	DV	155
Prés. Kennedy (Av. du)	CDV	
Princesse (R.)	BU	156
République (Av. de la)	DU	
Roland (R.)	ABV	
Roubaix (R. du Fg de)	DV	
Royale (R.)	BUV	
St-Amand (R.)	DX	165
St-Gabriel (R.)	DV	
Schuman (Bd Robert)	BU	
Solférino (R.)	BCVX	
Strasbourg (Bd de)	BCX	
Toul (R. de)	BV	178
Trévise (R. de)	CDX	
Turenne (R. de)	ABV	
Valenciennes (R. de)	DX	185
Vauban (Bd)	BV	
Verdun (Bd de)	DX	189
Victor-Hugo (Bd)	BCX	
Voltaire (R.)	BCU	192
43e-Rég.-d'Inf. (Av. du)	BV	199

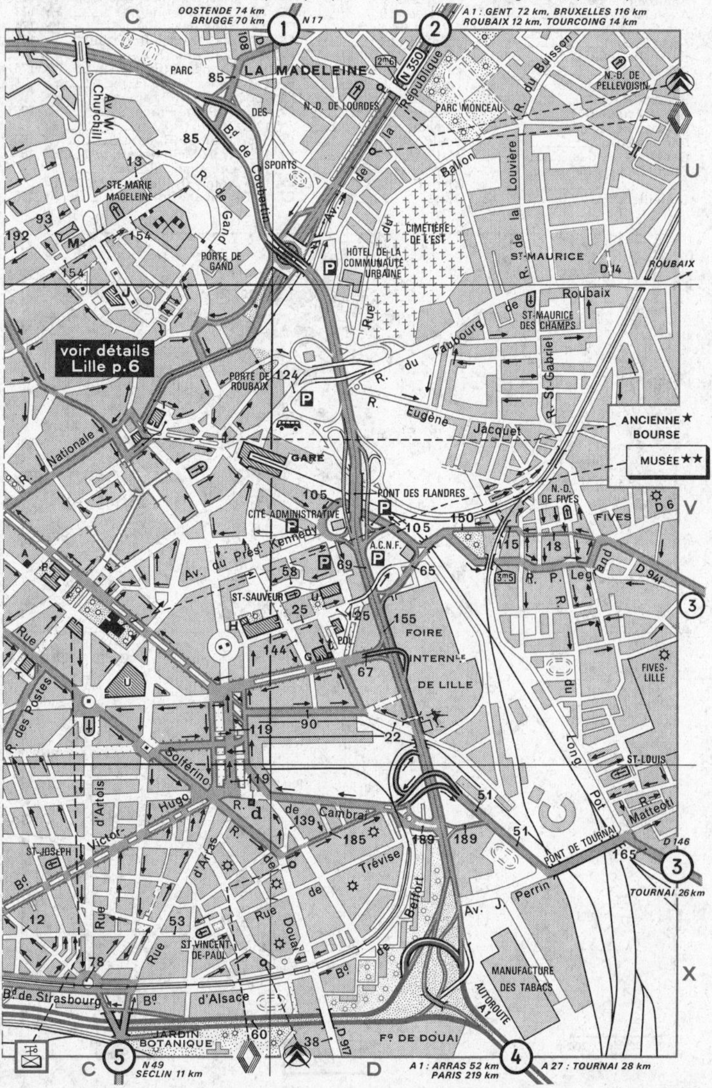

LILLE

Béthune (R. de) FYZ
Esquermoise (R.) EFY
Faidherbe (R.) FY 74
Gambetta (R. Léon) EZ
Gaulle (Pl. Gén.-de) (Grand Place) FY 84
Grande Chaussée (R. de la) FY 88
Monnaie (R. de la) FY 142
Nationale (R.) EYZ
Neuve (R.) FY 148

Amiens (R. d') FZ 6
Anatole-France (R.) FY 7
Angleterre (R. d') EY
Arc (R. de l') EY 8
Aris (R. des) FY
Barre (R. de la) EY
Basse (R.) EFY
Bettignies (R. L. de) FY 20
Bourse (R. de la) FY 28
Brûle-Maison (R.) EFZ
Buisses (R. des) FY 33
Carnot (Bd) FY
Casernes (R. des) FY 40
Chats-Bossus (R. des) FY 41
Colbrant (R.) EZ
Collégiale (R. de la) EY 43
Comédic (R. de la) FY 47
Comtesse (R.) FY 49
Courtrai (Q. de) FY
Cuvier (Av.) EY
Danel (R. L.) EY
Delory (R. G.) FZ
Esplanade (Façade de l') EY
Flandre (R. de) EZ
Foch (Av.) EY
Fosses (R. des) FY 81
Gosselet (R.) FZ
Guérin (R. Camille) FZ 90
Halloterie (R. de la) EY 95
Hôpital Militaire (R.) EY 98
Inkermann (R.) EZ
Jacquart (Pl.) FZ 103
Jacquemars-Giélée (R.) EYZ
Jardins (R. des) FY 104
Jean-Bart (R.) FZ
Jeanne-d'Arc (Pl.) FZ 107
Jean-sans-Peur (R.) EZ
Lebas (Bd J.-B.) FZ 119
Leblanc (R. Nicolas) EZ 121
Liberté (Bd de la) EYZ
Lombart (R. du) FY 129
Louis XIV (Bd) FZ
Maillotte (R.) FZ 132
Manneliers (R. des) FY 134
Marronniers (Av. des) EY
Masséna (Q.) EZ
Molinel (R. du) FYZ
Paris (R. de) FYZ
Philippe-le-Bon (Pl.) EZ 153
Postes (R. des) EZ
Président-Kennedy (Av. du) FZ
Pyramides (R. des) EZ 157
Réduit (R. du) FZ 158
République (Pl. de la) EFZ
Richebé (Pl.) EFZ 160
Rihour (Pl.) FY 161
Roisin (R. Jean) EFY 162
Roubaix (R. de) FY
Royale (R.) EY
St-Génois (R.) FY 168
St-Jacques (R.) FY
St-Sauveur (R.) FZ 170
St-Venant (Av. Charles) FYZ 172
Ste-Catherine (R.) EY 173
Sans Pavé (R.) FY 174
Sec-Arembault (R. du) FY 175
Solférino (R.) EZ
Tanneurs (R. des) FYZ 176
Tenremonde (R.) EY
Théâtre (Pl. du) (Petite Place) FY 177
Thiers (R.) EY
Tournai (R. de) FY 180
Trois-Mollettes (R. des) EY 182
Urbanistes (R. des) FY
Valmy (R. de) FZ
Vauban (Bd) EY 188

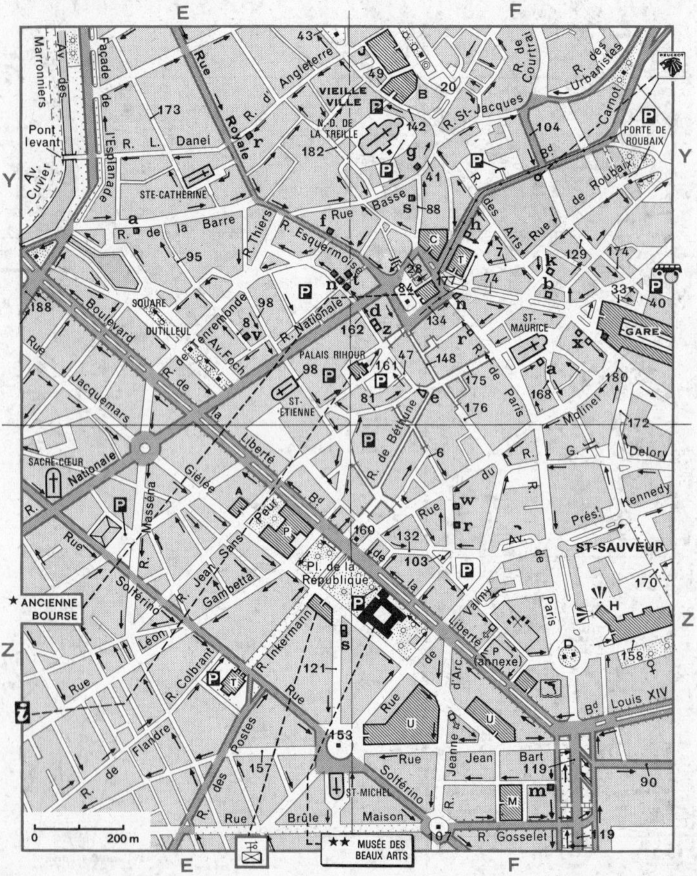

Périphérie et environs

ALFA-ROMEO, FERRARI Auto 2000, 96 allée Gabriel à Marcq en Baroeul ℱ 72 26 00
AUDI-VOLKSWAGEN Gar. du Château, av. Champollion à Villeneuve d'Ascq ℱ 05 24 04
AUSTIN, JAGUAR, MORRIS, ROVER, TRIUMPH Baillet, 71 av. de Flandre à Marcq en Baroeul ℱ 98 13 30
BMW Autolille, 873 av. de la République à Marcq en Baroeul ℱ 72 90 72
CITROEN Succursale, 187 av. République à La Madeleine DU ℱ 55 17 10 N
CITROEN Cabour, 449 av. de Dunkerque à Lomme GT ℱ 92 33 62 N ℱ 78 82 29
CITROEN Villeneuve Automobiles, La Cousinerie à Villeneuve d'Ascq KT ℱ 91 27 62
CITROEN Fayen, 186 r. des Fusillés à Villeneuve d'Ascq KU ℱ 34 53 05
FORD Flandres-Autos, 70 r. Louis-Delos à Marcq-en-Baroeul ℱ 55 07 70
MERCEDES-BENZ C.I.C.A., 1033 av. République à Marcq-en-Baroeul ℱ 72 39 39
OPEL-GM-US Eurauto, Centre Commercial, rte de Sequedin à Englos ℱ 92 20 33
PEUGEOT C.D.A., 21 r. J.-Guesde à Villeneuve-d'Ascq JT ℱ 56 87 61
RENAULT Succursale, 140 av. République à La Madeleine DU ℱ 55 54 55 N
RENAULT Gar. de l'Heurtebise, 172 r. A.-Potié à Haubourdin GTU ℱ 07 27 44 et Centre Commercial à Englos FT ℱ 09 25 55
RENAULT Gar. V.R.A.L.E., Pont de bois à Villeneuve d'Ascq JT ℱ 91 20 35
RENAULT Gar. Wacrenier, bd Hentges à Seclin ℱ 90 12 32
TOYOTA Autodis, r. Jules Guesde à Villeneuve d'Ascq ℱ 91 45 88

François-Pneus, 331 av. du Gén.-de-Gaulle à Hallennes ℱ 07 70 44 et 614 av. Dunkerque à Lomme ℱ 09 12 55
Prévost, 322 r. Gén.-de-Gaulle, à Mons-en-Baroeul ℱ 04 88 08
Reform'Pneus, 261 bis av. République à La Madeleine ℱ 55 52 70 et r. de la Croix-Bougard, Centre Routier à Lesquin ℱ 97 22 01
RENOVA-PNEUS, Zone Ind. Séclin, r. Mont Templemars à Noyelles Séclin
Seeuws, 29 r. J.-Ferry à Hellemmes ℱ 56 87 70
Vasseur pneus, 3 r. E.-Blondeau à Haubourdin ℱ 07 26 72
Wattelle, 111 r. Gén.-de-Gaulle à La Madeleine ℱ 55 67 55

LILLEBONNE **76170** S.-Mar. **55** ④⑤ **G. Normandie** – 10 305 h. alt. 32 – ✪ 35.

Bac de Quillebeuf : renseignements ℱ 39.77.11.

i Syndicat d'Initiative pl. Mairie (juil.-août et fermé lundi) ℱ 38.08.45.

Paris 187 ④ – Bolbec 8 ⑥ – ♦Le Havre 37 ④ – Honfleur 40 ④ – Lisieux 62 ④ – ♦Rouen 60 ①.

France, 1 bis r. République **(a)** ℱ 38.04.88 – wc. AE GB
fermé 21 juin au 6 juil. et dim. – **R** 66/140 – 9 – 20 ch 40/120 – P 140/160.

*à **Norville*** par ③ et D 428 : 10 km – ✉ **76330** N.-D.-de-Gravenchon :

✕ **Aub. de Norville** avec ch, D 81 et D 428 ℱ 39.91.14, – ch
SC : **R** *(fermé vend. soir et sam.)* 38/75 – 8,50 – 10 ch 43/63.

LILLEBONNE

Gambetta (R. L.) 2
Havre (R. du) 3
Messager (R. H.) 4
Pasteur (R.) 5

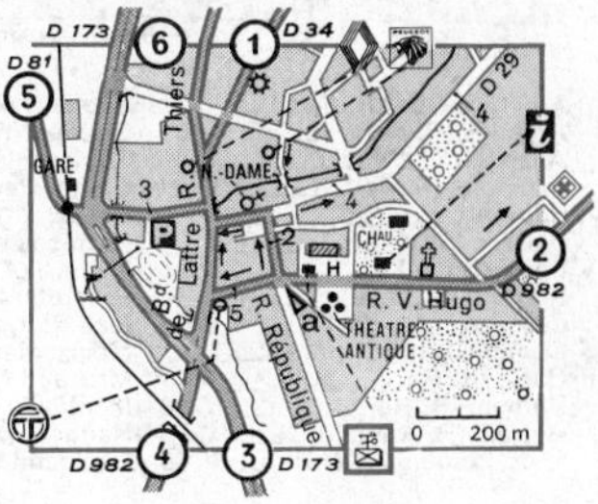

PEUGEOT Raimbourg, 8 r. Dr-Léonard ℱ 38.05.22
RENAULT Dajon, 23 ter r. Thiers ℱ 38 01 47
TALBOT Evrard, 15 r. Pasteur ℱ 38 00 68

LIMOGES P **87000** H.-Vienne **72** ⑰ **G. Périgord** – 147 442 h. alt. 294 – ✪ 55.

Voir Cathédrale★ BZ**B** – **Église St-Michel-des-Lions**★ AY**D** – **Musées : A. Dubouché**★★ **(porcelaines)** AY, **Municipal**★ **(émaux**★★**)** BZ**M.**

18 ℱ 33.35.21 par ④ : 3 km.

de Limoges-Bellegarde, 18 ℱ 30.21.02 par ⑥ : 10 km.

i Office de Tourisme (fermé dim. sauf matin en saison), Accueil de France (Informations et réservations d'hôtels, pas plus de 5 jours à l'avance) et T.C.F. bd Fleurus ℱ 34.46.87, Télex 580705 et Aire de Repas Grassereix (15 juin-15 sept.) ℱ 37.14.43 - A.C. 33 bd L.-Blanc ℱ 34.32.06.

Paris 394 ① – Angoulême 103 ⑥ – ♦Bordeaux 219 ⑥ – ♦Clermont-Ferrand 181 ② – ♦Dijon 418 ② – Montluçon 137 ② – ♦Montpellier 439 ④ – ♦Nantes 304 ⑥ – Poitiers 119 ⑦ – ♦Toulouse 312 ④.

Plans pages suivantes

Frantel M, pl. République ℱ 34.65.30, Télex 580771 – rest TV – 90 à 110. AE GB E. rest BY **u**
SC : rest. **Le Renoir** *(fermé sam.)* **R** carte 100 à 140 - **Le Limousin** (Grill) *(fermé sam.)* **R** carte environ 70 – 21 – **75 ch** 190/270.

Luk H. M, 29 pl. Jourdan ℱ 33.44.00, Télex 580704 – TV wc – 40. AE GB E BY **x**
SC : **R** 50/120 – **55 ch** 160/200 – P 210/240.

Caravelle M sans rest, 21 r. A.-Barbès ✉ 87100 ℱ 77.75.29 – wc wc AE E BX **x**
SC : 13 – **31 ch** 95/130.

tourner →

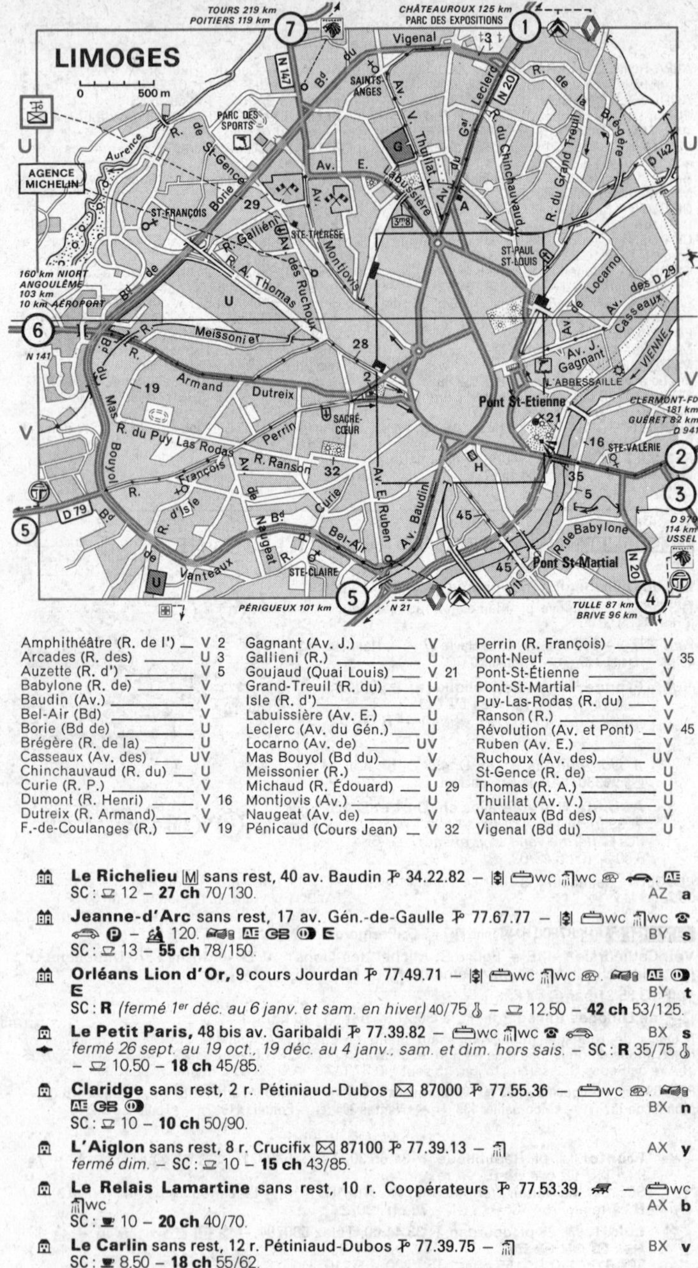

Amphithéâtre (R. de l')	V 2	Gagnant (Av. J.)	V	Perrin (R. François)	V
Arcades (R. des)	U 3	Gallieni (R.)	U	Pont-Neuf	V 35
Auzette (R. d')	V 5	Goujaud (Quai Louis)	V 21	Pont-St-Étienne	V
Babylone (R. de)	V	Grand-Treuil (R. du)	U	Pont-St-Martial	V
Baudin (Av.)	V	Isle (R. d')	V	Puy-Las-Rodas (R. du)	V
Bel-Air (Bd)	V	Labuissière (Av. E.)	U	Ranson (R.)	V
Borie (Bd de)	U	Leclerc (Av. du Gén.)	U	Révolution (Av. et Pont)	V 45
Brégère (R. de la)	U	Locarno (Av. de)	UV	Ruben (Av. E.)	V
Casseaux (Av. des)	UV	Mas Bouyol (Bd du)	V	Ruchoux (Av. des)	UV
Chinchauvaud (R. du)	U	Meissonier (R.)	V	St-Gence (R. de)	U
Curie (R. P.)	V	Michaud (R. Édouard)	U 29	Thomas (R. A.)	U
Dumont (R. Henri)	V 16	Montjovis (Av.)	U	Thuillat (Av. V.)	U
Dutreix (R. Armand)	V	Naugeat (Av. de)	V	Vanteaux (Bd des)	U
F.-de-Coulanges (R.)	V 19	Pénicaud (Cours Jean)	V 32	Vigenal (Bd du)	U

Le Richelieu M sans rest, 40 av. Baudin ☎ 34.22.82 – wc wc ☎ . AE — AZ **a**
SC : 12 – **27 ch** 70/130.

Jeanne-d'Arc sans rest, 17 av. Gén.-de-Gaulle ☎ 77.67.77 – wc wc ☎ P – 120. AE GB E — BY **s**
SC : 13 – **55 ch** 78/150.

Orléans Lion d'Or, 9 cours Jourdan ☎ 77.49.71 – wc wc ☎ . AE E — BY **t**
SC : **R** *(fermé 1er déc. au 6 janv. et sam. en hiver)* 40/75 – 12,50 – **42 ch** 53/125.

Le Petit Paris, 48 bis av. Garibaldi ☎ 77.39.82 – wc wc ☎ — BX **s**
fermé 26 sept. au 19 oct., 19 déc. au 4 janv., sam. et dim. hors sais. – SC : **R** 35/75 – 10,50 – **18 ch** 45/85.

Claridge sans rest, 2 r. Pétiniaud-Dubos ✉ 87000 ☎ 77.55.36 – wc ☎ . AE GB — BX **n**
SC : 10 – **10 ch** 50/90.

L'Aiglon sans rest, 8 r. Crucifix ✉ 87100 ☎ 77.39.13 – — AX **y**
fermé dim. – SC : 10 – **15 ch** 43/85.

Le Relais Lamartine sans rest, 10 r. Coopérateurs ☎ 77.53.39, – wc wc — AX **b**
SC : 10 – **20 ch** 40/70.

Le Carlin sans rest, 12 r. Pétiniaud-Dubos ☎ 77.39.75 – — BX **v**
SC : 8,50 – **18 ch** 55/62.

XXX **Deux Atres,** 17 r. Gén.-Bessol ✉ 87100 ☎ 79.64.54 – GB — BX **e**
fermé août, Noël, sam. midi et dim. – SC : **R** carte 95 à 120.

XX **Petits Ventres,** 20 r. Boucherie ☎ 33.34.02, « Maison du 15e s. » – GB — AZ **u**
fermé lundi midi et dim. – SC : **R** 60 bc (sauf fêtes), dîner à la carte.

LIMOGES

Clocher (R. du) AY 13
Consulat (R. du) AY 15
Jaurès (R. Jean) ABYZ 25
République (Pl. de la) BY 43

Aine (Pl. d') AY
Arènes (Pl. des) AY
Bac (R. Théodore) BX
Bancs (Pl. des) AZ
Barbès (R. Armand) BX
Baudin (Av.) AZ
Bénédictins (Av. des) BY
Berthet (R. Élie) ABY 8
Boucherie (R. de la) AZ 10
Bugeaud (Cours) BY
Buisson (R. F.) AZ
Carnot (Bd) ABY
Carnot (Pl. Sadi) BX
Châteauroux (R. de) BX
Chénieux (R. François) AX
Chinchauvaud (R. du) BX
Cité (Bd de la) BYZ
Combes (R. des) AY
Corderie (Bd de la) BZ
Dubouché (R. A.) AY
Dumas (Av. Georges) BZ
Dussoubs (Pl. D.) AY
Ferrerie (R.) AY 17
Fleurus (Bd) BY
Fontaines-des-Barres (Pl.) AY 18
Gambetta (Bd) AZ
Garibaldi (Av.) AX
Gaulle (Av. Gén. de) BY
Gay-Lussac (Cours) BX
Guesde (R. Jules) BZ 22
Haute-Vienne (R.) AZ 24
Isly (R. d') BY
Jacobins (Pl. des) BZ
Jourdan (Pl.) BY
Lemoine (Av. G. et V.) AX
Libération (Av. de la) ABY
Louis-Blanc (Bd) BZ
Louvrier-de-Lajolais (R.) AY 27
Marceau (Pl.) BX
Maupas (R. du) BY
Mauvendière (R. de la) AY 28
Midi (Av. du) AZ
Montmailler (R.) AY
Neuve-St-Étienne (R.) BZ 31
Perin (R. Georges) BY 34
Petiniaud-Beaupeyrat (R.) AZ
Pont-St-Martial (R. du) BZ
Porte-Panet (R.) BZ 37
Porte-Tourny (R.) BY 38
Préfecture (R. de la) AY 39
Rafilhoux (R.) BY 42
St-Martial (R.) BY 46
Tanneries (R. des) BY 48
Tarrade (Av. A.) AX
Templiers (Cour des) AY 49
Tourny (Carrefour) BY
Turgot (R.) AY
Vergniaud (Cours) BXY
Victor-Hugo (Bd) AY
Vigne-de-Fer (R.) AZ 51
Wilson (Pl.) BYZ

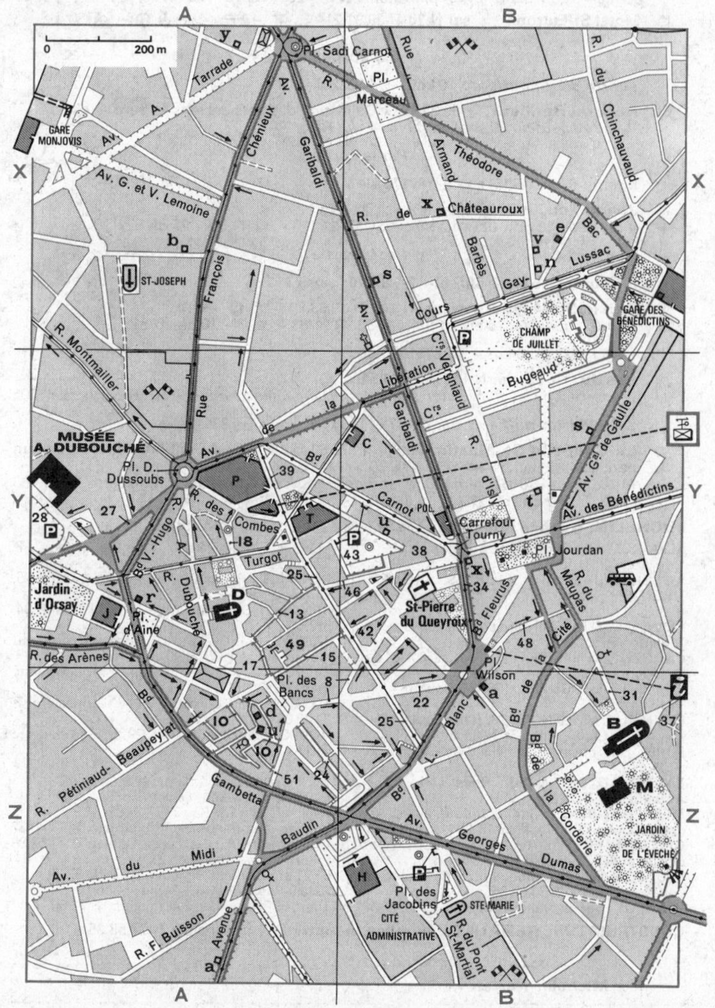

XX **Versailles,** Rest.-Brasserie, 20 pl. Aine ✆ 34.13.39 – GB — AY **r**
fermé 3 au 24 août, vacances scolaires de fév. et lundi – **R** carte 50 à 80.

XX **Buffet Gare Bénédictins,** ✆ 77.54.54 — DX
R 36/76 ꝭ.

X **Europe** avec ch, 2 pl. Wilson ✆ 34.23.72 – wc wc ☎. . ✻ ch — BZ **a**
fermé 15 déc. au 15 janv. – **R** 33/55 – ☕ 9 – **23 ch** 55/90.

X Lou Galetou, 26 r. Boucherie ✆ 33.36.39 — CY **d**

Par la sortie ①

Z.I. Nord Le Malabre 4 km – ✉ **87100** Limoges :

Novotel Ⓜ, ✆ 37.20.98, Télex 580866, ←, , , – | ☎ & Ⓟ – 25 à 200. AE GB
R snack carte environ 65 – ☕ 18 – **90 ch** 180/190.

rte de Paris : 7 km – ✉ **87100** Limoges :

La Résidence Ⓜ, ✆ 39.90.47, parc – wc wc ☎ Ⓟ – 90. ✻ ch
fermé 1er au 7 sept., fév. et dim. soir – **R** 70/120 – ☕ 12 – **20 ch** 90/120.

Motel St-Eutrope, sur N 20 ✆ 39.91.21, ←, – wc ☎ & Ⓟ – 30
20 ch.

Par sortie ③

sur rte d'Eymoutiers : 10 km – ✉ **87220** Feytiat :

XX **Aub. du Bonheur,** ✆ 00.28.19, « Collection d'objets anciens », parc – Ⓟ
fermé 20 août au 20 sept. et merc. – SC : **R** 55/100.

Par la sortie ⑤

à Isle : 6 km – 7 134 h. – ✉ **87170** Isle :

Jeandillou, ✆ 39.00.44 – wc ☎ Ⓟ
fermé 2 au 18 nov. et vend. soir – SC : **R** 32/110 – ☕ 11,50 – **25 ch** 52/118.

Par la sortie ⑦

à Couzeix : 5 km – 5 077 h. – ✉ **87270** Couzeix :

X **Relais St-Martial** avec ch, N 147 ✆ 39.33.50 – Ⓟ.
fermé 15 janv. au 15 fév. et lundi – SC : **R** 39/63 – ☕ 7 – **10 ch** 36/51.

sur N 147 : 10,5 km – ✉ **87510** Nieul :

XX **Les Justices,** sur N 147 ✆ 75.84.54 – Ⓟ. ✻
fermé 1er janv. au 3 fév., dim. soir et lundi sauf fêtes (le midi) – SC : **R** carte 95 à 120.

à St-Martin-du-Fault par N 147 et D 35 : 12 km – ✉ **87510** Nieul :

La Chapelle St-Martin Ⓜ, ✆ 75.80.17, ←, , « Gentilhommière dans un parc » – wc ☎ Ⓟ – 30. . ✻
fermé fév. – SC : **R** *(fermé dim. soir du 1er nov. au 1er mars et lundi)* carte 115 à 150 – ☕ 20 – **9 ch** 160/220.

MICHELIN, Agence régionale, 78 à 82 av. des Ruchoux U ✆ **77.13.61**

ALFA-ROMEO Centre-Ouest-Automobiles, 1 r. de Liège ✆ 34.10.90
AUSTIN, JAGUAR, MORRIS, ROVER, TRIUMPH Sud-Autom., N 20 à Crochat ✆ 30.48.30
BMW, DATSUN Gar. Fraisseix J.-, 213 r. de Toulouse ✆ 30.42.70
CITROEN Central Gar., r. F.-Bastiat, Z.A.C. de Beaubreuil ✆ 37.23.09
CITROEN Gar. Baudin, 176 av. Baudin V ✆ 34.15.74
FERRARI, FIAT, LANCIA, AUTOBIANCHI Savary, 48 av. Gén.-Leclerc ✆ 38.30.40
FORD Gar. Fraisseix E.-, RN 20 à Crochat ✆ 30.46.47
LANCIA-AUTOBIANCHI Royal-Gar., 13 r. A.-Barbès ✆ 77.25.30
MERCEDES-BENZ Gar. Jourdan, av. L.-Armand, Zone Ind. Nord ✆ 38.16.17
OPEL-GM-US Gén.-Autom. du Limousin, rte de Toulouse, Crochat ✆ 30.48.30
PEUGEOT Gds Gar. Limousin, rte de Toulouse, Zone Ind., Magré ✆ 30.65.35
PEUGEOT Gar. Leblanc, à Nieul ✆ 75.80.43
PEUGEOT Gar. Valade, 106 r. de Bellac U ✆ 77.55.73
RENAULT Renault-Limoges, av. L.-Armand, Zone Ind. Nord ✆ 79.58.25
RENAULT Dufournaud, N 21, Les Fayes ✆ 34.51.05
TALBOT Centre-Auto-Limoges rte de Toulouse, Feytiat ✆ 30.29.00
TALBOT Guyot, r. F.-Perrin, Le Moulin Blanc ✆ 01.34.52
TOYOTA Gar. Carnot, 9 av. E.-Labussière ✆ 77.48.06
VOLVO Gar. Desbordes, 229 av. Gén.-Leclerc ✆ 37.17.71

Charles, 5 bis bd Corderie ✆ 34.31.69
Estager, 56 av. Gén.-Leclerc ✆ 38.42.43
Faucher, 55 r. Th.-Bac ✆ 77.27.02
Longequeue-Pneus, 8 r. F.-Chénieux ✆ 77.48.37
Omnium-Pneus, 61 av. Gén.-Leclerc ✆ 77.52.88
Pneus et Caoutchouc, 230 av. Baudin ✆ 34.51.21 et 33 av. des Bénédictins ✆ 33.32.33
Relais-Pneu, 11 av. G.-Péri ✆ 34.55.13
Transac-Pneus, 43 r. F.-Chénieux ✆ 77.60.14

CONSTRUCTEUR : RENAULT Véhicules Industriels, rte du Palais ✆ **77.58.35**

Die **Michelin-Karten** werden laufend auf dem neuesten Stand gehalten.

Switch to Michelin for longer life.

XZX (SR Rating)

The XZX follows the classic Michelin radial configuration combined with a specially designed tread and is suitable for fitment to cars capable of speeds up to 180 km/h (113 mph).

- Exceptional adhesion particularly in the wet due to the tread design
- Tread life is well up the the high standards set by Michelin
- Excellent comfort and low noise levels
- Low power absorption (leading to fuel economy)
- Also available in 70 series (with completely new tread pattern)

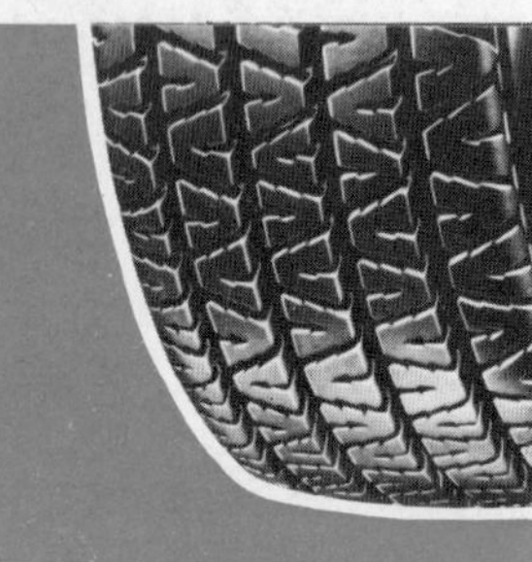

TRX/TRXAS/ TRXM+S

An entirely new generation of radials with a unique super low profile allied to a new wheel and rim combination. HR & VR available.

- Outstanding road holding and vehicle control
- Exceptional adhesion, wet or dry
- Exceptional passenger and vehicle protection
- Maintains the high mileage characteristic of Michelin radials

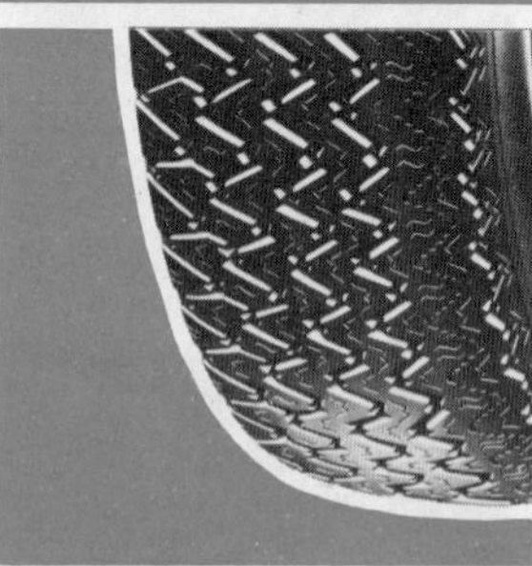

XAS (HR Rating)

The XAS is an asymmetric radial tyre designed to deal with problems associated with speeds up to 130 mph. The unique disposition of steel cord stabilising plies beneath the tread, contribute to exceptional straight line stability and cornering precision.

- HR category, for speeds up to 130 mph
- Exceptional grip wet or dry
- Remarkable comfort
- Low power absorption (leading to fuel economy)

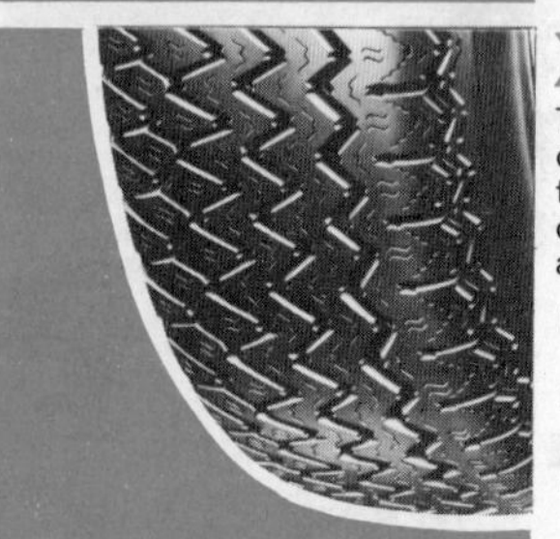

XVS (HR Rating)

The XVS is an asymmetric tyre complementary to the XAS and suitable for fitment to cars with a maximum speed capability of up to 210 km/h (130 mph) and able to sustain speeds at or near that figure.

- Designed for sustained high speed performance
- Exceptional adhesion on wet and dry surfaces
- Low power absorption (leading to fuel economy)
- Remarkable comfort

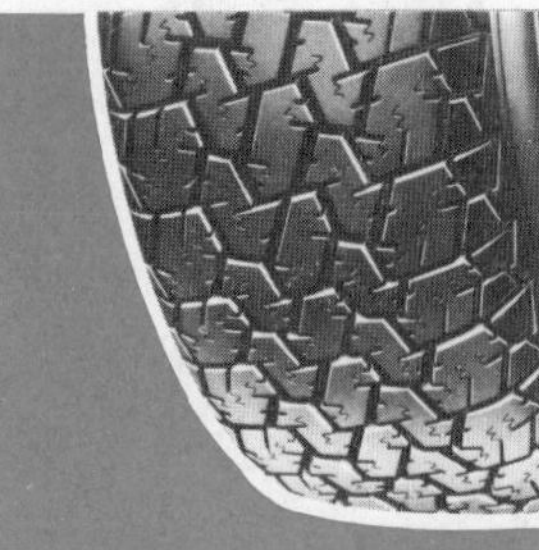

XDX (VR Rating)

The XDX is designed to meet the requirements of cars capable of speeds in excess of 210 km/h (130 mph) but having a maximum of 227 km/h (142 mph)

- Excellent road holding and stability
- Exceptional ride comfort for a VR tyre
- Quiet running not normally associated with tyres in VR category
- Low power absorption (leading to fuel economy)

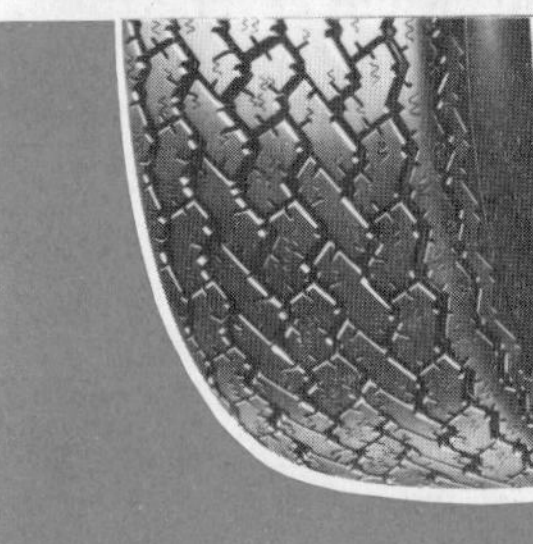

XWX (VR Rating)

The XWX is designed for high performance cars with a speed capability well in excess of 210 km/h (130 mph)

- Provides excellent stability at very high speeds
- Exceptional grip and road holding

XM+S Tyres

Designed to give exceptional adhesion and traction in adverse conditions. Suitable for speeds up to 160 km/h (100 mph) or 150 km/h (90 mph) if studded

- Radial winter tyre
- Suitable for normal road use
- Extra adhesion in snow, mud or adverse conditions
- Moulded holes for studs
- Low power absorption (leading to fuel economy)

XM+S88/89

The XM + S88/89 are improved winter radials suitable for speeds up to 160 km/h (100 mph) or 150 km/h (90 mph) if studded

- Excellent grip on snow, ice and muddy conditions
- Extremely good stability
- Moulded holes for studs
- Low power absorption (leading to fuel economy)

Michelin tyre fitment and pressure guide

Alignment: with Michelin radial tyres all round the best alignment is parallel. Where the vehicle manufacturer recommends a TOE-IN setting PARALLEL to 1/16″ TOE-in should be used. Where a TOE-OUT alignment is recommended PARALLEL to 1/16″ TOE-OUT setting should be used.

Pressures: the pressures shown in the fitment chart are in pounds per square inch (lb/in^2). Where additional pressure is required for full load conditions or sustained high speed or both this is indicated by (L), for full load and (S) for speed of (LS) for a combination of full load and sustained high speed.

Towing: An increase in pressure in the rear tyres of the car is recommended when towing unless an increase in the rear tyre pressures is already being used i.e. (L), (S) or (LS) in which case no further increase is necessary.

XM + S, XM + S8, XM + S89. These tyres may replace XZX/ZX tyres on cars shown in the fitment tables.

XM + S, XM + S88, XM + S89. It is recommended that these tyres are fitted in complete sets. If fitted, increase XZX/ZX pressures by 3 lb/in^2 except for Minis and derivatives where standard XZX/ZX pressures should be used.

Fitting of Michelin radial tubeless tyres
Most sizes of Michelin radial tyres are available in tubeless versions, but they may only be fitted as such providing certain conditions are fulfilled. Please consult your tyre specialists for full information.

XAS, XVS, XDX, XWX. It is preferred that these tyres are fitted in complete sets only. If it is necessary to mix these tyres, consult Michelin.

TRX. These tyres must be fitted in complete sets only.

Car Make and Model	Michelin Radial Fitment	Pressure Front	Rear
ALFA ROMEO			
Alfasud 1·2, 1·3, 1·5 Saloons	145 SR 13XZX	28	22
Giulietta 1·6, 1·8	165 SR 13XZX	26	29
Alfetta GT 1·6, 1·8, 2·0	185/70 HR 14XVS	25	26
AUDI			
Audi 80, 80L, S, LS	155 SR 13XZX	25, 26(L)	25, 32(L)
80GTE/GLE	175/70 HR 13XVS	25, 26(L)	25, 32(L)
100/Avant L, GL, S, LS, GLS	165 SR 14XZX	29, 32(L)	29, 32(L)
100/Avant 5E Models	185/70 HR 14XVS	28, 30(L)	28, 30(L)
AUSTIN – see Leyland			
BMW			
202 Tii (Sept 73 onwards)	165 HR 13XAS	29, 29(L)	29, 32(L)
316, 318	165 SR 13XZX	26, 28(L)	26, 29(L)
320/6/323i	185/70 HR 14XVS	29, 30(L)	29, 35(L)
320i	185/70 HR 13XVS	28, 29(L)	28, 30(L)
518 } '76+	175 SR 14XZX	28, 30(L)	28, 35(L)
520/4 } '76+	195/70 HR 14XVS		
525, '76+, 520/6	175 HR 14 XAS	30, 32(L)	30, 36(L)
528	195/70 HR 14XVS	30, 32(L)	30, 35(L)
3.0L	195/70 HR 14XVS	32, 32(L)	32, 36(L)
3.0Si, '76+, 3·3Li	195/70 VR 14XDX	32, 32(L)	32, 36(L)
3.0CS, CSi, CSA	195/70 VR 14XDX	29, 32(L)	29, 32(L)
3.0CSL	195/70 VR 14XDX	30, 34(L)	30, 35(L)
3.3L	195/70 VR 14XDX	32, 32(L)	29, 35(L)
630CS, 628Csi } 633CSi	195/70 VR 14XDX	34, 35(L)	30, 35(L)
728	195/70 HR 14XVS	32, 34(L)	32, 38(L)
733i, 732i, 735i	205/70 VR 14XDX	32, 34(L)	32, 38(L)
CHRYSLER – see Talbot			
CITROEN			
2CV, Dyane 4 and 6, 2CV6	125–15X	20	26
Ami 8	125–15X	26	26
Ami Super and Super Estate	135 SR 15XZX	26	28
Visa 652cc	135 SR 13XZX	25	29
Visa 1124cc	145 SR 14 XZX	25	28
GS, GSA. All Models	145 SR 15XZX	26	28
CX2000/2200 Manual Steering	185 SR 14XZX (Front)		
Athena, Reflex	175 SR 14XZX (Rear)	28	30
CX2000/2200	185 HR 14XVS (Front)		
Power assisted steering	175 HR 14XVS (Rear)		
CX2200 Diesel Saloon	185 SR 14XZX (Front)	30	
Manual steering	175 SR 14XZX (Rear)		30
CX2200 Diesel Safari	185 SR 14XZX	30	32
CX2400 Super	185 HR 14XVS (Front)	28	
CX2400 Pallas	175 HR 14XVS (Rear)		30
CX2400 G.T.I.	185 HR 14XVS	30	32
CX2400 Prestige	185 HR 14XVS	32	32
CX2500D	185 SR 14XZX (Front)	30	
Saloon	175 SR 14XZX (Rear)		30
SM 2·6i, 2·9 Auto	205/70VR 14XWX	34	30
COLT			
Lancer 1400, 1600 Saloons	155 SR 13XZX	23	24
1400 GLX	155 SR 13XZX	23, 28(LS)	23, 28(LS)
Celeste 1600ST, 1600GS, 2000	165 SR 13XZX	26	28
Galant GTO 2000GSR	185/70 HR 13XVS	24	30
Sigma 2000, 1600	165 SR 13XZX	27	27
Sapporo	185/70 HR 13XVS	27	24
DAF – see Volvo			

*(L) (S) (LS) See notes at head of table

Car Make and Model	Michelin Radial Fitment	Pressure Front	Rear
DAIMLER			
Sovereign 2·8, 3·4, 4·2			
Sovereign Series II & III	205/70 VR 15 XDX	26, 33(LS)	28, 36(LS)
Vanden Plas 4·2 Saloon			
Double Six	205/70 VR 15XDX	30, 38(LS)	30, 38(LS)
Double Six Vanden Plas			
DATSUN			
100A Cherry, B110/1200	155 SR 12XZX	21	21
Saloon and Coupé			
120A Coupé	155 SR 12XZX	21	21
120Y MkII Saloon & Coupé	155 SR 13XZX	24	24
140J, 160J, 160J SSS	165 SR 13XZX	25	29
160B, 180B	165 SR 13XZX	25	30
200L & GL Laurel Saloon } up to '79	165 SR 14XZX	26	32
& Coupé	185/70 HR 14XVS	23	28
200L '79+	185/70 HR 14XVS	26	29
240C Saloon	175 SR 14XZX	26, 30(LS)	26, 30(LS)
240K GT up to '79	175 HR 14XAS/XVS	25	28
240KGT '79+	185/70 HR 14 14XVS	28	25
260C Saloon & Coupé	175 HR 14XAS/XVS	26	29
260C Estate	175 SR 14XZX	26, 30(L)	26, 33(L)
FIAT			
Strada 65	145 SR 13XZX	28, 28(L)	26, 32(L)
Strada 75	145 SR 13XZX	28, 32(L)	26, 32(L)
	165/70 SR 13ZX	28, 29(L)	26, 32(L)
124, 124S, 124 Special T	155 SR 13XZX	24	26
124 Sports Coupé 1·6, 1·8	165 SR 13XZX	29	29
126	135 SR 12XZX	20	29
127L (2 door) & Special	135 SR 13XZX	24	27
127CL, 1050CL (3 door)	135 SR 13XZX	24, 24(L)	27, 31(L)
128, 128S, Coupé Rally	145 SR 13XZX	26	24
X1·9 (1·3)	165/70 13ZX	26	28
130B (3·2 litre)	205/70 HR 14XVS	29	32
130BC Coupé (3·2 litre)	205/70 VR 14XDX	32	32
131 1300 & 1600	155 SR 13XZX	26	28
131 1300, 1600 Estates	165 SR 13XZX	26	32
132 Special, GLS 1600, 1800	185/70 SR 13ZX	26	28
132 (2000)	175/70 SR 14ZX }	28	29
Option	180/65 HR 390 TRX }		
	155 SR 13XZX	26	26
Mirafiori 1300L, 1600CL	175/70 SR 13ZX		
Super Mirafiori	165 SR 13XZX	26	29
	175/70 SR 13ZX	26	26
FORD			
Fiesta L, S, Ghia 1·0, 1·1, 1·3	145 SR 12XZX	23, 26(L)	26, 29(L)
Escort MkII 1100	155 SR 12XZX	22, 25(L)	28, 36(L)
	155 SR 13XZX	22, 25(L)	25, 36(L)
Escort MkII 1100 Estate	155 SR 12XZX	22, 25(L)	25, 36(L)
Heavy-Duty	155 SR 12XZX Reinf.	22, 25(L)	25, 36(L)
Escort MkII Popular 'Base'			
1100 & 1300	155 SR 12XZX	22, 25(L)	28, 36(L)
1100 Popular 'Plus'	155 SR 13XZX	22, 25(L)	25, 36(L)
1300 Popular 'Plus'	155 SR 12XZX	22, 25(L)	28, 36(L)
Escort MkII 1300, L, GL, }	175/70 SR 13ZX	22, 23(L)	25, 29(L)
Ghia 1300, 1300 Estate }	155 SR 13XZX	22, 25(L)	25, 36(L)
1300 Estate Heavy-Duty	155 SR 13XZX Reinf.	22, 25(L)	25, 36(L)
Escort MkII 1300, 1600 Sport	175/70 SR 13ZX	;;, 23(L)	25, 36(L)
Escort MkII 1600	155 SR 13XZX	22, 25(L)	25, 36(L)
Escort MkII RS 1800, RS 2000	175/70 HR 13XVS	24, 26(L)	27, 28(L)
Escort Mexico	175/70 HR 13XVS	24, 26(L)	27, 28(L)
Escort MkIII (FWD) }	145 SR 13XZX		
1·1, 1·3, 1·6 except XR3 }	155 SR 13XZX }	26, 28(L)	26, 33(L)
	175/70 SR 13ZX		

* (L) (S) (LS) See notes at head of table

Car Make and Model	Michelin Radial Fitment	Pressure Front	Rear
FORD			
Cortina MkIII Saloons until September '73	165 SR 13XZX	23, 26(L)	23, 28(L)
September '73 until '76	165 SR 13XZX	26, 26(L)	26, 30(L)
Cortina MkIII Family Estate (until '76)	165 SR 13XZX	23, 26(L)	23, 36(L)
Cortina MkIII Saloons ('76 onwards)	165 SR 13XZX	26, 28(L)	26, 36(L)
Cortina MkIII Estates ('76 onwards)	165 SR 13XZX	26, 26(L)	26, 40(L)
Cortina MkIV Saloons	165 SR 13XZX	26, 28(L)	26, 36(L)
Cortina MkIV Estates	165 SR 13XZX	26, 28(L)	26, 40(L)
Cortina MkIV Estates Heavy-Duty	175 SR 13zx Reinf.	21, 25(L)	24, 40(L)
Capri 1300 and GT 1600 and GT, 20000GT	165 SR 13XZX	24	27
Capri 3000, E, GT, GXL	185/70 HR 13XVS	26	26
Capri II 1300, 1600, 2000	165 SR 13XZX	21, 27(LS)	27, 31(LS)
Capri II 3000	185/70 HR 13XVS	28, 28(LS)	28, 34(LS)
Capri 3 1·3, 1·6, 2·0	165 SR 13XZX 185/70 SR 13ZX	23, 28(L)	28, 32(L)
Capri 3 3·0	185/70 HR 13XVS	23, 28(L)	28, 32(L)
Granada 2 litre, Consul 2 litre	175 SR 14XZX	21, 24(L)	23, 27(L)
	185 SR 14 XZX	20, 23(L)	21, 26(L)
Granada 2·5 litre	175 SR 14XZX	24, 26(L)	24, 30(L)
Consul, Granada 2·5 Estate	185 SR 14XZX	23, 27(L)	23, 28(L)
Granada 3·0 Estate Auto Manual	185 SR 14XZX 185 HR 14XVS	24, 27(L)	24, 33(L)
	185 SR 14XZX	23, 24(L)	23, 27(L)
Granada 3 litre Automatic	175 SR 14XZX	24, 26(L)	24, 30(L)
Ghia and Coupé	185 SR 14XZX	23, 24(L)	23, 27(L)
Granada 3 litre Manual	175 HR 14XAS	24, 26(L)	24, 30(L)
Ghia and Coupé	185 HR 14XVS	23, 24(L)	23, 27(L)
Granada 3000 S	195/70 HR 14XVS	24, 27(L)	24, 33(L)
Granada II Saloons 2·0L, 2·3L, GL, 2·8GL, 2·1D	175 SR 14XZX 185 SR 14XZX	24, 27(L)	24, 34(L)
	190/65 HR 390TRX	24, 27(L)	24, 36(L)
2·8 Ghia	185 SR 14XZX	24, 27(L)	24, 34(L)
	190/65 HR 390TRX	24, 27(L)	24, 36(L)
2·8i GLS, Ghia	190/65 HR 390TRX	24, 27(L)	24, 36(L)
	185 HR 14XVS	24, 27(L)	24, 34(L)
2·8iS	190/65 HR 390TRX 185 HR 14XVS	24, 27(L)	24, 36(L)
Granada II Estates			
2·0L, 2·3L, 2·8GL Auto,	185 SR 14XZX	26, 27(L)	26, 36(L)
2·8 Ghia	190/65 HR 390TRX	24, 27(L)	24, 36(L)
2·8GL Manual	185 HR 14XVS	26, 27(L)	26, 36(L)
	190/65 HR 390TRX	24, 27(L)	24, 36(L)
2·8iGLS, Ghia	190/65 HR 390TRX 185 HR 14XVS	24, 27(L)	24, 36(L)
HILLMAN – see Talbot			
HONDA			
Civic 1500 & 1200	155 SR 12XZX	24	24
Accord	155 SR 13XZX	24	24
Prelude	155 SR 13XZX	25, 29(LS)	25, 29(LS)
JAGUAR			
XJ6, XJ6L, XJ6C, 2·8, 3·4, 4·2	205/70 VR 15XDX	26, 33(LS)	28, 36(LS)
XJ12, XJ12L, XJ12C	205/70 VR 15XDX	30, 38(LS)	30, 38(LS)
E Type V12	205/70 VR 15XWX	24, 38(S)	28, 40(S)
XJS	205/70 VR 15XWX	26, 38(LS)	26, 38(L)

* (L) (S) (LS) See notes at head of table

Car Make and Model	Michelin Radial Fitment	Pressure Front	Rear
LADA			
1200 Saloon	155 SR 13XZX	25	26
1200 Estate	165 SR 13XZX	22, 22(L)	29, 32(L)
1500 Saloon	165 SR 13XZX	23	28
LANCIA			
Beta 1·3	155 SR 13XZX	25, 28(L)	25, 28(L)
Beta 1·6, 2·0	175/70 SR 13ZX	32 (S)	32 (S)
Beta 1·4	155, SR 13XZX	25, 28(LS)	25, 28(LS)
Beta 1·8 ES, HPE	175/70 SR 14ZX		
Delta 1·3 (4 speed)	145 SR 13XZX	26, 29(L)	24, 29(L)
Delta 1·3 (5 speed), 1·5	165/70 SR 13ZX		
LEYLAND			
Mini, Mini Cooper			
Mini Countryman	145 SR 10XZX	28	26
Mini Clubman & Estate			
Mini Cooper 'S' 1275GT (until 74)	145 SR 10XAS	23	26
Mini Metro 1·0	135 SR 12XZX	32	28
1·3	155/70 SR 12ZX	28	26
1100, 1300, 1100 Princess			
1300GT	155 SR 12XZX	23	26
1100, 1300 Countryman	155 SR 12XZX	23, 23(L)	26, 29(L)
Allegro 1100, 1300 MkI	145 SR 13XZX	26	30
Allegro 1500, 1750 MkI			
& Vanden Plas MkI	155 SR 13XZX	26	30
Allegro 1100, 1300, 1500 MkII, 3	145 SR 13XZX		
Vanden Plas MkII, 1750 MkII, 3	155 SR 13XZX	26	24
Allegro Estates 1·3 MkII, 3			
Allegro Estates 3, 1·5, 1·7	145 SR 13XZX	26, 26(L)	24, 29(L)
Allegro MkII 1·5	155 SR 13XZX		
Allegro Equipè	165/70 SR 13ZX	26	24
Marina 1·3, 1·8	145 SR 13XZX	26	28
Marina 1·8TC, 2-1·8, 1·8S			
HL, GT and 1·7 models	155 SR 13XZX	26	28
Marina, Marina 2-Estate	155 SR 13XZX	26, 26(L)	28, 32(L)
Maxi 1500, 1750	155 SR 13XZX		
1750HL, HLS	165 SR 13XZX	26	24
1822 series	185/70SR 14ZX	26	24
MAZDA			
1000 DL	155 SR 13XZX	26	26
323 Saloons	155 SR 13XZX	22	26
818 Saloon & Coupé, RX3	155 SR 13XZX	26	26
616	165 SR 13XZX	26	26
929 Saloon & Coupé	175 SR 13XZX	24	24
Montrose 1·6	165 SR 13XZX	26	29
MERCEDES BENZ			
200, 200D (115 Series)			
230, 230·4, 230·6	175 SR 14XZX-P	29	34
230, 240D (123 Series)	175 SR 14XZX-P		
230C (123 Series)	195/70 HR 14XVS-P	29	32
240TD (123 Series)	195/70 HR 14XVS-P	29, 29(L)	32, 36(L)
250 (123 Series Not LWB)	175 SR 14XZX-P	29 <100 mph	32
		32 >100 mph	36
280, 280C, 280E, 280CE (123 Series)	195/70 HR 14XVS-P	29 <100 mph	34
		32 >100 mph	36
280 S, SE (116 Series)	185 HR 14XVS-P	30, 35(S) 34(L) 38(LS)	34, 38(S) 36(L) 41(LS)

*(L) (S) (LS) See notes at head of table

Car Make and Model	Michelin Radial Fitment	Pressure Front	Rear
MERCEDES BENZ			
280SE 3·5 and 300SEL 3·5	205/70 VR 14XDX 205/70 VR 14XWX	32	36
350SE, SEL (116 Series)	205/70 HR 14XVS	30, 34(L)	34, 36(L)
450SE, SEL (116 Series)	205/70 VR 14 XDX	<100mph 35, 38(L) >100mph	38, 41(L)
450SEL(6·9)(116 Series)	215/70 VR 14XWX	32, 36(S) 35(L) 39(LS)	32, 36(S) 35(L) 39(LS)
MG			
MGB Tourer, GT	165 SR 14XZX	21, 21(L)	24, 26(L)
MGB GT V8	175 HR 14XAS	21, 26(L)	25, 32(L)
MORRIS – see Leyland			
OPEL			
Kadett DL, Special, Coupé (1·2) City DL, City Special (1·2)	155 SR 13XZX	20, 22(L)	25, 29(L)
Kadett Estate (1·2)	155 SR 13XZX	22, 23(L)	29, 35(L)
Kadett 1·3 Saloons	155 SR 13XZX	25, 28(L)	25, 32(L)
Kadett Estate 1·3	155 SR 13XZX	26, 29(L)	34(L), 44(L)
Ascona 1·6 & 1·9 (75 onwards)	165 SR 13XZX	25, 29(L)	25, 29(L)
Ascona Estate 1·6, 1·6S & 1·9S	165 SR 13XZX	26, 26(L)	29, 38(L)
Manta 1·6, 1·9 & 2·0	165 SR 13XZX	25, 29(L)	25, 32(L)
Manta Berlinetta 1·6, 1·9 & 2·0 ('75 onwards)	185/70 SR 13ZX	23, 26(L)	23, 26(L)
Rekord 1·7, 1·9 & 2·0	175 SR 14XZX	26, 29(L)	26, 32(L)
Monza, Senator	195/70 HR 14XVS	32, 36(L)	36, 41(L)
PEUGOT			
104 GL, ZL	135 SR 13XZX	28	32
104 SL	135 SR 13XZX	26	29
104 SR, GR	135 SR 13XZX	25	32
204	135 SR 14ZX	25	29
204 Estate	145 SR 14ZX	25, 25(L)	30, 38(L)
304 GL, SLS (Sept 73 onwards)	145 SR 14XZX	26	30
304 GL Estate, SL Estate (Sept '76 onwards)	145 SR 14XZX	26	39
305, GL, GR, SR	145 SR 14XZX-P	26, 29(S)	30, 33(S)
504 L Petrol	165 SR 14XZX	26	30
504 L Estate, GL Estate, Family Estate Petrol	185 SR 14XZX Reinf.	23, 23(L)	36, 46(L)
504 L Diesel	165 SR 14XZX	25	29
504 GL, GL Diesel	175 SR 14XZX	26	30
505 All models	175 HR 14XVS (Man)	23, 26(LS)	28, 30(LS)
	180/65 HR 390 TRX (Auto)	25, 28(LS)	28, 30(LS)
604 SLS V6, SL, Ti	175 HR 14XAS-P	26, 30(L) or (S)	30, 35(L) or (S)
	190/65 HR 390TRX	22	30
RENAULT			
R4, R4L, R4TL	135 SR 13XZX	20, 23(L)	23, 26(L)
R5, R5L, R5TL, R5GTL	145 SR 13XZX	23, 26(L)	26, 29(L)
R5TS	145 SR 13XZX	23, 25(L)	28, 29(L)
R6, R6L	135 SR 13XZX	22, 25(L)	25, 28(L)
R5 Gordini	155/70 HR 13XVS	25	30

*(L) (S) (LS) See notes at head of table

Car Make and Model	Michelin Radial Fitment	Pressure Front	Rear
RENAULT			
R6TL (4 seat)	135 SR 13XZX	22, 23(L)	26, 29(L)
(5 seat)	145 SR 13XZX	20, 22(L)	25, 26(L)
R12L, R12TL	145 SR 13XZX	23, 26(L)	26, 29(L)
R12TS	145 SR 13XZX	23, 26(L)	26, 29(L)
R12 Estate	155 SR 13XZX	23, 25(L)	26, 29(L)
R14TL	145 SR 13XZX	25, 26(L)	28, 29(L)
R15TL, R15TS	155 SR 13XZX	26, 29(L)	28, 30(L)
R15GTL Manual	145 SR 13XZX	26, 29(L)	28, 30(L)
R16, R16TL	145 SR 14ZX	23, 25(L)	29, 32(L)
R16TS	155 SR 14ZX	26, 25(L)	26, 32(L)
R17TL	155 SR 13XZX	26, 29(L)	28, 30(L)
R17TS, R17 Gordini	165 HR 13XAS	28, 30(L)	30, 32(L)
R18 Saloons Manual	155 SR 13XZX	23, 26(L)	26, 29(L)
R18 Saloons Automatic		25, 28(L)	28, 29(L)
R18 Estates Manual	155 SR 13XZX	25, 26(L)	35, 38(L)
R18 Estates Automatic		26, 28(L)	35, 38(L)
R20TL Manual	165 SR 13XZX	28, 30(L)	28, 30(L)
R20TL Automatic	165 SR 13XZX	29, 32(L)	28, 30(L)
R20TS Manual	165 SR 14XZX	28, 30(L)	29, 30(L)
	180/65 HR 390 TRX	29, 32(L)	32, 36(L)
R20TS Automatic	165 SR 14XZX	29, 32(L)	29, 36(L)
	180/65 HR 390 TRX	30, 34(L)	34, 36(L)
30TS, TX Manual	175 HR 14XVS	26, 29(L)	29, 32(L)
	190/65 HR 390 TRX	26	29
30TS, TX Automatic	175 HR 14XVS	28, 30(L)	29, 32(L)
	190/65 HR 390 TRX	28	29
ROVER			
2000 & TC, 2200 & TC	165 SR 14 XZX	30	28
3500, 3500S	185 HR 14XVS	28, 30(L)	30, 34(L)
2300, 2600	175 HR 14XVS	29, 30(L)	30, 32(L)
	190/65 HR 390 TRX	26	26
3500SDI	195/70 HR 14XVS	26, 26(L)	26, 30(L)
	190/65 HR 390 TRX	26	26
Range Rover	205 R 16XM+S	25, 25(L)	25, 35(L)
SAAB			
96 V4	155 SR 15XZX	25, 28(L)	25, 28(L)
99 (1.85, 2.0 litre)	155 SR 15XZX	28, 30(L)	28, 30(L)
99 GL, GLE, GLS (up to 10/78)	165 SR 15XZX	28, 30(L)	28, 30(L)
99 GL, GLE, GLS 10/78 onwards	165 SR 15XZX	28, 32(L)	28, 35(L)
99 Turbo }	175/70 HR 15XVS	28, 32(L)	28, 35(L)
900 Turbo }	180/65 HR 390 TRX	28, 30(L)	29, 32(L)
SKODA			
S100, S110	155 SR 14XZX	20	25
Estelle 105, 120	155 SR 14XZX	20	26
TALBOT			
Avenger 1·3, 1·6 GL, LS '74+ ITAL 1·7	155 SR 13XZX	25, 25(L)	25, 30(L)
Avenger Heavy-Duty Estate	155 SR 13XZX	24, 24(L)	24, 36(L)
180, 2 litre 1973+	175 SR 14XZX	22, 23(LS)	26, 28(LS)
Alpine GL, S, GLS	155 SR 13XZX	26, 28(L)	26, 29(L)
Horizon 1·1GL, LS, 1·3GL, LS, GLS	145 SR 13XZX	26, 30(LS)	26, 30(LS)
Sunbeam 1·0	145 SR 13XZX	21, 22(L)	25, 32(L)
	155 SR 13XZX		
Sunbeam 1·3, 1·6	155 SR 13XZX	22, 22(L)	22, 28(L)
Hunter, DL, S, GT	155 SR 13XZX	24	24
Hunter Estate	165 SR 13XZX	24	26

* (L) (S) (LS) See notes at head of table

Car Make and Model	Michelin Radial Fitment	Pressure Front	Rear
TOYOTA			
Starlet	145 SR 13XZX	24	26
Corolla 1100	155 SR 12XZX	20	22
Corolla 1200 Saloon & Coupé	155 SR 12XZX	22	24
Corolla 1200 Estate	155 SR 12XZX Reinf.	24, 24(L)	26, 30(L)
Corolla 30 Saloon & Coupé	155 SR 13XZX	24, 24(L)	24, 26(L)
Corolla 30 Estate	155 SR 13XZX	24, 24(L)	24, 28(L)
Corona 1900	165 SR 13XZX	24	26
Carina & Celica 1600 (until '76)	165 SR 13XZX	24	26
Celica 1600 ST	165 SR 13XZX	24	27
Celica 2000 GT Liftback	185/70 HR 14XVS	24	27
Carina ('76 onwards)	165 SR 13XZX 185/70 SR 13ZX	24, 26(L)	26, 30(L)
Cressida	175 SR 14XZX	24	26
Publica 1000 Saloon, Coupé	155 SR 12XZX	24, 26(L)	24, 28(L)
Crown 2600 Saloon & Coupé	175 SR 14XZX	26, 26(L)	26, 28(L)
Crown 2600 Saloon & Coupé 5/78+	185 SR 14XZX	26, 26(L)	28, 30(L)
TRIUMPH			
Spitfire 1500	155 SR 13XZX	21	26
Toledo	155 SR 13XZX	24	28
Dolomite 1300, 1500, 1850	155 SR 13XZX	26	30
Dolomite Sprint	175/70 HR 13XVS	26	30
2000Mk I, II	175 SR 13ZX	26	26
2000TC	175 SR 13ZX	26	30
2·5 Pi Mk I, II	175 SR 13ZX	26	30
2500 S	175 HR 14XAS	26	30
2500S Estate	175 HR 14XVS	26	34
TR5, TR6	165 HR 15XAS	22	26
TR7, D/H Automatic	175/70 SR 13ZX	24	28
TR7 5 speed D/H Manual	185/70 HR 14XVS	24	28
Stag	185 HR 14XVS	26	30
VAUXHALL			
Astra Saloons	155 SR 13XZX	25, 28(L)	25, 32(L)
Viva HC (All models)	155 SR 13XZX 165 SR 13XZX 175/70 SR 13ZX	24, 26(L)	24, 30(L)
Magnum Saloons & Coupés	155 SR 13XZX 175/70 SR 13ZX	24, 26(L)	24, 30(L)
Magnum/Viva HC Estates	155 SR 13XZX 165 SR 13XZX	24, 30(L)	24, 30(L)
Cavalier, 1600, 1900 Saloons	165 SR 13XZX	24, 29(L)*	24, 32(L)
Cavalier 1300	165 SR 13XZX	24, 29(L)	24, 32(L)
Chevettes except GLS & 2300HS	155 SR 13XZX until Sept '76	21, 25(L)	24, 28(L)
	175/70 SR 13ZX Sept. '76 onwards	21, 25(L)	25, 29(L)
Chevette Estate	155 SR 13XZX 175/70 SR 13ZX	21, 24(L)	25, 34(L)
Victor 1800 FE Ventora FE VX 1800 1976+	175 SR 14XZX	24, 28(LS)	24, 28(LS)
VX4/90 FE Ventora FE Victor 3300 Estate FE	185/70 SR 14ZX	24, 28(LS)	24, 28(LS)
Cavalier 1600, 1900	165 SR 13XZX	24, 29(L)	24, 29(L)
Cavalier 1900 Coupé	185/70 SR 13ZX	23, 26(L)	23, 26(L)
VX 1800, 2300 Saloons & Estates	175 SR 13ZX	24, 28(LS)	24, 28(LS)
VX 2300 GLS, VX4/90 E Saloons & Estates	185/70 SR 14ZX	24, 28(LS)	24, 28(LS)
Carlton Saloon	175 SR 14XZX 185/70 HR 14ZX	26, 29(L)	26, 32(L)
Royale	175 HR 14XVS 195/70 HR 14XVS	32, 36(L)	32, 41(L)

* (L) (S) (LS) See notes at head of table

Car Make and Model	Michelin Radial Fitment	Pressure Front	Rear
VOLKSWAGEN			
Beetle all models	155 SR 15XZX	19	28
Passat L, S, LS (until Nov '78)	155 SR 13XZX	26	26
Passat L, S, LS (Nov '78 onwards)	155 SR 13XZX	25, 26(L)	25, 32(L)
Passat GLS (until Nov '78)	175/70 SR 13ZX	26	26
Passat GLS (Nov '78 onwards)	175/70 SR 13ZX	25, 26(L)	25, 32(L)
Scirocco 1100L, 1500S, LS	155 SR 13XZX	25, 26(L)	25, 32(L)
Scirocco 1500 TS	175/70 SR 13ZX	25, 26(L)	25, 32(L)
Scirocco GTI, GLS, GLI	175/70 HR 13XVS	25, 26(L)	25, 32(L)
Golf 1·1 L, GL, N & 1500 LD	155 SR 13XZX	25, 26(L)	25, 32(L)
Golf S & LS 1500 & 1600	} 175/70 SR 13ZX	25, 26(L)	25, 32(L)
Golf GLS	} 155 SR 13XZX	25, 26(L)	25, 32(L)
Polo L & N (until Nov '78)	135 SR 13XZX	22, 25(L)	22, 28(L)
Polo L & N (Nov '78 onwards)	135 SR 13XZX	23, 26(L)	23, 29(L)
Polo LS, GLS	145 SR 13XZX	22, 25(L)	22, 28(L)
Jetta 1·3	155 SR 13XZX	}	
1·5, 1·6	175/70 SR 13ZX	} 25, 26(L)	25, 32(L)
VOLVO			
66, 66 Coupé & Estate	135 SR 14XZX	23	26
	155 SR 13XZX	20	23
164 (Aug '72 onwards)	175 SR 15ZX	25, 26(L)	26, 30(L)
164 E	175 HR 15XAS	25, 26(L)	26, 30(L)
244 L	165 SR 14XZX	26, 28(L)	28, 34(L)
244 DL	175 SR 14XZX	26, 26(L)	28, 32(L)
244 GL, GLE	185/70 SR 14ZX	28, 28(L)	28, 33(L)
245 L & DL & E Estate (up to '79)	185 SR 14XZX	28, 29(L)	28, 35(L)
245 L, DL & E Estate ('79+)	185 SR 14XZX	28, 29(L)	29, 41(L)
264 DL (Carburetter)	175 SR 14XZX	27, 27(L)	27, 32(L)
264 L, DL (Fuel Injection)	185 SR 14XZX	28, 28(L)	28, 34(L)
264 GL & GLE	185 HR 14XVS	28, 28(L)	28, 35(L)
343 (up to '80)	155 SR 13XZX	} 24, 24(L)	29, 32(L)
	175/70 SR 13ZX	}	
343 ('80+)		28, 28(L)	28, 35(L)

*(L) (S) (LS) See notes at head of table

LIMONEST 69760 Rhône 74 ⑪ – 2 057 h. alt. 400 – ✪ 7.

Paris 453 – L'Arbresle 17 – ♦Lyon 13 – Villefranche-sur-Saône 18.

XX **Puy d'Or** avec ch, au S : 3 km par D 42 ☎ 835.12.20, ≤ – ⌂ ⌂ Ⓟ.
fermé 5 au 8 août, 6 au 30 oct., mardi soir et merc. – SC : **R** 48/96 🍷 – ☕ 11 – 8 ch 68/96.

XX **La Gentil'Hordière,** ☎ 835.13.50.

LIMOUX 11300 Aude 86 ⑦ **G. Pyrénées** – 11 713 h. alt. 172 – ✪ 68.

ℹ Syndicat d'Initiative Promenade Tivoli (15 juin-15 sept.) ☎ 31.11.82 à la Mairie (15 sept.-15 juin, fermé sam. et dim.) ☎ 31.01.16.

Paris 801 ① – Carcassonne 24 ① – Foix 67 ③ – ♦Perpignan 101 ② – ♦Toulouse 95 ①.

Moderne et Pigeon, 1 pl. Gén.-Leclerc **(a)** ☎ 31.00.25 – ⌂wc ⌂wc ☎ Ⓟ. GB
fermé 6 déc. au 6 janv. – SC : **R** *(fermé sam. sauf juil. et août)* 33/60 – ☕ 11 – **30 ch** 40/150 – P 100/150.

Le Mauzac, rte Carcassonne par ① ☎ 31.12.77 – ⌂wc ⌂ ☎ Ⓟ. AE E. rest
fermé janv. – SC : **R** *(fermé lundi)* 35 bc/120 – ☕ 12 – **23 ch** 45/100.

Fabre-d'Églantine (Av.) 3
Gare (Av. de la) 4
Gare (R. de la) 5
Goutine (R. de la) 6
Jean-Jaurès (R.) 7
Marronniers (Av.) 8
Ronde (Ch. de) 9
St-Martin (⊕) 10
Toulzane (R.) 12

ALFA-ROMEO, OPEL Bardavio, 22 av. A.-Chenier ☎ 31.02.43
AUDI-VOLKSWAGEN Modern'Gar., 34 av. Fabre-d'Églantine ☎ 31.08.77
CITROEN Nivet, rte Perpignan ☎ 31.06.00
PEUGEOT Gar. de Flassian, rte Carcassonne ☎ 31.21.92
RENAULT Gleizes, rte Carcassonne ☎ 31.08.87
TALBOT Huillet, 13 av. Fabre-d'Églantine ☎ 31.01.48
TALBOT Gar. Bareille, 23 rte Carcassonne ☎ 31.16.55 N

LINTHAL 68 H.-Rhin 62 ⑱ – 548 h. alt. 425 – ✉ **68610** Lautenbach – ✪ 89.

Paris 488 – Colmar 37 – Gérardmer 52 – Guebwiller 11 – ♦Mulhouse 34.

A la Truite de la Lauch, ☎ 76.32.30 – ⌂ ⌂ Ⓟ
fermé 5 nov. au 15 déc. et merc. – SC : **R** 35/100 🍷 – ☕ 9 – 16 ch 40/80 – P 88/100.

LIOCOURT 57 Moselle 57 ⑭ – 131 h. alt. 290 – ✉ **57590** Delme – ✪ 8.

Paris 356 – Château-Salins 17 – ♦Metz 28 – Pont-à-Mousson 30 – St-Avold 48.

XX **Au Savoy,** ☎ 705.31.72 – Ⓟ. GB
fermé fév., lundi soir et mardi – SC : **R** 40/88 🍷.

Le LION D'ANGERS 49220 M.-et-L. 63 ⑳ **G. Châteaux de la Loire** – 2 328 h. alt. 32 – ✪ 41.

ℹ Syndicat d'Initiative à la Mairie (fermé sam. et dim.) ☎ 91.31.74.

Paris 291 – Ancenis 52 – Angers 22 – Château-Gontier 21 – La Flèche 51.

Voyageurs, ☎ 91.30.08 – ⌂wc ⌂
fermé 3 janv. au 6 fév. et lundi hors sais. – SC : **R** 38/60 – ☕ 9 – **13 ch** 39/95 – P 100.

LION-SUR-MER 14780 Calvados 55 ② **G. Normandie** – 1 748 h. – ✪ 31.

ℹ Syndicat d'Initiative bd du Calvados (1er juil.-10 sept.) ☎ 97.20.53.

Paris 255 – Arromanches 25 – Bayeux 32 – Cabourg 25 – ♦Caen 16 – Ouistreham-Riva-Bella 6.

Moderne, ☎ 97.20.48 – ⌂. rest
12 avril-30 sept. et fermé mardi sauf juil.-août – SC : **R** 35/80 – ☕ 10 – 14 ch 54/84 – P 95/105.

RENAULT Boutry, ☎ 97.20.21 N
RENAULT Gar. de l'Espérance, à Hermanville-sur-Mer ☎ 97.28.62

Le LIORAN 15 Cantal 76 ③ **G. Auvergne** – alt. 1 153 – Sports d'hiver à Super-Lioran SO : 2 km – ✉ **15300** Murat – ✪ 71.

Voir Gorges de l'Alagnon★ NE : 2 km puis 30 mn – Col de Cère ≤★ SO : 4 km.

Paris 506 – Aurillac 39 – Condat 42 – Murat 12 – St-Jacques-des-Blats 6.

XX **Aub. du Tunnel** avec ch, ☎ 49.50.02 – ⌂wc ⌂wc ☎ Ⓟ. E
15 juin-15 oct. et 15 déc.-15 mai – SC : **R** 30/65 – ☕ 9 – **18 ch** 80 – P 120.

tourner →

à Super-Lioran SO : 2 km par D 67 – Sports d'hiver : 1 250/1 800 m 1 23 – ✉ **15300** Murat.

Voir Plomb du Cantal ※★★ par téléphérique.

Anglard et du Cerf Ⓜ, ☎ 49.50.26, Télex 990575, ← Monts du Cantal – Ⓟ – 40
27 mai-9 juin, 27 juin-28 sept. et 19 déc.-Pâques – SC : **R** 45/120 – ☕ 12 – 38 ch 90/170 – P 120/190
Spéc. Foie gras du chef, Filet de Salers mignonnette, Le Lioran (pâtisserie).

Remberter Ⓜ, ☎ 49.50.28, ← – wc wc ☎ Ⓟ. rest
20 juin-15 sept. et 20 déc.-24 avril – SC : **R** 25/70 – ☕ 10 – **32 ch** 75/120 – P 100/125.

Rocher du Cerf, ☎ 49.50.14, ← – wc Ⓟ.
13 juin-20 sept. et 19 déc.-20 avril – SC : **R** 27/65 – ☕ 11 – 11 ch 63/78 – P 90/115.

Le LIOUQUET 13 B.-du-R. 84 ⑭ – rattaché à La Ciotat.

LISIEUX 14100 Calvados 55 ⑬ **G. Normandie** – 26 674 h. alt. 49 – Pèlerinage (fin sept.) – 31.

Voir Cathédrale★★.

Office de Tourisme 11 r. Alençon (fermé dim. en hiver) ☎ 62.08.41, Télex 170169.

Paris 174 ② – Alençon 91 ④ – Argentan 58 ④ – ♦Caen 49 ⑥ – ♦Cherbourg 171 ⑥ – Dieppe 139 ① – Evreux 72 ② – ♦Le Havre 79 ① – ♦Le Mans 140 ④ – ♦Rouen 82 ②.

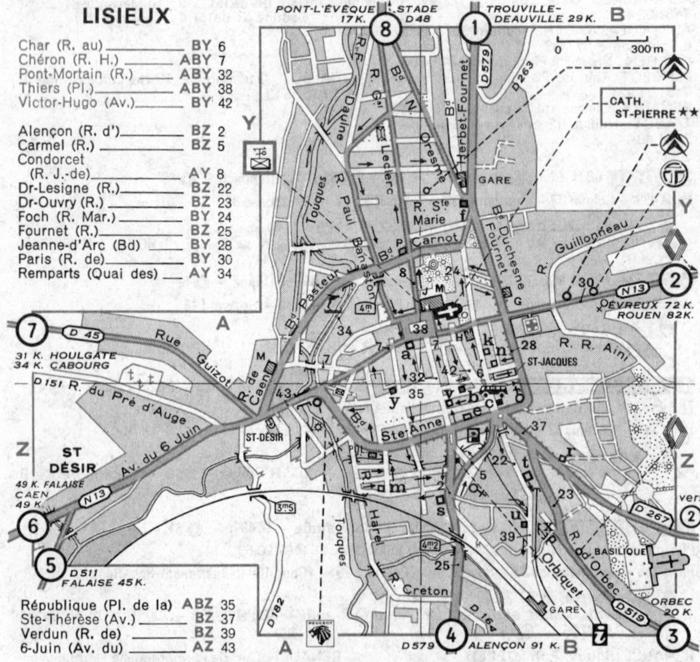

Char (R. au) BY 6
Chéron (R. H.) ABY 7
Pont-Mortain (R.) ABY 32
Thiers (Pl.) ABY 38
Victor-Hugo (Av.) BY 42

Alençon (R. d') BZ 2
Carmel (R.) BZ 5
Condorcet (R. J.-de) AY 8
Dr-Lesigne (R.) BZ 22
Dr-Ouvry (R.) BZ 23
Foch (R. Mar.) BY 24
Fournet (R.) BZ 25
Jeanne-d'Arc (Bd) BY 28
Paris (R. de) BY 30
Remparts (Quai des) AY 34

République (Pl. de la) ABZ 35
Ste-Thérèse (Av.) BZ 37
Verdun (R. de) BZ 39
6-Juin (Av. du) AZ 43

Place sans rest, 67 r. H.-Chéron ☎ 31.17.44 – TV wc wc ☎. AE GB (D) AY **a**
SC : ☕ 15 – **32 ch** 90/180.

Espérance et rest. Pays d'Auge, 16 bd Ste-Anne ☎ 62.17.53 – wc wc ☎ AE GB BZ **e**
Pâques-15 oct. – SC : **R** *(fermé merc.)* 57/95 – ☕ 14 – **100 ch** 77/150 – P 166/203.

Gd H. Normandie, 11 bis r. au Char ☎ 62.16.05, Télex 170269 – wc wc ☎ AE GB (D) E BY **k**
Pâques-10 oct. – SC : **R** 40/110 – ☕ 15 – 80 ch 70/150.

Coupe d'Or Ⓜ, 49 r. Pont-Mortain ☎ 31.16.84 – TV wc wc ☎. AE GB ① E BZ v
SC : **R** *(fermé 22 déc. au 22 janv. et sam. en hiver)* 50/85 – 14 – 16 ch 65/150 – P 159/185.

Capucines sans rest, 6 pl. Fournet ☎ 62.28.34 – wc ☎. BZ s
SC : 11 – **18 ch** 40/90.

Terrasse H., 25 av. Ste-Thérèse ☎ 62.17.65 – wc wc ☎. AE GB ① E
1er avril-15 oct. – SC : **R** 45/80 – 12 – 17 ch 50/120 – P 150/180. BZ r

St-Louis sans rest, 28 r. A.-Briand ☎ 62.06.50 – wc . BY n
fermé 15 au 31 oct. et dim. en hiver – SC : 10 – **17 ch** 45/80.

Lisieux, 27 bis r. Dr-Lesigne ☎ 62.06.37 – . rest BZ t
◆ *fermé 15 déc. au 15 janv. et vend. hors sais.* – SC : **R** 31/68 – 11 – 17 ch 52/120 – P 115/170.

Maris-Stella, 56 bis r. Orbec ☎ 62.01.05 – . GB. ch BZ x
fermé fév. et sam. – SC : **R** 42/62 – 8,50 – 18 ch 40/74 – P 102.

St-Michel sans rest, 22 r. Bocage ☎ 62.05.90 – . AZ m
fermé dim. en hiver – SC : 10 – **24 ch** 42/70.

XXX **Parc,** 21 bd Herbet-Fournet ☎ 62.08.11 – . AE GB ① BY f
fermé lundi – SC : **R** 45/69.

XX **Ferme du Roy,** par ① : 2,5 km ☎ 31.33.98, « Ancienne ferme, jardin » – . GB.
fermé fév. à début mars, dim. soir et lundi – SC : **R** 85/120.

XX **Bretagne** avec ch, 30 pl. République ☎ 62.09.19 – TV wc ☎. AE GB
SC : **R** 40/150 – 13,50 – 15 ch 70/195 – P 150/182. AZ y

XX **Acacias,** 13 r. Résistance ☎ 62.10.95 – GB BZ b
fermé 28 sept. au 10 oct., 4 au 16 janv. et lundi – SC : **R** 47/90.

X **Aub. du Pêcheur,** 2 bis r. Verdun ☎ 31.16.85 – AE GB ① BZ u
fermé oct., merc. soir et jeudi – SC : **R** 45/110.

à Manerbe par ⑦ : 6,5 km – ✉ **14340** Cambremer :

XX **Pot d'Étain,** ☎ 31.03.65, « Jardin fleuri » – . AE GB
fermé janv., mardi soir et merc. – SC : **R** 36/100.

AUDI-VOLKSWAGEN Jonquard, 10 r. Lecouturier ☎ 31.09.42
CITROEN Succursale, 41 r. de Paris ☎ 31.15.75
CITROEN Meslin, 5 r. Ste-Marie ☎ 62.04.52
FORD Gar. des Loges, 41 r. Fournet ☎ 62.25.17
OPEL S.A.M.O., 34 r. Gén.-Leclerc ☎ 62.04.46
PEUGEOT Lorant, 61 bd Ste-Anne ☎ 31.00.71
RENAULT Gar. du Parc, rte de Paris ☎ 31.28.76
RENAULT Dubois, 53 r. d'Orbec ☎ 62.01.69
TALBOT Le Bugle, 53 r. de Paris ☎ 31.06.01
VOLVO Richard, 57 bd Ste-Anne, ☎ 62.02.78
Gar. Gallet, 29 rte Falaise, St-Désir ☎ 62.09.73

Olitrault-Pneus, 5 bis r. du Marché-aux-Bestiaux ☎ 62.29.10
Renov.-Pneu, 29 r. de Paris ☎ 62.03.04

LISLE-SUR-TARN 81310 Tarn 82 ⑨ G. Causses – 3 391 h. alt. 127 – 63.

Paris 691 – Albi 31 – Lavaur 21 – Montauban 44 – Rabastens 8 – ◆Toulouse 45.

Princinor, sur N 88 ☎ 33.35.44, – – 150
◆ *fermé janv. et lundi sauf juin, juil., août et sept.* – SC : **R** 30 bc/90 – 10 – 10 ch 60/95 – P 95/115.

XX **Le Romuald,** 6 r. Port ☎ 33.38.85
◆ *fermé sept., 15 au 28 fév., lundi et mardi* – SC : **R** 30/75 .

RENAULT Fauroux, ☎ 33.35.06 N

LISON (Source du) *** 25 Doubs 70 ⑤ G. Jura.

Voir Grotte Sarrazine** NO 30 mn – Creux-Billard* S 15 mn.

LISTRAC-MÉDOC 33 Gironde 71 ⑧ – 1 319 h. alt. 44 – ✉ 33480 Castelnau – 56.

Paris 587 – Arcachon 88 – Blaye 9 – ◆Bordeaux 34 – Lesparre-Médoc 29.

France, ☎ 58.23.68 – – 100
R 40/110 – 9 – **7 ch** 45/84.

LIVAROT 14140 Calvados 55 ⑬ – 2 874 h. alt. 64 – 31.

Paris 192 – Alençon 72 – Bernay 39 – ◆Caen 47 – Falaise 36 – Lisieux 18 – Orbec 22.

Vivier, pl. G.-Bisson ☎ 63.50.29, – .
◆ *fermé 20 déc. au 30 janv.* – SC : **R** *(fermé lundi sauf fêtes)* 32/62 – 10,50 – 13 ch 40/85 – P 92/110.

CITROEN S.E.R.V.A.L., ☎ 63.50.51

Restaurants, die preiswerte Mahlzeiten servieren, sind mit einer Raute gekennzeichnet. ◆ ◆

LIVERDUN 54460 M.-et-M. 62 ④ **G. Vosges** – 6 061 h. alt. 203 – ✪ 8.

Voir Site★.

18 de Nancy-Aingeray ☎ 349.53.87 SO : 2 km.

Paris 302 – ♦Metz 56 – ♦Nancy 16 – Pont-à-Mousson 25 – Toul 19.

XXX ✿✿ **des Vannes et sa Résidence** (Simunic) ⚘ avec ch, 6 r. Porte-Haute ☎ 349.46.01, ≤ boucle de la Moselle – ⊟wc ☎ Ⓟ – 🏛 60. AE ⓓ. ✂ ch
fermé fév. et lundi – **R** 120/200 et carte – ☕ 18 – 6 ch 80/160.

A la Résidence Ⓜ ⚘, « **Jardin** » – ⊟wc ♿ Ⓟ. AE ⓓ. ✂ ch
fermé fév. et lundi – SC : ☕ 18 – 6 ch 200/220

Spéc. Escalope de foie gras, Nage de turbot, Suprême de pintadeau. Vins Bruley.

XX **Golf Val Fleuri,** rte Villey-St-Étienne ☎ 349.53.54, « Au bord de l'eau », ⛱ – Ⓟ. GB
fermé 5 au 29 janv. et jeudi sauf été et fêtes – **R** 71/102.

XX **Host. Gare,** ☎ 349.44.76
fermé 17 août au 8 sept. et lundi sauf fériés – **R** 59/95.

LIVRY-GARGAN 93 Seine-St-Denis 56 ⑪, 101 ⑱ – voir à Paris, Proche banlieue.

La LLAGONNE 66 Pyr.-Or. 86 ⑯ – rattaché à Mont-Louis.

LLO 66 Pyr.-Or. 86 ⑯ – rattaché à Saillagouse.

LOCHES ⟨SP⟩ 37600 I.-et-L. 68 ⑥ **G. Châteaux de la Loire** – 6 816 h. alt. 72 – ✪ 47.

Voir Cité médiévale★★ : le tour extérieur des remparts★★, château★★, donjon★★, Église St-Ours★★, Porte Royale★ – Hôtel de Ville★ Z H.

i Office de Tourisme pl. Marne (fermé dim. et lundi hors saison) ☎ 59.07.98.

Paris 257 ① – Blois 64 ① – Châteauroux 70 ③ – Châtellerault 54 ④ – ♦Tours 41 ①.

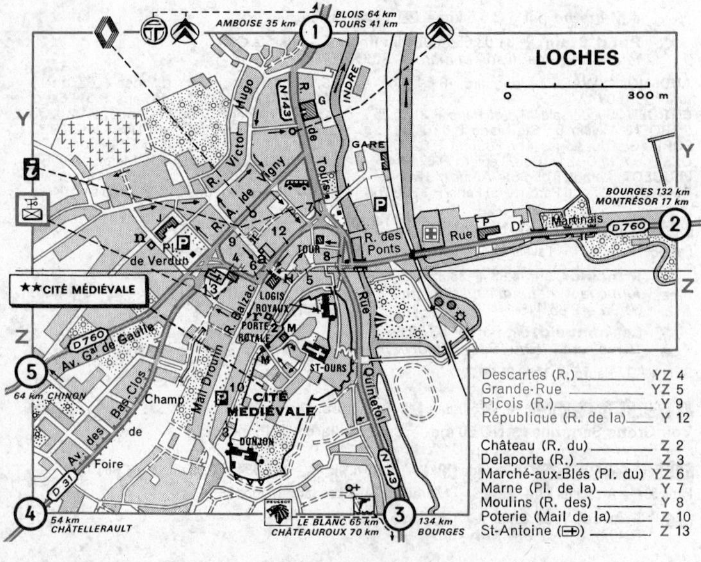

🏨 **France,** 6 r. Picois ☎ 59.00.32 – ⊟wc ⋔wc ☎ 🚗 – 🏛 40 — Y **a**
fermé 4 au 10 mai, 12 nov. au 18 déc., dim. soir et lundi midi de sept. à fin juin et vend. soir d'oct. à Pâques – SC : **R** 32/57 – ☕ 9,50 – 22 ch 43/101.

🏨 **Château** ⚘ sans rest, 18 r. Château ☎ 59.07.35 – ⊟wc ⋔wc. ✂ — Z **r**
fermé 11 janv. au 22 mars – SC : **10 ch** ☕ 55/145.

🏨 **Moderne** sans rest, 21 pl. Verdun ☎ 59.05.06 – ✂ — Y **n**
SC : ☕ 9,50 – **10 ch** 55/70.

*à **Bridoré*** par ③ : 14 km – ✉ **37600** Loches :

🏨 **Barbe Bleue,** sur N 143 ☎ 94.72.69 – ⋔wc ☎ Ⓟ. GB. ✂ rest
fermé 15 janv. au 15 fév. et merc. du 1er oct. au 30 avril – SC : **R** 32/100 – ☕ 12 – 10 ch 59/82 – P 164/180.

CITROEN Loches-Automobiles, 17 r. de Tours ☎ 59.07.50 N
CITROEN Barreau, 87 r. St-Jacques ☎ 59.06.60 N
PEUGEOT Lorillou, N 143, Tivoli ☎ 59.00.41

RENAULT Chebassier, 8 r. A.-de-Vigny ☎ 59.00.77
TALBOT Blineau, Zone Ind. ☎ 59.06.88

Touraine, rte Loches à Perrusson ☎ 59.03.86

LOCMARIA-BERRIEN 29 Finistère 58 ⑥ – rattaché à Huelgoat.

LOCMARIAQUER 56740 Morbihan 63 ⑫ **G. Bretagne** – 1 289 h. alt. 16 – 97.

Voir Table des Marchands et Grand menhir** puis dolmens de Mané Lud*, de Mané Rethual*, des Pierres Plates* – Pointe de Kerpenhir ≤* SE : 1,5 km.**

Paris 486 – Auray 13 – Quiberon 31 – La Trinité 8,5.

- **L'Escale,** ☎ 57.32.51, ≤ – wc. ✻
  1er juin-26 sept. – SC : **R** 45/55 – 10 – **12 ch** 79/132 – P 116/148.
- **Lautram** (annexe - 10 ch wc), ☎ 57.31.32, – . E. ✻ rest
  mi mars-début oct. – SC : **R** 30/58 – 10 – 14 ch 60/75 – P 103/113.

LOCMINÉ 56500 Morhihan 63 ③ **G. Bretagne** – 3 574 h. alt. 100 – 97.

Paris 446 – Concarneau 94 – Lorient 49 – Pontivy 24 – Quimper 110 – •Rennes 97 – Vannes 28.

- **L'Argoat,** rte Vannes ☎ 60.01.02 – wc wc
  fermé déc. et sam. hors sais. – SC : **R** 34/75 – 10 – **23 ch** 42/135 – P 85/112.

Rio, ☎ 60.01.24

LOCQUÉMEAU 22 C.-du-N. 59 ① **G. Bretagne** – ✉ **22300** Lannion – 96.

Paris 520 – Lannion 9 – Morlaix 34 – St-Brieuc 72.

- **Baie** avec ch, ☎ 35.74.65 – . ✻
  Pâques-15 sept. et fermé merc. – **R** *(fermé 15 sept. au 15 oct., merc. et le soir du 15 oct. à Pâques)* 42/130 – 10 – **9 ch** 30/80 – P 110/130.

Towns underlined in red on the ***Michelin maps*** *at a scale of 1 : 200 000 are included in this guide. Use the latest map to take full advantage of this regularly up-dated information.*

LOCQUIGNOL 59 Nord 53 ⑤ **G. Nord de la France** – 314 h. alt. 150 – ✉ **59530** Le Quesnoy – 27.

Voir Forêt de Mormal*.

Paris 220 – Avesnes-sur Helpe 22 – Le Cateau 21 – •Lille 78 – Maubeuge 25 – Valenciennes 26.

- **La Touraille** avec ch, S : 1 km sur D 233 ☎ 49.05.55, ≤ – P. GB
  R 65/98 – 16 – 5 ch 96/125 – P 130/145.

LOCQUIREC 29241 Finistère 58 ⑦ **G. Bretagne** – 1 035 h. – 98.

Voir Église* – Le tour de la pointe de Locquirec* 30 mn.

Syndicat d'Initiative au port (fermé après-midi hors saison et dim.) ☎ 67.40.83.

Paris 532 – Guingamp 53 – Lannion 22 – Morlaix 22 – Plestin-les-Grèves 6 – Quimper 100.

- **Port,** ☎ 67.42.10, ≤ – . ✻ rest
  25 mars-21 sept. – SC : **R** 40/70 – 10 – 11 ch 45/65 – P 90/110.
- **Pennenez,** ☎ 67.42.21, – . . ✻ rest
  15 mars-20 sept. – SC : **R** 32/90 – 10 – 26 ch 65/72 – P 88/108.

LOCRONAN 29 Finistère 58 ⑮ **G. Bretagne** – 686 h. alt. 150 – ✉ **29136** Plogonnec – 98.

Voir Place – Église et chapelle du Pénity** – Montagne de Locronan ✻* E : 2 km – Kergoat : vitraux* de la chapelle NE : 3,5 km.**

Paris 566 – •Brest 63 – Briec 21 – Châteaulin 16 – Crozon 38 – Douarnenez 10 – Quimper 17.

- **Fer à Cheval** M , SO : 0,8 km par D 63 ☎ 91.70.67, – TV wc P – 30 à 100. AE GB . ✻ rest
  SC : **R** 45/140 – 12 – **35 ch** 70/150 – P 150/200.
- **Prieuré,** ☎ 91.70.89 – . ✻ ch
  fermé oct. et lundi hors sais. – SC : **R** 35/90 – 10 – 10 ch 50/95 – P 100/120.
- **Au Fer à Cheval,** ☎ 91.70.74 – AE GB
  SC : **R** 35/130.

au NO : 3 km – ✉ **29127** Plomodiern :

- **Manoir de Moëllien** avec ch, ☎ 92.50.40 – wc P. AE
  fermé janv. – SC : **R** *(fermé mardi soir et merc. du 1er oct. au 30 avril)* 80/95 – 18 – 10 ch 150 – P 180/220.

LOCTUDY 29125 Finistère 58 ⑮ G. Bretagne – 3 544 h. – ⊛ 98.

Voir Église★ – Château de Kerazan-en-Loctudy★ NO : 2,5 km.

Paris 573 – Douarnenez 39 – Guilvinec 12 – Pont-L'Abbé 6 – Quimper 26.

Le Rafiot, sur le Port ☎ 87.42.57, ← – wc wc ☎. rest
Pâques-15 sept. – SC : **R** *(fermé mardi hors sais.)* 39/90 – 11 – **9 ch** 77/127 – P 134/156.

Iles, r. Port ☎ 87.40.16 – Ⓟ.
hôtel : 1er avril-30 sept., rest. : 1er juil.-31 août – SC : **R** 43/96 – 11 – **11 ch** 75.

Garage L'Helgoualc'h, ☎ 87.40.05

LODÈVE <SP> **34700** Hérault 83 ⑤ G. Causses – 8 184 h. alt. 165 – ⊛ 67.

Voir Ancienne cathédrale St-Fulcran★ E.

Syndicat d'Initiative (15 juin-15 sept. et fermé dim.) avec A.C. pl. République ☎ 44.07.56 et à la Mairie (hors saison, fermé sam. et dim.) ☎ 44.00.17.

Paris 814 ② – Alès 99 ① – Béziers 64 ② – Millau 61 ① – ♦Montpellier 54 ② – Pézenas 41 ②.

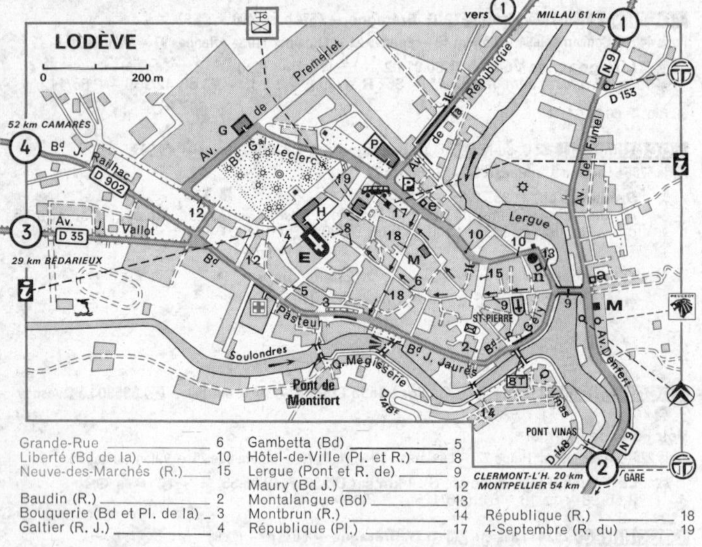

Croix Blanche, (a) ☎ 44.10.87 – wc ☎ Ⓟ.
1er avril-30 nov. – SC : **R** *(fermé sam. midi)* 26/60 – 9 – **32 ch** 42/80 – P 80/165.

Nord, 18 bd Liberté **(e)** ☎ 44.10.08 – wc wc ☎ . GB
fermé 1er nov. au 15 déc. et sam. – **R** 28/120 – 8 – 19 ch 35/140.

Paix, 11 bd Montalangue **(n)** ☎ 44.07.46 – rest wc wc ☎
fermé 23 déc. au 15 janv. et dim. en hiver – SC : **R** 27/65 – 9 – 19 ch 40/75 – P 75/85.

à St-Jean de la Blaquière par ② et D 144E : 14 km – ✉ **34700** Lodève :

Aub. du Sanglier Ⓜ , ☎ 44.70.51, ←, « Dans la garrigue », parc, , – wc ☎ Ⓟ. ch
mars-30 nov., fermé mardi et merc. – SC : **R** 80/100 – 15 – 10 ch 200/250.

à Lunas par ③ rte de Bédarieux : 15 km – ✉ **34650** Lunas :

Manoir du Gravezon, ☎ 95.51.58, – Ⓟ
fermé 16 janv. au 28 fév., lundi soir et mardi sauf fêtes – SC : **R** 29 bc/130 .

CITROEN Lloansi, 13 av. Denfert ☎ 44.01.44
PEUGEOT Ryckwaert, 6 av. Denfert ☎ 44.02.49
TALBOT Torres-Arnau, rte de Montpellier, Zone Ind. ☎ 44.02.98

LODS 25930 Doubs 70 ⑥ G. Jura – 338 h. alt. 380 – ⊛ 81.

Paris 446 – Baume-les-Dames 53 – ♦Besançon 38 – Levier 22 – Pontarlier 22 – Vuillafans 4,5.

Truite d'Or, ☎ 62.23.98, ←, – wc ☎ Ⓟ
fermé 15 déc. au 1er fév., dim. soir (rest seul.) et lundi sauf vacances scol. et sais. – SC : **R** 38/95 – 9 – **11 ch** 40/120 – P 80/120.

LOGELHEIM 68 H.-Rhin 62 ⑲ – rattaché à Colmar.

LOGIS NEUF 01 Ain 74 ② – ✉ **01310** Polliat – ✆ 74.

Paris 411 – Bourg-en-Bresse 15 – ♦Lyon 75 – Mâcon 19 – Villefranche-sur-Saône 48.

XX **Bresse** avec ch, ✆ 30.27.13, – wc wc ☎ Ⓟ – 30 à 50.
fermé oct. et lundi – SC : **R** 32/110 – 10 – **15 ch** 55/95 – P 120/170.

XX **Aub. Sarrasine** avec ch, rte Bourg E : 1 km ✆ 30.25.65, – TV wc ☎ Ⓟ.
fermé 15 nov. au 15 déc. – SC : **R** *(fermé jeudi midi et merc. hors sais.)* 85/120 – 20 – **9 ch** 160/230.

LOGRON 28 E.-et-L. 60 ⑰ – 420 h. alt. 170 – ✉ **28200** Châteaudun – ✆ 37.

Paris 129 – Bonneval 11 – Brou 11 – Chartres 41 – Châteaudun 11.

X **Aub. St-Nicolas,** ✆ 98.98.02 – Ⓟ
fermé fév. et merc. – SC : **R** 26/43.

LOIRE-SUR-RHONE 69 Rhône 74 ⑪ – rattaché à Givors.

LOMPNIEU 01 Ain 74 ④ – 122 h. alt. 670 – ✉ **01260** Champagne-en-Valromey – ✆ 79.

Paris 511 – Aix-les-Bains 46 – Belley 29 – Bourg-en-Bresse 69 – ♦Lyon 108 – Nantua 35.

Clair Soleil, ✆ 87.63.08 – Ⓟ.
SC : **R** 30/80 – 10 – **16 ch** 35/100 – P 70/100.

La LONDE-LES-MAURES 83250 Var 84 ⑯ – 4 546 h. alt. 25 – ✆ 94.

de Valcros ✆ 66.81.02 NE : 5,5 km.

Paris 866 – Draguignan 81 – Hyères 9,5 – Le Lavandou 13 – St-Tropez 42 – Ste-Maxime 46.

Lou Cantoun, r. A.-Thomas ✆ 66.84.25 – wc ☎.
10 ch.

RENAULT Gar. des Maures, ✆ 66.80.64

LONDINIÈRES 76660 S.-Mar. 52 ⑮ – 1 171 h. alt. 78 – ✆ 35.

Paris 153 – Blangy-sur-Bresle 25 – Dieppe 27 – Neufchâtel-en-Bray 15 – Le Tréport 29.

X **Aub. du Pont** avec ch, ✆ 93.80.47, – Ⓟ. ch
fermé fév. – SC : **R** 40/150 – 10 – 13 ch 44/85 – P 88/96.

CITROEN Hardiville, ✆ 93.80.22 N
PEUGEOT Boutleux, ✆ 93.80.48
RENAULT Courtaud, ✆ 93.80.81 N
Windal, à Fréauville ✆ 93.80.27

LONGCHAMP 73 Savoie 74 ⑰ – voir à St-Francois-Longchamp.

LONGEVILLE 85560 Vendée 71 ⑪ – 1 853 h. – ✆ 51.

Syndicat d'Initiative r. G.-Clemenceau (15 juin-15 sept.) ✆ 33.34.64.

Paris 441 – Luçon 27 – La Roche-sur-Yon 28 – Les Sables-d'Olonne 27 – La Tranche-sur-Mer 11.

Plage, S : 3 km par D 105 et D 91 ✆ 33.30.49 – Ⓟ. AE ⓓ
Pâques-20 sept. – SC : **R** 32/80 – 9 – 29 ch 45/64 – P 105/112.

LONGJUMEAU 91160 Essonne 60 ⑩, 101 ㉟ – rattaché à Paris, Proche banlieue.

LONGPONT 02 Aisne 56 ③④ **G. Environs de Paris** – 272 h. alt. 89 – ✉ **02600** Villers-Cotterêts – ✆ 23.

Voir Ancienne abbaye★.

Paris 86 – Château-Thierry 37 – Soissons 16 – Villers-Cotterêts 12.

Abbaye , ✆ 96.02.44 – wc wc ☎.
SC : **R** 42/100 – 18 – **11 ch** 65/130 – P 130 bc/180 bc.

LONGUEAU 80 Somme 52 ⑧ – rattaché à Amiens.

LONGUE-CROIX 59 Nord 51 ④ – rattaché a Hazebrouck.

LONGUES 63 P.-de-D. 73 ⑭ – ✉ **63270** Vic-le-Comte – ✆ 73.

Paris 404 – Ambert 61 – ♦Clermont-Ferrand 19 – Issoire 18 – Le Mont-Dore 53 – Thiers 47.

X **Gare** (Le Comté) avec ch, ✆ 39.90.31 – Ⓟ. ch
fermé 1er au 15 août, 1er au 15 fév., dim. soir et lundi – SC : **R** 55/150 – 9 – 6 ch 50/70 – P 100/120.

LONGUYON 54260 M.-et-M. 57 ② – 7 452 h. alt. 218 – 8.

A.C. 37 r. H. de Ville ☎ 244.52.41.

Paris 315 ③ – ♦Metz 69 ② – ♦Nancy 114 ② – Sedan 69 ④ – Thionville 54 ② – Verdun 48 ③.

XXX **Lorraine et rest. Le Mas** avec ch, face gare **(e)** ☎ 239.50.07 – wc – 30 à 120. AE – *fermé 4 janv. au 1er fév.* – **R** *(fermé lundi sauf juil. et août)* carte 95 à 135 – 13 – **15 ch** 50/120 – P 120/150.

X **Buffet Gare, (r)** ☎ 239.50.85 – P *fermé 7 au 30 sept. et 1er au 15 mars* – SC : **Rôtisserie R** 35/120 - **Brasserie R** carte 50 à 75.

à ***Beuveille*** par ② et D 18 : 8 km – ✉ **54620** Pierrepont – 8

XX **La Grillade,** ☎ 289.86.43 – E. *fermé 16 au 31 août, 1er au 15 fév. et mardi* – SC : **R** 29/74.

LONGUYON

0 300 m

Deauville (R. de) 4
H.-de-Ville (R.) 6

Allende (Pl.) 2
Augistrou (R.) 3
Hardy (R.) 5
Mazelle (R.) 7
O'Gorman (Av.) 8
Sète (R. de) 10

RENAULT Piquerez, 6 r. Mazelle ☎ 239.50.66

TALBOT Gar. de l'Est, 75 r. Hôtel de Ville ☎ 239.50.67

LONGWY 54400 M.-et-M. 57 ② **G. Vosges** – 20 240 h. alt. 225 à 385 – 8 – Syndicat d'Initiative Gare routière (après-midi seul. et fermé lundi) ☎ 223.16.47 - A.C. 12 r. A.-Mézière ☎ 23.77.99.

Paris 333 ④ – Luxembourg 31 ② – ♦Metz 65 ③ – Sedan 87 ④ – Thionville 41 ③ – Verdun 66 ④.

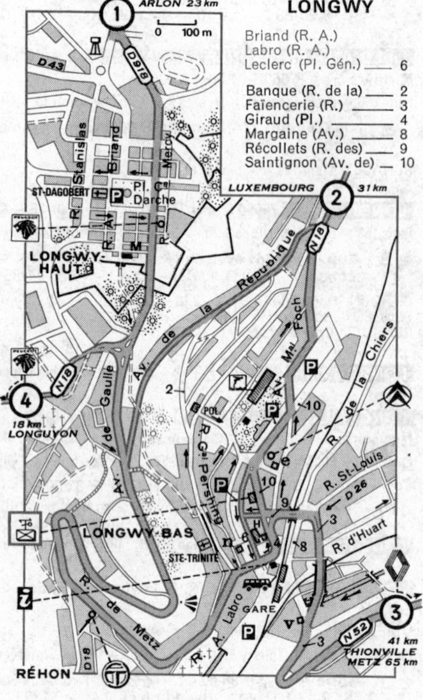

à ***Longwy-Bas :***

Central H. sans rest, 6 r. Carnot **(n)** ☎ 224.33.89 – wc AE E SC : 12 – **24 ch** 53/125.

Parc sans rest, 3 r. E.-Thomas **(e)** ☎ 224.29.23 – wc wc **38 ch**.

Mon Logis sans rest, r. Faïencerie **(v)** ☎ 223.34.43 *fermé 20 août au 10 sept.* – SC : 8,50 – **17 ch** 36/40.

à ***Longwy-Haut :***

XX **La Cigogne** avec ch, rte de Longwy **(a)** ✉ 54350 Mont-St-Martin ☎ 223.32.76 – . ch *fermé 26 déc. au 12 janv. et lundi* – SC : **R** 52/130 – 9,50 – 8 ch 29/60.

à ***Cosnes et Romain*** O : 2 km par D 43 – ✉ **54400** Longwy :

XX **Aub. des Trois Canards,** ☎ 224.35.36, – P. *fermé 24 août au 14 sept., 16 au 26 fév. et lundi* – SC : **R** 41 bc/88.

ALFA-ROMEO, Central-Auto, 19 r. J.-d'Arc à Réhon ☎ 223.29.89
AUDI-VOLKSWAGEN Ferreira, 24 r. de la Faiencerie ☎ 224.31.82
AUSTIN, MORRIS, TRIUMPH Gar. Pacci, 22 r. J.-B.-Blondeau à Mont-St-Martin ☎ 223.35.05 N
CITROEN Longwy-Autos, 22 av. Saintignon ☎ 223.23.55
FORD SAUTEME, à Bellevue ☎ 223.21.60
PEUGEOT Gar. Birembaux, ZIL du Pulventeux, Rte Longuyon ☎ 223.21.66

PEUGEOT Gar. Inglebert Frères, 12 r. Mercy ☎ 223.26.60
RENAULT Robert, rte de Metz déviation Haucourt à Mexy ☎ 223.85.55
TALBOT S.O.G.A.J.A., 51 r. de Metz ☎ 224.29.46
Gar. Inglebert R., 50 r. Als.-Lorraine à Longlaville ☎ 223.29.70

Leclerc-Pneu, 36 r. de la Chiers ☎ 223.45.58

LONS-LE-SAUNIER

P 39000 Jura 70 ④⑭ G. Jura – 23 292 h. alt. 255 – Stat. therm. (31 mai-1er oct.) – ⚙ 84.

Voir Rue du Commerce★ – Grille★ de l'Hôpital.

Env. Creux de Revigny★ 7,5 km par ②.

ℹ Office de Tourisme (fermé dim. et fêtes) et A.C. 1 r. Pasteur ☎ 24.20.63.

Paris 406 ⑥ – ♦Besançon 88 ① – Bourg-en-Bresse 61 ⑤ – Chalon-sur-Saône 61 ⑥ – ♦Dijon 102 ① – Dole 52 ① – ♦Genève 113 ③ – ♦Lyon 123 ⑤ – Mâcon 95 ⑤ – Pontarlier 77 ②.

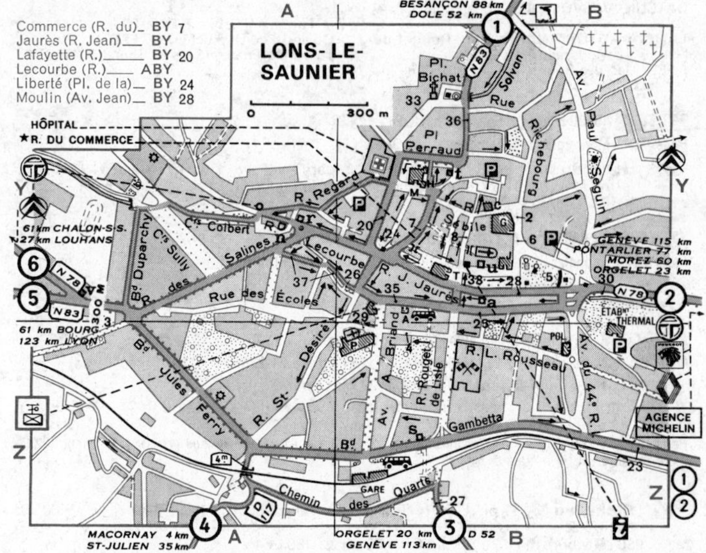

Genève, 19 pl. 11-Novembre ☎ 24.19.11 – wc wc ☎ P. AE E. ch — BY **a**
SC : **R** 48/85 – 14,50 – **42 ch** 95/220 – P 160/210.

Motel Solvan , bd Europe (près piscine) ☎ 24.40.50 – wc ☎ P.
fermé 22 déc. au 1er janv. – SC : **R** *(fermé dim. du 1er nov. au 1er avril)* (grill le soir) carte environ 40 – 8,50 – **23 ch** 65/85.

Nouvel H. sans rest, 50 r. Lecourbe ☎ 47.20.67 – TV wc wc ☎ P. AE
fermé dim. soir du 1er nov. au 1er mars – SC : 12 – **25 ch** 52/130. — AY **r**

Gambetta sans rest, 4 bd Gambetta ☎ 24.41.18 – wc ☎ P.
fermé dim. hors sais. – SC : 10 – **24 ch** 65/85. — BZ **s**

Excelsior H. sans rest, 3 r. Pasteur ☎ 24.02.82 –
SC : 8,50 – **17 ch** 36/55. — BY **u**

Cheval Rouge avec ch, 47 r. Lecourbe ☎ 47.20.44 – wc ☎ . GB E.
fermé 5 au 20 oct., 5 au 20 fév., mardi en juil. et août (sauf hôtel) et sam. hors sais. – SC : **R** 40/150 – 12 – 19 ch 50/160 – P 130/200. — AY **n**

Relais des Trois Bornes, 11 pl. Perraud ☎ 47.26.75 — BY **t**
fermé 23 mai au 1er juin, 4 au 28 sept., dim. soir et sam. – SC : **R** 35/90 .

Clos Fleuri, à Montmorot O : 0,5 km, bifurcation N 83 et N 78 ☎ 47.11.34 – P — AY **v**

à Pannessières NE : 5 km par ② et D 471 – ✉ **39000** Lons-le-Saunier :

Host. des Monts-Jura avec ch, ☎ 24.32.91, ← – P – 30. . ch
fermé 15 janv. au 15 fév., dim. soir et lundi – SC : **R** 32/120 – 10 – 8 ch 39/75.

à Courlans par ⑥ et N 78 : 6 km – ✉ **39570** Lons-le-Saunier :

✿ **Aub. de Chavannes** (Carpentier), ☎ 47.05.52, – P
fermé 1 nov. au 27 déc., mardi soir et merc. – SC : **R** 65/100
Spéc. Feuilleté de perches, Tournedos au ragoût d'échalotes, Chariot de desserts.

MICHELIN, Agence, Z.I. de Perrigny Chemin de la Lieme, par ② ☎ **24.06.74**

AUDI-VOLKSWAGEN, MERCEDES-BENZ Thevenod, rte Champagnole, Zone Ind., Perrigny ☎ 24.41.58
BMW Parizon, à Messia ☎ 47.05.45
CITROEN ets Baud, bd de l'Europe Z I ☎ 43.18.17 🅽 ☎ 24.46.46
CITROEN Mangin, à Montmorot ☎ 47.03.50
DATSUN, VOLVO Labet, 28 r. Regard ☎ 47.20.28
LANCIA-AUTOBIANCHI Gar. Rouget-de-l'Isle, 5 r. L.-Rousseau ☎ 24.24.78
OPEL Gar. des Sports, r. V.-Berard, Zone Ind. ☎ 24.03.21
PEUGEOT Rathier, rte Genève à Perrigny ☎ 24.37.96
RENAULT S.O.R.E.C.A., 47 av. C.-Prost ☎ 24.40.67
TALBOT Gar. Lecourbe, 58 bis r. Lecourbe ☎ 47.20.13
Gar. Revelut, av. du Stade ☎ 24.05.93

Faivre, 4 r. Sébile ☎ 24.09.80
Quillot, 6 bd Duparchy ☎ 47.12.63
Thévenod-Pneus, 13 bis av. Thurel ☎ 24.08.71

LORCY 45490 Loiret **61** ⑪ – 485 h. alt. 89 – ⊛ 38.

Paris 106 – Montargis 22 – Nemours 34 – •Orléans 60.

Host. du Château ⛯, ☎ 92.28.43, ≤, parc – ⇔wc ⋒wc 🅟. 🚗 ⓓ
fermé janv., fév., dim. soir et lundi sauf du 15 juin au 15 sept. – SC : **R** 35/51 – ☐ 12 – **18 ch** 45/95 – P 105/150.

LORGUES 83510 Var **84** ⑥ G. Côte d'Azur – 4 453 h. alt. 239 – ⊛ 94.

Paris 847 – Brignoles 33 – Draguignan 13 – St-Raphaël 43 – •Toulon 75.

Aub. Josse, rte Carcès ☎ 73.73.55 – GB E
fermé oct., dim. soir et lundi hors sais. et fériés – SC : **R** 33/77 ♁.

LORIENT ⟨SP⟩ 56100 Morbihan **63** ① G. Bretagne – 71 923 h. alt. 16 – ⊛ 97.

Voir Base sous-marine★ AZ – **Intérieur★ de l'église St-Louis** BYZ **E.**

✈ **de Lorient Lann-Bihoué, Air Inter ☎ 37.60.22 par ③ : 8 km.**

Office de Tourisme pl. Jules-Ferry (fermé dim. sauf matin en sais.) ☎ 21.07.84 – A.C.O. 22 r. Poissonnière ☎ 21.03.07.

Paris 496 ① – •Brest 138 ③ – •Nantes 164 ① – Quimper 64 ③ – •Rennes 147 ① – St-Brieuc 122 ① – St-Nazaire 131 ① – Vannes 54 ①.

Plan page ci-contre

Richelieu Ⓜ, 31 pl. J.-Ferry ☎ **21.35.73, Télex 950810** – |♦| TV ☎ ♿ – 🏛 60. AE GB ⓓ E — AZ **m**
SC : **R** voir rest. Le Poisson d'Or – **58 ch** ☐ 180/264.

Bretagne, 6 pl. Libération ☎ 64.34.65 – |♦|. AE GB ⓓ E. ⚘ rest — AY **n**
R *(fermé 20 déc. au 20 janv., dim. sauf juil.-août et fêtes)* 45/120 – ☐ 13 – **34 ch** 75/150.

Léopol Ⓜ sans rest, 11 r. W.-Rousseau ☎ 21.23.16 – |♦| TV ⇔wc ⋒wc ☎. 🚗 — AY **r**
SC : ☐ 11 – **32 ch** 40/130.

Terminus et Gare, 5 r. Beauvais ☎ 21.14.62 – |♦| ⇔wc ⋒wc ☎. 🚗 AE GB ⓓ — AY **s**
SC : **R** *(fermé lundi)* 32/100 ♁ – ☐ 11,50 – **61 ch** 62/140 – P 140/215.

Atlantic sans rest, 33 r. Du-Couédic ☎ 21.21.13 – ⇔wc ⋒wc ☎ ♿ 🚗 🅟. GB ⓓ — BY **x**
SC : ☐ 13 – **26 ch** 70/140.

Duguesclin ⛯ sans rest, 24 r. Duguesclin ☎ 21.02.16 – |♦| ⇔wc ☎ 🅟 — AZ **d**
SC : ☐ 12 – **24 ch** 54/140.

Cléria sans rest, 27 bd Mar.-Franchet d'Esperey ☎ 21.04.59 – ⇔wc ⋒wc ☎ 🅟. GB — AY **k**
fermé vacances scolaires de Noël – SC : ☐ 12 – **36 ch** 60/130.

Christina sans rest, 10 r. Poulorio ☎ 21.33.92 – ⇔wc ⋒wc ☎. 🚗 — AY **v**
SC : ☐ 9 – **15 ch** 49/95.

Armor sans rest, 11 bd Mar.-Franchet-d'Esperey ☎ 21.73.87 – ⇔wc ⋒ ☎. 🚗 GB E — AY **e**
SC : ☐ 10 – **21 ch** 55/105.

St-Michel sans rest, 9 bd Mar.-Franchet-d'Esperey ☎ 21.17.53 – ⇔wc ⋒wc ☎. 🚗 — AY **z**
fermé 18 déc. au 3 janv. – SC : ☐ 12 – **22 ch** 48/120.

Arvor, 104 r. L.-Carnot ☎ 21.07.55 – ⋒ 🚗. 🚗. ⚘ — AZ **x**
fermé 20 déc. au 4 janv. – SC : **R** *(fermé dim. hors sais.)* 38/65 ♁ – ☐ 9 – **20 ch** 43/70 – P 98/115.

XXX **Le Poisson d'Or,** 1 r. Maître Esvelin ☎ 21.57.06 — AZ **m**
fermé dim. hors sais. – SC : **R** 55/160 ♁.

XX **Les Arcades,** 11 bd Mar.-Franchet-d'Esperey ☎ 21.17.42 – AE GB ⓓ — AY **e**
fermé 19 juil. au 2 août et dim. – SC : **R** 38/75.

XX **Cornouaille,** 13 bd Mar.-Franchet-d'Esperey ☎ 21.23.05 — AY **e**
fermé 1er au 15 mai, 1er au 15 sept. et lundi – SC : **R** 40/75 ♁.

XX Le Temps de Vivre, 8 bis r. Turenne ☎ 21.07.64 — BY **a**

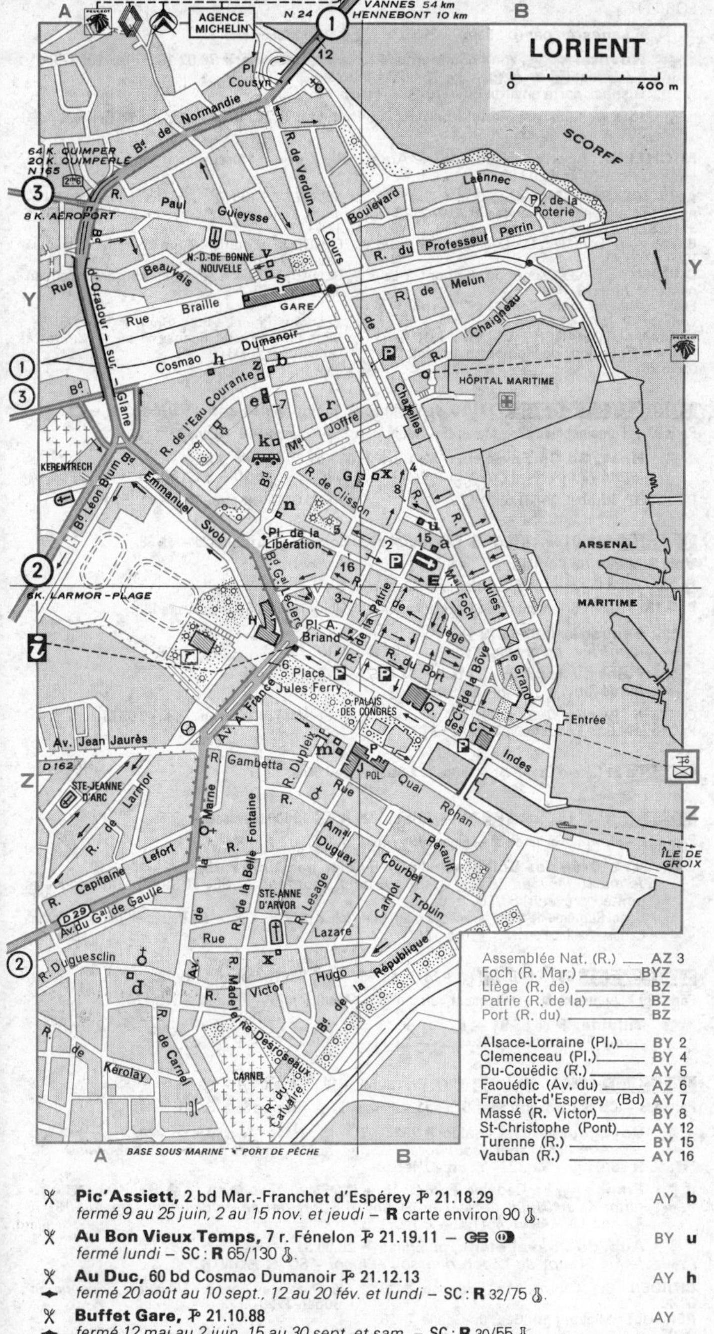

X **Pic'Assiett,** 2 bd Mar.-Franchet d'Espérey ☎ 21.18.29 — AY **b**
fermé 9 au 25 juin, 2 au 15 nov. et jeudi – **R** carte environ 90

X **Au Bon Vieux Temps,** 7 r. Fénelon ☎ 21.19.11 – GB ⓓ — BY **u**
fermé lundi – SC : **R** 65/130

X **Au Duc,** 60 bd Cosmao Dumanoir ☎ 21.12.13 — AY **h**
◆ *fermé 20 août au 10 sept., 12 au 20 fév. et lundi –* SC : **R** 32/75

X **Buffet Gare,** ☎ 21.10.88 — AY
◆ *fermé 12 mai au 2 juin, 15 au 30 sept. et sam. –* SC : **R** 30/55

à Lanester par ① : 5 km – 21 882 h. – ✉ **56600** Lanester :

Novotel M, zone commerciale Kerpont-Bellevue ☎ 76.02.16, Télex 950026, – rest TV ☎ ♿ P – 25 à 200. AE GB
R snack carte environ 65 – 20 – **60 ch** 175/230.

Ibis M sans rest, Zone Commerciale Bellevue ☎ 76.40.22 – wc ☎ P. GB
SC : 12 – **40 ch** 125/150.

MICHELIN, Agence régionale, r. Arago, Z.I. Kerpont, direction d'Hennebont après Lanester par ① ☎ **76.03.60**

AUDI-VOLKSWAGEN Auto-Ouest, rte Lanester à Lancevelin-en-Caudan ☎ 76.07.21 N ☎ 37.03.33
BMW Auto-Port, 37 r. Du-Couëdic ☎ 64.33.98 N ☎ 37.03.33
CITROEN S.C.A.O., Zone Ind. Kerpont à Lanester ☎ 76.08.73
FIAT Atlantic-Auto, Zone Ind. Kerpont à Lanester ☎ 76.03.44
LANCIA-AUTOBIANCHI, VOLVO SODA, r. Ampère Zone Ind. de Kerpont à Lanester ☎ 05.73.26
MERCEDES-BENZ Gar. Hyvair, rte de Quimperlé, Zone Ind. de Keryado ☎ 83.00.90 N ☎ 37.03.33
PEUGEOT Chrétien, Zone Com. de Bellevue à Caudan ☎ 76.13.56
RENAULT Court, Zone Ind. Kerpont à Caudan ☎ 76.18.08 N ☎ 37.03.33

Lorans-Pneus, 1 bd L.-Blum ☎ 37.72.00
Morbihannaise de Pneus, 68 av. A.-Croizat à Lanester ☎ 76.03.02

LORREZ-LE-BOCAGE

77710 S.-et-M. 61 ⑬ **G. Environs de Paris** – 900 h. alt. 102 – 6.

Paris 97 – Fontainebleau 28 – Melun 45 – Montargis 32 – Nemours 18 – Sens 32.

Host. Gd Cerf avec ch, r. M.-Bery ☎ 431.51.05 – . GB
fermé 12 nov. au 11 déc. et merc. – SC : **R** 38/75 – 10 – 3 ch 38/94.

PEUGEOT Wrobel, ☎ 431.51.31 N
RENAULT Lanouguère, ☎ 431.51.10

LORRIS

45260 Loiret 65 ① **G. Châteaux de la Loire** – 2 315 h. alt. 120 – 38.

Voir Stalles★ de l'église.

Syndicat d'Initiative 11 r. Gambetta ☎ 92.42.76.

Paris 136 – Gien 26 – Montargis 22 – ♦Orléans 49 – Pithiviers 41 – Sully-sur-Loire 18.

Sauvage, ☎ **92.43.79** –
fermé fév., jeudi soir et vend. – SC : **R** 31/110.

Point du Jour, 25 pl. Mail ☎ 92.40.21 – P
fermé janv. et lundi – **R** 25 bc/65 .

CITROEN Pivoteau, ☎ 92.40.43
PEUGEOT Gar. Pougetoux, ☎ 92.40.53 N
RENAULT Delaveau, ☎ 92.40.02 N

LOSNE

21 Côte-d'Or 70 ③ – rattaché à St-Jean-de-Losne.

LOSTANGES

19 Corrèze 75 ⑨ – 140 h. alt. 326 – ✉ **19500** Meyssac – 55.

Paris 512 – Brive-la-Gaillarde 38 – Figeac 75 – Tulle 31.

✪✪ **L'Orée des Bois** (Bachelin), NE : 2 km par D 163 ☎ 25.43.79, – P
fermé 15 janv. au 15 fév., mardi et merc. sauf fêtes – SC : **R** (nombre de couverts limité - prévenir) 80/180 et carte
Spéc. Suprême de truite aux cèpes, Râgout de foie d'oie frais, Délice aux fraises et framboises. **Vins** Cahors, Gaillac Perlé.

LOUBEYRAT

63 P.-de-D. 73 ④ – 567 h. alt. 565 – ✉ **63410** Manzat – 73.

Paris 379 – Aubusson 86 – ♦Clermont-Ferrand 28 – Montluçon 75 – Riom 14 – Vichy 50.

Tilleuls, ☎ **86.63.84** – P. ch
fermé 2 au 30 nov. – **R** 40/55 – 11 – 11 ch 40/55 – P 74/85.

LOUDÉAC

22600 C.-du-N. 58 ⑲ **G. Bretagne** – 10 135 h. alt. 161 – 96.

Paris 436 – Carhaix-Plouguer 68 – Dinan 71 – Pontivy 22 – ♦Rennes 85 – St-Brieuc 41.

Voyageurs, 10 r. Cadélac ☎ 28.00.47 – wc wc ☎ .
fermé 1er au 15 sept. (sauf hôtel), 20 déc. au 15 janv. et week-ends hors sais. – SC : **R** 28/65 – 12 – **32 ch** 40/165.

France M, 1 r. Cadélac ☎ 28.00.15 – wc wc ☎ P – 80 à 100. GB
fermé 15 au 31 juil. et Noël au 1er janv. – SC : **R** *(fermé vend. soir et sam. midi)* 33/70 – 12 – **40 ch** 45/150 – P 140/175.

Aub. du Cheval Blanc, pl. Église ☎ 28.00.31 – GB
fermé 14 sept. au 12 oct., dim. soir et lundi – SC : **R** 35/140 .

CITROEN Gar. Central, 14 r. Lavergne ☎ 28.00.46
RENAULT Michard, pl. Gén.-de-Gaulle ☎ 28.00.07

Desserrey-Pneus, r. Jacquard, Zone Ind. St-Bugan ☎ 28.05.73

LOUDUN 86200 Vienne 67 ⑨ G. Châteaux de la Loire (plan) – 8 245 h. alt. 88 – ✪ 49.

Voir Tour carrée ☼★.

ℹ Office de Tourisme à l'Hôtel de Ville (fermé matin et sam. hors saison et dim.) ☎ 22.15.96.

Paris 313 – Angers 77 – Châtellerault 49 – Parthenay 56 – Poitiers 55 – ♦Tours 72.

Mercure Ⓜ sans rest, 40 av. de Leuze ☎ 22.19.22 – |♦| TV ⌂wc ☎. AE ⓓ
SC : 15 – **29 ch** 130/170.

Roue d'Or, 1 av. Anjou ☎ 22.01.23 – wc ☎ Ⓟ. AE ⓓ
fermé 20 déc. au 20 janv., dim. soir du 15 oct. au 1er mai et lundi – SC : **R** 38/85 🌡 – 12,50 – 16 ch 75/150.

CITROEN S.A.R.V.A., bd Loche-et-Matras ☎ 22.00.42
PEUGEOT Autom. Loudunaise, 9 bd G.-Chauvet ☎ 22.15.57
RENAULT Guérin, 2 bd G.-Chauvet ☎ 22.12.93
RENAULT Bonnamy, 2 pl. Portail-Chaussée ☎ 22.01.30
Pneurénov, 17 bd G.-Chauvet ☎ 22.01.22

LOUÉ 72540 Sarthe 60 ⑫ – 1 880 h. alt. 80 – ✪ 43.

Paris 228 – Alençon 61 – Angers 81 – Laval 50 – ♦Le Mans 28.

✿ **Ricordeau** ☎ 27.40.03 – Ⓟ – 80. AE GB ⓓ E
fermé 2 janv. au 1er fév. – SC : **R** 113/135 – 24 – **22 ch** 135/275
Spéc. Oeufs pochés au foie gras de canard, Steack de canard, Assiette de sorbets et de fruits frais. **Vins** Quincy.

La LOUE (Source de) ★★★ 25 Doubs 70 ⑥ G. Jura.

Voir Vallée de la Loue★★ NO.

Env. Belvédères de Renédale ←★ 15 mn et du Moine de la Vallée ☼★★ NO : 7,5 km.

LOUGRATTE 47 L.-et-G. 79 ⑤ – 422 h. alt. 129 – ✉ 47290 Cancon – ✪ 58.

Paris 588 – Agen 53 – Bergerac 35 – Fumel 38 – Marmande 43 – Villeneuve-sur-Lot 24.

Midi, ☎ 01.65.51 – GB
fermé en oct., en fév. et mardi – SC : **R** 30/90 🌡 – 10 – **11 ch** 50/70 – P 90.

LOUHANS 71500 S.-et-L. 70 ⑬ G. Bourgogne – 4 717 h. alt. 181 – ✪ 85.

ℹ Office de Tourisme (fermé matin hors saison, mardi et dim.) av. du 8-Mai-1945 avec A.C. ☎ 75.05.02.

Paris 379 – Bourg-en-Bresse 56 – Chalon-sur-Saône 37 – ♦Dijon 83 – Dole 69 – Tournus 29.

Boivin, à St-Usuge par D 13 : 6 km - ✉ 71500 Louhans ☎ 75.04.04 – ⌂ Ⓟ
fermé 15 sept. au 5 oct. et lundi sauf juil., août – SC : **R** 28/65 – 9 – 8 ch 39/65 – P 78/88.

XX **Toque Blanche,** rte Tournus ☎ 75.01.86
fermé 15 août au 15 sept. et 20 au 28 déc. – SC : **R** 49/140.

La LOUPE 28240 E.-et-L. 60 ⑥ – 3 760 h. alt. 208 – ✪ 37.

Paris 130 – Chartres 38 – Dreux 43 – Mortagne-au-Perche 41 – Nogent-le-Rotrou 22.

Chêne Doré, pl. Hôtel-de-Ville ☎ 81.06.71 – ⌂wc wc Ⓟ – 30. AE ⓓ
fermé 20 déc. au 10 janv. – SC : **R** 32/50 🌡 – 10 – 14 ch 60/100 – P 150/180.

Gare, pl. Gare ☎ 81.09.02 – Ⓟ
fermé 1er au 15 sept., 20 déc. au 2 janv., sam. soir (rest. seul.) et dim. – SC : **R** (dîner seul. et pour résidents) 25/40 🌡 – 8,50 – **14 ch** 30/58 – P 95/110.

CITROEN Leproust, ☎ 81.00.69
PEUGEOT Gonsard, ☎ 81.08.05
RENAULT St-Thibault-Auto, ☎ 81.06.23 N ☎ 81.02.77

LOURDES 65100 H.-Pyr. 85 ⑱ G. Pyrénées – 18 096 h. alt. 410 – Pèlerinage (15 août) – ✪ 62.

Voir Château fort★ : musée pyrénéen★, salle d'honneur du Pyrénéisme★ – Basilique souterraine St-Pie X – Pic du Jer ☼★★ 1,5 km par ③ et funiculaire puis 20 mn – Le Béout ☼★ 1 km par ③ et téléphérique.

✈ **de Tarbes-Ossun-Lourdes ☎ 34.42.22 par ① : 11 km.**

ℹ Office de Tourisme pl. du Champ (fermé dim. sauf matin en saison) ☎ 94.15.64 - A.C. 4 pl. Église ☎ 94.15.66.

Paris 790 ① – ♦Bayonne 147 ⑤ – Pau 40 ⑤ – St-Gaudens 79 ② – Tarbes 19 ①.

Plan page suivante

Gallia et Londres Ⓜ, 26 av. B.-Soubirous ☎ 94.35.44, – |♦| rest. AE ⓓ
20 avril-20 oct. – SC : **R** 70/80 – 20 – **90 ch** 200/300 – P 200/300. AZ **k**

Gd H. de la Grotte, 66 r. de la Grotte ☎ 94.58.87, Télex 531937, ← – |♦| rest ☎ ♿ Ⓟ. AE GB ⓓ E AZ **y**
6 avril-20 oct. – SC : **R** 75/85 – 20 – **85 ch** 140/220 – P 220/330.

tourner →

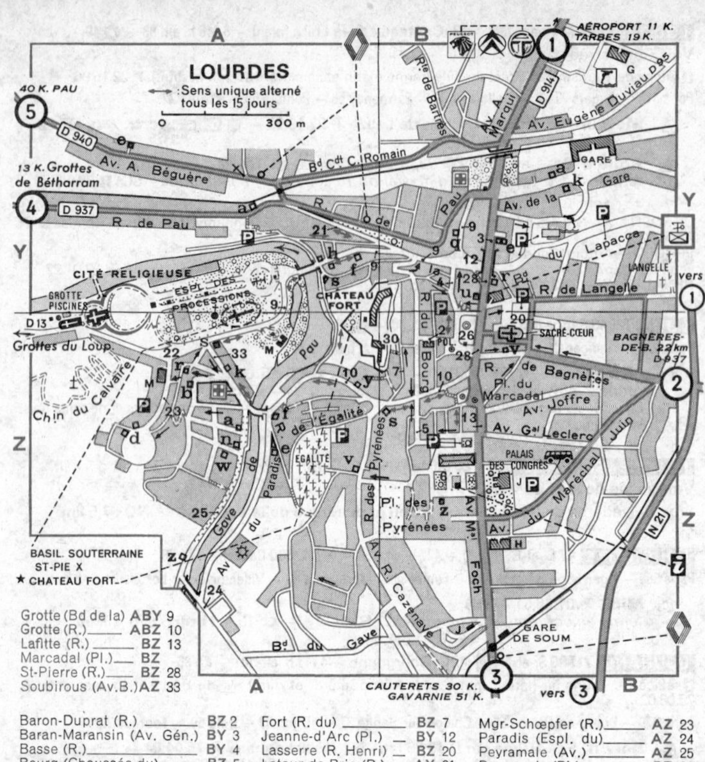

Baron-Duprat (R.) BZ 2
Baran-Maransin (Av. Gén.) BY 3
Basse (R.) BY 4
Bourg (Chaussée du) BZ 5
Champ-Commun (Pl. du) BZ 6
Fort (R. du) BZ 7
Jeanne-d'Arc (Pl.) BY 12
Lasserre (R. Henri) BZ 20
Latour-de-Brie (R.) AY 21
Mgr-Laurence (Pl.) AZ 22
Mgr-Schœpfer (R.) AZ 23
Paradis (Espl. du) AZ 24
Peyramale (Av.) AZ 25
Peyramale (Pl.) BZ 26
Sarrasins (Escalier des) BZ 30

Excelsior, 83 bd Grotte ☎ 94.02.05, Télex 520343, < – |♣| ▤ rest ♿ 🚗. AE GB ① E — AY **h**
10 avril-15 oct. – SC : **R** 50/60 – 80 ch ☕ 155/215 – P 185/215.

Espagne, 9 av. Paradis ☎ 94.50.02, Télex 520066, <, – |♣| ▤ rest Ⓟ – 🏛 80. AE GB ①. ✂ — AZ **e**
15 avril-15 oct. – SC : **R** 50 – 92 ch ☕ 130/220 – P 185/220.

Jeanne d'Arc, 1 r. Alsace-Lorraine ☎ 94.35.42 – |♣| 🚗 Ⓟ. — AZ **w**
Pâques-20 oct. – SC : **R** 50/60 – ☕ 15 – 140 ch 180/270 – P 220/290.

Ambassadeurs, 66 bd de la Grotte ☎ 94.32.85, < – |♣| Ⓟ. AE ① E. ✂ — AY **h**
Pâques-début nov. – SC : **R** 56/115 – 50 ch ☕ 95/220 – P 180/240.

Impérial, 3 av. Paradis ☎ 94.06.30, Télex 530802, <, – |♣| ▤ rest. AE ① E. ✂ rest — AZ **f**
10 avril-20 oct. – SC : **R** 65 – ☕ 18 – **100 ch** 165/270 – P 200/300.

Galilée-Windsor, 10 av. Peyramale ☎ 94.21.55 – |♣| ▤ rest 🚗 — AZ **n**
Pâques-20 oct. – SC : **R** 45/50 – ☕ 18 – 170 ch 180/220 – P 160/220.

St-Louis de France, 5 av. Paradis ☎ 94.28.91, < – |♣| ▤ rest wc wc ☎ Ⓟ. AE. ✂ rest — AZ **e**
15 avril-20 oct. – SC : **R** 46/50 – ☕ 14 – **104 ch** 140/170 – P 165/195.

Christina Ⓜ, 42 av. Peyramale ☎ 94.26.11, Télex 531062, <, – |♣| wc wc ☎ – 🏛 50. AE GB ① E. ✂ rest — AZ **z**
5 avril-17 oct. – SC : **R** 50 – **210 ch** ☕ 127/180 – P 173/208.

Panorama, 13 r. Ste-Marie ☎ 94.33.04 – |♣| wc wc ☎ ♿ – 🏛 40. AE. ✂ — AZ **r**
fin mars-fin oct. – SC : **R** 38 – ☕ 12 – **118 ch** 100/170 – P 165/175.

Roissy Ⓜ, 16 av. Mgr-Schoepfer ☎ 94.13.04 – |♣| wc wc ☎. E. ✂ rest — AZ **d**
Pâques-15 oct. – SC : **R** 38/42 – ☕ 13,50 – 70 ch 100/180 – P 160/180.

Golgotha, 4 r. Reine-Astrid ☎ 94.00.03 – |♣| wc wc ☎. ✂ — AZ **d**
Pâques-mi oct. – SC : **R** 38/42 – ☕ 14 – 118 ch 120/180 – P 160/180.

Nevers, 13 av. Maransin ☏ 94.26.05, ≤ – wc wc ☎ Ⓟ. . rest — BY **r**
fermé nov. – SC : **R** 38 – 11 – **39 ch** 94/165 – P 165/190.

Beauséjour sans rest, 16 av. Gare ☏ 94.38.18 – wc wc ☎ Ⓟ. . — BY **k**
1er avril-1er nov. – SC : 10 – **44 ch** 105/145.

Ste-Rose, 2 r. Carrières-Peyramale ☏ 94.30.96 – wc wc ☎ Ⓟ. — AZ **b**
15 avril-3 nov. – SC : **R** 40 – 13 – 99 ch 47/120 – P 115/185.

St-Étienne, 61 bd de la Grotte ☏ 94.02.03 – wc ☎ Ⓟ. . rest — AY **f**
Pâques-15 oct. – SC : **R** 50/70 – 13 – **50 ch** 70/160 – P 130/170.

Orly sans rest, 9 bis av. Maransin ☏ 94.28.21 – wc wc ☎. — BY **e**
1er avril-31 oct. – SC : 10 – **17 ch** 100/125.

N.-D. de France, 8 av. Peyramale ☏ 94.20.77, ≤ – wc wc ☎. . rest — AZ **a**
Pâques-15 oct. – SC : **R** 40/48 – 14 – 73 ch 90/140 – P 130/170.

N.-D. de Sarrance, 7 r. Bagnères ☏ 94.09.83 – wc wc ☎ . . — BZ **v**
fermé nov. et sans rest. de déc. à Pâques – SC : **R** 42 – 12 – 42 ch 130/150 – P 160.

Vallée, 28 r. Pyrénées ☏ 94.25.36 – wc wc ☎ . . rest — AZ **v**
1er avril-15 oct. – SC : **R** 30/55 – 10,50 – **60 ch** 73/153 – P 138/157.

Lutetia, 19 av. Gare ☏ 94.22.85 – wc wc ☎ Ⓟ. AE GB E — BY **a**
fermé 5 janv. au 6 fév. – SC : **R** 35/70 – 13,50 – **31 ch** 66/130 – P 135/165.

Majestic, 9 av. Maransin ☏ 94.27.23 – wc wc ☎ ♿. — BY **e**
21 avril-15 oct. – SC : **R** 35/45 – 12 – 36 ch 80/140 – P 120/140.

Gesta-Baylac, 2 bd Grotte ☏ 94.02.33 – wc wc. — BY **q**
15 avril-10 oct. – SC : **R** 32 – 11 – 73 ch 85/150 – P 100/150.

Aquitaine, 1 r. Pyrénées ☏ 94.20.31 – wc wc ☎. — BZ **s**
fermé 12 déc. au 8 fév. – SC : **R** 28/39 – 12 – 24 ch 56/112 – P 123/135.

N.-D.-de Lorette, 12 rte Pau ☏ 94.12.16 – wc Ⓟ. . — AY **a**
1er avril-15 oct. – SC : **R** 34/62 – 10 – 19 ch 35/85 – P 92/113.

Taverne de Bigorre et Albret avec ch, 21 pl. Champ-Commun ☏ 94.11.79 – wc wc ☎. AE — BZ **z**
fermé 1er janv. au 6 fév. – SC : **R** *(fermé lundi du 1er nov. au 1er mai)* 35/60 – 11 – **27 ch** 100/120 – P 110/140.

L'Ermitage, ☏ 94.08.42 – AE GB — AZ **s**
8 fév.-1er nov. et fermé lundi sauf de mai à oct. – **R** 57/100.

Aub. Maurice Prat avec ch, av. A.-Béguère ☏ 94.01.53 – wc wc Ⓟ. — AY **e**
fermé 1er nov. au 1er janv. et lundi – SC : **R** 35/60 – 15 – **16 ch** 120/160 – P 130/180.

Gave, 17 quai St-Jean ☏ 94.14.33 – AE GB — AY **s**
Pâques-12 oct. – SC : **R** 39/53.

Bonbonnière, 22 av. Maransin ☏ 94.08.97 — BY **u**
fermé 15 nov. au 15 déc. et merc. – SC : **R** 30/80.

à Lugagnan par ③ : 3 km – ✉ **65100** Lourdes :

Trois Vallées , ☏ 94.73.05, , – wc wc ☎ Ⓟ. rest
fermé 1er au 15 déc. et 2 au 16 janv. – SC : **R** 35/60 – 9 – 32 ch 38/100 – P 80/120.

à Saux par ① : 3 km – ✉ **65100** Lourdes :

Relais Pyrénéen avec ch, ☏ 94.29.61, ≤, – wc ☎ Ⓟ
11 ch.

à Adé par ① : 6 km – ✉ **65100** Lourdes :

Le Virginia, ☏ 94.66.18 – rest wc ☎ Ⓟ. .
fermé 15 déc. au 10 janv. – SC : **R** *(fermé dim.)* 50/80 – 18 – 45 ch 65/190 – P 145/210.

Dupouey, ☏ 94.29.62 – Ⓟ. .
fermé merc. – SC : **R** 26/95 – 8 – 36 ch 45 – P 90/100.

CITROEN Vinches, av. A.-Marqui ☏ 94.32.32 ☏ 93.18.72
FIAT Charrier, 32 av. Mar.-Foch ☏ 94.23.03
FORD Gar. Allué, 27 av. A.-Marqui ☏ 94.07.23
LANCIA-AUTOBIANCHI, TOYOTA, VOLVO Gar. Universel, 48 av. A.-Marqui ☏ 94.67.31
OPEL Chartier, 14 av. A.-Marqui ☏ 94.23.08
PEUGEOT S.A.G.A.P., Zone Ind. de Saux RN 21 rte de Tarbes ☏ 94.66.30
RENAULT R.E.N.O.P.A.C., 25 av. F.-Lagardère ☏ 94.70.50
RENAULT Gar. Préher, 32 r. de Pau ☏ 94.10.00
RENAULT Gar. Vincent, 4 av. A.-Béguère ☏ 94.07.89
TALBOT Boutes, 102 av. A.-Marqui ☏ 94.75.68 ☏ 94.21.93

Bigorre-Pneus, 27 av. F.-Lagardère ☏ 94.06.70
Maurice, 7 r. Sacré-Coeur ☏ 94.00.67

LOURY 45470 Loiret 60 ⑲⑳ – 1 243 h. alt. 126 – ⓒ 38.

Paris 110 – Chartres 74 – Châteauneuf-sur-Loire 19 – Étampes 53 – ♦Orléans 18 – Pithiviers 24.

XX **Aub. du Dauphin,** N 152 ☎ 65.60.12, ⛱ – Ⓟ. Ⓓ
fermé fév., mardi soir et merc. – SC : **R** 40/160 ₰.

XX **Relais de la Forge,** N 152 ☎ 65.60.27 – Ⓟ. GB
fermé mars et mardi – SC : **R** 36/92.

LOUVIE-JUZON 64 Pyr.-Atl. 85 ⑯ – 1 057 h. alt. 412 – ✉ **64260** Arudy – ⓒ 59.

Paris 777 – Laruns 11 – Lourdes 40 – Oloron-Ste-Marie 21 – Pau 26.

Forestière M ♨, rte Pau ☎ 05.62.28, ≤, ⛱ – ⌂wc ☎ Ⓟ. 🚗 AE Ⓓ
SC : **R** 50/85 – ☕ 12 – **13 ch** 120/170 – P 177/197.

Dhérété ♨, ☎ 05.61.01, ≤, ⛱ – ⌂wc ☎ 🚗 Ⓟ – 🏛 30 à 40. 🚗. ✖
fermé 15 oct. au 15 nov. et merc. hors sais. – SC : **R** 38/50 – ☕ 8 – 18 ch 55/95 – P 90/165.

CITROEN Rignol, à Arudy ☎ 05.60.23
RENAULT Orensanz, à Arudy ☎ 05.61.93
TALBOT Versavaud, à Arudy ☎ 05.60.70

LOUVIERS 27400 Eure 55 ⑯⑰ **G. Normandie** – 18 874 h. alt. 15 – ⓒ 32.

Voir Église N.-Dame★ : oeuvres d'art★.

18 du Vaudreuil ☎ 59.02.60, NE par D 313 BX **et D 77 : 6,5 km.**

i Office de Tourisme 10 r. Maréchal-Foch (fermé matin, dim. et lundi) ☎ 40.04.41.

Paris 108 ③ – Les Andelys 23 ③ – Bernay 51 ⑤ – Lisieux 75 ⑤ – Mantes 50 ③ – ♦Rouen 29 ①.

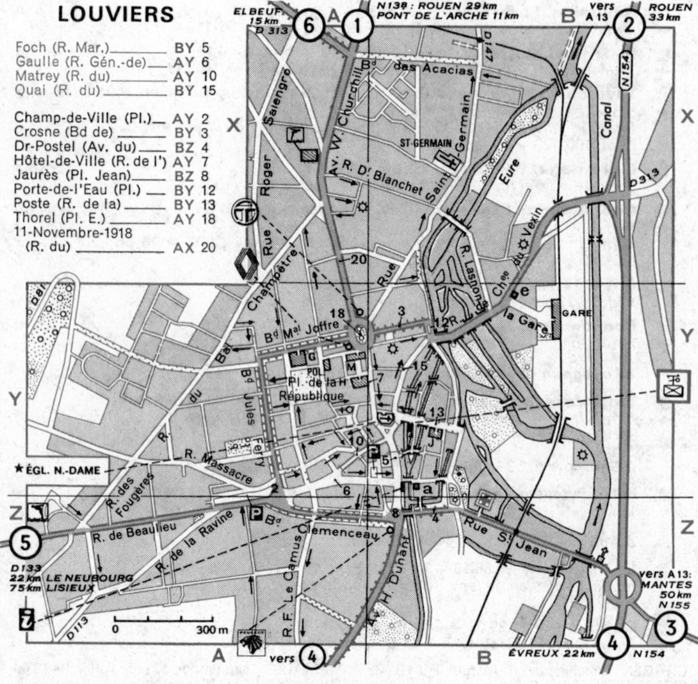

P.L.M. M, par ② : 3,5 km près échangeur A 13 et N 15 ✉ 27100 Vaudreuil ☎ 59.09.09, Télex 180540, ⛱ – |♦| ▤ rest TV ☎ Ⓟ – 🏛 150. AE GB Ⓓ E
R carte environ 75 ₰ – ☕ 18 – **58 ch** 180/200.

XX **Host. de la Poste,** 11 r. Quatre-Moulins ☎ 40.01.76 – GB BY **a**
fermé 15 juil. au 20 août, dim. soir et lundi – SC : **R** 33/85.

XX **Clos Normand,** r. Gare ☎ 40.03.56 – AE GB Ⓓ BY **e**
fermé dim. sauf Pâques et Pentecôte – SC : **R** 32/70 ₰.

à Acquigny par ④ : 5 km – ✉ **27400** Louviers :

✕ **L'Hostellerie** avec ch, sur N 154 ☎ 50.20.05 – **P**. **E**.
fermé 12 au 31 août, 8 au 24 fév., mardi soir et merc. – SC : **R** 31/60 – 9,50 – 6 ch 55/65.

à Vironvay par ③ : 5 km – ✉ **27400** Louviers.

Voir Église ≤★.

Les Saisons, ☎ 40.02.56, ≤, « Pavillons dans un jardin », – wc **P** – 30. **E**. ch
fermé 10 janv. au 10 fév. – SC : **R** *(fermé merc.)* 95 bc/160 – 19 – **6 ch** 150/180, 4 appartements 350.

à St-Pierre-du-Vauvray E : 8 km par D 313 - BX – ✉ **27430** St-Pierre-du-Vauvray :

Host. St-Pierre Ⓜ, ☎ 59.93.29, Télex 770581, ≤, – **P**. GB
SC : **R** *(fermé 1er déc. au 28 fév., lundi soir et mardi)* carte 80 à 120 – 16 – 16 ch 100/280.

FIAT Gar. Pillet, rte des Falaises à Le Vaudreuil ☎ 59.15.62
PEUGEOT Dubreuil, 4 pl. J.-Jaurès ☎ 40.02.28
RENAULT Duchemin, 1 pl. E.-Thorel ☎ 40.15.97
TALBOT Cambour-Automobiles, 4 pl. E.-Thorel ☎ 40.37.01

Marsat, 49 r. de Paris ☎ 40.21.16
Rallye-Pneus, 15 r. Félix ☎ 40.03.15

LOUVIGNÉ-DU-DÉSERT

35420 I.-et-V. 59 ⑲ – 4 331 h. alt. 178 – 99.

Paris 295 – Alençon 102 – Dol-de-Bretagne 51 – Fougères 16 – Mayenne 54.

Manoir, pl. Ch.-de-Gaulle ☎ 98.02.40, « Jardin » – wc wc **P**. GB
fermé 1er au 15 oct., fév., dim. soir (sauf hôtel) et lundi hors sais. – SC : **R** 40/70 – 9,50 – **12 ch** 60/120.

CITROEN Friteau, ☎ 98.02.41 N
RENAULT Couasnon, ☎ 98.01.24

LOUVIGNY

14 Calvados 55 ⑪ – rattaché à Caen.

LOYETTES

01 Ain 74 ⑬ – 1 626 h. alt. 193 – ✉ **01800** Meximieux – 7.

Paris 470 – Bourg-en-Bresse 51 – Bourgoin-Jallieu 27 – ♦Lyon 33 – La Tour-du-Pin 42 – Vienne 48.

XXX ✿ **Terrasse** (Antonin), pl. Église ☎ 832.70.13, ≤, – GB.
fermé 6 au 23 sept., 7 fév. au 4 mars, dim. soir et lundi – SC : **R** (dim. et fêtes prévenir) 85/190
Spéc. Terrine de lapin au basilic, Assiette du pêcheur. Vins Montagnieu.

LUBBON

40 Landes 79 ⑫⑬ – 119 h. alt. 147 – ✉ **40240** La Bastide d'Armagnac – 58.

Paris 683 – Aire-sur-l'Adour 60 – Condom 55 – Houeillès 12 – Mont-de-Marsan 49 – Nérac 35.

Au Bon Coin (chez Jeanne), D 933 ☎ 44.60.43 – **P**
fermé 7 au 28 sept. et sam. – **R** (dim. et fêtes prévenir) 25/36 – 8 – **14 ch** 35/45.

LUBERSAC

19210 Corrèze 75 ⑧ – 2 471 h. alt. 355 – 55.

Paris 447 – Brive-la-Gaillarde 58 – ♦Limoges 54 – Périgueux 74 – Tulle 49.

Le Rubeau, rte Limoges ☎ 73.56.57 – . ch – 14 ch.

CITROEN Tixier, ☎ 73.50.29
PEUGEOT Ravel, ☎ 73.54.81
RENAULT Sudrie, ☎ 73.55.41
TALBOT Reyrolles, ☎ 73.55.47

Le LUC

83340 Var 84 ⑯ – 5 789 h. alt. 168 – 94.

Office de Tourisme pl. Verdun (1er avril-30 sept., fermé dim. et lundi matin) ☎ 60.74.51.

Paris 840 – Cannes 75 – Draguignan 28 – St-Raphaël 43 – Sainte-Maxime 49 – ♦Toulon 53.

La Gerfroise, E : 1,5 km par N 7 ☎ 60.73.41, ≤, parc, – wc wc **P**.
SC : **R** 50/95 – 15 – **10 ch** 100/150 – P 180/200.

XX **Host. du Parc** avec ch, r. J.-Jaurès ☎ 60.70.01, – wc wc **P**. AE **E**
fermé 15 nov. au 17 déc., lundi soir du 1er oct. au 1er juin et mardi midi en juil.-août – SC : **R** 100/120 – 14 – 12 ch 100/180.

à Flassans-sur-Issole O : 4 km par N 7 – ✉ **83340** Le Luc :

La Grillade au feu de bois Ⓜ, ☎ 69.71.20, antiquités, ≤, parc, – wc wc **P**. GB **E**
SC : **R** carte 85 à 125 – 15 – **6 ch** 150/210.

LUC-EN-DIOIS

26310 Drôme 77 ⑭ G. Alpes – 467 h. alt. 580 – 75.

Syndicat d'initiative av. Gare (juil.-août) ☎ 21.31.01.

Paris 645 – Die 19 – Gap 76 – Nyons 66 – Serres 46 – Valence 84.

Levant, ☎ 21.33.30, – wc **P**
1er avril-30 sept. – SC : **R** 32/64 – 10 – 16 ch 55/120 – P 98/120.

LUCHÉ-PRINGÉ 72 Sarthe 64 ③ **G. Châteaux de la Loire** – 1 384 h. alt. 34 – ✉ **72800** Le Lude – ⚙ 43.

Voir Château★ de Gallerande NO : 2,5 km.

ℹ Syndicat d'Initiative à la Mairie (fermé dim.) ☎ 94.43.25.

Paris 237 – La Flèche 13 – Le Lude 10 – ♦Le Mans 39.

Aub. du Port des Roches ⚘, au Port des Roches E : 4 km par D 13 et D 214 ☎ 94.43.23, – wc wc ☎ Ⓟ.
fermé mardi hors sais. – 12 – 12 ch 70/110 – P 110/140.

LUCHON 31 H.-Gar. 85 ⑳ **G. Pyrénées** – 3 627 h. alt. 630 – Stat. therm. (1er avril-17 oct.) – Sports d'hiver à Superbagnères : 1 440/2 260 m 2 12 – Casino Y – ✉ **31110** Bagnères-de-Luchon – ⚙ 61.

Env. Vallée du Lys★ SO : 5,5 km par D 125 et D 46 – Kiosque de Mayrègne ★ 9 km par ③ – Hospice de France★★ SE : 11 km par D 125.

☎ 79.03.27, X.

ℹ Syndicat d'Initiative 18 allées Étigny (fermé dim. après-midi) ☎ 79.21.21, Télex 530139.

Paris 826 ① – Bagnères-de-Bigorre 81 ① – St-Gaudens 46 ① – Tarbes 89 ① – ♦Toulouse 136 ①.

Poste et Golf, rest. La Rotonde, 29 allées Étigny ☎ 79.00.40, Télex 520018, – ☎ Ⓟ – 30 à 120. AE GB ⦿ E. rest
fermé 15 oct. au 20 déc. – 15 – **60 ch**, 4 appartements. Y **n**

Corneille ⚘, 5 av. A.-Dumas ☎ 79.00.22, Télex 520347, ⩽, « Résidence dans un parc, beaux aménagements intérieurs » – Ⓟ. AE. rest Y **u**
15 avril-20 oct. – SC : **R** 66/80 – 14 – **58 ch** 140/250 – P 190/300.

Bains, 75 allées Étigny ☎ 79.00.58 – wc wc ☎ Ⓟ. AE. rest YZ **e**
fermé 20 oct. au 20 déc. – SC : **R** 58 – 15 – **52 ch** 95/145 – P 165/220.

Étigny, face Établt Thermal ☎ 79.01.42, – wc wc ☎. rest
1er mai-12 oct. – SC : **R** 40/75 – 13 – 56 ch 60/130 – P 130/160. Z **k**

Métropole, 40 allées Étigny ☎ 79.00.08 – wc wc ☎. rest Y **r**
1er avril-15 oct., 20 déc.-5 janv., et vacances de fév. – SC : **R** 45/60 – 12 – **63 ch** 70/130 – P 130/175.

Paris, 9 cours Quinconces ☎ 79.13.70 – wc ☎ Ⓟ. rest Z **v**
1er mai-20 oct. – SC : **R** 44 – 12,50 – **32 ch** 120/140 – P 160/190.

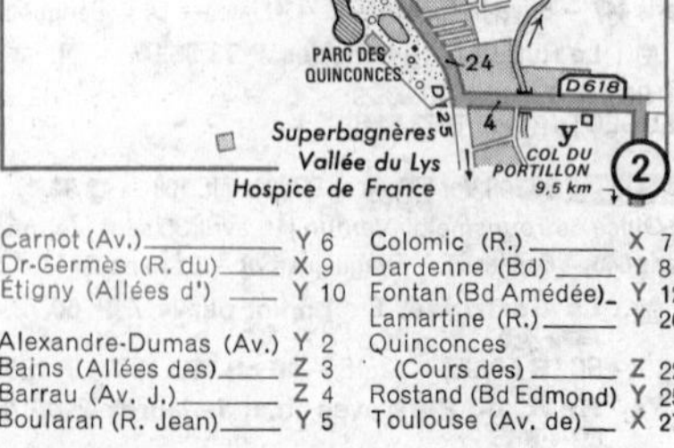

Carnot (Av.)	Y 6		Colomic (R.)	X 7
Dr-Germès (R. du)	X 9		Dardenne (Bd)	Y 8
Étigny (Allées d')	Y 10		Fontan (Bd Amédée)	Y 12
			Lamartine (R.)	Y 20
Alexandre-Dumas (Av.)	Y 2		Quinconces (Cours des)	Z 22
Bains (Allées des)	Z 3		Rostand (Bd Edmond)	Y 25
Barrau (Av. J.)	Z 4		Toulouse (Av. de)	X 27
Boularan (R. Jean)	Y 5			

Le Gd Hôtel, 79 allées Étigny ☎ 79.00.46 – wc wc ☎ Ⓟ. AE ⦿. rest Z **h**
1er mai-10 oct. – SC : **R** 55/70 – 13 – **56 ch** 50/165 – P 125/230.

Royal H., 1 cours Quinconces ☎ 79.00.62 – wc ☎. rest Z **v**
25 mai-30 sept. – SC : **R** 50 – 12 – **48 ch** 50/110 – P 130/150.

Beau Site, 11 cours Quiconces ☎ 79.02.71, – wc ☎ Ⓟ. Z **v**
12 avril-18 oct. – SC : **R** 40/47 – 12 – **24 ch** 100/140 – P 125/150.

Panoramic, 6 av. Carnot ☎ 79.00.67 – wc wc ☎ X **v**
1er avril-15 oct., vacances scolaires de Noël, fév. et week-ends – SC : **R** 40/60 – 14 – **30 ch** 85/150 – P 145/210.

- **Concorde,** 12 allées Etigny ☎ 79.00.69 – ascenseur, bain wc, téléphone. Y **s**
  fermé 20 oct. au 20 déc. et 5 au 20 janv. – SC : **R** 28/50 ꟾ – 12 – **23 ch** 70/130 – P 130/200.
- **La Rencluse,** à St-Mamet ✉ 31110 Bagnères-de-Luchon ☎ 79.02.81, – bain wc, douche wc, téléphone, Ⓟ. rest Z **y**
  1er mai-1er oct., Noël et vacances de fév. – SC : **R** 35/70 – 10 – **28 ch** 70/120 – P 140/170.
- **Castel Marie-Thérèse** sans rest, 15 bd Ch. de Gaulle ☎ 79.02.95, – bain wc, douche wc, téléphone, Ⓟ. X **s**
  1er juin-30 sept. – SC : 15 – **18 ch** 100/150.
- **Deux Nations,** 5 r. Victor-Hugo ☎ 79.01.71 – Y **g**
  SC : **R** 35/80 – 12 – **27 ch** 45/80 – P 105/125.
- **Bon Accueil,** 1 pl. Joffre ☎ 79.02.20 – ascenseur, cuisinette, bain wc, douche wc, téléphone. XY **a**
  fermé 20 oct. au 20 déc. – SC : **R** 39/50 – 13 – 28 ch 50/160, 10 appartements 150/200 – P 141/200.
- **Henri Sors,** av. Carnot ☎ 79.00.47, – ascenseur, douche wc. rest X **m**
  Pâques-15 oct. – SC : **R** 36/47 – 9,50 – **45 ch** 40/110 – P 95/115.
- **Le Logis**, 22 bd Rostand ☎ 79.02.53, – bain wc, Ⓟ. ch Y **q**
  1er mai-1er oct. – SC : **R** 35/50 – 10 – **13 ch** 42/90 – P 100/130.

CITROEN Bardaji, ☎ 79.16.93
FIAT Gar. Elissalde, ☎ 79.00.20
FORD Gar. Rubiella, à Montauban de Luchon ☎ 79.08.56
PEUGEOT Gar. Bedin, ☎ 79.01.35

LUÇON 85400 Vendée **71** ⑪ **G. Côte de l'Atlantique** – 9 574 h. alt. 10 – 51.

Voir Cathédrale★ – Jardin Dumaine★.

Office de Tourisme pl. Hôtel-de-Ville (fermé dim. et lundi) ☎ 56.05.00.

Paris 432 ① – Cholet 84 ① – Fontenay-le-C. 29 ① – La Rochelle 51 ① – La Roche-sur-Yon 32 ⑤.

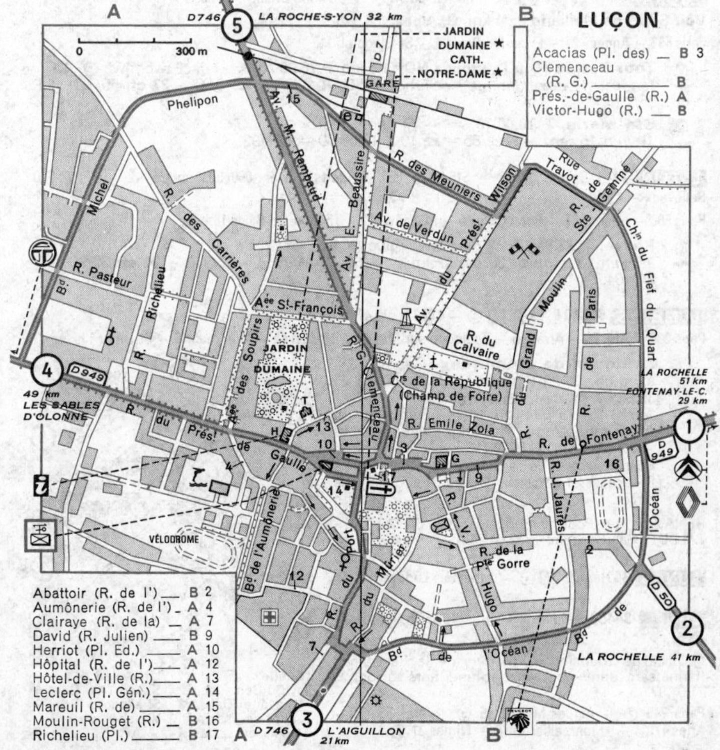

Voyageurs, pl. Gare ☎ 56.11.71 – ⊟ Ⓟ. ✂ ch — A **e**
fermé 15 au 30 sept., 25 déc. au 2 janv. et dim. – SC : **R** 32/65 ♁ – ☕ 9,50 – 11 ch 45/85.

ALFA-ROMEO Gar. Baffard, rte de la Roche ☎ 56.03.19
CITROEN A. Murs, rte de Fontenay ☎ 56.01.29
FIAT-LADA Gar. Pelleau, D 149, Beugné-l'Abbé ☎ 56.05.03 Ⓝ
FORD Verger, 2 quai Ouest ☎ 56.01.17
OPEL Perocheau, 62 r. Gén.-de-Gaulle ☎ 56.01.87 Ⓝ
PEUGEOT Engerbeaud, 17 bis r. Fontenay ☎ 56.12.87
RENAULT Gar. Rallet, rte Fontenay ☎ 56.18.21
TALBOT Grelé, rte des Sables ☎ 56.04.71

Le LUDE 72800 Sarthe 64 ③ G. Châteaux de la Loire – 4 120 h. alt. 48 – ☎ 43.

Voir Château★ (spectacle Son et Lumière★★★).

ℹ Syndicat d'Initiative pl. F. de Nicolay (juin-sept. et fermé dim.) et 8 r. Boeuf (oct.-juin, fermé dim. et lundi) ☎ 94.62.20.

Paris 246 – Angers 62 – Chinon 62 – La Flèche 20 – ♦Le Mans 44 – Saumur 47 – Tours 52.

Maine, 24 av. Saumur ☎ 94.60.54, 🌳 – ⊟wc ⋒wc ☎ Ⓟ. 🚘
fermé 20 déc. au 20 janv. – SC : **R** *(fermé lundi)* 40/100 ♁ – ☕ 10 – 25 ch 59/130 – P 120/140.

La Renaissance, 2 av. Libération ☎ 94.63.10
fermé 28 sept. au 1er nov., dim. soir et lundi sauf fériés – SC : **R** 33/80 ♁.

CITROEN Compain, ☎ 94.63.40
PEUGEOT Virfollet, ☎ 94.63.86 Ⓝ
RENAULT Gar. Charpentier, ☎ 94.63.13
TALBOT Grobois, à La Pointe ☎ 94.60.89

LUGAGNAN 65 H.-Pyr. 85 ⑱ – rattaché à Lourdes.

LUGOS 33 Gironde 78 ③ – 391 h. alt. 35 – ✉ **33830** Belin – ☎ 56.

Paris 616 – Arcachon 42 – ♦Bayonne 138 – ♦Bordeaux 53.

La Bonne Auberge 🐦, ☎ 88.02.05 – ⊟wc ⋒wc Ⓟ. 🚘
fermé 10 sept. au 15 oct. et lundi – SC : **R** 45/140 – ☕ 11 – 14 ch 70/90 – P 140.

LUGRIN 74 H.-Savoie 70 ⑱ – 1 334 h. alt. 411 – ✉ **74500** Évian – ☎ 50.

Voir Site★ de Meillerie E : 4 km, G. Alpes.

Paris 592 – Annecy 87 – Évian-les-Bains 6 – St-Gingolph 11.

Tour Ronde Ⓜ, à Tourronde NO : 1,5 km ☎ 76.00.23, ≤ – |♿| ⊟wc ⋒wc Ⓟ. ✂
fermé oct., nov., dim. soir et lundi – SC : **R** 33/75 – ☕ 9,50 – **27 ch** 55/120 – P 95/120.

Ste-Marie, ☎ 76.00.16, 🌳 – ⋒ Ⓟ. ✂ rest
1er juin-15 sept. – **R** 38/55 – ☕ 10 – 13 ch 50 – P 81/92.

LULLIN 74 H.-Savoie 70 ⑰ – 515 h. alt. 850 – Sports d'hiver : 850/1 250 m ⛷5, 🎿 – ✉ **74470** Bellevaux – ☎ 50.

Paris 588 – Annecy 67 – Bonneville 40 – ♦Genève 41 – Thonon-les-Bains 18.

Poste, ☎ 73.81.10, 🌳 – ⊟wc ⋒wc Ⓟ. ✂
1er juin-18 sept. et 20 déc.-Pâques – SC : **R** 35/70 ♁ – ☕ 10 – **24 ch** 30/90 – P 84/104.

LUMBRES 62380 P.-de-C. 51 ③ – 4 083 h. alt. 47 – ☎ 21.

Paris 266 – Aire 26 – Arras 86 – Boulogne-sur-Mer 40 – Hesdin 42 – Montreuil 48 – St-Omer 13.

XXX ✿ **Moulin de Mombreux** (Gaudry) 🐦 avec ch, O : 2 km par N 42 et VO 16 ☎ 39.62.44, parc – ⊟ ☎ Ⓟ. ⓓ
fermé du 15 déc. au 1er fév., dim. soir et lundi sauf fériés – **R** (dim. prévenir) 50/140 – ☕ 9,50 – **6 ch** 50/90
Spéc. Foie gras de canard frais, Salade tiède de St-Jacques et de belons (nov. à avril), Soufflé de turbot.

RENAULT Gar. Podevin-Hericourt, ☎ 39.64.32
TALBOT Gar. Basquin, ☎ 39.64.25

LUNAS 34 Hérault 83 ④ – rattaché à Lodève.

LUNEL 34400 Hérault 83 ⑧ – 13 559 h. alt. 11 – ☎ 67.

ℹ Office de Tourisme pl. Martyrs de la Résistance (fermé sam. après-midi, dim. et lundi hors saison) ☎ 71.01.37.

Paris 740 ② – Aigues-Mortes 15 ③ – Alès 55 ① – Arles 47 ② – ♦Montpellier 25 ④ – Nîmes 31 ②.

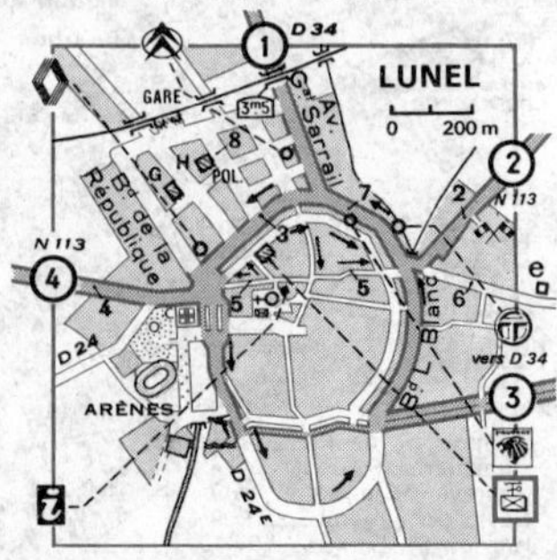

Gaulle (Bd Gén.-de) 2
Lafayette (Bd) 3
Lattre-de-Tassigny (Av. de) 4
Libération (R.) 5
Simon (Av. Col.) 6
Strasbourg (Bd) 7
Victor-Hugo (Av.) 8

La Clausade ⛷, 48 av. Colonel-Simon **(e)** ☎ 71.05.69, ⚘ – TV ⛟wc ☎ **P**. ⛟. ✂ ch
SC : **R** *(fermé 15 au 31 août, sam. et dim.)* 48 (sauf fêtes)/80 ⚲ – ☕ 13,50 – **10 ch** 135/170.

au Pont de Lunel par ② : 3,5 km – ✉ **34400** Lunel :

Mon Auberge, N 113 ☎ 71.01.62, ⇐ – ▤ ⛟wc ⛟wc ☎ ⛟ **P** – ⛺ 60. GB
SC : **R** 33 bc/120 – ☕ 12 – 26 ch 88/178.

CITROEN Brunel, av. Gén.-Sarrail ☎ 71.11.48
PEUGEOT Gar. du Midi, 10 r. Ed.-Quinet ☎ 71.11.10 **N**
RENAULT Figère, 10 pl. République ☎ 71.00.06
TALBOT Privat, 34 bd Strasbourg ☎ 71.00.21
VOLKSWAGEN Pons, rte Montpellier, Zone Ind. ☎ 71.10.59

LUNÉVILLE ⟨SP⟩ **54300** M.-et-M. **62** ⑥ **G. Vosges** – **24 700 h. alt. 230** – ⚙ **8.**

Voir Château★ Z – **Parc des Bosquets**★ Z – **Boiseries**★ **de l'église St-Jacques** Z **B.**

i Syndicat d'Initiative pl. Château ☎ 373.06.55 - A.C. 3 r. Charles-Guérin ☎ 373.03.41.

Paris 338 ⑤ – Épinal 62 ④ – ♦Metz 93 ⑤ – ♦Nancy 35 ⑤ – Neufchâteau 83 ⑤ – St-Dié 50 ③ – St-Dizier 133 ⑤ – Sarreguemines 93 ① – ♦Strasbourg 124 ② – Vittel 75 ④.

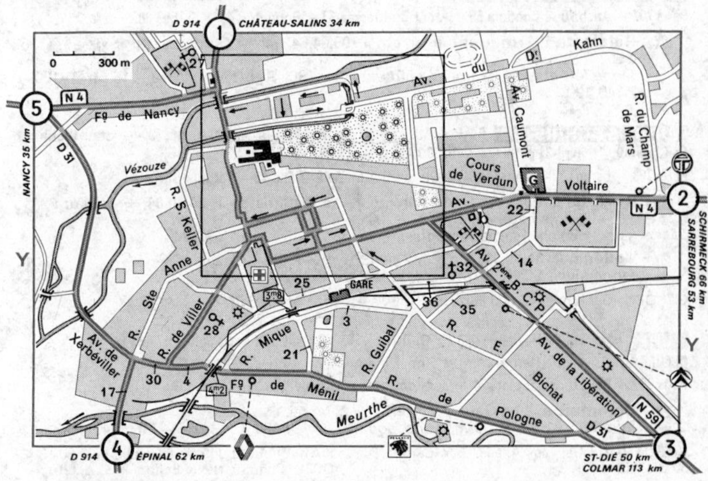

LUNÉVILLE

Banaudon (R.) Z 2
Carnot (R.) Z 6
Castara (R.) Z 7
Chanzy (R.) Z 9
Charité (R. de la) Z 10
Gambetta (R.) Z 15
Leclerc (R. Gén.) Z 18
Léopold (Pl.) Z 20

Bénédictins (R. des) Y 3
Braux (R. E.) Y 4
Château (R. du) Z 13
Ferry (R. L.) Y 14
Gerbeviller (Av. de) Y 17
Menil (R. de) Y 21
Parmentier (R. F.) Y 22
République (R.) Z 24
Rivolet (R.) Y 25
St-Jacques (⊞) Z B
St-Léopold (⊞) Y 27
St-Maur (⊞) Y 28
St-Maur (R.) Y 30
St-Rémy (Pl.) Z 31
Ste-J.-D'Arc (⊞) Y 32
Sarrebourg (R. de) Z 34
Sélestat (Q. de) Y 35
Strasbourg (Q. de) Y 36
Viller (R. de) Z 38
2e-Div.-de-Cavalerie (Pl. de la) Z 39

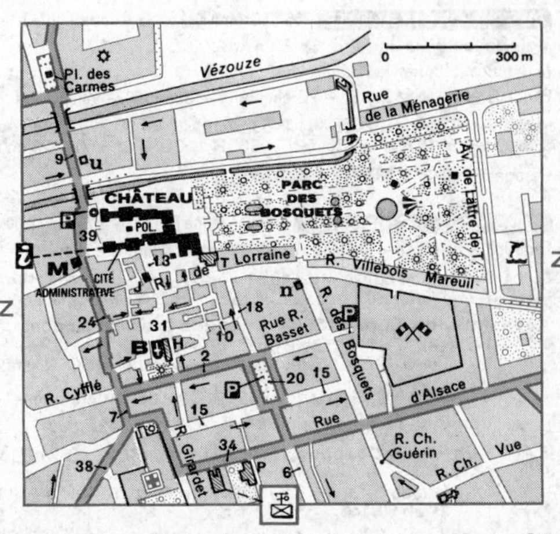

Des Pages [M] ⛰, 8 r. Chanzy ☎ 373.11.42 – TV ⌂wc ☎ Ⓟ – 🏛 60. 🚗 AE
R snack carte environ 65 🍷 – ☕ 9,50 – **28 ch** 75/115. Z **u**

XX **Le Voltaire** avec ch, 8 av. Voltaire ☎ 373.07.09, 🌳 – TV ⌂wc ⌂wc ☎ ♿ – 🏛 50. 🚗 AE GB ◉ Y **b**
fermé janv., dim. soir et lundi – SC : **R** 70/120 – ☕ 11 – **10 ch** 80/125.

XX **Bosquets,** 2 r. Bosquets ☎ 373.00.14 Z **n**
fermé 22 fév. au 22 mars et sam. – SC : **R** 55/68.

au Sud : 5 km par avenue de Xerbeviller – ✉ **54300** Lunéville

XXX ✿ **Château d'Adomenil,** ☎ 373.04.81 – Ⓟ. AE GB ◉
fermé 15 janv. au 15 fév., dim. soir hors sais. et lundi – SC : **R** 95/170
Spéc. Foie gras frais de canard, Aiguillette de sole à la ciboulette, Mousse glacée aux framboises. Vins Côtes de Toul.

AUDI-VOLKSWAGEN Gar. Fleurantin, 91 fg de Nancy ☎ 373.20.52
CITROEN Nouveau Gar., 24 Quai Selestat ☎ 373.00.75
PEUGEOT S.A.M.I.A., r. de la Pologne ☎ 373.10.78
RENAULT SODIAL, 95 fg de Menil ☎ 373.15.01
TALBOT Gar. Champs-de-Mars, rte Strasbourg N 4 ☎ 373.11.13
◉ Lunéville Inter Pneu Sces rte de Contournement ☎ 373.04.30

LUPPÉ-VIOLLES 32 Gers 82 ② – 150 h. alt. 135 – ✉ **32110** Nogaro – ⊙ 62.

Paris 707 – Auch 70 – Condom 55 – Mont-de-Marsan 37 – Roquefort 43 – Tarbes 66.

XX **Relais de l'Armagnac** avec ch, ☎ 09.04.54, 🌳 – TV ⌂wc ⌂ ☎ Ⓟ – 🏛 25. GB
fermé fév. et lundi sauf juil., août et sept. – SC : **R** 50/120 – ☕ 15 – **15 ch** 70/160 – P 140/190.

LURBE-ST-CHRISTAU 64 Pyr.-Atl. 85 ⑥ **G. Pyrénées** – 269 h. alt. 330 – Stat. therm. (à St-Christau : 1er avril-31 oct.) – ✉ **64660** Asasp – ⊙ 59.

Paris 793 – Laruns 32 – Lourdes 61 – Oloron-Ste-Marie 9 – Pau 42 – Tardets-Sorholus 28.

Relais de la Poste et H. du Parc [M] ⛰, à **St-Christau** ☎ 34.40.04, ≤, « Parc », 🏊, 🎾 – |♦| cuisinette Ⓟ – 🏛 30 à 200
sais. – 39 ch, 4 appartements.

Vallées, ☎ 34.40.01, ≤, 🏊, 🌳 – ⌂wc 🚗 Ⓟ – 🏛 25 à 60
fermé fév. – SC : **R** 29/54 – ☕ 8 – **21 ch** 39/120 – P 84/115.

CITROEN Gar. Chague, rte d'Espagne N 134 à Asasp ☎ 34.40.26 N

LURE <SP> **70200** H.-Saône 66 ⑦ **G. Jura** – 10 397 h. alt. 293 – ⊙ 84.

ℹ Office de Tourisme (fermé sam. et dim.) avec A.C. 12 r. Kléber ☎ 30.13.45.

Paris 392 – Belfort 33 – Épinal 74 – Gérardmer 66 – Montbéliard 35 – Vesoul 30.

Commerce, 40 r. Gare ☎ 30.12.63 – ⌂wc ☎. 🚗
fermé oct. – SC : **R** *(fermé vend. soir et sam.)* 30/100 🍷 – ☕ 15 – **30 ch** 40/150.

CITROEN Gd Gar. des Allées, 65 r. Carnot ☎ 30.23.23 N
FIAT Chouffot, 119 av. République ☎ 30.12.48
OPEL Schmitt, rte de Belfort ☎ 30.20.88

LUS-LA-CROIX-HAUTE **26620** Drôme 77 ⑮ **G. Alpes** – 479 h. alt. 1 030 – ⊙ 92.

Voir Vallon de la Jarjatte ≤★ E : 5 km.

ℹ Syndicat d'Initiative (1er juil.-15 sept.) ☎ 58.51.85.

Paris 638 – Die 46 – Gap 51 – ♦Grenoble 75 – Serres 33 – Valence 111.

Le Chamousset ⛰, ☎ 58.51.12, ≤, 🌳 – ⌂ ⌂ Ⓟ. 🚗
fermé 15 nov. au 15 déc. – SC : **R** 35/75 – ☕ 8,50 – 20 ch 40/110 – P 90/110.

Garage Orand ☎ 58.50.93 N ☎ 58.50.69

LUSSAC-LES-CHÂTEAUX **86320** Vienne 68 ⑮ – 2 235 h. alt. 90 – ⊙ 49.

Paris 369 – Bellac 42 – Châtellerault 51 – Montmorillon 12 – Niort 104 – Poitiers 36 – Ruffec 65.

Paix, face Église ☎ 48.40.81 – ✻
fermé lundi du 1er oct. au 1er avril – SC : **R** 28/45 🍷 – ☕ 8 – 7 ch 45/70.

XX **Aub. du Connestable Chandos** avec ch, au pont de Lussac O : 1,8 km sur N 147 ☎ 48.40.24 – ⌂wc ⌂ ☎ Ⓟ. 🚗
fermé 6 au 12 oct., 15 fév. au 8 mars et lundi – SC : **R** 45/120 – ☕ 11 – 7 ch 70/120.

à Civaux NO : 6 km sur D 749- **G. Côte de l'Atlantique** – ✉ **86320** Lussac-les-Châteaux.

Voir Cimetière-nécropole★.

Aub. de la Cascade, ☎ 48.45.04, ≤, 🌳 – ⌂wc ⌂wc ☎ ♿ Ⓟ – 🏛 40. 🚗. ✻
fermé 15 au 31 oct., 15 au 28 fév. et vend. de nov. au 1er mars – SC : **R** 50/110 – ☕ 12 – **21 ch** 60/140.

LUTHÉZIEU 01 Ain 74 ④ – rattaché à Artemare.

LUTTENBACH 68 H.-Rhin 62 ⑱ – rattaché à Munster.

LUTZELBOURG **57820** Moselle 62 ⑧ – 798 h. alt. 225 – ✪ 8.

Voir Plan incliné★ de St-Louis-Arzviller SO : 3,5 km, G. Vosges.

Paris 439 – Lunéville 74 – ♦Metz 113 – Saverne 10 – ♦Strasbourg 49.

Vosges, ☎ 707.30.09 – – ℗ – 40.
fermé 1er au 18 sept., vacances de fév. et merc. sauf juil. et août – SC : **R** 25/100 – 9 – **22 ch** 40/60 – P 70/85.

LUX 71 S.-et-L. 69 ⑨ – rattaché à Chalon-sur-Saône.

LUXEUIL-LES-BAINS **70300** H.-Saône 66 ⑥ **G. Vosges** – 10 711 h. alt. 306 – Stat. therm. (8 avril-31 oct.) – Casino – ✪ 84.

Voir Hôtel Cardinal Jouffroy★ B – Hôtel des Échevins★ M – Basilique St-Pierre★ E – Maison François1er★ F.

Office de Tourisme 1 r. Thermes (fermé dim. hors sais. et lundi) ☎ 40.06.41.

Paris 366 ⑤ – Belfort 52 ③ – Épinal 57 ① – St-Dié 90 ① – Vesoul 28 ③ – Vittel 77 ⑤.

Beau Site, 18 r. Thermes **(u)** ☎ 40.14.67, « jardin fleuri » – wc wc ☎ ℗ – 25. GB . rest
SC : **R** *(fermé dim. soir du 1er nov. au 1er avril)* 42/45 – 10 – **44 ch** 56/180 – P 120/210.

Thermes sans rest, r. Thermes **(n)** ☎ 40.03.67, – cuisinette wc wc ☎.
1er mai-30 sept. – SC : 11 – **21 ch** 90/120.

Métropole sans rest, r. Thermes **(e)** ☎ 40.03.67 – wc wc ☎.
1er mai-30 sept. – SC : 11 – **44 ch** 100/140.

France, 6 r. G.-Clemenceau **(s)** ☎ 40.13.90, – wc ☎ ℗. AE.
fermé janv. et dim. soir – SC : **R** *(fermé lundi en hiver)* 40/100 – 11 – 20 ch 50/158 – P 100/210.

Parc sans rest, 6 r. Thermes **(e)** ☎ 40.03.67 – cuisinette wc ☎.
1er mai-30 sept. – SC : 11 – **35 ch** 44/100.

Rest. des Thermes, r. Thermes **(e)** ☎ 40.18.94 – ℗. GB .
fermé dim. soir en hiver – SC : **R** 29/67 .

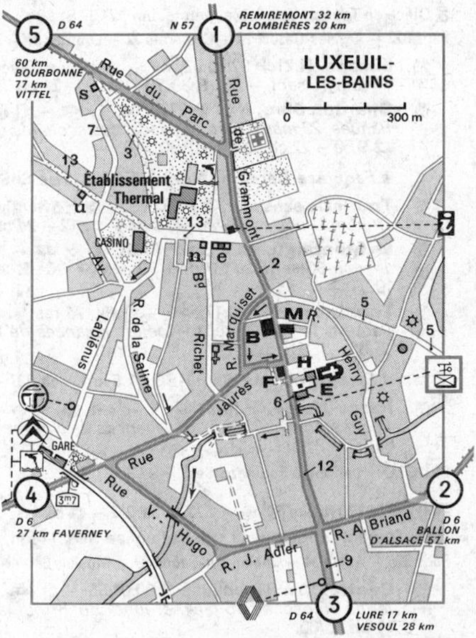

Carnot (R.) 2
Clemenceau (R. G.) 3
Gambetta (R.) 5
Genoux (R. V.) 6
Hoche (R.) 7
Maroselli (Allées A.) 9
Prés.-Jeanneney (R. du) 12
Thermes (R. des) 13

AUDI-VOLKSWAGEN Hajmann, r. Martyrs de la Résistance ☎ 40.23.17
CITROEN Gar. du Stade, rte de Breuches ☎ 40.22.38
RENAULT Luxeuil-Gar., 35 r. Ed.-Herriot ☎ 40.00.01
TALBOT Gar. Bidot-Bazin, av. Verdun ☎ 40.20.75

La Maison du Pneu, 1 r. du Parc ☎ 40.27.01

LUXEY 40 Landes 79 ⑪ – 721 h. alt. 79 – ✉ **40430** Sore – ✪ 58.

Paris 638 – Belin 50 – ♦Bordeaux 77 – Langon 54 – Mimizan 73 – Mont de Marsan 43 – Roquefort 37.

Relais de la Haute Lande avec ch, ☎ 07.61.14 – wc ☎ ℗. GB
fermé 12 janv. au 13 fév. et lundi d'oct. à fin juin – SC : **R** 40/110 – 8,50 – **11 ch** 50/100 – P 87/103.

LUYNES 37230 I.-et-L. 64 ⑭ G. Châteaux de la Loire – 3 953 h. alt. 53 – ✆ 47.

Voir Château★.

Paris 246 – Angers 97 – Château-La-Vallière 28 – Chinon 45 – Langeais 14 – Saumur 55 – ✦Tours 13.

- ✿ **Domaine de Beauvois** Ⓜ, NO : 4 km par D 49 ✆ 55.50.11, ←, parc, – ✆ Ⓟ – 40. GB
  fermé mi janv. à mi mars – **R** 85/150 – ☕ 23 – **35 ch** 255/420, 5 appartements 490 – P 310/450
  Spéc. Bavarois de saumon, Blanquette de turbot et langoustines aux artichauts, Beuchelle à la Tourangelle. **Vins** Bourgueil, Vouvray.

LUZARCHES 95270 Val-d'Oise 56 ⑪, 96 ⑦ G. Environs de Paris – 2 484 h. alt. 70 – ✆ 3.

Paris 32 – Chantilly 10 – Montmorency 18 – Pontoise 30 – St-Denis 21.

- **Château de Chaumontel**, à Chaumontel NE : 0,5 km ✆ 471.00.30, ←, « Parc ombragé et fleuri » – wc ✆ Ⓟ – 40 à 80. ch
  fermé 20 juil. au 28 août et 21 au 31 déc. – SC : **R** 92/96 – ☕ 20 – **19 ch** 100/380 – P 270/320.
- ✕ **Auberge du Grenadier,** ✆ 471.00.21 – AE GB
  fermé 17 août au 11 sept. et mardi – **R** (déj. seul., vend. et sam. ouvert midi et soir) 65/100.

LUZ-ST-SAUVEUR 65120 H.-Pyr. 85 ⑱ G. Pyrénées – 1 040 h. alt. 711 – (saison) – ✆ 62.

Voir Église fortifiée★.

Office de Tourisme pl. 8-Mai (fermé dim.) ✆ 97.81.60.

Paris 822 – Argelès-Gazost 18 – Cauterets 22 – Lourdes 31 – Tarbes 51.

- **Europe,** N 21 ✆ 92.80.02, – wc wc ✆ .
  1er juin-15 sept. – SC : **R** 38/70 – ☕ 9 – **29 ch** 75/130.
- **Chardon Bleu,** N 21 ✆ 97.80.06, ←, – Ⓟ.
  Pâques, 20 mai-20 sept. et vacances scolaires d'hiver – SC : **R** (dîner seul.) 40/55 – ☕ 9,50 – 22 ch 50/80 – P 90/110.

à Esquièze-Sère : au Nord – ✉ 65120 Luz-St-Sauveur :

- **Touristic** sans rest, ✆ 97.82.09 – wc wc ✆ Ⓟ.
  1er juin-31 oct. et 22 déc.-30 avril – ☕ 12 – **24 ch** 60/130.
- **Le Montaigu,** rte Vizos ✆ 97.81.71, ←, – wc ✆ Ⓟ
  1er juin-30 sept. et 20 déc.-30 avril – SC : **R** 35/100 – ☕ 12 – **23 ch** 60/90 – P 100/140.
- **Terminus,** ✆ 92.80.17, – Ⓟ. rest
  Pâques, 15 mai-25 sept., Noël et vacances de fév. – SC : **R** 29/40 – ☕ 9 – **22 ch** 45/95 – P 80/95.

à St-Sauveur-les-Bains SO : 1,5 km – alt. 737 – Stat. therm. (15 mai-30 sept.).

- **Perce-Neige,** ✆ 97.81.82, ← – Ⓟ.
  Pâques, 15 mai-30 sept. et vacances de Noël et de fév. – SC : **R** 38/70 – ☕ 9 – 22 ch 55/90 – P 85/110.

PEUGEOT Laffont, à Esquièze-Sère ✆ 97.80.87

LUZY 58170 Nièvre 69 ⑥ – 2 735 h. alt. 272 – ✆ 86.

Env. Ternant : triptyques★★ dans l'église SO : 14 km, G. Bourgogne.

Paris 326 – Autun 34 – Chalon-sur-Saône 83 – Moulins 64 – Nevers 78 – Roanne 100.

- **Centre,** 26 r. République ✆ 30.01.55 – . AE GB E
  fermé 15 déc. au 15 janv. et lundi du 1er oct. au 30 avril – SC : **R** 31/60 – ☕ 8 – **11 ch** 36/60.
- ✕✕ **Ecole Buissonnière,** NE : 6,5 km sur N 81 ✆ 30.11.54 – Ⓟ
  fermé mardi soir en hiver – **R** 24/36.

CITROEN Gar. Lemoine, ✆ 30.06.61
FIAT Gar. Poynter, ✆ 30.06.86
PEUGEOT Bondoux, ✆ 30.01.53
RENAULT Deline, ✆ 30.00.00
RENAULT Saurat, ✆ 30.04.77
TALBOT Gar. Doridot, ✆ 30.01.21

LYON P 69000 Rhône 74 ⑪⑫, 93 ⑮ G. Vallée du Rhône – 462 841 h. Communauté urbaine 1 150 000 h. alt. 169 – ✪ 7.

Voir Site*** – Le Vieux Lyon** BX : rue Juiverie* 65, rue St-Jean* 92, hôtel de Gadagne* **M**, Maison du Crible* **D** – Primatiale St-Jean* : choeur** – Basilique N.-D.-de-Fourvière ※**, ≤* – Chapiteaux* de la Basilique St-Martin d'Ainay BYZ – Tour-lanterne* de l'église St-Paul BV – Vierge à l'Enfant* dans l'église St-Nizier CX – Parc de la Tête d'Or* : roseraie* HRS **R** – Fontaine* de la Place des Terreaux – Traboules* du Quartier Croix-Rousse CUV – Arches de Chaponost* FT - Montée de Garillan* BX – Théâtre de Guignol BX **N** – Musées : des Tissus*** CZ, Civilisation gallo-romaine** (table claudienne***) BX **M**, Beaux-Arts** CV **M**, Arts décoratifs** CZ **M**, Imprimerie et Banque** CX **M**, Guimet* : Muséum d'Histoire naturelle* DU **M**, Marionnette* BX **M1**, Historique* BX **M1**, Apothicairerie* (Hospices civils) CY **M**.

Env. Rochetaillée : Musée de l'automobile Henri Malatre* par ⑫ : 12 km.

ⁱ⁹ⁱ⁹ⁱ⁹ de Villette d'Anthon ☎ 831.25.42 par ③ : 21 km.

✈ de Lyon-Satolas ☎ 871.92.21 par ⑤ : 27 km.

🚗 ☎ 892.10.70.

i Office de Tourisme (fermé dim.) et Accueil de France (Informations, change et réservations d'hôtels, pas plus de 5 jours à l'avance), pl. Bellecour ☎ 842.25.75, Télex 330032 et Centre d'Echange de Perrache (fermé dim. sauf après-midi en saison) ☎ 842.22.07, Télex 370751 - A.C. 7 r. Grolée ☎ 842.51.01 - T.C.F. 4 pl. Jacobins ☎ 838.00.51.

Paris 462 ⑪ – ♦Bâle 407 ⑪ – ♦Bordeaux 548 ⑩ – ♦Genève 177 ⑤ – ♦Grenoble 106 ⑤ – ♦Marseille 315 ⑦ – ♦St-Étienne 59 ⑦ – ♦Strasbourg 489 ⑪ – Torino 307 ⑤ – ♦Toulouse 534 ⑦.

Plans : Lyon p. 2 à 7

Hôtels

Sauf indication spéciale, voir emplacement sur Lyon p. 6

Centre-Ville (Bellecour-Terreaux) :

Sofitel M, 20 quai Gailleton, ✉ 69002, ☎ 842.72.50, Télex 330225, ≤ – |‡| ▤ TV ☎ ♿ 🚗 – 🏛 25 à 200. AE GB ◑ E. ✂ rest CY **k**
SC : rest. **Les Trois Dômes** (au 8ᵉ étage) **R** carte 120 à 165 - **Sofi Shop** (rez-de-chaussée) **R** carte environ 70 – ☕ 29 – **200 ch** 320/510, 14 appartements.

Royal, 20 pl. Bellecour, ✉ 69002, ☎ 837.57.31, Télex 310785 – |‡| ▤ TV ☎. AE ◑
SC : **R** carte environ 85 – ☕ 20 – **94 ch** 150/350, 5 appartements 400. CY **d**

Gd Hôtel, 11 r. Grolée, ✉ 69002, ☎ 842.56.21, Télex 330244 – |‡| ▤ TV ☎ – 🏛 80. AE GB ◑ E. ✂ rest DX **e**
SC : **R** *(fermé dim.)* carte 60 à 90 et snack carte environ 60 – ☕ 20 – **140 ch** 160/330, 12 appartements 450/530 – P 240/320.

Gd H. des Beaux-Arts sans rest, 75 r. Prés.-E.-Herriot, ✉ 69002, ☎ 838.09.50, Télex 330442 – |‡|. AE ◑ E. ✂ CX **t**
SC : **80 ch** ☕ 120/220.

Carlton sans rest, 4 r. Jussieu, ✉ 69002, ☎ 842.56.51, Télex 310787 – |‡| TV. AE GB ◑ CX **y**
SC : ☕ 15 – **88 ch** 85/250.

La Résidence sans rest, 18 r. Victor-Hugo, ✉ 69002, ☎ 842.63.28, Télex 900950 – |‡| TV ⛀wc ⛆wc ☎. 🚗 AE CY **s**
SC : **62 ch** ☕ 85/145.

Étrangers sans rest, 5 r. Stella, ✉ 69002, ☎ 842.01.55, Télex 330224 – |‡| ⛀wc ⛆wc ☎ – 🏛 25. 🚗 AE GB ◑ CDX **v**
SC : **52 ch** ☕ 110/200.

des Artistes sans rest, 18 pl. Célestins, ✉ 69002, ☎ 842.04.88 – |‡| ⛀wc ⛆wc ☎. 🚗 AE CY **n**
SC : **45 ch** ☕ 80/220.

Globe et Cecil sans rest, 21 r. Gasparin, ✉ 69002, ☎ 842.58.95 – |‡| ⛀wc ⛆wc ☎ ♿ – 🏛 60. 🚗 AE GB CY **a**
SC : **65 ch** ☕ 70/190.

Moderne sans rest, 15 r. Dubois, ✉ 69002, ☎ 842.21.83 – |‡| ⛆wc ☎. 🚗
SC : ☕ 11 – **31 ch** 48/140. CX **n**

Bayard sans rest, 23 pl. Bellecour, ✉ 69002, ☎ 837.39.64 – ⛀wc ⛆ ☎ CY **g**
fermé 1ᵉʳ au 24 août et du 24 déc. au 2 janv. – SC : ☕ 11 – **15 ch** 80/115.

Perrache :

P.L.M. Terminus, gare Perrache, 12 cours Verdun, ✉ 69002, ☎ 837.58.11, Télex 330500 – |‡| ▤ rest TV 🚗 P – 🏛 200. AE GB ◑ E BZ **s**
SC : **R** *(fermé dim.)* 55/75 – **140 ch** ☕ 120/275, 5 appartements 310.

Bristol sans rest, 28 cours Verdun, ✉ 69002, ☎ 837.56.55, Télex 330584 – |‡|. AE ◑. ✂ BZ **y**
SC : **128 ch** ☕ 79/197.

Bordeaux et Parc sans rest, 1 r. du Bélier, ✉ 69002, ☎ 837.58.73, Télex 330355 – |‡|. AE GB ◑ E BZ **y**
SC : ☕ 14 – **87 ch** 80/170.

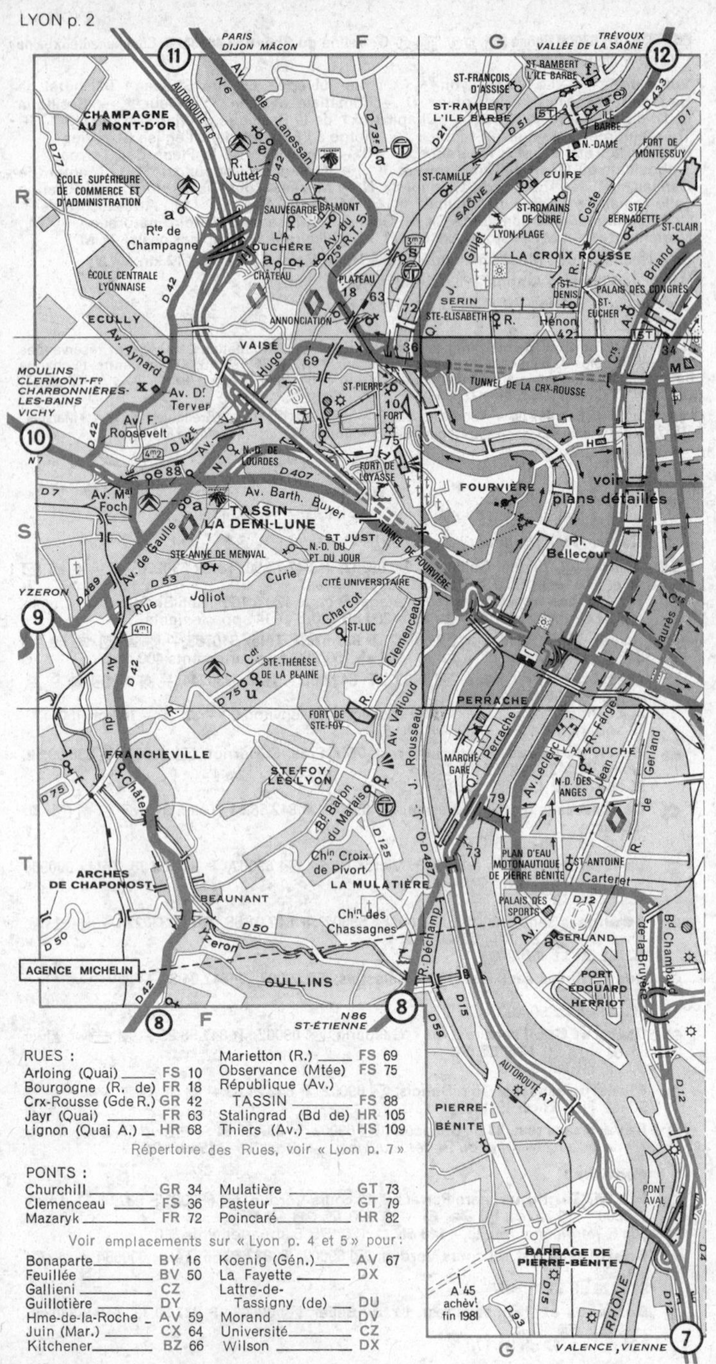

RUES :

Arloing (Quai) FS 10
Bourgogne (R. de) FR 18
Crx-Rousse (Gde R.) GR 42
Jayr (Quai) FR 63
Lignon (Quai A.) HR 68
Marietton (R.) FS 69
Observance (Mtée) FS 75
République (Av.) TASSIN FS 88
Stalingrad (Bd de) HR 105
Thiers (Av.) HS 109

Répertoire des Rues, voir « Lyon p. 7 »

PONTS :

Churchill GR 34
Clemenceau FS 36
Mazaryk FR 72
Mulatière GT 73
Pasteur GT 79
Poincaré HR 82

Voir emplacements sur « Lyon p. 4 et 5 » pour :

Bonaparte BY 16
Feuillée BV 50
Gallieni CZ
Guillotière DY
Hme-de-la-Roche AV 59
Juin (Mar.) CX 64
Kitchener BZ 66
Koenig (Gén.) AV 67
La Fayette DX
Lattre-de-Tassigny (de) DU
Morand DV
Université CZ
Wilson DX

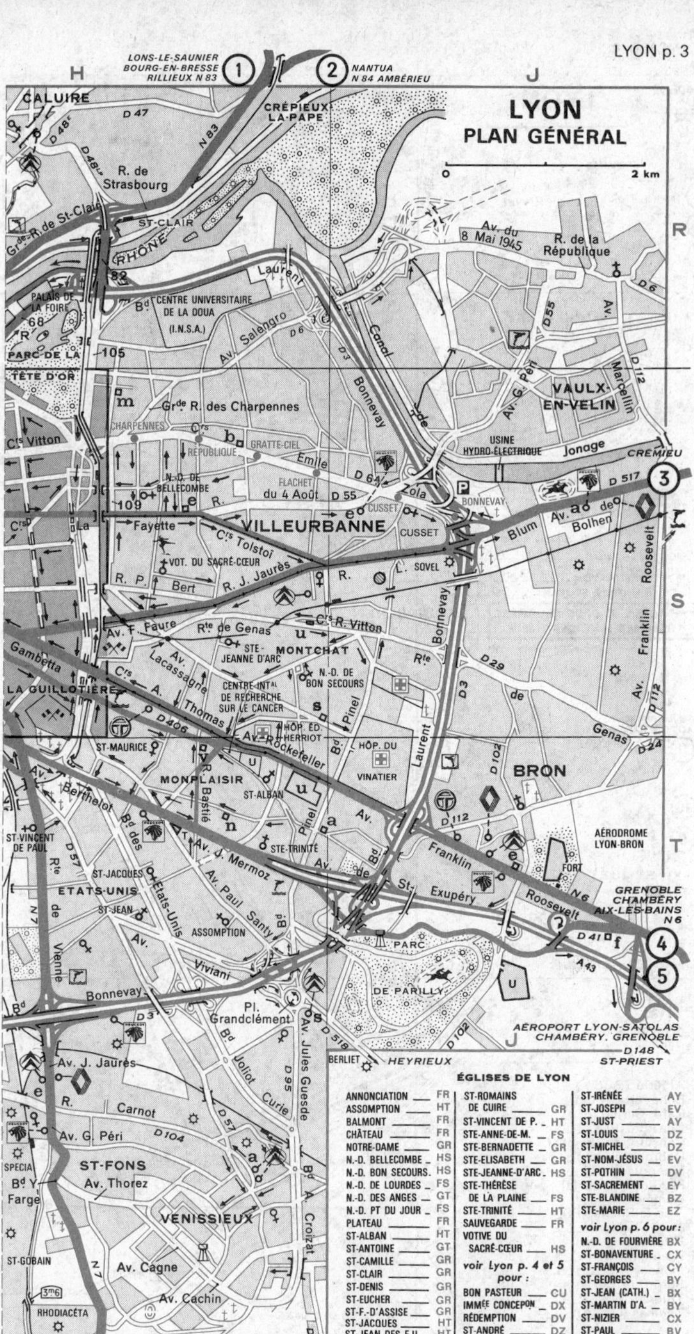

ÉGLISES DE LYON

ANNONCIATION	FR	ST-ROMAINS DE CUIRE	GR	ST-IRÉNÉE	AY
ASSOMPTION	HT	ST-VINCENT DE P.	HT	ST-JOSEPH	EV
BALMONT	FR	STE-ANNE-DE-M.	FS	ST-JUST	AY
CHÂTEAU	FR	STE-BERNADETTE	GR	ST-LOUIS	DZ
NOTRE-DAME	GR	STE-ELISABETH	GR	ST-MICHEL	DZ
N.-D. BELLECOMBE	HS	STE-JEANNE-D'ARC	HS	ST-NOM-JÉSUS	EV
N.-D. BON SECOURS	HS	STE-THÉRÈSE DE LA PLAINE	FS	ST-POTHIN	DV
N.-D. DE LOURDES	FS	STE-TRINITÉ	HT	ST-SACREMENT	EY
N.-D. DES ANGES	GT	SAUVEGARDE	FR	STE-BLANDINE	BZ
N.-D. PT DU JOUR	FS	VOTIVE DU SACRÉ-CŒUR	HS	STE-MARIE	EZ
PLATEAU	FR	*voir Lyon p. 4 et 5 pour :*		*voir Lyon p. 6 pour :*	
ST-ALBAN	HT	BON PASTEUR	CU	N.-D. DE FOURVIÈRE	BX
ST-ANTOINE	GT	IMM^ée CONCEP^on	DX	ST-BONAVENTURE	CX
ST-CAMILLE	GR	RÉDEMPTION	DV	ST-FRANÇOIS	CY
ST-CLAIR	GR	ST-ANDRÉ	DZ	ST-GEORGES	BY
ST-DENIS	GR	ST-AUGUSTIN	BU	ST-JEAN (CATH.)	BX
ST-EUCHER	GR	ST-BERNARD	CU	ST-MARTIN D'A.	BY
ST-F.-D'ASSISE	GR	ST-BRUNO	BV	ST-NIZIER	CX
ST-JACQUES	HT	ST-CHARLES	AU	ST-PAUL	BV
ST-JEAN DES E.U.	HT			ST-PIERRE	CX
ST-MAURICE	HT			ST-POLYCARPE	CV
ST-PIERRE DE Y.	FS			ST-VINCENT	CV
ST-RAMBERT L'ILE BARBE	GR			STE-CROIX	CZ

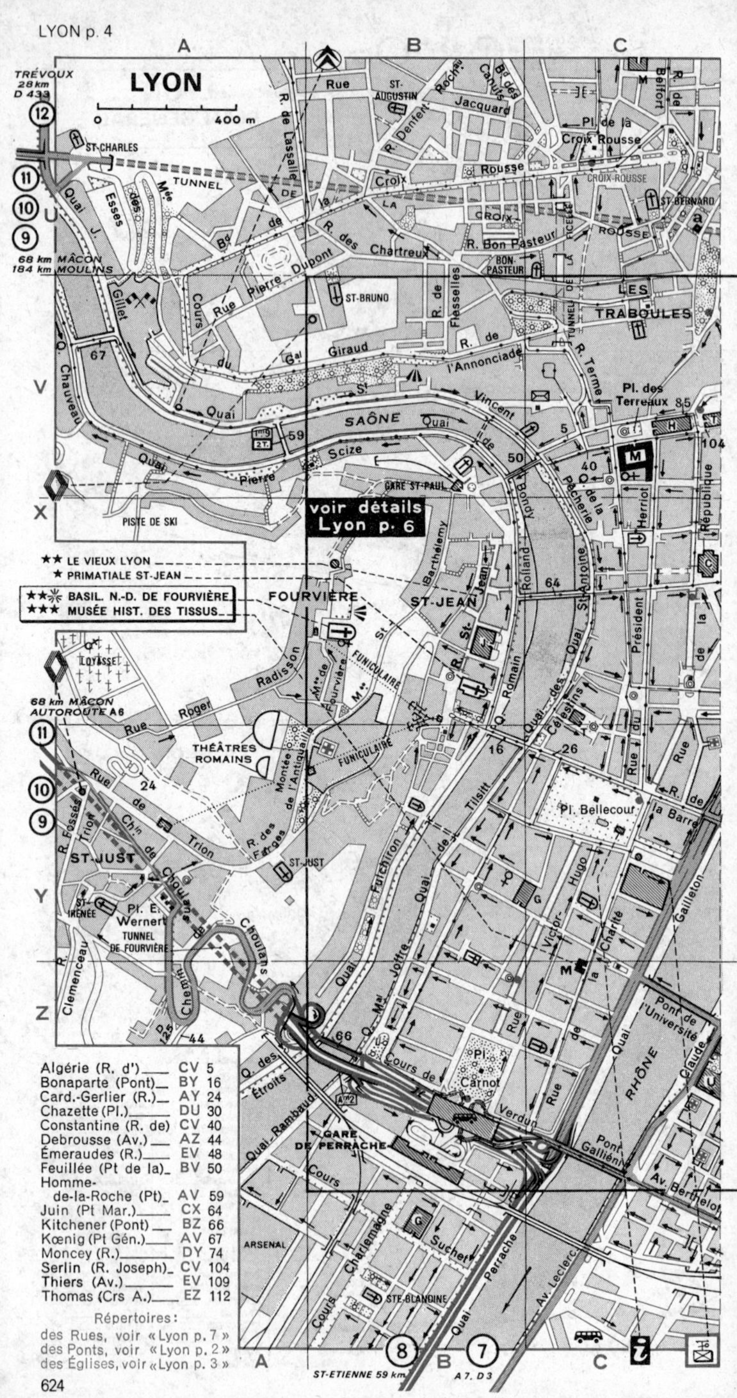

Répertoires:

des Rues, voir « Lyon p. 7 »
des Ponts, voir « Lyon p. 2 »
des Églises, voir « Lyon p. 3 »

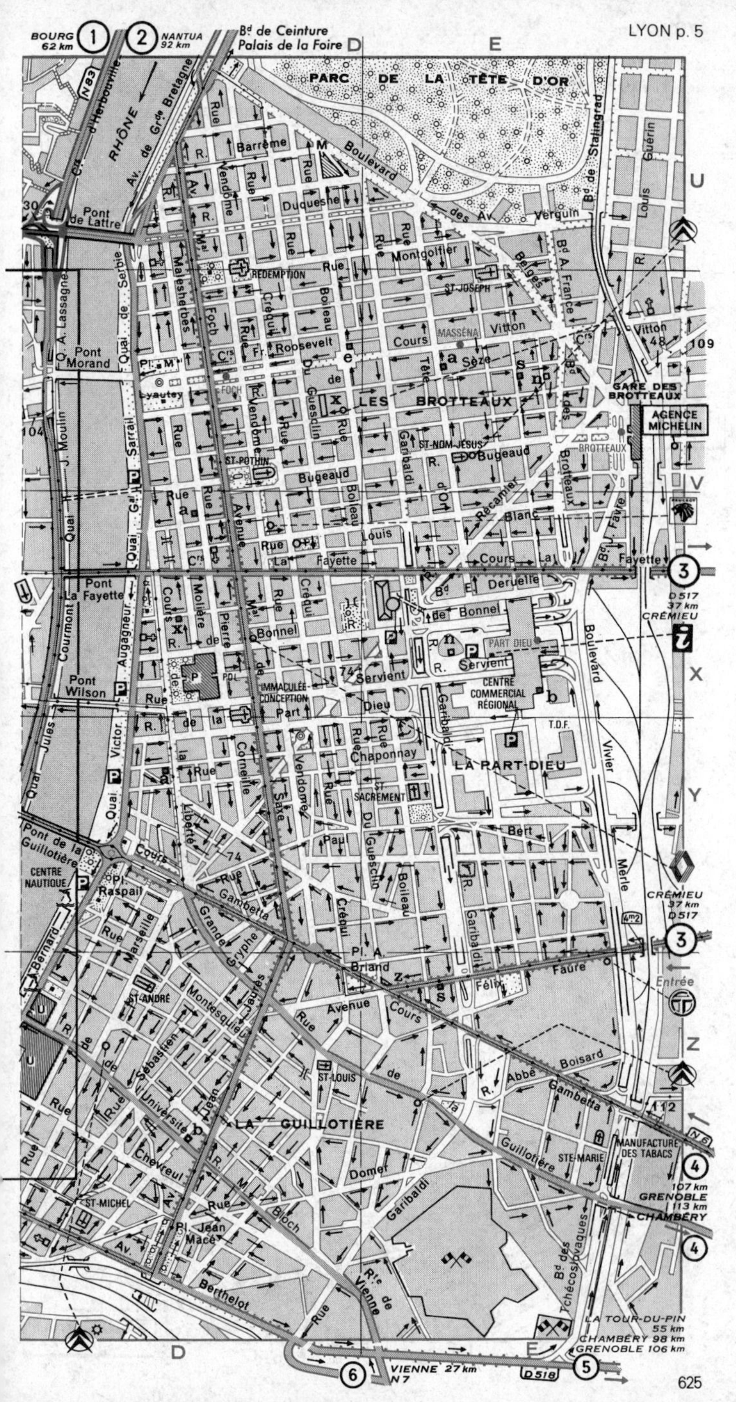
BOURG 62 km
NANTUA 92 km
Bd de Ceinture
Palais de la Foire
PARC DE LA TÊTE D'OR
LES BROTTEAUX
GARE DES BROTTEAUX
AGENCE MICHELIN
D 517 37 km CRÉMIEU
CENTRE COMMERCIAL RÉGIONAL
LA PART-DIEU
CENTRE NAUTIQUE
LA GUILLOTIÈRE
MANUFACTURE DES TABACS
107 km GRENOBLE
113 km CHAMBÉRY
LA TOUR-DU-PIN 55 km
CHAMBÉRY 98 km
GRENOBLE 106 km
VIENNE 27 km N 7
D 518

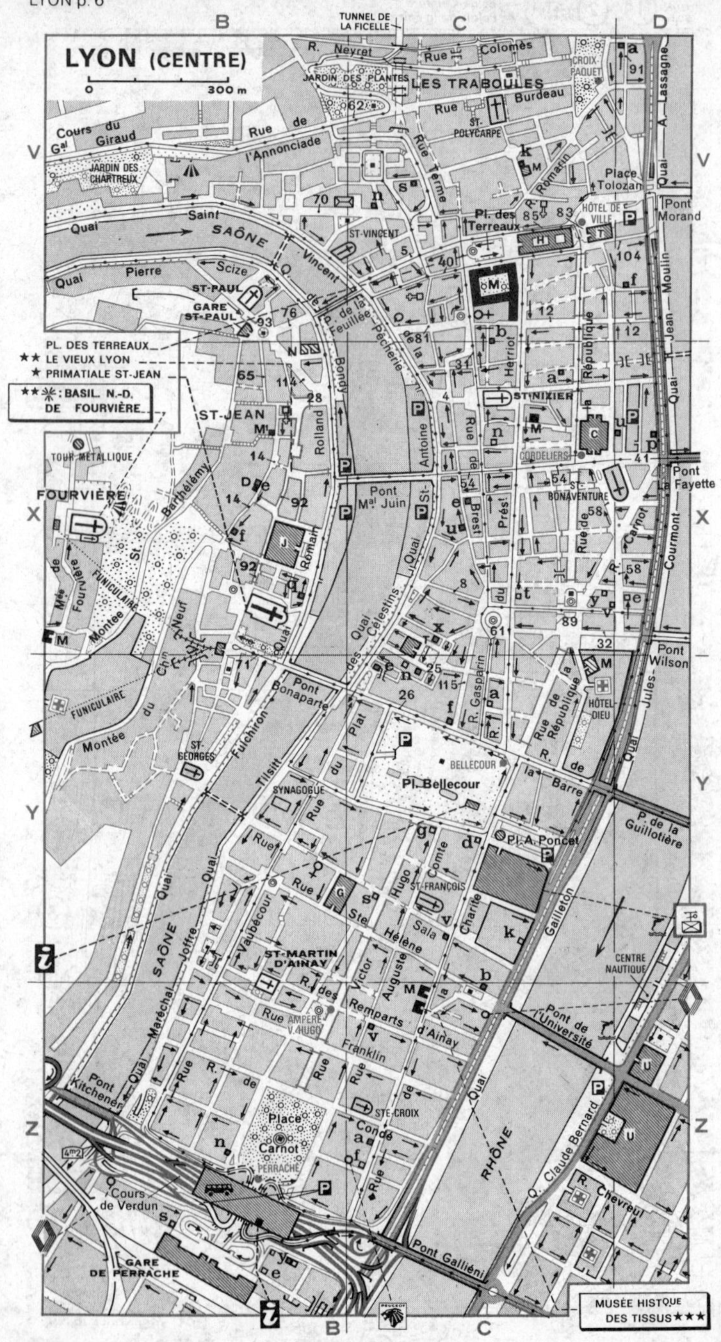
LYON (CENTRE)
0
300 m
TUNNEL DE LA FICELLE
LES TRABOULES
JARDIN DES PLANTES
JARDIN DES CHARTREUX
SAÔNE
ST-PAUL
GARE ST-PAUL
PL. DES TERREAUX
★★ LE VIEUX LYON
★ PRIMATIALE ST-JEAN
★★: BASIL. N.-D. DE FOURVIÈRE
ST-JEAN
TOUR MÉTALLIQUE
FOURVIÈRE
FUNICULAIRE
ST-GEORGES
SYNAGOGUE
Pl. Bellecour
BELLECOUR
Pl. A. Poncet
ST-FRANÇOIS
ST-MARTIN D'AINAY
AMPÈRE V. HUGO
Place Carnot
PERRACHE
STE-CROIX
GARE DE PERRACHE
Cours de Verdun
Pont Kitchener
Pont Galliéni
RHÔNE
CENTRE NAUTIQUE
Pont de l'Université
P. de la Guillotière
Pont Wilson
HÔTEL-DIEU
Pont La Fayette
ST-BONAVENTURE
CORDELIERS
ST-NIZIER
Pont Morand
HÔTEL DE VILLE
Place Tolozan
CROIX-PAQUET
ST-POLYCARPE
ST-VINCENT
Pl. des Terreaux
Pont Mal Juin
Pont Bonaparte
MUSÉE HISTQUE DES TISSUS★★★

Rue	Page	Carré	N°
Guillotière (Gde-R.)	p. 5	EZ	
Jaurès (Av. Jean)	p. 5	DZ	
La Part-Dieu	p. 5	EY	
République (R.)	p. 6	CX	
Terme (R.)	p. 6	CV	
Victor-Hugo (R.)	p. 6	CY	
Vitton (Cours)	p. 5	EV	
Abbé-Boisard (R.)	p. 5	EZ	
Ainay (Remp. d')	p. 6	CZ	
Albon (Pl.)	p. 6	CX	4
Algérie (R. d')	p. 6	CV	5
Ambroise-Croizat (Bd)	p. 3	HT	
Anc.-Préfect. (R.)	p. 6	CX	8
Annonciade (R.)	p. 6	BV	
Antiquaille (Mtée)	p. 4	AY	
Arloing (Quai)	p. 2	FS	10
Augagneur (Quai)	p. 5	DX	
Aynard (Av. E.)	p. 2	FS	
Baron-du-Marais (Bd)	p. 2	FT	
Barre (R. de la)	p. 6	CY	
Barrême (R.)	p. 5	DU	
Bastié (R. M.)	p. 3	HT	
Bât-d'Argent (R.)	p. 6	CV	12
Belfort (R. de)	p. 4	CU	
Belges (Bd des)	p. 5	EU	
Bellecour (Pl.)	p. 6	CY	
Berthelot (Av.)	p. 5	DZ	
Bloch (R. Marc)	p. 5	DZ	
Blum (R. Léon)	p. 3	JS	
Bœuf (R. du)	p. 6	BX	14
Boileau (R.)	p. 5	DV	
Bolhen (Av. de)	p. 3	JS	
Bondy (Quai de)	p. 6	BX	
Bonnel (R. de)	p. 5	DX	
Bonnevay (Bd L.)	p. 3	JS	
Bon-Pasteur (R.)	p. 4	CU	
Bourgogne (R. de)	p. 2	FR	18
Brest (R. de)	p. 6	CX	
Briand (Pl. A.)	p. 5	EZ	
Briand (Crs A.) CUIRE	p. 2	GR	
Brotteaux (Bd des)	p. 5	EV	
Bugeaud (R.)	p. 5	DV	
Burdeau (R.)	p. 6	CV	
Buyer (Av. Barth.)	p. 2	FS	
Cachin (Av. M.)	p. 3	HT	
Cagne (Av. J.)	p. 3	HT	
Canuts (Bd des)	p. 4	BU	
Card. Gerlier (R.)	p. 4	AY	24
Carnot (Pl.)	p. 6	BZ	
Carnot (R.)	p. 6	DX	
Carnot (R.) ST-FONS	p. 3	HT	
Carteret (Av. J.)	p. 2	GT	
Célestins (Pl. des)	p. 6	CY	25
Célestins (Q. des)	p. 6	CX	
Chambaud-de-la-Bruyère (Bd)	p. 2	GT	
Chambonnet (R.)	p. 6	CY	26
Champagne (Rte de)	p. 2	FR	
Change (Pl. du)	p. 6	BX	28
Chaponnay (R.)	p. 5	EY	
Charcot (R. Cdt)	p. 2	FS	
Charité (R. de la)	p. 6	CY	
Charlemagne (Crs)	p. 4	BZ	
Charpennes (Gde R.)	p. 3	HS	
Chartreux (R. des)	p. 4	BU	
Chassagnes (Ch.)	p. 2	FT	
Châter (Av. du)	p. 2	FT	
Chauveau (Quai)	p. 4	AV	
Chazette (Pl. L.)	p. 5	DU	30
Ch.-Neuf (Montée)	p. 6	BX	
Chenevard (R. P.)	p. 6	CX	31
Chevreul (R.)	p. 6	DZ	
Childebert (R.)	p. 6	CX	32
Choulans (Ch. de)	p. 4	AY	
Cl.-Bernard (Quai)	p. 6	CZ	
Clemenceau (R.)	p. 4	AZ	
Colomès (R.)	p. 6	CV	
Comte (R. A.)	p. 6	CY	
Condé (R. de)	p. 6	CZ	
Constantine (R.)	p. 6	CV	40
Cordeliers (Pl.)	p. 6	DX	41
Corneille (R. P.)	p. 5	DY	
Coste (R.)	p. 2	GR	
Courmont (Quai J.)	p. 6	DX	
Créqui (R.)	p. 5	DX	
Crx-de-Pivort (Ch.)	p. 2	FT	
Croix-Rousse (Bd)	p. 4	BU	
Croix-Rousse (Gde-Rue)	p. 2	GR	42
Croix-Rousse (Pl.)	p. 4	CU	
Debrousse (Av.)	p. 4	AZ	44
Déchamp (R. S.)	p. 2	GT	
Deruelle (Bd)	p. 5	EX	
Denf.-Roch. (R.)	p. 4	BU	
Dr-Terver (Av.)	p. 2	FS	
Domer (R.)	p. 5	EZ	
Du-Guesclin (R.)	p. 5	DV	
Dupont (R. Pierre)	p. 4	BU	
Duquesne (R.)	p. 5	DU	
Émeraudes (R. des)	p. 5	EV	48
Esses (Montée des)	p. 4	AU	
États-Unis (Bd)	p. 3	HT	
Étroits (Quai des)	p. 4	AZ	
Farges (R. des)	p. 4	AY	
Farge (Bd Yves)	p. 3	HT	
Farge (R. Yves)	p. 2	GT	
Favre (Bd Jean)	p. 5	EX	
Félix-Faure (Av.)	p. 5	EZ	
Flesselles (R. de)	p. 4	BV	
Foch (Av. Mar.)	p. 5	DV	
Foch (Av. Mar.) TASSIN	p. 2	FS	
Fourvière (Mtée de)	p. 6	BX	
France (Bd A.)	p. 5	EV	
Franklin (R.)	p. 6	CZ	
Fulchiron (Quai)	p. 6	BY	
Gailleton (Quai)	p. 6	CY	
Gambetta (Cours)	p. 5	DY	
Garibaldi (R.)	p. 5	EX	
Gasparin (R.)	p. 6	CY	
Gaulle (Av. de)	p. 2	FS	
Genas (Rte de)	p. 3	JS	
Gerland (R. de)	p. 2	GT	
Gillet (Quai J.)	p. 4	AU	
Giraud (Crs Gén.)	p. 6	BV	
Grandclément (Pl.)	p. 3	HT	
Gde-Bretagne (Av.)	p. 5	DU	
Grenette (R.)	p. 6	CX	54
Grolée (R.)	p. 6	DX	58
Gryphe (R. S.)	p. 5	DZ	
Guérin (R.L.)	p. 5	EU	
Guesde (Av. J.) VÉNISSIEUX	p. 3	HT	
Henon (R.)	p. 2	GR	
Herbouville (Crs d')	p. 5	DU	
Jacobins (Pl. des)	p. 6	CX	61
Jacquard (R.)	p. 4	BU	
Jardin-Plantes (R.)	p. 6	CV	62
Jaurès (Av.) ST-FONS	p. 3	HT	
Jaurès (R. Jean) VILLEURBANNE	p. 3	HS	
Jayr (Quai)	p. 2	FR	63
J.-J.-Rousseau (Q.)	p. 2	FT	
Joffre (Quai Mar.)	p. 6	BZ	
Joliot-Curie (R.)	p. 2	FS	
Joliot-Curie (Bd) VÉNISSIEUX	p. 3	HT	
Juiverie (R.)	p. 6	BX	65
Juttet (R. L.)	p. 2	FR	
Lacassagne (Av.)	p. 3	HS	
La-Fayette (Cours)	p. 5	EX	
Lanessan (Av. de)	p. 2	FR	
Lassagne (Quai A.)	p. 6	DV	
Lassalle (R. Ph.-de)	p. 4	AU	
Leclerc (Av.)	p. 4	CZ	
Liberté (Cours)	p. 5	DY	
Lignon (Quai A.)	p. 3	HR	68
Louis-Blanc (R.)	p. 5	EX	
Lyautey (Pl. Mar.)	p. 5	DV	
Macé (Pl. Jean)	p. 5	DZ	
Malesherbes (R.)	p. 5	DV	
Marcellin (Av. P.)	p. 3	JS	
Marietton (R.)	p. 2	FS	69
Marseille (R. de)	p. 5	DY	
Martinière (R.)	p. 6	BV	70
Max (Av. Adolphe)	p. 6	BY	71
Merle (Bd Vivier)	p. 5	EY	
Mermoz (Av. Jean)	p. 3	HT	
Molière (R.)	p. 5	DX	
Moncey (R.)	p. 5	DY	74
Montesquieu (R.)	p. 5	DZ	
Montgolfier (R.)	p. 5	EU	
Moulin (Quai J.)	p. 6	DV	
Neyret (R.)	p. 6	BV	
Observance (Mtée)	p. 2	FS	75
Octavio-Mey (R.)	p. 6	BV	76
Part-Dieu (R.)	p. 5	DX	
Paul-Bert (R.)	p. 5	EY	
Pêcherie (Quai)	p. 6	CX	
Péri (Av. Gabriel) ST-FONS	p. 3	HT	
Péri (Av. Gabriel) VAULX-EN-V.	p. 3	JR	
Perrache (Quai)	p. 4	BZ	
Pinel (Bd)	p. 3	HT	
Plat (R. du)	p. 6	BY	
Platière (R. de la)	p. 6	CV	81
Poncet (Pl. A.)	p. 6	CY	
Pradel (Pl. Louis)	p. 6	CV	83
Prés.-Herriot (R.)	p. 6	CX	
Puits-Gaillot (R.)	p. 6	CV	85
Radisson (R.)	p. 4	AX	
Rambaud (Quai)	p. 4	AZ	
Raspail (Pl.)	p. 5	DY	
Récamier (R. J.)	p. 5	EX	
République (Av.) TASSIN	p. 2	FS	88
République (Pl.)	p. 6	CX	89
République (R.) VAULX-EN-V.	p. 3	JR	
Rockefeller (Av.)	p. 3	HT	
Romain-Rolland (Quai)	p. 6	BX	
Romarin (R.)	p. 6	CV	
Roosevelt (Crs F.)	p. 5	DV	
Roosevelt (Av. F.) BRON	p. 3	JT	
Roosevelt (Av. F.) DECINES	p. 3	JS	
Roosevelt (Av. F.) ECULLY	p. 2	FS	
Royale (R.)	p. 6	DV	91
St-Antoine (Quai)	p. 6	CX	
St-Barthélemy (Mtée)	p. 6	BX	
St-Clair (Gde R.)	p. 3	HR	
St-Exupéry (Av.)	p. 3	JT	
St-Jean (R.)	p. 6	BX	92
St-Paul (Pl.)	p. 6	BV	93
St-Vincent (Quai)	p. 6	BV	
Ste-Hélène (R.)	p. 6	CY	
Sala (Rue)	p. 6	CY	
Salengro (Av. R.) VILLEURBANNE	p. 3	JR	
Santy (Av. Paul)	p. 3	HT	
Sarrail (Quai Gén.)	p. 5	DV	
Saxe (Av. Mar. de)	p. 5	DY	
Scize (Quai Pierre)	p. 6	BV	
Serbie (Quai de)	p. 5	DV	
Serlin (R. J.)	p. 6	DV	104
Servient (R.)	p. 5	DX	
Sèze (R. de)	p. 5	EV	
Stalingrad (Bd de)	p. 5	EU	
Strasbourg (R. de)	p. 3	HR	
Suchet (Cours)	p. 4	BZ	
Tchécoslovaques (Bd des)	p. 5	EZ	
Terreaux (Pl. des)	p. 6	CV	
Tête-d'Or (R.)	p. 5	EV	
Thiers (Av.)	p. 5	EV	109
Thomas (Crs A.)	p. 5	EZ	112
Thorez (Av. M.)	p. 3	HT	
Tilsitt (Quai)	p. 6	BY	
Tolozan (Pl.)	p. 6	DV	
Tolstoï (Crs)	p. 3	HS	
Trion (R. de)	p. 4	AY	
Université (R.)	p. 5	DZ	
Valioud (Av.)	p. 2	FS	
Vaubécour (R.)	p. 6	BY	
Vendôme (R.)	p. 5	DV	
Verdun (Cours de)	p. 6	BZ	
Verguin (Av.)	p. 5	EU	
Vernay (R. Fr.)	p. 6	BX	114
V.-Hugo (Av.) TASSIN	p. 2	FS	
Vienne (Rte de)	p. 5	EZ	
Vitton (Crs Richard)	p. 3	JS	
Viviani (Av.)	p. 3	HT	
Wernert (Pl. E.)	p. 4	AY	
Zola (R. Émile)	p. 6	CY	115
Zola (Cours Émile) VILLEURBANNE	p. 3	JS	
4-Août (R. du)	p. 3	JS	
8-Mai-1945 (Av.)	p. 3	JR	
25e-R.T.S. (Av.)	p. 2	FR	

Répertoire des Ponts et des Églises, voir « Lyon p. 2 et 3 ».

Simplon sans rest, 11 r. Duhamel, ✉ 69002, ☎ 837.41.00 – |♦| ⊟wc ⋒wc ☎. CZ **f**
SC : **38 ch** ☐ 65/130.

Normandie sans rest, 3 r. Bélier ☎ 837.31.36 – |♦| ⊟wc ⋒wc ☎. AE GB ⓓ E BZ **e**
SC : **38 ch** ☐ 65/120.

des Savoies sans rest, 80 r. Charité, ✉ 69002, ☎ 837.66.94 – |♦| ⊟wc ⋒wc ☎ CZ **m**
SC : **46 ch** ☐ 64/166.

Les Brotteaux : *voir emplacements sur Lyon p. 5*

Roosevelt Ⓜ sans rest, 48 r. Sèze, ✉ 69006, ☎ 852.35.67, Télex 300295 – |♦| ▤ TV ☎ ⇔ Ⓟ – 🏛 50. AE GB ⓓ DV **x**
SC : ☐ 16 – **87 ch** 155/200, 3 appartements 260.

Britania sans rest, 17 r. Prof.-Weill, ✉ 69006, ☎ 852.86.52 – |♦| ⊟wc ⋒ ☎ EV **n**
SC : ☐ 10 – **20 ch** 69/125.

La Part-Dieu : *voir emplacement sur Lyon p. 5*

Frantel Ⓜ ⛵, 129 r. Servient (30e étage) ✉ 69003 ☎ 862.94.12, Télex 380088, ≤ Lyon, vallée du Rhône, – |♦| ▤ TV ☎ Ⓟ – 🏛 150 à 300. AE GB ⓓ E. ✻ rest
SC : rest. **L'Arc-en-Ciel** *(fermé 15 juil. au 15 août et dim.)* **R** carte 120 à 170 - **La Ripaille** (Grill) (rez de chaussée) **R** carte environ 70 – ☐ 23 – **243 ch** 280/380. EX **n**

La Guillotière : *voir emplacements sur Lyon p. 5*

Atlantide Ⓜ sans rest, 51 r. Université, ✉ 69007, ☎ 872.78.42, Télex 340455 – |♦| ▤ TV ⇔. AE ⓓ DZ **b**
SC : **53 ch** ☐ 130/188.

Columbia Ⓜ sans rest, 8 pl. A.-Briand, ✉ 69003, ☎ 860.54.65 – |♦| ▤ TV ⊟wc ⋒wc ☎ ⇔. GB EZ **z**
SC : ☐ 13 – **66 ch** 100/160.

Monchat-Monplaisir *voir emplacements sur Lyon p. 3*

Park H. P.L.M Ⓜ, 4 r. Prof.-Calmette, ✉ 69008, ☎ 874.11.20, Télex 380230 – |♦| TV ☎ ⇔ – 🏛 50. AE GB ⓓ HT **v**
SC : **R** *(fermé sam. soir, dim. et fériés)* 60 bc/120 bc – ☐ 20 – **72 ch** 185/210.

Laennec Ⓜ ⛵ sans rest, 36 r. Seignemartin, ✉ 69008, ☎ 874.55.22 – TV ⊟wc ☎ Ⓟ. AE GB HT **n**
SC : ☐ 12 – **13 ch** 115/145.

Lyon-Est Ⓜ sans rest, 104 rte Genas, ✉ 69003, ☎ 854.64.53 – |♦| ▤ ⊟wc ⋒wc ☎ ♿ ⇔ Ⓟ. GB HS **u**
SC : ☐ 13 – **42 ch** 75/150.

Lacassagne sans rest, 245 av. Lacassagne, ✉ 69003, ☎ 854.09.12 – |♦| ▤ TV ⊟wc ⋒ ☎ ⇔. AE GB ⓓ HS **s**
SC : ☐ 11 – **40 ch** 70/135.

à Villeurbanne *voir emplacements sur Lyon p. 3*

Congrès Ⓜ, pl. Cdt Rivière ✉ 69100 Villeurbanne ☎ 889.81.10, Télex 370216 – |♦| ▤ TV ☎ ⇔ Ⓟ – 🏛 25 à 100. AE GB ⓓ HS **m**
R *(fermé dim.)* 40/130 🍷 – ☐ 11 – **132 ch** 160.

Athena Ⓜ, 163 cours E.-Zola ☎ 885.32.33, Télex 380608 – |♦| ⊟wc ⋒wc ☎ ⇔ – 🏛 30 à 120. GB. ✻ rest HS **b**
SC : **R** *(fermé dim.)* 60/100 🍷 – ☐ 13,50 – **108 ch** 125/165 – P 185/258.

Alsace Ⓜ sans rest, 15 cours Tolstoï ✉ 69100 Villeurbanne ☎ 884.97.04 – |♦| ⊟wc ⋒wc ☎. HS **e**
fermé août – SC : ☐ 12 – **32 ch** 70/115.

Restaurants

Sauf indication spéciale, voir emplacements sur Lyon p. 6

XXXX ✿✿✿ **Paul Bocuse,** pont de Collonges N : 12 km par bords Saône (D433, D51) ✉ 69660 Collonges-au-Mont-d'Or, ☎ 822.01.40, « Elégante installation » – ▤ Ⓟ. AE ⓓ Lyon p. 2 GR
fermé 5 au 26 août et vacances de fév. – **R** 165/260 et carte
Spéc. Soupe aux truffes noires, Loup en croûte farci mousse de homard, Volaille de Bresse en vessie. **Vins** Pouilly-Fuissé, Brouilly.

XXX ✿ **Nandron,** 26 quai J.-Moulin, ✉ 69002, ☎ 842.10.26 – ▤. AE GB ⓓ DX **p**
fermé 25 juil. au 23 août et sam. – **R** 100/200
Spéc. Quenelles de brochet Nantua, Escalope de foie d'oie, Chartreuse de ris et rognon de veau. **Vins** Morgon, St-Véran.

XXX ✿✿ **Vettard,** 7 pl. Bellecour, ✉ 69002, ☎ 842.07.59 – ▤. AE ⓓ CY **f**
fermé 3 au 23 août et dim. – **R** 135/150 - **Café Neuf** *(fermé 2 au 30 août et dim.)* - SC : **R** carte environ 80 🍷
Spéc. Filet de canard poêlé au foie gras, Saumon au safran et à l'estragon (mai à fin oct.), Foie de veau au beurre de citron. **Vins** Beaujolais-Villages, Pouilly-Fuissé.

XXX ✿ **Henry,** 27 r. Martinière, ✉ 69001, ☎ 828.26.08 – ▤. AE ◐ CV **n**
fermé 13 juil. au 12 août et merc. – **R** 85/120
Spéc. Salade de homard, Feuillantine de turbot et d'écrevisses, Gâteau de ris de veau. **Vins** Fleurie, Volnay.

XXX ✿ **Mère Brazier,** 12 r. Royale, ✉ 69001, ☎ 828.15.49, ambiance lyonnaise – AE GB ◐ DV **a**
fermé 1er août au 1er sept., sam. midi et dim. – **R** 105/125
Spéc. Fonds d'artichauts au foie gras, Volaille demi-deuil, Lotte au gratin. **Vins** Chiroubles, Mâcon.

XXX ✿ **Tour Rose** (Chavent), 16 r. Boeuf, ✉ 69005, ☎ 837.25.90, « Maison du 17e s. dans le vieux Lyon » – AE GB ◐ BX **e**
fermé 15 au 31 août et dim. – **R** 100/180
Spéc. Salade de pigeon, Saumon mi cuit au fumoir, Foie chaud de canard. **Vins** Rully, Brouilly.

XXX **Beluga,** Porte des Cuirassiers Part-Dieu Sud ✉ 69003 ☎ 860.67.24 – ▤. AE GB ◐ E Lyon p. 5 EX **b**
fermé 2 au 17 août et dim. sauf oct. – **R** carte 80 à 140 ♨.

XXX ✿ **Auberge de Fond-Rose** (Brunet), 23 quai Clemenceau, ✉ 69300, Caluire ☎ 823.81.70, « Jardin » – Ⓟ. AE GB ◐ Lyon p. 2 GR **p**
fermé fév., lundi du 1er nov. à fin mars et dim. soir du 1er avril à fin oct. – **R** 100/200
Spéc. Fruits de mer, Mousse de loup sur lit d'épinards, Canard au poivre vert.

XXX ✿✿ **Orsi,** 3 pl. Kléber, ✉ 69006, ☎ 889.57.68 Lyon p. 5 DV **e**
fermé août, sam. midi et dim. du 1er sept. au 30 avril, sam., dim. du 1er mai au 31 juil. – SC : **R** 130 et carte
Spéc. Coquilles St-Jacques (oct. à mars), Pâté chaud de canard sauce poivrade (oct. à mars), Pigeonneau de Bresse en cocotte. **Vins** Macon, St-Amour.

XXX **Le Rocher,** quartier St-Rambert, 8 quai R.-Carrié, ✉ 69009, ☎ 883.99.72, ≼ – Ⓟ
fermé 7 au 31 août, 24 déc. au 4 janv. et dim. – SC : **R** 65/180. Lyon p.2 GR **f**

XXX **Le Nord,** 18 r. Neuve, ✉ 69002, ☎ 828.24.54, brasserie – ▤. AE GB ◐ E CX **a**
fermé août et sam. – **R** 75/120.

XXX ✿✿ **Léon de Lyon** (Lacombe), 1 r. Pleney, ✉ 69001, ☎ 828.11.33, ambiance lyonnaise – ▤ CVX **b**
fermé 25 juil. au 17 août, 24 déc. au 4 janv., dim., lundi midi et fériés – **R** 90/170 et carte
Spéc. Mousse de brochet, Gras double sauté, Coq au vin rouge à l'ancienne. **Vins** Chiroubles, Maconnais.

XX ✿ **Daniel et Denise,** 2 r. Tupin, ✉ 69002, ☎ 837.49.98 – ▤. GB ◐ CX **e**
fermé août, dim., fêtes et lundi midi – **R** carte 130 à 165
Spéc. Terrine de homard, Sole farcie, Filet d'agneau en croûte. **Vins** Chiroubles, Mâcon-Villages.

XX ✿ **Bourillot,** 8 pl. Célestins, ✉ 69002, ☎ 837.38.64 – ▤. AE ◐ E CY **n**
fermé 11 juil. au 4 août, 25 déc. au 3 janv., dim. et fériés – **R** 95/150
Spéc. Soupe froide de queues d'écrevisses, Sauté de homard, Ris de veau "Lugdunum". **Vins** St-Véran, Brouilly.

XX ✿ **Les Fantasques** (Gervais), 47 r. Bourse, ✉ 69002, ☎ 837.36.58 – ▤. GB DX **u**
fermé 10 au 18 août et dim. – **R** 90/150
Spéc. Coquilles St-Jacques (oct. à mai), Rouget en papillote, Bouillabaisse. **Vins** Mâcon, Brouilly.

XX **Au Petit Col,** 68 r. Charité, ✉ 69002, ☎ 837.25.18 – ▤. ⋇ CZ **a**
fermé 13 juil. au 16 août et dim. soir – SC : **R** 46/120.

XX ✿ **Les Grillons** (Pleynet), 18 r. D.-Vincent à **Champagne-au-Mont-d'Or** par ⑪, ✉ 69410 Champagne, ☎ 835.04.78, 凧 – Ⓟ
fermé sept., dim. soir et lundi – **R** 50/130
Spéc. Matelote d'anguilles, Poulet aux écrevisses, Marjolaine. **Vins** Cornas, St-Véran.

XX **Tante Alice,** 22 r. Remparts-d'Ainay, ✉ 69002, ☎ 837.49.83 – ▤. AE CZ **v**
fermé 24 juil. au 1er sept., vend. soir et sam. – **R** 45/75.

XX ✿ **Chez Gervais** (Lescuyer), 42 r. P.-Corneille, ✉ 69006, ☎ 852.19.13 – ▤. AE ◐
fermé 31 juil. au 18 août, dim. et fêtes – SC : **R** 100/250 Lyon p. 5 DX **a**
Spéc. Salade lyonnaise, Turbotin farci, Coupe Florence. **Vins** St-Joseph, Viognier.

XX **La Pastourelle,** 51 r. Tête-d'Or, ✉ 69006, ☎ 824.90.89 Lyon p. 5 EV **a**
fermé août, sam. midi et dim. – SC : **R** 58/75.

XX **La Mère Vittet, Brasserie Lyonnaise** ouvert jour et nuit, 26 cours Verdun, ✉ 69002, ☎ 837.20.17 – ▤. AE GB ◐ E – **R** 45/140 BZ **y**

XX **Auberge de l'Ile,** quartier St-Rambert ☎ 883.99.49 – Ⓟ. ⋇ Lyon p. 2 GR **e**
fermé sept., vacances de fév., dim. soir et lundi – SC : **R** 60/120.

XX **L'Alsacienne,** 20 pl. Carnot, ✉ 69002, ☎ 837.44.47 BZ **n**
fermé 29 juil. au 1er sept., mardi soir et merc. – **R** 45/120.

XX **Chez Juliette,** 25 r. Arbre-Sec, ✉ 69001, ☎ 828.64.06 – AE GB ◐ E DV **f**
fermé 15 juin au 16 juil., dim. et fériés – **R** 90.

XX **Argenson,** 90 av. T.-Garnier, ✉ 69007, ☎ 872.64.53 – Ⓟ. GB Lyon p. 2 GT **a**
◆ *fermé août et dim.* – SC : **R** (fermé le soir sauf juin et juil.) 35/100.

XX **Rendez-vous des Pêcheurs,** 48 quai Clemenceau quartier Caluire ✉ 69300 Caluire ☎ 823.29.94 Lyon p. 2 GR **k**
fermé sept., vacances de fév., dim. soir et lundi – SC : **R** 55/130 ♨.

XX **Chez Rose,** 4 r. Rabelais, ✉ 69003, ☎ 860.57.25, ambiance lyonnaise – ▤. ⋇
fermé juin, dim. et fériés – SC : **R** 58/135 ♨. Lyon p. 5 DX **x**

✗ **La Voûte,** 11 pl. A.-Gourju, ✉ 69002, ☏ 842.01.33 CY **e**
fermé 14 juil. au 15 août, sam. et dim. – SC : **R** 63/130.

✗ **Chevallier,** 40 r. du Sergent-Blandan, ✉ 69001, ☏ 828.19.83 CV **s**
fermé sept., merc. midi et mardi – SC : **R** 50/70.

✗ **Chez Jean-François,** 2 pl. Célestins ✉ 69002 ☏ 842.08.26 CX **x**
fermé 25 juil. au 18 août, vacances de fév., dim. et fériés – SC : **R** 48/130.

✗ ❀ **La Bonne Auberge "Chez Jo"** (Rogliardo), 48 av. Félix-Faure, ✉ 69003, ☏ 860.00.57 Lyon p. 5 EZ **s**
fermé 2 au 30 août, sam. soir, dim. et fêtes – **R** 53/75
Spéc. Gratin de crevettes Nantua, Civet de lièvre, Feuilleté de ris de veau. **Vins** Beaujolais, Maconnais.

✗ **La Tassée,** 20 r. Charité, ✉ 69002, ☏ 837.02.35, **ambiance lyonnaise** – ⓓ
fermé 23 déc. au 2 janv. et dim. – SC : **R** 60/100 ₰. CY **v**

✗ **La Pinte à Gones,** 59, r. Ney, ✉ 69006, ☏ 824.81.75 – ▤ Lyon p. 5 EV **s**
fermé 1er au 15 août, sam. midi et dim. – SC : **R** 39/70.

✗ **Boeuf d'Argent,** 29 r. Boeuf, ✉ 69005, ☏ 842.21.12 – ✻ BX **f**
◆ *fermé août, dim. soir et lundi* – SC : **R** 30/65.

✗ Marc, 12 r. Mazenod, ✉ 69003, ☏ 860.05.57 Lyon p. 5 DY **a**

✗ **Vivarais,** pl. Gailleton, ✉ 69002, ☏ 837.85.15 CYZ **b**
fermé en mai et en nov., sam. et dim. – SC : **R** carte environ 70.

✗ **Au Bossu,** 25 bis quai R.-Rolland ✉ 69005 ☏ 837.70.19 BX **q**
fermé août, lundi soir et dim. – SC : **R** 59/69.

✗ **Le Bistrot de Lyon,** 64 r. Mercière ✉ 69002 ☏ 837.00.62, **ambiance lyonnaise**
fermé 24 déc. au 4 janv., dim. et fériés – **R** (dîner seul.) carte environ 75. CX **u**

✗ **Pied de Cochon,** 9 r. St-Polycarpe, ✉ 69001, ☏ 828.15.31, **ambiance lyonnaise.**
◆ AE CV **k**
fermé août, sam., dim. et fériés – SC : **R** 34/70.

Environs

à Bron – 44 995 h. – ✉ **69500** Bron :

🏨 **Novotel** Ⓜ, r. Lionel Terray ☏ 826.97.48, Télex 340781, ⛱ – 🛗 ▤ 📺 ☎ ♿ Ⓟ – 🏛 25 à 800. AE GB ⓓ Lyon p. 3 JT **f**
R snack carte environ 65 – ☕ 20 – **196 ch** 180/205.

🏨 **Dau Ly** Ⓜ ⚘ sans rest, 28 r. de Prévieux ☏ 826.04.37 – 🛁wc 🚿wc ☎ 🚗 Ⓟ. 🚘 AE Lyon p. 3 JT **e**
SC : ☕ 11 – **22 ch** 105/145.

🏨 **Lyon-Bron** ⚘ sans rest, 7 r. Essarts ☏ 874.24.73 – 🛁wc 🚿wc ☎. GB
SC : ☕ 9,50 – **30 ch** 90/115. Lyon p. 3 HJT **a**

à Ecully O : 6 km par N 7 et D 42 – 18 421 h. – ✉ **69130** Ecully :

🏨 **Le Relais,** 6 av. Dr-Terver ☏ 833.12.03 – 🚿 Ⓟ. GB. ✻ rest Lyon p. 2 FS **x**
SC : **R** *(fermé 5 au 25 août et dim.)* 40/50 ₰ – ☕ 10 – **12 ch** 40/70.

au Mont-Cindre N : 14 km par D 21 - GR – ✉ **69450** St-Cyr :

✗✗ **Ermitage,** ☏ 847.20.96, ≤ Lyon et monts du Lyonnais – GB
fermé janv., fév., mardi soir et merc. – SC : **R** 55/100.

à Collonges-au-Mont-d'Or : voir Lyon p. 8

Par la sortie ② *:*

à Crépieux-la-Pape : 7 km par N 83 et N 84 – ✉ **69140** Rillieux-la-Pape :

✗ **Larivoire** avec ch, ☏ 888.50.92, ≤ – 🛁 🚿 Ⓟ
fermé lundi soir et mardi – SC : **R** 67/95 – ☕ 8,50 – **5 ch** 43/50.

Par la sortie : ③

à Meyzieu : 14 km par D 517 – 24 728 h. – ✉ **69330** Meyzieu :

🏨 **La Régence** Ⓜ sans rest, ☏ 831.40.04, 🌳 – 📺 🚿wc ☎ Ⓟ. 🚘 GB. ✻ rest
fermé août – SC : ☕ 11 – **19 ch** 117/148.

Par la sortie ⑤ *:*

à l'aérogare de Satolas : 27 km par A 43 – ✉ **69125** Lyon Satolas Aéroport :

🏨 **Méridien** Ⓜ, 3e étage ☏ 871.91.61, Télex 380480 – 🛗 ▤ 📺 ☎ – 🏛 25 à 250. AE GB ⓓ E
SC : **R** voir **rest. La Gde Corbeille et Aub. Le Pichet** – ☕ 22 – **120 ch** 240/280.

✗✗✗ **La Gde Corbeille,** 1er étage ☏ 871.91.61, ≤ – ▤ Ⓟ. AE GB ⓓ
fermé août et sam. – SC : **R** 110/140.

✗ **Aub. le Pichet** (brasserie), ☏ 871.91.61 – ▤ Ⓟ. GB
◆ SC : **R** 35 bc/66 bc.

à St-Priest : 12 km par N 6 et D 148 - JT – 41 669 h. – ✉ **69800** St-Priest :

Moderne [M], 64 rte Heyrieux ☎ 820.47.46 – ⚿ Ⓟ. AE ①. ✗ rest
SC : **R** *(fermé sam. soir et dim.)* voir rest Monnet – ☕ 12 – **35 ch** 110/220.

Central H. sans rest, 18 r. A.-Briand ☎ 820.26.62 – wc ☎ Ⓟ.
SC : ☕ 10 – **22 ch** 55/120.

Monnet, 7 r. A.-Briand ☎ 820.15.19 – Ⓟ. AE ①. ✗
fermé sam. soir et dim. – SC : **R** 40/120, dîner à la carte.

Par la sortie ⑩ :

à Charbonnières-les-Bains : 8 km par N 7 – 3 086 h. alt. 240 – Stat. therm. – Casino – ✉ **69260** Charbonnières-les-Bains :

Parc H. [M] ⛰, ☎ 887.12.33, parc – ⚿ TV ☎ ♿ Ⓟ – 🏛 30 à 400
R voir rest **La Sangria** – **46 ch**.

Mercure sans rest., ☎ 834.72.79, ⛱ – TV wc ☎ Ⓟ. AE GB ①
SC : ☕ 18 – **60 ch** 155/170.

Beaulieu [M] sans rest, 19 av. Gén.-de-Gaulle ☎ 887.12.04 – ⚿ wc wc ☎ Ⓟ – 🏛 100.
SC : ☕ 12 – **40 ch** 105/120.

La Sangria, au Casino ☎ 887.02.70, ≤, « Parc fleuri, cascade » – Ⓟ. AE GB ① E
fermé août et lundi – SC : **R** carte 120 à 165.

Gigandon, av. Gén.-de-Gaulle ☎ 887.15.51 – Ⓟ
fermé août, dim. soir et lundi – SC : **R** 50/110.

à la Garde - Échangeur A6 N 6 Sortie Limonest N : 10 km – ✉ **69570** Dardilly :

Novotel Lyon-Nord [M] ⛰, ☎ 835.13.41, Télex 330962, ⛱ – ⚿ ▤ TV ☎ ♿ Ⓟ – 🏛 25 à 120. AE GB ①
R snack carte environ 65 – ☕ 20 – **107 ch** 170/190.

Mercure, ☎ 835.28.05, Télex 330045, ⛱, ✗ – ▤ rest TV ☎ Ⓟ – 🏛 25 à 120. AE GB ①
R carte environ 70 – ☕ 20 – **175 ch** 170/200.

Holiday Inn [M], ☎ 835.70.20, Télex 900006, ⛱ – ⚿ ▤ TV ☎ ♿ Ⓟ – 🏛 25 à 400. AE GB ① E
SC : **Grill la Braise R** carte environ 80 – ☕ 17 – **204 ch** 198/228.

Campanile ⛰, ☎ 835.48.44 – wc ♿ Ⓟ. GB
SC : **R** 43 bc/56 bc – ☕ 17 – **43 ch** 140 – P 173/223.

Le Panorama, à Dardilly-le-Haut face église, ✉ 69570 Dardilly, ☎ 847.40.19, – Ⓟ.

Voir aussi ressource hôtelière de ***Mionnay*** par ① : 20 km

MICHELIN, Agences régionales, r. Jean-Pierre Chevrot (7e) GT ☎ **869.49.48** et 174 av. Thiers (6e) EV ☎ **852.02.90**

1er Arrondissement

CITROEN Gar. Manutention, 8 quai St-Vincent AV ☎ 828.21.14
RENAULT Haond, 12 pl. Chartreux BV ☎ 828.62.33
Ⓡ Demal, 19 quai St-Vincent ☎ 828.20.80

2e Arrondissement

PEUGEOT Dumond, 7 r. Duhamel BCZ ☎ 837.55.65
RENAULT Gar. Bellecour, 5 pl. Gailleton CZ ☎ 837.19.18
RENAULT Gar. de Verdun, 6 cours Verdun BZ ☎ 837.26.31

3e Arrondissement

ALFA-ROMEO, LANCIA-AUTOBIANCHI Gar. Gambetta, 23 av. F.-Faure ☎ 860.55.08
ALFA-ROMEO Marsonetto, 292 à 296 cours Lafayette ☎ 853.33.33
AUDI-VOLKSWAGEN Gar. Bouteille, 14 r. F.-Mistral ☎ 854.13.24 N
BMW Gar. Gacon, 85 r. P.-Corneille ☎ 860.94.13
FORD Veyet, 82 bd Vivier-Merle ☎ 860.25.28
LANCIA-AUTOBIANCHI Gar. Molière, 72 r. Molière ☎ 860.55.04
RENAULT Gar. Atlas, 29 r. de Bonnel DX ☎ 860.15.63
TALBOT SALVEA, 106 bd Vivier-Merle EZ ☎ 860.45.01
TOYOTA Gar. Liévre, 124 av. Lacassagne ☎ 854.38.14

Ⓡ Central Pneu, 299 r. Duguesclin ☎ 862.84.86
Deshayes Pneus, 13 r. Louise ☎ 854.47.91
Gaudry-Pneu, 43-45 Cours A.-Thomas, ☎ 853.25.73
Leclercq-Velcof, 70 r. des Rancy ☎ 860.36.93
Roy-Pneus, 224 r. Vendôme ☎ 860.10.52

4e et 5e Arrondissements

RENAULT Puy, 5 pl. Trion (5e) AY ☎ 825.25.50
Gar. Crotta, 44 quai J.-Gillet (4e) ☎ 829.81.38
Ⓡ Candia-Pneus, 27 Crs d'Herbouville (4e) ☎ 828.99.03
Charcot-Pneus, 20 r. Jeunet (5e) ☎ 836.05.29

6e Arrondissement

AUDI-VOLKSWAGEN Gar. Vendôme, 5 r. Vendôme ☎ 893.23.44
BMW, DATSUN Gar. des Emeraudes, 192 av. Thiers ☎ 852.80.21
CITROEN Gar. Franklin Roosevelt, 96 r. Boileau DV ☎ 852.31.43
CITROEN Gar. Métropole, 106 r. Bugeaud EV ☎ 824.66.58
MERCEDES-BENZ Gar. Lambrechts, 55 av. Mar. Foch ☎ 889.23.41

OPEL Gar. Bossuet, 15 r. Bossuet ☎ 824.50.55
PEUGEOT S.L.I.C.A., 141 r. Vendôme DX ☎ 852.64.64

◉ Briday-Pneus, 55 bd Brotteaux ☎ 852.04.89
La Maison des Pneus, 20 r. Bellecombe ☎ 824.55.57
Pneus-Maurice, 57 r. Vauban ☎ 852.35.28

7e Arrondissement

ALFA-ROMEO Gar. J.-Macé, 24 r. Renan ☎ 872.34.58
AUDI-VOLKSWAGEN Central-Autos, 6 r. Elie-Rochette ☎ 869.54.39
AUSTIN, JAGUAR, MORRIS, ROVER, TRIUMPH Kennings, 76 r. Marseille ☎ 858.16.53
CITROEN Succursale, 35 r. Marseille DZ ☎ 869.81.84 🅽 ☎ 872.13.99
CITROEN Montveneur, 212 Gde r. de la Guillotière ☎ 872.31.25
FORD Galliéni-Automobiles, 47 av. Berthelot ☎ 872.02.27

RENAULT Prost, 244 av. Jean-Jaurès GT ☎ 872.61.46
TOYOTA Duchenaud, 56 rte de Vienne ☎ 872.37.34
VOLVO Clamagirand, 32 r. Aguesseau ☎ 872.40.27

◉ Boson, 31 r. Béchevelin ☎ 872.93.89
Gar. des Hirondelles, 190 av. Berthelot ☎ 872.41.76
Mayer Pneu, 48 r. Université ☎ 872.96.02
Piot-Pneu, 70 r. C.-Marot ☎ 872.64.10
Téco-Pneus, 71 r. Gerland ☎ 872.33.13

8e Arrondissement

LADA, SKODA Gar. Rockefeller, 16 av. Rockefeller ☎ 874.15.06
PEUGEOT Auto du Bachut, 322 av. Berthelot HT **d** ☎ 874.18.09
TALBOT Lyon Sud Sces Autom., 62 cours A.-Thomas ☎ 872.54.61

◉ Métifiot, 71 av. J.-Mermoz ☎ 874.08.09
Tessaro-Pneus, 22 bis r. A.-Lumière ☎ 872.07.68

9e Arrondissement

PEUGEOT S.L.I.C.A.-Duchère, 9e Av. la Duchère FR ☎ 835.38.46
RENAULT Succursale, 5 r. St-Simon FR ☎ 864.81.00
RENAULT Lyon Nord, pl. du Commerce, Le Plateau-la Duchère FR **a** ☎ 835.35.60
TALBOT Centre automobile Lyon Vaise, 6 r. J.-Carret FR **s** ☎ 883.95.40

TALBOT Gar. de Rochecardon, 138 r. de St-Cyr FR **a** ☎ 883.71.15

◉ Briday-Pneus, 48 r. Bourgogne ☎ 883.77.76
Desfêtes-Pneus, 113 r. Marietton ☎ 883.76.95

Bron

CITROEN Baud, 163 bis av. F.-Roosevelt JT ☎ 826.84.21
OPEL Gar. Grange, 352 rte de Genas ☎ 826.73.05
PEUGEOT Dunand, 250 av. F.-Roosevelt JT ☎ 826.06.53

RENAULT Faucon, 3 r. Alsace-Lorraine JT ☎ 826.80.17
TALBOT Gar. de l'Aviation, 127 av. F.-Roosevelt JT ☎ 826.83.93

Caluire

CITROEN Auto-Gar. de Caluire, 2 av. L.-Dufour HR ☎ 823.24.54

◉ Deshayes-Pneus, 134 Gde-Rue, St-Clair ☎ 823.07.97

Champagne-au-Mont-d'Or

CITROEN Michalland, 111 av. Lanessan FR **e** ☎ 835.05.31

Charbonnières-les-Bains

CITROEN Gar. Guérin, 133 rte Paris ☎ 834.29.50

Ecully

CITROEN Succursale, 5 r. J.-M.-Vianney FR **a** ☎ 833.52.00 🅽

Rillieux

BMW, DATSUN Gar. Maublanc, Zone Ind. ☎ 888.83.97
CITROEN Bonhomme, av. Hippodrome, Zone Ind. ☎ 888.62.22 🅽

PEUGEOT Maunand, av. Hippodrome ☎ 888.54.74

Saint-Fons

CITROEN Gar. J.-Jaurès, 52 av. J.-Jaurès HT **e** ☎ 870.94.61
PEUGEOT Gar. Centre, 12 av. G.-Péri HT **u** ☎ 870.94.62

RENAULT Evangélista, 63 av. J.-Jaurès HT **e** ☎ 870.94.66

Saint-Priest

AUSTIN, JAGUAR, MORRIS, ROVER, TRIUMPH Kennings, 190 rte de Grenoble ☎ 890.82.00
CITROEN Gar. Gabardo, 39 rte d'Heyrieux ☎ 820.29.27
CITROEN Gar. de Provence, 9 r. de Provence ☎ 820.29.39
PEUGEOT Gar. du Stade, 40 r. H.-Maréchal ☎ 820.23.92
RENAULT Bombagi, 37 rte d'Heyrieux ☎ 820.19.59
TALBOT Gar. Laval, 30 rte de Lyon ☎ 820.07.85

Gaudry-Pneu, 200 rte Grenoble ☎ 890.73.77

Sainte-Foy-lès-Lyon

CITROEN Gar. de la Plaine, 117 bis r. Cdt-Charcot **FS u** ☎ 859.62.15

Tassin-la-Demi-Lune

CITROEN Collombin, 103 av. Ch.-de-Gaulle **FS a** ☎ 834.19.78
FIAT, LANCIA-AUTOBIANCHI Gar. D'Alaî, 223 av. Ch.-de-Gaulle ☎ 834.32.52
PEUGEOT Tassin Automobiles, 100 av. République **FS** ☎ 834.31.36
RENAULT Allemand, 111 av. De-Gaulle **FS a** ☎ 834.09.27 **N** ☎ 836.29.14
RENAULT Méjat, 11 pl. P.-Vauboin **FS s** ☎ 834.23.50

Jamet-Pneus, 142 av. De-Gaulle ☎ 834.33.00

Vaulx-en-Velin

AUDI, VOLKSWAGEN, FIAT Gar. Excelsior, r. J.-M. Merle ☎ 880.68.93
PEUGEOT S.L.I.C.A., 38 av. de Bohlen **JS a** ☎ 868.03.13
RENAULT Lyon-Est, 52 av. de Bohlen **JS** ☎ 868.81.15

Piot-Pneu, 178 av. R.-Salengro ☎ 868.54.35

Vénissieux

CITROEN Baroud, 346 av. Ch.-de-Gaulle **HT s** ☎ 874.23.40
CITROEN Gar. du Centre, 50 bd L.-Gerin **HT a** ☎ 870.09.61
CITROEN Galichet, 43 r. Carnot **HT a** ☎ 870.14.05
FIAT Gar. Atlas, bd L.-Bonnevay ☎ 872.79.04
PEUGEOT S.L.I.C.A., 2 r. Frères-Bertrand **HT s** ☎ 869.33.34
RENAULT Succursale, 364 rte Vienne **HT n** ☎ 872.05.15

Métifiot, 55 av. J.-Guesde ☎ 874.32.23

Villeurbanne

CITROEN Badel, 38 r. F.-Chirat **HS** ☎ 854.58.50
MERCEDES-BENZ SALTA, 37 r. Verlaine ☎ 884.81.44
PEUGEOT Gar. de la Perralière, 206 r. du 4 Août **JS e** ☎ 884.71.30
Gar. Gachet, 11 r. A.-Boutin ☎ 884.03.96

Comptoir du Pneu, 27 r. J.-Jaurès ☎ 854.84.53
Dorcier, r. du Boulevard ☎ 889.78.08
Dumont-Pneus, 42 r. A.-Perrin ☎ 853.28.52
Ets Cintas, 10 r. Sylvestre ☎ 852.59.42
Inter-Pneus, 47 r. Lakanal ☎ 889.73.62
Juffet, 5 r. J.-Jaurès ☎ 854.65.23
Lyon-Pneus, 68 cours E.-Zola ☎ 868.30.10
Pey, 11 r. A.-France ☎ 824.97.07
Rhône-Pneus, 80 cours Tolstoï ☎ 884.95.24
Teco-Pneu, 53 r. A.-France ☎ 884.68.63

CONSTRUCTEUR : Renault Véhicules Industriels, Tour du Crédit Lyonnais, 129 r. Servient **EX** 69003 LYON et Vénissieux **HT** ☎ **876.81.11**

Besonders angenehme Hotels oder Restaurants sind im Führer rot gekennzeichnet.
Sie können uns helfen, wenn Sie uns Häuser angeben, wo es sich nach Ihrer Erfahrung gut leben läßt.
Jährlich erscheint eine neue, verbesserte Ausgabe aller Roten Michelin-Führer.

LYONS-LA-FORÊT 27480 Eure **55** ⑧ **G. Normandie** – 772 h. alt. 109 – ✆ 32.
Voir Forêt** – N.-D.-de la Paix ←* O : 1,5 km.
Syndicat d'Initiative à la Mairie (fermé dim. et lundi) ☎ 49.60.87.
Paris 107 – Les Andelys 20 – Forges-les-Eaux 29 – Gisors 29 – Gournay-en-Bray 25 – ♦Rouen 36.

- **La Licorne,** ☎ 49.62.02, « Beau jardin fleuri » – wc wc – 30. AE GB . *fermé 15 déc. au 15 janv. et lundi du 1er oct. au 30 mars* – **SC : R** 85/170 – 18 – 22 ch 105/250 – P 200/320.
- XX **Gd Cerf avec ch,** ☎ 49.60.44, – wc wc . GB *fermé 16 janv. au 15 fév. et merc. hors saison* – **SC : R** carte 75 à 125 – 11 – 9 ch 100/150.

LYS-CHANTILLY 60 Oise **56** ⑪, **96** ⑦ – rattaché à Chantilly.

La MACHINE (Col de) 26 Drôme **77** ⑬ – rattaché à St-Jean-en-Royans.

MÂCON P 71000 S.-et-L. 69 ⑲ **G. Bourgogne** – 39 587 h. alt. 175 – ✪ 85.

Voir Apothicairerie★ de l'Hôtel-Dieu.

Env. Clocher★ de l'église de St-André par ② : 8,5 km.

18 de la Commanderie ☎ 33.40.24 par ② : 7 km.

ℹ Office de Tourisme (fermé dim.) et A.C. av. de-Lattre-de-Tassigny ☎ 38.06.00, Télex 800762 – Maison Mâconnaise des Vins (dégustation et machon bourguignon), av. de-Lattre-de-Tassigny ☎ 38.36.70 BY.

Paris 395 ① – Bourg-en-Bresse 34 ② – Chalon-sur-Saône 58 ① – ♦Lyon 68 ③ – Roanne 104 ③.

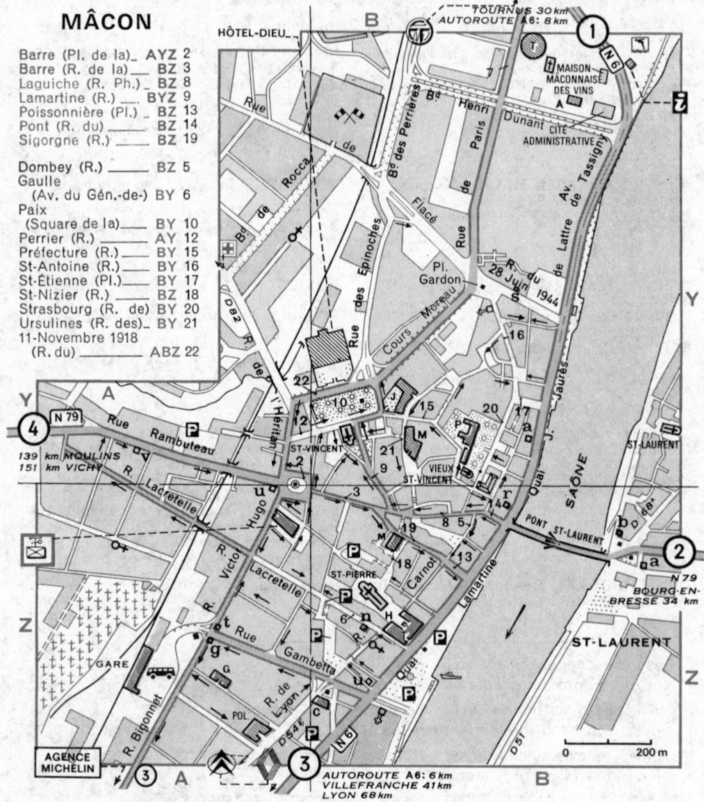

Frantel M, 26 r. Coubertin par ① : 0,5 km N ☎ 38.28.06, Télex 800830, ≤ – [lift] [TV] ☎ P – 30 à 50. AE GB ① E. rest
SC : rest. **Le St-Vincent** *(fermé sam. midi)* **R** carte 110 à 150 – ☕ 21 – **63 ch** 185/270.

Bellevue, 416 quai Lamartine ☎ 38.05.07, Télex 800837 – [lift] [TV] 🚗. AE GB ① E
SC : **R** 65/120 – ☕ 18 – 42 ch 76/280 – P 180/250. BZ **u**

Terminus, 91 r. Victor-Hugo ☎ 39.17.11, Télex 800831 – [lift] [TV] [wc] [wc] ☎ 🚗. AE ① AZ **t**
SC : **R** 70/120 – ☕ 18 – 34 ch 100/170 – P 184/210.

Genève, 1 r. Bigonnet ☎ 38.18.10 – [lift] [wc] [wc] ☎ ♿ – 60. AE ① E AZ **g**
SC : **R** 50/80 – ☕ 16 – 63 ch 52/155 – P 148/181.

Nord sans rest, 313 quai Jean-Jaurès ☎ 38.08.68 – [lift] [wc] [wc] ☎. GB BY **a**
SC : ☕ 10,50 – **21 ch** 60/95.

Champs Élysées, 6 r. V.-Hugo ☎ 38.36.57 – [lift] [wc] [wc] ☎ 🚗. AE GB ① AYZ **u**
SC : **R** 40/100 – ☕ 18 – 51 ch 50/160 – P 163/218.

XX **Auberge Bressane,** 14 r. 28-Juin-1944 ☎ 38.07.42 – AE ⓓ BY **s**
SC : **R** 48/160.

XX **Pierre,** 7 r. Dufour ☎ 38.14.23 BZ **n**
fermé 1er au 15 juil., 1er au 15 janv., dim. soir et lundi – SC : **R** 33/63 ♨.

XX **Rocher de Cancale,** 393 quai J.-Jaurès ☎ 38.07.50 BZ **r**
fermé 9 au 16 juin, 5 au 31 janv., dim. soir et lundi – SC : **R** 39/120.

Rive gauche à St-Laurent (Ain) Est du plan – ✉ **01620** St-Laurent :

Beaujolais, 7 pl. République ☎ 38.42.06 – ⋒. ✻ BZ **a**
fermé 15 au 30 sept., 20 déc. au 3 janv. et dim. sauf juil. à sept. – SC : **R** (dîner pour résidents seul.) 28/48 ♨ – ☕ 9,50 – 16 ch 53/60.

XX **Le Saint-Laurent,** 1 quai Bouchacourt ☎ 38.32.03, ← BZ **b**
fermé 15 nov. au 15 déc., mardi soir et merc. – SC : **R** 35/110.

par ① : **4 km N 6** – ✉ **71000** Mâcon :

Motel La Vieille Ferme, ☎ 38.46.93, ←, ⛱, ⛟ – ⇔wc ☎ ♿ Ⓟ – 🎤 30. ⓓ. ✻
SC : **R** 48/115 – ☕ 13 – 32 ch 155/195.

sur rte de Bourg-en-Bresse par ② : **4,5 km** – ✉ **01750** Replonges (01 Ain) :

La Huchette Ⓜ, N 79 ☎ 38.53.55, Télex 800787, ←, parc, « Décor élégant », ⛱ – TV ♿ Ⓟ. AE GB ⓓ E. ✻ ch
SC : **R** 90/180 – ☕ 22 – **12 ch** 180/240.

A l'Échangeur A6-N6 de Mâcon Nord **7 km** par ① – ✉ **71000** Mâcon :

Novotel Ⓜ, ☎ 37.00.80, Télex 800869, ⛱ – ▤ rest TV ⇔wc ☎ ♿ Ⓟ – 🎤 30 à 150. AE GB ⓓ
R snack carte environ 65 – ☕ 18,50 – **106 ch** 200/215.

de la Tour, ☎ 37.02.70 – ⋒wc Ⓟ
18 ch.

sur autoroute A6 (aire de St-Albain) N : par ① : **14 km** – ✉ **71260** Lugny :

Sofitel Ⓜ, ☎ 38.16.17, Télex 800881, ⛱, ⛟ – |♦| ▤ TV ☎ ♿ Ⓟ – 🎤 40 à 80. AE GB ⓓ E
SC : **R** grill (dîner seul.) carte environ 75 – ☕ 25 – **98 ch** 220/310.

Voir aussi ressources hôtelières de : ***Fuissé*** par ④ : 8 km, ***Romanèche-Thorins*** par ③ : 17 km, ***Vonnas*** par ② : 19 km, ***Thoissey*** par D 51 : 16 km.

MICHELIN, Agence, r. d'Ozenay, Z.I. Sud ☎ **39.19.25**

AUSTIN, MORRIS, TRIUMPH Bois, 39 r. Lacretelle ☎ 38.64.31
BMW, LANCIA-AUTOBIANCHI Favède, 20 r. Lacretelle ☎ 38.46.05
CITROEN Ferret, 89 rte Lyon ☎ 38.83.55 **N** ☎ 38.33.50
CITROEN Gar. Central, 62 r. de Lyon ☎ 38.01.74
FIAT, MERCEDES-BENZ Duval, 53 rte de Lyon ☎ 38.33.50 **N**
FORD Corsin, 25 r. de Lyon ☎ 38.73.33
OPEL, VOLVO Gar. Chauvot, rte Lyon N 6 ☎ 39.30.31
PEUGEOT Gounon, 20 r. J.-Mermoz, Zone Ind. des Bruyères ☎ 39.16.66
RENAULT Succursale, Carr. Europe ☎ 38.25.50
TALBOT Gar. du Nord, N 6, Km 400 ☎ 38.04.13
Gar. Alloin, pl. St-Clément ☎ 34.25.55

Ⓜ Gouillardon-Gaudry, 71 rte Lyon ☎ 38.29.68
Guillaud, 9 av. Mon Repos ☎ 38.10.47
La Maison du Pneu, 4 quai des Marans ☎ 38.32.21

Périphérie et environs

PEUGEOT Romand, N 6 à Crèches-sur-Saône ☎ 37.11.37
RENAULT Perrin, N 6 à Crèches-sur-Saône ☎ 37.12.61
RENAULT Raffanel, N 6 à Crèches-sur-Saône ☎ 37.11.61

La MADELAINE-SOUS-MONTREUIL 62 P.-de-C. 51 ⑫ – rattaché à Montreuil.

La MADRAGUE-DE-MONTREDON 13 B.-du-R. 84 ⑬ – rattaché à Marseille.

MAFFLIERS 95 Val d'Oise 55 ⑳, 96 ⑦ – 833 h. alt. 160 – ✉ 95560 Montsoult – ⛳ 3.

Paris 31 – Beaumont-sur-Oise 11 – Beauvais 47 – Pontoise 22 – Senlis 34.

Novotel Château de Maffliers Ⓜ ⛰, ☎ 473.93.05, Télex 695701, ←, parc, ⛱, 🎾 – ▤ rest TV ☎ ♿ Ⓟ – 🎤 25 à 80. AE GB ⓓ
R snack carte environ 65 – ☕ 20 – **80 ch** 210/225.

MAGAGNOSC 06 Alpes-Mar. 84 ⑧ – rattaché à Grasse.

MAGESCQ 40 Landes 78 ⑯ – 1 111 h. alt. 25 – ✉ **40140** Soustons – ⚙ 58.

Paris 698 – Castets 13 – Dax 17 – Mont-de-Marsan 65 – St-Vincent-de-Tyrosse 17 – Soustons 10.

- **Relais de la Poste** (Coussau) M, ☎ 57.70.25, parc, – rest – – 40. AE. ch
fermé 12 nov. au 22 déc., lundi soir et mardi midi sauf juil. et août – SC : **R** (week-ends et saison - prévenir) 110/160 et carte – 15 – **15 ch** 70/160
Spéc. Sole aux cèpes, Foie gras de canard aux raisins, Gibier (en saison). Vins Tursan, Madiran.
- XX **Le Cabanon,** N : 0,8 km sur N 10 ☎ 57.71.51, « Demeure landaise rustique » – . AE E
fermé oct., mardi soir et merc. hors sais. – SC : **R** 78/250.

MAGLAND 74 H.-Savoie 74 ⑦⑧ – rattaché à Cluses.

MAGNAC-BOURG 87 H.-Vienne 72 ⑱ – 968 h. alt. 453 – ✉ **87380** St-Germain-les-Belles – ⚙ 55.

Paris 423 – •Limoges 29 – St-Yrieix-la-Perche 28 – Uzerche 27.

- **Midi,** N 20 ☎ 00.80.13 – wc .
fermé 15 janv. au 15 fév. et lundi – SC : **R** 38/80 – 11 – 12 ch 50/90 – P 130.
- **Voyageurs,** N 20 ☎ 00.80.36 – .
fermé 4 au 25 juin et sam. sauf vacances scolaires et fêtes – SC : **R** 40/100 – 10 – 10 ch 40/80.
- XX **Aub. Étang** M avec ch, ☎ 00.81.37, – wc . GB
fermé 10 fév. au 10 mars, dim. soir et lundi hors sais. – SC : **R** 30/110 – 10 – 15 ch 50/100 – P 100/135.

au SE : 6 km sur N 20 – ✉ **87380** St-Germain-les-Belles :

- XX **Tison d'Or** avec ch, ☎ 71.84.78 – wc wc .
fermé 1er au 15 fév. et merc. – SC : **R** *(fermé merc. hors sais.)* 30/150 – 10 – 10 ch 47/90 – P 160/220.

CITROEN Siauve, ☎ 00.80.39
RENAULT Bessaudou, ☎ 00.81.75

MAGNY-COURS 58470 Nièvre 69 ③④ – rattaché à Nevers.

MAGNY-EN-VEXIN 95420 Val-d'Oise 55 ⑱⑲, 96 ③ **G. Environs de Paris** (plan) – 4 560 h. alt. 75 – ⚙ 3.

Voir Fonts baptismaux★ de l'église – SO : Vallée de l'Aubette★.

18 de Villarceaux ☎ 467.73.83 SO : 9 km.

Paris 63 – Beauvais 47 – Gisors 16 – Mantes-la-Jolie 22 – Pontoise 27 – •Rouen 64 – Vernon 28.

- X **Cheval Blanc,** r. Carnot ☎ 467.00.37 – GB
fermé août, merc. et le soir sauf sam. et dim. – SC : **R** 70.

CITROEN Gar. de la Place d'Armes, ☎ 467.00.70
Blasquez, ☎ 467.01.86

MAICHE 25120 Doubs 66 ⑱ **G. Jura** – 4 651 h. alt. 775 – ⚙ 81.

Paris 484 – •Bâle 102 – Belfort 60 – •Besançon 75 – Montbéliard 42 – Pontarlier 60.

- **Panorama** M, Côteau St-Michel ☎ 64.04.78, ≤ – wc wc – 40.
fermé 1er au 20 nov., 5 au 20 janv., dim. soir et lundi d'oct. à Pâques sauf vacances scolaires – SC : **R** 50/130 – 13 – 32 ch 110/155 – P 140/165.

CITROEN Cartier, ☎ 64.01.75
PEUGEOT Gar. Glasson, ☎ 64.00.12
RENAULT Gar. Punkow, ☎ 64.13.38 N ☎ 64.19.59
TALBOT Gar. Boibessot, ☎ 64.09.21
TOYOTA Schell, ☎ 64.08.73

MAILLANE 13 B.-du-R. 81 ⑪⑫ – rattaché à St-Rémy-de-Provence.

MAILLY-LE-CAMP 10230 Aube 61 ⑦ – 2 647 h. alt. 120 – ⚙ 25.

Paris 155 – Châlons-sur-Marne 34 – Épernay 60 – Sézanne 44 – Troyes 44 – Vitry-le-François 35.

- **St-Eloi,** rte Nationale ☎ 37.30.04 – .
fermé 25 déc. au 1er fév., dim. soir et lundi midi – SC : **R** 28/38 – 10 – **19 ch** 38/55.

MAILLY-LE-CHÂTEAU 89590 Yonne 65 ⑤ **G. Bourgogne** – 489 h. alt. 170 – ⚙ 86.

Voir ≤★ de la terrasse.

Paris 204 – Auxerre 39 – Avallon 30 – Clamecy 22 – Cosne-sur-Loire 73.

- **Le Castel**, pl. Église ☎ 40.43.06, – wc wc . E
fermé janv. et merc. du 1er oct. au 1er mars – SC : **R** 55/85 – 12 – 12 ch 90/125 – P 130/165.

Les MAILLYS 21890 Côte-d'Or 66 ⑬ – rattaché à Auxonne.

MAINTENON 28130 E.-et-L. 60 ⑧, 96 ㉒ **G. Environs de Paris** – 3 314 h. alt. 120 – 37.
Voir Château★, ≤★ du parterre – Aqueduc★.
Paris 77 – Chartres 19 – Dreux 25 – Étampes 55 – Mantes 57 – Rambouillet 23.

Aqueduc, av. Gén.-de-Gaulle ☎ 27.60.05, parc – wc ☎ P – 40. AE GB E
fermé fév. et lundi sauf fériés – SC : **R** (dim. prévenir) 44/95 – 12,50 – **18 ch** 36/118.

PEUGEOT Lagnier, ☎ 27.50.15 RENAULT Gar. du Château, ☎ 23.00.67

MAISOD 39 Jura 70 ⑭ **G. Jura** – 133 h. alt. 521 – ✉ **39260** Moirans-en-Montagne – 84.
Voir Belvédère du Regardoir ≤★ SE : 4 km, puis 15 mn.
Paris 437 – Bourg-en-Bresse 78 – Lons-le-Saunier 31 – Nantua 48 – St-Claude 30.

Relais du Lac avec ch, ☎ 42.00.34 – P
fermé 15 au 31 oct., 1er au 8 fév. et merc. – **R** 30/65 – 8 – 5 ch 38/42 – P 90.

MAISON-DU-ROY 05 H.-Alpes 77 ⑱ – rattaché à Guillestre.

MAISON-JEANNETTE 24 Dordogne 75 ⑤ – ✉ **24140** Villamblard – 53.
Paris 503 – Bergerac 23 – Périgueux 24 – Vergt 11.

Tropicana, ☎ 82.98.31 – wc ☎ P.
1er mars-30 nov. – SC : **R** 33/125 – 9,50 – **19 ch** 65/120 – P 120/150.

MAISON NEUVE 07 Ardêche 80 ⑧ – rattaché à Lablachère.

MAISON-NEUVE 16 Charente 72 ⑭ – rattaché à Angoulême.

MAISONS-ALFORT 94 Val-de-Marne 61 ①, 101 ㉗ – voir à Paris, Proche banlieue.

MAISONS-LAFFITTE 78 Yvelines 55 ⑳, 101 ⑬ – voir à Paris, Proche banlieue.

MAIZIÈRES-LÈS-METZ 57 Moselle 57 ④ – rattaché à Metz.

MALAY-LE-PETIT 89160 Yonne 61 ⑭ – rattaché à Sens.

MALBUISSON 25160 Doubs 70 ⑥ **G. Jura** – 343 h. alt. 900 – 81.
Voir Lac de St-Point★ – Syndicat d'Initiative Lac de St.-Point (Pâques, Pentecôte, 15 juin-15 sept. et fermé dim. après-midi) ☎ 89.31.21.
Paris 468 – ♦Besançon 74 – Champagnole 40 – Pontarlier 16 – St-Claude 73 – Salins-les-Bains 49.

Le Lac, ☎ 89.31.69, Télex 360713, ≤, – P.
fermé 12 au 31 janv. et 9 au 20 mars – SC : **R** 35/150 – 12 – 56 ch 60/160 – P 130/155.

Les Terrasses, ☎ 89.30.24, ≤, – wc wc ☎ P. rest
fermé 1er au 15 mars, du 5 nov. au 1er fév., dim. soir et lundi hors sais. – SC : **R** 60/135 – 16 – **26 ch** 80/140 – P 120/185.

Belle-Vue, ☎ 89.30.89, – wc P. rest
1er avril-1er nov. et 15 déc.-1er mars – SC : **R** 35/60 – 9 – 16 ch 45/85 – P 75/99.

Bon Accueil, ☎ 89.30.58, – wc wc P. rest
fin mars-1er nov., 20 déc.-5 janv. et fin janv.-début mars – SC : **R** 32/58 – 9 – **16 ch** 48/78 – P 84/100.

La Fuvelle sans rest, ☎ 89.30.12 – wc wc ☎ P
20 mars-fin oct. et 15 déc.-10 mars – SC : 10 – **14 ch** 40/85.

Aub. Poste, ☎ 89.31.72 – wc wc
fermé 15 nov. au 15 déc. et mardi hors sais. – SC : **R** 32/60 – 10 – **9 ch** 75 – P 85/100.

aux Granges-Ste-Marie SO : 2 km par D 437 – ✉ **25160** Malbuisson :

Pont, ☎ 89.30.90, ≤, – wc ☎ P.
15 mai-15 oct., 15 déc.-30 avril et fermé dim. soir et lundi sauf de juin à oct. – SC : **R** 45/90 – 12 – **24 ch** 45/130 – P 100/130.

Garage Thomet, ☎ 89.30.62

La MALÈNE 48 Lozère 80 ⑤ **G. Causses** – 232 h. alt. 452 – ✉ **48210** Ste-Enimie – 66.
Voir O : les Détroits★★ et cirque des Baumes★★ (en barque).
Paris 600 – Florac 41 – Mende 41 – Millau 42 – Séverac-le-Ch. 32 – Le Vigan 81.

Manoir de Montesquiou, ☎ 48.51.12, ≤, « Belle demeure du 15e siècle », – wc wc ☎ P. rest
29 avril-30 sept. – SC : **R** carte 100 à 140 – 17 – 10 ch 180.

au Château de la Caze ★ NE : 5,5 km sur D 907 bis – ✉ **48210** Ste-Enimie :

✿ **Château de la Caze** ⛫, ☎ 48.51.01, Parc, « Château du 15ᵉ s. au bord du Tarn, jardin » – TV Ⓟ. AE GB ⓓ. ✗ rest
1er mai-30 sept. – SC : **R** *(fermé mardi hors sais.)* carte 170 à 230 – ☕ 16 – 13 ch 220/290.
A la Ferme, ≤ Château – SC : 6 ch 300.
Spéc. Truite soubeyrane, Ecrevisses, Caneton. **Vins** Hermitage, Chante-Alouette

MALESHERBES 45330 Loiret 61 ⑪ **G. Environs de Paris** – 3 854 h. alt. 140 – ⚙ 38.
Paris 82 – Étampes 27 – Fontainebleau 27 – Montargis 49 – ♦Orléans 61 – Pithiviers 19.

Écu de France, pl. Martroi ☎ 34.87.25 – Ⓟ. GB
fermé 4 au 14 août et 29 janv. au 10 fév. – SC : **R** *(fermé jeudi)* 35/80 – ☕ 11 – **12 ch** 45/85 – P 95/130.

CITROEN Amant, ☎ 34.84.56
PEUGEOT Thomas Michel, ☎ 34.81.43
RENAULT Gar. Central, ☎ 34.80.40
Gar. Thomas Marcel, ☎ 34.81.41

MALICORNE-SUR-SARTHE 72270 Sarthe 64 ② **G. Châteaux de la Loire** – 1 733 h. alt. 39 – ⚙ 43.
Paris 237 – Château-Gontier 51 – La Flèche 16 – Laval 62 – ♦Le Mans 32 – Sablé-sur-Sarthe 20.

XX **Petite Auberge,** au pont ☎ 94.80.52.

à Dureil NO : 6 km par D 8 et VO – ✉ **72270** Malicorne-sur-Sarthe :

XX **Aub. des Acacias,** ☎ 95.34.03 – Ⓟ. GB
fermé 17 août au 5 sept., dim. soir et lundi – SC : **R** 50/100.

MALMAISON 92 Hauts-de-Seine 55 ⑳, 96 ⑯ – voir Paris Proche banlieue (Rueil).

MALO-LES-BAINS 59 Nord 51 ④ – rattaché à Dunkerque.

MALVAL (Col de) 69 Rhône 73 ⑲ – rattaché à Vaugneray.

MALVAUX 90 Ter.-de-Belfort 66 ⑧ – rattaché à Giromagny.

MALVILLE 38 Isère – ✉ **38510** Morestel – ⚙ 74.
Paris 497 – Bourg-en-Bresse 63 – ♦Grenoble 81 – ♦Lyon 64 – Morestel 9.

Aub. Le Couray ⛫, ☎ 80.13.99, ≤, – wc wc ☎ Ⓟ.
fermé 24 déc. au 4 janv., sam. soir et dim. de nov. à fév. – SC : **R** 42/90 – ☕ 12 – **23 ch** 95/124 – P 130/180.

MALZEVILLE 54 M.-et-M. 62 ⑤ – rattaché à Nancy.

MAMERS ⟨SP⟩ 72600 Sarthe 60 ⑭ **G. Normandie** – 6 815 h. alt. 128 – ⚙ 43.
Syndicat d'Initiative 9 r. Ledru-Rollin (fermé matin, sam. hors sais., dim. et fêtes) ☎ 97.60.63.
Paris 194 ① – Alençon 25 ⑤ – ♦Le Mans 45 ④ – Mortagne 24 ① – Nogent-le-Rotrou 37 ②.

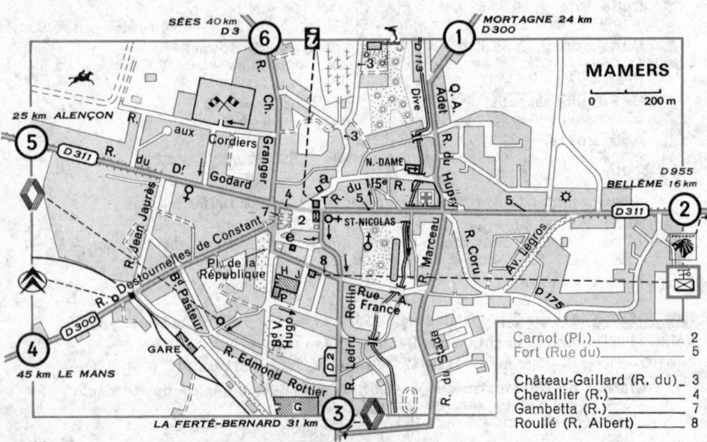

Espagne sans rest, 37 pl. Carnot **(a)** ☎ 97.60.08, – wc . GB.
fermé 5 au 25 janv. – SC : 12 – **12 ch** 48/165.

Bon Laboureur avec ch, 1 r. P.-Bert **(e)** ☎ 97.60.27 – . GB
fermé 1er au 15 janv. et vend. soir hors sais. – SC : **R** 38/90 – 12 – **8 ch** 40/90 – P 95/120.

au Perrou (61 Orne) par ② : 6 km – ✉ **61360** Pervenchères – 33 :

Petite Auberge, ☎ 33.11.34, –
fermé Noël-Jour de l'An et mardi – SC : **R** 27/85.

CITROEN Autos du Saosnois, 103 rte du Mans ☎ 97.60.17
PEUGEOT Gar. du Saosnois, rte de Bellême à Suré ☎ 97.64.92
RENAULT Foullon-Dragon Le Magasin à St Rémy-des-Monts ☎ 97.63.03
RENAULT Leblond, 22 r. Rosette ☎ 97.60.45

MANCIET **32** Gers **82** ③ – rattaché à Eauze.

MANDELIEU **06210** Alpes-Mar. **84** ⑧, **195** ㉞㊲ **G. Côte d'Azur** – 10 277 h. alt. 15 à 120 – 93.

Voir N : Route de Mandelieu ≤★★.

Golf-Club de Cannes-Mandelieu ☎ 49.95.39 S : 2 km.

Office de Tourisme av. Cannes (fermé sam. après-midi hors sais. et dim. sauf après-midi en saison) ☎ 49.14.39.

Paris 897 – Brignoles 87 – Cannes 8 – Draguignan 54 – ♦Nice 38 – St-Raphaël 32.

Sant'Angelo sans rest, av. Mer ☎ 49.28.23, ≤, – cuisinette wc
.
SC : **26 ch** 158/170, 7 appartements 290/370.

Pavillon des Sports Matringe avec ch, N 7 ☎ 49.50.86 – wc .
fermé 1er nov. au 20 déc. – SC : **R** *(fermé dim. hors sais.)* 65/100 – 12 – **14 ch** 80/150.

au Sud-Ouest : 5,5 km par N 7 et voie privée – ✉ **06210** Mandelieu :

Logis de Sant'Estello, ☎ 49.54.54, « Mas provençal dans un vaste domaine, », – – 60. AE
SC : **R** 72/120 – 10 – 19 ch 162 – P 220/250.

Voir aussi ressources hôtelières de ***La Napoule*** S : 3 km

RENAULT Ohio-Gar., rte de Fréjus, N 7 ☎ 49.93.89

MANE **31** H.-Gar. **86** ② – 1 036 h. alt. 320 – ✉ **31260** Salies-du-Salat – 61.

Paris 784 – St-Gaudens 24 – St-Girons 22 – ♦Toulouse 78.

France, ☎ 90.54.55 – – 80.
fermé oct. – SC : **R** 30 bc/45 – 8 – 20 ch 42/75 – P 78/85.

ALFA-ROMEO, RENAULT Gar. Lagard, ☎ 90.54.57

MANERBE **14** Calvados **55** ⑬ – rattaché à Lisieux.

MANIGOD **74** H.-Savoie **74** ⑦ – 508 h. alt. 950 – ✉ **74230** Thônes – 50.

Voir Vallée de Manigod★★, **G. Alpes.**

Syndicat d'Initiative à la Mairie (fermé sam. et dim. hors saison) ☎ 02.05.10.

Paris 563 – Albertville 40 – Annecy 26 – Bonneville 38 – La Clusaz 18 – Megève 38 – Thônes 6.

Chalet H. Croix Fry , rte du Col 1,5 km ☎ 02.05.06, ≤, , , – wc wc . rest
15 mai-15 oct. et 16 déc.-Pâques – SC : **R** 50/85 – 13 – **15 ch** 130/170 – P 155/180.

Aub. de l'Eridan avec ch, rte Col de la Croix - Fry 5,5 km ☎ 02.05.45, ≤ montagnes, – cuisinette wc ☎ . AE GB
fermé 1er nov. au 20 déc. – SC : **R** 90/210 – 8 chalets 180/200 – P 180/250.

au Col de La Croix-Fry NE : 7 km – ✉ **74230** Thônes :

Rosières , ☎ 02.05.18, ≤ – wc wc
1er juin-30 sept. et 15 déc.-vacances de Pâques – SC : **R** 35/50 – 10 – 17 ch 58/75 – P 92/110.

MANO **40** Landes **78** ③ – 94 h. alt. 63 – ✉ **40410** Pissos – 58.

Paris 611 – Belin 24 – ♦Bordeaux 51 – Castets 80 – Langon 52 – Mont-de-Marsan 69 – Roquefort 63.

Selons sans rest, ☎ 07.71.51 –
15 mai-15 oct. et fermé lundi – SC : 7,50 – **7 ch** 36/41.

MANOSQUE 04100 Alpes-de-H.-P. 81 ⑮ **G. Côte d'Azur** – 19 546 h. alt. 387 – ✪ 92.

Voir Porte Saunerie★ – ≤★ du Mont d'Or NE : 1,5 km – ≤★ de la chapelle St-Pancrace SO : 2 km.

ℹ Office de Tourisme pl. Dr.-P.-Joubert (fermé dim.) ☎ 72.22.61 avec A.C. ☎ 72.16.00.

Paris 771 ③ – Aix-en-Provence 53 ② – Avignon 92 ③ – Digne 58 ① – Grenoble 194 ① – ♦Marseille 85 ②.

MANOSQUE

Grande (R.) 10
Hôtel-de-Ville (Pl. de l') 14
Marchands (R. des) 15

Arthur-Robert (R.) 2
Aubette (R. d') 3
Bret (Bd Martin) 5
Chacundier (R.) 6
Dauphine (R.) 8
Giono (Av. Jean) 9
Guilhempierre (R.) 12
Mirabeau (Bd) 16
Notre-Dame-de-Romigier (⛪) D
Pelloutier (Bd C.) 19
Plaine (Bd de la) 20
Reine-Jeanne (R. de la) 21
République (R. de la) 22
Rousseau (R. J.-J.) 24
St-Lazare (Av.) 25
St-Sauveur (⛪) B
Saunerie (R. de la) 27
Soubeyran (R.) 28
Vraies-Richesses (Montée des) 30

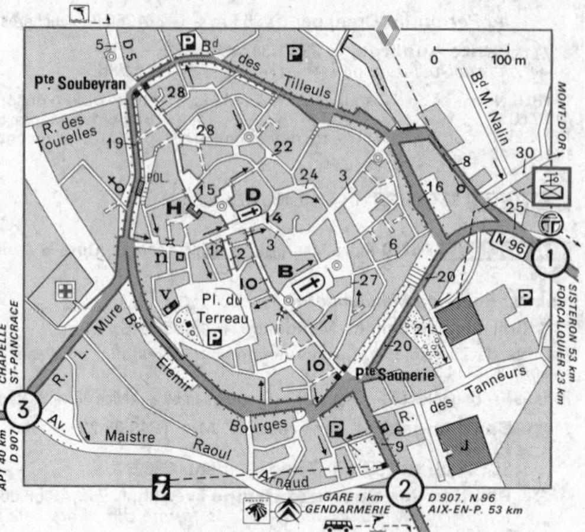

🏨 **Campanile,** ☎ 87.59.00 – 🛁wc Ⓟ. 🚗 GB – par ①
SC : **R** 43 bc/56 bc – ☕ 17 – **30 ch** 130 – P 168/218.

🏨 **François 1er** 🐦 sans rest, 18 r. Guilhempierre **(n)** ☎ 72.07.99 – 🛁wc 🚿wc ☎. 🐕
SC : ☕ 10 – **25 ch** 50/150.

🏨 **Terreau** sans rest, pl. Terreau **(v)** ☎ 72.15.50 – 🛁wc 🚿wc ☎. 🚗. 🐕
1er avril-31 oct. – SC : ☕ 12 – **20 ch** 46/110.

🏨 **Versailles** sans rest, 17 av. Jean-Giono **(e)** ☎ 72.12.10 – 🛁wc 🚿 ☎
SC : ☕ 10 – **18 ch** 50/130.

XXX **Rose de Provence,** rte de Sisteron par ① ☎ 72.02.69, ≤ – Ⓟ
fermé 15 janv. au 15 fév. et mardi – SC : **R** carte 90 à 140.

X **André,** 21 bis pl. Terreau **(v)** ☎ 72.03.09 – ▤
♦ *fermé juin et lundi* – **R** 25/75.

route de Sisteron par ① : 4 km – ✉ **04100** Manosque :

🏨 **Motel des Quintrands** 🐦, ☎ 72.08.86, 🌳 – 🛁wc ☎ ♿ Ⓟ. 🚗
SC : **R** Grill *(fermé nov. et lundi)* carte environ 55 – ☕ 12 – **20 ch** 100/120.

à La Fuste SE : 6,5 km sur D 4 par D 907 – ✉ **04210** Valensole :

XXX ✿ **Host. de la Fuste** (Jourdan) 🐦 avec ch, rte de Barrème ☎ 72.05.95, ≤, « parc » – 📺 🛁wc ☎ Ⓟ – 🏊 50. 🚗 AE GB ⓓ E
fermé 12 nov. au 12 déc., dim. soir et lundi du 15 sept. au 30 juin sauf fériés – SC : **R** (nombre de couverts limité - prévenir) 100/190 – ☕ 25 – 5 ch 170, 6 appartements 280
Spéc. Profiterolles de saumon fumé en chaud et froid, Truite à la nage, Gigot de poulette au gingembre. **Vins** Vignelaure, Château Simone.

à Villeneuve par ① : 9,5 km – ✉ **04130** Volx :

🏨 **Mas St-Yves** 🐦, ☎ 78.42.51, ≤, parc – 🛁wc 🚿 ☎ Ⓟ 🚗 E. 🐕
fermé 20 déc. au 10 janv. – SC : **R** *(fermé lundi midi)* 47/75 – ☕ 11,50 – **12 ch** 86/126 – P 143/160.

CITROEN Alpes de Provence Autom., rte de Marseille ☎ 72.09.94
LANCIA-AUTOBIANCHI, MERCEDES SAPAS, 84 av. J.-Giono ☎ 72.45.32
PEUGEOT Gds Gar. de Manosque, rte de Marseille ☎ 72.04.18 🅽
RENAULT Roubaud, 14 r. Dauphine ☎ 72.06.09
TALBOT Gar. Chomat, N 96, à Ste-Tulle ☎ 78.21.01 🅽

⊕ Meizenq-Pneus, Zone Ind. de Saint-Joseph ☎ 72.36.61
Piot-Pneu, quartier des Ponches, N 96 ☎ 72.08.83
Provence C/c, 30 av. J.-Giono ☎ 72.03.43

Le MANS Ⓟ **72000** Sarthe **60** ⑬, **64** ③ **G. Châteaux de la Loire** – 155 245 h. alt. 51 – ⚙ 43.

Voir Cathédrale** : chevet*** et tour ☼* – **Le Vieux Mans**** : maison de la Reine Bérengère* – Église de la Couture* : Vierge** – Église Ste-Jeanne-d'Arc* BZ – Musée de Tessé* BX **M1** – Musée d'histoire et d'Ethnographie : salles de céramiques* BX **M2** – Abbaye de l'Épau* 4 km par ③ – Musée de l'Automobile* S : 5 km par D 139.

18 ☎ 27.00.36 par ⑤ : 11 km – **Circuit des 24 heures et circuit Bugatti** S : 5 km.

Office de Tourisme 40 pl. République (fermé dim.) ☎ 28.17.22, Télex 720006 - A.C.O. circuit des 24 heures ☎ 84.01.30.

Paris 202 ③ – Angers 89 ⑥ – ◆Le Havre 223 ⑩ – ◆Nantes 178 ⑥ – ◆Rennes 153 ⑧ – ◆Tours 82 ⑤.

LE MANS

Ballon (R.)	V 2
Bertinière (R. de la)	V 7
Bollée (Av. L.)	V 10
Bonnétable (Rte de)	V 12
Brossolette (Bd Pierre)	V 14
Carnot (Bd)	V 16
Clemenceau (Bd)	V 17
Cogner (R. du)	V 18
Cugnot (Bd Nicolas)	V 21
Demorieux (Bd)	V 22
Dr-Mac (Av. du)	V 24
Durand (Av. G.)	V 28
Estienne d'Orves (Bd d')	V 33
Gambetta (R.)	V 38
Géneslay (Av. Félix)	V 39
Grande-Maison (R.)	V 40
Lefaucheux (Bd P.)	V 44
Maillets (R. des)	V 48
Mariette (R. de la)	V 52
Monthéard (Chemin)	V 53
Moulin (Bd Jean)	V 54
Mûriers (R. des)	V 57
Pied-Sec (R. de)	V 59
Polygone (Chemin du)	V 63
Rhin-et-Danube (Av.)	V 64
Riffaudières (Bd des)	V 67
St-Aubin (R.)	V 69
St-Michel (Bd)	V 73
Tironneau (Pl. A.)	V 74

Pour bien lire les plans de villes, voir signes et abréviations p. 20

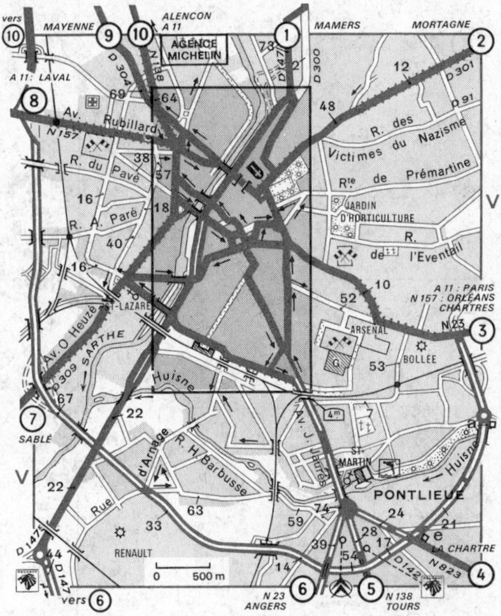

Concorde, 16 av. Gén.-Leclerc ☎ 24.12.30, Télex 720487 – |‡| TV ☎ Ⓟ – 50. AE GB ① E. rest AY **b**
SC : **R** carte 90 à 125 – 20 – **64 ch** 185/215.

✿ **Moderne** Ⓜ, 14 r. Bourg-Belé ☎ 24.79.20 – TV ☎ Ⓟ – 30. AE GB ① BZ **k**
fermé 3 au 23 août – **R** 80/130 (sauf fêtes) – 14 – **33 ch** 170
Spéc. Terrine de caneton aux pistaches, Langouste ou homard grillés, Poulet crème et morilles. **Vins** Quincy, Bourgueil.

Chantecler, 50 r. Pelouse ☎ 24.58.53 – |‡| wc ☎ Ⓟ. AZ **f**
SC : **R** *(fermé dim.)* 39/65 – 11 – **41 ch** 47/130.

Saumon et rest. Savoie, 44 pl. République ☎ 24.03.19 – |‡| wc wc ☎ . . rest ABY **r**
fermé 24 déc. au 3 janv. – SC : **R** *(fermé lundi)* 36/78 – 13,50 – **40 ch** 70/135.

Central sans rest, 5 bd R.-Levasseur ☎ 24.08.93 – |‡| wc wc ☎ – 25 à 100. AE GB ① BY **d**
SC : 10 – **50 ch** 70/135.

L'Escale sans rest, 72 r. Chanzy ☎ 84.55.92 – |‡| wc wc ☎ Ⓟ – 30. GB ① BZ **u**
SC : 10 – **47 ch** 50/95.

Anjou sans rest, 27 bd Gare ☎ 24.90.45 – |‡| wc wc ☎ Ⓟ. GB AZ **s**
SC : 10 – **13 ch** 68/100.

Commerce sans rest, 41 bd Gare ☎ 24.85.40 – wc wc ☎ . GB ① E AZ **r**
SC : 10 – **31 ch** 55/96.

Étoile sans rest, 19 r. Gougeard ☎ 81.98.23 – wc ☎ Ⓟ. GB BY **v**
fermé 4 au 26 août – SC : 12 – **12 ch** 55/120.

Rennes sans rest, 43 bd Gare ☎ 24.86.40 – wc ☎ Ⓟ. GB. AZ **h**
SC : 10 – **22 ch** 54/126.

Suède sans rest, 91 av. Gén.-Leclerc ☎ 24.74.69 – ☎ AZ **e**
fermé dim. – SC : 9 – **15 ch** 38/65.

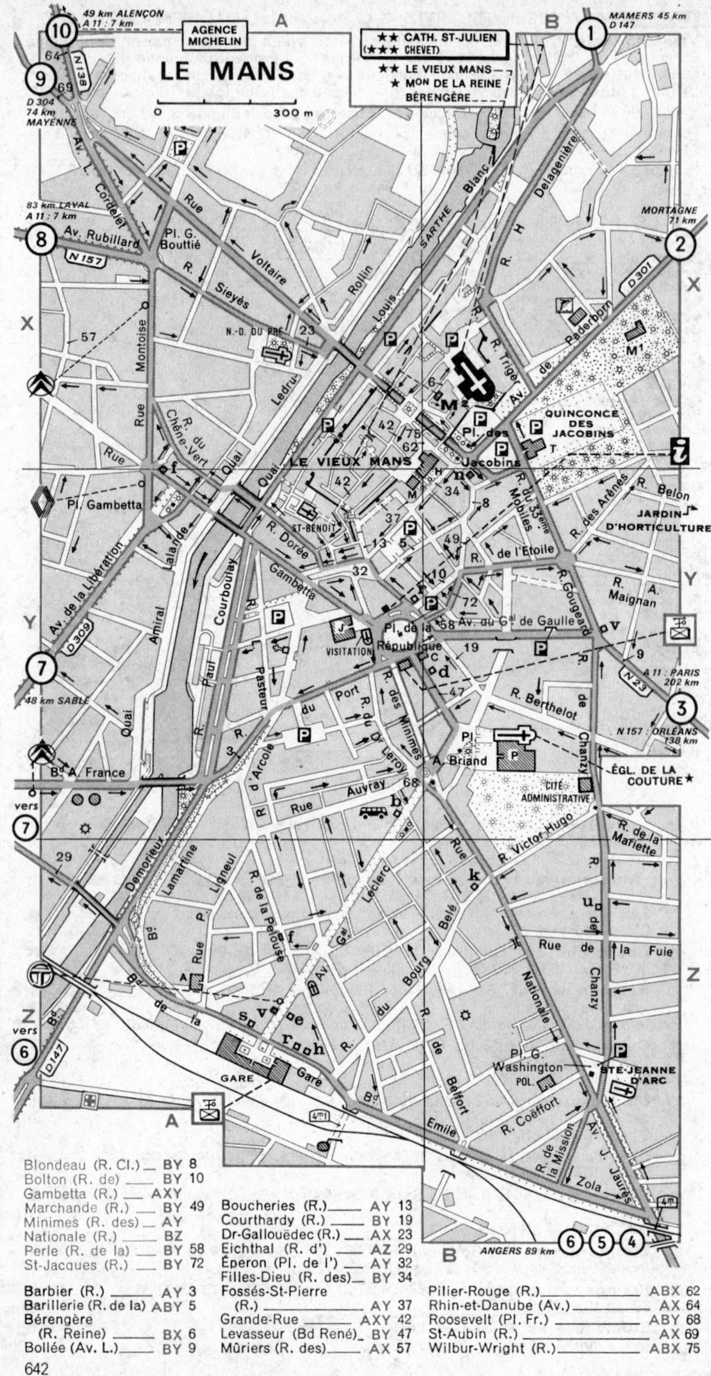

- Blondeau (R. Cl.) BY 8
- Bolton (R. de) BY 10
- Gambetta (R.) AXY
- Marchande (R.) BY 49
- Minimes (R. des) AY
- Nationale (R.) BZ
- Perle (R. de la) BY 58
- St-Jacques (R.) BY 72

- Barbier (R.) AY 3
- Barillerie (R. de la) ABY 5
- Bérengère (R. Reine) BX 6
- Bollée (Av. L.) BY 9
- Boucheries (R.) AY 13
- Courthardy (R.) BY 19
- Dr-Gallouëdec (R.) AX 23
- Eichthal (R. d') AZ 29
- Éperon (Pl. de l') AY 32
- Filles-Dieu (R. des) BY 34
- Fossés-St-Pierre (R.) AY 37
- Grande-Rue AXY 42
- Levasseur (Bd René) BY 47
- Mûriers (R. des) AX 57
- Pilier-Rouge (R.) ABX 62
- Rhin-et-Danube (Av.) AX 64
- Roosevelt (Pl. Fr.) ABY 68
- St-Aubin (R.) AX 69
- Wilbur-Wright (R.) ABX 75

XX **La Grillade,** 1 bis r. C.-Blondeau ☎ 24.21.87 – GB — BY **n**
fermé 1er au 10 août et sam. – SC : **R** 55/132 ♨.

XX **Calandre,** 94 r. Gambetta ☎ 24.10.15 — AXY **f**
fermé fév. – **R** (déj. seul.) carte 65 à 100.

X **Renaissance,** 114 av. Gén.-Leclerc ☎ 24.98.38 – GB — AZ **v**
fermé août, dim. soir et lundi – SC : **R** 45/105 ♨.

au Sud-Est – ✉ **72100** Le Mans :

Novotel M, bd R.-Schumann par av. Bollée et Rocade Sud ☎ 85.26.80, Télex 720706, ⛱, 🌳 – |♦| ≡ rest TV ☎ ♿ P – 🏛 250. AE GB ⓓ — V **a**
R snack carte environ 65 ♨ – ☕ 20 – **94 ch** 175/205.

Minimote, r. Clément Marot par av. J.-Jaurès et av. Dr. Mac ☎ 86.14.14 – ⛀wc ☎ P. 🚗 AE GB ⓓ. ✗ rest — V **e**
SC : **R** *(fermé dim.)* 37/48 ♨ – ☕ 14 – **49 ch** 120/150 – P 136/178.

par ③ rte de l'Eventail : 4 km – ✉ **72000** Le Mans :

La Pommeraie ⛰ sans rest, ☎ 85.13.93, 🌳 – ⛀ ⛆wc ☎ P. 🚗
SC : ☕ 11 – **34 ch** 40/100.

par ⑧ sur N 157 : 4 km – ✉ **72000** Le Mans :

XX **Aub. de la Foresterie,** rte de Laval ☎ 28.69.92 – P. GB
fermé sam. midi, dim. soir et lundi – SC : **R** 45/95.

à Changé par ③ et D 152 : 7 km – 3 807 h. – ✉ **72560** Changé :

XX **Cheval Blanc,** pl. Église ☎ 22.02.62 – ✗.
fermé août et merc. – SC : **R** 40/75, dîner sur commande.

à Arnage par ⑥ et N 23 : 9 km – ✉ **72230** Arnage :

XX **Aub. des Matfeux,** ☎ 21.10.71, 🌳 – P. AE GB ⓓ E
fermé du 2 au 14 août, janv., dim. soir et lundi – SC : **R** 65/140.

à Savigné-l'Évêque par ② : 12 km – ✉ **72460** Savigné-l'Évêque :

Floréal (annexe Résidence St-Edmond), ☎ 27.50.19 – ⛀wc ⛆wc ☎ 🚗 P – 🏛 500. GB
SC : **R** *(fermé août, dim. soir et fériés)* 38/95 – ☕ 12 – **35 ch** 58/190.

XX **Escargot Fleuri,** ☎ 27.50.33 – GB
fermé lundi – SC : **R** 36/88.

MICHELIN, Agence, 14 r. Thomas-Edison, par ⑩ ☎ 24.70.90

ALFA-ROMEO Gueguen et Rivière, 19 r. R.-Persigand ☎ 84.33.61
AUDI-VOLKSWAGEN Robineau, r. L.-Breguet, Zone Ind. Sud ☎ 84.60.39 N ☎ 85.66.99
AUSTIN, JAGUAR, MORRIS, ROVER, TRIUMPH Geneslay-Autos, 108 av. F.-Geneslay ☎ 84.32.74
BMW Le Mans-Sud-Auto, Zone Ind., rte d'Allonnes ☎ 84.54.60 N ☎ 85.66.99
CITROEN Succursale, bd P.-Lefaucheux, Zone Ind. Sud ☎ 84.20.90
CITROEN Coeffe, 147 av. F.-Geneslay ☎ 84.25.82
CITROEN Loinard, 49 bd A.-France ☎ 28.12.84
CITROEN Morin, 85 r. Montoise ☎ 28.17.88
FIAT SADAM, 186 av. O.-Heuzé ☎ 24.13.82
FORD Gar. Leseul, bd P.-Lefaucheux, Zone Ind. Sud ☎ 84.61.70
LADA, SKODA Gar. Droguet, 17 r. J.-Macé ☎ 84.15.45
OPEL-G.M. Le Mans-Autos 24, Zone Ind., rte d'Allonnes ☎ 84.54.60 N ☎ 85.66.99
PEUGEOT Gds Gar. de la Sarthe, bd P.-Lefaucheux, Zone Ind. Sud ☎ 86.06.80
PEUGEOT Cheron, 125 av. G.-Durand ☎ 84.05.99
RENAULT Succursale, 1 place Gambetta ☎ 85.05.00
TALBOT Gar. de la Gare, 100 av. Gén.-Leclerc ☎ 24.72.50
TOYOTA Charpentier, 153 av. L.-Bollée ☎ 84.41.74
VOLVO Gar. du Rond Point, 20 bis r. Barbier ☎ 24.34.18

⊛ Harisson-Caboulet, 74 r. Bourg-Belé ☎ 24.57.90
Jambie-Pneus, 26 av. O.-Heuzé ☎ 24.75.82
Le Mans-Pneus, 25 r. Barbier ☎ 28.16.85
Le Royal, 6 pl. Gambetta ☎ 24.27.74
Séhébiague, 25 av. J.-Jaurès ☎ 84.40.81

MANSLE 16230 Charente 72 ③④ – 1 664 h. alt. 60 – ✪ 45.

Paris 417 – Angoulême 26 – Cognac 55 – ♦Limoges 92 – Poitiers 84 – St-Jean-d'Angély 60.

Trois Saules ⛰, à St-Groux NO : 2,5 km ☎ 20.31.40, parc – ⛆wc ☎ P. GB
fermé 15 fév. au 1er mars, dim. soir et lundi midi hors sais. – **R** 28/60 – ☕ 9 – **10 ch** 60/83 – P 95/105.

CITROEN Croizard-Brillat, ☎ 20.20.97 N ☎ 20.33.16
PEUGEOT Gar. Central, ☎ 20.20.06
TALBOT Gar. Guilment, ☎ 20.30.31 N

MANTES-LA-JOLIE SP 78200 Yvelines 55 ⑱, 96 ⑫⑬ G. Environs de Paris – 42 564 h., Mantes-la-Ville : 16 710 h. alt. 34 – ✪ 3 – **Voir Église N.-Dame★.**

18 ; 18 du Prieuré à Sailly-en-Vexin ☎ 476.70.12 par ① : 12 km.

Office de Tourisme (fermé dim.) avec T.C.F. pl. Jean-XXIII ☎ 477.10.30.

Paris 60 ③ – Beauvais 69 ① – Chartres 83 ⑤ – Évreux 44 ⑥ – ♦Rouen 81 ⑥ – Versailles 44 ③.

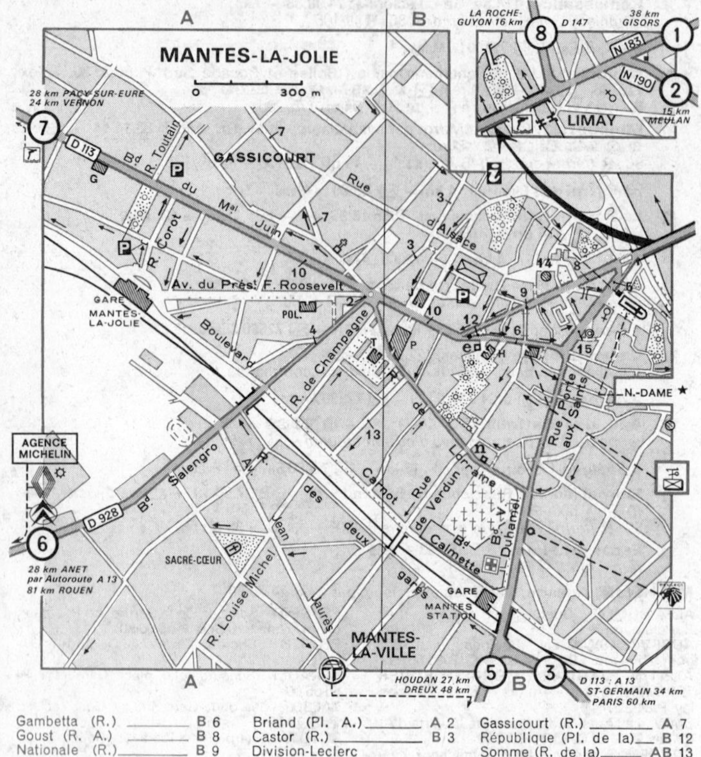

Gambetta (R.) .... B 6
Goust (R. A.) .... B 8
Nationale (R.) .... B 9
Porte-aux-Saints (R. de la) B
République (Av.) .... B 10

Briand (Pl. A.) .... A 2
Castor (R.) .... B 3
Division-Leclerc (Av. de la) .... A 4
Étape (Pl. de l') .... B 5

Gassicourt (R.) .... A 7
République (Pl. de la) .... B 12
Somme (R. de la) .... AB 13
St-Maclou (Pl.) .... B 14
Thiers (R.) .... B 15

Les Glycines, 6 bis r. Lorraine ☎ 477.04.13 – wc ☎ P – B **n**
fermé du 10 au 31 août, du 1er au 8 fév. et dim. – **R** carte 85 à 135 – ☕ 18 – **10 ch** 65/110.

Commerce sans rest, 11 pl. République ☎ 477.00.17 – wc B **e**
SC : ☕ 10 – **20 ch** 40/90.

à Senneville par ③ et D 158 : 6 km – ✉ **78930** Guerville :

XX **Aub. de Senneville,** ☎ 476.63.02
fermé août, vacances scolaires de fév., mardi et dim. le soir – SC : **R** carte 90 à 110.

à St-Martin-la-Garenne par ⑧ et D 147 : 6 km – ✉ **78200** Mantes-la-Jolie :

X **Aub. St-Martin,** rte de Mantes ☎ 478.16.02 – GB
fermé 3 au 21 août et lundi – SC : **R** 55/70.

MICHELIN, Agence, Z.A.C. des Brosses, r. des Graviers à Magnanville par ⑥ ☎ **477.00.53**

AUDI-VOLKSWAGEN S.E.A.M.A., 24 rte de Houdan à Mantes-la-Ville ☎ 477.11.57
CITROEN Nord-Ouest Auto, 87 bd Salengro à Mantes-la-Ville ☎ 477.04.30
FIAT Gar. de L'Avenue, 4 r. de la Somme ☎ 477.13.53
FORD Gd Gar. Chantereine, 2 r. Chantereine à Mantes-la-Ville ☎ 477.31.75
PEUGEOT Sté Mantaise d'Automobiles, 13 bd Duhamel ☎ 477.08.27 N ☎ 094.03.26

RENAULT Succursale, r. de l'Ouest à Mantes la Ville ☎ 477.25.53
TALBOT Méresse, 51 rte Houdan à Mantes la Ville ☎ 477.12.98

Bertault, 45 r. des Martraits ☎ 477.11.88
Marsat-Au Service du Pneu, 141 bd Mar.-Juin ☎ 094.07.40

MANTHELAN 37 I.-et-L. 68 ⑤ – 1 100 h. alt. 106 – ✉ 37240 Ligueil – ⚙ 47.

Paris 266 – Bléré 28 – Châtellerault 53 – Chinon 48 – Ligueil 11 – Loches 16 – ♦Tours 32.

Moderne, ☎ 94.40.17, – P. *fermé 29 août au 22 sept., dim. soir et lundi* – SC : **R** 30 bc/70 – 10 – 10 ch 53/70 – P 90/100.

CITROEN Blanchet, ☎ 94.42.39 — RENAULT Theret, ☎ 94.40.46

MANZAT 63410 P.-de-D. 73 ③④ – 1 394 h. alt. 629 – ⚙ 73.

Env. Méandre de Queuille O : 12 km puis 15 mn, G. Auvergne.**

Paris 384 – Aubusson 78 – Châtelguyon 16 – ♦Clermont-Fd 36 – Gannat 35 – Montluçon 67 – Ussel 92.

La Bonne Auberge, ☎ 86.61.67 – rest *fermé oct. et lundi* – SC : **R** 35/80 – 9,50 – 12 ch 55/60 – P 90/100.

CITROEN Gar. du Centre, ☎ 86.61.45

MARÇAY 37 I.-et-L. 67 ⑨ – rattaché à Chinon.

La MARCHE 58 Nièvre 69 ③ – 417 h. alt. 202 – ✉ 58400 La Charité-sur-Loire – ⚙ 86.

Paris 219 – La Charité-sur-Loire 4 – Nevers 20 – Pougues-les-Eaux 9.

Les Routiers, ☎ 70.14.11 – *fermé 10 au 20 juin* – SC : **R** 27/58.

MARCIGNY 71110 S.-et-L. 73 ⑦ **G. Bourgogne** – 2 611 h. alt. 250 – ⚙ 85.

Voir Charpente* de la tour du Moulin – Église* de Semur-en-Brionnais SE : 5 km.

Syndicat d'Initiative r. Tour-du-Moulin (1er juil.-30 août et fermé dim.).

Paris 383 – Charolles 29 – Chauffailles 26 – Digoin 24 – Lapalisse 37 – Mâcon 85 – Roanne 30.

à St-Martin-du Lac S : 3 km – ✉ 71110 Marcigny :

Relais du Lac, ☎ 25.21.45 *fermé oct., lundi soir et mardi* – SC : **R** 40/120.

CITROEN Gar. du Centre, ☎ 25.09.71
PEUGEOT Gar. Moderne, ☎ 25.04.12
RENAULT Gar. Vachet, ☎ 25.08.04
TALBOT Gar. Thuret, ☎ 25.01.12
Tout pour le pneu, ☎ 25.01.30

MARCILLAC-LA-CROISILLE 19320 Corrèze 75 ⑩ – 801 h. alt. 560 – ⚙ 55.

Paris 511 – Argentat 26 – Égletons 17 – Mauriac 40 – Tulle 30.

au Pont du Chambon SE : 15 km par D 978 et D 13 – ✉ 19320 Marcillac-la-Croisille

Fabry avec ch, ☎ 28.23.88, *fermé 10 au 25 oct.* – SC : **R** 35/110 – 10 – **11 ch** 45/60 – P 90/100.

MARCKOLSHEIM 67390 B.-Rhin 62 ⑲ **G. Vosges** – 2 779 h. alt. 172 – ⚙ 88.

Paris 446 – Colmar 22 – Sélestat 15 – ♦Strasbourg 62.

St-Martin sans rest, ☎ 92.51.55 – wc wc P. *fermé 20 janv. au 15 fév. et merc.* – 12 – **16 ch** 90/110.

Aigle, 28 r. Mar.-Foch ☎ 92.50.02 – wc wc *fermé 1er au 14 juil. et 1er au 15 fév.* – SC : **R** *(fermé lundi)* 45/120 – 10 – **17 ch** 60/110 – P 110/150.

MARCQ-EN-BAROEUL 59700 Nord 51 ⑯ – rattaché à Lille.

La MARE-D'OVILLERS 60 Oise 55 ⑳ – alt. 148 – ✉ 60570 Andeville – ⚙ 4.

Paris 53 – Beaumont 15 – Beauvais 23 – Chantilly 29 – Clermont 25 – Noailles 8 – Pontoise 32.

Aub. du Thelle avec ch, N 1 ☎ 452.62.44, – wc P 7 ch.

MARENNES 17320 Char.-Mar. 71 ⑭ **G. Côte de l'Atlantique** – 4 224 h. alt. 10 – ⚙ 46.

Voir ※* de la tour de l'église.

Env. Remparts de Brouage NE : 6,5 km – Pont de la Seudre - Péage en 1980 : moto 1 F, auto 9 F (conducteur et passagers compris), camion de 10 à 33 F.**

Syndicat d'Initiative pl. Poste (15 juin-15 sept. et fermé dim. après-midi) ☎ 85.04.36 et à la Mairie (fermé sam. après-midi et dim.) ☎ 85.00.27.

Paris 490 – Rochefort 22 – La Rochelle 54 – Royan 30 – Saintes 39.

France, r. République ☎ 85.00.37 *fermé oct., vacances de fév. et lundi sauf juil. et août* – SC : **R** 27/60.

tourner →

à Bourcefranc-le-Chapus NO : 5 km – 3 095 h. – ✉ **17560** Bourcefranc-le-Chapus.
Voir A la pointe du Chapus ≤★ sur le pont d'Oléron NO : 3 km.

Les Claires (Suire) Ⓜ, ☎ 85.08.01, ≤, – TV ⇨wc ⋒ ☎ Ⓟ – 30. AE GB
fermé dim. soir et lundi hors sais. sauf fériés – SC : **R** 95 – ☐ 16 – **20 ch** 110/180 – P 170/230
Spéc. Feuilleté d'huîtres, Fricassée de langoustines, Blanquette de bar au citron vert.

Terminus, au port du Chapus ☎ 85.02.42, ≤ – ⇨wc ☎. GB E
fermé 4 oct. au 7 nov. – SC : **R** *(fermé lundi)* 30/75 – ☐ 10 – **10 ch** 75/95 – P 120/130.

CITROEN Gar. Poitevin, ☎ 85.04.75 ☐ ☎ 85.20.84
RENAULT Maîtrehut, à Bourcefranc-le-Chapus ☎ 85.03.72
TALBOT Gar. Delavoix, ☎ 85.00.59
Maison du C/c, ☎ 85.00.08

MARGNAC 87 H.-Vienne 72 ⑦⑧ – rattaché à La Crouzille.

MARGUERON 33 Gironde 75 ⑬⑭ – 360 h. alt. 120 – ✉ **33220** Ste-Foy-la-Grande – ☎ 56.
Paris 565 – Bergerac 31 – ♦Bordeaux 74 – Libourne 48 – Marmande 35 – Périgueux 73.

Le Campagnard, ☎ 46.16.12 – Ⓟ. GB
fermé 1er au 15 sept. et merc. – SC : 28/50 ♁.

MARIGNANE 13700 B.-du-R. 84 ⑫ **G. Provence** – 26 940 h. alt. 13 – ☎ 42.
Voir Canal souterrain du Rove★ SE : 3 km.
de Marseille-Marignane ☎ 89.90.10.
Office de Tourisme Square Emilie (fermé sam. après-midi et dim.) ☎ 09.78.83.
Paris 759 – Aix-en-Provence 27 – ♦Marseille 28 – Martigues 15 – Salon-de-Provence 37.

St André Ⓜ, av. Vitrolles ☎ 09.72.64 – ⇨wc ⋒wc ☎ Ⓟ – 60.
SC : **R** *(fermé 14 juil. au 8 août, sam. et dim.)* 33/55 ♁ – ☐ 10 – **24 ch** 90/125.

Minimote Ⓜ, av. 8-Mai-1945 ☎ 88.35.35 – ⇨wc ☎ ♿ Ⓟ – 30. AE GB ⓓ. rest
SC : **R** *(fermé dim.)* 40/52 ♁ – ☐ 12 – **35 ch** 125/145.

Blanc, 5 av. Barrelet ☎ 09.72.99 – ch ⇨wc ⋒wc ☎ ♿. rest
SC : **R** *(fermé vend., sam. et dim.)* (dîner seul.) 30/40 ♁ – ☐ 10 – **43 ch** 70/180.

à l'aéroport au N – ✉ **13700** Marignane :

Sofitel Ⓜ, ☎ 89.91.02, Télex 401980, – TV ☎ ♿ Ⓟ – 50 à 400. AE GB ⓓ E. rest
rest. **Le Clipper** *(fermé dim. midi et sam.)* **R** carte 95 à 130 ♁ - **café de Provence R** carte environ 70 ♁ – ☐ 25 – **177 ch** 250/320, 3 appartements.

à Vitrolles N : 8 km – 17 536 h. – ✉ **13127** Vitrolles – ☎ 42.
Voir ★ puis 15 mn.

Novotel Ⓜ, carrefour D 9 et A 7 ☎ 89.90.44, Télex 420670, – TV ☎ Ⓟ – 25 à 200. AE GB ⓓ
R snack carte environ 65 – ☐ 20 – **162 ch** 170/195.

Mercure Ⓜ, nouveau centre urbain ☎ 89.92.00, Télex 400775, – TV ☎ ♿ Ⓟ – 200. AE GB ⓓ
R carte environ 70 – ☐ 17 – **116 ch** 140/180.

CITROEN SADAM, av. 8-Mai-1945 ☎ 89.92.90
PEUGEOT Provence-Auto, 45 av. 8-Mai-1945 ☎ 88.54.54
RENAULT Marignane-Auto, av. 8-Mai-1945 ☎ 89.93.94
TALBOT Méridionale-Auto, 39 av. Mar.-Juin ☎ 09.14.88
Gay, 29 1er Av., Zone Ind. à Vitrolles ☎ 89.06.97

MARIGNY 50570 Manche 54 ⑬ – 1 255 h. alt. 71 – ☎ 33.
Paris 315 – Carentan 27 – Coutances 16 – St-Lô 12.

Poste, ☎ 56.60.08 – GB
fermé 15 sept. au 15 oct., dim. soir et lundi sauf fériés – SC : **R** 40/135.

Besonders angenehme Hotels oder Restaurants sind im Führer rot gekennzeichnet.
Sie können uns helfen, wenn Sie uns Häuser angeben, wo es sich nach Ihrer Erfahrung gut leben läßt.
Jährlich erscheint eine neue, verbesserte Ausgabe aller Roten Michelin-Führer.

XXXXX ... X

MARINGUES 63350 P.-de-D. 73 ⑤ **G. Auvergne** – 2 374 h. alt. 315 – ✪ 73.

Paris 377 – •Clermont-Ferrand 31 – Lezoux 15 – Riom 19 – Thiers 25 – Vichy 27.

XX **Clos Fleuri** avec ch, rte Clermont ℱ 70.70.46, – wc P. ch
fermé 1er au 15 sept., 1er au 15 fév. et mardi – SC : **R** 35/90 – 9,50 – **12 ch** 40/80 – P 80/100.

CITROEN Gar. du Centre, ℱ 70.70.19
PEUGEOT Larzat et Meyronne, ℱ 70.70.50
TALBOT Chabannes, ℱ 70.70.69 N

MARIOL 03 Allier 73 ⑤ – 514 h. alt. 280 – ✉ **03270** St-Yorre – ✪ 70.

Paris 364 – •Clermont-Ferrand 59 – Moulins 71 – Randan 14 – Riom 41 – Thiers 23 – Vichy 14.

Touristes, ℱ 41.20.87 –
fermé oct. et merc. – SC : **R** 26/39 – 8,50 – 10 ch 35/60 – P 65/71.

MARLE 02250 Aisne 53 ⑮ **G. Nord de la France** – 2 936 h. alt. 79 – ✪ 23.

Paris 158 – Guise 23 – Laon 22 – Rethel 56 – St-Quentin 42 – Vervins 15.

Host. du Vilpion, ℱ 80.01.68 – P. ch
fermé dim. soir – SC : **R** 46/80 – 10 – 8 ch 50/66.

CITROEN Ets Lefèvre, ℱ 80.00.99

MARLENHEIM 67520 B.-Rhin 62 ⑨ – 2 313 h. alt. 184 – ✪ 88.

Paris 467 – Haguenau 35 – Molsheim 12 – Saverne 19 – •Strasbourg 20.

✿ **Host. du Cerf** (Husser), ℱ 87.73.73, – wc wc P – 30. AE GB ①. ch
fermé 15 fév. au 9 mars, mardi midi et lundi – SC : **R** 80/200 – 14 – 17 ch 100/160
Spéc. Salade gourmande, Sandre au Pinot noir, Caille au ris de veau. **Vins** Pinot noir, Edelzwicker.

Host. Reeb et rest. La Crémaillère M, ℱ 87.52.70 – rest wc wc P – 25. AE GB ①. ch
fermé 5 au 29 janv. et mardi sauf hôtel en sais. – SC : **R** 60/145 – 15 – 33 ch 80/100 – P 140/150.

XX **Aub. du Kronthal,** ℱ 87.50.25 – P. GB ①
fermé 15 juil. au 15 août, dim. soir et lundi – SC : **R** 40/170.

CITROEN Roth, ℱ 87.50.51

MARLY-LE-ROI 78 Yvelines 55 ⑲, 101 ⑫ – voir à Paris, Proche banlieue.

MARMAGNE 71 S.-et-L. 69 ⑧ – 1 240 h. alt. 311 – ✉ **71710** Montcenis – ✪ 85.

Paris 312 – Autun 20 – Chalon-sur-Saône 48 – Le Creusot 10 – Mâcon 87 – Montceau-les-Mines 23.

Rose des Vents, à St-Symphorien O : 2 km par D 61 ℱ 78.20.86 – P
R 25/70 – 9 – **17 ch** 38/48 – P 70.

X **Vieux Jambon** avec ch, rte Creusot ℱ 78.20.32 – P.
fermé sept., dim. soir (sauf hôtel) et lundi – SC : **R** 24/70 – 8 – **13 ch** 35/50 – P 85.

RENAULT Gar. Détang, D 61 à Broye ℱ 54.40.43 N

MARMANDE SP 47200 L.-et-G. 79 ③ **G. Côte de l'Atlantique** – 17 347 h. alt. 32 – ✪ 58.

Office de Tourisme pl. Clemenceau (juil.-août, fermé dim. et lundi) ℱ 64.32.50.

Paris 609 ④ – Agen 58 ② – Bergerac 58 ① – •Bordeaux 89 ③ – Libourne 65 ④.

Plan page suivante

Capricorne M, rte d'Agen par ② ℱ 64.16.14, – wc P – 60. AE GB ①. rest
SC : **R** 45/75 – 13 – **31 ch** 120 – P 170/190.

Aub. de Guyenne, 9 r. Martignac ℱ 64.01.77 – P B a
fermé 1er au 9 mai, 20 déc. au 20 janv., lundi (sauf hôtel) et dim. soir – SC : **R** 29/78 – 8 – **14 ch** 33/65 – P 100/150.

AUSTIN, MORRIS, VOLVO Lagroye, à St-Pardoux-du-Breuil ℱ 64.10.09
CITROEN Baudrin, rte Bordeaux, Ste-Bazeille ℱ 64.30.53 N
FIAT Gar. Diné, rte Bordeaux ℱ 64.27.21
FORD Auto Aquitaine, rte Bordeaux ℱ 64.04.91
OPEL Lamat, 1 bd Dr-Fourcade ℱ 64.26.10
PEUGEOT Guyenne et Gascogne Autom., 95 av. J.-Jaurès ℱ 64.34.47
RENAULT Deldon, pl. Lestang ℱ 64.14.39
TALBOT Mayet, 94 av. J.-Jaurès ℱ 64.30.24

Cormarie, pl. du Bedat ℱ 64.09.28
La Maison du Pneu, 37 av. Jean-Jaurès ℱ 64.23.52
Relais Marmandais, rte Bordeaux ℱ 64.23.63
SO.MA.DI.D'EN, av. P.-Gabarra ℱ 64.08.00

MARMANDE

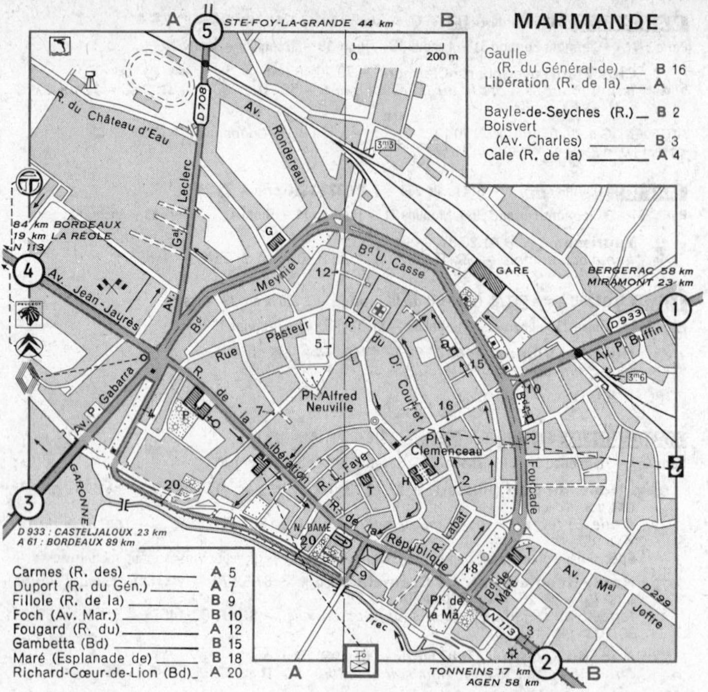

Gaulle (R. du Général-de) B 16
Libération (R. de la) A

Bayle-de-Seyches (R.) B 2
Boisvert (Av. Charles) B 3
Cale (R. de la) A 4
Carmes (R. des) A 5
Duport (R. du Gén.) A 7
Fillole (R. de la) B 9
Foch (Av. Mar.) B 10
Fougard (R. du) A 12
Gambetta (Bd) B 15
Maré (Esplanade de) B 18
Richard-Cœur-de-Lion (Bd) A 20

STE-FOY-LA-GRANDE 44 km — 84 km BORDEAUX, 19 km LA REOLE, N 113 — BERGERAC 58 km, MIRAMONT 23 km — D 933 : CASTELJALOUX 23 km, A 61 : BORDEAUX 89 km — TONNEINS 17 km, AGEN 58 km

MARMOUTIER 67440 B.-Rhin 62 ⑨ G. Vosges – 1 973 h. alt. 230 – ⚙ 88.

Voir Église★★.

Paris 455 – Molsheim 21 – Saverne 6 – ◆Strasbourg 33 – Wasselonne 8.

XX **Deux Clefs** avec ch, ☎ 70.61.08 – wc ☎ Ⓟ. ✂ ch
fermé 29 juin au 11 juil. et 2 au 28 fév. – SC : **R** *(fermé lundi)* 28/100 – ☕ 9 – 16 ch 50/120 – P 90/120.

RENAULT Lerch, ☎ 70.61.10

MARNAY-SUR-MARNE 52 H.-Marne 62 ⑫ – 171 h. – ✉ **52800** Nogent-en-Bassigny – ⚙ 25.

Paris 267 – Bourbonne-les-Bains 47 – Chaumont 15 – Langres 20.

X **Vallée** avec ch, N 19 ☎ 02.10.11, – Ⓟ. ✂ ch
fermé mardi soir et merc. – SC : **R** 32/75 – ☕ 8,50 – 6 ch 45/65 – P 72/90.

MARQUION 62 P.-de-C. 53 ③ – rattaché à Cambrai.

MARQUISE 62250 P.-de-C. 51 ① – 5 030 h. alt. 39 – ⚙ 21.

Paris 256 – Arras 121 – Boulogne-sur-Mer 13 – ◆Calais 21 – St-Omer 47.

XX Grand Cerf avec ch, av. Ferber ☎ 92.84.53 – Ⓟ
8 ch.

X **Au Bon Séjour** avec ch, av. Ferber ☎ 92.87.30 – Ⓟ. ✂ ch
fermé 5 sept. au 1er oct., sam. et dim., fériés de sept. à Pâques – SC : **R** 30/70 – ☕ 10 – 7 ch 45/65.

Clinique du Pneu, ☎ 92.86.61

MARSANNAY-LA-CÔTE 21 Côte-d'Or 66 ⑫ – rattaché à Dijon.

MARSEILLE P 13 B.-du-R. 84 ⑬, 93 ⑭ **G. Provence** – 914 356 h. – 91.

Voir Basilique N.-D.-de-la-Garde ※*** – La Canebière** – Vieux Port** – Corniche Président-J.-F.-Kennedy** – Port moderne** AT – Palais Longchamp* DU **M** – Basilique St-Victor* : crypte** AX – Ancienne cathédrale de la Major* AU **L** – Parc du Pharo ≤* AX – Belvédère St-Laurent ≤* AV **D** – Musées : Grobet-Labadie** DU **M1**, Cantini* : galerie de la Faïence de Marseille et de la Provence** BX **M**, **Beaux-Arts* et Histoire naturelle* (palais Longchamp)** DU **M**, Archéologie méditerranéenne* : collection d'antiquités égyptiennes** (Château Borely) BCZ **M**, Docks romains* AV **M**, Vieux Marseille* AV **M1**.

Env. route en corniche** de Callelonge S : 13 km.

Excurs. : Château d'If** (※***) 1 h 30.

18 d'Aix-Marseille ✆ 24.20.41 par ① : 22 km.

de Marseille-Marignane ✆ 89.90.10 par ① : 28 km.

✆ 50.18.07.

pour la Corse : Société Nationale Maritime Corse-Méditerranée, 61 bd des Dames (2e) ✆ 91.92.20 AU.

Office de Tourisme (fermé dim. hors sais.) et Accueil de France (Informations et réservations d'hôtels, pas plus de 5 jours à l'avance), 4 Canebière, 13001, ✆ 33.69.20, Télex 430402 - A.C. 143 cours Lieutaud, 13006, ✆ 47.86.23 - T.C.F. 11 allées Léon-Gambetta, 13001, ✆ 64.73.11.

Paris 777 ① – •Lyon 315 ① – •Nice 188 ② – Torino 407 ② – •Toulon 64 ② – Toulouse 400 ①.

Plans : Marseille p. 2 à 5

Sauf indication spéciale, voir emplacements sur Marseille p. 4 et 5

Sofitel Vieux Port M, 36 bd Ch.-Livon, ✉ 13007, ✆ 52.90.19, Télex 401270, ≤, – | ▤ TV ☎ ♿ 🅿 – 100 à 600. AE GB ◑ E Marseille p. 2 AX **n**
rest. **les Trois Forts R** carte 110 à 145 - **Le Jardin R** 63 🌡 – ☕ 27 – **222 ch** 285/540, 3 appartements.

Frantel M, r. Neuve St-Martin, ✉ 13001, ✆ 91.91.29, Télex 401886 – | ▤ TV ☎ ♿ 🅿 – 400. AE GB ◑ E. ✻ rest BUV **g**
SC : rest. **L'Oursinade** *(fermé 27 juil. au 23 août, dim. et fériés)* **R** carte 110 à 150 Grill **L'Oliveraie R** carte environ 70 🌡 – ☕ 23 – **198 ch** 240/310.

Concorde-Palm Beach M, 2 promenade Plage, ✉ 13008, ✆ 76.20.00, Télex 401894, ≤, – | ▤ TV ☎ ♿ 🅿 – 450. AE GB ◑ E
SC : **La Réserve R** 110 - grill **Les Voiliers R** 70 – ☕ 22 – **161 ch** 255/295, 3 appartements 550. Marseille p. 2 AZ **s**

Concorde-Prado M, 11 av. Mazarques, ✉ 13008, ✆ 76.51.11, Télex 420209 – | ▤ TV ☎ – 80. AE GB ◑ E Marseille p. 2 CZ **r**
SC : **R** carte 80 à 105 🌡 – ☕ 22 – **100 ch** 210/245, 4 appartements 450.

Gd H. Noailles, 66 Canebière, ✉ 13001, ✆ 54.91.48, Télex 430609 – | ▤ ch TV ☎ ♿ – 30 à 60. AE GB ◑ E CV **x**
SC : **R** *(fermé dim.)* 60/100 – ☕ 20 – **70 ch** 160/350, 4 appartements 400.

Ribotel M, 50 bd Verne par ③, ✉ 13008, ✆ 77.39.93, Télex 400623, – | ▤ TV ☎ 🅿 – 90. AE GB ◑
SC : **R** *(fermé dim.)* carte 90 à 130 – ☕ 15 – **45 ch** 150/210.

Gd H. Genève sans rest, 3 bis r. Reine-Élisabeth, ✉ 13001, ✆ 90.51.42, Télex 440672 – | TV – 30. ◑. ✻ BV **e**
SC : **44 ch** ☕ 100/216, 4 appartements 270.

Résidence Bompard sans rest, 2 r. Flots-Bleus, ✉ 13007, ✆ 52.10.93, – cuisinette TV ☎ ♿ 🅿 – 50. AE ◑ Marseille p. 2 AZ **e**
SC : ☕ 13 – **25 ch** 140/165.

Manhattan M, 3 pl. Rome, ✉ 13006, ✆ 54.35.95 – | wc wc ☎ – 130. GB ◑ CX **w**
SC : **R** *(fermé 15 juil.-15 août et dim.)* 30/40 🌡 – ☕ 10 – **41 ch** 95/170 – P 200/270.

Européen M sans rest, 115 r. Paradis, ✉ 13006, ✆ 37.77.20 – | ▤ wc wc ☎. ✻ BY **u**
SC : ☕ 10 – **43 ch** 90/130.

Président sans rest, 12 bd L.-Salvator ✉ 13006 ✆ 48.67.29 – | wc wc ☎ CX **f**
SC : ☕ 12 – **18 ch** 120/150.

Rome et St Pierre sans rest, 7 cours St-Louis, ✉ 13001, ✆ 54.19.52, Télex 430641 – | wc wc ☎. AE GB ◑ E BV **y**
SC : ☕ 14 – **63 ch** 60/170.

Sélect H. sans rest, 4 allées Gambetta, ✉ 13001, ✆ 62.41.26 – | wc wc ☎ – 100. AE GB ◑ E CU **k**
SC : ☕ 13 – **68 ch** 80/160.

Paris-Nice sans rest, 23 bd Athènes ✉ 13001, ✆ 39.13.22 – | wc wc ☎. AE GB ◑ E CU **a**
fermé 15 déc. au 10 janv. – SC : ☕ 12 – 33 ch 70/200.

Petit Louvre, 19 Canebière, ✉ 13001, ✆ 39.16.27 – | ▤ TV wc wc ☎. AE GB ◑ E. ✻ rest BV **q**
SC : **R** *(fermé 2 janv. au 15 fév. et dim. du 1er nov. au 31 mars)* 50/75 – ☕ 14 – **33 ch** 100/170 – P 170/220.

RÉPERTOIRE DES RUES

Aix (R. d') — p. 4 BU
Canebière (La) — p. 4 BV
Gaulle (Pl. Gén. de) — p. 4 BV 13
Paradis (R.) — p. 4 BX
St-Ferréol (R.) — p. 4 BX
St-Pierre (R.) — p. 5 DX

Antholne (R. d') — p. 2 AT
Astruc (R. L.) — p. 5 DX
Athènes (Bd d') — p. 5 CU
Aubagne (R. d') — p. 5 CX
Aune (Bd A.) — p. 4 BY
Baille (Bd) — p. 5 DY
Barbusse (R. H.) — p. 4 BV
Belges (Quai des) — p. 4 BV
Belsunce (Cours) — p. 4 BV
Benedit (R.) — p. 3 DT
Bir-Hakeim (R.) — p. 4 BV
Biroard (R. Louis) — p. 4 BU 2
Blancarde (Bd de la) p. 3 EU
Bompard (Bd) — p. 2 AY
Bourdet (Bd M.) — p. 4 BU
Breteuil (R.) — p. 4 BY
Briançon (Bd de) — p. 3 BT
Brun (R. Roger) — p. 5 DY
Cadenat (Pl.) — p. 3 DT
Caisserie (R.) — p. 4 AV
Camas (R. du) — p. 5 DV
Cantini (Av. Jules) — p. 5 CY
Capelette (Av. de la) p. 3 EZ 4
Castellane (Pl.) — p. 5 CY
Chartreux (Av. des) — p. 5 DU 5
Chave (Bd) — p. 5 DV
Chutes-Lavie (Av.) — p. 3 DT
Clemenceau (Av. G.) p. 5 DU
Colbert (R.) — p. 4 BU
Corderie (Bd de la) p. 4 AX
Corinthe (Av. de) — p. 5 DY
Corniche Président-J.-F.-Kennedy — p. 2 AZ
Corse (Av. de la) — p. 4 AY
Curiol (R.) — p. 5 CV
Dames (Bd des) — p. 4 BU
Daudet (R. Alph.) — p. 3 ET
Delphes (Av. des) — p. 5 CY
Dessemond (R. Cap.) — p. 2 AY 6
Dragon (R.) — p. 4 BY
Dugommier (Bd) — p. 5 CV 7
Dunkerque (Bd de) — p. 4 AU
Endoume (R. d') — p. 4 AY
Est.-d'Orves (Crs) — p. 4 BX 8
Eugène-Pierre (Bd) — p. 5 DV
Évêché (R. de l') — p. 4 AU
Extérieur (Bd) — p. 2 AT 9
Fabres (R. des) — p. 4 BV 10
Fauchier (R.) — p. 4 BU
Ferrari (R.) — p. 5 DX
Ferrié (Pl. Gén.) — p. 3 EZ
Flammarion (Bd C.) — p. 5 DU
Foch (Av. Mar.) — p. 5 DU
Forbin (R. de) — p. 4 BU
Fort-du-Sanct. (R.) — p. 4 BY
Fort-N.-Dame (R.) — p. 4 BX
Gambetta (Allées) — p. 5 CU
Garibaldi (Bd) — p. 5 CV 12
Gênes (R. de) — p. 5 CY
George (R.) — p. 5 DV
Gouffé (Cours) — p. 5 DY
Grand'Rue — p. 4 BV
Grignan (R.) — p. 4 BX
Guesde (Pl. Jules) — p. 4 BU
Guibal (R.) — p. 5 CU
Héros (R. des) — p. 5 CU
Honnorat (R.) — p. 5 CU
Jardin Zoo. (Bd du) — p. 5 DU
Jaurès (Pl. Jean) — p. 5 CV
Jeanne-d'Arc (Bd) — p. 3 EX
Jobin (R.) — p. 3 DT
Joliette (Pl., Quai) — p. 4 AU
Julien (Cours) — p. 5 CX
Lazaret (Quai du) — p. 4 AU
Leclerc (Av. Gén.) — p. 4 BU
Libération (Bd de la) p. 5 DU
Liberté (Bd de la) — p. 5 CU
Lieutaud (Cours) — p. 5 CX
Livon (Bd Charles) — p. 4 AX
Lodi (R. de) — p. 5 CY
Longchamp (Bd) — p. 5 DU
Loubière (R. de la) — p. 5 DX
Marceau (Pl.) — p. 4 BU
Marx-Dormoy (R.) — p. 5 DU
Menpenti (R.) — p. 5 DY

Mettel (R. Antoine) — p. 4 BU
Michelet (Bd) — p. 3 DZ
Mirabeau (Bd) — p. 2 AT 15
Montolivet (Ch. de) — p. 3 ET
Montricher (Bd) — p. 5 DU
Moulin (Bd Jean) — p. 3 EX 16
National (Bd) — p. 5 CU
Nationale (R.) — p. 4 BU
Nedelec (Bd Ch.) — p. 4 BU
Notre-Dame (Bd) — p. 4 BY
Panier (R. du) — p. 4 AU
Paris (Bd de) — p. 3 BT
Pasteur (Av.) — p. 2 AX 17
Pelletan (Av. C.) — p. 4 BU
Périer (Bd) — p. 3 CZ
Philipon (Bd) — p. 5 DU
Plage (Prom. de la) — p. 3 BZ
Plombières (Bd de) — p. 3 CT
Pologne (Pl. de) — p. 5 DY 18
Port (Quai du) — p. 4 BV
Prado (Av. du) — p. 3 CZ
Puget (Cours Pierre) p. 4 BX
Pyat (R. Félix) — p. 3 BT
Rabatau (Bd) — p. 3 DZ
République (R.) — p. 4 BV
Rive-Neuve (Quai) — p. 4 BX
Roches (Av. des) — p. 2 AZ
Rolland (R. du Cdt) — p. 3 CZ
Rome (R. de) — p. 5 CY
Roosevelt (Cours F.) p. 5 CU
Roucas-Blanc (Ch.) — p. 4 AY
Rouet (R. du) — p. 5 CY
Sadi-Carnot (Pl.) — p. 4 BU
St-Barnabé (Ch.) — p. 3 EU
St-Jean (Av. de) — p. 4 AV
St-Just (Av. de) — p. 3 ET

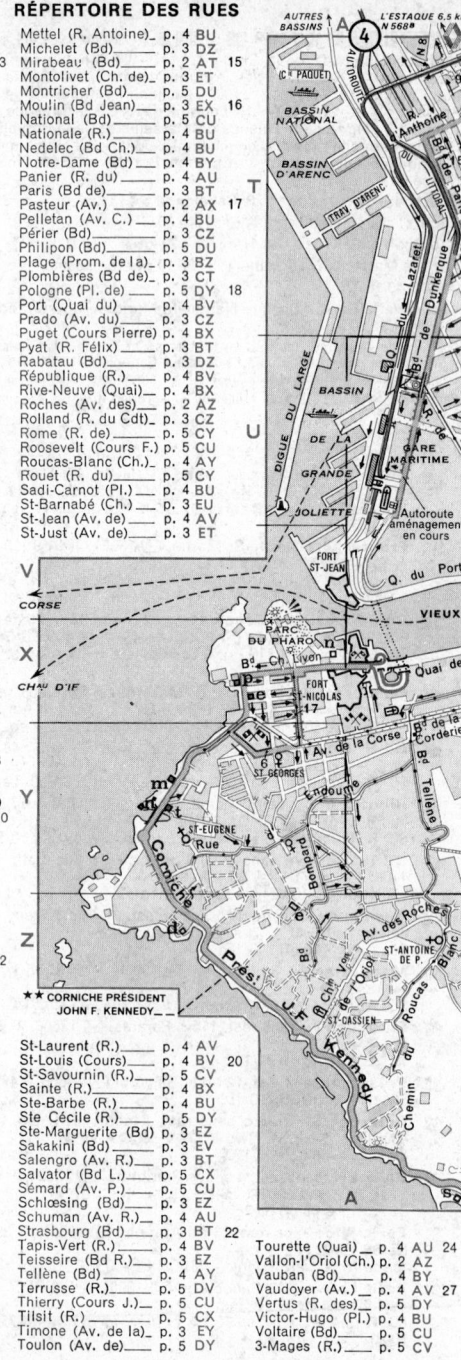

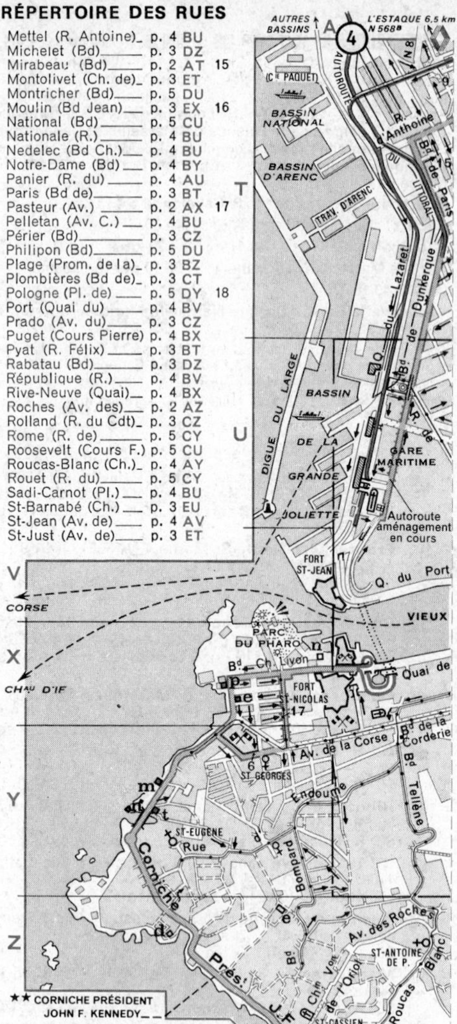

★★ CORNICHE PRÉSIDENT JOHN F. KENNEDY

St-Laurent (R.) — p. 4 AV
St-Louis (Cours) — p. 4 BV 20
St-Savournin (R.) — p. 5 CV
Sainte (R.) — p. 4 BX
Ste-Barbe (R.) — p. 4 BU
Ste Cécile (R.) — p. 5 DY
Ste-Marguerite (Bd) p. 3 EZ
Sakakini (Bd) — p. 3 EV
Salengro (Av. R.) — p. 3 BT
Salvator (Bd L.) — p. 5 CX
Sémard (Av. P.) — p. 5 CU
Schlœsing (Bd) — p. 3 EZ
Schuman (Av. R.) — p. 4 AU
Strasbourg (Bd) — p. 3 BT 22
Tapis-Vert (R.) — p. 4 BV
Teisseire (Bd R.) — p. 3 EZ
Tellène (Bd) — p. 4 AY
Terrusse (R.) — p. 5 DV
Thierry (Cours J.) — p. 5 CU
Tilsit (R.) — p. 5 CX
Timone (Av. de la) — p. 3 EY
Toulon (Av. de) — p. 5 DY

Tourette (Quai) — p. 4 AU 24
Vallon-l'Oriol (Ch.) p. 2 AZ
Vauban (Bd) — p. 4 BY
Vaudoyer (Av.) — p. 4 AV 27
Vertus (R. des) — p. 5 DY
Victor-Hugo (Pl.) p. 4 BU
Voltaire (Bd) — p. 5 CU
3-Mages (R.) — p. 5 CV

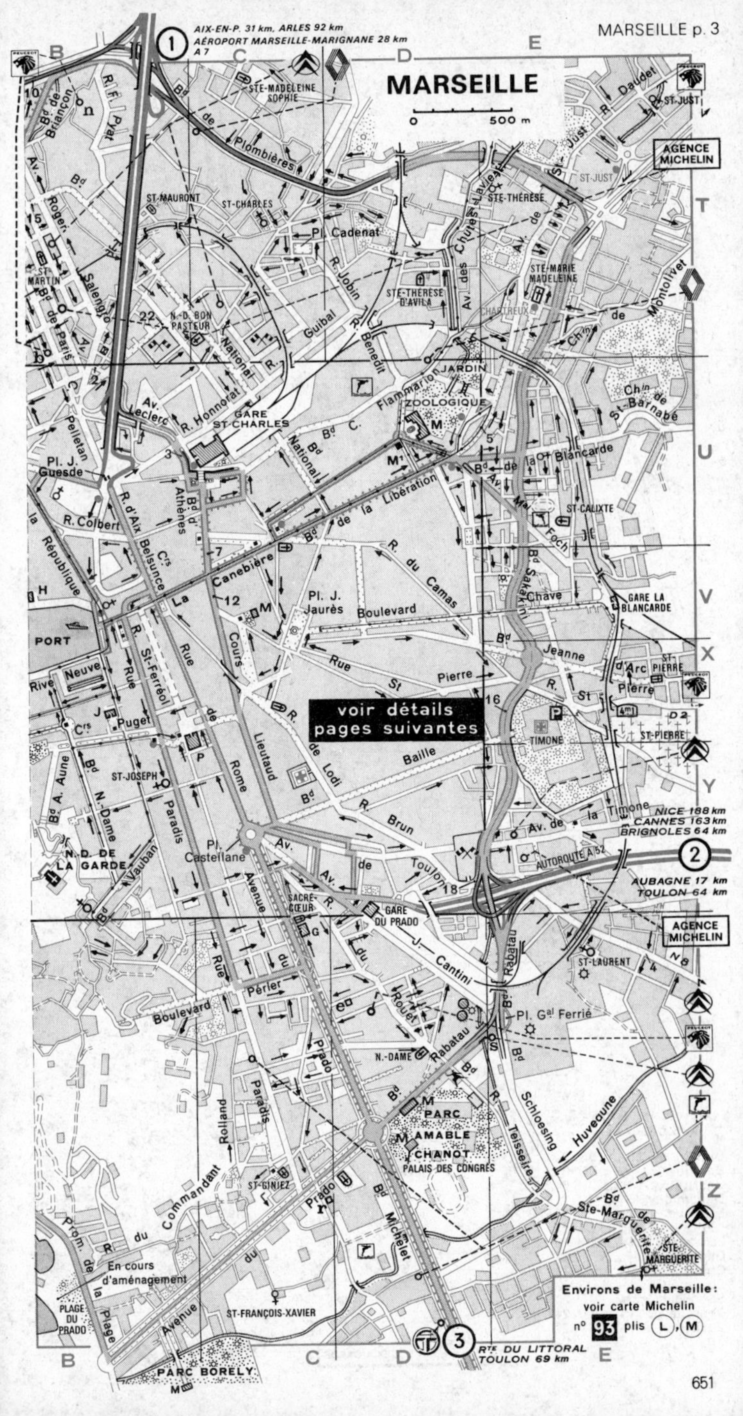
MARSEILLE
0
500 m
AIX-EN-P. 31 km, ARLES 92 km
AÉROPORT MARSEILLE-MARIGNANE 28 km
A 7
AGENCE MICHELIN
STE-MADELEINE SOPHIE
ST-MAURONT
ST-CHARLES
Pl. Cadenat
STE-THÉRÈSE
ST-JUST
STE-MARIE MADELEINE
STE-THÉRÈSE D'AVILA
CHARTREUX
N.-D. BON PASTEUR
ST-MARTIN
JARDIN ZOOLOGIQUE
GARE ST-CHARLES
Pl. J. Guesde
R. Colbert
Bd de la Libération
Bd de la Blancarde
ST-CALIXTE
Canebière
Pl. J. Jaurès
Boulevard
R. du Camas
Chave
GARE LA BLANCARDE
PORT
Rive Neuve
Rue St Pierre
Bd Jeanne d'Arc
ST PIERRE
voir détails
pages suivantes
TIMONE
ST-PIERRE
Baille
ST-JOSEPH
N.D. DE LA GARDE
Pl. Castellane
Av. de Toulon
Av. de la Timone
NICE 188 km
CANNES 163 km
BRIGNOLES 64 km
AUTOROUTE A 52
AUBAGNE 17 km
TOULON 64 km
SACRÉ-CŒUR
GARE DU PRADO
AGENCE MICHELIN
ST-LAURENT
J. Cantini
Bd Rabatau
Pl. Gal Ferrié
Boulevard Périer
N.-DAME
Schloesing
PARC AMABLE CHANOT
PALAIS DES CONGRÈS
Huveaune
Bd Ste-Marguerite
STE-MARGUERITE
ST-GINIEZ
Prado
Bd Michelet
R. du Commandant Rolland
En cours d'aménagement
PLAGE DU PRADO
Prom. de la Plage
Avenue du Prado
ST-FRANÇOIS-XAVIER
PARC BORELY
Environs de Marseille:
voir carte Michelin
no 93 plis L, M
RTE DU LITTORAL
TOULON 69 km
B
C
D
E
T
U
V
X
Y
Z

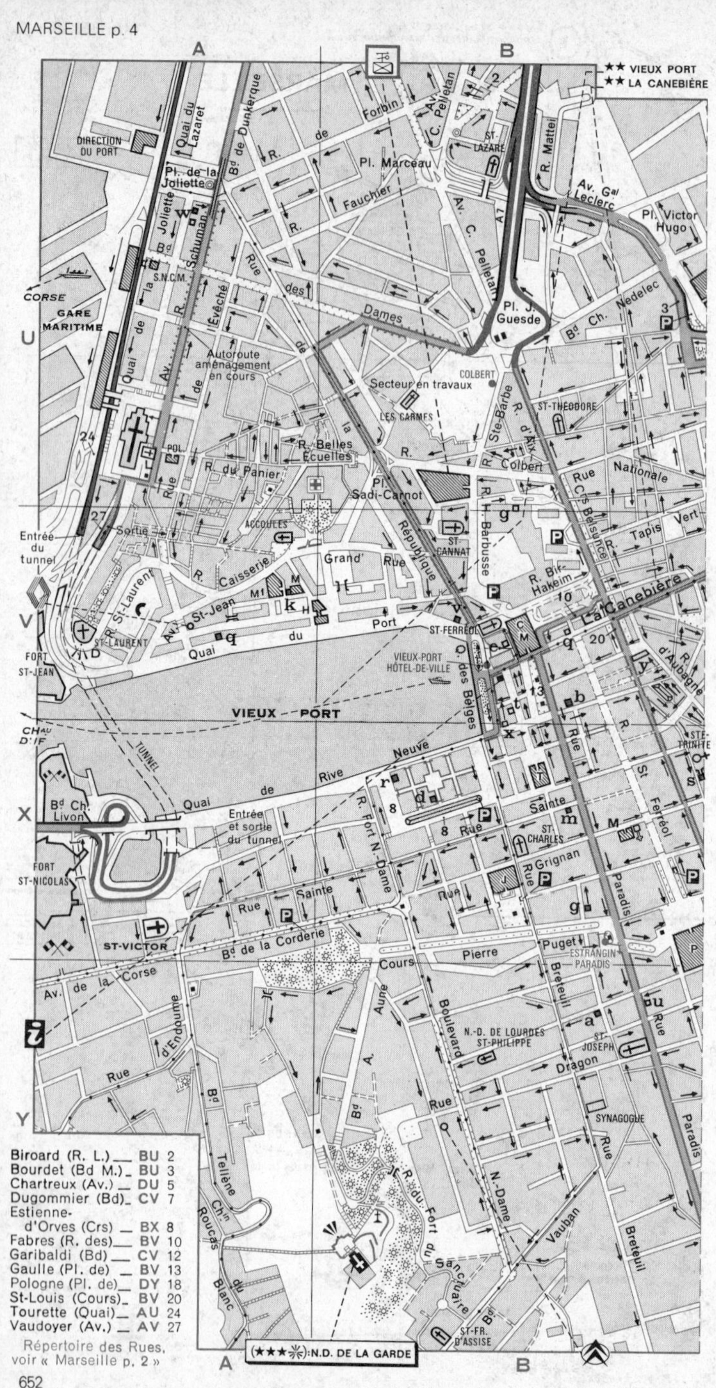

Biroard (R. L.)	BU	2
Bourdet (Bd M.)	BU	3
Chartreux (Av.)	DU	5
Dugommier (Bd)	CV	7
Estienne-d'Orves (Crs)	BX	8
Fabres (R. des)	BV	10
Garibaldi (Bd)	CV	12
Gaulle (Pl. de)	BV	13
Pologne (Pl. de)	DY	18
St-Louis (Cours)	BV	20
Tourette (Quai)	AU	24
Vaudoyer (Av.)	AV	27

Répertoire des Rues, voir « Marseille p. 2 »

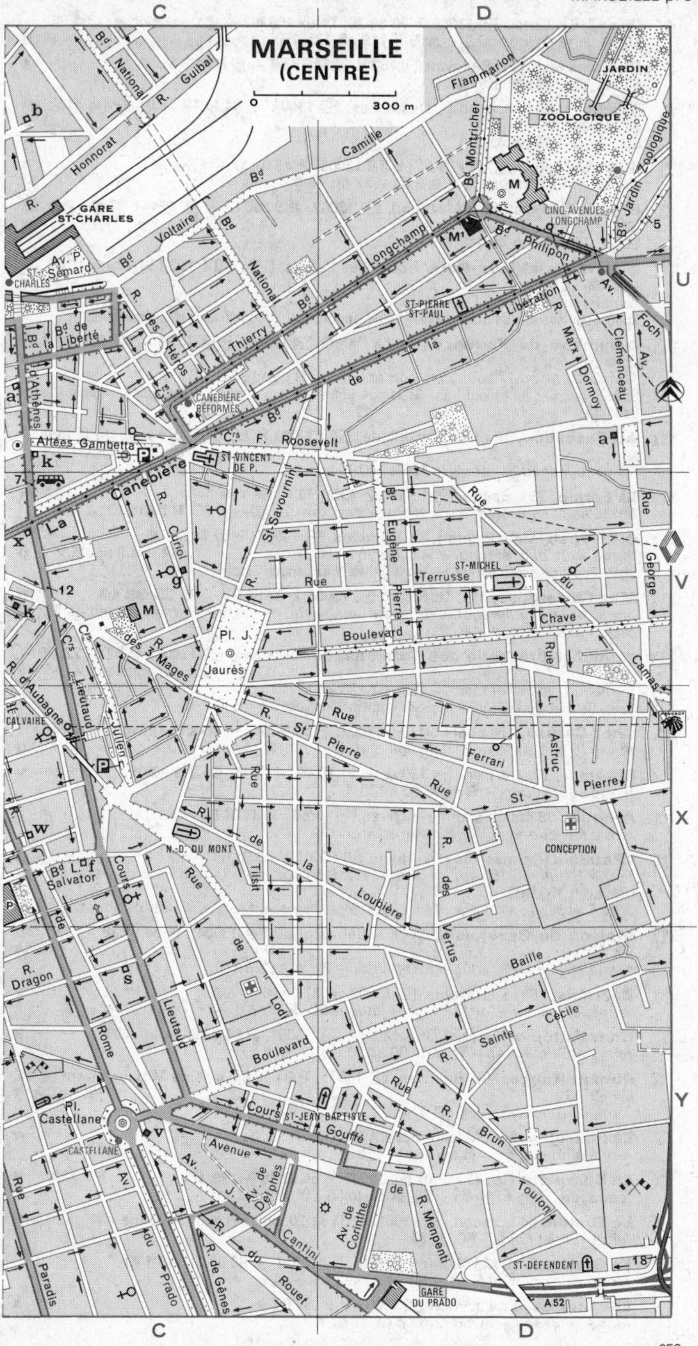
MARSEILLE
(CENTRE)
0
300 m
C
D
U
V
X
Y
GARE ST-CHARLES
ST-CHARLES
Av. P. Sémard
R. Honnorat
R. Guibal
Bd National
Bd Voltaire
Bd Camille Flammarion
Bd Montricher
JARDIN ZOOLOGIQUE
Bd Jardin Zoologique
CINQ-AVENUES-LONGCHAMP
Bd Longchamp
Bd Philipon
Bd de la Libération
ST-PIERRE ST-PAUL
Bd National
R. Thierry
R. des Héros
Bd de la Liberté
Bd d'Athènes
CANEBIÈRE RÉFORMÉS
Allées Gambetta
Crs F. Roosevelt
ST-VINCENT DE P.
La Canebière
R. Curiol
R. St-Savournin
Bd Eugène Pierre
Rue Terrusse
ST-MICHEL
Boulevard Chave
Rue du Camas
Rue George
Av. Foch
Av. Clemenceau
R. Marx Dormoy
Rue L. Astruc
Pl. J. Jaurès
R. des 3 Mages
Crs Lieutaud
R. d'Aubagne
CALVAIRE
Rue St Pierre
Rue Ferrari
R. de Tilsit
R. de la Loubière
R. des Vertus
N.-D. DU MONT
CONCEPTION
Bd L. Salvator
Cours Julien
Rue de Rome
R. Dragon
Rue de Lodi
Cours Lieutaud
Boulevard Baille
Rue Sainte Cécile
R. Brun
Rue de Toulon
Pl. Castellane
CASTELLANE
Cours Gouffé
ST-JEAN BAPTISTE
Avenue J. Cantini
Av. de Delphes
Av. de Corinthe
R. Menpenti
R. du Rouet
R. de Gênes
Av. du Prado
Rue Paradis
ST-DÉFENDENT
GARE DU PRADO
A 52
a
b
f
g
k
s
v
w
x
M
M¹
5
7
12
18

Ibis M, 6 r. Cassis ☒ 13008 ☎ 78.59.25, Télex 400362 – wc – 40 DZ **e**
SC : **R** carte environ 50 – 9 – **119 ch** 135/150.

Sud sans rest, 18 r. Beauvau ☒ 13001 ☎ 54.38.50 – wc BV **t**
SC : 12 – **24 ch** 110/132.

Martini sans rest, 5 bd G.-Desplaces, ☒ 13003, ☎ 64.11.17 – wc wc CU **b**
SC : 10 – **40 ch** 70/115.

du Velay sans rest, 18 r. Berlioz, ☒ 13006, ☎ 48.31.37 – wc CY **s**
fermé 1er au 15 août – SC : 9,50 – **17 ch** 72/98.

Breton sans rest, 52 r. Mazenod, ☒ 13002, ☎ 90.00.81 – wc AU **w**
SC : 10 – **44 ch** 45/125.

XXX ✿ **New York Vieux-Port,** 7 quai des Belges, ☒ 13001, ☎ 33.91.79, ≤ – BX **x**
fermé dim. – **R** carte 115 à 165
Spéc. Bouillabaisse, Bourride, Cassolette de langouste au gratin. **Vins** Cassis, Vignelaure.

XXX ✿ **Jambon de Parme,** 67 rue La Palud, ☒ 13006, ☎ 54.37.98 – BX **s**
fermé 12 juil. au 17 août, dim. soir et lundi – **R** carte 95 à 145
Spéc. Foie gras de canard frais, Salade de homard (mars-octobre), Pâtes fraîches. **Vins** Cassis, Bandol.

XXX **Au Pescadou,** 19 place Castellane, ☒ 13006, ☎ 78.36.01, produits de la mer – CY **v**
fermé juil. et août – **R** carte 100 à 140.

XXX **La Ferme,** 23 r. Sainte, ☒ 13001, ☎ 33.21.12 – BX **m**
fermé août, sam. sauf le soir d'oct. à avril, dim. et fêtes – SC : **R** carte 100 à 130.

XXX ✿ **Calypso** (Mme Paguet), 3 r. Catalans, ☒ 13007, ☎ 52.64.00, ≤
fermé août, dim. et lundi – **R** carte 95 à 150 Marseille p. 2 AX **p**
Spéc. Bouillabaisse, Bourride, Poissons grillés. **Vins** Bandol, Cassis.

XXX **Max Caizergues,** 11 r. G.-Ricard ☒ 13006 ☎ 33.58.07 – BZ **g**
fermé fin juil. à fin août, sam. (sauf le soir du 1er oct. au 1er mai) et dim. – SC : **R** carte 110 à 140.

XXX ✿ **Michel-Brasserie des Catalans,** 6 r. Catalans, ☒ 13007, ☎ 52.64.22, ≤ – Marseille p. 2 AX **e**
fermé juil., mardi et merc. – **R** carte 125 à 170
Spéc. Bouillabaisse, Bourride, Poissons grillés. **Vins** Cassis, Bandol.

XX **Chez Caruso,** 158 quai Port, ☒ 13002, ☎ 90.94.04, ≤, spécialités italiennes AV **q**
fermé 10 oct. au 10 nov., dim. soir et lundi – SC : **R** carte 90 à 120.

XX **Miramar,** 12 quai Port, ☒ 13002, ☎ 91.10.40, ≤ – BV **v**
fermé août et dim. – **R** carte 90 à 130.

XX **Arnould,** 38 crs d'Estienne-d'Orves ☒ 13001, ☎ 33.34.82 – BX **r**
fermé fév. et dim. – SC : **R** carte environ 130.

XX ✿ **Patalain** (Delmas), 66 r. A. Thiers ☒ 13001 ☎ 48.01.69 – CV **g**
fermé 15 juil. au 15 sept. et dim. – SC : **R** (dîner seul.) (nombre de couverts limité - prévenir) 150/180
Spéc. Filet de sole aux queues d'écrevisses, Côtes d'agneau "Soubise", Gâteau des Prélats.

XX **Maison du Beaujolais,** 2place Sébastopol, ☒ 13004, ☎ 34.61.38 – DU **a**
fermé 15 juil. au 30 août, dim. et lundi – **R** carte 65 à 110.

XX **Béarnais,** 16 r. S.-Torrents, ☒ 13006, ☎ 37.01.96 – BY **a**
fermé fin juil. au 1er sept., dim. et fêtes – SC : **R** 65/70.

XX **Chez Antoine** (Pizzeria), 35 r. Musée, ☒ 13001, ☎ 54.02.64 – CV **k**
fermé août et mardi – **R** carte 60 à 100.

XX **Piment Rouge,** 20 r. Beauvau, ☒ 13001, ☎ 33.19.84, cuisine Moyen-Orient – BV **t**
fermé août et dim. – SC : **R** 60/80.

X **Le Faucigny,** 56 r. Mazenod, ☒ 13002, ☎ 91.14.19 AU **w**
fermé août et dim. – **R** carte 80 à 115.

X **La Charpenterie,** 22 r. Paix ☒ 13001 ☎ 54.22.89 – BX **d**
fermé juil., dim. et fériés – SC : **R** carte 55 à 85.

X **Le Tonkin,** 54 r. Vacon, ☒ 13001, ☎ 33.71.20, cuisine vietnamienne. BV **b**
fermé juil. et lundi – SC : **R** 28.

X **La Gratinée,** au M.I.N. par ① : 5 km, ☒ 13014, ☎ 98.03.41 –
fermé sam., dim. et fêtes – SC : **R** carte 50 à 80.

X **Les Cigales,** 4 r. Lacydon ☒ 13002 ☎ 90.87.59 AV **k**
fermé lundi soir – SC : **R** carte 60 à 95.

Sauf indication spéciale, voir emplacements sur Marseille p. 2

sur la Corniche :

Résidences le Petit Nice et Marina Maldormé (Passedat) M, anse de Maldormé (hauteur 160 corniche Kennedy), ✉ 13007, ☎ 52.14.39, Télex 401565, ≤ mer, « Villas dominant la mer, beaux aménagements intérieurs » – ch ☎ P. AE. rest AZ **d**
fermé janv. – **R** *(fermé lundi sauf fériés)* 145/190 et carte – ☐ 29 – **14 ch** 250/390, 6 appartements
Spéc. Courgette farcie à la mousee de homard, Filet de daurade, Baudroie au safran et à l'ail. **Vins** Cassis, Château-Simone.

XX **Chez Fonfon,** 140 vallon des Auffes, ✉ 13007, ☎ 52.14.38 – AE AY **t**
fermé oct. et dim. – **R** carte environ 130.

XX **Peron,** 56 corniche Prés.-Kennedy, ✉ 13007, ☎ 52.43.70, ≤ entrée du port – AE GB E AY **m**
fermé janv., dim. soir et lundi – **R** carte 80 à 120.

XX **L'Epuisette,** vallon des Auffes, ✉ 13007, ☎ 52.17.82, ≤ – P AY **n**
fermé janv. et dim. – **R** (nombre de couverts limité - prévenir) carte 100 à 140.

à l'Est 10 km par ② et sortie La Penne-St-Menet :

Novotel M, à St-Menet, ✉ 13011, ☎ 43.90.60, Télex 400667, – TV ☎ P – 250. AE GB
R snack carte environ 65 – ☐ 20 – **131 ch** 170/205.

à la Madrague-de-Montredon 10 km par prom. Plage - Marseille p. 3 - BZ :

XX **Mont-Rose,** 38 bd Mt-Rose, ✉ 13008, ☎ 73.17.22, ≤ corniche et les îles – P. GB
fermé merc. – SC : **R** (hors sais. déj. seul.) 55/100.

XX **Panorama,** 16 bd Panorama, ✉ 13008, ☎ 73.24.06 – AE GB
fermé août, sam. et dim. – **R** carte 70 à 100 ₰.

MICHELIN, Agences régionales, 20 r. Clary (3e) BT ☎ 95.90.48 et 5 r. de Fornier (10e) EY ☎ 78.33.63

1er et 2e Arrondissements

BMW Station 7, 42 bd Dunkerque (2e) ☎ 90.70.11
PEUGEOT S.I.A.P-Nord, 27 bd de Paris (2e) BT **b** ☎ 91.90.65
RENAULT Gar. des Capucines, 59 allées Gambetta (1er) CU ☎ 64.00.57
RENAULT Gar. Vieux Port, 36 r. Loge (2e) AV ☎ 90.05.03
Gar. Carnot, 39 r. République (2e) ☎ 90.43.75 N
Vulcanisation de la Rotonde, 61 r. Rotonde (1er) ☎ 62.01.30

3e et 4e Arrondissements

CITROEN Succursale, 45 av. R. Salengro (3e) BT ☎ 95.90.09 N ☎ 98.90.09
CITROEN Gar. Longchamp, 11 bd Philipon (4e) DU ☎ 62.25.03
CITROEN Gar. Luc, 5 r. H.-Auzias (3e) CT ☎ 62.45.45
FIAT Auto-Nord, 83 bd National (3e) ☎ 95.90.19
PEUGEOT GAMMA, 13 r. de Plombières (3e) BT **n** ☎ 08.74.75
RENAULT Succursale Nord, 137 bd de Plombières (3e) CT ☎ 02.70.02
RENAULT Barthélémy, 135 bd Flammarion (4e) DTU ☎ 95.90.37
Gar. d'Amiens, 15 r. d'Amiens (3e) ☎ 62.04.83
Denizon, 34 bd Battala (3e) ☎ 02.40.40
Escoffier-Pneus, 21 bd Briançon (3e) ☎ 50.77.91

5e Arrondissement

PEUGEOT Gar. Goudard, 7 r. Lacarno DX ☎ 47.50.47
RENAULT Gd Gar. de Verdun, 11 r. Verdun DV ☎ 94.91.25
Alger Gar., 39 r. Alger ☎ 48.20.56
Dussaud, 17 r. Ste-Cécile ☎ 78.63.58

6e et 7e Arrondissements

AUSTIN, JAGUAR, MORRIS, ROVER, TRIUMPH Kennings, 69 bd Notre-Dame (6e) ☎ 37.65.05
BMW Bernabeu, 50 av. du Prado (6e) ☎ 37.54.66
CITROEN Didier, 83 r. J.- Moulet (6e) BY ☎ 37.59.46
MERCEDES-BENZ Paris Méditerranée Auto, 166 cours Lieutaud (6e) ☎ 94.91.40
VOLVO Volvo-France, 27 av. J.-Cantini (6e) ☎ 78.66.00
Tscheiller, 9 r. L.-Maurel (6e) ☎ 37.78.32

8e Arrondissement

ALFA-ROMEO Alfa-Provence, 241 av. du Prado ☎ 79.91.44
CITROEN Succursale, 96 bd Rabateau EZ **s** ☎ 79.90.20
FIAT Gar. St-Maurice, 444 r. Paradis CZ ☎ 77.67.48
FORD Agence Centrale, 36 bd Michelet ☎ 77.97.06
LANCIA-AUTOBIANCHI S.O.D.I.A., 150 av. du Prado ☎ 53.55.22
PEUGEOT S.I.A. de Provence, 44 r. Liandier DZ ☎ 79.90.00
RENAULT Succursale, 134 bd Michelet DZ ☎ 77.69.00
TALBOT Auto-Marseille-Michelet, 204 bd Michelet DZ ☎ 77.16.11
Gar. Bernasconi, 365 r. Paradis ☎ 77.03.39
Central-Pneus, 104 av. Cantini ☎ 79.33.60
Paris Pneus, 4 r. R.-Teissère ☎ 79.18.12

9e, 10e et 11e Arrondissements

CITROEN Amoretti, 8 bd Aiguillon (9e) EZ ☎ 75.19.79
CITROEN Jean Fils, 19 av. de la Timone (10e) EY ☎ 78.17.52
CITROEN Pelizzari et Priam, 146 bd Valbarelle (11e) par N 8 EZ ☎ 44.95.12
FIAT Ets Manzon, 33 av. Capelette (10e) ☎ 79.91.91
MERCEDES-BENZ M.A.S.A., 108 bd Pont-de-Vivaux (10e) ☎ 79.56.56
PEUGEOT Fornier, 7 pl. Gén.-Ferrié (10e) CX ☎ 79.30.30
PEUGEOT S.G.A., 37 av. J.-Lombard (11e) par D 2 EX ☎ 94.91.21
Omnica, 37 r. Capit.-Galinat (10e) ☎ 78.37.05

12e, 13e et 14e Arrondissements

AUDI-VOLKSWAGEN S.O.D.R.A., 1 chemin Ste-Marthe (14e) ☎ 50.19.30
PEUGEOT S.I.A.P-Nord, bd Barry, St-Just (13e) ET ☎ 66.68.61
VOLKSWAGEN Gar. de la Rose, 212 av. de la Rose (13e) ☎ 66.75.64
Ayme-Pneus, 54 bd Barry (13e) ☎ 66.25.12
Gay, 47 bd Burel (14e) ☎ 95.91.13
Omnica, 15 bd Gay-Lussac (14e) ☎ 98.90.11
Sirvent-Pneus, 194 bd D.-Casanova (14e) ☎ 67.22.20

15e et 16e arrondissements

FORD Marseille-Nord-Automobiles, 64 r. de Lyon (15e) ☎ 64.40.48
PEUGEOT Gar. Gastaldi, 44 rte Nationale de St-Antoine (15e) ☎ 51.32.37
RENAULT Ets Lodi, 124 rte Nationale, la Viste (15e) ☎ 69.90.71
RENAULT Coquillat, 89 bd Jean-Labro, St-André (16e) ☎ 46.08.07
Gar. Corradi, 111 r. Condorcet, St-André (16e) ☎ 46.09.52
Comptoir du Pneu, 428 rte Nationale, St-Antoine (15e) ☎ 51.24.13

Banlieue

Relais des Pennes, les Pennes-Mirabeau ☎ 02.71.26

MARSILLARGUES 34590 Hérault 83 ⑧ – 3 023 h. – 67.

Paris 743 – Aigues-Mortes 11 – ♦Montpellier 29 – ♦Nîmes 34.

X **La Remise,** ☎ 71.60.45 – P
fermé fév. et merc. – SC : **R** 40/65.

MARSSAC-SUR-TARN 81 Tarn 82 ⑩ – rattaché à Albi.

MARTAILLY-LÈS-BRANCION 71 S.-et-L. 69 ⑲ – rattaché à Tournus.

MARTEL 46600 Lot 75 ⑱ **G. Périgord** – 1 560 h. alt. 225 – 65.

Voir Belvédère de Copeyre ≤★ sur cirque de Montvalent★ SE : 4 km.

Syndicat d'Initiative à la Mairie (fermé sam. après-midi, dim. et lundi matin) ☎ 37.30.03.

Paris 523 – Brive-la-Gaillarde 33 – Cahors 81 – Figeac 59 – Gourdon 44 – St-Céré 32 – Sarlat-la-C. 44.

Turenne et rest. Le Quercy, ☎ 37.30.30 – wc. AE.
fermé 1er déc. au 28 fév. – SC : **R** 35/120 – 9 – **18 ch** 45/120 – P 95/120.

à Gluges : S : 5 km par N 140 – ✉ **46600** Martel.
Voir Site★.

Falaises, ☎ 37.33.59 – P – 25. ch
fermé 1er janv. au 15 fév. et mardi hors sais. sauf vacances et fêtes – SC : **R** 35/120 – 10 – 17 ch 55/90 – P 100/120.

MARTIEL 12 Aveyron 79 ⑳ – rattaché à Villefranche-de-Rouergue.

MARTIGUES 13500 B.-du-R. 84 ⑫ **G. Provence** – 38 373 h. – 42.

Voir Pont St-Sébastien ≤★ A – Étang de Berre★ – Viaduc autoroutier de Caronte★ – Chapelle N.-D.-des-Marins ※★ 3,5 km par ④.

Office de Tourisme (fermé dim. sauf matin en saison) avec T.C.F. 2 quai Paul-Doumer ☎ 80.30.72.

Paris 774 ② – Aix-en-Provence 45 ② – Arles 52 ④ – ♦Marseille 40 ② – Salon-de-Provence 35 ①.

Plan page ci-contre

St-Roch M, rte Arles **(x)** ☎ 80.19.73, ≤, Parc – TV wc & P. GB
SC : **R** 45/65 – 18 – **39 ch** 150/175 – P 170/225.

Eden sans rest, bd É.-Zola **(a)** ☎ 07.36.37 – wc P.
fermé 20 déc. au 4 janv. – SC : 14 – **38 ch** 90/145.

Clair H. sans rest, bd M.-Cachin **(e)** ☎ 07.02.43 – wc P.
SC : 10 – **39 ch** 50/95.

XX **Gousse d'Ail,** quai Gén.-Leclerc **(s)** ☎ 07.13.26 –.
fermé 16 au 30 août et dim. – **R** 40/50.

à ***St-Mitre-les-Remparts*** par ① : 7 km – 3 765 h. – ✉ **13920.**

Voir Site archéologique de St-Blaise : rempart grec★ O : 4 km puis 15 mn.

XX **Le Marypol,** ☎ 80.95.95 – Ⓟ. AE GB
R 50/70.

AUDI-VOLKSWAGEN Provence-Gar., ancienne rte Marseille ☎ 07.03.22
FORD Venise Provence Autom., ancienne rte Marseille ☎ 07.10.82
PEUGEOT Martigues-Auto, Le Rond-Point, quai Als.-Lorraine ☎ 07.09.33
RENAULT Gar. Nouvelle Provence, rte de Fos ☎ 06.09.92
RENAULT Aragon, av. J.-Macé ☎ 07.03.54
TALBOT Autom. de Provence, 48 av. F.-Mistral ☎ 81.08.63

Ⓜ Morcel, chemin Paradis ☎ 80.44.49
Omnica, Puits de Pouane, N 568 ☎ 06.63.27
Pizzorno, 26 espl. des Belges ☎ 07.07.71

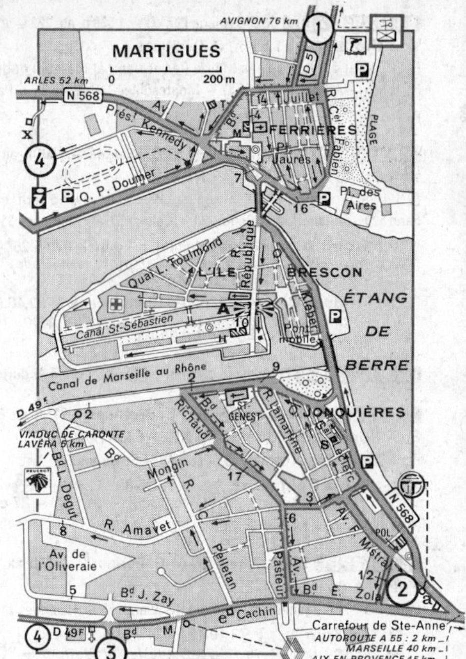

Alsace-Lorraine (Quai)	2	J.-J. Rousseau (Bd)	8
Belges (Esplanade des)	3	Lamartine (Pl.)	9
Denfert (R. Colonel)	4	Libération (Pl. de la)	10
Font-Sarade (Chemin de)	5	Lorto (Av. P. di)	12
Gambetta (R.)	6	Tessé (Quai Marcel)	16
Girondins (Quai des)	7	4-Septembre (Cours du)	17

MARTIMPRÉ **88** Vosges **62** ⑰ – rattaché à Gérardmer.

MARTIN-ÉGLISE **76** S.-Mar. **52** ④ **G. Normandie** – 1 098 h. alt. 11 – ✉ **76370** Neuville-lès-Dieppe – ⚙ 35.

Voir Ruines du château★ d'Arques-la-Bataille SO : 3 km.

Paris 167 – Blangy 44 – Dieppe 6,5 – Neufchâtel-en-Bray 30 – ♦Rouen 64 – Le Tréport 29.

XX **Aub. Clos Normand** avec ch, ☎ 82.71.01, « Intérieur rustique et jardin en bordure de rivière » – ⌂ Ⓟ. GB. ⚘ ch
fermé lundi soir et mardi ; hôtel fermé du 1er oct. au 1er mars, rest du 14 déc. au 10 janv. – SC : **R** carte 80 à 135 – ☕ 10 – 9 ch 90 – P 110/120.

MARTRES-TOLOSANE **31** H.-Gar. **82** ⑯ **G. Pyrénées** – 1 909 h. alt. 264 – ✉ **31220** Cazères-sur-Garonne – ⚙ 61.

Paris 767 – Auch 84 – Auterive 45 – Pamiers 68 – St-Gaudens 29 – St-Girons 39 – ♦Toulouse 61.

⌂ **Castet,** face gare ☎ 90.80.20, ⛱, ⛱ – ⌂wc ⌂wc ☎ Ⓟ
◆ *fermé 10 au 31 oct.* – SC : **R** *(fermé lundi d'oct. à Pâques)* 32/65 – ☕ 8 – **20 ch** 45/75 – P 85/95.

Les MARTYS **11** Aude **83** ⑪ – rattaché à Mazamet.

MARVEJOLS **48100** Lozère **80** ⑤ **G. Auvergne** (plan) – 5 913 h. alt. 651 – ⚙ 66.

Voir Porte de Soubeyran★.

ℹ Syndicat d'Initiative av. Brazza (juil.-août et fermé dim. après-midi) ☎ 32.02.14 et à la Mairie (1er sept.-30 juin et fermé dim.) ☎ 32.00.45.

Paris 557 – Espalion 72 – Florac 53 – Mende 29 – Millau 73 – Rodez 85 – St-Chély-d'Apcher 33.

⌂ **Europe,** bd Chambrun ☎ 32.02.31 – |♦| ⌂wc ⌂ ☎ Ⓟ. ⚘ GB E
◆ *fermé 10 déc. au 20 janv., dim. soir et lundi midi* – SC : **R** 25/100 ⚲ – ☕ 10 – 36 ch 70/100 – P 120.

⌂ **Gare et Rochers** ⛰, pl. Gare ☎ 32.10.58, ← – ⌂wc ⌂ ☎ 🚗 Ⓟ. E
fermé 15 janv. au 15 fév. – **R** *(fermé sam. hors sais.)* 36/62 ⚲ – ☕ 9,50 – **30 ch** 42/100 – P 95/120.

CITROEN Garde, ☎ 32.01.04
FIAT, VOLVO Gar. du Soubeyran, ☎ 32.01.01
OPEL Gar. de la Mairie, ☎ 32.00.86
PEUGEOT Rouvière, ☎ 32.00.88
RENAULT Le Relais d'Espagne, ☎ 32.13.25

MARZAL (Aven de) ★★ **07** Ardèche **80** ⑨.

Le MAS-D'AZIL **09290** Ariège 86 ④ – 1 568 h. alt. 292 – ✪ 61.

Voir Grotte S : 1,5 km, G. Pyrénées.**

Syndicat d'Initiative à la Mairie (fermé sam. après-midi et dim.) ☏ 68.90.18.

Paris 805 – Auch 112 – Foix 37 – Montesquieu-Volvestre 24 – Pamiers 35 – St-Girons 24.

RENAULT Renaille, ☏ 68.93.71

MASEVAUX **68290** H.-Rhin 66 ⑧ **G. Vosges** – 3 601 h. alt. 405 – ✪ 89.

Voir col du Hundsrück ← NE.**

Syndicat d'Initiative 36 Fossé Flagellants (1er juil.-15 sept. et fermé dim.) ☏ 82.41.99.

Paris 520 – Altkirch 30 – Belfort 23 – Colmar 57 – ♦Mulhouse 33 – Thann 24 – Le Thillot 37.

XX **Host. Alsacienne** avec ch, r. Foch ☏ **82.45.25** – wc P. DC
fermé 25 juin au 25 juil., 25 oct. au 11 nov., 25 fév. au 10 mars, dim. soir et lundi – **R** 55/105 – 12 – 8 ch 50/95 – P 90/105.

XX **Aigle d'Or** avec ch, pl. G.-Clemenceau ☏ **82.40.66** – . GB E. ch
fermé 14 sept. au 8 oct., 4 au 18 janv., lundi soir (rest. seul.) et mardi – SC : **R** 39/99 – 10 – 9 ch 40/63 – P 83/88.

La MASSANA Principauté d'Andorre 86 ⑭ – voir à Andorre.

MASSAT **09320** Ariège 86 ③④ **G. Pyrénées** – 711 h. alt. 650 – ✪ 61.

Env. Sommet de Portel ☼ NE : 9,5 km puis 15 mn.**

Paris 826 – Ax-les-Thermes 56 – Foix 46 – St-Girons 28.

Trois Seigneurs , ☏ **96.95.89**, ←, – wc wc P. AE DC
1er mars-2 nov. – SC : **R** 36/100 – 8,50 – **27 ch** 75/100 – P 130.

RENAULT Gar. Moles, ☏ 96.95.34 N ☏ 96.97.00

MASSERET **19510** Corrèze 72 ⑱ **G. Périgord** – 742 h. alt. 513 – ✪ 55.

Voir ☼* de la tour.

Paris 435 – Bourganeuf 70 – Brive-la-Gaillarde 55 – ♦Limoges 41 – Périgueux 92 – Tulle 46.

La Tour , ☏ **73.40.12**, ← – wc.
fermé 12 déc. au 12 janv., mardi soir et merc. – SC : **R** 30/52 – 10 – 17 ch 50/75 – P 90/100.

RENAULT Gar. Lacoste, ☏ 73.40.33

MASSIAC **15500** Cantal 76 ④ **G. Auvergne** – 2 057 h. alt. 537 – ✪ 71.

Syndicat d'Initiative av. Clermont (fermé lundi) ☏ 23.00.13.

Paris 459 – Aurillac 86 – Brioude 22 – Issoire 38 – Murat 35 – St-Flour 30.

Gd H. Poste, N 9 ☏ **23.02.01**, – wc wc P. GB E
fermé 5 nov. au 20 déc. et merc. sauf juil. et août – SC : **R** 39/90 – 12 – 36 ch 55/150.

Mairie , r. A.-Chalvet ☏ **23.02.51**, – wc wc P. E. rest
fermé 15 nov. au 15 déc. et lundi hors sais. – SC : **R** 30/110 – 10 – 26 ch 40/110 – P 100/130.

PEUGEOT Richard, ☏ 23.02.25

RENAULT Delmas, N 9, le Gravairas ☏ 23.02.11 N

MASSILLY **71** S.-et-L. 69 ⑲ – 373 h. alt. 235 – ✉ **71250** Cluny – ✪ 85.

Paris 383 – Chalon-sur-Saône 45 – Charolles 45 – Mâcon 32 – Montceau-les-Mines 40 – Tournus 31.

X **Orée du Bois** avec ch, D 117 ☏ **59.05.43**, – P.
fermé oct., janv. et mardi – SC : **R** 35/70 – 9 – 7 ch 45/50 – P 80.

MATEMALE **66** Pyr.-Or. 86 ⑯ – rattaché aux Angles.

MATHAY **25** Doubs 66 ⑱ – 1 482 h. alt. 342 – ✉ **25700** Valentigney – ✪ 81.

Paris 492 – Baume-les-Dames 51 – ♦Besançon 84 – Montbéliard 12 – Morteau 59.

X **Aub. du Vieux Puits**, ☏ **35.28.06**, – P
fermé 20 déc. au 25 janv. et mardi – SC : **R** 42/65 .

CITROEN Gar. Leyval, ☏ 35.28.07

MATHEFLON **49** M.-et-L. 64 ① – rattaché à Seiches-sur-le-Loir.

MATIGNON 22550 C.-du-N. 59 ⑤ – 1 637 h. alt. 41 – ⊛ 96.

Paris 391 – Dinan 30 – Dol-de-Bretagne 45 – Lamballe 24 – St-Brieuc 45 – St-Cast 6 – St-Malo 31.

⚲ **Poste,** ☎ 41.02.20,
→ *fermé 14 au 28 sept., vac. de fév. et lundi* – SC : **R** 30/70 ⚲ – ☕ 8 – 7 ch 40/63 – P 90.

RENAULT Hamon, ☎ 41.02.31 [N]

MAUBEUGE 59600 Nord 53 ⑥ **G. Nord de la France** – 35 474 h. alt. 134 – ⊛ 27.

Voir Parc zoologique★ A.

ℹ Office de Tourisme porte de Bavay, av. Parc (fermé dim. hors sais. et lundi) ☎ 62.11.93 - A.C. porte de France, av. Gare ☎ 64.62.34.

Paris 241 ⑤ – Charleville-Mézières 103 ④ – Mons 20 ① – St-Quentin 81 ⑤ – Valenciennes 39 ⑤.

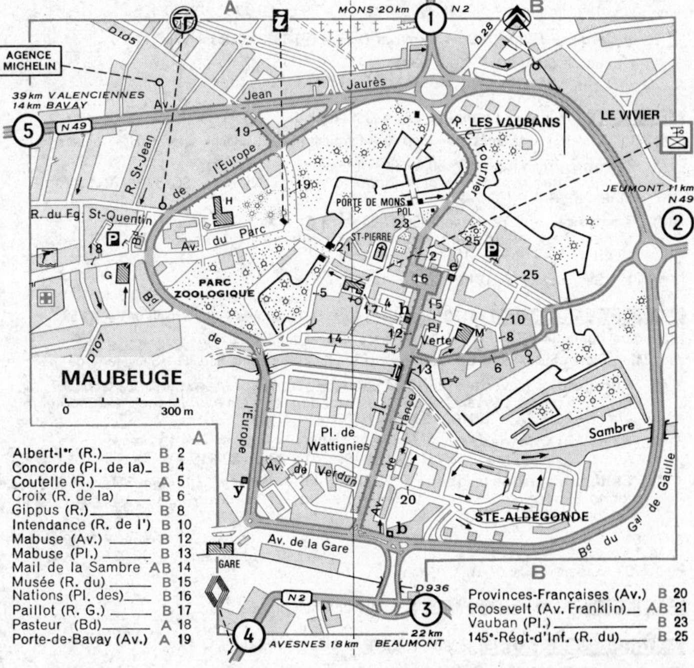

Albert-Ier (R.) B 2
Concorde (Pl. de la) B 4
Coutelle (R.) A 5
Croix (R. de la) B 6
Gippus (R.) B 8
Intendance (R. de l') B 10
Mabuse (Av.) B 12
Mabuse (Pl.) B 13
Mail de la Sambre AB 14
Musée (R. du) B 15
Nations (Pl. des) B 16
Paillot (R. G.) B 17
Pasteur (Bd) A 18
Porte-de-Bavay (Av.) A 19
Provinces-Françaises (Av.) B 20
Roosevelt (Av. Franklin) AB 21
Vauban (Pl.) B 23
145e-Régt-d'Inf. (R. du) B 25

⚲ **Mercure** [M], par ④ : 4 km ✉ 59720 Louvroil ☎ 64.93.73, Télex 110696, ⚲ – ▤ TV ☎ ♿ **(P)** – ⚲ 20 à 130. AE GB (D)
R carte environ 70 – ☕ 18 – **59 ch** 170/200.

⚲ **Gd Hôtel,** 1 porte de Paris ☎ 64.63.16 – ⚲ ▤ rest ⚲wc ⚲ ☎ **(P)**. ⚲ AE GB
fermé 2 au 25 août – **R** *(fermé dim. soir)* 39/104 – ☕ 12,50 – **31 ch** 72/165 – P 140/240. B **b**

⚲ **Joseph,** 7 av. J.-Mabuse ☎ 64.68.14 – AE GB (D) E B **h**
fermé mardi – **R** 42/90.

⚲ **La Langouste,** 27 av. Lt-Colonel-Martin ☎ 64.77.10 – AE GB (D) E. ⚲ B **e**
fermé août, dim. soir et lundi – SC : **R** 55/90 ⚲.

⚲ **de l'Abattoir,** 46 bd Europe ☎ 64.64.14 – **(P)** A **y**
→ *fermé juil.* – SC : **R** (déj. seul.) 32/56 ⚲.

par ④ : 5 km sur rte Avesnes – ✉ **59330** Hautmont :

⚲ **Aub. Hermitage,** ☎ 64.91.15 – **(P)**. AE GB
fermé 16 au 31 août et lundi sauf fériés – **R** 38/140.

route de Mons par ① : 7 km – ✉ **59600** Maubeuge :

⚲ **Aux Trois Entêtés,** ☎ 64.85.29 – **(P)**. GB
→ *fermé 6 au 31 juil., 15 au 28 fév., dim. soir et lundi* – SC : **R** 33/100 ⚲.

MICHELIN, Agence, Impasse Guilick, av J.-Jaurès A ✆ **64.82.45**

CITROEN Deshayes, 18 bd de Jeumont ✆ 62.07.12
FORD Auto-Service Colau, 11 r. de Keyworth à Feignies ✆ 64.71.09
LANCIA-AUTOBIANCHI Gar. de l'Etoile, 69 rte d'Elesmes ✆ 64.60.43
RENAULT Courtin-Bévierre, 18 rte d'Avesnes, Louvroil ✆ 62.13.01
TALBOT Gar. de Maubeuge, 24 bd Europe ✆ 62.09.52

Auto-Sécurité, 103 bis r. des Minières ✆ 64.97.91
Daessle et Klein, 195 rte d'Avesnes, Louvroil ✆ 62.17.65

MAUBUISSON **33** Gironde **71** ⑱ – alt. 15 – ✉ **33121** Carcans – ✆ **56**.

Syndicat d'Initiative bd Lac (15 juin-15 sept.) ✆ 60.31.16.

Paris 613 – ♦Bordeaux 57 – Lacanau-Océan 14 – Lesparre-Médoc 37 – Pauillac 37.

Lac, ✆ 60.30.03, – wc P.
fin mars-fin sept. – SC : **R** 35/70 – 12 – 39 ch 65/120 – P 100/125.

à Carcans-Plage NO : 4,5 km par D 3E – ✉ **33121** Carcans-Ville :

Océan, ✆ 60.31.13 – wc.
avril-30 sept. – SC : 9,50 – 14 ch 90/125 – P 125/145.

MAULÉON **79700** Deux-Sèvres **67** ⑥⑯ – 3 101 h. alt. 187 – ✆ **49**.

Paris 371 – Cholet 23 – ♦Nantes 74 – Niort 80 – Parthenay 54 – La Roche-sur-Yon 66 – Thouars 46.

Europe, 15 r. Hôpital ✆ **80.40.33** – wc wc.
fermé 15 déc. au 15 janv. et lundi du 15 sept. au 15 mai – SC : **R** 30/70 – 8 – 11 ch 36/98 – P 102/142.

Terrasse, 7 pl. Terrasse ✆ **80.47.24** – P.
fermé 12 fév. au 15 mars et sam. du 20 sept. au 13 juin – SC : **R** 28/70 – 8 – **15 ch** 43/78 – P 106/115.

RENAULT Gar. Lebeau, ✆ 80.40.53 N

MAULÉON-LICHARRE **64130** Pyr.-Atl. **85** ④⑤ **G. Pyrénées** – 4 488 h. alt. 141 – ✆ **59**.

Syndicat d'Initiative 10 r. J.-B.-Heugas (fermé sam. et dim.) ✆ 28.02.37.

Paris 781 – Oloron-Ste-M. 30 – Orthez 40 – Pau 63 – St-Jean-Pied-de-Port 40 – Sauveterre-de-B. 28.

Bidegain, r. Navarre ✆ **28.16.05**, – wc wc. AE GB
fermé 15 déc. au 15 janv. – SC : **R** *(fermé dim. et fêtes sauf Pâques, Pentecôte, juil. et août)* 40/80 – 10 – **30 ch** 47/100 – P 94/150.

Host. du Château, r. Navarre ✆ **28.19.06** – wc P.
fermé 15 au 31 janv. – SC : **R** 40/100 – 10 – **30 ch** 80/110 – P 90/110.

Ekhi-Éder, pl. de la Liberté ✆ **28.16.23**, – wc P. GB
fermé 25 sept. au 9 oct. – SC : **R** *(fermé dim. soir en hiver)* 37/70 – 8 – **15 ch** 52/86 – P 85/105.

CITROEN Gar. Sarrazin, ✆ 28.10.97 N ✆ 28.17.46
PEUGEOT Sarlang, ✆ 28.07.61
RENAULT Cachés, à Chéraute ✆ 28.18.28
TALBOT Armagnague, ✆ 28.03.92

MAULETTE **78** Yvelines **60** ⑧, **96** ⑫ – rattaché à Houdan.

MAURE-DE-BRETAGNE **35330** I.-et-V. **63** ⑤⑥ – 2 516 h. alt. 35 – ✆ **99**.

Paris 383 – Châteaubriant 57 – Ploërmel 33 – Redon 35 – ♦Rennes 38.

Centre M sans rest, 2 pl. Poste ✆ **34.91.52** – wc wc
SC : 10,50 – **21 ch** 65/105.

PEUGEOT Gar. Lecoq, ✆ 34.92.44

MAUREPAS **78310** Yvelines **60** ⑨, **96** ㉔ – 14 926 h. alt. 170 – ✆ **3**.

Paris 40 – Dreux 49 – Mantes-la-Jolie 37 – Montfort-L'Amaury 9 – Rambouillet 19 – Versailles 19.

Mercure Versailles Maurepas M, ville nouvelle E : 5 km, 1 rocade Camargue ✆ 051.57.27, Télex 695427 – TV P – 200. AE GB
R carte environ 70 – 18 – **91 ch** 185/200.

MAURES (Massif des) ★★★ **83** Var **84** ⑯⑰⑱ **G. Côte d'Azur.**

MAURIAC **15200** Cantal **76** ① **G. Auvergne** (plan) – 4 569 h. alt. 722 – ✆ **71**.

Voir Basilique★.

Env. Barrage de l'Aigle★★ : 11 km par ④, **G. Périgord.**

Syndicat d'Initiative pl. G. Pompidou (15 juin-15 sept. et fermé dim.) ✆ 68.01.85.

Paris 484 – Aurillac 56 – Le Mont-Dore 77 – ♦Clermont-Ferrand 113 – Le Puy 192 – Tulle 70.

Écu de France, av. Ch.-Périé ✆ **68.00.75** – wc wc. ch
fermé janv. et fév. – SC : **R** 38/90 – 10 – 26 ch 70/140 – P 125/150.

Central, (Annexe - 13 ch wc), r. République 68.01.90 – wc . ch
SC : **R** *(fermé du 12 au 30 nov. et lundi hors sais.)* 33/60 – 12 – **34 ch** 56/120 – P 95/120.

Voyageurs et Bonne Auberge, rte Aurillac 68.01.01 – wc wc .
fermé 15 déc. au 15 janv. et dim. hors sais. sauf fêtes – SC : **R** 33/75 – 14 – **20 ch** 62/135 – P 110/145.

à ***Chalvignac*** NO : 9 km par D 678 et D 105 – **15200** Mauriac :

Host. de la Bruyère avec ch, 68.11.46, ≤, parc – wc . GB.
Pâques-30 sept. et fermé dim. – SC : **R** 35/80 – 8 – 9 ch 60/90 – P 100/130.

CITROEN Tillet, 68.03.53
PEUGEOT Mouret, 68.06.24
RENAULT Balmisse, à Le Vigean 68.06.77
Haag, 68.09.81

MAURON **56430** Morbihan **59** ⑮ – 3 237 h. alt. 81 – 97.

Paris 407 – Dinan 48 – Josselin 27 – Loudéac 43 – Redon 60 – St-Brieuc 68 – Vannes 66.

Brambily, pl. Mairie 22.61.67 – wc wc – 100.
fermé 15 sept. au 15 oct., dim. soir et lundi – SC : **R** 35/70 – 12 – 19 ch 40/95 – P 115/150.

CITROEN Payoux, 22.60.21
PEUGEOT Gar. Patier, 22.60.03

MAURS **15600** Cantal **76** ⑪ **G. Auvergne** – 2 756 h. alt. 280 – 71.

Voir Buste-reliquaire★ dans l'église.

Paris 579 – Aurillac 45 – Entraygues-sur-Truyère 49 – Figeac 22 – Rodez 60 – Tulle 98.

Périgord M , av. Gare 49.04.25 – wc . rest
fermé 1er au 15 oct. – **R** *(fermé vend. soir d'oct. au 1er mai)* 30/80 – 9,50 – **17 ch** 85/95 – P 95/110.

Plaisance, pl. Champ-de-Foire 49.02.47 – rest
fermé sam. d'oct. à Pâques – SC : **R** 26/70 – 8,50 – 10 ch 45/60 – P 80/95.

CITROEN Gar. Delort, 49.01.95
PEUGEOT Balitrand, 49.02.04 N
RENAULT Gar. Lavigne, 49.00.20

MAUSSANE-LES-ALPILLES **13520** B.-du-R. **84** ① – 1 352 h. alt. 28 – 90.

Paris 717 – Arles 18 – ♦Marseille 82 – Martigues 44 – St-Rémy-de-P. 9,5 – Salon-de-Provence 28.

Touret M sans rest, 97.31.93, – wc wc .
fermé fév. – SC : 13 – **16 ch** 150/170.

L'Oustaloun, 97.32.19 – wc wc. . ch
SC : **R** *(fermé 2 janv. au 15 mars et merc.)* 45/70 – 12 – **12 ch** 65/110.

Les Magnanarelles, 97.30.25, – wc wc – 40.
fermé 10 janv. au 10 fév. – SC : **R** *(fermé lundi hors sais.)* 60/100 – 12 – **21 ch** 65/160 – P 140/170.

La Pitchoune, 97.34.84
fermé fév. et jeudi – SC : **R** 40/100.

MAUZAC **24** Dordogne **75** ⑮⑯ – 603 h. alt. 49 – **24150** Lalinde – 53.

Paris 547 – Bergerac 29 – Brive-la-Gaillarde 94 – Périgueux 62 – Sarlat-la-Canéda 53.

La Métairie , à Millac N : 2,5 km 61.50.47, ≤, parc, – wc wc . AE
11 avril-15 oct. – SC : **R** *(fermé mardi)* 90/125 – 23 – **10 ch** 200/250 – P 325/330.

Poste, 61.50.52, ≤, – wc
fermé nov., déc. et lundi hors sais. – SC : **R** 25/60 – 9 – **18 ch** 45/90 – P 80/110.

MAUZÉ-SUR-LE-MIGNON **79210** Deux-Sèvres **71** ② – 2 502 h. alt. 21 – 49.

Paris 430 – Niort 23 – Rochefort 37 – La Rochelle 40.

Relais de la Fourche en Pré, rte de Niort 26.32.36 – .
fermé 20 déc. au 11 janv., 21 fév. au 1er mars, dim. soir et lundi sauf juil. et août – SC : **R** 28 bc/58 – 9,50 – 10 ch 43/68 – P 101.

France, 26.30.15 – wc . ch
fermé 18 déc. au 10 janv., sam. soir et dim. soir hors sais. – SC : **R** 28/54 – 8,50 – 8 ch 39/54 – P 75/92.

à ***Benon*** O : 11 km par N 11 – **17170** Courçon :

Relais de Benon M , (46) 01.61.63, , , – wc – 60. AE GB E. rest
SC : **R** 45/95 – 13 – **30 ch** 110/140 – P 160/200.

Garage Gueret, 26.30.78

MAVALEIX 24 Dordogne 72 ⑯ – rattaché à La Coquille.

MAXEY-SUR-MEUSE 88 Vosges 62 ③ – rattaché à Domrémy-La-Pucelle.

MAXILLY-PETITE-RIVE 74 H.-Savoie 70 ⑰⑱ – rattaché à Évian-les-Bains.

MAYENNE <SP> 53100 Mayenne 59 ⑳ **G. Normandie** – 13 497 h. alt. 124 – ⚙ 43.

Voir Ancien château ≤★ B.

🅸 Office de Tourisme pl. 9-juin-1944 (fermé après-midi hors saison, dim et fêtes) ☎ 04.19.37.

Paris 297 ② – Alençon 61 ② – Flers 56 ① – Fougères 44 ⑤ – Laval 30 ④ – ♦Le Mans 74 ③.

MAYENNE

Briand (R. Aristide) 4
Gaulle (R. Ch. de) 14
St-Martin (R. et ⊞) 28
Sergent-Louvier (R.) 29

Anatole-France (Bd) 2
Bretagne (R. de) 3
Carnot (Quai) 5
Chateaubriand (R.) 6
Cheverus (Pl.) 7
Du-Guesclin (R.) 8
Gambetta (Pl.) 13
Jules-Ferry (R.) 15
Herce (Pl. de) 16
Hoche (Av.) 17
Montigny (Bd de) 18
Normandie (R. de) 20
N.-Dame (⊞) 21
Papin (R. Denis) 22
Pavé-Morin (R. du) 23
République (Q. de la) 24
Roullois (R.) 25
Vallées (R. des) 32
Verdun (R. de) 33
8-Mai-1945 (Pl. du) 35
130ᵉ R.-I. (R. du) 36

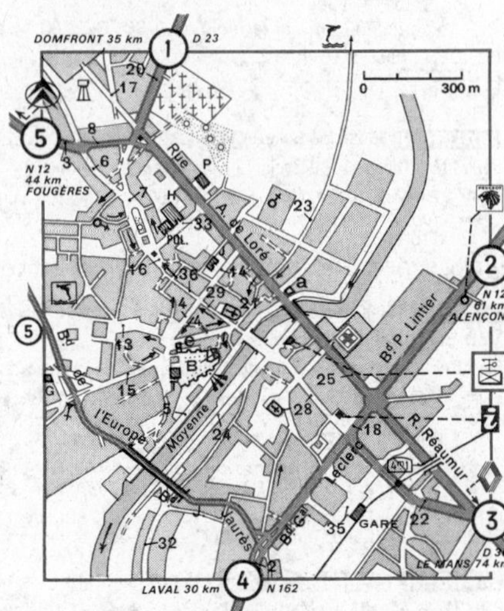

Utilisez le guide de l'année.

🏨 **Gd Hôtel,** 2 r. A.-de-Loré **(a)** ☎ 04.37.35 – ⇔wc ⋒wc ☎ 🚗 Ⓟ. 🚗
SC : **R** *(fermé 24 déc. au 8 janv.)* 45/160 – ☕ 13,50 – **29 ch** 65/146 – P 148/180.

🏨 **Voyageurs,** 17 pl. G.-Clemenceau **(e)** ☎ 04.37.83 – ⇔
◆ *fermé dim.* – SC : **R** 35 🍷 – ☕ 8,50 – **11 ch** 39/75 – P 120/140.

XX **Croix Couverte** Ⓜ avec ch, par ② : 1,5 km ☎ 04.32.48, 🌳 – ⇔wc ⋒wc ☎ 🚗
Ⓟ. AE GB
SC : **R** 38/46 🍷 – ☕ 9,50 – **11 ch** 75/115 – P 95/150.

BMW Bassaler, 92 r. P.-Lintier ☎ 04.15.84
CITROEN Gar. de Mayenne, rte d'Ernée ☎ 04.36.71 🅽 ☎ 04.34.72
PEUGEOT Mallecot, 622 bd P. Lintier ☎ 04.10.76
RENAULT Mayenne-Auto av Gutemberg ☎ 04.58.86
🛞 Beloir, 390 bd P.-Lintier ☎ 04.19.47

MAYET 72360 Sarthe 64 ③ – 3 019 h. alt. 74 – ⚙ 43.

Voir Forêt de Bercé★ NE : 5 km, G. Châteaux de la Loire.

Paris 226 – Château-la-Vallière 29 – La Flèche 31 – ♦Le Mans 29 – ♦Tours 59 – Vendôme 80.

X **Aub. des Tilleuls,** pl. Hôtel de Ville ☎ 44.60.12
◆ *fermé 17 au 31 août, 15 au 29 fév. et merc.* – SC : **R** 28/68 🍷.

X **0.20.100.0** avec ch, r. E.-Termeau ☎ 44.60.40, 🌳 – 🚗 Ⓟ. 🐕
◆ *fermé 15 au 30 oct., 1er au 15 fév., dim. soir et vend.* – SC : **R** 35/45 🍷 – ☕ 8 – **7 ch** 45/55 – P 80.

CITROEN Rebillard, ☎ 44.61.73

Le MAYET-DE-MONTAGNE 03250 Allier 73 ⑥ **G. Auvergne** – 2 309 h. alt. 545 – ⚙ 70.

Paris 366 – Lapalisse 23 – Moulins 73 – Roanne 49 – Thiers 43 – Vichy 26.

🏠 **Relais du Lac,** S : 0,5 km sur D 7 ☎ 41.70.23, ≤ – Ⓟ
◆ *fermé oct. et mardi sauf en été* – SC : **R** 35/45 🍷 – ☕ 10 – 10 ch 40/60 – P 80.

CITROEN Gar. St-Christophe ☎ 41.70.42
RENAULT Tartarin, ☎ 41.70.61

Ne voyagez pas aujourd'hui avec une carte d'hier.

MAZAGRAN 57 Moselle 57 ⑭ – rattaché à Metz.

MAZAMET 81200 Tarn 83 ⑪⑫ **G. Causses** – 14 874 h. alt. 241 – 63.

de la Barouge ☎ 61.08.00 par ① : 3,5 km.

Office de Tourisme avec A.C. Maison Fuzier, r. des Casernes (fermé dim. et lundi) ☎ 61.27.07 et Pavillon Plô de la Bise, rte Carcassonne (juil.-août) ☎ 61.25.54.

Paris 749 ④ – Albi 60 ④ – Béziers 86 ① – Carcassonne 47 ② – Castres 18 ④ – •Toulouse 83 ③.

Le Gd Balcon, square G.-Tournier ☎ 61.01.15, Télex 520287 – wc wc – 80 à 120. AE GB E — Z **a**
fermé 20 déc. au 20 janv. – SC : **R** carte 80 à 120 – 16 – **25 ch** 68/160.

Boulevard, 24 bd Soult ☎ 61.16.08 – rest wc. — Z **r**
fermé 22 déc. au 22 janv. – SC : **R** *(fermé lundi)* 32/58 – 12 – **21 ch** 45/95 – P 85/115.

à Bout-du-Pont-de-Larn par ① et D 54 : 2 km – **81200** Mazamet

XXX **La Métairie Neuve** M avec ch, ☎ 61.23.31, – wc ☎ ℗. GB
fermé 15 au 31 juil. et 24 au 31 déc. – SC : **R** *(fermé merc.)* 38/110 – 18 – **7 ch** 120/145 – P 240/290.

par ①, D 109 et D 54 : 5 km – **81200** Mazamet :

Host. du Château de Montlédier M, ☎ 61.20.54, ←, « Parc » – ℗ – 60. AE. rest
SC : **R** *(fermé fév. et lundi)* 55/130 – 20 – 10 ch 170/265 – P 200/230.

aux Martys (11 Aude) par ② : 14 km sur N 118 – **11390** Cuxac-Cabardès :

X Host. Trois Fontaines avec ch, ☎ 26.51.94, ←, – ℗
9 ch.

ALFA-ROMEO, OPEL Auto Gar., 11 r. Cormouls-Houlès ☎ 61.06.94
BMW Gar. C.I.P.L., à Caucalières ☎ 61.29.44
CITROEN Nègre, 54 r. Ed.-Barbey ☎ 61.39.41
FORD Amalric et Raynaud, 19 r. Nouvela ☎ 61.04.22
PEUGEOT Gd Gar. Gare, av. Ch.-Sabatier ☎ 61.01.89 N

RENAULT Labessant, av. Mal Juin ☎ 61.13.19

Jobin, 5 av. J.-Mermoz ☎ 61.24.56
Martin, 11 r. Meyer ☎ 61.00.77
P.A.P.I., 14 r. de la République ☎ 61.07.32

MAZAN **84 Vaucluse 81 ⑬ – rattaché à Carpentras.**

MAZET-ST-VOY **43520 Hte-Loire 76 ⑧ – 1 280 h. alt. 1 043 – 71.**
Paris 587 – Lamastre 37 – ♦St-Étienne 69 – Le Puy 40 – Yssingeaux 17.

L'Escuelle, ☎ 65.00.51, – wc wc
fermé janv., dim. soir et lundi – SC : **R** 35/65 – 10,50 – **11 ch** 61/86 – P 83/100.

CITROEN Gar. Héritier, ☎ 65.00.73
RENAULT Gar. Ruel, ☎ 65.01.92 N

MEAUX **77100 S.-et-M. 56 ⑫⑬, 96 ⑳ G. Environs de Paris – 43 110 h. alt. 52 – 6.**
Voir Centre épiscopal★ : cathédrale★, ≤★ de la terrasse.
Office de Tourisme 2 r. Notre-Dame (fermé matin, dim. et lundi) ☎ 433.02.26, Télex 690020 et 2 pl. Henri IV (fermé après-midi, dim. et lundi) ☎ 434.55.18.
Paris 54 ③ – Châlons-s-M. 117 ② – Compiègne 69 ⑤ – Melun 57 ③ – ♦Reims 96 ② – Troyes 141 ②.

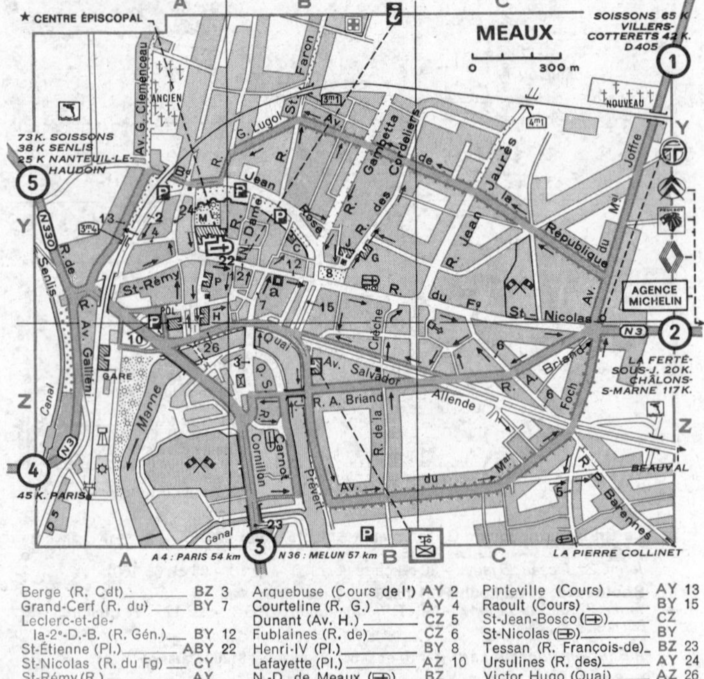

Berge (R. Cdt)	BZ 3	Arquebuse (Cours de l')	AY 2	Pinteville (Cours)	AY 13
Grand-Cerf (R. du)	BY 7	Courteline (R. G.)	AY 4	Raoult (Cours)	BY 15
Leclerc-et-de-la-2e-D.-B. (R. Gén.)	BY 12	Dunant (Av. H.)	CZ 5	St-Jean-Bosco (⊞)	CZ
St-Étienne (Pl.)	ABY 22	Fublaines (R. de)	CZ 6	St-Nicolas (⊞)	BY
St-Nicolas (R. du Fg)	CY	Henri-IV (Pl.)	BY 8	Tessan (R. François-de)	BZ 23
St-Rémy (R.)	AY	Lafayette (Pl.)	AZ 10	Ursulines (R. des)	AY 24
		N.-D. de Meaux (⊞)	BZ	Victor Hugo (Quai)	AZ 26

Sirène , 33 r. Gén.-Leclerc ☎ **434.07.80, demeure du 18e siècle** – wc ⓟ – 60. AE GB ⓓ BY **a**
fermé 10 août au 1er sept. et 20 déc. au 5 janv. – SC : **R** *(fermé vend. soir)* 66/150 – 15 – 16 ch 95/185 – P 175/250.

Champ de Mars, 16 av. Victoire par ② ☎ 433.13.96 – GB E
fermé août, lundi soir et mardi – **R** carte 100 à 135.

à Trilport par ② : 5 km – 3 346 h. – ✉ **77470** Trilport :

Croix de Lorraine, ☎ 433.28.29 – GB
fermé fév. et mardi – SC : **R** 27/75 .

*à **Varreddes*** par ① : 6 km – ✉ **77910** Varreddes :

XXX **Aub. Cheval Blanc** [M] avec ch, N 36 ☎ **433.18.03**, – wc ☎ P – 30. AE GB ①
fermé août, dim. soir et lundi – SC : **R** 85/120 – ☐ 16 – 10 ch 140/180 – P 350/400.

X **Au Petit Nain,** 7 r. Orsoy ☎ **433.18.12** – GB
fermé 15 au 31 août, vac. scolaires de fév., mardi soir et merc. sauf fêtes – SC : **R** 42/70.

*à **Germigny-l'Évêque*** par ① et D 97 : 8 km – ✉ **77910** Vareddes :

Le Gonfalon [M] , 2 r. Église ☎ **433.16.05**, ← – TV wc ☎. AE GB ①
fermé janv. – SC : **R** *(fermé lundi soir)* 65/150 – ☐ 12 – **10 ch** 130/160.

à Sancy par* ③ *et D 228 : 12 km – ✉ **77580** Crécy-la-Chapelle :

La Catounière , 1 r. Église ☎ **436.71.74**, ←, « Parc », – TV wc ☎ P. AE ① E
fermé 21 août au 4 sept. – SC : **R** *(fermé dim. soir)* carte 100 à 180 – ☐ 18 – 11 ch 120/160.

MICHELIN, Agence, 5 avenue de Meaux à Poincy par ② ☎ **433.19.76**

AUDI-VOLKSWAGEN Gar. Carnot, 26 av. F.-Roosevelt ☎ 434.10.66
BMW, TOYOTA S.O.D.I.A. 57 r. Cdt-Berge ☎ 434.22.59
CITROEN Pipart, 101 av. de la Victoire, Zone Ind. ☎ 434.90.90
FIAT, LANCIA-AUTOBIANCHI Gar. de la Résidence, 20 av. H.-Dunant ☎ 434.10.25
FORD Gar. Brie et Picardie, 44 r. de la Crèche ☎ 434.06.51
LADA, SKODA Gar. Saintard, 155 r. du Fg-St-Nicolas ☎ 433.26.33
MERCEDES-BENZ Compagnon, 137 av. de la Victoire ☎ 433.05.52
OPEL Gar. Central, 57 av. de la Victoire, Zone Ind. ☎ 433.25.22
PEUGEOT Métin, 81 av. Roosevelt ☎ 433.20.00
RENAULT Vance, 37 av. Roosevelt ☎ 433.29.76
TALBOT SAGEM, 2 av. Joffre ☎ 009.20.67

Central-Pneumatiques, 5 cours Pinteville ☎ 434.12.67
Ets Vernières, 101 r. du Fg-St-Nicolas ☎ 434.44.48
Ile-de-France Pneum., 180 r. du Fg-St-Nicolas ☎ 433.29.79

MEGÈVE

MEGÈVE 74120 H.-Savoie **74** ⑦⑧ **G. Alpes** – 5 296 h. alt. 1 113 – Sports d'hiver : 1 113/2 040 m 4 33, – Casino AY – 50.

Voir Rochebrune Super-Megève ✱★ **1 km puis téléphérique** AZ – **du Mont d'Arbois** ☎ **21.29.79, E : 2 km** BY – **Altiport de Megève-Mont-d'Arbois** ☎ **21.23.17, SE : 7 km** BZ

Office de Tourisme r. Poste (fermé dim. hors saison) ☎ 21.27.28, Télex 385532 et réservations hôtels ☎ 21.29.52 - A.C. Banque Laydernier ☎ 21.05.65.

Paris 612 ① – Albertville 31 ② – Annecy 60 ② – Chamonix 36 ① – ♦Genève 70 ①.

Plan page suivante

Mont-Blanc [M], **Place de l'église** ☎ **21.20.02, Télex 385854, « Élégante décoration et rest. sur terrasse intérieure »,** – cuisinette ☎ – 40. AE GB ①
R 120 **Les Enfants Terribles** fresques de J. Cocteau carte 120 – ☐ 30 – **51 ch** 300/600, 10 appartements – P 350/600. AY **s**

La Résidence [M] , **rte Bouchet** ☎ **21.39.33, Télex 385164,** ←, , – TV ☎ P – 50. AE ① E AZ **a**
fermé 1er oct. au 15 déc. – SC : **R** 100 – **56 ch** ☐ 480/580 – P 440/490.

Chalet-Mt-d'Arbois [M] , **rte Mt-d'Arbois** ☎ **21.25.03,** ←, , – TV ☎ P AE ① E. rest BY **p**
fermé 22 avril au 19 juin – SC : **R** 100 – **12 ch** ☐ 480/610 – P 455/500.

Vieux Moulin, ☎ **21. 22.29,** , – ☎ P. AE GB. rest AY **k**
20 juin-10 sept. et 15 déc.-15 avril – SC : **R** 75/95 – 30 ch ☐ 145/250 – P 175/280.

Coin du Feu, rte Rochebrune ☎ **21.04.94,** ← – . AZ **t**
1er juil.-fin août et 18 déc.-Pâques – SC : **R** snack le soir – **25 ch** ☐ 230/300.

Le Triolet , rte Bouchet ☎ **21.08.96,** ←, « Beau chalet fleuri », – . rest AZ **u**
fermé 22 avril au 13 juin et 28 sept. au 14 nov. – SC : **R** 95/165 – ☐ 30 – **10 ch** 250/450, 3 appartements – P 250/450.

Parc sans rest, ☎ **21.05.74,** ←, – P AY **m**
fin juin-15 sept. et Noël-Pâques – SC : ☐ 17 – **48 ch** 143/246.

Mont-Joly , rte Crèt du Midi ☎ **21.26.14,** – ①. AZ **q**
15 mai-30 sept. et 20 déc.-15 avril – SC : **R** 60/95 – ☐ 15 – **25 ch** 200/280 – P 200/280.

Beau Site, rte Mt-d'Arbois ☎ **21.07.78,** ←, – P. BY **w**
20 juin-début sept. et 20 déc.-Pâques – SC : **R** 60/100 – **27 ch** ☐ 85/220 – P 130/230.

Castel Champlat, ☎ **21.25.49,** – wc ☎ P. . AY **p**
mi juil.-fin août et Noël-début avril – SC : **R** (snack le soir en hiver) – **19 ch** ☐ 130/305.

Fer à Cheval sans rest, rte du Crêt ☎ **21.30.39,** – wc wc ☎ P.
28 juin-15 sept. et 10 déc.-20 avril – SC : ☐ 12 – **29 ch** 175/190. BY **a**

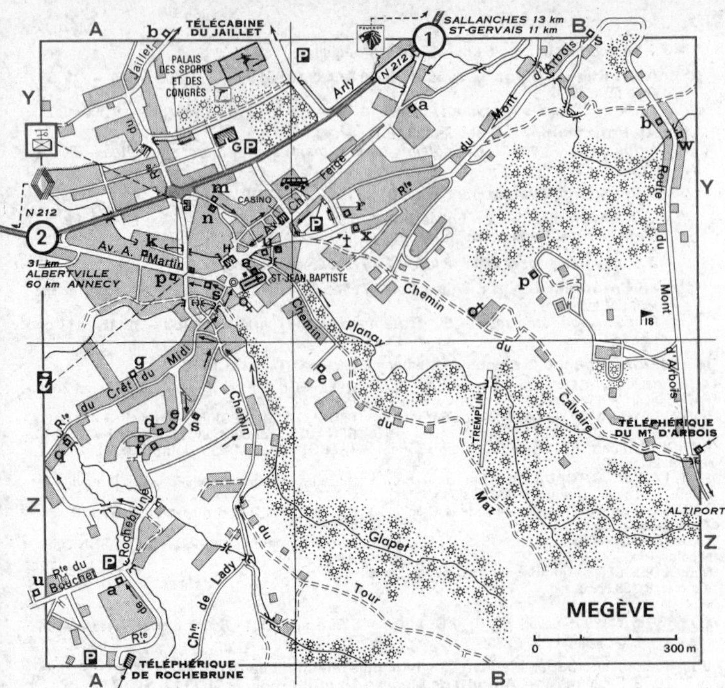

Coeur de Megève, ☎ 21.25.30 – ⇅ ⇔wc ⋒wc ☎. ⊠ ※ — AY **u**
fermé 24 mai au 5 juin – SC : **R** snack en hiver – **28 ch** ☐ 95/245.

L'Hostellerie, rte Rochebrune ☎ 21.23.08, ← – ⇔wc ⋒wc ☎. ⊠ GB. ※ rest
6 juin-31 août et 24 oct.-Pâques – SC : **R** 44/90 – ☐ 10,50 – **14 ch** 120/180 – P 150/180. — AZ **e**

La Patinoire sans rest, rte Mont-d'Arbois ☎ 21.11.33 – ⇔wc ⋒wc ☎. ⊠ GB
25 juin-5 oct., 30 oct.-12 nov. et 5 déc.-20 avril – SC : **13 ch** ☐ 130/180. — BY **x**

St-Jean ⛰, chemin du Maz ☎ 21.24.45, ←, 🌳 – ⇔wc ⋒wc ☎ **P**. ※ — BZ **e**
27 juin-19 sept. et 19 déc.-Pâques – SC : **R** 45 – ☐ 12 – **19 ch** 160 – P 140/185.

Clos Joli, rte Sallanches par ① ☎ 21.20.48 – ⇔wc ⋒wc ☎ **P**. ※ rest
fermé 15 oct. au 10 déc. – SC : **R** 38/48 – ☐ 12 – 24 ch 67/102 – P 118/130.

Sapins, rte Rochebrune ☎ 21.02.79, 🌳 – ⇔wc ⋒wc ☎. ⊠. ※ rest — AZ **s**
20 juin-10 sept. et 15 déc.-20 avril – SC : **R** 60/100 – ☐ 13 – 20 ch 120/180 – P 180/200.

L'Estellan, rte Mt-d'Arbois ☎ 21.03.48, ←, 🌳 – ⇔wc ⋒wc ☎. ⊠ — BY **s**
20 juin-20 sept. et 20 déc.-20 avril – SC : **R** (pens. seul.) – ☐ 10 – **17 ch** 120/140 – P 145/175.

Fleur des Alpes, rte Jaillet ☎ 21.11.42, ← – ⇔wc ⋒ **P**. GB. ※ rest — AY **b**
25 juin-10 sept. et 1er déc.-30 avril – SC : **R** 45/75 – ☐ 13 – 20 ch 120/175 – P 170/200.

Perce Neige, rte Rochebrune ☎ 21.22.13, ← – ⇔wc ☎ **P**. ⊠. ※ rest — AZ **t**
1er juil.-30 sept. et 19 déc.-15 avril – SC : **R** 37/47 – **20 ch** ☐ 65/170 – P 128/170.

Nid du Mage, rte Mt-d'Arbois ☎ 21.13.96, ← vallée – ⋒wc ☎ **P**. ⊠ — BY **b**
15 déc.-15 avril – SC : 14 ch (pens. seul.) – P 145/190.

Roseaux ⛰, ☎ 21.24.27, ←, « Chalet fleuri », 🌳 – ⇔wc ⋒wc ☎ **P**. ⊠. ※
1er juil.-31 août et Noël-Pâques – SC : **R** (dîner seul) 45 – **11 ch** ☐ 120/150. — AZ **g**

Les Mourets ⛰, rte Odier par rte Jaillet - AY - ☎ 21.04.76, ← – ⇔wc ⋒wc ☎ 🚗 **P**. ※ rest
15 juin-25 sept. et 15 déc.-25 avril – SC : **R** 40/55 – ☐ 12 – **20 ch** 80/135 – P 110/150.

Week-End sans rest, rte Rochebrune ☎ 21.26.49 – ⇔wc ⋒wc ☎ **P**. ⊠ GB
4 juil.-7 sept. et 18 déc.-Pâques – SC : ☐ 12 – **17 ch** 110/190. — AZ **d**

Rond-Point d'Arbois, ☎ 21.17.50, 🌳 – ⇔ ⋒wc ☎ — BY **r**
20 juin-31 sept., 1er déc.-31 mai et fermé lundi – SC : **R** 37/55 – **12 ch** ☐ 52/138 – P 125/170.

XX **Malle Poste,** ✆ 21.17.63 – AE GB (D) AY **u**
4 juil.-26 sept., 19 déc.-25 avril et fermé lundi midi et mardi midi – **R** 100/165.

XX ✿ **Capucin Gourmand** (Ripert), rte Crêt-du-Midi - AZ - ✆ **21.01.98**
fermé 5 mai au 25 juin, 5 nov. au 15 déc. et lundi hors sais. – SC : **R** (en saison prévenir) carte 100 à 140
Spéc. Jambonnette de volaille, Gâteau à l'orange. **Vins** Gamay, Seyssel.

XX **Le Prieuré,** pl. Eglise ✆ **21.01.79** – GB AY **a**
Pâques, 13 juil.-15 sept. et 22 déc.-31 mars – SC : **R** 85/120.

X **Tire-Bouchon,** ✆ **21.14.73** AY **n**
1er juil.-15 oct., 1er déc.-10 mai et fermé lundi hors sais. – SC : **R** 42 ♁.

au Mont-d'Arbois, **au terminus du téléphérique** - BZ – alt. 1 829 – ✉ **74120** Megève.
Voir ☼★★★.

au Tour **S : 5 km par rte du Mont-d'Arbois** - BZ – alt. 1 400 – Sports d'hiver : 2 250 m ⛷2 ⛷3 – ✉ **74120** Megève :

⌂ **Chalets-H. du Tour** ⛰, ✆ **21.22.04,** ≤, **authentiques chalets savoyards** – ⌂wc ☎ Ⓟ. 🚗. ✽ rest
1er juil.-21 août et 15 déc.-10 avril – **R** 60 – **11 ch** ☕ 150/220 – P 195/215.

au Sud-Est **7,5 km par rte Mont-d'Arbois** - BZ – alt. 1 450 – ✉ **74120** Megève :

X **Cote 2000,** ✆ **21.31.84,** ≤ – Ⓟ
sais.

AUDI-VOLKSWAGEN Gar. du Christomet, rte Albertville ✆ 21.21.39
CITROEN Mont-Blanc Gar., r. A.-Martin ✆ 21.05.72
FIAT, FORD, LANCIA-AUTOBIANCHI Gar. Gachet, rte Sallanches ✆ 21.19.02
PEUGEOT Gar. des Alpes, rte Sallanches ✆ 21.05.70
RENAULT Gar. du Crèt du Midi Praz-sur-Arly ✆ 21.90.30 N

MEHUN-SUR-YÈVRE 18500 Cher 64 ⑳ G. Périgord – 6 902 h. alt. 120 – ✪ 48.

ℹ Syndicat d'Initiative pl. 14-juillet (juil.-août et fermé lundi) ✆ 57.35.51.

Paris 224 – Bourges 17 – Cosne-sur-Loire 74 – Gien 75 – Issoudun 32 – Vierzon 16.

⌂ **Croix-Blanche,** 164 r. Jeanne-d'Arc ✆ **57.30.01,** 🏞 – ⌂ 🚗 Ⓟ. ✽ rest
◆ *fermé 20 au 30 sept., 20 déc. au 10 janv., dim. soir et lundi* – SC : **R** 35/85 ♁ – ☕ 13 – 20 ch 35/100 – P 86/105.

Ⓜ Linard, r. Magloire Faiteau ✆ 57.33.13

Le MÊLE-SUR-SARTHE 61170 Orne 60 ④ – 805 h. alt. 155 – ✪ 33.

Paris 169 – L'Aigle 37 – Alençon 22 – Argentan 43 – Bellême 25 – Mamers 19 – Mortagne-au-P. 16.

⌂ **Poste,** ✆ **27.60.13, parc** – ⌂ ☎ Ⓟ – 🏛 50 à 150. 🚗 GB
◆ *fermé 1er au 15 oct., 15 au 31 janv., dim. soir et lundi midi* – SC : **R** 28/75 ♁ – ☕ 10 – **23 ch** 40/60 – P 120/190.

PEUGEOT Gar. Vallée, ✆ 27.62.04
RENAULT Gd Gar. Moderne, ✆ 27.60.07

MELLE 79500 Deux-Sèvres 72 ② G. Côte de l'Atlantique (plan) – 4 731 h. alt. 119 – ✪ 49.

Voir Église St-Hilaire★.

ℹ Syndicat d'Initiative pl. Poste (juil.-août et fermé lundi) ✆ 27.00.23.

Paris 389 – Niort 28 – Poitiers 58 – Ruffec 40 – St-Jean-d'Angély 45 – St-Maixent-l'École 24.

⌂ **Voyageurs,** ✆ **27.00.53** – ✽
◆ *fermé 15 août au 7 sept., vend. soir et dim.* – SC : **R** 24/38 ♁ – ☕ 8 – 12 ch 36/42 – P 75/85.

CITROEN Central-Garage, ✆ 27.00.29
PEUGEOT Cassagne, La Colonne ✆ 27.00.57
TALBOT Bailly, ✆ 27.00.70

MELOISEY 21 Côte-d'Or 70 ① – 271 h. alt. 350 – ✉ 21190 Meursault – ✪ 80.

Paris 325 – Arnay-le-Duc 30 – Autun 46 – Beaune 10 – Chalon-sur-Saône 40.

X **Renaissance,** ✆ **22.43.60** – Ⓟ. E
◆ *fermé 15 déc. au 1er fév. et merc.* – SC : **R** (en hiver dîner prévenir) 33/92 ♁.

MELUN Ⓟ 77000 S.-et-M. 61 ②, 96 ㊴ G. Environs de Paris – 39 803 h. alt. 54 – ✪ 6.

ℹ Office de Tourisme (fermé dim. et lundi) avec T.C.F. av. Gallieni ✆ 437.11.31.

Paris 56 ⑤ – Auxerre 119 ④ – Châlons-sur-Marne 146 ① – Chartres 110 ⑤ – Meaux 57 ① – Montargis 66 ④ – ♦Orléans 104 ⑤ – ♦Reims 145 ① – Sens 66 ③ – Troyes 121 ②.

Plan page suivante

⌂ **Grand Monarque-Concorde** Ⓜ ⛰, **par ④ : 2,5 km rte Fontainebleau** ✆ **439.04.40,** Télex 690140, parc, 🏊 – 🛗 📺 ☎ Ⓟ – 🏛 40. AE GB (D) E
SC : **R** 75 – ☕ 22 – **50 ch** 175/250, 5 appartements 400 – P 300/360.

⌂ **Commerce,** 16 r. Carnot ✆ **437.01.22** – ⌂ ⌂wc ☎ – 🏛 30 à 100 AY **n**
SC : **R** 42/73 ♁ – ☕ 10 – 16 ch 67/100.

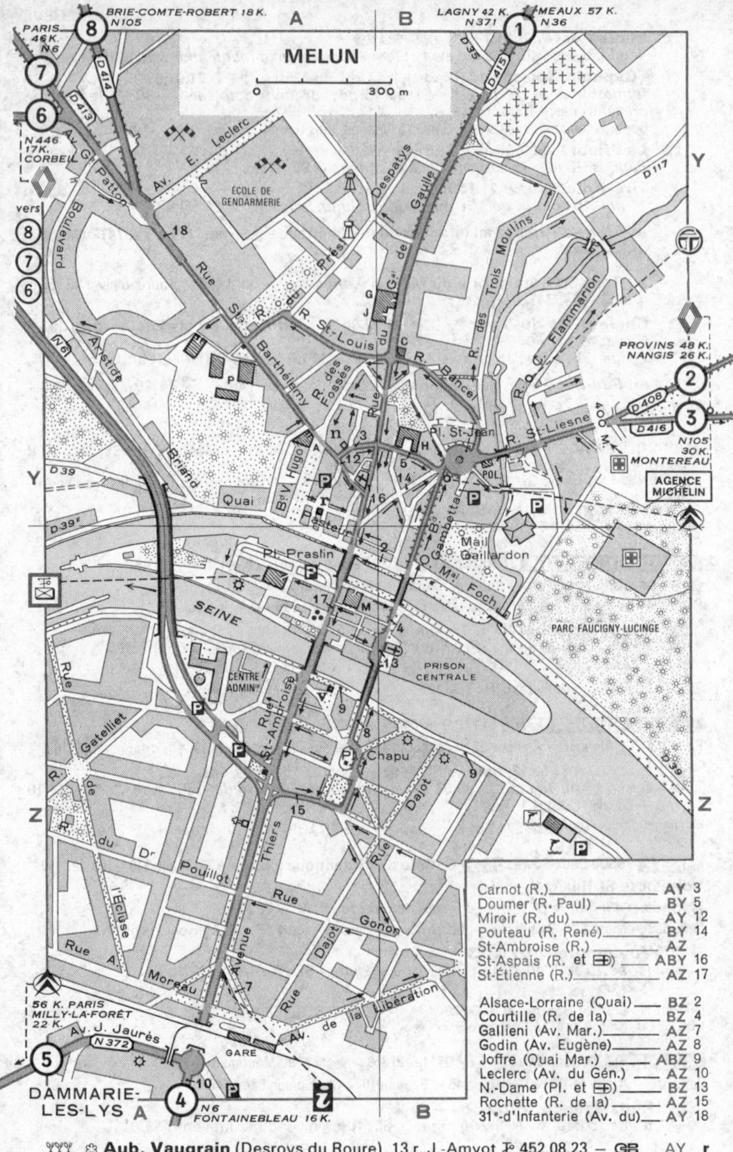

XXX ✿ **Aub. Vaugrain** (Desroys du Roure), 13 r. J.-Amyot ☏ 452.08.23 – GB AY **r**
fermé dim. soir et lundi – SC : **R** carte 125 à 165
Spéc. Terrine de sandre aux écrevisses, Pain de homard au beurre blanc, Rosettes de l'auberge.

XXX Caves de Touraine, 8 quai Mar.-Joffre ☏ 437.03.48 AZ **v**

à Vert-St-Denis par ⑦ : 5 km – 3 936 h. – ✉ **77240** Cesson :

XX **A l'Attaque du Courrier de Lyon,** N 5 ☏ 063.22.24 – Ⓟ. GB
fermé août, en janv., vend. soir et sam. – SC : **R** 75/125.

au Plessis-Picard par ⑦ : 8 km – ✉ **77550** Moissy Cramayel :

XX **La Mare au Diable,** ☏ 063.17.17, ⛱ – Ⓟ. AE GB ⓓ
fermé lundi soir et mardi – **R** 40/70.

MICHELIN, Agence régionale, 399 r. du Mar. Juin à Vaux-le-Pénil Z. I. par ③ ☎ 439.23.23

CITROEN Porta-Autom., 28 bd Gambetta ☎ 437.91.36
CITROEN Dufus, 575 r. Frères-Thibault, Dammarie-les-Lys ☎ 437.09.62 N
FIAT Patton, N 6, Vert-St-Denis ☎ 068.09.88
FORD Gd gar. de la Gare, 44 av. Thiers ☎ 439.36.40
MERCEDES-BENZ Gar. Dufreney, 11 av. Gén.-Patton ☎ 068.86.45
OPEL Gar. de Brie et Champagne, 27 rte Montereau ☎ 439.37.08
PEUGEOT Duport-Automobiles, N 6, Vert-St-Denis ☎ 068.69.70
RENAULT Escobrie-Melun, 23 rte Montereau ☎ 439.95.77
RENAULT Esco-Senart, av. de Corbeil à Le Mée-sur-Seine ☎ 068.24.36 N
TALBOT Chabert, 9 r. Flammarion ☎ 452.07.48
TOYOTA Auto marché 77, 36 av. Patton ☎ 439.22.32

Piot-Pneu, r. Mar-Juin, Zone Ind. à Vaux-le-Pénil ☎ 439.12.63
Technique du Pneu, 11 r. de Ponthierry ☎ 437.20.99

MENARS 41 L.-et-Ch. 64 ⑦ – rattaché à Blois.

MENDE P 48000 Lozère 80 ⑤⑥ **G. Causses** – 11 977 h. alt. 731 – 66.

Voir Cathédrale★ – Pont N.-Dame★.

Syndicat d'Initiative (fermé sam. après-midi hors sais. et dim. sauf matin en saison) et A.C. bd Soubeyran ☎ 65.02.69.

Paris 572 ① – Alès 110 ③ – Aurillac 159 ① – Gap 309 ② – Issoire 150 ① – Millau 96 ③ – Montélimar 155 ② – Le Puy 92 ② – Rodez 108 ③ – Valence 179 ②.

MENDE

Angiran (R. d') Z 3
Beurre (Pl. au) Z 10
Droite (R.) Z 23
Préfecture (Pl. de la) Z 32
République (R. et Pl. de la) Z 34
Soubeyran (R. du) Z 40

Aigues-Passes (R. d') Z 2
Arnault (Bd Lucien) Y 4
Basse (R.) YZ 6
Beauregard (R.) Y 7
Berlière (Pont de) Y 8
Bourillon (Bd Henri) Z 12
Britexte (Bd) Z 13
Capucins (Bd des) Y 14
Chanteronne (R.) Y 16
Chaptal (Pl.) Z 17
Chastel (R. du) Y 18
Chicanette (R. de la) Z 19
Collège (R. du) Y 21
Doumer (Allée Paul) Y 22
Écoles (R. des) Z 24
Gaulle (Pl. Charles de) Z 28
Notre-Dame (R.) YZ 29
Pont (R. du) Y 30
Roussel (Bd Th.) YZ 36
Roussel (Pl. Th.) Y 37
Soubeyran (Bd de) Z 38
Urbain V (Pl.) Z 41
8-Mai-1945 (Av. du) Y 42

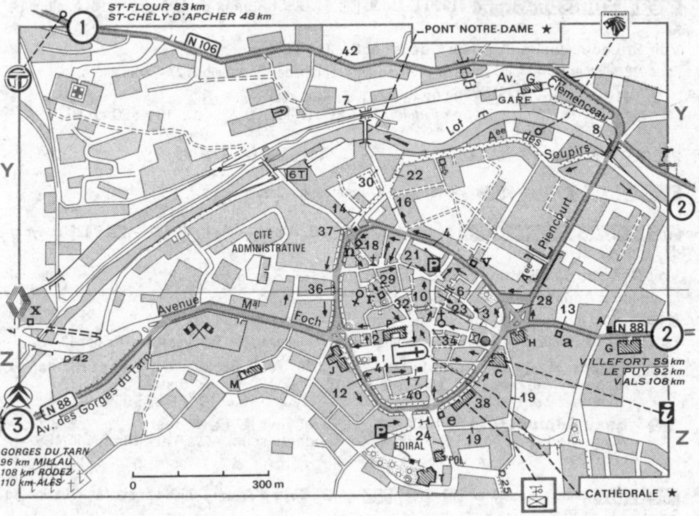

Lion d'Or, 12 bd Britexte ☎ 65.06.46, Télex 480302, – – 40. AE GB E — Z **a**
15 mars-15 nov. – SC : **R** *(fermé dim. hors sais.)* 60/110 – 17 – 41 ch 140/226 – P 207/250.

France, 9 bd L.-Arnault ☎ 65.00.04 – wc wc — Y **v**
fermé 20 déc. au 20 janv. – SC : **R** *(fermé lundi hors sais.)* 35/70 – 12 – 28 ch 55/150 – P 110/140.

Pont Roupt (annexe M - 12 ch wc), av. 11-Novembre ☎ 65.01.43 – wc wc P. — Z **x**
Fermé 20 déc. au 1er fév. et sam. – SC : **R** 26/70 – 12 – 40 ch 80/160 – P 120/170.

Remparts M sans rest, pl. T.-Roussel ☎ 65.02.29 – wc ☎ P — Y **n**
SC : ☐ 10 – **10 ch** 87.

Paris sans rest, 2 bd Soubeyran ☎ 65.00.03 – wc wc ☎ P. — Z **e**
15 mars-30 nov. – SC : ☐ 12 – **50 ch** 42/125.

La Gogaille, 5 r. Notre-Dame ☎ 65.08.79 — Z **r**
fermé dim. soir et lundi hors sais. – SC : **R** 34/60.

AUDI-VOLKSWAGEN Gar. Barbut, rte de Chabrits Z.A ☎ 65.07.58
CITROEN Majorel, 27 av. Gorges-du-Tarn ☎ 65.11.22 N ☎ 65.27.03
PEUGEOT Giral, 7 allée des Soupirs ☎ 65.00.15
RENAULT Pagès, Zone Artisanale, av. du 11-Novembre ☎ 65.15.58
TALBOT Mende-Autom., 56 av. du 8-Mai ☎ 65.14.17
TOYOTA Gar. Marquiran, 32 quartier Fontanilles ☎ 65.01.68
Escoffier-Pneus, 25 av. des Gorges du Tarn ☎ 65.08.69

Teissandier, à Chabrits ☎ 65.12.06

MENETOU-RATEL 18 Cher 65 ⑫ – 526 h. alt. 311 – ✉ **18300** Sancerre – 48.

Paris 203 – Bourges 52 – La Charité-sur-Loire 35 – Cosne-sur-Loire 16 – Salbris 65 – Sancerre 9.

Maillet, rte de Sancerre ☎ 54.09.53 – P.
fermé 22 déc. au 10 janv., 1er au 10 mars et lundi – SC : **R** (déj. seul.) 35/70 .

CITROEN Maillet, ☎ 54.09.53

MÉNEZ-HOM 29 Finistère 58 ⑮ **G. Bretagne** – alt. 330.

Voir ✳★★★.

Paris 565 – Châteaulin 14.

Le MÉNIL 88 Vosges 66 ⑧ – rattaché au Thillot.

En mars 1982, ce guide ne sera plus valable.
Achetez le guide de l'année !

MENNETOU-SUR-CHER 41320 L.-et-Ch. 64 ⑲ **G. Châteaux de la Loire** – 984 h. alt. 90 – 54.

Voir St-Loup : chaire de prieur★ dans l'église O : 3,5 km.

Paris 212 – Blois 58 – Montrichard 57 – Romorantin-Lanthenay 17 – Salbris 27 – Vierzon 16.

Host. Lion d'Or, ☎ 98.01.13 – wc. GB
fermé 1er fév. au 15 mars et jeudi – SC : **R** 40/100 – ☐ 13 – 20 ch 61/90 – P 105/135.

PEUGEOT Bedard, ☎ 98.01.18
TALBOT Louis, ☎ 98.02.27

Le MENOUX 36 Indre 68 ⑱ – rattaché à Argenton-sur-Creuse.

MENTHON-ST-BERNARD 74 H.-Savoie 74 ⑥ **G. Alpes** – 818 h. alt. 482 – ✉ **74290** Veyrier-du-Lac – 50.

Voir Château de Menthon★ : ≤★ E : 2 km.

du lac d'Annecy ☎ 60.12.89, S : 1 km.

Syndicat d'Initiative (1er juin-30 sept., fermé dim. et fêtes) ☎ 60.14.30.

Paris 546 – Albertville 37 – Annecy 9 – Bonneville 45 – Megève 52 – Talloires 4,5 – Thônes 13.

Palace H. , au bord du lac ☎ 60.12.86, Télex 385292, « ≤ Lac et montagne, plage privée, parc, » – P – 100. AE. rest
15 mai-25 sept. – SC : **R** 105/140 – ☐ 23 – 120 ch 160/310 – P 235/355.

Beau Séjour , ☎ 60.12.04, – wc wc ☎ P. rest
Pâques-fin sept. – SC : **R** 55/66 (dîner résidents seul.) – ☐ 12 – **18 ch** 145/165 – P 188/196.

MENTON 06500 Alpes-Mar. 84 ⑩⑳, 195 ㉘ **G. Côte d'Azur** – 25 314 h. alt. 16 – Casino du Soleil AZ – 93.

Voir Site★ – Bord de mer et vieille ville★★ : promenade du soleil★★ ABYZ, Parvis St-Michel★★, Église St-Michel★ BY **A**, Façade★ de la Chapelle de la Conception BY **B**, ≤★ de la jetée BV, ≤★ du Vieux Cimetière BX **D** – Musée du Palais Carnolès★ AX **M1** – Garavan★ BV – Jardin botanique exotique★ BV **E** – Salle des mariages★ de l'hôtel de ville BY **H** – Statuettes féminines★ du musée municipal BY **M2** – ≤★ du jardin des Colombières BV – Vallée du Careï★ par ①.

Env. Monastère de l'Annonciade ✳★ N : 6 km AV – Gorbio : site★ NO : 9 km.

Office de Tourisme (fermé dim. sauf matin en saison) avec A.C. (☎ 35.77.39) "Palais de l'Europe" av. Boyer ☎ 57.57.00.

Paris 963 ③ – Aix-en-P. 206 ① – Cannes 63 ① – Cuneo 102 ① – Monte-Carlo 9 ③ – ♦Nice 27 ③.

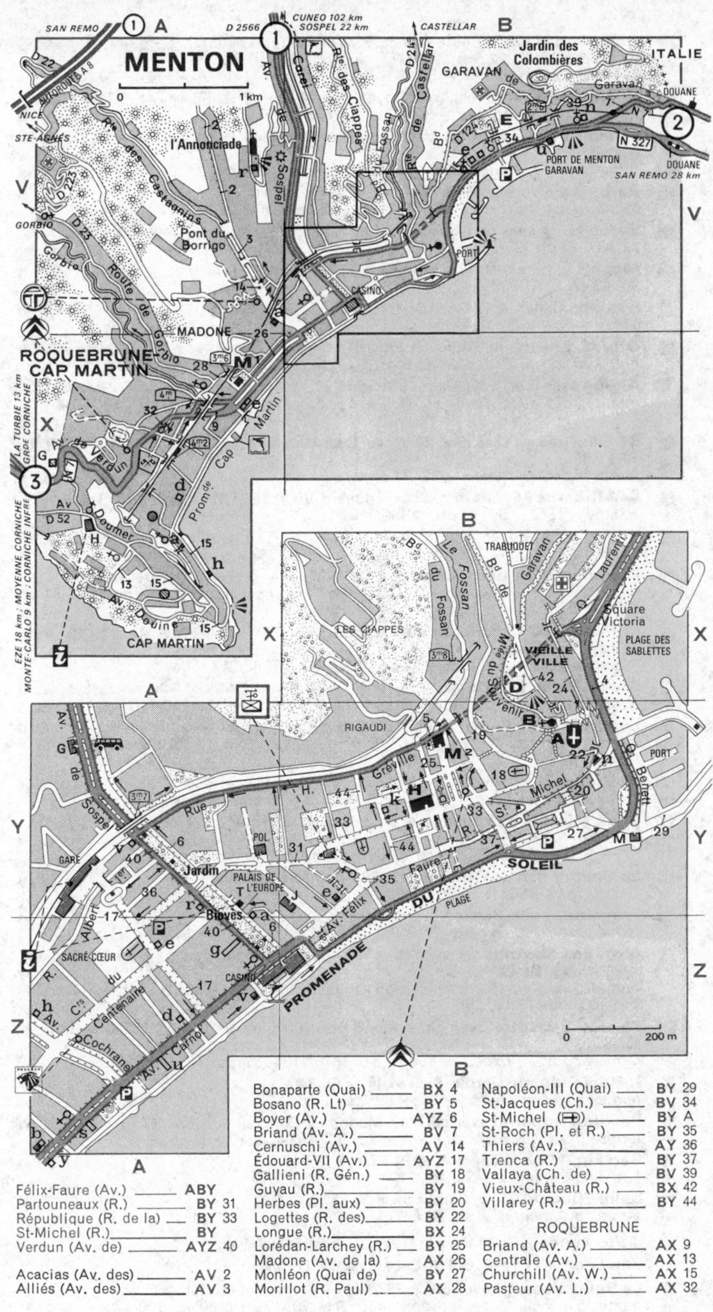

Les plans de villes sont orientés le Nord en haut.

🏨 **Napoléon** [M], 29 Porte de France ☎ 35.89.50, Télex 470312, <, [pool], [garden] – [lift] ≡ [TV] [P]. AE GB ① E. ✗ rest BV **e**
fermé 1er nov. au 17 déc. – SC : **R** 90/150 – ☕ 18 – 40 ch 320 – P 240/320.

🏨 **Chambord** [M] sans rest, 6 av. Boyer ☎ 35.94.19 – [lift] ≡ [TV] ☎ [garage]. AE ① E
fermé 18 déc. au 17 janv. – SC : **40 ch** ☕ 130/230. AY **a**

🏨 **Princess et Richmond** [M] sans rest, prom. Soleil ☎ 35.80.20, < – [lift] ≡ [P]. AE GB ① AZ **s**
fermé 3 nov. au 19 déc. – SC : **45 ch** ☕ 135/185.

🏨 **Parc,** 11 av. Verdun ☎ 35.71.74, [garden] – [lift] [P]. ✗ rest AZ **g**
fermé 10 oct. au 20 déc. – SC : **R** 85/95 – **75 ch** ☕ 140/225 – P 200/280.

🏨 **Europ H.** [M] sans rest, 35 av. Verdun ☎ 35.59.92 – [lift] ≡ [TV] [garage]. GB ① E
☕ 10 – **33 ch** 120/240. AY **v**

🏨 **Magali** [M] sans rest, 10 r. Villarey ☎ 35.73.78, [garden] – [lift] ≡ [garage] BY **k**
SC : **43 ch** ☕ 115/185.

🏨 Prince de Galles, 4 av. Gén.-de-Gaulle ☎ 35.71.01, < – [lift] ⊟wc ☎ [P] AX **e**
60 ch.

🏨 **Orly** [M], 27 Porte de France ☎ 35.60.81, < – ≡ ⊟wc ⋔wc ☎ [P]. AE. ✗ BV **e**
fermé 25 oct. au 20 déc. – SC : **R** 40/100 – **24 ch** ☕ 88/190 – P 126/228.

🏨 **Aiglon** sans rest, 7 av. Madone ☎ 35.75.23, [pool], [garden] – [lift] ⊟wc ☎ [P]. [car park] AE E
fermé 20 oct. au 20 déc. – SC : **R** le soir snack sur demande – **30 ch** ☕ 100/185. AZ **b**

🏨 **St-Georges** [M] sans rest, 24 bis av. Cochrane ☎ 35.76.09 – [lift] ⊟wc ⋔wc ☎ [P]. [car park]. ✗ AZ **h**
fermé 15 oct. au 1er déc. – SC : **32 ch** ☕ 80/150.

🏨 **Le Moderne** [M] sans rest, 12 av. Edouard-VII ☎ 35.71.87 – [lift] ⊟wc ⋔ ☎
15 janv. 15 oct. – SC : **31 ch** ☕ 140/170. AZ **e**

🏨 **Viking** [M], 2 av. Gén.-de-Gaulle ☎ 35.80.44, <, [pool] – [lift] ≡ ⊟wc ☎. [car park] AE ①
SC : **R** 60/75 – ☕ 12 – 34 ch ☕ 176/230 – P 213/240. AX **e**

🏨 **Dauphin,** 28 av. Gén.-de-Gaulle ☎ 35.76.37, < – [lift] ⊟wc ⋔ ☎ [garage] [P]. ✗ rest
fermé 25 oct. au 20 déc. – SC : **R** *(fermé lundi)* snack carte environ 55 – **30 ch** ☕ 75/175. AX **y**

🏨 **El Paradiso,** 71 Porte de France ☎ 35.74.02, < – [lift] ⊟wc ⋔wc ☎ [P]. [car park]. ✗ rest BV **n**
27 janv.-20 oct. – SC : **R** 65 – 42 ch ☕ 86/160 – P 140/210.

🏨 **Stella-Bella,** prom. Soleil ☎ 35.74.47, < – ⊟wc ⋔wc ☎. [car park]. ✗ rest AZ **u**
fermé 15 oct. au 20 déc. – SC : **R** *(fermé lundi)* 48 – **26 ch** ☕ 120/170 – P 130/170.

🏨 **Londres,** 15 av. Carnot ☎ 35.74.62 – [lift] ⊟wc ⋔wc ☎. [car park]. ✗ rest AZ **d**
fermé 15 oct. au 20 déc. – SC : **R** *(fermé merc.)* 50/60 – **26 ch** ☕ 90/160 – P 115/165.

🏨 **Le Globe,** 21 av. Verdun ☎ 35.73.03 – [lift] ⊟wc ⋔wc ☎. ✗ AY **r**
◆ *fermé 25 oct. au 8 déc.* – SC : **R** 35/50 – ☕ 10 – **25 ch** 60/140 – P 134/184.

XX **Chez Mireille-l'Ermitage** avec ch, prom. Soleil ☎ 35.77.23, < – ⊟wc ⋔wc ☎. [car park] AZ **v**
◆ SC : **R** 35/80 🍷 – ☕ 15 – 11 ch 160 – P 190.

XX **Le Galion,** port de Garavan ☎ 35.89.73, cuisine italienne BV **u**
fermé mardi – SC : **R** 62 bc/110 bc.

XX **Francine,** 1 quai Bonaparte ☎ 35.80.67 BY **n**
fermé lundi – SC : **R** carte 115 à 150.

XX **Aub. des Santons** 🐦 avec ch, à l'Annonciade 2,5 km par VO ☎ 35.94.10, <, [garden] – ⊟wc [P]. AE ① AV **r**
fermé 15 nov. au 15 déc., dim. soir et lundi sauf fériés – SC : **R** 80/120 – ☕ 12 – 8 ch 100/180 – P 120/240.

XX **Pierrot-Pierrette** avec ch, à Monti par ① : 5 km D 2566 ✉ 06500 Menton ☎ 35.79.76, <
fermé 15 nov. au 15 déc. et lundi – SC : **R** 75/110 – 3 ch ☕ 135 – P 135.

X **L'Hacienda,** rte Gorbio ☎ 35.84.44 – [P]. ① AV
fermé 15 nov. au 15 déc. – SC : **R** 85/150.

X **Pavillon Impérial** avec ch, 9 av. Madone ☎ 35.75.69 – ⊟wc ☎ [P] AZ **b**
◆ *fermé 15 oct. au 15 déc. et merc.* – SC : **R** 30/50 – ☕ 10 – 12 ch 80/125.

X **Bec Fin,** 11 av. F.-Faure ☎ 35.94.73 BY **e**
fermé nov. et merc. – SC : **R** 41/120.

X **Belle Epoque,** 31 av. Cernuschi ☎ 35.23.89 – GB AV **a**
◆ *fermé nov. et mardi* – SC : **R** 30/90.

à Ste-Agnès NO : 11 km par D 22 - AV – ✉ **06500** Menton.
Voir Site★ – <★★ – Col St-Sébastien <★ O : 1 km.

X **Le Saint Yves** 🐦 avec ch, ☎ 35.91.45, < Menton et littoral – ⋔wc
◆ *fermé 15 nov. au 15 déc. et vend.* – SC : **R** 31/70 – 7 ch ☕60 – P 100/120.

X **Logis Sarrasin,** ☎ 35.86.89, < Menton et littoral
◆ *fermé 15 nov. au 15 déc. et vend.* – SC : **R** 30/65.

à Castillon par ① : 12 km – ✉ **06500** Menton :

La Bergerie ⑤, ☎ 04.00.39, ← – ⇔wc ☎. 🚗
1er avril-15 oct. – SC : **R** 50/70 – ☕ 10 – 14 ch 159/180.

Voir aussi ressources hôtelières de *Roquebrune-Cap-Martin* par ③ : 5 km

CITROEN Gar. Gaudo, 25 r. République ☎ 35.72.47
FORD Idéal Gar., 1 av. Riviera ☎ 35.79.20
PEUGEOT Impérial Gar., 18 av. Cochrane ☎ 35.76.29
TALBOT Gar. des Tennis, 55 av. Cernuschi ☎ 35.75.24
Vulcania, 9 r. Lorédan-Larchey ☎ 35.50.57

Les MENUIRES 73 Savoie 77 ⑦⑧ **G. Alpes** – alt. 1 700 – Sports d'hiver : 1 700/2 815 m 6 25 – ✉ **73440** St-Martin-de-Belleville – 79.

Office de Tourisme (fermé dim. hors saison) ☎ 08.20.12, Télex 980084.

Paris 660 – Chambéry 100 – Moûtiers 27.

Les Christelles M ⑤, ☎ 00.66.05, ← – ⇔wc ☎ P
15 ch.

de l'Oisans ⑤, ☎ 00.62.96 – ⇔wc ⋒wc ☎. 🚗 GB. ⚘ rest
1er déc.-5 mai – SC : **R** (dîner seul.) 50/70 – **20 ch** ☕ 140/240.

MÉOUNES-LES-MONTRIEUX 83 Var 84 ⑮ – 632 h. alt. 275 – ✉ **83136** La Roquebrussanne – 94.

Paris 823 – Aix-en-Provence 66 – Brignoles 22 – ♦Marseille 57 – ♦Toulon 28.

XX **France** avec ch, pl. Eglise ☎ 48.98.02 – ⇔wc ⋒ ☎. 🚗
fermé 10 janv. au 15 fév. et merc. – SC : **R** carte 75 à 105 ♀ – ☕ 15 – 8 ch 85/130.

XX **Host. Poële d'Or,** ☎ 48.98.06 –
fermé 30 sept. au 5 oct. et lundi – SC : **R** 47/60.

MERCUÈS 46 Lot 79 ⑧ – rattaché à Cahors.

MERCUREY 71 S.-et-L. 69 ⑨ – 1 414 h. alt. 241 – ✉ **71640** Givry – 85.

Paris 348 – Autun 40 – Chagny 12 – Chalon-sur-Saône 13 – Le Creusot 28 – Mâcon 72.

XX ✿ **Hôtellerie du Val d'Or** (Cogny) avec ch, D 978 ☎ **47.13.70,** – ▤ rest TV ⇔wc ⋒ ☎ P. GB. ⚘
fermé 31 août au 19 sept., Nöel, dim. soir de nov. au 15 mars et lundi sauf fériés – SC : **R** (dim. et fêtes - prévenir) 55/150 – ☕ 12,50 – 12 ch 59/150
Spéc. Foie gras poêlé, Volaille de Bresse, Assiette de fruits sauce menthe. **Vins** Rully, Mercurey.

MERDRIGNAC 22230 C.-du-N. 59 ⑭ – 3 009 h. alt. 149 – 96.

Paris 410 – Dinan 45 – Josselin 33 – Lamballe 37 – Loudéac 26 – Ploërmel 37 – St-Brieuc 51.

Univers, r. Nationale ☎ 28.41.15 – P. ⚘ ch
fermé 20 juin au 11 juil., 7 au 14 nov., vacances de fév., dim. soir et sam. sauf juil. et août – **R** 28/75 ♀ – ☕ 10 – 10 ch 40/55.

CITROEN Gar. Frizat, ☎ 28.41.69
RENAULT Hergnot, ☎ 28.41.23

MÉRIBEL-LES-ALLUES 73550 Savoie 74 ⑱ **G. Alpes** – 79.

Voir Sommet de la Saulire ✳** **SE par télécabine.**

9 ☎ 08.61.88 NE : 4,5 km.

Altiport ☎ 08.61.33, NE : 4,5 km.

Office de Tourisme de la vallée des Allues (fermé sam. après-midi et dim. hors saison) ☎ 08.60.01, Télex 980001.

Paris 651 – Albertville 44 – Annecy 89 – Chambéry 93 – ♦Grenoble 127 – Moûtiers 18.

à Méribel – alt. 1 700 – Sports d'hiver : 1 450/2 700 m 8 30, – ✉ **73550** Méribel-les-Allues

Gd Coeur M ⑤, ☎ 08.60.03, ←, ⛱ – ⧉ TV ☎ ♿ P – 25. ⚘ rest
1er juil.-28 août et 15 déc.-15 avril – SC : **R** 120/180 – 23 ch (pens. seul.), 4 appartements – P 260/320.

Orée du Bois M ⑤, ☎ 08.20.69, ←, ⛱ (été) – ⧉ ⇔wc ⋒ ☎. 🚗. ⚘
1er juil.-1er sept. et 15 déc.-Pâques – **R** 55/73 – ☕ 17 – **32 ch** 135/225 – P 118/185.

Adray Télé-Bar ⑤, ☎ 08.60.26, ← – ⇔wc ☎
20 déc.-20 avril et vac. scol. – SC : **R** 55 ♀ – ☕ 14 – **18 ch** 150/200 – P 140/180.

La Chaudanne, ☎ 08.61.76, ← – cuisinette ⇔wc ⋒wc ☎ P. ⚘ rest
27 juin-6 sept. et 10 déc.-3 mai – SC : **R** 35/60 ♀ – ☕ 15 – **45 ch** 230/280, 10 appartements 300/450 – P 250.

Parc Alpin ⑤ sans rest, ☎ 08.64.98, ←, ⛱ – ⇔wc ⋒wc ☎ P. 🚗
16 déc.-16 avril – SC : **21 ch** ☕ 140/230.

Belvédère ⑤, ☎ 08.65.53, ←, ⛱ (été), – TV ⇔wc ⋒wc ☎. 🚗. ⚘ ch
juil., août et 20 déc.-20 avril – SC : **R** 58 – 15 ch (pens. seul.) – P 165/220.

La Saulire sans rest, ☎ 08.64.22 – wc.
15 déc.-15 avril – SC : **20 ch** 100/180.

Gérard, ☎ 08.65.43 – AE
1er déc.-1er mai – SC : **R** 60/90.

à l'Altiport NE 4,5 km – ✉ **73550** Méribel les Allues :

H. Altiport Ⓜ, ☎ **08.26.50, Télex 980456**, ←, – wc ☎ – 150. GB. rest
1er juil.-15 sept. et 15 déc.-30 avril – SC : **R** carte 100 à 150 – 41 ch (1/2 pens. seul.).

au Mottaret S : 6 km - **77** ⑧ – ✉ **73550** Méribel-les-Allues :

Ruitor Ⓜ sans rest, ☎ **08.27.92**, ← – ☎ – 35. GB.
15 déc.-30 avril – SC : **49 ch** 280/380.

Tarentaise Ⓜ, ☎ **08.52.46**, ← – ☎. AE. rest
20 déc.-15 avril – **R** carte environ 85 – 45 ch (pens. seul.) – P 310.

Mottaret Ⓜ, ☎ **08.24.51**, ← – wc ☎ Ⓟ – 60. . rest
15 déc.-30 avril – SC : **R** 50/85 – 15 – **44 ch** 150/200 – P 230/250.

MÉRIGNAC **33** Gironde **71** ⑨ – rattaché à Bordeaux.

MERLEBACH **57** Moselle **57** ⑯ – voir à Freyming-Merlebach.

Le MERLERAULT **61240** Orne **60** ④ – 1 098 h. alt. 226 – 33.
Voir Panneaux peints* de l'église à St-Germain-de-Clairefeuille NO : 5 km, **G. Normandie.**
Paris 167 – Alençon 38 – Argentan 27 – Bernay 54 – Mortagne-au-Perche 37 – Verneuil-sur-Avre 50.

Ste-Barbe, ☎ **35.40.06** – Ⓟ. GB
fermé vend. soir en hiver – SC : **R** 25 bc/95 – 7,50 – **12 ch** 40/84 – P 80/90.

CITROEN Gar. Mariette, ☎ 35.40.30 | TALBOT Gar. Rocher, ☎ 35.42.81

MERLETTE **05** H.-Alpes **77** ⑰ – rattaché à Orcières.

MERLIMONT **62** P.-de-C. **51** ⑪ – rattaché au Touquet.

MERS-LES-BAINS **80** Somme **52** ⑤ – rattaché au Tréport.

MERVENT **85** Vendée **67** ⑯ – rattaché à Fontenay-le-Comte.

MERVILLE-FRANCEVILLE-PLAGE **14810** Calvados **55** ② – 1 184 h. – 31.
Office de Tourisme (Pâques, Pentecôte et 1er juil.-15 sept.) ☎ 91.30.88.
Paris 231 – Arromanches-les-Bains 41 – Cabourg 6 – ♦Caen 19.

Chez Marion avec ch, ☎ **91.30.43** – wc.
fermé janv. et jeudi d'oct. à mars – SC : **R** 65/125 – 9 – 20 ch 60/120 – P 145/170.

MÉRY-SUR-SEINE **10170** Aube **61** ⑥ – 1 204 h. alt. 82 – 25.
Paris 135 – Châlons-sur-M. 70 – Nogent-sur-Seine 33 – Sézanne 31 – Troyes 29 – Vitry-le-François 70.

Au Bon Coin, ☎ **21.20.39** –
fermé 15 sept. au 8 oct. et lundi – SC : **R** 25/50 – 6,50 – **11 ch** 40/45 – P 80.

RENAULT Gar. Flizot, ☎ 21.20.46

MESCHERS-SUR-GIRONDE **17132** Char.-Mar. **71** ⑮ **G. Côte de l'Atlantique** – 1 546 h. alt. 22 – 46.
Syndicat d'Initiative pl. Verdun (15 juin-15 sept., fermé dim. et fêtes) ☎ 02.70.39.
Paris 503 – Blaye 76 – Jonzac 54 – Pons 37 – La Rochelle 81 – Royan 11 – Saintes 42.

Croix Blanche, ☎ **02.70.19** – .
1er juin-15 sept. – SC : **R** 40/65 – 10 – 10 ch 45/70 – P 90/110.

Grottes de Matata, ☎ **02.70.02**, ←, **« Cavernes creusées dans une falaise dominant l'estuaire »**,
19 avril-30 sept. et fermé mardi hors sais. – SC : **R** carte 100 à 150.

RENAULT Gar. Roy, ☎ 02.70.27 N

Le MESNIL-ESNARD **76** S.-Mar. **55** ⑥⑦ – rattaché à Rouen.

MESNIL-VAL **76** S.-Mar. **52** ⑤ – ✉ **76910** Criel-Plage – 35.
Paris 174 – Dieppe 27 – Le Tréport 4,5.

Vieille Ferme, ☎ **86.72.18**, – wc Ⓟ. GB
fermé 4 au 31 janv. – SC : **R** *(fermé dim. soir et lundi)* 45/70 – 15 – 36 ch 110/180 – P 180/210.

Les MESNULS 78 Yvelines 60 ⑨ **G. Environs de Paris** – 5 385 h. alt. 110 – ✉ **78490** Montfort-l'Amaury – ☎ 3.

Voir Château★ : cloître★.

Paris 48 – Dreux 41 – Mantes-la-Jolie 36 – Rambouillet 14 – Versailles 27.

XX ✿ **Toque Blanche** (Philippe), 12 Grande-rue ☎ 486.05.55, – AE GB ⓓ
fermé août, vacances de fév., dim. soir et lundi – SC : **R** carte 120 à 165
Spéc. Chartreuse de légumes, Barbue "R. Oliver", Rable de lapin au thym frais.

MESSAC 35480 I.-et-V. 63 ⑥ – 2 215 h. alt. 11 – ☎ 99.

Paris 362 – Bain-de-B. 10 – Châteaubriant 39 – Nozay 34 – Ploërmel 51 – Redon 33 – ♦Rennes 42.

X **Poste et Gare avec ch**, ☎ 34.61.04 – ch
fermé fév. dim. soir (sauf hôtel) et lundi hors sais. – SC : **R** 30/65 – 8 – **10 ch**.

MESSERY 74 H.-Savoie 70 ⑯ – 580 h. alt. 420 – ✉ **74140** Douvaine – ☎ 50.

Paris 566 – Annecy 66 – Bonneville 37 – ♦Genève 22 – Thonon-les-Bains 19.

Bellevue, ☎ 94.70.55, ←, – . rest
fermé mardi – SC : **R** *(fermé 1er au 15 oct. et mardi)* 36/68 – 9 – 22 ch 38/75 – P 92/105.

Troènes, ☎ 94.70.30, – . rest
fermé mardi hors sais. – SC : **R** 40/92 – 10 – 16 ch 43/90 – P 88/105.

MÉTHAMIS 84 Vaucluse 81 ⑬ – 282 h. – ✉ **84570** Mormoiron – ☎ 90.

Paris 700 – Apt 36 – Carpentras 17.

X **Lou Roucas**, ☎ 61.81.04 –
fermé sept. et jeudi – **R** 27/70.

METZ P **57000** Moselle 57 ⑬⑭ **G. Vosges** – 117 199 h. alt. 173 – ☎ 8.

Voir Cathédrale★★★ – Église St-Martin★ CY **B – Porte des Allemands★ – Esplanade et bord de la Moselle★** AX **– Musées : Archéologie gallo-romaine★★ et Beaux-Arts★** CX **M1.**

de Cherisey ☎ 777.70.18 par ④ : 14 km.

de Metz-Frescaty : Air Inter ☎ 765.41.11, SO : 6 km.

☎ 766.49.65.

Office de Tourisme et Accueil de France (Informations et réservations d'hôtels, pas plus de 5 jours à l'avance), Porte Serpenoise, ☎ 775.65.21, Télex 860411 - A.C. 1 r. Antoine ☎ 768.35.53 - T.C.F. 8 r. Wilson ☎ 766.32.31.

Paris 331 ① – Bonn 238 ① – Bruxelles 282 ① – ♦Dijon 252 ⑤ – ♦Lille 368 ① – Luxembourg 63 ① – ♦Nancy 56 ⑤ – ♦Reims 188 ① – Saarbrücken 67 ② – ♦Strasbourg 162 ② – Trier 95 ①.

Plan pages suivantes

Sofitel M, pl. Paraiges ☎ 774.57.27, Télex 930328, – 200. AE GB ⓓ E — CX **t**
rest **Le Rabelais R** carte 90 à 120 – 25 – **115 ch** 220/310, 3 appartements 580.

Frantel M, 29 pl. St-Thiébaut ☎ 775.56.33, Télex 930417 – – 30 à 250. AE GB ⓓ E. rest — CY **d**
SC : rest. **les 4 Saisons** *(fermé dim.)* **R** carte 100 à 140 – 21 – **112 ch** 185/260.

Royal-Concorde M, 23 av. Foch ☎ 766.81.11, Télex 860425 – – 60. AE GB ⓓ E — CY **s**
SC : **R** 81 - **Caveau R** carte environ 100 – 20 – **61 ch** 205/265, 3 appartements 450 – P 365/385.

Central M sans rest, 3 bis r. Vauban ☎ 775.53.43, Télex 930281 – wc wc . AE GB ⓓ E — CY **b**
SC : 12 – **54 ch** 85/140.

Cécil sans rest, 14 r. Pasteur ☎ 766.66.13 – wc wc . AE GB ⓓ E — BZ **x**
SC : 10 – **39 ch** 65/125.

Foch M sans rest, 8 av. Foch ☎ 774.40.75, Télex 860489 – wc . AE — BY **v**
SC : 9,50 – **42 ch** 50/98.

Bristol M sans rest, 7 r. La Fayette ☎ 766.74.22 – wc wc . AE E — BZ **u**
SC : 10 – **67 ch** 39/140.

Métropole sans rest, 5 pl. Gén.-de-Gaulle ☎ 766.26.22 – wc wc . AE GB — CY **q**
SC : 11 – **80 ch** 65/110.

Gare sans rest, 2 pl. Gén.-de-Gaulle ☎ 766.74.03 – wc wc . AE GB ⓓ E. — CY **q**
SC : 10 – **40 ch** 50/120.

tourner →

METZ

Ambroise-Thomas (R.) BX 2
Clercs (R. des) BX
En Fournirue CX
Fabert (R.) BX 21
Jardins (R. des) CX
Palais (R. du) BX 36
Petit-Paris (R. du) BX 37
St-Louis (Pl.) CX
Schuman (Av. R.) BY
Serpenoise (R.) BX
Tête-d'or (R. de la) CX 53

Allemands (R. des) DX
Alliés (R. des) AV
Amphithéâtre (Av. de l') DY
Antoine (R. Louis) ABZ 3
Arènes (R. aux) CZ
Armes (Pl. d') CX 4
Augustins (R. des) CY 5
Barbé-de-Marbois (R.) AZ 6
Belle-Isle (R.) BV
Bénédictins (R. des) BV
Blida (Av. de) DV
Chambière (R.) CV
Chambre (Pl. de) BX 7
Chanoine-Collin (R.) CX 8
Charlemagne (R.) BY 9
Clovis (R.) AZ
Coëtlosquet (R. du) BY 10
Coislin (Pl.) CDY 12
Esplanade AX
Faisan (R. du) BX 22
Foch (Av.) BCY
Fontaine (R. de la) CY 23
France (Pl. de) AV
Gambetta (R.) BY
Garde (R. de la) AX
Gaulle (Pl. du Gén. de) CY 24
Gendarmerie (R. de la) CY
George (Pl. du Roi) BY 25
Gœthe (R.) AZ
Gde-Armée (R. de la) DX 26
Grilles (Pont des) DV 27
Guise (R. de) AY 28
Hache (R. de la) DX 29
Haute-Seille (R.) DY
Hegly (Allée V.) AY 31
Henri-II (Av.) AV
Immaculée-Conception (⊞) DZ
Jean-XXIII (Av.) DY
Joffre (Av.) AY
La Fayette (R.) BZ
Lasalle (R.) CY 32
Lattre-de-T. (Av. de) AYZ
Leclerc-de-H. (Av.) AZ
Maginot (Bd A.) DXY
Malraux (Av. André) CZ
Mangin (R.) AZ
Marchant (R.) DX
Mazelle (Pl.) DY
Mazelle (R.) DY
Migette (R.) AZ
Mondon (Pl. R.) BY 33
Morts (Ponts des) AX
Morts (R. du Pont-des) AX
Moyen-Pont AX 34
Nancy (Av. de) AZ
Ney (Av.) AY
Notre-Dame (⊞) CX
Paix (R. de la) BX 35
Paixhans (Bd) DX
Paris (R. de) AV
Pasteur (R.) BZ
Pierre-Hardie (R. de la) BX 38
Plantières (Av. de) DY
Poincaré (Bd) AY
Poncelet (R.) BX 39
Pont-à-Mousson (R. de) AZ
Pontiffroy (Bd du) CV
Pont-Rouge (R. du) DY 40
Prés.-Kennedy (Av.) AZ 41
Queuleu (R. de) DZ
République (Pl. de la) BY 42
Richepanse (Quai) AV
St-Eucaire (R. et ⊞) DX 43
St-Martin (⊞) CY B
St-Maximim (⊞) DY
St-Pierre (R.) BZ
St-Simon (⊞) AV
St-Simplice (Pl.) CX 45

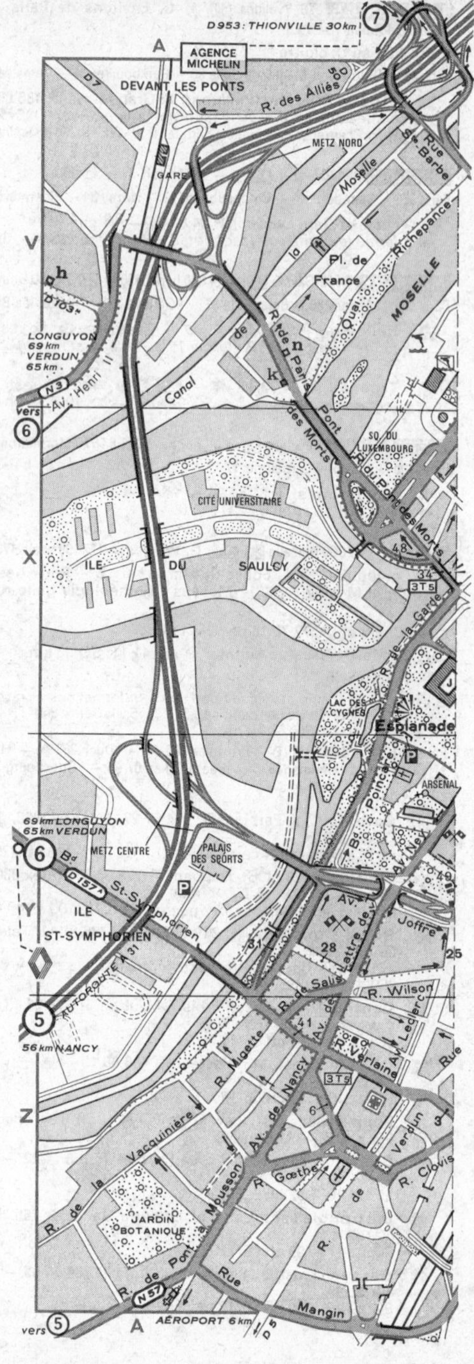

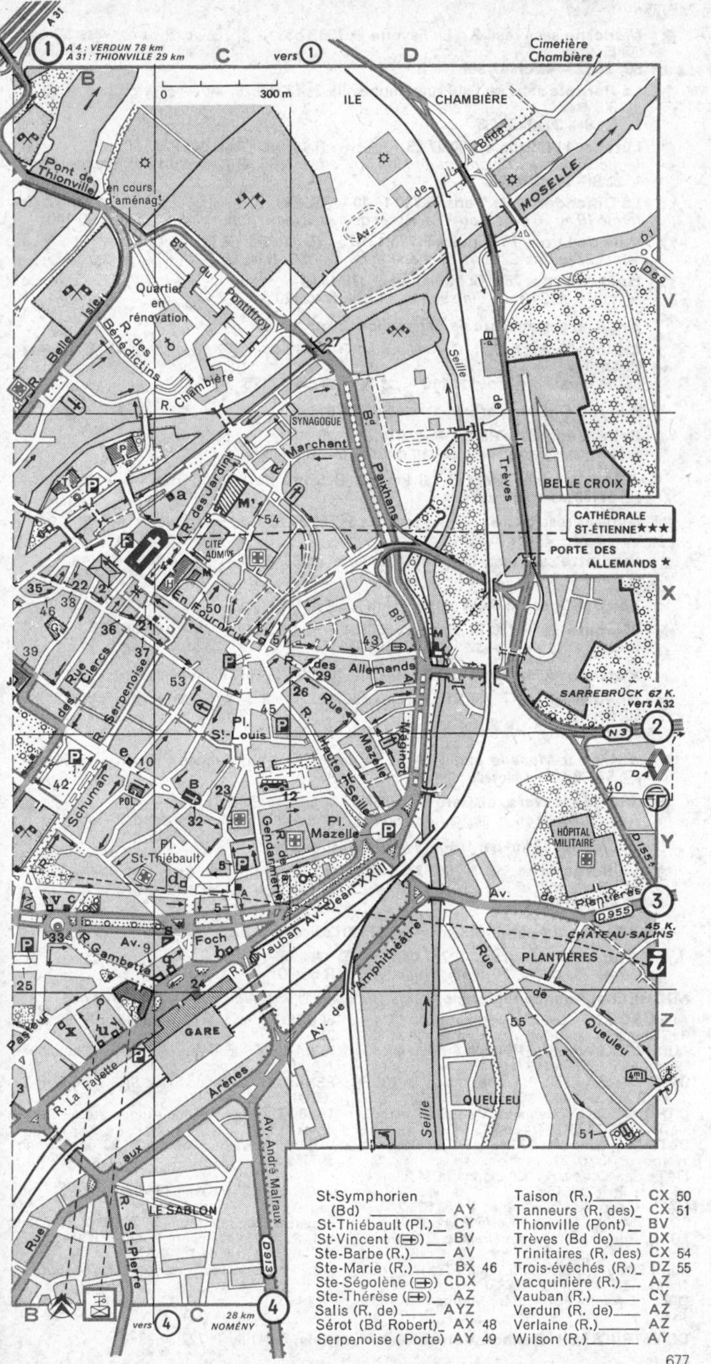

A 31
A 4 : VERDUN 78 km
A 31 : THIONVILLE 29 km
vers 1
Cimetière Chambière
300 m
ILE
CHAMBIÈRE
Pont de Thionville
en cours d'aménagt
MOSELLE
Av. de
Bd du Pontiffroy
Quartier en rénovation
R. Belle Isle
R. des Bénédictins
R. Chambière
SYNAGOGUE
R. Marchant
Bd Paixhans
Bd de Trèves
Seille
BELLE CROIX
CATHÉDRALE ST-ÉTIENNE ★★★
PORTE DES ALLEMANDS ★
R. des Jardins
CITÉ ADMIVE
En Fournirue
R. des Allemands
Rue des Clercs
R. Serpenoise
Pl. St-Louis
Rue Mazelle
R. Haute Seille
Maginot
SARREBRÜCK 67 K.
vers A 32
N 3
D 4
HÔPITAL MILITAIRE
D 155
Schuman
POL
Pl. St-Thiébault
R. de la Gendarmerie
Pl. Mazelle
Av. Jean XXIII
Av. de Plantières
D 955
45 K. CHATEAU-SALINS
PLANTIÈRES
Av. Foch
R. Gambetta
R. Vauban
Av. de l'Amphithéâtre
Rue de Queuleu
GARE
Pasteur
R. La Fayette
Arènes
Av. André Malraux
QUEULEU
LE SABLON
Rue aux
R. St-Pierre
D 913
vers 4
28 km NOMÉNY

Moderne sans rest, 2 r. La Fayette ☎ 766.57.33 – 🛗 ⛀wc ⚘wc ☎. 🚘 AE GB ⓘ E BZ **u**
SC : ☕ 12 – **43 ch** 47/98.

La Pergola sans rest, 13 rue Plappeville ☎ 732.50.76, ⛰ – ⛀wc ⚘wc ☎ Ⓟ – 🧑‍🏫 30. 🚘 AV **h**
SC : ☕ 9 – **30 ch** 38/85.

Lutèce, 11 r. Paris ☎ 730.27.25 – ⛀wc ⚘ ☎ 🚗. 🚘 GB. 🚫 AV **n**
fermé 25 déc. au 15 janv. et dim. de nov. à fév. – **SC : R** *(fermé dim. et fêtes)* 30/59 🍷 – ☕ 9 – **21 ch** 44/85.

XX **La Dinanderie,** 2 r. Paris ☎ 730.14.40 – AE ⓘ AV **k**
fermé 19 au 26 avril, 8 au 31 août, 24 déc. au 2 janv., dim. et lundi – **SC : R** 90/140.

XX **Ville de Lyon,** 7 r. Piques ☎ 775.13.02 – Ⓟ. AE GB ⓘ E CX **a**
fermé 27 juil. au 27 août, dim. soir et lundi – **SC : R** 60/90 🍷.

XX **Host. Marne,** 26 r. Coëtlosquet ☎ 775.18.04 BY **e**
fermé 1er au 24 août, dim. soir et lundi – **R** 40/120 🍷.

***par** ②* **et ancienne rte de Sarrebrück : 3 km :**

XX **Crinouc** avec ch, 79 r. Gén.-Metman ☎ 774.12.46 – TV ⚘wc ☎ Ⓟ – 🧑‍🏫 40. 🚘 AE GB ⓘ
SC : R *(fermé dim. soir)* 35/110 – ☕ 11 – **10 ch** 86/125.

à Borny O : 3 km par D 4 - DY – ✉ **57070** Metz :

XX **Belle-Vue,** 58 rte Pange ☎ 737.10.27 – Ⓟ. 🚫
fermé 3 au 17 août, dim. soir et lundi – **SC : R** 56/100 🍷.

à Montigny-lès-Metz S : 3 km par D 5 (rte de l'Aéroport) - AZ – **26 638** h. – ✉ **57158** Montigny-lès-Metz :

Air sans rest, 54 bis r. Gén.-Franiatte ☎ 763.30.22 – ⛀wc ⚘wc ☎ 🚗 Ⓟ
SC : ☕ 10 – **21 ch** 75/105.

Franiatte sans rest, 14 r. Gén.-Franiatte ☎ 763.76.13 – ⛀wc ⚘ ☎ Ⓟ GB
fermé dim. – SC : ☕ 9,50 – **27 ch** 45/97.

***par** ①* A 31 sortie de Woippy : 5 km – ✉ **57140** Woippy :

Mercure Ⓜ, ☎ 730.19.30, Télex 860891 – 🛗 TV ♿ Ⓟ – 🧑‍🏫 70. AE GB ⓘ
R carte environ 70 – ☕ 18 – **84 ch** 170/200.

à Maizières-les-Metz par ① et A 31 : 10 km – ✉ **57210** Maizières :

Novotel Ⓜ 🌿, ☎ 780.41.11, Télex 860191, 🏊, ⛰ – 🛗 TV ☎ ♿ Ⓟ – 🧑‍🏫 25 à 350. AE GB ⓘ
R snack carte environ 65 – ☕ 20 – **128 ch** 175/220.

à Ars-sur-Moselle par ⑤ A 31 et sortie Jouy-aux-Arches : 11 km – **5 404** h. – ✉ **57130** Ars-sur-Moselle :

XX **Aub. de la Gare,** pl. Gare ☎ 760.62.03 – AE GB ⓘ E
fermé 18 août au 10 sept., lundi soir et mardi – **SC : R** (dim. prévenir) 95/145.

à Rugy N : 12 km par D 1 - DV – ✉ **57640** Argancy :

La Bergerie Ⓜ 🌿, ☎ 764.82.27, ⛰ – TV ⛀wc ⚘wc ☎ Ⓟ – 🧑‍🏫 50. 🚘 AE
SC : R *(fermé 15 juil. au 15 août et 23 déc. au 2 janv.)* carte 65 à 100 – ☕ 9,50 – **22 ch** 90/115.

à Mazagran par ② : 13 km – ✉ **57530** Courcelles-Chaussy :

XX **Aub. de Mazagran,** ☎ 777.01.11 – Ⓟ. GB. 🚫
fermé 25 août au 20 sept. et merc. – **SC : R** 65/90.

MICHELIN, Agence régionale, 59 rte Thionville D 953, Woippy par ⑦ ☎ **731.17.81**

ALFA-ROMEO, DATSUN Jacquot, 17 r. R.-Schumann, Longeville-lès-Metz ☎ 730.34.85
AUDI-VOLKSWAGEN Philippe-Automobiles, 195 r. Gén.-Metman ☎ 774.09.95
BMW Metz-Autom., 11 r. des Alliés ☎ 730.02.44 **N** ☎ 730.11.46
CITROEN Gar. Moderne de Metz, 9 r. Austrasie ☎ 766.79.11 **N** ☎ 774.25.97
DATSUN Gangloff, 63 rte de Thionville à Woippy ☎ 730.00.31
FIAT Gar. Corroy, 6 r. Chaponost à Moulins-lès-Metz ☎ 762.32.15
FIAT Hubert, 68 r. aux Arènes ☎ 763.22.22
FORD Meckel, 19 r. La Fayette ☎ 768.17.76
FORD Romanazzi, 11 r. des Drapiers, ZIL Borny ☎ 774.44.91
MERCEDES-BENZ SOREVIT-METZ, 130 rte Thionville ☎ 730.57.02
OPEL Eurauto, 191 r. Gén.-Metman ☎ 736.15.82
PEUGEOT Jacquot, 2 r. P.-Boileau ☎ 730.24.40 **N**
RENAULT Succursale, 50 r. Gén.-Metman ☎ 776.22.22
RENAULT Chevalier, 57 bd St-Symphorien ☎ 766.80.22
TALBOT Sté Mosellane-Autom., rte de Sarrebruck ☎ 774.17.90
VOLVO Lorraine Mécanique, 33 bd Paixhan ☎ 775.22.81

Ⓜ Germain, 21 r. Pasteur ☎ 766.56.96
Laglasse, 53 r. Haute-Seille ☎ 774.16.88
Leclerc-Pneu, 3 pl. Mondon ☎ 769.01.74, Zone Ind. Nord, Hauconcourt ☎ 780.49.80 et 57 av. de l'Abbaye St-Eloy ☎ 730.42.47
Metz-Pneus, 100 av. Strasbourg ☎ 774.16.28

CONSTRUCTEUR : Renault Véhicules Industriels, à Batilly ☎ **722.34.99**

METZERAL 68380 H.-Rhin 62 ⑱ – 989 h. alt. 484 – 89.
Paris 451 – Colmar 26 – Gérardmer 40 – Guebwiller 45 – Thann 41.

Aux Deux Clefs sans rest, ℱ 77.61.48, ≤ – wc
mars-oct. et fermé jeudi – SC : 8 – **11 ch** 66.

Pont avec ch, ℱ 77.60.84 – wc
fermé 11 nov. au 26 déc. et lundi – **R** 35/90 – 10 – 5 ch (1/2 pens. seul.), 5 appartements 120.

CITROEN Gar. Jaeglé, ℱ 77.60.26

MEUDON 92 Hauts-de-Seine 60 ⑩, 101 ㉔ – voir à Paris, Proche banlieue.

MEULAN 78250 Yvelines 55 ⑲, 96 ⑭ G. Environs de Paris – 8 562 h. alt. 25 – 3.

du Prieure, à Sailly-en-Vexin ℱ 476.70.12 par ⑦ : 12 km – Paris 47 ④ – Beauvais 60 ① – Mantes-la-Jolie 19 ⑤ – Pontoise 17 ① – Rambouillet 56 ④ – Versailles 30 ④.

Grande Pinte avec ch, r. Clemenceau **(s)** ℱ 474.15.10, – wc
fermé août, vacances de fév., lundi soir (sauf hôtel) et mardi – SC : **R** 49/90 – 13 – **10 ch** 56/108.

Aub. Terrasse, quai A.-Joly **(e)** ℱ 474.01.59
fermé 4 au 27 juil., 24 déc. au 4 janv., vend. soir et sam. – SC : **R** 42/56, carte le dim..

CITROEN Gar. Joly, 16 bd Carnot à Hardricourt ℱ 474.01.80

Comptoir du Pneu, 41 bis av. Gambetta ℱ 474.84.44

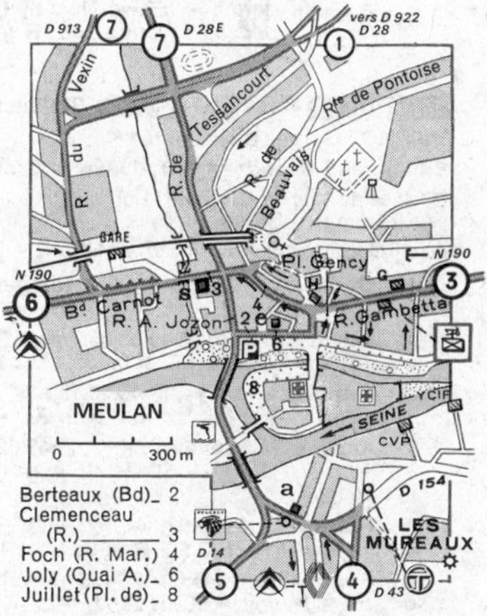

aux Mureaux : Sud du plan – 28 345 h. – ✉ **78130** Les Mureaux :

Avenir, 7 r. Seine **(a)** ℱ 474.02.58 –
fermé vac. de fév., lundi soir et mardi – SC : **R** 27/75.

Berteaux (Bd) 2
Clemenceau (R.) 3
Foch (R. Mar.) 4
Joly (Quai A.) 6
Juillet (Pl. de) 8

CITROEN Gar. Szelag, 84 bd V.-Hugo ℱ 474.17.61
PEUGEOT Basse-Seine-Autos, 2 av. Seine ℱ 474.04.62
RENAULT Roquet, 4 r. A.-Briand ℱ 474.17.92
TALBOT Langlois, rte de Verneuil ℱ 474.01.95

Corail Pneu Sce, Centre Commercial Corail ℱ 474.27.54
La Station du Pneu, 90 av. Mar.-Foch ℱ 474.19.28

MEURSAULT 21190 Côte-d'Or 69 ⑨ **G. Bourgogne** – 1 733 h. alt. 243 – 80.
Paris 323 – Autun 42 – Beaune 8 – Chagny 10 – ♦Dijon 47 – Saulieu 60.

Motel Au Soleil Levant M, rte Beaune ℱ 21.23.47 – wc wc
fermé 20 nov. au 20 déc. – SC : **R** 33/63 – 10 – **33 ch** 75/110.

Relais de la Diligence, à la gare E : 2,5 km par D 23 ℱ 21.21.32 –
fermé janv. et merc. – SC : **R** 26/70.

MEUSE (Vallée de la) ★★ 08 Ardennes 53 ⑱⑲ **G. Nord de la France.**

MEXIMIEUX 01800 Ain 74 ③ – 4 026 h. alt. 226 – 74.
Paris 453 – Bourg-en-Br. 35 – Chambéry 96 – ♦Genève 121 – ♦Grenoble 109 – ♦Lyon 36.

Claude Lutz avec ch, ℱ 61.06.78, – wc wc – 100. rest
fermé 18 oct. au 7 nov., vacances de fév., dim. soir et lundi – SC : **R** 45/160 – 11 – **17 ch** 50/110
Spéc. Fond d'artichaut au foie gras, Civet de turbot, Fricassée de volaille de Bresse à la crème. **Vins** Gamay, Roussette.

au Pont de Chazey-Villieu E : 3 km sur N 84 – ✉ **01800** Meximieux :

Chez la Mère Jacquet M avec ch, ℱ 61.07.34, – TV wc . AE
fermé 20 déc. au 31 janv. et lundi sauf fériés – SC : **R** 90/180 – 16,50 – **10 ch** 55/140.

PEUGEOT Gar. Janin, ℱ 61.06.00
RENAULT Gar. Paviot, ℱ 61.07.89
TALBOT Gar. Chabran, ℱ 61.18.09

MEYLAN 38 Isère 77 ⑤ – rattaché à Grenoble.

MEYMAC 19250 Corrèze 73 ⑪ G. Périgord – 2 745 h. alt. 702 – ✪ 55.

ℹ Syndicat d'Initiative pl. Bucher (juil.-août) ☎ 72.48.43.

Paris 435 – Aubusson 57 – ♦Limoges 97 – Neuvic 29 – Tulle 52 – Ussel 17.

- **Modern' H.,** av. Limousine ☎ 95.10.19, 🌳 – 🛁wc 🚿 ☎ **P**. ✂ rest
  SC : **R** 32/85 ₰ – ☕ 10 – 33 ch 40/70 – P 85/90.

RENAULT Mauriange, ☎ 95.10.54 **N** Vergne ☎ 95.11.36

MEYRARGUES 13650 B.-du-R. 84 ③ – 2 222 h. alt. 206 – ✪ 42.

Paris 751 – Aix-en-Provence 15 – Apt 43 – Cavaillon 51 – Manosque 38 – ♦Marseille 47 – Rians 24.

- XXX **Château de Meyrargues** ⛰ avec ch, ☎ 57.50.32, « Château fortifié dominant la vallée, parc » – 🛁wc 🚿wc ☎ **P** – 🏛 60. AE ⓓ
  fermé 1er déc. au 31 janv. – SC : **R** *(fermé dim. soir et lundi)* 85/160 – ☕ 14 – 14 ch 178/220 – P 320.

MEYRUEIS 48150 Lozère 80 ⑤⑮ G. Causses – 1 083 h. alt. 706 – ✪ 66.

Voir NO : Gorges de la Jonte★★.

Env. Aven Armand★★★ NO : 11 km – Grotte de Dargilan★★ NO : 8,5 km.

ℹ Office de Tourisme Tour de l'Horloge (1er juin-1er oct.) ☎ 45.60.33 et à la Mairie (hors sais., fermé sam. et dim.) ☎ 45.62.64.

Paris 628 – Florac 35 – Mende 57 – Millau 42 – Rodez 101 – Sévérac-le-Château 60 – Le Vigan 57.

- **Château d'Ayres** ⛰, E : 1 km par D 57 ☎ 45.60.10, ≤, parc – **P**
  28 mars-1er oct. – SC : **R** 78/115 – ☕ 17 – **21 ch** 150/200, 3 appartements 290.
- **Gd H. Europe,** ☎ 45.60.05, parc, 🏊 – |🛗| 🛁wc 🚿wc ☎ **P**. 🚗. ✂ rest
  12 avril-1er oct. – SC : **R** 32/55 – ☕ 11 – 50 ch 46/80 – P 98/115.
- **Renaissance** ⛰, ☎ 45.60.19, 🌳 – 🛁wc ☎. 🚗 AE GB ⓓ
  SC : **R** 42/130 ₰ – ☕ 16 – 8 ch 200 – P 180/205.
  Annexe St-Sauveur 🏠, ☎ 45.62.12 – 🛁wc ☎. 🚗 AE GB ⓓ
  1er mars-15 nov. – SC : **R** *(15 mai-30 sept.)* grill carte environ 50 ₰ – ☕ 12 – 18 ch 44/94.
- **France,** ☎ 45.60.07, 🌳, ✂ – |🛗| 🛁wc 🚿wc ☎. 🚗. ✂ rest
  1er avril-1er oct. – SC : **R** 28/55 – ☕ 10 – 46 ch 80/100 – P 110 bc/120 bc.
- **Family H.,** ☎ 45.60.02 – 🛁wc 🚿wc ☎ 🚗
  mars-1er nov. – SC : **R** 28/66 – ☕ 10 – 32 ch 46/80 – P 95/110.
- **Terrasse** sans rest, ☎ 45.60.24 – 🛁 🚿. 🚗 GB
  1er avril-1er nov. et vacances scolaires d'hiver – SC : ☕ 8 – **15 ch** 36/55.

CITROEN Giraud, ☎ 45.60.04

MEYSSAC 19500 Corrèze 75 ⑨ G. Périgord – 1 218 h. alt. 220 – ✪ 55.

Paris 513 – Brive-la-Gaillarde 23 – St-Céré 39 – Tulle 45.

- X **Relais du Quercy** avec ch, ☎ 25.40.31, 🌳 – **P**. 🚗. ✂ rest
  fermé janv. – SC : **R** 29/75 – ☕ 9 – 11 ch 40/70 – P 80/90.

MEYZIEU 69 Rhône 74 ⑫ – rattaché à Lyon.

MÈZE 34140 Hérault 83 ⑯ G. Causses – 5 508 h. alt. 6 – ✪ 67.

Paris 791 – Agde 20 – Béziers 41 – Lodève 54 – ♦Montpellier 34 – Pézenas 18 – Sète 18.

- X **Barbecue,** 38 r. Port ☎ 43.84.99, cadre rustique – AE ⓓ E
  fermé 15 oct. au 15 nov., dim. soir et lundi hors sais. – SC : **R** 35/60.

à Bouzigues NE : 4 km par N 113 et VO – ✉ **34140** Mèze :

- **Motel Côte Bleue** Ⓜ ⛰, ☎ 78.31.42, ≤, 🏊 – ♿ **P**. ✂ ch
  fermé 4 fév. au 4 mars – SC : **R** voir rest. Côte Bleue – ☕ 10 – **32 ch** 100/150.
- XX **Côte Bleue,** ☎ 78.30.87, ≤, dégustation de coquillages – **P**
  fermé 4 fév. au 4 mars, lundi du 1er juil. au 1er sept. et merc. du 1er sept. au 30 juin – SC : **R** carte environ 90.

Rolouis-Pneum, ☎ 43.93.38

MÉZENC (Mont) 07 Ardèche et 43 H.-Loire 76 ⑱ G. Vallée du Rhône – alt. 1 754.

Voir ✻★★★.

Accès par la croix de Boutières ≤★★ (1 h 1/2 AR) ou par la croix de Peccata (1 h AR).

MÉZILHAC 07810 Ardèche 76 ⑱⑲ G. Vallée du Rhône – 191 h. alt. 1 130 – ✉ **07530** Antraigues-sur-Volome – ✪ 75.

Voir Piton de la Croix ✻★★.

Paris 625 – Aubenas 29 – Dornas 12 – Lamastre 43 – Privas 34 – Le Puy 64.

- **Cévennes** ⛰, ☎ 38.78.01, ≤ – 🚿 🚗 **P**. ✂ rest
  fermé 3 nov. au 22 déc. et jeudi hors sais. – SC : **R** 27/52 ₰ – ☕ 7,50 – **22 ch** 38/46 – P 72/75.

MÉZOS 40 Landes 78 ⑮ – 939 h. alt. 45 – ✉ 40170 St-Julien-en-Born – ☎ 58.

Paris 676 – Belin 67 – Castets 23 – Mimizan 16 – Mont-de-Marsan 62 – Tartas 50.

XX **Boucau,** ☎ 42.86.21 – AE
fermé 1er oct. au 15 nov., dim. soir et lundi – SC : **R** 35/80.

XX **Verdier,** ☎ 42.86.01 – P
fermé 17 nov. au 27 déc. et lundi de fin sept. au 1er juin – SC : **R** 35/75.

RENAULT Lastécouères, à Lit et Mixe ☎ 42.84.55

MIALET 30 Gard 80 ⑰ – rattaché à Anduze.

MIDI DE BIGORRE (Pic du) 65 H.-Pyr. 85 ⑱ **G. Pyrénées** – alt. 2 865 – ✉ **65200** Bagnères-de-Bigorre – **Voir** ※*** – Observatoire.

Accès par le col du Tourmalet, route taxée puis téléphérique.

Paris 826 – La Mongie 9,5.

MIÉLAN 32170 Gers 85 ⑨ – 1 379 h. alt. 209 – ☎ 62.

Paris 751 – Auch 39 – Mirande 14 – Tarbes 34.

Lac M, N : 2 km par N 21 ☎ **67.51.59,** ≤, plage, ⚘, ✂ – ⌂wc ⌂wc ☎ P – ⚐ 30.
SC : **R** 35/120 ₰ – ☕ 12 – **25 ch** 90/120 – P 120/150.

MIGENNES 89400 Yonne 65 ⑤ – 8 349 h. alt. 87 – ☎ 86.

ℹ Office de Tourisme (fermé dim.) pl. E.-Laporte ☎ 80.03.70.

Paris 156 – Auxerre 21 – Joigny 9,5 – Nogent-sur-Seine 78 – St-Florentin 18 – Seignelay 12.

X **Paris** avec ch, 57 av. J.-Jaurès ☎ **80.23.22** – ⌂wc ☎. ✂ rest
fermé 1er au 23 août et 11 au 24 janv. – SC : **R** 42/62 ₰ – ☕ 11 – 10 ch 50/90.

CITROEN Migennes-Autom., 148 av. J.-Jaurès ☎ 80.04.78 N

PEUGEOT SCHWALB, 1 pl. du Marché ☎ 80. 23.58

RENAULT Farion, 44 av. E.-Branly ☎ 80.05.44

TALBOT Prudhomme, 17 allée de l'Industrie ☎ 80.02.60 N ☎ 80.03.03

MIJOUX 01 Ain 70 ⑮ – rattaché à Faucille (Col de la).

MILLAU 12100 Aveyron 80 ⑭ **G. Causses** – 22 576 h. alt. 379 – ☎ 65.

Env. Gorges du Tarn* 21 km par ① : D 107n – Canyon de la Dourbie** 8 km par ②.**

ℹ Office de Tourisme av. Alfred-Merle (fermé sam. après-midi hors sais. et dim. sauf matin en sais.) ☎ 60.02.42.

Paris 630 ① – Albi 113 ③ – Alès 137 ③ – Béziers 125 ③ – Carcassonne 212 ③ – •Clermont-Ferrand 245 ① – •Montpellier 115 ③ – Nîmes 166 ③ – Rodez 71 ④ – •Toulouse 189 ③.

Plan page suivante

✲ **International** (Pomarède) M, 1 pl. Tine ☎ **60.20.66** – ⇅ TV P – ⚐ 50 à 300. AE GB ⓓ. ✂ rest — BY **y**
SC : **R** *(fermé janv., dim. soir et lundi hors sais.)* 55/120 – ☕ 15 – **100 ch** 170, 6 appartements 225 – P 150/205
Spéc. Foie gras Tante Jeanne, Écrevisses au whisky, Tournedos des gourmets. **Vins** Montpeyroux, St-Saturnin.

Moderne, 11 av. J.-Jaurès ☎ **60.59.23** – ⇅ ⌂wc ⌂wc ☎ P. AE GB ⓓ
15 mars-15 sept. – SC : **R** voir H. International – ☕ 13 – **45 ch** 68/150 – P 145/175. — BY **n**

La Capelle ⛰ sans rest, 7 pl. Fraternité ☎ **60.14.72,** ≤ – ⌂wc ☎. ✂
Pâques et 7 mai-oct. – SC : ☕ 10,50 – **46 ch** 54/92. — BY **b**

Commerce M sans rest, 8 pl. Mandarous ☎ **60.00.56** – ⇅ ⌂wc ☎. AE GB
SC : ☕ 10 – **17 ch** 50/100. — BY **h**

Cristal M sans rest, 5 pl. Mandarous ☎ **60.02.18** – ⇅ ⌂wc ⌂wc ☎ — AY **d**
☕ 11 – **15 ch** 63/90.

Paris et Poste, 10 av. A.-Merle ☎ **60.00.52.** – ⌂wc ☎ P. ⓓ — AY **e**
fermé 10 au 25 nov., Vac. de Noël et dim. du 1er nov. au 1er avril – SC : **R** *(fermé dim. du 1er oct. au 1er juil. sauf Pâques et Pentecôte)* 33/85 – ☕ 12 – 20 ch 50/100 – P 115/135.

Voyageurs, 91 av. J.-Jaurès ☎ **60.10.34** – ⌂ ☎ P. ✂ — BY **u**
SC : **R** *(fermé dim. du 1er oct. au 1er mai)* 30/60 ₰ – ☕ 8,50 – **50 ch** 45/100 – P 100/120.

Mon Hôtel sans rest, pl. Bion-Marlavagne ☎ **60.04.70,** ⚘ – ⌂wc. — AY **a**
12 avril-20 oct. – ☕ 9,50 – **36 ch** 44/80.

Vallée sans rest, 12 r. Champ-du-Prieur ☎ **60.08.78** – ⌂ 🚗 — BZ **v**
fermé 15 déc. au 1er fév. – SC : ☕ 9 – **24 ch** 42/72.

Causses, 56 av. J.-Jaurès ☎ **60.03.19** – ⌂ ⌂wc. — BY **s**
SC : **R** *(fermé 15 oct. au 15 nov., dim. soir et lundi)* 28/62 ₰ – ☕ 10 – 22 ch 41/85 – P 95/110.

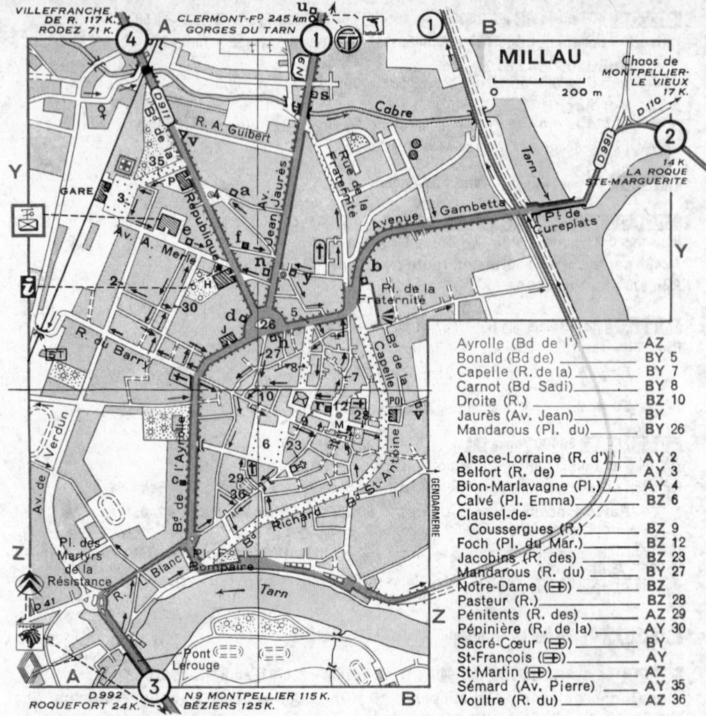

XXX ✻ **La Musardière** avec ch, 34 av. République ☎ 60.20.63, « Parc fleuri » – ⊟wc ☎. GB ⓓ — AY **v**
fermé 15 janv. au 15 fév. et lundi du 1er oct. au 15 mai – SC : **R** (dim. et fêtes prévenir) 50/110 – ☕ 16 – 12 ch 160/280 – P 250/290
Spéc. Charlotte aux écrevisses, Marmite de baudroie, Salmis de col vert cévenole. (1er avril au 1er déc.). **Vins** Montpeyroux, Gaillac.

XX **Capion,** 3 r. J.-F.-Alméras ☎ 60.00.91 – GB — AY **f**
fermé janv. et lundi sauf du 15 juin au 15 sept. – SC : **R** 34/85 🌡.

XX Buffet Gare, ☎ 60.09.04 — AY

XX **La Braconne,** 7 pl. Mar.-Foch ☎ 60.30.93 — BZ **r**
fermé 1er fév., au 9 mars et lundi sauf fériés – **R** 47/63 🌡.

par ③ rte St-Affrique : 2 km :

🏛 **Château de Creissels** 🐦, ☎ 60.16.59, ≤, « Parc » – ⊟wc ⋔wc ☎ Ⓟ. 🚗. ✻ rest
fermé 15 déc. au 31 janv. et merc. hors sais. – SC : **R** 42/65 – ☕ 13 – 30 ch 75/120 – P 105/135.

ALFA-ROMEO, AUDI-VOLKSWAGEN Gar. Martel, rte de Creissels ☎ 60.00.60
CITROEN Delon, av. de Calès ☎ 60.15.98 🅽
MERCEDES-BENZ Bruguière, rte de St-Affrique à Creissels ☎ 60.11.07
PEUGEOT Alric, rte de Montpellier ☎ 60.41.44
RENAULT SICAM, av. du Pont Lerouge ☎ 60.04.52
TALBOT Pujol, 85 av. J.-Jaurès ☎ 60.09.21

⊛ Bouloc, 3 bis r. E.-Delmas ☎ 60.35.88
Canac, 61 av. de l'Aigoual ☎ 60.00.27
Lassalle, 15 av. Gambetta ☎ 60.27.85
Millau Pneu, 50 av J.-Jaurès ☎ 60.04.56
Pneu-2000, 8 av. Martel ☎ 60.09.77
Rechapage Millavois, 325 r. E.-Delmas ☎ 60.05.56

MILLY-LA-FORÊT **91490** Essonne **61** ⑪, **96** ㊳ **G. Environs de Paris** – 3 492 h. alt. 65 – ⚙ 6.

Voir Château de Courances★ et parc★★ N : 5 km.

Env. Les Trois Pignons ✲★★ E : 5,5 km puis 30 mn.

Paris 62 – Étampes 26 – Évry 35 – Fontainebleau 19 – Melun 22 – Nemours 29.

🏛 **Coquibus** Ⓜ 🐦, rte Fontainebleau : 3 km ☎ 498.81.36, Télex 692562, parc, 🏊, 🎾 – 🛗 📺 ♿ Ⓟ – 🏛 200. AE GB ⓓ
SC : **R** 90/145 – ☕ 15 – **123 ch** 200/290, 6 appartements 290 – P 220/250.

XXX **Le Moustier,** 41 bis r. Langlois ☎ 498.92.52, « Belle salle voûtée » – AE GB ⓓ
fermé 7 au 21 sept., 7 au 28 fév., lundi soir et mardi sauf fériés – SC : **R** 100/120.

PEUGEOT SA Bellifontaine Auto, 5 r. du Lau ☎ 498.80.12
RENAULT Gar. Central, ☎ 498.80.40

MIMET 13 B.-du-R. 84 ⑬ **G. Provence** – 1 998 h. alt. 510 – ✉ **13120** Gardanne – ⚙ 42.

Paris 775 – Aix-en-Provence 19 – ♦Marseille 28 – St-Maximin-la-Ste-Baume 36 – ♦Toulon 69.

X **Host. du Puech** ⛰ avec ch, ☎ 58.91.06, ⩽ – ⛀ ⌂wc
fermé 6 au 31 oct., 6 au 28 fév., mardi soir et merc. – SC : **R** 39/65 – ☕ 8,50 – **11 ch** 45/75 – P 80/115.

MIMIZAN 40200 Landes 78 ⑭ **G. Côte de l'Atlantique** – 7 672 h. alt. 43 – Casino (Pâques-fin oct.) – ⚙ 58.

Paris 663 – Arcachon 65 – ♦Bayonne 108 – ♦Bordeaux 96 – Dax 73 – Langon 110 – Mont-de-M. 75.

à Mimizan-Bourg :

⌂ **Taris,** 19 r. Abbaye ☎ 09.02.18, 🌳 – ⛀wc ⌂wc ☎ Ⓟ. ✗
SC : **R** 44/92 – ☕ 18 – 23 ch 210.

XX ✿ **Au Bon Coin** (Caule) (travaux prévus) ⛰ avec ch, au lac N : 1,5 km ☎ 09.01.55, ⩽ – ⛀wc 🚗 Ⓟ. 🚌 AE GB ⓓ. ✗
fermé fév. et lundi – SC : **R** 65/130 – ☕ 15 – 14 ch 85/170 – P 160/170
Spéc. Salade de l'échassier landais, Ragoût de homard, Gratin de fraises aux orangettes. **Vins** Madiran, Jurançon.

CITROEN Brustis, ☎ 09.09.81
PEUGEOT Gar. Dupiau, ☎ 09.00.37

à Mimizan-Plage O : 6 km par D 626 – ✉ **40200** Mimizan-Plage – 🛈 Office de Tourisme av. M.-Martin BP 11 (fermé sam. après-midi, dim. et lundi matin) ☎ 09.11.20.

Plage Nord :

⌂ **Côte d'Argent,** av. M.-Martin ☎ 09.15.22, ⩽ océan, rest. panoramique – ⇅ Ⓟ. AE GB ⓓ E. ✗
hôtel : Pâques-fin sept. et fermé dim. soir hors sais, rest : 1er juin-fin sept. – SC : **R** (dîner seul.) 60/80 – ☕ 14 – 40 ch 120/183.

⌂ **Forêt,** 39 av. M.-Martin ☎ 09.09.06, 🌳 – ⌂wc Ⓟ. ✗
1er fév.-nov. et fêtes hors sais. – SC : **R** 48/80 – ☕ 12,50 – 17 ch 60/100 – P 133/143.

⌂ **Bellevue,** 38 av. M.-Martin ☎ 09.05.23 – ⛀wc ⌂wc ☎ Ⓟ. ✗ rest
mars-nov. – SC : **R** 39/80 – ☕ 10 – 36 ch 47/105 – P 104/145.

⌂ **France,** 18 av. Côte-d'Argent ☎ 09.09.01 – ⛀wc ⌂ ☎ Ⓟ. 🚌 GB. ✗
1er avril-1er oct. – SC : **R** (dîner pour résidents seul.) – ☕ 9 – **17 ch** 70/121.

X **Etche Gorria,** ☎ 09.09.10, ⩽ – Ⓟ. AE GB. ✗
fermé déc., janv., vend. soir et sam. – **R** 70/90.

Plage Sud :

⌂ **Parc** Ⓜ ⛰, 6 r. Papeterie ☎ 09.13.88, 🌳 – ⛀wc ⌂wc ☎ Ⓟ. 🚌 AE GB. ✗ rest
fermé 20 déc. au 1er fév. et sam. hors sais. – SC : **R** 35/110 – ☕ 13 – **16 ch** 70/120 – P 140/155.

⌂ **Mermoz** ⛰, ☎ 09.09.30, ⩽ – ⌂wc ☎. 🚌 AE GB ⓓ E. ✗
15 mai-fin sept. – SC : **R** (dîner seul.) 50/70 – ☕ 12 – 18 ch 98/163.

⌂ **Fusains,** ☎ 09.08.06 – ▤ rest ⛀wc ⌂wc ☎. GB. ✗
Pâques-fin sept. – SC : **R** 46/115 – ☕ 14 – 9 ch 98/121 – P 140/151.

⌂ **Émeraude des Bois** ⛰, ☎ 09.05.28 – ⌂wc Ⓟ. 🚌. ✗
15 mai-30 sept. – SC : **R** (1/2 pension seul.) – ☕ 11 – 15 ch 60/100.

RENAULT Gar. Caignieu, 8 r. Papeterie ☎ 09.08.84

MINDIN 44 Loire-Atl. 67 ① – rattaché à St-Brévin-les-Pins.

MINERVE 34 Hérault 83 ⑬ **G. Causses** – 106 h. – ✉ **34210** Olonzac – ⚙ 68.

Paris 870 – Béziers 45 – Carcassonne 45 – Narbonne 33 – St-Pons 28.

X **Relais Chantovent** avec ch, ☎ 91.22.96 – E. ✗ ch
fermé 15 oct. au 15 nov. et merc. sauf juil.-août – SC : **R** 40/60 – ☕ 8 – **5 ch** 50 – P 90/100.

MIONNAY 01 Ain 74 ② – 754 h. alt. 288 – ✉ **01390** St-André-de-Corcy – ⚙ 7.

Paris 459 – Bourg-en-Bresse 42 – ♦Lyon 20 – Meximieux 25 – Montluel 16 – Villefranche-sur-S. 27.

XXXX ✿✿✿ **Alain Chapel** avec ch, ☎ 891.82.02, « Jardin fleuri » – ⛀wc ☎ Ⓟ. 🚌 AE ⓓ
fermé début janv. à début fév. et lundi sauf fêtes – **R** *(fermé mardi midi)* 200/275 et carte – ☕ 41 – **13 ch** 275/330
Spéc. suivant produits de saison. **Vins** Saint-Véran, Manicle.

MIONS 69780 Rhône 74 ⑫ – 6 340 h. alt. 219 – ☎ 7.

Paris 477 – Bourgoin-Jallieu 31 – ♦Lyon 15 – Vienne 22.

- **Parc,** r. de la Libération ☎ 820.16.41 – rest ☎ P – 25
  R *(fermé août, dim. soir et lundi)* 40/110 – 8 – **20 ch** 43/50.

MIRABEL-AUX-BARONNIES 26 Drôme 81 ②③ – 1 019 h. alt. 268 – ✉ **26110** Nyons – ☎ 75.

Syndicat d'Initiative ☎ 27.13.93.

Paris 671 – Carpentras 37 – Montélimar 66 – Nyons 7 – Orange 36 – Pont-St-Esprit 42 – Valence 109.

- **Le Mirabeau** ⑤, ☎ 27.11.47, ←, – wc P. GB. rest
  fermé 5 janv. au 15 fév. et mardi – SC : **R** 30/75 – 10 – 8 ch 38/95 – P 110/125.

MIRAMAR 06 Alpes-Mar. 84 ⑧, 195 ㉞ **G. Côte d'Azur** – ✉ **06590** Théoule – ☎ 93.

Voir Pointe de l'Esquillon ← NE : 1 km puis 15 mn.**

Paris 906 – Cannes 15 – Grasse 26 – ♦Nice 47 – St-Raphaël 25.

- **St-Christophe,** ☎ 90.31.36, **Télex 470878,** ←, « **Beau jardin** », – P
  15 mars-fin oct. – **R** 105 – 25 – 40 ch 300/525.
- **Tour de l'Esquillon,** ☎ 90.31.51, télécabine privée de l'hôtel à la plage, ←, « Beau jardin », – P.
  2 fév.-10 oct. – SC : **R** 100 – 25 – 25 ch 200/350, 4 appartements 600 – P 330/400.
- **Mas Provençal,** ☎ 90.30.20 – wc wc ☎ P.
  Pâques-15 sept. – **R** 37/55 – 10 – 11 ch 120/150 – P 145/150.
- **Père Pascal,** N 98 ☎ 90.30.11, ← – P. AE
  fermé nov., déc. et jeudi du 1er janv. au 1er mai – SC : **R** 55.

MIRAMAS 13140 B.-du-R. 84 ① – 16 398 h. alt. 49 – ☎ 90.

Syndicat d'Initiative pl. J.-Jaurès (fermé sam. après-midi et dim.) ☎ 58.08.24.

Paris 740 – Arles 35 – ♦Marseille 66 – Martigues 24 – St-Rémy-de-Provence 33 – Salon-de-Pr. 11.

- **Borel** sans rest, 37 r. L.-Pasquet ☎ 58.18.73 – wc P
  SC : 10 – **22 ch** 45/85.
- **La Piscine,** ☎ 58.02.13 – P
  fermé 1er au 15 oct., 20 janv. au 1er mars, dim. soir et lundi – SC : **R** 26/120

CITROEN Clément G., 67 av. Gén.-de-Gaulle ☎ 58.03.83

MIRAMONT-DE-GUYENNE 47800 L.-et-G. 79 ④ – 4 048 h. alt. 51 – ☎ 58.

Paris 587 – Agen 60 – Bergerac 35 – Libourne 69 – Marmande 23 – Villeneuve-sur-Lot 41.

- **Poste,** pl. Martignac ☎ 93.20.03 – .
  fermé 20 déc. au 20 janv., sam. soir et dim. du 20 sept. à mai – SC : **R** 32/65 – 8,50 – **16 ch** 40/80 – P 90/110.

CITROEN Central Gar., ☎ 93.20.13 N
FORD Huard, ☎ 93.23.81
PEUGEOT Auto-Miramontaise, ☎ 93.84.32
RENAULT Miramont-Autos, ☎ 93.21.09 N
Gar. Perlo, ☎ 93.21.21

MIRANDOL-BOURGNOUNAC 81190 Tarn 80 ⑪ – rattaché à Carmaux.

MIREBEAU 21310 Côte-d'Or 66 ⑬ – 1 107 h. alt. 202 – ☎ 80.

Paris 337 – Châtillon-sur-Seine 94 – ♦Dijon 25 – Dole 47 – Gray 24 – Langres 60.

- **Aub. Marronniers,** ☎ 36.71.05 – .
  fermé 20 déc. au 7 janv. – SC : **R** *(fermé vend. soir et dim. soir)* 28/50 – 9 – 10 ch 45/63.
- **Host. La Gandeule** avec ch., pl. Église ☎ 36.70.79 – ☎.
  fermé 15 au 20 juin, 15 au 25 sept., 12 au 22 fév. et merc. – SC : **R** 48/105 – 13 – **7 ch** 62/95.

CITROEN, PEUGEOT Lambert, ☎ 36.70.72
RENAULT Hinsinger, ☎ 36.71.15
TALBOT Rozet, ☎ 36.71.54

MIREPOIX 09500 Ariège 86 ⑤ **G. Pyrénées** – 3 857 h. alt. 303 – ☎ 61.

Voir Place principale*.

Paris 782 – Carcassonne 47 – Castelnaudary 31 – Foix 34 – Limoux 33 – Pamiers 23 – Quillan 44.

- **Commerce,** près Église ☎ 68.10.29 – wc wc ☎ P
  fermé 1er au 20 oct., 23 déc. au 2 janv. et sam. – SC : **R** 30/100 – 9 – 32 ch 45/105 – P 86/110.

RENAULT Jean, ☎ 68.15.64
Service de L'Hers ☎ 68.15.76

MIREVAL 34840 Hérault 83 ⑰ – 981 h. – ☎ 67.

Paris 775 – Frontignan 8,5 – Lodève 66 – •Montpellier 14 – Palavas-les-Flots 12 – Sète 15.

Le Mireval, N 108 ☎ 78.14.76 – wc wc ☎ P.
15 mars-15 oct. – SC : **R** 35/70 – 10 – **42 ch** 140 – P 170.

MIRIBEL-LES-ÉCHELLES 38 Isère 74 ⑮ – 1 245 h. alt. 580 – ✉ **38380** St-Laurent-du-Pont – ☎ 76.

Paris 561 – Belley 54 – Chambéry 28 – Les Échelles 5 – La Tour-du-Pin 39 – Voiron 21.

Les Trois Biches avec ch, ☎ 06.28.02 – P.
fermé 22 juin au 3 juil., 7 au 25 sept. dim. soir sauf juil. et août (rest. seul.) et merc. – SC : **R** 28./75 – 8 – 10 ch 46/60 – P 85/95.

MIRMANDE 26 Drôme 77 ⑫ – rattaché à Saulce-sur-Rhône.

MITTELBERGHEIM 67 B.-Rhin 62 ⑨ **G. Vosges** – 651 h. alt. 205 – ✉ **67140** Barr – ☎ 88.

Paris 448 – Barr 2 – Erstein 22 – Molsheim 20 – Sélestat 17 – •Strasbourg 37.

Winstub Gilg avec ch, ☎ 08.91.37 – wc P.
fermé 29 juin au 17 juil., 5 au 29 janv., mardi soir et merc. – SC : **R** 65/150 – 9 – **11 ch** 36/90
Spéc. Foie gras en terrine, Sandre soufflé au cerfeuil, Pièce de boeuf au pinot noir. Vins Sylvaner, Edelzwicker.

MITTERSHEIM 57 Moselle 57 ⑯ – 639 h. alt. 233 – ✉ **57930** Fenetrange – ☎ 8.

Paris 414 – •Metz 74 – •Nancy 61 – Sarrebourg 22 – Sarre-Union 20 – Saverne 41.

L'Escale M avec ch, rte Dieuze ☎ 707.67.01, ←, – wc ☎ P. GB.
fermé 15 janv. au 15 fév. – SC : **R** *(fermé merc.)* 40/100 – 9,50 – **13 ch** 60/110 – P 100/120.

MIZOËN 38 Isère 77 ⑥ – rattaché au Freney d'Oisans.

MODANE 73500 Savoie 77 ⑧ **G. Alpes** – 5 105 h. alt. 1 057 – Sports d'hiver : 1 057/2 509 m 9 – ☎ 79.

Tunnel du Fréjus : Péage aller simple : autos 35 à 73 F, camions 165 à 330 F - Tarifs spéciaux AR pour autos camions.

Office de Tourisme pl. Replaton (fermé dim. et fêtes) ☎ 05.22.35.

Paris 662 – Chambéry 102 – Lanslebourg-Mont-Cenis 23 – Col du Lautaret 58 – St-Jean-de-Maur. 31.

Perce Neige M, cours J.-Jaurès ☎ 05.00.50 – wc wc ☎.
fermé 1er au 10 mai et 1er au 15 oct. – SC : **R** 37/49 – 13 – 18 ch 95/135 – P 135/156.

Voyageurs M, face gare pl. Sommeiller ☎ 05.01.39 – wc wc ☎.
fermé 15 oct. au 2 nov. et dim. – SC : **R** 37/80 – 12 – **19 ch** 83/120 – P 130/150.

CITROEN Gar. du Fréjus, ☎ 05.02.60 N
FIAT Bellussi Fourneaux, ☎ 05.07.74
PEUGEOT Bellussi J.-P., ☎ 05.07.68
RENAULT Girerd, à Fourneaux ☎ 05.09.19

MOËLAN-SUR-MER 29116 Finistère 58 ⑪⑫ **G. Bretagne** – 6 347 h. alt. 52 – ☎ 98.

Syndicat d'Initiative pl. Eglise (Pâques, 15 juin-15 sept. sauf lundi après-midi et merc. matin) ☎ 96.67.28.

Paris 516 – Carhaix-Plouguer 68 – Concarneau 26 – Lorient 25 – Quimper 48 – Quimperlé 10.

Les Moulins du Duc M avec ch, NO : 2 km ☎ 96.60.73, ←, parc, – wc wc ☎ P. AE GB ch
15 fév.-15 nov. – SC : **R** 98/175 – 18 – **22 ch** 165/250
Spéc. Feuilleté d'asperges aux huîtres (mars à mi juin), Escalope de saumon frais au citron vert (mars à oct.) Délice de foie gras chaud aux cèpes (en saison).

à Kerfany-les-Pins O : 7,5 km par D 116 – ✉ **29116** Moëlan-sur-Mer :

Aub. de la Mer, ☎ 71.04.43 – GB
fermé mardi du 15 sept. au 15 juin – SC : **R** 30/80.

MOELLESULAZ 74 H.-Savoie 74 ⑥ – rattaché à Annemasse.

MOERNACH 68 H.-Rhin 66 ⑨ – rattaché à Ferrette.

MOIRANS 38430 Isère 77 ④ – 6 232 h. alt. 192 – ☎ 76.

Paris 545 – Chambéry 51 – •Grenoble 26 – •Lyon 83 – Valence 75.

Beauséjour, ☎ 06.30.38 – P
fermé 20 août au 20 sept., mardi soir et merc. – SC : **R** 40/140.

CITROEN Peretti, ☎ 06.31.00

MOISSAC 82200 T.-et-G. 79 ⑯⑰ **G. Périgord** – 12 138 h. alt. 76 – ⚙ 63.

Voir Église St-Pierre★ : portail méridional★★★, cloître★★.

Env. Boudou ☼★ 8 km par ③.

ℹ Office de Tourisme Pl. Delthil (1er juin-30 sept. et fermé dim.) ☎ 04.01.85.

Paris 655 ① – Agen 43 ③ – Auch 83 ② – Cahors 62 ① – Montauban 29 ② – ♦Toulouse 66 ②.

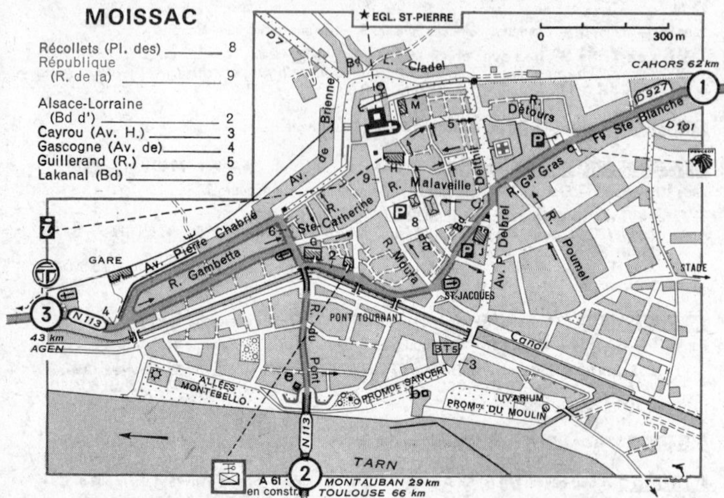

🏨 **Moulin de Moissac** 🐦, pl. Moulin **(b)** ☎ **04.03.55, Télex 521615,** ← **Tarn,** – 🛗 Ⓟ – 🏛 80. AE GB ⓓ E. ✂ rest
fermé 16 déc. au 31 janv. et lundi du 1er oct. au 31 mars – SC : **R** 75/180 – ☕ 18 – **57 ch** 120/270 – P 245/345.

🏨 **Chapon Fin,** pl. Récollets **(a)** ☎ 04.04.22 – 🛁wc 🚿wc ☎. 🚗 AE GB ⓓ E
fermé 1er nov. au 7 déc. et vend. de fin oct. à Pâques – SC : **R** 40/100 – ☕ 12 – **34 ch** 50/130 – P 105/150.

✕✕ **Pont-Napoléon** avec ch, au pont **(e)** ☎ **04.01.55** – 🛁wc 🚿wc. 🚗
fermé 11 au 31 mars, 17 nov. au 16 déc. et mardi – **R** 45/130 🌡 – ☕ 10 – 18 ch 45/140.

PEUGEOT Dujay pl. Ste Blanche ☎ 04.18.31
TALBOT Moissac-Autos, rte Bordeaux ☎ 04.01.51

Ⓜ Midi-Pneu, "La Dérocade" ☎ 04.07.85
Station-Isel-Pneus, 24 r. Gén.-Gras ☎ 04.03.18

MOISSAC-BELLEVUE 83 Var 84 ⑥ – rattaché à Aups.

MOLINES-EN-QUEYRAS 05390 H.-Alpes 77 ⑲ **G. Alpes** – 288 h. alt. 1 762 – Sports d'hiver : 1 750/2 450 m ⛷7, 🎿 – ⚙ 92.

ℹ Maison du Tourisme ☎ 45.83.22.

Paris 742 – Briançon 46 – Gap 87 – Guillestre 27 – St-Véran 5,5.

🏨 **L'Équipe** 🐦, rte St-Véran ☎ **45.83.20,** ← – 🛁wc 🚿 ☎ Ⓟ
5 juin-6 sept. et 18 déc.-21 avril – SC : **R** *(fermé dim. soir et lundi soir en hiver et merc. en été)* 35/78 – ☕ 15 – **15 ch** 75/126 – P 131/161.

MOLITG-LES-BAINS 66 Pyr.-Or. 86 ⑰ **G. Pyrénées** – 164 h. alt. 500 – Stat. therm. (1er avril-30 oct.) – ✉ **66500** Prades – ⚙ 68.

Paris 961 – ♦Perpignan 50 – Prades 7 – Quillan 53.

🏨 ❁ **Château de Riell** Ⓜ 🐦, ☎ **96.20.56,** ←, **parc,** 🏊, 🎾 – 🛗 cuisinette 📺 🚗 Ⓟ – 🏛 70. AE. ✂ rest
1er avril-2 nov. – **R** 180 – ☕ 28 – **19 ch** 280/390
Spéc. Escargots en pot aux croûtons, Grande ouillade, Tarte chaude aux fruits. **Vins** Château de Jau.

This symbol indicates restaurants serving a plain meal at a moderate price.

MOLLANS-SUR-OUVÈZE 26 Drôme 81 ③ G. Provence – 615 h. alt. 279 – ✉ **26170** Buis-les-Baronnies – ☎ 75.

Paris 683 – Buis-les-Baronnies 10 – Carpentras 30 – Vaison-la-Romaine 12.

St-Marc M, ☎ 28.70.01, – wc. rest
fermé 15 nov. au 1er mars – SC : **R** *(fermé lundi)* 30/85 – 12 – 18 ch 40/95 – P 120/150.

PEUGEOT Gar. Magnet, ☎ 28.71.42

MOLLES 03 Allier 73 ⑥ – 687 h. alt. 464 – ✉ **03300** Cusset – ☎ 70.

Paris 357 – Cusset 11 – Lapalisse 21 – Moulins 65 – Roanne 63 – Thiers 40 – Vichy 14.

Relais Fleuri avec ch, ☎ 41.80.01, « jardin fleuri » – wc wc. rest
fermé 11 nov. au 31 déc. et merc. – SC : **R** (dim. prévenir) 40/120 – 12 – 10 ch 45/120 – P 105/165.

MOLLKIRCH 67 B.-Rhin 62 ⑨ – 451 h. alt. 325 – ✉ **67190** Mutzig – ☎ 88.

Paris 420 – Molsheim 14 – Saverne 39 – •Strasbourg 37.

Fischhutte, rte Grendelbruch : 2,5 km ☎ 97.42.03, – wc wc.
fermé 10 janv. au 15 fév. – SC : **R** *(fermé lundi soir et mardi sauf juil. et août)* 35/70 – 11 – **18 ch** 55/130 – P 95/140.

MOLOY 21 Côte-d'Or 66 ⑪ – 214 h. alt. 327 – ✉ **21120** Is-sur-Tille – ☎ 80.

Paris 309 – Avallon 100 – Châtillon-sur-Seine 61 – Dijon 33 – Langres 60 – Saulieu 81.

Host. de l'Ignon avec ch, ☎ 95.10.35 – wc.
fermé 15 janv. au 15 fév. – SC : **R** *(fermé mardi)* 32/75 – 8,50 – 10 ch 36/85 – P 90.

MOLSHEIM SP 67120 B.-Rhin 62 ⑨ G. Vosges – 6 895 h. alt. 200 – ☎ 88.

Voir Le Metzig★ – Église St-Pierre★ à Avolsheim par ① : 2,5 km.

Syndicat d'Initiative à l'Hôtel de Ville (fermé sam. après-midi et dim.) ☎ 38.52.00 et Caveau de la Metzig (juin-oct.) ☎ 38.11.61.

Paris 432 ① – Lunéville 94 ④ – St-Dié 68 ④ – Saverne 28 ① – Sélestat 34 ③ – •Strasbourg 27 ③.

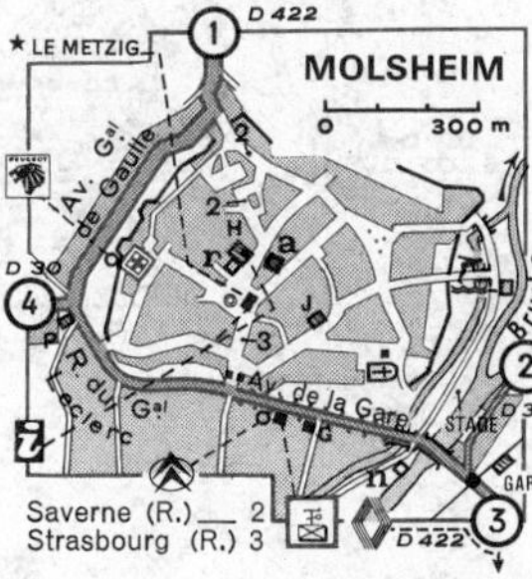

MOLSHEIM
0 300 m
★ LE METZIG
D 422
D 30
D 30
D 422
Av. Gal de Gaulle
Av. de la Gare
R. du Gal Leclerc
Bruche
STADE
GARE
Saverne (R.) 2
Strasbourg (R.) 3

Diana M, pont de la Bruche **(n)** ☎ 38.51.59, Télex 890559, – 30.
SC : **R** 56/120 – 13 – **42 ch** 105/145 – P 243.

Centre sans rest, 1 r. St-Martin **(r)** ☎ 38.54.50 – wc wc
fermé fév. et dim. soir hors sais. – SC : 9 – **29 ch** 73/130.

Aub. Cheval Blanc avec ch, 5 pl. Hôtel de Ville **(a)** ☎ 38.16.87 – wc.
fermé mi janv. à mi fév. et lundi – SC : **R** 29/90 – 9 – 17 ch 50/95 – P 95/125.

CITROEN Krantz, 6 av. de la Gare ☎ 38.11.57
PEUGEOT Kenck, 2 r. Gén.-de-Gaulle ☎ 38.10.97
RENAULT Wietrich, N 422 ☎ 38.21.62

MONACO (Principauté de) 84 ⑩, 195 ㉗㉘ G. Côte d'Azur – 24 600 h. alt. 65 – Casino – ☎ 93.

Paris 957 ④ – Menton 9 ② – •Nice (par la Moyenne Corniche) 18 ④ – San Remo 44 ⑤.

Plans pages suivantes

Monaco Capitale de la Principauté – ✉ Monaco.

Voir Jardin exotique★★ DZ – Grotte de l'Observatoire★ DZ **A** – Jardins St-Martin★ EFZ – Ensemble de primitifs niçois★★ dans la cathédrale EZ **B** – Christ gisant★ dans la chapelle de la Miséricorde EZ **D** – Place du Palais★ EZ **35** – Palais du Prince★ EZ, ★★ de la terrasse – Musées : océanographique★★ FZ **M2** : aquarium★★, d'anthropologie préhistorique★ DZ **M1**, napoléonien et des archives monégasques★ EZ **M4**.

Circuit automobile urbain - A.C. 23 bd Albert-1er ☎ 30.32.20, Télex 469003.

au Rocher :

Castelroc, pl. Palais ☎ 30.36.68, — EZ **p**
fermé 1er déc.-1er fév. et lundi hors sais. – SC : **R** (déj. seul.) 40/60.

L'Aurore, 8 r. Princesse-Marie-de-Lorraine ☎ **30.37.75** — EZ **v**
1er fév.-15 oct. – SC : **R** 41/52.

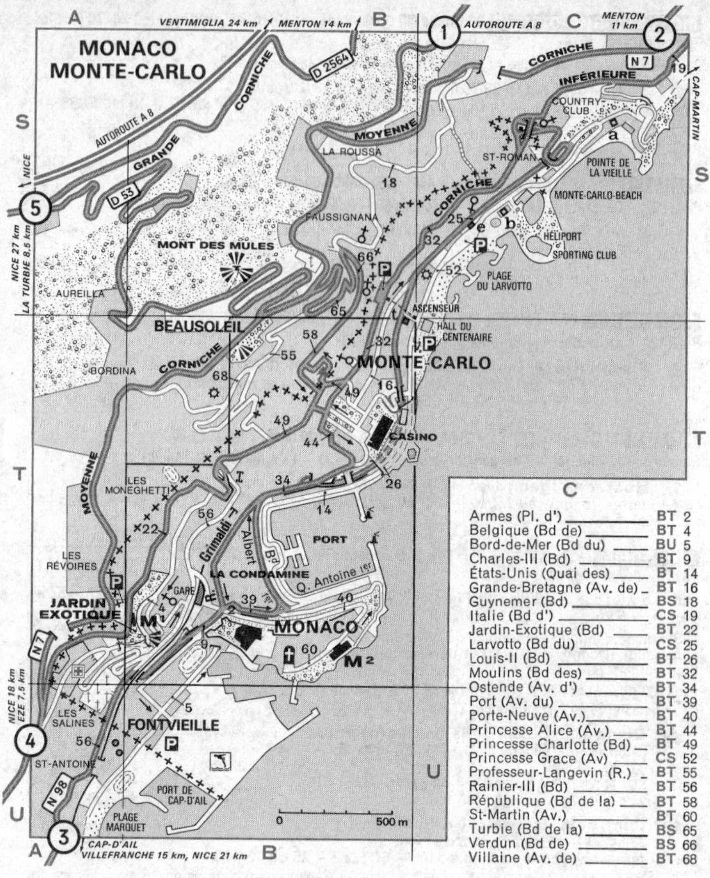

à la Condamine – ✉ La Condamine :

Terminus [M], 9 av. Prince Pierre ☎ 30.20.70 – [lift] wc wc ☎ – 40. rest DZ **a**
SC : **R** *(fermé nov. et sam.)* 45/60 – ☕ 16 – **54 ch** 106/155 – P 116.

CITROEN Rambaldi, 23 bd Albert-1er ☎ 30.27.84
FERRARI, OPEL Monaco-Motors, 11 r. Princesse-Florestine ☎ 30.27.22

MERCEDES-BENZ Gar. de la Frontière, 1 bd Charles-III ☎ 30.49.05

Vulca-Pneus, 11 bd Charles-III ☎ 30.43.12

Monte-Carlo Centre mondain de la Principauté - Grand casino FX, Casino du Sporting Club CS, Casino Loews FX – ✉ Monte-Carlo.

Voir Terrasse★★ du Grand casino FX – **Musée de poupées et automates★** FV **M5.**

18 Mont Agel ☎ 41.09.11 par : ④ 11 km.

Direction Tourisme et Congrès, 2 a bd Moulins (fermé dim. après-midi) ☎ 30.87.01, Télex 469760.

Paris, pl. Casino ☎ **50.80.80, Télex 469925,** ←, **« Salle à manger Empire »,** – ch ☎ – 25 à 40. AE GB E. rest FX **y**
R *(fermé merc.)* carte 140 à 195 – ☕ 30 – **250 ch** 450/750, 22 appartements
Spéc. Terrine de volaille aux écrevisses et corail d'oursins, Langouste à la ficelle, Carré d'agneau. Vins Bellet, Vignelaure.

Hermitage, square Beaumarchais ☎ **50.67.31, Télex 479432, « Salle à manger de style baroque »,** – ch ☎. AE GB E. rest FX **r**
R 115 – ☕ 27 – **200 ch** 350/600, 11 appartements – P 460/710.

Mirabeau M, 1 av. Princesse-Grace ☎ 30.90.01, Télex 479413, ←, ⛱ – |\$| ▤ TV ☎ ♿ 🚗 – 🧑‍🏫 50. AE GB ⓓ E FV **n**
R 90 – ☕ 25 – **81 ch** 280/500, 14 appartements – P 420/550.

Loews M, av. Spélugues ☎ 50.65.00, Télex 479435, ←, casino et cabaret sur place, ⛱ – |\$| ▤ TV ☎ ♿ 🚗 Ⓟ – 🧑‍🏫 50 à 1 200. AE GB ⓓ E. ✻ rest FX **e**
SC : **Le Foie Gras** (dîner seul.) *(fermé 24 nov. au 31 déc.)* **R** carte 150 à 185 - **L'Argentin** (dîner seul.) **R** carte 110 à 150 - **Le Pistou R** 99 - **Café Jardin R** snack 55/60 – ☕ 28 – **550 ch** 355/565, 72 appartements.

Beach Plaza M, av. Princesse-Grace, à la Plage du Larvotto ☎ 30.98.80, Télex 479617, ←, « Bel ensemble balnéaire », ⛱, ⛵ – |\$| ▤ TV ☎ ♿ 🚗 – 🧑‍🏫 45 à 500. AE GB ⓓ. ✻ rest CS **b**
SC : **Le Gratin R** carte 130 à 180 - **Le Café R** carte 90 à 135 – ☕ 29 – **306 ch** 190/560, 9 appartements – P 439/659.

Métropole, av. Gde-Bretagne ☎ 50.57.41, Télex 469936, « Jardin », ⛱ – |\$| ▤ ch 🚗 Ⓟ – 🧑‍🏫 40 à 250. AE ⓓ E. ✻ rest FV **z**
R 120 – ☕ 25 – **150 ch** 115/500, 11 appartements – P 305/475.

Balmoral 🐎, 12 av. Costa ☎ 50.62.37, Télex 479436, ← – |\$| ▤ TV ☎. AE GB ⓓ E ✻ EX **b**
SC : **R** *(fermé lundi)* 60 – ☕ 19 – **65 ch** 130/250.

tourner →

MONACO MONTE-CARLO

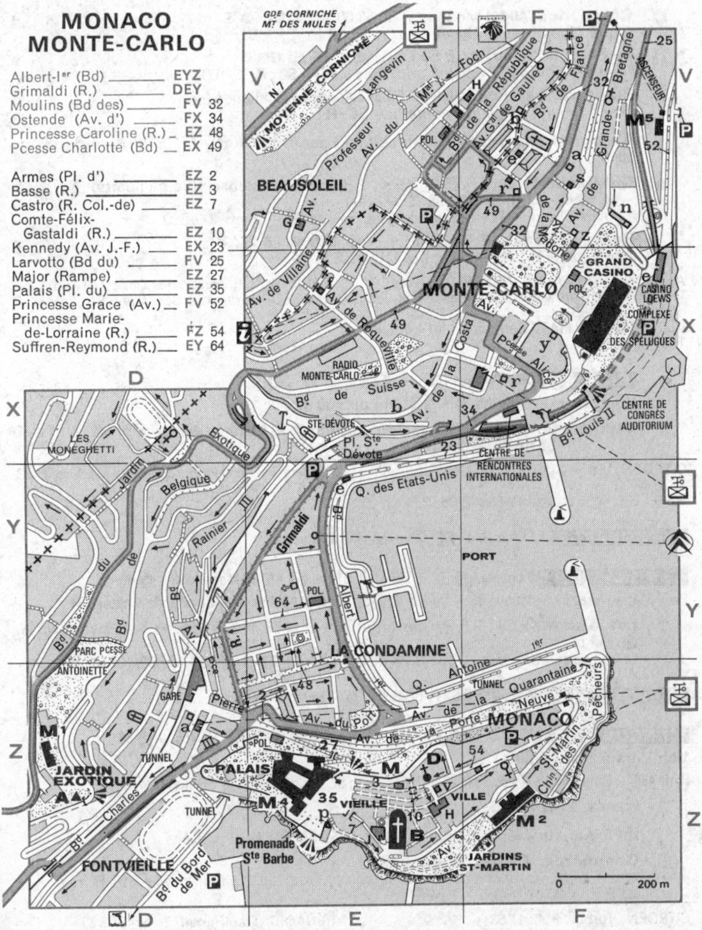

Louvre sans rest, 16 bd Moulins ☎ 50.65.25, Télex 479645 – AE GB E. FV a
SC : **33 ch** 228/316.

Alexandra sans rest, 35 bd Princesse-Charlotte ☎ 50.63.13 – wc wc. AE FV r
SC : 18 – **55 ch** 108/215.

XXXX ✿ **Grill de l'Hôtel de Paris,** pl. Casino ☎ 50.80.80, « Grill-rôtisserie sur le toit avec ≤ sur la Principauté et la côte » – AE GB E. FX y
fermé déc. et lundi – **R** carte 150 à 200.

XXX **P'tit Bec,** 11 av. Grde Bretagne ☎ 50.97.48 – AE FV s
fermé août et dim. – **R** 100.

XXX **Rampoldi,** 3 av. Spélugues ☎ 30.70.65 – AE FV z
fermé 11 nov. au 20 déc. et merc. – **R** carte 105 à 145.

XX ✿ **Bec Rouge,** 12 av. St-Charles ☎ 30.74.91 – AE FV e
fermé 20 nov. au 20 déc. et lundi de janv. à avril – **R** carte 115 à 160
Spéc. Foie gras frais, Gratin de langouste, Médaillon de foie de canard aux raisins. Vins Cassis, Bandol.

XX **Chez Gianni,** 39 av. Princesse Grace ☎ 30.46.33, cuisine italienne – AE GB CS e
fermé 1er au 20 oct. et mardi – SC : **R** carte 100 à 130.

XX **La Calanque,** 33 av. St-Charles ☎ 50.63.19, produits de la mer – AE FV r
fermé 20 juin au 20 juil. et dim. – SC : **R** 105.

XX **Costa Rica,** 40 bd Moulins ☎ 50.63.00 – AE E BS t
fermé 15 janv. au 15 fév. et merc. – SC : **R** 52 ꝺ.

XX **du Port,** bd Albert 1er ☎ 50.77.21, ≤ – AE GB E EY e
fermé 26 nov. au 22 déc. et lundi hors sais – SC : **R** 80/150.

X **Polpetta,** 6 av. Roqueville ☎ 50.67.84, cuisine italienne EX f
fermé 10 janv. au 10 fév. et mardi – SC : **R** 55.

*à **Monte-Carlo Beach*** (06 Alpes-Mar.) par ① : 2,5 km – ✉ **06190** Roquebrune-Cap-Martin :

Old Beach H. ⑤, ☎ 78.21.40, ≤, « Remarquable ensemble balnéaire, ⌶, » – ch. AE GB E. rest CS a
11 avril-11 oct. – **R** voir rest. du Beach – 28 – **46 ch** 400/550.

XXX **Rest. du Beach,** ☎ 78.21.40, ≤ – AE GB E. CS a
mai-sept. – **R** (déj. seul.) carte 115 à 155.

AUSTIN, JAGUAR, MORRIS, ROVER, TRIUMPH British-Motors, 3 impasse des Carrières ☎ 30.24.85
AUTOBIANCHI, FIAT Sangiorgio, 41 bd Italie ☎ 50.66.63
FORD Auto Riviera, r. des Genets ☎ 50.63.26
PEUGEOT Splendid Gar., 5 av. St-Laurent ☎ 50.51.07

Beausoleil **06240** Alpes-Mar. – 12 208 h. alt. 95 – ✿ 93.

Voir Mont des Mules ✻★ N : 1 km puis 30 mn.

Olympia sans rest, 17 bis bd Gén.-Leclerc ☎ 78.12.70 – wc FV b
SC : 9 – **32 ch** 40/120.

CITROEN Ets d'Amico, 6 av. Gén.-de-Gaulle ☎ 78.06.06
OPEL S.E.M., 6 r. des Martyrs ☎ 06.03.52
Sera-Technic-Pneu, 38 r. des Martyrs ☎ 78.59.16

Les MONARDS **17** Char.-Mar. 71 ⑯ – rattaché à Talmont.

Le MONASTIER **48** Lozère 80 ⑤ – 559 h. alt. 611 – ✉ **48100** Marvejols – ✿ 66.
Paris 564 – Florac 59 – Mende 35 – Rodez 78 – St-Chély-d'Apcher 40 – Séverac-le-Château 34.

Les Ajustons, S : 2,5 km carrefour N 9 et N 88 ☎ 32.70.35, ≤ – wc wc. ch
fermé sam. hors sais. – SC : **R** 28/45 ꝺ – 9 – **27 ch** 42/88 – P 80/100.

MONCHEL-SUR-CANCHE **62** P.-de-C. 51 ⑬ – rattaché à Frévent.

MONCONTOUR **22510** C.-du-N. 59 ⑬⑭ **G. Bretagne** – 1 149 h. alt. 150 – ✿ 96.
Voir Vitraux★ de l'église.
Paris 438 – Lamballe 16 – Loudéac 25 – Montauban 57 – Ploërmel 65 – St-Brieuc 24.

XX France, ☎ 42.41.37.

*à **Ploeuc-sur-Lié*** O : 11 km sur D 44 – ✉ **22150** Ploeuc-sur-Lié :

Commerce, ☎ 42.10.36, –
fermé sept., vacances de fév., dim. soir et lundi sauf juil. et août – SC : **R** 35/70 ꝺ – 9,50 – 20 ch 45/65 – P 85/95.

CITROEN Turbin, ☎ 42.41.53
RENAULT Gar. Henaff, ☎ 42.42.73

MONCOURT-FROMONVILLE **77** S.-et-M. 61 ⑫ – 1 234 h. alt. 72 – ✉ **77880** Grez-sur-Loing – ⚙ 6.

Paris 78 – Fontainebleau 13 – Melun 28 – Montereau-Faut-Yonne 24 – Nemours 5.

- ✗ **Chaland qui passe,** à Fromonville S : 2 km au bord du Loing ☎ **428.25.25,** ←, – Ⓟ
  fermé fév., lundi soir et mardi – SC : **R** 58/85.

MONCRABEAU **47** L.-et-G. 79 ⑭ – 915 h. alt. 93 – ✉ **47600** Nérac – ⚙ 58.

Paris 698 – Agen 41 – Condom 11 – Mont-de-Marsan 82 – Nérac 13.

- **Le Phare** , ☎ **65.42.08** – ch
  fermé oct. et mardi – SC : **R** 25/95 – ☕ 8 – **10 ch** 40/60 – P 78/85.

MONDEVILLE **14** Calvados 55 ⑫ – rattaché à Caen.

MONDOUBLEAU **41170** L.-et-Ch. 60 ⑮⑯ **G. Châteaux de la Loire** – 1 814 h. alt. 135 – ⚙ 54.

Paris 163 – Blois 60 – Chartres 73 – Châteaudun 39 – ♦Le Mans 63 – ♦Orléans 89.

- ✗ **Grand Monarque** avec ch, r. Chrétien ☎ **82.22.10,** – Ⓟ. E
  fermé 15 déc. au 15 janv., dim. soir et lundi sauf fêtes – SC : **R** 30/72 – ☕ 9 – 10 ch 45/62 – P 88/100.

CITROEN Gd Gar. du Mail, ☎ 82.22.16 N | PEUGEOT Gar. Hérisson, ☎ 82.20.81 N

MONEIN **64360** Pyr.-Atl. 85 ⑥ – 3 901 h. alt. 154 – ⚙ 59.

Paris 761 – Oloron-Ste-Marie 20 – Orthez 30 – Pau 26.

- ✗ Petuya avec ch, 17 pl. H.-Lacabanne ☎ 33.30.18 – – 40
  8 ch.

MONESTIER-DE-CLERMONT **38650** Isère 77 ⑭ **G. Alpes** – 815 h. alt. 832 – ⚙ 76.

ℹ Syndicat d'Initiative Parc Municipal (20 juin-10 sept. matin seul.) ☎ 34.06.20.

Paris 597 – ♦Grenoble 33 – La Mure 33 – Vizille 29.

- **Au Sans Souci** , à St-Paul-lès-Monestier NO : 1,5 km D 8 - alt. 800 ☎ **34.03.60,** ←, – wc wc Ⓟ. rest
  fermé janv., dim. soir et lundi – SC : **R** 42/90 – ☕ 10 – 16 ch 52/110 – P 110/140.
- **Modern** , ☎ **34.07.35** parc – Ⓟ. rest
  20 janv.-6 nov. – SC : **R** 44/90 – ☕ 9 – 22 ch 40/120 – P 100/120.

PEUGEOT Gar. des Alpes, ☎ 34.08.20 | RENAULT Gar. du Baconnet, ☎ 34.05.13 N

Le MONÊTIER-LES-BAINS **05** H.-Alpes 77 ⑦ – rattaché à Serre-Chevalier.

MONFLANQUIN **47150** L.-et-G. 79 ⑤ **G. Périgord** – 2 368 h. alt. 181 – ⚙ 58.

Voir ←★.

ℹ Office de Tourisme pl. Arcades (fermé dim. après-midi) ☎ 36.40.19.

Paris 606 – Agen 46 – Bergerac 54 – Cahors 68 – Marmande 54 – Villeneuve-sur-Lot 17.

- **Tonnelle,** ☎ **36.40.16,** – wc Ⓟ
  fermé janv., fév. et lundi hors sais. – SC : **R** 30 bc/70 bc – ☕ 8,50 – 23 ch 40/60 – P 85/90.

RENAULT Fraigneau, ☎ 36.41.18

La MONGIE **65** H.-Pyr. 85 ⑱⑲ **G. Pyrénées** – alt. 1 800 – Sports d'hiver : 1 800/2 340 m 3 23 – ✉ **65200** Bagnères-de-Bigorre – ⚙ 62.

Voir Le Taoulet ←★★ N par téléphérique.

ℹ Syndicat d'Initiative (1er nov.-30 avril) ☎ 95.93.05.

Paris 817 – Arreau 39 – Bagnères-de-Bigorre 25 – Lourdes 47 – Luz-St-Sauveur 22 – Tarbes 46.

- **La Mandia** , ☎ 95.93.49, ← – wc wc . AE ⓓ
  15 déc.-Pâques – SC : **R** 60/70 – ☕ 20 – 50 ch 160/250 – P 200/250.
- **Sol y Neou,** ☎ 95.93.22, ← – wc wc . rest
  10 déc.-25 avril – SC : **R** 50/75 – ☕ 12 – **40 ch** 110/190 – P 160/205.
- **Pourteilh,** ☎ 95.93.33, ← – wc . rest
  15 déc.-20 avril – SC : **R** 50/65 – ☕ 12 – **40 ch** 150/250 – P 125/235.
- **La Crête Blanche,** ☎ 95.92.49, ← – wc . rest
  10 déc.-25 avril – SC : **R** voir H. Sol y Neou – ☕ 12 – **25 ch** 100/160 – P 145/190.

MONISTROL-D'ALLIER **43580** H.-Loire 76 ⑯ **G. Auvergne** – 395 h. alt. 619 – ⚙ 71.

Voir Site★.

Paris 521 – Brioude 66 – Mende 90 – Le Puy 28 – St-Chély-d'Apcher 57 – St-Flour 66.

- **Sarda** M, ☎ **57.21.96** – wc .
  fermé nov. et déc. – SC : **R** 35/70 – ☕ 10 – 21 ch 45/90 – P 90/120.

MONISTROL-SUR-LOIRE 43120 H.-Loire 76 ⑧ G. Vallée du Rhône – 5 024 h. alt. 602 – 71.

Paris 548 – Firminy 18 – Le Puy 48 – ♦St-Étienne 30 – Yssingeaux 21.

La Madeleine, av. St-Étienne ☎ 61.50.05 – ch
fermé 1er au 8 oct., 2 janv. au 2 fév., vend. soir et sam. – SC : **R** 33/75 – 11 – 14 ch 43/86 – P 100/150.

CITROEN Fourgon, ☎ 61.50.66
PEUGEOT Gar. Gouy, ☎ 61.55.37
RENAULT Soeur, ☎ 61.50.77

MONNAIE 37380 I.-et-L. 64 ⑮ – 1 892 h. alt. 113 – 47.

Paris 224 – Château-Renault 15 – ♦Tours 15 – Vouvray 11.

XX **Soleil Levant,** ☎ 56.10.34 – GB
fermé 15 nov. au 15 déc. et mardi en hiver – SC : **R** 35/70.

RENAULT Viemont, ☎ 56.10.13
Gar. Lussier, ☎ 56.10.25 N

MONNETIER-MORNEX 74560 H.-Savoie 74 ⑥ G. Alpes – 1 350 h. alt. 700 – 50.

De Monnetier : Paris 556 – Annecy 49 – Bonneville 28 – ♦Genève 14 – St-Julien-en-Genevois 19.

à Monnetier – alt. 700.

Chaumière, ☎ 39.60.04 – ch
fermé 1er au 15 mai, 30 sept. au 2 nov. et merc. hors sais. – SC : **R** 25/60 – 9 – 15 ch 40/50 – P 75/85.

MONPAZIER 24540 Dordogne 75 ⑯ G. Périgord – 558 h. alt. 190 – 53.

Voir Place centrale★.

Syndicat d'Initiative à la Mairie (fermé sam. et dim.) ☎ 61.60.38.

Paris 564 – Bergerac 45 – Périgueux 79 – Sarlat-la-Canéda 50.

Londres sans rest, ☎ 61.60.64 – wc.
fermé 1er au 15 oct. et lundi – SC : 8,50 – **10 ch** 45/93.

PEUGEOT Boisserie, à Marsalès ☎ 61.61.43
RENAULT Gar. Mallet, Le Bourg ☎ 61.63.20 N

MONS 83 Var 84 ⑧, 195 ㉒ G. Côte d'Azur – 259 h. alt. 804 – ✉ 83440 Fayence – 94.

Voir Site★ – ≤★★ de la place St-Sébastien.

Paris 839 – Castellane 42 – Draguignan 49 – Fayence 14 – Grasse 41 – St-Raphaël 51.

X **Aub. Provençale,** ☎ 76.38.33, ≤ Esterel et littoral
fermé nov. et merc. – SC : **R** 37/50.

MONSÉGUR 33580 Gironde 79 ③ – 1 618 h. alt. 69 – 56.

Paris 589 – Bergerac 54 – Castillonnès 48 – Langon 31 – Libourne 49 – Marmande 32 – La Réole 13.

Gd Hôtel, ☎ 61.60.28 – ch
fermé lundi midi en oct. – SC : **R** 25/70 – 8 – **10 ch** 39/65 – P 75/80.

CITROEN Durand, ☎ 61.60.92
PEUGEOT Vigneau, ☎ 61.61.37

MONT voir au nom propre.

MONTAGNY-LÈS-BEAUNE 21 Côte-d'Or 69 ⑨ – rattaché à Beaune.

MONTAIGU 85600 Vendée 67 ④ – 4 813 h. alt. 48 – 51.

Paris 384 – Cholet 36 – Fontenay-le-C. 78 – ♦Nantes 34 – Noirmoutier 84 – La Roche-sur-Yon 37.

Centre, pl. Champ-de-Foire ☎ 94.00.27 – wc.
fermé 24 oct. au 30 nov. et dim. – SC : **R** 38/40 – 10 – 18 ch 45/85.

PEUGEOT Gar. Rineau, ☎ 94.00.92
RENAULT Gar. Moderne, ☎ 94.02.05
TALBOT Beauvois, Zone Ind., rte de Nantes ☎ 94.04.97

MONTAIGU-DE-QUERCY 82150 T.-et-G. 79 ⑯ – 1 507 h alt. 186 – 63.

Paris 640 – Agen 40 – Cahors 47 – Montauban 54 – Villeneuve-sur-Lot 35.

XX **Vieux Relais,** pl. Hôtel de Ville ☎ 04.46.63 – . GB E
fermé 15 janv. au 20 fév., dim. soir et lundi – **R** (prévenir) 34 bc/70.

PEUGEOT Gar. Sztandéra ☎ 94.47.20
RENAULT Gar. Piécourt, ☎ 94.47.01
TALBOT Gar. Larroque, ☎ 94.46.33

MONTAIGUT 63 P.-de-D. 73 ③ – 1 558 h. alt. 629 – ✉ 63700 St-Eloy-les-Mines – 73.

Paris 347 – Aubusson 73 – ♦Clermont-Ferrand 65 – Gannat 42 – Montluçon 26 – Moulins 66.

Coq d'Or, ☎ 85.09.21 – . ch
fermé oct. et lundi – SC : **R** 25/65 – 8,50 – 12 ch 40/42 – P 80/85.

CITROEN Gar. Ferrandon, ☎ 85.01.73
PEUGEOT Aucouturier, à St-Éloy-les-Mines ☎ 85.06.60
RENAULT Gar. Léonard, à St-Éloy-les-Mines ☎ 85.00.30
TALBOT Heurtault et Wrobleski, à St-Éloy-les-Mines ☎ 85.03.92

MONTALIVET LES BAINS 33 Gironde 71 ⑯ – ✉ 33930 Vendays – ✆ 56.

Paris 530 – •Bordeaux 84 – Lesparre-Médoc 21 – Soulac-sur-Mer 22.

- **Marin,** ☎ 41.32.07 – ⋔ . ⇌ . ✂
  fermé oct. et merc. – SC : **R** carte 90 à 125 – ☕ 11 – 14 ch 80/90 – P 170.
- **Voyageurs,** ☎ 41.31.02 – ⇌wc ⋔ ☏ . ⇌ . ✂ , ✂ rest
  fermé 25 sept. au 25 nov. et lundi – **R** 50/100 – ☕ 10 – **11 ch** 88/110 – P 145/180.
- ✗✗ **Clef des Champs,** rte Vendays E : 5 km par D 102 et VO ✉ 33930 Vendays ☎ 41.71.11, parc – Ⓟ
  1er mars-15 nov. et fermé mardi hors sais. – **R** carte 100 à 140.

MONTARGIS ‹SP› 45200 Loiret 61 ⑫ **G. Environs de Paris** – 19 865 h. alt. 88 – ✆ 38.

ℹ Office de Tourisme (fermé dim.) avec T.C.F. pl. du Pâtis ☎ 85.05.94.

Paris 114 ① – Autun 204 ② – Auxerre 79 ② – Bourges 115 ④ – Chartres 118 ⑤ – Chaumont 210 ② – Fontainebleau 51 ① – Nevers 125 ④ – •Orléans 71 ⑤ – Sens 51 ② – Vierzon 112 ④.

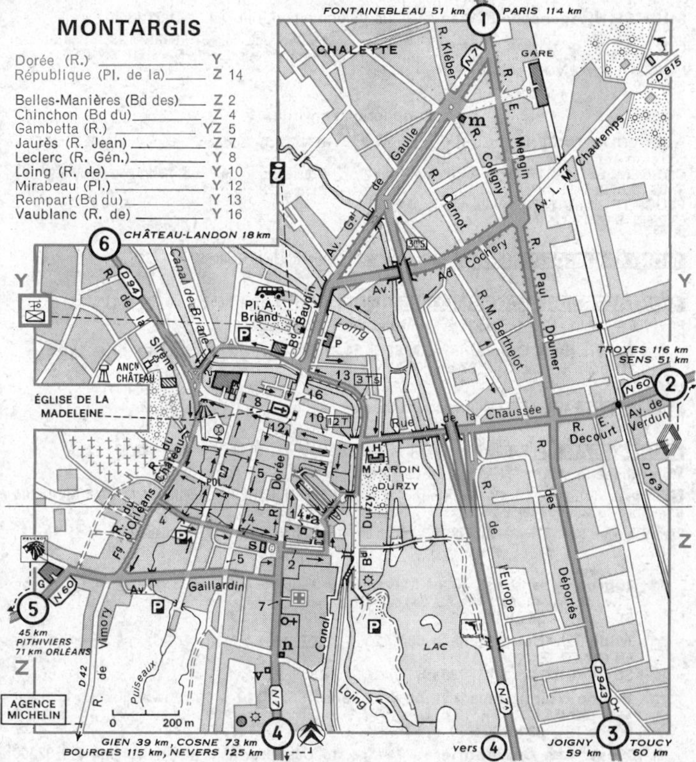

- **Poste,** 2 pl. Victor-Hugo ☎ 98.00.68, Télex 780994 – ⇌wc ⋔wc ☏ 🚗 Ⓟ – 🏛 30 à 100. ⇌ AE GB ⓓ — Z **s**
  SC : **R** 55/150 – ☕ 17 – 37 ch 65/160.
- **Lyon,** 74 r. Coquillet ☎ 85.30.39, ⇌ – ⇌wc ⋔wc ☏ Ⓟ. ⇌ GB — Z **v**
  SC : **R** *(fermé 3 au 12 août, 15 janv. au 15 fév., dim. soir et lundi sauf fériés)* 45/110 – ☕ 12 – 22 ch 50/145.
- **France** sans rest, 54 pl. République ☎ 98.01.18 – ⇌wc ⋔ ☏ 🚗 — Z **a**
  SC : ☕ 10 – **25 ch** 39/130.

XXX ⊛ **Gloire** (Jolly) avec ch, 74 av. Gén.-de-Gaulle ☎ 85.04.69 – ⊟ ⊓ ☎ ⟹. ✻
fermé 15 au 25 août, 1er au 25 fév., mardi soir et merc. – SC : **R** 57/130 – ☐ 10 – **19 ch** 38/100 Y **m**
Spéc. Sole braisée Gargantua, Mignonnette de caille, Caravane des douceurs.

XX **Coche de Briare** avec ch, 72 pl. République ☎ 85.30.75 – ⊟ ⊓wc. ⟹. ✻
fermé 1er au 15 sept., 18 janv. au 2 fév., lundi soir et mardi – SC : **R** 35/100 – ☐ 9 – 12 ch 45/90. Z **a**

X **Chez Pierre,** 57 r. J.-Jaurès ☎ 93.27.39 – AE GB ⓓ Z **n**
fermé 5 au 29 août, 25 fév. au 13 mars, merc. soir et jeudi – SC : **R** 33/79 ß.

par ④ : 5 km – ✉ **45200** Montargis :

X **Relais du Miel,** rte Nevers ☎ 85.32.02 – Ⓟ
SC : **R** carte environ 40 ß.

à ***Amilly*** par ③ : 5 km – 10 224 h. – ✉ **45200** Montargis :

XX **Aub. Écluse,** ☎ 85.44.24 – Ⓟ. GB. ✻
fermé 24 au 31 août, 2 au 24 nov., dim. soir et lundi sauf fériés – SC : **R** carte 70 à 110.

à ***Oussoy-en-Gatinais*** SO : 15 km par D 42 – ✉ **45290** Nogent-sur-Vernisson :

XX **Aub. la Petite Billardière,** ☎ 96.22.59 – Ⓟ
fermé 24 août au 2 sept., 21 au 30 déc., lundi soir et mardi – SC : **R** 50/88.

MICHELIN, Agence, r. E.-Branly, Z.I. de Villemandeur, par D 42 Z ☎ **93.18.88**

LADA, SKODA Caillaud, 5 bd des Belles-Manières ☎ 93.30.56
MERCEDES, **VOLVO** Schnaidt, 38 r. J.-Jaurès ☎ 93.28.10
Ⓟ Dominicé, 64 r. J.-Jaurès ☎ 93.38.33
Théron-Pneus, 3 r. de Nevers ☎ 85.12.80

Périphérie et environs

AUDI-VOLKSWAGEN Gar. St-Christophe, 330 av. d'Antibes à Amilly ☎ 85.22.84
CITROEN S.M.A., 1176 av. d'Antibes à Amilly ☎ 85.73.25 **N** ☎ 85.42.90
PEUGEOT Corre, N 60 à Villemandeur ☎ 85.03.29 **N** ☎ 85.42.90
RENAULT Godeau, N 60 à Amilly ☎ 93.91.57
Ⓟ La Maison du Pneu, 180 rte de Viroy à Amilly ☎ 85.31.28

MONTARGIS-DE-SEILHAC 19 Corrèze 75 ⑨ – rattaché à Seilhac.

MONTASTRUC-LA-CONSEILLÈRE 31380 H.-Gar. 82 ⑧ – 1 652 h. alt. 234 – ✪ 61.

Paris 705 – Castres 65 – Gaillac 35 – Montauban 51 – ♦Toulouse 20.

🏨 **Relais de la Conseillère,** N 88 ☎ 84.21.23 – ⊟wc ⊓wc ☎ ⟹ Ⓟ – 🏛 25
R 45/85 ß – ☐ 10 – **27 ch** 50/80.

Le MONTAT 46 Lot 79 ⑱ – rattaché à Cahors.

MONTAUBAN Ⓟ 82000 T.-et-G. 79 ⑰⑱ G. Périgord – 50 420 h. alt. 87 – ✪ 63.

Voir Musée Ingres★★ BY **M1** – Place Nationale★ BY

ℹ Office de Tourisme 1 r. Collège (fermé dim. sauf juil. et août) ☎ 63.07.72 - A.C. allée Martarieu (chambre de commerce) ☎ 63.22.35.

Paris 655 ① – Agen 72 ⑤ – Albi 73 ② – Auch 86 ④ – Cahors 61 ① – ♦Toulouse 52 ③.

Plan page ci-contre

🏨 **Ingres** Ⓜ sans rest, 10 av. Mayenne ☎ 63.36.01, Télex 520319 – |♦| ▤ TV ⊟wc ⊓wc ☎ ♿ ⟹ Ⓟ. ⟹ AE GB ⓓ E AY **u**
SC : ☐ 16 – **36 ch** 90/180.

🏨 **Midi,** 12 r. Notre-Dame ☎ 63.17.23 – |♦| TV ⊟wc ⊓wc ☎ ♿ – 🏛 25 à 65. ⟹ AE GB ⓓ E CY **a**
SC : **R** 40/100 – ☐ 12 – **56 ch** 50/150 – P 130/160.

🏨 **Prince Noir** Ⓜ sans rest, pl. Prax-Paris ☎ 63.10.10 – |♦| ⊟wc ⊓wc ☎ ⟹ Ⓟ. ⟹ GB.E CY **v**
SC : ☐ 12 – **33 ch** 90/140.

🏨 **Host. Les Coulandrières** Ⓜ ⛰, rte Castelsarrasin par ⑤ : 4 km ✉ 82290 Montbeton ☎ 03.18.09, parc, 🏊 – ▤ ch TV ⊟wc ☎ Ⓟ – 🏛 40. ⟹ AE GB E
SC : **R** 65/120 – ☐ 18 – 21 ch 180/240 – P 225/250.

🏨 **Orsay et rest. La Cuisine d'Alain,** face gare ☎ 63.00.57 – ⊓wc ☎ ⟹. ⟹ GB E AY **f**
fermé 1er au 21 juin et Noël-Jour de l'An – SC : **R** *(fermé dim. et fêtes)* 35/80 ß – ☐ 12 – **22 ch** 45/120 – P 120/150.

🏨 **Trois Pigeons,** 4 av. 11e-Rég.-d'Infanterie ☎ 03.45.30 – |♦| ▤ ch ⊓wc ☎ ⟹. ⟹ GB CX **n**
SC : **R** *(fermé 1er au 22 août, vend. soir et sam.)* 32/85 ß – ☐ 10 – **46 ch** 55/95.

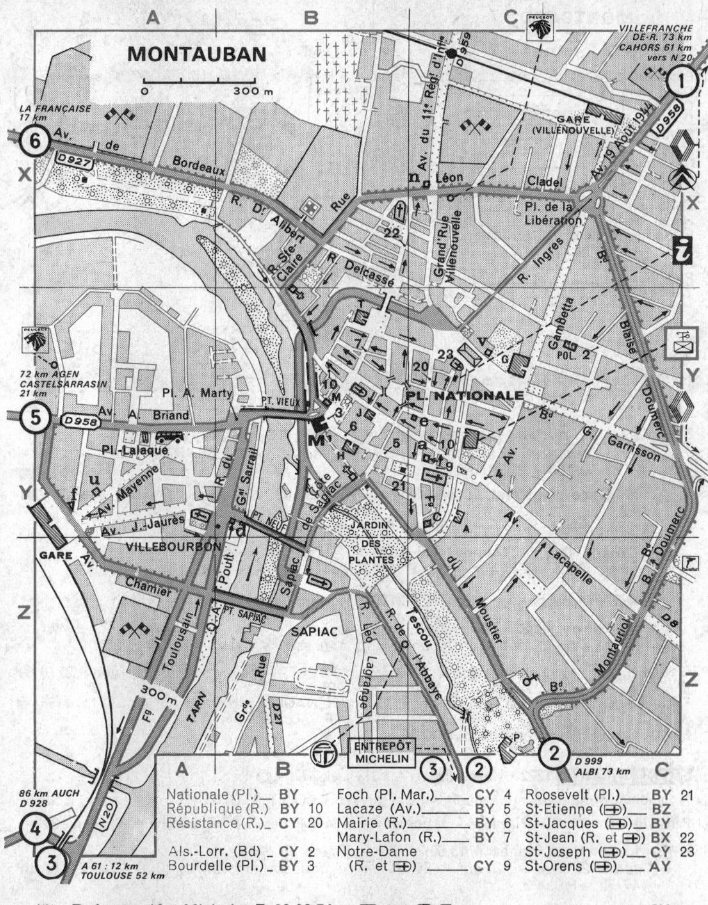

XX **Delmas,** 10 r. Michelet ☎ 63.03.74 – AE GB ⓓ E — CY **e**
fermé août, dim. soir et lundi – SC : **R** 34/92.

XX **Chapon Fin,** 1 pl. St-Orens ☎ 63.12.10 — BY **d**
fermé 5 au 31 juil. et sam. – SC : **R** 32/110.

MICHELIN, Entrepôt, 180 rte de Bagatelle par r. de l'Abbaye BCZ ☎ **03.12.58**

ALFA-ROMEO, OPEL Suères, 46 r. L.-Cladel ☎ 03.42.06
AUDI-VOLKSWAGEN Delpoux, Zone Ind. Sud, rte de Toulouse ☎ 63.08.86
CITROEN Larroque, N 20, Z.I. Nord ☎ 03.15.30
FIAT, VOLVO Montauban-Autom., 36 fg Toulousain ☎ 63.12.66
FORD S.E.T.A.M., 1724 av. Toulouse ☎ 63.04.83
MERCEDES-BENZ Gar. Hamecher, Zone Ind. Sud, rte Toulouse ☎ 63.07.70
PEUGEOT Macard, r. du Bac ☎ 63.03.33
RENAULT Auto-Sce, rte Paris ☎ 03.23.23
RENAULT Clare, 801 r. M. Guerret ☎ 03.16.32
TALBOT Centre Auto-Montalbanais, 345 r. de l'Abbaye, Sapiac ☎ 63.25.50

Cambounet, 97 r. L.-Cladel ☎ 03.43.97
Comptoir Pneu, 10 pl. Prax-Paris ☎ 63.08.65
Le Palais du Pneu, 17 pl. Lalaque ☎ 63.15.80
Pereira, 52 av. du X=-Dragon ☎ 03.53.98
Taquipneu, 69 av. Gambetta ☎ 03.30.40
Villebourbon-Service, 22 r. Gén.-Sarrail ☎ 63.20.55

MONTBARD <SP> 21500 Côte-d'Or 65 ⑦ G. Bourgogne – 7 749 h. alt. 211 – ✪ 80.

Voir Parc Buffon★.

Env. Ancienne abbaye de Fontenay★★ 6 km par ③.

ℹ Syndicat d'Initiative (fermé lundi après-midi hors saison et dim. sauf matin en saison) avec A.C. r. Carnot ☎ 92.03.75.

Paris 236 ④ – Autun 99 ④ – Auxerre 73 ④ – ♦Dijon 81 ③ – Troyes 94 ②.

MONTBARD

Liberté (R. de la) ____ 20

Buffon (Pl.) ____ 2
Daubenton (R.) ____ 3
Debussy (R. A.) ____ 4
Debussy (R. F.) ____ 6
Faubourg (R. du) ____ 7
Foch (Av. du Mar.) ____ 8
Gambetta (Pl.) ____ 9
Giez (Av. A.) ____ 12
Gloy (R.) ____ 13
Guillaume (R.) ____ 15
Hugot (R. A.) ____ 16
Lattre de Tassigny (R. Mar. de) ____ 18
Leclerc (Av. Mar.) ____ 19
Parc (R. du) ____ 22
Piot (R.) ____ 23
Thiard (R. J.) ____ 24

Les plans de villes sont orientés le Nord en haut.

Pour bien lire les plans de villes voir signes et abréviations p. 20.

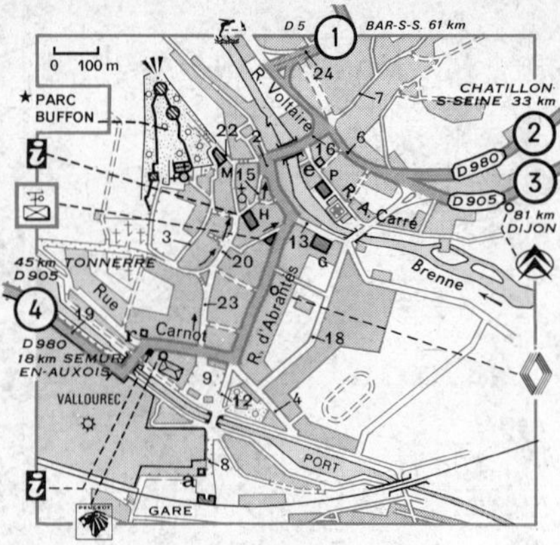

Écu, 7 r. A.-Carré **(e)** ☎ 92.11.66 – TV ⇔wc ⋒wc ☎ 🚗. GB
fermé vacances de fév. et sam. du 15 nov. au 1er mars – SC : **R** 46/130 – ☕ 11,50 – 24 ch 50/160 – P 120/150.

H. Gare, sans rest, 10 av. M.-Foch **(a)** ☎ 92.02.12 – ⇔wc ⋒wc ☎ 🚗 Ⓟ. GB ⓞ
fermé 19 déc. au 4 janv. – SC : ☕ 11 – **19 ch** 36/115.

Côte d'Or, 26 r. Carnot **(r)** ☎ 92.01.77 – ⋒wc ☎.
fermé 7 nov. au 1er déc. – SC : **R** 39/100 🍷 – ☕ 11 – 17 ch 47/135 – P 110/130.

à St-Rémy par ④ : 4 km – ✉ **21500** Montbard

St-Rémy, ☎ 92.13.44 – Ⓟ
fermé 7 au 30 sept., 4 au 10 janv., lundi et le soir sauf sam. – SC : **R** 35/95.

CITROEN Gar. Monnet, rte Dijon ☎ 92.06.09 N
FIAT Gar. Bertrand, 36 av. Mar.-Leclerc ☎ 92.00.57 N
FORD Gar. Lefevre, à Crépand ☎ 92.13.55
PEUGEOT Gar. Carnot, 7 r. Carnot ☎ 92.01.83 N
RENAULT Montbard-Autom., 39 r. Abrantès ☎ 92.06.23

MONTBAZENS 12220 Aveyron 80 ① – 1 313 h. alt. 472 – ✪ 65.

Syndicat d'Initiative (fermé matin, sam. et dim. hors sais.) ☎ 43.60.06.

Paris 610 – Aurillac 80 – Figeac 28 – Marcillac-Vallon 34 – Rodez 39 – Villefranche-de-Rouergue 26.

Levant, rte Rignac ☎ 43.60.24, – ⋒ 🚗 Ⓟ.
fermé 20 sept. au 20 oct. – SC : **R** *(fermé dim. soir et lundi)* 30/70 🍷 – ☕ 9 – **17 ch** 47/72 – P 83/90.

RENAULT Gar. du Fargal, ☎ 43.62.23

MONTBAZON 37250 I.-et-L. 64 ⑮ G. Châteaux de la Loire – 2 688 h. alt. 71 – ✪ 47.

Syndicat d'Initiative 45 r. Nationale (fermé dim. après-midi et lundi) ☎ 26.03.31.

Paris 247 – Châtellerault 59 – Chinon 41 – Loches 32 – Montrichard 41 – Saumur 66 – ♦Tours 13.

✿ **Château d'Artigny** , SO : 2 km par D 17 ☎ 26.24.24, Télex 750900, « Jardin, parc, ≤ sur l'Indre, pavillon bord rivière (9 ch), », – ☎ Ⓟ – 30 à 80. AE
fermé 1er déc. au 10 janv. – **R** 100/220 – ☕ 24 – **51 ch** 200/460, 6 appartements – P 310/450
Spéc. Terrine de ris de veau, Escalope de Sandre braisé, Noisettes d'agneau à la crème d'estragon. **Vins** Vouvray, Chinon.

Domaine de la Tortinière , N : 1,5 km par N 10 et D 287 ☎ 26.00.19, « ≤ vallée de l'Indre, dans un parc », – Ⓟ – 30. GB E. rest
15 fév.-15 nov. – SC : **R** *(fermé dim. soir et lundi midi hors sais.)* carte 115 à 150 – ☕ 25 – **14 ch** 210/350, 7 appartements 390/450.

Relais de Touraine [M], N : 2 km sur N 10 ☎ 26.06.57, parc – Ⓟ – 50
21 ch.

Aub. La Chancelière avec ch, rte d'Azay ☎ 26.00.67 – ⇔wc ⋒ ☎. GB.
fermé fév., dim. soir et lundi – **R** 80 – ☕ 13 – 10 ch 75/130.

Aub. Courtille, ☎ 26.01.32
fermé 21 sept. au 5 oct., 19 fév. au 5 mars et merc. – SC : **R** 25/100.

à l'ouest : 5 km par N 10, D 287 et D 87 – ✉ **37250** Montbazon :

XX **Aub. Moulin fleuri** avec ch, ☎ 26.01.12, ≤, 🍴 – Ⓟ. GB
fermé 15 au 30 oct., 1er au 21 fév. et lundi sauf fériés – SC : **R** 55 – ☕ 8,50 – 10 ch 40/50 – P 126.

PEUGEOT Gar. Rousseau, ☎ 26.06.50

☞ *Les localités citées dans le* ***guide Michelin*** *sont soulignées de rouge sur les* ***cartes Michelin*** *à 1/200 000.*

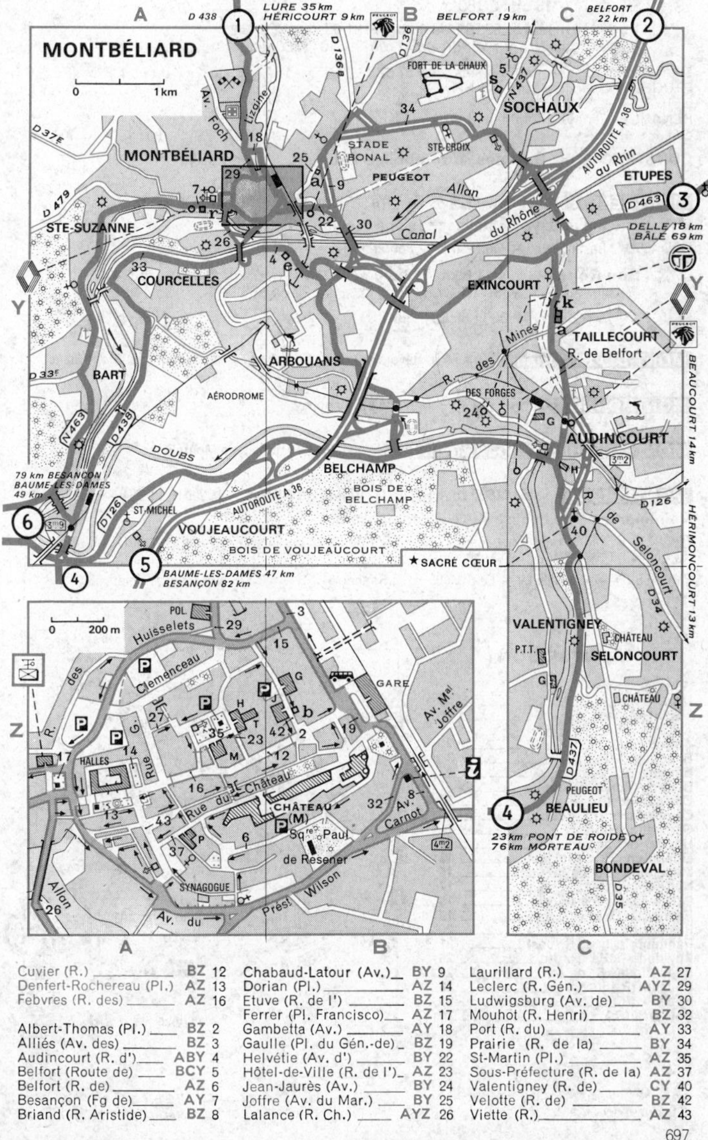

Cuvier (R.) BZ 12
Denfert-Rochereau (Pl.) AZ 13
Febvres (R. des) AZ 16

Albert-Thomas (Pl.) BZ 2
Alliés (Av. des) BZ 3
Audincourt (R. d') ABY 4
Belfort (Route de) BCY 5
Belfort (R. de) AZ 6
Besançon (Fg de) AY 7
Briand (R. Aristide) BZ 8

Chabaud-Latour (Av.) BY 9
Dorian (Pl.) AZ 14
Etuve (R. de l') BZ 15
Ferrer (Pl. Francisco) AZ 17
Gambetta (Av.) AY 18
Gaulle (Pl. du Gén.-de) BZ 19
Helvétie (Av. d') BY 22
Hôtel-de-Ville (R. de l') AZ 23
Jean-Jaurès (Av.) BY 24
Joffre (Av. du Mar.) BY 25
Lalance (R. Ch.) AYZ 26

Laurillard (R.) AZ 27
Leclerc (R. Gén.) AYZ 29
Ludwigsburg (Av. de) BY 30
Mouhot (R. Henri) BZ 32
Port (R. du) AY 33
Prairie (R. de la) BY 34
St-Martin (Pl.) AZ 35
Sous-Préfecture (R. de la) AZ 37
Valentigney (R. de) CY 40
Velotte (R. de) BZ 42
Viette (R.) AZ 43

MONTBÉLIARD <SP> 25200 Doubs 66 ⑧ G. Jura – 31 591 h. alt. 318 – ✪ 81.

18 de Prunevelle ☎ 92.31.77 par ④ : 10 km.

Office de Tourisme 1 r. H.-Mouhot (fermé dim. sauf juil.-août) ☎ 94.45.60.

Paris 482 ⑤ – ♦Bâle 69 ③ – Belfort 22 ② – ♦Besançon 82 ⑤ – Pontarlier 109 ④ – Vesoul 66 ①.

Plans page précédente

Bristol, 2 r. Velotte ☎ 94.43.17 – wc wc ☎ P. ch BZ **b**
fermé août – SC : **R** *(fermé sam.)* 40/100 – 12 – **39 ch** 60/140 – P 130/180.

Joffre sans rest, 34 bis av. Mar.-Joffre ☎ 94.44.64 – wc wc ☎ P. BY **a**
fermé 15 au 31 déc. – SC : 10 – **30 ch** 90/121.

France sans rest, 40 r. Audincourt ☎ 91.18.15, – wc ☎ P. BY **e**
SC : 12 – **15 ch** 50/150.

Tour Henriette, 59 fg Besançon ☎ 91.03.24 – AE GB AY **r**
fermé 1er au 15 août, lundi soir et dim. – SC : **R** 60 (sauf fêtes)/150, dîner à la carte.

FIAT Mercier, r. Keller à Arbouans ☎ 35.57.62
PEUGEOT Succursale, 16 av. Helvétie ☎ 94.52.15
RENAULT Renault-Montbéliard, 87 fg Besançon ☎ 96.75.75
Daesslé et Klein, 7a r. du Port ☎ 91.42.92

CONSTRUCTEUR : S.A. des Automobiles Peugeot, BY ☎ 91.83.42

MONTBENOIT 25650 Doubs 70 ⑦ G. Jura – 182 h. alt. 782 – ✪ 81.

Voir Ancienne abbaye★ : stalles★★, niche abbatiale★.

Paris 465 – ♦Besançon 69 – Morteau 17 – Pontarlier 14.

Bon Repos , N : 1,5 km ☎ 38.10.77, ←, – wc wc ☎ P.
30 avril-26 sept. – SC : **R** 40/120 – 11 – 22 ch 85/120 – P 135/145.

PEUGEOT Gar. Querry, ☎ 38.11.89 N ☎ 38.10.99

MONT-BLANC (Tunnel du) 74 H.-Savoie 74 ⑧⑨ G. Alpes – voir à Chamonix-Mont-Blanc.

MONTBONNOT 38 Isère 77 ⑤ – rattaché à Grenoble.

MONTBOUCHER-SUR-JABRON 26 Drôme 81 ① – rattaché à Montélimar.

MONTBRISON <SP> 42600 Loire 73 ⑰ G. Vallée du Rhône – 11 200 h. alt. 394 – ✪ 77.

Voir Intérieur★ de l'église N.-D.-d'Espérance B.

Office de Tourisme cloître des Cordeliers (fermé lundi en saison, sam. après-midi et lundi matin hors sais.) ☎ 58.20.44.

Paris 455 ② – ♦Lyon 95 ③ – Le Puy 105 ③ – Roanne 64 ② – ♦St-Étienne 36 ③ – Thiers 68 ①.

MONTBRISON

Boyer (R. Simon)	6
Marché (R. du)	16
Tupinerie (R.)	32
Astrée (Quai de l')	2
Beaune (Pl. E.)	3
Bernard (R. M.)	4
Bout-du-Monde (R. du)	5
Chavassieu (Bd)	7
Combattants (Pl. des)	8
Gambetta (Bd)	9
Hôpital (R. de l')	10
Libération (R. de la)	13
Madeleine (Bd de la)	15
Notre-Dame (R.)	17
Palais-de-Justice (R. du)	18
Papon (R. Loys)	19
Pasteur (R.)	20
Pénitents (Pl. et R. des)	21
Puy-de-la-Bâtie (R. du)	25
République (R. de la)	27
St-Jean (R. du Fg)	28
St-Jean (R.)	29
St-Pierre (R.)	30

Pour un bon usage des plans de villes, voir les signes conventionnels p. 20.

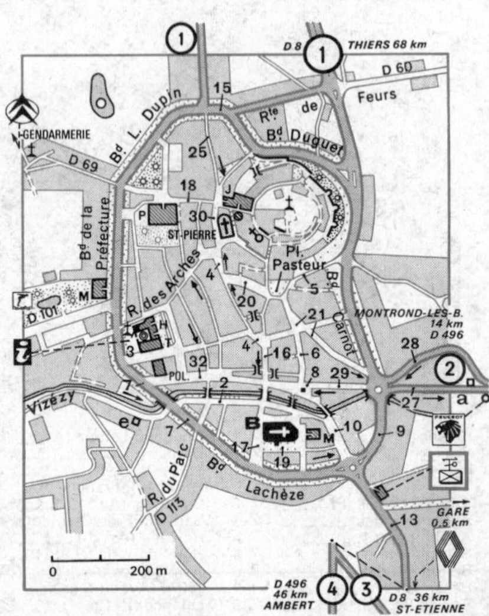

Host. Lion d'Or, 14 quai Eaux-Minérales (e) ☎ 58.34.66 – wc ⋅ GB
fermé 1er au 21 sept., vacances scolaires de fév., dim. soir et lundi sauf juil. et août – SC : **R** 38/125 – 12 – **14 ch** 43/130 – P 110/160.

Escale, r. République (a) ☎ 58.17.77 – wc wc
fermé dim. – SC : **R** 28/50 – 8 – **18 ch** 38/96 – P 75/150.

à Champdieu par ① : 4,5 km – ✉ **42600** Montbrison.
Voir Église★.

Le Prieuré, ☎ 58.31.21 – P.
fermé août, dim. et fêtes le soir et jeudi – SC : **R** 30/150.

AUDI-VOLKSWAGEN Gar. du Parc, 2 rte de St-Étienne ☎ 58.15.66
CITROEN Forez-Autos, av. P.-Cézanne, Beauregard ☎ 58.02.59
FORD Montagny, av. Ch.-de-Gaulle ☎ 58.29.99
LADA, SKODA Gar. Dumas, 34 av. Libération ☎ 58.15.22
OPEL Sabatier, r. des Moulins ☎ 58.12.02
PEUGEOT Bourgier, 36 r. République ☎ 58.21.55
RENAULT Gar. Mathieu, 8 rte de St-Étienne ☎ 58.30.48

Chasseing-Pneus, 12 bd de la Madeleine ☎ 58.26.48
Jamet-Pneus, 4 bd L.-Dupin ☎ 58.11.66

MONTBRON 16220 Charente 72 ⑮ G. Côte de l'Atlantique – 2 541 h. alt. 140 – 45.
Syndicat d'Initiative pl. H. de Ville (1er juil.-31 août et fermé dim.) ☎ 70.61.71.
Paris 456 – Angoulême 30 – Nontron 32 – Rochechouart 37 – Rochefoucauld 14.

Host. Ste Catherine , S : 3,5 km par D 16 ☎ 70.60.03, « Gentilhommière du XVIIIe s. dans un parc », – P – 50. AE
SC : **R** 40/120 – 15 – **15 ch** 100/180 – P 180.

MONTCABRIER 46 Lot 79 ⑥⑦ – rattaché à Fumel.

MONTCEAU-LES-MINES 71300 S.-et-L. 69 ⑰⑱ G. Bourgogne – 28 204 h. alt. 287 – 85.
Env. Mont-St-Vincent : tour ★★ 12 km par ③.
Office de Tourisme 1 pl. Hôtel de Ville (fermé lundi matin et dim.) ☎ 57.38.51 - A.C. 41 r. des Oiseaux ☎ 57.52.45.
Paris 383 ② – Autun 43 ① – Chalon-sur-S. 45 ② – Mâcon 68 ③ – Moulins 89 ④ – Roanne 87 ④.

Plans page suivante

Commerce, 16 q. J.-Chagot ☎ 57.34.18 – wc wc – 60. GB — A e
SC : **R** 50/60 – 12 – **32 ch** 78/150.

La Bourgogne sans rest, 8 r. Gare ☎ 57.14.40 – wc wc GB. — A r
SC : 12 – **28 ch** 49/140.

Beauregard sans rest, sur D 980 ✉ 71690 Mt-St-Vincent ☎ 57.15.37 – P — B s
fermé 21 au 30 déc. – SC : 10 – **12 ch** 60/95.

Lac sans rest, 58 r. de la Loge ☎ 57.18.22 – wc. — B t
SC : 10 – **20 ch** 44/90.

France avec ch, 7 pl. Beaubernard ☎ 57.26.64 – wc — A k
fermé août et lundi – SC : **R** 38/100 – 9,50 – **11 ch** 47/120.

Central avec ch, 43 r. République ☎ 57.00.40 – wc. GB — A n
fermé dim. – SC : **R** 35 – 8,50 – **10 ch** 48/70 – P 110/150.

par ③ : 4 km sur D 980 :

Aub. Plain-Joly, ✉ 71690 Mont-St-Vincent ☎ 57.24.74, – P.
fermé 24 août au 24 sept. et vend. soir du 1er oct. au 1er mars – SC : **R** 30/55 – 9,50 – **10 ch** 45/72 – P 85/100.

AUDI-VOLKSWAGEN Gar. Dufour, 68 r. de la Coudraie, Le Bois-du-Verne ☎ 57.23.81
CITROEN Repiquet, 57 r. Beaubernard ☎ 57.16.45
FIAT Gar. Bon, 3 r. de la Coudraie, Le Bois-du-Verne ☎ 57.34.55
FORD Tramoy, 52 r. de la Lande ☎ 57.04.11
OPEL Gar. Brenot, rte Express sortie Nord, av. Mar.-Leclerc ☎ 57.39.83
PEUGEOT Gar. Rebeuf-Garnier, rte Express, av. Mar. Leclerc ☎ 57.29.30
RENAULT Gar. Central, quai J.-Chagot ☎ 57.25.17
TALBOT Chemarin, rte Express, av. Mar.-Leclerc ☎ 57.09.23

Goésin, D 974, Zone Ind. des Alouettes ☎ 57.36.01
Okrzesik, 9 r. Verdun ☎ 57.00.55

MONTCHANIN 71 S.-et-L. 69 ⑧ – rattaché au Creusot.

MONTCHAUVET 78790 Yvelines 55 ⑱, 96 ⑫ G. Environs de Paris – 185 h. alt. 100 – 3.
Paris 73 – Dreux 35 – Evreux 43 – Houdan 14 – Mantes-la-Jolie 16 – Versailles 43.

Jument Verte, pl. Église ☎ 093.43.60
fermé fév., lundi soir et mardi – SC : **R** 40/45 .

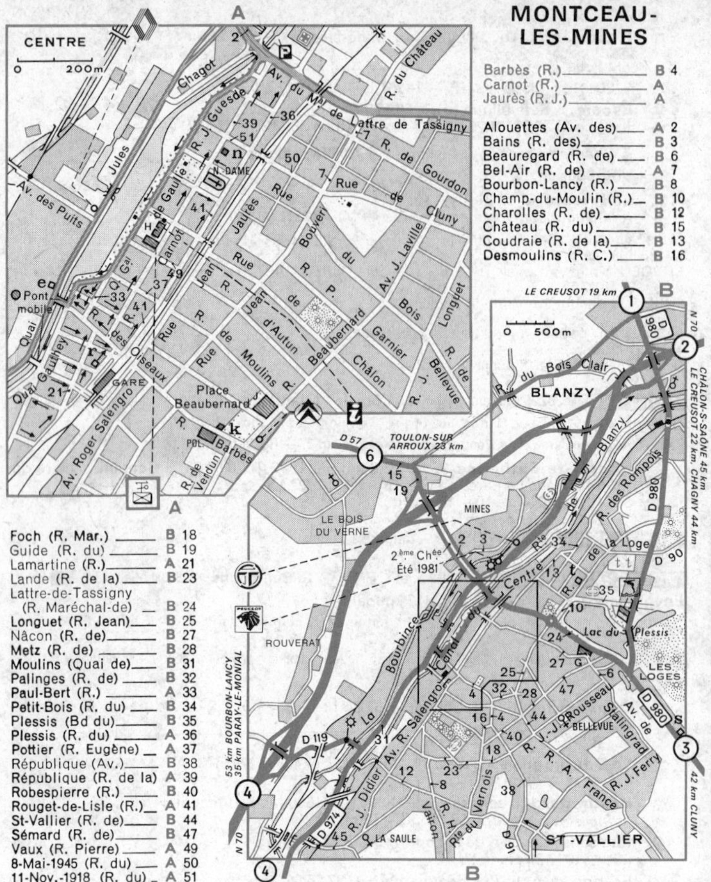

MONTCHAUVROT 39 Jura 70 ④ – rattaché à Poligny.

MONTCHAVIN 73 Savoie 74 ⑱ – rattaché à Bellentre.

MONTCHENOT 51 Marne 56 ⑯ – ✉ **51500** Rilly-la-Montagne – ⚙ 26.

Paris 155 – Châlons-sur-Marne 40 – Epernay 16 – ♦Reims 11.

XX **Aub. du Gd Cerf** avec ch, N 51 ☎ 97.60.07, ≤ – ⌂wc ☎ **P** – 100. AE GB ① E
fermé 17 au 31 août, 15 au 28 fév., mardi soir et merc. – SC : **R** 70/110 – ☕ 12 – 10 ch 70/100.

MONT-CINDRE 69 Rhône 74 ⑪ – rattaché à Lyon.

MONT-D'ARBOIS 74 H.-Savoie 74 ⑧ – rattaché à St-Gervais.

MONT-DAUPHIN 05 H.-Alpes 77 ⑱ – rattaché à Guillestre.

MONT-DE-MARSAN P **40000** Landes 82 ① **G. Côte de l'Atlantique** – 30 171 h. alt. 58 – ⚙ 58 – ℹ Office de Tourisme 22 r. Victor-Hugo (fermé dim.) ☎ 75.84.40, Télex 540742 - A.C. av. du Corps Franc Pommiès à St-Pierre-du-Mont ☎ 75.03.24.

Paris 687 ⑦ – Agen 120 ① – ♦Bayonne 97 ⑥ – ♦Bordeaux 126 ① – Pau 80 ③ – Tarbes 100 ③.

MONT-DE MARSAN

Bastiat (R. F.) ABZ
Dulamon (R. A.) AY
Gambetta (R. L.) BZ 12
Lesbazeilles (R. A.) BZ
St-Jean-d'Août (R. et ⊟) AY 24

Alsace-Lorraine (R. d') AZ 2
Bosquet (R. du Mar.) AZ 3
Briand (Av. Aristide) BZ 4
Brouchet (Allées) BZ 5
Carnot (Av. Sadi) BZ 6
Delamarre (Bd) BZ 8
Despiau (R. Ch.) AZ 9
Farbos (Av. Henri) AY 10
Gaulle (Pl. Charles-de) AY 10
Gourgues (R. D.-de) BY 14
Landes (R. L. des) BZ 15
Lasserre (R. Gén.) AZ 16
Lattre-de-Tassigny (Bd de) BY 17
Madeleine (⊟) BY
Martinon (R.) BZ 18
Pancaut (Pl. J.) AZ 20
Poincaré (Pl. R.) AY 21
Président-Kennedy (Av. du) BZ 22
St-Roch (Pl.) BZ 25
8-Mai-1945 (R. du) BY 27
34e-d'Inf. (Av. du) BZ 28

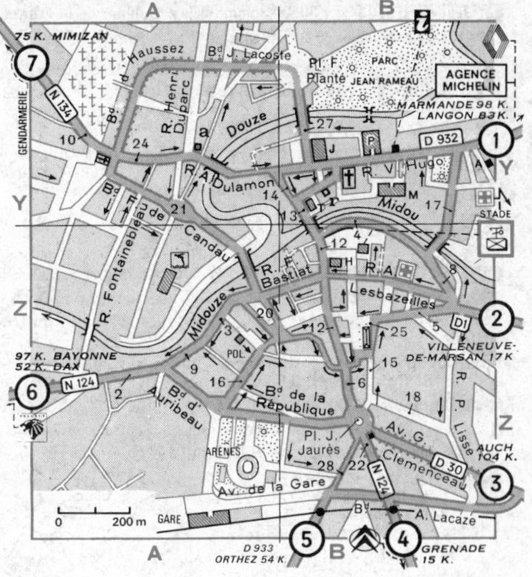

Richelieu, 3 r. Wlerick ☎ 75.00.16 – [lift] [TV] wc wc ☎ – 80. AE GB E BY r
SC : R 40/120 – 13 – **70 ch** 42/120 – P 120/160.

Le Midou avec ch, 12 pl. Porte-Campet ☎ 75.24.26 – GB AY a
R 48/75 – 11 – **10 ch** 45/70 – P 85.

Zanchettin (Rendez-vous des boulistes), à **St-Médard** par ② : 3 km ☎ 75.19.52, – Ⓟ
fermé 16 août au 7 sept., vacances de fév. et lundi – SC : R 32/65.

MICHELIN, Agence, r. de la Ferme-de-Larrouquère, Zone Ind. par ① ☎ 75.29.54

ALFA-ROMEO, DATSUN Mesplède, 56 av. H.-Farbos ☎ 75.98.88
AUDI-VOLKSWAGEN, MERCEDES-BENZ Lafargue, 2316 av. Mar.-Juin ☎ 75.17.80
AUSTIN, MORRIS, TRIUMPH Gar. Continental, 839 av. Mar.-Foch ☎ 75.06.77
CITROEN Segu, rte Grenade, St-Pierre-du-Mont ☎ 75.12.10
FORD La Hiroire-Auto, 995 bd d'Alingsas ☎ 75.36.62

PEUGEOT Labarthe, rte Bayonne ☎ 75.44.55 N
RENAULT Dupeyron, 935 av. Mar.-Juin ☎ 75.14.80
TOYOTA Hiquet, 19 bd Candau ☎ 75.02.32

Océan Pneu 22 bd République ☎ 75.07.09
Pedarré, 14 bd Candau ☎ 75.01.18

MONTDIDIER

Albert-Ier (R.) 2
Briand (R. Aristide) 3
Gaulle (Pl. du Gén.-de) 13
Parmentier (R.) 18
République (Pl. de la) 19

Clemenceau (Av. Georges) 4
Collège (R. du) 6
Debeney (Bd) 8
Doumer (Av. Paul) 9
France (R. Anatole) 10
Gambetta (R.) 12
Jaurès (R. Jean) 14
Leclerc (Av.) 15
Paris (R. de) 16
Rouen (R. de) 20
St-Pierre (R. et ⊟) 21
St-Sépulcre (⊟) 22
Santerre (R. du) 23
Vienne (R. Amand de) 24
Volontaires (Av. des) 26

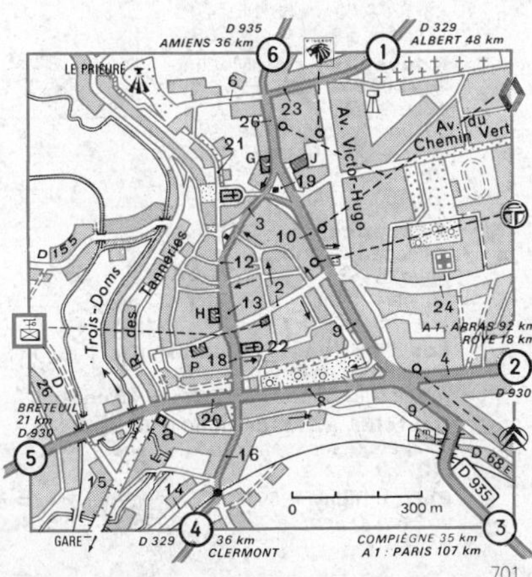

MONTDIDIER ⟨SP⟩ 80500 Somme 52 ⑲ G. Nord de la France – 6 298 h. alt. 97 – ✪ 22.

Paris 107 ③ – •Amiens 36 ⑥ – Beauvais 47 ⑤ – Péronne 47 ② – St-Quentin 64 ②.

Plan page précédente

Dijon, 1 pl. 10-Août 1918 **(a)** ✆ 78.01.35 – ⋔. GB
fermé 24 juil. au 12 août, 1er au 24 janv., dim. soir, lundi midi et fêtes le soir – SC : **R** 36/82 – ☕ 9,50 – **12 ch** 40/82.

CITROEN Bonnement, pl. Mar.-Foch ✆ 78.01.43
PEUGEOT Gar. Goosens, av. V.-Hugo ✆ 78.07.25
RENAULT Gar. Maingueux, 6 bis av. des Volontaires ✆ 78.07.19
RENAULT Gar. Rety, 6 r. A.-France ✆ 78.01.51
TALBOT Gar. Faidherbe, 11 pl. Faidherbe ✆ 78.00.90
Leflamand, 30 av. M.-Leconte ✆ 78.05.09

Le MONT-DORE 63240 P.-de-D. 73 ⑬ G. Auvergne – 2 325 h. alt. 1 050 – Stat. therm. (15 mai-7 oct.) – Sports d'hiver : 1 050/1 750 m 2 19, – Casino Z – ✪ 73.

Voir Puy de Sancy ※★★★ (voir à Sancy) – Cascade du Queureuilh★ 2 km par ① puis 30 mn.

Env. Col de Guéry ⩽★★ sur roches Tuilière et Sanadoire★★ et lac★ 9 km par ① – Col de la Croix-St-Robert ※★★ 6,5 km par ②.

9 du Rigolet ✆ 21.00.79 par ③ : 2,5 km.

Office de Tourisme pl. Mairie (fermé dim. sauf en saison) ✆ 81.18.88, Télex 990332.

Paris 436 ① – Aubusson 90 ⑤ – •Clermont-Fd 47 ① – Issoire 51 ① – Mauriac 77 ④ – Ussel 57 ⑤.

P. L. M. Carlina M, Les Pradets ✆ 21.04.22, Télex 990492, ⩽, – ⋔ P. AE GB . ✻ rest
21 mai-20 sept. et 21 déc.-15 avril – SC : **R** 70 – **48 ch** ☕ 140 – P 230/280. Z **v**

Métropole, pl. Chazerat ✆ 65.13.32 – wc ⋔wc ☎ P – 25 à 100. ✻ rest Z **f**
14 mai-26 sept. – SC : **R** 70/100 – ☕ 13 – **120 ch** 50/190 – P 140/250.

Panorama M, av. Libération ✆ 65.11.12, ⩽ – wc ⋔wc ☎ P. ✻ rest Z **u**
15 mai-30 sept. et Noël-Pâques – SC : **R** 58/62 – ☕ 14 – 39 ch 80/180 – P 140/210.

Oise, av. Libération ✆ 21.04.68, ⩽ – wc ⋔wc ☎ P – 80. ✻ rest
15 mai-30 sept. et Noël-Pâques – SC : **R** 46/57 – ☕ 12 – 50 ch 55/140 – P 127/165. Z **p**

Nouvel H., r. J.-Moulin ✆ 21.00.04 – wc ⋔ ☎. GB Z **g**
10 mai-7 oct. et 10 déc.-Pâques – SC : **R** 40/50 – ☕ 10 – 65 ch 40/105 – P 185/260.

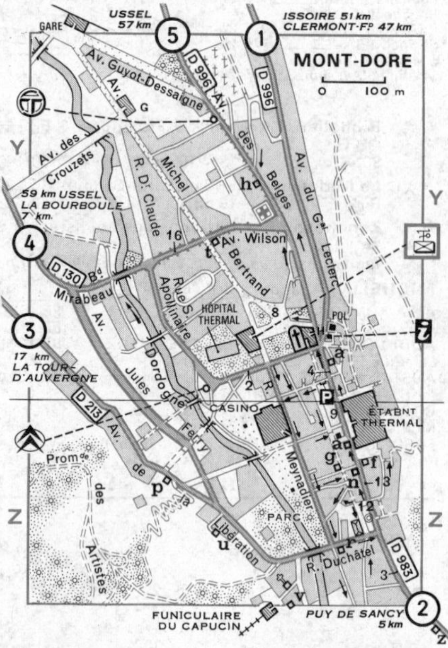

Cascades, av. G.-Clemenceau ✆ 21.01.36, – ⋔wc ☎. ✻ Z **z**
15 mai-25 sept. et 20 déc.-20 avril – SC : **R** 38/60 – ☕ 10 – **23 ch** 40/110 – P 110/165.

Favart (R.)	Y	4
Panthéon (Pl. du)	Z	9
République (Pl. de la)	Z	12
Rigny (R.)	Z	13
Chazotte (R. Capitaine)	Y	2
Clemenceau (Av.)	Z	3
Gaulle (Pl. Ch.-de)	Y	8
19 Mars 1962 (R. du)	Y	16

Les Mouflons sans rest, par ② rte du Sancy : 0,5 km ✆ 65.02.90, ⩽ – wc ⋔wc ☎ P. E
fermé 5 au 25 nov. – SC : ☕ 9 – **29 ch** 46/82.

Castelet, av. M.-Bertrand ✆ 65.05.29, – wc ☎ P – 40. ✻ rest Y **t**
15 mai-30 sept. et 15 déc.-20 mars – SC : **R** 38/45 – ☕ 11 – 33 ch 50/120 – P 110/150.

Paix, r. Rigny ✆ 65.00.17 – wc ☎ . ✻ rest Z **n**
15 mai-30 sept. et 20 déc.-30 mars – SC : **R** 32/53 – ☕ 10 – 39 ch 40/130 – P 96/160.

Russie, r. Favart ✆ 65.05.97 – 🛗 ⛀wc ☏. GB. ✗ rest — Y **a**
10 mai-30 sept. et Noël-Pâques – SC : **R** 40/70 – ☕ 10 – **40 ch** 57/120 – P 125/160.

Gd H. Poste, r. Rigny ✆ 65.05.20 – ⛆ ☏. AE E. ✗ rest — Z **a**
fermé 21 avril au 14 mai et 10 oct. au 19 déc. – SC : **R** 39/85 – ☕ 11 – **39 ch** 54/111 – P 117/151.

Castel Médicis, r. Duchatel ✆ 21.00.89 – ⛀wc ⛆ ☏ — Z **r**
fermé 20 au 30 avril et 10 oct. au 15 déc. – **R** 33/70 ⅄ – ☕ 9 – 22 ch 45/110 – P 90/110.

La Ruche, av. Belges ✆ 65.05.93 – ⛆ **P**. ✗ — Y **h**
20 mai-30 sept., vacances scolaires et week-ends – SC : **R** 40/52 – ☕ 12 – **25 ch** 38/90 – P 100/125.

au Genestoux par ⑤ : 3,5 km sur D 996 – ✉ **63240** Mont-Dore :

Le Pitsounet, ✆ 21.00.67, ≤ – **P**
Pâques, 20 mai-30 sept., Noël, vacances de fév. et fermé lundi – SC : **R** (nombre de couverts limité - prévenir) 29/48.

au Pied du Sancy par ② : 4 km – ✉ **63240** Mont-Dore :

Puy Ferrand ⛰, ✆ 21.02.58, ≤ le Sancy – 🛗 ⛀wc ⛆wc ☎ 🚗 **P** – 🏛 30. AE GB E. ✗ rest
15 mai-30 sept. et 15 déc.-20 avril – SC : **R** 52/130 – ☕ 12 – **43 ch** 74/120 – P 180/174.

CITROEN Central Gar., ✆ 21.01.04 — FORD, TALBOT Gar. Delbos, ✆ 21.01.55

MONTE-CARLO Principauté de Monaco **84** ⑩, **195** ㉗㉘ – voir à Monaco.

MONTECH 82700 T.-et-G. **79** ⑰ – 2 596 h. alt. 112 – ⚙ 63.
Voir Pente d'eau★ N : 1 km, G. Pyrénées.
Paris 667 – Auch 73 – Beaumont-de-Lomagne 23 – Castelsarrasin 14 – Montauban 13 – ♦Toulouse 46.

France, ✆ 31.70.38 – ⛆. AE GB E
fermé 15 déc. au 15 janv. et sam. de sept. à fin juin – SC : **R** 25/52 ⅄ – ☕ 8,50 – **16 ch** 37/90 – P 76/80.

Garage Calmel, ✆ 31.70.21

MONTÉLIMAR 26200 Drôme **81** ① **G. Vallée du Rhône** – 29 149 h. alt. 81 – ⚙ 75.
Env. Pic de Chenavari ≤★★ 13 km par ④ et N 86 puis 30 mn.
ℹ Office de Tourisme (fermé dim.) et A.C. allées Champ-de-Mars ✆ 01.00.20.
Paris 607 ① – Aix-en-Provence 147 ③ – Alès 103 ③ – Avignon 82 ③ – Nîmes 106 ③ – Le Puy 134 ④ – Salon-de-Provence 118 ③ – Valence 45 ①.

Parc Chabaud ⛰, 16 av. d'Aygu ✆ 01.65.66, Télex 345324, « Bel aménagement intérieur, parc » – 🛗 TV ☎ **P** – 🏛 25 à 200. AE ◑ — Z **r**
fermé 24 déc. au 1er fév. – SC : **R** *(fermé dim.)* 120 – ☕ 20 – 22 ch 150/320.

✿ **Relais de l'Empereur,** pl. Marx-Dormoy ✆ 01.29.00, Télex 345537 – TV 🚗 **P**. AE GB ◑ E
fermé 12 nov. au 20 déc. – SC : **R** carte 130 à 175 – ☕ 19 – 38 ch 77/290 — Z **f**
Spéc. Mousseline de poisson, Suprême de turbot, Escalope de foie gras frais. **Vins** St-Joseph, Chante Alouette.

Sphinx sans rest, 19 bd Desmarais ✆ 01.86.64 – ⛀wc ⛆wc ☏ **P**. AE GB — Y **b**
SC : ☕ 13 – **20 ch** 80/145.

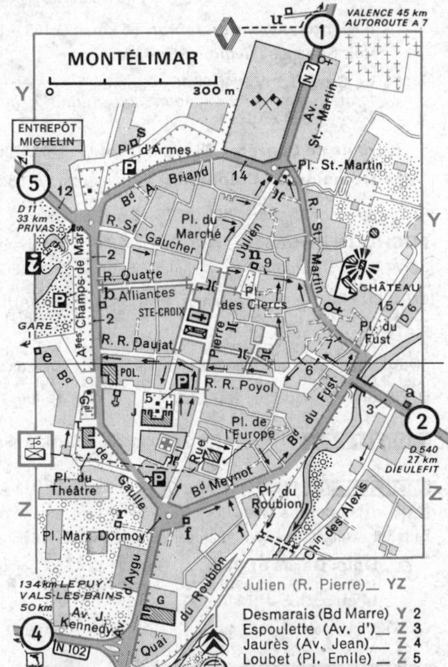

Julien (R. Pierre) YZ
Desmarais (Bd Marre) Y 2
Espoulette (Av. d') Z 3
Jaurès (Av. Jean) Z 4
Loubet (Pl. Emile) Z 5
Meyer (R. Maurice) Z 6
Monnaie-Vieille (R.) Y 7
Montant-au-Chât. (R.) Y 9
Rochemaure (Av. de) Y 12
St-Martin (Montée) Y 14
Villeneuve (Av. de) Y 15

Printemps ⚘, chemin Manche ☎ 01.32.63, ⚘ – ⇌wc ⋒wc ☎ Ⓟ. ⚘ ⚘ rest Y **u**
fermé 30 nov. au 1er fév. et dim. hors sais. – SC : **R** (dîner seul.) 45/120 – ⚘ 12 – 16 ch 60/150.

Beausoleil Ⓜ sans rest, 14 bd Pêcher ☎ 01.19.80 – ⇌wc ☎ ⚘. ⚘ Y **s**
fermé 25 au 31 mai et dim. hors sais. – SC : ⚘ 10 – **11 ch** 49/90.

Provence sans rest, rte Marseille par ③ ☎ 01.11.67 – ⇌wc ⋒wc ☎ ⚘ Ⓟ. ⚘. ⚘ rest
fermé nov. et sam. en déc., janv. et fév. – SC : ⚘ 12 – **16 ch** 56/98.

Pierre ⚘ sans rest, 7 pl. Clercs ☎ 01.33.16 – ⇌wc Y **n**
SC : ⚘ 9.50 – **11 ch** 55/80.

Dauphiné-Provence, 41 bd Gén.-de-Gaulle ☎ 01.24.08 – ⇌ ⋒wc ☎ ⚘. ⚘
fermé 24 avril au 11 mai, 18 déc. au 5 janv., sam. et dim. midi – SC : **R** 31/65 – ⚘ 10 – **24 ch** 45/95. YZ **e**

X **L'Espoulette,** 13 av. Espoulette, rte Dieulefit ☎ 01.31.69 Z **a**
fermé fév. et merc. – **R** (nombre de couverts limité - prévenir) 29/70.

Par la sortie ①

à l'Homme d'armes : 4 km **77** ⑪ – ⚘ **26200** Montélimar :

XXX ✿ **La Bastide** (Souil), ☎ 01.29.14, ⚘ – Ⓟ. AE ⚘
fermé vacances scolaires de fév. et merc. – SC : **R** 90/150
Spéc. Fondant de canette, Soufflé de truite, Grenadin de veau. **Vins** Côteaux du Tricastin, Crozes-Hermitage.

au Nord : 13 km - échangeur A 7 Montélimar Nord – ⚘ **26270** Loriol :

Motel Logiroute Ⓜ, ☎ 61.00.02, Télex 345591, ⚘ – ⚘ TV ⇌wc ☎ ♿ Ⓟ. ⚘ GB
R carte environ 45 ⚘ – ⚘ 16 – **30 ch** 160/175.

X **Courte Paille,** ☎ 61.04.25 – Ⓟ. GB
R carte environ 55 ⚘.

Par la sortie ②

à Montboucher-sur-Jabron : 5 km et D 169 – ⚘ **26200** Montélimar.

Voir Site★ de Puygiron SE : 4 km.

Le Castel ⚘, ☎ 46.08.16, ≤, parc, ⚘ – ⇌wc ☎ Ⓟ. ⚘ ⚘
fermé 5 janv. au 5 fév., dim. soir et lundi midi – SC : **R** 80/120 – ⚘ 20 – **10 ch** 170/300 – P 220/280.

route de Donzère : 9 km sur D 144A – ⚘ **26200** Montélimar :

Domaine du Colombier ⚘ sans rest, ☎ 98.65.86, ≤, parc, ⚘ – ⇌wc ☎ Ⓟ. ⚘
16 mars-15 déc. – SC : ⚘ 20 – **8 ch** 180/260.

MICHELIN, Entrepôt, Z.A. du Meyrol par av. Rochemaure par ⑤ ☎ **01.80.91**

BMW Gar. Lagarde, 44 av. J.-Jaurès ☎ 01.04.74
CITROEN Magne, 9 av. J.-Jaurès ☎ 01.20.55 N
FIAT Gar. Bernard, Zone Ind., Déviation Poids-Lourds Sud ☎ 01.36.75
FORD Peyrouse, Zone Ind. Sud, rte Châteauneuf ☎ 01.39.16
OPEL Gros, 71 av. du Teil ☎ 01.08.07

PEUGEOT Gar. Moulin, rte Marseille, le Grand Pélican ☎ 01.74.99 N ☎ 01.57.04
RENAULT Ets Jean, rte Valence ☎ 01.77.00
TALBOT Sud-Autom., rte Marseille ☎ 01.33.44

⚘ Hennion-Pneus, Zone Art. du Meyrol, Déviation Poids-Lourds Nord ☎ 01.50.21
Piot-Pneu, 112 av. J.-Jaurès ☎ 01.88.11
Plantin-Pneus, 71 av. J.-Jaurès ☎ 01.18.33

MONTENACH 57 Moselle 57 ④ – rattaché à Sierck-les-Bains.

MONTENDRE 17130 Char.-Mar. 71 ① – 3 562 h. alt. 113 – ⚘ 46.

Office de Tourisme av. de Royan (1er juil.-15 sept. et fermé dim.) ☎ 49.46.45.

Paris 516 – Angoulême 73 – ♦Bordeaux 61 – Royan 68 – Saintes 62.

Deux Gares et Pins, pl. Gare ☎ 49.43.57 – ⋒wc ☎ Ⓟ. ⚘
fermé 1er au 16 sept. et 1er au 16 janv. – SC : **R** *(fermé lundi)* 48/100 ⚘ – ⚘ 11 – **14 ch** 55/105 – P 110/160.

CITROEN Lebrun, ☎ 49.22.46

TALBOT Corbi, ☎ 49.23.17

MONTEREAU-FAUT-YONNE 77130 S.-et-M. 61 ⑬ G. Environs de Paris – 21 767 h. alt. 52 – ⚘ 6.

Office de Tourisme 49 r. J.-Jaurès (fermé sam. après-midi, dim. et lundi matin) ☎ 432.07.76.

Paris 89 ④ – Fontainebleau 22 ④ – Meaux 72 ⑤ – Melun 30 ⑤ – Sens 36 ③ – Troyes 97 ③.

MONTEREAU-FAUT-YONNE

Jaurès (R. Jean) YZ
Paris (R. de) Y 20
Provins (R. de) Y 25

Bordes (Quai des) Y 2
Brossolette (R. Pierre) Z 3
Cretté Preignard (Bd) Z 4
Dames (R. des) YZ 5
Dr.-Arthur-Petit (R.) YZ 6
Fossés (R. des) Y 7
Gde-Rue-St-Maurice Y 9
Lattre de Tassigny (Av. Maréchal) Z 12
Lepesme (Pl. J.) Z 13
Libération (Av. de la) Z 14
Napoléon (Carrefour) Y 16
Notre-Dame et St-Loup (⊞) Y
Noues (Quai des) Z 19
Pépinière Royale (R. la) Y 21
Pont-de-Seine (Carrefour) Y 22
Port des Fossés (R.) Y 23
Récollets (R. des) Z 26
République (Bd de la) Z 27
Varennes (R. de) Z 29
Victor-Hugo (R.) YZ 30
Yonne (Quai d') Y 31
8-Mai (R. du) Z 32

Les plans de villes sont orientés le Nord en haut.

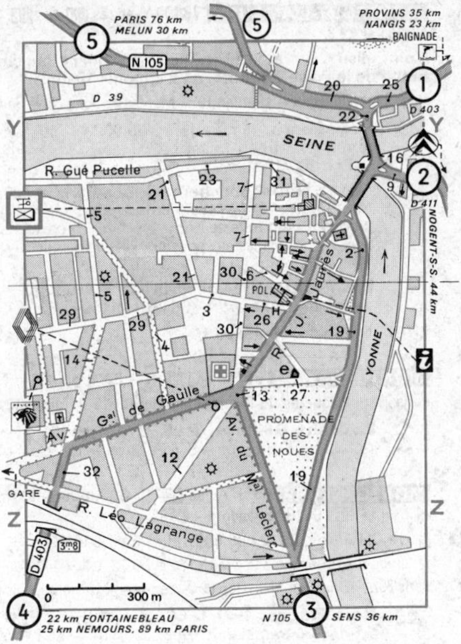

PARIS 76 km MELUN 30 km — PROVINS 35 km NANGIS 23 km — NOGENT-S-S. 44 km — 22 km FONTAINEBLEAU 25 km NEMOURS, 89 km PARIS — SENS 36 km

à Flagy par ④ et D 120 : 10 km – ✉ **77156** Thoury-Ferottes :

XXX **Au Moulin** avec ch, ☎ 431.67.89, « Moulin du 13e s. », – wc **P**.
fermé 14 au 24 sept., 15 déc. au 15 janv., dim. soir et lundi sauf fêtes – SC : **R** 60/120 – 10 ch 100/180.

CITROEN Montereau-Autom., 1 r. des Clomarts, Zone Ind. ☎ 432.01.86
FORD Gar. Félix, 14 bd Gén.-Leclerc ☎ 432.00.76
MERCEDES-BENZ, TOYOTA Huttepain, 3 r. E.-Fortin ☎ 432.03.16
OPEL Gar. Domergue, 5 r. Habert ☎ 432.02.48
PEUGEOT Gar. de la Gare, 11 r. du Chatelet ☎ 432.02.16
RENAULT Coulet, pl. J.-Lepesme ☎ 432.09.25
Tous les Pneus, Zone Ind., carrefour Central ☎ 432.12.98

MONTEUX 84 Vaucluse 81 ⑫ – rattaché à Carpentras.

MONTFAVET 84 Vaucluse 81 ⑫ – rattaché à Avignon.

MONTFERRAT 83131 Var 84 ⑦ – 2 025 h. – 94.
Voir S : Gorges de Châteaudouble*, **G. Côte d'Azur.**
Paris 878 – Castellane 44 – Draguignan 15 – Toulon 96.

XX **Ferme du Baudron,** S : 1 km par D 955 ☎ 70.91.03, « Cadre rustique » – **P**.
fermé vacances scolaires de Pâques, 1er nov., Noël, mardi soir et merc. – SC : **R** (nombre de couverts limité - prévenir) 32.

MONTFORT 35160 I.-et-V. 59 ⑯ – 3 782 h. alt. 43 – 99.
Paris 369 – Dinan 39 – Loudéac 62 – Ploërmel 46 – •Rennes 22.

Le Relais de la Cane, r. Gare ☎ 09.00.07 – **P** ch
fermé 1er au 20 sept. et lundi – SC : **R** 33/100 – 9,50 – **16 ch** 42/105 – P 80/120.

RENAULT Gar. Lory, ☎ 09.00.32
TALBOT Gar. Radin, ☎ 09.01.26

MONTFORT-EN-CHALOSSE 40380 Landes 78 ⑦ – 1 026 h. alt. 101 – 58.
Syndicat d'Initiative av. J.-Jaurès (juil.-août et fermé dim.) et à la Mairie (hors sais. fermé sam. et dim.) ☎ 98.60.12.
Paris 711 – Aire-sur-l'Ad. 58 – Dax 18 – Hagetmau 27 – Mont-de-Marsan 42 – Orthez 28 – Tartas 15.

Aux Touzins, E : 1,5 km par D 32 ☎ 98.60.22, ≤, parc – wc **P** – 50. ch
fermé 15 janv. au 15 fév. et lundi – SC : **R** 35/80 – 8 – **15 ch** 40/62 – P 80/95.

MONTFORT-L'AMAURY 78490 Yvelines 60 ⑨. 96 ㉓ **G. Environs de Paris** (plan) – 2 490 h. alt. 186 – ✪ 3.

Voir Église★ : vitraux★★ – Ancien charnier★ (au cimetière) – Ruines du château ≤★ – Étang de la Porte-Baudet★ S : 2 km puis 15 mn.

Paris 49 – Dreux 40 – Houdan 19 – Mantes-la-Jolie 38 – Rambouillet 19 – Versailles 28.

Voyageurs, 49 r. Paris ☎ 486.00.14 – wc ☎ P. ch
fermé 15 août au 15 sept., 20 au 31 déc., merc. soir et jeudi – SC : **R** 40/95 – 11 – 7 ch 100/120.

XX ✿ **Chez Nous** (Bouchereau), 22 r. Paris ☎ 486.01.62 – AE
fermé août, Noël, vacances scolaires de fév., vend. soir, dim. soir et lundi – SC : **R** (nombre de couverts limité - prévenir) carte 100 à 140
Spéc. Oeufs pochés aux poireaux, Filet de barbue au sabayon de cerfeuil, Marquise chocolat sauce café.

XX **Les Préjugés,** 18 pl. R.-Brault ☎ 486.92.65 – AE GB
fermé janv. et mardi – SC : **R** 110/150.

CITROEN Moutou, ☎ 486.00.37 RENAULT Gar. de la Gare, à Méré ☎ 486.00.96

MONTGAILLARD 65 H.-Pyr. 85 ⑧ – 628 h. alt. 438 – ✉ **65200** Bagnères-de-Bigorre – ✪ 62.

Paris 784 – Bagnères-de-Bigorre 8 – Lourdes 15 – Tarbes 13.

Le Mont-Gaillard, ☎ 95.50.73 – P
fermé janv. et lundi – SC : **R** 28/50 – 8,50 – **10 ch** 40/45 – P 80/85.

MONTGENÈVRE 05 H.-Alpes 77 ⑱ **G. Alpes** – 338 h. alt. 1 854 – Sports d'hiver : 1 854/2 800 m 2 18 – ✉ **05100** Briançon – ✪ 92.

de Clavières, ☎ 122.88.56 (Italie) E : 1,8 km.

Office de Tourisme à la Mairie ☎ 21.90.22, Télex 440440.

Paris 692 – Briançon 12 – Gap 99 – Lanslebourg-Mont-Cenis 83 – Torino 96.

Rois Mages, ☎ 21.92.64, ≤ – wc ☎. AE GB . rest
1er juil.-30 sept. et 1er déc.-30 avril – SC : **R** 50/100 – 15 – 42 ch 150/200 – P 175/225.

Valérie , ☎ 21.90.02 – wc wc ☎. . rest
1er juil.-2 sept. et 15 déc.-20 avril – SC : **R** 55 – 13,50 – **33 ch** 44/155 – P 135/210.

Alpet , ☎ 21.90.06, ≤ – wc ☎.
juil.-août et 18 déc.-20 avril – SC : **R** 40/65 – 12 – 10 ch 70/120 – P 150/180.

MONTGERON 91230 Essonne 61 ①. 101 ㊲ – voir à Paris, Proche banlieue.

MONTGRÉSIN 60 Oise 56 ⑪. 96 ⑧ – ✉ **60560** Orry-la-Ville – ✪ 4.

Voir Site★ des étangs de Commelles O : 1,5 km, **G. Environs de Paris.**

Paris 43 – Chantilly 6,5 – Meaux 44 – Pontoise 45 – Senlis 9,5.

X **Forêt,** ☎ 458.80.29, parc – GB E
fermé lundi soir et mardi – SC : **R** 90 bc.

MONTGUYON 17270 Char.-Mar. 75 ② **G. Côte de l'Atlantique** – 1 648 h. alt. 60 – ✪ 46.

Paris 507 – Barbezieux 31 – Blaye 47 – ♦Bordeaux 64 – Jonzac 34 – Libourne 36 – Ribérac 49.

Poste, ☎ 04.19.39, – wc P.
SC : **R** 27 bc/50 bc – 8 – **18 ch** 45/75 – P 85/100.

RENAULT Dutour, ☎ 04.10.47

MONTHERMÉ 08800 Ardennes 53 ⑱ **G. Nord de la France** (plan) – 3 377 h. alt. 140 – ✪ 24.

Voir Roche aux Sept Villages ≤★★ S : 3 km – Roc de la Tour ≤★★ E : 4 km puis 20 mn – E : Vallée de la Semoy★ – Roche à Sept Heures ≤★ N : 2 km – Roche de Roma ≤★ S : 4 km – les Dames de Meuse★ NO : 5 km.

Env. Roches de Laifour★★ NO : 6 km.

Paris 243 – Charleville-Mézières 17 – Fumay 28.

RENAULT Domelier, ☎ 34.31.12 TALBOT Drouin, ☎ 34.30.46

MONTHUREUX-SUR-SAÔNE 88410 Vosges 62 ⑭ – 1 156 h. alt. 260 – ✪ 29.

Paris 326 – Bourbonne-les-B. 21 – Épinal 48 – Luxeuil-les-B. 50 – Neufchâteau 50 – Vittel 27.

XX **Relais des Vosges** avec ch, ☎ 09.00.45 – E
fermé du 28 janv. au 28 fév., dim. soir hors sais. (sauf hôtel) et lundi – SC : **R** 35/130 – 9 – 10 ch 38/46 – P 105/115.

MONTI 06 Alpes-Mar. 84 ⑳. 195 ⑱ – rattaché à Menton.

MONTIGNAC 24290 Dordogne 75 ⑦ **G. Périgord** – 3 202 h. alt. 77 – 53.

Syndicat d'Initiative pl. B.-de-Born (15 juin-1er oct.) ✆ 51.82.60.

Paris 496 – Bergerac 83 – Brive-la-Gaillarde 38 – ♦Limoges 101 – Périgueux 47 – Sarlat-la-Canéda 25.

Soleil d'Or, r. du 4-Septembre ✆ 51.80.22, parc – wc wc P.
fermé 26 nov. au 27 déc. et sam. du 1er nov. au 15 mars – SC : **R** 34/105 – 10,50 – 23 ch 48/110 – P 98/135.

Avenue, av. J.-Jaurès ✆ 51.82.81, – wc wc . GB
fermé nov., fév., dim. soir et lundi d'oct. au 12 avril – **R** 29/100 – 10 – 16 ch 45/110 – P 80/120.

CITROEN Lapouge, ✆ 51.80.19 N
FIAT Gar. Blume, ✆ 51.81.07

MONTIGNAC-CHARENTE 16 Charente 72 ⑬ **G. Côte de l'Atlantique** – 709 h. alt. 78 – ✉ 16330 St-Amant-de-Boixe – 45.

Voir Église* de St-Amant-de-Boixe NE : 1,5 km.

Paris 428 – Angoulême 16 – Cognac 41 – ♦Limoges 103 – Niort 86 – St-Jean-d'Angély 57.

Château sans rest, ✆ 39.70.38 – .
1er juin-6 oct. et fermé merc. – SC : 7 – **11 ch** 36/38.

MONTIGNY 76 Seine-Mar. 55 ⑥ – rattaché à Rouen.

MONTIGNY-AUX-AMOGNES 58 Nièvre 69 ④ – 420 h. alt. 218 – ✉ **58130** Guérigny – 86.

Paris 251 – Château-Chinon 57 – Decize 36 – Nevers 12 – Prémery 29.

Aub. des Amognes, ✆ 58.61.97, – P
fermé 1er au 16 mars, 31 août au 10 sept., dim. soir et lundi – SC : **R** 28/65.

MONTIGNY-LA-RESLE 89 Yonne 65 ⑤ – 359 h. alt. 153 – ✉ **89230** Pontigny – 86.

Paris 180 – Auxerre 14 – St-Florentin 17 – Tonnerre 32.

Soleil d'Or avec ch, ✆ 41.81.21 – wc P. GB E
fermé déc. et lundi hors sais. – SC : **R** 28/85 – 9 – 11 ch 42/85.

MONTIGNY-LE-ROI 52 H.-Marne 62 ⑬ – 1 090 h. alt. 405 – ✉ **52140** Le Val de Meuse – 25.

Paris 284 – Bourbonne-les-Bains 21 – Chaumont 32 – Langres 22 – Neufchâteau 47 – Vittel 50.

Moderne, ✆ 86.10.18 – wc P. AE GB E
SC : **R** 35/120 – 12 – **25 ch** 55/140 – P 110/180.

PEUGEOT Gar. Flagez, ✆ 86.10.34
RENAULT Gar. Rabert, ✆ 86.11.15 N ✆ 86.13.90

MONTIGNY-LÈS-METZ 57 Moselle 57 ⑬⑭ – rattaché à Metz.

MONTIGNY-SUR-LOING 77690 S.-et-M. 61 ⑫ **G. Environs de Paris** – 2 152 h. alt. 82 – 6.

Paris 77 – Fontainebleau 12 – Melun 28 – Montereau 19 – Moret-sur-Loing 7 – Nemours 10.

Aub. Vieux Moulin, r. Libération ✆ 424.82.21, ← – AE
fermé 15 déc. au 31 janv., mardi soir et merc. – SC : **R** 40/67.

MONTLHÉRY 91310 Essonne 60 ⑩, 101 ㉞ **G. Environs de Paris** – 4 232 h. alt. 120 – 6.

Voir Marcoussis : statue de la Vierge* dans l'église O : 3 km.

Autodrome permanent de Linas-Montlhéry SO : 2,5 km.

Syndicat d'Initiative pl. Hôtel de Ville (matin seul. fermé merc. et dim.) ✆ 901.70.11.

Paris 26 – Etampes 24 – Evry 15 – Versailles 26.

AUSTIN DATSUN Sport-Gar., à Marcoussis ✆ 901.09.34
CITROEN Gar. de l'Autodrome, ✆ 901.00.55
OPEL, VOLVO Gar. D'Anna, à Linas ✆ 901.04.78
PEUGEOT Paulmier, ✆ 901.02.17
RENAULT Gar. Docteur, ✆ 901.02.00

MONT-LOUIS 66210 Pyr.-Or. 86 ⑯ **G. Pyrénées** – 438 h. alt. 1 600 – Sports d'hiver à St-Pierre-dels-Forcats : 1 600/2 400 m 6 – 68.

Syndicat d'Initiative r. Marché (1er juil.-15 sept.) ✆ 04.21.18.

Paris 990 – Andorre-la-Vieille 87 – Carcassonne 118 – Foix 118 – ♦Perpignan 79 – Prades 36.

Clos Cerdan, sur N 116 ✆ 04.23.29, ← – wc wc P.
fermé nov. – SC : **R** 36/42 – 12 – **47 ch** 66/140 – P 90/120.

à la Llagonne **N : 3 km par D 118** – ✉ **66210** Mont-Louis :

Commerce , ✆ 04.22.04, ← – P. rest
6 juin-10 oct. et 15 déc.-20 avril – SC : **R** 35/90 – 11 – **20 ch** 48/90 – P 92/140.

tourner →

à St-Pierre-dels-Forcats S : 3,5 km par D 10 et D 32 – alt. 1 575 – ✉ **66210** Mont-Louis – **Voir Église★** de Planès SE : 3 km.

Mouli del Riu (annexe Ⓜ - wc), ☎ 04.20.36, ≤, – wc wc Ⓟ. ch
fermé 1er oct. au 15 déc. et merc. hors sais. – SC : **R** 42/80 – 11 – **15 ch** 65/115 – P 115/135.

PEUGEOT Gar. Giraud, carr. monument Brousse ☎ 04.20.22 N

RENAULT Gar. Blondelle, Col de la Perche,N 116 à Bolquère ☎ 04.21.81

MONTLOUIS-SUR-LOIRE

37270 I.-et-L. 64 ⑮ **G. Châteaux de la Loire** – 6 854 h. alt. 60 – 47.

Paris 234 – Amboise 13 – Blois 48 – Château-Renault 37 – Loches 42 – Montrichard 30 – ♦Tours 10.

de la Ville, pl. Mairie ☎ 50.84.84 – wc wc Ⓟ
SC : **R** *(fermé lundi)* 40/80 – 10 – **27 ch** 56/140 – P 140.

Tourangelle, quai A.-Baillet ☎ 50.81.15 – Ⓟ
1er mai-30 sept. – SC : **R** (déj. seul. du 1er oct. au 30 avril) 28/67.

MONTLUÇON

SP **03100** Allier 69 ⑪⑫ **G. Auvergne** – 58 824 h. alt. 211 – 70.

Voir Le Vieux Montluçon★ BY : intérieur★ de l'église St-Pierre **D**, esplanade du château ≤★, musée de la Vielle★ **M1** – 9 de Val de cher ☎ 06.71.15, N : 17 km – Office de Tourisme 1 ter av. Marx-Dormoy (fermé dim. et lundi) ☎ 05.05.92 - A.C. 2 pl. Notre-Dame ☎ 05.74.92.

Paris 322 ① – Bourges 93 ① – ♦Clermont-Ferrand 91 ③ – ♦Limoges 137 ⑥ – Poitiers 206 ⑧.

Plan page ci-contre

Univers sans rest, 38 av. Marx-Dormoy ☎ 05.33.47 – wc wc – 60. AE E — AY **k**
SC : 11 – **52 ch** 47/115.

Terminus sans rest, 47 av. Marx-Dormoy ☎ 05.28.93 – wc wc . AE GB — AY **u**
SC : 12 – **48 ch** 50/130.

Lion d'Or, 19 r. Barathon ☎ 05.00.62 – wc . — BZ **a**
SC : **R** voir rest. La Crémaillère – 10 – **41 ch** 40/90.

Celtic sans rest, 1 r. Corneille ☎ 05.28.79 – — BZ **e**
fermé dim. sauf de juin à sept. – SC : 9 – **27 ch** 40/55.

Place sans rest, 5 pl. Jean-Jaurès ☎ 05.06.06 – — BY **v**
SC : 8 – **14 ch** 36/60.

Host. du Château St-Jean avec ch, rte Clermont près hippodrome ☎ 05.04.65, « En bordure d'un parc », – wc Ⓟ – 40. AE E
fermé 2 au 16 janv., dim. et lundi midi du 15 oct. au 31 mars – SC : **R** 80/110 – 22 – 7 ch 180/260. — BZ **d**

La Crémaillère, 19 r. Barathon ☎ 28.15.28 — BZ **a**
SC : **R** 33/55 .

Aux Ducs de Bourbon, 47 av. Marx-Dormoy ☎ 05.22.79 – . E — AY **u**
fermé lundi – **R** 60/80.

Coquerico Bourbonnais, 21 r. P.-Constans ☎ 05.02.05 – Ⓟ — AX **s**
fermé lundi – SC : **R** 32/85.

par ② : 2 km sur N 145 – ✉ **03100** Montluçon :

Bomotel Ⓜ, ☎ 05.76.22 – TV wc Ⓟ
SC : **R** *(fermé lundi sauf juil. et août)* 32/80 – 10 – **13 ch** 120/160.

par ⑥ : 3,5 km sur N 145 – ✉ **03410** Domerat :

Novelta, ☎ 29.34.88 – wc wc Ⓟ.
SC : **R** *(fermé dim. soir)* 37/90 – 12,50 – **40 ch** 115/190.

par ① : 7,5 km sur N 144 – ✉ **03410** Domerat :

St-Victor , ☎ 29.33.95, – ch wc Ⓟ. ch
SC : **R** 50/90 – 12 – **29 ch** 125/140.

à Estivareilles par ① : 10 km – ✉ **03190** Hérisson :

Lion d'Or avec ch, N 144 ☎ 06.00.35, – Ⓟ
fermé août et lundi – SC : **R** 40/110 – 9 – **10 ch** 40/52 – P 95/110.

MICHELIN, Agence, r. Benoist-d'Azy (BX) ☎ 29.05.76

ALFA-ROMEO Andrieu, 21 r. H.-Berlioz ☎ 28.41.34
AUDI-VOLKSWAGEN Europe Gar., 8 r. Bruxelles ☎ 05.31.33
AUSTIN, MORRIS, TRIUMPH Gd Gar. Univers, 2 r. Valmy ☎ 28.21.78
CITROEN Gd Gar. Montluçonnais, 12 r. P.-Sémard ☎ 05.32.07
FORD Tallet, 1 r. des Conches ☎ 05.32.11
MERCEDES-BENZ Auvity, r. 2 Ecluses, Zone Ind. ☎ 29.07.93

OPEL S.I.V.R.A.C., 162 av. Gén.-de-Gaulle ☎ 28.39.01
PEUGEOT Gar. Bourbonnais, 10 r. P.-Sémard ☎ 05.34.37
RENAULT I.D.E.A., La Cote Rouge à Domerat ☎ 29.49.00

Central Pneu, 35 quai L.-Blanc ☎ 05.57.57
Godignon, 19 r. L.-Menut ☎ 05.04.18 et Zone Ind. r. E.-Sue ☎ 29.64.85
Estager, 14 r. de la Lombardie ☎ 05.14.42

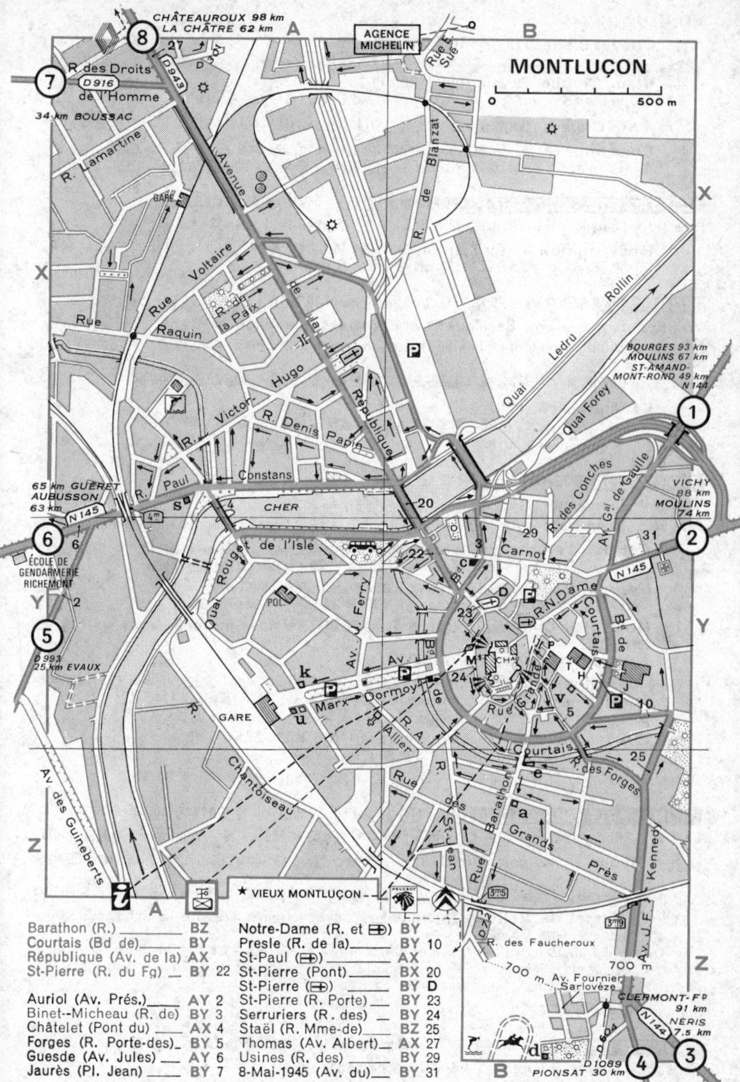

MONTLUEL 01120 Ain 74 ② – 5 374 h. alt. 198 – ✪ 7.

Syndicat d'Initiative 3 pl. des Augustins (juil.-août, fermé sam. et dim. après-midi) ☎ 06.20.46.

Paris 471 – Bourg-en-Bresse 44 – Chalamont 20 – ♦Lyon 23 – Meximieux 13 – Villefranche-sur-Saône 39.

- **Le Petit Casset** Ⓜ sans rest, à la Boisse SO : 3 km ☎ 806.21.33, – wc ☎ ♿ Ⓟ. AE GB
  SC : ☐ 15 – **12 ch** 130/150.
- **Terminus** sans rest, rte Niévroz ☎ 806.16.17 – wc ☎ Ⓟ.
  SC : ☐ 8,50 – **25 ch** 30/70.

tourner →

Cheval Blanc, 113 Gde-Rue 806.12.20
fermé janv., lundi soir et mardi – SC : **R** 27/90.

Vieux Moulin, 79 Gde-Rue 806.11.90
fermé 8 au 31 août, 20 au 27 déc. et merc. – SC : **R** 28/55.

à ***Ste-Croix*** N : 5 km par D 61 – **01120** Montluel :

Chez nous M, 806.17.92, – wc – 30. GB
fermé 16 au 23 août, fév. et vend. – SC : **R** 38/120 – 10 – 16 ch 40/120.

MONTMARTIN-SUR-MER 50590 Manche 54 ⑫ – 849 h. alt. 42 – 33.

Paris 340 – Coutances 10 – Granville 20 – St-Lô 37 – Villedieu-les-Poêles 33.

Host. du Bon Vieux Temps, 47.54.44 –
SC : **R** 36/80 – 8,50 – **21 ch** 41/67 – P 112/125.

MONTMÉDY 55600 Meuse 57 ① G. Vosges (plan) – 2 716 h. alt. 198 – 29.

Voir Remparts★ – Env. Basilique★★ et Recevresse★ d'Avioth N : 8 km.

Syndicat d'Initiative Montmedy Ville Haute (fév.-nov.) 80.15.90 - A.C. 13 r. Gén.-de-Gaulle 80.10.06.

Paris 260 – Charleville-Mézières 64 – Longwy 43 – ♦Metz 95 – Verdun 48 – Vouziers 61.

Le Mady, 80.10.87
fermé fév. et lundi – SC : **R** 30/70 – 6,50 – 17 ch 36/51 – P 71/80.

PEUGEOT Bigorgne, 80.10.34

MONTMÉLIAN 73800 Savoie 74 ⑯ G. Alpes – 3 654 h. alt. 285 – 79.

Voir ★ du rocher.

Paris 574 – Albertville 35 – Allevard 23 – Chambéry 15 – ♦Grenoble 49 – St-Jean-de-Maurienne 57.

Central, 1 r. Dr-Veyrat 84.07.24 – rest wc E. rest
fermé oct. et lundi – SC : **R** 38/95 – 11 – **25 ch** 40/120 – P 93/120.

George, N 6 84.05.87 – wc . ch
fermé 15 oct. au 1er déc. et mardi – SC : **R** 32/65 – 9 – 10 ch 40/78.

Host. des Cinq Voûtes, N 6 84.05.78, « Voûtes moyenâgeuses » – . AE GB E
fermé nov. au 10 déc. – **R** 50/140.

Salomon avec ch, av. Gare O : 1,5 km 84.05.24, – wc .
fermé 1er oct. au 11 nov. et mardi – **R** 64/165 – 15 – **15 ch** 60/140
Spéc. Pâté de saumon frais en croûte, Filet de sole farci en croûte, Côte de boeuf poêlée.

L'Arlequin (Centre technique hôtelier), N 6 84. 21.54 –
fermé 10 au 31 juil. et merc. – SC : **R** 32/52.

RENAULT Gar. Novel, 84.04.52 — Gar. Veillet et Christin, 84.06.68

MONTMERLE-SUR-SAÔNE 01 Ain 74 ① – 1 505 h. alt. 170 – 01140 Thoissey – 74.

Paris 424 – Bourg-en-Bresse 40 – Chauffailles 48 – ♦Lyon 49 – Mâcon 29 – Villefranche-sur-Saône 12.

Rivage M, au port 69.33.92 – wc wc – 100. AE GB. rest
SC : **R** *(fermé merc. midi en juil. et août)* 42/110 – 15 – **18 ch** 55/160 – P 110/200.

Castel de Valrose (Morillon) avec ch, rte Trévoux 69.30.52, – wc . AE
fermé 2 au 15 janv., lundi soir et mardi – SC : **R** 95/180 – 10,50 – **5 ch** 100/130
Spéc. Salade Compostelle (début oct.-fin avril), Ragoût d'écrevisses (sauf mai et juin), Ris de veau en papillottes. Vins St Véran, Beaujolais.

Garage Perroud, 69.37.20

MONTMEYRAN 26 Drôme 77 ⑫ – 1 808 h. alt. 189 – 26120 Chabeuil – 75.

Paris 575 – Crest 14 – Romans-sur-Isère 24 – Valence 14.

La Vieille Ferme, Les Dorelons 59.31.64, « Intérieur rustique », –
fermé 16 août au 16 sept., dim. soir, lundi soir et mardi – SC : **R** (prévenir) 70/85.

MONTMIRAIL 51210 Marne 56 ⑮ G. Nord de la France – 3 434 h. alt. 182 – 26.

Paris 100 – Châlons-sur-M. 64 – Château-Thierry 24 – Epernay 40 – La Ferté-sous-J. 33 – Sézanne 24.

Vert Galant avec ch, pl. Vert Galant 42.20.17 – . GB
fermé fév. et lundi – SC : **R** 30/75 – 11 – **13 ch** 38/55.

CITROEN Boussin, 42.23.09 — La Centrale du Pneu, 42.22.14
TALBOT Kinziger, 42.20.54

MONTMIRAL 26 Drôme 77 ③ – 458 h. alt. 395 – 26100 Romans-sur-Isère – 75.

Paris 578 – La Côte-St-André 36 – Romans-sur-Isère 16 – St-Marcellin 19 – Valence 34.

Voyageurs , 02.75.83, ≤, –
fermé en oct. et 2 au 20 janv. – SC : **R** 30/65 – 8,50 – **13 ch** 40/48 – P 66/70.

MONTMORILLON <SP> 86500 Vienne 68 ⑮ G. Côte de l'Atlantique (plan) – 7 421 h. alt. 105 – 49.

Voir Fresques* de l'église N.-Dame.

Office de Tourisme av. F.-Tribot (fermé matin hors sais. et dim.) 91.11.96.

Paris 360 – Angoulême 117 – Châteauroux 85 – ♦Limoges 84 – Poitiers 48.

- **France** (Mercier), 2 bd Strasbourg 91.00.51 – wc wc. AE GB
  fermé janv., dim. soir et lundi – SC : **R** 60/195 – 14 – 20 ch 65/130
  Spéc. Foie gras cru au poivre, Civet de langoustines à l'ancienne, Pied de cochon farci. Vins Chinon.

CITROEN Perrot, 6 r. République 91.00.05
PEUGEOT Gar. de la Gartempe, 47 bd Gambetta 91.00.89
RENAULT Robuchon, 1 av. de l'Europe 91.06.44
TALBOT G.M.G.A., 59 bd Gambetta 91.11.33

MONTMOROT 39 Jura 70 ④⑭ – rattaché à Lons-le-Saunier.

MONTMORT 51270 Marne 56 ⑮⑯ G. Nord de la France – 412 h. alt. 206 – 26.

Env. Fromentières : retable** de l'église SO : 11 km.

Paris 124 – Châlons-sur-Marne 46 – Épernay 18 – Montmirail 24 – Sézanne 26.

- **Cheval Blanc,** rte Sézanne 59.10.03 – – 80.
  fermé 15 fév. au 15 mars et vend. – SC : **R** 30/150 – 12 – **12 ch** 45/85 – P 120/150.

MONT-NOIR 59 Nord 51 ⑤ – rattaché à Bailleul.

MONTOIRE-SUR-LE-LOIR 41800 L.-et-Ch. 64 ⑤ G. Châteaux de la Loire (plan) – 3 966 h. alt. 70 – 54.

Voir Chapelle St-Gilles* : peintures murales**.

Syndicat d'Initiative à la Mairie (1er juil.-31 août et fermé dim.) 85.00.29.

Paris 190 – Blois 44 – Château-Renault 20 – La Flèche 81 – St-Calais 23 – Vendôme 19.

- **Cheval Rouge,** pl. Foch 85.07.05 – wc .
  fermé fév., mardi soir et merc. – **R** (dim. prévenir) 50/125 – 13 – 17 ch 40/110.
- Deux Châteaux , rte de Lavardin 82.01.99, <, –
  10 ch.

à Lavardin SE : 2,3 km par VO 3 – ✉ **41800** Montoire-sur-le-Loir.

Voir Ruines du château* – Peintures murales* de l'église.

- XX **Aub. Paysanne,** 85.02.72, « Jardin au bord du Loir » – E
  fermé 20 au 30 déc. et merc. sauf juil. et août – SC : **R** carte 70 à 120 .

AUDI-VOLKSWAGEN Gar. Vincent, 85.00.19
CITROEN Gar. Val de Loire, 85.01.86
PEUGEOT Gar. Hervio, 85.02.40
RENAULT Gar. Ginestar, 85.02.58
TALBOT Gar. Moyer, 85.20.55

MONTPELLIER P 34000 Hérault 83 ⑦ G. Causses – 195 603 h. alt. 50 – 67.

Voir Promenade du Peyrou** : <* – Musées : Fabre** DV M, Atger* BV M.

de Montpellier-Fréjorgues, Air Inter 58.26.80 SE par ④ : 7 km.

Office de Tourisme pl. Comédie (fermé dim. sauf matin en saison) 60.47.77 - A.C. r. Maguelonne 58.44.12 - T.C.F. 8 r. Durand 58.28.50.

Paris 760 ③ – ♦Marseille 164 ③ – ♦Nice 324 ③ – Nîmes 51 ③ – ♦Toulouse 240 ⑤.

Plans pages suivantes

- **Métropole,** 3 r. Clos-René 58.11.22, Télex 480410, – TV – 30 à 130. AE GB E — DY g
  SC : **R** 70/100 (sauf fêtes) – 22 – **84 ch** 95/280, 4 appartements 375 – P 260/395.
- **Frantel** M , au Polygone 63.90.63, Télex 480362 – TV – 350. AE GB E. rest — EX a
  SC : rest. **Lou Païrol** *(fermé dim.)* **R** carte 100 à 140 – 21 – **116 ch** 190/270.
- **Juvenal** M sans rest, 118 av. du Pont 52.26.00 – TV . GB — HS p
  SC : 17 – **19 ch** 180/190.
- **Royal** sans rest, 8 r. Maguelone 92.13.36 – . AE GB E — DY t
  SC : 13 – **46 ch** 70/200.
- **Noailles** sans rest, 2 r. Écoles-Centrales 60.49.80, demeure XVIIe s. – . AE GB E — DV t
  fermé 21 août au 7 sept. et 18 déc. au 4 janv. – SC : 14 – **30 ch** 120/185.
- **Mercure** M, 662 av. Pompignane 58.60.24, Télex 480656, – rest TV – 50. AE GB — HS m
  R carte environ 70 – 20 – **122 ch** 145/230.
- **Le Ponant** M sans rest, 130 av. de Palavas 92.73.49 – . — HT x
  SC : 15 – **45 ch** 140/170.
- **George V** M sans rest, 42 av. St-Lazare 72.35.91 – . AE GB — HR a
  fermé 15 janv. au 15 fév. – SC : 13 – **39 ch** 125/170.

RÉPERTOIRE DES RUES DU PLAN DE MONTPELLIER

Argenterie (R. de l') ____ CX 7
Comédie (Pl. de la) ____ DX
Grand Rue J.-Moulin ____ CX
Jeu-de-Paume (Bd du) ____ BCX
Loge (R. de la) ____ CVX 61
Maguelone (R. de) ____ DY 62
Polygone (Le) ____ EX, GS
St-Guilhem (R.) ____ BCX
Sarrail (Bd) ____ DVX
Saunerie (R. de la) ____ CY 107
Verdun (R. de) ____ DXY

Abrivado (R. de l') ____ HT 2
Aiguelongue (R. de l') ____ GR
Aiguillerie (R. de l') ____ CDV
Albert-Ier (Pl.) ____ BU 4
Alco (R. d') ____ FRS
Anatole-France (R.) ____ CY 5
Arceaux (Bd des) ____ GS 6
Argenterie (R. de l') ____ CX 7
Assas (Av. d') ____ FGRS 8
Bazille (R. F.) ____ DEZ
Berthelot (Bd) ____ GS 10
Bonnard (R.) ____ GS 12
Bonnes-Nouvelles (Bd) ____ DV 13
Bouisson-Bertrand (Av.) ____ GRS 15
Boussairolles (R.) ____ DX 16
Broussonnet (R. A.) ____ BU 19
Cambacérés (R.) ____ CV 20
Carlencas (R.) ____ BZ 21
Carnot (Pl.) ____ DZ 22
Castelle (R de la) ____ GT
Castelnau (Av. de) ____ GHR
Chaptal (R.) ____ BY
Citadelle (Allée) ____ DV
Claret (R. de) ____ GS 24
Clemenceau (Av. G.) ____ BYZ
Comédie (Pl. de la) ____ DX
Croix-du-Capitaine (Av. de la) ____ FGS 25
Doria (R.) ____ GS 26
Dunant (R. Henri) ____ GR 27
Ecole-d'Agriculture (Av. de l') ____ FS 28
Ecoles-Laïques (R.) ____ DU 29
Fabre (R. Ferdinand) ____ GRS 32
Fg-Boutonnet (R. du) ____ BU 33
Fg-de-Nîmes (R. du) ____ DU 36
Fg-du-Courreau (R.) ____ BX 37
Fg-St-Jaumes (R. du) ____ GS 39
Figairasse (R. de la) ____ FS
Flahault (Av. Ch.) ____ FGR
Foch (R.) ____ BCV
Fontaine-de-Lattes (R.) ____ HS 42
Gambetta (Cours) ____ GS 44
Gerhardt (R.) ____ GS 45
Gibert (Pl. Auguste) ____ DY 46
Godechot (Pl. Marcel) ____ GR 48
Grand Rue J.-Moulin ____ CX
Grand-St-Jean (R. du) ____ CY
Henri-II-de-Montmorency (Av.) EX, HS 50
Henri-IV (Bd) ____ BUV
Hirondelle (R. de l') ____ GHR 52
Industrie (R. de l') ____ GT
Jeu-de-Paume (Bd du) ____ BCX
Jules-Ferry (R.) ____ DY 56
Justice-de-Castelnau (Av. de la) ____ GR
Lavérune (Chemin de) ____ FS
Ledru-Rollin (Bd) ____ BX
Lepic (Av.) ____ GS 58
Liberté (Av. de la) ____ FGS
Lodève (Av. de) ____ FGS
Loge (R. de la) ____ CVX 61
Louis-Blanc (Bd) ____ CDU
Maguelone (R. de) ____ DY 62
Marceau (R.) ____ BXY
Marché-Gare (Av. du) ____ GT 63
Marès (Av.) ____ FR
Marquerose (R. de la) ____ GT
Martyrs-de-la-Résistance (Pl.) ____ CV 64
Mas-St-Pierre (R. du) ____ GT 65
Maurin (Av. de) ____ GT
Mer (Av. de la) ____ HST
Mermoz (Av. Jean) ____ GHS
Michel (R. E.) ____ BZ
Mistral (Av. Frédéric) ____ DX

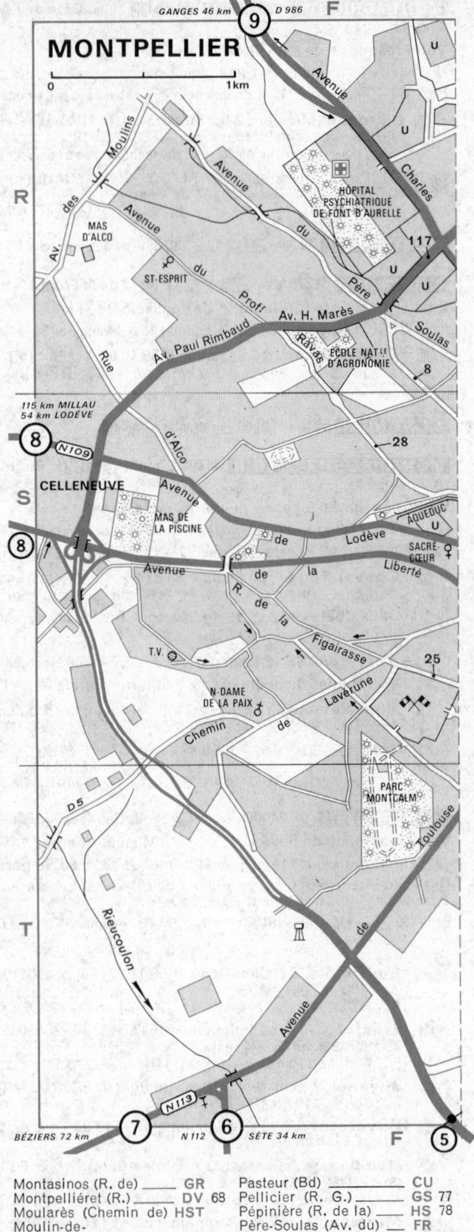

Montasinos (R. de) ____ GR
Montpelliéret (R.) ____ DV 68
Moularès (Chemin de) HST
Moulin-de-l'Evêque (R. du) ____ HS 70
Moulins (Av. des) ____ FR
Nîmes (Av. de) ____ GHRS
Observatoire (Bd de l') ____ CY 72
Orient (Bd d') ____ GHS 73
Pagézy (R.) ____ CDY
Paladilhe (R.) ____ GS 74
Palavas (Av. de) ____ GHST

Pasteur (Bd) ____ CU
Pellicier (R. G.) ____ GS 77
Pépinière (R. de la) ____ HS 78
Père-Soulas (Av. du) ____ FR
Perruque (Bd de la) ____ GST 80
Peysson (R. Frédéric) ____ DZ
Pezet (Av. Dr) ____ GR 82
Polygone (Le) ____ EX, GS
Pompignane (Av. de la) HRS
Pont-de-Lattes (R. du) ____ EY 85
Pont-Juvénal (Av. du) ____ GHS
Prés-d'Arènes (Av. des) GT

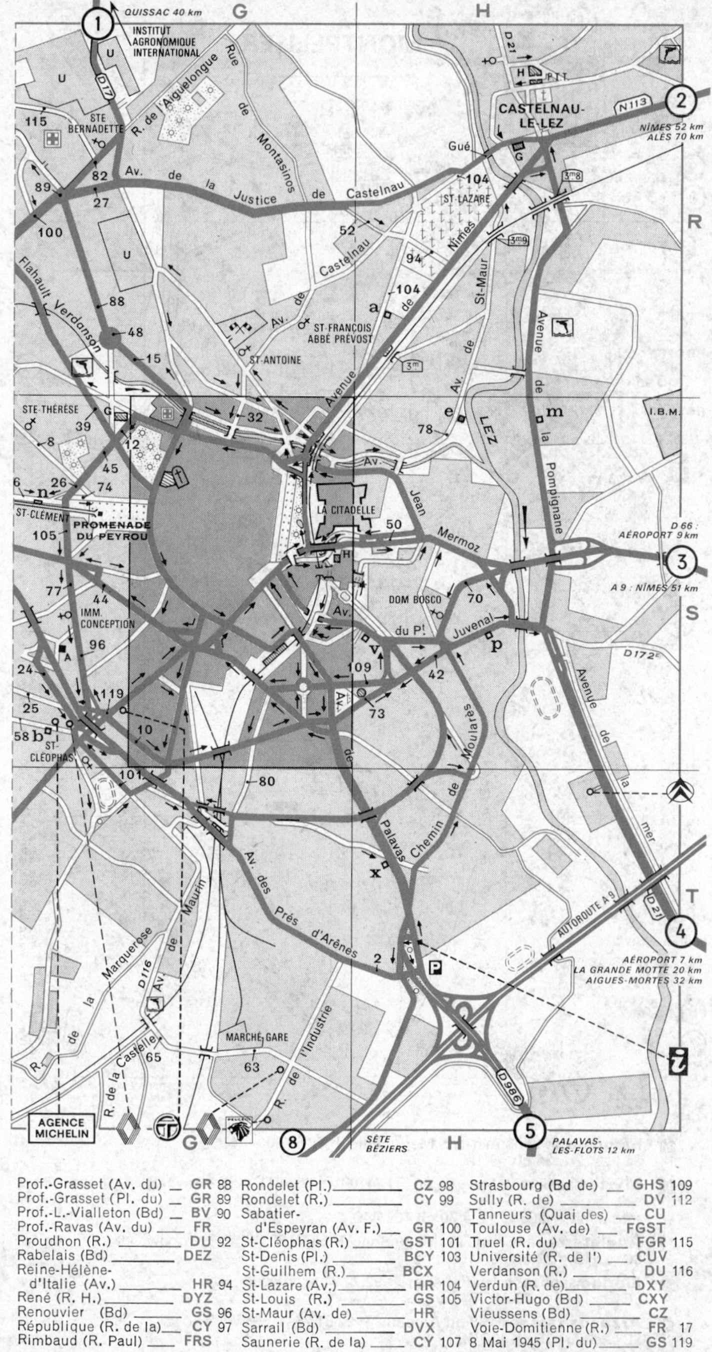

Prof.-Grasset (Av. du) GR 88
Prof.-Grasset (Pl. du) GR 89
Prof.-L.-Vialleton (Bd) BV 90
Prof.-Ravas (Av. du) FR
Proudhon (R.) DU 92
Rabelais (Bd) DEZ
Reine-Hélène-d'Italie (Av.) HR 94
René (R. H.) DYZ
Renouvier (Bd) GS 96
République (R. de la) CY 97
Rimbaud (R. Paul) FRS
Rondelet (Pl.) CZ 98
Rondelet (R.) CY 99
Sabatier-d'Espeyran (Av. F.) GR 100
St-Cléophas (R.) GST 101
St-Denis (Pl.) BCY 103
St-Guilhem (R.) BCX
St-Lazare (Av.) HR 104
St-Louis (R.) GS 105
St-Maur (Av. de) HR
Sarrail (Bd) DVX
Saunerie (R. de la) CY 107
Strasbourg (Bd de) GHS 109
Sully (R. de) DV 112
Tanneurs (Quai des) CU
Toulouse (Av. de) FGST
Truel (R. du) FGR 115
Université (R. de l') CUV
Verdanson (R.) DU 116
Verdun (R. de) DXY
Victor-Hugo (Bd) CXY
Vieussens (Bd) CZ
Voie-Domitienne (R.) FR 17
8 Mai 1945 (Pl. du) GS 119

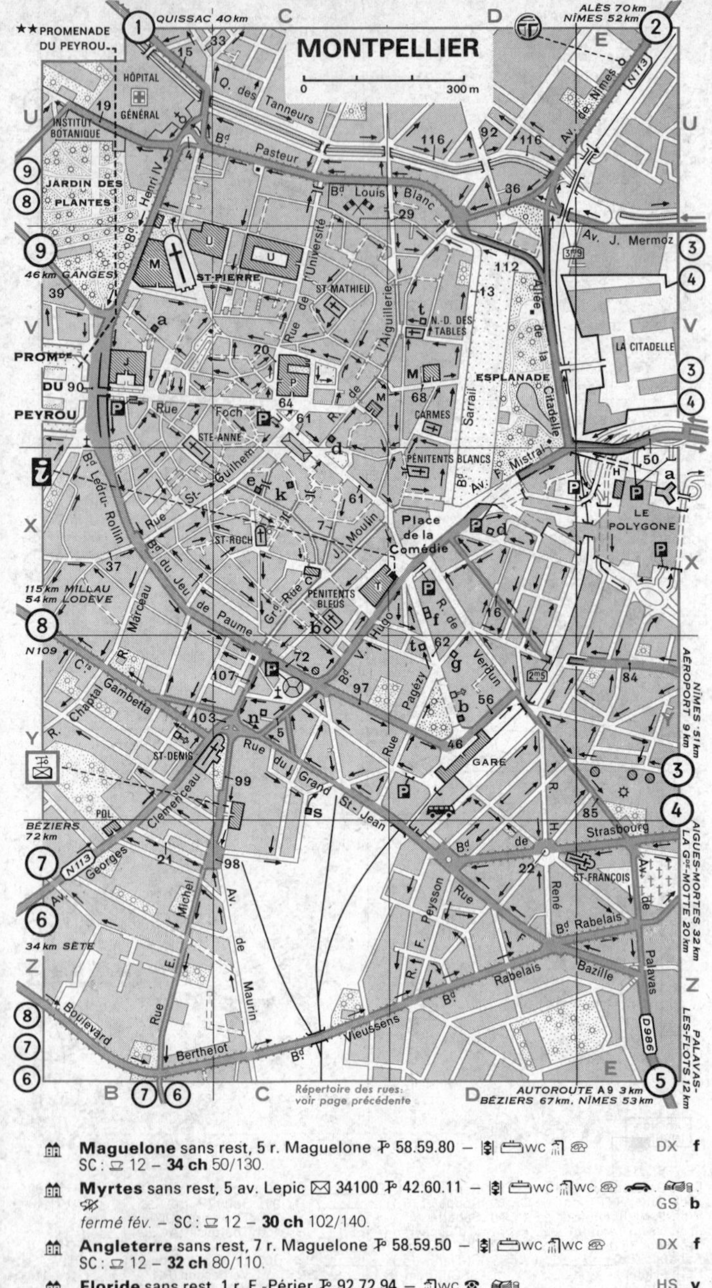

🏨 **Maguelone** sans rest, 5 r. Maguelone ☎ 58.59.80 – ⇅ 🛁wc 🚿 ☎ — DX **f**
SC : ☕ 12 – **34 ch** 50/130.

🏨 **Myrtes** sans rest, 5 av. Lepic ✉ 34100 ☎ 42.60.11 – ⇅ 🛁wc 🚿wc ☎ 🚗. 💳. 🐕 — GS **b**
fermé fév. – SC : ☕ 12 – **30 ch** 102/140.

🏨 **Angleterre** sans rest, 7 r. Maguelone ☎ 58.59.50 – ⇅ 🛁wc 🚿wc ☎ — DX **f**
SC : ☕ 12 – **32 ch** 80/110.

🏨 **Floride** sans rest, 1 r. F.-Périer ☎ 92.72.94 – 🚿wc ☎. 💳 — HS **v**
SC : ☕ 11,50 – **26 ch** 75/110.

🏨 **Arceaux** sans rest, 33 bd Arceaux ☎ 92.61.76 – 🛁wc 🚿wc ☎ — GS **n**
SC : ☕ 12 – **15 ch** 106/130.

Paix sans rest, 6 r. Loys ☎ 66.05.88 – wc wc. GB CX **b**
SC : ☐ 10 – **26 ch** 50/100.

Comédie sans rest, 1 bis r. Baudin ☎ 58.43.64 – wc. DX **d**
SC : ☐ 9 – **20 ch** 50/90.

Littoral sans rest, r. Anatole-France ☎ 92.28.10 – wc wc. CY **n**
SC : ☐ 10 – **22 ch** 70/110.

XXX **Réserve Rimbaud,** quartier des Aubes, 820 av. St-Maur ☎ 72.52.53, ←, « Terrasse au bord de l'eau » – AE GB . HS **e**
fermé fév., dim. soir et lundi – SC : **R** carte 110 à 160.

XXX ✿ **Les Frères Runel,** 27 r. Maguelone ☎ 58.43.82 – . AE DY **b**
fermé 1er août au 1er sept. dim. soir et lundi – **R** carte 105 à 160
Spéc. Croustade de St. Jacques aux morilles (oct. à mai), Rable de lièvre en saupiquet (oct. à janv.), Selle d'agneau de lait en croûte (fév. à juin). **Vins** Pézenas, Faugères.

XX **Chandelier,** 3 r. Leenhardt ☎ 92.61.62 – AE CY **s**
fermé 14 juil. au 15 août, lundi midi et dim. – **R** 55/100.

XX **Au Gourmet d'Alsace "La Cigogne",** 8 r. Aiguillerie ☎ 66.12.74 – GB
fermé juil., août, dim. et fêtes – SC : **R** carte 55 à 75 ⅛. CV **d**

XX **Petit Jardin,** 20 r. J.-J.-Rousseau ☎ 60.78.78, – BV **a**
fermé fév. et mardi – SC : **R** 55/75 ⅛.

XX **Logis des Trois Rois,** 12 r. Trésoriers-de-la-Bourse ☎ 60.63.86 CX **k**
fermé 14 juil. au 15 août, dim. et lundi – SC : **R** grill carte 75 à 100 ⅛.

XX **Table de la Reine,** 8 r. Bras-de-Fer ☎ 60.62.80 CX **e**
fermé août et dim. – SC : **R** carte environ 70.

à l'Est : 4 km par D 172 – ✉ **34000** Montpellier

Demeure des Brousses , ☎ 92.85.48, parc – ☎ P. AE
fermé 25 oct. au 6 nov. et 1er déc. au 6 mars – SC : **rest Le Mas R** carte 105 à 150 – ☐ 16 – **19 ch** 120/240.

à Clapiers N : 8 km N 113, D 21 et D 112E - HR – ✉ **34170** Castelnau-le-Lez.
Env. Château de Castries★ NE : 9 km.

XX **Le Plein Air des Chênes,** au centre touristique ☎ 57.10.98 – P. AE GB
fermé dim. soir et lundi du 15 sept. au 15 mai – SC : **R** 45/60.

rte de Carnon S : 8 km par ④ – ✉ **34470** Pérols :

PLM Frejorgues M, ☎ 50.03.04, Télex 480652, – TV ☎ ♿ P – 25. AE GB
SC : **R** 50 – ☐ 15 – **77 ch** 150/180 – P 240.

Voir aussi ressources hôtelières à *La Grande-Motte* et *Palavas*

MICHELIN, Agence régionale, 2 bis av. Lepic GS ☎ 42.50.99

ALFA-ROMEO, PORSCHE Mourier, Zone Ind., av. Mas-d'Argelliers ☎ 92.33.47
AUDI-VOLKSWAGEN Languedoc-Autom., 1550 av. de la Justice-de-Castelnau ☎ 79.51.01
AUDI-VOLKSWAGEN Gar. de la-Croix-d'Argent, 91 rte de Toulouse ☎ 42.81.74
AUSTIN, JAGUAR, MORRIS, ROVER, TRIUMPH Midi-Auto, r. de Montels-Eglise, Zone Ind. ☎ 92.19.86
BMW Auto Méditerranée, Zone Ind., 455 r. de l'Industrie ☎ 92.97.29
CITROEN Gar. Arribat, Autoroute de Carnon ☎ 92.72.55
FIAT SODAM, Autoroute de Carnon ☎ 92.87.45
FORD Gar. Imbert, rte de Sète à St-Jean-de-Vedas ☎ 42.46.22
MERCEDES-BENZ Chaptal-Autos, 59 rte Toulouse ☎ 42.52.44
OPEL-GM-US France-Auto, 56 av. Marché-Gare, Zone Ind. ☎ 92.63.74
PEUGEOT Gds Gar. de l'Hérault, r. de l'Industrie, Zone Ind. ☎ 42.58.44
RENAULT Succursale, 700 r. de l'Industrie, Zone Ind. ☎ 42.00.75 et Place du 8 mai 1945 ☎ 27.91.21
TALBOT Auto Agence Montpelliéraine, 41 av. G.-Clemenceau ☎ 92.61.04
TOYOTA C.D.B., 84 rte de Nîmes à Castelnau-Le-Lez ☎ 79.41.71

Ayme-Pneus, 71 av. Mas-d'Argelliers, Zone Ind. ☎ 92.72.62
Césare-Pneus, 62 rte de Toulouse ☎ 42.73.22
Escoffier-Pneus, 12 cours Gambetta ☎ 92.30.16
Méric et Mazars, 1 av. Lepic ☎ 42.55.78
Pneumatique-Entretien, 49 rte de Toulouse ☎ 42.54.36, 24 cours Gambetta ☎ 92.39.25 et N 113, Le Crés ☎ 70.23.98
Pomarède-Pneus, Zone Ind. av. du Mas-d'Argelliers ☎ 92.05.93

MONTPELLIER-LE-VIEUX (Chaos de) ★★★ **12** Aveyron **80** ⑭⑮ **G. Causses** – alt. 830.

MONTPEYROUX **63** P.-de-D. **73** ⑭ **G. Auvergne** – 284 h. alt. 480 – ✉ **63730** Les Martres de Veyre – 73.

Paris 409 – Ambert 64 – ♦Clermont-Ferrand 24 – Issoire 13 – Le Mont-Dore 48 – Thiers 50.

XXX ✿ **Aub. de Tralume** (Pélardy) avec ch, ☎ 96.60.09, – P. AE
fermé 3 au 18 nov., 3 au 18 janv. et merc. – SC : **R** (nombre de couverts limité - prévenir) 120/180 – ☐ 17 – 4 ch 150/160
Spéc. Omelette du curé, Tournedos Cordon rouge, Chariot de desserts.

MONTPEZAT-DE-QUERCY 82270 T.-et-G. 79 ⑱ G. Périgord – 1 415 h. alt. 265 – ✪ 63.

Voir Tapisseries★★, gisants★ et trésor★ de la collégiale.

Paris 623 – Agen 85 – Albi 86 – Cahors 29 – Montauban 34.

✗ **Depeyre** ⑤ avec ch, r. République ☎ 02.08.41, ⇌, ✂ – Ⓟ. 🚗. ✻ rest
fermé lundi en hiver – SC : **R** 44/70 ₰ – ☐ 9,50 – **13 ch** 50/75 – P 90.

PEUGEOT Rey, ☎ 02.07.12 — RENAULT Gar. Ringoot ☎ 02.08.43

MONTPINCHON 50 Manche 54 ⑫⑬ – rattaché à Coutances.

MONTPON-MÉNESTEROL 24700 Dordogne 75 ③⑬ – 5 940 h. alt. 39 – ✪ 53.

ℹ Syndicat d'Initiative à la Mairie (juil.-août) ☎ 80.30.21.

Paris 527 – Bergerac 42 – Libourne 37 – Périgueux 52 – Ste-Foy-la-Grande 23.

⌂ **Le Port Vieux,** D 708 ☎ 80.32.18, ≤, ⇌ – Ⓟ. ✻ ch
◆ *fermé janv., fév. et sam.* – **R** 25/50 – ☐ 10 – **6 ch** 40 – P 70/75.

✗ **St-Éloi** avec ch, 56 r. Thiers ☎ 80.32.66 – ⋒. 🚗 GB ⓓ
◆ *fermé lundi* – SC : **R** 30/110 ₰ – ☐ 9 – **14 ch** 42/58 – P 78/98.

CITROEN Montpon-Autom., ☎ 80.31.00
FORD Gar. Fougère, ☎ 80.32.07
PEUGEOT A.C.A.L., ☎ 80.32.44
RENAULT Central-Gar., ☎ 80.30.10 N
TALBOT Bonnet, ☎ 80.33.57
Ⓜ Soubzmaigne - Sce du Pneu, ☎ 80.37.21

MONTRÉAL 32250 Gers 79 ⑬ – 1 493 h. alt. 98 – ✪ 62.

Syndicat d'Initiative à la Mairie (1er juil.-30 sept.) ☎ 28.43.10.

Paris 711 – Agen 55 – Condom 15 – Mont-de-Marsan 65 – Nérac 26.

✗ **Gare,** S : 3 km par D 29 et voie privée ☎ 28.43.37 – Ⓟ. GB
1er avril-31 oct., sam., dim. et fêtes du 2 nov. au 31 mars – SC : **R** 38/90.

MONTREDON-LABESSONNIE 81360 Tarn 83 ① – 2 054 h. alt. 535 – ✪ 63.

Paris 739 – Albi 35 – Castres 22 – Gaillac 51 – Lacaune 41 – Réalmont 15.

🏨 **Host. du Parc,** ☎ 75.14.08, ⇌ – ⋒wc 🚗 – 🏃 60
◆ *fermé 1er au 20 sept., 15 au 31 janv. et lundi sauf du 1er juin au 31 août* – SC : **R** 30/77 – ☐ 10 – **15 ch** 45/70 – P 80/90.

CITROEN Rahoux, ☎ 75.14.11

MONTRÉJEAU 31210 H.-Gar. 85 ⑳ G. Pyrénées – 3 750 h. alt. 468 – ✪ 61.

Voir ≤★.

ℹ Office de Tourisme pl. Valentin-Abeille (1er juin-30 sept. et fermé dim.) ☎ 95.80.22 et à la Mairie (1er oct.-31 mai, fermé sam. et dim.) ☎ 95.84.17.

Paris 789 – Auch 76 – Bagnères-de-Luchon 38 – Lannemezan 16 – St-Gaudens 14 – ♦Toulouse 103.

🏨 **Lecler,** av. St-Gaudens ☎ 95.80.43, ≤ Pyrénées, ⇌ – ⌸wc ⋒ ☎ 🚗 Ⓟ. 🚗
fermé 5 nov. au 15 déc. – SC : **R** 40/75 – ☐ 10 – **22 ch** 50/110 – P 125/185.

⌂ **La Chaumière,** r. St-Barthélemy ☎ 95.80.68 – ✻ rest
◆ SC : **R** 24/32 ₰ – ☐ 6 – **11 ch** 37/48 – P 80.

✗✗ **Petit Bacchus,** av. Tarbes ☎ 95.82.57
fermé 15 au 30 avril, 15 au 31 oct. et vend. – SC : **R** carte 95 à 130.

PEUGEOT Saint-Lary, ☎ 88.81.50

à Aventignan (H.-Pyr.) SO : 5 km par D 72 et D 26 – ✉ **65150** St-Laurent-de-Neste – ✪ 62

✗ **Grottes de Gargas** ⑤ avec ch, ☎ 99.02.38, ⇌ – ⋒ Ⓟ. ✻
◆ *1er avril-15 oct. et fermé merc.* – SC : **R** 29/45 – ☐ 7,50 – **8 ch** 45/58 – P 78/87.

MONTREUIL 28 E.-et-L. 60 ⑦ – rattaché à Dreux.

MONTREUIL ⟨SP⟩ 62170 P.-de-C. 51 ⑫ G. Nord de la France – 3 166 h. alt. 45 – ✪ 21.

Voir Site★ – Citadelle★ : ≤★★ – Remparts★ – Mobilier★ de la chapelle de l'Hôtel-Dieu B.

ℹ Syndicat d'Initiative à la Mairie (fermé sam. après-midi et dim.) ☎ 06.01.33 et pl. Poissonnerie (juil.-août, fermé dim. après-midi et lundi matin) ☎ 06.04.27.

Paris 207 ③ – Abbeville 44 ③ – Arras 82 ② – Boulogne-sur-M. 38 ① – ♦Lille 115 ② – St-Omer 56 ①.

Plan page ci-contre

🏨 ✿ **Château de Montreuil** ⑤, chaussée Capucins **(a)** ☎ 06.00.11, « Belle demeure dans un parc », 🏊 – 🚗 – 🏃 40. AE ⓓ. ✻
1er mars-20 nov., fermé dim. soir et lundi en hiver – SC : **R** carte 135 à 205 – 14 ch ☐ 200/300
Spéc. Omelette de homard cancalaise, Délice de sole, Ris de veau au citron.

🏨 **Central,** 7 r. du Change **(u)** ☎ 06.10.33 – ⌸wc ☎ 🚗. 🚗 GB. ✻ ch
◆ *fermé 1er au 21 oct.* – SC : **R** *(fermé lundi)* 24/48 ₰ – ☐ 9,50 – 10 ch 43/140.

MONTREUIL

Cordonniers (R. des) 7
Gaulle (Pl. du Gén.-de) 13
Hérambault (R. d') 17

Bouchers (R. des) 2
Bubourg (R. Victor) 3
Capucins (Chaussée des) 4
Chaîne (R. de la) 5
Change (R. du) 6
Darnetal (Pl. de) 8
Eglise (R. de l') 10
Gambetta (Pl.) 12
Grande-Rue-de-la-Ville-basse 14
Grand-Sermon (R. du) 16
Juifs (R. des) 18
Leclerc (Av. du Gén.) 19
Ledent (R. P.) 20
Licorne (R. de la) 21
Mont-Hulin (R. du) 22
Moulins (R. des) 23
Orléans (Ruelle d') 24
Parvis-St-Firmin (R. du) 26
Petit-Coquempot (R. du) 28
Porte-Becquerelle (R. de la) 29
Potez (R. du Gén.) 30
St-Firmin (Cavée) 32
St-Walloy (Pl.) 36
Ste-Austreberthe (Pl.) 37
11-Novembre (Av. du) 39

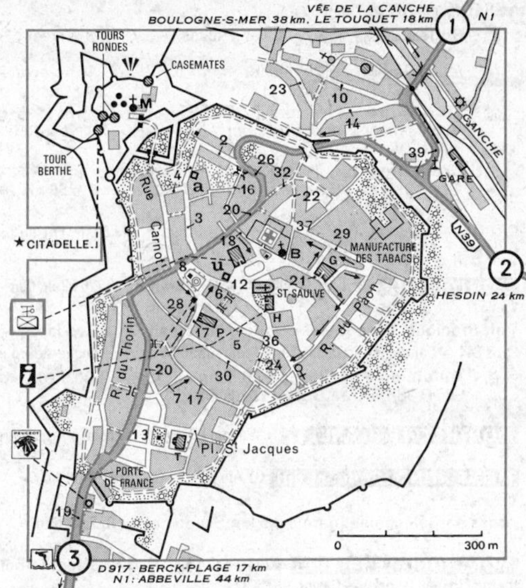

à La Madelaine-sous-Montreuil par ③ et D 139 : 2,5 km – ✉ **62170** Montreuil :

XX **Aub. La Grenouillère,** ☎ 06.07.22 – GB ⓓ
fermé fév. et mardi hors sais. – **R** carte 80 à 125.

à Beutin par ① et N 39 : 6 km – ✉ **62170** Montreuil :

XX **Aub. de la Canche** avec ch, ☎ 06.02.75, – ⋔ ☎ **P**. GB
◆ *fermé 6 nov. au 6 déc. et mardi* – SC : **R** 30/95 ♁ – ☕ 8,50 – 8 ch 38/82 – P 85/100.

PEUGEOT Damour, ☎ 06.11.98 | Caucheteux, à St-Justin ☎ 06.09.97

MONTREUIL 93100 Seine-St-Denis **56** ⑪, **101** ⑰ – voir à Paris, Proche banlieue.

MONTREUIL-BELLAY 49260 M.-et-L. **67** ⑧ **G. Châteaux de la Loire** (plan) – 4 237 h. alt. 54 – ✪ 41.

Voir Château★ – Pont ≤★.

i Syndicat d'Initiative à la Mairie (fermé sam. après-midi, dim. et lundi matin) ☎ 52.33.86.

Paris 315 – Angers 53 – Châtellerault 72 – Chinon 39 – Cholet 61 – Poitiers 80 – Saumur 16.

🏠 **Splendid** (Annexe 🏠 **M** - 10 ch ⇔wc⋔wc), r. Dr-Gaudrez ☎ 52.30.21 – ⇔wc ⋔wc ☎ **P**. 🚗. ✗ rest
SC : **R** *(fermé dim. soir du 15 sept. à Pâques)* 40/100 ♁ – ☕ 12 – 35 ch 60/150 – P 100/150.

XX **Host. Porte St-Jean,** 432 r. Nationale ☎ 52.30.41 – **P**. GB
fermé 1er au 15 sept., vac. de fév., mardi soir et merc. – SC : **R** 45/100.

RENAULT Herrault, ☎ 52.30.20

MONTREUIL-L'ARGILLÉ 27390 Eure **55** ⑭ – 773 h. alt. 172 – ✪ 32.

Paris 165 – L'Aigle 25 – Argentan 52 – Bernay 21 – Évreux 56 – Lisieux 31 – Vimoutiers 29.

XX **Aub. de la Truite,** ☎ 44.50.47 – **P**
fermé 15 sept. au 15 oct., mardi soir et merc. – SC : **R** 40/120 ♁.

CITROEN Montreuil-Gar., ☎ 44.50.57 | RENAULT Gar. Lerouvillois, ☎ 44.50.37 **N**

MONTREVEL-EN-BRESSE 01340 Ain **70** ⑫ – 1 653 h. alt. 230 – ✪ 74.

Paris 401 – Bourg-en-Bresse 17 – Mâcon 26 – Pont-de-Vaux 21 – St-Amour 26 – Tournus 36.

X **Caveau Bressan,** ☎ 30.80.19
◆ *fermé 15 au 27 juin, 19 au 31 oct., mardi soir et merc. sauf fériés* – SC : **R** 32/68.

CITROEN Gar. Berret, rte de Chalon ☎ 30.80.06 | RENAULT Goyard, à Malafretaz ☎ 30.80.62 **N**

MONTRICHARD 41400 L.-et-Ch. **64** ⑯⑰ **G. Châteaux de la Loire** – 3 857 h. alt. 68 – ✪ 54.

i Office de Tourisme Gds Degrés de Ste-Croix (Rameaux-fin sept., fermé dim. après-midi et mardi) ☎ 32.05.10 et à la Mairie (hors saison fermé sam., dim. et fêtes) ☎ 32.00.46.

Paris 214 – Blois 33 – Châteauroux 88 – Châtellerault 85 – Loches 31 – ◆Tours 43 – Vierzon 73.

Bellevue [M], quai du Cher ☎ 32.06.17, ← – ascenseur, rest wc wc. AE GB
fermé 15 nov. au 15 déc. et mardi du 1er oct. au 15 avril – SC : **R** 55/105 – 12 – 30 ch 86/176 – P 230.

Tête Noire, 24 r. Tours ☎ 32.05.55 – wc wc ☎ P.
fermé janv. et vend. du 15 oct. au 15 mars – SC : **R** 45/100 – 15 – 39 ch 60/150 – P 160/210.

Croix Blanche, ☎ 32.00.34 – wc wc ☎. GB
fermé 1er fév. au 6 mars et lundi d'oct. à avril – SC : **R** 28/75 – 8,50 – 19 ch 40/85 – P 70/95.

CITROEN Giraudon, ☎ 32.15.33
RENAULT Gar. Renault, ☎ 32.04.84
TALBOT Ferrand, ☎ 32.00.61

MONTRICOUX 82 T.-et-G. 79 ⑱⑲ G. Périgord – 726 h. alt. 105 – ✉ 82800 Négrepelisse – 63.

Voir Bruniquel : site★, vieux bourg★, château ←★ SE : 5 km.

Paris 644 – Cahors 50 – Gaillac 39 – Montauban 24 – Villefranche-de-Rouergue 57.

Relais du Postillon, S : 0,5 km par D 964 ☎ 30.96.06, – P.
SC : **R** 38/60 – 8,50 – **12 ch** 40/70.

MONTROC-LE-PLANET 74 H.-Savoie 74 ⑨ – rattaché à Argentière.

MONT-ROND (Sommet du) 01 Ain 70 ⑮ G. Jura – alt. 1 600.

Voir ★★★.

Accès par télécabine (gare à 0,5 km SO du col de la Faucille).

MONTROND-LES-BAINS 42210 Loire 73 ⑱ G. Vallée du Rhône – 2 779 h. alt. 356 – Stat. therm. (15 mai-1er oct.) – Casino – 77.

Paris 441 – ♦Lyon 68 – Montbrison 14 – Roanne 50 – ♦St-Étienne 27 – Thiers 80.

✿✿ **Host. La Poularde** (Randoing), ☎ 54.40.06 – P – 40. AE GB. rest
fermé du 25 janv. au 8 fév. – SC : **R** (dim. prévenir) 85/250 et carte – 18 – **20 ch** 70/160 – P 220/270.
Spéc. suivant saison. Vins Chassagne-Montrachet, Fleurie.

Motel du Forez sans rest, rte Roanne ☎ 54.42.28 – wc ☎ P. AE GB E
SC : 9 – **20 ch** 80/110.

Vieux Logis, 4 rte de Lyon ☎ 54.42.71
fermé oct., dim. soir et lundi – SC : **R** 45/120.

CITROEN Protière, ☎ 54.13.68 N
PEUGEOT Gar. Swann, ☎ 54.40.66
RENAULT Déculticux, ☎ 54.41.32
Gar. Souchon, ☎ 54.40.57 N

MONTROUGE 92120 Hauts-de-Seine 60 ⑩, 101 ㉕ – voir à Paris, Proche banlieue.

MONTS 37260 I.-et-L. 64 ⑮ – 5 298 h. alt. 74 – 47.

Paris 254 – Châtellerault 60 – Chinon 33 – Loches 39 – Montbazon 7,5 – ♦Tours 21.

Sporting avec ch, ☎ 26.70.15 – P
fermé 15 au 30 sept. et 1er au 15 mars – SC : **R** (nombre de couverts limité - prévenir) 39/170 – 9 – **12 ch** 42/68.

Le MONT-SAINT-MICHEL 50116 Manche 59 ⑦ G. Normandie, G. Bretagne – 114 h. – 33.

Voir Abbaye★★★ – Remparts★★ – Grande-Rue★ – Jardins de l'Abbaye★ – Musée historique : coqs de montres★ – le Mont est entouré d'eau aux pleines mers des grandes marées.

Office de Tourisme Corps de Garde des Bourgeois (20 mars-20 oct. et fermé dim. après-midi) ☎ 60.14.30.

Paris 329 – Alençon 134 – Avranches 22 – Dinan 54 – Fougères 47 – ♦Rennes 66 – St-Malo 52.

✿ **Mère Poulard**, ☎ 60.14.01 – AE. rest
1er avril-1er oct. – SC : **R** 105/220 – 27 ch (1/2 pens. seul.)
Spéc. Homard grillé beurre blanc, Carré d'agneau de pré salé, Omelette flambée Mère Poulard (dessert).

Digue, à la Digue S : 2 km ☎ 60.14.02, ← – wc wc ☎ P. AE GB
hôtel : 1er mars-15 nov., week-ends et vacances scolaires ; rest : 1er avril-15 oct. et fermé merc. sauf juil.-août – SC : **R** 40/110 – 12 – **33 ch** 70/150.

K Motel du Mt St-Michel [M], S : 2 km sur D 976 ☎ 60.14.18, Télex 170537, parc – wc ☎ P – 30.
Pâques-fin oct. – SC : **R** 36/72 – 10 – **60 ch** 120/140.

Mouton Blanc, ☎ 60.14.08 – wc wc ☎.
fermé 12 nov. au 15 déc. et 5 janv. au 15 fév. – SC : **R** 27/110 – 13,50 – 20 ch 40/140.

XX **Terrasses Poulard,** ☎ 60.14.09, ≤ baie – E
1er mars-15 nov. et 30 déc.-4 janv. – SC : **R** 50/160 ♂.

au Pont-de-Beauvoir S : 4 km par D 976 – ✉ **50170** Pontorson :

Desfeux, ☎ 60.09.39 – **P**.
fermé 15 déc. au 1er fév. et merc. – SC : **R** 35/70 – ☕ 8,50 – 24 ch 40/70.

Garage Lebrun, à Beauvoir ☎ 60.09.08 **N**

MONTSALVY **15120** Cantal **76** ⑫ **G. Auvergne** – 1 268 h. alt. 800 – ✪ 71.
Voir Puy-de-l'Arbre ※★ NE : 1,5 km.
Paris 580 – Aurillac 35 – Entraygues-sur-Truyère 14 – Figeac 57.

Nord M, ☎ 49.20.03 – wc wc ☎ **P** – 80. E
SC : **R** 30/80 – ☕ 12 – **30 ch** 45/120 – P 90/120.

Aub. Fleurie, ☎ 49.20.02, « Bel ensemble rustique » – . E
fermé 15 nov. au 15 déc. – SC : **R** 29/70 – ☕ 10 – **18 ch** 60/80 – P 90/100.

RENAULT Lacombe, ☎ 49.20.27 Perret ☎ 49.20.17

MONTSAUCHE **58230** Nièvre **65** ⑯ **G. Bourgogne** – 851 h. alt. 650 – ✪ 86.
Paris 276 – Autun 45 – Avallon 54 – Château-Chinon 24 – Clamecy 60 – Nevers 90 – Saulieu 24.

Idéal, ☎ 84.51.26, – wc **P**. ch
Pâques-5 nov. – SC : **R** 30/70 – ☕ 10 – 18 ch 48/100 – P 85/125.

CITROEN Bouché-Pillon, ☎ 84.52.26

MONT-SAXONNEX **74** H.-Savoie **74** ⑦ **G. Alpes** – 659 h. alt. 997 – Sports d'hiver : 1 050/1 500 m ⛷5 – ✉ **74130** Bonneville – ✪ 50 – **Voir** Église ※★★ 15 mn.
Paris 581 – Annecy 57 – Bonneville 11 – Chamonix 50 – Cluses 9,5 – Megève 38 – Morzine 39.

Jalouvre , ☎ 98.31.10, ≤ – **P**. rest
fermé 4 au 27 mai et 20 sept. au 1er nov. – **R** 36/60 ♂ – ☕ 10 – **15 ch** 45/56 – P 92/100.

Bargy , ☎ 98.30.02, ≤, , – **P**. rest
20 juin-10 sept. et 20 déc.-15 avril – SC : **R** 34/47 – ☕ 7 – 24 ch 28/50 – P 87/90.

Les MONTS-DE-VAUX **39** Jura **70** ④ – rattaché à Poligny.

MONT-SION (Col du) **74** H.-Savoie **74** ⑥ – rattaché à St-Julien-en-Genevois.

MONTSOREAU **49730** M.-et-L. **64** ⑫⑬ **G. Châteaux de la Loire** – 503 h. alt. 36 – ✪ 41.
Voir ※★ – Château★ – Église★★ de Candes-St-Martin SE : 1,5 km.
Paris 300 – Angers 64 – Châtellerault 64 – Chinon 18 – Poitiers 80 – Saumur 11 – ♦Tours 56.

Bussy et Diane de Méridor, ☎ 51.70.18, ≤, – wc ☎ **P**.
fermé 15 déc. au 31 janv. et mardi sauf juil. et août – SC : **R** 36/80 – ☕ 12 – 16 ch 50/160 – P 150/180.

XX **Loire** avec ch, ☎ 51.70.06, – **P**. GB. ch
fermé 15 janv. au 1er mars et vend. – **R** 33/75 ♂ – ☕ 9,50 – 8 ch 46 – P 95.

MONT-SOUS-VAUDREY **39380** Jura **70** ④ – alt. 221 – ✪ 84.
Paris 384 – Arbois 16 – Beaune 71 – Dole 19 – Lons-le-Saunier 40 – Salins-les-Bains 26.

X **Aub. Jurassienne** avec ch, rte Léon Guiguard ☎ 71.71.42 – **P**.
fermé 10 au 20 oct. et merc. – SC : **R** 25/70 – ☕ 8,50 – 7 ch 30/55 – P 80/100.

MOOSCH **68690** H.-Rhin **66** ⑧⑨ **G. Vosges** – 1 953 h. alt. 395 – ✪ 89.
Paris 455 – Colmar 50 – Gérardmer 49 – Thann 7 – Le Thillot 31.

XX **Aux Trois Rois** avec ch, ☎ 82.34.66, – ☎ **P** – 30. ch
fermé 20 déc. au 31 janv., mardi soir et merc. – **R** 50/90, carte dim. soir ♂ – ☕ 12 – **8 ch** 35/50 – P 90/100.

XX La Petite Auberge, 38 Gde-Rue ☎ 82.34.57 – **P**.

MORANGIS **91420** Essonne **61** ①, **101** ㉟ – voir à Paris, Proche banlieue.

MORCENX **40110** Landes **78** ⑤ – 6 088 h. alt. 74 – ✪ 58.
Paris 669 – Bayonne 89 – ♦Bordeaux 105 – Mimizan 36 – Mont-de-Marsan 39.

Bellevue, ☎ 07.85.07 – wc ☎ **P**.
fermé vacances de Noël, 1er au 15 mars, du 1er oct. au 1er mai : dim. soir et sam. (sauf hôtel) et vend. soir – SC : **R** 35/75 ♂ – ☕ 12 – **24 ch** 60/130 – P 120/150.

CITROEN Gar. Rieppi, ☎ 07.82.10
TALBOT Garage Capdepuy, ☎ 07.82.08
RENAULT Gar. Samson, à Garrosse ☎ 07.81.09
N

MORESTEL 38510 Isère 74 ⑭ G. Vallée du Rhône – 2 359 h. alt. 214 – 74.
Paris 492 – Bourg-en-Bresse 66 – Chambéry 51 – •Grenoble 72 – •Lyon 58 – La Tour-du-Pin 15.

H. Ancienne Gare, ☎ 80.06.22, – wc ☎ P. GB
SC : **R** *(fermé 5 au 29 oct. et lundi hors sais.)* 32/77 – 10 – **21 ch** 50/100 – P 100/130.

France, Gde-Rue ☎ 80.04.77 – wc wc ☎. AE ⓓ
SC : **R** 38/120 – 12 – **11 ch** 80/120 – P 130/150.

CITROEN Gar. Bernard, ☎ 80.08.11 RENAULT Lavalette, ☎ 80.07.54

MORET-SUR-LOING 77250 S.-et-M. 61 ⑫, 96 ㊵ G. Environs de Paris (plan) – 3 147 h. alt. 70 – 6.
Voir Site★.
Office de Tourisme pl. Samois (15 avril-1er oct.) ☎ 070.41.66 et 1 r. Grande (fermé lundi) ☎ 070.51.77.
Paris 76 – Fontainebleau 10 – Melun 27 – Montereau-faut-Yonne 12 – Nemours 17 – Sens 43.

La Gavotte, 43 av. J.-Jaurès ☎ 070.41.92 – AE
fermé 16 au 31 août, Noël, vacances de fév., dim. soir, mardi soir et merc. – SC : **R** 40/160.

à Véneux-les-Sablons O : 3,5 km – ✉ **77250** Moret-sur-Loing :

Bon Abri, 90 av. Fontainebleau ☎ 070.55.40
fermé 15 sept. au 13 oct., lundi soir et mardi – SC : **R** 60/85.

CITROEN Gar. de l'Orvanne, ☎ 423.51.32 PEUGEOT Gar. Moderne, ☎ 070.50.89

MOREY-ST-DENIS 21 Côte d'Or 66 ⑫ – 718 h. alt. 270 – ✉ **21220** Gevrey-Chambertin – 80.
Voir Château du Clos de Vougeot★ S : 2 km, G. Bourgogne.
Paris 318 – Beaune 23 – •Dijon 15.

Castel de Très Girard avec ch, ☎ 34.33.09, – wc ☎ P – 30. GB ⓓ
SC : **R** *(fermé 15 janv. au 15 fév. et lundi sauf le soir en juil. et août)* 38/120 – 10 – 12 ch 55/120.

RENAULT Garage St-Denis, ☎ 34.38.37

MOREZ 39400 Jura 70 ⑮ G. Jura (plan) – 7 167 h. alt. 702 – 84.
Voir Site★ – la Roche au Dade ≤★ 30 mn – O : Gorges de la Bienne★.
Syndicat d'Initiative à la Mairie 110 r. République (fermé dim. et lundi matin) ☎ 33.08.73 - A.C. 3 r. Merlin ☎ 33.10.62.
Paris 459 – Bourg-en-B. 100 – Champagnole 34 – •Genève 55 – Lons-le-Saunier 58 – Pontarlier 69.

Poste, 165 r. République ☎ 33.11.03 – wc wc ☎ P. AE ⓓ E
fermé mi nov. à mi déc. – SC : **R** *(fermé lundi)* 27/150 – 12 – **45 ch** 50/100 – P 105/135.

Europa, 125 r. République ☎ 33.12.08 – wc ☎.
SC : **R** 22/28 – 14 – **33 ch** 45/85.

LANCIA-AUTOBIANCHI, PEUGEOT Lambert, 2 r. V.-Poupin ☎ 33.06.72
PEUGEOT Benier-Rollet, 36 r. République ☎ 33.03.55
RENAULT Morez-Autom., 74 r. République ☎ 33.14.70
TALBOT Gar. de l'Hôtel de Ville, 1 pl. J.-Jaurès ☎ 33.13.04
Gar. Raguin, 144 r. République ☎ 33.04.48

MORGAT 29 Finistère 58 ⑭ G. Bretagne – ✉ **29160** Crozon – 98.
Voir Phare ≤★ – Grandes Grottes★ 45 mn en bateau.
Syndicat d'Initiative Toul an Trez (1er juin-15 sept.) ☎ 27.07.92.
Paris 587 – •Brest 60 – Châteaulin 37 – Douarnenez 49 – Morlaix 78 – Quimper 58.

Ville d'Ys, ☎ 27.06.49, ≤ – wc ☎ P.
fin mars-fin sept. – SC : **R** 45/70 – 12 – 42 ch 60/160 – P 110/160.

du Kador, bd Plage ☎ 27.05.68, ≤ –
15 déc.-30 sept. et fermé lundi hors sais. – SC : **R** 45/120 – 10 – 26 ch 60/80 – P 115/130.

Baie, ☎ 27.07.51, ≤ –
Pâques-fin sept. – 10 – 25 ch 80 – P 100/120.

MORILLON 74 H.-Savoie 74 ⑧ – rattaché à Samoëns.

MORLAAS 64160 Pyr.-Atl. 85 ⑦ – 2 165 h. alt. 295 – 59.
Paris 763 – Pau 12 – Tarbes 38.

Le Bourgneuf, 3 r. Bourgneuf ☎ 33.44.02 – P
fermé 15 au 31 oct., dim. soir de juil. à sept. et lundi – SC : **R** 25/75.

MORLAIX <SP> 29210 Finistère 58 ⑥ G. Bretagne – 20 532 h. alt. 61 – ✪ 98.

Voir Viaduc★ – Grand'Rue★ – Maison de la Duchesse Anne★ – Musée★ BZ M.

Env. Calvaire★★ de Plougonven SE : 12 km.

ℹ Office de Tourisme pl. Otages (fermé lundi hors sais. et dim.) ☎ 88.00.49.

Paris 532 ② – ♦Brest 60 ④ – Quimper 82 ④ – St-Brieuc 84 ②.

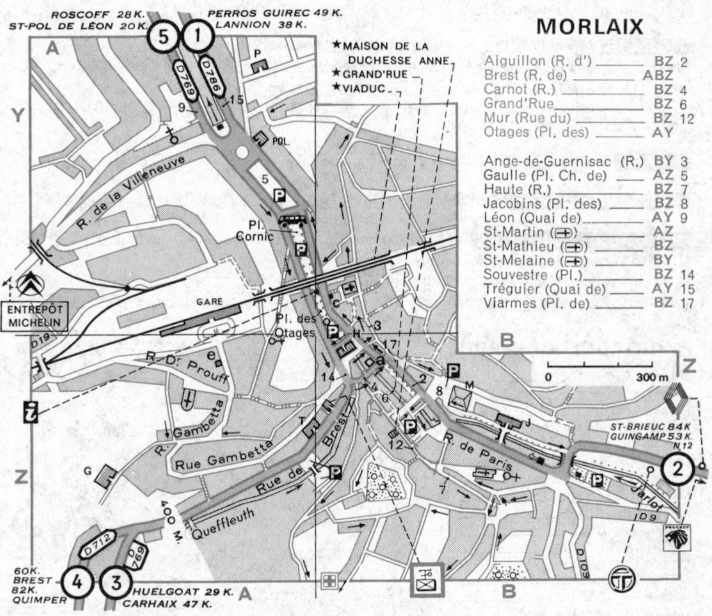

Europe, 1 r. Aiguillon ☎ 62.11.99 – 🛗 ☎ – 🏢 35. AE ⓓ E. ✻ rest BZ **a**
fermé 15 déc. au 15 janv. – **R** carte 95 à 130 – ☕ 12 – **60 ch** 62/170 – P 155/175.

Fontaine Ⓜ sans rest, La Boissière par ① : 1,5 km ☎ 62.09.55 – 🛁wc ☎ ♿ Ⓟ.
fermé 15 janv. au 15 fév. et sam. du 1er oct. au 1er mai – SC : ☕ 12 – **35 ch** 95/155.

Minimote St-Martin Ⓜ sans rest, Centre Commercial St-Martin O : 3 km par D 19 - AX ☎ 88.35.30 – TV 🛁wc ☎. GB ⓓ
SC : ☕ 13 – **22 ch** 105/150.

Les Bruyères Ⓜ sans rest, par ② : 3 km sur N 12 ✉ 29234 Plouigneau ☎ 88.08.68 – 🚿wc ☎ Ⓟ
fermé 15 déc. au 15 janv. – SC : ☕ 10 – **31 ch** 80/130.

✕ **Aub. des Gourmets,** 90 r. Gambetta ☎ 88.06.06 – GB AZ **e**
fermé 15 oct. au 15 nov., et lundi – SC : **R** 25/55.

à St-Antoine-Plouezoch par ① et D 46 : 6 km – ✉ **29252** Plouezoch :

Menez Ⓜ sans rest., ☎ 67.28.85, ← – Ⓟ. ✻
fermé 15 sept. au 20 oct. et lundi hors sais. – SC : ☕ 10 – **10 ch** 85/100.

✕ **St-Antoine** avec ch, ☎ 67.27.05 – Ⓟ. ✻ ch
fermé 14 sept. au 14 oct. et lundi – **R** 28/120 🍷 – ☕ 10 – **12 ch** 50/55 – P 88/91.

MICHELIN, Entrepôt, 38 allée Verte, St-Martin-des-Champs AY ☎ **88.04.52**

ALFA-ROMEO, VOLVO Gar. Allain, Zone Ind. de St-Martin-des-Champs ☎ 88.06.16
AUDI-VOLKSWAGEN Gar. P.L.S., à St-Martin-des-Champs, rte de Plouvorn ☎ 88.23.80
CITROEN Gar. du Jarlot, bd St-Martin à St-Martin-des-Champs ☎ 62.09.68 N ☎ 88.05.74
FIAT, LANCIA-AUTOBIANCHI Ropars, 84 r. Brest ☎ 88.18.77
FORD Gar. Merer, 22 r. Paris ☎ 88.21.90
OPEL Gar. de la Gare, Z.A. du Launay, rte de Plouvorn, St-Martin-des-Champs ☎ 88.17.62
PEUGEOT Gar. de Bretagne, La Croix Rouge, rte Paris ☎ 62.03.11
RENAULT Gar. Huitric, La Croix Rouge, rte Paris ☎ 62.04.22
TALBOT Gar. Bourven, rte Paris, La Roseraie ☎ 88.18.02

Ⓜ Simon-Pneus, rte de St-Sève à St-Martin-des-Champs ☎ 88.01.43

MORNANT 69440 Rhône 74 ⑪ **G. Vallée du Rhône** – 2 860 h. alt. 367 – ✪ 7.
Paris 482 – Givors 10 – •Lyon 23 – Rive-de-Gier 13 – •St-Étienne 35 – Vienne 22.

Poste, ☎ 844.00.40 –
fermé 7 au 23 sept. et vacances scolaires de fév. – SC : **R** *(fermé dim. soir et lundi hors sais.)* 34/120 – ☕ 10 – **12 ch** 40/100 – P 100/150.

à Ravel E : 4 km par D 63 et D 42 – ✉ **69440** Mornant :

Acacias, rte de Lyon ☎ 840.73.06 – Ⓟ.
fermé 15 janv. au 15 fév., lundi soir et mardi – SC : **R** 50/135.

MORNAS 84 Vaucluse 81 ① – 1 192 h. alt. 38 – ✉ **84420** Piolenc – ✪ 90.
Paris 650 – Avignon 42 – Bollène 11 – Montélimar 47 – Nyons 47 – Orange 11 – Pont-St-Esprit 13.

Le Manoir, ☎ 37.00.79 – wc wc Ⓟ. GB
fermé 15 nov. au 1er déc., et lundi – SC : **R** 65/110 – ☕ 15 – 12 ch 100/150 – P 160/210.

MORRE 25 Doubs 66 ⑮ – rattaché à Besançon.

MORSANG-SUR-ORGE 91390 Essonne 61 ①, 101 ㊱ – voir à Paris, Proche banlieue.

MORTAGNE-AU-PERCHE SP 61400 Orne 60 ④ **G. Normandie** – 5 108 h. alt. 255 – ✪ 33.
Voir Boiseries* de l'église N.-Dame.
i Syndicat d'Initiative pl. Gén.-de-Gaulle (15 juin-15 sept.) ☎ 25.04.22.
Paris 155 ① – Alençon 38 ⑥ – Chartres 79 ② – Lisieux 86 ⑥ – •Le Mans 71 ④ – Verneuil 39 ①.

MORTAGNE-AU-PERCHE

Briand (R. Aristide) 2
Déportés (R. des) 3
Fort (R. du) 4
Gaulle (Pl. Gén. de) 5
Guérin (R. du Col.) 6
Leclerc (R. Gén.) 8
Longny (R. de) 9
Mail (R. du) 12
Montcacune (R.) 13
Notre-Dame (R.) 14
Poudrière (R. de la) 16
Quinze-Fusillés (R. des) 17
République (Pl. de la) 19
St-Éloy (R. du Fg) 20
St-Langis (R. du Fg) 21
Ste-Croix (R.) 22

Les principales voies commerçantes figurent en rouge au début de la liste des rues des plans de villes.

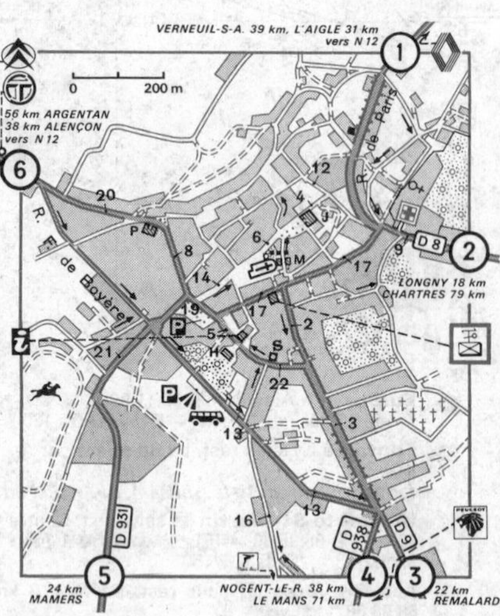

Gd Cerf, r. Ste-Croix **(s)** ☎ 25.04.88 – wc wc
fermé 1er fév. au 10 mars, dim. soir et lundi midi – SC : **R** 37/110 – ☕ 12 – 18 ch 40/150 – P 125/180.

Voyageurs avec ch, r. Faubourg-St-Eloy par ⑥ ☎ 25.25.46,
fermé 20 déc. au 20 janv., dim. soir et lundi – SC : **R** 38/65 – ☕ 9,50 – **10 ch** 36/51 – P 80/90.

ALFA-ROMEO, OPEL Poirier, N 12, Gaillons à St-Hilaire-le-Chatel ☎ 25.06.33
AUDI-VOLKSWAGEN Gar. Dion, ☎ 25.12.10
CITROEN Gottéri, à St-Langis-lès-Mortagne ☎ 25.06.66
FORD Gd Gar. du Panorama, ☎ 25.02.77
PEUGEOT Gar. du Valdieu, à St-Langis-lès-Mortagne ☎ 25.27.00
RENAULT Perche-Autom., ☎ 25.21.45
TALBOT Coron et Chevauchée, ☎ 25.00.56

MORTAGNE-SUR-GIRONDE 17 Char-Mar. 71 ⑥ **G. Côte de l'Atlantique** – 1 121 h. alt. 51 – ✉ **17120** Cozes – ✪ 46 – **Voir** Chapelle* de l'Ermitage St-Martial S : 1,5 km.
Paris 497 – Blaye 52 – Jonzac 31 – Pons 25 – La Rochelle 90 – Royan 32 – Saintes 36 – Saujon 28.

Aub. de la Garenne avec ch, ☎ 90.63.69, ≤, – Ⓟ
1er juin-30 sept. – SC : **R** 30/100 – ☕ 11 – 8 ch 42/44 – P 100.

Le Port, à la Rive SO : 2 km ☎ 90.60.25 – Ⓟ. AE GB
fermé merc. hors sais. – SC : **R** 35/50.

MORTAGNE-SUR-SÈVRE 85290 Vendée 67 ⑤ **G. Côte de l'Atlantique** – 4 703 h. alt. 175 – 51.

Paris 358 – Bressuire 40 – Cholet 10 – •Nantes 56 – La Roche-sur-Yon 55.

France et rest. La Taverne, pl. Dr-Pichat ℱ 67.63.37, Télex 711403, – rest wc wc ☎ – 120. E
fermé 31 août au 16 sept. – SC : **R** *(fermé sam.)* 39/180 – **Rest. La Taverne** 70/190 – 13 – **25 ch** 58/180 – P 105/210.

PEUGEOT Brison, ℱ 67.71.31 TALBOT, VOLVO Fièvre, ℱ 67.60.96

MORTAIN 50140 Manche 59 ⑨ **G. Normandie** – 3 125 h. alt. 232 – 33.

Voir Site★ – Grande Cascade★ – Petite chapelle ≤★.

Syndicat d'Initiative à la Mairie (fermé merc.) ℱ 59.00.51 et r. Bourg Lopin (30 juin-15 sept.).

Paris 278 ③ – Avranches 36 ① – Domfront 25 ③ – Flers 35 ② – Mayenne 52 ④ – Le Mont-St-Michel 50 ⑤ – St-Lô 63 ① – Villedieu-les-Poêles 34 ①.

Poste, pl. des Arcades **(a)** ℱ 59.00.05 – wc wc ☎ . E. rest
fermé janv., fév., vend. soir et sam. midi – SC : **R** 35/75 – 9,50 – 27 ch 40/120 – P 100/125.

Cascades, (n) ℱ 59.00.03 – wc . E
fermé 15 sept. au 15 oct., dim. soir et lundi midi – SC : **R** 28/100 – 11 – 14 ch 40/120 – P 100/130.

CITROEN Dubois-Helleux, ℱ 59.01.63
RENAULT Langlois, ℱ 59.00.53
TALBOT Prieur, Le Neubourg ℱ 59.00.14

MORTEAU 25500 Doubs 70 ⑦ **G. Jura** (plan) – 6 971 h. alt. 772 – 81.

Office de Tourisme 14 av. Gare (15 juin-15 sept. et fermé dim.) ℱ 67.18.53 et à la Mairie (15 sept.-15 juin, fermé sam. et dim.) ℱ 67.14.78.

Paris 476 – •Bâle 128 – Belfort 89 – •Besançon 63 – Montbéliard 71 – Neuchâtel 38 – Pontarlier 31.

Montagnards et Le Paris, 7 pl. Carnot ℱ 67.08.86 – wc wc ☎
fermé vend. soir de déc. à mars – SC : **R** 32/40 – 10 – 28 ch 50/100 – P 90/135.

Aub. de la Roche, au pont de la Roche SE : 3 km par D 437 ✉ 25570 Gd Combe Chateleu ℱ 67.00.84 –
fermé 15 au 31 déc., dim. soir et lundi – SC : **R** carte 85 à 110.

CITROEN Gar. Chuard, Zone Ind., Chemin des Pierres ℱ 67.16.78
FORD Gar. Franc-Comtois, La Tanche-les-Fins ℱ 67.07.99
PEUGEOT Barbier-Dubois, 17 r. Payot ℱ 67.08.12
RENAULT S.O.R.E.V.A., 40 r. Louhière ℱ 67.10.56
TALBOT Gar. Haut-Doubs, 45 r. Louhière ℱ 67.02.78

MORTRÉE 61 Orne 60 ③ – 1 045 h. alt. 173 – ✉ 61500 Sées – 33.

Voir Château d'O★ N : 2 km, **G. Normandie.**

Paris 191 – Alençon 30 – Argentan 15 – La Ferté-Macé 39 – Sées 8.

Ferme d'O, N : 1,5 km sur D 26 ℱ 35.35.27 –
fermé fév., mardi soir et merc. – SC : **R** 48/95.

PEUGEOT Gar. Hamard, ℱ 35.35.16 RENAULT Gar. Dromert, ℱ 35.30.50

MORZINE 74110 H.-Savoie 74 ⑧ **G. Alpes** – 2 650 h. alt. 960 – Sports d'hiver : 960/2 400 m 4 36, – 50.

Voir Le Pléney ★ S : par téléphérique – **Env.** Col du Ranfolly ★★ S : 10 km.

Office de Tourisme pl. Crusaz (fermé dim. hors sais.) ℱ 79.03.45, Télex 385620.

Paris 606 – Annecy 93 – Bourg-en-B. 164 – Chamonix 71 – •Genève 63 – Thonon-les-Bains 33.

Parador de St-Alban M , Le Mas Métoud ℱ 79.14.22, ≤, « Décoration espagnole, jardin fleuri » – ☎ . rest
juil.-août et 20 déc.-début avril – SC : **R** 78/106 – 20 – **22 ch** 248/289, 4 appartements 333 – P 198/307.

Les Airelles M, ℱ 79.15.24, Télex 385178, ≤, – – 30. rest
10 juin-14 sept. et début déc.-vacances de Pâques – SC : **R** 55/90 – 18 – **40 ch** 110/210, 4 appartements 285 – P 180/250.

Le Dahu ⑤, ☏ 79.11.12, ≤, 🌳 – 🛗 ⛀wc ⛆wc ☎ Ⓟ. 🐕
fin juin-30 août et 19 déc.-vacances de Pâques – SC : **R** 70/78 – ☕ 16 – **26 ch** 75/200 – P 202/270.

Carlina, ☏ 79.01.03, Télex 385596 – ⛀wc ⛆wc ☎. 🐕 AE GB ⓓ E. ✻ rest
30 juin-31 août et 15 déc.-Pâques – SC : **R** 70/120 – 22 ch ☕ 185/220 – P 220/300.

Clef des Champs ⑤, ☏ 79.10.13, ≤, 🌳 – ⛀wc ⛆wc ☎ Ⓟ. ✻ rest
25 juin-début sept. et Noël-Pâques – SC : **R** 52/80 – ☕ 13 – 27 ch 100/183 – P 150/180.

Le Tremplin, ☏ 79.12.31, ≤, 🌳 – 🛗 TV ⛀wc ⛆wc ☎ 🚗 Ⓟ 🐕
1er juil.-1er sept. et 15 déc.-15 avril – SC : **R** 75/95 – **40 ch** ☕ 120/200, 4 appartements 250/300 – P 200/300.

Champs Fleuris, ☏ 79.14.44, ≤, 🌳, 🎾 – 🛗 ⛀wc ⛆wc ☎ 🚗 Ⓟ. ✻ rest
25 juin-5 sept. et 20 déc.-Pâques – SC : **R** 57/70 – 40 ch 115/180 – P 180/270.

Le Samoyède Ⓜ, ☏ 79.00.79, 🌳 – 🛗 ⛀wc ⛆ ☎ Ⓟ. 🐕 AE. ✻ rest
15 juin-30 sept. et 18 déc.-Pâques – SC : **R** 42/90 – ☕ 12,50 – **25 ch** 87/160 – P 155/190.

Bergerie Ⓜ sans rest, ☏ 79.13.69, ≤, 🌳 – 🛗 cuisinette TV ⛀wc ⛆wc ☎ 🚗. 🐕
1er juil.-1er sept. et 19 déc.-20 avril – SC : ☕ 15 – **24 ch** 120/220.

Savoie, NO : 1,5 km par D 28 ☏ 79.13.31, ≤, 🌳 – 🛗 ⛀wc ☎ 🚗 Ⓟ. 🐕. ✻
1er juil.-10 sept. et 20 déc.-20 avril – SC : **R** 32/60 – ☕ 15 – **36 ch** 85/155 – P 190/210.

Le Concorde, ☏ 79.13.05, ≤, 🌳 – 🛗 ⛀wc ⛆ ☎ Ⓟ. ✻ rest
15 juin-5 sept. et 20 déc.-20 avril – SC : **R** 40/60 – ☕ 12 – 27 ch 90/140 – P 115/150.

Fleur des Neiges ⑤, ☏ 79.01.23, ≤, 🌳 – 🛗 ⛀wc ⛆ ☎ Ⓟ. ✻ rest
20 juin-10 sept. et 15 déc.-15 avril – SC : **R** 50/60 – ☕ 15 – **35 ch** 120/160 – P 150/160.

Igloo sans rest, ☏ 79.15.05, ≤ – 🛗 ⛀wc ☎ 🚗 Ⓟ
SC : **25 ch** ☕ 130/165.

Chamois d'Or, ☏ 79.13.78 – ⛀wc ⛆wc ☎ 🚗. 🐕. ✻
28 juin-30 août et 20 déc.-10 avril – SC : **R** 45/64 – ☕ 11 – 25 ch 72/123 – P 118/170.

Combe Humbert Ⓜ sans rest, ☏ 79.06.70, ≤ – ⛀wc ☎ 🚗 Ⓟ
SC : ☕ 10 – **10 ch** 80/120.

La Renardière sans rest, ☏ 79.03.50, ≤, 🌳 – ⛀wc ⛆ ☎ 🚗 Ⓟ. 🐕
15 juin-15 sept. et 15 déc.-20 avril – SC : ☕ 13 – **17 ch** 75/125.

Sporting-H., ☏ 79.15.03, ≤, 🌳 – 🛗 ⛀wc ⛆wc ☎ 🚗 Ⓟ. 🐕. ✻ rest
15 juin-15 sept. et 15 déc.-Pâques – SC : **R** 49/65 – ☕ 12 – **30 ch** 60/120 – P 130/158.

Alpina ⑤, ☏ 79.05.24, ≤, 🌳 – ⛀wc ⛆wc ⛆ ☎ 🚗. 🐕 AE. ✻ rest
15 juin-12 sept. et 20 déc.-21 avril – SC : **R** 43/55 – ☕ 11 – **18 ch** 100/125 – P 125/145.

L'Aiglon, ☏ 79.03.32, ≤, 🌳 – ⛀wc ⛆ ☎ Ⓟ. ✻
juil.-août (sans rest.) et Noël-Pâques – SC : **R** 45/55 – ☕ 12 – **19 ch** 70/145 – P 120/150.

Beau Regard ⑤, ☏ 79.11.05, ≤, 🌳 – ⛀wc ⛆ ☎ 🚗 Ⓟ. ✻ rest
juil.-août. et Noël-Pâques – SC : **R** 43/50 – ☕ 10 – 31 ch 40/115 – P 115/135.

Cimes, ☏ 79.05.69, ≤, 🌳 – ⛀wc ☎ Ⓟ. ✻ rest
15 juin-30 sept. et 20 déc. 20 avril – SC : **R** 50/60 – ☕ 11 – **18 ch** 90/115 – P 120/150.

L'Aubergade, ☏ 79.03.69, ≤ – ⛀wc ⛆wc 🚗 Ⓟ. ✻
20 juin-10 sept. et 15 déc.-20 avril – **R** 45/52 – ☕ 10 – 19 ch 50/100 – P 120/130.

Bel'Alpe, ☏ 79.05.50, ≤, 🌳 – ⛆wc Ⓟ. ✻ rest
1er juil.-8 sept. et 20 déc.-18 avril – SC : **R** 38/45 – ☕ 10 – 22 ch 55/110 – P 110/135.

Ours Blanc, ☏ 79.04.02, ≤ – ⛀wc ⛆wc Ⓟ. ✻ rest
20 juin-8 sept. et 15 déc.-20 avril – SC : **R** 38/70 – ☕ 10 – 20 ch 75/110 – P 98/125.

*à **Avoriaz 1800*** NE : 4,5 km - accès par téléphérique – Sports d'hiver : 1 800/2 400 m 🚡1 ⛷20 – ✉ **74110** Morzine :

Les Hauts Forts Ⓜ ⑤ ☏ 74.09.11, ≤ montagnes, « Construction montagnarde d'avant-garde », 🏊 – 🛗 ☎ – 🏛 35. ✻ rest
1er juil.-31 août et 15 déc.-25 avril – **R** 70/150 – ☕ 18 – **52 ch** 165/330.

RENAULT Marullaz, ☏ 79.09.32

MOTTARET 73 Savoie **74** ⑧ – rattaché à Méribel-les-Allues.

La MOTTE 83920 Var **84** ⑦ – 1 007 h. alt. 72 – ⚙ 94.
Paris 863 – Brignoles 53 – Cannes 59 – Draguignan 10 – St-Raphaël 27 – Ste-Maxime 27.

✕ **Aub. Fleurie** ⑤, ☏ 70.82.22, ≤, « Jardin ombragé au bord de l'eau » – Ⓟ
fermé 1er déc. au 1er janv. et mardi du 15 oct. au 15 nov. – SC : **R** 48/95.

La MOTTE-AU-BOIS 59 Nord 51 ⑭ – rattaché à Hazebrouck.

La MOTTE D'AIGUES **84680** Vaucluse 84 ③ – 442 h. alt. 385 – ✆ 90.

Paris 754 – Aix-en-Provence 31 – Avignon 76 – Manosque 27.

X **Aub. La Cigale** ⑤, ☎ 77.63.06 – ✕ ch
fermé sept. et merc. – SC : **R** 42 bc/80.

Garage Staiano, D 9, à Sannes ☎ 77.75.61

La MOTTE-EN-BAUGES **73** Savoie 74 ⑯ – 218 h. alt. 717 – ✉ **73340** Lescheraines – ✆ 79.

Paris 594 – Aix-les-Bains 28 – Albertville 51 – Annecy 28 – Chambéry 32.

Moine, ☎ 63.32.77 – ✕
1er au 21 mai et 31 mai au 31 oct. – SC : **R** 30/50 – ☕ 9 – **10 ch** 50/65 – P 75/85.

La MOTTE-SERVOLEX **73** Savoie 74 ⑮ – rattaché à Chambéry.

MOTTIER **38** Isère 74 ⑬ – 357 h. alt. 450 – ✉ **38260** Côte St-André – ✆ 74.

Paris 522 – Bourgoin-Jallieu 21 – ♦Grenoble 42 – St-Etienne de St-Geoirs 12 – Vienne 43.

XX **Les Donnières,** ☎ 20.50.19 – Ⓟ. AE
fermé 1er au 15 août, janv., merc. et jeudi – SC : **R** (nombre de couverts limité - prévenir) carte 50 à 70.

MOUANS-SARTOUX **06370** Alpes-Mar. 84 ⑧, 195 ㉔ – 3 651 h. alt. 125 – ✆ 93.

Paris 910 – Antibes 15 – Cannes 10 – Grasse 7 – Mougins 4,5 – ♦Nice 35.

XXXX ✿ **Aub. Mourrachonne** (Tricon) Ⓜ ⑤ avec ch, SO : 3 km par D 209 rte Pégomas ☎ 75.69.88, 🚗 – TV ⇔wc ☎ Ⓟ. AE GB ①
fermé de nov. à janv. – SC : **R** *(fermé dim. soir en hiver, mardi midi en été et lundi)* (nombre de couverts limité - prévenir) 200/250 – ☕ 35 – **4 ch** 340/400
Spéc. Suivant produits de saison.

XX **Palais des Coqs,** SO : 2 km par D 409 et VO ☎ 75.61.57, « Jardin fleuri » – Ⓟ
fermé 10 juin au 2 juil., 3 au 24 déc., merc. soir et jeudi – SC : **R** 105/125.

X **Relais Napoléon** avec ch, rte Nationale ☎ 75.65.08 – ✕ ch
fermé vacances de Noël et merc. en hiver – SC : **R** 31/62 – ☕ 8 – **7 ch** 50.

MOUCHARD **39330** Jura 70 ④⑤ – 1 289 h. alt. 277 – ✆ 84.

Paris 401 – Arbois 9 – ♦Besançon 38 – Dole 36 – Lons-le-Saunier 47 – Salins-les-Bains 9.

XX **H. Promenade et rest. Chalet Bel'Air** avec ch, ☎ 73.80.34, ≤ – ⇔wc Ⓟ. AE ①
fermé 10 au 17 juin et 12 au 27 nov. – **R** *(fermé mardi soir et merc. hors sais.)* 50/130 🍷 – ☕ 13 – **9 ch** 45/75.

RENAULT Gar. Conry, ☎ 73.82.43 N — Gar. Vandelle, ☎ 73.83.29

MOUDEYRES **43** H.-Loire 76 ⑱ – 131 h. alt. 1 177 – ✉ **43480** Laussonne – ✆ 71.

Paris 541 – Aubenas 63 – Langogne 56 – Le Puy 25 – St-Agrève 41 – Yssingeaux 35.

Aub. Pré Bossu ⑤, ☎ 00.10.70, 🚗 – ⇔wc ⋒wc ☎ Ⓟ. GB. ✕ rest
fermé mardi soir et merc. – SC : **R** 40/120 – ☕ 13 – **11 ch** 82/100 – P 150/170.

MOUGINS **06250** Alpes-Mar. 84 ⑨, 195 ㉔㊳ **G. Côte d'Azur** – 9 291 h. alt. 260 – ✆ 93.

Voir Site★ – Ermitage N.-D. de Vie : site★, ≤★ SE : 3,5 km.

18 Country-Club de Cannes-Mougins ☎ 75.79.13, E : 2 km.

i Syndicat d'Initiative à la Mairie (fermé sam. et dim.) ☎ 75.78.15.

Paris 907 – Antibes 12 – Cannes 7 – Grasse 11 – ♦Nice 32 – Vallauris 8.

Mas Candille ⑤, ☎ 90.00.85, ≤, « Jardins en terrasse », 🏊, 🎾 – ▤ ☎ Ⓟ. AE GB ① E
SC : **R** 85/125 – ☕ 20 – **26 ch** 140/260 – P 290/310.

XXXX ✿✿✿ **Moulin de Mougins** (Vergé) ⑤ avec ch, à Notre-Dame-de-Vie SE : 2,5 km par D 3 ☎ 75.78.24, ≤, 🚗 – ▤ rest TV ⇔wc ☎ Ⓟ. AE GB ①
fermé 20 oct. au 20 déc. – **R** *(fermé lundi)* 245 et carte – ☕ 33 – **6 ch** 240/310
Spéc. Soupe de poissons, Filet de Saint-Pierre au coulis de poivrons doux, Fricassée d'artichauts à la barigoule. **Vins** Vignelaure, St-Tropez.

XXX ✿ **Amandier de Mougins,** au Village ☎ 90.00.91 – AE ①
fermé janv. et merc. – SC : **R** 145
Spéc. Biscuit de loup, Râble de lapereau, Crêpes pralinées. **Vins** Vignelaure, Gassin.

XXX ✿✿ **Relais à Mougins** (Surmain), au Village, pl. Mairie ☎ 90.03.47 – GB
fermé 3 nov. au 15 déc., dim. soir et lundi sauf juil.-août – **R** (en août dîner seul.) (nombre de couverts limité - prévenir) 150/210
Spéc. suivant saison. **Vins** Rosé de Provence.

tourner →

XX **France** avec ch, ☏ 90.00.01 – ⇔ ☎.
fermé en janv., dim. soir et lundi – SC : **R** carte 105 à 150 – ☕ 9 – **6 ch** 120.

XX **Ferme de Mougins,** à St-Basile ☏ 90.03.74 – Ⓟ. AE GB ⓓ
fermé 1er fév. au 15 mars et merc. – SC : **R** 82/160.

XX **La Fenière,** ☏ 90.06.94, cuisine provençale
30 mars-15 oct. et fermé mardi – SC : **R** 60.

XX **Trois Étages,** au village ☏ 90.01.46 – ⓓ
fermé 1er oct. au 1er déc. et lundi – SC : **R** 80.

XX **Le Bistrot,** ☏ 75.78.34 – ▤
fermé 15 nov. au 15 janv. et merc. sauf le soir en juil. et août – SC : **R** 61/68.

au carrefour de la Blanchisserie – ✉ **06250** Mougins :

XX Les Pins de Mougins, ☏ 45.25.96, 🌲 – Ⓟ.

PEUGEOT Ortelli, 235 rte du Cannet (Bretelle Autoroute) ☏ 45.11.11

MOUGUERRE 64 Pyr.-Atl. 78 ⑱ – rattaché à Bayonne.

MOULEYDIER 24520 Dordogne 75 ⑮ – 986 h. alt. 36 – ⚙ 53.
Paris 526 – Beaumont 19 – Bergerac 10 – Périgueux 47 – Sarlat-la-Canéda 63.

⌂ **Aub Beau Rivage,** rte Lalinde ☏ 23.20.21, ≤ – ⾼ 🚗 Ⓟ. E
fermé nov. et dim. soir hors sais. – SC : **R** 27/85 ♨ – ☕ 11,50 – 9 ch 50/60 – P 85 bc/100 bc.

Garage Dauriac, ☏ 23.20.76

MOULIN-CHABAUD 01 Ain 74 ④ – rattaché à Ceignes.

MOULIN-DES-PONTS 01 Ain 70 ⑬ – rattaché à Coligny.

MOULINS Ⓟ 03000 Allier 69 ⑭ **G. Auvergne** – 26 906 h. alt. 221 – ⚙ 70.

Voir Cathédrale★ : triptyque★★★, vitraux★★ – Jacquemart★ – Mausolée du duc de Montmorency★ (chapelle du lycée Banville) AX **B**.

Env. Château de Pomay★ par ③ : 9,5 km.

ℹ Office de Tourisme (fermé lundi hors saison et dim., sauf matin en saison) et T.C.F. pl. Hôtel de Ville ☏ 44.14.14 - A.C. 62 r. Pont-Ginguet ☏ 44.00.96.

Paris 293 ① – Bourges 98 ① – Chalon-sur-Saône 134 ③ – Châteauroux 152 ① – ♦Clermont-Ferrand 96 ⑤ – Mâcon 139 ③ – Montluçon 67 ⑥ – Nevers 54 ① – Roanne 98 ④ – Vichy 57 ④.

Plan page ci-contre

🏨 ✿✿ **Paris** Ⓜ, 21 r. Paris ☏ 44.00.58 – 🛗 ▤ TV ☎ 🚗 Ⓟ – 🏛 40. AE GB ⓓ E
fermé 1er au 22 janv., dim. soir et lundi midi du 15 sept. au 15 juil. – SC : **R** (nombre de couverts limité - prévenir) 100/130 et carte – ☕ 22 – 21 ch 75/250, 8 appartements 290 – P 330/390 AX **p**
Spéc. Escalope de saumon frais au vin rouge de Sancerre, Rognonnade de veau Bourbonnaise aux cèpes, Cul de lapin à l'aigre-doux. **Vins** Pouilly-Fumé, Sancerre rouge.

🏨 **Moderne,** 9 pl. J.-Moulin ☏ 44.05.06 – 🛗 ⇔wc ⾼wc ☎ 🚗. AY **m**
SC : **R** *(fermé 2 au 24 nov. et 4 au 15 déc.)* 48/75 – ☕ 12,50 – **44 ch** 105/150 – P 160/180.

🏨 **Parc,** 31 av. Gén.-Leclerc ☏ 44.12.25 – ⇔wc ⾼wc ☎ Ⓟ. ✻ ch BZ **a**
fermé 1er au 15 oct. et 20 déc. au 5 janv. – SC : **R** *(fermé sam. hors sais.)* 45/90 – ☕ 11 – 26 ch 75/130 – P 150/180.

🏨 **Dauphin,** 59 pl. Allier ☏ 44.33.05 – 🛗 ⇔wc ⾼wc ☎ 🚗 Ⓟ. AY **u**
SC : **R** 36/95 ♨ – ☕ 10 – **62 ch** 50/130.

XX **des Cours,** 36 cours J.-Jaurès ☏ 44.32.56 – ⓓ BY **e**
fermé 1er au 14 juil., 16 au 27 déc. et mardi – SC : **R** 55/85.

XX **Jacquemart,** 10 pl. H.-de-Ville ☏ 44.32.58 – AE ⓓ BY **r**
fermé 9 au 22 juin, 2 au 9 nov., 1er au 9 fév., dim. soir et lundi – SC : **R** 48/140.

par ① : 8 km, rte de Paris – ✉ **03460** Villeneuve-sur-Allier :

🏨 **Relais d'Avrilly** ⛰, ☏ 42.61.43, parc, 🏊 – 🛗 ▤ rest TV ⇔wc ☎ Ⓟ – 🏛 40 à 60. AE GB ⓓ E
SC : **R** 51/73 – ☕ 13 – **40 ch** 150/180 – P 196/264.

Par ④ sur N 7 : 3 km – ✉ **03000** Moulins :

🏨 **Ibis** Ⓜ, ☏ 46.71.12 – ⇔wc ☎ ♿ Ⓟ – 🏛 30. GB
SC : **R** *(fermé dim.)* carte environ 50 ♨ – ☕ 9 – **42 ch** 120/160.

à Bressolles par ⑤ : 5 km – ✉ **03000** Moulins :

XX **Cuisine d'Autrefois,** ☏ 44.48.00 – Ⓟ
fermé en oct. et merc. – SC : **R** 65/170.

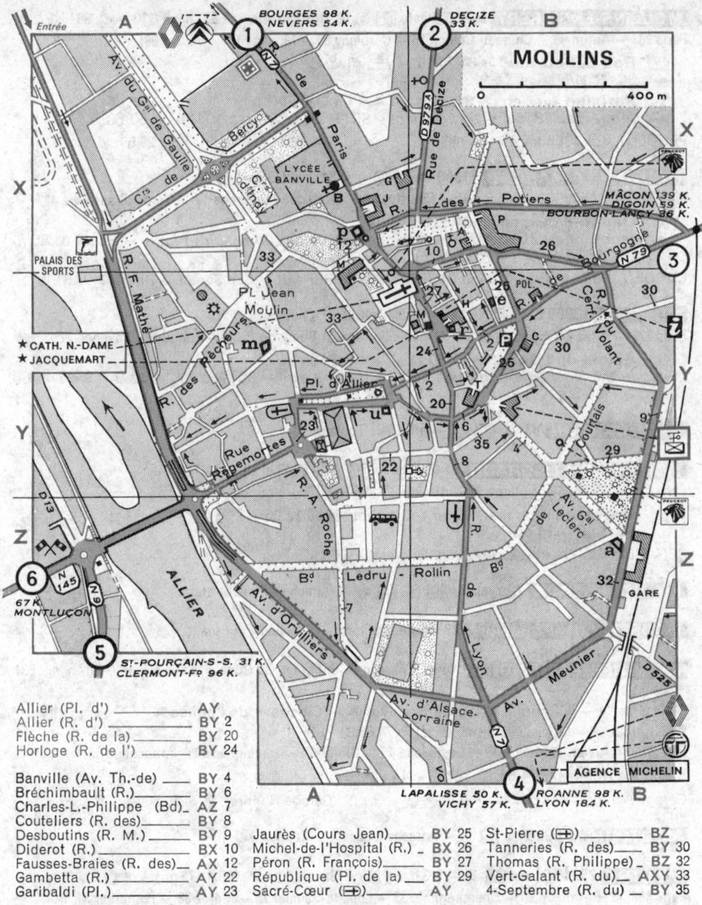

à Coulandon par ⑥ et VO : 7 km – ✉ **03000** Moulins :

Le Chalet, Tᵖ **44.50.08**, ←, parc – wc wc Ⓟ – 30
hôtel : 1er fév.-30 nov., rest : 1er mars-1er oct. – SC : **R** 36/65 🌡 – 12 – **19 ch** 60/150 – P 140/170.

MICHELIN, Agence, N 7, Z.I. Sud à Yzeure par ④ Tᵖ **46.21.14**

AUDI-VOLKSWAGEN Gar. de la Plaine, rte de Clermont-Fd., Bressolles Tᵖ 44.48.23 **N** Tᵖ 44.47.89
CITROEN Dubois-Dallois, rte de Paris à Avermes Tᵖ 44.34.98
FORD Gar. de la Route Bleue, 92 r. de Lyon Tᵖ 46.11.44
LANCIA-AUTOBIANCHI, OPEL Ets Gouleret, N 7 à Avermes Tᵖ 44.20.37
MERCEDES-BENZ Gar. St-Christophe, 117 r. de Paris Tᵖ 44.13.60
PEUGEOT Maréchal, 46 bd de Courtais Tᵖ 46.07.07
PEUGEOT Gar. Berthommier, 1 r. de Paris Tᵖ 44.33.94
RENAULT Gd Gar. Paris-Lyon, N 7 à Avermes Tᵖ 44.30.12
RENAULT Robin, ZI Moulins Sud RN 7 à Yzeure Tᵖ 46.32.82
TALBOT S.A.G.G.Y., 80 rte de Lyon à Yzeure Tᵖ 44.41.41

Estager-Pneus, 36 rte de Moulins, Avermes Tᵖ 44.11.55
Jousse-Pneus, N 7, Avermes Tᵖ 44.21.14
Moulins-Pneus, 103 rte de Lyon Tᵖ 46.31.42

MOULINS-ENGILBERT 58290 Nièvre 69 ⑥ **G. Bourgogne** – 1 832 h. alt. 210 – 86.
Paris 283 – Autun 53 – Château-Chinon 16 – Corbigny 38 – Moulins 70 – Nevers 58.

Bon Laboureur, ☎ 84.20.55 – wc
SC : **R** 30/60 – 11 – 20 ch 44/95 – P 90/110.

Parisien avec ch, ☎ 84.21.44 – AE GB
fermé 3 au 18 juin et 5 au 20 déc. – SC : **R** 30/70 – 10 – **9 ch** 50/60.

PEUGEOT Gar. Bondoux, ☎ 84.24.29 TALBOT Perraudin, ☎ 84.23.55

MOULINS-LA-MARCHE 61380 Orne 60 ④ – 845 h. alt. 258 – 33.
Paris 157 – L'Aigle 18 – Alençon 41 – Chartres 89 – Mortagne-au-Perche 17 – Verneuil-sur-Avre 41.

Dauphin avec ch, ☎ 34.50.55 –
fermé 1er au 21 sept., vacances scolaires de fév., dim. soir et lundi – SC : **R** 30/85 – 8,50 – 7 ch 45/55 – P 71.

CITROEN Gar. Langlois, ☎ 34.51.04 RENAULT Gar. Sereul, le Bourg ☎ 34.51.10

MOURIÈS 13890 B.-du-R. 84 ① – 1 876 h. alt. 18 – 90.
Paris 725 – Arles 24 – Cavaillon 25 – ♦Marseille 76 – St-Rémy-de-Pr. 16 – Salon-de-Provence 22.

Relais des Baux, ☎ 97.50.11 – . ch
fermé Noël au jour de l'An et lundi d'oct. à avril – SC : **R** 30/60 – 9 – **9 ch** 45/65 – P 85/95.

Le MOURILLON 83 Var 84 ⑮ – rattaché à Toulon.

MOURMELON-LE-GRAND 51400 Marne 56 ⑰ – 6 148 h. alt. 110 – 26.
Paris 176 – Châlons-sur-Marne 22 – ♦Reims 33 – Rethel 52 – Vouziers 48.

Bruyères sans rest, 55 ter r. Gouraud ☎ 66.12.06 –
SC : 8 – **14 ch** 36/50.

RENAULT Gar. Ostrowski, 74 r. Gén.-Gouraud ☎ 66.11.57

Les MOUSSEAUX 78 Yvelines 60 ⑨, 96 ㉔ – rattaché à Pontchartrain.

MOUSTERLIN (Pointe de) 29 Finistère 58 ⑮ – rattaché à Fouesnant.

MOUSTIERS-STE-MARIE 04360 Alpes-de-H.-Pr 81 ⑰ **G. Côte d'Azur** (plan) – 602 h. alt. 631 – 92.
Voir Site★★ – Chapelle N.-D.-de-Beauvoir★ – Clocher★ de l'église A.
Syndicat d'Initiative (1er juil.-15 sept.) ☎ 74.66.84.
Paris 792 – Aix-en-Provence 86 – Castellane 45 – Digne 48 – Draguignan 62 – Manosque 50.

Le Relais, ☎ 74.66.10 – – 14 ch.

Garage Achard, ☎ 74.66.24 Garage Honorat, ☎ 74.66.30

MOUTCHIC 33 Gironde 71 ⑱ – rattaché à Lacanau-Médoc.

MOUTHE 25240 Doubs 70 ⑥ – 903 h. alt. 935 – Sports d'hiver : 935/1 172 m 4 – 81.
Paris 459 – ♦Besançon 90 – Champagnole 33 – Lons-le-Saunier 76 – Morez 38 – Pontarlier 31.

Commerce, ☎ 89.20.76, – wc .
fermé 15 oct. au 1er déc. et sam. hors sais. – **R** 33/55 – 8,50 – **22 ch** 35/80 – P 75/95.

MOUTHIER-HAUTE-PIERRE 25920 Doubs 70 ⑥ **G. Jura** – 338 h. alt. 430 – 81.
Voir Belvédère de Mouthier ≤★★ SE : 2,5 km – Gorges de Nouailles★ SE : 3,5 km – Roche de Haute-Pierre ≤★ N : 5 km puis 30 mn.
Paris 448 – Baume-les-Dames 55 – ♦Besançon 39 – Levier 27 – Pontarlier 20 – Salins-les-Bains 43.

La Cascade (agrandissement prévu), ☎ 62.19.00, ≤ – wc wc . .
fermé 11 nov. au 5 janv. – **R** 38/100 – 10,50 – 23 ch 90/120 – P 125/140.

MOUTIER-ROZEILLE 23 Creuse 73 ① – rattaché à Aubusson.

MOÛTIERS 73 Savoie 74 ⑰ **G. Alpes** – 4 868 h. alt. 479 – ✉ **73600** Moûtiers-Tarentaise – 79 – ☎ 24.01.11.
Office de Tourisme pl. St-Pierre (fermé dim. et lundi) ☎ 24.04.23.
Paris 634 – Albertville 27 – Chambéry 75 – St-Jean-de-Maurienne 64.

Ibis M, ☎ 24.27.11, Télex 980611, ≤ – wc . GB
SC : **R** 35/50 – 10 – **64 ch** 145/165.

Moderne, r. Basse Gare ☎ 24.01.15 – .
fermé 1er au 15 mai, 1er au 20 nov. et dim. hors sais. – SC : **R** 35/70 – 10 – **22 ch** 50/70 – P 100/120.

CITROEN Ets Martin, ✆ 24.02.80
FORD Gar. de la Vanoise, ✆ 24.20.64
PEUGEOT Gar. des Cordeliers, ✆ 24.01.58
PEUGEOT Gar. des Salines, 422 av. Salines Royales ✆ 24.02.22
RENAULT De Prince, à Salins-les-Thermes ✆ 24.29.55
TALBOT Petitti, ✆ 24.10.66
La Maison du Pneu ✆ 24.21.95

MOUX 58 Nièvre 65 ⑰ – 703 h. alt. 500 – ✉ **58230** Montsauche – ⚙ 86.
Paris 266 – Autun 31 – Château-Chinon 30 – Clamecy 75 – Nevers 96 – Saulieu 15.

Beau Site, D 121 ✆ 76.11.75, ≤, –
15 mars-30 nov. – SC : **R** 36/67 – ☕ 12 – **38 ch** 43/98 – P 76/120.

MOUZON 08210 Ardennes 56 ⑩ **G. Vosges** – 3 240 h. alt. 256 – ⚙ 24.
Voir Église N.-Dame★.
Paris 256 – Charleville-Mézières 38 – Longwy 75 – Sedan 18 – Verdun 64.

XX **La Maison Espagnole,** ✆ 26.10.06 – GB
fermé 24 août au 14 sept., vacances de fév., dim. soir et lundi sauf fêtes – SC : **R** 50/90.

CITROEN Giangola, ✆ 28.21.09
RENAULT Rogier, ✆ 26.11.84 N

MOYE 74 H.-Savoie 74 ⑤ – rattaché à Rumilly.

MOYENMOUTIER 88420 Vosges 62 ⑦ **G. Vosges** – 3 854 h. alt. 312 – ⚙ 29.
Voir Église★ d'Étival Clairefontaine O : 5 km.
Paris 379 – Lunéville 41 – St-Dié 15 – ♦Strasbourg 82.

Abbaye, 33 r. Hôtel de Ville ✆ 41.54.31 – . .
fermé 28 sept. au 4 nov. et lundi – SC : **R** 35/120 – ☕ 9 – 12 ch 43/118 – P 90/120.

MUHLBACH 68 H.-Rhin 62 ⑱ – 728 h. alt. 465 – ✉ **68380** Metzeral – ⚙ 89.
Paris 450 – Colmar 24 – Gérardmer 38 – Guebwiller 41.

Perle des Vosges , ✆ 77.61.34, ≤, – wc wc .
fermé 5 nov. au 15 déc. – SC : **R** *(fermé merc. hors sais.)* 35/120 – ☕ 9 – **25 ch** 45/130 – P 95/140.

MULCENT 78 Yvelines 55 ⑱ – 39 h. alt. 120 – ✉ **78790** Septeuil – ⚙ 3.
Paris 74 – Houdan 12 – Mantes-la-Jolie 16.

X **Relais Mare aux Clercs,** ✆ 093.40.45 –
fermé 15 janv. au 18 fév., lundi soir et mardi – SC : **R** 45.

MULHOUSE SP 68100 H.-Rhin 66 ⑨⑩ **G. Vosges** – 119 326 h. alt. 240 – ⚙ 89.
Voir Parc zoologique et botanique★★ CV **B** – Hôtel de ville★ FY **H** – Vitraux★ du temple St-Étienne FY **D** – Musées : Français du chemin de fer★ AV **M3** , de l'Impression sur étoffes★ FZ **M2**, Historique★ (Hôtel de Ville) FY **M1**.
du Rhin à Chalampé ✆ 26.07.86 par ① : 19 km.
de Bâle-Mulhouse par ② : 27 km, ✆ 67.00.00 à St-Louis (France) et ✆ 57.31.11 à Bâle (Suisse).
✆ 45.62.83.
Office de Tourisme 9 av. Mar.-Foch (fermé dim. hors saison) ✆ 45.68.31 - A.C. 11 bd Europe ✆ 45.38.72 - T.C.F. 7 r. Poincaré ✆ 46.29.08.
Paris 537 ⑤ – ♦Bâle 34 ② – Belfort 42 ⑤ – ♦Besançon 137 ⑤ – Colmar 41 ⑧ – ♦Dijon 226 ⑤ – Freiburg 58 ⑨ – ♦Nancy 183 ⑦ – ♦Reims 387 ⑦ – ♦Strasbourg 118 ⑦.

Plans pages suivantes

Frantel M, 4 pl. Gén.-de-Gaulle ✆ 46.01.23, Télex 881807 – rest – 25 à 200. AE GB E. rest — FZ **b**
SC : rest. **L'Alsace** *(fermé sam. midi et dim.)* **R** carte 85 à 130 – ☕ 21 – **96 ch** 195/275.

Bourse sans rest, 14 r. Bourse ✆ 45.66.85 – TV wc wc . GB
fermé 25 juil. au 10 août et 23 déc. au 2 janv. – SC : ☕ 20 – **50 ch** 136/190. — FZ **d**

Europe sans rest, 11 av. Mar.-Foch ✆ 45.19.18 – TV wc wc .
fermé 15 au 31 juil. – SC : ☕ 14 – **50 ch** 80/160. — FZ **g**

Musée sans rest, 3 r. Est ✆ 45.47.41 – TV wc wc . AE GB E — FZ **t**
fermé 21 déc. au 4 janv. – SC : ☕ 10 – **42 ch** 65/145.

Bristol sans rest, 18 av. Colmar ✉ 68200 ✆ 42.12.31 – TV wc . AE GB E — FY **e**
fermé 24 déc. au 1er janv. – SC : ☕ 12,50 – **52 ch** 65/175.

Wir, 1 porte Bâle ✆ 46.26.88 – wc wc . — FY **s**
R *(fermé juin et vend.)* 45/120 – ☕ 10 – **40 ch** 60/135.

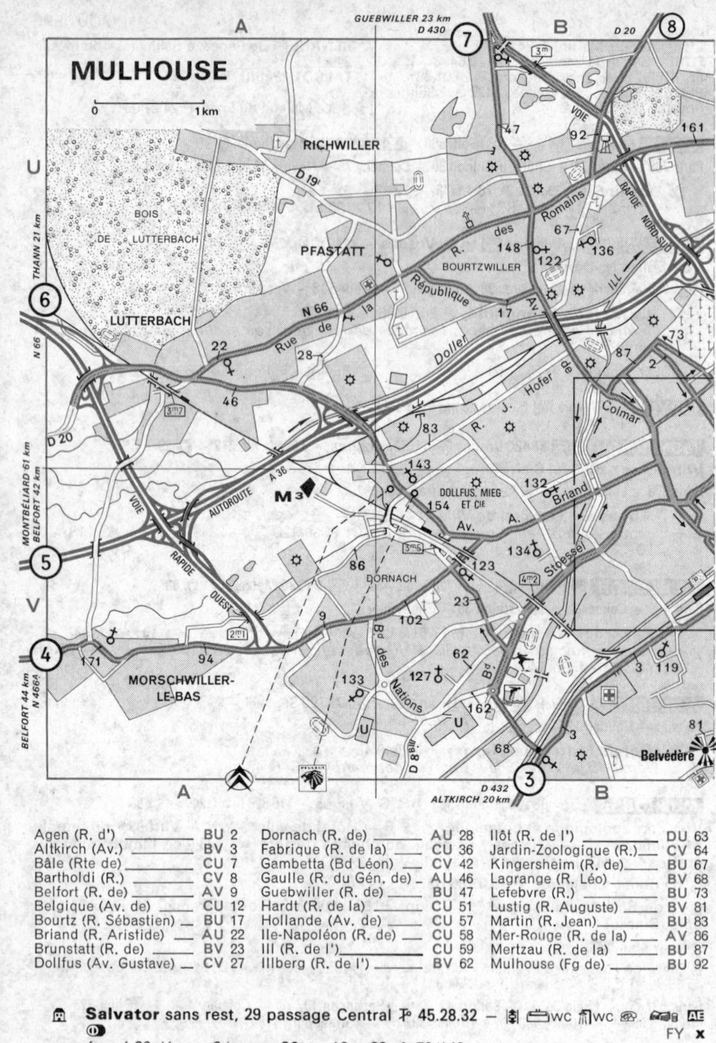

Agen (R. d') BU 2
Altkirch (Av.) BV 3
Bâle (Rte de) CU 7
Bartholdi (R.) CV 8
Belfort (R. de) AV 9
Belgique (Av. de) CU 12
Bourtz (R. Sébastien) BU 17
Briand (R. Aristide) AU 22
Brunstatt (R. de) BV 23
Dollfus (Av. Gustave) CV 27
Dornach (R. de) AU 28
Fabrique (R. de la) CU 36
Gambetta (Bd Léon) CV 42
Gaulle (R. du Gén. de) AU 46
Guebwiller (R. de) BU 47
Hardt (R. de la) CU 51
Hollande (Av. de) CU 57
Ile-Napoléon (R. de) CU 58
Ill (R. de l') CU 59
Illberg (R. de l') BV 62
Ilôt (R. de l') DU 63
Jardin-Zoologique (R.) CV 64
Kingersheim (R. de) BU 67
Lagrange (R. Léo) BV 68
Lefebvre (R.) BU 73
Lustig (R. Auguste) BV 81
Martin (R. Jean) BU 83
Mer-Rouge (R. de la) AV 86
Mertzau (R. de la) BU 87
Mulhouse (Fg de) BU 92

Salvator sans rest, 29 passage Central ☎ 45.28.32 – ascenseur wc wc ☎. AE ⓓ FY **x**
fermé 20 déc. au 3 janv. – SC : ☐ 12 – **39 ch** 70/140.

Paris sans rest, 5 passage H.-de-Ville ☎ 45.21.41 – wc wc ☎. FY **r**
SC : ☐ 12 – **20 ch** 60/140.

Touring H. sans rest, 10 r. Moulin ☎ 45.32.84 – ascenseur wc ☎. FY **b**
SC : ☐ 11 – **30 ch** 55/140.

Bâle sans rest, 19 passage Central ☎ 46.19.87 – wc ☎. GB FY **p**
SC : ☐ 12 – **31 ch** 66/140.

La Bonne Auberge, 55 av. Colmar ✉ 68200 ☎ 42.15.35 – ☎. EX **f**
fermé juil., vend. soir et sam. – SC : **R** 27/70 ₰ – ☐ 10 – **10 ch** 39/70.

Vieux Paris, 42 av. R.-Schuman ☎ 45.42.70 FY **k**

Guillaume Tell, 1 r. Guillaume-Tell ☎ 45.21.58 – AE GB ⓓ E FY **q**
fermé juil., Noël-Jour de l'An et merc. – **R** 30/100 ₰.

Relais de la Tour (31e étage), 3 bd Europe ☎ 45.12.14, ≤ ville et environs – AE GB ⓓ FY **v**
SC : **R** 50/110 ₰.

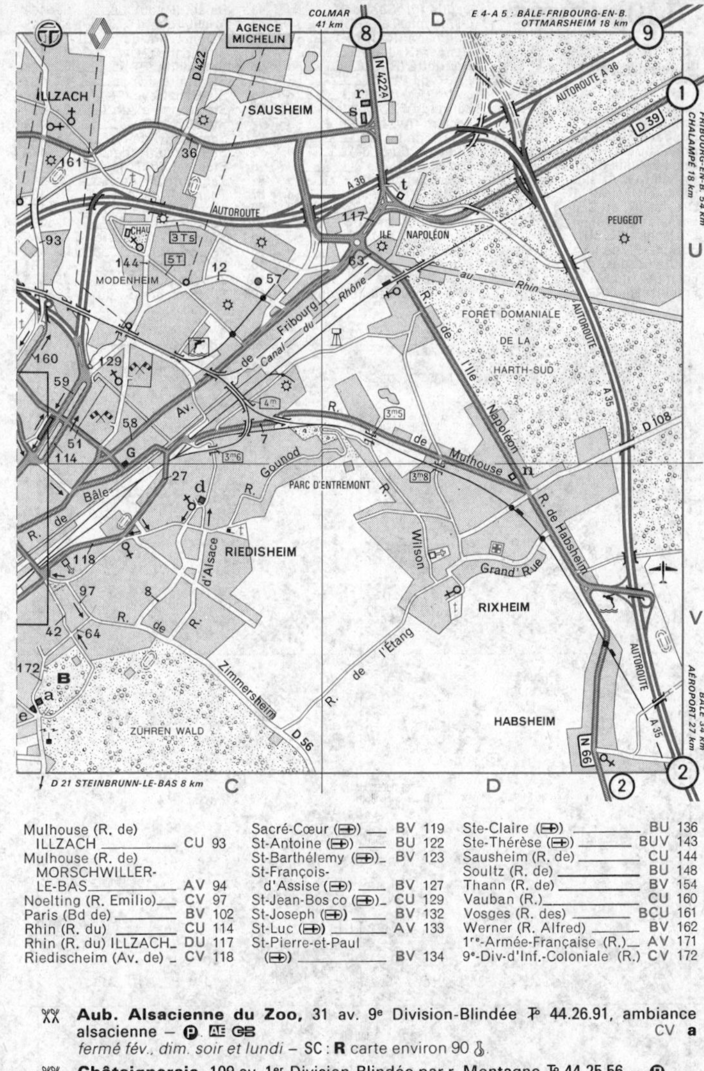

Mulhouse (R. de) ILLZACH ____ CU 93	Sacré-Cœur (⊞) ____ BV 119	Ste-Claire (⊞) ____ BU 136
Mulhouse (R. de) MORSCHWILLER-LE-BAS ____ AV 94	St-Antoine (⊞) ____ BU 122	Ste-Thérèse (⊞) ____ BUV 143
Noelting (R. Emilio) ____ CV 97	St-Barthélemy (⊞) ____ BV 123	Sausheim (R. de) ____ CU 144
Paris (Bd de) ____ BV 102	St-François-d'Assise (⊞) ____ BV 127	Soultz (R. de) ____ BU 148
Rhin (R. du) ____ CU 114	St-Jean-Bosco (⊞) ____ CU 129	Thann (R. de) ____ BV 154
Rhin (R. du) ILLZACH ____ DU 117	St-Joseph (⊞) ____ BV 132	Vauban (R.) ____ CU 160
Riedischeim (Av. de) ____ CV 118	St-Luc (⊞) ____ AV 133	Vosges (R. des) ____ BCU 161
	St-Pierre-et-Paul (⊞) ____ BV 134	Werner (R. Alfred) ____ BV 162
		1re-Armée-Française (R.) ____ AV 171
		9e-Div-d'Inf.-Coloniale (R.) CV 172

XX **Aub. Alsacienne du Zoo,** 31 av. 9e Division-Blindée ☎ 44.26.91, ambiance alsacienne – Ⓟ. AE GB — CV **a**
fermé fév., dim. soir et lundi – SC : **R** carte environ 90 ♨.

XX **Châtaigneraie,** 109 av. 1er-Division-Blindée par r. Montagne ☎ 44.25.56 – Ⓟ — CV **e**
fermé 16 août au 10 sept., 24 au 30 déc. sam. et dim. – SC : **R** 48/100 ♨.

XX Caveau du Théâtre, 41 r. Sinne ☎ 45.35.42 — FZ **u**

X **Aux Caves du Vieux Couvent** (Taverne), 23 r. Couvent ☎ 46.28.79 — EY **n**
fermé 8 au 29 juin, 24 déc. au 2 janv., lundi midi, dim. et fêtes – SC : **R** 22/40 ♨.

à Riedisheim : 2 km – 12 520 h. – ✉ **68400** Riedisheim :

XX **Poste,** 7 r. Gén.-de-Gaulle ☎ 44.07.71 – Ⓟ — CV **d**
fermé août, mardi soir et merc. – SC : **R** 45/140, dîner à la carte ♨.

à Rixheim : 5 km – 10 534 h. – ✉ **68170** Rixheim :

Electra Ⓜ, ☎ 44.11.18 – wc ☎ Ⓟ. GB — DV **n**
fermé 20 déc. au 5 janv. – SC : **R** snack (dîner seul.) *(fermé sam. et dim. de nov. à mars)* 35/48 – ☕ 12,50 – **25 ch** 71/146.

tourner →

MULHOUSE

Colmar (Av. de) ____ EXY
Prés.-Kennedy (Av. du) EFY
Sauvage (R. du) ____ FY 145

Altkirch (Av. et Pt d') _ FZ 3
Arsenal (R. de l') ____ EY 4
Bonbonnière (R.) ____ EY 13
Bonnes-Gens (R. des) _ FZ 14
Bons-Enfants (R. des) _ EY 18
Briand (Av. Aristide) __ EY 19
Cloche (Quai de la) __ EY 24
Dreyfus (R. du Capit.) _ FX 29
Ehrmann (R. Jules) ___ FZ 32
Ensisheim (R. d') ____ FY 33
Europe (Pl. de l') ____ FY 34
Fleurs (R. des) ______ EZ 37
Foch (Av. du Mar.) ____ FZ 38
Franciscains (R. des) __ EY 41
Gaulle (Pl. Gén. de) ____ FZ 43
Guillaume-Tell (Pl.) ____ FZ 48
Heilmann (R. Josué) __ EXY 52
Henner (R. J.-J.) ______ FZ 53
Henriette (R.) ________ EY 56
Ill (R. de l') ________ FX 59
Joffre (Av. du Mar.) _____ FZ 66
Lattre-de-T. (Av. Mar. de) FY 71
Leclerc (Av. du Gén.) ____ FZ 72
Loi (R. de la) _________ EY 76
Loisy (R. du Lt de) ______ FX 77
Lorraine (R. de) _______ EY 78
Maréchaux (R. des) _____ EY 82
Mertzau (R. de la) ______ EX 87
Metz (R. de) __________ FY 88
Moselle (R. de la) ______ FY 91
Norfeld (R. du) ________ FY 98
Oran (Quai d') ________ FZ 99
Pasteur (R. Louis) ______ FY 103
Poincaré (R.) _________ FZ 107
Prés.-Roosevelt (Bd du) _ EXY 108
Raisin (R. du) _____ EY 109
République (Pl. de la) FY 112
Réunion (Pl. de la) ___ FY 113
St-Étienne (⊞) _____ EZ 124
St-Fridolin (⊞) _____ EX 128
Ste-Claire (R.) ______ EZ 137
Ste-Geneviève (⊞) __ FY 138
Ste-Jeanne-d'Arc (⊞) FX 139
Ste-Marie (⊞) ______ EY 140
Somme (R. de la) ____ FY 146
Stalingrad (R. de) ___ FY 149
Stoessel (Bd Charles) EZ 152
Tanneurs (R. des) ___ EY 153
Tour-du-Diable (R.) __ EZ 155
Trois-Rois (R. des) __ EZ 156
Vauban (Pl.) _______ FX 159
Wicky (Av. Auguste) _ FZ 165
Wilson (R.) ________ FZ 166
Wolf (R. de) ________ FX 167
Zillisheim (R. de) ___ EZ 170
17-Novembre (R. du) _ FZ 173

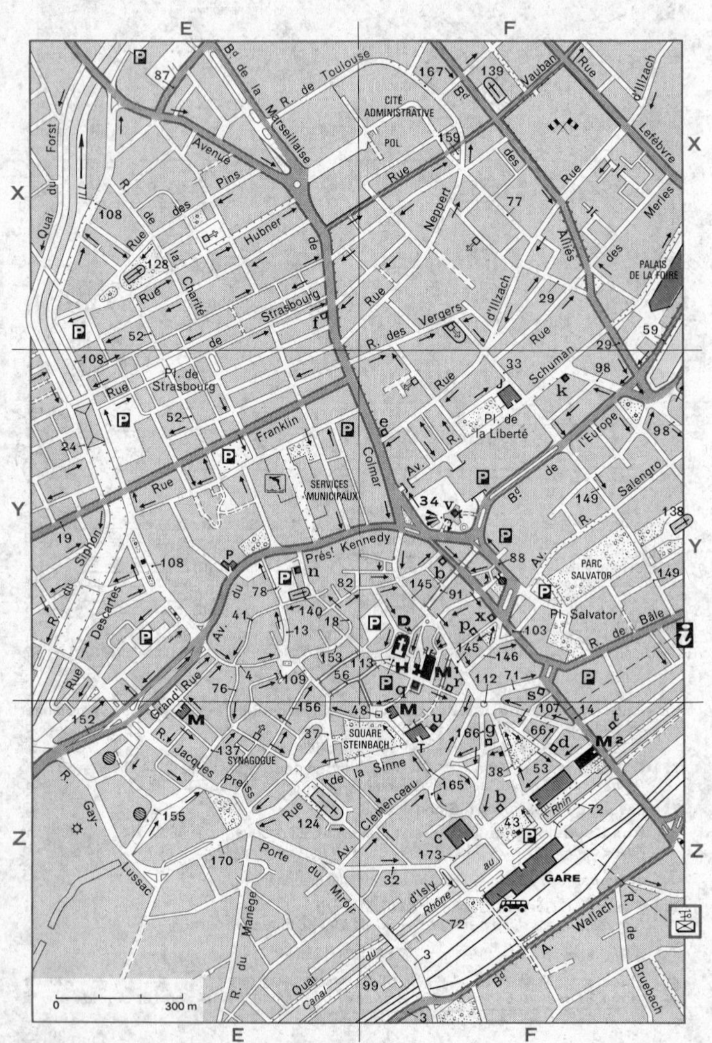

au NE : 6 km et N 422 A – ✉ **68390** Sausheim :

Sofitel M, ☎ 44.75.75, Télex 881311, ⛱ – 🛗 ▤ TV ☎ Ⓟ – 🏛 170. AE GB ⓓ E rest. **La Tissandière R** carte 85 à 130 ♁ – ☕ 25 – **98 ch** 220/310. DU **r**

Novotel Mulhouse-Sausheim M, ☎ 44.44.44, Télex 881673, ⛱, 🌳 – ▤ rest TV ☎ Ⓟ – 🏛 25 à 150. AE GB ⓓ DU **s**
R snack carte environ 65 – ☕ 20 – **77 ch** 185/205.

Mercure Mulhouse-Sausheim M, ☎ 44.54.40, Télex 881757, ⛱ – 🛗 ▤ rest TV ☎ ♿ Ⓟ – 🏛 170. AE GB ⓓ DU **t**
R carte environ 70 – ☕ 18 – **99 ch** 170/195.

à Steinbrunn-le-Bas SE par D 21 : 8,5 km - CV – ✉ **68440** Habsheim :

XX ✿ **Moulin du Kaegy** (Begat), ☎ 81.30.34, « Maison du 16e s. isolée dans la campagne, jardin » – Ⓟ
fermé 15 au 31 juil., 15 déc. au 15 janv., dim. soir et lundi – SC : **R** (nombre de couverts limité - prévenir) 120/200
Spéc. Foie d'oie confit, Escalope de saumon, Caneton mulard au citron. **Vins** Riesling, Tokay.

MICHELIN, Agence, 35 av. de Belgique, Illzach CU ☎ **46.50.55**

AUDI-VOLKSWAGEN, MERCEDES-BENZ Générale-Autom., 226 av. de Fribourg, Illzach ☎ 44.26.54
AUDI-VOLKSWAGEN Gar. Schelcher, 27 fg de Mulhouse à Kingersheim ☎ 52.45.22
CITROEN Gar. Muller, 23 r. Thann ☎ 42.98.88
DATSUN Plichon, 26 r. Manulaine ☎ 52.35.80
FIAT, LANCIA-AUTOBIANCHI Gar. Hess, 81 av. Colmar ☎ 59.33.88
FORD Gar. Sax, 12 r. du Couvent ☎ 45.46.54
OPEL SDA Rixheim, 64 rte de Mulhouse à Rixheim ☎ 44.40.50
PEUGEOT S.I.A. Mulhouse, 22 r. de Thann ☎ 42.15.20
RENAULT Gd. Gar Mulhousien, r. Sausheim à Modenheim ☎ 46.01.44
TALBOT Sté Alsac.-Distrib.-Autom., 3 r. de la Doller, Illzach ☎ 53.08.11
TOYOTA Gar. Rémy, 13 r. du Puits ☎ 44.42.49
VOLVO Gar. Christen, 32 r. du Rhin ☎ 45.89.13

⊛ Arni-Hohler, 3 r. L.-Pasteur ☎ 45.85.27 et av. Italie, Zone Ind., Illzach ☎ 45.75.98
Daesslé et Klein, 6 r. Amidonniers ☎ 42.30.06 et 11 av. de Hollande, Zone Ind., Illzach ☎ 64.26.11
Kautzmann, 276 av. d'Altkirch à Brunstatt ☎ 06.08.44
Sce Central du Pneu, 58 r. Dollfus ☎ 42.15.82

MUNSTER 68140 H.-Rhin 62 ⑱ G. Vosges – 4 969 h. alt. 381 – ✪ 89.

ℹ Office de Tourisme pl. Salle-des-Fêtes (fermé dim. sauf matin en saison) ☎ 77.31.80.

Paris 445 ② – Colmar 19 ① – Gérardmer 33 ② – Guebwiller 39 ① – ♦Mulhouse 57 ① – St-Dié 57 ② – ♦Strasbourg 89 ①.

A la Schlucht, r. Luttenbach **(r)** ☎ 77.32.48 – ⛀wc ⛆wc Ⓟ. 🚗. ✗
fermé janv., dim. soir et vend. hors sais. sauf fêtes – SC : **R** 30/60 ♁ – ☕ 10 – 17 ch 46/90 – P 70/120.

Vosges sans rest, **(k)** ☎ 77.31.41 – ⛀wc ☎. ✗
fermé 20 au 30 avril – SC : ☕ 12 – **13 ch** 80/110.

Belle-Vue et caveau du Marcaire 🐎, **(a)** ☎ 77.37.43, ←, 🌳 – Ⓟ. 🚗 ✗ rest
15 mars-1er nov. et fermé mardi – SC. **R** carte 55 à 85 ♁ – ☕ 8,50 – 14 ch 45/70.

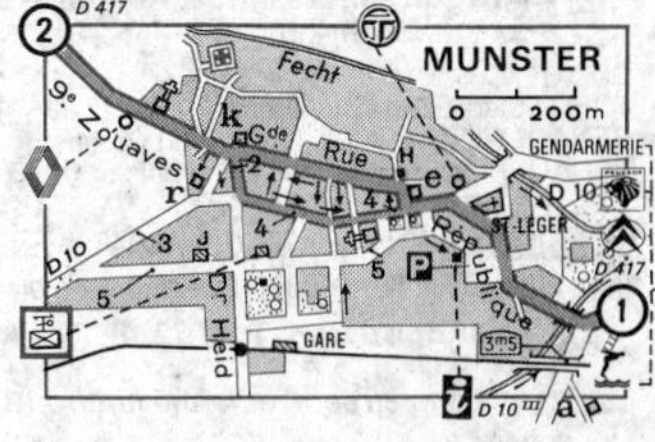

Hohneck (R. du) 2 — St-Grégoire (R.) 4
Luttenbach (R. de) 3 — Sébastopol (R.) 5

XX **Cigogne** avec ch, **(e)** ☎ 77.32.27 – ⛀wc ⛆ ☎. 🚗
fermé 15 nov. au 1er déc., 20 fév. au 8 mars, mardi soir et merc. – SC : **R** 30/120 ♁ – ☕ 11 – 11 ch 55/110.

à Luttenbach SO : 3 km par D 10 et rte forestière – ✉ **68140** Munster :

Chêne Voltaire 🐎, ☎ 77.31.74, ←, « Dans la forêt » – ⛀wc ⛆wc ☎ 🚗 Ⓟ. ✗ ch
fermé en mars, 1er au 25 oct., 21 déc. au 2 janv., lundi soir (sauf hôtel) et mardi d'oct. à mars – SC : **R** 30/60 ♁ – ☕ 11 – **19 ch** 42/90 – P 85/115.

à Breitenbach SO : 4 km par D 10 – ✉ **68380** Metzeral :

X **Cecchetti,** rte Metzeral ☎ 77.32.20 – Ⓟ
Pâques-4 janv. et fermé lundi – **R** 40/80.

CITROEN Gar. Sary, ☎ 77.33.44
PEUGEOT Gar. Schmidt, ☎ 77.40.78 N
RENAULT Gar. Martin, ☎ 77.37.44
RENAULT Gar. St-Grégoire ☎ 77.35.08 N
TALBOT Gar. Biéckert, ☎ 77.36.95

A la carte

Dans les restaurants à « prix fixes », il est généralement possible de se faire servir également à la carte.

MURAT 15300 Cantal 76 ③ **G. Auvergne** (plan) – 3 005 h. alt. 917 – ✪ 71.

Voir Église★ de Bredons S : 2,5 km.

☐ Syndicat d'Initiative av. Dr. Mallet (juil.-août et fermé dim.) et à l'Hôtel de Ville (fermé sam. et dim.) ☎ 20.09.47.

Paris 494 – Aurillac 51 – Brioude 57 – Issoire 73 – Le Puy 117 – St-Flour 25.

Gd H. Messageries, ☎ 20.04.04, – wc ☎ .
fermé 5 au 20 déc. et 5 au 18 janv. – SC : **R** 28/65 – 10 – 21 ch 40/90 – P 86/110.

à Prat de Bouc SO : 10 km par D 39 – ✉ **15300** Murat :

Le Buron, ☎ 73.30.84, ≤ –
fermé 1er nov. au 20 déc. – SC : **R** 30/45.

PEUGEOT Gar. Delrieu, ☎ 20.06.22 N
RENAULT Dolly, ☎ 20.03.93

MURAT-SUR-VÈBRE 81320 Tarn 83 ③ – 1 060 h. alt. 842 – ✪ 63.

Paris 720 – Albi 80 – Béziers 70 – Castres 63 – Montpellier 110 – St-Affrique 59.

Blayac, ☎ 37.41.91 – Ⓟ
fermé sam. hors sais. – **R** 28 bc/65 – 8 – **14 ch** 42/65 – P 80 bc/100 bc.

RENAULT Nègre, ☎ 37.43.14

MURBACH 68 H.-Rhin 62 ⑱ – rattaché à Guebwiller.

MUR-DE-BRETAGNE 22530 C.-du-N. 58 ⑲ **G. Bretagne** – 2 259 h. alt. 225 – ✪ 96.

Voir Lac de Guerlédan★★ O : 2 km.

☐ Syndicat d'Initiative pl. Église (juin-sept. et fermé dim. après-midi) ☎ 28.51.41 et à la Mairie (fermé sam. et dim.) ☎ 28.51.32.

Paris 457 – Carhaix-Pl. 48 – Guingamp 45 – Loudéac 21 – Pontivy 16 – Quimper 98 – St-Brieuc 45.

Aub Grand'Maison avec ch, ☎ 28.51.10 – TV wc wc ☎.
fermé 23 au 30 juin, 25 sept. au 25 oct., dim. soir et lundi sauf juil. et août – SC : **R** 50/130 – 13 – **15 ch** 70/120 – P 183/233.

CITROEN Euzenat, ☎ 28.51.22
RENAULT Le Denmat, ☎ 28.51.35

Les MUREAUX 78 Yvelines 55 ⑲ – rattaché à Meulan.

MURET SP 31600 H.-Garonne 82 ⑰ **G. Pyrénées** – 15 382 h. alt. 169 – ✪ 61.

Paris 726 – Auch 75 – St-Gaudens 69 – Pamiers 51 – ♦Toulouse 21.

Aragon sans rest, 15 r. Aragon ☎ 51.11.31 – Ⓟ.
7 – **20 ch** 45/65.

CITROEN G.A.M., N 117 ☎ 51.01.02
FORD Slada, Zone Ind. Joffrery ☎ 51.17.99
RENAULT S.A.D.A.M., N 117 ☎ 51.05.44
RENAULT Fournil, av. de l'Europe ☎ 51.07.45
Llédo, N 117 ☎ 51.03.30
Muret-Pneus, Zone Ind. Jofrery ☎ 51.09.39

Le MURET 40 Landes 78 ③ – alt. 49 – ✉ **40410** Pissos – ✪ 58.

Paris 619 – Belin 10 – Castets 65 – Mont-de-Marsan 68 – Parentis-en-Born 27 – Tartas 77.

Grandgousier, ☎ 07.72.19, – wc ☎ Ⓟ – 30 à 60. AE GB ⓓ
1er mars-30 sept. et fermé lundi – **R** 50/90 – 12 – **21 ch** 80/110.

MUROL 63790 P.-de-D. 73 ⑬⑭ **G. Auvergne** (plan) – 621 h. alt. 833 – ✪ 73.

Voir Château★★.

☐ Syndicat d'Initiative à la Mairie (fermé sam. après-midi hors sais. et dim. sauf matin en saison) ☎ 88.62.62.

Paris 432 – Besse-en-Chandesse 11 – ♦Clermont-Fd. 37 – Condat 39 – Issoire 31 – Le Mont-Dore 20.

Parc, ☎ 88.60.08, – wc wc ☎ Ⓟ.
Pâques-fin sept. – SC : **R** 40/75 – 12 – 35 ch 100/160, 5 appartements 200 – P 120/150.

Dômes , à Groire E : 0,5 km par D 146 ☎ 88.60.13, – wc wc ☎ Ⓟ. .
vacances de printemps, 1er juin-15 sept., vac. de fév. et week-ends en hiver – SC : **R** 40 – 12 – **35 ch** 100 – P 120.

Arvernes sans rest, ☎ 88.60.68 – Ⓟ.
1er juin-15 sept. – SC : 9 – **11 ch** 50/75.

Univers, ☎ 88.60.32 – ☎
1er juin-15 sept. et 20 déc.-vac. de printemps. – SC : **R** 30/65 – 9 – **19 ch** 48/78 – P 75/90.

à Beaune-le-Froid NO : 5 km – alt. 1 050 – ✉ **63790** Murol :

Relais des Montagnes , ☎ 88.61.48, ≤, – wc wc ☎ Ⓟ. rest
fermé 15 nov. au 16 déc. – SC : **R** 30/65 – 9,50 – **12 ch** 46/85 – P 93/120.

RENAULT Gar. Dabert, ☎ 88.63.43

La MUSE 48 Lozère 80 ④⑤ – rattaché au Rozier.

MUSSIDAN 24400 Dordogne 75 ④ – 3 235 h. alt. 57 – 53.

Syndicat d'Initiative 9 r. Libération (fermé 15 janv. au 1er mars dim. après-midi et lundi) 81.04.77.

Paris 527 – Angoulême 84 – Bergerac 25 – Libourne 55 – Périgueux 35 – Ste-Foy-la-Grande 29.

Gd Café sans rest, 1 av. Gambetta 81.00.07 – wc wc.
SC : 7,50 – **11 ch** 33/60.

Midi, à la gare 81.01.77 – .
fermé fév. et vend. – SC : **R** 30/70 – 10 – 8 ch 40/70 – P 75/85.

Relais de Gabillou, rte de Périgueux 81.01.42 – . GB
fermé du 7 au 21 juin, du 4 au 24 oct. et lundi – SC : **R** 48/120.

CITROEN Gar. Gras, 81.04.18
RENAULT Tarade, à St-Médard-de-Mussidan 81.05.94 N 81.22.89
TALBOT Gar. Rousseau, 81.04.47
Service du Pneu, à Lagut 81.02.84

MUTZIG 67190 B.-Rhin 62 ⑨ **G. Vosges** – 5 016 h. alt. 187 – 88.

Paris 435 – Obernai 12 – Saverne 30 – Sélestat 35 – ♦Strasbourg 28.

Host. de la Poste, pl. de la Fontaine 38.38.38, « Maison alsacienne » – wc wc – 30.
SC : **R** *(fermé lundi)* 28/100 – 11 – 19 ch 57/155 – P 183/210.

Aub. Alsacienne au Nid de Cigogne, r. 18-Novembre 38.11.97 –
fermé 1er au 19 juin, 30 sept. au 23 oct., mardi et merc. – SC : **R** 27 bc/120 .

Kautzmann 38.13.78

Le MUY 83490 Var 84 ⑦ – 4 280 h. alt. 21 – 94.

Voir Site★ de la chapelle N.-D.-de-la-Roquette SE : 3,5 km puis 30 mn, G. Côte d'Azur.

Office de Tourisme rte Callas (hors sais. matin seul.) 44.42.79.

Paris 859 – Brignoles 49 – Cannes 51 – Draguignan 13 – Fayence 34 – Fréjus 16 – Ste-Maxime 24.

La Chêneraie M , quartier Ste-Roseline O : 4 km par N 7 et N 555 83490 Le Muy 44.44.43, parc – TV wc wc
SC : **R** (voir rest l'Orée du Bois) – 10 – **11 ch** 100/120.

Orée du Bois, quartier Ste Roseline O : 4 km par N 7 et N 555 44.42.43 – .
GB
fermé 16 nov. au 13 déc. – SC : **R** 60 (sauf fêtes)/95.

MUZILLAC 56190 Morbihan 63 ⑭ – 2 987 h. alt. 23 – 97.

Paris 427 – ♦Nantes 84 – Redon 37 – La Roche-Bernard 15 – Vannes 26.

à Billiers S : 2,5 km – **56190** Muzillac :

Glycines, pl. Église 41.64.63, – .
fermé lundi du 1er nov. au 1er mars – SC : **R** 35/90 – 10 – 13 ch 40/60.

à la Pointe de Pen-Lan S : 4,5 km - **G. Bretagne** – **56190** Muzillac.
Voir ★.

H. de Rochevilaine , 41.69.27, littoral, « Demeures anciennes avec jardin dominant la côte », – – 30. AE GB E. rest
fermé 15 janv.-15 fév. – SC : **R** 70/120 – 23 – **35 ch** 130/340 – P 255/360.

MYENNES 58 Nièvre 65 ⑬ – rattaché à Cosne-sur-Loire.

NAJAC 12270 Aveyron 79 ⑳ **G. Causses** – 931 h. alt. 350 – 65.

Voir Site★★ – Ruines du château★ : ★.

Syndicat d'Initiative à la Mairie (fermé dim. et lundi) 65.74.28.

Paris 642 – Albi 50 – Cahors 85 – Gaillac 49 – Montauban 68 – Rodez 86 – Villefranche-de-R. 24.

Belle Rive , NO : 2 km par D 39 65.74.20, , – wc wc .
. rest
Pâques-15 oct. – SC : **R** 32/85 – 10 – **34 ch** 50/95 – P 110/134.

Oustal Del Barry, H. Miquel , 65.70.80, , – wc wc . .
ch
fermé nov., mi fév. à mi mars et lundi du 1er déc. au 31 mars – SC : **R** 28/95 – 10 – 31 ch 46/95 – P 95/120.

NANÇAY 18 Cher 64 ⑳ **G. Châteaux de la Loire** – 717 h. alt. 140 – **18330** Neuvy-sur-Barangeon – 48.

Paris 199 – Bonny-sur-Loire 66 – Bourges 35 – Gien 55 – Salbris 14 – Souesmes 13 – Vierzon 20.

Les Meaulnes avec ch, 51.61.15, « Mobilier ancien », – wc wc .
AE GB
fermé 25 janv. au 1er mars – SC : **R** (nombre de couverts limité - prévenir) carte 130 à 160 – 19 – **10 ch** 165/195.

CITROEN Garage Central, 51.80.29

NANCY

Dominicains (R. des) BY 31
Gambetta (R.) BY 35
Leclerc (Av. Gén.) DEX
Mazagran (R.) AY 53
Mengin (Pl. Henri) BY 55
Mouja (R. du Pont) BY 63
Poincaré (R. Henri) AY 70
Point-Central BY 72
Raugraff (R.) BY 74
St-Dizier (R.) BY
St-Georges (R.) CY
St-Jean (R.) BY

Adam (R. Sigisbert) BX 2
Albert-Ier (Bd) DV 3
Alliance (Pl. d') CY 4
Anatole-France (Av.) DV 6
Armée-Patton (R.) DV 7
Auxonne (R. d') DV 8
Barrès (R. Maurice) CY 10
Barthou (Bd Louis) EX 12
Bazin (R. H.) CY 13
Braconnot (R.) BX 19
Carmes (R. des) BY 20
Carrière (Pl. de la) BY 21
Cathédrale (⊞) CY S
Chanoine-Jacob (R.) AX 23
Charles (R.) AX 24
Clemenceau (Bd G.) EX 25
Courbet (R.) DV 27
Craffe (R. de la) AX 28
Europe (Bd de l') DY 32
Foch (Av.) DV 33
Gaulle (Pl. Gén.-de) BX 36
Grande-Rue BXY 37
Haut-Bourgeois (R.) AX 39
Héré (R.) BY 40
Ile de Corse (R. l') CY 41
Jaurès (Bd Jean) EX 42
Jaurès (Bd Jean) VANDŒUVRE DX 43
Jeanne-d'Arc (R.) DEX 44
Jeanne-d'Arc (Av.) VANDŒUVRE EY 45
Lamour (R. J.) AX 47
Leclerc (Av. Gén.) VANDŒUVRE DY 49
Loups (R. des) AX 51
Mareville (R. de) DX 52
Mirecourt (Route de) EX 59
Nabécor (R. de) EX 64
N.-D. de Bon Secours (⊞) EX K
N.-D. de Lourdes (⊞) DX 67
Oudinot (R. Mar.) EX 68
Poincaré (R. R.) AY 71
République (R.) JARVILLE EX 75
République (R.) MAXEVILLE DV 76

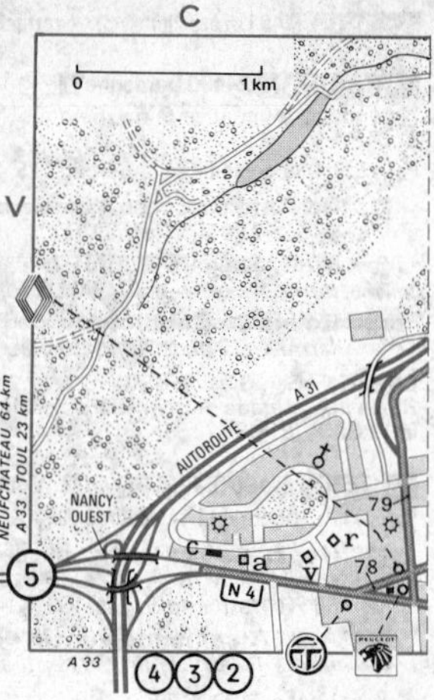

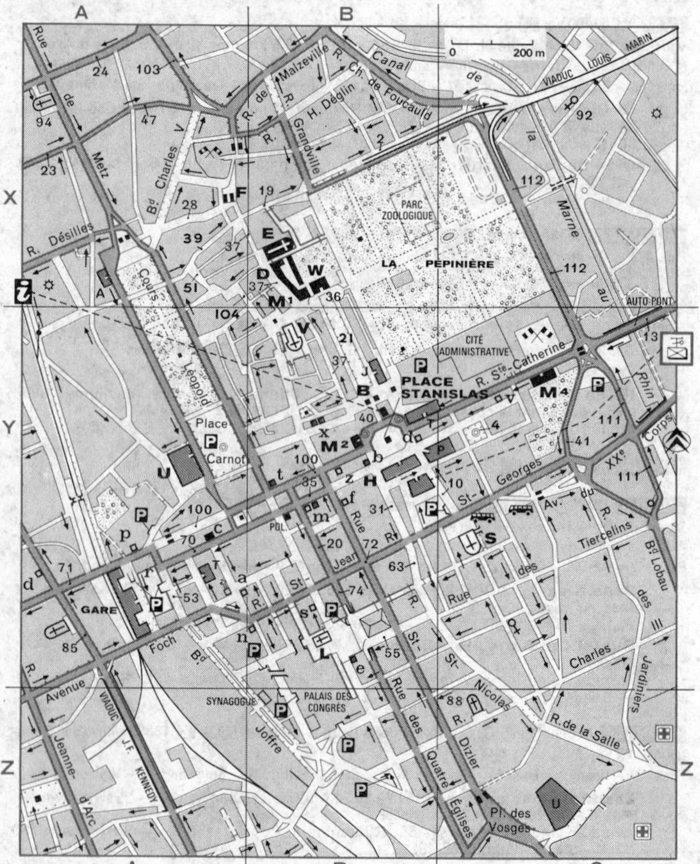

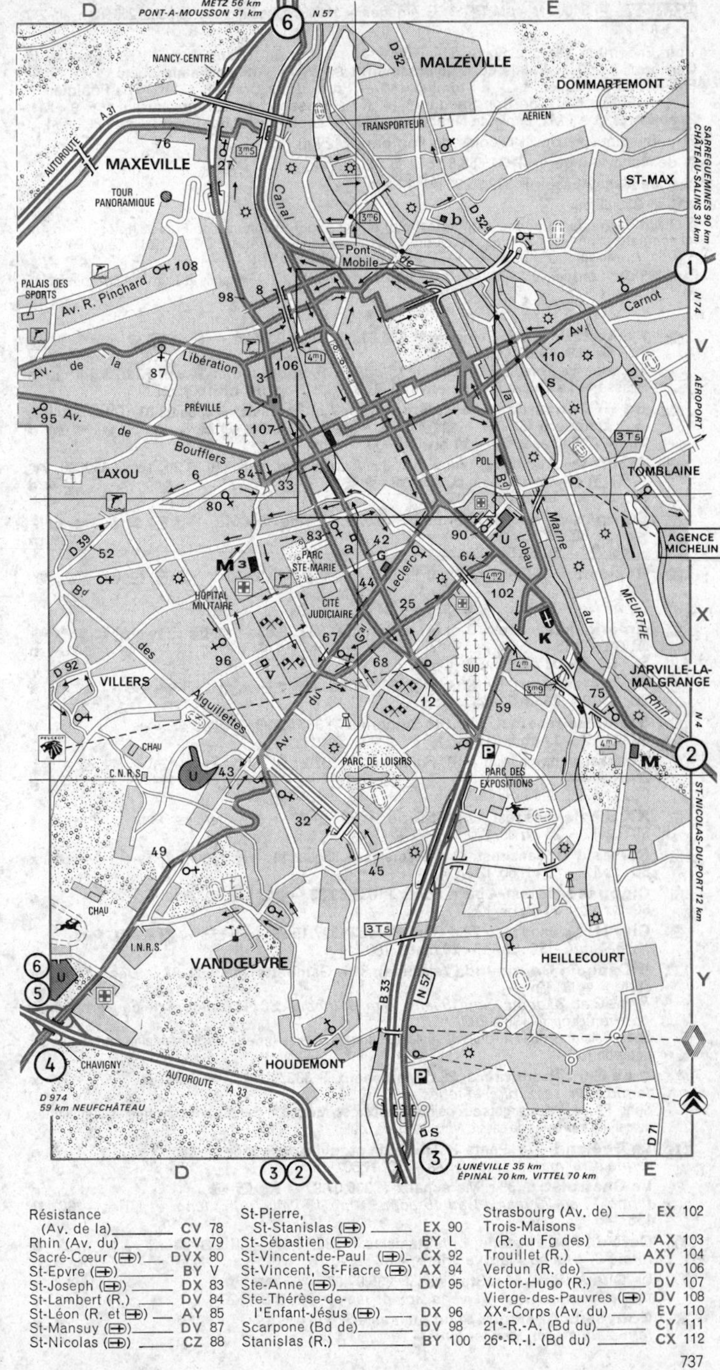
METZ 56 km
PONT-A-MOUSSON 31 km
N 57
MALZÉVILLE
DOMMARTEMONT
NANCY-CENTRE
MAXÉVILLE
TOUR PANORAMIQUE
TRANSPORTEUR
AÉRIEN
ST-MAX
SARREGUEMINES 90 km
CHÂTEAU-SALINS 31 km
Canal
Pont Mobile
PALAIS DES SPORTS
Av. R. Pinchard
Av. de la Libération
Av. Carnot
AÉROPORT
PRÉVILLE
Av. de Boufflers
LAXOU
TOMBLAINE
AGENCE MICHELIN
PARC STE-MARIE
HÔPITAL MILITAIRE
CITÉ JUDICIAIRE
Bd Lobau
MEURTHE
VILLERS
Bd des Aiguillettes
JARVILLE-LA-MALGRANGE
SUD
PARC DE LOISIRS
PARC DES EXPOSITIONS
C.N.R.S.
ST-NICOLAS-DU-PORT 12 km
I.N.R.S.
VANDŒUVRE
HEILLECOURT
CHAVIGNY
AUTOROUTE A 33
HOUDEMONT
D 974
59 km NEUFCHÂTEAU
LUNÉVILLE 35 km
ÉPINAL 70 km, VITTEL 70 km

NANCY P 54000 M.-et-M. 62 ⑤ G. Vosges – 111 493 h. communauté urbaine 266 000 h. alt. 212 – 8.

Voir Ensemble 18e s. : Place Stanislas*** BY, Arc de Triomphe* BY **B**, **Place de la Carrière*** BY **21 et Palais du Gouvernement*** BX **W** – Ancien Palais ducal** BX **D** – Église des Cordeliers* BX **E** : tombeau** – Porte de la Craffe* AX **F** – La Pépinière* BCX – Église N.-D.-de-Bon-Secours* EX **K** – Musées : Historique lorrain*** BX **M1**, Beaux-Arts** BY **M2**, Ecole de Nancy* DX **M3**, – Zoologie (aquarium tropical*) CY **M4**.

Env. Basilique** de St-Nicolas-de-Port par ② 12 km.

18 de Nancy-Aingeray ☎ 349.53.87 par ⑥ : 17 km.

de Nancy-Essey ☎ 329.56.90 EV 4,5 km.

☎ 335.08.58.

Office de Tourisme (fermé dim. après-midi hors saison) et Accueil de France (Informations et réservations d'hôtels, pas plus de 5 jours à l'avance) 14 pl. Stanislas ☎ 335.22.41, Télex 960414 - A.C. 4 r. A.-Mézières ☎ 223.33.86 - T.C.F. 9 r. Carmes ☎ 332.10.97.

Paris 306 ⑤ – Chaumont 120 ⑤ – •Dijon 201 ⑤ – •Metz 56 ⑥ – •Reims 207 ⑤ – •Strasbourg 145 ①.

Plans pages précédentes

Frantel M, 11 r. R.-Poincaré ☎ 335.61.01, Télex 960034 – 300. AE GB E. rest — AY **r**
SC : rest. **La Toison d'Or** *(fermé 15 juil au 1er sept. et dim.* **R** carte 110 à 140 , à la Brasserie **Le Thiers R** carte environ 65 – 21 – **191 ch** 180/265.

Gd H. Concorde et rest. Stanislas, 2 pl. Stanislas ☎ 335.03.01, Télex 960367, ≤, « Demeure 18e s. » – 120. AE GB E — BY **d**
SC : **R** 75/110 – 20 – **51 ch** 185/300.

Albert 1er-Astoria M sans rest, 3 r. Armée-Patton ☎ 340.31.24, Télex 850895, – 50. AE GB E — AY **d**
SC : 14 – **136 ch** 82/180.

Europe sans rest, 5 r. Carmes ☎ 335.32.10, Télex 960413 – 150. AE E — BY **m**
SC : 14 – **80 ch** 80/160.

Résidence M sans rest, 30 bd J.-Jaurès ☎ 340.33.56 – wc wc — DEX **a**
fermé Noël-1er janv. – SC : 14 – **24 ch** 110/150.

Américain sans rest, 3 pl. A.-Maginot ☎ 332.28.53 – wc wc. AE GB E — ABY **n**
SC : 15 – **51 ch** 90/190.

Crystal sans rest, 5 r. Chanzy ☎ 335.41.55 – wc . GB — AY **a**
SC : 13 – **38 ch** 72/145.

Stanislas sans rest, 22 r. Ste Catherine ☎ 337.23.88 – wc . — CY **v**
SC : 12 – **17 ch** 90/120.

Central sans rest, 6 r. R.-Poincaré ☎ 332.21.24, – wc – 25 à 35. — AY **p**
SC : 12,50 – **75 ch** 48/112.

XX Siècle sans rest, 17 r. St-Dizier ☎ 332.91.67 – wc . — BY **f**
SC : 12 – **23 ch** 65/120.

Portes d'Or sans rest, 21 r. Stanislas ☎ 335.42.34 – wc — BY **z**
SC : 12 – **20 ch** 50/130.

Cigogne sans rest, 4 bis r. Ponts ☎ 332.89.33 – wc . . — BY **s**
SC : 12 – **40 ch** 65/120.

City H. sans rest, 24 r. Gén.-Hulot ☎ 327.15.29 – wc . — DX **v**
fermé août – SC : 15 – **29 ch** 90/180.

XXX ✿ **Capucin Gourmand** (Veissière), 31 r. Gambetta ☎ 335.26.98, « Décor modern style » – — BY **m**
fermé 3 au 23 août, 13 au 19 janv., dim. et lundi – SC : **R** (nombre de couverts limité - prévenir) carte 135 à 180
Spéc. Foie gras grillé aux raisins, Sole au beurre d'oursins (hiver), Glace au miel et chocolat. **Vins** Côtes de Toul.

XXX ✿ **La Gentilhommière,** 29 r. Maréchaux ☎ 332.26.44 – . GB — BY **x**
fermé août, sam., dim. et fériés – SC : **R** 80/150
Spéc. Feuilleté d'escargots aux pointes d'asperges, Médaillon de lotte aux concombres, Aiguillettes de canard aux baies de cassis. **Vins** Côtes de Toul.

XXX **Le Goéland,** 27 r. Ponts ☎ 335.17.25, produits de la mer – GB — BY **e**
fermé sam. midi, dim. et fériés – SC : **R** 80/125.

XX **Le Gastrolâtre,** 39 r. Maréchaux ☎ 335.07.97 – . AE — BY **x**
fermé 12 au 20 mai, 1er au 16 août, 1er au 13 janv., dim., lundi et fériés – SC : **R** 135/145.

XX **Café de Foy** 1er étage, 1 pl. Stanislas ☎ 332.15.97 – AE GB . — BY **b**
fermé 24 déc. au 4 janv. et merc. – SC : **R** 40/75.

XX **La Chaumière,** 60 r. Stanislas ☎ 335.07.05 – AE GB — BY **t**
fermé 25 juil. au 24 août, vend. soir et sam. – SC : **R** 60/120.

X **Nouveaux Abattoirs,** 4 bd Austrasie ☎ 335.46.25 — EV **s**
fermé août, sam., dim. et fêtes – **R** 40/90 .

à Malzéville N : 3,5 km par D 32 - EV – 8 810 h. – ✉ **54220** Malzéville :

XX Jericho, au bord de la Meurthe ☎ 329.47.85 EV **b**

route de Paris O : 4 km – ✉ **54520** Laxou :

Sofitel M, échangeur Nancy Ouest ☎ 396.42.21, Télex 850036, – ☎ ♿ P – 30 à 120. AE GB (D) E CV **v**
rest. **Le Ménestrel R** carte 85 à 110 – 25 – **100 ch** 215/310.

Novotel Nancy Ouest M, ☎ 396.67.46, Télex 850988, – rest TV ☎ ♿ P – 25 à 300. AE GB (D) CV **a**
R snack carte environ 65 – 20 – **119 ch** 185/209.

Mercure Nancy Ouest M, ✉ 54100 ☎ 396.37.10, Télex 850014, – rest TV wc ☎ ♿ P – 150. AE GB (D) CV **r**
SC : **R** carte environ 70 – 15 – **100 ch** 139/166.

A Houdemont S : 6 km – ✉ **54140** Heillecourt :

Novotel Nancy Sud, rte d'Épinal ☎ 355.11.98, Télex 961124, – TV P – 25 à 250. AE GB (D) EY **s**
R snack carte environ 65 – 20 – **86 ch** 185/209.

au Sud-Ouest par ④ : 8 km – ✉ **54230** Neuves-Maisons :

XX **Aub. la Forestière,** ☎ 347.26.32, ≤ – P. GB (D)
fermé 17 au 31 août, dim. soir et lundi – SC : **R** 65/140.

Voir aussi ressources hôtelières de *Liverdun* par ⑥ : 16 km.

MICHELIN, Agence régionale, 1 à 5 r. Marcel-Brot EV ☎ 336.40.31

AUDI-VOLKSWAGEN Gd Gar. de la Paix, 32 r. Metz ☎ 335.51.97
BMW Hazard, 105 bd Austrasie ☎ 332.86.68
CITROEN Central Autom. de Lorraine, 11 r. Tapis-Vert CY ☎ 332.10.24
DATSUN Gar. Lorraine-Auto, 39 av. de la Garenne ☎ 340.22.57
FORD Gras, 11 r. A.-Lebrun ☎ 336.51.75
LANCIA-AUTOBIANCHI Gar. de la Pépinière, 34 bd du 26e R.-I. ☎ 332.15.20
MERCEDES-BENZ, OPEL S.O.V.A.N., 260 av. Strasbourg ☎ 335.56.34

Leclerc-Pneu, r. A.-Krug ☎ 335.28.31
Tyresoles-Sebat-Est, 8 r. Gén.-Landremont ☎ 351.20.73
Worex-Distribution, 61 r. des Chaligny ☎ 332.85.95

Périphérie et environs

CITROEN Central Autom. de Lorraine, N 57 à Houdemont EY ☎ 351.29.30
PEUGEOT S.I.A.L., av. P.-Doumer, Vandoeuvre EX ☎ 355.59.42 et 1 av. Résistance, Laxou CV ☎ 396.34.21 N ☎ 336.54.23
RENAULT Succursale av. Résistance à Laxou CV ☎ 396.81.50 et N 57 à Houdemont EY ☎ 355.20.05
TALBOT Nancéienne-Autom., 9 av. de la Résistance à Laxou CV ☎ 396.17.21

Boutmy-Pneus, 24 av. Ste-Anne à Laxou ☎ 328.54.89

NANGIS 77370 S.-et-M. 61 ③ G. Environs de Paris – 6 739 h. alt. 130 – ⚙ 6.

Voir Église★ de Rampillon E : 4,5 km par D 62.

Syndicat d'Initiative à la Mairie (fermé sam. et dim.) ☎ 408.00.50.

Paris 63 – Coulommiers 35 – Fontainebleau 31 – Melun 26 – Provins 22 – Sens 52.

XX **Dauphin avec ch,** 9 bis r. A.-Briand ☎ 408.03.57 – ☎ P. GB. ch
fermé 13 au 29 juil., 23 déc. au 12 janv., dim. soir et lundi – SC : **R** 50, carte le dim. – 11 – **11 ch** 50/120.

CITROEN Gar. Barbier, 31 ter r. des Ecoles ☎ 408.01.03
CITROEN Gar. Therrey, 3 av. Gén.-de-Gaulle ☎ 408.00.48
PEUGEOT Haelterman, 26 ter rte de Paris ☎ 408.01.05
RENAULT Bezault, 39 r. de la Libération ☎ 408.01.37

NANS-LES-PINS 83860 Var 84 ⑭ – 953 h. alt. 430 – ⚙ 94.

Paris 799 – Aix-en-Provence 42 – Brignoles 26 – ♦Marseille 41 – Rians 35 – ♦Toulon 69.

Châteauneuf, au Châteauneuf N : 3,5 km par D 80 et N 560 ☎ 78.90.06, ≤, « dans un parc », – TV ☎ P – 30. AE GB (D) E. rest
1er avril-nov. – SC : **R** 105/165 – 20 – 28 ch 200/275, 3 appartements 415 – P 250/360.

RENAULT Gar. Cardillo, ☎ 78.92.53

NANS-SOUS-STE-ANNE 25 Doubs 70 ⑤ – 128 h. alt. 365 – ✉ 25330 Amancey – ⚙ 81.

Paris 424 – ♦Besançon 41 – Pontarlier 35 – Salins-les-Bains 14.

Poste , ☎ 86.62.57, ≤, – P. ch
fermé 12 nov. au 12 déc. et merc. hors sais. – SC : **R** 26/68 – 10 – 12 ch 42/57 – P 78/85.

NANT-BRIDE 74 H.-Savoie 74 ⑧ – rattaché à Samoëns.

NANTERRE 92 Hauts de Seine 55 ⑳, 101 ⑬ ⑭ – voir Paris Proche Banlieue (Rueil Malmaison).

NANTES P 44000 Loire-Atl. 67 ③ **G. Bretagne** – 263 689 h. communauté urbaine 420 000 h. alt. 8 – 40.

Voir Cathédrale★ : intérieur★★ HY – Château ducal★★ : musées d'art populaire régional★ et des Salorges★ HY – La ville du 19e s. ★ : passage Pommeraye★ GZ, 135, cours Cambronne★ FZ – Jardin des Plantes★ HY – Palais Dobrée★ FZ **K** – Ancienne île Feydeau★ GZ – Belvédère Ste-Anne ≤★ EZ **S** – Musées : Beaux-Arts★★ HY **M1**, Histoire naturelle★★ FZ **M2, Archéologie régionale★ (dans les jardins du palais Dobrée)** FZ **M3**, Jules Verne★ EZ **M4** – Vallée de l'Erdre★ CV.

18 de Vigneux ☎ 63.25.82 - AV D 81 : 16 km.

de Nantes-Château Bougon ☎ 75.80.00 par D 85 et BX : 8,5 km.

☎ 74.63.65.

Office de Tourisme (fermé dim. et fêtes) et Accueil de France (Informations, change et réservations d'hôtels, pas plus de 5 jours à l'avance), pl. Change ☎ 47.04.51, Télex 700629 - – A.C.O. 6 bd G.-Guist'hau ☎ 48.56.19 - T.C.F. 15 pl. Commerce ☎ 48.43.68.

Paris 376 ⑬ – Angers 89 ⑬ – ♦Bordeaux 332 ④ – ♦Lyon 626 ⑬ – ♦Rennes 107 ⑩.

Plans pages suivantes

Sofitel M, Ile Beaulieu ✉ 44200 ☎ 47.61.03, Télex 710990, ≤, – – 150. AE GB E — CX **a**
rest. **La Pêcherie R** carte 90 à 120 **Café de Nantes R** carte environ 55 – 25 – **98 ch** 220/310 – P 350/400.

Central H. et Rôt. Crémaillère, 4 r. Couëdic ☎ 20.09.35, Télex 700666 – rest – 50 à 150. AE E — GZ **f**
SC : **R** 70 bc/90 bc – 15 – **143 ch** 160/210 – P 211.

Frantel M, Ile Beaulieu ✉ 44200 ☎ 47.10.58, Télex 711440 – rest – 200. AE GB E. rest — CX **u**
SC : **R** rest. **Le Tillac** *(fermé dim.)* **R** carte 100 à 140 – 21 – **150 ch** 190/260.

Bourgogne sans rest, 9 allée Cdt-Charcot ☎ 74.03.34, Télex 700610 – wc wc . — HY **g**
fermé 24 déc. au 3 janv. – SC : 13,50 – **40 ch** 127/170.

France et rest Belle Epoque, 24 r. Crébillon ☎ 73.57.91, Télex 700633 – wc wc – 25. AE GB — FZ **w**
R *(fermé sam. et dim. midi)* 49/69 – 15 – **75 ch** 130/220 – P 200/250.

Sup Motel sans rest, 9 r. Alger ☎ 73.76.94 – wc . E — FZ **a**
SC : 11 – **43 ch** 140/180.

Astoria sans rest, 11 r. Richebourg ☎ 74.39.90 – wc wc . — HY **k**
fermé août – SC : 13,50 – **45 ch** 115/160.

Vendée sans rest, 8 allée Cdt-Charcot ☎ 74.14.54 – wc wc – 40. AE GB — HY **g**
SC : 14 – **88 ch** 115/165.

Gd Hôtel sans rest, 2 bis r. Santeuil ☎ 73.46.68 – wc wc . GB — FZ **p**
SC : 10,50 – **43 ch** 87/105.

Cholet sans rest, 10 r. Gresset ☎ 71.83.47 – wc wc . — FZ **b**
SC : 10,50 – **35 ch** 77/120.

Concorde sans rest, 2 allée Orléans ☎ 48.75.91 – wc wc . — GZ **u**
SC : 9,50 – **34 ch** 65/125.

Graslin sans rest, 1 r. Piron ☎ 71.35.61 – wc wc — FZ **v**
SC : 10 – **46 ch** 47/105.

Trois Marchands, 26 r. A.-Brossard ☎ 47.62.00 – wc wc . AE GB . rest — GY **y**
SC : **R** 38/70 – 11 – **45 ch** 65/125 – P 95/150.

Duquesne M sans rest, 12 allée Duquesne ☎ 47.57.24 – wc . AE GB — GY **e**
SC : 11 – **27 ch** 82/112.

Terminus sans rest, 3 allée Cdt-Charcot ☎ 74.24.51 – wc wc . — HY **z**
SC : 11 – **36 ch** 55/113.

Colonies sans rest, 5 r. Chapeau-Rouge ☎ 48.79.76 – wc wc — FZ **q**
24 ch.

Atlantique sans rest, 9 r. Mar.-de-Lattre-de-Tassigny ☎ 71.94.41 – — FZ **x**
SC : 9,50 – **23 ch** 46/60.

Océan sans rest, 11 r. Mar.-de-Lattre-de-Tassigny ☎ 71.37.03 – . — FZ **x**
SC : 10 – **24 ch** 50/90.

XXX **La Rôtisserie,** pl. A.-Briand ☎ 48.69.28 – AE GB E — FY **n**
fermé dim. – SC : **R** 60/95.

XXX **Coq Hardi,** 22 allée Cdt-Charcot ☎ 74.14.25 — HY **r**
fermé 1er au 15 juil. et sam. – **R** 45/75.

XXX **L'Esquinade,** 7 rue St-Denis ☎ 48.17.22 – GB — GY **a**
fermé juil., dim. soir et lundi – SC : **R** 70.

XXX **Chêne Vert,** 14 bis r. Talensac ☎ 71.09.22 – AE GB — GY **r**
fermé dim. sauf fêtes – SC : **R** 53/230.

XX ❀ **La Sirène** (Belloir), 4 r. Kervégan ☎ 47.00.17 – GB. ⚘ GZ **t**
fermé 10 au 16 août et dim. – SC : **R** (nombre de couverts limité - prévenir) 100 bc/180 bc
Spéc. Suivant produits de saison. **Vins** Muscadet.

XX ❀ **Les Maraîchers,** 21 r. Fouré ☎ 47.06.51 – GB HZ **a**
fermé 22 août au 15 sept., vacances de fév., dim. et lundi – SC : **R** (nombre de couverts limité - prévenir) carte 135 à 200
Spéc. Saumon fumé, Anguille en brioche, Canard à la menthe. **Vins** Muscadet, Anjou.

XX La Vigie, 18 quai Versailles ☎ 20.35.28 GY **n**
fermé août, sam. et dim..

XX **San Francisco,** 3 chemin Bateliers ☎ 49.59.42 – **P**. ⓓ DX **s**
fermé 8 au 31 août, 23 janv. au 1er fév., dim. soir et lundi – SC : **R** 68/100.

XX **Le Gavroche,** 139 r. Hauts-Pavés ☎ 76.22.49 – ⚘ BV **u**
fermé août, dim. soir, mardi soir et lundi – SC : **R** 55/80.

XX **Le Nantais,** 161 r. Hauts-Pavés ☎ 76.59.54 – **P** BV **t**
fermé août et lundi – SC : **R** 50/95.

XX **Nguyet Nga,** 5 r. Santeuil ☎ 73.39.08, cuisine vietnamienne FZ **s**
fermé dim. – SC : **R** 56/85.

X **Voyageurs,** 16 allée Cdt-Charcot ☎ 74.02.41 – GB HY **s**
fermé 2 au 15 janv. – SC : **R** 40/80.

X **La Salamandre,** 4 r. Santeuil ☎ 73.09.03 FZ **p**
fermé dim. soir et lundi – **R** 33/66 ♗.

X **Le Change,** 11 r. Juiverie ☎ 48.02.28 – ⚘ GY **u**
fermé 27 juil. au 25 août, dim. soir et lundi – SC : **R** 32/84.

X **Deux Musées,** 3 pl. Monnaie ☎ 71.57.20 FZ **d**
fermé 15 août au 10 sept. et dim. – SC : **R** 40 (sauf fêtes)/80 ♗.

X **Petit Saint-Jean,** 9 r. Lapérouse ☎ 48.29.97 – GB GZ **r**
fermé 19 déc. au 5 janv., sam. et dim. en hiver – SC : **R** 31/69.

Environs

au Pont de Bellevue E : 9 km par rte Ste-Luce D 68 et D 337 – ✉ **44470** Carquefou

XXX ❀ **Delphin,** ☎ 49.04.13, ≤ – **P**. AE ⓓ DV **b**
fermé 3 au 25 août, 14 déc. au 5 janv., dim. soir et lundi – SC : **R** (nombre de couverts limité - prévenir) carte 135 à 180
Spéc. Ecuelle du pêcheur au vin rouge, Estouffade de turbot au Muscadet, Ragoût de saumon frais. **Vins** Muscadet.

rte d'Angers et N 23 – ✉ **44470** Carquefou :

P.L.M. Carquefou M, La Madeleine : 9 km ☎ 49.29.24, Télex 710962 – ▤ rest TV ☎ ♿ **P** – 30 à 120. AE GB ⓓ E DV **a**
SC : **R** 45/60 ♗ – ☕ 20 – **78 ch** 180/210 – P 220/280.

Novotel Carquefou M, à la Belle Étoile par ① : 11 km ☎ 49.32.84, Télex 711175 – ▤ rest TV ☎ ♿ **P** – 30 à 150. AE GB ⓓ
R snack carte environ 65 – ☕ 20 – **99 ch** 170/195.

à Carquefou par ⑫ : 10,5 km – 8 551 h. – ✉ **44470** Carquefou :

XX **Cheval Blanc,** r. 9-août-1944 ☎ 50.88.05, salle rustique
fermé août, vacances de fév., dim. soir et lundi – SC : **R** 70/150.

à St-Sébastien : par D 751 : 6 km – ✉ **44230** St-Sébastien :

XX **Manoir de la Comète,** 21 av. Libération ☎ 34.15.93 – **P**. AE ⓓ CX **e**
fermé 28 juil. au 26 août, vacances de fév. et dim. sauf fériés – SC : **R** 80/150.

à Basse-Goulaine par D 119 : 8 km – 4 154 h. – ✉ **44115** Basse-Goulaine.
Voir Château de Goulaine★ E : 5 km par D 115 - DX. **G. Côte de l'Atlantique.**

XXX **Mon Rêve,** ☎ 54.57.11, « parc et roseraie » – **P**. AE GB ⓓ DV **e**
fermé en fév., dim. soir et merc. du 1er oct. au 31 mars – SC : **R** (dim. prévenir) 85/185.

XX **Bénureau,** ☎ 54.90.03 – **P** DX **a**
fermé 6 août au 4 sept., dim. soir et lundi – SC : **R** 85/110.

à Vertou : 6 km par D 59 DX – ✉ **44120** Vertou :

Haute-Forêt sans rest, bd Europe ☎ 34.01.74 – wc wc ☎ **P** – 30. GB
SC : ☕ 12 – **25 ch** 82/120.

XX **Anjou** avec ch, sur N 149 ☎ 34.56.56 – wc wc ☎ **P**. DX **n**
SC : **R** *(fermé dim. soir)* 40/100 ♗ – ☕ 10 – **16 ch** 50/120.

rte de Poitiers N 149 par ③ – ✉ **44115** Basse-Goulaine :

La Lande St-Martin, à 11 km ☎ 80.00.80, ≤, parc – wc wc ☎ **P** – 25 à 50. GB ⓓ
R *(fermé dim. soir)* 46/80 – ☕ 12 – **34 ch** 80/130.

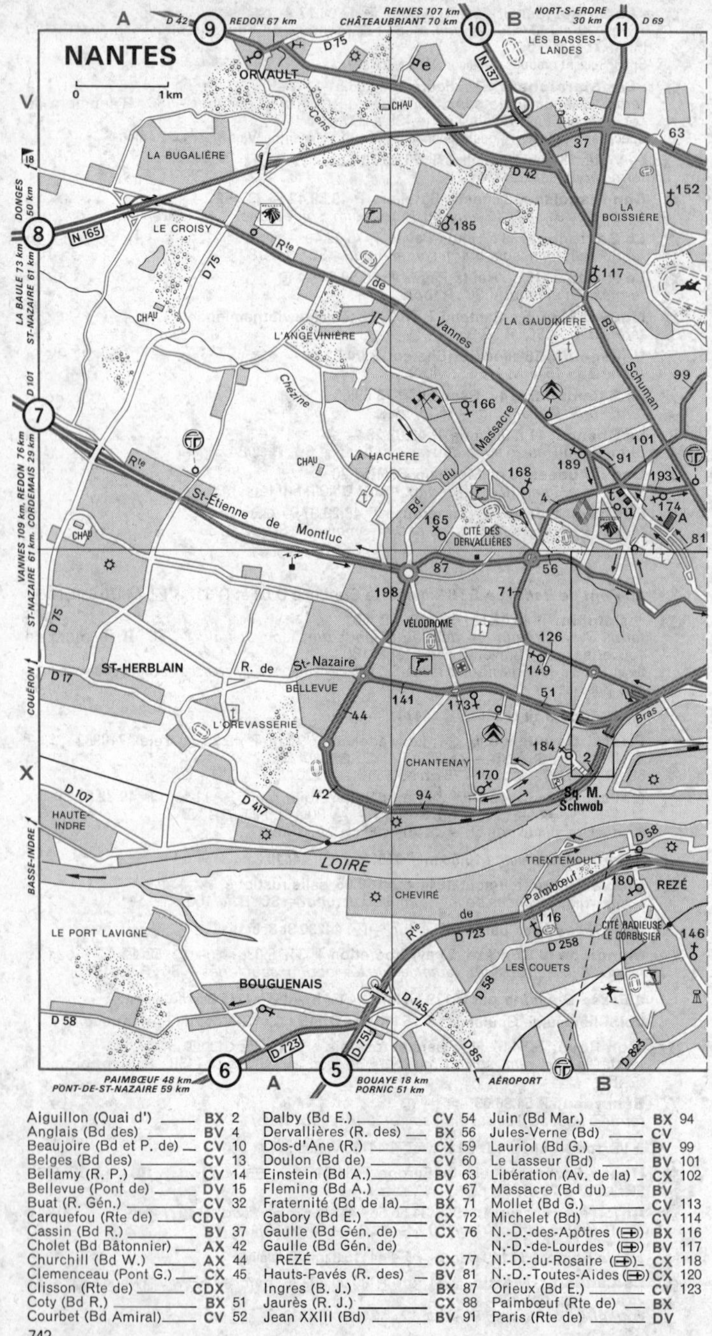
NANTES
0 1 km
REDON 67 km
RENNES 107 km
CHÂTEAUBRIANT 70 km
NORT-S-ERDRE 30 km
D 42
D 69
N 137
LES BASSES-LANDES
ORVAULT
CHÂU
LA BUGALIÈRE
DONGES 50 km
LA BAULE 73 km
ST-NAZAIRE 61 km
N 165
LE CROISY
D 75
L'ANGEVINIÈRE
R^te de Vannes
LA BOISSIÈRE
LA GAUDINIÈRE
B^d Schuman
Chézine
B^d du Massacre
LA HACHÈRE
VANNES 109 km, REDON 76 km
ST-NAZAIRE 61 km, CORDEMAIS 29 km
D 101
R^te St-Étienne de Montluc
CITÉ DES DERVALLIÈRES
VÉLODROME
ST-HERBLAIN
R. de St-Nazaire
BELLEVUE
COUËRON
D 17
L'OREVASSERIE
CHANTENAY
Sq. M. Schwob
Bras
D 107
D 417
HAUTE-INDRE
BASSE-INDRE
LOIRE
TRENTEMOULT
CHEVIRÉ
REZÉ
R^te de Paimbœuf
D 723
D 258
CITÉ RADIEUSE LE CORBUSIER
LE PORT LAVIGNE
LES COUETS
BOUGUENAIS
D 58
D 145
D 751
D 85
D 823
PAIMBŒUF 48 km
PONT-DE-ST-NAZAIRE 59 km
BOUAYE 18 km
PORNIC 51 km
AÉROPORT

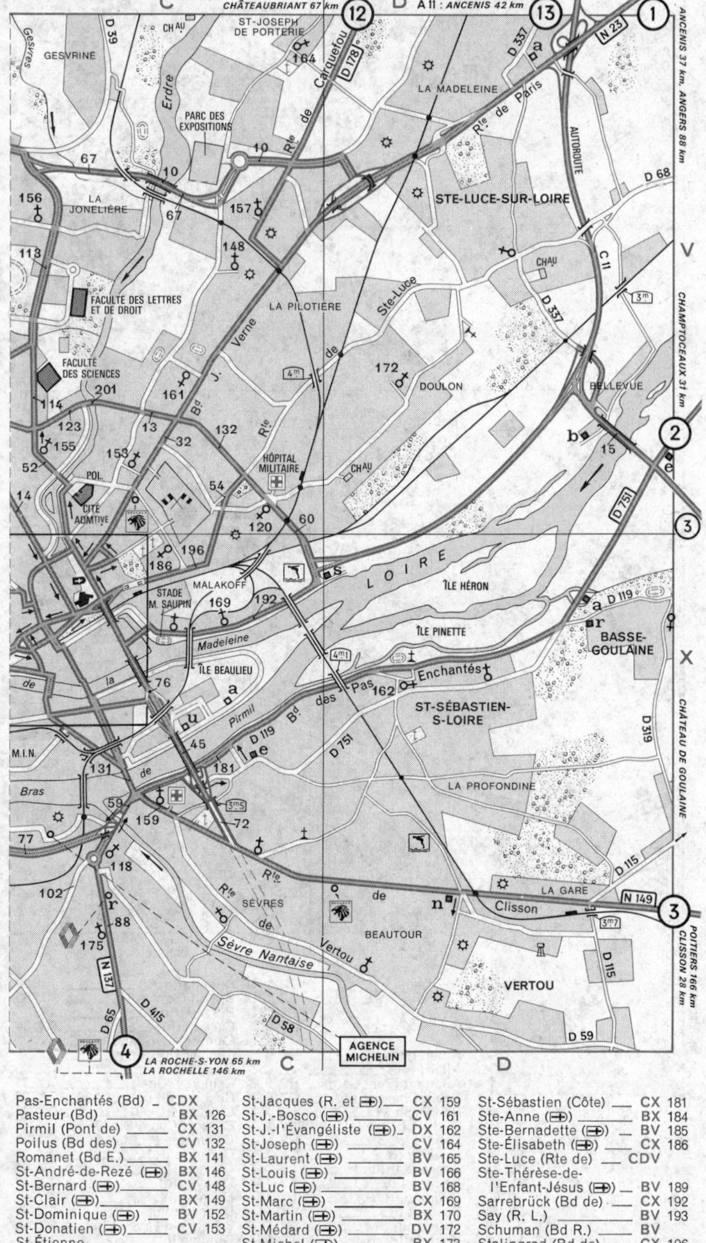
CHÂTEAUBRIANT 67 km
ANGERS 89 km
A 11 : ANCENIS 42 km
ANCENIS 37 km. ANGERS 88 km
CHAMPTOCEAUX 31 km
CHÂTEAU DE GOULAINE
POITIERS 166 km
CLISSON 28 km
LA ROCHE-S-YON 65 km
LA ROCHELLE 146 km
GESVRINE
ST-JOSEPH DE PORTERIE
PARC DES EXPOSITIONS
LA MADELEINE
STE-LUCE-SUR-LOIRE
LA JONELIÈRE
FACULTÉ DES LETTRES ET DE DROIT
FACULTÉ DES SCIENCES
LA PILOTIÈRE
DOULON
BELLEVUE
HÔPITAL MILITAIRE
CITÉ ADMTIVE
LOIRE
ÎLE HÉRON
STADE M. SAUPIN
MALAKOFF
ÎLE PINETTE
BASSE-GOULAINE
ÎLE BEAULIEU
ST-SÉBASTIEN-S-LOIRE
M.I.N.
LA PROFONDINE
LA GARE
SÈVRES
BEAUTOUR
VERTOU
Sèvre Nantaise
AGENCE MICHELIN

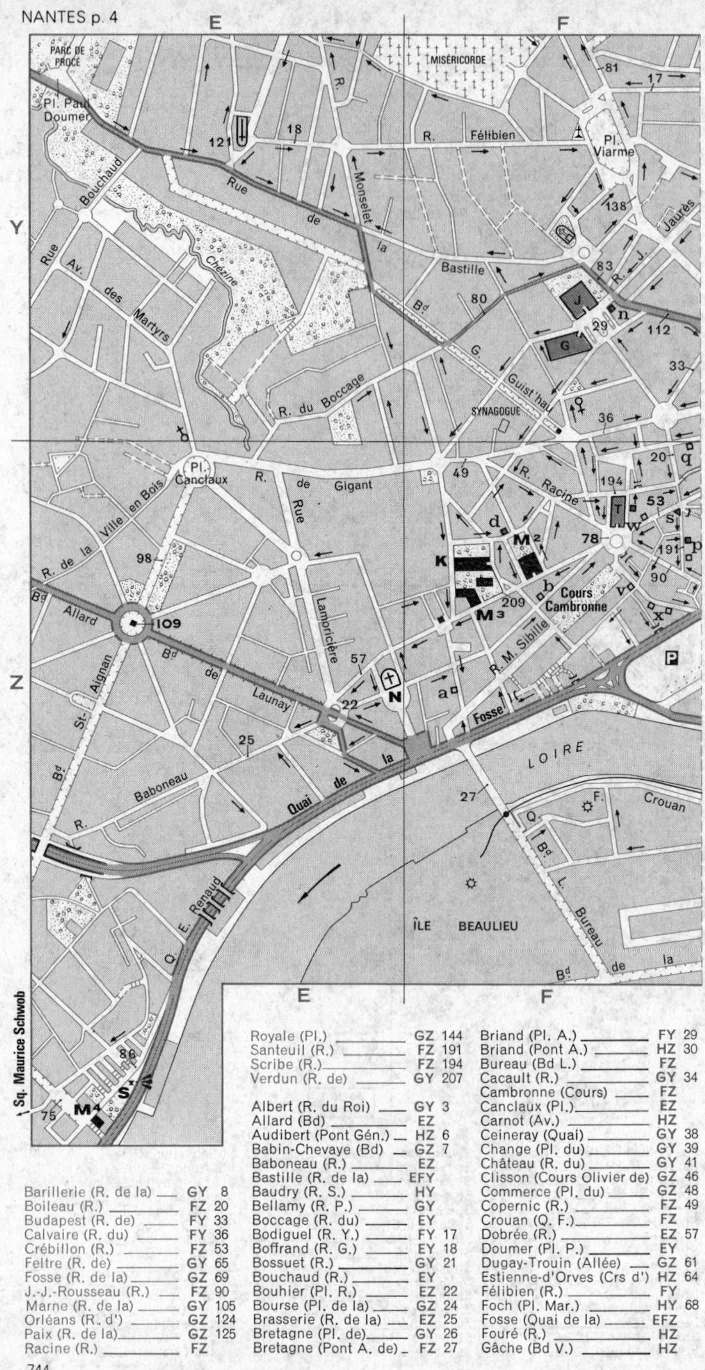

E
F
PARC DE PROCÉ
Pl. Paul Doumer
MISÉRICORDE
R. Félibien
Pl. Viarme
Rue de la Bastille
Monselet
Bouchaud
Rue
Av. des Martyrs
Chézine
Bd G. Guist'hau
SYNAGOGUE
R. du Boccage
Pl. Canclaux
R. de Gigant
Rue Lamoricière
R. de la Ville en Bois
Bd Allard
Bd de Launay
Bd St-Aignan
R. Baboneau
Quai de la Fosse
R. Racine
Cours Cambronne
R. M. Sibille
Fosse
LOIRE
Crouan
Q. Bd L. Bureau
Bd de la
ÎLE BEAULIEU
Q. E. Renaud
Sq. Maurice Schwob
Y
Z
81
17
121
18
138
Jaurès
83
J
n
29
112
80
G
33
36
20
q
49
194
53
d
M2
78
K
191
98
b
90
109
209
M3
v
x
57
N
a
22
25
27
86
S
75
M4

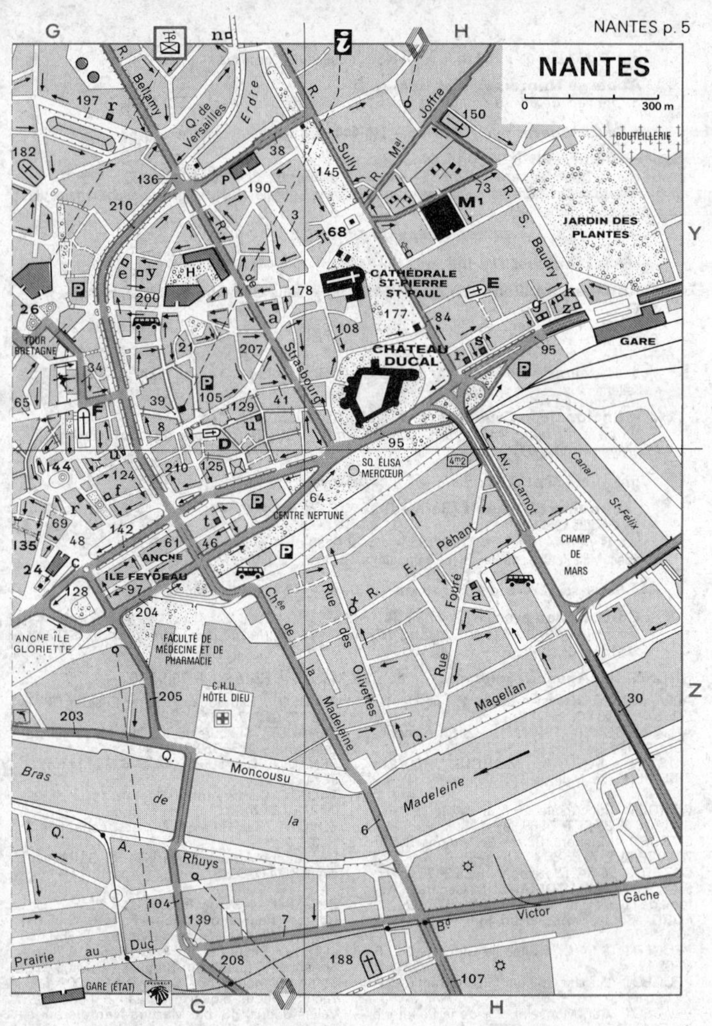

Gambetta (R.) ______ HY 73
Garennes (Pl. des) _ EZ 75
Gigant (R. de) ______ EZ
Graslin (Pl.) ______ FZ 78
Guist'hau (Bd G.) _ FY
Harouys (R.) ______ FY 80
Hauts-Pavés (R. des) FY 81
Hélie (R. F.) ______ FY 83
Henri IV (R.) ______ HY 84
Hermitage (R. de l')_ EZ 86
Immaculée-
Conception (⊞) _ HY E
Jaurès (R. J.) ______ FY
Joffre (R. Mar.) ______ HY
Kennedy (Cours J.-F.) HY 95
Kervégan (R.) ______ GZ 97
Lamoricière (R.) ______ EZ
Langevin (Bd P.) ______ EZ 98
Launay (Bd de) ______ EZ
Louis-Blanc (R.) ______ GZ 104
Madeleine (Chée) _ GHZ
Magellan (Quai) ______ HZ
Martyrs (Av. des) ______ EY

Martyrs-Nantais-
de la Résist. (Bd) ______ HZ 107
Mathelin-Rodier (R.) __ HY 108
Mellinet (Pl. Gén.) ______ EZ 109
Mercœur (R.) ______ FY 112
Moncousu (Quai) ______ GZ
Monselet (R. Ch.) ______ EY
N.-D.-de-Bon-Port (⊞) _ EZ N
N.-D.-Toutes-Joies (⊞) EY 121
Olivettes (R. des) ______ HZ
Péhant (R. E.) ______ HZ
Petite-Hollande (Pl.) __ GZ 128
Pilori (Pl. du) ______ GY 129
Pommeraye (Pas.) ______ GZ 135
Port-Communeau (Pl. du) GY 136
Porte-Neuve (R.) ______ FY 138
Prairie-au-Duc (Bd) __ FGZ
Renaud (Q. E.) ______ EZ
République (Pl. de la)__ GZ 139
Rhuys (Q. A.) ______ GZ
Roosevelt (Crs F.) ______ GZ 142
St-Aignan (Bd) ______ EZ
St-André (Crs) ______ HY 145

St-Clément (⊞) ______ HY 150
St-Nicolas (⊞) ______ GY F
St-Pierre (Crs) ______ HY 177
St-Pierre (Pl.) ______ GY 178
St-Pierre-St-Paul (⊞) __ HY
St-Similien (⊞) ______ GY 182
Ste-Croix (⊞) ______ GY D
Ste-Madeleine (⊞) ______ HZ 188
Salengro (Pl. R.) ______ GY 190
Sibille (R. M.) ______ FZ
Strasbourg (R. de) ______ GY
Sully (R.) ______ HY
Talensac (R.) ______ GY 197
Thiers (R.) ______ GY 200
Tourville (Quai de) ______ GZ 203
Turenne (Allée de) ______ GZ 204
Veil (R. G.) ______ GZ 205
Versailles (Quai de) ______ GY
Viarme (Pl.) ______ FY
Victor-Hugo (Bd) ______ GZ 208
Ville-en-Bois (R. de la) __ EZ
Voltaire (R.) ______ FZ 209
50-Otages (Crs des) ______ GYZ 210

sur D 751 par ② *:* 15 km – ✉ **44450** St-Julien-de-Concelles :

XX **Auberge Nantaise,** ☎ 54.10.73 –
fermé vac. de fév., dim. soir et lundi (sauf midi jours fériés) – SC : **R** 60/85.

à La Chebuette par ② : 16 km – ✉ **44450** St-Julien-de-Concelles :

XXX ❀ **Clémence,** ☎ 54.10.18, – Ⓟ.
fermé 1er au 15 sept., 12 au 31 janv., dim. soir et lundi – SC : **R** carte 80 à 125
Spéc. Sandre beurre blanc, Cuisses de grenouilles provençale, Anguilles grillées sauce tartare. **Vins** Muscadet, Gros Plant.

par la sortie ④ *:*

rte des Sables d'Olonne et D 178 : 12 km – ✉ **44400** Les Sorinières :

Abbaye de Villeneuve , ☎ 54.70.25, **« Belle demeure du 18e s., parc »**, ← – ☎ Ⓟ – 50
SC : **R** *(fermé merc. sauf le soir pour résidents)* 90/150 – 22 – **14 ch** 230/290 – P 307/417.

à St-Jean-de-Boiseau par D 723 et D 58 : 15 km - AX – 3 102 h. – ✉ **44640** Le Pellerin :

XX **L'Enclos de la Cruaudière,** ☎ 65.66.10, « Jardin » – Ⓟ
fermé août, sam. midi, dim. soir et lundi – SC : **R** (nombre de couverts limité - prévenir) carte 85 à 130.

par ⑨ *N 137 et D 42 :* 7 km – ✉ **44700** Orvault :

❀ **Domaine d'Orvault** (Bernard) Ⓜ , ☎ 76.84.02, , – ☎ Ⓟ – 30. AE GB BV **e**
SC : **R** *(fermé lundi midi)* 90/185 – 22 – **30 ch** 120/270 – P 270/335
Spéc. Mille-feuilles de Bar, Blanc de poulette, Grand dessert. **Vins** Muscadet.

à Sucé-sur-Erdre par ⑪ : 16 km – 3 372 h. – ✉ **44240** La Chapelle-sur-Erdre :

X **Cordon Bleu** avec ch, ☎ 77.71.34 –
fermé 15 août au 10 sept. et 2 au 10 janv. – SC : **R** *(fermé dim. soir et lundi)* 45/120 – 15 – 12 ch 45/70 – P 120/150.

MICHELIN, Agence régionale, rue de L'Ile-Macé, Z.I. Rezé CX ☎ **75.54.76**

ALFA-ROMEO Ouest-Autom., 151 r. Hauts-Pavés ☎ 76.63.40
AUSTIN, ROVER, TRIUMPH Laizin-Armoric-Auto, 2 bis r. Lamoricière ☎ 73.26.70
AUSTIN, JAGUAR, MORRIS, ROVER, TRIUMPH Le Moigne, 18 allée Baco ☎ 47.77.16
CITROEN Succursale, 26 r. de la Marseillaise BX ☎ 46.08.33 N ☎ 74.68.39
CITROEN Mustière, 82 rte de Vannes BV ☎ 76.90.76 N ☎ 74.66.66
DATSUN SOBA, 58 rte de Vannes ☎ 76.05.02
FIAT, LANCIA-AUTOBIANCHI Générale Autom. de l'Ouest, 10 bd J.-Verne ☎ 49.32.63
FORD Conté-Tiriau, 16 bd Stalingrad ☎ 74.30.11
PEUGEOT S.I.A.O., 5 allée Ile-Gloriette GZ ☎ 47.02.17
PEUGEOT Dugast, 103 bis r. Gén.-Buat CV ☎ 74.18.04
PEUGEOT Gar. Monselet, 2 r. de la Pelleterie BV ☎ 40.63.74
PEUGEOT Raguideau, 170 rte Clisson DX ☎ 34.27.43 N ☎ 74.66.66
RENAULT Succursale, 68 bd Meusnier-de-Querlon BV ☎ 76.75.82
RENAULT Gar. Louis XVI, 41 r. Gambetta HY ☎ 74.29.33 N
TALBOT Centre Autom. Nantais, 144 r. P.-Bellamy BV ☎ 74.93.01
TOYOTA Gar. Grimaud, 6 r. de L'échappée ☎ 47.02.79
Dépannage-Autom.-Ouest, 14 r. G.-Clemenceau ☎ 74.66.66 N

Le Gall, 4 r. Baron ☎ 47.66.00
Nantes-Pneumatiques, 83 rte Paris ☎ 49.36.19
Pneum. Nantais, 104 rte de Vannes ☎ 76.11.98 et 17-19 r. Emile-Péhant ☎ 47.16.45
Sonamia, 10 quai Henri-Barbusse ☎ 74.05.69
Station Magellan, 58 r. Fouré ☎ 47.12.00
Technic-Pneus, 6 quai F.-Crouan ☎ 47.67.35
Vallée-Pneus, 13 bd Martyrs-Nantais-de-la-Résistance ☎ 47.87.14

Périphérie et environs

AUDI-VOLKSWAGEN Le Gras, 48 r. E.-Sauvestre à Rezé ☎ 75.67.07
CITROEN Succursale, 5 r. Charles Rivière à Rézé
MERCEDES-BENZ VARVI-Versailles-Automobiles, 307 rte Vannes à St-Herblain ☎ 63.63.89 N ☎ 74.68.39
PEUGEOT Blain, 102 r. E.-Sauvestre à Rezé ☎ 75.41.34
PEUGEOT S.I.A.O., 165 rte de Vannes à Le Croizy AV ☎ 63.18.73
RENAULT Gar. Moinet, 25 r. J.-Jaurès à Rezé CX y ☎ 75.60.00
RENAULT S.R.D.A., 110 r. des Sorinières à Rezé ☎ 75.68.00 N ☎ 75.55.29
TALBOT Loire-Océans-Autos, Piliers de la Chauvinière à St-Herblain AV ☎ 46.14.14
TALBOT Rez'Auto, bd Mar.-De-Lattre-De-Tassigny à Rézé BX ☎ 84.34.00
Gar. du Stade, 73 r. de Bel-Etre à Rezé ☎ 75.43.79

Clinique du Pneu, Parc Industriel de la Vertonne Z.I. à Vertou ☎ 34.15.57
Lemaux-Pneu, 8 r. J.-B.-Vigier à Rezé ☎ 75.84.16
Nantex, 2 r. des Cochardières, Zil St-Herblain ☎ 46.56.07
Vallée-Pneus, 26 r. de la Dutée, Zone Ind. à St-Herblain ☎ 46.27.75

NANTEUIL-LE-HAUDOUIN 60440 Oise 56 ⑫ **G. Environs de Paris** – 1 766 h. alt. 96 – ✪ 4.

Paris 50 – Beauvais 71 – Compiègne 36 – Meaux 25 – Senlis 20 – Villers-Cotterêts 25.

XX **Le Bruxelles-Paris** avec ch, ☎ 488.00.37 – ⋔wc. GB
fermé 15 août au 1er sept., 18 au 31 janv. et merc. – SC : **R** 45/60 🍷 – ☕ 10 – **10 ch** 45/60 – P 100/120.

CITROEN Thuillier et Klaine, ☎ 488.00.02 N — RENAULT Gar. du Centre, ☎ 488.01.43 N

NANTEUIL-SUR-MARNE 77 S.-et-M. 56 ⑬⑭ – 281 h. alt. 63 – ✉ **77730** Saâcy-sur-Marne – ✪ 6.

Paris 77 – Charly 6 – Château-Thierry 22 – La Ferté-sous-Jouarre 10 – Melun 73.

Aub. Lion d'Or, ☎ 023.62.21, – Ⓟ. AE GB E
fermé 20 déc. au 1er fév., merc. soir et jeudi – SC : **R** 35/80 🍷 – ☕ 8,50 – **12 ch** 45/75.

NANTILLY 70 H.-Saône 66 ⑬⑭ – rattaché à Gray.

NANTUA <SP> **01130** Ain 74 ④ **G. Jura** – 3 604 h. alt. 479 – ✪ 74.

Voir Cluse★★ – Lac★ – Bords du lac ≤★.

ℹ Office de Tourisme 2 r. Dr-Mercier (1er juin-30 sept. et fermé dim.) ☎ 76.50.05.

Paris 482 ② – Aix-les-B. 80 ① – Annecy 66 ① – Bourg-en-B. 56 ② – ♦Genève 64 ① – ♦Lyon 92 ②.

Embarcadère Ⓜ, av. Sorbiers **(e)** ☎ 75.22.88, ≤ – 📺 ☎ Ⓟ – 60. ✻ rest
fermé 2 janv. au 2 fév. – SC : **R** *(fermé lundi)* 55/150 – ☕ 17 – **50 ch** 120/165.

✿ **France,** 44 r. Dr.-Mercier **(v)** ☎ 76.50.55 – 📺 ⛀wc ☎ Ⓟ. GB
fermé 31 oct. au 20 déc. et vend. sauf vac. scolaires – SC : **R** carte 95 à 125 – ☕ 16 – 19 ch 155/190
Spéc. Gratin de queues d'écrevisses, Quenelle de brochet Nantua, Poulet aux morilles à la crème. **Vins** Roussette de Seyssel, Arbois.

Lyon, 19 r. Dr.-Mercier **(a)** ☎ 76.50.43 – ⛀wc ⋔wc ☎.
fermé 15 nov. au 20 déc., dim. soir et lundi sauf vacances scolaires – SC : **R** 48/120 – ☕ 12 – 18 ch 55/120

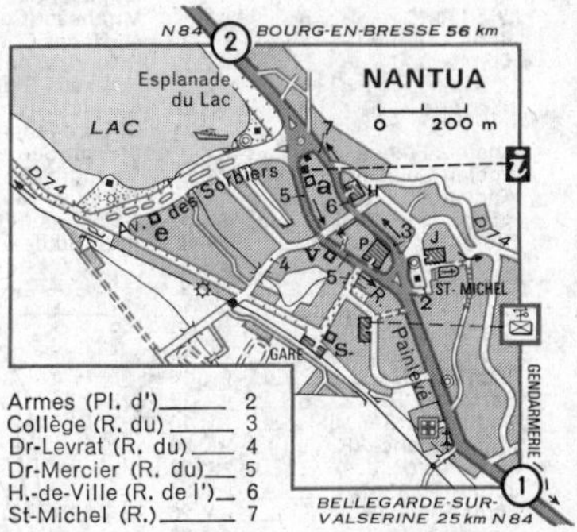

Armes (Pl. d') 2
Collège (R. du) 3
Dr-Levrat (R. du) 4
Dr-Mercier (R. du) 5
H.-de-Ville (R. de l') 6
St-Michel (R.) 7

Lac, 15 av. Gare **(s)** ☎ 76.50.12 – ⛀wc ⋔wc ☎ Ⓟ. AE GB ⓓ E
fermé jeudi – SC : **R** 49/120 – ☕ 10 – 17 ch 54/98 – P 125/150.

aux Neyrolles par ① : 3 km – alt. 563 – ✉ **01130** Nantua :

Reffay, ☎ 76.54.35, – ⛀ ⋔ Ⓟ.
fermé 10 nov. au 20 déc. et merc. – SC : **R** 30/80 🍷 – ☕ 9 – **10 ch** 40/70 – P 90/100.

XX **Daphnés** avec ch, ☎ 76.51.42, – ⛀wc ⋔wc ☎. ✻ rest
fermé 16 au 26 juin, nov. et déc. – SC : **R** *(fermé mardi)* 44/126 – ☕ 13 – 12 ch 80/130 – P 160/180.

CITROEN Tondereau, La Cluse ☎ 76.01.61
LANCIA-AUTOBIANCHI Gar Renoud La Cluse ☎ 76.05.35
PEUGEOT Grenard, La Cluse ☎ 76.14.80
RENAULT Gar. du Lac, à Port ☎ 76.07.33 N

La NAPOULE-PLAGE 06 Alpes-Mar. 84 ⑧, 195 ㉞㊲ **G. Côte d'Azur** – ✉ **06210** Mandelieu-La-Napoule – ✪ 93.

Voir site★ du château-musée.

9 18 Golf Club de Cannes-Mandelieu ☎ 47.95.39, N : 1,5 km.

ℹ Office de Tourisme (fermé nov., sam. après-midi et dim.) r. J.-Aulas ☎ 38.95.31, Télex 470948.

Paris 899 – Cannes 8 – Mandelieu 4 – ♦Nice 40 – St-Raphaël 34.

Ermitage du Riou, ☎ 49.95.56, Télex 470072, ≤, , – |♦| ▤ ch 📺 ☎ Ⓟ – 40. AE GB ⓓ E
R *(fermé 4 nov. au 22 déc.)* 67/92 – **39 ch** ☕ 230/560, 3 appartements 750 – P 340/470.

La Calanque, bd de la Mer ☎ 49.95.11, ≤ – ⛀wc ⋔wc ☎
1er avril-30 sept. – SC : **R** 31/60 – ☕ 12 – 18 ch 44/140 – P 106/172.

Parisiana sans rest, r. Argentière ☎ 49.93.02 – ⛀wc ⋔wc. ✻
1er avril-1er oct. – SC : ☕ 10 – **12 ch** 120/150.

Corniche d'Or sans rest, pl. de la Fontaine ☎ 49.92.51 – ⋔wc. ✻
28 mars-28 oct. et fermé merc. – SC : ☕ 9,50 – **12 ch** 86/121.

XXXX ✿✿✿ **L'Oasis** (Outhier), ☎ 49.95.52, **« Patio ombragé et fleuri »** – ▤
fermé fin oct. au 20 déc. et mardi – **R** 180/250 et carte
Spéc. Truffe surprise, Mille-feuilles de saumon, Homard à la nage. **Vins** Cassis, Bandol.

XX **Aub. du Port,** ☎ 49.95.24, ⋞
fermé janv. et merc. sauf juil. et août – **R** 45.

XX **Brocherie II,** au Port ☎ 49.80.73, ⋞
fermé janv. et mardi hors sais. – SC : **R** 100.

XX **Lou Castéou,** ☎ 49.95.15 – AE GB ◑
fermé 5 nov. au 15 déc., lundi soir et mardi hors sais. – SC : **R** 62/70.

CITROEN Gar. de la Napoule, ☎ 49.95.01

NARBONNE <SP> **11100** Aude **83** ⑭ **G. Causses** – **40 543 h. alt. 11** – ✪ **68.**

Voir Cathédrale St-Just★★ BY **B** – **Palais des Archevêques★** BY **H** – **Choeur★ de la basilique Saint-Paul** AZ **E** – **Musées : Art et Histoire★** BY **M, Archéologique★** BY **M, Lapidaire★** BZ **M1** – **Env. Abbaye de Fontfroide★★ 14 km par** ④ – 🚗 ☎ **32.16.38.**

ℹ Office de Tourisme pl. R.-Salengro (fermé dim. hors sais.) ☎ 65.15.60.

Paris 848 ② – Béziers 27 ① – Carcassonne 61 ③ – ♦Montpellier 92 ② – ♦Perpignan 64 ③.

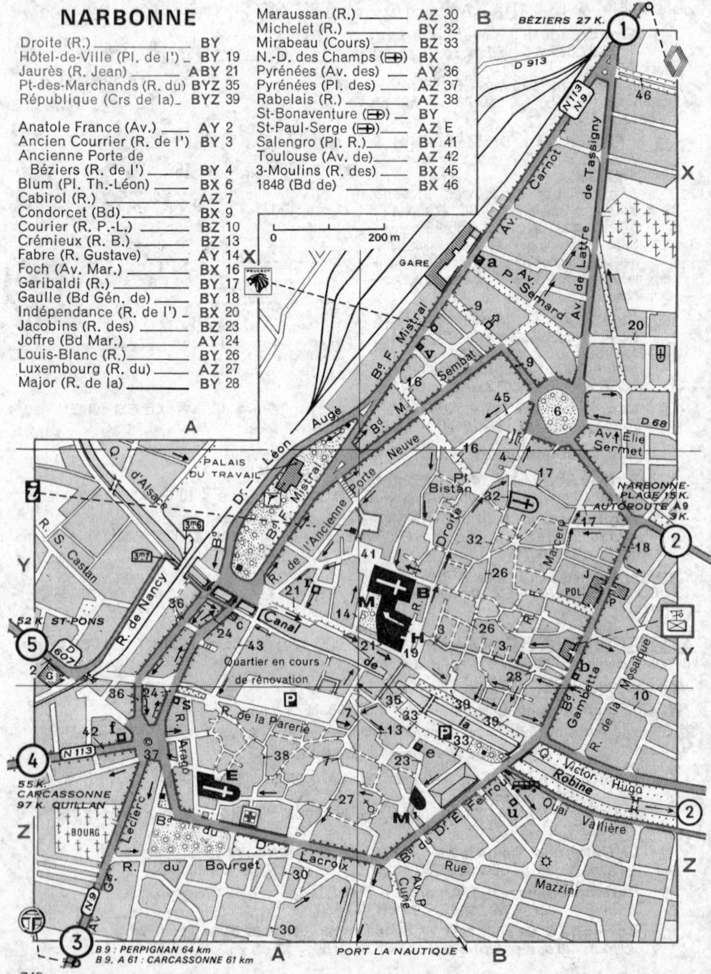

Novotel M ⑤, par ③ : 3 km ✆ 32.54.81, Télex 500480, – 🛗 ▤ TV ☎ ♿ P – 🏛 200. AE GB ①
R snack carte environ 65 – ☕ 16,50 – **96 ch** 180/200.

Languedoc, 22 bd Gambetta ✆ 65.14.74 – 🛗 ▤ rest TV 🛁wc 🚿wc ☎ – 🏛 100. AE GB ① E — BY **b**
fermé 4 janv. au 4 fév. – SC : **R** *(fermé sam.)* 45/115 – ☕ 15 – 45 ch 70/190.

La Résidence sans rest, 6 r. 1er-Mai ✆ 32.19.41, Télex 500428 – 🛁wc 🚿wc ☎ 🚗. 🚗. ✻ — AY **r**
SC : ☕ 15 – **26 ch** 115/175.

France sans rest, 6 r. Rossini ✆ 32.09.75 – 🚿wc ☎ 🚗 — BZ **u**
SC : ☕ 11,50 – **15 ch** 60/122.

Midi, 4 av. Toulouse ✆ 41.04.62, Télex 500401 – 🛗 🛁wc 🚿wc ☎ 🚗. 🚗 AE GB ① E — AZ **f**
fermé 5 déc. au 5 janv. – SC : **R** *(fermé dim.)* 30/90 – ☕ 10 – **47 ch** 45/130 – P 100/130.

H. Alsace sans rest, 2 av. Carnot ✆ 32.01.86 – 🛁wc 🚿 ☎ — BX **a**
20 ch.

Régina sans rest, 21 bd Mar.-Joffre ✆ 32.03.33 – 🛁wc 🚿wc ☎. 🚗 — AZ **s**
fermé 1er au 15 fév. – – ☕ 12 – **18 ch** 58/110.

Réverbère, 4 pl. Jacobins ✆ 32.29.18 – ▤ P. AE ① — BZ **e**
fermé dim. soir et lundi midi – **R** 85/150.

Rest. Alsace, 2 av. P.-Semard ✆ 65.10.24 – AE ① E — BX **a**
fermé 16 nov. au 16 déc. et mardi – SC : **R** 50/120.

Le Floride, 66 bd F.-Mistral ✆ 32.05.52 – ▤ — BX **v**
fermé 23 déc. au 11 janv. et dim. – **R** (prévenir) carte 70 à 110.

***par la sortie* ② :**

à Narbonne-Plage par D 168 : 15 km – ✉ **11100** Narbonne-Plage.

Office de Tourisme bd Fleurs (juil.-août et fermé dim.) ✆ 33.84.86.

Caravelle, ✆ 33.80.38, ≤ – 🚿wc ☎ P. 🚗. ✻ rest
mai-oct. – SC : **R** 45/110 – ☕ 15 – 24 ch 80/110.

De la Clape sans rest, r. Flots Bleus ✆ 33.80.15 – 🚿wc ☎ P. 🚗
1er mai-30 sept. – ☕ 13 – **12 ch** 100/140.

à St-Pierre-sur-Mer par D 168 : 18 km – ✉ **11560** Fleury d'Aude :

Port, ✆ 33.80.70
fermé merc. soir et dim. soir d'oct. à mars – SC : **R** carte environ 85.

à Ornaisons par ④ et D 24 : 14 km – ✉ **11200** Lézignan-Corbières :

Relais Val d'Orbieu M ⑤, ✆ 27.10.27, ≤, 🏊, 🌳 – ▤ ch 🛁wc ☎ P – 🏛 30. 🚗 AE ①
10 avril-1er nov. – SC : **R** 80/140 – ☕ 18 – 18 ch 145/260.

AUDI-VOLKSWAGEN Camman, Zone Ind., rte de Perpignan ✆ 32.21.69
AUSTIN, MORRIS, TRIUMPH Fraisse, 36 bd F.-Mistral ✆ 32.06.31
BMW, LANCIA-AUTOBIANCHI Narbonauto, 34 bd M.-Sembat ✆ 65.14.81
FIAT Villefranque-Escribe, 20 bd M.-Sembat ✆ 32.30.11
FORD Gar. Jean, 4 bd M.-Sembat ✆ 32.02.46
MERCEDES-BENZ, TOYOTA Gar. Deville, Zone Ind. de Plaisance ✆ 41.22.38
MERCEDES-BENZ Gar. du Littoral N 9, km 3 ✆ 32.40.85
OPEL Cantagrel, Zone Ind., rte de Perpignan ✆ 32.10.96
PEUGEOT Delalieux, 74 bd F.-Mistral ✆ 32.60.86
RENAULT Languedocienne de Distribution Aut 84 av. Carnot ✆ 32.27.20
TALBOT Marty, 87 av. Gén.-Leclerc ✆ 41.16.10
Gar. du Midi, 18 r. Chanzy ✆ 32.20.90

Brunel, 31 bd Mar.-Joffre ✆ 32.08.71
Ets Escande, 1 av. Toulouse ✆ 41.01.03
Piot-Pneu, Z.I., rte de Perpignan ✆ 32.31.95

La NARTELLE 83 Var 84 ⑰ – rattaché à Ste-Maxime.

NASBINALS 48260 Lozère 76 ⑭ G. Auvergne – 650 h. alt. 1 180 – Sports d'hiver : 1 180/1 380 m ⛷2 – 66.

Paris 549 – Aumont-Aubrac 23 – Chaudes-Aigues 27 – Espalion 35 – Mende 59 – St-Flour 59.

Route d'Argent, ✆ 32.50.03 – 🚿
SC : **R** 25/50 – ☕ 9 – **17 ch** 35/60 – P 71/83.

au Nord par D 12 : 4 km – alt. 1 080 – ✉ **48260** Nasbinals :

Relais de l'Aubrac ⑤, au Pont de Gournier (carrefour D 12 - D 112) ✆ 32.52.06 – 🚿wc ☎ P. ✻
fermé 15 nov. au 15 déc. – SC : **R** 27/110 – ☕ 9,50 – **15 ch** 50/60 – P 95/110.

NATZWILLER 67 B.-Rhin 62 ⑧ – 702 h. alt. 540 – ✉ **67130** Schirmeck – ☎ 88.

Paris 417 – Barr 30 – Molsheim 38 – St-Dié 45 – ♦Strasbourg 60.

Aub. Metzger, ☎ 97.02.42 – wc ⋒wc Ⓟ. rest
fermé fin nov. à début déc., dim. soir et lundi hors sais. – SC : **R** 24/70 – 8,50 – **11 ch** 36/84 – P 84/95.

NAUCELLE 12800 Aveyron 80 ① – 2 689 h. alt. 469 – ☎ 65.

Paris 641 – Albi 48 – Millau 88 – Rodez 33 – St-Affrique 82 – Villefranche-de-Rouergue 51.

Voyageurs, pl. Hôtel de Ville ☎ 47.01.34 – wc ⋒wc ☎.
fermé hôtel : dim., rest. : lundi – SC : **R** 26/50 – 10 – **15 ch** 45/94 – P 95/115.

Unal, à Naucelle-Gare sur N 88 ☎ 69.21.21, – ⋒wc Ⓟ. GB
fermé oct., lundi (sauf hôtel) et dim. soir – SC : **R** 30/60 – 10 – **15 ch** 45/70 – P 85/110.

à Castelpers SE : 12,5 km sur D 10 – ✉ **12170** Requista :

Château de Castelpers avec ch, ☎ 69.22.61, ≤, « Parc au bord de l'eau » – ⋒wc Ⓟ. rest
1er avril-1er oct. – SC : **R** *(fermé sam. soir et mardi)* 40/80 – 14 – **8 ch** 75/150 – P 130/150.

CITROEN Bayol, ☎ 47.01.61 N   TALBOT Gar. Serres, ☎ 69.21.17

NAUZAN 17 Char.-Mar. 71 ⑮ – rattaché à St-Palais-sur-Mer et à Royan.

NAVACELLES (Cirque de) ★★★ 30 Gard et 34 Hérault 80 ⑯ **G. Causses** – alt. 323.

Accès par Blandas N : 7 km ou par St-Maurice S : 7,5 km.

NAVAROSSE 40 Landes 78 ⑬ – rattaché à Biscarosse.

NAVARRENX 64190 Pyr.-Atl. 85 ⑤ **G. Pyrénées** – 1 169 h. alt. 125 – ☎ 59.

Syndicat d'Initiative Porte St-Antoine (1er juil.-30 sept. et fermé dim. après-midi) et à la Mairie (fermé dim.) ☎ 34.50.48.

Paris 763 – Oloron-Ste-M. 22 – Orthez 22 – Pau 55 – St-Jean-Pied-de-Port 58 – Sauveterre-de-B. 23.

Commerce, ☎ 34.50.16 – wc ⋒wc ☎ – 40
fermé janv. et lundi sauf juil. et août – SC : **R** 30/70 – 9,50 – **35 ch** 45/95 – P 90/150.

PEUGEOT Gar. Seignalet, ☎ 34.51.32   RENAULT Roubit, ☎ 34.51.86 N

NAVES 19460 Corrèze 75 ⑨ – rattaché à Tulle.

NAY 64800 Pyr.-Atl. 85 ⑦ – 3 524 h. alt. 352 – ☎ 59.

Syndicat d'Initiative à la Mairie (fermé sam. après-midi et dim.) ☎ 61.04.89.

Paris 770 – Laruns 33 – Lourdes 25 – Oloron-Ste-Marie 36 – Pau 20 – Tarbes 33.

Voyageurs, pl. Marcadieu ☎ 61.04.69 – wc ⋒wc ☎ – 30
fermé 1er nov. au 1er déc. – **R** 25/52 – 11 – **22 ch** 55/105 – P 100/125.

Béarn, 6 cours Pasteur ☎ 61.02.38, – Ⓟ. rest
SC : **R** *(fermé dim. du 1er nov. au 1er mars)* 25/35 – 6,50 – 10 ch 40/60 – P 71/85.

RENAULT Gar. Fouraa, ☎ 61.01.86

NÉANT-SUR-YVEL 56 Morbihan 63 ④ – 870 h. alt. 75 – ✉ **56430** Mauron – ☎ 97.

Paris 409 – Dinan 57 – Loudéac 52 – Montauban 34 – Ploërmel 11 – ♦Rennes 65 – Vannes 57.

Aub. Table Ronde avec ch, ☎ 74.41.66 – ⋒ ☎.
fermé janv., dim. soir et lundi sauf juil. et août – SC : **R** 28/75 – 9,50 – **12 ch** 60/90 – P 95/111.

NEAU 53 Mayenne 60 ⑪ – 560 h. alt. 91 – ✉ **53780** St-Christophe-du-Luat – ☎ 43.

Paris 264 – Alençon 65 – Laval 26 – ♦Le Mans 70 – Mayenne 22 – Ste-Suzanne 13 – Vaiges 15.

Croix Verte, ☎ 01.65.59 – ⋒
fermé vac. scol. fév., dim. soir et lundi – SC : **R** 30/75 – 9 – **11 ch** 40/60 – P 90.

RENAULT Gar. Terrier, ☎ 01.65.60

NEAUPHLE-LE-CHÂTEAU 78640 Yvelines 60 ⑨, 96 ⑭ **G. Environs de Paris** – 1 952 h. alt. 185 – ☎ 3.

Paris 40 – Dreux 44 – Mantes-la-Jolie 32 – Rambouillet 24 – St-Nom-la-Bretèche 12 – Versailles 18.

Relais St-Nicolas, ☎ 489.00.47 – GB.
SC : **R** *(fermé le soir sauf vend. et sam.)* 55.

NÉGRON 37 I.-et-L. 64 ⑯ – rattaché à Amboise.

NEMOURS 77140 S.-et-M. 61 ⑫ **G. Environs de Paris** – 11 233 h. alt. 62 – ✪ 6.

Voir Rochers Gréau★ dans parc A.

Office de Tourisme 17 r. Tanneurs (fermé matin sauf sam. et dim. hors sais.) ☎ 428.03.95.

Paris 79 ① – Chartres 117 ① – Melun 32 ⑥ – Montargis 37 ① – ♦Orléans 87 ④ – Sens 46 ②.

NEMOURS

Gauthier-1er (R.) ______ B 4
Paris (R. de) ______ AB
République (Pl. de la) ______ B 9

Sanson (R.) ______ B 12

Daunay (R. Léon) ______ A 2
Grande-Montagne (R.) ______ B 5
Jaurès (Pl. Jean) ______ B 6
Larchant (R. de) ______ A 7

Pont-Rouge (R. du) ______ A 8
Rocher-Vert (Av. du) ______ B 10
Souvenir (R. du) ______ B 13
Stalingrad (Av. de) ______ B 14
Tanneurs (R. des) ______ B 15
Victor-Hugo (Pl.) ______ A 16

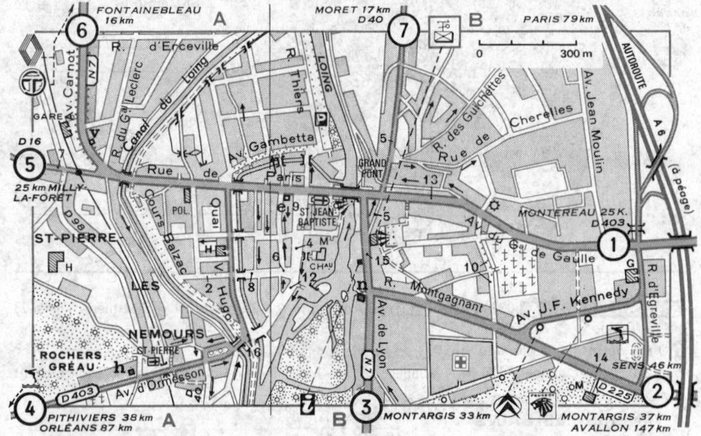

St-Pierre sans rest, 12 av. Carnot ☎ 428.01.57 – wc wc ☎ P. — A **v**
fermé 1er au 15 mars et 20 sept. au 5 oct. – SC : ☕ 12 – **25 ch** 47/140.

Écu de France, 3 r. Paris ☎ 428.11.54 – wc wc ☎ 🚗 – 🏛 60 à 150. AE GB ⓓ E — B **e**
fermé 5 janv. au 1er fév. – **R** 50/125 🍷 – ☕ 13 – **28 ch** 40/138.

XX **Des Roches** avec ch, av. d'Ormesson à St-Pierre ☎ 428.01.43 – cuisinette wc wc ☎. AE E — A **h**
fermé oct. – SC : **R** *(fermé vend.)* 40/120 – ☕ 18 – **17 ch** 45/130 – P 160/220.

X **Vieux Moulin,** 5 av. Lyon ☎ 428.02.98 — B **n**
fermé 15 janv. au 5 fév., mardi soir et merc. – SC : **R** 40/90 🍷.

Autoroute A 6 : sur l'aire de service, SE 2 km, accès par A 6 ou D 225 – ✉ **77140** Nemours :

Euromotel M, ☎ 428.10.32, Télex 690243 – TV wc ☎ P – 🏛 60. AE GB ⓓ E
SC : **R** (rest. d'autoroute à 100 m) – ☕ 14 – **102 ch** 160/190.

CITROEN Nemours Autom., av. J.-F.-Kennedy ☎ 428.11.17
PEUGEOT Coffre, 18 av. Kennedy ☎ 428.03.27
RENAULT Brillet, 107 av. Carnot à St-Pierre ☎ 428.01.50
TALBOT Malbert, 63 av. Carnot à St-Pierre ☎ 428.03.05
Gén.-Autom. de Nemours, 16 av. Gén.-de-Gaulle ☎ 428.00.27
Ⓜ Dominicé, 90 r. de Paris ☎ 428.11.21

NEPOULAS 87 H.-Vienne 72 ⑦⑧ – rattaché à Limoges.

NÉRAC <SP> 47600 L.-et-G. 79 ⑭ **G. Pyrénées** – 7 644 h. alt. 71 – ✪ 58.

Office de Tourisme à l'Hôtel de Ville (fermé dim.) ☎ 65.00.54.

Paris 685 ① – Agen 30 ② – ♦Bordeaux 124 ① – Condom 21 ③ – Marmande 53 ①.

Plan page suivante

du Château M, 7 av. Mondenard ☎ 65.09.05 – wc wc ☎. ✻ — AB **r**
fermé oct. – SC : **R** *(fermé lundi midi hors sais.)* 25/75 🍷 – ☕ 10 – **20 ch** 50/120.

X **D'Albret** avec ch, 42 allées d'Albret ☎ 65.01.47 – rest wc. ✻ — A **b**
fermé sept. et lundi hors sais. – SC : **R** 30/150 🍷 – ☕ 8,50 – **11 ch** 40/85.

CITROEN Mousteau, 31 allées d'Albret ☎ 65.01.41
RENAULT Humbert, 62 allées d'Albret ☎ 65.00.43

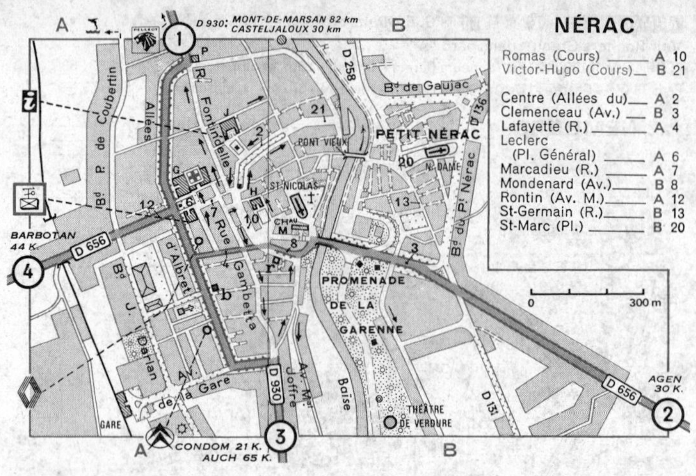

NÉRIS-LES-BAINS 03310 Allier 73 ② G. Auvergne – 2 929 h. alt. 354 – Stat. therm. (2 mai-23 oct.) – Casino – 70.

Office de Tourisme Carrefour des Arènes (fermé dim.) ☎ 51.11.03.

Paris 329 ③ – ♦Clermont-Fd 83 ② – Montluçon 8 ③ – Moulins 74 ① – St-Pourçain-sur-Sioule 59 ①.

NÉRIS-LES-BAINS

Arènes (Bd des) 2
Boisrot-Desserviers (R.) 3
Constans (R.) 5
Cuvier (R.) 7
Dormoy (Av. Marx) 8
Gaulle (R. du Gén.-de) 9
Kars (R. des) 10
Marceau (R.) 12
Migat (R. du Capitaine) 14
Molière (R.) 15
Parmentier (R.) 18
Reignier (Av.) 19
République (Pl. de la) 21
Rieckötter (R.) 23
St-Joseph (R.) 25
Thermes (Pl. des) 27
Voltaire (R.) 29

Pour bien lire les plans de villes voir signes et abréviations p. 20.

Parc des Rivalles, r. Parmentier **(k)** ☎ 51.10.50, ←, parc – wc wc ☎ . rest
1er mai-30 sept. – SC : **R** 42/130 – 12 – **32 ch** 38/125 – P 125/195.

Garden, 12 av. Max Dormoy **(d)** ☎ 51.21.16, – wc wc ☎ . ch
fermé 12 nov. au 1er déc. et dim. soir en hiver – SC : **R** 38/80 – 10 – **16 ch** 75/110 – P 140/150.

Source, pl. Thermes **(u)** ☎ 51.10.20, parc – wc ☎ . rest
1er mai-30 sept. – SC : **R** 43/49 – 11 – 40 ch 39/102 – P 112/185.

Les Pervenches sans rest, 11 r. Capitaine-Migat **(r)** ☎ 51.14.03, – cuisinette wc
SC : 15 – **10 ch** 90/120.

Terrasse, r. Boisrot-Desserviers **(a)** ☎ 51.10.42, – wc ☎. rest
1er mai-30 sept. – SC : **R** 35/65 – 12 – **26 ch** 62/106 – P 115/160.

du Casino, sur parc 48 r. Boisrot-Desserviers **(a)** ☎ 51.10.26 – wc
sais. – 27 ch.

Evelyne sans rest, r. Parmentier **(n)** ☎ 51.13.26, – ☎
1er mai-30 sept. – SC : 9 – **10 ch** 33/105.

✗ Aub. Nérisienne avec ch, 22 pl. République **(s)** ☎ 51.10.34 – 16 ch.

✗ **Splendid'H.** avec ch, 49 bd Arènes **(e)** ☎ 51.10.41 – wc
mars-nov. – SC : **R** 30/70 – 7,50 – **10 ch** 41/70 – P 75/90.

PEUGEOT Contamine, ☎ 51.13.22

NERSAC 16 Charente 72 ⑬ – rattaché à Angoulême.

NEUF-BRISACH 68600 H.-Rhin 62 ⑲ G. Vosges – 2 579 h. alt. 205 – 89.

du Rhin près Chalampé ☎ 26.07.86, au Sud par D 468 : 25 km.

Paris 467 – •Bâle 66 – Belfort 81 – Colmar 16 – Freiburg 33 – •Mulhouse 37 – Sélestat 31 – Thann 46.

Cerf, 11 r. Strasbourg ☎ 72.56.03 – wc wc ☎. ch
fermé 23 déc. au 6 janv. – SC : **R** *(fermé merc.)* 40/110 – 12 – 30 ch 47/150 – P 90/150.

Soleil, 6 r. Bâle ☎ 72.51.28 – wc. E
fermé 1er au 15 sept., fév. et lundi – **R** *(fermé dim. soir et lundi)* 35/100 – 10 – 25 ch 42/120 – P 80/110.

France, 17 r. Bâle ☎ 72.56.06 – wc wc ☎ – 200
fermé 15 sept. au 1er oct. et 18 déc. au 5 janv. – SC : **R** *(fermé lundi)* 36/60 – 10 – 22 ch 42/110 – P 85/115.

à ***Vogelgrun*** E : 5 km par N 415 – ✉ **68600** Neuf-Brisach.

Voir Bief hydro-électrique★.

Motel Européen M, à la frontière, sur l'ile du Rhin ☎ 72.51.57, ≤, – wc wc. AE
fermé fév. – SC : **R** *(fermé dim. soir du 1er sept. au 30 juin et lundi)* 40/120 – 10 – **23 ch** 90/150.

PEUGEOT Ebelin-Vonarb, ☎ 72.51.76

NEUFCHÂTEAU SP **88300** Vosges 62 ⑬ G. Vosges – 9 633 h. alt. 298 – 29.

Voir Escalier★ de l'Hôtel de Ville.

Syndicat d'Initiative à la Mairie (fermé dim.) ☎ 94.14.75.

Paris 294 ① – Belfort 152 ④ – Chaumont 56 ⑥ – Épinal 74 ③ – Langres 69 ⑤ – Verdun 103 ①.

St-Christophe, 1 av. Grande-Fontaine **(e)** ☎ 94.16.28 – wc ☎
SC : **R** 33/90 – 15 – **35 ch** 65/135.

à ***Rouvres-la-Chétive*** par ③ : 10 km – ✉ **88170** Chatenois :

La Frezelle M, ☎ 94.51.51 – wc wc. ch
fermé 15 au 31 oct. – SC : **R** *(fermé sam.)* 39/75 – 11 – **7 ch** 90/95 – P 185/195.

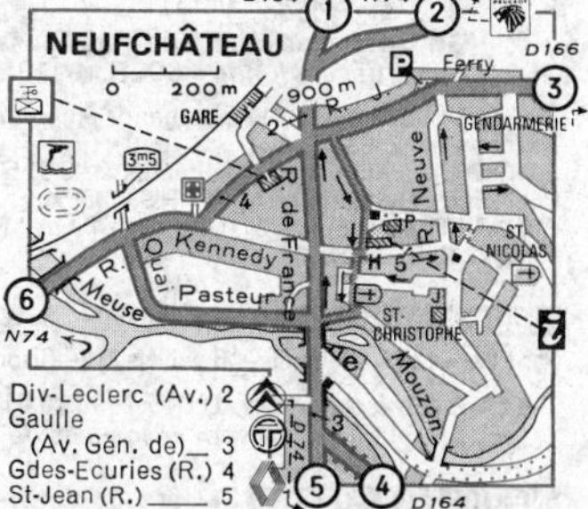

CITROEN Farnier et Tassel, rte de Langres ☎ 94.10.33 ☎ 94.04.04
FIAT Gar. de l'Etoile, 1 quai Pasteur ☎ 94.17.65
FORD Gar. Ferbus, 8 r. de France ☎ 94.08.60
PEUGEOT Malvoisin, rte de Nancy ☎ 94.05.57
RENAULT Gar. Reuchet, 95 av. Gén.-de-Gaulle ☎ 94.19.20
TALBOT Dutemple-Gaxotte, rte de Langres ☎ 94.06.55

Néo-Pneu, Zone Ind., rte de Frébecourt ☎ 94.10.47

NEUFCHATEL-EN-BRAY 76270 S.-Mar. 52 ⑮ **G. Normandie** – 6 139 h. alt. 99 – ✪ 35.

Env. Forêt d'Eawy★★ 10 km par ③.

ℹ Syndicat d'Initiative Gde Rue St-Pierre (juil.-août) ☎ 93.22.96.

Paris 138 ② – Abbeville 54 ① – ♦Amiens 71 ① – Dieppe 36 ④ – Gournay 37 ② – ♦Rouen 45 ③.

NEUFCHATEL-EN-BRAY

Denovelle (R.) Z 8
Grande-R. Fausse-Porte Z 14
Grande-R. Notre-Dame Z 15
Grande-R. St-Jacques Y 16

Canadiens (Av. des) Z 3
Carnot (R.) Z 4
Cauchoise (R.) Y 5
Charvet (Bd Albert) Y 6
Foch (R. du Mar.) Y 9
Fontaines (R. des) Z 10
Gaulle (R. Gén. de) Z 12
Goville (Bd du) Z 13
Grande-Rue St-Pierre Z 17
Haussez (R. Baron-d') Y 18
Joffre (Bd du Mar.) Z 19
Marquis (Pl. du) Z 20
Notre-Dame (Pl.) Z 21
Poissonnière (R.) Z 22
8-Mai (Pl. du) Z 23

Les plans de villes sont orientés le Nord en haut.

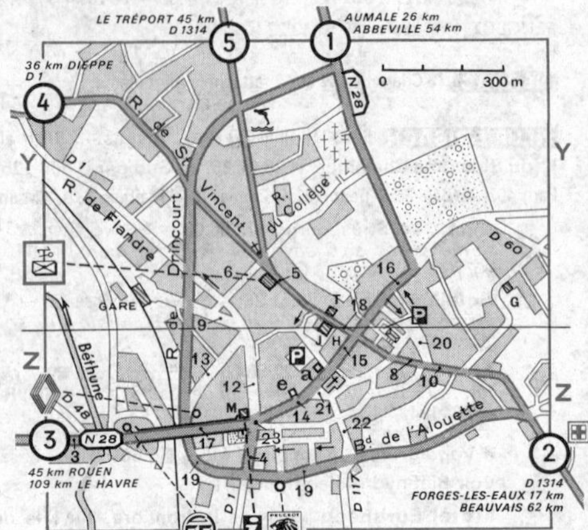

🏨 **Lion d'Or,** 17 pl. N.-Dame ☎ 93.00.01 – 🚿 ☎. 🚗 GB. ✻ ch Z **a**
fermé 2 janv. au 2 fév. et vend. du 15 sept. au 1er avril – SC : **R** 40/68 🍷 – ☕ 8 – **22 ch** 40/100 – P 140.

✗ **Gd Cerf** avec ch, 9 Gde-Rue Fausse-Porte ☎ 93.00.02 – 🚿wc ☎. GB Z **e**
fermé déc. et lundi – SC : **R** 40/110 – ☕ 12,50 – 12 ch 48/60 – P 95/120.

AUDI-VOLKSWAGEN Lemarchand, 9 rte de Foucarmont ☎ 93.02.66
FIAT, OPEL Petit, 14 rte Londinières ☎ 93.01.50
PEUGEOT Delas, 16 bd Joffre ☎ 93.01.15
RENAULT Lechopier, 31 Gde r. St-Pierre ☎ 93.00.82 ☎ 93.04.76

TALBOT Gar. Henriet, 1 Gde r. St-Pierre ☎ 93.01.66
Therier, 12 r. Cauchoise ☎ 93.00.75

NEUF-MARCHÉ 76 S.-Mar. 55 ⑧ – 536 h. alt. 104 – ✉ **76220** Gournay-en-Bray – ✪ 35.

Paris 92 – Les Andelys 35 – Beauvais 31 – Gisors 18 – Gournay-en-Bray 7 – ♦Rouen 57.

✗✗ **André de Lyon,** D 915 ☎ 90.10.01, ambiance bistrot lyonnais – GB
fermé 21 août-8 sept., vacances de fév. et merc. – **R** (déj. seul.) carte 70 à 105.

NEUILLÉ-LE-LIERRE 37 I.-et-L. 64 ⑮⑯ – 373 h. alt. 88 – ✉ **37380** Monnaie – ✪ 47.

Paris 215 – Amboise 14 – Château-Renault 10 – Montrichard 32 – Reugny 4,5 – ♦Tours 27.

✗ **Aub. de la Brenne,** r. Gare ☎ 52.95.05 – Ⓟ. GB
✦ *fermé 11 janv. au 10 fév., dim. soir et lundi* – SC : **R** (dim. prévenir) 28/70 🍷.

NEUILLY-EN-THELLE 60530 Oise 55 ⑳ – 1 898 h. alt. 130 – ✪ 4.

Paris 50 – Beaumont-sur-Oise 11 – Beauvais 30 – Pontoise 30 – Senlis 27.

🏨 **Aub. du Centre,** ☎ 426.70.01 – 🛏 🚗. ✻ ch
✦ *fermé août, 1er au 15 mars et lundi* – SC : **R** 30/33 🍷 – ☕ 7,50 – **8 ch** 50/70.

NEUILLY-SUR-SEINE 92 Hauts-de-Seine 55 ⑳, 101 ⑭⑮ – voir à Paris, Proche banlieue.

NEULISE 42590 Loire 73 ⑧ – 1 154 h. alt. 500 – ✪ 77.

Paris 411 – Roanne 20 – ♦St-Étienne 58 – Tarare 35.

✗ **Relais de la Route Bleue** avec ch, ☎ 64.60.75 – 🛏
fermé oct., fév. et lundi – **R** 38/140 – ☕ 12 – 7 ch 45/79.

NEUVÉGLISE 15260 Cantal 76 ⑭ – 1 260 h. alt. 938 – ✪ 71.

Env. Château d'Alleuze★★ : site★★ NE : 14 km, G. Auvergne.

ℹ Syndicat d'Initiative à la Mairie (fermé dim. après-midi et lundi) ☎ 23.81.68.

Paris 512 – Aurillac 81 – Entraygues-sur-T. 75 – Espalion 69 – St-Chély-d'Apcher 42 – St-Flour 22.

🏨 **Poste,** ☎ 23.80.66 – 🚿wc 🚗 Ⓟ – 🏊 120
✦ *fermé nov.* – SC : **R** 25/50 🍷 – ☕ 10 – 23 ch 40/100 – P 80/110.

Central Hôtel (annexe M - 14 ch wc wc), ☎ 23.81.28 – wc wc ☎ – 80. rest
fermé 1er au 15 oct. – SC : **R** 32/55 – 10 – **27 ch** 50/70 – P 90/100.

RENAULT Mabit, ☎ 23.81.53 Gar. Sauret, ☎ 23.80.90

NEUVIC 19160 Corrèze 76 ① **G. Périgord** – 2 306 h. alt. 610 – 55.

Syndicat d'Initiative à la Mairie (fermé sam. et dim.) ☎ 95.80.16.

Paris 458 – Mauriac 26 – Tulle 59 – Ussel 21.

Lac, à Neuvic-Plage E : 3 km ☎ 95.81.43, <, – P. rest
1er mai-15 sept. – 14 ch.

Escargot, ☎ 95.80.19 –
fermé vend. soir du 1er oct. au 31 mars – SC : **R** 26/55 – 7,50 – 10 ch 35/42 – P 75/82.

RENAULT Potronnat, ☎ 95.89.28 N ☎ 95.81.68 Bordas, ☎ 95.80.29

La NEUVILLE 59 Nord 51 ⑯ – rattaché à Lille.

NEUVILLE-AUX-TOURNEURS 08 Ardennes 53 ⑰ – 292 h. alt. 265 – ✉ **08380** Signy-le-Petit – 24.

Paris 202 – Charleville-Mézières 33 – Hirson 22 – Laon 70 – Rethel 58 – Rocroi 16.

Motel Dubois, N 43 ☎ 36.32.55 – wc ☎ P. AE GB ⓓ E
fermé 15 déc. au 15 janv. – SC : **R** *(fermé lundi midi)* 27/70 – 8,50 – **10 ch** 44/75.

RENAULT Thiéry, N 43, Neuville-lez-Beaulieu ☎ 36.30.66 N

La NEUVILLE-EN-HEZ 60 Oise 55 ⑩ **G. Environs de Paris** – 636 h. alt. 45 – ✉ **60510** Bresle – 4.

Paris 84 – Beaumont-sur-Oise 38 – Beauvais 18 – Clermont 7,5 – St-Just-en-Chaussée 17.

Aub. le Relais, Grande-Rue – P
fermé août, lundi, mardi et merc. le soir et jeudi – **R** 65 .

NEUVILLE-ST-AMAND 02 Aisne 53 ⑭ – rattaché à St-Quentin.

NEUVY 41 L.-et-Ch. 64 ⑱ **G. Châteaux de la Loire** – 288 h. alt. 82 – ✉ **41250** Bracieux – 54.

Paris 178 – Blois 23 – ♦Orléans 48 – Romorantin-Lanthenay 27.

La Cheminée, ☎ 46.42.70 – P
fermé 15 sept. au 5 oct., 1er au 15 fév. et merc. – SC : **R** 50/60 .

NEUVY-SAUTOUR 89 Yonne 61 ⑮ – rattaché à St-Florentin.

NEUZY 71 S.-et-L. 69 ⑯ – rattaché à Digoin.

NEVERS P **58000** Nièvre 69 ③④ **G. Bourgogne** – 47 730 h. alt. 186 – 86.

Voir Cathédrale★ – Palais ducal★ – Église St-Étienne★ – Porte du Croux★ AZ **B** – **Faïences de Nevers★ du musée de Nevers** AZ **M.**

Office de Tourisme 31 r. des Remparts (fermé dim. et lundi matin) ☎ 59.07.03 - A.C. 4 r. Sabatier ☎ 61.27.75.

Paris 239 ① – Bourges 69 ④ – Chalon-sur-Saône 156 ③ – ♦Clermont-Ferrand 150 ④ – ♦Dijon 188 ③ – Montargis 125 ① – Montluçon 99 ④ – Moulins 54 ④ – ♦Orléans 157 ① – Roanne 152 ④.

Plan page suivante

P.L.M. Loire M, quai Médiné ☎ 61.50.92, Télex 801112, < – TV wc ☎ P – 80. AE GB ⓓ E BZ **s**
SC : **R** *(fermé sam. du 1er oct. au 31 mars)* 59, carte le dim. – 13 – **60 ch** 145/190.

Diane M sans rest, 38 r. Midi ☎ 57.28.10 – . AE GB ⓓ E AZ **u**
fermé 20 déc. au 4 janv. – SC : 15 – **30 ch** 150/240.

Magdalena M sans rest, rte de Paris par ① : 2 km ☎ 57.21.41 – TV P – 70. AE GB ⓓ E
SC : 12 – **38 ch** 115/180.

Aub. St-Louis, 2 pl. Mossé ☎ 57.27.10 – wc ☎. AE GB ⓓ AZ **v**
fermé 12 janv. au 18 fév. – SC : **R** 40/90 – 12 – 12 ch 90/160 – P 180/220.

Molière sans rest, 25 r. Molière ☎ 57.29.96 – wc wc ☎ P AY **k**
fermé 16 déc. au 8 janv. – SC : 9,50 – **18 ch** 75/95.

Clèves sans rest, 8 r. St-Didier ☎ 61.15.87 – wc ☎ AZ **x**
10 – **15 ch** 56/102.

Terminus, 59 av. Gén.-de-Gaulle ☎ 57.09.22 – wc wc ☎. GB E AZ **s**
SC : **R** 39/90 – 12 – **25 ch** 50/130 – P 115/145.

tourner →

Villa du Parc sans rest, 16 ter r. Lourdes ☎ 61.09.48 – AY **d**
fermé 1er au 15 janv. – SC : ☕ 9,50 – **27 ch** 41/110.

Thermidor sans rest, 14 r. C.-Tillier ☎ 57.15.47 – AZ **r**
SC : ☕ 9,50 – **17 ch** 39/60.

Le Tourbillon sans rest, 100 Fg Mouësse par ③ ☎ 61.10.66 – 60.
fermé 15 août au 15 sept. – ☕ 8 – **20 ch** 38/68.

XXX **Aub. Porte du Croux** avec ch, 17 r. Porte-du-Croux ☎ 57.12.71 – AE E AZ **e**
fermé août, vendredi soir (sauf hôtel) et dimanche – SC : **R** 70/120 – ☕ 11 – 3 ch 82/87.

XX **Relais Bleu** avec ch, rte de Paris par ① : 3 km ☎ 57.07.41 – wc – 60.
SC : **R** 39/115 – ☕ 11,50 – **10 ch** 78/155.

XX Aub. Ste-Marie avec ch, 25 r. Mouësse ☎ 61.10.02 – wc BZ **z**
fermé 15 janv. au 1er mars, dim. soir du 1er sept. au 15 juil. et lundi – **R** 29/65 – ☕ 9,50 – **17 ch**.

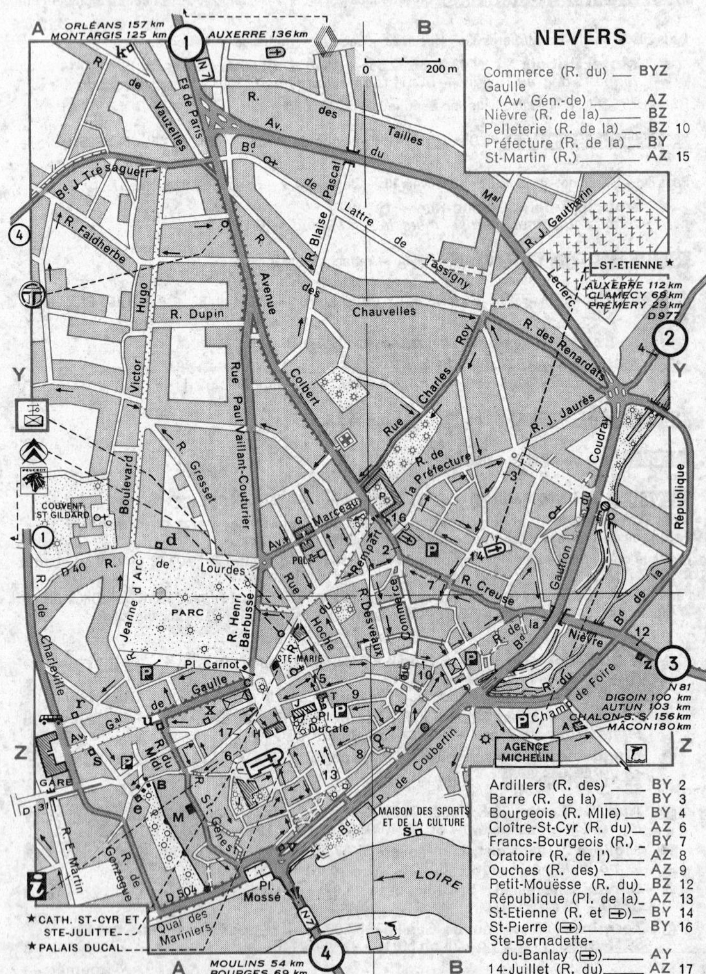

Commerce (R. du) BYZ
Gaulle (Av. Gén.-de) AZ
Nièvre (R. de la) BZ
Pelleterie (R. de la) BZ 10
Préfecture (R. de la) BY
St-Martin (R.) AZ 15

Ardillers (R. des) BY 2
Barre (R. de la) BY 3
Bourgeois (R. Mlle) BY 4
Cloître-St-Cyr (R. du) AZ 6
Francs-Bourgeois (R.) BY 7
Oratoire (R. de l') AZ 8
Ouches (R. des) AZ 9
Petit-Mouësse (R. du) BZ 12
République (Pl. de la) AZ 13
St-Etienne (R. et Ct) BY 14
St-Pierre (Ct) BY 16
Ste-Bernadette-du-Banlay (Ct) AY
14-Juillet (R. du) AZ 17

rte des Saulaies : 4 km par D 504 - AZ - ✉ **58000** Nevers :

La Folie ♨, ☎ 57.05.31, parc, ⛱ – ⇌wc ⋒wc ☎ **P** – 🏔 30. AE ① E
fermé 14 déc. au 6 janv. – SC : **R** *(fermé dim. soir et lundi)* 40/75 – ☕ 11 – **27 ch** 75/125 – P 135/155.

Par ① et chemin privé : 5 km – ✉ **58000** Nevers :

Château de la Rocherie ♨, ☎ 57.26.79, ≤, parc – ⇌wc ⋒ ☎ **P** – 🏔 40.
fermé janv. – SC : **R** *(fermé mardi)* 60/108 – ☕ 12,50 – **15 ch** 98/180 – P 130/165.

à Magny-Cours par ④ rte Moulins : 12 km – ✉ **58470** Magny-Cours.

⛳9 du Nivernais ☎ 58.14.63 SE : 3,5 km.

Circuit automobile permanent SE : 3,5 km.

XXX ✿✿ **La Renaissance** (Dray) M ♨ avec ch, ☎ 58.10.40 – ⇌wc ⋒wc ☎. ①
fermé fin janv. à début mars, dim. soir et lundi – SC : **R** (nombre de couverts limités prévenir) 90/180 et carte – ☕ 18 – **10 ch** 120/150
Spéc. Saumon au vinaigre de vin, Filet de Charolais aux morilles, Rognon de veau roti aux échalotes. Vins Pouilly Fumé, Rosé de Bué.

MICHELIN, Agence, 13 r. Moulin-d'Écorce BY ☎ **57.42.44**

ALFA-ROMEO, AUSTIN, MORRIS, TRIUMPH Tenailles, 18 r. Pasteur ☎ 59.28.55
AUDI-VOLKSWAGEN Gar. de Bourgogne, 21 r. du Petit-Mouësse ☎ 61.25.64
BMW, OPEL Verma, 4 av. Colbert ☎ 61.03.32
CITROEN Vincent, 22 r. Rempart ☎ 57.52.66
DATSUN Gar. Jonnez, 203 rte de Lyon à Challuy ☎ 57.43.76
FIAT Auto Hall, à la Baratte, N 78 St-Eloi ☎ 36.22.11
FIAT, PORSCHE Gar. Malou, 13 r. J.-Jaurès ☎ 61.06.67
FORD Gar. de la Gare, Zone Ind., Le Champ Mâle à Varennes-Vauzelles ☎ 57.24.68
LANCIA-AUTOBIANCHI Gar. de la Cité, r. M.-Turpin à Vauzelles ☎ 57.15.45
PEUGEOT C.A.T.A.R., rte de Fourchambault ☎ 57.36.80
RENAULT Ets Decelle, 49 fg de Paris ☎ 57.32.53
TALBOT Colbert-Autom., 78 av. Colbert ☎ 36.12.88
VOLVO Jacquey, 6 r. N.-Delange ☎ 61.12.47

Ⓜ Lejault, r. de Mouesse ☎ 61.02.51
Piot-Pneu, 3 r. de Mouësse ☎ 57.76.33

NEYRAC-LES-BAINS 07 Ardèche 76 ⑱ **G. Vallée du Rhône** – alt. 385 – Stat. therm. (1er mai-31 oct.) – ✉ **07380** Lalevade-d'Ardèche – ✪ 75.

Paris 648 – Aubenas 17 – Langogne 47 – Privas 46 – Le Puy 76 – Vals-les-Bains 13.

Levant ♨, ☎ 36.41.07, ≤, 🌳 – ⇌ ⋒ **P**.
fermé janv. et fév. – SC : **R** 30/100 🍷 – ☕ 8,50 – **20 ch** 45/100 – P 87/115.

Les NEYROLLES 01 Ain 74 ④ – rattaché à Nantua.

Routes enneigées

Pour tous renseignements pratiques, consultez les cartes Michelin **« Grandes Routes »** 998, 999, 916 ou 989.

NICE P **06000** Alpes-Mar. 84 ⑨⑩, 195 ㉖㉗ **G. Côte d'Azur** – 346 620 h. alt. au château 92 – Casino-Club GYZ **T**, Casino Ruhl FZ – ✪ 93.

Voir Promenade des Anglais★★ EFZ – Vieux Nice★ : Château ≤★★ JZ, Intérieur★ de l'église St-Martin-St-Augustin HY **D**, Escalier monumental★ du Palais Lascaris HZ **K**, Intérieur★ de la cathédrale Ste Réparate HZ **L**, Église St-Jacques★ HZ **N**, Décors★ de la chapelle St-Giaume HZ **R** – Mosaïque★ de Chagall dans la Faculté de droit DZ **U** – A Cimiez : Monastère★ (Primitifs niçois★★ dans l'église) HV **A**, ruines romaines★ HV **G** – Musées : Marc Chagall★★ GX, Matisse★ HV **M2**, des Beaux-Arts★★ DZ **M**, Masséna★ FZ **M1** – Carnaval★★★ (avant Mardi Gras) – Mont Alban ≤★★ CT 5 km – Mont Boron ≤★ CT 3 km – Eglise St-Pons★ : 3 km BS **Z**.

Env. Plateau St-Michel ≤★★ 9,5 km par ①.

⛳18 de Biot ☎ 65.08.48 par ④ : 22 km.

✈ de Nice-Côte d'Azur ☎ 83.91.03 AU 7 km.

🚗 ☎ 88.89.93.

⛴ pour la Corse : Société Nationale Maritime Corse-Méditerranée, 3 av. Gustave-V ☎ 89.89.89 FZ **D**.

ℹ Office de Tourisme (Direction-Administration) 32 r. Hôtel-des-Postes(fermé sam. et dim.) ☎ 85.25.25 - Bureau d'accueil : à la gare S.N.C.F. av. Thiers, avec Accueil de France ☎ 87.07.07, Télex 460042 (fermé dim. hors sais.) : Informations et réservations d'hôtels en saison ; à Nice Parking près Aéroport ☎ 83.32.64 (fermé sam. et dim.) - A.C. 9 r. Massenet ☎ 87.18.17 - T.C.F. 6 r. Paradis ☎ 87.79.95.

Paris 933 ⑤ – Cannes 33 ⑤ – Genova 192 ⑨ – ♦Lyon 471 ⑤ – ♦Marseille 188 ⑤ – Turino 219 ⑨.

RÉPERTOIRE DES RUES DU PLAN DE NICE

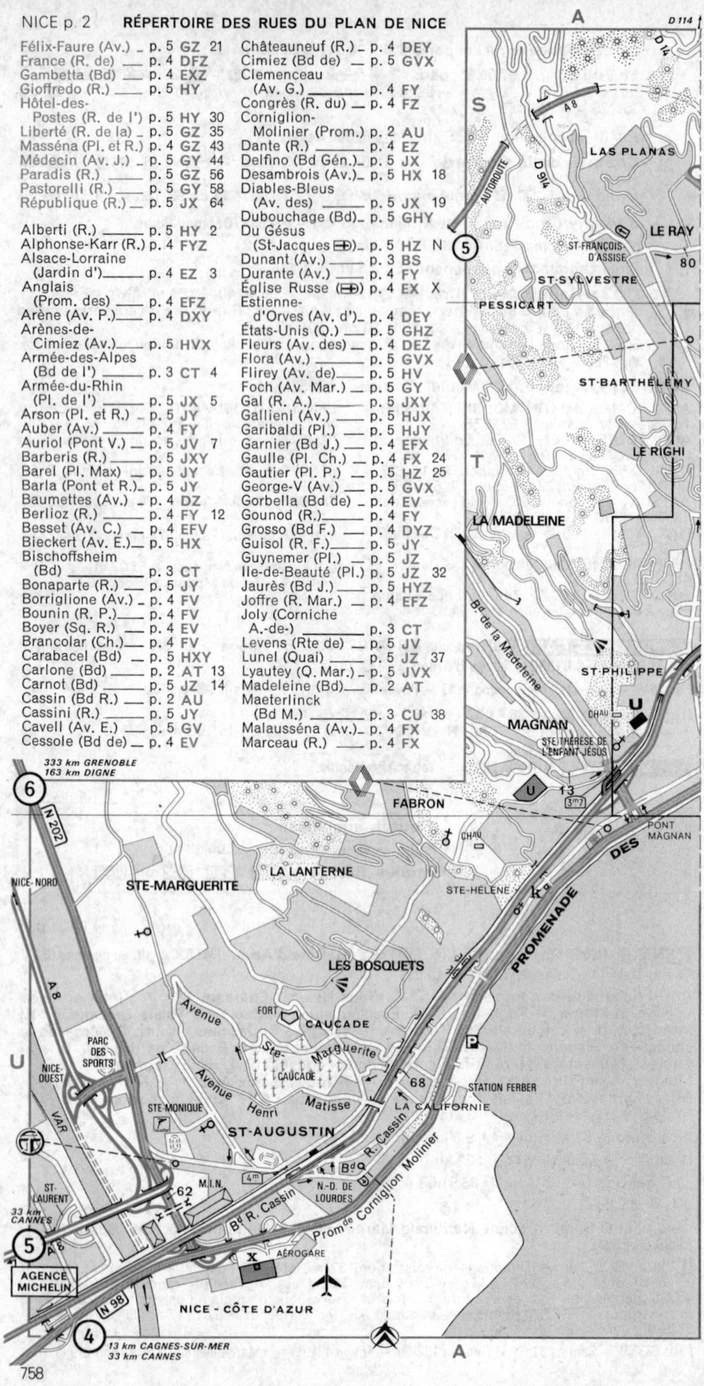

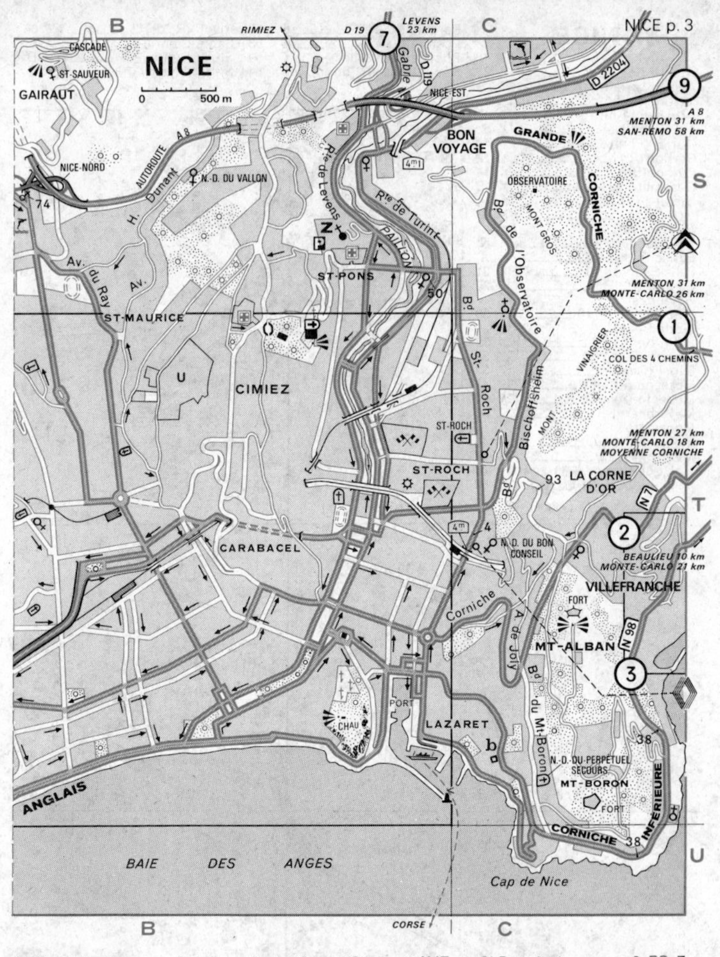

NICE
0 500 m
B
C
RIMIEZ
D 19
LEVENS 23 km
7
9
1
2
3
S
T
U
CASCADE
ST-SAUVEUR
GAIRAUT
NICE-NORD
AUTOROUTE A8
74
N.-D. DU VALLON
H. Dunant
Av. du Ray
Av.
ST-MAURICE
U
CIMIEZ
Rte de Levens
Rte de Turin
PAILLON
ST-PONS
50
Gabre
D 19
NICE EST
D 2204
A 8
MENTON 31 km
SAN-REMO 58 km
BON VOYAGE
GRANDE CORNICHE
OBSERVATOIRE
MONT GROS
Bd de l'Observatoire
MENTON 31 km
MONTE-CARLO 26 km
VINAIGRIER
COL DES 4 CHEMINS
MONT
Bd Bischoffsheim
Bd St-Roch
ST-ROCH
MENTON 27 km
MONTE-CARLO 18 km
MOYENNE CORNICHE
93
LA CORNE D'OR
N7
CARABACEL
4
N.-D. DU BON CONSEIL
BEAULIEU 10 km
MONTE-CARLO 21 km
VILLEFRANCHE
FORT
Corniche
A. de Joly
MT-ALBAN
N 98
Bd du Mt-Boron
PORT
CHAU
LAZARET
b
38
N.-D.-DU-PERPÉTUEL SECOURS
MT-BORON
FORT
INFÉRIEURE
CORNICHE
38
ANGLAIS
BAIE DES ANGES
Cap de Nice
CORSE

NICE

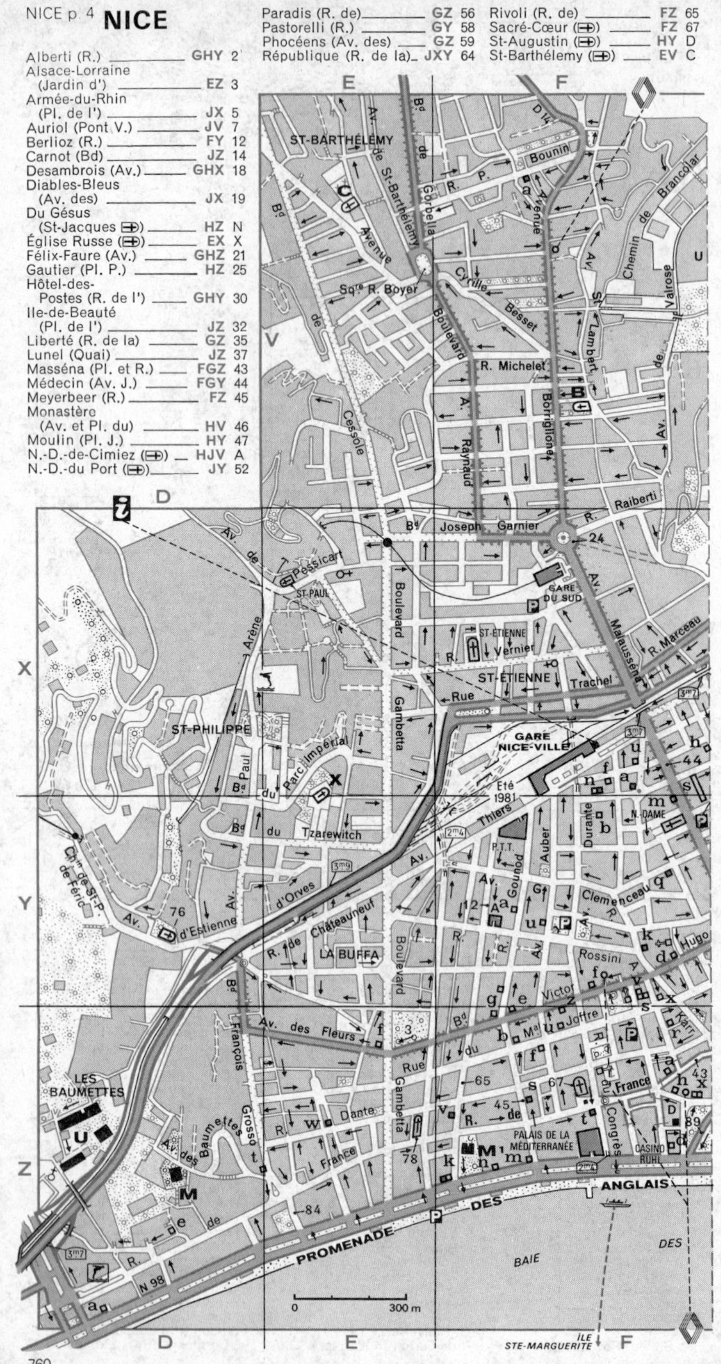

ST-BARTHÉLEMY
Av. de St-Barthélemy
Bd de Gorbella
Avenue
Sq^{re} R. Boyer
Cyrille Besset
Boulevard
R. Michelet
A. Raynaud
Borriglione
Av. St-Lambert
Chemin de Brancolar
Valrose
Bounin
Cessole
Bd Joseph Garnier
R. Raiberti
GARE DU SUD
Av. Malausséna
R. Marceau
ST-ÉTIENNE
R. Vernier
Rue Trachel
Av. de Pessicart
ST-PAUL
Boulevard Gambetta
Arène
ST-PHILIPPE
GARE NICE-VILLE
Été 1981
Thiers
Bd du Parc Impérial
Bd du Tzarewitch
Bd Paul
Chⁱⁿ de St-P. de Féric
Av. d'Estienne d'Orves
R. de Châteauneuf
LA BUFFA
P.T.T.
Auber
Gounod
Durante
N.-DAME
Av. Clemenceau
Rossini
Av. Victor Hugo
Bd M^{al} Joffre
Av. des Fleurs
Bd François Grosso
Rue de France
R. Dante
Av. des Baumettes
LES BAUMETTES
Rue du Congrès
R. de France
PALAIS DE LA MÉDITERRANÉE
CASINO RUHL
PROMENADE DES ANGLAIS
N 98
BAIE DES
ÎLE STE-MARGUERITE
0 300 m
D E F
V X Y Z

St-Jean-Baptiste (Av., ⊞) ____ HY 73
St-Philippe (⊞) ____ DY 76
St-Pierre-d'Arènes (⊞) ____ EZ 78
Ste-Jeanne-d'Arc (⊞) _ FV B
Ste-Réparate (Cath. ⊞) ____ HZ L
Sauvan (R. H.) ____ EZ 84
Verdun (Av. de) ____ FGZ 89
Wilson (Pl.) ____ HY 92

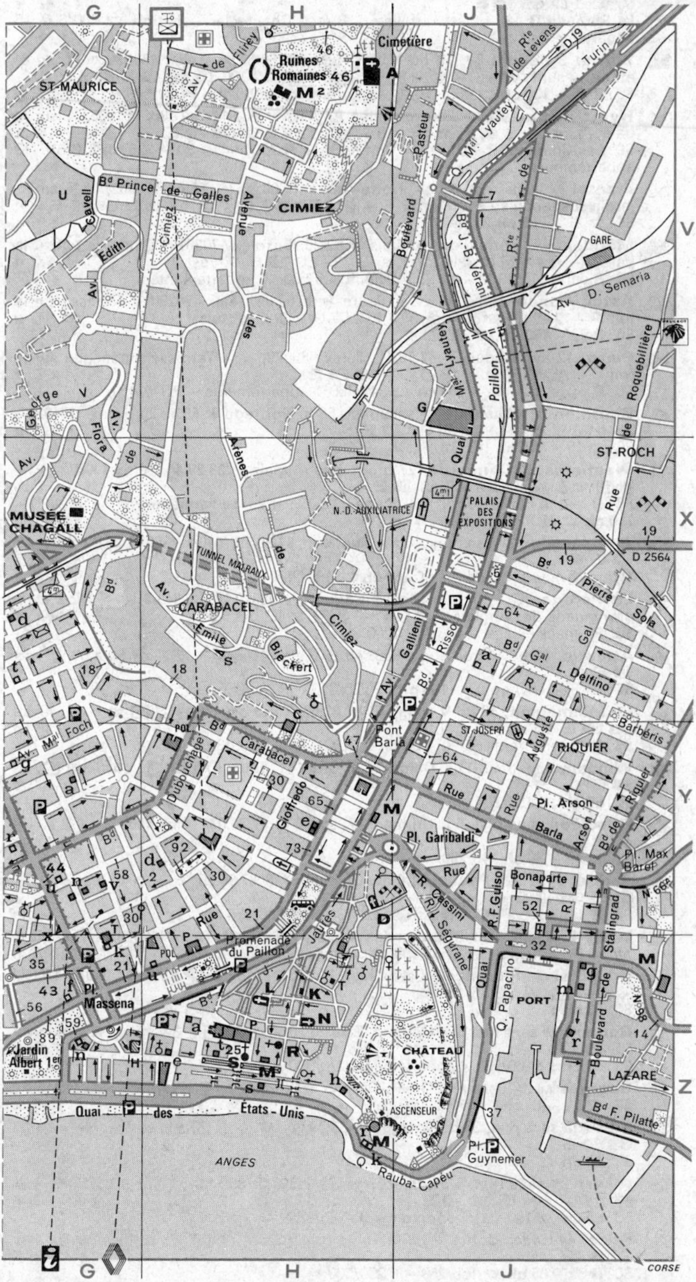

G H J

V X Y Z

ST-MAURICE
Ruines Romaines 46
Cimetière
CIMIEZ
Bd Prince de Galles
Av. Edith Cavell
Bd J.-B. Vérani
Bd Mal Lyautey
Boulevard Pasteur
GARE
Av. D. Semaria
Rue de Roquebillière
ST-ROCH
Quai Paillon
PALAIS DES EXPOSITIONS
N.-D. AUXILIATRICE
MUSÉE CHAGALL
TUNNEL MALRAUX
CARABACEL
Av. Emile Bieckert
Bd de Cimiez
Av. Flora
Av. George V
Bd Pierre Sola
D 2564
Bd Gal L. Delfino
Av. Gallieni
Bd Risso
Pont Barla
ST JOSEPH
RIQUIER
Av. Mal Foch
Bd Carabacel
Dubouchage
Gioffredo
Pl. Garibaldi
Pl. Arson
Rue Barla
Bd de Riquier
Pl. Max Barel
Rue Bonaparte
R. Cassini
R. Ségurane
R. F. Guisol
Stalingrad
Promenade du Paillon
Jaurès
Pl. Massena
Jardin Albert 1er
CHÂTEAU
ASCENSEUR
Quai Papacino
PORT
Boulevard de Stalingrad
LAZARE
Bd F. Pilatte
N 98
N 664
Quai des États-Unis
ANGES
Q. Rauba-Capeù
Pl. Guynemer
CORSE

Négresco, 37 prom. des Anglais ☎ 88.39.51, Télex 460040, ≤, « Chambres et salons d'époque : 16e et 18e s., Empire, Napoléon III » – |$| ▤ TV ☎ ♿ – 🏛 50 à 250. AE GB ◑ E — FZ **k**
La Rotonde R 110 bc et voir Nice p. 8 rest. **Chantecler** – **150 ch** ☐ 360/600, 15 appartements.

Sofitel Splendid M, 50 bd Victor-Hugo ☎ 88.69.54, Télex 460938, « ⛱ au 8e étage, ≤ sur la ville » – |$| ▤ TV ☎ 🚗 – 🏛 30 à 100. AE GB ◑ E. ✂ rest
SC : **R** 75 – **130 ch** ☐ 260/450, 11 appartements 480/520 – P 330/380. — FYZ **g**

Hyatt Régency M, 223 prom. des Anglais ☎ 83.91.51, Télex 461635, ≤ sur la baie, ⛱, 🏊 – |$| ▤ TV ☎ 🚗 Ⓟ – 🏛 50 à 400. AE GB ◑ E — AU **k**
SC : **Les Courants R** 70/100 🌡 - **Coffee Shop R** 70 🌡 – ☐ 30 – **326 ch** 320/515, 10 appartements.

Frantel M sans rest, 28 av. Notre-Dame ☎ 80.30.24, Télex 470662, « ⛱ au 8e, jardin suspendu au 2e étage, ≤ » – |$| ▤ TV ☎ ♿ – 🏛 25 à 120. AE GB ◑ E
SC : ☐ 21 – **200 ch** 260/360. — FXY **s**

Méridien M, 1 prom. des Anglais ☎ 82.25.25, Télex 470361, « ⛱ sur le toit, ≤ la baie » – |$| ▤ TV ☎ ♿ – 🏛 30 à 400. AE GB ◑ E. ✂ rest — FZ **d**
SC : **R** carte 110 à 160 – ☐ 25 – **300 ch** 305/500, 10 appartements.

Aston-Concorde M, 12 av. F.-Faure ☎ 80.62.52, Télex 470290, « Terrasse sur le toit » – |$| ▤ TV ☎ ♿ – 🏛 50 à 180. AE GB ◑ E. ✂ rest — HZ **u**
SC : **R** 92 – **160 ch** ☐ 215/290.

Plaza, 12 av. Verdun ☎ 87.80.41, Télex 460979, ≤, « Terrasse aménagée sur le toit » – |$| ▤ TV ☎ – 🏛 250. AE GB ◑ E — GZ **f**
SC : **R** carte 85 à 115 – **184 ch** ☐ 340/460, 6 appartements – P 340/490.

Continental-Masséna M sans rest, 58 r. Gioffredo ☎ 85.49.25, Télex 470192 – |$| ▤ TV ☎ Ⓟ – 🏛 60. AE GB ◑ E — GZ **k**
SC : ☐ 15 – **115 ch** 145/310.

Westminster Concorde, 27 prom. des Anglais ☎ 88.29.44, Télex 460872, ≤ – |$| TV ☎ ♿ – 🏛 40 à 350. AE ◑ E — FZ **m**
SC : **R** rest. **Il Pozzo** *(fermé nov.)* carte 80 à 125 , rest. **Le Farniente** *(fermé nov.)* 90 – **110 ch** ☐ 180/350.

Ambassador M sans rest, 8 av. Suède ☎ 87.90.19, Télex 460025, ≤ – |$| ♿. AE ◑ E. ✂ — FZ **x**
fermé 15 nov. au 15 déc. – SC : **45 ch** ☐ 180/265.

La Pérouse 🐦, 11 quai Rauba-Capeù ✉ 06300 ☎ 80.34.63, « ≤ Nice et la promenade des Anglais », ⛱, 🏊 – |$| TV ☎. AE GB ◑ — HZ **k**
SC : **R** (snack en été) – **66 ch** ☐ 200/300.

Atlantic, 12 bd Victor-Hugo ☎ 88.40.15, Télex 460840 – |$| – 🏛 30 à 80. AE GB ◑ E — FY **d**
SC : **R** carte environ 80 – **130 ch** ☐ 225/310 – P 260/355.

La Malmaison, 48 bd V.-Hugo ☎ 87.62.56, Télex 470410 – |$| TV ☎ – 🏛 40. AE GB ◑ E. ✂ rest — FYZ **e**
SC : **R** *(fermé mardi)* 65/90 – **50 ch** ☐ 180/260 – P 260/330.

Windsor sans rest, 11 r. Dalpozzo ☎ 87.50.41, Télex 970072, ⛱, 🏊 – |$| TV. AE ◑ E — FZ **f**
SC : **59 ch** ☐ 150/250.

Napoléon sans rest, 6 r. Grimaldi ✉ 06200 ☎ 87.70.07, Télex 460949 – |$| ▤ TV ♿. AE ◑ E — FZ **r**
SC : ☐ 12 – **80 ch** 145/230.

Park et rest. Le Passage, 6 av. Gustave-V ☎ 87.80.25, ≤ – |$| ▤ rest ♿ – 🏛 80. AE GB ◑ E — FZ **x**
SC : **R** carte 105 à 130 – **150 ch** ☐ 225/310 – P 260/355.

West-End sans rest, 31 prom. des Anglais ☎ 88.79.91, Télex 460879, ≤ – |$|. AE
fermé 5 nov. au 22 déc. – SC : **96 ch** ☐ 165/250. — FZ **n**

Gd Hôtel de Florence M sans rest, 3 r. P.-Deroulède ☎ 88.46.87, Télex 470652 – |$| ▤ TV. AE GB ◑ E. ✂ — GY **r**
SC : **53 ch** ☐ 160/250.

Gounod M sans rest, 3 r. Gounod ☎ 88.26.20 – |$| ▤ TV 🛁wc 🚿wc ☎ 🚗. 🚌 AE GB ◑ — FYZ **g**
SC : **41 ch** ☐ 160/230, 4 appartements 270/300.

Georges M 🐦 sans rest, 3 r. H.-Cordier ☎ 86.23.41 – |$| 🛁wc ☎. 🚌 AE
SC : ☐ 11 – **18 ch** 130/195. — DZ **e**

Victoria sans rest, 33 bd V.-Hugo ☎ 88.39.60, 🏊 – |$| TV 🛁wc 🚿wc ☎. 🚌 AE GB ◑ E — FYZ **z**
SC : **40 ch** ☐ 150/220.

Albert 1er sans rest, 4 av. Phocéens ✉ 06300 ☎ 85.74.01, Télex 970575, ≤ – |$| 🛁wc ☎. 🚌 AE GB ◑ E — GZ **n**
SC : **69 ch** ☐ 160/260, 5 appartements 280/380.

Brice, 44 r. Mar.-Joffre ☎ 88.14.44, Télex 470658 – |$| TV 🛁wc 🚿wc ☎ ♿. 🚌 AE ◑. ✂ rest — FZ **b**
SC : **R** 65 – **65 ch** ☐ 165/250 – P 250/300.

Chatham M sans rest, 9 r. A.-Karr ☎ 87.80.61 – |‡| ⌂wc ⋔wc ☎. AE ⓓ E — FY **x**
SC : ☐ 10 – **50 ch** 90/180.

Midi M sans rest, 16 r. Alsace-Lorraine ☎ 88.49.17, Télex 970565 – |‡| ▤ TV ⌂wc ⋔wc ☎. AE ⓓ E. ✻ — FX **n**
1er fév.-31 oct. – SC : **40 ch** ☐ 175/230.

Petit Palais ⛰, 10 av. E.-Bieckert (par bd Cimiez) ☎ 80.19.11, ≤, ♣ – TV ⌂wc ⋔wc ☎. — HX **s**
SC : **R** 45/80 – ☐ 10 – **22 ch** 165/200 – P 185/210.

Locarno sans rest, 4 av. Baumettes ☎ 96.28.00, Télex 970015 – |‡| ▤ TV ⌂wc ⋔wc ☎ ⇔ – ▲ 50. AE ⓓ E — DEZ **t**
SC : ☐ 10 – **48 ch** 130/185.

Trianon sans rest, 15 av. Auber ☎ 88.30.69 – |‡| ⌂wc ⋔wc ☎. AE GB E — FY **u**
SC : **32 ch** ☐ 100/145.

Busby, 38 r. Mar.-Joffre ☎ 88.19.41 – |‡| ⌂wc ☎ ♿. AE ⓓ — FZ **u**
fermé 15 nov. au 15 déc. et sans rest du 1er avril au 14 déc. – SC : **R** 50/55 – ☐ 10 – **80 ch** 140/230 – P 225/250.

Carlton sans rest, 26 bd V.-Hugo ☎ 88.87.83 – |‡| ⌂wc ⋔wc ☎. AE GB ⓓ E — FY **f**
SC : **29 ch** ☐ 100/220.

New York sans rest, 44 av. Mar.-Foch ☎ 80.25.60, Télex 470215 – |‡| ⌂wc-⋔wc ☎ Ⓟ. AE GB ⓓ E — GY **g**
SC : **52 ch** ☐ 188/200.

Alfa M sans rest, 30 r. Masséna ☎ 87.88.63 – |‡| ▤ ⌂wc ⋔wc ☎. AE E — FZ **a**
SC : ☐ 9 – **38 ch** 95/150.

Suisse sans rest, 15 quai Rauba-Capeù ✉ 06300 ☎ 85.62.20, ≤ – |‡| ⌂wc ⋔wc ☎ — HZ **r**
SC : ☐ 12 – **37 ch** 70/180.

Harvey sans rest, 18 av. de Suède ☎ 87.78.00 – |‡| ▤ ⌂wc ⋔wc ☎. ✻ — FZ **h**
1er fév.-1er nov. – SC : ☐ 8,50 – **51 ch** 110/165.

Avenida sans rest, 41 av. J.-Médecin ☎ 88.55.03 – |‡| cuisinette ▤ TV ⌂wc ⋔wc ☎. AE. ✻ ch — FY **m**
SC : ☐ 11 – **35 ch** 95/159.

Bruxelles sans rest, 15 r. Belgique ☎ 88.47.61 – |‡| ⌂wc ⋔wc ☎ — FX **f**
73 ch.

Univers sans rest, 9 av. J.-Médecin ☎ 87.88.81 – |‡| ⌂wc ⋔wc ☎. GB. ✻ — GYZ **x**
SC : **80 ch** ☐ 60/160.

Durante ⛰ sans rest, 16 av. Durante ☎ 88.84.40, ♣ – cuisinette TV ⌂wc ⋔wc ☎ Ⓟ. ✻ — FY **b**
fermé 17 oct. au 16 nov. – SC : ☐ 12 – **30 ch** 90/135.

Midland sans rest, 41 r. Lamartine ☎ 85.13.21 – |‡| ⋔wc ☎ — FX **h**
SC : **50 ch** ☐ 70/150.

Flots d' Azur sans rest, 101 prom. des Anglais ☎ 86.51.25, ≤ – ⌂wc ⋔wc ☎. AE — DZ **a**
SC : ☐ 10 – **21 ch** 90/250.

Flandres sans rest, 6 r. Belgique ☎ 88.78.94 – |‡| ⌂wc ⋔wc ☎. ✻ — FX **u**
SC : **39 ch** ☐ 130.

Cigognes sans rest, 16 r. Maccarani ☎ 88.65.02 – |‡| ⌂wc ⋔wc ☎ ♿. AE ⓓ E — FY **s**
SC : ☐ 11 – **32 ch** 140/160.

Nouvel H. sans rest, 19 bd V.-Hugo ☎ 87.73.60 – |‡| ⌂wc ⋔ ☎. AE — FY **v**
fermé 1er nov. au 1er déc. – SC : **54 ch** ☐ 58/160.

King George sans rest, 15 r. Grimaldi ☎ 87.73.61 – |‡| ⌂wc ⋔wc ☎ — FY **s**
SC : **30 ch** ☐ 85/160.

St-Pierre sans rest, 2 av. Fleurs ☎ 96.93.10 – |‡| ⌂wc ⋔wc ☎. AE GB. ✻ — EZ **f**
fermé nov. – SC : **35 ch** 60/165.

Marbella Week-End, 120 bd Carnot ✉ 06300 ☎ 89.39.35, ≤ baie de Nice, ♣ – ⋔wc ☎. ✻ — CT **b**
fermé 5 nov. au 25 janv. – SC : **R** (dîner seul.) 50 – ☐ 10 – **14 ch** 40/125.

Crillon sans rest, 44 r. Pastorelli ☎ 85.43.59 – |‡| ⌂wc ⋔wc ☎. ✻ — GY **u**
SC : **42 ch** ☐ 60/150.

Sportmen, 4 r. Barberis ✉ 06300 ☎ 89.27.18 – |‡| ▤ rest ⌂wc ⋔wc ☎. — JX **a**
SC : **R** *(fermé dim. soir et lundi midi)* 26/60 ⅓ – ☐ 10 – **40 ch** 41/125 – P 85/160.

L'Oasis ⛰, 23 r Gounod ☎ 88.12.29, ♣ – ⋔ ☎ Ⓟ. ✻ rest — FY **a**
SC : **R** *(fermé nov.)* 38/42 – ☐ 10 – 31 ch 40/100 – P 95/120.

Plaisance H. sans rest, 20 r. Paris ☎ 85.11.90 – |‡| ⌂wc ⋔ — GX **t**
fermé 15 nov. au 15 déc. – SC : **30 ch** ☐ 55/120.

tourner →

XXXX ⚙⚙ **Chantecler,** 37 prom. des Anglais ☎ 88.39.51 – ▤. AE GB ⓓ E FZ **k**
fermé nov. – **R** 150/200 et carte
Spéc. Courgettes aux truffes, Saumon frais au gros sel, Salade de Pigeon. **Vins** Bellet.

XXX ⚙ **Madrigal** (Robert), 7 av. G.-Clemenceau ☎ 88.79.23, – ▤. AE GB ⓓ
fermé dim. – **R** 100/150 FY **q**
Spéc. Saumon cru mariné au citron, Fricassée de mer, Agneau de Sisteron en feuilleté.

XXX ⚙ **La Poularde chez Lucullus** (Normand), 9 r. Deloye ☎ 85.22.90 – ▤. AE ⓓ E
fermé 12 juil. au 16 août et merc. – **R** 90/120 GY **n**
Spéc. Langouste grillée aux herbes (15 mars-15 nov.), Rougets à la sauvage, Capilotade de volaille. **Vins** Gassin, Bellet.

XXX ⚙ **Ane Rouge** (Vidalot), 7 quai Deux-Emmanuel ✉ 06300 ☎ 89.49.63 – AE ⓓ
fermé 14 juil. au 1er sept., dim. et fériés – **R** carte 135 à 205 JZ **m**
Spéc. Belons au champagne (sept. à avril), Langouste "Ane Rouge", Suprême de turbotin. **Vins** Bellet, Château Simone.

XXX **Petit Brouant,** 4 bis r. Deloye ☎ 85.25.84, – AE ⓓ E GY **n**
fermé juin et lundi – **R** 75/95.

XXX **Los Caracolès,** 5 r. St-François-de-Paule ✉ 06300 ☎ 80.98.23 – ▤. AE GB
fermé fin juin à début août et merc. – SC : **R** carte 105 à 135. HZ **e**

XXX **Garac,** 2 bd Carnot ✉ 06300 ☎ 89.57.36 – AE GB ⓓ E JZ **g**
fermé juin et lundi – **R** carte 100 à 145.

XX **Don Camillo,** 5 r. Ponchettes ✉ 06300 ☎ 85.67.95, cuisine italienne – ▤. ⓓ E
fermé juil. et dim. – **R** carte 85 à 120. HZ **h**

XX **Gourmet Lorrain** avec ch, 7 av. Santa-Fior ✉ 06100 ☎ 84.90.78 – ▤ TV
AE FV **a**
R *(fermé oct. et dim. soir)* 40/120 – ☕ 8,50 – 15 ch 65/85 – P 105/150.

XX **Chez Rolando,** 3 r. Desboutins ☎ 85.76.79, cuisine italienne – ▤. AE GZ **n**
fermé juil., dim. et fêtes – **R** carte 80 à 100 🍷.

XX **Bon Coin Breton,** 5 r. Blacas ☎ 85.17.01 – ▤ GY **v**
fermé 20 juil. au 20 août, dim. soir et lundi – SC : **R** 43/98.

XX **Chez les Pêcheurs,** 18 quai des Docks ✉ 06300 ☎ 89.59.61, produits de la mer
fermé nov. et merc. – **R** carte 80 à 105. JZ **r**

XX **St-Moritz,** 5 r. Congrès ☎ 88.54.90 – ▤. AE FZ **t**
fermé 7 au 30 janv. et jeudi – SC : **R** carte 105 à 170

XX **Prince's,** 57 quai États-Unis ✉ 06300 ☎ 85.71.56, ≤ – ⓓ HZ **s**
fermé jeudi – SC : **R** (dim. prévenir) 52/120.

XX **Lou Balico** (Chez Adrienne), 20 av. St-Jean-Baptiste ☎ 85.93.71, cuisine niçoise – AE ⓓ HY **e**
fermé jours fériés le midi et dim. – **R** carte environ 80.

XX **Aux Gourmets,** 12 r. Dante ☎ 96.83.53 – ▤. ⓓ EZ **w**
◆ *fermé 1er au 21 juin, 15 nov. au 8 déc., dim. soir et lundi* – SC : **R** 33/110.

XX **La Cassole,** 22 av. St-Jean-Baptiste ☎ 85.01.14, spécialités du sud-ouest – AE GB ⓓ HY **e**
fermé août et lundi – **R** 45/100.

XX **Michel,** 12 r. Meyerbeer ☎ 88.77.42, produits de la mer – ▤ FZ **s**
fermé 27 juin au 10 août et lundi – SC : **R** carte 90 à 125.

XX **La Madrague,** 13 bis cours Saleya ☎ 85.61.91, produits de la mer HZ **t**
fermé août et mardi – SC : **R** carte 70 à 120.

XX **Bông-Laï,** 14 r. Alsace-Lorraine ☎ 88.75.36, cuisine vietnamienne – ▤. ⓓ E
fermé 3 au 27 juin, 9 au 27 déc., lundi et mardi – SC : **R** carte 85 à 110. FX **n**

X **La Nissarda,** 17 r. Gubernatis ☎ 85.26.29 – AE HY **d**
◆ *fermé juil., mardi soir et merc.* – SC : **R** 29/53.

X **Mireille,** 19 bd Raimbaldi ☎ 85.27.23 GX **d**
fermé 1er juin au 7 juil., lundi et mardi – SC : **R** plat unique : paella carte env. 60.

X **Rivoli,** 9 r. Rivoli ☎ 88.12.62 – ▤ FZ **v**
fermé 20 mai au 30 juin et mardi – SC : **R** 46/60.

X **Florian,** 22 r. A.-Karr ☎ 88.47.83 – ⓟ. AE GB ⓓ E FY **k**
fermé 1er déc. au 2 janv. et merc. hors sais. – SC : **R** 45/72 🍷.

X **La Casbah,** 3 r. Doct.-Balestre ☎ 85.58.81, couscous GY **a**
fermé 15 juil. au 15 août et lundi – **R** carte environ 55

X **Le Saetone,** 8 r. Alsace-Lorraine ☎ 87.17.95 FX **a**
◆ *fermé 15 nov. au 15 déc. et merc.* – SC : **R** 28/38 🍷.

X **La Merenda,** 4 r. Terrasse ✉ 06300, cuisine niçoise – ▤ HZ **a**
fermé août, fév., sam. soir, dim. et lundi – SC : **R** carte environ 60.

à l'Aéroport 7 km – ✉ **06200** Nice :

XXX ⚙ **Ciel d'Azur,** 2e étage aérogare ☎ 83.18.57, Télex 970011, ≤ – ▤ ⓟ. ⓓ
R 80/135 AU **x**
Spéc. Terrine de pigeonneau au foie d'oie, Filet de loup Mistral, Rognon de veau. **Vins** Bellet.

XX **Grill Soleil d'Or,** 1er étage aérogare ☎ 83.19.76, ≤ – ▤ ⓟ. ⓓ AU **x**
SC : **R** (déj. seul.) carte environ 65.

au Cap 3000 par ④ : 8 km – ✉ **06700** St-Laurent-du-Var :

Novotel M, ☎ 31.61.15, Télex 470643, – 300. AE GB **R** snack carte environ 65 – 20 – **103 ch** 185/220.

à St-Pancrace N : 8 km par D 914 AS – alt. 302 – ✉ **06100** Nice :

XXX ✿ **Rôtisserie de St-Pancrace** (Teillas), ☎ 84.43.69, ≤ – P
fermé 5 janv. au 5 fév. et lundi hors sais. – **R** carte 100 à 145
Spéc. Ragoût d'écrevisses (sauf avril), Royale de poissons, Aiguillettes de caneton au porto et au foie gras. Vins Bellet, Côtes de Provence.

XX **Cicion,** ☎ 84.49.29, ≤ Nice et littoral – P
fermé 3 janv. au 3 fév. et merc. – **R** (sur réservation) 56/75.

MICHELIN, Agence régionale, Zone Ind., quartier Pugets à St Laurent-du-Var par ⑤ ☎ 31.66.09

ALFA-ROMEO, PORSCHE-MITSUBISCHI IMAC et SOMEDIA, 1 bd Armée-des-Alpes ☎ 89.00.32
AUDI VOLKSWAGEN S.M.A. 146 rte de Turin ☎ 55.74.74
AUSTIN, JAGUAR, MORRIS, ROVER, TRIUMPH Kennings, 9 r. Veillon ☎ 80.56.84
AUSTIN, JAGUAR Gar. Méditerranée, 52 r. de France ☎ 88.87.51
AUSTIN, MORRIS, ROVER, TRIUMPH Résidence-Auto, 143 bd de Cessole ☎ 84.83.27
BMW Gar. Azur-Autos, 13 r. G.-Garaud ☎ 89.36.29
CITROEN Succursale, 74 bd R.-Cassin AU ☎ 83.66.66 et 38 Bd St-Roch CT ☎ 89.05.73
DATSUN, FERRARI Gds Gar. Méditerranéens, 45 r. de la Buffa ☎ 88.13.27
FIAT D.I.A.M., 3 r. Meyerbeer ☎ 87.12.56
FORD Gar. Paris-Côte Azur, 11 av. Désambrois ☎ 80.04.47
MERCEDES-BENZ Interstar, 83 bd Gambetta ☎ 88.73.47
OPEL-GM-US Michigan-Motors, 3 bd Armée-des-Alpes ☎ 89.00.77
PEUGEOT Gds Gar. Nice et Littoral, 132 bd Pasteur HV ☎ 80.62.35
RENAULT Succursale, 2 bd Armée-des-Alpes CT ☎ 89.27.57
RENAULT Galli, 76 av. Borriglione AT ☎ 84.82.02
RENAULT Gd Gar. Gustave-V, 6 av. Gustave-V FZ ☎ 87.85.34
RENAULT Gar. Macagno, 17 av. Californie AU ☎ 86.59.81
RENAULT Gar. Sporting International, 26 bd Victor-Hugo FY ☎ 87.87.00
RENAULT Gar. Viale, 88 av. Cy.-Besset FV ☎ 84.44.68
RENAULT Gar. Wilson, 37 r. Hôtel-des-Postes GHY ☎ 85.45.47
TALBOT Nice-Autos, 63 rte Grenoble AU ☎ 83.03.50
TOYOTA, VOLVO Gar. Albert 1er, 5 r. Cronstadt ☎ 88.39.35
Gar. Américan-Auto, 38 rte de Turin ☎ 89.15.74
Gar. Plaza, 12 av. de Verdun ☎ 87.82.34

Andreasi, 13 bd Stalingrad ☎ 89.48.58
Azur-Pneu, 18 r.Papon ☎ 55.21.26
Cagnol, 3 r. Gare du Sud ☎ 84.52.29
Eurauto-Service, 52 bd Riquier ☎ 55.20.04
Massa-Pneus, 27, r. Trachel ☎ 82.20.85
Office du Pneu, 116 bd Gambetta ☎ 88.45.84
Omnipneu, 18 r. Arson ☎ 89.63.05
Omnium-Niçois du C/c 3 r. Maraldi ☎ 55.05.60
Piot-Pneu, 68 r. Mar.-Vauban ☎ 89.66.76 et angle r. Nicot-de-Villemain et bd P.-Montel ☎ 83.10.92
Rosi, 14 r. L.-Ackermann ☎ 87.49.07

NIDECK (Ruines du château et cascade du) ** 67 B.-Rhin 62 ⑧ G. Vosges.

Accès : 1 h 15 du D 218.

NIEDERBRONN-LES-BAINS 67110 B.-Rhin 57 ⑱⑲ G. Vosges – 4 461 h. alt. 192 – Stat. therm. – Casino – 88.

Office de Tourisme à l'Hôtel de Ville (fermé sam. et dim.) ☎ 09.17.00.

Paris 450 – Haguenau 21 – Sarreguemines 56 – Saverne 38 – ♦Strasbourg 49 – Wissembourg 34.

Grand Hôtel , av. Foch ☎ 09.02.60, Télex 890151, – P – 100. AE GB E
fermé fév. – SC : **R** voir rest. du Parc – 20 – **55 ch** 180/220, 5 appartements 220/300 – P 260.

Bristol, pl. Hôtel de Ville ☎ 09.61.44 – rest wc wc P – 30. AE GB
fermé 1er janv. au 1er fév. – SC : **R** 37/110 – 10 – 28 ch 60/132 – P 104/132.

Cully, r. République ☎ 09.01.42 – wc P. ch
fermé 24 oct. au 16 nov. – SC : **R** *(fermé dim. soir et lundi)* 30/100 – 10 – **41 ch** 50/120 – P 100/130.

XXX **Parc,** pl. des Thermes ☎ 09.68.88, ≤ – AE GB E
fermé fév. – SC : **R** 65/80.

XX **Muller** avec ch, av. Libération ☎ 09.70.00, parc, – wc P. GB.
fermé janv. – **R** *(fermé lundi)* 20/78 – 12,50 – **18 ch** 58/115 – P 82/112.

tourner →

à Untermuhlthal (57 Moselle) O : 11 km par D 28 et D 141 – ✉ **57230** Bitche – ✪ 87

XX **L'Arnsbourg,** ☎ 06.50.85, ≤, ⊼ – Ⓟ
fermé 1er janv. au 7 fév., mardi soir et merc. – **R** carte 65 à 110 ♁.

CITROEN Krebs, ☎ 09.03.66 RENAULT Gar. Naegely, ☎ 09.00.80 🅽

NIEDERSCHAEFFOLSHEIM 67 B.-Rhin 57 ⑲ – 1 202 h. alt. 183 – ✉ **67500** Haguenau – ✪ 88.

Paris 472 – Haguenau 6 – Saverne 33 – ♦Strasbourg 23.

XX **Au Boeuf Rouge** avec ch, ☎ 93.87.54 – ⋒wc ☎ Ⓟ. AE GB ⓓ
fermé 24 juin au 15 juil. et 24 déc. au 3 janv. – SC : **R** *(fermé vend. soir et merc. du 1er oct. au 15 avril)* 33/105 ♁ – ☕ 12 – **16 ch** 45/90 – P 95/120.

NIEDERSTEINBACH 67 B.-Rhin 57 ⑲ – 228 h. alt. 225 – ✉ **67510** Lembach – ✪ 88.

Paris 452 – Bitche 24 – Haguenau 32 – Lembach 8 – ♦Strasbourg 61 – Wissembourg 23.

Cheval Blanc ⚲, ☎ 09.25.31, ⊼ – ⌂wc ⋒wc ☎ ⇔ Ⓟ – ⛬ 30. ⛭ rest
fermé 20 janv. au 1er mars – SC : **R** *(fermé vend. soir hors sais. et jeudi)* 45/120 ♁ – ☕ 10 – 30 ch 39/120 – P 90/110.

NIEUIL 16 Charente 72 ⑤ – 941 h. alt. 153 – ✉ **16270** Roumazières-Loubert – ✪ 45.

Paris 428 – Angoulême 42 – Confolens 26 – ♦Limoges 65 – Nontron 61 – Ruffec 36.

✿ **Château de Nieuil** (Mme Bodinaud) ⚲, à l'Est par D 739 et VO ☎ 71.36.38, ≤, « Belle demeure, parc », ⛱, ✂ – ♿ ⇔ Ⓟ – ⛬ 40. AE GB
fermé 16 nov. au 19 déc. et 4 janv. au 6 fév. – SC : **R** *(fermé merc. midi du 1er oct. au 4 avril)* (dim. et fêtes prévenir) 90/110 – **10 ch** ☕ 180/300, 3 appartements 520 – P 270/390
Spéc. Farci charentais, Poisson aux aromates, Filets de pintade au parfum de framboises.

Les pastilles numérotées des plans de ville ①, ②, ③ sont répétées sur les ***cartes Michelin*** *à 1/200 000.*
Elles facilitent le passage entre les ***cartes*** *et les* ***guides Michelin.***

NIMES Ⓟ 30000 Gard 80 ⑲ **G. Provence** – 133 942 h. alt. 39 – ✪ 66.

Voir Arènes*** BX – **Maison Carrée***** BV **M1** – **Jardin de la Fontaine**** AV : **Tour Magne*, ⁂*** – **Musées : Antiquités*** BY **M1, Archéologie*** BV **M2, Beaux-Arts*** BX **M3.**

18 de Campagne ☎ 20.30.26 par ⑤ : 11 km.

✈ de Nîmes-Garons ☎ 20.12.55 par ⑤ : 8 km.

🚗 ☎ 67.27.46.

🅸 Office de Tourisme et Accueil de France (Informations et réservations d'hôtels, pas plus de 5 jours à l'avance) 6 r. Auguste ☎ 67.29.11, Télex 490926 - A.C. 6 av. Feuchères ☎ 67.28.10.

Paris 711 ② – Aix-en-Provence 105 ④ – Avignon 43 ② – ♦Clermont-Ferrand 312 ⑨ – ♦Grenoble 250 ② – ♦Lyon 249 ② – ♦Marseille 121 ④ – ♦Montpellier 51 ⑥ – ♦Nice 281 ④ – ♦St-Etienne 268 ②.

Plans pages suivantes

Imperator, place A.-Briand ☎ 21.90.30, Télex 490635, « Jardin fleuri » – ⇅ TV ☎ ⇔ – ⛬ 60. AE GB ⓓ E — AV **g**
SC : **R** carte 110 à 150 – **64 ch** ☕ 230/385 – P 316/372.

Sofitel Ⓜ, bd Périphérique Sud, échangeur A9 Nîmes Ouest ☎ 84.40.44, Télex 490644, ⛱, ⊼, ✂ – ⇅ ▤ rest TV ☎ ♿ Ⓟ – ⛬ 40 à 120. AE GB ⓓ E — CZ **a**
rest. **Le Mazet R** carte 90 à 120 – ☕ 25 – **98 ch** 220/310.

Cheval Blanc, pl. Arènes ☎ 67.20.03, Télex 480856 – ⇅ TV – ⛬ 30. AE GB ⓓ E — BX **e**
SC : **R** 80/120 – ☕ 18 – **48 ch** 150/180.

Louvre, 2 square Couronne ☎ 67.22.75, Télex 480218 – TV ☎ ⇔. AE GB ⓓ E
SC : **R** 39/95 ♁- **Brasserie R** carte environ 70 – ☕ 12 – **35 ch** 70/135, 5 appartements 145/190 – P 125/150. — BX **x**

Novotel Ⓜ, bd Périphérique Sud ☎ 84.60.20, Télex 480675, ⛱, ⊼ – ▤ TV ☎ Ⓟ – ⛬ 25 à 250. AE GB ⓓ — CZ **a**
R snack carte environ 65 – ☕ 20 – **96 ch** 170/199.

Midi sans rest, square Couronne ☎ 21.07.18, Télex 480846 – ⇅ ⌂wc ⋒wc ☎ ⇔ – ⛬ 40. AE GB ⓓ E — BX **k**
SC : ☕ 13 – **80 ch** 120/135.

Carrière, 6 r. Grizot ☎ 67.24.89 – ⇅ ⌂wc ⋒wc ☎ ♿ ⇔. AE ⓓ — BV **a**
SC : **R** *(fermé janv. et sam. hors sais.)* 30/65 – ☕ 12 – **55 ch** 77/150 – P 150/175.

Provence sans rest, 5 square Couronne ☎ 67.28.64 – ⇅ ⌂wc ⋒wc ☎. AE GB — BX **b**
SC : ☕ 11 – **38 ch** 56/130.

Milan sans rest, 17 av. Feuchères ☎ 67.29.90 – wc wc . . CX **u**
SC : 10 – **32 ch** 55/130.

Michel sans rest, 14 bd Amiral-Courbet ☎ 67.26.23 – wc wc . AE GB E BV **s**
SC : 10 – **29 ch** 45/130.

Menant sans rest, 22 bd Amiral-Courbet ☎ 67.22.85 – wc BV **d**
SC : 10 – **29 ch** 40/150.

Amphithéâtre sans rest, 4 r. Arènes ☎ 67.28.51 – wc . GB.
fermé 20 déc. au 10 janv. – SC : 9 – **20 ch** 40/100. BX **h**

Majestic sans rest, 10 r. Pradier ☎ 67.24.14 – wc CX **z**
SC : 9 – **27 ch** 48/94.

H. Lisita sans rest, 2 bd Arènes ☎ 67.66.20 – wc . GB BX **h**
SC : 9 – **26 ch** 35/120.

Château sans rest, 3 pl. Château ☎ 67.57.47 – wc . BV **e**
8 – **15 ch** 35/85.

Maison Carrée sans rest, 14 r. Maison-Carrée ☎ 67.32.89 – wc . GB
SC : 12 – **20 ch** 55/120. BV **t**

R. Le Lisita, 2 bd Arènes ☎ 67.29.15, ← – AE GB BX **h**
fermé août, dim. soir et sam. – SC : **R** 45/80.

La Louve, 1 r. République ☎ 67.33.84 – . AE BX **n**
fermé fév. – SC : **R** 34 bc/80 bc.

Au Chapon Fin, 3 r. Château-Fadaise ☎ 67.34.73 BX **f**
fermé mardi – SC : **R** 40/130.

par ② : 7 km sur N 86 – ✉ **30320** Marguerittes :

Motel Marguerittes, ☎ 26.01.23, – rest wc . E
SC : **R** 36/66 – 11 – 48 ch 85/105 – P 135.

par ④ et rte Cassargues : 6,5 km – ✉ **30000** Nimes :

Campanile , ☎ 84.27.05, – wc – 40. GB
SC : **R** 43 bc/56 bc – 17 – **50 ch** 140 – P 173/223.

à Garons par ⑤ : 8 km – ✉ **30800** St-Gilles :

Les Aubuns M sans rest, ✉ 30230 Caissargues ☎ 20.24.31, , – – 60.
SC : 14 – **30 ch** 100/165.

✿ **Alexandre** M avec ch, ☎ 20.08.66, ←, « Parc » – wc .
fermé 9 août au 8 sept., dim. soir et lundi – SC : **R** (nombre de couverts limité - prévenir) 115/160 – 18 – **4 ch** 180
Spéc. Suivant produits de saison. Vins Côtes du Rhône, Chateauneuf du Pape.

MICHELIN, Agence, rte de St-Gilles, D 42 DZ ☎ **84.99.05**

ALFA ROMEO Auto-Sport, 2210 rte Montpellier, ☎ 84.03.55
AUDI-VOLKSWAGEN S.N.D.A., 74 et 76 rte de Beaucaire ☎ 84.95.09
AUSTIN, MORRIS, ROVER, TRIUMPH Gar. du Midi, bd Périphérique Sud, Impasse du Doubs ☎ 84.07.98
BMW Gar. Provençal, 2532 rte Montpellier ☎ 84.78.11
CITROEN Succursale, 2290 rte Montpellier ☎ 84.60.05
FERRARI, FIAT Gar. Europe, 1976 av. du Mal Juin ☎ 84.04.40
FORD Méditerranée-Autom., 655 av. du Mar. Juin ☎ 84.08.01
MERCEDES-BENZ Renaux, 328 rte d'Avignon ☎ 26.04.99
OPEL Gar. République, 2700 av. du Mal Juin ☎ 84.81.83
PEUGEOT Gds Gar. du Gard, 1667 av. du Mar.-Juin ☎ 84.60.08
RENAULT Succursale, 1412 av. du Mal Juin ☎ 84.60.00
TALBOT Nîmes-Autom., 1606 av. du Mar.-Juin ☎ 84.02.23
TOYOTA Veyrunes, 29 r. de Beaucaire ☎ 21.71.22
VOLVO Courbessac-Autos, 99 r. Favre-de-Thierrens ☎ 26.01.21

Bastide, 103 rte de Beaucaire ☎ 26.65.91
Comptoir du Pneu, 23 bis bd Sergent-Triaire ☎ 84.94.21
Escoffier-Pneus, 2 r. République ☎ 67.32.72 et 2614 rte Montpellier ☎ 84.02.01 et 1 r. Paul Painlevé ☎ 84.88.88
Pernia, 88 bd J.-Jaurès ☎ 64.08.26
Peysson, 11 r. République et 145 bd Sergent-Triaire ☎ 67.34.49
Pneu-Service-Folcher, 55 bd Talabot ☎ 67.94.17 et 2722 rte Montpellier ☎ 84.85.40
Rigon-Pneus, Arche, 18 bd Tabalot ☎ 84.15.26

Participez à notre effort permanent de mise à jour

Adressez-nous vos remarques et vos suggestions.

Cartes et guides Michelin
46 avenue de Breteuil - 75341 Paris Cedex 07

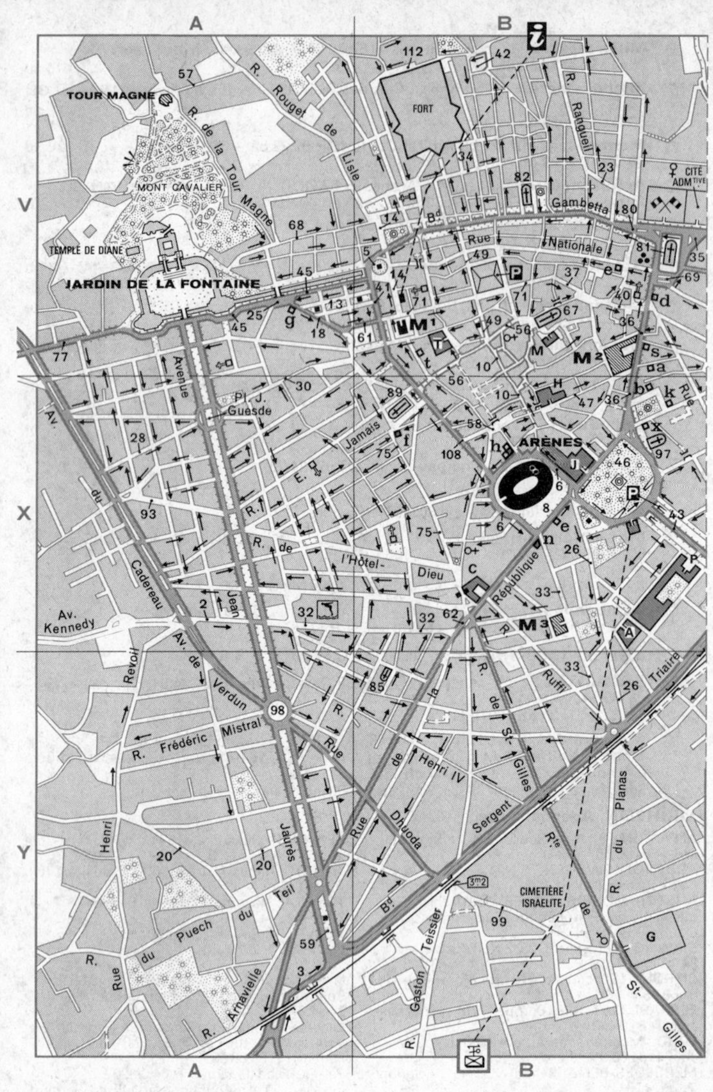

CURIOSITÉS

ARÈNES ★★★ — BX
MAISON CARRÉE ★★★ — BV M¹
JARDIN DE LA FONTAINE ★★ — AV
MUSÉE DES ANTIQUES ★ — BV M¹
MUSÉE ARCHÉOLOGIQUE ★ — BV M²
MUSÉE DES BEAUX-ARTS ★ — BX M³
TOUR MAGNE ★(✲★) — AV

ÉGLISES

NOTRE-DAME DES ENFANTS — DZ 66
NOTRE-DAME ET ST-CASTOR (CATH.) — BV 67
ST-BAUDILLE — BV 81
ST-CHARLES — BV 82
ST-DOMINIQUE — DZ 84
ST-FRANÇOIS DE SALES — BY 85
ST-JOSEPH — CZ 86
ST-LUC — DZ 87
ST-PAUL — BX 89
ST-PIERRE — CZ 90
ST-VINCENT DE PAUL — DZ 92
STE-JEANNE D'ARC — DZ 94
STE-MADELEINE STE-RITA — CZ 95
STE-PERPÉTUE — BX 97

RÉPERTOIRE DES RUES

Aspic (R. de l') BX 10
Courbet (Bd Amiral) BV 36
Crémieux (R.) BV 37
Curaterie (R.) BV 40
Daudet (Bd A.) BV 41
Gambetta (Bd) BV
Guizot (R.) BV 49
Madeleine (R.) BV 56
Perrier (R. Gén.) BV 71
Victor-Hugo (Bd) BX 108

Abattoir (R.) AX 2
Alès (Rte d') CZ
Ancienne-Gare (R. de l') AY 3
Antonin (Sq.) BV 5
Arènes (Bd des) BX 6
Arènes (Pl. des) BX 8
Arles (Rte d') DZ
Arnavielle (R.) AY
Arts (Av. des) CZ 9
Assas (Pl. d') AV 13
Auguste (R.) BV 14
Avignon (Rte d') DZ 15
Bachas (Ch. du) DZ
Beaucaire (Rte) DZ
Beaucaire (R.) CV
Bir-Hakeim (Av.) DZ 17
Boissier (R. G.) AV 18
Bonfa (R.) DZ 19
Bosc (R. A.) AY 20

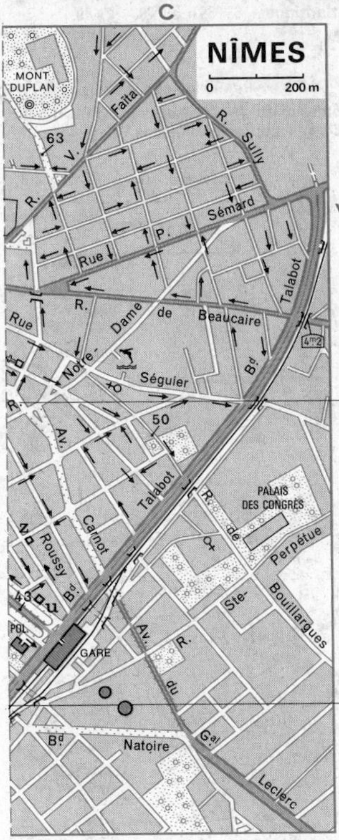

NÎMES

Bouillargues (R.) CX
Bouin (R. J.) CZ 22
Bourgogne (R.) BV 23
Briand (Pl. A.) AV 25
Briçonnet (R.) BX 26
Cadereau (Av.) AX
Cadereau (R.) AX 28
Camplanier (Ch.) CZ
Capouchine (Ch.) CZ 29
Carnot (Av.) CX
Chassaintes (R.) AX 30
Cigale (Ch.) CZ
Cirque-Romain (R. du) BX 32
Cité-Foulc (R.) BX 33
Clérisseau (R.) BV 34
Condé (R. de) BV 35
Dhuoda (R.) BY
Dr.-Cantaloube (Pl.) BV 42
Faïta (R. V.) CV
Feuchères (Av.) BX 43
Fontaine (Q. de la) AV 45
Gaulle (Espl. de) BX 46
Greffes (R. des) BX 47
Guesde (Pl. J.) AX
Henri IV (R.) BY
Hôtel-Dieu (R.) BX
Jamais (R. E.) AX
Jardins (R. des) CX 50
Jaurès (Av. J.) AX
Juin (Av. Mar.) CZ 51
Kennedy (Av.) CZ
Lampèze (Ch.) CZ 52
Leclerc (Av. Gén.) DZ
Limites (Ch. des) DZ 54
Mallarmé (R. S.) AV 57
Marché (Pl. du) BX 58
Martyrs-de-la-R. (Pl.) AY 59
Mas-de-Cheylon (Ch. du) CZ 60
Mistral (R. F.) AY
Molière (R.) BV 61
Montcalm (Pl.) BX 62
Mont-Duplan (Av.) CV 63
Nationale (R.) BV
Natoire (Bd) CY
Notre-Dame (R.) CV
Pasteur (R.) AV 68
Péri (Pl. G.) BV 69
Périphérique-Ouest (Bd) CZ 70
Planas (R. du) BY
Pont-des-Iles (Ch. du) DZ 72
Porte-Cancière (R. de la) DZ 73
Porte-de-France (R. de la) BX 75
Prés.-Allende (Bd) DZ
Puech-du-Teil (R.) AY
Rangueil (R.) BV
Reinach (R. S.) DZ 76
République (R. de la) BY
Revoil (R. H.) AY
Roosevelt (Av. F.) AV 77
Rouget-de-Lisle (R.) AV
Roussy (R.) CX
Ruffi (R.) BY
Saintenac (Bd E.) BV 80
St-Gilles (Rte de) DZ
St-Gilles (R. de) BY
Ste-Anne (R.) AX 93
Ste-Perpétue (R.) CX
Sauve (Rte de) CZ
Séguier (R.) CV
Sémard (R. P.) CV
Séverine (Pl.) AY 98
Simon (R. A.) BY 99
Sommières (Rte) CZ 102
Sully (R.) CV
Talabot (Bd) CX
Teissier (R. G.) BY
Temple-St-Césaire (R.) CZ 103
Tour-Magne (R.) AV
Triaire (Bd Sergent) BY
Uzès (Rte d') DZ 104
Valdegour (Ch.) CZ 105
Valmy (R. de) DZ 107
Verdun (Av. de) AY
Vincent (R.) BV 112

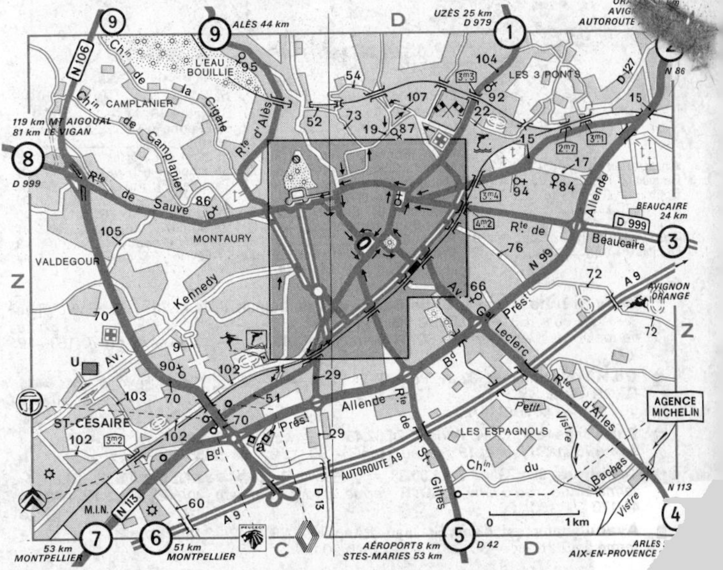

NIORT P 79000 Deux Sèvres 71 ② G. Côte de l'Atlantique – 63 965 h. alt. 29 – ✪ 49.

Voir Donjon★ : ※★ – Ancien hôtel de ville★ BY M.

Env. Château Coudray-Salbart★ 10 km par ①.

ℹ Office de Tourisme pl. Poste (fermé dim.) ☎ 24.18.79 - A.C. 1 av. République ☎ 24.02.29.

Paris 408 ② – Angers 144 ① – Angoulême 112 ③ – ♦Bordeaux 190 ⑤ – ♦Limoges 160 ③ – ♦Nantes 144 ⑦ – Poitiers 74 ② – Rochefort 60 ⑥ – La Rochelle 63 ⑥ – Les Sables-d'Olonne 110 ⑦.

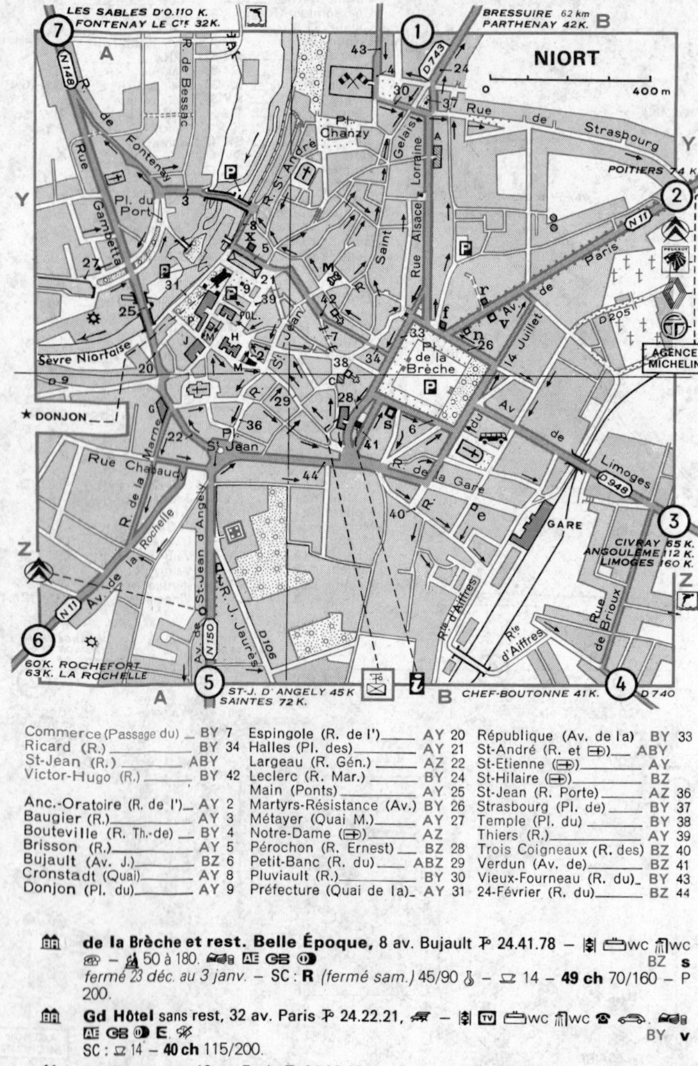

Commerce (Passage du) BY 7
Ricard (R.) BY 34
St-Jean (R.) ABY
Victor-Hugo (R.) BY 42

Anc.-Oratoire (R. de l') AY 2
Baugier (R.) AY 3
Bouteville (R. Th.-de) BY 4
Brisson (R.) AY 5
Bujault (Av. J.) BZ 6
Cronstadt (Quai) AY 8
Donjon (Pl. du) AY 9

Espingole (R. de l') AY 20
Halles (Pl. des) AY 21
Largeau (R. Gén.) AZ 22
Leclerc (R. Mar.) BY 24
Main (Ponts) AY 25
Martyrs-Résistance (Av.) BY 26
Métayer (Quai M.) AY 27
Notre-Dame (⊕) AZ
Pérochon (R. Ernest) BZ 28
Petit-Banc (R. du) ABZ 29
Pluviault (R.) BY 30
Préfecture (Quai de la) AY 31

République (Av. de la) BY 33
St-André (R. et ⊕) ABY
St-Etienne (⊕) AY
St-Hilaire (⊕) BZ
St-Jean (R. Porte) AZ 36
Strasbourg (Pl. de) BY 37
Temple (Pl. du) BY 38
Thiers (R.) AY 39
Trois Coigneaux (R. des) BZ 40
Verdun (Av. de) BZ 41
Vieux-Fourneau (R. du) BY 43
24-Février (R. du) BZ 44

de la Brèche et rest. Belle Époque, 8 av. Bujault ☎ 24.41.78 – wc wc ☎ – 50 à 180. AE GB ⓓ BZ **s**
fermé 23 déc. au 3 janv. – SC : **R** *(fermé sam.)* 45/90 – 14 – **49 ch** 70/160 – P 200.

Gd Hôtel sans rest, 32 av. Paris ☎ 24.22.21, – TV wc wc ☎. AE GB ⓓ E. BY **v**
SC : 14 – **40 ch** 115/200.

Paris sans rest, 12 av. Paris ☎ 24.02.45 – wc wc ☎ – 40. BY **n**
fermé 16 au 29 juil. et 19 déc. au 3 janv. – SC : 9 – **38 ch** 65/100.

Terminus, 82 r. Gare ☎ 24.00.38 – wc wc ☎. AE GB ⓓ E. ch
fermé 20 déc. au 5 janv. – SC : **R** *(fermé vend. soir et sam.)* 40/80 – 12 – **43 ch** – P 160/180. BZ **e**

...e sans rest, 43 av. St-Jean-d'Angély ☎ 79.28.42 – wc ☎. AZ **t**
...5 au 21 fév. – SC : 9 – **21 ch** 45/90.

XX **La Chope,** pl. Brèche ☎ 24.02.76 – GB ⓓ BY f
fermé 5 au 26 juil. vacances de fév. et sam. – SC : **R** 58/100.

XX **Belle Étoile,** 115 quai M.-Métayer (près périphérique ouest) - AY - O : 2,5 km ☎ 73.31.29, ≤, – Ⓟ
fermé 1er au 15 août, fin fév. à début mars, dim. soir et lundi – SC : **R** 30/75.

XX **Charly's,** 5 av. Paris ☎ 24.07.75 – GB E BY r
fermé 12 au 30 sept. et vacances scolaires de fév. – SC : **R** 30/135.

X **Cloche d'Or,** 7 r. Brisson ☎ 24.01.32 AY x
fermé dim. – SC : **R** 34 bc/90.

à Sevreau **SO : 5 km par D 9** - AZ – ✉ **79270** Frontenay-Rohan-Rohan :

X **Aub. de la Carpe Frite,** ☎ 75.71.02, terrasse au bord de l'eau – AE GB ⓓ E
fermé du 22 déc. au 5 janv., dim. soir et lundi – SC : **R** 55/150.

à St-Rémy-les-Niort par ⑦ : **6 km sur N 148** – ✉ **79410** Echiré :

Relais du Poitou, ☎ 73.43.99 – wc ☎ Ⓟ. rest
SC : **R** *(fermé janv. et lundi)* 34/80 – 11 – **23 ch** 55/120.

par ② **et D 5 : 11 km** – ✉ **79260** La Crèche :

Motel des Rocs M, ☎ 25.50.38, Télex 790632, ≤, – TV ☎ Ⓟ – 180. AE GB ⓓ E
SC : **R** 60/170 – 14 – **23 ch** 150 – P 220/280.

MICHELIN, Agence régionale, 600 av. de Paris par ② ☎ **24.11.40**

AUDI-VOLKSWAGEN Gar. Quitté, 512 av. Limoges ☎ 28.45.06
CITROEN Succursale, 82 av. St-Jean-d'Angely ☎ 79.24.22 N ☎ 73.55.10
CITROEN Béchade, 233 av. de Paris ☎ 24.09.51
FIAT Gar. Thorin, 309 av. de Paris ☎ 24.15.30
FORD Cheveau, 64 av. St-Jean ☎ 24.33.22
LADA, BMW Gar. Beauchamp, 105 r. de Goise ☎ 24.25.05
MERCEDES-BENZ, OPEL Hurtaud, rte de La Rochelle à Bessines ☎ 73.53.62
PEUGEOT Deschamps, 475 av. de Paris ☎ 24.38.05
RENAULT Central Gar., 674 av. de Paris à Chauray ☎ 24.41.51
TALBOT Gar. St-Christophe, 214 av. de Paris ☎ 28.34.22
VOLVO Cachet-Giraud, 120 r. du Clou-Bouchet ☎ 79.04.34
Gar. Aumonier, à Aiffres ☎ 24.47.96

Chouteau, 36 av. de Paris ☎ 24.68.81
Jamet, 457 bis av. de Paris ☎ 24.63.03
Millasseau, 197 av. St-Jean ☎ 24.20.06
Woodman-Pneus, 540 av. de Limoges ☎ 28.14.22

NISSAN-LEZ-ENSÉRUNE 34440 Hérault 83 ⑭ G. Causses – 2 311 h. alt. 21 – 67.

Voir Oppidum d'Ensérune★ : musée★, ≤★ NO : 5 km.

Paris 834 – Béziers 11 – Capestang 10 – ♦Montpellier 78 – Narbonne 16 – St-Pons 50.

La Résidence, 35 av. Cave ☎ 37.00.63, – wc. ch
fermé 1er au 28 fév. – SC : **R** (dîner pour résidents seul.) 37 bc – 10 – **13 ch** 75/90.

NITRY 89126 Yonne 65 ⑥ – 346 h. alt. 245 – 86.

Paris 196 – Auxerre 32 – Avallon 22 – Montbard 40 – Tonnerre 24.

X **Courte Paille,** près échangeur A 6 ☎ 33.61.33 – Ⓟ. GB
R 42 bc/48 bc.

NOAILLES 60430 Oise 55 ⑩ – 1 538 h. alt. 91 – 4.

Paris 61 – Beauvais 15 – Chantilly 28 – Clermont 20 – Creil 28 – Gisors 39 – L'Isle-Adam 27.

XXX **Manoir de Framicourt,** N : 1,5 km par N 1 et VO ✉ 60430 Noailles ☎ 403.30.16, ≤, « parc » – Ⓟ. GB ⓓ E
SC : **R** carte 100 à 160.

XX **Moulin de Blainville,** à Blainville N : 1 km ✉ 60430 Noailles ☎ 403.31.00, –
fermé 10 août au 9 sept., 7 fév. au 2 mars, mardi et le soir sauf sam. – SC : **R** carte 80 à 125.

PEUGEOT Bochent, ☎ 403.30.25
TALBOT Gar. de Blainville, à Blainville ☎ 403.30.30

NOAILLY 42 Loire 73 ⑦ – 564 h. alt. 307 – ✉ 42640 St-Germain-Lespinasse – 77.

Paris 384 – ♦Lyon 102 – Moulins 91 – ♦St-Étienne 94 – Roanne 17.

XX **Lion d'Or,** ☎ 64.50.51 – Ⓟ.
fermé août, mardi et merc. – SC : **R** (prévenir) 60/170.

NOÉ **31410** H.-Gar. 82 ⑰ – 1 272 h. alt. 195 – 61.

Paris 740 – Auch 69 – Auterive 22 – Foix 61 – St-Gaudens 56 – St-Girons 58 – ♦Toulouse 34.

L'Arche, rte Nationale ☎ 87.40.12, – wc P – 25. GB
fermé 15 au 30 sept. et 15 au 28 fév. – **R** *(fermé vend.)* 28/120 – 12 – **21 ch** 55/100 – P 80/150.

TALBOT Gar. Rouquet, ☎ 87.40.15

NOEUX-LES-MINES **62290** P.-de-C. 51 ⑭ – 13 569 h. alt. 31 – 21.

Paris 206 – Arras 26 – Béthune 6 – Bully-les-Mines 7,5 – Doullens 48 – Lens 17 – ♦Lille 37.

Paix, ☎ 26.37.66
fermé 28 juil. au 28 août et sam. – SC : **R** 38/72.

RENAULT Gar. de la Gohelle, 100 rte Nationale à Sains-en-Gohelle ☎ 29.00.30.

NOGENT-EN-BASSIGNY **52800** H.-Marne 62 ⑫ – 4 956 h. alt. 400 – 25.

Paris 276 – Bourbonne-les-Bains 33 – Chaumont 23 – Langres 23 – Neufchâteau 52 – Vittel 62.

Commerce, pl. Gén.-de-Gaulle ☎ 01.81.14 – wc . ch
fermé 5 au 30 janv. – SC : **R** *(fermé lundi midi)* 35/58 – 9,50 – **21 ch** 35/80.

CITROEN Gar. Consigny, ☎ 01.85.81 PEUGEOT Ponce, ☎ 01.80.44

NOGENT-LE-ROI **28210** E.-et-L. 60 ⑧, 96 ㉑ **G. Environs de Paris** – 3 139 h. alt. 93 – 37.

Paris 84 – Ablis 33 – Chartres 29 – Dreux 17 – Maintenon 8 – Mantes-la-Jolie 49 – Rambouillet 25.

Relais des Remparts, 2 pl. Marché-aux-Légumes ☎ 64.40.47 – P.
fermé 1 au 21 fév. et merc. – SC : **R** 42/75.

à Coulombs par rte de Houdan – ✉ **28210** Nogent-le-Roi :

Relais des Hussards avec ch, ☎ 64.42.16, ←, – wc P – 90 à 180. GB
fermé 15 janv. au 15 fév., dim. soir et lundi du 1er nov. au 31 mars – SC : **R** 44/120 – 12 – 9 ch 120 – P 130/170.

PEUGEOT Jeunesse, ☎ 64.41.47

NOGENT-LE-ROTROU SP **28400** E.-et-L. 60 ⑮ **G. Normandie** – 13 586 h. alt. 108 – 37.

Office de Tourisme pl. St-Pol (fermé dim. et lundi) ☎ 52.22.16.

Paris 146 ① – Chartres 54 ① – Châteaudun 53 ③ – ♦Le Mans 71 ④ – Mortagne-au-Perche 38 ⑤.

NOGENT-LE-ROTROU

Villette-Gaté (R.)	25
Bouchers (R. des)	2
Bourg-le-Cte (R.)	3
Bretonnerie (R.)	4
Château St-Jean (R.)	5
Croix la Contesse (R.)	6
Deschanel (R.)	7
Dr-Desplantes (R.)	8
Foch (Av. Mar.)	9
Fuye (R. de la)	10
Giroust (R.)	12
Gouverneur (R.)	13
Leclerc (Av. Gén.)	15
Paty (R. du)	16
République (Av.)	17
Rhône (R. de)	18
St-Hilaire (R.)	19
St-Laurent (R.)	20
St-Martin (R.)	21
Sully (R. de)	23

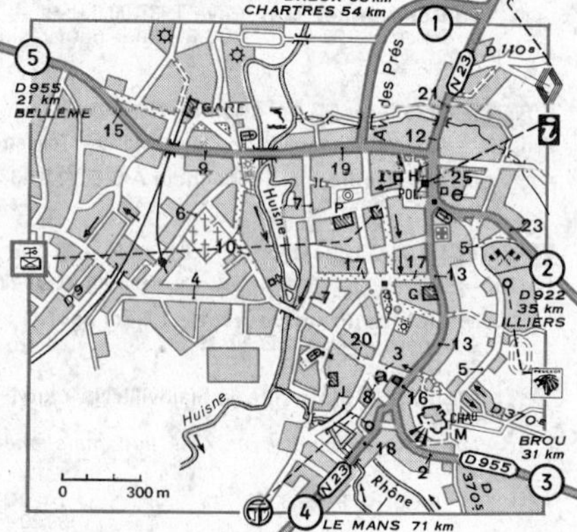

Dauphin, 39 r. Villette-Gaté **(e)** ☎ 52.17.30, – wc wc P – 40 à 100.
fermé 20 janv. au 1er mars, dim. soir et lundi du 1er nov. au 1er avril – SC : **R** 48/84 – 12 – **26 ch** 55/135 – P 150/180.

Lion d'Or, 28 pl. St-Pol **(r)** ☎ 52.01.60 – wc wc P.
fermé 3 au 17 août, 21 déc. au 11 janv., dim. soir et lundi midi – SC : **R** 45/115 – 11 – 15 ch 90/135.

Host. de la Papotière, 3 r. Bourg le Comte **(a)** ☎ 52.18.41 – AE
R 55/140.

à Villeray (61 Orne) par ① et D 918 : 11 km – ✉ **61110** Condeau – ✪ 33

XXX **Moulin de Villeray** M 🐎 avec ch, ☎ 33.30.22, ←, parc – ⇔wc ☎ **P**. 🚗 AE ⓓ. 🐕 ch
fermé 1er déc. au 1er fév. et mardi – SC : **R** carte 120 à 165 – ☕ 20 – 10 ch 220/250 – P 320/350.

AUDI-VOLKSWAGEN Gar. Leroy, 4 bis r. Tochon ☎ 52.19.95
FORD Gar. de l'Huisne, voie SOFICA à Margon ☎ 52.05.97
PEUGEOT Thibault, 12 r. du Château ☎ 52.13.26
RENAULT Gd Gar. Sully, rte de Paris ☎ 52.58.70
TALBOT Auto du Perche, 22 r. du Rhône ☎ 52.18.91

⊕ Breton, av. de la Messesselle ☎ 52.06.37 **N**
Nogentaise C/c, 24 pl. 11-Août ☎ 52.13.19

NOGENT-SUR-MARNE 94 Val de Marne **56** ⑪, **101** ㉗ – voir Paris, Proche banlieue.

NOGENT-SUR-OISE 60 Oise **56** ① – rattaché à Creil.

NOGENT-SUR-SEINE ◇SP◇ **10400** Aube **61** ④⑤ **G. Nord de la France** – 4 786 h. alt. 65 – ✪ 25.

Paris 102 – Châlons-sur-M. 92 – Épernay 82 – Fontainebleau 67 – Provins 18 – Sens 42 – Troyes 56.

X **Cygne de la Croix,** 22 r. Ponts ☎ 25.91.26 – **P**
◆ *fermé 27 juil. au 25 août, 17 au 25 fév., lundi soir et mardi* – SC : **R** 34 bc/80 🌡.

X Beau Rivage, r. Villiers-aux-Choux près piscine ☎ 25.84.22, ←.

à l'Est : 3 km par N 19 – ✉ **10400** Nogent-sur-Seine :

XX **La Chapelle Godefroy,** ☎ 25.88.32, ←, 🌳 – **P**
fermé 27 juil. au 9 août, 20 au 26 déc. et le soir sauf sam. – SC : **R** 90/130.

à Trainel : 10,5 km par D 374 et D 68 – ✉ **10400** Nogent-sur-Seine :

XX **Host. de l'Orvin** avec ch, ☎ 25.11.13 – ⇔wc
fermé 15 au 25 sept., fév., dim. soir et lundi – **R** 35/75 🌡 – ☕ 12 – **3 ch** 85 – P 140/170.

CITROEN Gar. Legrand, ☎ 25.87.09
RENAULT Gar. Corbin, ☎ 25.84.39
TALBOT Gar. St-Laurent, ☎ 25.83.17

NOGENT-SUR-VERNISSON **45290** Loiret **65** ② – 2 099 h. alt. 125 – ✪ 38.

Paris 132 – Auxerre 76 – Bonny-sur-Loire 36 – Gien 21 – Montargis 18 – ♦Orléans 72.

X **Commerce,** ☎ 95.60.37
fermé 9 au 24 sept., 12 au 26 fév., merc. soir et jeudi – SC : **R** 55/80.

Voir aussi ressources hôtelières des ***Bézards*** S : 5 km sur N 7.

NOHANT-VIC 36 Indre **68** ⑲ – rattaché à La Chatre.

NOIRÉTABLE **42440** Loire **73** ⑯ **G. Auvergne** – 1 985 h. alt. 722 – ✪ 77.

i Syndicat d'Initiative à la Mairie (fermé sam. après-midi et dim.) ☎ 24.70.12.

Paris 412 – Ambert 55 – ♦Lyon 113 – Montbrison 44 – Roanne 47 – ♦St-Étienne 80 – Thiers 24.

🏨 **La Chaumière,** ☎ 24.73.00, parc – ⇔wc 🚿 ☎ **P**. 🚗
◆ *fermé 7 janv. au 15 mars* – SC : **R** 35/140 – ☕ 11 – **28 ch** 45/130 – P 110/160.

à St-Julien-la-Vêtre E : 5,5 km sur N 89 – ✉ **42440** Noiretable :

X **Aquarium,** ☎ 24.90.72 – **P**. AE GB ⓓ
1er fév.-30 sept., fermé merc. et dim. soir hors sais. – SC : **R** 38/130.

RENAULT Gar. Dejob, ☎ 24.70.31 **N**

NOIRMOUTIER (Ile de) **85330** Vendée **67** ① **G. Côte de l'Atlantique** – ✪ 51.

Accès : par le pont routier au départ de Fromentine. Péage, auto et véhicule inférieur à 1,5 t : 8 F, camion et véhicule supérieur à 1,5 t : 10 F.

- par le passage du Gois : 4,5 km

- pendant le premier ou le dernier quartier de la lune par beau temps (vents hauts) d'une heure et demie environ avant la basse mer, à une heure et demie environ après la basse mer

- pendant la pleine lune ou la nouvelle lune par temps normal : deux heures avant la basse mer à deux heures après la basse mer.

- en toutes périodes par mauvais temps (vents bas) ne pas s'écarter de l'heure de la basse mer.

- en hiver : il est conseillé de se renseigner à la subdivision de l'Équipement ☎ 68.70.07 (Beauvoir-sur-Mer) ou ☎ 39.08.39.

De Noirmoutier-en-l'Ile : Paris 458 – Cholet 120 – ♦Nantes 82 – La Roche-sur-Yon 78.

Noirmoutier-en-l'Ile – 4 177 h. – ✉ **85330** Noirmoutier-en-l'Ile.

Syndicat d'Initiative rte du Pont (fermé dim. hors sais.) ☎ 39.80.71.

Général d'Elbée ⛰, pl. Château ☎ 39.10.29, « Bel hôtel particulier du 18e siècle », ⛱, – ♿ – 🏊 40. AE GB
mi mars-mi oct. – SC : **R** 60/90 – ☕ 20 – 31 ch 178/290 – P 269/325.

La Quichenotte, 32 av. J.-Pineau ☎ 39.11.77 – ⛀wc ⛆wc ☎ Ⓟ
fermé 5 oct. au 15 nov. – SC : **R** *(fermé lundi)* 36/80 – ☕ 9 – **29 ch** 60/140 – P 110/139.

Les Douves avec ch, face au château ☎ 39.02.72, – ⛀wc ⛆. rest
fermé 11 nov. au 2 fév. et merc. – SC : **R** 38/130 – ☕ 10 – 15 ch 46/74 – P 110/125.

Grand Four, 1 r. Cure (derrière le château) ☎ 39.12.24
Pâques-fin oct. et fermé lundi sauf juil. et août – SC : **R** 42/120.

La Marée avec ch, 3 Gde-Rue ☎ 39.01.79 – E
27 mars-27 sept., 7 fév.-2 mars et fermé dim. soir et lundi sauf vac. scolaires – SC : **R** 36/80 – ☕ 9,50 – 11 ch 46/54 – P 87/115.

L'Etier, rte de l'Epine SO : 1 km ☎ 39.10.28 – Ⓟ
Pâques-15 sept., vacances scolaires et week ends de fév. – SC : **R** 32/50.

au Bois de la Chaise E : 2 km – ✉ **85330** Noirmoutier.

Voir Bois★.

St-Paul ⛰, ☎ 39.05.63, « Beau parc », – 🏊 40. GB. rest
début mai-fin sept. – SC : **R** 65/95 – ☕ 20 – 42 ch 80/235, 5 appartements 275 – P 180/275.

Les Prateaux ⛰, ☎ 39.12.52, parc – ⛀wc ⛆wc ☎ Ⓟ.
1er fév.-24 avril et 1er mai-30 sept. – SC : **R** (en sais. sur commande seul.) 65/80 – ☕ 15 – 13 ch 105/160 – P 160/210.

Les Capucines M, ☎ 39.06.82 – rest ⛀wc ⛆ ☎ Ⓟ. ch
1er fév.-15 nov. et fermé merc. sauf sais. et vac. scolaires – SC : **R** 32/70 – ☕ 12,50 – 10 ch 60/150 – P 140/180.

PEUGEOT Gar. du Bois-de-la-Chaise, ☎ 39.12.67 RENAULT Gar. Hellio G., ☎ 39.00.93

la Guérinière S : 4 km – 1 312 h. – ✉ **85680** La Guérinière :

Punta Lara M ⛰, ☎ 39.11.58, ←, « Dans une pinède en bordure de mer », ⛱, – Ⓟ – 🏊 100
15 mars-15 oct. – SC : **R** 95/100 – ☕ 20 – 60 ch 330 – P 330.

NOISY-LE-GRAND 93 Seine-St-Denis 56 ⑪, 101 ⑱ – voir à Paris, Proche banlieue.

NOLAY 21340 Côte d'Or 69 ⑧⑨ **G. Bourgogne** – 1 686 h. alt. 324 – 80.

Voir Site★ du Château de la Rochepot E : 5 km – Site★ du cirque du Bout-du-Monde NE : 5 km.

Paris 340 – Arnay-le-Duc 32 – Autun 28 – Beaune 20 – Chagny 15 – ♦Dijon 65 – Montceau-les-M. 50.

Ste Marie, 38 r. République ☎ 21.73.19 – Ⓟ
fermé janv. et lundi hors sais. – SC : **R** 30/76 🌡.

NONANCOURT 27320 Eure 60 ⑥⑦ **G. Normandie** – 1 892 h. alt. 125 – 32.

Paris 97 – Châteauneuf-en-Thymerais 26 – Dreux 13 – Evreux 29 – Verneuil-sur-Avre 21.

Gd Cerf, ☎ 58.15.27 – ⛆wc ☎ Ⓟ. AE GB. rest
fermé Pâques, 1er au 10 sept., 22 déc. au 3 janv. lundi sauf hôtel, dim. soir sauf juil., août et fêtes – SC : **R** 40/100 – ☕ 11 – 9 ch 65/110 – P 140/180.

Relais du Vieux Château, ☎ 58.00.74
fermé 15 août au 15 sept. et lundi – SC : **R** 26/60 🌡.

RENAULT Gar. Delaunay, ☎ 58.01.36 TALBOT Léger, ☎ 58.02.21

NONANT 14 Calvados 54 ⑮ – rattaché à Bayeux.

Les NONIÈRES 26 Drôme 77 ⑭ – alt. 850 – ✉ **26410** Châtillon-en-Diois – 75.

Paris 651 – Die 25 – Gap 87 – ♦Grenoble 72 – Valence 90.

Le Mont-Barral ⛰, ☎ 21.12.21, ←, ⛱ – ⛀ ⛆ ☎ Ⓟ
fermé 13 nov. au 20 déc. et mardi – SC : **R** 28/75 – ☕ 8,50 – **14 ch** 50/60 – P 83/100.

NONTRON 24300 Dordogne 72 ⑮ **G. Périgord** – 4 088 h. alt. 182 – 53.

Syndicat d'Initiative Pavillon du Château (1er juil.-15 sept. et fermé dim.).

Paris 475 – Angoulême 47 – Libourne 115 – ♦Limoges 69 – Périgueux 49 – Rochechouart 42.

Gd Hôtel, 3 pl. A.-Agard ☎ 56.00.01, – ⛀wc ⛆ ☎ Ⓟ – 🏊 100.
SC : **R** 30/110 – ☕ 11 – **26 ch** 40/120 – P 120/150.

Le Relais, 9 r. 11-Novembre ☎ 56.00.80 – – 14 ch.

à Augignac N : 9 km par D 675 – ✉ **24300** Nontron :

Motel la Sapinière M, rte de Nontron ☎ 56.80.34, parc, – wc wc ☎ ♿ P
fermé 15 déc. au 15 janv., vend. soir et sam. – SC : **R** 40/55 – 12 – **10 ch** 120/140.

CITROEN Limousin, ☎ 56.01.42
PEUGEOT Bayer, ☎ 56.00.21
RENAULT Chevalier, ☎ 56.01.03
TALBOT Marchives, ☎ 56.07.13

NORVILLE 76 Seine-Mar. 55 ⑤ – rattaché à Lillebonne.

NOTRE-DAME-DE-BELLECOMBE 73 Savoie 74 ⑦ **G. Alpes** – 410 h. alt. 1 134 – Sports d'hiver : 1 134/2 069 m 14 – ✉ **73590** Flumet – 79.

Office de Tourisme, sur la place (fermé sam. après-midi et dim. hors saison) ☎ 31.61.40.

Paris 589 – Albertville 24 – Annecy 53 – Bonneville 48 – Chambéry 74 – Megève 11.

Les Armaillis, ☎ 31.61.80, ← – wc ☎. rest
20 juin-15 sept. et 15 déc.-15 avril – SC : **R** 32/55 – 15 – **16 ch** 50/110 – P 110/155.

Bellevue, ☎ 31.60.56, ← – wc ☎. rest
15 juin-10 sept. et 18 déc.-20 avril – SC : **R** 38/50 – 23 ch (pens. seul.) – P 115/160.

NOTRE-DAME-DE-L'ESPÉRANCE 22 C.-du-Nord 59 ③ – rattaché à St-Quay-Portrieux.

NOTRE-DAME-DE-MONTS 85690 Vendée 67 ⑪ – 1 376 h. – 51.

Syndicat d'Initiative à la Mairie (15 juin-15 sept. et fermé dim. après-midi) ☎ 58.84.97.

Paris 454 – Challans 23 – •Nantes 74 – Noirmoutier-en-l'Ile 25 – Pornic 46 – La Roche-sur-Yon 62.

Plage, ☎ 58.83.09, ← – wc ☎ P.
fermé 15 déc. au 1er fév., dim. soir et lundi sauf vac. scolaires – SC : **R** 40/75 – 12 – **39 ch** 60/158 – P 113/186.

Pier'Plot, rte St-Jean-de-Monts ☎ 58.86.48 – P
fermé mardi de fin sept. à Pâques – SC : **R** 40/75.

NOUAN-LE-FUZELIER 41 L.-et-Cher 64 ⑲ – 2 281 h. alt. 139 – ✉ **41600** Lamotte-Beuvron – 54.

Paris 173 – Blois 58 – Cosne-sur-Loire 72 – Gien 55 – Lamotte-Beuvron 8 – •Orléans 44 – Salbris 12.

Charmilles sans rest, D 122 ☎ 88.73.55, parc – TV wc wc ☎ P.
fermé 15 janv. au 15 mars – SC : 12 – **14 ch** 70/150.

Moulin de Villiers, rte Chaon NE : 3 km par D 44 ☎ 88.72.27, ←, « En forêt, étang privé », – wc P.
15 mars-1er sept., 15 sept.-5 janv. et fermé merc. en nov. et déc. – SC : **R** 45/78 – 8,50 – 20 ch 55/120 – P 85/155.

Grill les Ronds Blancs, N : 4,5 km sur N 20 ☎ 88.08.47 – P
fermé 1er au 15 juin, et 15 au 31 janv. – SC : **R** carte environ 75.

RENAULT Michel, ☎ 88.74.48

Le NOUVION-EN-THIÉRACHE 02170 Aisne 53 ⑮ – 3 254 h. alt. 185 – 23.

Paris 197 – Avesnes-sur-Helpe 19 – Le Cateau 20 – Guise 21 – Hirson 26 – Laon 64 – Vervins 28.

Paix, r. J.-Vimont-Vicary ☎ 97.04.55, – wc wc ☎ P.
fermé 15 déc. au 15 janv. – SC : **R** 30/60 – 12 – **25 ch** 40/110.

Pétion, r. Th.-Blot ☎ 97.00.11 – wc wc ☎ P. GB. ch
fermé 15 janv. au 15 fév. et vend. – SC : **R** 45/75 – 12 – **11 ch** 68/100 – P 130/180.

PEUGEOT Gar. Hannecart, ☎ 97.01.05

NOUZERINES 23 Creuse 68 ⑳ – rattaché à Boussac.

NOUZONVILLE 08700 Ardennes 53 ⑱ **G. Nord de la France** – 7 769 h. alt. 142 – 24.

Paris 233 – Charleville-Mézières 7,5 – Givet 51 – Montherme 13 – Rocroi 28.

La Potinière, N : 1 km rte de Joigny-sur-Meuse ☎ 34.13.88 – P
fermé 1er au 17 sept., 17 janv. au 7 fév., dim. soir et lundi – **R** carte 65 à 90 .

CITROEN Gar. Brunet, 14 bd J.-B.-Clément ☎ 34.82.08

NOVALAISE 73 Savoie 74 ⑮ – rattaché à Aiguebelette-le-Lac.

NOVES 13550 B.-du-R. 81 ⑫ **G. Provence** – 3 593 h. alt. 43 – Par A 7 : sortie Avignon Sud – ✪ 90.

Syndicat d'Initiative à la Mairie (fermé sam. et dim.) ☎ 94.14.01.

Paris 692 – Arles 36 – Avignon 13 – Carpentras 29 – Cavaillon 16 – ♦Marseille 91 – Orange 36.

Auberge de Noves, NO : 2 km par D 28 ☎ 94.19.21, Télex 431312, « Elégante hostellerie aménagée dans un ancien domaine, belle vue », – ☎ ♿ 🅟. GB E
fermé début janv. à mi fév. – **R** *(fermé merc. midi du 15 oct. au 1er avril)* 120/190 et carte – ☕ 25 – 20 ch 220/500
Spéc. Filet de loup, Noisettes d'agneau, Gratinée de fruits. **Vins** Châteauneuf-du-Pape, Lirac.

NOYALO 56 Morbihan 63 ③⑬ – rattaché à Vannes.

NOYAL-SUR-VILAINE 35 I.-et-V. 59 ⑰ – rattaché à Rennes.

NOYANT 49490 Maine-et-Loire 64 ⑬ – 1 707 h. alt. 63 – ✪ 41.

Paris 276 – Angers 55 – ♦Le Mans 59 – Saumur 32 – ♦Tours 51.

Host. St-Martin avec ch, ☎ 89.52.05 – 🅟. AE.
fermé 6 au 13 sept., 7 au 21 fév., dim. soir et lundi sauf août – SC : **R** 31/80 – ☕ 10 – 7 ch 53/80.

CITROEN Percheron, ☎ 89.50.43
PEUGEOT Deschamps, ☎ 89.50.18
RENAULT Sireau, ☎ 89.50.58
Gar. Desbois, ☎ 89.52.14

NOYON 60400 Oise 56 ③ **G. Nord de la France** – 14 033 h. alt. 52 – ✪ 4.

Voir Cathédrale★★ B – Abbaye d'Ourscamps★ 5 km par ④, **G. Environs de Paris.**

Office de Tourisme pl. Hôtel de Ville (fermé dim. et lundi) ☎ 444.02.97.

Paris 106 ④ – ♦Amiens 63 ⑥ – Laon 53 ② – Péronne 49 ⑥ – St-Quentin 40 ① – Soissons 37 ③.

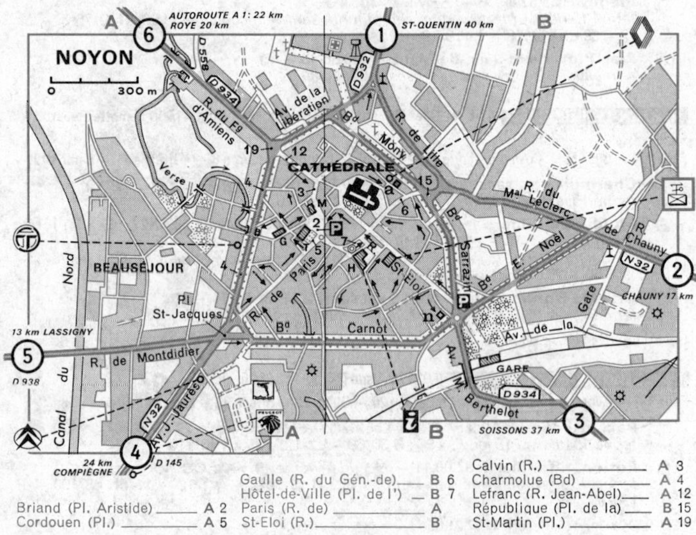

Briand (Pl. Aristide) A 2
Cordouen (Pl.) A 5
Gaulle (R. du Gén.-de) B 6
Hôtel-de-Ville (Pl. de l') B 7
Paris (R. de) A
St-Eloi (R.) B
Calvin (R.) A 3
Charmolue (Bd) A 4
Lefranc (R. Jean-Abel) A 12
République (Pl. de la) B 15
St-Martin (Pl.) A 19

St-Éloi, 81 bd Carnot ☎ 444.01.49 – wc ☎ 🅟 – 150. GB. rest
SC : **R** *(fermé du 6 au 26 juil. et dim. soir)* 45/160 – ☕ 10 – **31 ch** 40/95 – P 160/220. B **n**

Alliés, 5 bd Mony ☎ 444.01.89 B **a**
fermé 1er au 15 sept., mardi soir et merc. – SC : **R** 27/44.

à Pont-l'Évêque par ④ : 2,5 km – ✉ **60400** Noyon :

L'Auberge, ☎ 444.05.17 – AE
fermé janv., lundi soir et mardi – **R** 50/70.

CITROEN Wargnier, 15 av. Jean-Jaurès ☎ 444.05.40
PEUGEOT Roth, 69 av. J.-Jaurès ☎ 444.10.19
RENAULT Lebaleur, 11 bd Mony ☎ 444.14.75 🅝 ☎ 444.34.74
TALBOT Guilliace et Bachelet, 45 bd Charmolue ☎ 444.03.60
Fischbach, 14 pl. de la République ☎ 444.01.59

NOZAY 44170 Loire-Atl. 63 ⑰ – 3 240 h. alt. 50 – ⚙ 40.

Paris 383 – Ancenis 44 – Châteaubriant 28 – ♦Nantes 42 – Redon 40 – ♦Rennes 66 – St-Nazaire 59.

✗ **Gergaud** avec ch, rte Nantes ✆ 79.47.54, ⌒ – ⋒ Ⓟ – ⛺ 25. ✗ ch
fermé 1er au 13 juil., 1er au 22 fév., dim. soir et lundi – SC : **R** 30/75 ⅃ – ☕ 8 – 9 ch 45/65.

NOZEROY 39250 Jura 70 ⑤ **G. Jura** – 431 h. alt. 796 – ⚙ 84.

Paris 442 – Lons-le-Saunier 51 – Pontarlier 33 – Salins-les-Bains 32.

Taverne des Remparts, ✆ 51.13.44, ⌒ – ⊟ ⋒wc
fermé sept. et merc. hors sais. – SC : **R** 30/65 ⅃ – ☕ 10 – **12 ch** 45/70 – P 80/110.

CITROEN, FIAT Blondeau, ✆ 51.10.14 N
RENAULT Petetin, ✆ 51.10.05 N

NUAILLÉ 49 M.-et-L. 67 ⑥ – rattaché à Cholet.

NUCES 12 Aveyron 80 ② – rattaché à Valady.

NUITS-ST-GEORGES 21700 Côte-d'Or 66 ⑫ **G. Bourgogne** – 5 072 h. alt. 234 – ⚙ 80.

ℹ Syndicat d'Initiative r. Sonoys (fermé dim. et fêtes) ✆ 61.22.47.

Paris 321 – Beaune 17 – Chalon-sur-Saône 45 – ♦Dijon 22 – Dole 51.

Ibis M, av. Chambolland ✆ 61.17.17 – ⊟wc ☎ Ⓟ.
SC : **R** snack *(fermé sam. midi)* carte environ 50 ⅃ – ☕ 9,50 – **52 ch** 120/145.

✗✗ ✿ **Côte d'Or** (Crotet), 1 r. Thurot ✆ 61.06.10 – ✗
fermé 3 au 28 août, 3 au 15 janv., dim. soir et merc. – SC : **R** 75/180
Spéc. Pâté de pigeon en gelée, Panaché de poissons, Rosette d'agneau à la crême de thym. Vins Vins du pays.

CITROEN Gar. Blondeau, ✆ 61.02.40 N ✆ 61.05.71
FIAT Gar. des Guindennes, ✆ 61.10.43
MERCEDES-BENZ Gar. Aubin, ✆ 61.03.85
PEUGEOT Gar. des Gds Crus, ✆ 61.02.23
RENAULT Gar. Montelle, ✆ 61.06.31

NYONS ⟨SP⟩ 26110 Drôme 81 ③ **G. Provence** – 5 904 h. alt. 270 – ⚙ 75.

Voir Rue des Grands Forts★ – Vieux Pont★.

ℹ Syndicat d'Initiative (fermé dim. et lundi matin) avec A.C. pl. Libération ✆ 26.10.35.

Paris 656 ④ – Alès 106 ③ – Gap 106 ① – Orange 42 ③ – Sisteron 98 ① – Valence 94 ④.

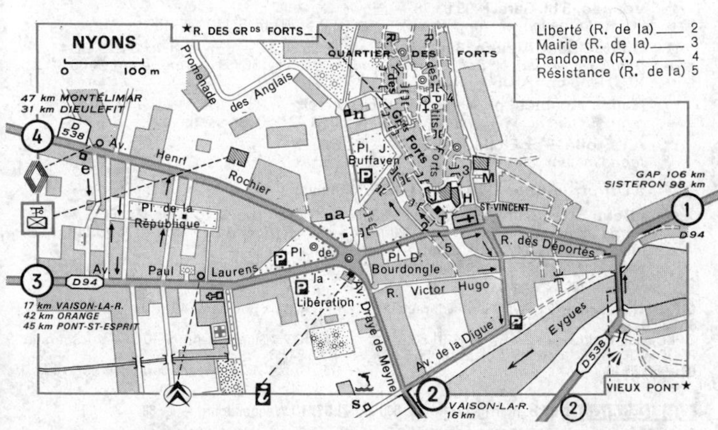

Alizés M sans rest, av. H. Rochier **(e)** ✆ 26.08.11 – ⎮ ⊟wc ⋒wc ☎ 🚗 Ⓟ
fermé 15 au 30 oct. et 26 déc. au 26 janv. – SC : ☕ 14 – **22 ch** 115/195.

Colombet, pl. Libération **(a)** ✆ 26.03.66 – ⎮ ▤ rest ⊟wc ⋒wc ☎ 🚗.
fermé fin oct. à mi-déc. – SC : **R** (nombre de couverts limité - prévenir) 50/92 – ☕ 15 – **32 ch** 52/160 – P 148/180.

Caravelle ⛵ sans rest, prom. Digue **(s)** ✆ 26.07.44, ≤, ⌒ – TV ⊟wc ⋒wc ☎ Ⓟ. ✗
fermé oct. et merc. hors sais. – SC : ☕ 17 – **11 ch** 146/200.

La Picholine ⛵, Prom. de la Perrière **(n)** ✆ 26.06.21, ≤ – ⊟wc ☎ Ⓟ. AE GB ⓓ E
SC : **R** *(fermé merc.)* 45/65 – ☕ 12 – **15 ch** 90/140 – P 137/162.

tourner →

XX **Les Oliviers** avec ch, à Draye-de-Meynes **(n)** ☎ 26.11.44, ⋘ – ⋒wc ☏. GB. ⋬
SC : **R** *(fermé dim. soir)* 45/70 – ⊒ 12 – **10 ch** 78/120 – P 140/190.

à Aubres par ① : 4 km – ✉ **26110** Nyons :

⌂ **Aub. du Vieux Village** ⟫, ☎ 26.12.89, ⋞ vallée – TV ⊟wc ⋒wc ☎ P
fermé 15 nov. au 15 janv. – SC : **R** *(fermé merc.)* 70/120 – ⊒ 18 – 16 ch 120/250 – P 230/280.

CITROEN Monod, ☎ 26.12.11 N
RENAULT Nyons-Autom., ☎ 26.10.55
Gar. Hernandez, ☎ 26.00.33

OBERHASLACH 67 B.-Rhin 62 ⑨ G. Vosges – 1 108 h. alt. 250 – ✉ 67190 Mutzig – ⚙ 88.

Voir Église★ de Niederhaslach S : 1 km.

Paris 419 – Molsheim 18 – Saverne 31 – St-Dié 55 – ♦Strasbourg 40.

⌂ **Ruines du Nideck,** ☎ 50.90.14, ⋘ – ⊟wc ⋒wc ☏ P. ⓓ
◆ *fermé 15 sept. au 15 oct., mardi soir et merc.* – SC : **R** 26/100 ♖ – ⊒ 9 – 15 ch 40/120 – P 80/140.

OBERNAI 67210 B.-Rhin 62 ⑨ G. Vosges (plan) – 8 401 h. alt. 181 – ⚙ 88.

Voir Place du Marché★★ – Hôtel de Ville★ – Tour de la Chapelle★ – Ancienne halle aux blés★ – Maisons anciennes★ – Place★ de Boersch NO : 4 km.

☐ Office de Tourisme Chapelle du Beffroi (fermé sam. après-midi et dim. hors sais.) ☎ 95.64.13.

Paris 488 – Colmar 45 – Erstein 16 – Molsheim 10 – Sélestat 23 – ♦Strasbourg 30.

⌂ **Parc** ⟫, 169 r. Gén.-Gouraud ☎ 95.50.08, ⋘ – |$| TV ⊟wc ☎ P – ⛳ 120. ⋙
SC : **R** *(fermé 15 nov. au 15 déc., dim. soir et lundi)* 130 – ⊒ 13 – 33 ch 130/170 – P 150/180.

⌂ **Diligence, Résidence Exquisit et Bel Air** M, 23 pl. Mairie ☎ 95.55.69 – |$| ▤ ch ⊟wc ⋒wc ☎ ♿ P. ⋙ AE GB
SC : **R** *(fermé mardi hors sais. et merc.)* 48/110 ♖ – ⊒ 15 – **42 ch** 80/170, 3 appartements 200 – P 165/210.

⌂ **Gd Hôtel,** r. Dietrich ☎ 95.51.28 – |$| TV ⊟wc ⋒ ☎ – ⛳ 30 à 100. ⋙ AE GB
◆ ⓓ E. ⋬
fermé 11 au 25 oct. et 6 au 23 fév. – SC : **R** *(fermé lundi soir et mardi)* 30/110 – ⊒ 12 – **26 ch** 80/165 – P 180/210.

⌂ **Vosges,** 5 pl. Gare ☎ 95.53.78 – ⊟wc ☎. ⋙
◆ SC : **R** *(fermé janv. et lundi)* 27/120 – ⊒ 8,50 – 20 ch 45/110 – P 130.

⌂ **Host. Duc d'Alsace,** 6 rue de la Gare ☎ 95.55.34 – ⊟wc ⋒wc ☎. AE GB
◆ *fermé 15 nov. au 1er déc. et 15 fév. au 15 mars* – SC : **R** *(fermé jeudi)* 28/80 – ⊒ 10,50 – **13 ch** 130/180.

XX **Halles aux blés,** pl. Marché ☎ 95.56.09 – ⋬
◆ *fermé 19 juin au 3 juil., janv. et vend.* – SC : **R** 42/130, Brasserie 29 ♖.

XX **A l'Étoile,** 6 pl. Étoile ☎ 95.50.57 – AE GB ⓓ
fermé mi janv. à mi fév. et merc. – SC : **R** carte 60 à 100 ♖.

à Ottrott-le-Haut O : 4 km – ✉ **67530** Ottrott :

⌂ ✿ **Beau Site** (Schreiber) M, ☎ 95.80.61 – ⊟wc ⋒wc ☎ P. ⋙ AE ⓓ E. ⋬
fermé 25 juin au 5 juil. et 5 au 28 janv. – SC : **R** *(fermé dim. soir et lundi)* (dim. et fêtes prévenir) 100/200 – ⊒ 15 – 14 ch 100/150
Spéc. Foie gras d'oie frais, Feuilleté aux escargots, Colvert au cassis (août-sept.). Vins Riesling, Ottrot (rouge).

CITROEN Dagorn, 24 A r. Gén.-Gouraud ☎ 95.52.78
OPEL Gar. Waldvogel, Ottrott ☎ 95.81.50
PEUGEOT Haus, r. Gén.-Leclerc ☎ 95.53.72
N ☎ 50.25.46
RENAULT Boudière, 40 r. de Sélestat ☎ 95.52.48
TALBOT Gillmann-Auto, 10 r. Gén.-Gouraud ☎ 95.52.56
Gar. Gruss, 202a r. Gén. Gouraud ☎ 95.58.48

OBERSTEIGEN 67 B.-Rhin 62 ⑧ – alt. 500 – ✉ 67710 Wangenbourg – ⚙ 88.

Paris 423 – Molsheim 26 – Sarrebourg 32 – Saverne 16 – ♦Strasbourg 38 – Wasselonne 13.

⌂ **Host. Belle Vue** ⟫, ☎ 87.32.39, ⋞, ⋘ – ⊟wc ⋒wc ☎ P – ⛳ 60. ⋙ AE GB ⓓ. ⋬ rest
fermé 1er au 15 déc. – SC : **R** *(fermé dim. soir et lundi hors sais.)* 50/130 ♖ – ⊒ 14 – 45 ch 70/140 – P 110/160.

⌂ **Goldbrunnen** ⟫, ☎ 87.31.01, ⋞ – ⊟wc ⋒wc ⛍ P – ⛳ 40. ⋙ GB
◆ *fermé janv.* – SC : **R** *(fermé merc. hors sais.)* 25/100 ♖ – ⊒ 10 – **26 ch** 40/95 – P 90/120.

Per pasti semplici a prezzi modici scegliete gli esercizi indicati con la losanga ⌂ ◆ X ◆

OBERSTEINBACH 67 B.-Rhin 57 ⑱⑲ – 189 h. alt. 239 – ✉ **67510** Lembach – 88.
Paris 450 – Bitche 22 – Haguenau 34 – •Strasbourg 62 – Wissembourg 25.

XXX ✿ **Anthon** avec ch, ☎ 09.25.01, ≤, – wc ☎ **P** – 30.
fermé 6 janv. au 9 fév., lundi et mardi – SC : **R** 100/200 – ☕ 12 – **7 ch** 95/120
Spéc. Foie gras poché, Matelotte de langouste et de loup, Canard sauvage aux poires. **Vins** Riesling, Pinot noir.

OBJAT 19130 Corrèze 75 ⑧ – 3 228 h. alt. 126 – 55.
Paris 476 – Arnac-Pompadour 23 – Brive-la-Gaillarde 19 – •Limoges 83 – Tulle 48 – Uzerche 30.

France, 12 av. G.-Clemenceau ☎ 25.80.38 – **P**. GB. ch
fermé 10 au 23 sept., 24 déc. au 2 janv. et dim. – SC : **R** 38/58 – ☕ 12 – **15 ch** 45/75 – P 92/102.

XX ✿ **Pré Fleuri** (Chouzenoux) avec ch, rte Pompadour ☎ 25.83.92 – ☎ **P**. AE GB
fermé 1er au 15 oct. et lundi hors sais. – SC : **R** 65/130 – ☕ 10 – **7 ch** 60/70 – P 120/130
Spéc. Foie gras de canard, Filet d'agneau à la farce limousine, Chaud froid de pêches.

X **Chez Tony,** pl. Gare ☎ 25.02.23 – **P**.
fermé 1er au 20 oct. et lundi – **R** 35/85.

CITROEN Gar. Vigerie, ☎ 25.80.03 N
PEUGEOT Gar. Moderne, ☎ 25.00.56 N
TALBOT Gar. Goubeau, ☎ 25.83.56 N

OCHIAZ 01 Ain 74 ⑤ – rattaché à Bellegarde-sur-Valserin.

OCTEVILLE 76930 S.-Mar. 55 ③ – rattaché au Havre.

ODEILLO 66 Pyr.-Or. 86 ⑯ – rattaché à Font-Romeu.

OGNES 02 Aisne 56 ③ – rattaché à Chauny.

OIRON 79 Deux-Sèvres 68 ② **G. Côte de l'Atlantique** (plan) – 581 h. alt. 85 – ✉ **79100** Thouars – 49.
Voir Château★ : galerie★★ – Collégiale★.
Paris 327 – Loudun 15 – Parthenay 41 – Poitiers 57 – Thouars 13.

XX **Relais du Château** avec ch, ☎ 66.71.14 – . GB.
fermé 1er au 9 sept., vacances de fév., dim. soir et lundi hors sais. – SC : **R** 27/104 – ☕ 7 – **7 ch** 38/48 – P 70/75.

OLARGUES 34390 Hérault 83 ③ **G. Causses** – 551 h. alt. 183 – 67.
Syndicat d'Initiative r. de la Place (juil.-août) ☎ 97.71.26.
Paris 873 – Béziers 50 – Lodève 55 – •Montpellier 97 – St-Affrique 96 – St-Pons 18.

Laissac, av. Gare ☎ 97.70.89 – .
fermé fin sept. à début oct. – SC : **R** 28 bc/70 bc – ☕ 8,50 – 14 ch 50/60 – P 90/105.

OLEMPS 12 Aveyron 80 ② – rattaché à Rodez.

OLÉRON (Ile d') ★ 17 Char.-Mar. 71 ⑬⑭ **G. Côte de l'Atlantique** – 46.
Accès par le pont viaduc★. Péage, AR : auto 23 F (conducteur et passagers compris), moto 4 F, camions 25 à 85 F, gratuit pour piétons et vélos.
Du pont : Paris 499 – Marennes 9,5 – Rochefort 31 – La Rochelle 61 – Royan 40 – Saintes 49.

Boyardville – ✉ **17190** St-Georges-d'Oléron.
Pont d'Oléron 15.

XX **Bains** avec ch, ☎ 47.01.02, ≤ – wc **P**. AE
Pentecôte-15 sept. – SC : **R** 42/75 – ☕ 11 – 10 ch 84/94 – P 121/145.

Le Château-d'Oléron – 3 324 h. – ✉ **17480** Le Château-d'Oléron.
Office de Tourisme pl. République (fermé lundi après-midi hors saison et dim. sauf matin hors saison) ☎ 47.60.51.
Pont d'Oléron 3.

Le Mail sans rest, bd Thiers ☎ 47.61.40 – wc.

France, ☎ 47.60.07 – wc wc. ch
fermé 26 oct. au 8 nov., 15 déc. au 1er fév. et sam. – SC : **R** 32/90 – ☕ 11 – 11 ch 58/120 – P 110/160.

PEUGEOT Gar. de la Gaconnière, ☎ 47.63.77
RENAULT Gar. SESOA, ☎ 47.67.22 N ☎ 76.34.01

La Cotinière – ✉ **17310** St-Pierre-d'Oléron.

Pont d'Oléron 16.

Motel Ile de Lumière Ⓜ sans rest, ☎ **47.10.80**, ≤, piscine, tennis – wc wc ☎ Ⓟ.
Pâques-début oct. – SC : **45 ch** ☕ 160/280, 3 appartements 550.

Face aux Flots, ☎ **47.10.05**, ≤ – wc wc ☎ Ⓟ. GB
fermé nov. à fév. – SC : **R** 64/105 – ☕ 12 – 20 ch 64/130 – P 115/175.

Le Vivier avec ch, 33 r. Port ☎ **47.10.31**, ≤ – GB. rest
fermé 15 déc. au 31 janv., dim. soir et lundi hors sais. – SC : **R** 65/105 – ☕ 10 – **14 ch** 55.

La Remigeasse – ✉ **17550** Dolus.

Pont d'Oléron 10.

❀ **Grand Large** Ⓜ, à la Plage ☎ **76.37.89**, ≤, parc, piscine, tennis – TV ☎ Ⓟ. rest
fin mars-oct. – SC : **R** carte 120 à 210 – ☕ 28 – 22 ch 330/480, 4 appartements – P 350/450
Spéc. Turbotin aux asperges, Filet de bar à la Julienne de légumes, Emincé de bar au naturel.

St-Georges-d'Oléron – 2 718 h. – ✉ **17190** St-Georges-d'Oléron.

Pont d'Oléron 20.

XXX **Trois Chapons,** ☎ **76.51.51** – Ⓟ. AE GB ⓓ
1er fév.-fin oct. et fermé mardi sauf du 15 juin au 1er sept. – SC : **R** 75/160.

St-Pierre-d'Oléron – 4 604 h. – ✉ **17310** St-Pierre-d'Oléron.

Voir Église ※★.

ℹ Office de Tourisme pl. Gambetta (fermé oct., matin et lundi hors saison) ☎ 47.11.39.

Pont d'Oléron 14.

Square, ☎ **47.00.35**, piscine, jardin – wc ☎.
mars-fin nov. – SC : **R** 55/85 – ☕ 11 – 27 ch 70/130 – P 135/160.

PEUGEOT Belluteau, pl. Gambetta ☎ 47.02.26 N

St-Trojan-les-Bains – 1 803 h. – ✉ **17370** St-Trojan-les-Bains.

ℹ Office de Tourisme carrefour du Pont (fermé merc. après-midi hors sais. et dim.) ☎ 76.00.86.

Pont d'Oléron 8.

Novotel Ⓜ, Plage de Gatseau S : 2,5 km ☎ **76.02.46**, Télex 790910, ≤, « En forêt près de la mer », piscine, jardin – ascenseur TV ☎ ♿ Ⓟ – 100. AE GB ⓓ
fermé 26 déc. au 1er fév. – **L'Huitre et la Moule R** 67 **Snack R** carte environ 65 – ☕ 16 – **80 ch** 240 – P 270.

Les Cleunes Ⓜ sans rest, ☎ **76.03.08**, ≤ – wc wc ☎ Ⓟ.
15 mars-15 nov. – SC : ☕ 13 – **49 ch** 75/165.

La Forêt, 16 bd P. Wiehn ☎ **76.00.15**, jardin – wc wc ☎ Ⓟ.
1er juin-15 sept. – SC : **R** 50/90 – ☕ 15 – 41 ch 80/150 – P 135/160.

L'Albatros, ☎ **76.00.08**, ≤, jardin – wc Ⓟ
1er juin-15 sept. – SC : **R** 40/58 – ☕ 9,50 – **15 ch** 65/80 – P 110/120.

RENAULT Gar. de la Plage, ☎ 76.00.38 Gar. du Port ☎ 76.03.53
RENAULT Testard, ☎ 76.01.07

Vert-Bois (Plage du) – ✉ **17550** Dolus.

Voir ≤★.

Pont d'Oléron 5,5.

Pins du Vert-Bois, ☎ 47.09.03, Télex 790087, ≤, « Parc fleuri », piscine, tennis – TV Ⓟ
23 ch.

OLETTE **66360** Pyr.-Or. 86 ⑰ – 544 h. alt. 627 – ✪ 68.

Paris 970 – Mont-Louis 20 – ♦Perpignan 59 – Prades 16.

XX **La Fontaine** avec ch, ☎ **97.03.67** – ☎ Ⓟ.
fermé janv., lundi soir et mardi – SC : **R** 60/120 – ☕ 10 – 12 ch 50/100.

Aimer la nature,
c'est respecter la pureté des sources, la propreté des rivières,
des forêts, des montagnes...
c'est laisser les emplacements nets de toute trace de passage.

OLIVET 45160 Loiret 64 ⑨ **G. Châteaux de la Loire** – 12 382 h. alt. 105 – 38.

Office de Tourisme à la Mairie (fermé sam. après-midi et dim.) ☎ 63.48.48.

Paris 121 ⑩ – Blois 65 ⑧ – Gien 62 ④ – ♦Orléans 5 – Romorantin-Lanthenay 63 ⑤ – Salbris 51 ⑤.

Voir plan d'Orléans agglomération

Reine Blanche M, 635 r. Reine-Blanche ☎ 66.40.51, Télex 760926, ≤, – P – 200. AE GB ① — BY **a**
SC : **R** 65 bc – 15 – **65 ch** 150/210 – P 215/286.

Le Rivage, 638 r. Reine-Blanche ☎ 66.02.93, ≤, « Jardin et terrasse au bord de l'eau » – wc wc P – 30. AE GB ① — BY **f**
SC : **R** *(fermé dim. soir du 1er nov. au 30 mars)* 55/125 – 12 – **20 ch** 55/125 – P 160/220.

Le Beauvoir, r. Beauvoir ☎ 63.57.57, ≤, – wc wc P – 50. AE GB ① E — BY **b**
SC : **R** 55/120 – 13 – 21 ch 58/180 – P 200/230.

XXX **Madagascar,** 402 r. Reine-Blanche ☎ 66.12.58, ≤, « Terrasse au bord de l'eau » – P. AE GB — BY **g**
fermé 15 janv. au 15 fév., mardi soir d'oct. à Pâques et merc. – SC : **R** 60/135.

XX **Manderley,** 117 sentier des Prés ☎ 66.19.85, ≤, « Terrasse au bord de l'eau » – P. AE GB ① E — BY **r**
fermé 27 oct. au 18 nov., mardi soir et merc. d'oct. à avril, lundi soir et mardi de mai à sept. – SC : **R** 48/110.

Les OLLIÈRES-SUR-EYRIEUX 07360 Ardèche 76 ⑲⑳ – 788 h. alt. 174 – 75.

Paris 600 – Le Cheylard 29 – Lamastre 37 – Montélimar 53 – Privas 19 – Valence 34.

XX **Aub. Vallée** avec ch, ☎ 65.20.32 – GB. ch
fermé 14 au 19 sept., 1er fév. au 15 mars, dim. soir et lundi – SC : **R** 45/150 – 12 – 8 ch 40/80.

TALBOT Gar. Sarméo, rte Valence à St-Sauveur-de-Montagut ☎ 65.41.44

OLORON-STE-MARIE SP 64400 Pyr.-Atl. 85 ⑤⑥ **G. Pyrénées** – 13 138 h. alt. 221 – 59.

Voir Portail** de l'église Ste-Marie A D.

Office de Tourisme pl. Résistance (fermé dim. et lundi hors saison) ☎ 39.01.96.

Paris 784 ⑤ – ♦Bayonne 99 ⑤ – Dax 81 ⑤ – Lourdes 61 ② – Mont-de-Marsan 94 ① – Pau 33 ②.

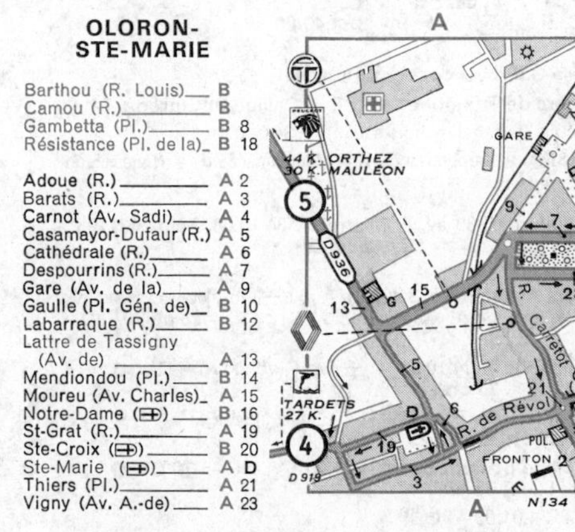

OLORON-STE-MARIE

Barthou (R. Louis)	B	
Camou (R.)	B	
Gambetta (Pl.)	B	8
Résistance (Pl. de la)	B	18
Adoue (R.)	A	2
Barats (R.)	A	3
Carnot (Av. Sadi)	A	4
Casamayor-Dufaur (R.)	A	5
Cathédrale (R.)	A	6
Despourrins (R.)	A	7
Gare (Av. de la)	A	9
Gaulle (Pl. Gén. de)	B	10
Labarraque (R.)	B	12
Lattre de Tassigny (Av. de)	A	13
Mendiondou (Pl.)	B	14
Moureu (Av. Charles)	A	15
Notre-Dame	B	16
St-Grat (R.)	A	19
Ste-Croix	B	20
Ste-Marie	A	D
Thiers (Pl.)	A	21
Vigny (Av. A.-de)	A	23

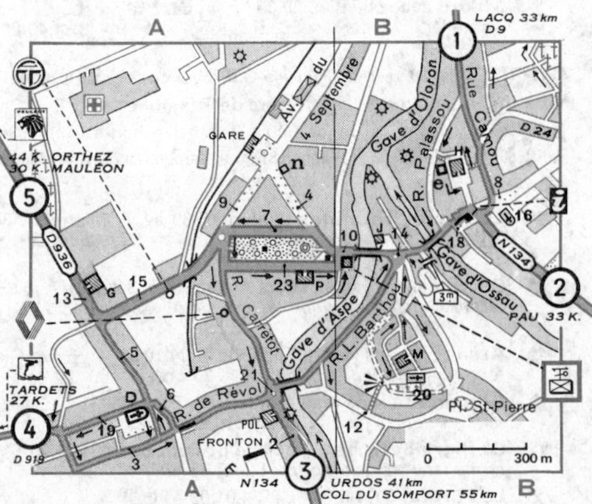

Béarn, 4 pl. Mairie ☎ 39.00.99 – wc wc. AE ① E. ch — B **e**
fermé fév., dim. soir et lundi de nov. à Pâques – SC : **R** 70/130 – 18 – **32 ch** 55/150 – P 150/200.

Paix sans rest, 24 av. Sadi-Carnot ☎ 39.02.63 – wc P. — A **n**
SC : 10 – **24 ch** 60/90.

X **Chez Barthélemy,** rte Espagne par ③ ☎ 39.03.38 –
fermé août, sam. midi et lundi – SC : **R** 25/30.

à ***Herrère*** par ② : 7 km – 64680 Ogeu-les-Bains :

L'Aragon, ☎ 39.23.28, « Peintures murales, beau mobilier, parc » – wc P
fermé lundi – SC : **R** 35/100 – 12 – 10 ch 50/100 – P 100/140.

tourner →

à Féas par ④ : 7,5 km – ✉ **64570** Aramits :

La Forgerie du Beau Site ⛰, ☎ 39.24.87 – 🚿 Ⓟ. 🚗 E
fermé 10 nov. au 15 déc. et merc. du 1er oct. à Paques – SC : **R** 26/62 – ☕ 9 – **10 ch** 37/60 – P 80/90.

FIAT Guiraud, av. Ch.-Moureu ☎ 39.02.43 N
FORD Boy, 23 av. T.-Derème ☎ 39.02.09
PEUGEOT Tristan, av. de-Lattre-de-Tassigny ☎ 39.10.73
RENAULT Haurat, 41 r. Carrérot ☎ 39.01.93
TALBOT Gar. Montoulieu, 9 av. Ch.-Moureu ☎ 39.01.85

OMAHA BEACH 14 Calvados 54 ④⑭ – voir à Vierville-sur-Mer.

ONZAIN 41150 L.-et-Ch. 64 ⑯ – 2 829 h. alt. 67 – ✪ 54.
Paris 197 – Amboise 21 – Blois 16 – Château-Renault 24 – Montrichard 21 – ♦Tours 45.

✿ **Domaine des Hauts de Loire** M ⛰, NO : 3 km par D 1 et voie privée ☎ 79.72.57, « Manoir, parc et forêt », 🎾 – TV ☎ Ⓟ. AE GB ⓓ E. ✗
15 mars-15 déc. – SC : **R** *(fermé merc.)* 100/250 – ☕ 24 – 19 ch 280/450, 5 appartements 600
Spéc. Pigeonneau à l'ancienne, Coupe royale. Vins Sauvignon, Gamay.

Château des Tertres sans rest, O : 1,5 km par D 58 ☎ 79.83.88, ⩽, parc – 🛁wc 🚿wc ☎ Ⓟ. ✗
20 mars-2 nov. – SC : ☕ 14 – **9 ch** 95/160.

Pont d'Ouchet, Gde-Rue ☎ 79.70.33 – 🚿. 🚗. ✗ ch
fermé 27 sept. au 8 oct., 15 janv. au 1er mars, dim. soir et lundi – SC : **R** 37/100 – ☕ 9,50 – 10 ch 40/70.

PEUGEOT Gar. Guyader, ☎ 79.70.37 N
RENAULT Lemaire, ☎ 79.70.45
Gar. Chartier, ☎ 79.70.54 N ☎ 79.71.65

OPIO 06 Alpes-Mar. 84 ⑧, 195 ㉔ – rattaché à Grasse.

ORADOUR-SUR-GLANE 87520 H.-Vienne 72 ⑥⑦ **G. Périgord** – 1 762 h. alt. 275 – ✪ 55.
Voir Bourg incendié par les Nazis le 10 juin 1944 après massacre de sa population.
Paris 435 – Angoulême 86 – Bellac 24 – Confolens 33 – ♦Limoges 22 – Nontron 66.

Milord avec ch, ☎ 39.50.35 – Ⓟ. GB. ✗ ch
fermé janv. et merc. – SC : **R** 24/65 🍷 – ☕ 9 – 8 ch 40/60.

ORANGE 84100 Vaucluse 81 ⑪⑫ **G. Provence** – 26 468 h. alt. 46 – ✪ 90.
Voir Théâtre antique*** BZ – Arc de Triomphe** AY E – Colline St-Eutrope ⩽* BZ.
ℹ Office de Tourisme av. Ch.-de-Gaulle (fermé dim. hors saison) ☎ 34.06.00.
Paris 660 ⑤ – Alès 85 ⑤ – Avignon 31 ⑤ – Carpentras 23 ③ – Montélimar 55 ⑤ – Nîmes 55 ⑤.

Plan page ci-contre

Louvre et Terminus sans rest, 89 av. F.-Mistral ☎ 34.10.08, Télex 431195 – 🛗 TV 🛁wc 🚿wc ☎ ♿ 🚗 – 🏛 30. 🚗 AE GB ⓓ E — CY **e**
SC : ☕ 10 – **38 ch** 70/180.

Glacier sans rest, 46 cours A.-Briand ☎ 34.02.01 – 🛗 🛁wc 🚿wc ☎. 🚗. ✗
fermé 20 déc. au 31 janv. et dim. de nov. à Pâques – SC : ☕ 10 – **29 ch** 70/110. — AY **r**

Arène ⛰ sans rest, pl. Langes ☎ 34.10.95 – 🛁wc 🚿wc ☎. 🚗 AE GB — AY **a**
fermé nov. et déc. – SC : ☕ 12 – **30 ch** 120/150.

Commerce sans rest, 4 r. Caristié ☎ 34.10.07 – 🛁wc 🚿 ☎ Ⓟ — BY **s**
fermé 1er au 15 nov. – SC : **29 ch** ☕ 68/125.

Le Pigraillet, chemin colline St-Eutrope ☎ 34.44.25, 🏊, 🌳 – Ⓟ. AE ⓓ — BZ **d**
fermé janv., fév. et lundi – SC : **R** 65/85.

Le Forum, 3 r. Mazeau ☎ 34.01.09 – GB — ABY **z**
fermé 20 déc. au 10 janv., sam. soir et dim. sauf juil. et août – SC : **R** 40/60.

Bec Fin, 14 r. Segond-Weber ☎ 34.14.76 — BY **n**
fermé nov. et vend. – SC : **R** 40/100 🍷.

rte de Caderousse par ⑤ – ✉ **84100** Orange :

Euromotel M ⛰ ☎ 34.24.10, Télex 431550, 🏊, 🌳 – ▤ rest TV 🛁wc ☎ Ⓟ – 🏛 30 à 150. 🚗 AE GB ⓓ E
SC : **R** carte environ 80 🍷 – ☕ 14,50 – **98 ch** 150/175 – P 202/265.

à Rochegude (26 Drôme) par ①, D 976, D 11 et D 117 : 14 km – ✉ **26130** Rochegude – ✪ 75

Château de Rochegude M ⛰, ☎ 04.81.88, Télex 345661, « Élégante installation, parc, 🏊, ✼ », 🎾 – 🛗 ▤ Ⓟ – 🏛 35. AE GB ⓓ E. ✗ rest
20 mars-20 oct. – SC : **R** carte 115 à 160 – ☕ 30 – 25 ch 165/630, 4 appartements.

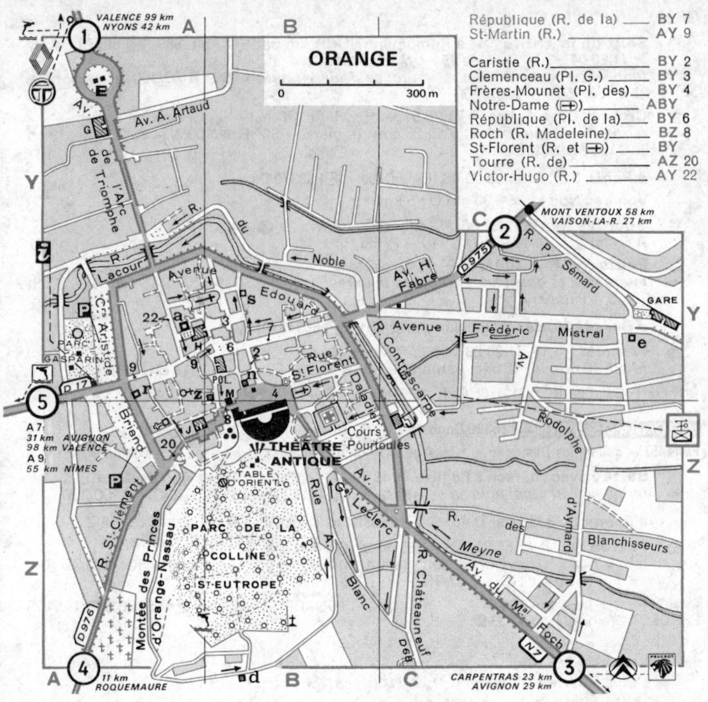

CITROEN Centrale des Gar. Vauclusiens, rte Avignon ☎ 51.65.00
FIAT, LANCIA-AUTOBIANCHI Gemelli, 28 av. Arc-de-Triomphe ☎ 34.69.04 **N** ☎ 34.10.28
FORD Auto-Service, 78 av. Mar.-Foch ☎ 34.24.35
LADA, TOYOTA Chaix, 18 av. Gén.-Leclerc ☎ 34.51.01
PEUGEOT Autos-Provence, av.Mar.-Foch ☎ 34.24.11

RENAULT S.O.V.R.A., N 7 rte de Lyon ☎ 34.02.68
TALBOT Balbi, rte de Lyon ☎ 34.04.16

Ayme-Pneus, rte de Caderousse ☎ 34.24.65
Devilliers, 40 av. Mar.-Foch ☎ 34.04.81
Lesueur, rte de Lyon ☎ 34.14.66

ORBEC 14290 Calvados 55 ⑭ G. Normandie (Plan) – 3 517 h. alt. 120 – 31.

Syndicat d'Initiative 9 r. République ☎ 32.73.73.

Paris 167 – L'Aigle 36 – Alençon 77 – Argentan 52 – Bernay 17 – •Caen 69 – Lisieux 20.

France, r. Grande ☎ **32.74.02,** – wc wc ☎ **P**. .
fermé fév. – SC : **R** 32/100 – 13 – 20 ch 60/150 – P 130/170.

XXX ✿ **Au Caneton** (Ruaux), r. Grande ☎ 32.73.32, **« maisons normandes du 17e s. »**
fermé oct., fév., lundi soir et mardi – SC : **R** (nombre de couverts limité- prévenir) 135/205
Spéc. Gratin de langouste, Caneton "Ma Pomme", Jambon Michodière.

CITROEN Gontier, à la Vespière ☎ 32.80.49
DATSUN, LANCIA-AUTOBIANCHI Gault, ☎ 32.71.97 **N**
PEUGEOT Fougeray, à la Vespière ☎ 32.83.73

RENAULT L'Auto. de Normandie, ☎ 32.82.56 **N**
Gar. Duval Jean, ☎ 32.83.53

ORBEY 68370 H.-Rhin 62 ⑱ G. Vosges – 3 421 h. alt. 500 – 89.

Syndicat d'Initiative à la Mairie (1er juil.-31 août) ☎ 71.20.07.

Paris 429 – Colmar 20 – Gérardmer 41 – Munster 25 – Ribeauvillé 23 – St-Dié 42 – Sélestat 36.

Bois le Sire M, ☎ 71.25.25 – wc wc ☎. **E**. ch
SC : **R** *(fermé 15 nov. au 15 déc., dim. soir et lundi)* 35/100 – 12 – **11 ch** 50/135 – P 120/140.

Annexe Motel Bois le Sire M , ☎ 71.25.25 – wc wc ☎ **P**. **E**. ch
SC : voir rest. Bois le Sire – 12 – **22 ch** 135.

tourner →

Saut de la Truite ⑤, à Remomont NO : 1 km par VO - alt. 589- ✉ 68370 Orbey ☎ 71.20.04, ← – ⋒wc ☎ Ⓟ – 🏃 25. 🚗. ❊
fermé 12 nov. au 20 déc. et merc. sauf juil. et août – SC : **R** 50/100 🍷 – ☕ 12 – 22 ch 70/150 – P 125/170.

Croix d'Or, r. Église ☎ 71.20.51 – ⌂wc ⋒. ❊ rest
fermé 15 nov. au 15 déc., 6 au 26 janv. et merc. – SC : **R** 39/100 🍷 – ☕ 10,50 – 19 ch 60/110 – P 99/118.

à Pairis SO : 3 km sur D 48 II – alt. 700 – ✉ **68370** Orbey.

Voir Lac Noir* : ←* 30 mn O : 5 km.

Sources ⑤, ☎ 71.21.96, ←, 🌳, ✂ – ⌂wc ☎ Ⓟ. 🚗. ❊
R 40/90 🍷 – ☕ 11 – 10 ch 110 – P 150.

Pairis ⑤, ☎ 71.20.15, ← – ⋒ Ⓟ. ❊ rest
fermé nov. et hors sais. : hôtel mardi et rest. merc. – SC : **R** 35/70 🍷 – ☕ 12 – 20 ch 30/60 – P 85/95.

à Basses Huttes SO : 5 km par D 48 – ✉ **68370** Orbey :

Wetterer ⑤, ☎ 71.20.28 – ⌂ ⋒wc ☎ Ⓟ. ❊
fermé 10 nov. au 15 déc. et merc. – SC : **R** 38/100 🍷 – ☕ 10 – **18 ch** – P 93/120.

CITROEN Gar. Eberlé, ☎ 71.20.35 🅽 ☎ 71.23.45 RENAULT Batot, ☎ 71.20.48

ORCHAMPS-VENNES 25390 Doubs 66 ⑰ G. Jura – 1 376 h. alt. 750 – ☎ 81.

Paris 457 – Baume-les-Dames 45 – •Besançon 47 – Montbéliard 70 – Morteau 17 – Pontarlier 44.

XX **Barrey** avec ch, face à l'église ☎ 43.50.97 – ⌂wc ⋒wc ☎ Ⓟ. ⓓ. ❊ ch
fermé nov. et lundi hors sais. – **R** 32/100 🍷 – ☕ 10 – **16 ch** 38/130 – P 100/120.

à Fuans E : 3 km par D 461 – ✉ **25390** Orchamps-Vennes :

Patton ⑤, ☎ 43.51.01, ← – ⌂wc ☎ Ⓟ. 🚗 ⓓ. ❊ ch
fermé 11 au 30 nov., vend. soir et sam. midi du 1er oct. au 1er mai – SC : **R** 39/75 🍷 – ☕ 9 – **10 ch** 40/110 – P 87/107.

CITROEN Gar. Droz, ☎ 43.51.24
PEUGEOT Vernier, ☎ 43.52.38 🅽
RENAULT Gar. Gaiffe, ☎ 43.52.36 🅽 ☎ 43.54.75

☞ *Les localités dont les noms sont soulignés de rouge sur les cartes Michelin à 1/200 000 sont citées dans ce guide. Utilisez une carte récente pour profiter de ce renseignement régulièrement mis à jour.*

ORCHIES 59310 Nord 51 ⑯ – 5 791 h. alt. 38 – ☎ 20.

Paris 213 – Denain 25 – Douai 20 – •Lille 26 – St-Amand-les-Eaux 15 – Tournai 18 – Valenciennes 27.

XX **La Chaumière,** S : 2 km D 957 ☎ 71.86.38 – Ⓟ. AE GB ⓓ
fermé fév., jeudi soir et vend. – **R** 35/130, dîner à la carte.

ORCIÈRES 05170 H.-Alpes 77 ⑰ G. Alpes – 855 h. alt. 1 439 – Sports d'hiver à Orcières-Merlette: 1 850/2 650 m ⛷2 ⛷20 – ☎ 92.

Env. Vallée du Drac Blanc** NO : 14 km.

ℹ Office de Tourisme ☎ 55.70.39, Télex 401162.

Paris 679 – Gap 33 – •Grenoble 115 – La Mure 77 – St-Bonnet 27.

Poste, ☎ 55.70.04, ←, 🌳 – ⋒ Ⓟ
SC : **R** 40/55 – ☕ 11 – **31 ch** 48/80 – P 100/150.

à Merlette N : 5 km par D 476 – alt. 1 838 – ✉ **05170** Orcières :

Christiania Ⓜ ⑤ sans rest, ☎ 55.73.85, ← – ⌂wc ⋒wc ☎ 🚗. ❊
juil.-août et 20 déc.-20 avril – SC : ☕ 14 – **21 ch** 195.

ORCIVAL 63 P.-de-D. 73 ⑬ G. Auvergne – 369 h. alt. 860 – ✉ 63210 Rochefort-Montagne – ☎ 73.

Voir Église**.

Paris 416 – Aubusson 89 – •Clermont-F. 27 – Le Mont-Dore 17 – Rochefort-Montagne 4 – Ussel 57.

Au Vieux Logis, ☎ 21.22.03 – ⋒ ☎. 🚗
fermé 15 nov. au 15 déc. et mardi – SC : **R** 37/60 – ☕ 10 – 12 ch 45/70 – P 95/115.

Notre-Dame, ☎ 21.22.02 – ⌂wc ⋒ ☎. ❊
Pâques-nov., Noël et vacances de fév. – SC : **R** (dîner seul. et pour résidents) 38/48 – ☕ 10 – 10 ch 42/100.

L'Ajasserie d'Orcival, ☎ 21.21.54 – ❊
1er avril-1er oct. – SC : **R** 32/60 🍷 – ☕ 10 – **17 ch** 38/60 – P 95/100.

Les Bourelles ⑤ sans rest, ☎ 21.22.28, ←, 🌳 – ❊
Pâques-1er oct. – SC : ☕ 9,50 – **8 ch** 51/69.

ORGEVAL 78630 Yvelines 55 ⑲, 101 ⑪ – 3 599 h. alt. 100 – ✪ 3.

Paris 37 – Mantes-la-Jolie 29 – Pontoise 24 – Rambouillet 47 – St-Germain-en-Laye 11 – Versailles 22.

- **Novotel** Ⓜ, à l'échangeur A 13, D 113 ☎ 975.97.60, Télex 697174, ⛱, 🌳, 🎾 – 🛗 ▤ rest 📺 ☎ ♿ Ⓟ – 🧑‍🤝‍🧑 25 à 200. AE GB ⓓ
  R snack carte environ 65 – ☕ 20 – **120 ch** 192/207.
- **Moulin d'Orgeval** 🐎, SO : 1,5 km par VO ☎ 975.95.74, ≤, « Parc fleuri avec pièce d'eau », 🎾 – 🛁 ☎ Ⓟ. ✗ ch
  fermé 22 déc. au 5 fév. – **R** carte 80 à 155 – ☕ 15 – 12 ch 75/150.

ORGNAC-L'AVEN 07 Ardèche 80 ⑨ – 297 h. alt. 290 – ✉ **07150** Vallon-Pont-d'Arc – ✪ 75.

Voir Aven d'Orgnac*** NO : 2 km, **G. Vallée du Rhône.**

Paris 670 – Alès 48 – Aubenas 56 – Pont-St-Esprit 24.

- **Stalagmites,** ☎ 38.60.67 – 🚿wc Ⓟ. 🚗. ✗
  fermé 1er déc. au 1er fév. – SC : **R** 32/80 – ☕ 12 – **18 ch** 40/100 – P 85/150.

ORGON 13660 B.-du-R. 84 ①② **G. Provence** – 2 285 h. alt. 85 – ✪ 90.

Paris 708 – Avignon 30 – Cavaillon 7 – ♦Marseille 73 – St-Rémy-de-P. 18 – Salon-de-Provence 19.

- **Aux Petits Pavés,** SE : 3,5 km sur N7 ☎ 57.21.44 – 🚗 Ⓟ. 🚗 AE E
  fermé 1er au 25 oct., lundi et mardi – SC : **R** 48/135 – ☕ 12 – 13 ch 48/78 – P 100/125.
- XX **Relais Basque,** rte nationale ☎ 73.00.39, 🌳 – Ⓟ. ⓓ
  fermé 15 nov. au 15 déc. et sam. – SC : **R** (déj. seul.) 45/90.

ORLEANS Ⓟ **45000** Loiret 64 ⑨ **G. Châteaux de la Loire** – 109 956 h. alt. 110 – ✪ 38.

Voir Cathédrale* FY E : boiseries** – Hôtel de Ville* FY **H** – Musées EY : des Beaux-Arts* **M1**, Historique et Archéologique (trésor gallo-romain*) **M2.**

Env. Orléans-la-Source : parc floral de la Source* et source du Loiret* SE : 8 km CZ.

⛳ Golf Club d'Orléans ☎ 65.75.48 par ③ : 17 km.

ℹ Office de Tourisme et Accueil de France (Informations, change et réservations d'hôtels, pas plus de 5 jours à l'avance) pl. Albert 1er (fermé dim. hors sais.) ☎ 53.05.95, et Autoroute A10, Pont Borel (1er avril-30 nov.) ☎ 91.31.02 - A.C. 24 pl. Martroi ☎ 53.43.45 - T.C.F. 80 bd A.-Martin ☎ 62.32.85.

Paris 117 ⑪ – ♦Caen 271 ⑩ – ♦Clermont-Ferrand 307 ⑤ – ♦Dijon 294 ③ – ♦Limoges 265 ⑤ – ♦Le Mans 138 ⑨ – ♦Reims 253 ② – ♦Rouen 237 ⑩ – ♦Tours 112 ⑧.

Plans pages suivantes

- **Sofitel** Ⓜ, 44 quai Barentin ☎ 62.17.39, Télex 780073, ≤, ⛱ – 🛗 ▤ 📺 ☎ ♿ Ⓟ – 🧑‍🤝‍🧑 35 à 100. AE GB ⓓ E — DY **t**
  rest. **La Vénerie R** carte 80 à 110 – ☕ 25 – **110 ch** 240/370 – P 400/500.
- **Orléans** Ⓜ sans rest, 6 r. A.-Crespin ☎ 53.35.34 – 🛗 📺 🛁wc 🚿wc ☎. 🚗. ✗
  fermé 1er au 24 août, 24 déc. au 3 janv. et sam. hors sais. – SC : ☕ 14 – **18 ch** 102/165. — EY **t**
- **Les Cèdres** sans rest, 17 r. Mar.-Foch ☎ 62.22.92, Télex 760912, 🌳 – 🛗 🛁wc 🚿wc ☎. 🚗 GB E — DX **a**
  SC : ☕ 13 – **32 ch** 85/165.
- **St-Aignan** Ⓜ sans rest, 2 r. Murlins ☎ 53.15.35 – 🛗 📺 🛁wc 🚿wc ☎ 🚗. AE GB ⓓ — EX **k**
  SC : ☕ 12 – **27 ch** 100/150.
- **Marguerite** sans rest, 14 pl. Vieux-Marché ☎ 53.74.32 – 🛗 🛁wc 🚿wc ☎ — EY **r**
  SC : ☕ 10 – **25 ch** 48/110.
- **Central** sans rest, 6 r. Avignon ☎ 53.93.00 – 🚿wc ☎. 🚗 — EY **u**
  SC : ☕ 10 – **19 ch** 56/105.
- **St-Martin** sans rest, 52 bd A.-Martin ☎ 62.47.47 – 🛁wc 🚿wc ☎ — FX **n**
  fermé 22 déc. au 3 janv. – SC : ☕ 10 – **22 ch** 55/120.
- **St-Jean** sans rest., 19 r. Porte-St-Jean ☎ 53.63.32 – 🛁wc 🚿 ☎ Ⓟ — DY **f**
  SC : ☕ 10 – **27 ch** 50/100.
- **de Sonis** sans rest, 46 bis bd Châteaudun ☎ 53.72.36 — DX **h**
  SC : ☕ 9 – **17 ch** 40/75.
- XXX ✿✿ **La Crémaillère** (Huyart), 34 r. N.-D.-de-Recourance ☎ 53.49.17 – ▤. GB ⓓ
  fermé août, vacances de fév., dim. soir et lundi – SC : **R** 100/140 et carte — EY **b**
  Spéc. Foie gras frais de canard, Assiette bretonne, St Jacques aux langoustines (oct. à mars). **Vins** Quincy.
- XXX ✿✿ **Porte Barentin** (Martel), 42 quai Barentin ☎ 53.37.60 – AE GB ⓓ — DY **g**
  fermé fin juil. à fin août, sam. soir sauf du 1er oct. au 1er janv., dim. et fêtes – SC : **R** (nombre de couverts limité - prévenir) 100/150 et carte
  Spéc. Salade "Porte Barentin", Coquilles St Jacques à l'écorce d'orange (d'oct. à avril), Rognon de veau au cassis et vinaigre. **Vins** Gris Meunier, Sancerre.
- XXX ✿ **Aub. St-Jacques** (Fournier), 4 r. Lin ☎ 53.63.48 – ▤. AE GB — EY **d**
  fermé juil., vacances de fév. et dim. sauf fériés le midi – SC : **R** 95/120
  Spéc. Foie gras d'oie frais, Poissons de Loire, Navarin de St-Jacques (oct. à avril). **Vins** Sancerre.
- XXX **La Poutrière,** 8 r. Brèche ✉ 45100 ☎ 66.02.30, « Décor élégant » – GB — BS **s**
  fermé août, dim. soir et lundi – SC : **R** carte 95 à 140.

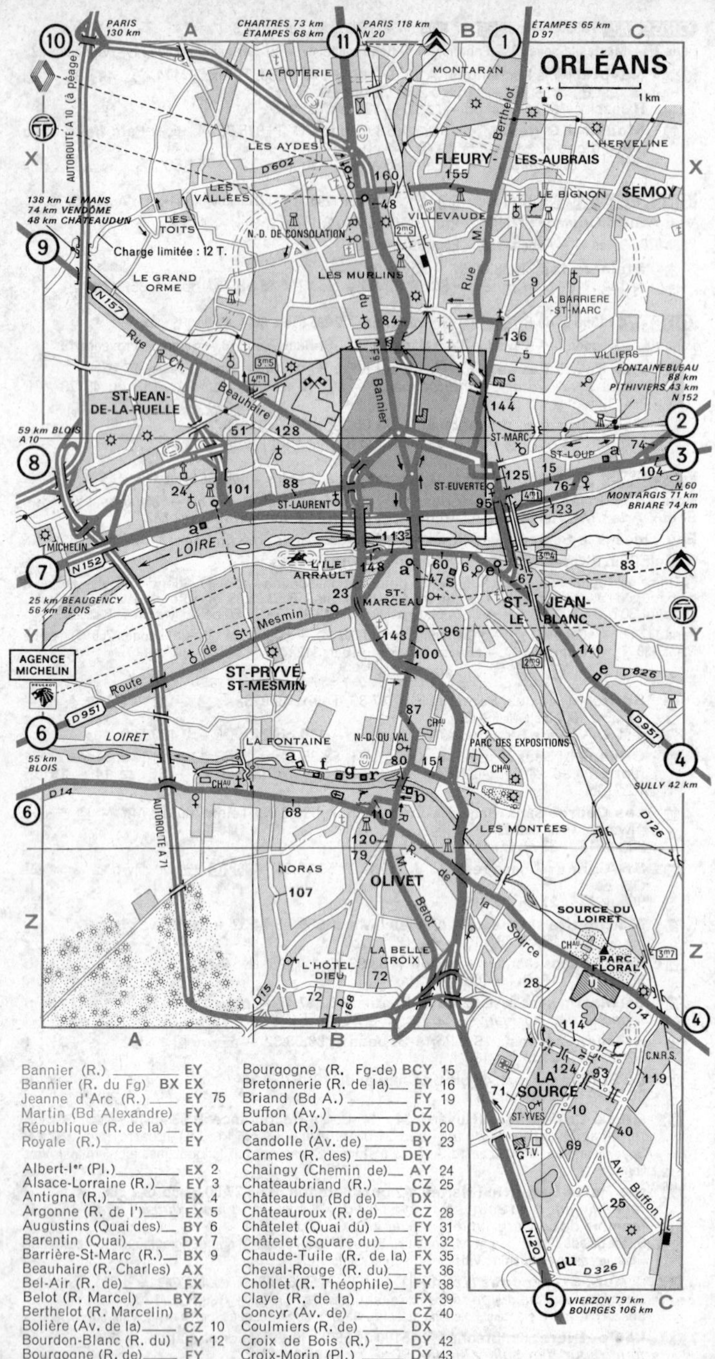
ORLÉANS
0 1 km
PARIS 130 km
CHARTRES 73 km
ÉTAMPES 68 km
PARIS 118 km
N 20
ÉTAMPES 65 km
D 97
AUTOROUTE A 10 (à péage)
LA POTERIE
MONTARAN
LES AYDES
FLEURY-LES-AUBRAIS
L'HERVELINE
SEMOY
LE BIGNON
LES VALLÉES
LES TOITS
VILLEVAUDE
138 km LE MANS
74 km VENDÔME
48 km CHÂTEAUDUN
Charge limitée : 12 T.
N.D. DE CONSOLATION
LES MURLINS
LE GRAND ORME
LA BARRIERE-ST-MARC
VILLIERS
FONTAINEBLEAU 88 km
PITHIVIERS 43 km
N 152
ST-JEAN-DE-LA-RUELLE
Rue Ch. Beauhaire
Bannier
Rue M. Berthelot
59 km BLOIS
A 10
ST-MARC
ST-LOUP
ST-LAURENT
ST-EUVERTE
N 60
MONTARGIS 71 km
BRIARE 74 km
MICHELIN
LOIRE
N 152
L'ILE ARRAULT
ST-MARCEAU
ST-JEAN-LE-BLANC
25 km BEAUGENCY
56 km BLOIS
AGENCE MICHELIN
Route de St-Mesmin
ST-PRYVÉ-ST-MESMIN
D 951
D 826
LOIRET
LA FONTAINE
N.-D. DU VAL
PARC DES EXPOSITIONS
55 km BLOIS
SULLY 42 km
D 14
LES MONTÉES
D 126
AUTOROUTE A 71
NORAS
OLIVET
R. M. Belot
R. de la Source
SOURCE DU LOIRET
PARC FLORAL
L'HÔTEL-DIEU
LA BELLE CROIX
D 15
D 168
C.N.R.S.
LA SOURCE
ST-YVES
Av. Buffon
N 20
D 326
VIERZON 79 km
BOURGES 106 km

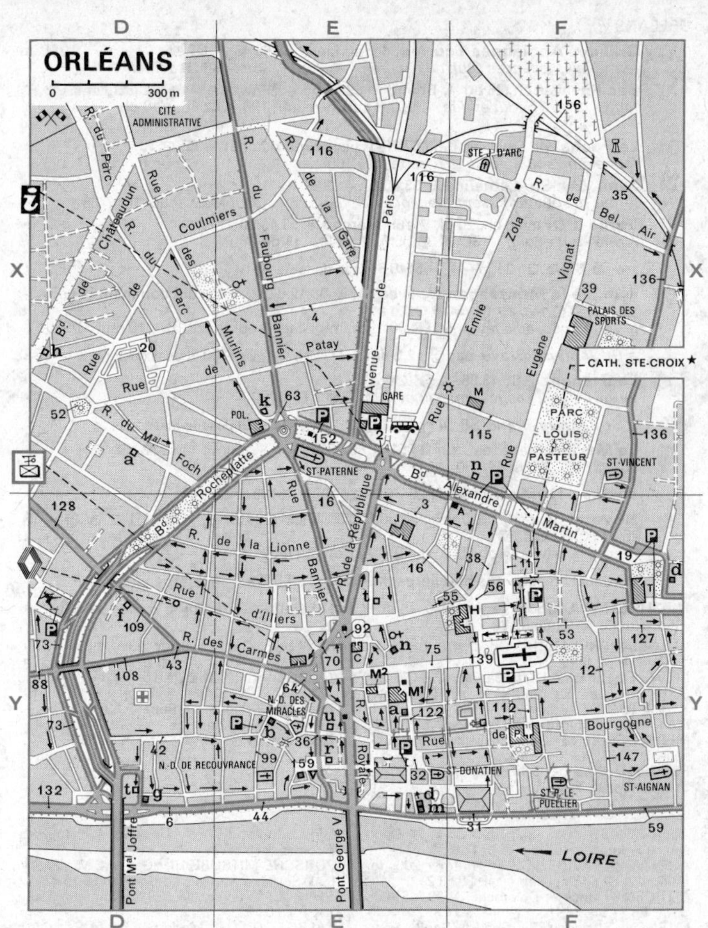

Fin du répertoire

Cypierre (Quai) EY 44
Dauphine (Av.) BY 47
Dessaux (R. André) BX 48
Doumer (R. Paul) AX 51
Dunois (Pl.) DX 52
Dupanloup (R.) FY 53
Escures (R. d') EY 55
Etape (Pl. de l') FY 56
Foch (R. du Mar.) DX
Fort-Alleaume (Quai) FY 59
Fort-des-Tourelles (Q.) BY 60
Gambetta (Pl.) EX 63
Gare (R. de la) EX
Gaulle (Pl. du Gén.-de) EY 64
Gaulle (R. du Gén.-de) BY 67
Gaulle (R. du Gén.-de) OLIVET BY 68
George-Sand (R.) CZ 69
George-V (Pont) EY
Hallebarde (R. de la) EY 70
Hôpital (Av. de l') BZ 71
Hôtel-Dieu (R. de l') BZ 72
Illiers (R. d') DEY
Jaurès (Bd Jean) DY 73
Jean (Av. Capitaine) CY 74
Joffre (Pont Mar.) DY
Jousselin (R.) CY 76

Labarre (R. Paulin) BZ 79
Leclerc (Pont Mar.) BY 80
Levée de la Loire CY 83
Libération (Av. de la) BX 84
Lionne (R. de la) EY
Loiret (Av. du) BY 87
Madeleine (R. Fg) DY, BY 88
Martroi (Pl. du) EY 92
Montesquieu (Av.) CZ 93
Motte-Sanguin (Bd) BY 95
Mouillière (R. de la) BY 96
Murlins (R. des) DEX
N.-D.-de-Recouvrance (R.) EY 99
Olivet (Rte d') BY 100
Paris (Av. de) EX
Parc (R. du) DX
Patay (R. de) DEX
Paul-Bert (Pl.) AY 101
Péguy (Av. Ch.) CY 104
Plaisses (R. des) BZ 107
Pte-Madeleine (R.) DY 108
Porte-St-Jean (R.) DY 109
Poste (R. de la) BY 110
Pothier (R) FY 112
Prague (Quai) BY 113
Prés.-Kennedy (Av.) CZ 114
Proust (R. Marcel) FX 115
Québec (Bd de) EX 116

Rabier (R. F.) FY 117
Recherche Scientifique (Av. de la) CZ 119
République (Pl.) BY 120
Rocheplatte (Bd) DEX
Roguet (R. Louis) EY 122
Roi (Quai du) BCY 123
Rom.-Rolland (R.) CZ 124
St-Euverte (Bd) BY 125
St-Euverte (R.) FY 127
St-Jean (R. Fg) BX 128
St-Laurent (Quai) DY 132
St-Mesmin (Rte) ABY
St-Vincent (R. Fg) FX 136
Ste-Croix (Pl.) FY 139
Sandillon (Rte) CY 140
Sologne (Av. de) BY 143
Source (R. de la) BZ
Stuart (Bd Marie) BX 144
Tour-Neuve (R.) FY 147
Trévise (Av. de) BY 148
Verdun (Av. de) BY 151
Verdun (Bd de) EX 152
Verdun (R. de) BX 155
Victor-Hugo (Bd) FX 156
Vieux-Marché (Pl.) EY 159
Vignat (R. Eugène) FX
Zola (R. Emile) EFX
11-Octobre (R. du) BX 160

XX **Grill des Anciennes Écuries,** 4 r. au Lin ☏ 53.63.48 – AE GB EY **m**
fermé juil., vacances scol. de fév., sam., dim. et le soir – SC : **R** 70 bc.

XX **Bec Fin** avec ch, 26 bd A.-Briand ☏ 62.43.55 – wc. AE GB E
fermé 15 au 31 août et dim. – SC : **R** carte environ 120 – 13 – **10 ch** 41/120.
FY **d**

XX **Le Pacha,** pl. Louis XI ☏ 53.07.29, (cuisine marocaine) – AE GB EY **a**
fermé dim. soir et lundi – **R** carte 75 à 105.

X **Jean,** 64 r. Ste-Catherine ☏ 53.40.87 – GB EY **n**
fermé 15 août au 15 sept., vacances de fév. et dim. sauf fêtes – SC : **R** 41/88.

X **Étoile d'Or** avec ch, 25 pl. Vieux-Marché ☏ 53.49.20 – EY **v**
fermé août et dim. – SC : **R** 36/65 – 9 – **11 ch** 38/91.

rte de Blois O : 2 km – ✉ **45140** St-Jean-de-la-Ruelle :

XXX **Aub. de la Montespan** avec ch, ☏ 88.12.07, ≤, « **Jardin dominant la Loire** », – TV wc P. GB AY **a**
fermé 23 déc. au 5 fév. – SC : **R** 90, dim. midi carte seul. – 18 – 10 ch 140/220.

à St-Jean-de-Braye par ③ : 2,5 km – 12 453 h. – ✉ **45800** St-Jean de Braye :

XX **La Grange,** ☏ 86.43.36 – P. GB CY **a**
fermé 1er au 25 août, dim. soir et sam. – SC : **R** 46/90.

à St-Jean-le-Blanc SE : 4 km – 6 531 h. – ✉ **45650** St-Jean-le-Blanc :

Le Marjane sans rest, sur D 951 ☏ 66.35.13, – wc wc P.
SC : 10 – **24 ch** 47/130. CY **e**

au Sud : 11 km carrefour N 20 - CD 326 – ✉ **45100** Orléans :

Novotel M, r. H.-de-Balzac ☏ 63.04.28, Télex 760619, – TV P – 25 à 350. AE GB CZ **u**
R snack carte environ 65 – 20 – **121 ch** 197/207.

Voir aussi ressources hôtelières d'*Olivet* S : 4,5 km

MICHELIN, Agence régionale, r. du Clos-St-Gabriel, Rd Point P.-Bert à St-Jean-de-la-Ruelle AY ☏ **88.02.20**

AUTOBIANCHI-LANCIA Orléans Auto, 15 av. de Paris ☏ 62.45.92
BMW Ets Labesse, 119 fg Bannier ☏ 53.75.28
CITROEN Gar. Dauphine, 18 av. Dauphine BY **a** ☏ 66.03.25
FIAT Gar. du Martroi, 8 pl. Martroi ☏ 62.60.71
MERCEDES-BENZ Gar. Jousselin, 12 r. Jousselin ☏ 53.61.04
PEUGEOT Agence Générale Autom., 22 rte St-Mesmin BY ☏ 66.10.97

RENAULT Gar. Excelsior, 93 r. Illiers DY ☏ 53.41.93
TALBOT ASFIR, 3 bis rte d'Olivet BY ☏ 66.37.50

Dubreuil-Pneus, 5 r. Rape ☏ 53.57.18
Orléans-Pneu, 42 quai St-Laurent ☏ 62.24.54
Terovulca, 44 quai Madeleine ☏ 88.68.08

Périphérie et environs

ALFA-ROMEO Gar. Blanchemain r. A.-Dessaux à Fleury les Aubrais ☏ 43.11.88
AUDI-VOLKSWAGEN Gar. Pillon, 266 fg Bannier à Fleury-les-Aubrais ☏ 88.53.29
CITROEN France et Delaroche, N 20 à Saran BX ☏ 88.77.51
CITROEN Stevenel, 33 r. Gén.-de-Gaulle à St-Jean-le-Blanc BY **e** ☏ 66.37.65
FORD Les Gar. de la Gare, 38 r. A.-Dessaux à Fleury-les-Aubrais ☏ 88.40.55

OPEL Gellet, 55 r. A.-Dessaus à Fleury-les-Aubrais ☏ 88.58.85
PORSCHE-MITSUBISHI Gar. J.C.M., 27 av. L.-J.-Soulas à St-Jean-de-Braye ☏ 89.15.47
RENAULT Succursale, 539 fg Bannier à Saran BX ☏ 88.62.62
TALBOT Gd Gar. Moderne, 398 fg Bannier à Fleury-les-Aubrais BX ☏ 88.53.80

ORLY (Aéroport de Paris) 94 Val-de-Marne 61 ①, 96 ㉗, 101 ㉖ – voir à Paris, Proche banlieue.

ORNAISONS 11 Aude 83 ⑬ – rattaché à Narbonne.

ORNANS 25290 Doubs 66 ⑯ **G. Jura** (plan) – 4 395 h. alt. 315 – 81.

Voir Grand Pont ≤★ – **Miroir de la Loue**★ – O : **Vallée de la Loue**★★ – **Le Château** ≤★ N : 2,5 km.

Office du Tourisme r. P.-Vernier (10 juin-5 oct.) ☏ 62.21.50.

Paris 435 – Baume-les-Dames 41 – ♦Besançon 26 – Morteau 53 – Pontarlier 34 – Salins-les-Bains 38.

XX **France** avec ch, r. P.-Vernier ☏ 62.24.44 – wc wc P. ch
fermé fév., dim. soir et lundi – SC : **R** 40/130 – 14 – 31 ch 75/145 – P 130/140.

rte de Bonnevaux-le-Prieuré : 6 km par D 67 et D 280 – ✉ **25620** Mamirolle :

XX **Moulin du Prieuré,** ☏ 58.21.47 – P. AE GB E
6 mars-30 nov. et fermé dim. soir et lundi – SC : **R** 80/180.

CITROEN Gar. Magnin, ☏ 62.17.69
PEUGEOT Gar. Poulet, ☏ 62.15.24 N ☏ 58.24.31

RENAULT Gd Gar. de la Vallée, ☏ 62.18.68 N

OROUET 85160 Vendée 67 ⑫ – rattaché à St-Jean de Monts

Les ORRES 05 H.-Alpes 81 ⑧ **G. Alpes** – 307 h. alt. 1 460 – Sports d'hiver : 1 460/2 704 m 18, – ✉ 05200 Embrun – 92.

Syndicat d'Initiative Comité de Station (fermé vend.) ☎ 44.01.61.

Paris 713 – Barcelonnette 64 – Digne 105 – Embrun 14 – Gap 46.

Les Arolles Ⓜ, à la station ☎ **44.01.27,** ← – wc wc ☎ Ⓟ. . rest
juil., août et 18 déc.-25 avril – **R** 75/95 – 13,50 – 30 ch 150/160 – P 180/200.

Korn ar C'Hoat Ⓜ, **Zone de Préboist** ☎ **44.00.83,** ← – wc wc ☎ Ⓟ. rest
juil.-août et 20 déc.-25 avril – SC : **R** 55 – 12 – 33 ch 140 – P 176.

ORSAY 91400 Essonne 60 ⑩, 101 ㉝ – voir à Paris, Proche Banlieue.

ORTHEZ 64300 Pyr.-Atl. 78 ⑧ **G. Pyrénées** – 10 698 h. alt. 62 – 59.

Voir Vieux pont★.

Office du Tourisme r. Jacobins (15 avril-15 oct., fermé dim. et lundi) ☎ 69.02.75.

Paris 741 ⑥ – ♦Bayonne 66 ⑤ – Dax 37 ⑥ – Mont-de-Marsan 54 ① – Pau 41 ②.

ORTHEZ

Briand (R. Aristide) BY 8
Jacobins (R. des) BZ 22
St-Gilles (R.) BZ

Albret (R. Jeanne-d') BZ 2
Aquitaine (Av. d') AY 3
Argote (R. Daniel) AZ 4
Armes (Pl. d') BZ 5
Bourg-Vieux (R.) AZ 7
Brossers (Pl.) BZ 9
Corps-Franc-Pommiès (Av. du) AY 12
Darget (Av. Xavier) BZ 13
Foy (R. du Gén.) BY 14
Frères-Reclus (R. des) AZ 16
Horloge (R. de l') BY 21
Jammes (Av. Francis) BZ 23
Lasserre (R. Pierre) ABZ 26
Moncade (R.) BY 28
Moulin (R. du) BZ 29
Moutète (Pl. de la) AZ 30
Pont-Neuf (Av. du) ABZ 32
Poustelle (Pl. de la) BY 33
St-Pierre (Pl. et) AY 35
St-Pierre (R.) AY 36
Tilleuls (Av. des) BY 38
Viaduc (R. du) AY 40

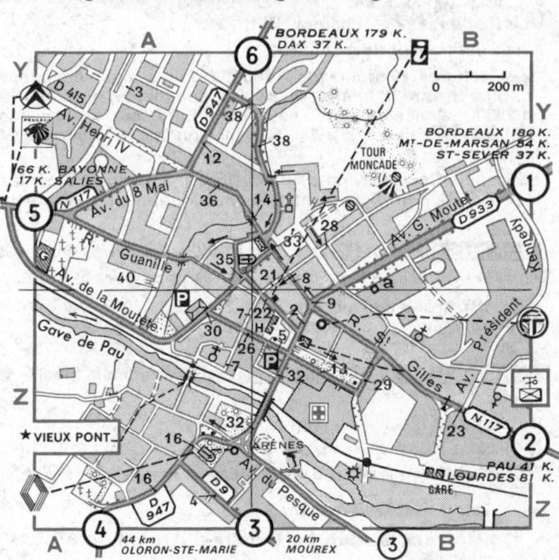

Château des Trois Poètes, à Castétis par ② : 5 km ✉ 64300 Orthez ☎ 69.16.20, ←, « Château du 17e s., parc » – wc wc ☎ Ⓟ – 180. GB. rest
avril-oct. et fermé lundi – SC : **R** 57/71 – 16 – **10 ch** 85/200 – P 165/186.

Voyageurs, rte Bordeaux ☎ 69.02.29 – . ch BYZ **a**
R *(fermé dim.)* (dîner seul.) 30/40 – 10 – **11 ch** 41/80.

AUDI-VOLKSWAGEN Simonin, 3 r. St-Gilles ☎ 69.09.32
CITROEN Béarn-Auto, rte Bayonne ☎ 69.08.45
FIAT Gar. Molia, 26 av. du 8 mai ☎ 69.03.36
PEUGEOT Orthézienne-Automobiles, rte Bayonne ☎ 69.08.22
RENAULT SO.GA.MO., av. du Pont-Neuf ☎ 69.14.28
TALBOT Ducasse, 69 r. St-Gilles ☎ 69.16.34
Béarn-Pneus, rte de Pau, N 117 à Castétis ☎ 69.06.15

OSNY 95 Val-d'Oise 55 ⑲, 96 ⑤ – rattaché à Pontoise.

OSQUICH (Col d') 64 Pyr.-Atl. 85 ④ **G. Pyrénées** – alt. 507 – 59.

Voir ★.

Paris 786 – Mauléon-Licharre 14 – Oloron-Ste-Marie 44 – Pau 77 – St-Jean-Pied-de-Port 26.

Col d'Osquich, ✉ **64130 Mauléon** ☎ **37.81.23,** ← – wc Ⓟ.
1er juil.-11 nov. et week-ends de Pâques au 1er juil. – SC : **R** 28/80 – 9 – **17 ch** 40/80 – P 75/80.

OSSÈS 64780 Pyr.-Atl. 85 ③ – 731 h. alt. 120 – 59.

Paris 784 – Cambo-les-Bains 23 – Pau 117 – St-Étienne-de-Baïgorry 11 – St-Jean-Pied-de-Port 14.

Mendi Alde, ☎ **37.13.80** – wc Ⓟ. AE
fermé nov. et lundi – SC : **R** 35/60 – 9 – **17 ch** 48/60 – P 82/105.

OTTROTT 67 B.-Rhin 62 ⑨ – rattaché à Obernai.

OUCHAMPS 41 L.-et-Ch. 64 ⑰ – 418 h. alt. 92 – ✉ **41120** Les Montils – ☎ 54.

Voir Château de Fougères-sur-Bièvre* NO : 5 km, **G. Châteaux de la Loire.**

Paris 196 – Blois 15 – Montrichard 17 – Romorantin-Lanthenay 38 – ♦Tours 53.

Relais des Landes M, ☎ 44.03.33, Télex 751454, ←, parc – ♿ P – 40. AE E
12 avril-15 nov. – SC : **R** (dîner seul. sauf dim.) 100/130 – ☕ 20 – 18 ch 170/291.

OUCQUES **41290** L.-et-Ch. 64 ⑦ – 1 478 h. alt. 118 – ☎ 54.

Paris 161 – Beaugency 28 – Blois 27 – Châteaudun 30 – ♦Orléans 53 – Vendôme 20.

XX **Commerce** avec ch, ☎ 23.20.41 –
fermé 20 déc. au 27 janv., dim. soir et lundi – SC : **R** 40/130 – ☕ 11 – 7 ch 55/120.

CITROEN Aubry, ☎ 23.20.40
PEUGEOT Sire, ☎ 23.20.35
RENAULT Péan, ☎ 23.20.25 N

OUESSANT (Ile d') ** **29242** Finistère 58 ② **G. Bretagne** – 1 450 h. alt. 30 – ☎ 98.

Voir Rochers*** – Phare du Stiff ** .

Accès par transports maritimes.

(voitures, sur demande préalable, en été séjour minimun d'un mois pour le passage) - depuis **Brest** (1er éperon du port de commerce) avec escales au Conquet et à Molène En 1980 : service quotidien sauf mardi hors saison - Traversée 2 h – Voyageurs : 50 F (AR), autos : aller 228 à 466 F. Renseignements : Service Maritime Départemental ☎ 80.24.68.

depuis **Camaret.** En 1980 : du 15 juil. à fin août, 1 service quotidien - Traversée 2 h – 60 F (AR). Renseignements : Service Maritime Départemental ☎ 80.24.68 (Brest).

OUHANS 25 Doubs 70 ⑥ – 264 h. alt. 640 – ✉ **25520** Goux-les-Usiers – ☎ 81.

Paris 450 – ♦Besançon 48 – Pontarlier 18 – Salins-les-Bains 40.

Sources de la Loue, ☎ 38.20.19
fermé oct. – SC : **R** 22/70 – ☕ 10 – **15 ch** 26/60 – P 75/85.

OUISTREHAM **14150** Calvados 55 ② **G. Normandie** (plan) – 6 143 h. – Casino (Riva Bella) – ☎ 31.

Voir Église* d'Ouistreham.

Office de Tourisme Jardins du Casino (1er juin-15 sept.) ☎ 97.18.63.

Paris 251 – Arromanches-les-Bains 31 – Bayeux 35 – Cabourg 19 – ♦Caen 14.

au Port d'Ouistreham :

Univers et rest. La Broche d'Argent, ☎ 97.15.24 – wc ☎ P AE GB
fermé 15 au 30 janv. – SC : **R** *(fermé lundi sauf juil. et août)* 40/105 – ☕ 10 – **18 ch** 80/120 – P 120/140.

X **Normandie** avec ch, ☎ 97.19.57 – P. rest
fermé 15 au 30 oct., 15 au 28 fév., mardi soir et merc. – SC : **R** 28/120 – ☕ 8,50 – **14 ch** 45 – P 120/140.

à Riva-Bella :

Chalet sans rest, 74 av. Mer ☎ 97.13.06 – wc P. AE
fermé dim. soir en hiver – SC : ☕ 10,50 – **25 ch** 45/125.

St-Georges, av. Andry ☎ 97.18.79, ←, – wc ☎ P. AE GB
SC : **R** 65/130 – ☕ 10 – 25 ch 51/135 – P 125/175.

XX **Bellevue** avec ch, pl. A.-Thomas ☎ 97.17.43 – wc. AE GB
fermé janv., dim. soir et lundi du 30 sept. au 15 fév. – SC : **R** 32/120 – ☕ 9,50 – 17 ch 35/110 – P 127/159.

OURSINIÈRES 83 Var 84 ⑮ – rattaché au Pradet.

OUSSE 64 Pyr.-Atl. 85 ⑦ – rattaché à Pau.

OUSSON-SUR-LOIRE **45710** Loiret 65 ② – 519 h. alt. 158 – ☎ 38.

Paris 164 – Bléneau 27 – Briare 7,5 – Gien 18 – Montargis 50 – ♦Orléans 82.

X **La Chaumière** avec ch, pl. Eglise ☎ 31.45.66, –
fermé fév. et merc. – SC : **R** 44/66 – ☕ 9 – 7 ch 54/58.

OUSSOY-EN-GATINAIS 45 Loiret 65 ② – rattaché à Montargis.

OUST 09 Ariège 86 ③ – 603 h. alt. 501 – ✉ **09140** Seix – ✆ 61.

Paris 872 – Ax-les-Thermes 76 – Foix 61 – Massat 20 – St-Girons 18.

Poste (Andrieu) ≫, ☎ 66.86.33, « Bel aménagement intérieur », – wc ⓟ. AE
15 mars-1er nov. – SC : **R** (juil., août, fêtes et dim. - prévenir) 45/140 – ☕ 18 – **24 ch** 70/135, 6 appartements 180 – P 135/210
Spéc. Mousse de truite aux écrevisses, Gâteau de foie gras au Porto, Magret à l'orange. **Vins** Fronton, Jurançon.

RENAULT Gar. de France, ☎ 66.82.88

OUZOUER-LE-MARCHÉ **41240** L.-et-Ch. 64 ⑧ – 1 371 h. alt. 131 – ✆ 54.

Paris 150 – Blois 44 – Châteaudun 27 – Étampes 90 – ♦Orléans 32 – St-Calais 61 – Vendôme 41.

Commerce avec ch, ☎ 82.40.17 – ⓟ.
fermé 20 déc. au 4 janv., 8 au 15 sept., dim. soir et merc. – SC : **R** 34/54 – ☕ 8 – 7 ch 35/45.

OYE-ET-PALLET **25** Doubs 70 ⑥ – 340 h. alt. 870 – ✉ **25160** Malbuisson – ✆ 81.

Paris 460 – ♦Besançon 65 – Champagnole 47 – Morez 63 – Pontarlier 6,5.

Riant Séjour, ☎ 89.42.03, ←, parc – wc wc ⓟ.
fermé 22 mars au 10 avril, 5 janv. au 7 fév., dim. soir et lundi sauf du 15 juin au 15 sept. – SC : **R** 45/130 – ☕ 14 – 18 ch 85/120 – P 125/150.

OYONNAX **01100** Ain 70 ⑭ **G. Jura** – 22 760 h. alt. 540 – ✆ 74.

i Syndicat d'Initiative 83 r. Anatole-France ☎ 77.20.86.

Paris 475 ④ – Bellegarde-sur-V. 30 ② – Bourg-en-B. 49 ④ – Lons-le-Saunier 63 ① – Nantua 16 ③.

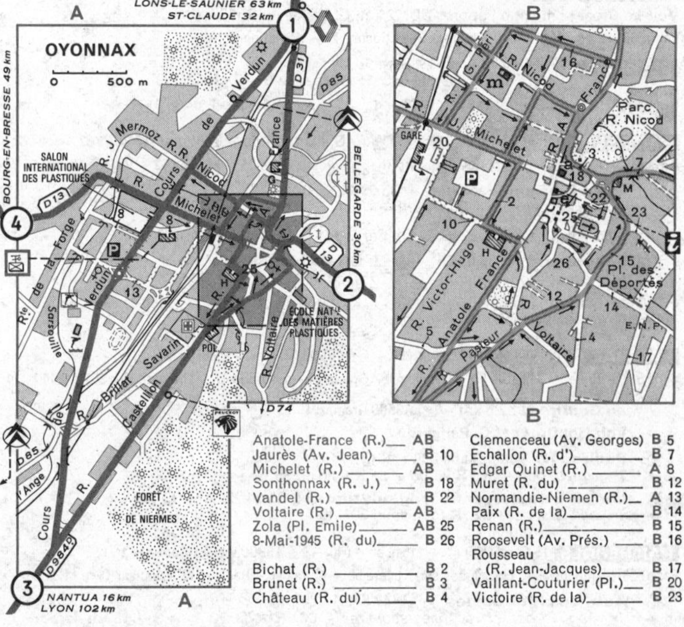

Anatole-France (R.)	AB	
Jaurès (Av. Jean)	B	10
Michelet (R.)	AB	
Sonthonnax (R. J.)	B	18
Vandel (R.)	B	22
Voltaire (R.)	AB	
Zola (Pl. Emile)	AB	25
8-Mai-1945 (R. du)	B	26
Bichat (R.)	B	2
Brunet (R.)	B	3
Château (R. du)	B	4
Clemenceau (Av. Georges)	B	5
Echallon (R. d')	B	7
Edgar Quinet (R.)	A	8
Muret (R. du)	B	12
Normandie-Niemen (R.)	A	13
Paix (R. de la)	B	14
Renan (R.)	B	15
Roosevelt (Av. Prés.)	B	16
Rousseau (R. Jean-Jacques)	B	17
Vaillant-Couturier (Pl.)	B	20
Victoire (R. de la)	B	23

Gdes Roches M ≫ sans rest, rte de Bourg par ④ ☎ 77.27.60, ←, – wc wc ⓟ. AE GB ⓓ
SC : ☕ 15 – **39 ch** 85/210.

Buffard, pl. Eglise ☎ 77.86.01 – wc . B e
SC : **R** *(fermé 14 juil. au 14 août, vend. et sam.)* 40/70 – ☕ 12 – **28 ch** 48/180.

Nouvel H, sans rest, 31 r. Nicod ☎ 77.28.11 – wc wc ⓟ.
SC : ☕ 10 – **37 ch** 41/100. B m

Paris, 79 r. A.-France ☎ 77.01.50 B a
fermé 1er au 28 août, Noël, 1er au 8 mars et dim. – SC : **R** (déj. seul.) 45/125.

Châtelet, 29 r. Nicod ☎ 77.05.34 B m
fermé 25 juin au 10 juil. et dim. sauf juil. et août – SC : **R** 40/70.

au Lac Genin par ② et D 13 : 10 km – ✉ **01130** Nantua.

Voir Site★ du lac★.

✕ **Auberge du Lac** ⛰ avec ch, ☎ **76.08.30,** ≤, – Ⓟ. ✂
fermé 15 oct. au 1er déc., sam. soir (sauf hôtel) et lundi – SC : **R** 33/40 ♨ – ☕ 9 – **5 ch** 44 – P 80/83.

CITROEN Moderne Gar., 6 cours de Verdun ☎ 77.31.22 🅽 ☎ 77.29.27
CITROEN Gar. Vailloud, à Bellignat ☎ 77.24.30
PEUGEOT Juillard, 53 r. Castellion ☎ 77.26.96
RENAULT Blanc, rte de St-Claude, zone Ind. Nord ☎ 77.46.42 🅽 ☎ 76.07.33
Gar. Béreiziat-Capelli, 178 r. A.-France ☎ 77.18.86
Gar. Humbert, 15 rte de Marchon ☎ 77.03.97
Ⓟ Compt. Départemental du Pneu, 53 r. B.-Savarin ☎ 77.01.95
Euro-Pneus 46 r. G.-Péri ☎ 77.31.30

OZOIR-LA-FERRIÈRE 77330 S.-et-M. 61 ②, 101 ㉚ – 11 789 h. alt. 112 – ⊙ 6.

18 9 ☎ 028.20.79, O : 2 km.

Paris 27 – Coulommiers 41 – Lagny-sur-M. 21 – Melun 27 – Sézanne 84.

✕✕ **Le Relais d'Ozoir,** 73 av. Gén.-de-Gaulle ☎ **028.20.33** – GB
fermé merc. – SC : **R** 54 bc/108.

✕✕ **Aub. du Parc,** av. Gén.-de-Gaulle ☎ **028.20.19**
fermé 4 au 29 août, 10 au 27 fév., lundi soir, mardi soir et merc. – SC : **R** carte 80 à 125.

PEUGEOT Couffignal, 38 av. Gén.-de-Gaulle ☎ 028.20.77

La PACAUDIÈRE 42310 Loire 73 ⑦ – 1 279 h. alt. 368 – ⊙ 77.

Voir Le Crozet : maison Papon★ SO : 2 km, **G. Vallée du Rhône.**

Paris 367 – Chauffailles 49 – Lapalisse 24 – Roanne 24 – ♦St-Étienne 102.

🏠 **du Lys,** ☎ **64.35.20** – ⛲ ☎ 🚗. ✂ ch
fermé 1er au 15 oct. et merc. – SC : **R** 35/95 – ☕ 9 – **7 ch** 47/129.

RENAULT Gar. du Centre, ☎ 64.30.11 🅽
Gar. Bouffetier, ☎ 64.38.31

PACY-SUR-EURE 27120 Eure 55 ⑰, 96 ① G. Normandie – 3 554 h. alt. 45 – ⊙ 32.

Paris 84 – Dreux 39 – Évreux 18 – Louviers 31 – Mantes-la-Jolie 26 – ♦Rouen 62 – Vernon 13.

✕✕ **Mère Corbeau,** face gare ☎ **36.00.41** – Ⓟ
fermé fév. et merc. – SC : **R** 38/54.

à St-Aquilin-de-Pacy O : 2 km par D 141 – ✉ **27120** Pacy-sur-Eure :

✕✕ **Beauregard,** ☎ **36.09.95** – Ⓟ. AE GB ⓓ
fermé lundi soir et mardi – SC : **R** 75/120.

CITROEN Bouquet, St-Aquilin ☎ 36.10.10
PEUGEOT Cl.-Aleth, ☎ 36.10.44
RENAULT Aleth Ch., ☎ 36.01.53

PADIRAC 46 Lot 75 ⑲ – 162 h. alt. 360 – ✉ 46500 Gramat – ⊙ 65.

Paris 548 – Brive-la-Gaillarde 60 – Cahors 69 – Figeac 44 – Gourdon 47 – Gramat 13 – St-Céré 14.

au Gouffre N : 2,5 km – ✉ **46500** Gramat.

Voir Gouffre★★★, **G. Périgord.**

🏠 **Padirac H.** ⛰, ☎ **33.64.23** – ⛲ Ⓟ. ✂ ch
1er avril-15 oct. – SC : **R** 26/95 – ☕ 9 – 26 ch 38/59.

✕✕ **La Table du Berger et Troglodytique,** ☎ **33.64.72,** ≤ – Ⓟ. AE
1er juil.-15 sept. – SC : **R** (déj. seul) 30/140.

PAILHEROLS 15 Cantal 76 ⑬ – 213 h. alt. 1 040 – ✉ 15800 Vic-sur-Cère – ⊙ 71.

Paris 538 – Aurillac 35 – Entraygues-sur-Truyère 50 – Murat 44 – Raulhac 12 – Vic-sur-Cère 14.

🏠 **Aub. des Montagnes** ⛰, ☎ **47.57.01** – ⛲ Ⓟ. ✂ ch
1er mars-1er oct. et vacances scolaires – SC : **R** 30/50 ♨ – ☕ 9 – **15 ch** 45/60 – P 75/85.

Besonders angenehme Hotels oder Restaurants sind im Führer rot gekennzeichnet.

Sie können uns helfen, wenn Sie uns Häuser angeben, wo es sich nach Ihrer Erfahrung gut leben läßt.

Jährlich erscheint eine neue, verbesserte Ausgabe aller Roten Michelin-Führer.

🏠🏠🏠🏠🏠 ... 🏠

✕✕✕✕✕ ... ✕

PAIMPOL 22500 C.-du-N. **59** ② **G. Bretagne** – 8 498 h. alt. 12 – ✆ 96.

Voir Tour de Kerroc'h ≤* **3 km par ① puis 15 mn.**

ℹ Syndicat d'Initiative pl. République (Pâques 1er juin-15 sept., fermé dim. sauf le matin en juil., août et lundi) ☎ 20.83.16.

Paris 495 ② – Guingamp 28 ④ – Lannion 33 ⑤ – St-Brieuc 45 ②.

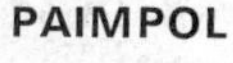

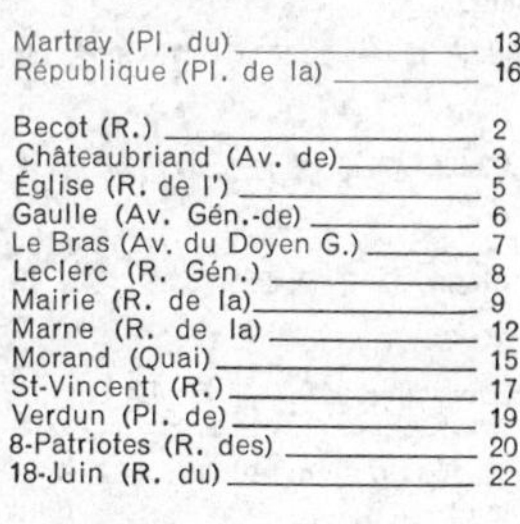

Martray (Pl. du) 13
République (Pl. de la) 16
Becot (R.) 2
Châteaubriand (Av. de) 3
Église (R. de l') 5
Gaulle (Av. Gén.-de) 6
Le Bras (Av. du Doyen G.) 7
Leclerc (R. Gén.) 8
Mairie (R. de la) 9
Marne (R. de la) 12
Morand (Quai) 15
St-Vincent (R.) 17
Verdun (Pl. de) 19
8-Patriotes (R. des) 20
18-Juin (R. du) 22

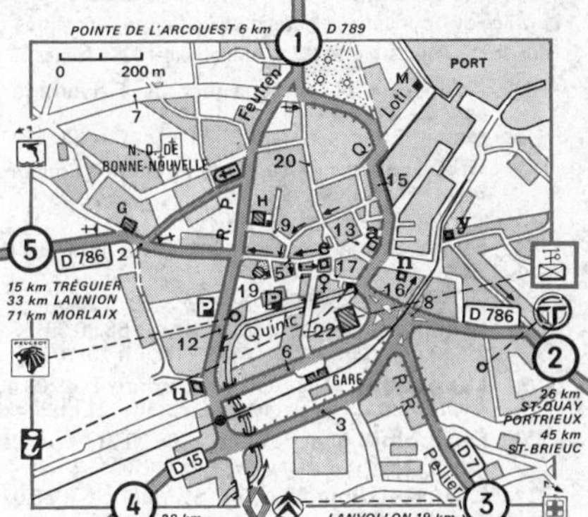

Pour un bon usage des plans de villes, voir les signes conventionnels p. 20.

Goélo Ⓜ sans rest, au Port **(n)** ☎ 20.82.74, ≤ – wc. SC : ☕ 11 – **32 ch** 38/90.

Chalutiers sans rest, quai Morand **(a)** ☎ 20.82.15, ≤ – wc **21 ch**.

Marne, r. Marne **(u)** ☎ 20.82.16 – wc Ⓟ *fermé nov. et lundi* – SC : **R** 45/100 – ☕ 11 – 16 ch 60/120 – P 125/140.

Vieille Tour, 13 r. Église **(e)** ☎ 20.83.18 – AE *fermé oct. et merc.* – SC : **R** 48/95.

La Cotriade, quai A. Dayot **(y)** ☎ 20.81.08, ≤ – GB *1er mars-1er déc. et fermé merc. sauf juil. et août* – SC : **R** 32/65.

à Lézardrieux par ⑤ : 5 km – ✉ **22740** Lézardrieux :

❀ **Relais Brenner**, au Pont ☎ 20.11.05, ≤, « parc fleuri sur le Trieux » – wc ☎ Ⓟ. AE GB . rest SC : **R** *(de nov. au 1er fév. : déjeuner prévenir)* 105/220 – ☕ 25 – 30 ch 150/330 – P 280/460

Spéc. Soupe de poissons paimpolaise, Moules grillées, Homard grillé sauce Relais.

du Trieux, ☎ 20.10.70 *fermé 1er au 8 sept., nov. et lundi hors sais.* – SC : **R** 45/120.

à Pors-Even par ① : 5 km – ✉ **22620** Ploubazlanec :

Bocher, ☎ 20.92.10, – wc Ⓟ. *1er avril-4 nov.* – SC : **R** 35/110 – ☕ 11 – **16 ch** 50/100 – P 135/165.

Aile Blanche sans rest, ☎ 20.92.10 – Ⓟ. *juin-août* – SC : ☕ 10,50 – **7 ch** 71/79.

à la Pointe de l'Arcouest par ① : 6 km – ✉ **22620** Ploubazlanec.

Voir ≤**.

Le Barbu Ⓜ, ☎ 20.92.15, ≤ Ile de Bréhat, « Jardin avec piscine » – wc wc Ⓟ – 30. GB E SC : **R** 65/220 – ☕ 15 – 22 ch 120/200.

CITROEN Gar. Landais, rte de Lanvollon ☎ 20.88.43
PEUGEOT Lasbleiz, r. de la Marne ☎ 20.80.42
RENAULT Poidevin, rte Lanvollon ☎ 20.73.15
TALBOT Le Thomas, 2 r. de Run Baelan ☎ 20.74.94
Gar. Chapalain, Quai Duguay-Trouin ☎ 20.80.55 N ☎ 22.02.19

PAIMPONT 35 I.-et-V. **63** ⑤ **G. Bretagne** – 1 559 h. alt. 155 – ✉ **35380** Plélan le Grand – ✆ 99 – **Voir Forêt de Paimpont*.**

Paris 389 – Dinan 54 – Ploërmel 22 – Redon 48 – •Rennes 40.

Relais de Brocéliande, ☎ 06.80.03, – wc Ⓟ. rest *fermé 15 au 30 nov., 1er au 15 fév. et lundi* – SC : **R** 38/80 – ☕ 9,50 – 16 ch 45/113 – P 90/120.

PAIRIS 68 H.-Rhin **62** ⑱ – rattaché à Orbey.

Le PALAIS 56 Morbihan 63 ⑪ – rattaché à Belle-Ile.

PALAISEAU 91120 Essonne 60 ⑩, 101 ㉞ – voir à Paris, Proche Banlieue.

PALAVAS-LES-FLOTS 34250 Hérault 83 ⑦⑰ **G. Causses** – 3 633 h. – Casino – 67.

Voir Ancienne cathédrale★ de Maguelone SO : 4 km.

Office du Tourisme à l'Hôtel de Ville (fermé sam. après-midi et dim. hors sais.) ✆ 68.02.34.

Paris 768 – Aigues-Mortes 27 – ♦Montpellier 12 – Nîmes 59 – Sète 28.

Amérique H. M sans rest, av. F.-Fabrège ✆ 68.04.39 – wc wc P. AE GB
fermé 21 déc. au 3 janv. – SC : 10 – **33 ch** 110/160.

Hippocampe M sans rest, quai Bordigue ✆ 68.03.92, – wc wc . AE GB
1er mars-30 nov. – SC : 14 – **17 ch** 195.

Mar Y Sol M sans rest, bd Joffre ✆ 68.00.46, ≤ plage, – wc . AE
SC : 11,50 – **20 ch** 130/165.

Brasilia sans rest, 9 bd Joffre ✆ 68.00.68, ≤ – wc wc . AE
1er avril-fin oct. – SC : 11 – **22 ch** 75/150.

Languedoc sans rest, 4 r. Carrière ✆ 68.03.45 – wc wc . GB.
fermé 15 déc. au 9 fév. – SC : 9 – **21 ch** 54/90.

XXX **Le Sphinx,** quai P.-Cunq ✆ 68.00.21, ≤ – AE GB
fermé 30 nov. au 15 janv. – **R** carte 90 à 125.

XX **L'Oustal de la Mar,** av. St-Maurice ✆ 68.02.93 – AE GB
fermé fin déc., janv. et merc. – SC : **R** 50/77.

La PALLICE 17 Char.-Mar. 71 ⑫ – rattaché à la Rochelle.

PALLUAU 85670 Vendée 67 ⑬ – 574 h. alt. 47 – 51.

Paris 419 – Challans 21 – Cholet 71 – ♦Nantes 50 – La Roche-sur-Yon 23 – Les Sables d'Olonne 41.

Louis Philippe, ✆ 98.51.11
SC : **R** 26/60 – 9 – 9 ch 40/55 – P 80/90.

TALBOT Gar. Gouraud, ✆ 98.50.03

La PALMYRE 17 Char.-Mar. 71 ⑮ **G. Côte de l'Atlantique** – ✉ **17570** Les Mathes – 46.

Voir ≤★ du phare de la Coubre★ NO : 5 km – N : Forêt de la Coubre★.

Paris 513 – Marennes 21 – La Rochelle 85 – Royan 15.

XX **La Barbaque,** ✆ 22.40.20, ≤, – P
Pâques, 15 juin-1er sept., week-ends et fêtes hors sais. – SC : **R** 45/75 .

PALUDEN 29 Finistère 58 ④ – rattaché à Lannilis.

PAMFOU 77 S.-et-M. 61 ②, 96 ㊵ – rattaché à Valence-en-Brie.

PAMIERS SP **09100** Ariège 86 ④⑤ – 15 159 h. alt. 278 – 61.

Syndicat d'Initiative pl. du Mercadal (1er mai-30 sept., fermé dim. et lundi) ✆ 67.04.22.

Paris 770 ① – Auch 125 ① – Carcassonne 70 ② – Castres 96 ① – Foix 19 ② – ♦Toulouse 64 ①.

Plan page ci-contre

France, 13 r. Hospice ✆ 67.00.88 – wc wc P — ABZ **e**
SC : **R** *(fermé dim. soir du 1er oct. au 1er avril)* 35/110 – 9 – 25 ch 50/135 – P 90/120.

Parc, 12 r. Piconnières ✆ 67.02.58 – wc wc . AE GB E — BZ **n**
fermé 15 au 30 nov. et 2 au 15 janv. – **R** *(fermé lundi)* 36/100 – 11 – **12 ch**.

Paix, pl. A.-Tournier ✆ 67.12.71 – wc wc . . — BY **a**
fermé 15 oct. au 15 nov. et sam. hors sais. – SC : **R** 32/70 – 9,50 – 15 ch 50/130 – P 100/140.

par ② : 6 km sur N 20 – ✉ **09120** Varilhies :

XX **La Tourane** avec ch, ✆ 68.01.62, ≤, parc – wc P. AE GB E
SC : **R** 50/150 – 16,50 – 5 ch 180 – P 180.

ALFA-ROMEO Gar. Brillas, rte Mirepoix, la Tour-du-Crieu ✆ 67.13.31
CITROEN Grau et Lopez, Côtes de la Cavalerie ✆ 67.11.45
FIAT, LANCIA-AUTOBIANCHI Liarte et Ramos, av. Pyrénées à St-Jean-du-Falga ✆ 68.01.03
OPEL Gén.-Autom.-Appaméenne 5 rte de Foix ✆ 67.12.08
PEUGEOT Labail, rte Foix ✆ 67.05.05 et N 20 à St-Jean-du-Falga ✆ 68.01.00
RENAULT Pamiers-Autom., N 20 à St-Jean-du-Falga ✆ 68.01.41
TOYOTA Dumas, 48 Av. de Toulouse ✆ 67.12.57

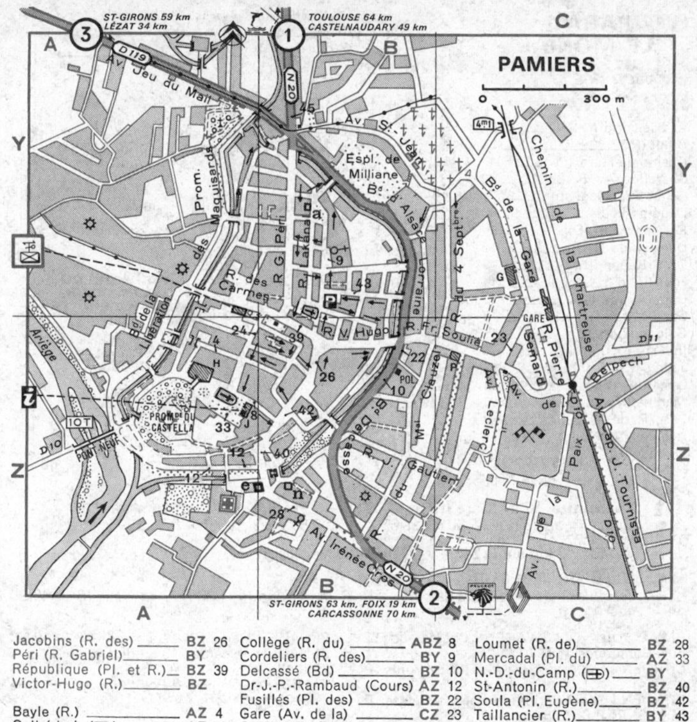

Jacobins (R. des) BZ 26	Collège (R. du) ABZ 8	Loumet (R. de) BZ 28
Péri (R. Gabriel) BY	Cordeliers (R. des) BY 9	Mercadal (Pl. du) AZ 33
République (Pl. et R.) BZ 39	Delcassé (Bd) BZ 10	N.-D.-du-Camp (⊞) BY
Victor-Hugo (R.) BZ	Dr-J.-P.-Rambaud (Cours) AZ 12	St-Antonin (R.) BZ 40
	Fusillés (Pl. des) BZ 22	Soula (Pl. Eugène) BZ 42
Bayle (R.) AZ 4	Gare (Av. de la) CZ 23	Taillancier (R.) BY 43
Cathédrale (⊞) AZ	Gaulle (R. Ch.-de) AZ 24	Toulouse (Av. de) BY 45

PANISSIÈRES 42360 Loire 73 ⑱ – 3 115 h. alt. 600 – 77.

Paris 489 – •Lyon 58 – Montbrison 40 – Roanne 52 – •St-Étienne 54 – Thiers 84.

Genest, ☎ 28.61.23 – Ⓟ
fermé oct. et sam. de nov. à mai – SC : **R** 28/65 – 8,50 – **10 ch** 40/70 – P 75/85.

CITROEN Gar. Central, ☎ 28.63.53
PEUGEOT Bailly, ☎ 28.64.31
RENAULT Péronnet, ☎ 28.65.01

PANNESSIÈRES 39 Jura 70 ④ – rattaché à Lons-le-Saunier.

PANTIN 93 Seine-St-Denis 56 ⑪, 101 ⑯ – voir à Paris, Proche banlieue.

PARAMÉ 35 I.-et-V. 59 ⑥ – rattaché à St-Malo.

PARAY-LE-MONIAL 71600 S.-et-L. 69 ⑰ **G. Bourgogne** – 12 128 h. alt. 245 – 85.

Voir Basilique du Sacré-Coeur★★ – Hôtel de Ville★ H – Tympan★ du musée du Hiéron M.

Office de Tourisme pl. Poste (fermé sam. hors saison et lundi sauf été) ☎ 81.10.92.

Paris 371 ⑤ – Autun 79 ⑤ – Mâcon 68 ② – Montceau-les-M. 35 ① – Roanne 53 ④.

Plan page suivante

Motel Grill Le Charollais Ⓜ, par ⑤ : 2 km sur N 79 ☎ 81.03.35, – wc Ⓟ. GB
– SC : **R** (Grill) 60 bc/90 bc – 11 – **20 ch** 130/185.

Trois Pigeons (annexe 15 ch), 2 r. Dargaud **(v)** ☎ 81.03.77 – wc wc GB
fermé 2 janv. au 8 fév. – SC : **R** 40/110 – 11 – 33 ch 40/120 – P 105/175.

Vendanges de Bourgogne, 5 r. Denis-Papin **(e)** ☎ 81.13.43 – wc wc Ⓟ – 100. GB. rest
fermé 8 fév. au 14 mars, dim. soir et lundi midi sauf juil., août et fériés – SC : **R** 40/125 – 11 – **14 ch** 60/110 – P 125/150.

PARAY-LE-MONIAL

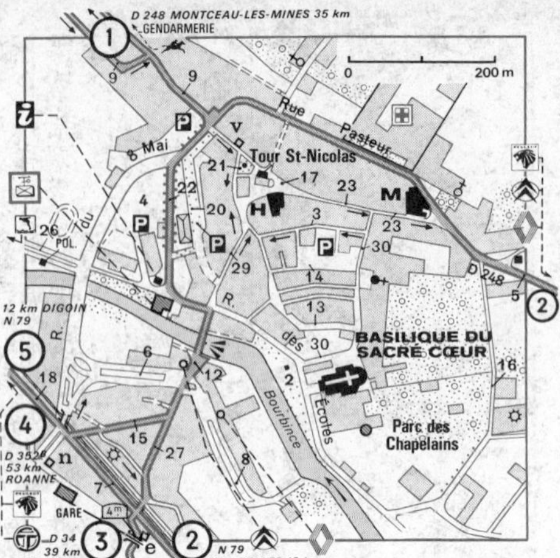

Terminus, 57 av. Gare **(n)** ☎ 81.08.80 – wc wc ☎ **P**. GB
fermé 1er au 15 nov. – SC : **R** 31/65 – 9,50 – 22 ch 36/80 – P 85/95.

à l'Est : **3 km sur D 248 – ✉ 71600** Paray-le-Monial :

Val d'Or, ☎ 81.05.07 – wc ☎ **P**.
fermé oct. et lundi hors saison – SC : **R** *(fermé lundi)* 32/70 – 12 – 15 ch 40/80 – P 90/110.

BMW, AUDI-VOLKSWAGEN Chamaraud, 52 quai Commerce ☎ 81.10.31 N
CITROEN Lauferon, 16 r. des Deux-Ponts ☎ 81.13.41
CITROEN Serieys Modern gar., la Beluze ☎ 81.09.31 N ☎ 81.11.54
PEUGEOT Gar. Guittat, la Beluze, rte de Charolles à Volesvres ☎ 81.14.53
PEUGEOT Henry, N 79, rte de Digoin à Vitry en Charollais ☎ 81.13.65
RENAULT Quelin, 24 av. Charolles ☎ 81.12.58
RENAULT Taillardat, 13 bd du Dauphin-Louis ☎ 81.13.74
TALBOT Gar. du Rond-Point, 17 quai Industrie ☎ 81.05.74

Meyer, 36 r. de la République ☎ 82.04.96

PARAY-VIEILLE-POSTE **91550** Essonne 61 ①, 101 ㊱ – voir à Paris, Proche banlieue.

PARCEY **39** Jura 70 ③ – 659 h. alt. 197 – ✉ **39100** Dole – 84.

Paris 373 – Dole 8,5 – Lons-le-Saunier 44 – Poligny 29 – Salins-les-Bains 37.

As de Pique avec ch, S : 1,5 km ☎ 71.00.76, – wc ☎ **P**. AE
fermé 22 au 25 nov., janv. et lundi d'oct. à avril – SC : **R** 58/130 – 9 – **15 ch** 54/100.

PARENT **63** P.-de-D. 73 ⑭⑮ – 647 h. alt. 420 – ✉ **63270** Vic-le-Comte – 73.

Voir Ste-Chapelle★ de Vic-le-Comte N : 2,5 km, **G. Auvergne.**

Paris 413 – Ambert 59 – ♦Clermont-Ferrand 28 – Issoire 14 – Thiers 45.

Mon Auberge, à Parent gare S : 2 km ☎ 96.62.06 – wc wc ☎
fermé 5 au 28 oct. et lundi sauf été – SC : **R** 35/120 – 11 – **7 ch** 48/110 – P 110/150.

PARENTIGNAT **63** P.-de-D. 73 ⑮ – rattaché à Issoire.

PARENTIS-EN-BORN **40160** Landes 78 ③ **G. Côte de l'Atlantique** – 4 262 h. alt. 32 – 58.

Syndicat d'Initiative pl. des Marronniers (fermé matin et lundi) ☎ 78.43.60.

Paris 639 – Arcachon 41 – Belin 37 – Mimizan 24 – Mont-de-Marsan 78.

Cousseau, r. St-Barthélemy ☎ 78.42.46 – **P**
fermé oct. et dim. soir – SC : **R** 30/120 – 9 – 10 ch 56/70 – P 85/87.

Poste, ☎ 78.40.23 –
fermé 15 sept. au 15 oct. et sam. hors sais. – SC : **R** 30/80.

CITROEN Gar. Dumartin, ☎ 78.43.00 N ☎ 78.40.40

PARMAIN **95** Val-d'Oise 55 ⑳, 96 ⑥ – rattaché à L'Isle-Adam.

PARIS
et sa banlieue

PARIS P **75** Plans : **10**, **11** et **12** **G. Paris – 2 317 227 h. – Région d'Ile-de-France 9 878 500 h.**

Aérogares urbaines (Terminal) : esplanade des Invalides (7e) ☎ 550.32.30 et Palais des Congrès Porte Maillot ☎ 758.20.05.

Aéroports : voir au Bourget, à Orly et à Roissy-en-France, rubrique Proche banlieue.

Trains Autos : Renseignements ☎ 261.50.50 – Gare de Lyon ☎ 345.92.22 – Gare de l'Est ☎ 208.49.90 — Gare d'Austerlitz ☎ 584.16.16 — Gare Montparnasse ☎ 538.52.29.

Distances : A chacune des localités du Guide est donnée la distance du centre de l'agglomération à Paris (Notre-Dame) calculée par la route la plus pratique.

Paris et ses environs ont toujours offert aux visiteurs une grande variété d'hôtels et de restaurants, depuis les plus célèbres de renommée mondiale, jusqu'aux plus modestes. Nous ne prétendons pas les signaler tous, mais nos sélections indiquent des établissements dans toutes les catégories. Toutes précisions sont données sur le confort, les prix, la qualité de la table, les spécialités, le genre ou l'agrément.
Nous espérons ainsi vous aider dans votre choix et nous vous souhaitons un agréable séjour dans la capitale française.

sommaire

RENSEIGNEMENTS PRATIQUES

BUREAUX DE CHANGE

De 6 h 30 à 23 h 30 **à l'aéroport d'Orly.**
De 6 h à 23 h 30 **à l'aéroport Charles de Gaulle.**

DÉPANNAGE AUTOMOBILE

Il existe, à Paris et dans la Région Parisienne, des ateliers et des services permanents de dépannage.

Les postes de Police vous indiqueront le dépanneur le plus proche de l'endroit où vous vous trouvez (G.A.R.D. : groupement d'assistance routière et de dépannage) 362, rue des Pyrénées (20e).

MICHELIN à Paris et en banlieue

Services généraux :
46 av. Breteuil ☎ (1) 539.25.00 – 75341 PARIS CEDEX 07 – Télex MICHLIN 270789 F
Ouverts du lundi au vendredi de 8 h 45 à 16 h 30 (16 h le vendredi).

Agences régionales :
Ouvertes du lundi au vendredi de 8 h à 12 h 15 et de 14 h à 18 h (17 h 45 le vendredi).

Arcueil : 24 bis r. Berthollet ☎ (1) 735.13.20 – BP 19 – 94110 ARCUEIL.

Aubervilliers : 34 r. des Gardinoux ☎ (1) 833.07.58 – BP 79 – 93302 AUBERVILLIERS CEDEX.

Montreuil : 3 r. François-Debergue ☎ (1) 287.35.80 – BP 206 – 93103 MONTREUIL SOUS BOIS CEDEX.

Nanterre : 13, 15, 17 r. des Fondrières ☎ (1) 721.67.21 – BP 505 – 92005 NANTERRE CEDEX.

Agences :

Buc : 417 av. R.-Garros – Z.I. Centre – ☎ (3) 956.10.66 – 78530 BUC.

Maisons-Alfort : r. Charles-Martigny – Z.I. les Petites Haies – ☎ (1) 899.55.60 – BP 50 – 94702 MAISONS ALFORT CEDEX.

Entrepôts :

Gennevilliers : 121 av. du Vieux Chemin de St-Denis ☎ (1) 790.65.32 – 92230 GENNEVILLIERS.

OFFICES DE TOURISME

Paris

Syndicat d'Initiative et Accueil de France :
(de Pâques au 31 oct. tous les jours de 9 à 22 h, hors sais., de 9 h à 20 h), 127 av. des Champs-Élysées (8e) ☎ 723.61.72; Télex 611984 – Informations et réservations d'hôtels (pas plus de 5 jours à l'avance pour la province) – Change : U.B.P., 125 av. des Champs-Élysées.

Hôtesses de Paris :
Gare de l'Est ☎ 607.17.73; Gare de Lyon ☎ 343.33.24; Gare du Nord ☎ 526.94.82. Aérogare des Invalides ☎ 705.82.81 ; Gare d'Austerlitz ☎ 584.91.70.

France et Province

Les offices ci-dessous sont fermés le dimanche, nous précisons seulement les autres fermetures. S = Samedi, SA = Samedi Après-midi, L = Lundi.

France				fermé
Aéro-Club de France	6 r. Galilée	16e	720.93.02	S
Air France	119 av. Champs-Élysées	8e	720.70.50	
Air France	2 r. Scribe	9e	266.90.20	
Air France	Esplanade des Invalides	7e	550.32.20	
Air France	2 pl. Porte-Maillot	17e	758.20.05	
Air France	30 r. Fg-Poissonnière	10e	824.46.00	SA
Air France	23 bd Vaugirard	15e	273.41.41	
Air France	62 r. Mr-le-Prince	6e	325.73.95	
Air France	4 bis pl. Mar. Juin	17e	754.75.93	
Air Inter	1 av. Mar.-Devaux 91550 Paray-Vieille-Poste		687.12.12	
Air Inter	12 r. Castiglione	1er	261.82.84	
Association Française des Automobilistes	61 et 67 r. Haxo	20e	362.00.31	S
Association des Stations Française des Sports d'Hiver	61 bd Haussmann	8e	742.23.32	S
Automobile-Club de France	6 pl. Concorde	8e	265.34.70	S
Automobile-Club de l'Ile-de-F.	8 pl. Concorde	8e	266.43.00	S
Club Alpin Français	9 r. La Boétie	8e	742.38.46	SA et L
F. F. de Camping et Caravaning	78 r. Rivoli	4e	272.84.08	S

Inter-Service-Route			858.33.33	
Cie Française du Thermalisme	32 av. Opéra	2e	742.67.91	SA*
Touring-Club de France	6. r. F.-Gillot	16e	502.14.00	
Tourisme S.N.C.F.	127 av. Champs-Élysées	8e	723.54.02	
Tourisme S.N.C.F.	16 bd Capucines	9e	742.00.26	
Tourisme Vert	35 r. Gaudot de Mauroy	9e	742.25.43	S
Union Nle des Associations de Tourisme et de Plein Air	8 r. C.-Franck	15e	783.21.73	S

* (du 1/5 au 31/12)

Province — Maison de :

Alpes-Dauphiné	2 pl. André-Malraux	1er	296.08.43 - 296.08.56	SA
Alsace	39 av. Champs-Élysées	8e	256.15.94	
Auvergne	53 av. F.-Roosevelt	8e	225.17.57 - 225.37.99	
Bretagne	17 r. Arrivée	15e	538.73.15	
Corse	17 r. Joubert	9e	878.97.91	
Drôme	14 bd Haussmann	9e	246.66.67	
Gers et de l'Armagnac	16 bd Haussmann	9e	770.39.61	
Hautes-Alpes et de l'Ubaye	4 av. Opéra	1er	296.05.08 - 296.01.88	
Limousin	18 bd Haussmann	9e	770.32.63 - 246.60.76	S
Lot-et-Garonne	15-17 Passage Choiseul	2e	297.51.43	S
Principauté de Monaco	6 pl. Madeleine	8e	260.32.46	S
Nord et Pas-de-Calais	18 bd Haussmann	9e	770.59.62	SA
Normandie	342-344 r. St-Honoré	1er	260.68.67	S*
Périgord	30 r. Louis-le-Grand	2e	742.09.15	S
Poitou-Charente	4 av. Opéra	1er	296.05.08	
Pyrénées	24 r. Quatre-Septembre	2e	742.21.34	SA
Rouergue (Aveyron)	3 r. Chaussée-d'Antin	9e	246.94.03	SM
Savoie	16 bd Haussmann	9e	246.59.26 - 770.76.84	

* sauf matin en saison

Étranger

AFRIQUE	226 r. Rivoli	1er	260.35.08	S
AFRIQUE DU SUD	9 bd Madeleine	1er	261.82.30	S
ALLEMAGNE	4 pl. Opéra	2e	742.04.38	S
AUTRICHE	47 av. Opéra	2e	742.78.57	S
BELGIQUE	21 bd Capucines	2e	742.41.18	SA
BULGARIE	45 av. Opéra	2e	261.69.58	S
CANADA	37 av. Montaigne	8e	723.50.15	S
CHYPRE	50 av. Champs-Élysées	8e	225.25.97	S
COLOMBIE	25 r. Artois	8e	563.57.51	S
COREE	33 av. du Maine	15e	538.71.23	S
DANEMARK	142 av. Champs-Élysées	8e	562.17.02	S*
EGYPTE	90 av. Champs-Élysées	8e	562.94.42	S
ESPAGNE	43 ter av. P.-Ier-de-Serbie	8e	720.90.54	SA
FINLANDE	13 r. Auber	9e	742.65.52 - 266.40.13	S
GRANDE-BRETAGNE	6 pl. Vendôme	1er	296.47.60	S
GRANDE-BRETAGNE Royal Automobile Club	8 pl. Vendôme	1er	260.51.19	SA
GRÈCE	3 av. Opéra	1er	260.65.34 - 260.65.75	S
HAITI	64 r. La Boétie	8e	563.66.97	S
HONGRIE	27 r. Quatre-Septembre	2e	742.50.25	S
INDE	8 bd Madeleine	9er	265.83.86	S
IRLANDE	9 bd Madeleine	1er	261.84.26	SA
ISRAEL	14 r. Paix	2e	261.01.97 - 261.03.67	S
ITALIE	CIT 3 bd Capucines	2e	266.00.90	SA
ITALIE	ENIT 23 r. Paix	2e	266.66.68	S
JAPON	4 r. Ste Anne	1er	296.07.94 - 296.20.29	S
JERSEY	19 bd Malesherbes	8e	742.93.68	S
KENYA	5 r. Volney	2e	260.66.88	S
LIBAN	124 fg St-Honoré	8e	359.10.36 - 562.34.73	S
LUXEMBOURG	21 bd des Capucines	2e	742.90.56	S
MAROC	161 r. St-Honoré	1er	260.63.50 - 260.47.24	
MEXIQUE	34 av. George-V	8e	720.69.15 - 720.69.19	S
NORVÈGE	10 r. Auber	9e	742.24.12	S
PAYS-BAS	31 et 33 av. Champs-Élysées	8e	225.41.25 - 225.96.25	S
POLOGNE	49 av. Opéra	2e	742.07.42	S
PORTUGAL	7 r. Scribe	9e	742.59.81	S
ROUMANIE	38 av. Opéra	2e	742.25.42 - 742.27.14	SA
SUÈDE	11 r. Payenne	3e	278.67.06	matin et S
SUISSE	11 bis rue Scribe	9e	742.45.45	SA
TCHÉCOSLOVAQUIE	32 av. Opéra	2e	742.38.45	S
TUNISIE	32 av. Opéra	2e	742.72.67	SA
TURQUIE	102 av. Champs-Élysées	8e	562.78.68	S
U.R.S.S.	7 bd Capucines	2e	742.47.40	S
YOUGOSLAVIE	31 bd Italiens	2e	297.57.56	SA

* sauf matin en saison

ARRONDISSEMENTS QUARTIER

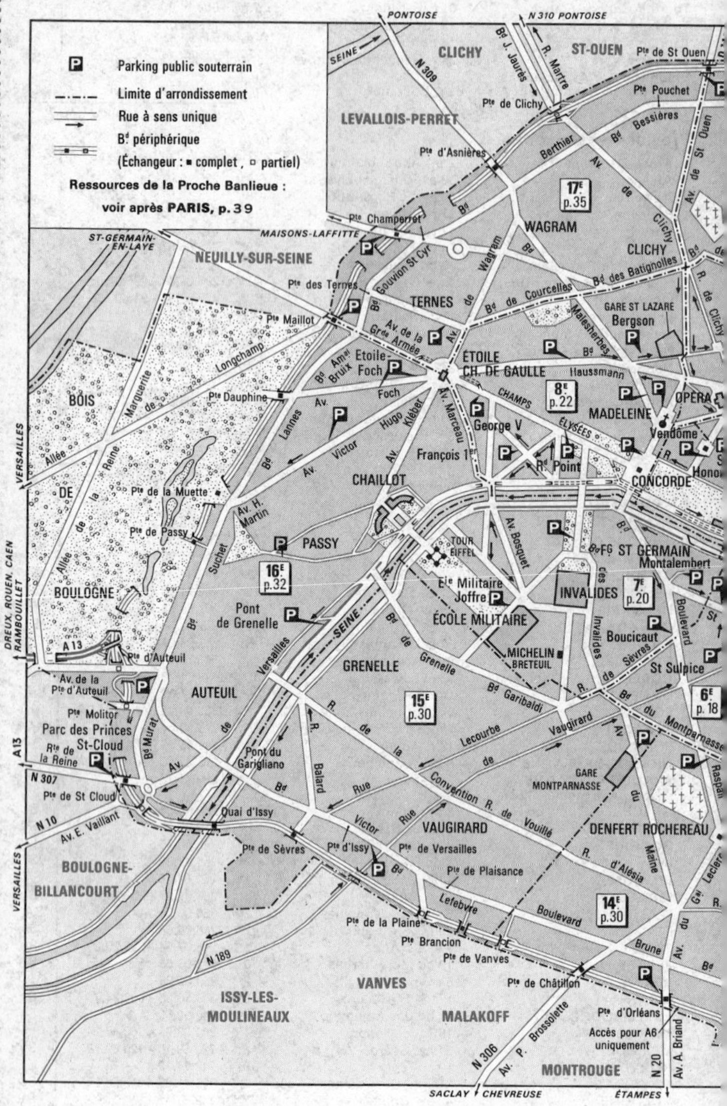

Pour la pratique journalière de Paris

Les Plans de Paris MICHELIN

précis - complets - détaillés

10 Plan, 12 Plan avec répertoire, 11 Atlas-Index

PRINCIPAUX PARCS DE STATIONNEMENT

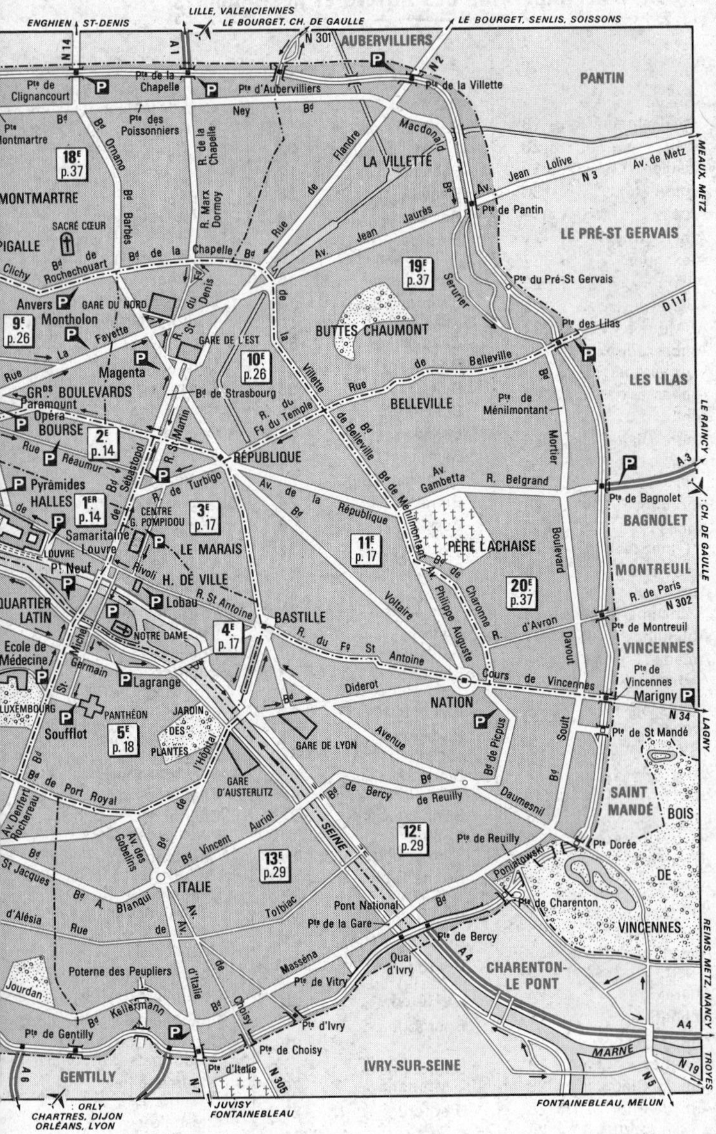

LISTE ALPHABÉTIQUE DES HOTELS ET RESTAURANTS

R

S

T

U-V

W-Y

RESTAURANTS de PARIS et de la BANLIEUE

Nous vous présentons ci-après une liste d'établissements sélectionnés pour la qualité de leur table ou pour leurs spécialités. Vous trouverez également des adresses pour souper après le spectacle ou pour déjeuner en plein air à Paris ou en banlieue.

Les bonnes tables... à étoiles

✿✿✿ 3 étoiles

		Arr.	Page
XXXXX	Lasserre	8e	24
XXXXX	Taillevent	8e	24
XXXXX	Tour d'Argent	5e	19
XXXX	Grand Vefour	1er	15
XXX	Archestrate	7e	21
XXX	Vivarois	16e	33

✿✿ 2 étoiles

		Arr.	Page
XXXXX	Laurent	8e	24
XXXXX	Ledoyen	8e	24
XXXXX	Lucas-Carton	8e	24
XXXX	Célébrités	15e	31
XXXX	Faugeron	16e	33
XXXX	Marée (La)	8e	25
XXXX	Pré Catelan	16e	34
XXXX	Trois Marches	à Versailles	56
XXX	Le Camélia	à Bougival	40
XXX	Chiberta	8e	25
XXX	Cochon d'Or	19e	37
XXX	Gérard Besson	1er	15
XXX	Gérard Pangaud	à Boulogne-Billancourt	40
XXX	Jacques Cagna	6e	19
XXX	Pressoir (Le)	12e	29
XXX	Rostang	17e	36
XXX	Vieille Fontaine	à Maisons-Laffite	44
XX	Michel (Chez)	10e	28

✿ 1 étoile

		Arr.	Page
XXXXX	Bristol	8e	24
XXXXX	Régence Plaza	8e	24
XXXXX	Ritz	1er	15
XXXX	Coq Hardi	à Bougival	40
XXXX	Crillon	8e	25
XXXX	El Chiquito	à Rueil-Malmaison	49
XXXX	Fouquet's	8e	25
XXXX	Grande Cascade	16e	34
XXXX	Lamazère	8e	25
XXXX	Maxim's	à Orly	47
XXX	Ambassade d'Auvergne	3e	17
XXX	Anges (Chez les)	7e	21
XXX	Armes de Bretagne	14e	31
XXX	Aub. St-Quentinoise	à Livry-Gargan	44
XXX	Beauvilliers	18e	37
XXX	Bessière	17e	36
XXX	Bourgogne (La)	7e	21
XXX	Cazaudehore	à St-Germain-en-Laye	50
XXX	Champs d'Ors (Les)	7e	21
XXX	Comte de Gascogne (Au)	à Boulogne-Billancourt	40
XXX	Copenhague	8e	25
XXX	Dariole (La)	8e	25
XXX	Étoile d'Or	17e	36
XXX	Grand-Veneur	17e	36
XXX	Jacqueline Fénix	à Neuilly	46
XXX	Jamin	16e	33
XXX	Le Louis XIV	10e	28
XXX	Marcande (Le)	8e	25
XXX	Mareyeur	16e	33
XXX	Marius et Jeanette	8e	25
XXX	Mercure Galant	1er	15
XXX	Morens	16e	34
XXX	Morot-Gaudry	15e	31

✿ 1 étoile

XXX	Nicolas	10e	28
XXX	Parc	à Villemonble	57
XXX	Pavillon Royal	16e	34
XXX	Récamier	7e	21
XXX	Relais des Gardes	à Meudon	45
XXX	Relais Pyrénées	20e	37
XXX	Timgad	17e	36
XX	Albert (Chez)	14e	31
XX	Androuët	8e	25
XX	Artois	8e	25
XX	Atlantique	10e	28
XX	Augusta (Chez)	17e	36
XX	Barrière de Clichy (La)	à Clichy	42
XX	Belle Époque	à Chateaufort	41
XX	Bernardin (Le)	17e	36
XX	Bistro 121	15e	31
XX	Boule d'Or (La)	7e	21
XX	Bourrier	à Neuilly	46
XX	Bretonnière	à Boulogne-Billancourt	40
XX	Cantine des Gourmets	7e	21
XX	Chalut (Le)	17e	36
XX	Châteaubriant (Au)	10e	28
XX	Clodenis	18e	38
XX	Conticini	7e	21
XX	Coq de la Maison Blanche	à St-Ouen	52
XX	Coquille (La)	17e	36
XX	Dariole (La)	à Viry-Chatillon	57
XX	Dodin Bouffant	5e	19
XX	Le Duc	14e	31
XX	Ferme St-Simon	7e	21
XX	Flamberge (La)	7e	21
XX	Gasnier	à Puteaux	48
XX	Gildo	7e	22
XX	Guy Savoy	16e	34
XX	Guyvonne (Chez)	17e	36
XX	Julius	à Gennevilliers	44
XX	Michel Pasquet	16e	34
XX	Olympe	15e	31
XX	Paul Chêne	16e	34
XX	Pauline (Chez)	1er	16
XX	Petit Coin de la Bourse	2e	16
XX	Petit Montmorency (Au)	8e	25
XX	Petit-Pré	19e	38
XX	Pierre	1er	16
XX	Pierre Vedel	15e	32
XX	P'tite Tonkinoise (La)	10e	28
XX	Semailles (Les)	18e	38
XX	Sousceyrac (A)	11e	17
XX	Tastevin (Le)	à Maisons-Laffite	44
XX	Trou Gascon	12e	29
XX	Vert Bocage	17e	21
XX	Yan-Toit de Passy	16e	34
X	Allard	6e	19
X	Bistro d'Hubert	1er	16
X	Mère Michel	17e	37
X	Pantagruel	7e	22
X	Petite Auberge (La)	17e	37
X	Petits Pères (Aux)	2e	16
X	Pharamond	1er	16
X	Pouilly-Reuilly	au Pré St-Gervais	48

Pour le souper après le spectacle

(Nous indiquons entre parenthèses l'heure limite d'arrivée)

XXXX	Café de la Paix (Relais des Capucines, snack) (1 h 15)	9e	28
XXXX	Drouant-Grill (1 h)	2e	15
XXX	Charlot Ier « Merveille des Mers » (1 h)	18e	38
XXX ✿	Louis XIV (1 h)	10e	28
XXX	Relais Plaza (1 h 30)	8e	25
XX	Aron (2 h)	2e	16
XX	Baumann (1 h)	17e	36
XX	Baumann - Baltard (2 h)	1er	16
XX	Coupe Chou (1 h)	5e	19
XX	La Coupole (2 h)	14e	32
XX	Flo (Brasserie) (2 h)	10e	28
XX	Edgard (1 h)	8e	26
XX	Julien (2 h)	10e	28
XX	Pied de Cochon (jour et nuit)	1er	16
XX	Wepler (1 h)	18e	38
X	Robert Vattier (5 h)	1er	16

Le plat que vous recherchez

Une grillade

Charbon de Bois (Au)	6e	20
Cochon d'Or	19e	37
Dagorno	19e	38
Deux Taureaux	19e	38
Grilladin (Au)	6e	19
Hilton (Western)	15e	30
Pied de Cochon	1er	16
Robert Vattier	1er	16
Trois Limousins	8e	25
Trois Moutons	8e	25

Du boudin

Ambassade d'Auvergne	3e	17
Artois	8e	25
Benoit	4e	18
Cochon d'Or	19e	37
Coquille (La)	17e	36
Etchegorry	13e	30
Gourmet de l'Isle	4e	17
Quincy (Le)	12e	30
Terrasse (La)	à Créteil	43

Une paëlla

Etchegorry	13e	30
Étienne de Bigorre	6e	20
Pralognan (Le)	6e	20
Pyrénées-Cévennes	11e	17

Des tripes

La Foux	6e	19
Pharamond	1er	16
Pied de Cochon	1er	16
Relais du Périgord	13e	30
Robert Vattier	1er	16

Des fromages choisis

Androuët	8e	25

Des soufflés

Le Soufflé	1er	16

Spécialités étrangères

Allemandes

Vieux Berlin (Au)	8e	25

Chinoises et Indochinoises

Délices de Szechuen (Aux)	7e	21
Focly	à Neuilly-s-Seine	46
Grand Chinois (Le)	16e	34
Pagoda	9e	28
Passy-Mandarin	16e	34
P'tite Tonkinoise (La)	10e	28
Petite Tonkinoise	à Enghien-les-Bains	43
Tong-Yen	8e	25
Tsé-Yang	16e	34

Espagnoles

Barcelona	9e	28

Indiennes : Indra . . . . . 8e | 25

Japonaises

Nikko (Benkay)	15e	30
Méridien (Yamato)	17e	35

Italiennes

Chateaubriant (Au)	10e	28
Conti	16e	34
Gildo (Chez)	7e	22
Main à la Pâte (La)	1er	16
Pinocchio	10e	28
San Francisco	16e	33
Stresa	8e	25

Orientales et Nord Africaines

Abel	10e	28
Al Mounia	16e	34
Aron	2e	16
Caroubier (Le)	15e	32
Michèle (Chez)	13e	30
Timgad	17e	36

Philippines : Aux Iles Philippines 5e | 19

Russes

Dominique	6e	19
Praga	17e	36

Scandinaves : Copenhague . . 8e | 25

Plein air

Bois de Boulogne

XXXX ✿	Grande Cascade	16e	34
XXXX ✿✿	Pré Catelan	16e	34
XXX	Pavillon des Princes	16e	34
XXX ✿	Pavillon Royal	16e	34

Bois de Vincennes

XX	Chalet des Iles (Le)	12e	30

Champs-Elysées

XXXXX ✿✿	Laurent	8e	24
XXXXX ✿✿	Ledoyen	8e	24

Bougival	XXXX ✿	Coq Hardi	40
Bry-sur-Marne	X	Passerelle	41
Champrosay	XX	Bouquet de la Forêt	41
Chennevières	XXX	Écu de France	42
Maisons-Laffite	XXX ✿✿	Vieille Fontaine	44
»	XX ✿	Tastevin	44
Meudon	XX	Ermitage Villebon	45
St-Germain-en-L.	XXX ✿	Cazaudehore	50
Sucy-en-Brie	XX	Aub. de Tartarin	52
Vaucresson	XX	La Poularde	53
Le Vésinet	XXX	Les Ibis	56

HOTELS, RESTAURANTS

par arrondissements

(Liste alphabétique des Hôtels et Restaurants, voir p. 6 à 9)

G 12 : Ces lettres et chiffres correspondent au carroyage du **Plan de Paris** Michelin n° 10 et de **Paris Atlas** n° 11.
En consultant ces deux publications vous trouverez également les parkings les plus proches des établissements cités.

Opéra, Palais-Royal,
Halles, Bourse.
1er et 2e arrondissements.
1er : ✉ 75001
2e : ✉ 75002

Ritz 🐚, 15 pl. Vendôme (1er) ☎ 260.38.30, Télex 220262, « Jardin intérieur » – 🛗 ▤ 📺 ☎ ♿ Ⓟ. AE ⓓ E G 12
R Restaurant **Ritz voir ci-après** – ☕ 36 – **163 ch** 630/840, 46 appart.

Inter-Continental, 3 r. Castiglione (1er) ☎ 260.37.80, Télex 220114 – 🛗 ▤ rest 📺 ☎ ♿ – 🏛 1000. AE GB ⓓ E. ✂ rest G 12
rôtiss. Rivoli R carte 115 à 175, au **"Bistro"** en sous-sol (déj.seul.) *(fermé juil.-août, sam. et dim.)* **R** carte environ 80, **Café Tuileries R** carte 70 à 110 – ☕ 30 – **500 ch** 505/710, 24 appart.

Meurice, 228 r. Rivoli (1er) ☎ 260.38.60, Télex 230673 – 🛗 ▤ rest 📺 ☎ ♿ – 🏛 25 à 300. AE GB ⓓ E G 12
Grill Copper Bar R carte 120 à 175 – ☕ 42 – **152 ch** 450/700, 36 appart.

Lotti, 7 r. Castiglione (1er) ☎ 260.37.34, Télex 240066 – 🛗 ▤ rest ☎ ♿ – 🏛 25. AE ⓓ E. ✂ rest G 12
R carte 110 à 160 - **Grill R** 130 – **132 ch** ☕ 390/620, 12 appart.

Westminster, 13 r. Paix (2e) ☎ 261.57.46, Télex 680035 – 🛗 ☎ ♿ Ⓟ – 🏛 80. AE GB ⓓ. ✂ G 12
SC : Grill le **Bulldog R** carte 95 à 140 – **84 ch** ☕ 400/510, 18 appart.

Louvre-Concorde, pl. A.-Malraux (1er) ☎ 261.56.01, Télex 220412 – 🛗 📺 ☎ ♿. AE GB ⓓ E H 13
R 65/70 🍷 – **226 ch** ☕ 370/480.

France et Choiseul, 239 r. St-Honoré (1er) ☎ 261.54.60, Télex 680959 – 🛗 ▤ rest 📺 ☎ – 🏛 30 à 300. AE GB ⓓ. ✂ rest G 12
SC : **R** carte 70 à 105 🍷 – **135 ch** ☕ 295/395, 7 appart.

Édouard VII, 39 av. Opéra (2e) ☎ 261.56.90, Télex 680217 – 🛗 📺 ☎ – 🏛 30. AE ⓓ G 13
SC : **R** voir rest **Delmonico** – **95 ch** ☕ 355/450, 5 appart.

Mayfair Ⓜ sans rest, 3 r. Rouget-de-Lisle (1er) ☎ 260.38.14, Télex 240037 – 🛗 📺 ☎ G 12
SC : ☕ 18 – **52 ch** 275/385.

Cusset Ⓜ, 95 r. Richelieu (2e) ☎ 297.48.90, Télex 670245 – 🛗 ☎ – 🏛 30. GB F 13
les Deux Ducs *(fermé dim.)* **R** carte 50 à 80 🍷 – **115 ch** ☕ 85/270.

François Ⓜ sans rest, 3 bd Montmartre (2e) ☎ 233.51.53, Télex 211097 – 🛗 📺. AE F 14
SC : **64 ch** ☕ 250/280, 11 appart. 405/426.

Normandy, 7 r. Échelle (1er) ☎ 260.30.21, Télex 670250 – 🛗 📺 ☎ – 🏛 50. AE GB ⓓ E. ✂ rest H 13
SC : **R** *(fermé sam. et dim.)* carte 80 à 140 – ☕ 19 – **122 ch** 265/355, 8 appart. 515.

Métropole Opéra Ⓜ sans rest, 2 r. Gramont (2e) ☎ 296.91.03, Télex 212276 – 🛗 ☎. AE G 13
☕ 13 – **52 ch** 220/290.

Cambon Ⓜ sans rest, 3 r. Cambon (1er) ☎ 260.38.09, Télex 240814 – 🛗 🛁wc 🚿wc ☎. 🚗 AE GB ⓓ E G 12
SC : **44 ch** ☕ 290/380.

Brighton sans rest, 218 r. Rivoli (1er) ☎ 260.30.03 – 🛗 🛁wc 🚿wc ☎. 🚗 G 12
SC : ☕ 14 – **69 ch** 120/300.

Ascot Opéra Ⓜ sans rest, 2 r. Monsigny (2e) ☎ 296.87.66, Télex 680461 – 🛗 📺 🛁wc 🚿wc ☎. 🚗 AE GB ⓓ E G 13
SC : ☕ 13 – **36 ch** 110/260.

Molière sans rest, 21 r. Molière (1er) 296.22.01 – wc wc. AE. G 13
SC : 14 – **30 ch** 160/210, 3 appart. 405.

Tuileries sans rest, 10 r. St-Hyacinthe (1er) 261.04.17, Télex 240744 – wc. AE G 12
SC : **28 ch** 180/260.

Ducs d'Anjou sans rest, 1 r. Ste-Opportune (1er) 236.92.24 – wc wc. H 14
SC : **38 ch** 90/170.

Daunou sans rest, 6 r. Daunou (2e) 261.57.82 – wc wc. AE E G 12
SC : 13 – **36 ch** 172/198, 4 appart. 233.

Gd H. de Champagne sans rest, 17 r. J.-Lantier (1er) 261.50.05 – wc wc. J 14
SC : **45 ch** 209/246.

Favart sans rest, 5 r. Marivaux (2e) 297.59.83 – wc wc. F 13
SC : **40 ch** 175/190.

Richepanse sans rest, 14 r. Richepanse (1er) 260.36.00 – TV wc wc. AE. G 12
SC : **43 ch** 218/245.

Montana H. Tuileries sans rest, 12 r. St-Roch (1er) 260.45.10 – TV wc wc. GB. G 12
SC : 14 – **25 ch** 180/250.

de Normandie sans rest, 3 r. Banque (2e) 261.53.90 – wc wc. AE GB E G 14
SC : 13 – **44 ch** 145/215.

Ile de France sans rest, 26 r. St-Augustin (2e) 742.40.61 – wc. AE GB E G 13
SC : **18 ch** 101/222.

Family sans rest, 35 r. Cambon (1er) 261.54.84 – wc wc G 12
SC : 10 – **25 ch** 90/160.

Montpensier sans rest, 12 r. Richelieu (1er) 296.28.50 – wc wc. G 13
SC : **42 ch** 78/210.

L'Oratoire sans rest, 141 r. St-Honoré (1er) 260.26.41, Télex 211730 – wc wc. AE E H 14
SC : 10 – **47 ch** 110/150.

St-Romain sans rest, 7 r. St-Roch (1er) 260.31.70 – wc wc G 13
SC : **33 ch** 132/174.

Ducs de Bourgogne sans rest, 19 r. Pont-Neuf (1er) 233.95.64 – wc wc. H 14
SC : **49 ch** 164/188.

XXXXX **Ritz,** 15 pl. Vendôme (1er) 260.38.30 – AE E G 12
R carte 155 à 210
Spéc. Suprême de barbue, Rognon sauté, Crêpe Roxelane.

XXXX **Drouant,** pl. Gaillon (2e) 742.56.61 – AE GB E G 13
au rest. R carte 140 à 200, **au Grill R** carte environ 140.

XXXX **Grand Vefour,** 17 r. Beaujolais (1er) 296.56.27, ancien café du Palais Royal fin 18e s. – G 13
fermé août, sam. sauf midi du 1er sept. au 1er mai et dim. – **R** carte 155 à 210
Spéc. Croustade de rouget "Anne", Ris de veau "Yves Labrousse", Escalope de foie de canard au Calvados.

XXXX **Prunier Madeleine,** 9 r. Duphot (1er) 260.36.04 – AE E G 12
fermé août – **R** carte 140 à 190.

XXX **Delmonico,** 39 av. Opéra (2e) 261.44.26 – AE G 13
fermé dim. – **R** carte 125 à 165.

XXX **Gérard Besson,** 5 r. Coq Héron (1er) 233.14.74 – GB H 14
fermé Pâques, week-end du 1er mai, 4 au 26 juil., 20 au 27 déc., sam. midi et dim. – **R** carte 110 à 160
Spéc. Foie gras frais de canard, Râble de lièvre sauce poivrade, Biscuit glacé à la framboise.

XXX **Pierre** (Fontaine Gaillon), pl. Gaillon (2e) 265.87.04 – AE GB G 13
fermé dim. – **R** carte 100 à 160.

XXX **Mercure Galant,** 15 r. Petits-Champs (1er) 297.53.85 G 13
fermé sam. midi, dim. et fêtes – **R** carte 115 à 145
Spéc. Terrine Ferranti, Feuilleté de langoustines, Foie de veau au vinaigre.

XXX Auberge du Vert-Galant, 42 Quai Orfèvres (1er) 326.83.68 J 14

XX **La Vigne aux Moineaux** 15 r. N.-D.-Victoires (2e) ☎ 260.00.15 – ▤. AE GB ⓓ
fermé août, sam. et dim. – **R** carte 55 à 90 ♂. G 14

XX **Aron,** 19 bd Montmartre (2e) ☎ 297.58.30, décoration mauresque – GB ⓓ F 14
R carte 50 à 85.

XX ✿ **Chez Pauline,** 5 r. Villedo (1er) ☎ 296.20.70 – G 13
fermé sam. soir et dim. – **R** (▤ 1er étage) carte 100 à 185
Spéc. Foie gras frais, Filet de barbue, Ris de veau en croûte.

XX **La Table de Jeannette,** 14 r. Duphot (1er) ☎ 260.05.64 – AE GB G 12
fermé 18 au 26 avril, 8 au 23 août, 24 déc. au 3 janv., sam. et dim. – **R** carte 90 à 140.

XX **Baumann Baltard,** 9 r. Coquillère (1er) ☎ 236.22.00 – ▤. AE GB ⓓ E H 14
SC : **R** carte 80 à 120 ♂.

XX **La Main à la Pâte,** 35 r. St-Honoré (1er) ☎ 508.85.73 – AE ⓓ H 14
fermé sam. midi et dim. – SC : **R** carte 115 à 160 ♂.

XX **La Ferme Irlandaise,** 30 pl. Marché St.-Honoré (1er) ☎ 296.02.99 – AE GB ⓓ.
✂ G 12
fermé 10 août au 8 sept., 24 déc. au 4 janv., sam. et dim. – **R** carte 100 à 145.

XX ✿ **Le Petit Coin de la Bourse** (Girard), 16 r. Feydeau (2e) ☎ 508.00.08 F 14
fermé août, 24 déc. au 2 janv., sam., dim. et le soir sauf jeudi et vend. – SC : **R** carte 105 à 130
Spéc. Terrine de tourteau, Steack de canard.

XX **St-Amour,** 8 r. Port-Mahon (2e) ☎ 742.63.82 – AE GB ⓓ E G 13
fermé sam., dim. et fériés – **R** carte 85 à 150.

XX **Pied de Cochon** (ouvert jour et nuit), 6 r. Coquillière (1er) ☎ 236.11.75 – AE GB ⓓ H 14
R carte 65 à 110.

XX **Chez Gabriel,** 123 r. St-Honoré (1er) ☎ 233.02.99 – AE GB ⓓ H 14
fermé août, dim. soir et lundi – **R** carte 60 à 100.

XX ✿ **Pierre,** 10 r. Richelieu (1er) ☎ 296.09.17 – AE GB H 13
fermé août, sam. et dim. – **R** carte 100 à 170
Spéc. Foie gras en terrine, Mousseline de rougets au fenouil, Râble de lièvre (sais.).

XX **Le Soufflé,** 36 r. Mt-Thabor (1er) ☎ 260.27.19 – ▤. AE GB ⓓ E G 12
fermé dim. et fériés – **R** carte 70 à 105.

XX **Pasadena,** 7 r. du 29-Juillet (1er) ☎ 260.68.96 – AE GB G 12
fermé août et dim. – **R** carte 75 à 105 ♂.

XX **La Barrière Poquelin,** 17 r. Molière (1er) ☎ 296.22.19 – AE GB ⓓ G 13
fermé sam. midi et dim. – **R** carte 130 à 180.

X ✿ **Pharamond,** 24 r. Grande-Truanderie (1er) ☎ 233.06.72 – AE GB ⓓ H 15
fermé juil., lundi midi et dim. – **R** carte 80 à 115
Spéc. Tripes à la mode de Caen, St-Jacques au cidre (oct.-mai), Canette de Barbarie au poivre vert.

X **Chez Georges,** 1 r. Mail (2e) ☎ 260.07.11 – GB ⓓ G 14
fermé dim. et fêtes – **R** carte 75 à 110.

X ✿ **Bistro d'Hubert,** 36 pl. Marché St-Honoré (1er) ☎ 260.03.00 G 12
fermé dim. lundi et fériés – **R** 120, dîner à la carte
Spéc. Emincés de saumon à l'huile de homard, Médaillons de ris de veau aux langoustines (avril-oct.), Feuillantine de poires (sept.-mars).

X **Vaudeville,** 29 r. Vivienne (2e) ☎ 233.39.31 – GB FG 14
R carte 70 à 100.

X **La Bonne Fourchette,** 320 r. St-Honoré (1er) ☎ 260.45.27 – AE GB ⓓ E G 12
fermé mi déc. à mi janv. et sam. – SC : **R** 55/90.

X **Cochon Doré,** 16 r. Thorel (2e) ☎ 233.29.70 – ▤ G 15
fermé merc. – SC : **R** 45 bc/55 bc.

X ✿ **Aux Petits Pères** (Chez Yvonne), 8 r. N.-D.-des-Victoires (2e) ☎ 260.91.73 – GB G 14
fermé fin juil. à début sept., sam., dim. et fériés – **R** (prévenir) carte 70 à 105
Spéc. St-Jacques à la provençale (oct.-fin avril), Ris de veau toulousaine, Pintade ou faisan aux choux (oct.-janv.).

X **Caveau du Palais,** 19 pl. Dauphine (1er) ☎ 326.04.28 – GB J 14
fermé sam. soir, dim., Noël et Jour de l'An – **R** carte 80 à 125 ♂.

X **Louis XIV,** 1bis pl. Victoires (1er) ☎ 261.39.44 G 14
fermé août, sam. et dim. – **R** carte 75 à 120.

X **Au Roy Gourmet,** 4 pl. des Victoires (1er) ☎ 508.10.16 – GB G 14
fermé sam. et dim. – **R** carte 85 à 140.

X **La Locomotive,** 6 r. Chabanais (2e) ☎ 296.52.90 – AE GB ⓓ G 13
fermé août, sam. et dim. – SC : **R** carte 90 à 125.

X **Robert Vattier,** 14 r. Coquillière (1er) ☎ 236.51.60 – AE GB H 14
fermé août et dim. – **R** carte 65 à 115.

X **La Vigne,** 30 r. Arbre-Sec (1er) ☎ 260.13.55 H 14
fermé août, dim. et lundi – **R** carte 60 à 90.

ℵ **Paul,** 15 pl. Dauphine (1er) ☎ 354.21.48 – ✂ J 14
fermé août, lundi et mardi – **R** carte 55 à 85 ⫯.

ℵ **Gérard,** 4 r. Mail (2e) ☎ 296.24.36 G 14
fermé fin juil. à début sept., dim. et fêtes – **R** carte 60 à 95.

ℵ **St-Antoine,** 21 r. Prêtres St-Germain-l'Auxerrois (1er) ☎ 233.50.12 – ✂ H 14
fermé 15 oct. au 15 nov. et lundi – **R** 38/45.

Bastille, République,

Hôtel de Ville.

3e, 4e et 11e arrondissements.

3e : ✉ 75003

4e : ✉ 75004

11e : ✉ 75011

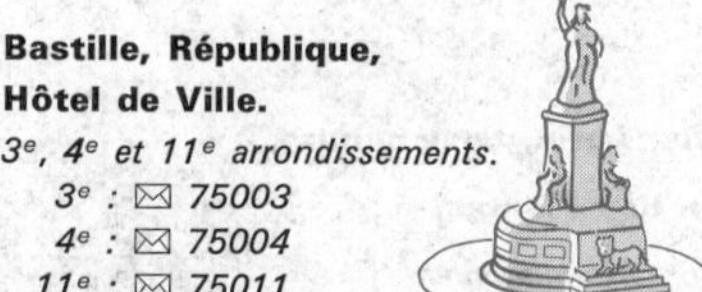

Deux Iles sans rest, 59 r. St.-Louis-en-l'Ile (4e) ☎ 326.13.35 – |$| wc wc ☎. K 16
SC : 15 – **17 ch** 200/260.

Lutèce Ⓜ sans rest, 65 r. St-Louis-en-l'Ile (4e) ☎ 326.23.52 – |$| wc wc ☎. . ✂ K 16
SC : 16 – **23 ch** 280.

Bretonnerie sans rest, 22 r. Ste-Croix-de-la-Bretonnerie (4e) ☎ 887.77.63 – |$| wc wc ☎. . ✂ J 16
SC : **33 ch** 83/240.

Nord et Est sans rest, 49 r. Malte (11e) ☎ 700.71.70 – |$| wc wc ☎. ✂ G 17
fermé août et 24 déc. au 2 janv. – SC : 12 – **44 ch** 115/150.

Place des Vosges sans rest, 12 r. Birague (4e) ☎ 272.60.46 – |$| wc wc ☎. GB ⓓ J 17
SC : 15 – **16 ch** 110/180.

Notre-Dame sans rest, 51 r. Malte (11e) ☎ 700.78.76 – |$| wc wc ☎. ✂ G 17
fermé août – SC : 13 – **58 ch** 40/150.

Roubaix sans rest, 6 r. Greneta (3e) ☎ 272.89.91 – |$| wc ☎. G 15
SC : **48 ch** 65/150.

Sansonnet sans rest, 48 r. Verrerie (4e) ☎ 887.96.14 – ☎. . ✂ J 15
SC : 11 – **30 ch** 60/120.

ℵℵℵ ✿ **Ambassade d'Auvergne,** 22 r. Grenier St-Lazare (3e) ☎ 272.31.22 – ▤. AE GB ⓓ E H 15
fermé dim. – SC : **R** carte 95 à 135
Spéc. Aligot, Boudin aux châtaignes, Falette (poitrine de mouton farcie).

ℵℵ **L'Acadien,** 35 bd Temple (3e) ☎ 272.27.94 – AE GB ⓓ E G 17
fermé 10 au 16 août, sam. midi et dim. soir – **R** carte 75 à 145.

ℵℵ **Guirlande de Julie,** 25 pl. des Vosges (4e) ☎ 887.94.07 J 17
fermé mardi et merc. – **R** carte 85 à 110.

ℵℵ ✿ **A Sousceyrac** (Asfaux), 35 r. Faidherbe (11e) ☎ 371.65.30 J 19
fermé 13 au 18 avril, août, sam. et dim. – **R** carte 95 à 130
Spéc. Foie gras frais, Lièvre à la Royale (en saison), Escalopes de rognons de veau aux asperges.

ℵℵ **Pyrénées Cévennes,** 106 r. Folie-Méricourt (11e) ☎ 357.33.78 G 17
fermé août, sam. et dim. – **R** carte 75 à 125.

ℵℵ **Chardenoux,** 1 r. J.-Vallès (11e) ☎ 371.49.52 K 20
fermé 1er août au 2 sept., sam. et dim. – SC : **R** carte 95 à 135.

ℵℵ **Taverne des Templiers,** 106 r. Vieille-du-Temple (3e) ☎ 278.74.67 – GB H 17
fermé août, sam. et dim. – SC : **R** carte 70 à 130.

ℵℵ **Repaire de Cartouche,** 8 bd Filles-du-Calvaire (11e) ☎ 700.25.86 – GB H 17
fermé 25 juil. au 23 août, sam. et dim. – **R** carte 80 à 115.

ℵℵ **Coconnas,** 2 bis pl. Vosges (4e) ☎ 278.58.16 – ⓓ J 17
fermé 14 déc. au 8 janv., lundi et mardi – SC : **R** 110 bc.

ℵℵ **Au Gourmet de l'Isle,** 42 r. St-Louis-en-l'Ile (4e) ☎ 326.79.27 – ▤ K 16
fermé août, lundi et jeudi – **R** carte 55 à 65.

XX **Victor,** 12 pl. Bastille (11e) ☎ 343.42.68 — J 17
fermé août, dim. et fériés – **R** carte 70 à 115 ♨.

XX **Galan,** 36 bd Henri-IV (4e) ☎ 272.17.09 – GB — K 17
fermé août, sam. midi et dim. – **R** carte 80 à 120.

X **Benoît,** 20 r. St-Martin (4e) ☎ 272.25.76 — J 15
fermé août, sam. et dim. – SC : **R** carte 115 à 150.

X **Au Trou Normand,** 117 av. Parmentier (11e) ☎ 357.39.62 – GB — G 18
fermé 25 août au 25 sept., sam. soir, dim., lundi soir et fêtes – **R** carte 60 à 80 ♨.

Quartier Latin, Luxembourg, Jardin des Plantes.

5e et 6e arrondissements.
5e : ✉ 75005
6e : ✉ 75006

Victoria Palace M ♨, 6 r. Blaise-Desgoffe (6e) ☎ 544.38.16, Télex 270557 – TV ☎ . AE. — L 11
SC : **R** carte environ 100 – **120 ch** 295/385.

Littré, 9 r. Littré (6e) ☎ 544.38.68, Télex 203852 – rest ☎ – 25. AE. — L 11
SC : **R** carte environ 100 – **100 ch** 295/340, 3 appart. 435.

Lutétia Concorde, 45 bd Raspail (6e) ☎ 544.38.10, Télex 270424 – TV ☎ – 25 à 600. AE GB E — K 12
SC : **R** 45/70 – **285 ch** 380/490, 15 appart. 590.

Abbaye St-Germain M sans rest, 10 r. Cassette (6e) ☎ 544.38.11, – ☎. — K 12
SC : **45 ch** 240/300.

Odéon H., M sans rest, 3 r. Odéon (6e) ☎ 325.90.67, Télex 202943 – ☎. AE. — K 13
fermé 30 juil. au 28 août – SC : **34 ch** 240/280.

Madison H. sans rest, 143 bd St-Germain (6e) ☎ 329.72.50 – ☎. — J 13
SC : **56 ch** 151/237.

Scandinavia sans rest, 27 r. Tournon (6e) ☎ 329.67.20 – wc . . — K 13
fermé août – SC : 13 – **22 ch** 190/220.

Colbert sans rest, 7 r. Hôtel-Colbert (5e) ☎ 325.85.65, Télex 260690 – wc wc . AE. — K 15
SC : 15 – **40 ch** 175/350.

Saints-Pères M sans rest, 65 r. Sts-Pères (6e) ☎ 544.50.00 – wc wc ☎. . — J 12
SC : 15 – **35 ch** 135/220, 3 appart. 400.

Pas-de-Calais sans rest, 59 r. Sts-Pères (6e) ☎ 548.78.74 – wc wc ☎. — J 12
SC : **41 ch** 195/235.

Ferrandi H. sans rest, 92 r. Cherche-Midi (6e) ☎ 222.97.40 – wc wc ☎. — L 11
SC : 15 – **41 ch** 220/240.

Angleterre sans rest, 44 r. Jacob (6e) ☎ 260.34.72 – TV wc ☎. . — J 13
SC : 15 – **31 ch** 150/250.

d'Isly sans rest, 29 r. Jacob (6e) ☎ 326.32.39 – wc wc ☎. — J 13
SC : **36 ch** 125/250.

Seine sans rest, 52 r. Seine (6e) ☎ 634.22.80 – TV wc wc ☎. AE GB . — J 13
SC : **30 ch** 120/240.

Rennes Montparnasse sans rest, 151 bis r. Rennes (6e) ☎ 548.97.38 – wc wc . AE GB . — L 12
fermé 1er au 28 août – SC : **38 ch** 185/240.

Nice sans rest, 155 bd Montparnasse (6e) ☎ 326.60.24 – wc wc ☎. . — M 13
SC : 12 – **26 ch** 105/166.

Gd H. des Principautés Unies M sans rest, 42 r. Vaugirard (6e) ☎ 634.44.90 – cuisinette wc wc . . — K 13
fermé août – SC : **25 ch** 72/278.

Odéon sans rest, 13 r. St-Sulpice (6e) ☎ 325.70.11 – AE ⓓ K 13
SC : **24 ch** ☕ 105/248.

Welcome Ⓜ sans rest, 66 r. Seine (6e) ☎ 634.24.80 – J 13
SC : ☕ 13 – **30 ch** 143/175.

Gd H. Suez sans rest, 31 bd St-Michel (5e) ☎ 634.08.02 – AE ⓓ. K 14
SC : **50 ch** ☕ 136/190.

Albe sans rest, 1 r. Harpe (5e) ☎ 634.09.70 – K 14
SC : **41 ch** ☕ 113/200.

St-Pierre sans rest, 4 r. École-de-Médecine (6e) ☎ 634.78.80 – AE GB ⓓ E. K 14
SC : **50 ch** ☕ 121/187.

St-Sulpice sans rest, 7 r. C.-Delavigne (6e) ☎ 634.23.90 – K 13
SC : ☕ 12 – **42 ch** 60/170.

XXXXX ❀❀❀ **Tour d'Argent** (Terrail), 15 quai Tournelle (5e) ☎ 354.23.31, **« Petit musée de la table, ← Notre-Dame, dans les caves : spectacle historique sur le vin »** – AE ⓓ K 16
fermé lundi et mardi – **R** carte 260 à 350
Spéc. Turbot aux herbes (juil.-sept.), Caille Duc de Brancas (sept.-oct.), Fraises des bois et framboises en glace (juil.-sept.).

XXX **Relais Louis XIII,** 8 r. Gds Augustins (6e) ☎ 326.75.96, **« Caveau 16e siècle, beau mobilier »** – AE GB ⓓ E J 14
fermé août et dim. – **R** carte 130 à 160.

XXX ❀❀ **Jacques Cagna,** 14 r. Gds-Augustins (6e) ☎ 326.49.39, **« Maison du Vieux Paris »** – AE GB ⓓ J 14
fermé 8 août au 1er sept., 23 déc. au 5 janv., sam., dim. et fêtes – **R** carte 175 à 220
Spéc. Cassolette d'huîtres et de homard, Panaché de poissons, Canard sauvage au Bourgogne (saison chasse).

XX ❀ Dodin-Bouffant (Manière), 25 r. F.-Sauton (5e) ☎ 325.25.14 – K 15

XX **Aub. des Deux Signes,** 46 r. Galande (5e) ☎ 325.46.56, **« Cadre médiéval »** – AE GB ⓓ E K 14
fermé août, dim. et lundis fériés – **R** carte 115 à 165.

XX **Le Pactole,** 44 bd St-Germain (5e) ☎ 633.31.31 – GB K 15
fermé sam. midi et dim. – SC : **R** carte 105 à 160.

XX **Au Grilladin,** 13 r. Mézières (6e) ☎ 548.30.38 K 12
fermé vacances de Pâques, août, vacances de Noël et dim. – **R** carte 80 à 105.

XX **Les Arètes,** 165 bd Montparnasse (6e) ☎ 326.23.98 M 11
fermé sam. midi et lundi – **R** carte 105 à 155.

XX **Chez Tante Madée,** 11 r. Dupin (6e) ☎ 222.64.56 K 12
fermé juil., sam. midi et dim. – **R** carte 115 à 150.

XX **Taverne Basque,** 45 r. Cherche-Midi (6e) ☎ 222.51.07 – AE GB K 12
fermé 9 au 17 août, dim. soir et lundi – **R** carte 80 à 100 &.

XX **Le Pizou,** 19 r. Regard (6e) ☎ 548.87.67 – GB ⓓ K 12
fermé août et dim. – **R** carte 60 à 100 &.

XX **Coupe-Chou,** 11 r. Lanneau (5e) ☎ 633.68.69 K 14
fermé Noël, Jour de l'an et dim. – **R** carte 95 à 140.

XX **La Foux,** 2 r. Clément (6e) ☎ 325.77.66 – AE ⓓ K 13
fermé dim. – SC : **R** carte 80 à 165.

XX **Aux Iles Philippines,** 17 r. Laplace (5e) ☎ 633.18.59 – L 15
fermé lundi – **R** (dîner seul.) carte environ 80.

XX **Joséphine** (Chez Dumonet), 117 r. Cherche-Midi (6e) ☎ 548.52.40 – GB L 11
fermé juil. sam. et dim. – **R** carte 95 à 180.

XX **Dominique,** 19 r. Bréa (6e) ☎ 327.08.80 – AE GB ⓓ E L 12
fermé juil. – SC : **R** 100 bc.

XX **Atelier Maître Albert,** 1 r. Maître-Albert (5e) ☎ 633.13.78 – K 15
fermé dim. et fériés – **R** (dîner seul.) 100 bc.

X ❀ **Allard** (Mme Allard), 41 r. St-André-des-Arts (6e) ☎ 326.48.23 – GB ⓓ K 14
fermé août, sam. et dim. – SC : **R** (nombre de couverts limité - prévenir) carte 105 à 170
Spéc. Poissons au beurre blanc, Canard aux olives.

X **Balzar,** 49 r. Écoles (5e) ☎ 354.13.67 – K 14
fermé août et mardi – **R** carte 70 à 95.

X **Étienne de Bigorre,** 14 r. Dauphine (6e) ☎ 326.49.81 – AE ⓓ J 14
fermé août et dim. – **R** carte 65 à 110 ꕤ.

X **Moissonnier,** 28 r. Fossés-St-Bernard (5e) ☎ 329.87.65 K 15
fermé août, dim. soir et lundi – **R** carte 75 à 110.

X **Au Charbon de Bois,** 16 r. Dragon (6e) ☎ 548.57.04 – ▤. ⓓ. ✈ J 12
fermé août et dim. – **R** carte 80 à 110.

X **Chez Maître Paul,** 12 r. Monsieur-le-Prince (6e) ☎ 354.74.59 – AE GB ⓓ K 13
fermé août, dim. et lundi – **R** carte 70 à 100.

X **Du Vicomte,** 15 r. Dauphine (6e) ☎ 354.78.50 J 14
fermé août, vend. soir et sam. – **R** carte 60 à 95.

X **Moulin à Vent,** 20 r. Fossés-St-Bernard (5e) ☎ 354.99.37 – AE GB ⓓ K 15
fermé août et dim. – **R** carte 85 à 130.

X **Le Pralognan,** 3 r. Hautefeuille (6e) ☎ 354.35.46 – GB ⓓ K 14
fermé 31 juil. au 2 sept., sam. midi et dim. – SC : **R** carte 75 à 95.

X **Le Mange Tout,** 30 r. Lacépède (5e) ☎ 535.53.93 L 15
fermé 18 au 26 avril, 14 août au 8 sept., dim. soir et lundi – SC : **R** carte 70 à 105.

X **Vellu,** 12 rue Mirbel (5e) ☎ 331.64.89 – AE GB M 15
fermé dim. soir – SC : **R** carte 50 à 80.

X **Chez Marcel,** 7 r. Stanislas (6e) ☎ 548.29.94 L 12
fermé 1er au 15 août, 24 déc. au 4 janv., Pâques, sam. et dim. – **R** carte 65 à 95.

Faubourg-St-Germain, Invalides, École Militaire.

7e arrondissement.
7e : ✉ 75007

Sofitel Bourbon Ⓜ, 32 r. St-Dominique ☎ 555.91.80, Télex 250019 – |‡| ▤ TV ☎ ♿ 🚗 – 🏛 30 à 50. AE GB ⓓ H 10
SC : rest. **Le Dauphin R** carte 130 à 160 – ☕ 27 – **112 ch** 490/620.

Pont Royal et rest. Les Antiquaires, 7 r. Montalembert ☎ 544.38.27, Télex 270113 – |‡| TV ☎ – 🏛 30 à 50. AE GB ⓓ E J 12
SC : **R** *(fermé dim.)* 90 – **75 ch** ☕ 290/480, 4 appart..

Cayré-Copatel Ⓜ sans rest, 4 bd Raspail ☎ 544.38.88, Télex 270577 – |‡| TV ☎. AE GB ⓓ E J 12
SC : **131 ch** ☕ 317/370.

de La Bourdonnais, 111 av. La Bourdonnais ☎ 705.45.42, Télex 201416 – |‡| ☎
SC : **R** voir rest. **La Cantine des Gourmets** – **56 ch** ☕ 180/225. J 9

Suède Ⓜ 🌿 sans rest, 31 r. Vaneau ☎ 705.00.08, Télex 200596 – |‡| 🛁wc 🚿wc ☎. 🚘. ✈ K 11
SC : **40 ch** ☕ 80/290.

Bourgogne et Montana, 3 r. Bourgogne ☎ 551.20.22, Télex 270854 – |‡| 🛁wc 🚿wc ☎. 🚘 AE GB ⓓ H 11
SC : **R** *(fermé août, sam. et dim.)* 70 – **35 ch** ☕ 190/275, 5 appart. 375.

De Varenne Ⓜ sans rest, 44 r. Bourgogne ☎ 551.45.55 – |‡| TV 🛁wc 🚿wc ☎. AE J 10
SC : ☕ 15 – **24 ch** 180/260.

Lenox Ⓜ sans rest, 9 r. Université ☎ 296.10.95 – |‡| TV 🛁wc 🚿wc ☎. 🚘 J 12
SC : ☕ 14 – **32 ch** 168/250.

St-Germain sans rest, 88 r. Bac ☎ 548.62.92 – |‡| 🛁wc ☎. 🚘 AE. ✈ J 11
SC : ☕ 15 – **29 ch** 150/215.

Saxe Résidence 🌿 sans rest, 9 villa Saxe ☎ 783.98.28, Télex 270139 – |‡| TV 🛁wc 🚿wc ☎. 🚘 AE. ✈ K 9
SC : **49 ch** ☕ 225/270.

Derby H. sans rest, 5 av. Duquesne ☎ 705.12.05 – |‡| 🛁wc 🚿wc ☎. 🚘 AE ⓓ E. ✈ J 9
SC : ☕ 13 – **37 ch** 190/230.

Quai Voltaire sans rest, 19 quai Voltaire ☎ 261.50.91, ≤ – |‡| 🛁wc 🚿wc ☎. 🚘 J 12
SC : ☕ 15 – **32 ch** 75/280.

Lindbergh sans rest, 5 r. Chomel ☎ 548.35.53 – |‡| 🛁wc 🚿wc ☎. 🚘 K 12
SC : ☕ 12 – **25 ch** 120/185

Mars H. sans rest, 117 av. La Bourdonnais ☎ 705.42.30 – |‡| 🛁wc 🚿wc ☎. 🚘. ✈ J 9
SC : ☕ 12 – **24 ch** 70/170.

⌂ **Duquesne** sans rest, 23 av. Duquesne ☎ 705.41.86 – |♦| ⌂wc ⌂wc ☎. 🚗. ✗ K 9
SC : **40 ch** ☐ 77/193.

⌂ **Kensington** sans rest, 79 av. La Bourdonnais ☎ 705.74.00 – |♦| ⌂wc ⌂wc ☎. 🚗 AE GB J 9
SC : ☐ 10 – **26 ch** 130/160.

⌂ **Solférino** sans rest, 91 r. Lille ☎ 705.85.54 – |♦| ⌂wc ⌂wc ☎. 🚗. ✗ H 11
SC : ☐ 14 – **35 ch** 164/190.

⌂ **Résidence d'Orsay** sans rest, 93 r. Lille ☎ 705.05.27 – |♦| ⌂wc ⌂wc ☎. ✗ H 11
fermé août – SC : ☐ 12 – **31 ch** 87/170.

⌂ **Turenne** sans rest, 20 av. Tourville ☎ 705.99.92 – |♦| ⌂wc ⌂wc ☎. 🚗 AE J 9
SC : ☐ 12 – **35 ch** 110/180.

⌂ **Muguet** sans rest, 11 r. Chevert ☎ 705.05.93 – |♦| ⌂wc ⌂wc ☎. 🚗 J 9
fermé 26 juil. au 31 août – SC : ☐ 14 – **43 ch** 60/150.

⌂ **Le Pavillon** ⛶ sans rest, 54 r. St-Dominique ☎ 551.42.87 – ⌂wc ☎. 🚗 H 9
SC : ☐ 11 – **20 ch** 150/240.

XXX ✽✽✽ **Archestrate** (Senderens), 84 r. Varenne ☎ 551.47.33 J 10
fermé 3 au 25 août, 23 déc. au 5 janv. sam. et dim. – **R** carte 195 à 265
Spéc. Suivant produits de saison.

XXX **Lefebvre,** quai Branly (face av. La Bourdonnais), rest. flottant ≤, ☎ 556.11.23 – ▤ Ⓟ. AE GB ⓓ H 8
fermé sem. du 15 août, 1er au 25 fév., dim. et fériés – **R** carte 120 à 165.

XXX ✽ **Chez les Anges,** 54 bd Latour-Maubourg ☎ 705.89.86 – ▤. AE GB ⓓ E J 9
fermé 8 au 31 août, dim. soir et lundi – **R** carte 110 à 160
Spéc. Oeufs en meurette, Navarin de lotte au safran, Foie de veau.

XXX **Chez Marius,** 5 r. Bourgogne ☎ 551.79.42 – AE GB ⓓ H 11
fermé août et sam. – **R** carte 110 à 145.

XXX ✽ **La Bourgogne** (Julien), 6 av. Bosquet ☎ 705.96.78 – AE GB ⓓ H 9
fermé août, sam. midi et dim. – **R** carte 120 à 170
Spéc. Mousseline de brochet Nantua, Rognon de veau, Marquise au chocolat.

XXX ✽ **Récamier** (Cantegrit), 4 r. Récamier ☎ 548.86.58 – ▤. AE ⓓ E K 12
fermé dim. – SC : **R** carte 120 à 165
Spéc. Oeufs en meurette, Tagliatelles fraîches.

XXX ✽ **Les Champs d'Ors** (Cloet), 22 r. Champ-de-Mars ☎ 551.52.69 – GB ⓓ J 9
fermé juil., dim. et lundi – **R** carte 110 à 150
Spéc. Waterzooi de poissons, Navarin de mer, Mille-feuille.

XXX **Chez Françoise,** Aérogare des Invalides ☎ 705.49.03 – GB H 10
fermé 17 au 31 août et lundi – **R** carte 80 à 135.

XX ✽ **Ferme St-Simon,** 6 r. St-Simon ☎ 548.35.74 – GB J 11
fermé sam. midi et dim. – **R** carte 110 à 150
Spéc. Etuvée de moules au safran, Mignonnette d'agneau, Charlotte Elodie.

XX ✽ **La Boule d'Or,** 13 bd Latour-Maubourg ☎ 705.50.18 – ▤. AE H 10
fermé août et lundi – **R** carte 100 à 150
Spéc. Foie gras de canard, Montgolfière de turbot aux petits légumes, Soufflé au citron.

XX ✽ **Conticini,** 4 r. Pierre-Leroux ☎ 306.99.39 – GB K 11
fermé août et dim. – **R** carte 95 à 150
Spéc. Pâtes fraîches aux huîtres et foie gras, Rouelles de homard au beurre de poivron, Navarin d'agneau à ma façon.

XX ✽ **La Flamberge** (Albistur), 12 av. Rapp ☎ 705.91.37 – AE GB ⓓ E H 8
fermé 8 août au 7 sept. et dim. – SC : **R** carte 125 à 185
Spéc. Foie gras frais en terrine, Filets de sole aux deux sauces, Gibier (oct. à mars).

XX ✽ **La Cantine des Gourmets,** 113 av. de La Bourdonnais ☎ 705.47.96 – GB J 9
fermé lundi midi et dim. – SC : **R** carte 130 à 185
Spéc. Oeuf royal en surprise, Quenelles de langoutines aux écrevisses, Pâtes fraîches au foie gras.

XX **Le Galant Verre,** 12 r. Verneuil ☎ 260.84.56 – ▤. GB ⓓ J 12
fermé août, sam. et dim. – **R** carte 95 à 130.

XX **Le Bistrot de Paris,** 33 r. Lille ☎ 261.16.83, évocation bistrot 1900 – GB J 12
fermé sam. dim. et fêtes – **R** carte 115 à 150.

XX **Aux Délices de Szechuen,** 40 av. Duquesne ☎ 306.22.55 – AE GB K 10
R carte 50 à 80 ♁.

XX ✽ **Vert Bocage,** 96 bd Latour-Maubourg ☎ 551.48.64 – ▤. AE GB ⓓ J 9
fermé août, sam. soir et dim. – **R** carte 100 à 150
Spéc. Tarte à la tomate, Turbot au beurre blanc, Ris de veau normande.

XX **Le Petit Laurent,** 38 r. Varenne ☎ 548.79.64 – AE ⓓ J 11
fermé août, 24 au 31 déc., dim. et lundi – **R** carte 85 à 125.

XX **La Calèche,** 8 r. Lille ☎ 260.24.76 – AE GB ⓓ J 12
fermé 15 au 31 août, sam. et dim. – SC : **R** carte 90 à 125.

XX **Le Bellecour,** 22 r. Surcouf ☎ 551.46.93 – AE GB ⓓ E H 9
fermé 15 août au 1er sept., sam. sauf le soir du 1er oct. au 1er juin et dim. – **R** carte 120 à 165.

XX **La Fontaine aux Carmes,** 124 r. Grenelle ☎ 551.77.23 – GB J 11
fermé août, vend. soir et sam. – **R** carte 85 à 135.

XX **Le Champ de Mars,** 17 av. Motte-Picquet ☎ 705.57.99 – GB ⓓ J 9
fermé 15 juil. au 15 août et lundi – **R** carte 75 à 125.

XX **Les Glénan,** 54 r. de Bourgogne ☎ 551.61.09 J 10
fermé août, 31 déc au 11 janv., sam. midi, dim. et fêtes – **R** carte 115 à 150.

XX ✿ **Gildo** (Bellini), 153 r. Grenelle ☎ 551.54.12 – ▤ J 9
fermé Pâques, Pentecôte, 14 juil. au 1er sept., vacances de Noël, dim. et lundi – **R** carte 80 à 115
Spéc. Jambon et figues, Pâtes fraîches aux champignons, Abacchio.

XX **Quai d'Orsay,** 49 quai d'Orsay ☎ 551.58.58 – ▤. AE GB E H 9
fermé août et dim. – **R** carte 115 à 165.

X ✿ **Pantagruel** (Israël), 20 r. Exposition ☎ 551.79.96 – AE GB ⓓ J 9
fermé août, dim. et fériés – SC : **R** carte 110 à 145
Spéc. Foie gras frais, Turbot au Bouzy, Civet d'oie fraiche.

X **Délices St André,** 2 r. Sédillot ☎ 551.95.82 – AE ⓓ H 8
fermé 1er au 21 août, 24 déc. au 2 janv., sam. midi et dim. – **R** carte 85 à 145.

X **La Chaumière,** 35 r. Beaune ☎ 261.26.09 J 12
fermé août, sam. soir et dim. – SC : **R** carte 70 à 105.

X **Léo le Lion,** 23 r. Duvivier ☎ 551.41.77 J 9
fermé 14 août au 5 sept., sam. et dim. – **R** carte 70 à 100.

Champs-Élysées, St-Lazare, Madeleine.

8e arrondissement.
8e : ✉ 75008

Plaza-Athénée Ⓜ, 25 av. Montaigne ☎ 723.78.33, Télex 650092 – 🛗 ▤ TV ☎ – 🎪 30. AE ⓓ E. 🐕 rest G 9
R voir rest. **Régence Plaza et Relais Plaza** – ☕ 40 – **216 ch** 770/1 370, 37 appart.

George V Ⓜ, 31 av. George-V ☎ 723.54.00, Télex 290776 – 🛗 ▤ ch TV ☎ ♿ – 🎪 1 000. AE GB ⓓ E G 8
rest. **Les Princes R** carte 145 à 240 – ☕ 39 – **294 ch** 580/810, 50 appart.

Crillon, 10 pl. Concorde ☎ 296.10.81, Télex 290204 – 🛗 ▤ rest TV ☎ ♿ – 🎪 80. AE GB ⓓ G 11
R voir rest. ci-après – ☕ 40 – **169 ch** 590/810, 38 appart.

Bristol, 112 fg St-Honoré ☎ 266.91.45, Télex 280961, 🏊 – 🛗 TV ☎ Ⓟ – 🎪 50. AE ⓓ F 10
SC : **R** voir rest **Bristol** – ☕ 35 – **211 ch** 650/1 000, 57 appart.

Prince de Galles, 33 av. George-V ☎ 723.55.11, Télex 280627 – 🛗 TV ☎ ♿ – 🎪 40 à 200. AE GB ⓓ E. 🐕 rest G 8
R carte 130 à 175 – ☕ 36,50 – **164 ch** 440/625, 38 appart.

Royal Monceau, 35 av. Hoche ☎ 561.98.00, Télex 650361, 🌳 – 🛗 TV ☎ ♿ – 🎪 300. AE ⓓ E. 🐕 rest E 8
SC : **Le Royal R** carte 150 à 215 – ☕ 35 – **200 ch** 540/720, 25 appart.

Lancaster, 7 r. Berri ☎ 359.90.43, Télex 640991 – 🛗. AE E F 9
R *(fermé sam. soir et dim. soir)* carte 120 à 185 – ☕ 35 – **56 ch** 500/800, 10 appart.

San Regis sans rest, 12 r. Jean-Goujon ☎ 359.41.90 – 🛗 ☎. 🐕 G 9
SC : ☕ 22 – **30 ch** 300/420, 12 appart.

La Trémoille, 14 r. La Trémoille ☎ 723.34.20, Télex 640344 – 🛗 TV ☎. AE GB ⓓ E G 9
R carte 105 à 145 – ☕ 30 – **104 ch** 530/650, 13 appart.

Frantel-Windsor Ⓜ, 14 r. Beaujon ☎ 563.04.04, Télex 650902 – 🛗 ▤ rest TV ☎ – 🎪 30 à 70. AE GB ⓓ E. 🐕 rest F 8
SC : rest. **Le Clovis** *(fermé août sam. et dim.)* **R** carte 150 à 200 – ☕ 24 – **134 ch** 450/560.

Napoléon, 40 av. Friedland ℡ 227.74.20, Télex 640609 – |⇅| TV ☎ – ⛬ 80 à100. AE ◑ E. ※ ch F 8
SC : **R** voir rest. **Napoléon** – ☕ 26 – **140 ch** 320/440, 27 appart.

California, 16 r. Berri ℡ 359.93.00, Télex 660634 – |⇅| TV ☎ ♿ – ⛬ 80 à 100. AE CB ◑ E. ※ rest F 9
R *(fermé dim.)* carte 90 à 130 – **188 ch** ☕ 445/520.

Concorde-St-Lazare, 108 r. St-Lazare ℡ 261.51.20, Télex 650442 – |⇅| TV – ⛬ 30 à 60. AE CB ◑ E E 12
SC : **Café Terminus R** carte environ 95 🍷 – **324 ch** ☕ 380/490.

Bedford, 17 r. Arcade ℡ 266.22.32, Télex 290506 – |⇅| TV ☎ ♿ – ⛬ 80. E. ※ rest F 11
SC : **R** *(fermé sam. et dim.)* (déj. seul.) 75 🍷 – **137 ch** ☕ 220/310, 10 appart. 490.

Château Frontenac et rest. Pré Carré, 54 r. P.-Charron ℡ 723.55.85, Télex 660994 – |⇅| TV ☎. AE CB ◑. ※ G 9
fermé août – **R** *(fermé dim.)* 120/150 – ☕ 22 – **102 ch** 350/500.

Claridge Bellman, 37 r. François 1er ℡ 723.90.03, Télex 641150 – |⇅| TV ☎. AE ◑. ※ G 9
SC : **R** *(fermé sam. soir et dim.)* carte 120 à 160 – ☕ 25 – **42 ch** 322/420.

Roblin et rest. Le Mazagran, 6 r. Chauveau-Lagarde ℡ 265.57.00, Télex 640154 – |⇅|. AE ◑ F 11
R *(fermé sam. et dim.)* carte 90 à 125 - **Grill R** carte environ 80 – **70 ch** ☕ 194/306.

Vernet, 25 r. Vernet ℡ 723.43.10, Télex 290347 – |⇅| F 8
63 ch.

Résidence Champs-Elysées Ⓜ sans rest, 92 r. La Boëtie ℡ 359.96.15, Télex 650695 – |⇅| TV ☎. AE ◑ E. ※ F 9
SC : ☕ 25 – **85 ch** 320/440.

Etap St-Honoré Ⓜ sans rest, 15 r. Boissy d'Anglas ℡ 266.93.62, Télex 240366 – |⇅| ☎ ♿ – ⛬ 50. AE CB ◑ E G 11
SC : ☕ 18,50 – **112 ch** 270/320, 7 appart. 480.

Celtic et Rest. le Tardets, 6 r. Balzac ℡ 563.28.34, Télex 290298 – |⇅| ☎ – ⛬ 40. AE E F 8
SC : **R** *(fermé dim.)* carte 75 à 120 – ☕ 15 – **79 ch** 250/500.

Castiglione, 40 r. Fg-St-Honoré ℡ 265.07.50, Télex 240362 – |⇅| ☎ – ⛬ 30. AE ◑ E G 11
SC : **R** carte 90 à 150 - **Grill R** 80 bc – ☕ 26 – **85 ch** 341/440, 15 appart.

Printemps et rest. Chez Martin, 1 r. Isly ℡ 261.82.14, Télex 290744 – |⇅| TV ☎ – ⛬ 30. E F 12
SC : **R** *(fermé dim.)* 65 bc – **66 ch** ☕ 206/332.

Queen Elizabeth, 41 av. Pierre-1er-de-Serbie ℡ 720.80.56, Télex 641179 – |⇅| ☎. AE CB E. ※ G 8
R *(fermé dim. et le soir en sem.)* 42 bc – ☕ 20 – **69 ch** 300/400, 6 appart. 500/600.

Elysées-Marignan sans rest, 12 r. Marignan ℡ 359.58.61, Télex 660018 – |⇅| TV ☎. AE ◑ E G 9
SC : **71 ch** ☕ 390/440.

Astor, 11 r. Astorg ℡ 266.56.56,, Télex 642718 – |⇅| ☎. AE CB ◑ E F 11
R carte 100 à 150 – **140 ch** ☕ 290/350 – P 320/335.

Royal H. et rest St. Moritz, 33 av. Friedland ℡ 359.08.14, Télex 280965 – |⇅|. AE CB ◑ E. ※ F 8
R *(fermé août, sam. et dim.)* carte 115 à 155 – ☕ 16 – **57 ch** 220/285.

Powers sans rest, 52 r. François-1er ℡ 723.91.05, Télex 642051 – |⇅| ☎. AE CB. ※
SC : ☕ 16 – **54 ch** 150/400, 3 appart. 430. G 9

Bradford sans rest, 10 r. St-Philippe-du-Roule ℡ 359.24.20 – |⇅|. ※ F 9
SC : **48 ch** ☕ 197/242.

Alison Ⓜ sans rest, 21 r. Surène ℡ 265.54.00 – |⇅| TV 🛁wc 🚿wc ☎. AE CB ◑ E. ※ F 11
SC : ☕ 16 – **35 ch** 165/250.

Franklin Roosevelt sans rest, 18 r. Clément-Marot ℡ 723.61.66 – |⇅| TV 🛁wc 🚿wc ☎. ⛟. ※ G 9
SC : **45 ch** ☕ 245/260.

Résidence Saint-Philippe sans rest, 123 r. Fg-St-Honoré ℡ 359.86.99 – |⇅| TV 🛁wc 🚿wc ☎. ⛟. ※ F 9-10
SC : **38 ch** ☕ 210/290.

Angleterre-Champs-Élysées Ⓜ sans rest, 91 r. La Boétie ℡ 359.35.45, Télex 640317 – |⇅| TV 🛁wc 🚿wc ☎. ⛟ AE ◑ F 9
SC : **40 ch** ☕ 160/260.

Rond-Point des Champs-Elysées sans rest, 10 r. Ponthieu ℡ 359.55.58 – |⇅| 🛁wc ☎. ⛟ AE ◑ E. ※ F 10
SC : ☕ 14 – **46 ch** 130/245.

Queen Mary sans rest, 9 r. Greffulhe ℡ 266.40.50 – |⇅| 🛁wc 🚿wc ☎. ⛟. ※
SC : ☕ 14 – **36 ch** 170/240. F 12

Royal Alma sans rest, 35 r. Jean-Goujon ✆ 225.83.30, Télex 641428 – wc wc AE. G 9
SC : 14,50 – **83 ch** 320.

Atlantic sans rest, 44 r. Londres ✆ 387.45.40, Télex 650477 – wc wc. E 12
SC : 13,50 – **93 ch** 140/205.

West End sans rest, 7 r. Clément-Marot ✆ 720.30.78 – wc. AE G 9
SC : **60 ch** 262/311.

Washington sans rest, 43 r. Washington ✆ 561.10.76 – TV wc wc. AE. F 9
SC : 15 – **23 ch** 120/220.

Lord Byron sans rest, 5 r. Chateaubriand ✆ 359.89.98, – TV wc. F 9
SC : 16 – **16 ch** 220/350, 10 appart. 300/350.

Élysées sans rest, 100 r. La Boétie ✆ 359.23.46 – wc wc. AE GB E. F 9
SC : **32 ch** 123/266.

Lido sans rest, 4 passage Madeleine ✆ 266.27.37 – wc wc. AE. F 11
SC : **29 ch** 108/230.

Rochambeau-Copatel sans rest, 4 r. La Boétie ✆ 265.27.54, Télex 640030 – TV wc wc. AE GB F 11
SC : **49 ch** 227/254.

Céramic sans rest, 34 av. Wagram ✆ 227.20.30 – wc wc. AE E 8
SC : 12 – **59 ch** 150/190.

L'Arcade sans rest, 7 r. Arcade ✆ 265.43.85 – TV wc. F 11
SC : **47 ch** 162/210.

Opal sans rest, 19 r. Tronchet ✆ 265.77.97 – wc wc. AE GB F 12
SC : 15 – **36 ch** 180/230.

Ouest H. sans rest, 3 r. Rocher ✆ 387.57.49 – wc wc. EF 11
SC : 12 – **58 ch** 105/210.

Madeleine-Plaza sans rest, 33 pl. Madeleine ✆ 265.20.63 – wc. AE F 11-12
SC : 14 – **50 ch** 130/230.

Ministère sans rest, 31 r. Surène ✆ 266.21.43 – wc wc. F 11
SC : **34 ch** 100/240.

Lavoisier-Malesherbes sans rest, 21 r. Lavoisier ✆ 265.10.97 – wc wc. F 11
SC : **32 ch** 135/180.

Berne sans rest, 37 r. Berne ✆ 387.08.92, Télex 640471 – TV wc wc. AE GB E 11
SC : 11 – **36 ch** 170/250.

Elysée sans rest, 12 r. Saussaies ✆ 265.29.25 – wc wc. F 11
SC : **32 ch** 68/200.

XXXXX ✿✿✿ **Lasserre,** 17 av. Franklin-D.-Roosevelt ✆ 359.53.43, Toit ouvrant – . G 10
fermé 2 au 31 août, dim. et lundi – **R** carte 195 à 250
Spéc. Suprême de barbue "Kenarmor", Jambonnette de Barbarie, Frangipane aux sept fruits.

XXXXX ✿✿ **Ledoyen,** carré Champs-Élysées ✆ 266.54.77 – P G 10
fermé 1er août au 2 sept. et dim. – **R** carte 170 à 225
Spéc. Escalope de bar braisé, Terrine de ris de veau, Selle d'agneau "Prince noir".

XXXXX ✿✿ **Laurent,** 41 av. Gabriel ✆ 359.14.49 – AE GB G 11
fermé sam., dim. et fêtes – **R** carte 160 à 240
Spéc. Salade de homard, Rougets pochés à l'huile d'olive, Caneton au cassis.

XXXXX ✿✿✿ **Taillevent,** 15 r. Lamennais ✆ 561.12.90 – . F 9
fermé 25 juil. au 25 août, sam., dim. et fériés – **R** carte 150 à 210
Spéc. Feuilleté de légumes au coulis de homard, Canette de barbarie au citron, soufflé à la poire.

XXXXX ✿ **Régence Plaza,** 25 av. Montaigne ✆ 723.78.33 – AE E. G 9
fermé 18 déc. au 4 janv. – **R** carte 165 à 225
Spéc. Soufflé de homard, Canard au poivre vert, Mignon d'agneau.

XXXXX ✿✿ **Lucas-Carton,** 9 pl. Madeleine ✆ 265.22.90 – AE E G 11
R carte 140 à 215
Spéc. Cassolette de queues d'écrevisses, Volaille étuvée au porto, Rognons flambés.

XXXXX ✿ **Bristol,** 112 r. fg St-Honoré ✆ 266.91.45 – AE . F 10
SC : **R** carte 180 à 240.

XXXX ✿ **Lamazère,** 23 r. Ponthieu ☎ 359.66.66 – ▤. AE ① E. 🐕 F 9
fermé 11 juil. au 17 août et dim. – **R** carte 150 à 220
Spéc. Truffe Lamazère, Ecrevisses à la bordelaise (mai à janv.), Cassoulet aux trois confits.

XXXX ✿✿ **La Marée,** 1 r. Daru ☎ 763.52.42 – ▤. AE ① E 8
fermé 25 juil. au 1er sept., sam. et dim. – **R** carte 150 à 220
Spéc. Belons au Champagne, Selle d'agneau, Pâtisseries.

XXXX ✿ **Crillon,** r. Boissy d'Anglas ☎ 296.10.81 – AE GB ①. 🐕 G 11
R carte 135 à 195
Spéc. Jumelé de foie gras frais, Paupiettes d'écrevisses à l'estragon, Gourmandise au chocolat.

XXXX ✿ **Fouquet's,** 99 av. Champs-Élysées ☎ 723.70.60 – AE GB ① F 8
R (1er étage) *(fermé août)* carte 125 à 180
Spéc. Escalopes de poisson au beurre de homard, Suprême de poularde au champagne, Marquise sauce café.

XXX ✿✿ **Chiberta,** 3 r. Arsène-Houssaye ☎ 563.77.90 – AE GB ① F 8
fermé août, sam., dim. et fériés – **R** carte 140 à 185
Spéc. Bavarois de saumon fumé, Charlotte d'aubergines aux noisettes d'agneau, Fricassée de homard.

XXX **Napoléon Baumann,** 38 av. Friedland ☎ 227.99.50, Télex 640609 – AE GB ① E
R carte 115 à 155. F 8

XXX ✿ **Le Marcande,** 52 r. Miromesnil ☎ 265.76.85 – AE GB ① E F 10
fermé 10 août au 8 sept., 23 déc. au 2 janv., sam. et dim. – **R** carte 155 à 185
Spéc. Mosaïque de poissons de mer et d'eau douce, Ragoût de volaille aux écrevisses, Charlotte aux fruits frais.

XXX **Au Vieux Berlin,** 32 av. George-V ☎ 720.88.96 – ▤. AE ① G 8
fermé sam. et dim. – **R** carte 90 à 140.

XXX ✿ **Copenhague,** 142 Champs-Élysées ☎ 359.20.41 – AE GB ① E. 🐕 F 8
fermé 31 juil. au 1er sept., dim. et fêtes – **R** carte 100 à 155 - **Flora Danica R** carte 95 à 150
Spéc. Saumon mariné à l'aneth, Canard salé à la danoise, Mignon de renne au genièvre.

XXX ✿ **Marius et Janette,** 4 av. George-V ☎ 723.41.88 – GB G 8
fermé août, 24 déc. au 2 janv. et dim. – **R** carte 130 à 220
Spéc. Bouillabaisse, Loup grillé, Bourride.

XXX **Relais-Plaza,** 21 av. Montaigne ☎ 723.46.36 – ▤. AE ① E G 9
fermé août – **R** carte 120 à 170.

XXX **Indra,** 10 r. Cdt-Rivière ☎ 359.46.40 – AE GB ① E F 9
fermé sam. midi et dim. – SC : **R** carte 75 à 115.

XXX **Les Trois Limousins,** 8 r. Berri ☎ 562.35.97 – ▤. AE GB ① F 9
fermé dim. et fêtes – SC : **R** 142 bc/165 bc.

XXX **Les Trois Moutons,** 63 av. F.-D.-Roosevelt ☎ 225.26.95 – ▤. AE GB ① F 10
fermé dim. et fêtes – SC : **R** 142 bc/165 bc.

XXX ✿ **La Dariole,** 49 r. Colisée ☎ 225.66.76 F 10
fermé sam. sauf le soir du 1er oct. au 30 avril et dim. – SC : **R** carte 120 à 170
Spéc. Poêlée de foie gras, Gigot de lotte, Gibier (saison).

XXX **Chez Tante Louise,** 41 r. Boissy-d'Anglas ☎ 265.06.85 – ▤. AE GB ① G 11
fermé août et dim. – **R** carte 115 à 155.

XX ✿ **Le Petit Montmorency** (Bouché), 5 r. Rabelais ☎ 225.11.19 – GB. 🐕 F 10
fermé août, sam. et dim. – SC : **R** carte 125 à 170
Spéc. Foie gras de canard au caramel poivré, Tendron de veau aux nouilles, Soufflé au chocolat.

XX **Ruc,** 2 r. Pépinière ☎ 522.66.70 – AE GB ① E F 11
fermé août – **R** (1er étage) carte 110 à 160.

XX **Le Relais,** 12 av. George-V ☎ 723.39.58 – AE ① G 8
fermé août et dim. – **R** carte 100 à 140.

XX **Tong Yen,** 1 bis r. Jean-Mermoz ☎ 225.04.23 – ▤. AE GB ① E F 10
fermé 5 au 25 août – **R** carte 80 à 115.

XX **Chez Max,** 19 r. Castellane ☎ 265.33.81. GB F 11
fermé sam., dim. et fêtes – **R** carte 105 à 145.

XX ✿ **Androuët,** 41 r. Amsterdam ☎ 874.26.93 – AE ①. 🐕 E 12
fermé dim. et fêtes – **R** carte 85 à 120
Spéc. Tous les fromages.

XX **Stresa,** 7 r. Chambiges ☎ 723.51.62 – AE ① G 9
fermé fin juil. à fin août, 18 déc. au 3 janv., sam. soir, dim. et fêtes – **R** carte 85 à 140.

XX **Le Sarladais,** 2 r. Vienne ☎ 522.23.62 – ▤. AE GB E E 11
fermé 14 juil. au 15 août, 24 déc. au 2 janv., sam. midi, dim. et fériés – **R** carte 80 à 115.

XX ✿ **Artois** (Rouzeyrol), 13 r. Artois ☎ 225.01.10 F 9
fermé 14 juil. au 1er sept., sam. et dim. – **R** (prévenir) carte 70 à 110
Spéc. Charcuteries d'Auvergne, Confit d'oie aux cèpes (en saison), Coq au vin de Cahors.

XX **Chez Bosc,** 7 r. Richepanse ☎ 260.10.27 – GB G 12
fermé août, sam. soir (et sam. midi en mai, juin et juil.), dim. et fériés – **R** carte 100 à 140.

XX **Edgard,** 4 r. Marbeuf ☎ 720.51.15 – AE GB ⓓ G 8
fermé dim. et fêtes – **R** carte 75 à 120 ₰.

X **André,** 12 r. Marbeuf ☎ 720.59.57 G 9
fermé août et mardi – **R** carte 65 à 110.

X **Le Capricorne,** 81 r. Rocher ☎ 522.64.99 E 10-11
fermé août, sam., dim. et fériés – **R** carte 50 à 75 ₰.

Opéra, Gare du Nord, Gare de L'Est, Grands Boulevards.

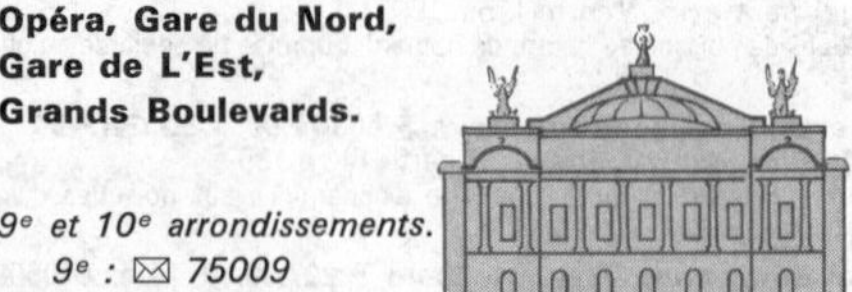

9e et 10e arrondissements.
9e : ✉ 75009
10e : ✉ 75010

Le Gd Hôtel, 2 r. Scribe (9e) ☎ 260.33.50, Télex 220875 – |₴| TV ☎ ♿ – 🎤 25 à 600. AE GB ⓓ E. ✂ rest F 12
SC : **Salons Ravel R** (déj. seul 105 bc) et voir **Café de la Paix** – **580 ch** ☕ 520/650, 20 appart.

Ambassador, 16 bd Haussmann (9e) ☎ 246.92.63, Télex 650912 – |₴| TV ☎ ♿. AE GB ⓓ E. ✂ F 13
SC : **R** *(fermé juil.)* 80/100 – **300 ch** ☕ 410/490, 4 appart.

Commodore, 12 bd Haussmann (9e) ☎ 246.72.82, Télex 280601 – |₴| ▤ rest TV ☎ ♿. AE GB ⓓ E. ✂ rest F 13
SC : **R** carte environ 100 ₰ – **150 ch** ☕ 360/445, 10 appart.

Pavillon, 36 r. Echiquier (10e) ☎ 246.92.75, Télex 641905 – |₴| ▤ rest TV ☎ – 🎤 110. AE GB ⓓ E F 15
SC : **R** 80 bc – **215 ch** ☕ 290/350.

St-Pétersbourg sans rest, 33 r. Caumartin (9e) ☎ 266.60.38, Télex 680001 – |₴| TV ☎. AE GB ⓓ F 12
SC : ☕ 16 – **120 ch** 233/253.

Terminus Nord sans rest, 12 bd Denain (10e) ☎ 280.20.00, Télex 660615 – |₴| TV ☎ ♿ – 🎤 40. AE GB ⓓ E. ✂ E 15-16
SC : **230 ch** ☕ 180/330.

Blanche Fontaine 🐌 sans rest, 34 r. Fontaine (9e) ☎ 526.72.32, Télex 660311 – |₴| ♿ 🚗. AE. ✂ D 13
SC : **42 ch** ☕ 180/220, 4 appart. 280.

Cardinal M sans rest, 3 r. Cardinal Mercier (9e) ☎ 280.66.54, Télex 642740 – |₴| TV ☎ ♿. AE ⓓ E 12
SC : **81 ch** ☕ 220/270.

Carlton's H. sans rest, 55 bd Rochechouart (9e) ☎ 281.91.00, Télex 640649 – |₴| ☎. AE GB ⓓ E. ✂ D 14
SC : **100 ch** ☕ 215/260, 6 appart. 340/380.

Franklin et du Brésil, 19 r. Buffault (9e) ☎ 280.27.27, Télex 640988 – |₴| TV ☎. AE GB ⓓ. ✂ rest E 14
R *(fermé dim.)* 80 – **65 ch** ☕ 250/330.

Astra sans rest, 29 r. Caumartin (9e) ☎ 266.15.15, Télex 210408 – |₴| ▤ rest 🛁wc ☎. 🚗 AE ⓓ E F 12
SC : **75 ch** ☕ 350/360.

Paris Est M sans rest, cour d'Honneur (10e) ☎ 607.72.23 – |₴| 🛁wc 🚿wc ☎. GB ☕ 15 – **32 ch** 120/290. E 16

Gisendre M sans rest, 6 r. Fromentin (9e) ☎ 280.36.86 – |₴| TV 🛁wc 🚿wc ☎. 🚗 AE GB ⓓ E D 13
SC : ☕ 12 – **32 ch** 170/200.

Caumartin M sans rest, 27 r. Caumartin (9e) ☎ 742.95.95, Télex 680702 – |₴| TV 🛁wc 🚿wc ☎. 🚗 AE GB ⓓ E F 12
SC : **40 ch** ☕ 270/310.

Chamonix M sans rest, 8 r. d'Hauteville (10e) ☎ 770.25.78, Télex 641177 – |₴| 🛁wc 🚿wc ☎. 🚗 AE ⓓ E. ✂ F 15
SC : ☕ 18 – **35 ch** 270/380.

Amiot sans rest, 76 bd Strasbourg (10e) ☎ 607.57.17 – |₴| 🛁wc 🚿wc ☎. 🚗 E 16
SC : ☕ 12 – **68 ch** 115/165.

London Palace sans rest, 32 bd Italiens (9e) ☎ 824.54.64, Télex 642360 – |₴| 🛁wc 🚿wc ☎. 🚗 E. ✂ F 13
SC : ☕ 14 – **50 ch** 155/220.

Hélios sans rest, 75 r. Victoire (9e) ☎ 874.28.64 – |♦| ⇔wc ⋒wc ☎ ♿. ⇔ AE GB ⊙ F 13
SC : ⊏ 14 – **51 ch** 147/176.

Mondial ⅋ sans rest, 5 cité Bergère (9e) ☎ 770.55.56, Télex 642302 – |♦| ⇔wc ⋒wc ☎. ⇔ AE ⊙ E. ⅋ F 14
SC : ⊏ 13,50 – **60 ch** 132/203.

Gare du Nord sans rest, 33 r. St-Quentin (10e) ☎ 878.02.92, Télex 642415 – |♦| ⇔wc ⋒wc ☎. ⇔ E. ⅋ E 16
SC : ⊏ 14 – **49 ch** 115/230.

Florida sans rest, 7 r. Parme (9e) ☎ 874.47.09, Télex 640410 – |♦| TV ⇔wc ⋒wc ☎. ⇔ AE ⊙ D 12
SC : **34 ch** ⊏ 85/280.

Résidence Mauroy M sans rest, 11 bis r. Godot-de-Mauroy (9e) ☎ 742.50.78 – |♦| ⇔wc ⋒wc ☎. ⇔ AE GB ⊙ E F 12
fermé août – SC : ⊏ 15 – **24 ch** 105/215.

Montholon-Lafayette sans rest, 4 r. Riboutté (9e) ☎ 246.83.44 – |♦| ⇔wc ⋒wc ☎. ⇔ E 14
SC : **38 ch** ⊏ 88/175.

Florence sans rest, 26 r. Mathurins (9e) ☎ 742.63.47 – |♦| ⇔wc ⋒wc ☎. ⇔ AE ⊙ F 12
SC : ⊏ 15 – **20 ch** 165/220.

Morny sans rest, 4 r. Liège (9e) ☎ 285.47.92, Télex 660822 – |♦| TV ⇔wc ⋒wc ☎. ⇔ AE GB ⊙ E E 12
SC : **42 ch** ⊏ 240/268.

Diamond sans rest, 73 r. Dunkerque (9e) ☎ 878.05.27 – |♦| ⇔wc ⋒wc ☎ D 15
SC : **52 ch** ⊏ 100/180.

Montréal sans rest, 23 r. Godot-de-Mauroy (9e) ☎ 265.99.54 – |♦| ⇔wc ⋒wc ☎. ⇔ AE ⊙ F 12
SC : ⊏ 13 – **14 ch** 92/189, 5 appart. 200.

Pax H. sans rest, 47 r. Trévise (9e) ☎ 770.84.75, Télex 650197 – |♦| ⇔wc ⋒wc ☎. ⇔ GB E 14
SC : **50 ch** ⊏ 160/200.

Peyris sans rest, 10 r. Conservatoire (9e) ☎ 770.50.83 – |♦| ⇔wc ⋒ ☎. ⇔ GB
SC : **50 ch** ⊏ 130/200. F 14

Résidence Sémard sans rest, 15 r. P.-Sémard (9e) ☎ 878.26.72 – |♦| ⇔wc ⋒wc ☎. ⇔ E 14-15
SC : **41 ch** ⊏ 115/162.

Gd H. Haussmann sans rest, 6 r. Helder (9e) ☎ 824.76.10 – |♦| ⇔wc ⋒wc ☎. ⇔ AE F 13
58 ch ⊏ 143/236.

Français sans rest, 13 r. 8-Mai 1945 (10e) ☎ 607.42.02 – |♦| ⇔wc ⋒wc ☎. ⇔
SC : ⊏ 12,50 – **71 ch** 135/155. E 16

Gd H. Lafayette Buffault sans rest, 6 r. Buffault (9e) ☎ 770.70.96, Télex 642180 – |♦| ⇔wc ⋒wc ☎. ⇔ E 14
SC : ⊏ 13 – **47 ch** 70/150.

Victor Massé sans rest, 32 bis r. Victor-Massé (9e) ☎ 874.37.53 – |♦| ⇔wc ⋒ ☎. ⇔ ⊙. ⅋ E 13
SC : ⊏ 12,50 – **42 ch** 92/158.

Laffon sans rest, 25 r. Buffault (9e) ☎ 878.49.91 – |♦| ⇔wc ⋒wc ☎. ⇔ GB E
fermé 26 juil. au 24 août – SC : **47 ch** ⊏ 74/185. E 14

Lebron sans rest, 4 r. Lamartine (9e) ☎ 281.00.33 – |♦| ⇔wc ⋒wc ☎. ⇔ AE E
SC : ⊏ 12 – **40 ch** 70/185. E 14

Fénelon sans rest, 23 r. Buffault (9e) ☎ 878.32.18 – |♦| ⇔wc ⋒wc ☎. ⇔ E 14
SC : ⊏ 11 – **36 ch** 90/160.

Résidence Magenta sans rest, 35 r. Y.-Toudic (10e) ☎ 607.63.13 – |♦| ⋒wc ☎. ⇔ AE F 17
SC : **29 ch** ⊏ 127/164.

Nord sans rest, 47 r. A.-Thomas (10e) ☎ 201.66.00 – |♦| ⋒wc ☎. ⇔. ⅋ F 16
SC : ⊏ 12 – **24 ch** 95/140.

Londres et Anvers sans rest, 133 bd Magenta (10e) ☎ 285.28.26 – |♦| ⇔wc ⋒ ☎. ⇔ D 15
SC : ⊏ 14 – **43 ch** 85/170.

Blanche H. sans rest, 69 r. Blanche (9e) ☎ 874.16.94 – |♦| ⇔wc ⋒ ☎. ⇔. ⅋
SC : ⊏ 11 – **54 ch** 45/155. D 12

XXXX **Café de la Paix,** pl. Opéra (9e) ℡ 742.97.02 – ▤. AE GB ⓞ F 12
Rest. Opéra *(fermé août)* **R** carte environ 140 - **Relais Capucines R** (snack) carte environ 75 ₰.

XXX ✿ **Le Louis XIV,** 8 bd St-Denis (10e) ℡ 208.56.56 – AE GB ⓞ G 16
fermé 1er juin au 31 août, lundi et mardi – **R** carte 100 à 150
Spéc. St-Jacques à la nage, Gigue de chevreuil Gd Veneur (saison de chasse), Caneton au poivre vert.

XXX ✿ **Nicolas,** 12 r. Fidélité (10e) ℡ 246.84.74 – AE GB ⓞ F 16
fermé 6 au 25 août et sam. – **R** carte 100 à 150
Spéc. Foie gras frais, Coquilles St-Jacques (oct. à avril), Canard aux fruits de saison.

XX ✿ **Au Chateaubriant** (Forno), 23 r. Chabrol (10e) ℡ 824.58.94, Collection de tableaux – ▤. ✂ E 15
fermé août, dim. et lundi – **R** carte 105 à 150
Spéc. Scampi fritti, Paglia e fieno alla contadina, Costoletta Villa d'Este.

XX ✿✿ **Chez Michel** (Tounissoux), 10 r. Belzunce (10e) ℡ 878.44.14 – ▤. AE ⓞ E 15
fermé août vend. et sam. – **R** (nombre de couverts limité - prévenir) carte 125 à 180
Spéc. Salade Gourmande, St Jacques au naturel (15 oct.-15 avril), Crêpes soufflées au grand Marnier.

XX ✿ **Atlantique** (Lani), 51 bd Magenta (10e) ℡ 208.27.20 – ▤ Ⓟ. AE GB ⓞ E F 16
fermé 25 juil. au 5 sept., dim. et lundi – **R** carte 130 à 190
Spéc. Plateau de fruits de mer, Cassolette de fruits de mer truffée, St Pierre à l'oseille.

XX **Barcelona,** 9 r. Geoffroy-Marie (9e) ℡ 824.47.66 – ⓞ. ✂ F 14
fermé dim. – **R** (dîner spectacle seul.) 130 bc/250 bc.

XX **Aub. du Clou,** 30 av. Trudaine (9e) ℡ 878.22.48 – AE GB ⓞ E D 14
fermé 13 août au 13 sept. et dim. – SC : **R** carte 110 à 155.

XX **Le Quercy,** 36 r. Condorcet (9e) ℡ 878.30.61 – AE GB ⓞ E 15
fermé août et dim. – SC : **R** carte 90 à 150.

XX **Ty Coz,** 35 r. St-Georges (9e) ℡ 878.42.95 F 13
fermé 14 au 18 août et dim. – SC : **R** carte 135 à 200.

XX **Le Saintongeais,** 62 r. fg Montmartre (9e) ℡ 280.39.92 E 14
fermé 8 au 31 août, sam. midi et dim. – **R** carte 80 à 120.

XX **Julien,** 16 r. fg St-Denis (10e) ℡ 770.12.06, décor "Belle Époque" – GB F 15
fermé août – **R** carte 65 à 100 ₰.

XX **Petit Riche,** 25 r. Le Peletier (9e) ℡ 770.68.68 – GB F 13
fermé août et dim. – SC : **R** carte 60 à 100 ₰.

XX **Chez Casimir,** 6 r. Belzunce (10e) ℡ 878.32.53 – AE GB ⓞ E 15
fermé sept. et sam. – **R** carte 110 à 160.

XX **Abel,** 15 r. St-Vincent-de-Paul (10e) ℡ 878.41.88, plat principal : couscous – ▤. AE E D-E 15
fermé 31 juil. au 5 sept. et dim. – **R** carte environ 85.

XX **Aux Deux Canards,** 8 r. Fg-Poissonnière (10e) ℡ 770.03.23 – AE GB ⓞ F 15
fermé août et dim. – **R** carte 70 à 120.

XX **Pagoda,** 50 r. Provence (9e) ℡ 874.81.48 – GB. ✂ F 13
fermé dim. en août – **R** carte 50 à 75.

XX **Brasserie Flo,** 7 cour Petites-Écuries (10e) ℡ 770.13.59, cadre 1900 – GB F 15
fermé août – **R** carte 55 à 95 ₰.

XX **Aub. Midi,** 12 r. Belzunce (10e) ℡ 878.40.03 – GB E 15
fermé août et dim. – **R** carte 60 à 95.

XX ✿ **La P'tite Tonkinoise** (Costa), 56 fg Poissonnière (10e) ℡ 246.85.98 F 15
fermé août, 15 au 31 mars, dim. et lundi – **R** carte 65 à 95
Spéc. Tonkinoises.

X **Les Frères Perraudin,** 18 r. d'Hauteville (10e) ℡ 770.41.05 – AE GB F 15
fermé sam. midi et dim. – **R** carte 95 à 170.

X **Relais Beaujolais,** 3 r. Milton (9e) ℡ 878.77.91 E 14
fermé août, dim. et fêtes – **R** carte 65 à 100.

X **Taverne d'Alsace,** 42 r. Rochechouart (9e) ℡ 878.31.86 – GB E 14
fermé août, dim. et lundi – **R** carte 50 à 80 ₰.

X **Aub. Landaise,** 23 r. Clauzel (9e) ℡ 878.74.40 – GB E 13
fermé août, dim. et fêtes – **R** carte 70 à 110.

X **Pinocchio,** 49 r. d'Enghien (10e) ℡ 770.01.98 – AE GB F 15
fermé août, dim. et fêtes – **R** carte 65 à 95.

X **La Grille,** 80 fg Poissonnière (10e) ℡ 770.89.73 – ⓞ E 15
fermé fin juil. à mi sept., vacances de fév., sam., dim. et fériés – SC : **R** carte 80 à 115

Pour traverser Paris et vous diriger en banlieue,
utilisez la carte Michelin **« Banlieue de Paris »** nº **101** à 1/50 000.

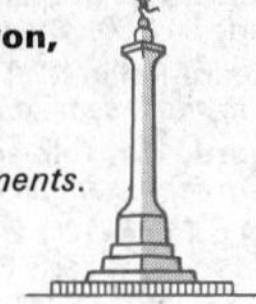

Bastille, Gare de Lyon, Place d'Italie, Bois de Vincennes.

12e et 13e arrondissements.
12e : ✉ 75012
13e : ✉ 75013

Modern H. Lyon sans rest, 3 r. Parrot (12e) ☎ 343.41.52, Télex 230369 – |‡| ☎. AE. ✻ L 18
SC : ☕ 13 – **53 ch** 143/220.

Paris-Lyon-Palace et Rest. Relais de la Méditerranée, 11 r. Lyon (12e) ☎ 307.29.49, Télex 213310 – |‡| ☎ – 🏛 150. AE GB ◑ E. ✻ rest L 18
R carte 70 à 125 🌡 – ☕ 15 – **128 ch** 175/195.

Terminus-Lyon sans rest, 19 bd Diderot (12e) ☎ 343.24.03 – |‡| 🛁wc 🚿wc ☎. 🚗. ✻ L 18
SC : ☕ 12 – **61 ch** 179/208.

Slavia sans rest, 51 bd St-Marcel (13e) ☎ 337.81.25 – |‡| TV 🛁wc 🚿wc ☎. 🚗. ✻ M 16
SC : **36 ch** ☕ 160/184, 6 appart. 210/280.

Terrasses sans rest, 74 r. Glacière (13e) ☎ 707.73.70 – |‡| 🛁wc 🚿wc ☎. 🚗. ✻ N 14
SC : ☕ 13 – **52 ch** 90/180.

Gd H. Gobelins sans rest, 57 bd St-Marcel (13e) ☎ 331.79.89 – |‡| TV 🛁wc 🚿wc ☎. 🚗. ✻ M 16
SC : ☕ 12 – **45 ch** 160/185.

Viator sans rest, 1 r. Parrot (12e) ☎ 343.11.00 – |‡| 🛁wc 🚿wc ☎. ✻ L 18
SC : ☕ 12 – **45 ch** 72/140.

Marceau sans rest, 13 r. Jules-César (12e) ☎ 343.11.65 – |‡| 🛁wc 🚿wc ☎. ✻
fermé août – SC : ☕ 14 – **53 ch** 50/144. K 17

Jules César sans rest, 52 av. Ledru-Rollin (12e) ☎ 343.15.88, Télex 670945 – |‡| 🛁wc 🚿wc ☎. ✻ K 18
SC : ☕ 11 – **48 ch** 65/120.

Rubens sans rest, 35 r. Banquier (13e) ☎ 331.73.30 – |‡| 🛁wc 🚿wc ☎. 🚗 N 16
SC : ☕ 12 – **50 ch** 80/135.

Lux H. sans rest, 8 av. Corbera (12e) ☎ 343.42.84 – |‡| 🛁wc 🚿 ☎ L 19
SC : ☕ 12 – **31 ch** 55/128.

Palym H. sans rest, 4 r. E.-Gilbert (12e) ☎ 343.24.48 – |‡| 🛁wc 🚿wc ☎ L 18
SC : **50 ch** ☕ 90/170.

Arts sans rest, 8 r. Coypel (13e) ☎ 707.76.32 – |‡| 🚿wc ☎ N 16
SC : ☕ 11,50 – **42 ch** 46/130.

Terminus et Sports sans rest, 96 cours Vincennes (12e) ☎ 343.97.93 – |‡| 🛁wc 🚿wc ☎. 🚗. ✻ L 23
SC : ☕ 12 – **43 ch** 80/150.

Trois Gares sans rest, 1 r. Jules-César (12e) ☎ 343.01.70 – |‡| 🚿wc ☎. ✻ K 17
SC : ☕ 11,50 – **39 ch** 50/115.

XXX **Train Bleu,** Gare de Lyon (12e) ☎ 343.09.06, « Belles fresques évoquant le voyage de Paris à la Méditerranée » – AE GB ◑ L 18
R (1er étage) carte 90 à 135.

XXX ✲✲ **Le Pressoir** (Seguin), 257 av. Daumesnil (12e) ☎ 344.38.21 – GB M 22
fermé vacances de fév., 8 au 31 août, dim. et lundi – SC : **R** carte 120 à 160
Spéc. Brandade de morue aux asperges (sais.), Rognons de veau à l'orange, Poire caramélisée à la glace à la cannelle.

XX **Sologne,** 164 av. Daumesnil (12e) ☎ 307.68.97 – GB M 21
fermé 25 janv. au 2 fév., lundi soir et dim. – SC : **R** carte 90 à 120.

XX ✲ **Au Trou Gascon** (Dutournier), 40 r. Taine (12e) ☎ 344.34.26 – ▤ M 21
fermé sam. et dim. – SC : **R** carte 120 à 175
Spéc. Ravioli de crabe au basilic, Saumon au lard fumé, Magret de canard.

XX **Les Marronniers,** 53 bis bd Arago (13e) ☎ 707.58.57 – GB ◑ E N 14
fermé août et dim. – SC : **R** carte 105 à 155.

✗ **Buffet Gare Austerlitz,** 55 quai Austerlitz (13e) ☎ 584.38.55 – ▤. GB E — M 17
SC : **1er étage R** carte 50 à 80 - **Brasserie r.-de-ch. R** carte 45 à 70.

✗ **Quincy,** 28 av. Ledru-Rollin (12e) ☎ 628.46.76 – ◐ — L 17
fermé 15 août au 15 sept., sam., dim. et lundi – **R** carte 80 à 120.

✗ **Relais du Périgord,** 15 r. Tolbiac (13e) ☎ 583.07.48 – GB ◐ — P 18
fermé 15 août au 15 sept., sam. et dim. – **R** carte 80 à 140 ♂.

✗ **Petite Alsace,** 4 r. Taine (12e) ☎ 343.21.80 – AE GB ◐ — M 20
fermé août et dim. soir – **R** carte 85 à 140.

✗ **Le Traversière,** 40 r. Traversière (12e) ☎ 344.02.10 – AE ◐ E — L 18
fermé 12 juil. au 12 sept. et le soir des dim. et fêtes – **R** carte 70 à 135.

✗ **La Frégate,** 30 av. Ledru-Rollin (12e) ☎ 343.90.32 – GB. ✻ — L 18
fermé août, sam. et dim. – **R** carte 90 à 120.

✗ **Etchegorry,** 41 r. Croulebarbe (13e) ☎ 331.63.05 – AE GB ◐ — N 15
fermé dim. soir et lundi – SC : **R** 48 bc/80 bc.

✗ **Potinière du Lac,** 4 pl. E.-Renard (12e) ☎ 343.39.98 – ◐ — N 23
fermé 10 déc. au 10 janv., dim. soir et lundi – **R** carte 75 à 130.

✗ **Chez Michèle,** 39 r. Daviel (13e) ☎ 580.09.13 – AE GB — P 14
fermé dim. – SC : **R** carte 85 à 110 ♂.

✗ **Le Rhône,** 40 bd Arago (13e) ☎ 707.33.57 – ◐ E — N 14
fermé août, sam., dim. et fêtes – **R** (nombre de couverts limité - prévenir) carte 45 à 80 ♂.

✗ **Chez André,** 53 bd St-Marcel (13e) ☎ 331.71.18 — M 16
fermé août et dim. – **R** carte 55 à 100.

Au Bois de Vincennes :

✗✗ **La Chesnaie du Roy,** rte de la Pyramide (12e) près parc floral ☎ 374.67.50
fermé août – SC : **R** (déj. seul.) carte 90 à 140.

✗✗ **Chalet des Iles,** au lac Daumesnil Ile de Reuilly (12e) ☎ 307.77.07, ≤ – Ⓟ. GB
fermé mardi – **R** carte 105 à 160. — P 23

Vaugirard, Gare Montparnasse, Grenelle, Denfert-Rochereau.

14e et 15e arrondissements.
14e : ✉ 75014
15e : ✉ 75015

🏨 Hilton Ⓜ, 18 av. Suffren (15e) ☎ 273.92.00, Télex 200955 – ⇅ ▤ rest TV ☎ ♿ 🚗 Ⓟ – 🎤 40 à 1200 — J 7
Rest : **Le Toit de Paris** ≤ Paris, **Western, Coffee Shop** – 465 ch, 24 appart..

🏨 **Sofitel Paris** Ⓜ, 8 r. L.-Armand (15e) ☎ 554.95.00, Télex 200432, **piscine intérieure panoramique** – ⇅ ▤ rest TV ☎ ♿ 🚗 – 🎤 30 à 1 200. AE GB ◐ E. ✻ rest — N 5
SC : rest. **Le Relais de Sèvres** *(fermé août et dim.)* **R** carte 140 à 180 - **Le Montgolfier** (dîner seul.) **R** carte environ 120 - **La Poterie** (Brasserie) **R** carte environ 70 ♂ – ☕ 29 – **635 ch** 435/580, 30 appart.

🏨 **Sheraton** Ⓜ, 19 r. Cdt-Mouchotte (14e) ☎ 260.35.11, Télex 200135 – ⇅ ▤ TV ☎ 🚗 Ⓟ – 🎤 25 à 1 200 — M 11
SC : **La Ruche R** carte 70 à 105 - **Montparnasse 25 R** carte 130 à 185 – ☕ 39 – **962 ch** 445/495, 33 appart.

🏨 **Nikko** Ⓜ, 61 quai Grenelle (15e) ☎ 575.62.62, Télex 260012, ≤, 🏊 – ⇅ ▤ TV ☎ Ⓟ – 🎤 40 à 800. AE GB ◐ E — K 6
SC : **R** voir rest **Les Célébrités** - **Brasserie Pont Mirabeau R** carte environ 85 - **rest japonais Benkay R** carte environ 110 – ☕ 30 – **776 ch** 400/530, 6 appart.

🏨 **P.L.M. St-Jacques** Ⓜ, 17 bd St-Jacques (14e) ☎ 589.89.80, Télex 270740 – ⇅ ▤ TV ☎ 🚗 – 🎤 40 à 1000. AE GB ◐ E — N 13-14
SC : **Café Français** (1er étage) **R** 105 bc/150 bc - **Le Patio** (3e étage) **R** carte environ 75 ♂ – ☕ 26 – **783 ch** 390/480, 14 appart.

🏨 **L'Aiglon** sans rest, 232 bd Raspail (14e) ☎ 320.82.42 – ⇅ TV ☎ 🚗. ✻ — M 12
SC : ☕ 17 – **42 ch** 170/220, 8 appart. 300.

🏨 **Orléans Palace H.** sans rest, 185 bd Brune (14e) ☎ 539.68.50, Télex 260725 – ⇅ TV ☎ – 🎤 35. AE ◐ — R 11
SC : **92 ch** ☕ 170/250.

🏨 **Carlton Palace H.** [M] sans rest, 207 bd Raspail (14e) ☎ 320.62.94, Télex 200183 – |\$| [TV] ⛟wc ⛲wc ☎. 🚗 M 12
SC : ☕ 12 – **63 ch** 150/170.

🏨 **Résidence Champs de Mars** sans rest, 7 r. Gén. de Larminat (15e) ☎ 734.74.04 – |\$| ⛟wc ⛲wc ☎. 🐕 K 8
fermé 11 juil. au 24 août – SC : ☕ 13 – **42 ch** 125/165.

🏨 **Midi** sans rest, 4 av. René-Coty (14e) ☎ 327.23.25 – |\$| ⛟wc ⛲wc ☎. 🚗 N 13
SC : **50 ch** ☕ 82/165.

🏨 **France** sans rest, 46 r. Croix-Nivert (15e) ☎ 783.67.02 – |\$| ⛟wc ⛲wc ☎. 🚗
SC : ☕ 13 – **30 ch** 150/190. L 8

🏨 **Tourisme** sans rest, 66 av. La-Motte-Picquet (15e) ☎ 734.28.01 – |\$| ⛟wc ⛲wc ☎. 🚗. 🐕 K 8
SC : ☕ 11 – **61 ch** 85/140.

🏨 **Pacific H.** sans rest, 11 r. Fondary (15e) ☎ 575.20.49 – |\$| ⛟wc ⛲wc ☎. 🚗. 🐕 K 7
SC : **66 ch** ☕ 80/160.

🏨 **Pasteur** [M] sans rest, 33 r. Dr.-Roux (15e) ☎ 783.53.17 – ⛟wc ⛲wc ☎ M 10
fermé août – SC : ☕ 12 – **19 ch** 110/150.

🏨 **Châtillon H.** 🐌 sans rest, 11 square Châtillon (14e) ☎ 542.31.17 – |\$| ⛟wc ⛲wc ☎. 🚗. 🐕 P 11
fermé août – SC : ☕ 12 – **31 ch** 99/140.

🏨 **Virgina** sans rest, 66 r. Père Corentin (15e) ☎ 540.70.90 – |\$| ⛟wc ⛲wc ☎. 🐕
SC : ☕ 10 – **54 ch** 65/115. R 12

🏨 **Floréal** sans rest, 17 r. Poirier-de-Narçay (14e) ☎ 539.71.14 – |\$| ⛟wc ⛲wc ☎. 🐕 R 11-12
fermé août – SC : ☕ 11,50 – **42 ch** 39/120.

🏨 **Fondary** sans rest, 30 r. Fondary (15e) ☎ 575.14.75 – |\$| ⛟wc ☎. 🐕 L 8
SC : ☕ 10 – **24 ch** 60/120.

XXXX ✿✿ **Les Célébrités,** 61 quai Grenelle (15e) ☎ 575.62.62, ≤ – Ⓟ. AE GB ① E K 6
SC : **R** carte 130 à 190
Spéc. Suivant produits de saison.

XXX ✿ **Armes de Bretagne,** 108 av. du Maine (14e) ☎ 320.29.50 – ▤. AE GB ① E
fermé 14 juil. au 15 août, dim. soir et lundi sauf fêtes – **R** carte 115 à 185 N 11
Spéc. Bar en croûte, Homard rôti à l'oseille, Gigot de lotte Malabar.

XXX **Le Moniage Guillaume** avec ch, 88 r. Tombe-Issoire (14e) ☎ 327.09.88 – AE GB ① E P 12
R *(fermé dim.)* carte 125 à 175 – ☕ 15 – **7 ch** 90/150.

XXX ✿ **Morot Gaudry,** 8 r. Cavalerie (15e) (8e étage) ☎ 567.06.85, ≤ – ▤. GB K 8
fermé sam. midi et dim. – SC : **R** carte 100 à 140
Spéc. Foie gras de canard au Barsac, Salmis de Grouse (oct.-janv.), Mignon de veau aux morilles.

XX ✿ Le Duc (Minchelli), 243 bd Raspail (14e) ☎ 322.59.59 M 12

XX ✿ **Bistro 121,** 121 r. Convention (15e) ☎ 557.52.90 – AE GB E M 7
fermé 14 juil. au 18 août, dim. soir et lundi – **R** carte 120 à 160
Spéc. Escalope de foie de canard, Marmite de poissons, Poule au pot.

XX ✿ **Olympe,** 8 r. N. Charlet (15e) ☎ 734.86.08 – AE L 10
fermé 15 juin au 15 juil., 20 déc. au 3 janv., lundi et le midi sauf jeudi – SC : **R** 120/200
Spéc. Cassolette de poissons au safran, Gigot d'agneau en civet, Dessert d'Olympe.

XX **Ciel de Paris,** Tour Maine-Montparnasse (56e étage) (15e) ☎ 538.52.35, ≤ Paris – ▤. AE GB ① E L 11
R carte 105 à 140.

XX ✿ **Chez Albert,** 122 av. Maine (14e) ☎ 320.21.69 – AE GB ① E N 11
fermé 27 juil. au 31 août et lundi – SC : **R** (nombre de couverts limité - prévenir) carte 130 à 180
Spéc. Foie gras frais, Blanc de barbue aux huîtres (sept.-avril), Noisettes de chevreuil Grand Veneur (saison de chasse).

XX **Aquitaine,** 54 r. Dantzig (15e) ☎ 828.67.38 – AE GB ① L 7
fermé dim. et lundi – SC : **R** carte 120 à 165.

XX **Le Planteur,** 2 r. Cadix (15e) ☎ 828.34.39 – ⓓ N 7
fermé 8 au 31 juil., sam. midi et dim. – SC : **R** carte 95 à 130.

XX **La Coupole,** 102 bd Montparnasse (14e) ☎ 320.14.20 – GB L 12
R carte 70 à 120.

XX **Napoléon et Chaix,** 46 r. Balard (15e) ☎ 554.09.00 – AE GB M 5
fermé dim. – **R** carte 105 à 145.

XX **La Chaumière des Gourmets,** 22 pl. Denfert-Rochereau (14e) ☎ 321.22.59 – AE GB N 12
fermé 31 juil. au 6 sept., sam. et dim. – SC : **R** 88.

XX **Bocage Fleuri,** 19 r. Duranton (15e) ☎ 558.43.17 – AE GB ⓓ M 6
fermé 28 juil. au 9 sept., dim. et fêtes – **R** carte 90 à 125.

XX **Chaumière Paysanne,** 7 r. L.-Robert (14e) ☎ 320.76.55 – GB M 12
fermé août, Noël à Nouvel An, lundi midi et dim. – SC : **R** carte 110 à 160.

XX **Le Croquant,** 28 r. J.-Maridor (15e) ☎ 558.50.83 – AE GB ⓓ M 6
fermé 15 août au 7 sept., dim., lundi et fêtes – **R** carte 75 à 125.

XX ✿ **Pierre Vedel,** 50 r. Morillons (15e) ☎ 828.04.37 N 8
fermé 15 juil. au 15 août, Noël au Jour de l'An, sam. et dim. – **R** carte 90 à 125
Spéc. Navarin de pétoncles et vernis au curry, Bourride de lotte à l'aïoli, Canette sauvage aux navets.

XX **Le Serin,** 1 pl. Falguière (15e) ☎ 734.12.24 – AE GB ⓓ N 10
fermé août, dim. et lundi – SC : **R** carte 90 à 140.

XX **La Chaumière,** 54 av. F.-Faure (15e) ☎ 554.13.91 – GB M 7
fermé août, lundi soir et mardi – **R** carte 90 à 110.

XX **Le Caroubier,** 8 av. Maine (15e) ☎ 548.14.38 – GB M 11
fermé août et dim. – **R** carte environ 80 ♨.

X **La Giberne,** 42 bis av. Suffren (15e) ☎ 734.82.18 – AE GB ⓓ J 8
fermé 15 août au 15 sept., sam. soir et dim. – **R** carte 70 à 115.

X **La Croisette,** 155 bis r. Convention (15e) ☎ 828.87.86 – GB M 7
fermé 18 au 26 avril, 15 au 31 août, dim. et fêtes – SC : **R** 42.

X **Aub. du Rouet,** 6 av. J.-Moulin (14e) ☎ 542.39.56 – GB P 12
fermé 15 juil. au 15 août, sam. et dim. – SC : **R** carte 110 à 150.

X **La Bonne Table,** 42 r. Friant (14e) ☎ 539.74.91 – GB R 11
fermé juil., 24 déc. au 4 janv., sam., dim. et fêtes – SC : **R** carte 90 à 155.

X **La Rabolière,** 13 r. Mademoiselle (15e) ☎ 250.35.29 L 7
fermé août, dim. soir et lundi – SC : **R** carte 70 à 110.

X **L'Etape,** 89 r. Convention (15e) ☎ 554.73.49 – AE GB M 6
fermé août, dim. soir et lundi – SC : **R** carte 75 à 110 ♨.

X **Bonne Auberge,** 33 r. Volontaires (15e) ☎ 734.65.49 – AE GB ⓓ E M 9
fermé août, sam., dim. et fêtes – SC : **R** carte 70 à 110.

X **Mon Pays,** 49 av. Jean-Moulin (14e) ☎ 539.71.54 – AE ⓓ R 11
fermé 13 juil. au 17 août, dim. et fêtes – SC : **R** carte 70 à 110.

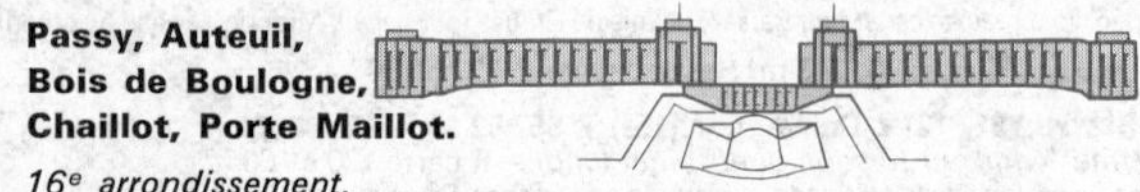

Passy, Auteuil, Bois de Boulogne, Chaillot, Porte Maillot.

16e arrondissement.

La Pérouse et rest l'Astrobade M, 40 r. La Pérouse ✉ 75116 ☎ 500.83.47, Télex 613420 – |♦| ☰ TV ☎. AE GB ⓓ E F 7
SC : **R** *(fermé dim. et fériés)* 130 – **11 ch** ☕ 540, 25 appart.

Baltimore et rest. l'Estournel M, 88 bis av. Kléber, ✉ 75116, ☎ 553.83.33, Télex 611591 – |♦| ☰ ch TV ☎ – 🏛 180. AE GB ⓓ E G 7
SC : **R** *(fermé sam. et dim.)* carte environ 155 – **118 ch** ☕ 340/540.

Résidence du Bois ⛰ sans rest, 16 r. Chalgrin, ✉ 75116, ☎ 500.50.59, « Beaux aménagements, jardin » – TV ☎ F 7
SC : **17 ch** ☕ 420/540, 3 appart.

Alexander M sans rest, 102 av. Victor-Hugo, ✉ 75116, ☎ 553.64.65, Télex 610373 – |♦| TV ☎. ✂ G 6
SC : **60 ch** ☕ 240/350.

Résidence Foch sans rest, 10 r. Marbeau, ✉ 75116, ☎ 500.46.50 – AE GB E. F 6
SC : 18 – **10 ch** 190/320, 7 appart. 320/370.

Victor Hugo sans rest, 19 r. Copernic, ✉ 75116, ☎ 553.76.01, Télex 630939 – 25. AE GB E. G 7
SC : **76 ch** 215/320.

Union H. Étoile sans rest, 44 r. Hamelin, ✉ 75116, ☎ 553.14.95, Télex 611394 – cuisinette . AE G 7
SC : 20 – **29 ch** 190/320, 13 appart. 400/500.

Majestic sans rest, 29 r. Dumont-d'Urville, ✉ 75116, ☎ 500.83.70 – AE . F 7
SC : **28 ch** 310/410, 8 appart.

Régina de Passy sans rest, 6 r. Tour, ✉ 75016, ☎ 524.43.64, Télex 630004 – AE . H6-J6
SC : 18 – **60 ch** 210/250.

Fremiet sans rest, 6 av. Fremiet, ✉ 75016, ☎ 524.52.06, Télex 630329 – AE GB E J 6
SC : **36 ch** 220/300.

Massenet sans rest, 5 bis r. Massenet, ✉ 75016, ☎ 524.43.03, Télex 620682 – AE GB E. J 6
SC : **41 ch** 115/300.

Kléber sans rest, 7 r. Belloy, ✉ 75116, ☎ 723.80.22, Télex 612830 – . AE G 7
SC : 16 – **22 ch** 290/336.

Farnèse sans rest, 32 r. Hamelin, ✉ 75116, ☎ 720.56.66, Télex 611732 – wc wc . . G 7
SC : 15 – **37 ch** 208/220.

Rond-Point de Longchamp et rest Belles Feuilles, 86 r. Longchamp, ✉ 75116, ☎ 505.13.63, Télex 620653 – wc wc . AE G 6
R *(fermé sam. et dim.)* (déj. seul.) carte environ 110 – 20 – **59 ch** 240/290.

Résidence Marceau sans rest, 37 av. Marceau, ✉ 75116, ☎ 720.43.37 – wc wc . G 8
fermé août – SC : **22 ch** 140/190.

Sylva sans rest, 3 r. Pergolèse, ✉ 75116, ☎ 500.38.12, Télex 612245 – wc . AE GB E E 6
SC : **36 ch** 200/250.

XXXX ❀❀ **Faugeron,** 52 r. Longchamp, ✉ 75116, ☎ 704.24.53 – . G 7
fermé août, 23 déc. au 5 janv., dim., fêtes et sam. sauf le soir d'oct. à avril – **R** carte 140 à 190
Spéc. Oeufs à la coque à la purée de truffes, Caneton de Challans aux fèves (avril à août), Crottin de Chavignol rôti.

XXX ❀ **Jamin,** 32 r. Longchamp, ✉ 75116, ☎ 727.12.27 – . AE GB E G 7
fermé juil., sam. et dim. – **R** carte 160 à 210
Spéc. Terrine de foie gras, Oursin à la nage, Picattas de ris de veau.

XXX ❀❀❀ **Vivarois** (Peyrot), 192 av, V.-Hugo, ✉ 75116, ☎ 504.04.31 – G 5
fermé 14 juil. au 1er sept., sam. et dim. – **R** carte 155 à 210
Spéc. Suivant produits de saison.

XXX ❀ **Le Mareyeur,** 38 r. Vital, ✉ 75016, ☎ 525.90.90 – AE GB H 5
fermé août, sam. sauf le soir de sept. à nov. et dim. – **R** carte 145 à 185
Spéc. Blanc de bar, Gigot de lapereau à l'os, Rognon de veau à la confiture d'oignons.

XXX **Ile de France,** quai Debilly, ✉ 75116, ☎ 723.60.21, ≤ rest. flottant – P. AE GB E H 8
fermé sam. midi et dim. – **R** carte 130 à 175.

XXX **Prunier Traktir,** 16 av. Victor-Hugo, ✉ 75116, ☎ 500.89.12 – AE E F 7
fermé juil. et lundi – **R** carte 150 à 190.

XXX **San Francisco,** 1 r. Mirabeau, ✉ 75016, ☎ 647.75.44 – L 5
fermé août et lundi – **R** carte 80 à 120.

XXX ✿ **Morens,** 10 av. New-York, ✉ 75116, ☎ 723.75.11 – AE GB ⓓ H 8
fermé août, 24 déc. au 2 janv., vend. soir et sam. – **R** carte 105 à 155
Spéc. Bar grillé au beurre nantais, Filet de boeuf, Cassoulet toulousain (sept. a avril).

XXX **Tsé-Yang,** av. Pierre 1er de Serbie ✉ 75016 ☎ 720.68.02 – AE GB ⓓ E G 8
R carte 100 à 150.

XXX **Ramponneau,** 21 av. Marceau, ✉ 75116, ☎ 720.59.51 – AE G 8
fermé août – **R** carte 95 à 150.

XXX **Marius,** 82 bd Murat, ✉ 75016, ☎ 651.67.80 – AE GB ⓓ E M 2
fermé fin juin à début sept., dim. soir et lundi – **R** carte 110 à 150.

XX ✿ **Guy Savoy,** 28 r. Duret ✉ 75116 ☎ 500.17.67 – GB F 6
fermé sam. et dim. – **R** carte 145 à 185
Spéc. Étuvée de lotte au cerfeuil, Noisettes d'agneau, Millefeuille "Minute".

XX **Al Mounia,** 16 r. Magdebourg, ✉ 75116, ☎ 727.57.28 – ▤. AE. ✂ G 7
fermé août et dim. – **R** carte environ 100.

XX ✿ **Michel Pasquet,** 59 r. La-Fontaine, ✉ 75016, ☎ 288.50.01 – GB ⓓ K 4
fermé 20 juil. au 20 août, sam. et dim. – SC : **R** carte 140 à 180
Spéc. Huîtres tièdes au noilly (sept.-mai), Rouelles de rognon et ris de veau aux champignons.

XX ✿ **Paul Chêne,** 123 r. Lauriston, ✉ 75116, ☎ 727.63.17 – ▤ Ⓟ G 6
fermé août, sam. et dim. – **R** carte 130 à 170
Spéc. Soupe d'écrevisses et de filets de sole, Rognon de veau aux trois moutardes, Beignets de pommes.

XX **Conti,** 72 r. Lauriston, ✉ 75116, ☎ 727.74.67 – ▤ G 7
fermé juil., sam., dim. et fêtes – **R** carte 100 à 135.

XX **Le Gd Chinois,** 6 av. New York, ✉ 75116, ☎ 723.98.21 – AE ⓓ H 8
fermé 10 au 21 août et lundi – **R** carte 55 à 90.

XX **Yvonne,** 13 r. Bassano, ✉ 75116, ☎ 720.98.15 G 8
fermé août, fêtes de Noël, Jour de l'An, vend. soir et sam. – **R** carte 85 à 120.

XX **Passy-Mandarin,** 6 r. Bois-le-Vent, ✉ 75016, ☎ 288.12.18 – GB J 5
R carte 70 à 110.

XX ✿ **Yan-Toit de Passy** (6e étage), 94 av. P.-Doumer ✉ 75016, ☎ 524.55.37 – GB
fermé 20 déc. au 20 janv., sam. midi, dim. et fêtes – **R** carte 115 à 155 H J 5
Spéc. Feuilleté de haddock, Sauté d'agneau au basilic, Délice de Yan.

XX **Petit Victor Hugo,** 143 av. V.-Hugo ☎ 553.02.68 G 5-6
fermé 10 au 25 août et dim. – SC : **R** 60 bc.

XX **Le Carrefour,** 131 bd Murat, ✉ 75016, ☎ 288.82.15 – GB M 2-M 3
fermé 7 août au 1er sept., 24 au 31 déc.,dim. soir et sam. – **R** carte 75 à 120.

XX **Jenny Jacquet,** 136 r. Pompe ✉ 75116 ☎ 727.50.26 G 6
fermé août et dim. – **R** carte 100 à 145.

XX **Sous l'Olivier,** 15 r. Goethe, ✉ 75116, ☎ 720.84.81 – ⓓ G 8
fermé août – SC : **R** carte 75 à 120.

X **Au Clocher du Village,** 8 bis r. Verderet, ✉ 75016, ☎ 288.35.87 L 4
fermé août, sam., dim. et fêtes – **R** carte 70 à 115.

X **Le Valéry,** 55 r. Lauriston, ✉ 75116, ☎ 553.55.48 – GB F 7
fermé août, sam. et dim. – SC : **R** carte 80 à 125.

X **La Française,** 120 r. La Pompe, ✉ 75116, ☎ 553.47.18 – AE GB G 6
fermé août, 22 déc. au 3 janv., Pâques et dim. – SC : **R** carte 95 à 130.

X **Saratoga,** 7 r. Lauriston, ✉ 75116 ☎ 500.96.24 F 7
fermé août, sam. et dim. – **R** carte 55 à 75.

Au Bois de Boulogne :

XXXX ✿✿ **Pré Catelan,** ✉ 75016 ☎ 524.55.58 – Ⓟ. GB H 2
fermé dim. soir et lundi – **R** carte 175 à 215
Spéc. Saumon aux grains de caviar, Goujonnettes de sole, Ris de veau aux câpres.

XXXX ✿ **Grande Cascade,** ✉ 75016, ☎ 506.33.51, ← – Ⓟ. AE ⓓ E
fermé 22 déc. au 22 janv. et le soir du 15 oct. au 15 mai – **R** carte 135 à 175
Spéc. Feuilleté d'écrevisses, Langouste en papillote, Canard au vinaigre.

XXX ✿ **Pavillon Royal,** Rond Royal, ✉ 75116, ☎ 500.51.00 – Ⓟ. AE ⓓ G 3
fermé dim. soir et lundi hors sais. – **R** carte 135 à 195
Spéc. Feuilleté de ris de veau aux écrevisses, Fricassée de homard aux nouilles fraîches, Chaud froid d'orange.

XXX **Pavillon des Princes,** 69 av. Porte-d'Auteuil (porte de Boulogne), ✉ 75016 ☎ 605.65.50 – AE GB ⓓ K 1
R carte 100 à 150.

Passez à table aux heures normales de repas.
Vous faciliterez le travail de la cuisine et du personnel de salle.

Clichy, Ternes, Wagram.

17e arrondissement.
17e : ✉ 75017

Concorde Lafayette Ⓜ, pl. Pte des Ternes ☏ 758.12.84, Télex 650892, « Bar panoramique au 33e étage » – E 6
SC : **L'Arc-en-Ciel R** 105 - Coffee Shop **Les Saisons R** carte environ 75 - **L'Étoile d'Or** voir p. 36 – 30 – **972 ch** 490/570, 25 appart.

H. Méridien Ⓜ, 81 bd Gouvion-St-Cyr (pte Maillot) ☏ 758.12.30, Télex 290952 – – 1 000. E 6
SC : **Le Clos de Longchamp** *(fermé sam. et dim. en août)* **R** carte 120 à 175 - **Café l'Arlequin R** carte environ 80 - **Le Yamato** (rest. Japonais) *(fermé août, dim. et lundi)* **R** carte environ 70 - **La Maison Beaujolaise R** 75 bc/95 bc – 34 – **997 ch** 450/570, 30 appart.

Splendid Etoile et rest. Pré Carré Ⓜ, 1 bis av. Carnot ☏ 380.14.56, Télex 280773 – F 7
R *(fermé sam. soir et dim.)* 120/150 – 22 – **61 ch** 200/350, 3 appart. 500.

Regent's Garden sans rest, 6 r. P.-Demours ☏ 574.07.30, Télex 640127, « Jardin fleuri » – E 7
SC : 15 – **39 ch** 210/250.

Balmoral sans rest, 6 r. Gén.-Lanrezac ☏ 380.30.50, Télex 642435 – E 7
SC : **57 ch** 195/310.

Mercure Ⓜ sans rest, 27 av. Ternes ☏ 766.49.18, Télex 650679 – E 8
SC : 20 – **56 ch** 255/270.

Magellan Ⓜ sans rest, 17 r. J.B.-Dumas ☏ 572.44.51 – D 7
SC : 12 – **75 ch** 142/183.

Cécilia sans rest, 11 av. Mac-Mahon ☏ 380.32.10, Télex 280750 – wc E 7
SC : 16 – **46 ch** 130/260.

Banville sans rest, 166 bd Berthier ☏ 755.70.16 – wc wc D 8
SC : **40 ch** 210.

Etoile Ⓜ sans rest, 3 r. Étoile ☏ 380.36.94, Télex 642028 – wc wc E 8
SC : 15 – **25 ch** 180/230.

Stella Ⓜ sans rest, 20 av. Carnot ☏ 380.84.50 – wc wc E 7
SC : 13 – **36 ch** 160/230.

Belfast sans rest, 10 av. Carnot ☏ 380.12.10, Télex 642777 – wc wc E 7
SC : 14 – **47 ch** 95/223.

Prima H. Ⓜ, 167 r. Rome ☏ 622.21.09 – wc wc C-D 10
R snack carte environ 60 – 12 – **30 ch** 140/180.

Parc Monceau sans rest, 38 r. Cardinet ☏ 763.88.60 – wc D 9
SC : 14 – **23 ch** 50/160.

Empire H. Ⓜ sans rest, 3 r. Montenotte ☏ 380.14.55 – wc wc E 8
SC : 14,50 – **47 ch** 194/219.

Étoile Park H. sans rest, 10 av. Mac-Mahon ☏ 755.69.63 – wc wc E 8
SC : **28 ch** 180/250.

Tivoli Étoile Ⓜ sans rest, 7 r. Brey ☏ 380.31.22 – wc E 8
SC : **30 ch** 240/280.

Royal Magda sans rest, 7 r. Troyon ☏ 764.10.19, Télex 641068 – wc E 8
SC : **38 ch** 210/257.

Astrid sans rest, 27 av. Carnot ☏ 380.56.20 – wc wc E 7
SC : **40 ch** 160/200.

Régence-Étoile sans rest, 24 av. Carnot ☏ 380.75.60 – wc wc E 7
SC : 13 – **38 ch** 157/215.

Astor sans rest, 36 r. P.-Demours ☏ 227.44.93 – wc wc D 8
SC : 12 – **48 ch** 149.

Palma sans rest, 46 r. Brunel ☏ 574.29.93 – wc wc E 7
SC : 12 – **32 ch** 80/150.

🏨 **Néva** sans rest, 14 r. Brey ☎ 380.28.26 – |♯| ⊏⊐wc ⋒wc ☎. 🚗. ✂ E 8
SC : ⊔ 14 – **35 ch** 150/170.

🏨 **Bel'Hôtel** sans rest, 20 r. Pouchet ☎ 627.34.77, ⇐ – |♯| ⊏⊐wc ⋒ ☎. GB B 11
fermé août – SC : ⊔ 13 – **30 ch** 50/150.

🏨 **Niel** sans rest, 11 r. Saussier-Leroy ☎ 766.58.15 – |♯| ⋒wc ☎. ✂ E 8
fermé août – SC : **37 ch** ⊔ 70/150.

XXX ❁ **Étoile d'Or,** 3 pl. Porte des Ternes ☎ 758.12.84 – ▤. AE GB ◑ E E 6
SC : **R** carte 155 à 195
Spéc. Panaché des mareyeurs, Emincé de canette, Filet d'agneau.

XXX ❁ **Grand Veneur,** 6 r. Pierre-Demours ☎ 574.61.58 – AE GB ◑ E 7
fermé août, sam. midi et dim. – **R** carte 110 à 140
Spéc. Sole Gd-Veneur, Cassoulet au confit d'oie, Soufflé aux framboises.

XXX ❁ **Timgad,** 21 r. Brunel ☎ 574.23.70, « Décor mauresque » – ▤. GB ◑ E 7
fermé août et dim. – **R** carte environ 115
Spéc. Tagine, Couscous, Méchoui.

XXX ❁ **Bessière,** 97 av. Ternes ☎ 574.10.60 E 7
fermé dim. – **R** carte 120 à 165
Spéc. Potée d'escargots, Filet de St-Pierre aux deux sauces, Canard "Grand Père".

XXX ❁❁ **Rostang,** 10 r. G.-Flaubert ☎ 763.40.77 – GB D 8
fermé 25 juil. au 19 août, 24 déc. au 5 janv. sam. midi, dim. et fêtes – **R** carte 135 à 180
Spéc. Fricassée de soles aux choux, Gratin Dauphinois, Oeufs de caille en coque d'oursins (oct.-mars).

XXX **Michel-Péreire,** 122 av. Villiers ☎ 380.19.66 – GB ◑ D 8
fermé 20 juil. au 20 août et sam. – **R** carte 105 à 145.

XX ❁ **Le Bernardin** (Le Coze), 18 r. Troyon ☎ 380.40.61 – GB K 15
fermé août, dim. et lundi – **R** carte 120 à 165
Spéc. Oursins chauds au beurre d'oursins, Langouste au basilic, St-Pierre aux poireaux.

XX ❁ **La Coquille,** 6 r. Débarcadère ☎ 574.25.95 – ▤. GB E 7
fermé 28 juil. au 2 sept., dim., lundi et fériés – **R** carte 110 à 155
Spéc. St-Jacques au naturel (1er oct.-20 mai), Fricassée de poulet à la crême, Soufflé au praslin de noisettes.

XX **Baumann,** 64 av. Ternes ☎ 574.16.66 – ▤. AE GB ◑ E E 7
fermé 11 au 31 mai, 20 déc. au 7 janv., dim., lundi et fêtes – SC : **R** carte 100 à 130 🌡.

XX **Paul et France,** 27 av. Niel ☎ 763.04.24 – AE GB ◑ D 8
fermé 15 juil. au 15 août, sam. et dim. – SC : **R** 100 bc/200 bc.

XX ❁ **Chez Augusta** (Bareste), 98 r. Tocqueville ☎ 763.39.97 – ◑ C 9
fermé 5 au 25 août, dim. et fêtes – **R** carte 115 à 155
Spéc. Bouillabaisse, Pavé de bar à la nage, Poêlon de poissons au chablis.

XX **La Braisière,** 54 r. Cardinet ☎ 763.40.37 – AE GB ◑ E D 9
fermé août, sam., dim. et fériés – SC : **R** carte 120 à 160.

XX ❁ **Chez Guyvonne** (Cros), 14 r. Thann ☎ 227.25.43 D 9-10
fermé 10 juil. au 2 août, 24 déc. au 3 janv., sam., dim. et fêtes – **R** carte 110 à 150
Spéc. Pain d'écrevisses, Suprême de sandre au beurre rose, Médaillon de ris de veau.

XX **Praga,** 9 r. Gén.-Lanrezac ☎ 380.11.41 – GB E 7
R carte 80 à 115.

XX **La Truite Vagabonde,** 17 r. Batignolles ☎ 387.77.80 – AE GB ◑ D 11
fermé 14 au 17 août et dim. – **R** carte 90 à 135.

XX **Chez Georges,** 273 bd Pereire ☎ 574.31.00 E 6
fermé 28 juil. au 31 août, sam. et fêtes – **R** carte 100 à 125.

XX **L'Écrevisse,** 212bis bd Péreire ☎ 572.17.60 – GB E 7
fermé août, 24 déc. au 4 janv., sam. midi et dim. – **R** carte 95 à 145.

XX ❁ **Le Chalut,** 94 bd Batignolles ☎ 387.26.84 D 10-11
1er sept.-31 mai et fermé dim. et lundi – **R** carte 105 à 175
Spéc. Bouillabaisse (sept.-mai), Loup grillé (sept.-mai), Homard armoricaine (sept.-mai).

XX **Chez Léon,** 32 r. Legendre ☎ 227.06.82 – GB ◑ D 10
fermé août, sam. soir et dim. – SC : **R** carte 85 à 130.

XX **Le Santenay,** 75 av. Niel ☎ 227.88.44 D 8
fermé dim. soir et lundi – SC : **R** carte 110 à 145.

XX **Le Petit Colombier,** 42 r. Acacias ☎ 380.28.54 – GB E 7
fermé 1er au 18 août, 24 déc. au 3 janv., dim. midi, sam. et lundi fériés – **R** carte 95 à 130.

XX **Chez Laurent,** 11 r. Acacias ℗ 380.56.27 – AE — E 7
fermé août, sam., dim. et fêtes – **R** carte 85 à 110.

XX **Le Beudant,** 97 r. des Dames ℗ 387.11.20 – AE GB ① — D 11
fermé 15 août au 1er sept., sam. midi, dim. et fériés – **R** carte 85 à 135.

X ❀ **La Petite Auberge** (Harbonnier), 38 r. Laugier ℗ 763.85.51 – ① — D 7-8
fermé 1er août au 10 sept., dim., lundi et fêtes – **R** (nombre de couverts limité - prévenir) carte 100 à 160
Spéc. Turbot Camille Renault, Carré d'agneau Emile Compard, Tarte aux pommes.

X **La Soupière,** 154 av. Wagram ℗ 227.00.73 – GB — D 9
fermé août, Noël au Jour de l'An, dim. et lundi – **R** carte 85 à 140.

X ❀ **Mère Michel** (Gaillard), 5 r. Rennequin ℗ 763.59.80 — E 8
fermé août, sam., dim. et fériés – SC : **R** (nombre de couverts limité - prévenir) carte 95 à 140
Spéc. Poissons beurre blanc, Jambon poêlé aux mojettes, Omelette soufflée.

Montmartre, La Villette, Belleville.

18e, 19e et 20e arrondissements.
18e : ✉ 75018
19e : ✉ 75019
20e : ✉ 75020

Terrass'H. M, 12 r. J.-de-Maistre (18e) ℗ 606.72.85, Télex 280830 – ascenseur TV ☎ ♿ – 35. AE ① E — C 13
SC : Coffee - Shop **L'Albaron R** carte environ 65 et voir rest. **Guerlande** – **95 ch** ☐ 250/330, 13 appart. 360/420.

Résidence Montmartre sans rest, 10 r. Burq (18e) ℗ 606.45.28 – wc wc ☎. GB — D 13
SC : ☐ 13 – **46 ch** 135/175.

Le Laumière sans rest, 4 r. Petit (19e) ℗ 206.10.77 – ascenseur wc wc ☎. — D 19
SC : ☐ 11 – **54 ch** 45/150.

Prima-Lepic sans rest, 29 r. Lepic (18e) ℗ 606.44.64 – ascenseur wc wc ☎. AE — D 13
SC : **38 ch** ☐ 98/158.

Super H. M, 208 r. Pyrénées (20e) ℗ 636.97.48 – ascenseur rest wc wc ☎. GB — G 21
SC : **R** *(fermé dim.)* 50/150 ♁ – ☐ 13 – **27 ch** 75/250.

Luxia sans rest, 8 r. Seveste (18e) ℗ 606.84.24 – ascenseur wc ☎. — D 14
SC : ☐ 12 – **48 ch** 60/175.

Palma sans rest, 77 av. Gambetta (20e) ℗ 636.13.65 – ascenseur wc wc ☎. — G 21
SC : ☐ 11,50 – **34 ch** 56/132.

Puy de Dôme sans rest, 180 r. Ordener (18e) ℗ 627.78.55 – ☎. — B 13
fermé 14 juil. au 1er sept. – SC : **28 ch** ☐ 60/110.

Unic sans rest, 6 r. Dupont-de-l'Eure (20e) ℗ 361.93.10 – wc ☎ — G 22
SC : **36 ch** ☐ 39/45.

XXX ❀ **Beauvilliers** (Carlier), 52 r. Lamarck (18e) ℗ 254.19.50, « Décor original, terrasse » – GB — C 14
fermé sept., lundi midi et dim. – **R** carte 140 à 185
Spéc. Galantine de daurade, Col vert aux figues (oct.-mars), Assiette du Grand dessert.

XXX ❀❀ **Cochon d'Or,** 192 av. Jean-Jaurès (19e) ℗ 607.23.13 – ▤. AE GB ① — C 20
R carte 105 à 165
Spéc. Terrine chaude d'anguilles, Pied de porc grillé sauce Choron, Grillades.

XXX ❀ **Relais Pyrénées** (Marty), 1 r. Jourdain (20e) ℗ 636.65.81 – AE ① E — F 20
fermé août et sam. – **R** carte 110 à 150
Spéc. Foie gras frais de canard, Saumon au Champagne (janv.-oct.), Confit d'oie.

XXX **Le Guerlande,** 12 r. Caulaincourt (18e) ℗ 606.59.05 – ▤. AE ① E — C 13
SC : **R** carte 105 à 155.

XXX **Auberge du XVIII,** 6 r. Caulaincourt (18e) ℡ 387.64.78 – AE GB ⓓ D 12
fermé 20 août au 15 sept., lundi midi et dim. – **R** carte 95 à 130.

XXX **Charlot 1er "Merveilles des Mers",** 128 bis bd Clichy (18e) ℡ 522.47.08 – AE GB ⓓ E D 12
1er sept.-31 mai – **R** carte 120 à 160.

XX **Dagorno,** 190 av. J.-Jaurès (19e) ℡ 607.02.29 – AE GB ⓓ C 20
fermé sam. – **R** carte 115 à 160.

XX **Sanglier Bleu,** 102 bd Clichy (18e) ℡ 606.07.61 – ▤. AE GB ⓓ E D 12
fermé juil. – **R** carte 95 à 145.

XX ❁ **Les Semailles** (Jouteux), 3 r. Steinlen (18e) (transfert possible) ℡ 259.93.98 – GB C 13
fermé juil., dim. et lundi – SC : **R** carte 185 à 220
Spéc. Terrine de poisson fumé au caviar, Goujonnettes de soles, Ris de veau au tilleul.

XX ❁ **Le Clodenis** (Gentes), 57 r. Caulaincourt (18e) ℡ 606.20.26 C 13
fermé sept., le dim. en été et lundi – **R** carte 120 à 180
Spéc. Mille feuille de poissons au 2 beurres, Filet de rascasse vapeur, Rognon de veau à la fine champagne.

XX ❁ **Petit Pré** (Verges), 1 r. Bellevue (19e) ℡ 208.92.62 – GB E 21
fermé sam., dim. et fériés – SC : **R** carte 110 à 145
Spéc. Escalope de saumon, Caille à l'émincé de ris de veau, Col vert aux fruits.

XX **Deux Taureaux,** 206 av. J.-Jaurès (19e) ℡ 607.39.31 – AE GB ⓓ C 21
fermé sam. et dim. – **R** carte 95 à 135.

XX **Boeuf Couronné,** 188 av. Jean-Jaurès (19e) ℡ 607.89.52 – AE GB ⓓ E C 20
fermé dim. – **R** carte 80 à 120.

XX **Wepler,** 14 pl. Clichy (18e) ℡ 522.53.24 – GB E D 12
R carte 80 à 120.

XX **La Chaumière,** 46 av. Secrétan (19e) ℡ 607.98.62 – AE GB ⓓ E 18
fermé août et dim. soir – SC : **R** carte 85 à 115.

XX **Chez Frézet,** 181 r. Ordener (18e) ℡ 606.64.20 B 13
fermé août, vacances fév., sam., dim. et fériés – **R** carte 75 à 110.

X **Le Pichet,** 174 r. Ordener (18e) ℡ 627.85.28 – ⓓ B 13
fermé août, dim. et fêtes – **R** carte 85 à 120.

X **La Manna,** 148 av. St-Ouen (18e) ℡ 627.42.35 B 12
fermé 10 août au 10 sept. et merc. – **R** carte 70 à 115.

X **Marie-Louise** (Coillot), 52 r. Championnet (18e) ℡ 606.86.55 – ⓓ B 15
fermé fin juil. à début sept., dim., lundi et fériés – **R** carte 60 à 115.

Proche banlieue

25 km environ autour de Paris

Alfortville **94140** Val-de-Marne **101** ㉖ **G. Paris** – 38 063 h. alt. 33 – ✪ 1.

Voir Charenton : musée du Pain ★ N : 2 km.

Paris 9 – Maisons-Alfort 1,5 – Melun 36.

Printemps, 63 r. Véron ☎ **375.30.87** – TV wc ☎ P. 🚗. ✂
fermé août – SC : **R** brasserie *(fermé sam. et dim.)* carte environ 35 ⚲ – ☕ 13 – **24 ch** 45/135.

Piot-Pneu, 69 r. de Charenton ☎ 375.34.95

Antony <SP> **92160** Hauts-de-Seine **101** ㉕ – 57 652 h. alt. 56 – ✪ 1.

Voir Église St-Germain-l'Auxerrois★ à Châtenay-Malabry NO : 2,5 km, G. Paris.

Office de Tourisme pl. F.-Gémier (fermé août, sam. après-midi, dim. et lundi matin) ☎ 237.57.77.

Paris 12 – Étampes 38 – Évry 24 – Longjumeau 7 – Versailles 15.

BMW, VOLVO Langlois, 27 r. Galipeau ☎ 237.58.96
CITROEN Argongue, 129 bis av. A.-Briand ☎ 666.59.05
FIAT Gar. CITEX, 136 av. Division Leclerc ☎ 666.49.69
TOYOTA SO.GA.MA., 17 rte Antony à Wissous ☎ 920.86.76
PEUGEOT Grandchamp, rte Antony à Wissous ☎ 920.64.42

Argenteuil <SP> **95100** Val-d'Oise **101** ⑭ – 103 141 h. alt. 42 – ✪ 3.

Paris 14 – Chantilly 36 – Pontoise 20 – St-Germain-en-Laye 15.

XXX **Moulin d'Orgemont,** r. Clos des Moines ☎ **410.21.47, « Moulin à vent sur la colline, manège de chevaux de bois » – P**
fermé août, 23 déc. au 4 janv. et dim. – **R** carte 95 à 140.

XX **Aub. Jacques Pichon,** 26 r. H.-Barbusse ☎ **961.07.86** – AE GB
fermé 8 au 31 août, lundi soir et dim. – SC : **R** 115.

XX **Ferme d'Argenteuil,** 2 bis r. Verte ☎ **980.14.40** – AE GB D
fermé 15 au 31 août, 26 déc. au 5 janv., dim. et lundi – SC : **R** 100.

XX **La Colombe avec ch, 20 bd Héloïse ☎ 961.01.38** – cuisinette wc ☎ P – 25 à 200. 🚗. AE GB. ✂
R *(fermé dim.)* carte 65 à 115 – ☕ 13 – **13 ch** 49/160.

AUSTIN, MORRIS, OPEL, ROVER, TRIUMPH Santi-Argenteuil, 1 r. Gde-Ceinture ☎ 980.96.26 N
BMW Gar. Valléjo, 119 av. J.-Jaurès ☎ 981.83.06
CITROEN S.A.D.A.C., 117 bd J.-Allemane ☎ 982.81.81
FORD Gar. Gdes Fontaines, 69 r. A.-Labrierre ☎ 961.88.31
PEUGEOT S.O.D.I.S.T.O., 45 r. H.-Barbusse ☎ 982.09.79
RENAULT Succursale, 219 r. H.-Barbusse ☎ 982.40.04
RENAULT Gar. Dorigny, 9 r. A.-Labrierre ☎ 961.02.21
TALBOT Gar. Delcourt, 37 bd Gallieni ☎ 961.54.26
TOYOTA Gar. de la Gare, 71 av. de Stalingrad ☎ 410.11.31

Asnières **92600** Hauts-de-Seine **101** ⑮ **G. Paris** – 75 679 h. alt. 32 – ✪ 1.

Paris 9 – Argenteuil 5,5 – Pontoise 27 – St-Denis 8 – St-Germain-en-Laye 17.

X **La Petite Auberge,** 118 r. Colombes ☎ **793.33.94** – GB
fermé août, dim. soir et lundi – **R** 60.

AUDI-VOLKSWAGEN G.V.G., 19 r. du Gén.-Leclerc à Bois-Colombes ☎ 242.16.05
AUTOBIANCHI, LANCIA Gar. de L'Avenue, 80 av. d'Argenteuil ☎ 793.27.20
CITROEN Gd Gar. Enthoven, 249 av. Argenteuil à Bois-Colombes ☎ 782.41.00
FIAT, LANCIA-AUTOBIANCHI Gar. Steffen, 35 r. Steffen, ☎ 793.22.56
OPEL Perrot, 36 r. P.-Brossolette ☎ 793.73.30
PEUGEOT Gar. du Gymnase, 97 r. Ch.-Chefson à Bois-Colombes ☎ 782.78.81
RENAULT Gar. Cretaz, 34 r. de Colombes ☎ 793.23.90
TOYOTA S.I.D.A.T., 3 r. de Normandie ☎ 790.62.10
VOLVO Gar. Ferid, 45 r. J.-Jaurès à Bois-Colombes ☎ 242.40.75

Coursaux, 61 r. Colombes ☎ 793.07.53

Aulnay-sous-Bois 93600 Seine-St-Denis 101 ⑰ **G. Paris** – 78 271 h. alt. 50 – 1.
Paris 16 – Lagny 21 – Meaux 30 – St-Denis 12 – Senlis 38.

Novotel M, rte Gonesse ☎ 866.22.97, Télex 230121, – rest TV ☎ P – 300. AE GB
R snack carte environ 65 – 20 – **139 ch** 202/212.

Strasbourg sans rest, 43 bd Strasbourg ☎ 866.60.38 – wc ☎. GB
fermé août et dim. soir – SC : 13 – **19 ch** 119/150.

La Centrale du Pneu, 2 av. Ch.-Floquet ☎ 866.37.66

Bagneux 92220 Hauts-de-Seine 101 ㉕ **G. Paris** – 40 674 h. alt. 109 – 1.
Voir Fontenay-aux-Roses : ≤★ de la terrasse de la route du Panorama SE : 1 km.
Paris 8,5 – Antony 5,5 – Clamart 4 – Longjumeau 13 – Montrouge 3 – Versailles 16.

Les Bulles, 10 bis av. J.-B.-Fortin ☎ 735.62.60
fermé août et dim. – **R** carte 70 à 125.

FIAT, LANCIA-AUTOBIANCHI Pasteur Automobiles, 9 av. Pasteur ☎ 665.99.20
TALBOT SAGAR, 11 av. V.-Hugo ☎ 735.27.69
SODIPHAS-Tou-Pneus, 16 av. A.-Briand ☎ 664.08.30

Bagnolet 93170 Seine-St-Denis 101 ⑯ – 35 907 h. alt. 86 – 1.
Paris 6 – Lagny 27 – Meaux 40.

Novotel Paris Bagnolet M, av. République, échangeur porte de Bagnolet ☎ 360.02.10, Télex 670216, – TV ☎ P – 25 à 800. AE GB
L'Oeuf et la Poule R 100 bc - **snack R** carte environ 65 – 22 – **600 ch** 298/320.

Bougival 78380 Yvelines 101 ⑬ **G. Environs de Paris** – 8 744 h. alt. 40 – 3.
Paris 18 – Rueil-Malmaison 3,5 – St-Germain-en-Laye 7 – Versailles 7 – Le Vésinet 4.

Parc M, 10 r. Y.-Tourgueneff ☎ 918.17.16, Télex 695580, – rest TV ☎ P – 200. AE GB E. rest
SC : **R** carte 95 à 130 – 20 – **175 ch** 205/310.

Coq Hardy, 16 quai Rennequin-Sualem (N 13) ☎ 969.01.43, « Jardins fleuris en terrasses, intérieur élégant » – P. AE GB
fermé 18 janv. au 20 fév., mardi soir du 1er nov. au 15 mars et merc. – **R** (dim. prévenir) carte 180 à 220
Spéc. Terrine d'écrevisses, Sole aux artichauts, Aiguillettes de canard au Médoc.

Le Camelia (Delaveyne), 7 quai G.-Clemenceau ☎ 969.03.02 – AE GB
fermé dim. soir et lundi et en août dim. et lundi – **R** carte 140 à 185
Spéc. Fricassée de champignons des bois (en saison), Corallin de St-Pierre, Pigeonneau à l'ail doux.

Cheval Noir, 14 quai G.-Clemenceau ☎ 969.00.96 – GB
fermé fin juil. à début sept., merc. soir et jeudi – **R** carte 75 à 130.

Boulogne-Billancourt SP 92100 Hauts-de-Seine 101 ㉔ **G. Paris** – 103 948 h. alt. 35 – 1 – **Voir** Bois de Boulogne★★ : Jardin d'acclimatation★ – Jardin Albert Kahn★ – Musée Paul Landowski★.
Paris (par Porte de St-Cloud) 10 – Versailles 11.

Sélect H. M sans rest, 66 av. Gén.-Leclerc ☎ 604.70.47 – wc wc ☎ P.
SC : **58 ch** 142/164.

Excelsior sans rest, 12 r. Ferme ☎ 621.08.08 – wc ☎. AE.
SC : 12 – **52 ch** 106/140.

Rustic H., 53 r. Escudier ☎ 605.06.35 – wc wc ☎. . rest
10 – **12 ch** 65/140.

Au Comte de Gascogne, 89 av. J.-B.-Clément ☎ 603.47.27 – . GB
fermé août, sam., dim. et fériés – **R** carte 140 à 180
Spéc. Foie de canard, Panaché de poissons, Daube d'oie (sept.-avril).

Gérard Pangaud, 1 rd point Rhin et Danube ☎ 605.34.42 – GB
fermé août sam., et dim. – **R** carte 160 à 200
Spéc. Sole au persil, Selle de lapereau au romarin, Gratin de fruits au Sabayon.

La Bretonnière, 120 av. J.-B.-Clément ☎ 605.73.56 – AE GB
fermé sam. midi et dim. – **R** carte 110 à 165
Spéc. Fricassée de homard, Panaché de poissons, Soufflé à l'orange et au citron.

La Bergerie, 87 av. J.-B.-Clément ☎ 605.39.07 – AE GB
fermé 1er au 23 août, lundi soir, dim. et fêtes – **R** carte 100 à 140.

Laux... à la Bouche, 117 av. J.-B.-Clément ☎ 825.43.88
fermé 10 au 20 août – **R** carte 70 à 110.

La Petite Auberge Franc Comtoise, 86 av. J.-B.-Clément ☎ 605.67.19 – AE GB
fermé août et dim. – **R** carte 95 à 140.

La Galère, 112 r. Gén.-Gallieni ☎ 605.64.51 –
fermé août, sam. et dim. – **R** carte 70 à 105.

ALFA-ROMEO Lov Auto, 23 r. Solférino ₮ 621.50.60
BMW Zol'Auto, 52 r. du Chemin Vert ₮ 609.91.43
CITROEN Augustin, 53 r. Danjou ₮ 609.93.75
PEUGEOT Letiennest et Fourneron, 23 quai A.-Le-Gallo ₮ 825.63.85

RENAULT Succursale, 577 av. Gén.-Leclerc ₮ 609.94.33
TALBOT Paris Ouest Autom., 74 rte de la Reine ₮ 604.68.51

Etter-Pneus, 57 r. Thiers ₮ 620.18.55
Paris-Pneum., 91 rte de la Reine ₮ 604.24.10

Le Bourget (Aéroport de Paris) 93350 Seine-St-Denis 101 ⑰ **G. Paris** – 10 534 h. alt. 66 – Renseignements : ₮ 862.12.12.

Voir Musée de l'Air (en cours d'installation).

Paris 15 – Aulnay-sous-Bois 6 – Chantilly 34 – Meaux 38 – St-Denis 6,5 – Senlis 36.

Novotel M, à Blanc-Mesnil ZA pont Yblon ✉ 93150 Le Blanc-Mesnil ₮ 867.48.88, Télex 230115, – rest – 250. AE GB
R carte environ 65 – 20 – **143 ch** 202/212.

FIAT, LANCIA-AUTOBIANCHI Actis-Barone, 77 av. Division-Leclerc ₮ 837.91.30
RENAULT Gar. Bon, 132 av. Div.-Leclerc ₮ 837.01.12

Piot-Pneu, 190 av. Ch.-Floquet à Blanc-Mesnil ₮ 867.17.40

Bourg-la-Reine 92340 Hauts-de-Seine 101 ㉕ **G. Paris** – 18 480 h. alt. 56 – 1.

Voir Charpente★ de l'église.

Paris 10 – Antony 3 – Arcueil 3,5 – Bagneux 4 – Longjumeau 9 – Versailles 17.

L'Auberge, 134 av. Gén.-Leclerc ₮ 663.47.93
fermé 1er août au 5 sept. et lundi – **R** 40, carte le dim..

PEUGEOT Sireine-Auto, 12 bis av. Gén.-Leclerc ₮ 664.15.03
TALBOT Messina, 7 r. J.-Mermoz ₮ 665.61.98

Régina-Pneus, 30 av. Gén.-Leclerc ₮ 665.67.69

Brunoy 91800 Essonne 101 ㊲ – 22 872 h. alt. 58 – 6.

Paris 27 – Corbeil-Essonnes 13 – Évry 16 – Melun 23 – Villeneuve-St-Georges 10.

Le Petit Réveillon, 22 r. Réveillon ₮ 046.03.39 – GB E
fermé août, merc. soir, dim. soir et lundi – SC : **R** 50/75.

CITROEN Ets Ruffin-Heitmann, 7 r. du Pont ₮ 046.57.57 N ₮ 046.34.19

PEUGEOT Ets Michel, 4 place de l'Arrivée ₮ 046.00.91

Bry-sur-Marne 94360 Val-de-Marne 101 ⑱ **G. Paris** – 12 364 h. alt. 39 – 1.

Paris 15 – Créteil 9 – Joinville-le-Pont 4,5 – Lagny 16.

Passerelle, 98 quai V.-Berrière ₮ 881.00.14 – AE GB E
fermé 17 au 28 août, lundi et mardi – SC : **R** 60/85.

Champrosay 91 Essonne 101 ㊲ – alt. 58 – ✉ **91210** Draveil – 6.

Paris 27 – Brunoy 11 – Corbeil-Essonnes 9,5 – Évry 6 – Longjumeau 14 – Viry-Châtillon 5,5.

Bouquet de la Forêt, rte l'Ermitage ₮ 942.56.08, « A l'orée de la forêt » – GB
fermé 25 juil. au 25 août, lundi et le soir sauf vend. et sam. – **R** carte 80 à 155.

Châteaufort 78 Yvelines 101 ㉒ **G. Environs de Paris** – 812 h. alt. 153 – ✉ **78530** Buc – 3.

Paris 27 – Arpajon 28 – Rambouillet 25 – Versailles 10.

✿ **La Belle Epoque** (Peignaud), 10 pl. Mairie ₮ 956.21.66, « Auberge rustique dominant le vallon » – AE GB
fermé 13 août au 6 sept., 23 déc. au 8 janv., sam. et dim. – **R** carte 120 à 175
Spéc. Aileron de raie à l'aigrelette, Aiguillettes de caneton au citron, Crêpes glacées aux fruits rouges.

RENAULT à Buc ₮ 953.96.44

RENAULT Gar. Nodarian, à Voisins le Bretonneux ₮ 043.74.99

Chelles 77500 S.-et-M. 101 ⑲ – 36 576 h. alt. 45 – 6.

Office de Tourisme (fermé août, dim. après-midi et lundi) et T.C.F. 51 bis av. Résistance, ₮ 957.12.24.

Paris 20 – Coulommiers 41 – Meaux 27 – Melun 46.

Parc, 41 ter bd Chilpéric ₮ 957.10.85 –
fermé dim. soir et lundi – SC : **R** 38/90.

AUDI-VOLKSWAGEN Gar. Lourdin, 33 r. G.-Nast ₮ 957.38.42
AUSTIN, MORRIS, OPEL, TRIUMPH Chelles-Autom., Zone Ind., av. de Sylvie ₮ 957.53.02
CITROEN Pipart-Chelles-Diffusion-Autos, 59 av. Mar.-Foch ₮ 957.56.01 N ₮ 957.87.27
FORD Dubos, 92 av. du Mar.-Foch ₮ 957.35.58

PEUGEOT Metin, 53 av. Mar.-Foch ₮ 008.57.57
TALBOT Central-Gar., av. du Marais, déviation N 34 ₮ 421.27.27

Burlat 41 r. A.-Meunier ₮ 957.07.68

Chennevières-sur-Marne 94430 Val-de-Marne 101 ㉘ **G. Paris** – 17 571 h. alt. 100 – ⚙ 1.

Voir Terrasse ※★.

⛳ d'Ormesson ☎ 576.02.26, SE : 3 km.

Paris 17 – Coulommiers 49 – Lagny 22.

Jardins de France sans rest, 27 r. Champigny ☎ 576.01.66, – wc wc
fermé 1er au 25 août – SC : **18 ch** 87/145.

XXX **Écu de France,** 31 r. Champigny ☎ 576.00.03, « Cadre rustique, terrasse fleurie en bordure de rivière » – Ⓟ.
fermé dim. soir et lundi – SC : **R** carte 90 à 135.

XXX **Aub. Vieux Clodoche,** 18 r. Champigny ☎ 576.09.39 – Ⓟ. AE ⓓ
R carte 100 à 150.

CITROEN Grandru, 15 rte de la libération ☎ 576.03.07

RENAULT SOVEA, 96 rte de la Libération ☎ 576.96.70

Chilly-Mazarin 91380 Essonne 101 ㉟ – 17 413 h. alt. 77 – ⚙ 6.

Paris 20 – Étampes 34 – Évry 16 – Versailles 27.

XXX **Pavillon Mazarin,** 31 rte Longjumeau ☎ 909.81.11, – Ⓟ. AE GB ⓓ E
fermé août et sam. – **R** (déj. seul.) carte 105 à 155.

Clamart 92140 Hauts-de-Seine 101 ㉔ – 53 361 h. alt. 110 – ⚙ 1.

Paris 10 – Boulogne-Billancourt 6 – Longjumeau 16 – Rambouillet 43 – Versailles 13.

X **Le Benjamin,** 25 bis av. J.-B.-Clément ☎ 642.06.66
fermé août, lundi soir et dim. – SC : **R** 92 bc.

CITROEN S.E.G.A.C., 323 av. du Gén.-de-Gaulle ☎ 630.45.90

RENAULT Gilson, 185 av. Victor-Hugo ☎ 644.38.03

Le Comptoir du Pneu, 127 av. Gén.-de-Gaulle ☎ 630.34.42

Clichy 92110 Hauts-de-Seine 101 ⑮ – 47 956 h. alt. 30 – ⚙ 1.

Paris 6,5 – Argenteuil 7 – Pontoise 27 – St-Germain-en-Laye 17.

Le Ruthène M sans rest, 35 r. Klock ☎ 737.02.51 – wc wc .
SC : 15 – **20 ch** 170/190.

Girbal M sans rest, 14 r. Dagobert ☎ 737.54.24 – wc wc . GB
SC : 12 – **30 ch** 140/150.

XX ✿ **Barrière de Clichy,** 1 r. de Paris ☎ 737.05.18 – AE GB ⓓ
fermé sam. midi et dim. – **R** carte 150 à 200
Spéc. Salade de foie gras de canard, Petits feuilletés de saison, Rognon de veau Côte d'Or.

XX **La Bonne Table,** 119 bd J.-Jaurès ☎ 737.38.79 –
fermé 1er au 15 mai, 12 au 30 sept., dim. et lundi – SC : **R** 100 bc/160 bc.

XX **La Colombe d'Or,** 18 bd Gén. de Gaulle ☎ 731.73.61 – AE GB
fermé août, sam. midi et dim. – SC : **R** carte 90 à 130.

PEUGEOT Rouxel, 139 bd J.-Jaurès ☎ 739.68.00

Central-Pneum. de Clichy, 22 r. Dr- Calmette ☎ 270.99.94
P.S.T.A., 107 bd V.-Hugo ☎ 270.11.43

Courbevoie 92400 Hauts-de-Seine 101 ⑭ **G. Paris** – 54 578 h. alt. 34 – ⚙ 1.

Voir La Défense★★ : Palais de la Défense★ (Centre National des Industries et des Techniques), Tour Manhattan★★★ – Tour Fiat★★, Tour GAN★★ et Tour Roussel - Nobel★.

Paris (par Porte Champerret) 11 – Asnières 3 – Levallois-Perret 3,5 – St-Germain-en-Laye 14.

Penta M, 18 r. Baudin ☎ 788.50.51, Télex 610470 – ch ☎ Ⓟ – 25 à 300. AE GB ⓓ. rest
SC : l'Atelier **R** carte 65 à 105 – **493 ch** 280/300.

Marina sans rest, 18 av. Marceau ☎ 333.57.04 – wc Ⓟ. .
SC : 11 – **20 ch** 55/160.

Central sans rest, 99 r. Cap.-Guynemer ☎ 789.25.25 –
SC : 9 – **55 ch** 44/100.

X **A la Potinière,** 65 bis av. Gambetta ☎ 333.07.99 – AE GB ⓓ
fermé 29 juil. au 23 août, 23 déc. au 2 janv. et dim. – **R** carte 80 à 120.

X **Clocher de Rodez,** 40 r. Bezons ☎ 333.52.19
fermé août, dim. et lundi – **R** carte 70 à 110.

RENAULT Succursale, 8 bd G.-Clemenceau ☎ 334.31.31
Marquis, 43 bd de Verdun ☎ 333.11.22

Cenci-Pneu, 8 r. de Bitche ☎ 333.25.36

A la carte

Dans les restaurants à « prix fixes », il est généralement possible de se faire servir également à la carte.

Créteil P 94000 Val-de-Marne 101 ㉗ **G. Paris** – 65 447 h. alt. 49 – ⚙ 1.

Voir Hôtel de ville★ : parvis★.

Office de Tourisme, 1 r. F.-Mauriac (fermé sam. après-midi et dim.) ☎ 898.58.18.

Paris 12 – Bobigny 17 – Évry 20 – Lagny 26 – Melun 35.

Novotel M, ☎ **207.91.02, Télex 670396**, – ☎ – 25 à 200. AE GB
R snack carte environ 65 – 20 – **110 ch** 202/212.

XX **La Terrasse, 39 av. Verdun ☎ 207.15.94** – AE GB
fermé août, Pâques, Pentecôte, sam. soir et dim. – **R** carte 100 à 150.

PEUGEOT S.V.I.C.A., 89 av. Gén.-de-Gaulle ☎ 339.50.00

RENAULT Gar. SVAC, 35 r. de Valenton ☎ 899.72.50

Domont 95330 Val-d'Oise 101 ⑤ **G. Environs de Paris** – 10 898 h. alt. 138 – ⚙ 3.

18 ☎ **991.07.50.**

Paris 24 – Beauvais 54 – Chantilly 26 – Montmorency 5 – Pontoise 26.

X **Aub. Croix Blanche,** 35 rte Montmorency ☎ **991.01.69** – P. GB
fermé août et merc. – **R** (déj. seul.) carte 70 à 115.

CITROEN Gar. d'Ombreval, 4 r. d'Ombreval ☎ 991.16.15

TALBOT Gar. des 4 Routes, angle N 1 et N 370 à Ezanville ☎ 991.01.37

Draveil 91210 Essonne 101 ㊱ – 28 900 h. alt. 55 – ⚙ 6.

Paris 24 – Arpajon 20 – Évry 9.

Pontel M sans rest, **46 av. Bellevue ☎ 942.32.21** – wc P – 100. AE
SC : 12 – **32 ch** 130/140.

CITROEN Texier, 288 av. H.-Barbusse ☎ 903.71.81

RENAULT Gar. Pouvreau, 50 av. H.-Barbusse ☎ 942.22.34

Enghien-les-Bains 95880 Val d'Oise 101 ⑤ **G. Environs de Paris** (plan) – 10 713 h. alt. 50 – Stat. therm. – Casino – ⚙ 3.

Voir Lac★ – 18 de Domont ☎ 991.07.50, N : 8 km.

Office de Tourisme 2 bd Cotte (fermé merc. et dim.) ☎ 417.17.95.

Paris 18 – Argenteuil 16 – Chantilly 32 – Pontoise 20 – St-Denis 6 – St-Germain-en-Laye 23.

Gd H. des Bains, 85 r. Gén.-de-Gaulle ☎ 989.85.85, Télex 697842, <, « Beau jardin fleuri » – P – 35. rest
SC : **R** 90 – 22 – **50 ch** 200/300, 3 appartements 490 – P 420/450.

Villa Marie Louise sans rest, 49 r. Malleville ☎ 989.82.21, – wc wc
SC : 12 – **22 ch** 145.

XXX **Duc d'Enghien,** au Casino ☎ 989.95.95, < lac – . GB
fermé jeudi – **R** carte 145/170.

XX **La Cascade,** 97 r. Gén.-de-Gaulle ☎ 989.97.33, < lac –
fermé août et lundi – **R** carte 100 à 155.

XX **Aub. Landaise,** 32 bd d'Ormesson ☎ 989.78.36 – AE GB
fermé août et merc. – SC : **R** carte 80 à 110.

XX **A la Carpe d'Or,** 91 r. Gén.-de-Gaulle ☎ 989.79.53, < – AE GB
R carte 80 à 135.

X **La Petite Tonkinoise,** 9 av. Gallieni à Épinay-sur-Seine ☎ 826.92.64
fermé août, dim. soir et lundi midi – SC : **R** carte 45 à 70.

CITROEN Namont, 150 av. Div.-Leclerc ☎ 989.75.06

PEUGEOT Enghien-Automobiles, 211 av. Division Leclerc ☎ 989.14.17

La Garenne-Colombes 92250 Hauts-de-Seine 101 ⑭ – 24 082 h. alt. 25 – ⚙ 1.

Paris 12 – Argenteuil 5,5 – Asnières 4 – Courbevoie 1,5 – Pontoise 29 – St-Germain 12.

Moderne sans rest, 103 r. Aigle ☎ 242.77.32 – wc wc.
fermé août – SC : 15 – **27 ch** 80/130.

XX **Chez Rose,** 10 pl. J.-Baillet ☎ 785.39.80 – GB
SC : **R** carte 110 à 150.

XX **Aub. du 14 Juillet,** 9 bd République ☎ 242.21.79 – GB
fermé août, sam. et dim. – **R** carte 75 à 125.

AUSTIN, JAGUAR, MORRIS, ROVER, TRIUMPH Baral, 49 bd de la République ☎ 781.91.81

PEUGEOT Succursale, 9 bd National ☎ 780.71.67

PEUGEOT STRABO-Bouchetout, 128 av. Gén.-de-Gaulle ☎ 242.23.32

RENAULT Gamot, 25 bd République ☎ 242.23.16

RENAULT La Garenne-Autom., 22 r. de Châteaudun ☎ 242.23.46

Gennevilliers 92230 Hauts-de-Seine 101 ⑮ G. Paris – 50 326 h. alt. 29 – ✪ 1.

Office de Tourisme 177 av. Gabriel Péri (fermé août, matin et sam.) ☎ 790.62.62.

Paris 12 – Pontoise 23 – St-Denis 4 – St-Germain-en-Laye 20.

XX ✿ **Julius,** 6 bd Camélinat ☎ 798.79.37 –
fermé août, sam. midi et dim. – SC : **R** carte 100 à 155
Spéc. Terrine d'artichauts, Haddock aux choux verts, Crêpes à l'ananas.

PEUGEOT Rouxel, 12 av. du Pont-de-St-Denis ☎ 790.61.15

Central-Pneu, 23 av. M. Sangnier à Villeneuve la Garenne ☎ 798.08.10

La Centrale du Pneu, 8 av. de la Redoute, Zone Ind. à Villeneuve-la-Garenne ☎ 794.22.85

Houilles 78800 Yvelines 101 ⑬ – 30 636 h. alt. 31 – ✪ 3.

Paris 16 – Argenteuil 6 – Maisons-Laffitte 5 – St-Germain-en-Laye 8.

XX **Gambetta,** 41 r. Gambetta ☎ 968.52.12 – GB
fermé août, dim. soir et lundi – SC : **R** carte 110 à 155.

Joinville-le-Pont 94340 Val-de-Marne 101 ㉗ G. Paris – 18 476 h. alt. 35 – ✪ 1.

Office de Tourisme 1 r. Jean-Mermoz (fermé matin, sam. et dim.) ☎ 283.41.16.

Paris 11 – Lagny 24 – Maisons-Alfort 3,5 – Vincennes 4.

XX **Horloge,** 99 quai Marne ☎ 889.34.38, Intérieur rustique
fermé août et sam. – **R** carte 85 à 135.

PEUGEOT Restellini, 49 av. Gén.-Gallieni ☎ 886.30.30

Livry-Gargan 93190 Seine-St-Denis 101 ⑱ – 32 944 h. alt. 63 – ✪ 1.

Paris 17 – Aubervilliers 13 – Aulnay-sous-Bois 5,5 – Chelles 8 – Meaux 28 – Senlis 42.

XXX ✿ **Aub. St-Quentinoise** (Mme Faure), 23 av. République ☎ 381.13.08 – GB.
fermé août, dim. soir et lundi – SC : **R** (dîner prévenir) carte 150 à 190
Spéc. Rognons de veau, Gâteau du Prélat.

CITROEN Gar. Avenue, 115 av. A.-Briand ☎ 302.43.55
OPEL Gar. Guiot, 1 av. A.-Briand ☎ 381.25.92
RENAULT Gar. SODAL, 29 av. Consul-Général Nordling ☎ 936.06.80
TALBOT S.A.P.A.L., 23 av. J.-J.-Rousseau ☎ 383.57.74

VOLVO Gar. Meresse, 109 bd R.-Schumann ☎ 383.50.41

Bonnet, 4 av. C.-Desmoulins ☎ 381.53.13

Longjumeau 91160 Essonne 101 ㉟ – 18 183 h. alt. 72 – ✪ 6.

Paris 21 – Chartres 70 – Dreux 82 – Évry 16 – Melun 38 – ♦Orléans 96 – Versailles 21.

Relais des Chartreux M, à Saulxier SO : 2 km ✉ 91160 Longjumeau ☎ 909.34.31, Télex 691245, ←, – – 250. AE GB E
SC : **R** carte environ 95 – 16 – **100 ch** 180/200.

Agro-Route, 5 rte Versailles ☎ 934.11.50

Maisons-Alfort 94700 Val-de-Marne 101 ㉗ G. Paris – 54 552 h. alt. 35 – ✪ 1.

Paris 10 – Créteil 2,5 – Évry 22 – Melun 36.

Bains sans rest, 132 r. J.-Jaurès ☎ 375.78.09 – wc wc .
fermé août et 24 déc. au 3 janv. – SC : 12 – **22 ch** 65/140.

Moderne sans rest, 19 bis r. Parmentier ☎ 376.76.33 – .
SC : 11 – **40 ch** 44/120.

XX **Au Gd Albert 1er,** 5 av. Gén.-de-Gaulle ☎ 368.09.14 – GB
fermé août, jeudi soir et dim. – **R** carte 85 à 125.

PEUGEOT Gar. du Centre, 69 av. Gambetta ☎ 376.84.22
RENAULT M.A.E.S.A., 8 av. Prof.-Cadiot ☎ 376.63.70

Le Page, 19 av. G.-Clemenceau ☎ 368.14.14

Maisons-Laffitte 78600 Yvelines 101 ⑬ G. Environs de Paris – 23 807 h. alt. 40 – ✪ 3.

Voir Escalier d'honneur** du château*.

Paris 21 – Argenteuil 8,5 – Mantes-la-Jolie 37 – Poissy 8 – Pontoise 18 – St-Germain 8.

XXX ✿✿ **Vieille Fontaine** (Clerc), 8 av. Gretry ☎ 962.01.78, « Jardin » – . AE GB
fermé août, dim. et lundi – **R** carte 155 à 180
Spéc. Aumonières de caviar, Cuisses de grenouilles, Rognons de veau au Chiroubles.

XX ✿ **Le Tastevin** (Blanchet), 7 av. Ste-Hélène ☎ 962.11.67, – AE GB
fermé 17 août au 8 sept., 2 au 8 janv., lundi soir et mardi – SC : **R** carte 110 à 155
Spéc. Gratin de queues d'écrevisses (juil. à mai) Cassoulet, Mousse aux citrons verts.

X **Le Laffitte,** 5 av. St-Germain ☎ 962.01.53 – AE GB
fermé août, mardi soir et merc. – SC : **R** carte 85 à 155.

CITROEN Gar. du Parc, 75 r. de Paris ☎ 962.04.78
CITROEN Selier, 4 av. Longueil ☎ 962.04.05
DATSUN Gar. Vialle, 6 r. de Paris ☎ 912.13.09
N ☎ 962.03.50
PEUGEOT Gar. Gasparini, 73 r. Paris ☎ 962.01.26
RENAULT Gar. Pertuisset, 40 av. St-Germain ☎ 962.10.29

Marly-le-Roi **78160 Yvelines 101 ⑫ G. Environs de Paris – 16 143 h. alt. 150 – 3.**
Voir Parc★ – Forêt de Marly★.
Paris 27 – St-Germain-en-Laye 4 – Versailles 8,5.

Aub. Henri IV, 5 pl. Abreuvoir ☎ **958.47.61** – wc ☎ – 30. ch
fermé août et vacances de fév. – SC : **R** *(fermé merc. soir)* carte 80 à 120 – 15 – **8 ch** 140/180.

XX **Roy Soleil,** 19 av. Combattants ☎ 958.67.57, – GB
fermé dim. soir et lundi – SC : **R** carte 100 à 135.

RENAULT Gar. de la Gare, 11 av. St-Germain ☎ 958.48.22

Meudon **92360 Hauts-de-Seine 101 ㉔ G. Paris (plan) – 53 413 h. alt. 100 – 1.**
Voir Musée de l'Air★★ – Terrasse★ : ★ – Bois de Meudon★.
Paris 12 – Boulogne-Billancourt 3 – Clamart 3,5 – Versailles 10.

XXX ✿ **Relais des Gardes,** à Bellevue, 42 av. Gallieni ☎ **534.11.79** – AE GB
fermé août, lundi soir et sam. – SC : **R** carte 140 à 195
Spéc. Cotriade des Glénan, Pot-au-feu de canard saintongeaise, Feuilleté tiède aux pommes.

XX **Ermitage de Villebon,** près étang de Villebon S : 3 km ☎ **632.10.74,** – P. GB
fermé août, vac. scol. de fév., dim. soir et lundi – SC : **R** carte 130 à 190.

CITROEN Gar. Rabelais, 31 bd Nations-Unies ☎ 626.45.50
PEUGEOT Coussedière, 2 bis r. Banès ☎ 626.49.06
TALBOT Pezeau, 4 pl. Stalingrad ☎ 626.40.63

Montgeron **91230 Essonne 101 ㊲ – 24 061 h. alt. 43 – 6.**
Paris 21 – Évry 13 – Melun 23 – Villeneuve-St-Georges 3,5.

Clos de la Navette Ⓜ sans rest, 119 bis av. République ☎ **942.60.60** – wc wc ☎ P. GB
SC : 15 – **38 ch** 120/140.

Le Réveil Matin, 22 av. J.-Jaurès ☎ **903.09.99** – wc wc ☎ P. AE GB.
SC : **R** *(fermé dim. soir)* 30/100 – 12 – **19 ch** 70/110.

RENAULT Gar. du Lycée, 31 bis av. République ☎ 903.50.88
TALBOT Gar. Picot, 115 av. J.-Jaurès ☎ 903.50.37 N ☎ 046.34.19

Montreuil **93100 Seine-St-Denis 101 ⑰ G. Paris – 96 684 h. alt. 75 – 1.**
Voir Musée de l'Histoire Vivante★.
Office de Tourisme 2 av. G.-Péri (fermé août, dim. et lundi) ☎ 287.38.09.
Paris 8 – Lagny 23 – Meaux 39 – Senlis 46.

XX **Fin Gourmet,** 57 r. Paris ☎ **287.05.49**
fermé août, en fév. et merc. – SC : **R** 28/37 .

AUDI-VOLKSWAGEN Gar. Wuplan, 62 r. de Lagny ☎ 328.20.60
RENAULT Renault-Montreuil, 57 r. A.-Carrel ☎ 374.11.95
Pneu-Service, 65 r. de St-Mandé ☎ 328.93.79

Montrouge **92120 Hauts-de-Seine 101 ㉕ – 40 403 h. alt. 74 – 1.**
Paris (par Porte d'Orléans) 6 – Boulogne-Billancourt 6,5 – Longjumeau 14 – Versailles 16.

Mercure Ⓜ, 13 r. F.-Ory ☎ **657.11.26, Télex 202528** – rest ☎ . AE GB
R carte environ 100 – 20 – **193 ch** 280/300, 7 appartements.

XX **Table du 54,** 54 av. A.-Briand ☎ **656.72.80** – . AE GB
fermé août, sam. et dim. – **R** (déj. seul.) carte 95 à 135.

CITROEN Verdier-Montrouge, 99 av. Verdier ☎ 657.12.00
CITROEN Gar. du Quercy, 74 av. Marx Dormoy ☎ 657.54.44
MERCEDES-BENZ Euro-Gar, 73 av. A.-Briand ☎ 735.52.20
RENAULT Colin-Montrouge, 59 av. République ☎ 655.26.20
Le Pneumatique, 56 av. A.-Briand ☎ 656.76.00

Pour des repas simples à prix modiques
choisissez les établissements marqués d'un losange

Morangis 91420 Essonne 101 ㉟ – 8 565 h. alt. 76 – ⚙ 6.
Paris 21 – Évry 16 – Longjumeau 4,5 – Versailles 23.

Pierre Loti Ⓜ sans rest, 110 av. République ☎ 909.09.97 – wc wc ☎ Ⓟ. .
SC : ☐ 12 – **30 ch** 90/125.

XX **Rêve d'Alsace** avec ch, 65 av. E.-Rostand ☎ 909.14.78 – AE ⓓ
fermé août et dim. – SC : **R** carte 85 à 145 – ☐ 8 – 8 ch 50.

AUTOBIANCHI, CITROEN Sodamo, 32 r. M.-Telotte ☎ 909.17.81
FIAT, LANCIA S.O.L.A.C., av. Ch.-de-Gaulle, Zone Ind. ☎ 909.20.62
FORD Orly-Autos, av. Ch.-de-Gaulle, Zone Ind. Nord ☎ 909.08.97

Morsang-sur-Orge 91390 Essonne 101 ㊱ – 20 160 h. alt. 75 – ⚙ 6.
Paris 25 – Corbeil-Essonnes 14 – Évry 11 – Versailles 26.

XX **La Causette,** 47 bd Gribelette ☎ 015.16.85 – GB
fermé août, mardi soir et merc. – SC : **R** 66/142.

X **Aub. de la Forêt,** 30 av. Lénine ☎ 904.17.02 – Ⓟ. GB
fermé 16 au 31 août, 15 au 28 fév. et lundi – SC : **R** 54/120.

Nanterre 92 Hauts de Seine 101 ⑬ ⑭ – rattaché à Rueil-Malmaison.

Neuilly-sur-Seine 92200 Hauts-de-Seine 101 ⑮ – 66 095 h. alt. 36 – ⚙ 1.
Voir Bois de Boulogne** : Jardin d'acclimatation*, Bagatelle*, Musée National des Arts et Traditions Populaires** – Centre International de Paris – Palais des Congrès** : grand auditorium***, ≤* de la tour Concorde-La Fayette, G. Paris.
Paris (par Porte Neuilly) 8 – Argenteuil 12 – Pontoise 37 – St-Germain 14 – Versailles 18.

H.-Club Méditerranée Ⓜ, 58 bd V.-Hugo ☎ 758.11.00, Télex 610971, Ambiance club, – TV ☎ – 100. AE GB
SC : **R** 110 bc/125 bc – ☐ 25 – **335 ch** 350.

Parc Neuilly Ⓜ sans rest, 4 bd Parc ☎ 747.87.32 – TV wc wc ☎.
SC : ☐ 12 – **71 ch** 70/175.

Roule sans rest, 37 bis av. du Roule ☎ 624.60.09 – wc wc ☎.
SC : ☐ 12 – **35 ch** 110/145.

XXX **Manoir,** 4 r. Église ☎ 624.04.61 – . GB
fermé août, sam. et dim. – SC : **R** carte 150 à 180.

XXX ✿ **Jacqueline Fénix,** 42 av. Ch.-de-Gaulle ☎ 624.42.61 –
fermé fin juil. à fin août, sam. et dim. – **R** carte 105 à 140
Spéc. Salade de sole, Poireaux fumés au saumon, Volaille au basilic (avril à juil.).

XX ✿ **Bourrier,** 1 pl. Parmentier ☎ 624.11.19
fermé sam. et dim. – SC : **R** 130/160.

XX **Truffe Noire,** 2 pl. Parmentier ☎ 624.94.14 – AE GB
fermé août, vend. soir et sam. – **R** carte 100 à 150.

XX **Focly,** 10 r. P.-Chatrousse ☎ 624.43.36 – AE GB
fermé du 10 au 24 août – **R** carte 50 à 75.

X **Chau'veau,** 59 r. Chauveau ☎ 624.46.22 – ⓓ
fermé août, sam. et dim. – **R** carte 55 à 100.

ALFA-ROMEO Ets Hottot, 23 r. M.-Michelis ☎ 637.14.50
CITROEN Succursale, 124 av. du Roule ☎ 747.11.22
FIAT, LANCIA-AUTOBIANCHI Gar. Neuilly-Roule, 65 av. du Roule ☎ 745.33.11
PEUGEOT Ets Luchard, 131 bis av. Ch.-de-Gaulle ☎ 745.08.50
RENAULT Gds Gar. de Bagatelle 14 r. Deloison ☎ 624.37.76
VOLVO Volvo-Paris, 16 r. d'Orléans ☎ 747.50.05

Ⓜ Maillot-Pneus, 69 av. de Neuilly ☎ 624.33.69

Nogent-sur-Marne ⟨SP⟩ 94130 Val-de-Marne 101 ㉗ G. Paris – 25 801 h. alt. 56 – ⚙ 1.
Office de Tourisme 5 av. Joinville (fermé matin, dim. et lundi) ☎ 873.73.97.
Paris 14 – Créteil 6,5 – Montreuil 5 – Vincennes 4.

Nogentel Ⓜ, 8 r. Port ☎ 872.70.00, Télex 210116, ≤ – TV ☎ – 250. AE GB ⓓ E
rest. **Le Panoramic R** carte environ 125 - Grill **Le Canotier R** carte environ 70 – ☐ 17 – **61 ch** 180/210.

Noisy-le-Grand **93160** Seine-St-Denis **101** ⑱ – 33 837 h. – ⚙ 1.

Voir Château★ : salon chinois★★ et parc★★ de Champs-sur-Marne O : 2 km, G. Environs de Paris.

Paris 20 – Lagny 13.

Campanile, 5 r. Ballon Z.I Les Richardets à Marne-la-Vallée ☎ 305.22.99, – wc Ⓟ – 25. GB
SC : **R** 43 bc/56 bc – 17 – **50 ch** 140 – P 173/223.

PEUGEOT Gar. de la Pointe, 65 av. E.-Casson-neau ☎ 303.30.92

RENAULT S.O.V.E.A., 132 av. Médéric ☎ 305.50.13

Orly (Aéroport de Paris) **94396** Val-de-Marne **101** ㉖ **G. Paris (plan)** – 26 244 h. alt. 89 - Renseignements ☎ 687.12.34 – ⚙ 1.

Voir Aérogares★ : terrasse supérieure d'Orly-Sud ⩽★.

Paris 16 – Corbeil-Essonnes 17 – Longjumeau 9 – Villeneuve-St-Georges 12.

Hilton Orly Ⓜ, près aérogare ☎ 687.33.88, Télex 250621, ⩽ – Ⓟ – 500. AE GB ⓓ
La Louisiane R 55/150 – 29 – **388 ch** 295/335, 20 appartements.

Le Senia, 6 r. Bas-Marin ☎ 687.31.30 – wc wc Ⓟ
44 ch.

Aérogare d'Orly Sud :

Air Hôtel sans rest, ☎ 687.24.25 – wc – 30 à 80. AE GB ⓓ.
SC : **56 ch** 167/253.

XXX **Tournebroche des Trois Soleils,** ☎ 687.24.25, ⩽ – .

Aérogare d'Orly Ouest :

XXXX ❀ **Maxim's,** ☎ 687.16.16, ⩽ – AE GB ⓓ
R carte 150 à 215
Spéc. Fricassée de Poisson, Filet de boeuf couronné, Crêpes Veuve Joyeuse.

XXX **Grill Maxim's,** ☎ 687.16.16 – AE GB ⓓ
SC : **R** 104/124.

X **La Galerie,** ☎ 687.16.16, ⩽ – GB
SC : **R** 64/88.

Voir aussi à Rungis p. 49

RENAULT Roland, 90 av. Aérodrome ☎ 852.37.93

RENAULT S.A.P.A., Bat. 225, Aérogares ☎ 687.12.34

Orsay **91400** Essonne **101** ㉝ **G. Environs de Paris** – 22 579 h. alt. 90 – ⚙ 6.

Office de Tourisme (fermé sam. après-midi et dim.) et T.C.F. 14 av. St-Laurent ☎ 928.59.72.

Paris 27 – Évry 24 – Rambouillet 30 – Versailles 21.

Échangeur Courtabeuf **S : 2 km intersection A 10 et F 18 – ✉ 91400** Orsay :

Mercure Ⓜ, Zone Industrielle ☎ 907.63.96, Télex 691247, – rest Ⓟ – 25 à 200. AE GB ⓓ
R carte environ 70 – 18 – **110 ch** 192/197.

CITROEN Gd Gar. d'Orsay, 8 pl. République ☎ 928.40.26
PEUGEOT S.E.E.P.A., 13 r. Archange ☎ 928.68.39

RENAULT S.D.A.O., av. des Tropiques, Z.A. Courtaboeuf-les-Ulis ☎ 907.78.35

Palaiseau **91120** Essonne **101** ㉞ **G. Environs de Paris** – 28 924 h. alt. 80 – ⚙ 6.

Paris 22 – Arpajon 18 – Chartres 69 – Évry 19 – Rambouillet 37.

Novotel Ⓜ, Zone industrielle de Massy ☎ 920.84.91, Télex 691595, – rest Ⓟ – 25 à 250. AE GB ⓓ
R snack carte environ 65 – 20 – **151 ch** 197/207.

PEUGEOT Jean-Jaurès-Auto, 33 av. Jean-Jaurès ☎ 014.03.92

RENAULT Badin, 14 r. E.-Branly ☎ 010.61.76

Pantin **93500** Seine-St-Denis **101** ⑯ – 42 744 h. alt. 53 – ⚙ 1.

Office de Tourisme 106 av. Jean-Lolive (fermé jeudi, sam. et dim.) ☎ 844.93.72.

Paris 7 – Aulnay-sous-Bois 9 – Le Bourget 5 – Livry-Gargan 11.

Aub. Cheval Noir Ⓜ, 2 rte Noisy-le-Sec ☎ 845.80.64 – wc wc – 50 à 150. AE ⓓ
R 35/60 – 12 – **21 ch** 145.

RENAULT Succursale, 13 av. Gén.-Leclerc ☎ 843.61.60

Bihn, 160 av. J.-Jaurès ☎ 845.25.85
Steier-Pneus, 217 av. J.-Lolive ☎ 844.36.80

Paray-Vieille-Poste 91550 Essonne 101 ㊱ – 7 679 h. alt. 85 – ✪ 6.

Paris 20 – Corbeil-Essonnes 15 – Évry 11 – Juvisy-sur-Orge 3 – Longjumeau 7 – Versailles 25.

L'Escale sans rest, 15 r. Curie ☏ 938.60.56, – ⋒wc ☎ Ⓟ
SC : 9,50 – **12 ch** 48/70.

Le Perreux 94170 Val-de-Marne 101 ⑱ – 28 333 h. alt. 54 – ✪ 1.

Office de Tourisme pl. R.-Belvaux (fermé sam. après-midi, dim. et lundi) ☏324.26.58.

Paris 15 – Lagny 17 – St-Maur-des-Fossés 5,5 – Villemomble 6,5 – Vincennes 6.

XX **Champs-Élysées,** 11 bd Liberté ☏ 324.21.59 – GB E
fermé dim. soir et lundi – SC : **R** 35/130.

CITROEN S.A.G.A., 131 av. P.-Brossolette ☏ 324.13.50
PEUGEOT Gar. Central du Perreux, 39 bis av. Ledru-Rollin ☏ 324.19.21
RENAULT Gar. Hoel, 46 av. Bry ☏ 872.60.00
Ets Walraevens, 103 bd Alsace-Lorraine ☏ 324.41.43

Petit-Clamart 92 Hauts-de-Seine 101 ㉔ – alt. 110 – ✉ **92140** Clamart – ✪ 1.

Voir Bièvres : Musée français de la photographie ★ S : 1 km, G. Environs de Paris.

Paris 13 – Antony 6 – Clamart 4,5 – Longjumeau 14 – Meudon 4,5 – Sèvres 7 – Versailles 9.

XX **Au Rendez-vous de Chasse,** 1 rte Versailles ☏ 631.11.95 – Ⓟ. AE GB ⓓ
fermé août et merc. – SC : **R** carte 75 à 115.

Le Port-Marly 78560 Yvelines 101 ⑫ – 3 922 h. alt. 32 – ✪ 3.

Paris 21 – Louveciennes 3 – Marly-le-Roi 2,5 – St-Germain-en-Laye 3 – Versailles 10.

XX **Lion d'Or,** 7 r. de Paris ☏ 958.44.56 – AE GB ⓓ
SC : **R** carte 85 à 130.

MERCEDES-BENZ Port-Marly Gar., 10 r. St-Germain ☏ 958.44.38

Le Pré St-Gervais 93310 Seine-St-Denis 101 ⑯ – 14 106 h. alt. 71 – ✪ 1.

Paris (par Porte de Pantin) 7 – Lagny 27 – Meaux 38 – Montreuil 4,5 – Senlis 44.

X ✿ **Au Pouilly Reuilly** (Thibault), 68 r. A.-Joineau ☏ 845.14.59 – AE ⓓ
fermé août, dim. et fêtes – **R** carte 75 à 125
Spéc. Pâté de grenouilles, Foie de veau aux girolles, Rognon de veau dijonnaise.

Pour visiter la région parisienne,
utilisez **le guide Vert Michelin ENVIRONS DE PARIS**
et les cartes 101, 196 et 237.

Puteaux 92800 Hauts-de-Seine 101 ⑭ – 35 564 h. alt. 36 – ✪ 1.

Voir La Défense★★ : Palais de la Défense★ (Centre National des Industries et des Techniques), Tour Manhattan★★★, Tour Fiat★★, – Tour GAN★★ et Tour Roussel Nobel★, G. Paris.

Paris 10 – Neuilly-sur-Seine 3 – Pontoise 35 – St-Germain-en-Laye 11 – Versailles 14.

XX ✿ **Gasnier,** 7 bd Richard-Wallace ☏ 506.33.63 – GB
fermé 5 juil. au 23 août, sam., dim. et fériés – **R** (nombre de couverts limité - prévenir) carte 130 à 185
Spéc. Foie gras de canard frais, Cassoulet, Confit de canard aux cèpes.

XX **Camille Renault,** 60 r. République ☏ 776.01.30 – AE GB ⓓ. ✱
fermé août, dim. et fêtes – **R** carte 85 à 145.

CITROEN Succursale, 100 av. F.-Arago à Nanterre ☏ 780.71.20
André, 20 r. des Fusillés ☏ 775.36.31
Mery-Pneus, 9 r. des Carriers à Nanterre ☏ 724.77.05
Piot-Pneu, 74 av. V.-Lénine à Nanterre ☏ 724.61.01

La Queue-en-Brie 94510 Val-de-Marne 101 ㉙ – 8 928 h. alt. 97 – ✪ 1.

Paris 21 – Coulommiers 47 – Créteil 11 – Lagny 21 – Melun 31 – Provins 64.

XX **Aub. du Petit Caporal,** 14 av. Gén.-de-Gaulle ☏ 576.30.06 – AE GB
fermé Pâques et merc. – SC : **R** 50/95.

Roissy-en-France 95 Val-d'Oise 101 ⑧ **G. Paris** (plan) – 1 364 h. – ✉ **95500** Gonesse – ✪ 3.

Voir Aérogare★.

Charles de Gaulle ☏ 862.12.12.

Paris 26 – Chantilly 28 – Meaux 36 – Senlis 28.

Holiday Inn M, 54 r. Paris ☏ 988.00.22, Télex 695143 – 📺 ☎ ♿ Ⓟ – 300. AE GB ⓓ E
SC : **R** carte 90 à 120 – 18 – **250 ch** 235/260.

dans le domaine de l'aéroport :

Sofitel M, ☎ 862.23.23, Télex 230166, ⊠, ✂ – |$| TV ☎ ♿ P – 🏛 25 à 500. AE GB ⓓ E. ✂ rest
rest panoramique **Les Valois R** (dîner seul.) carte 110 à 150 - **Le Jardin** (brasserie) (rez de chaussée) **R** carte environ 75 ⚲ - **Pizzeria** (rez de chaussée) **R** carte environ 50 ⚲ – ☐ 29 – **352 ch** 240/365, 8 appartements.

dans l'aérogare :

XXXX **Maxim's,** ☎ 862.24.16 – ▤. AE GB ⓓ
SC : **R** 170 - au **Grill Maxim's R** 100/130.

Rueil-Malmaison 92500 Hauts-de-Seine 101 ⑬ G. Paris – 64 429 h. alt. 15 – ⚙ 1.

Voir Château de Bois-Préau★ – Buffet d'orgues★ de l'église – Malmaison : musée★★ du château.

Paris 15 – Argenteuil 12 – St-Germain-en-Laye 7,5 – Versailles 11.

Chaumière M sans rest, 20 av. Albert-1er ☎ 732.20.92, Télex 202431, ⛱ – |$| 🚗 P – 🏛 35
fermé août – SC : **44 ch** ☐ 170/220.

XXXX ✿ **El Chiquito,** 126 av. Paul-Doumer ☎ 751.00.53, « Jardin » – P
fermé août, dim. et fériés – **R** carte 145 à 195
Spéc. Filets de loup en croûte, Barbue au cidre, Ris de veau aux queues d'écrevisses.

XX **Relais de St-Cucufa,** 114 r. Gén.-Miribel ☎ 749.79.05 – P. AE GB
fermé 15 au 31 août et merc. soir – SC : **R** 80/160.

à Nanterre N : 2 km – ✉ **92 000** Nanterre

XXX **Ile de France,** 83 av. Mar. Joffre ☎ 724.10.44 – P. AE GB ⓓ
fermé août, dim. soir et lundi soir – **R** carte 120 à 155.

CITROEN Gar. Letourneur, 25 bd Richelieu ☎ 749.54.10
PEUGEOT Rueil-Auto-Service, 16 av. du 18 juin 1940 ☎ 751.38.60
RENAULT Gar. du Château, 21 r. du Château ☎ 732.07.50

Rungis 94150 Val-de-Marne 101 ㉖ G. Paris (plan) – 2 996 h. alt. 80 - Marché d'intérêt National – ⚙ 1.

Paris 13 – Antony 5,5 – Corbeil-Essonnes 26 – Longjumeau 10.

Frantel Rungis Orly M accès Paris : A6, bretelle d'Orly, de province : A 6 et sortie Rungis-Orly, 20 av. Ch.-Lindbergh ✉ 94656 ☎ 687.36.36, Télex 260738, ≤, ⛱ – |$| ▤ TV ☎ ♿ 🚗 P – 🏛 50 à 300. AE GB ⓓ E. ✂ rest
SC : rest. **La Rungisserie R** carte 115 à 175 – ☐ 23 – **204 ch** 260/350.

Holiday Inn M, accès de Paris : A 6 bretelle d'Orly, de province A 6 sortie Rungis-Orly ☎ 687.26.66, Télex 204679, ⛱ – |$| ▤ TV ☎ ♿ P – 🏛 50 à 250. AE GB ⓓ E
SC : **R** carte 95 à 120 ⚲ – ☐ 20 – **171 ch** 235/260.

XXX **Le Charolais,** 13 r. N-Dame à Rungis Ville ☎ 686.16.42 – ⓓ
fermé dim. – **R** carte 115 à 170.

XX **Le Gd Pavillon** (jour et nuit), 6 quai Lorient ☎ 687.58.58 – AE GB ⓓ
fermé dim. et lundi – **R** (en août, déj. seul.) carte 100 à 170.

Ⓜ Piot-Pneu, 2 r. des Transports, Centre Routier ☎ 686.46.01
Vertadier, 88 av. Stalingrad à Chevilly-Larue ☎ 687.25.48

Saclay 91400 Essonne 101 ㉓ – 2 037 h. alt. 157 – ⚙ 6.

⛳18 de St-Aubin ☎ 941.25.19, SO : 2,5 km.

Paris 21 – Arpajon 22 – Chartres 68 – Rambouillet 30 – Versailles 11.

Novotel M, près rd-point Christ-de-Saclay ☎ 941.81.40, Télex 691856, ⛱, ✂ – |$| ▤ rest TV ☎ ♿ P – 🏛 300. AE GB ⓓ
R snack carte environ 65 – ☐ 20 – **136 ch** 197/207.

St-Cloud 92210 Hauts-de-Seine 101 ⑭ G. Paris – 28 350 h. alt. 60 – ⚙ 1.

Voir Parc★★ – Église Stella Matutina★.

⛳18⛳18 ☎ 701.01.85, parc Buzenval à Garches, O : 4 km.

Paris 12 – Boulogne-Billancourt 3 – Rueil-Malmaison 5,5 – St-Germain 16 – Versailles 10.

Villa Henri IV M, 43 bd République ☎ 602.59.30 – |$| ⛀wc ⛆wc ☎ P – 🏛 30. 🚗. ✂ rest
SC : **R** *(fermé août et dim. soir)* 45/85 ⚲ – ☐ 14 – **36 ch** 130/190.

AUDI-VOLKSWAGEN Gar. de St-Cloud, 38 r. Dailly ☎ 602.56.20
CITROEN Gar. Magenta, 4 bd Gén.-de-Gaulle à Garches ☎ 741.67.36
LANCIA-AUTOBIANCHI, VOLVO Gar. Longchamp-Carnot, 69 bis quai Prés.-Carnot ☎ 602.46.25

PEUGEOT St-Cloud-Autom., 147 av. Foch ☎ 771.85.60
RENAULT Pasteur-Auto, 29 r. Pasteur ☎ 602.93.24

St-Cyr-l'École 78210 Yvelines 101 ㉒ G. Environs de Paris – 17 795 h. alt. 133 – ✪ 3.

Paris 27 – Dreux 59 – Rambouillet 26 – St-Germain-en-Laye 12 – Versailles 4,5.

Aérotel M sans rest, 88 r. Dr-Vaillant ☎ 045.07.44 – TV wc fl wc ☎ P. rest
fermé 20 au 30 déc. – SC : 15 – **24 ch** 120/144.

CITROEN Gge St Cyrien 101 av. P.-Curie ☎ 045.00.43

La Centrale du Pneu, 10 av. H.-Barbusse ☎ 045.29.72
St Cyr-Pneu, 86 av. P.-Curie ☎ 460.43.80

St-Denis 93200 Seine-St-Denis 101 ⑯ G. Paris – 96 759 h. alt. 33 – ✪ 1.

Voir Cathédrale : tombeaux***.**

Office de Tourisme (fermé dim.) avec T.C.F. 2 r. Légion d'Honneur ☎ 243.33.55.

Paris 10 – Argenteuil 10 – Beauvais 64 – Chantilly 30 – Meaux 42 – Pontoise 24 – Senlis 43.

XX **La Saumonière,** 1r. Lanne ☎ 820.25.56 – GB
fermé août et dim. – **R** carte 85 à 130.

XX **Mets du Roy,** 4 r. Boulangerie ☎ 820.89.74 – GB
fermé Pâques, 15 au 31 juil. et le soir sauf vend. et sam. – **SC** : **R** carte 105 à 160.

MERCEDES-BENZ Gar. Moderne, 24 bd Carnot ☎ 822.24.24
PEUGEOT Neubauer, 227 bd A.-France ☎ 821.60.21
RENAULT Succursale, 93 r. de la Convention à la Courneuve ☎ 836.95.06

RENAULT Rembert, 108 av. Wilson ☎ 820.08.21
TALBOT St-Denis-Nord-Autos, 64 bd Marcel-Sembat ☎ 820.01.86

Pegaud et Cie, 16 av. R.-Semat ☎ 822.12.14
St-Denis Pneum., 20 bis r. G.-Péri ☎ 820.10.77

Les localités dont les noms sont soulignés de rouge sur les cartes Michelin à 1/200 000 sont citées dans ce guide. Utilisez une carte récente pour profiter de ce renseignement régulièrement mis à jour.

St-Germain-en-laye SP 78100 Yvelines 101 ⑫ G. Environs de Paris – 40 471 h. alt. 78 – ✪ 3.

Voir Terrasse** BX – **Jardin anglais*** BX – **Château*** BY : **musée des Antiquités nationales de la France**.**

9 18 ☎ 451.05.90 par ⑦ : 3 km ; 9 18 de Fourqueux ☎ 451.41.47 par ⑤ : 4 km.

Office de Tourisme 1 bis r. République (fermé sam. matin et dim.) ☎ 451.05.12.

Paris 21 ③ – Beauvais 73 ① – Chartres 81 ④ – Dreux 70 ④ – Mantes-la-Jolie 34 ⑥.

Plan page ci-contre

Le Cèdre , 7 r. Alsace ☎ 451.84.35, – wc ☎ – 25. AX **u**
fermé fév. – SC : **R** 52/62 – **30 ch** 80/180 – P 144/246.

XXX **Le 7 Rue des Coches,** 7 r. Coches ☎ 973.66.40 – AE GB BY **e**
fermé août, dim. soir et lundi – **R** carte 105 à 150.

X **Petite Auberge,** 119 bis r. L.-Desoyer ☎ 451.03.99 AY **a**
fermé 1er au 28 juil., vacances de fév., mardi soir et merc. – **R** (nombre de couverts limité - prévenir) carte 60 à 95.

au NO **par ① : 2,5 km sur N 284 et rte des Mares** – ✉ **78100** St-Germain-en-Laye :

La Forestière M , 1 av. Prés.-Kennedy ☎ 973.36.60, Télex 696055, – TV ☎ P – 40
SC : **R** voir rest Cazaudehore – 21 – **24 ch** 230/300, 6 appartements 310/380.

XXX ✿ **Cazaudehore,** 1 av. Prés.-Kennedy ☎ 451.93.80, **« Intérieur rustique, jardin fleuri en forêt »** – P
fermé lundi – **R** (nombre de couverts limité - prévenir) carte 105 à 155
Spéc. Saumon cru mariné, Homard, Poulet fermier au vinaigre de cidre.

BMW, LANCIA-AUTOBIANCHI Guynemer-Auto, 1 pl. Guynemer ☎ 451.86.55
CITROEN Ouest-Automobile, pl. Royale ☎ 451.47.91
FORD G.A.O., r. Clos de la Famille à Chambourcy ☎ 965.50.00
OPEL Gar. Ego, 27 r. de Pologne ☎ 451.07.90

PEUGEOT Vauban Autom., 130 bis av. Foch ☎ 973.25.07
RENAULT Ets Adde, 112 r. Prés.-Roosevelt ☎ 973.32.64

Marchand, pl. Thiers ☎ 451.43.23
Relais du Pneu, 22 r. Péreire ☎ 451.19.33

ST-GERMAIN EN-LAYE

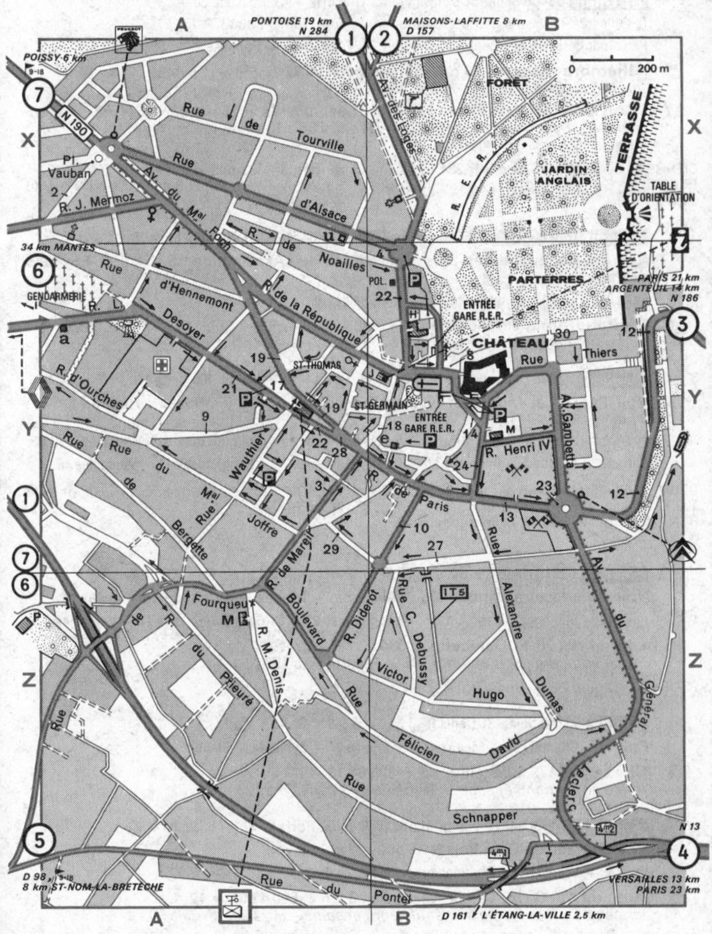

En mars 1982, ce guide ne sera plus valable. Achetez le guide de l'année !

St-Mandé **94160** Val-de-Marne 101 ㉖ – 21 096 h. alt. 50 – 1.
Voir Bois de Vincennes★★ : Zoo★★, Parc floral de Paris★★, Musée des Arts africains et océaniens★, G. Paris.
Paris (par Porte de Vincennes) 6 – Lagny 27 – Maisons-Alfort 5 – Vincennes 1,5.

X **Mairie,** 34 r. République ☎ 328.10.28
fermé août, 2 au 9 fév., dim. soir et lundi – SC : **R** carte 50 à 85.

St-Maur-des-Fossés **94100** Val-de-Marne 101 ㉗ – rattaché à La Varenne-St-Hilaire.

St-Maurice 94410 Val-de-Marne 101 ㉗ **G. Paris** – 10 012 h. alt. 33 – ✪ 1.

Paris 8 – Joinville-le-Pont 4 – Maisons-Alfort 3 – Vincennes 5.

St-Maurice sans rest, 56 ter av. Mar.-de-Lattre-de-Tassigny ☎ **368.77.34** –
SC : ☐ 9 – **13 ch** 30/62.

Les Cigognes d'Alsace, 50 av. Mar.-de-Lattre-de-Tassigny ☎ **368.20.38** – GB
fermé août, dim. soir et lundi – **R** carte 60 à 100.

St-Ouen 93400 Seine-St-Denis 101 ⑮ **G. Paris** – 43 695 h. alt. 36 – ✪ 1.

Office de Tourisme pl. République (fermé août, sam. et dim.) ☎ 254.77.36.

Paris (par Porte de St-Ouen) 7 – Chantilly 34 – Meaux 45 – Pontoise 29 – St-Denis 3,5.

Alhambra sans rest, 23 r. E.-Renan ☎ **254.06.22** – wc wc.
fermé 3 au 24 août – SC : ☐ 9 – **30 ch** 45/85.

✿ **Coq de la Maison Blanche,** 37 bd Jean-Jaurès ☎ **254.01.23** – GB
fermé août, dim. soir et merc. soir – **R** carte 85 à 135
Spéc. Jambon persillé, Coq au vin.

CITROEN Ferré, 2 bd J.-Jaurès ☎ 254.16.38
RENAULT Gar. Heslot, 17 r. Ch.-Schmidt ☎ 606.20.18
Mattei-Pneum., 5 r. A.-Rodin ☎ 252.42.72
Sté Nouvelle du Pneumatique, 87 bd V.-Hugo ☎ 254.08.66

Savigny-sur-Orge 91600 Essonne 101 ㊱ – 34 546 h. alt. 80 – ✪ 6.

Voir Ste-Geneviève-des-Bois : église N.-D.-de-l'Assomption★ S : 5 km, G. Environs de Paris.

Paris 24 – Évry 12 – Longjumeau 5,5 – Versailles 26.

Gd Panorama, 5 r. Mont-Blanc ☎ **996.17.61** – wc – 25. GB
R *(fermé mardi soir et merc.)* 135 bc /31 – ☐ 10 – **24 ch** 50/100.

Sceaux 92330 Hauts-de-Seine 101 ㉕ **G. Paris** – 19 961 h. alt. 100 – ✪ 1.

Voir Parc★★ et Musée de l'Ile-de-France★ – L'Hay-les-Roses : roseraie★★ E : 3 km.

Office de Tourisme 68 r. Houdan (fermé août, sam. après-midi, dim. et lundi) ☎ 661.19.03.

Paris 12 – Antony 3 – Bagneux 2,5 – Corbeil-Essonnes 29 – Longjumeau 11 – Versailles 16.

BMW, OPEL Ets Loiseau, 3 r. de la Flèche ☎ 702.72.50
RENAULT Besombes, 2 r. Fontenay ☎ 661.05.50
TALBOT Gar. de Penthièvre, 11 r. Penthièvre ☎ 702.81.00

Sèvres 92310 Hauts-de-Seine 101 ㉔ **G. Paris** – 21 296 h. alt. 95 – ✪ 1.

Voir Manufacture Nationale de Sèvres★★ – Musée National de céramique★★.

Paris 12 – Boulogne-Billancourt 2,5 – Longjumeau 21 – St-Germain-en-Laye 17 – Versailles 8.

Lapin Frit, 36 av. Gambetta ☎ **534.02.18** –
fermé août, dim. soir et lundi – SC : **R** carte 80 à 120.

PEUGEOT Digue, 7 r. V.-Hugo ☎ 534.00.84

Stains 93240 Seine-St-Denis 101 ⑯ – 35 688 h. alt. 41 – ✪ 1.

Paris 14 – Chantilly 29 – Meaux 43 – Pontoise 27 – Senlis 42 – St-Denis 4.

Chez Bibi, 179 av. Stalingrad ☎ **826.64.10** –
fermé août, merc. et sam. – **R** (déj. seul.) carte 75 à 125.

Sucy-en-Brie 94370 Val-de-Marne 101 ㉘ **G. Paris** – 22 107 h. alt. 96 – ✪ 1.

Voir Château de Gros Bois★ : mobilier★★ S : 5 km.

Paris 19 – Créteil 6,5 – Chennevières-sur-Marne 4.

Aub. de Tartarin, Les Bruyères SE : 3 km ☎ **590.42.61** – GB
fermé août, mardi et le soir sauf vend. et sam. – SC : **R** carte 60 à 90.

PEUGEOT Ets Paulmier, 89 r. Gén.-Leclerc ☎ 590.09.40

Taverny 95150 Val-d'Oise 101 ④ **G. Environs de Paris** – 18 915 h. alt. 92 – ✪ 3.

Voir Église★.

Paris 28 – Argenteuil 15 – Chantilly 34 – Maisons-Laffitte 14 – Montmorency 9 – Pontoise 15.

CITROEN Gar. Maubry, 6 r. de la Tuyolle ☎ 960.02.15
CITROEN Gar. Vincent, 183 r. d'Herblay ☎ 413.34.82
RENAULT Gar. Brussiau, 27 r. de Paris ☎ 960.04.54

La Varenne-St-Hilaire 94210 Val-de-Marne 101 ㉘ – alt. 40 – ✪ 1.

Office de Tourisme 63 av. Bac (fermé sam. après-midi et lundi matin) ☏ 283.84.74.

Paris 16 – Chennevières-sur-Marne 1,5 – Lagny 22 – St-Maur-des-Fossés 2,5.

XX **Régency 1925,** 96 av. Bac ☏ 883.15.15 – ▤. AE GB ⓓ
R carte 65 à 105.

X **Chez Nous comme chez Vous,** 110 av. du Mesnil ☏ 885.41.61
fermé 9 août au 10 sept., en fév., dim., soir et merc. – **R** carte 80 à 145.

à St-Maur – ✉ **94210** La Varenne-St-Hilaire :

Winston [M] sans rest, 119 quai W.-Churchill ☏ 885.00.46 – ⇔wc ⋒wc ☎ Ⓟ. AE ⓓ
SC : ☕ 16,50 – **24 ch** 145/210.

FERRARI, PORSCHE, MITSUBISHI S.C.B. Pozzi, 102 av. Foch à St-Maur ☏ 885.45.55
PEUGEOT Gar. de la Marne, 104 av. du Bac ☏ 883.16.22
RENAULT Gar. Chevant, 2 bd Gén.-Giraud à St-Maur ☏ 883.05.43
RENAULT Gar. National, 28 av. de la République à St-Maur ☏ 883.55.51

Selz-Pneus-Est, 5 av. L.-Blanc ☏ 885.27.33

Vaucresson 92420 Hauts-de-Seine 101 ㉓ – 9 349 h. alt. 142 – ✪ 1.

Voir Etang de St-Cucufa* NE : 2,5 km, G. Paris.

Paris 19 – Mantes-la-Jolie 43 – St-Cloud 4 – St-Germain-en-Laye 11 – Versailles 5.

voir plan de Versailles

XX **La Poularde,** 36 bd Jardy (près autoroute) D 182 ☏ 741.13.47 – Ⓟ U **a**
fermé août, vac. de fév., mardi soir et merc. – SC : **R** carte 75 à 140.

Vélizy-Villacoublay 78140 Yvelines 101 ㉓ – 23 856 h. alt. 174 – ✪ 3.

Paris 18 – Antony 11 – Chartres 79 – Meudon 7,5 – Versailles 6,5.

Ramada [M], av. Europe, centre commercial Vélizy II ☏ 946.96.98, Télex 696537, – |♦| ▤ TV ☎ Ⓟ – 300. AE GB ⓓ E
SC : **R** 92 bc – ☕ 30 – **183 ch** 270/310.

RENAULT BSE-Vélizy, av. L.-Breguet ☏ 946.96.03

*The numbered circles on the town plans ①, ②, ③ are duplicated on the **Michelin maps** at a scale of 1/200 000. These references, common to both guide and map, make it easier to change from one to the other.*

Verrières-le-Buisson 91370 Essonne 101 ㉔ – 11 509 h. alt. 85 – ✪ 6.

Paris 15 – Corbeil-Essonnes 26 – Étampes 38 – Rambouillet 38 – Versailles 15.

X **Au Faisan,** 7 r. Paron ☏ 920.20.27
fermé 14 juil. au 30 août, vacances de fév., dim. soir et lundi – **R** carte 70 à 100 ♁.

Versailles [P] **78000** Yvelines 101 ㉒ **G. Environs de Paris** – 97 133 h. alt. 132 – ✪ 3.

Voir Château* – Jardins*** (Grandes Eaux*** et fêtes de nuit*** en été) – Grand Canal** – Trianon** – Musée Lambinet*** Y **M** – **Bibliothèque municipale*** Y **D.**

18 18 9 du Racing Club de France ☏ 950.59.41 par ③ : 2,5 km.

Office de Tourisme 7 r. Réservoirs (fermé dim. du 1er oct. au 30 avril) ☏ 950.36.22 T.C.F. 2 r. Mar.-Foch ☏ 951.66.22.

Paris 23 ⑨ – Beauvais 87 ⑦ – Dreux 62 ⑥ – Évreux 86 ⑦ – Melun 62 ③ – ♦Orléans 120 ③.

Plans pages suivantes

Trianon Palace ⛰, 1 bd Reine ☏ 950.34.12, Télex 698863, – |♦| TV ♿ Ⓟ – 300. AE GB ⓓ. rest X **r**
R 85/115 – ☕ 24 – **120 ch** 205/380, 8 appartements – P 308/368.

Mercure [M] sans rest, r. Marly-le-Roi, face centre commercial Parly 2 ✉ 78150 Le Chesnay ☏ 955.11.41, Télex 695205 – |♦| TV ⇔wc ☎ Ⓟ. AE GB ⓓ
SC : ☕ 19 – **78 ch** 182/214. U **e**

Bellevue [M] sans rest, 12 av. Sceaux ☏ 950.13.41 – |♦| TV ⇔wc ⋒ ☎ ♿. AE ⓓ E Z **a**
SC : ☕ 14 – **24 ch** 110/190.

Le Versailles sans rest, r. Ste-Anne (Petite Place) ☏ 950.64.65 – |♦| TV ⇔wc ☎ ♿ . AE Y **m**
SC : **48 ch** ☕ 130/201.

Richaud sans rest, 16 r. Richaud ☏ 950.10.42 – |♦| TV ⇔wc ⋒wc ☎ Ⓟ. AE GB ⓓ Y **z**
SC : ☕ 12 – **39 ch** 90/150.

VERSAILLES

CURIOSITÉS

Per attraversare Parigi e dirigervi nei sobborghi,
utilizzate la carta Michelin **" Banlieue de Paris "** n. **101**
in scala 1 : 50 000

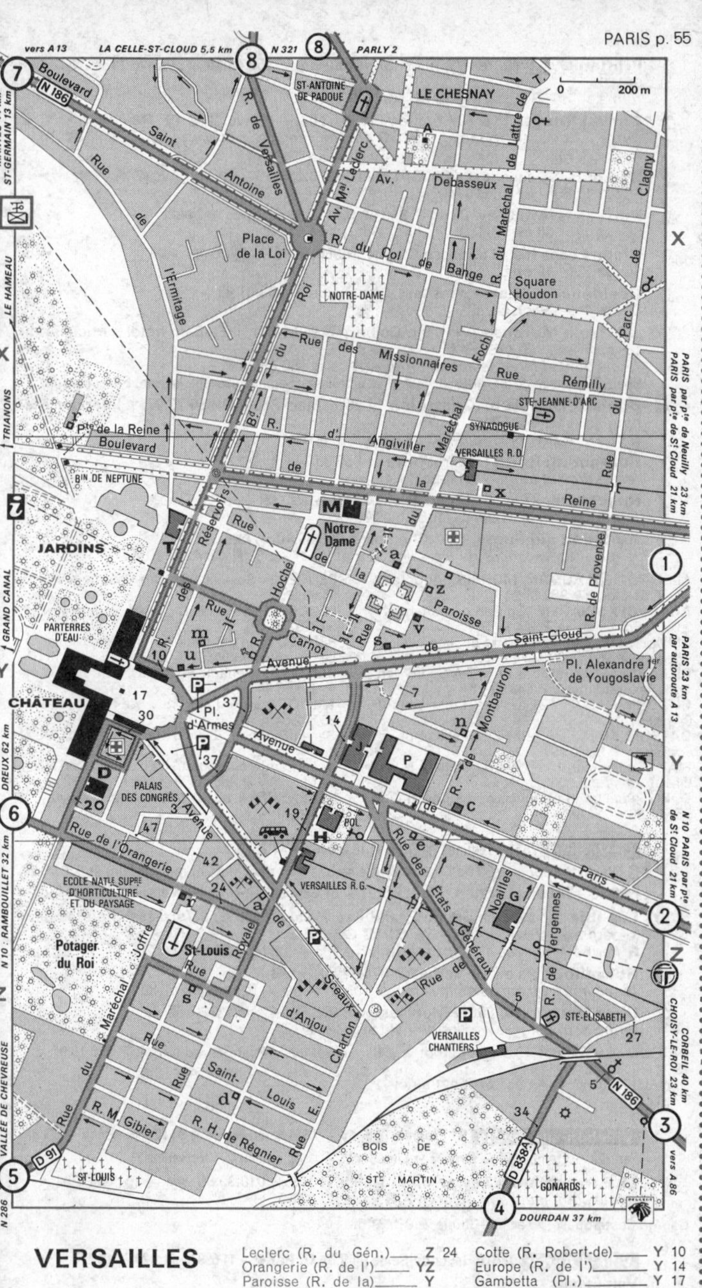

VERSAILLES

Carnot (R.) .... Y
Clemenceau (R. Georges) .... Y 7
États-Généraux (R. des) .... Z
Foch (R. du Mar.) .... Y
Hoche (R.) .... Y
Leclerc (R. du Gén.) .... Z 24
Orangerie (R. de l') .... YZ
Paroisse (R. de la) .... Y
Royale (R.) .... Z
Satory (R. de) .... YZ 42
Vieux-Versailles (R. du) .... YZ 47

Chancellerie (R. de la) .... Y 3
Chantiers (R. des) .... Z 5
Cotte (R. Robert-de) .... Y 10
Europe (R. de l') .... Y 14
Gambetta (Pl.) .... Y 17
Gaulle (Av. Gén.-de) .... YZ 19
Indép. Américaine (R.) .... Y 20
Mermoz (R. Jean) .... Z 27
Noalhac (R. Pierre-de) .... Y 30
Porte de Buc (R.) .... Z 34
Rockefeller (Av.) .... Y 37

Printania [M] sans rest, 7 bis r. Montbauron ☎ 950.44.10 – wc ⋒ ☎ ♿. GB. ✻ Y **n**
fermé août – SC : ☐ 15 – **30 ch** 50/150.

Cheval Rouge, 18 r. A.-Chenier ☎ 950.03.03 – wc ⋒ ☎ Ⓟ. ✻ Y **z**
fermé 20 déc. au 15 janv. – SC : **R** *(fermé vend. soir et sam.)* 58/70 ⅄ – ☐ 15 – 41 ch 53/205.

St-Louis ⛰ sans rest, 28 r. St-Louis ☎ 950.23.55 – wc ⋒wc ☎ ♿.
SC : ☐ 11,50 – **27 ch** 80/140. Z **d**

Paris sans rest, 14 av. Paris ☎ 950.56.00 – wc ⋒wc ☎. ✻ YZ **e**
SC : ☐ 16 – **30 ch** 70/150.

Clagny sans rest, 6 impasse Clagny ☎ 950.18.09 – ⋒wc ☎. Y **x**
SC : ☐ 11 – **19 ch** 82/125.

Résidence du Berry sans rest, 14 r. Anjou ☎ 950.01.80 – ⋒ Z **s**
SC : ☐ 10 – **39 ch** 60/90.

XXXX ✿✿ **Trois Marches** (Vié), 3 r. Colbert ☎ 950.13.21, « Élégant hôtel particulier du 18e s. » – ▤. AE GB ⓓ E Y **u**
fermé dim. et fériés le soir et lundi – **R** carte 180 à 230
Spéc. Flan chaud de foie gras aux huîtres et écrevisses, Saumon sauvage (saison) Gibier (saison).

XXX **Boule d'Or "Aub. Comtoise",** 25 r. Mar.-Foch ☎ 950.22.97, « Intérieur rustique » – AE GB ⓓ Y **a**
fermé dim. soir et lundi – SC : **R** carte 115 à 150.

XX **Potager du Roi,** 1 r. Mar.-Joffre ☎ 950.35.34 Z **r**
fermé dim. et lundi – **R** 66 bc.

XX **Rescatore,** 27 av. St-Cloud ☎ 950.23.60 – AE GB Y **s**
fermé sam. midi et dim. – **R** 65 bc/200 bc.

XX **Au Chien qui Fume,** r. A.-Chenier ☎ 950.00.40 – GB Y **v**
fermé août, vacances de fév., dim. soir et lundi – SC : **R** carte 85 à 140.

ALFA-ROMEO, **AUSTIN, MORRIS** Augereau, 67 av. St-Cloud ☎ 950.11.20
AUDI-VOLKSWAGEN Gd Gar. des Chantiers, 2 bis r. Ed.-Lefebvre ☎ 950.04.97
BMW Gar. Lostanlen, 10 r. de la Celle, Le Chesnay ☎ 954.75.20
CITROEN U.C.A., av. des Prés, Z.A.S. de Montigny-le-Brétonneux ☎ 043.99.51
CITROEN U.C.A., 124 av. des Etats Unis ☎ 043.99.51
DATSUN, MERCEDES-BENZ Deschamps, 5 r St-Simon ☎ 950.03.97
FIAT Sodiam 78, 15 r. Parc de Clagny ☎ 950.64.10
FORD Pouillat, 6 pl de la Loi, Le Chesnay ☎ 954.03.38
PEUGEOT Soveda, 58 r. des Chantiers ☎ 950.04.66
PEUGEOT Soveda, D 134 à Bois-d'Arcy ☎ 045.09.42
PEUGEOT Le Chesnay-Autom., 36 r. Moxouris, Le Chesnay ☎ 954.52.76
RENAULT Renault-Versailles, 22 r. de l'École ☎ 953.96.44
TALBOT Soverdiam, 18 r. de Vergennes ☎ 950.22.54
Gar. la Tannerie, 73 bis r. Mar.-Foch ☎ 950.21.21

La Centrale du Pneu, 60 bis r. de Versailles, Le Chesnay ☎ 955.55.88
VERPNEUS, 4 bd St-Antoine, Le Chesnay ☎ 950.00.81

Le Vésinet 78110 Yvelines 101 ⑬ – 18 206 h. alt. 44 – ✪ 3.

Office de Tourisme 60 bd Carnot (fermé sam. après-midi, dim. et lundi matin) ☎ 976.00.27.

Paris 18 – Maisons-Laffitte 9 – Pontoise 21 – St-Germain-en-Laye 3 – Versailles 15.

XXX **Les Ibis** ⛰ avec ch, île du Grand Lac ☎ 952.17.41, ←, « Terrasses fleuries dans le parc » – wc ☎ Ⓟ – 60. AE GB ⓓ E
R *(fermé 1er juil. au 1er sept.)* carte 105 à 135 – ☐ 16 – **20 ch** 180/200.

XX **Rossello,** 8 bis av. H.-Vernet ☎ 976.37.50 – GB
fermé août, vacances de fév., mardi soir et merc. – **R** carte 95 à 135.

XX **Chez Narbonne,** 86 rte Montesson ☎ 976.69.24 – AE GB ⓓ
fermé août, dim. soir et lundi – **R** carte 130 à 185.

DATSUN Gar. Carnot, 15 bis bd Carnot ☎ 976.13.24
RENAULT Vésinet-Autos, 67 bd Carnot ☎ 976.12.84
Gar. de la Poste, 61 bd Carnot ☎ 976.18.91

Villebon-sur-Yvette 91 Essonne 101 ㉞ – 7 364 h. alt. 86 – ✉ 91120 Palaiseau – ✪ 6.

Paris 22 – Étampes 31 – Évry 22 – Limours 16 – Longjumeau 4 – Versailles 21.

XX **La Ferronnière,** 23 av. Gén.-de-Gaulle N 188 ☎ 010.30.88, – Ⓟ. GB ⓓ
fermé août, jeudi soir et lundi – **R** carte 90 à 130.

Garage Costerousse, 75 av. de-Gaulle ☎ 010.31.68

Ville-d'Avray 92410 Hauts-de-Seine 101 ㉓ G. Paris – 11 699 h. alt. 120 – ✪ 1.

Voir Étangs★.

Paris 14 – St-Germain-en-Laye 15 – Versailles 5,5.

XX **Rest. Père Auto,** 147 r. Versailles ☎ 709.63.24, ← – Ⓟ. ✻
fermé août, vacances de fév., dim. soir et lundi – SC : **R** carte 80 à 105.

RENAULT Gar. de la Mairie, 17 r. St-Cloud ☎ 750.56.23

Villemomble **93250** Seine-St-Denis **101** ⑱ – 28 860 h. alt. 58 – ✪ 1.

Voir Église Notre-Dame★ du Raincy NE : 1,5 km, G. Paris.

Paris 15 – Lagny 17 – Livry-Gargan 3,5 – Meaux 31 – Senlis 44.

XXX ✪ **Parc** (Mme Fath), 1 r. M. Vieville ☎ 854.16.27 – GB
fermé août, dim. soir et lundi – SC : **R** carte 140 à 190
Spéc. Feuilleté de Vénus aux pointes d'asperges, Saumon aux légumes, Noisette de chevreuil.

XX **Boule d'Or,** 10 av. Gallieni ☎ 854.47.26 – ▤
fermé août, vac. fév., dim. soir, mardi soir et merc. – **R** 35, carte le dim.

XX **Aub. de la Poterne,** 30 av. Outrebon ☎ 854.16.30 – AE GB ⓓ
fermé août, dim. soir et lundi – **R** carte 70 à 120.

AUDI-VOLKSWAGEN Gar. du Progrès, 39 rte Noisy ☎ 528.66.30
BMW Bessin-Autos, 1 av. Rosny ☎ 855.27.51
RENAULT Gar. Galliéni, 13 bis av. Galliéni ☎ 847.31.20
RENAULT Villemomble-Autom., 19 av. de Rosny ☎ 528.68.63

Villeneuve-St-Georges **94190** Val-de-Marne **101** ㉗ **G. Paris** – 32 212 h. alt. 34 – ✪ 1.

Paris 18 – Corbeil-Essonnes 18 – Créteil 8 – Lagny 35 – Longjumeau 20.

CITROEN Ruffin-Heitmann, 3 bis av. Carnot ☎ 389.31.29 **N** ☎ 046.34.19
PEUGEOT Froger, 52 r. P. Marin à Vigneux ☎ 903.47.09
RENAULT Ferreyra, 166 r. Paris ☎ 382.04.82

Vincennes **94300** Val-de-Marne **101** ⑰ – 44 467 h. alt. 60 – ✪ 1.

Voir Château★★ – Bois de Vincennes★★ : Zoo★★, Parc floral de Paris★★, Musée des Arts africains et océaniens★, G. Paris.

ℹ Office de Tourisme avec T.C.F. (☎ 328.07.03) 11 av. Nogent (fermé dim.) ☎ 808.13.00.

Paris 6 – Lagny 22 – Meaux 41 – Melun 48 – Montreuil 1,5 – Senlis 48.

🏠 **Donjon Vincennes** sans rest, 22 r. Donjon ☎ 328.19.17 – |⇕| ⇔wc ⇔ ☎
SC : ☕ 12 – **28 ch** 50/130.

AUSTIN, JAGUAR, TRIUMPH Royal-Vincennes-Gar., 60 av. de Paris ☎ 328.03.22
CITROEN Rabier, 120 av. de Paris ☎ 374.12.25
FORD Deshayes, 232 r. Fontenay ☎ 374.97.40
PEUGEOT S.V.I.C.A., 12 av. Petit-Parc ☎ 328.79.70
TALBOT Ets P. Demaria, 2 av. Déroulède ☎ 328.16.33

⊚ Pneu-Service, 12 r. de Fontenay ☎ 328.14.79

Viroflay **78220** Yvelines **101** ㉓ – 15 758 h. – ✪ 3.

Paris 18 – Antony 16 – Boulogne-Billancourt 7,5 – Versailles 4.

XX **Aub. la Chaumière,** 3 av. Versailles ☎ 024.48.76 – AE GB
fermé 15 au 30 août, lundi soir et mardi – SC : **R** carte 100 à 155.

Viry-Châtillon **91170** Essonne **101** ㊱ **G. Environs de Paris** – 32 490 h. alt. 36 – ✪ 6.

Paris 26 – Corbeil-Essonnes 11 – Évry 8,5 – Longjumeau 8,5 – Versailles 29.

XX **La Patinière,** 31 rte Nationale ☎ 905.06.16 – AE GB ⓓ
fermé sam. midi – **R** carte 95 à 120.

XX ✪ **La Dariole** (Drouelle), 21 r. Pasteur ☎ 944.22.40 – ▤
fermé août, 24 déc. au 5 janv., sam. et dim. – SC : **R** carte 110 à 180
Spéc. Poêlée de foie gras, Feuilleté de St Jacques (15 oct.-15 avril), Coupe "Jacqueline" (oct.-avril).

CITROEN Gar. Marchand, 113 rte Nationale ☎ 905.38.49
RENAULT Come et Bardon, 119 rte Nationale ☎ 996.91.40

⊚ Centrale du Pneu, 134 rte Nationale ☎ 944.30.07

PRINCIPALES MARQUES D'AUTOMOBILES

CONSTRUCTEURS FRANÇAIS

Alpine-Renault (Sté des Autom.) : 34 q. du Point-du-Jour, 92109 Boulogne-Billancourt ☎ 609.62.36

Citroën : 133 quai A.-Citroën, 75747 Paris Cedex 15, ☎ 578.61.61
Magasin d'exposition : 42 av. Champs-Élysées, 75008 Paris ☎ 359.62.20

Peugeot : siège : 75 av. Gde-Armée, 75116 Paris ☎ 502.11.33
Magasins d'exposition : 154 av. Champs-Élysées, 75008 Paris ☎ 563.07.33 et 75 av. Gde-Armée, 75116 Paris ☎ 502.11.33

Renault : 8 av. Émile-Zola, 92109 Boulogne-Billancourt ☎ 609.31.31
Magasin d'exposition : 53 av. Champs-Élysées, 75008 Paris ☎ 256.78.22

Renault V.I., Berliet-Saviem : 8 quai Léon-Blum, 92150 Suresnes ☎ 772.33.33

Talbot et Cie (Matra) : 46 av. Gde-Armée, 75017 Paris
Services commerciaux 75 av. Gde Armée, 75116 Paris ☎ 502 11 33
Magasin d'exposition : 136 av. Champs-Élysées, 75008 Paris ☎ 562.70.20

Unic : 6 r. Nicolas-Copernic, BP 109 78190 Trappes Cedex ☎ 051.61.79

IMPORTATEURS

(Agents en France : demander la liste aux adresses ci-dessous.)

Alfa-Romeo : 3 et 5 av. Galliéni, 94250 Gentilly ☎ 581.12.60

American Motors, Jeep : Jean-Charles Automobiles, 28 r. Claude Terrasse, 75016 Paris ☎ 524.43.33

Audi-Volkswagen : 6 r. Paul Baudry, 75008 Paris ☎ 296.11.66

BMW : 3 av. Ampère, Bois d'Arcy 78190 Trappes ☎ 043.82.00

British-Leyland : (Austin, Innocenti, Jaguar, Land Rover, Morris, Rover, Triumph) r. Ambroise-Croizat, Zone Ind., 95101 Argenteuil ☎ 982.09.22

Datsun : Sté Richard, 46 et 48 r. Moxouris, Parly II, 78150 Le Chesnay ☎ 955.92.92

Ferrari : Autom. Ch. Pozzi S.A., 109 r. Aristide-Briand, 92300 Levallois ☎ 739.96.50

Fiat : Tour Fiat, quartier de la Div.-Leclerc, 92400 Courbevoie ☎ 796.06.06

Ford : 338-344 av. Napoléon-Bonaparte, 92506 Rueil-Malmaison Cedex ☎ 732.05.05

General-Motors : (Bedford, Buick, Cadillac, Chevrolet, Oldsmobile, Opel, Pontiac, Vauxhall), 56 av. Louis-Roche, 92230 Gennevilliers ☎ 790.70.00

Honda : Parc d'activité Paris-Est-La Madeleine-Lognes, 77312 Marne la Vallée Cedex 2 ☎ 005.90.12

Lada, Skoda : Ets Poch, bd des Martyrs de Châteaubriant, 95103 Argenteuil ☎ 982.09.21

Lancia-Autobianchi : Distribution Chardonnet SA, 165 av. Henri-Barbusse, 93003 Bobigny ☎ 830.12.30

Lotus : Polymark, Les Glaisières N 13, 78630 Orgeval ☎ 975.71.93

Maserati : Thépenier S.A., 28 quai Carnot, 92210 St-Cloud ☎ 602.05.68

Mazda : Sté France-Motors, Z.I. du Haut-Galy, 93600 Aulnay-sous-Bois ☎ 865.42.44

Mercédès-Benz : Parc de Rocquencourt, 78150 Le Chesnay ☎ 954.90.22
Magasin d'exposition : 118 av. Champs-Elysées, 75008 Paris ☎ 562.24.04

Morgan : J. Savoye, 237 bd Péreire, 75017 Paris ☎ 574.82.80

Polski-Fiat-Zastava : S.A. Chardonnet, 165 av. Henri-Barbusse, 93003 Bobigny ☎ 830.12.30

Porsche-Mitsubishi : Sonauto, 1 av. du Fief, Z.A. des Béthunes de St-Ouen l'Aumône, 95005 Cergy-Pontoise ☎ 037.92.62

Rolls-Royce, Bentley, Rover : Franco-Britannic, 25 r. P.-Vaillant-Couturier, 92300 Levallois-Perret ☎ 757.90.24

Saab : J.-P. Richard, 48 r. Molitor, 75016 Paris ☎ 651.80.60

Sunbeam : Talbot, 136 av. Champs-Élysées, 75008 Paris ☎ 256.70.20

Toyota : S.I.D.A.T., 3 r. de Normandie, 92600 Asnières ☎ 790.62.10

Volvo : 49 av. Iena, 75116 Paris ☎ 723.72.62

PARTHENAY ⟨SP⟩ **79200** Deux-Sèvres **67** ⑱ **G. Côte de l'Atlantique** (plan) – 13 039 h. alt. 172 – ✪ 49.

Voir Pont et porte St-Jacques★ – Rue de la Vaux-St-Jacques★ – Église★ de Parthenay-le-Vieux par ④ : 1,5 km.

ℹ Office de Tourisme (fermé sam. et dim. hors saison) et A.C. Palais des Congrès ☎ 64.11.88.

Paris 372 ② – Bressuire 32 ① – Châtellerault 72 ② – Fontenay-le-Comte 53 ④ – Niort 42 ④ – Poitiers 50 ② – Thouars 39 ①.

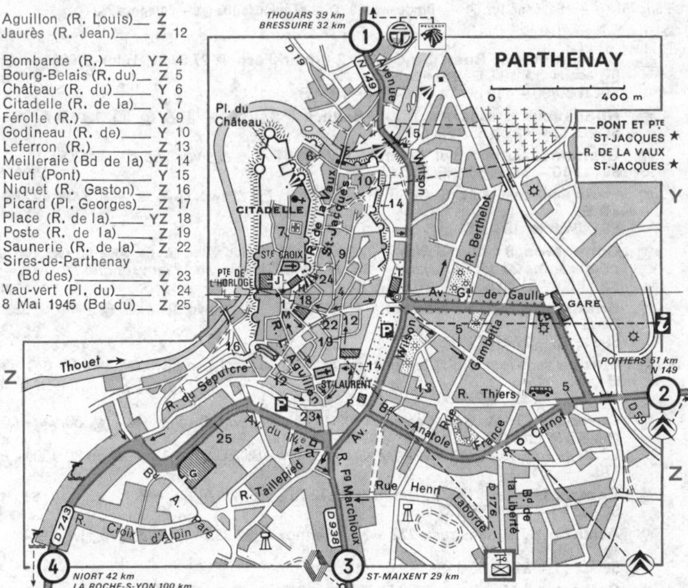

Château de Pompairain sans rest, Chatillon-sur-Thouet par ① ☎ 64.26.09, ←, parc – wc ☎ Ⓟ.
fermé 15 déc. au 15 janv. – SC : ☕ 10 – **6 ch** 130/200.

St-Jacques Ⓜ sans rest, ☎ 64.33.33 – wc wc ☎ Ⓟ – 🏛 50. GB
SC : ☕ 11 – **46 ch** 90/130. Z a

Nord, pl. Gare ☎ 64.00.14 – wc ☎ Ⓟ – 🏛 70 Z t
fermé 20 déc. au 10 janv. et sam. – SC : **R** 35/90 🍷 – ☕ 9,50 – **13 ch** 45/90.

CITROEN Gar. Sillas, ZAC des loges, Bd de l'Europe ☎ 64.15.51
CITROEN Guerault, 6 r. Carnot ☎ 64.13.93
FORD Gar. Rouet, 52 av. A.-Briand ☎ 64.10.91
PEUGEOT Bardet, Rte de Bressuire à Chatillon sur Thouet ☎ 64.03.30
RENAULT S.A.V.A.P., rte de St-Maixent à Pompaire ☎ 64.02.85
TALBOT Gauthier, rte Thouars à Chatillon-sur-Thouet ☎ 64.08.34
Coutan-Pneus, pl. Martyrs-de-la-Résistance ☎ 64.07.87

PAS DE LA CASE Principauté d'Andorre **86** ⑮, **43** ⑦ – voir à Andorre.

PAS DE L'ÉCHELLE **74** H.-Savoie **74** ⑥ – rattaché à Annemasse.

PAS-EN-ARTOIS **62760** P.-de-C. **52** ⑨ – 959 h. alt. 98 – ✪ 21.

Paris 182 – ♦Amiens 33 – Arras 28 – Bapaume 30 – Doullens 12.

Poste, ☎ 24.21.98
fermé 1er au 13 juil. – SC : **R** 25/50 🍷 – ☕ 7,50 – **6 ch** 40 – P 80.

PASSAY **44** Loire-Atl. **67** ③ **G. Côte de l'Atlantique** – ✉ **44310** St-Philbert de Gd Lieu – ✪ 40.

Paris 396 – Challans 44 – Clisson 36 – ♦Nantes 20.

Petit Chalet, ☎ 26.30.08
fermé 1er au 12 juil., mardi soir et merc. – **R** carte 75 à 120.

PASSENANS **39** Jura **70** ④ – rattaché à Poligny.

PAU P 64000 Pyr.-Atl. 85 ⑥⑦ G. Pyrénées – 85 860 h. alt. 210 – Casino BZ – ✪ 59.

Voir Boulevard des Pyrénées ≤*** – **Château*** – **Parc Beaumont*** BZ – **Musée des Beaux-Arts*** BY **M.**

18 ☎ 32.02.33 AVX.

Circuit automobile urbain.

✈ de Pau-Uzein ☎ 27.97.44 par ① : 12 km.

Office du Tourisme (fermé dim. hors sais.) pl. Royale ☎ 27.27.08 - A.C. 1 bd Aragon ☎ 27.01.94.

Paris 751 ① – •Bayonne 107 ⑤ – •Bordeaux 190 ① – •Toulouse 195 ② – Zaragoza 282 ④.

Plan page ci-contre

Continental et Rest. Le Conti, 2 r. Mar.-Foch ☎ 27.69.31, Télex 570906 – TV – 180. AE GB E — BY **e**
SC : **R** 60/90 – **110 ch** 85/240 – P 180/280.

Roncevaux M sans rest, 25 r. L.-Barthou ☎ 27.08.44 – P. AE GB E — AZ **f**
SC : 13 – **42 ch** 65/165.

Gramont sans rest, 3 pl. Gramont ☎ 27.84.04 – wc wc. AE — AY **t**
SC : 10 – **31 ch** 56/145.

Paris sans rest, 80 r. E.-Garet ☎ 27.34.39 – TV wc wc ☎. AE GB E — BY **n**
SC : **40 ch** 160/200.

Commerce, 9 r. Mar.-Joffre ☎ 27.24.40 – wc wc P. AE GB
hôtel : fermé 20 déc. au 2 janv. – SC : **R** *(fermé 20 déc. au 12 janv. et dim.)* 40/70 – 11,50 – 51 ch 66/134 – P 145/210. — AZ **q**

Bristol sans rest, 3 r. Gambetta ☎ 27.72.98 – wc wc P. AE GB E — BY **z**
SC : 12 – **27 ch** 73/168.

Europe sans rest, 9 pl. Clemenceau ☎ 27.73.40 – wc wc. AE GB E — AZ **u**
SC : 11 – **33 ch** 60/160.

Corona M, 71 av. Gén.-Leclerc ☎ 02.40.40 – wc wc P – 50. AE GB E. ch — BV **a**
SC : **R** *(fermé 15 au 30 nov. et sam. d'oct. à mai)* 40/80 – 12 – **20 ch** 80/130 – P 170.

Central sans rest, 15 r. L.-Daran ☎ 27.72.75 – wc. — BZ **t**
SC : 10 – **27 ch** 55/132.

Atlantic H. M sans rest, 222 av. J. Mermoz ☎ 32.38.24 – wc wc P — AV **r**
SC : 11 – **31 ch** 55/115.

Colbert, 1 r. Manescau ☎ 32.52.78, – wc P. — AY **r**
fermé sept. – SC : **R** 28/50 – 12 – **21 ch** 30/120 – P 80/110.

Postillon sans rest, 10 cours Camou ☎ 32.49.15 – wc wc – 25. AE — AY **a**
SC : 10 – **24 ch** 45/90.

Bernard sans rest, 7 r. Foix ☎ 27.40.28 – — AZ **a**
SC : 8,50 – **21 ch** 37/85.

XXX ✿ **Pierre** (Casau), 16 r. L.-Barthou ☎ 27.76.86 – AE GB E — BZ **x**
SC : **R** carte 115 à 135
Spéc. Foie frais de canard (oct. à juin), Saumon braisé au Jurançon (fév. à août), Cassoulet aux haricots de maïs. **Vins** Madiran, Pacherenc.

XX ✿ **Patrick Jourdan,** 14 r. Latapie ☎ 27.68.70. AE — BZ **k**
fermé 15 au 31 août, dim. du 1er juil. au 30 sept., lundi du 1er nov. au 30 juin – SC : **R** carte 90 à 140
Spéc. Salade tiède landaise, Sole fourrée Patrick, Feuilleté de ris de veau.

XX **Pyrénées,** pl. Royale ☎ 27.07.75 – AE E — AZ **s**
fermé 1er au 15 juil. et dim. – SC : **R** carte 70 à 110.

XX **Fin Gourmet,** 24 av. G.-Lacoste ☎ 27.47.71 – GB. — AZ **v**
fermé lundi – SC : **R** 35/90.

X **St Vincent,** 4 r. Gassiot ☎ 27.75.44 — AY **b**
fermé 18 juil. au 18 août, sam. soir, dim. et fêtes – SC : **R** 39.

à Jurançon : 2 km – 8 647 h. – ✉ **64110** Jurançon :

XXX **Host. de Canastel** avec ch, rte Oloron ☎ 32.37.14, ≤, – wc P. AE GB — AX **n**
fermé sam. midi – SC : **R** carte environ 75 – 12 – **12 ch** 134/160.

XX **Ruffet,** ☎ 32.46.92 – AE — AX **e**
fermé août, dim. soir et lundi – SC : **R** 50.

rte N.-D. de Piétat : 6 km par D 209 AX – ✉ **64110** Jurançon :

Domaine du Beau Manoir M, ☎ 32.41.67, ≤ Pyrénées, parc, – wc wc P – 150. GB. rest
SC : **R** 42/86 – 14 – **32 ch** 72/177 – P 191/250.

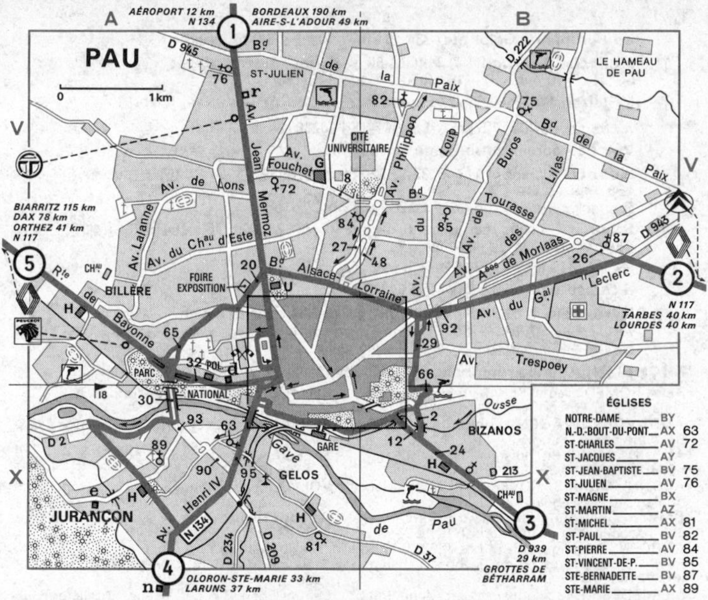

PAU

ÉGLISES

NOTRE-DAME	BY	
N.-D.-BOUT-DU-PONT	AX	63
ST-CHARLES	AV	72
ST-JACQUES	AY	
ST-JEAN-BAPTISTE	BV	75
ST-JULIEN	AV	76
ST-MAGNE	BX	
ST-MARTIN	AZ	
ST-MICHEL	AX	81
ST-PAUL	BV	82
ST-PIERRE	AV	84
ST-VINCENT-DE-P.	BV	85
STE-BERNADETTE	BV	87
STE-MARIE	AX	89

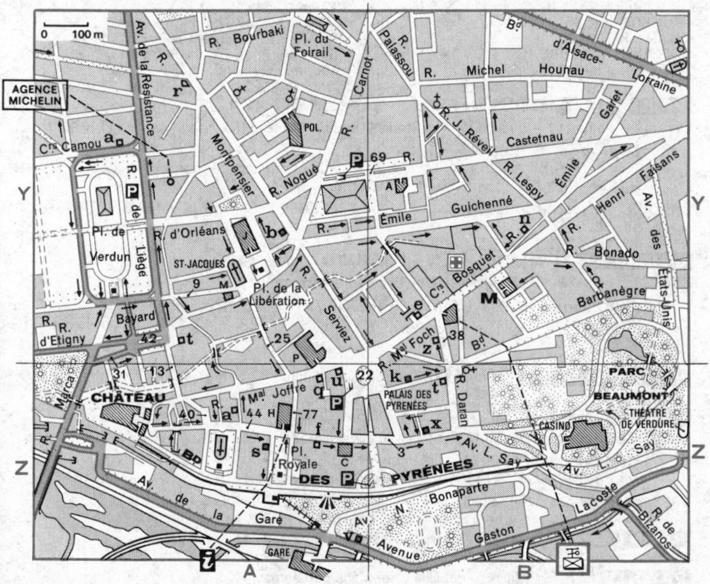

au Sud par rte Gelos et D 234 : 6 km - AX – ✉ **64110** Jurançon :

Host. Le Bourbail ⛰, ☎ **40.54.60,** ≤ parc – wc ☎ **P**. ✗ rest
SC : **R** 38/70 – ☕ 10 – **16 ch** 50/110 – P 140/180.

L'Horizon ⛰, ☎ **40.65.72,** ≤, parc – wc ☎ **P** – *sais.* – 17 ch.

*à **Lescar*** par ⑤ : 7,5 km – 5 843 h. – ✉ **64230** Lescar :
Voir Cathédrale Notre-Dame★.

Novotel M, **sur N 117** ☎ **32.17.32, Télex 570939,** – TV wc ☎ **P** – 150. AE GB
R snack carte environ 65 – ☕ 20 – **61 ch** 175/195.

Bilaa M ⛰ **sans rest, SE : 1,5 km par VO** ☎ **32.63.00, Télex 541856** – TV wc wc ☎ **P** – 30. AE
SC : ☕ 12 – **80 ch** 105/155.

*à **Ousse*** par ② : 9,5 km – ✉ **64320** Bizanos :

Pyrénées, ☎ **02.31.51,** – wc ☎ **P**. GB E. ✗ ch
fermé 9 au 30 nov. – SC : **R** *(fermé dim. soir d'oct. à mai)* 40/75 – ☕ 10 – **18 ch**
55/130 – P 125/150.

MICHELIN, Agence régionale, 1 r. Lapouble AY ☎ **32.56.33**

ALFA-ROMEO Auto Sprint, rte Bordeaux à Lons ☎ 32.05.73
AUDI-VOLKSWAGEN Simonin, 119 rte Bayonne à Lons ☎ 32.15.37
AUSTIN, MORRIS Forsans, 52 bd Champetier-de-Ribes ☎ 32.46.69
AUSTIN, MORRIS, ROVER, TRIUMPH Gar. du Parc, 16 r. d'Etigny ☎ 27.22.75 N
BMW Gar. de Verdun-Auto-Parc, av. J.-M.-Jacquard, Zone Ind. Lons ☎ 62.12.91
CITROEN Domingue, rte Tarbes ☎ 02.75.18
FIAT Navarre-Auto, 56 rte Bayonne à Billère ☎ 32.18.46
MERCEDES-BENZ Induspal-Gar., Zone Ind. Lons à Billère ☎ 32.15.57
PEUGEOT Sté Paloise Autom., 7 rte Bayonne à Billère ☎ 32.14.20
PORSCHE-MITSUBISHI S.D.A.A., 115 av. J.-Mermoz à Billère ☎ 62.33.22
RENAULT Broqué, rte de Tarbes ☎ 02.79.71 N
RENAULT Ets Lavillauroy, rte Bayonne à Lescar ☎ 62.20.01
TALBOT Mermoz-Autom., 169 av. Mermoz ☎ 32.10.99 N ☎ 33.90.62
VOLVO Gar. Davan, 12 bd Corps Franc-Pommiès ☎ 02.70.20
Gar. de l'Hippodrome, 17 av. D.-Daurat à Lons ☎ 32.03.78

Baudorre, 177 av. J.-Mermoz à Lons ☎ 32.15.96
Central-Pneu, 3 r. des Chênes à Billère ☎ 32.42.99
Métairie, 18 av. 18e-Infanterie ☎ 32.21.56
Peraro, 66 r. E.-Guichene ☎ 27.43.53
Relais du Pneu, 5 r. Palassou ☎ 30.24.95
Toupneu, 9 r. de Bordeu ☎ 30.30.68

PAULHAGUET 43230 H.-Loire 76 ⑤⑥ – 1 129 h. alt. 551 – 71.

Paris 471 – Ambert 62 – Brioude 16 – La Chaise-Dieu 29 – Langeac 15 – Le Puy 46 – St-Flour 66.

Lagrange, ☎ **76.60.11** –
fermé 15 sept. au 15 oct. et dim. soir sauf l'hôtel de Pâques au 1er nov. – SC : **R** 26/40 – ☕ 12 – 15 ch 37/70 – P 90/120.

CITROEN Villejoubert, ☎ 76.62.13
PEUGEOT Gar. Barrieux, Le Marcet ☎ 76.60.24 N

LA PAULINE 83 Var 84 ⑮ – alt. 85 – ✉ 83130 La Garde – 94.

Paris 849 – Brignoles 46 – Draguignan 77 – Hyères 8 – ♦Toulon 10.

XX **Aub. Provençale** avec ch, N 98 ☎ 27.40.23 – wc ☎ **P**.
fermé oct. et sam. sauf juil. et août – SC : **R** 40/80 – ☕ 11 – **15 ch** 45/85 – P 140/160.

PAVILLON (Col du) 69 Rhône 73 ⑧ – rattaché à Cours.

PAVILLY 76570 S.-Mar. 55 ⑥ – 5 595 h. alt. 55 – 35.

Paris 159 – Dieppe 46 – Duclair 13 – ♦Rouen 20 – Yerville 12 – Yvetot 18.

X **Croix d'Or,** ☎ **91.20.09** – **P**. ✗
fermé août – SC : **R** (déj. seul. - dim. prévenir) 35/53

CITROEN Quemener, ☎ 91.44.95
PEUGEOT Bossart-Autom., ☎ 91.22.52

PAVIN (Lac) 63 P.-de-D. 73 ⑬ – rattaché à Besse-en-Chandesse.

PAYOLLE 65 H.-Pyr. 85 ⑲ – rattaché à Ste-Marie-de-Campan.

PAZANAN 07 Ardèche 80 ⑧ – rattaché à Lablachère.

Le PÉAGE-DE-ROUSSILLON 38550 Isère 77 ① – 6 243 h. alt. 159 – 74.

Paris 512 – Annonay 22 – ♦Grenoble 93 – ♦St-Étienne 61 – Tournon 40 – Vienne 20.

Europa M **sans rest, av. Gabriel-Péri** ✉ **38150 Roussillon** ☎ **86.28.84** – wc wc ☎ **P**. ✗
fermé 1er au 15 nov. – SC : ☕ 11 – **26 ch** 80/108.

CITROEN Drisar-Autom., N 7, Salaise-sur-Sanne ☎ 86.04.20 N
CITROEN Pleynet, 5 r. Puits-sans-Tour ☎ 86.20.12
CITROEN Rivollet, 1 av. G.-Péri à Roussillon ☎ 86.23.02
PEUGEOT Bourget, 79 av. G.-Péri à Roussillon ☎ 86.23.38
RENAULT Gar. Heinrich, N 7, Les Cités à Roussillon ☎ 86.20.32
TALBOT Revouy et Jalliffier, 198 r. de la République ☎ 86.26.08

Piot-Pneu, av. G.-Péri à Roussillon ☎ 86.20.29

PÉAULE 56 Morbihan 63 ⑭ – 1 917 h. alt. 89 – ✉ **56130** La Roche-Bernard – ☎ 97.
Paris 426 – Ploërmel 48 – Redon 26 – La Roche-Bernard 9 – Vannes 36.

Armor Vilaine M, pl. Église ☎ 41.62.67 – wc wc ☎. ch
fermé 19 sept. au 5 oct., 19 au 4 janv., dim. soir et lundi midi sauf de juil. à sept. et sauf fériés – SC : **R** 35/120 – ☕ 10 – 21 ch 90/145 – P 105/120.

RENAULT Gar. Le Sommer, ☎ 41.61.21

PECH DE MALET 24 Dordogne 75 ⑰ – rattaché à Vitrac.

PÉDERNEC 22 C.-du-N. 59 ① – 1 534 h. alt. 125 – ✉ **22540** Louargat – ☎ 96.
Paris 489 – Carhaix-P. 55 – Guingamp 10 – Lannion 22 – Morlaix 49 – Plouaret 24 – St-Brieuc 41.

Host. du Méné-Bré, ☎ 43.22.33 – GB
fermé 12 au 30 nov. et lundi sauf juil. et août – SC : **R** 35/140.

RENAULT Gar. Madigou, ☎ 43.22.51 N

PÉGOMAS 06580 Alpes-Mar. 84 ⑧, 195 ㉞ – 2 149 h. alt. 22 – ☎ 93.
Paris 902 – Cannes 11 – Draguignan 59 – Grasse 10 – ♦Nice 43 – St-Raphaël 37.

Le Bosquet sans rest, quartier du Château par rte Mouans-Sartoux ☎ 42.22.87, ≤, , – cuisinette wc ☎ P.
fermé nov. – SC : ☕ 10 – **17 ch** 65/110.

L'Écluse, au bord de la Siagne ☎ 42.22.55, ≤, Rest. champêtre – P
1er mai-31 août – SC : **R** 35/85.

PEILLAC 56 Morbihan 63 ⑤ – 1 620 h. alt. 65 – ✉ **56220** Malansac – ☎ 99 (I.-et-V.).
Paris 404 – Redon 16 – ♦Rennes 69 – Vannes 45.

Chez Antoine M, ☎ 91.24.43, – wc ☎ P
fermé 1er au 15 sept., 15 au 28 fév. et lundi – SC : **R** 35/90 – ☕ 10 – **15 ch** 50/80 – P 100/120.

PEILLE 06 Alpes-Mar. 84 ⑩, 195 ㉗ **G. Côte d'Azur** – 1 437 h. alt. 630 – ✉ **06440** L'Escarène – ☎ 93.
Voir Le bourg★ – Monument aux Morts ≤★.
Syndicat d'Initiative à la Mairie (fermé sam. et dim.) ☎ 91.90.32.
Paris 960 – L'Escarène 14 – Menton 24 – ♦Nice 25 – Sospel 36 – La Turbie 11.

Belvédère H. avec ch, ☎ 91.90.45, ≤ – ch
fermé 10 nov. au 1er janv. et lundi – SC : **R** 45/80 – 5 ch (pens. seul.) – P 100.

PEILLON 06 Alpes-Mar. 84 ⑩, 195 ㉗ **G. Côte d'Azur** – 898 h. alt. 160 – ✉ **06440** L'Escarène – ☎ 93.
Voir Village★ – Fresques★ dans la chapelle des Pénitents Blancs.
Paris 953 – Contes 13 – L'Escarène 13 – Menton 33 – ♦Nice 19 – Sospel 35.

Aub. de la Madone , ☎ 91.91.17, ≤, – wc ☎ P. ch
fermé 15 oct. au 15 déc. – **R** *(fermé merc.)* 70/90 – ☕ 14 – 19 ch 90/200, 5 appartements 200 – P 115/210.

PEIRA-CAVA 06 Alpes-Mar. 84 ⑲, 195 ⑰ **G. Côte d'Azur** – alt. 1 450 – Sports d'hiver 1 450/1 580 m 2 – ✉ **06440** L'Escarène – ☎ 93.
Voir Pierre Plate ★★ – Cime de Peira-Cava ★★ E : 1,5 km puis 30 mn – Forêt de Turini★★ au N.
Paris 974 – L'Escarène 19 – ♦Nice 40 – Roquebillière 25 – St-Martin-Vésubie 35 – Sospel 32.

Pas du Diable , ☎ 91.57.10, ≤ – wc ☎ P – 10 ch.

au Col de Turini N : 8 km par D 2566 – ✉ **06440** L'Escarène.
Voir Monument aux Morts ★ NE : 4 km.
Env. Pointe des Trois-Communes ★★ NE : 6,5 km.

Trois Vallées , ☎ 91.57.21, ≤ – wc P
fermé 15 nov. au 15 déc. – SC : **R** 55/120 – 22 ch ☕ 130/150 – P 140.

Les Chamois , ☎ 91.57.42, ≤ – wc P
R 45/55 – ☕ 8 – **10 ch** 80/90 – P 110.

PEISEY-NANCROIX 73 Savoie 74 ⑱ **G. Alpes** – 450 h. alt. 1 300 – ✉ **73210** Aime – ⚙ 79.

ℹ Syndicat d'initiative (hors saison fermé après-midi, dim. et fêtes) ☎ 07.12.55.

Paris 666 – Albertville 56 – Bourg-St-Maurice 15.

Vanoise ⛰, à Plan Peisey : 3 km ☎ 07.11.29, ← – wc ☎ Ⓟ.
25 juin-31 août et 20 déc.-20 avril – SC : **R** 32/34 – ☕ 9,50 – **34 ch** 40/80 – P 115/135.

PELLAFOL 38 Isère 77 ⑮ – rattaché à Corps.

PELLEVOISIN 36 Indre 68 ⑦ **G. Périgord** – 1 013 h. alt. 170 – ✉ **36500** Buzançais – ⚙ 54.

Paris 262 – Blois 78 – Châteauroux 36 – Loches 43.

Tumulus, rte Valencay ☎ 84.03.46 – ☎. GB
fermé 1er au 10 oct. et lundi sauf fêtes – SC : **R** 26/70 🍷 – ☕ 7,50 – **10 ch** 30/60 – P 70/90.

PELVOUX (Commune de) 05 H.-Alpes 77 ⑰ **G. Alpes** – 312 h. – Sports d'hiver à St-Antoine 1 200/1 400 m ⛷3 – ✉ **05340** Pelvoux – ⚙ 92.

Voir Route des Choulières* : ←** E.

D'Ailefroide : Paris 745 – L'Argentière-la-Bessée 18 – Briançon 33 – Gap 90 – Guillestre 38.

St-Antoine – alt. 1 260.

❀ **Belvédère du Pelvoux** ⛰, ☎ 23.31.04, ←, – wc wc ☎ Ⓟ. AE GB ⓓ
23 mai-21 sept. et 18 déc.-Pâques – SC : **R** 75/218 – ☕ 16 – **30 ch** 75/150 – P 133/222
Spéc. Fricassée de crustacés, Paleron d'agneau farci en croûte, Soufflé aux fruits.

Nouvel H. ⛰, ☎ 23.31.02, ←, – wc wc ☎ Ⓟ. rest
30 mai-27 sept. et 19 déc.-20 avril – SC : **R** 48/95 – ☕ 10,50 – 19 ch 90/100 – P 115/155.

Ailefroide – alt. 1 510 – ✉ **05340** Pelvoux.

Env. Pré de Madame Carle : site** NO : 6 km.

Chalet H. Rolland ⛰, ☎ 23.32.01, ←, parc – wc, sans Ⓟ. rest
13 juin-15 sept. – SC : **R** 35/82 – ☕ 12 – 36 ch 40/80 – P 100/135.

Les Clouzis ⛰, ☎ 23.32.07, ←, –, sans Ⓟ. rest
15 juin-15 sept. – SC : **R** 30/45 – ☕ 9 – **11 ch** 40/60 – P 105/120.

PEN-GUEN 22 C.-du-N. 59 ⑤ – rattaché à St-Cast.

PENHORS 29 Finistère 58 ⑭ **G. Bretagne** – ✉ **29143** Plogastel-St-Germain – ⚙ 98.

Paris 584 – Douarnenez 22 – Pont-l'Abbé 20 – Quimper 29.

XX Breiz Armor avec ch, ☎ 54.40.41, ← – wc wc ☎ Ⓟ
1er juin-15 oct., hors sais. week-ends seul. et fermé merc. de juin à oct. – SC : **R** 39/92 – 23 ch 90/120 – P 145/160.

PEN-LAN (Pointe de) 56 Morbihan 63 ⑭ – rattaché à Muzillac.

PENNEDEPIE 14 Calvados 55 ③ – rattaché à Honfleur.

PENTREZ-PLAGE 29 Finistère 58 ⑭ – alt. 20 – ✉ **29127** Plomodiern – ⚙ 98.

Paris 568 – Châteaulin 18 – Crozon 20 – Douarnenez 27 – Landerneau 49 – Quimper 36.

Mer, ☎ 81.52.03, ←, – Ⓟ. rest
Pentecôte-10 sept. – SC : **R** 38/64 🍷 – ☕ 10 – **23 ch** 39/55 – P 105.

PENVÉNAN 22710 C.-du-N. 59 ① – 2 643 h. alt. 37 – ⚙ 96.

Paris 517 – Guingamp 33 – Lannion 16 – Perros-Guirec 16 – La Roche-Derrien 9 – Tréguier 7,5.

Crustacé, ☎ 92.67.46
fermé 1er au 25 oct., 1er au 10 mars et lundi – SC : **R** 35/130 🍷 – ☕ 10 – **9 ch** 40/50 – P 120.

CITROEN Vigneron, ☎ 92.67.85 RENAULT Henry, ☎ 92.65.22

PÉPIEUX 11 Aude 83 ⑬ – 968 h. alt. 87 – ✉ **11700** Capendu – ⚙ 68.

Paris 872 – Béziers 46 – Carcassonne 35 – Narbonne 32.

Minervois, ☎ 91.41.28 – wc wc.
SC : **R** 35 bc/100 bc – ☕ 8 – **21 ch** 36/93 – P 75/88.

PERE MONTFORT (Grotte du) 85 Vendée 67 ⑯ – rattaché à Fontenay-le-Comte.

PÉRIERS 50190 Manche 54 ⑫ – 2 843 h. alt. 29 – 33.

Paris 328 – Carentan 18 – •Cherbourg 64 – Coutances 15 – St-Lô 26 – Valognes 44.

Poste, ✆ 46.64.01 –
fermé 16 au 21 avril et 30 août au 12 sept. – SC : **R** 32/65 – 8 – 12 ch 45/60.

CITROEN Lelong, ✆ 46.64.55
PEUGEOT Lequesne, ✆ 46.63.98
RENAULT Hurel, ✆ 46.64.11
TALBOT Bonneaud, ✆ 46.64.98

PÉRIGNAT-LÈS-SARLIÈVE 63 P.-de-D. 73 ⑭ – rattaché à Clermont-Ferrand.

PÉRIGNY 86 Vienne 68 ⑬ – rattaché à Poitiers.

Si vous cherchez un hôtel tranquille,
ne consultez pas uniquement les cartes p. 46 à 53,
mais regardez également dans le texte
les établissements indiqués avec le signe

PÉRIGUEUX P 24000 Dordogne 75 ⑤ G. Périgord – 37 670 h. alt. 86 – 53.

Voir Cathédrale St-Front* BZ – Église St-Étienne de la Cité* AZ **K** – Pont des Barris ≤* BZ – Musée du Périgord* BY **M.**

Office de Tourisme (fermé sam. hors sais. et dim.) et A.C. (✆ 53.35.19) 16 r. Wilson ✆ 53.44.35 et avec T.C.F. 1 a v. Aquitaine (fermé lundi) ✆ 53.10.63.

Paris 528 ⑤ – Agen 136 ③ – Albi 248 ② – Angoulême 85 ⑤ – •Bordeaux 121 ④ – Brive-la-Gaillarde 73 ② – •Limoges 101 ① – Pau 263 ③ – Poitiers 195 ⑤ – •Toulouse 250 ②.

Plans page suivante

Domino, 21 pl. Francheville ✆ 08.25.80 – AE GB rest — AZ **a**
SC : **R** 43/150 – 16 – 37 ch 75/235 – P 218/235.

Bristol M sans rest, 37 r. A.-Gadaud ✆ 08.75.90 – GB — AY **u**
SC : 15 – **30 ch** 92/165.

Périgord, 74 r. V.-Hugo ✆ 53.33.63, – wc . rest — AY **r**
SC : **R** 30/70 – 11 – **20 ch** 50/100 – P 110/150.

Régina sans rest, 14 r. D.-Papin ✆ 08.40.44 – wc wc . AE GB — AY **d**
SC : 12 – **46 ch** 66/148.

Charentes, 16 r. D.-Papin ✆ 53.37.13 – . GB — AY **b**
fermé 20 déc. au 5 janv. – SC : **R** 32/120 – 11 – **16 ch** 55/95 – P 95/115.

Arènes sans rest, 21 r. Gymnase ✆ 53.49.85 – wc . — AZ **n**
fermé 20 déc. au 15 janv. – SC : 10 – **19 ch** 55/90.

XXX **Léon,** 18 cours Tourny ✆ 53.41.93 – . AE GB — BY **s**
fermé 7 au 22 juin – SC : **R** 36/100 .

XX **Tournepiche,** 2 r. Nation ✆ 08.90.76, « Salle du 18e siècle » – AE GB E — BYZ **k**
fermé 1er au 15 août, 1er au 15 janv., dim., lundi et fériés – SC : **R** 49/135 .

XX **La Flambée,** 2 r. Montaigne ✆ 53.23.06 – AE GB — BY **v**
fermé 15 janv. au 15 fév. et dim. – SC : **R** 65/200.

XX **Marcel,** 37 av. Limoges ✆ 53.13.43 – — BV **t**
SC : **R** 30/100 .

rte de Bergerac par ③ : 10 km – ✉ **24000** Périgueux :

La Chartreuse, ✆ 05.60.21, – wc .
fermé dim. sauf de juil. à sept. et fêtes – **R** 38/80 – 9 – 10 ch 70/85.

à Laurière par ① : 13 km – ✉ **24420** Savignac-les-Eglises :

Host. la Charmille, ✆ 06.00.45, – wc wc . .
SC : **R** 49/180 – 15 – 18 ch 45/130.

MICHELIN, Agence, rte de Limoges à Trélissac par ① ✆ 08.08.13

ALFA-ROMEO Cecasmo, 147 rte de Lyon ✆ 53.17.73
AUDI-VOLKSWAGEN Lagarde, D 8 à Cornille ✆ 08.03.16
BMW Garage Jessus, 46 r. Chanzy ✆ 08.99.30
CITROEN Gar. Deluc, rte de Limoges à Trélissac ✆ 08.27.50
CITROEN S.O.V.R.A., 74 av. Gén.-de-Gaulle à Chamiers ✆ 08.31.02
FIAT, LANCIA-AUTOBIANCHI Rebière, 15 crs Fénélon ✆ 08.09.44
MERCEDES-BENZ Ets Magot, 192 rte de Lyon ✆ 53.66.91
OPEL Gar. Pradier, 5 r. A.-Gadaud ✆ 53.53.94
PEUGEOT Gar. Moderne, 202 rte de Limoges à Trélissac ✆ 08.05.84 ✆ 06.00.62
RENAULT Sarda, rte de Limoges à Trélissac ✆ 08.65.65
TALBOT Gar. Brout, 18 cours St-Georges ✆ 08.28.55
Gar. Borie, 156 rte de Bordeaux ✆ 53.60.16

Auriel, 145 bd Petit-Change ✆ 53.46.83
Barrier, N 21 à Trélissac ✆ 53.54.17
Fontana-Pneus, 4 bis av. H.-Barbusse ✆ 08.80.47
Lapeyrière-Pneus, 170 rte Bordeaux ✆ 53.10.19
Périgord-Pneus, à Trélissac ✆ 54.41.27
Réparpneu, 290 rte d'Angoulême ✆ 53.18.60 et 18 r. Gambetta ✆ 53.44.14
SO.PE.CA., Zone Ind. Boulazac ✆ 53.10.43

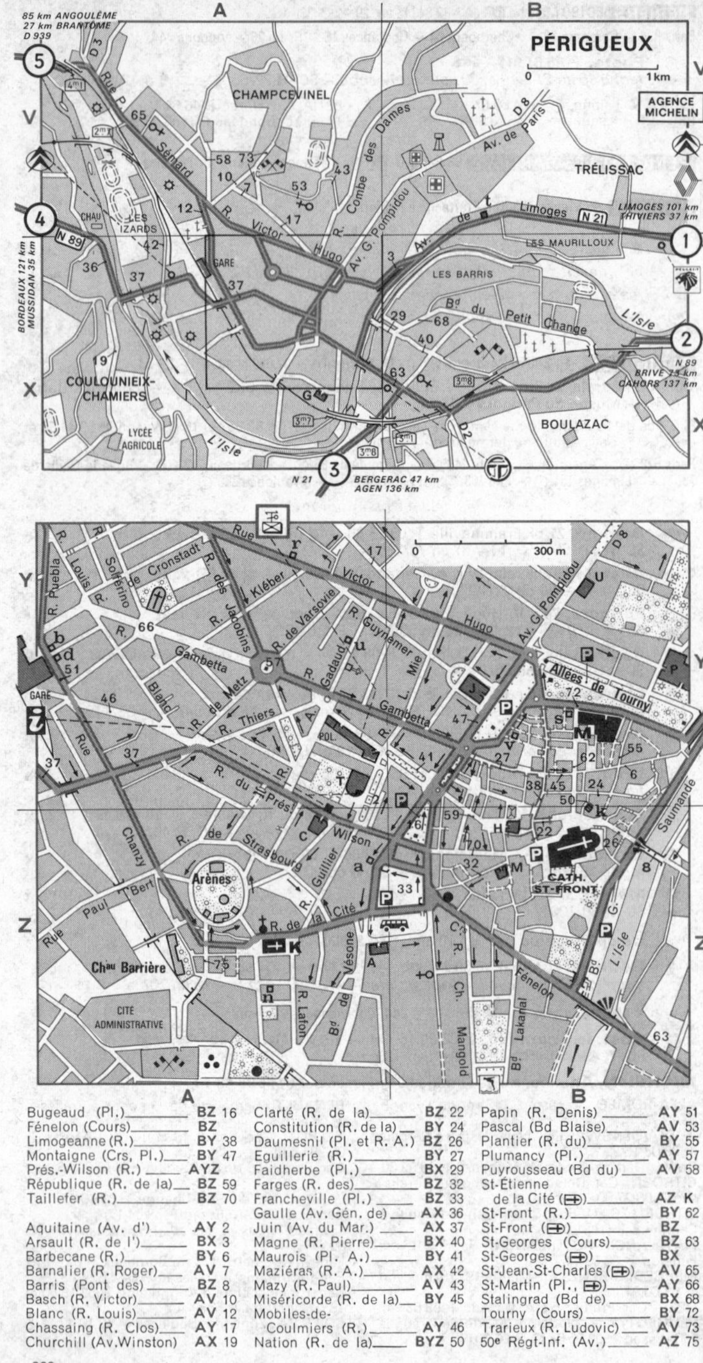

Bugeaud (Pl.) BZ 16
Fénelon (Cours) BZ
Limogeanne (R.) BY 38
Montaigne (Crs, Pl.) BY 47
Prés.-Wilson (R.) AYZ
République (R. de la) BZ 59
Taillefer (R.) BZ 70

Aquitaine (Av. d') AY 2
Arsault (R. de l') BX 3
Barbecane (R.) BY 6
Barnalier (R. Roger) AV 7
Barris (Pont des) BZ 8
Basch (R. Victor) AV 10
Blanc (R. Louis) AV 12
Chassaing (R. Clos) AY 17
Churchill (Av. Winston) AX 19

Clarté (R. de la) BZ 22
Constitution (R. de la) BY 24
Daumesnil (Pl. et R. A.) BZ 26
Eguillerie (R.) BY 27
Faidherbe (Pl.) BX 29
Farges (R. des) BZ 32
Francheville (Pl.) BZ 33
Gaulle (Av. Gén. de) AX 36
Juin (Av. du Mar.) AX 37
Magne (R. Pierre) BX 40
Maurois (Pl. A.) BY 41
Maziéras (R. A.) AX 42
Mazy (R. Paul) AV 43
Miséricorde (R. de la) BY 45
Mobiles-de-Coulmiers (R.) AY 46
Nation (R. de la) BYZ 50

Papin (R. Denis) AY 51
Pascal (Bd Blaise) AV 53
Plantier (R. du) BY 55
Plumancy (Pl.) AY 57
Puyrousseau (Bd du) AV 58
St-Étienne de la Cité (⊞) AZ K
St-Front (R.) BY 62
St-Front (⊞) BZ
St-Georges (Cours) BZ 63
St-Georges (⊞) BX
St-Jean-St-Charles (⊞) AV 65
St-Martin (Pl., ⊞) AY 66
Stalingrad (Bd de) BX 68
Tourny (Cours) BY 72
Trarieux (R. Ludovic) AV 73
50e Régt-Inf. (Av.) AZ 75

PÉRONNE <SP> **80200** Somme 53 ⑬ **G. Nord de la France** – 9 414 h. alt. 56 – ✪ 22.

ℹ Office du Tourisme 31 r. St-Fursy (fermé matin et dim.) ☎ 84.42.38.

Paris 139 ④ – ♦Amiens 51 ④ – Arras 43 ⑥ – Doullens 54 ⑤ – St-Quentin 29 ③.

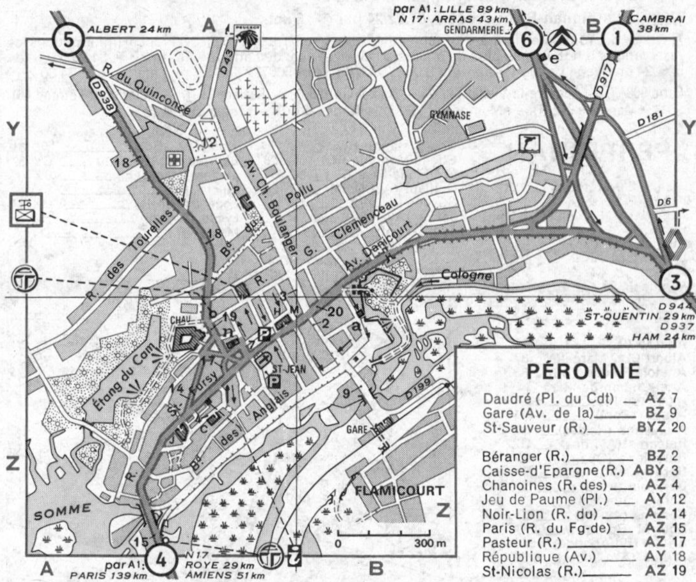

XXX **Host. des Remparts** avec ch, 21 r. Beaubois ☎ 84.01.22 – ⇔wc ⋒wc ☎ ⇔. GB ⓓ — BZ **a**
SC : **R** *(fermé 4 au 26 août et mardi)* 36/95 – ▭ 10 – **16 ch** 58/130 – P 135/220.

XX **St-Claude** avec ch, 42 pl. Cdt-L.-Daudré ☎ 84.00.02 – ⇔wc ⋒wc ☎ – ⛫ 60. AE GB E — AZ **n**
SC : **R** 37/70 ⅄ – ▭ 12 – **28 ch** 50/140 – P 121/190.

XX **La Quenouille,** 4 av. Australiens ☎ 84.00.62 – Ⓟ. GB — BY **e**
fermé en juin, dim. soir et lundi – SC : **R** 35/75.

Aire d'Assevillers sur A1 – ✉ **80200** Péronne :

Sofitel M, ☎ 84.12.76, Télex 140943, ⛱ – ⛓ ▤ TV ☎ ♿ Ⓟ – ⛫ 120. AE GB ⓓ E
SC : **R** (dîner seul.) carte environ 75 – ▭ 23 – **98 ch** 220/310.

AUDI-VOLKSWAGEN Gar. Tutrice, 6 av. Danicourt ☎ 84.04.15
CITROEN Gar. de Picardie, av. des Australiens, Mt-St-Quentin ☎ 84.00.34
FIAT, MERCEDES-BENZ Hotte, 52 r. St-Sauveur ☎ 84.01.48
PEUGEOT Santerre-Autom., 1 bd Mt-St-Quentin ☎ 84.00.51 N
RENAULT Péronne-Autos., rte de Roisel ☎ 84.17.28
TALBOT Gar. du Château, 6 fg de Paris ☎ 84.16.56

Joncourt-Pneus, 29 fg de Bretagne ☎ 84.29.41

PÉROUGES **01** Ain 74 ②③ **G. Vallée du Rhône** (plan) – 531 h. alt. 290 – ✉ **01800** Meximieux – ✪ 74.

Voir Cité fortifiée★★ : place du Tilleul★★★.

Paris 454 – Bourg-en-Bresse 37 – ♦Lyon 36 – St-André-de-Corcy 20 – Villefranche-sur-Saone 44.

✿ **Ostellerie Vieux Pérouges** (Thibaut) ⛰, ☎ 61.00.88, « Intérieur vieux bressan », ⛱ – ⇔ – ⛫ 40
fermé merc. sauf en été – **R** 70/160 - ▭ 20 - **Au St-Georges et Manoir : 15 ch** 300/350 **A l'annexe : 8 ch** 190/200
Spéc. Ecrevisses Pérougienne, Noisette d'agneau à l'estragon, Galette Pérougienne. **Vins** Montagnieu, Seyssel.

PERPIGNAN P **66000** Pyr.-Or. 86 ⑲ **G. Pyrénées** – 107 971 h. alt. 37 – ✪ 68.

Voir Le Castillet★ – Loge de mer★ – Hôtel de Ville★ – Cathédrale★ – Palais des Rois de Majorque★ – Cabestany : tympan★ de l'église SE : 4 km par D 22, FYZ.

⛳9 ⛳18 de Saint-Cyprien ☎ 21.01.71 par ③ : 15 km.

✈ de Perpignan-Rivesaltes : ☎ 61.22.24 par ① : 6 km.

🅸 Office de Tourisme (fermé dim. après-midi hors sais.) et Accueil de France (Informations et réservations d'hôtels, pas plus de 5 jours à l'avance) quai de Lattre-de-Tassigny ☎ 34.29.95, Télex 500024 et Village Catalan Autoroute B 9 ☎ 21.60.05, Télex 500722 - A.C. 2 pl. Catalogne ☎ 34.30.22.

Paris 908 ① – Andorre-la-Vieille 166 ⑥ – Barcelone 186 ⑤ – Béziers 93 ① – ♦Clermont-Ferrand 461 ① – ♦Marseille 312 ① – ♦Montpellier 152 ① – Tarbes 291 ① – ♦Toulouse 204 ①.

PERPIGNAN

Alsace-Lorraine (R.) DX 2
Arago (Pl.) CY 3
Argenterie (R. de l') DX 4
Barre (R. de la) DX 6
Clemenceau (Bd) BX
Louis-Blanc (R.) DX 34
Marchands (R. des) DX 36
Mirabeau (R.) DX 37
Péri (Pl. Gabriel) CY 39
Théâtre (R. du) DY 46

Agasse (R. P.-M.) AY
Albert (Av. Marcelin) BZ
Anatole-France (Bd) FY
Anc.-Champ-de-Mars (Av. de l') BCV
Arago (Pont) AV
Augustins (R. des) DY
Baléares (Av. des) DZ
Barcelone (Quai de) BY
Bardou-Job (Pl.) BX 5
Bartissol (R. E.) DX 7
Batelo (Quai F.) DV 8
Bompas (Av. de) DV
Bourrat (Bd Jean) EFX
Briand (Bd Aristide) EFZ
Brutus (Av. Gilbert) BCZ

Cambre (R. Pierre) EZ
Camus (Av. A.) FZ
Carnot (Quai Sadi) DX 20
Cassanyes (Pl.) FY
Castillet (Pl. du) DX 22
Castillet (R. du) EV
Catalogne (Pl. de) BY
Conflent (Bd du) AY
Côte-des-Carmes (R.) EY 23
Courteline (R.) AZ
Dalbiez (Av. Victor) BZ
Desnoyés (Bd) ABV
Dugommier (R.) CZ
Escarguel (Crs L.) BXY
Esplanades (Pl. des) EYZ
Foch (R. du Mar.) BCY
Fontaine-Neuve (R.) EY 27
Fusterie (R. de la) DY
Gambetta (Pl.) DX
Gaulle (Av. Gén.-de) AY

Gde-Bretagne (Av.) AX
Gde-la-Monnaie (R.) DY 28
Grande-la-Réal (R.) DY
Guillaut (Av. Gén.) DZ 29
Guynemer (Av.) FZ
Joffre (Av. Mar.) CV
Joffre (Pont) DV

Kennedy (Bd) FZ 31
Lattre-de-T. (Quai de) CY 32
Leclerc (Av. Gén.) BX
Llucia (R.) EY
Loge (R. de la) DX 33
Lycée (Av. du) BZ
Mailly (R.) DY

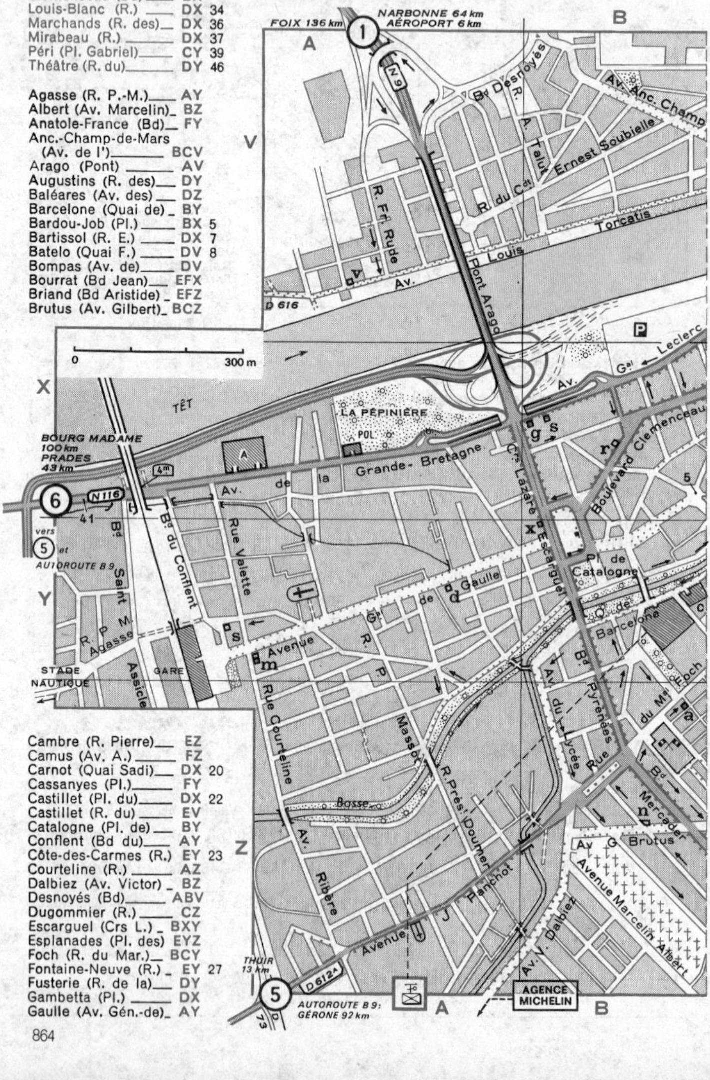

Park H. et Rest. Chapon Fin M, 18 bd J.-Bourrat ☎ 61.33.17 – ⇅ ▤ ☎ ♿ 🚗 – 🏛 30 à 50. AE GB ◑ E — EX **y**
SC : **R** *(fermé du 15 déc. au 15 janv. et dim.)* carte 85 à 105 – ☕ 15 – **67 ch** 110/170.

Arcades M, par ④ : 1 km sur N 9 ☎ 85.11.11, Télex 500176, ⛱, 🎾 – ⇅ ▤ TV ☎ ♿ 🚗 P – 🏛 150. ◑ E. 🚫 rest
SC : **R** 55/90 – ☕ 14 – **100 ch** 140/185.

H. de la Loge M 🐴 sans rest, pl. Loge ☎ 34.54.84, « Bel aménagement intérieur » – ⇅. AE GB ◑ E — DX **e**
SC : ☕ 13 – **29 ch** 70/150.

Masso (R. Paul) ___ AYZ
Mercader (Bd Félix) ___ BCZ
Moulin (Pl. Jean) ___ EY
N.-D.-de-la-Réal (✝) ___ EY
Palmarole (Cours) ___ DEV
Panchot (Av. J.) ___ AZ
Payra (R. Jean) ___ DV

Petite-la-Réal (R.) ___ EY
Platanes (Prom. des) ___ DEV
Poincaré (Bd Henri) ___ DEZ
Porte-de-l'Assaut (R.) CDY 40
Prades (Av. de) ___ AX 41
Prés.-Doumer (R.) ___ AZ
Pyrénées (Bd des) ___ BYZ

Remparts-la-Réal (R.) ___ DY 42
Résistance (Pl. de la) ___ DX 43
Ribère (Av.) ___ AZ
Rigaud (Pl.) ___ DEY
Rois-de-Majorque (R. des) DZ
Rude (R. François) ___ AV
St-Assiscle (Bd) ___ AYZ
St-Jacques (✝) ___ FY
St-Jean (R.) ___ DX 44
St-Joseph (✝) ___ AY
St-Martin (✝) ___ AZ
St-Mathieu (✝) ___ DY
St-Sacrement (✝) ___ EX
Ste-Thérèse (✝) ___ EZ
Soubielle (R. Cdt-E.) ___ ABY
Talut (R. Alphonse) ___ ABV
Torcatis (R. Louis) ___ ABV
Valette (R.) ___ AY
Variétés (Pl. des) ___ DV 48
Vauban (Quai) ___ CDX
Vélodrome (R. du) ___ EFZ
Victoire (Pl. de la) ___ DX 49
Waldeck-Rousseau (R.) ___ EFZ
Wilson (Bd) ___ DEV
Zola (R. Emile) ___ EY

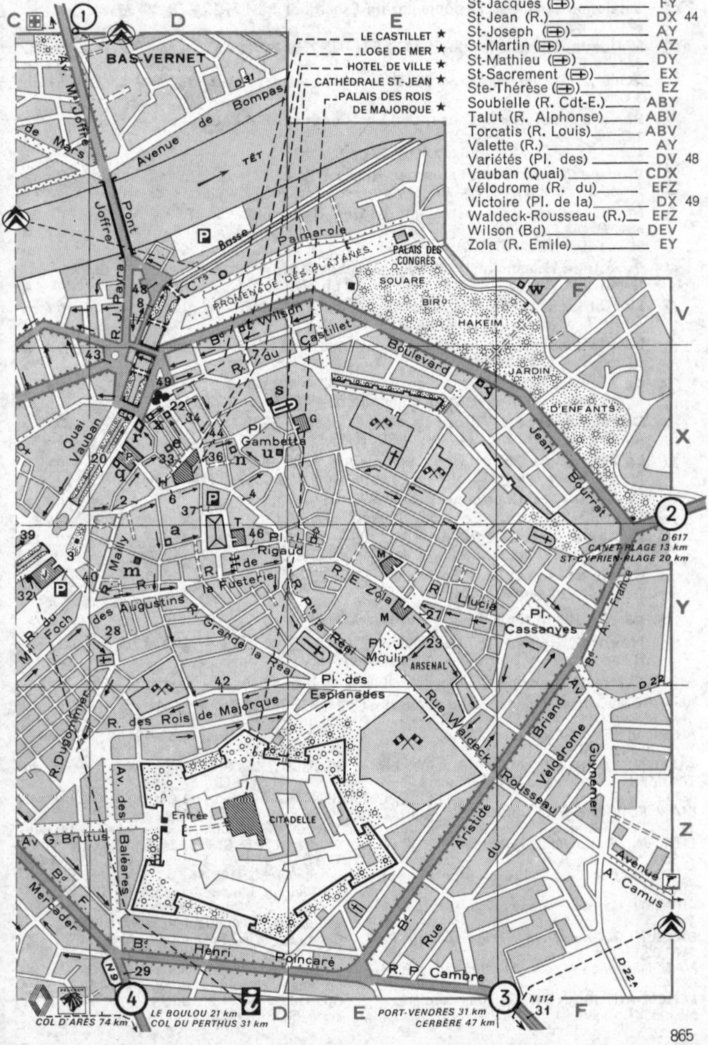

Windsor sans rest, 8 bd Wilson ℡ 51.18.65 – wc wc – 60. AE GB DV **t**
SC : 13 – **58 ch** 90/170.

Mondial H. M sans rest, 40 bd Clemenceau ℡ 34.23.45 – wc wc. AE GB E BX **r**
fermé 24 déc. au 4 janv. – SC : 13 – **44 ch** 105/150.

Aragon M sans rest, 17 av. Brutus ℡ 54.04.46 – wc wc. BZ **n**
SC : 12 – **31 ch** 100/200.

Christina H. sans rest, 50 cours Lassus ℡ 61.42.64 – wc FV **w**
SC : 11 – **35 ch** 61/105.

Athéna M sans rest, r. Queya-Marché République ℡ 34.37.63, – TV wc wc. AE GB DY **a**
SC : 10 – **29 ch** 43/120.

France, 16 quai Sadi-Carnot ℡ 34.92.81 – wc wc. AE DX **r**
fermé déc. – SC : **R** *(fermé 15 au 30 juin, 15 au 30 déc. et dim.)* carte 85 à 135 – 12 – **38 ch** 85/160 – P 165/230.

Catalogne sans rest, 24 cours Lazare-Escarguel ℡ 34.71.12 – wc wc – **29 ch** BY **x**

Majorca, 2 r. Fontfroide ℡ 34.57.57 – wc wc – 30 à 100. AE GB E DX **n**
fermé 15 déc. au 15 janv. – SC : **R** *(fermé dim. soir et lundi)* 36/100 – 10 – **61 ch** 60/95.

Paris-Barcelone M sans rest, 11 bd Conflent ℡ 34.42.60 – wc wc. GB AY **s**
fermé 21 au 27 déc. – SC : 12 – **38 ch** 63/140.

Poste et Perdrix, 6 r. Fabriques-Nabot ℡ 34.42.53 – wc wc DX **x**
fermé mi janv. à mi fév. – SC : **R** *(fermé lundi)* 32/65 – 10 – **38 ch** 45/100.

Méditerranée sans rest, 62 bis av. Gén.-de-Gaulle ℡ 34.87.48 – wc. AE AY **d**
SC : 10 – **18 ch** 57/100.

Pyrénées H. sans rest, 122 av. L.-Torcatis N 616 ℡ 61.19.66 – . AV **v**
fermé dim. d'oct. à mai – SC : 10 – **20 ch** 55/88.

Le Helder sans rest, 4 av. Gén.-de-Gaulle ℡ 34.38.05 – . AY **m**
fermé 20 déc. au 10 janv. – SC : 9 – **27 ch** 43/100.

Mairie sans rest, 7 r. Fabriques-Couvertes ℡ 34.37.65 – . GB DX **x**
SC : 12 – **17 ch** 50/150.

XXX **Le Supion,** 71 av. Mar.-Leclerc ℡ 34.53.42 – . BX **g**
fermé 26 juil. au 31 août, dim. soir et lundi – SC : **R** carte 90 à 130.

XX **Caveau François Villon,** 1 r. Four-St-Jean ℡ 51.18.43 DX **u**
fermé août, sam., dim. et fêtes – SC : **R** 65.

XX **Le Bourgogne,** 63 av. Gén.-Leclerc ℡ 34.96.05 – . E BX **s**
fermé 15 sept. au 15 oct., 1er au 15 mars, dim. et lundi – SC : **R** carte 75 à 100 .

XX **Le Helder,** 1 r. Courteline ℡ 34.98.99 – E AY **m**
fermé 20 déc. au 10 janv. – SC : **R** 34/85 .

X **La Serre,** 2 bis r. Dagobert ℡ 34.33.02 – E BZ **a**
fermé 16 au 31 août, lundi midi et dim. – SC : **R** carte 80 à 115.

X **Relais St-Jean,** 1 cité Bartissol ℡ 51.22.25 DX **s**
fermé oct. et sam. – SC : **R** 32/70 .

par ① : 10 km sur N 9 – ✉ **66600** Rivesaltes :

Novotel, ℡ 64.02.22, Télex 500851, – TV – 40 à 200. AE GB
R snack carte environ 65 – 20 – **85 ch** 185/210.

MICHELIN, Agence, 136 av. Victor-Dalbiez ABZ ℡ **54.53.10**

ALFA-ROMEO Gar. Chapat, 17 bd des Pyrénées ℡ 34.70.88
AUDI-VOLKSWAGEN Europe-Auto, rte Thuir, Zone Ind. ℡ 85.01.92
AUSTIN, JAGUAR, MORRIS, ROVER, TRIUMPH Casadessus, 15 bd Poincaré ℡ 54.03.96
BMW, PORSCHE-MITSUBISHI Gar. Alart, 20 av. de Grande-Bretagne ℡ 34.07.83
CITROEN Succursale, av. du Mar.-Juin ℡ 50.20.95
CITROEN Gar. Caussa, 92 av. Mar.-Joffre ℡ 61.11.40
CITROEN Gar. des Platanes, 7 cours Palmarole ℡ 51.34.19
DATSUN Gar. Moderne, 169 av. du Languedoc ℡ 61.02.13
FIAT Perpignan Autom., 210 rte Prades ℡ 54.63.54
LANCIA-AUTOBIANCHI Gar. des Corbières, 7 bis r. des Corbières ℡ 54.54.52
MERCEDES-BENZ Gar. Monopole, 301 av. du Languedoc ℡ 61.22.93
OPEL-GM-US Inter-Auto, 194 av. de Prades ℡ 54.48.11
PEUGEOT Les Gds Gar. Pyrénéens, N 9 rte du Perthus ℡ 54.06.88
RENAULT Gd Gar. de Catalogne, N 9, Km 3 rte du Perthus ℡ 54.68.55
TALBOT Sté Catalane-Autom., N 9 rte du Perthus ℡ 54.20.66 N ℡ 61.34.82
TOYOTA, VOLVO Sudria, rte Perpignan à Cabestany ℡ 50.50.75
Gar. Lelong, 148 av. Mar.-Joffre ℡ 61.25.80

Busquet, 13 bd Clemenceau ℡ 61.24.62
Candille, 156 av. du Languedoc ℡ 61.26.38
Figuères, Zone Ind. St-Charles ℡ 55.23.10
Pagès, Zone Ind. St-Charles ℡ 54.67.30
Perpignan-Pneu, 18 r. J.-Verne ℡ 54.15.21
Sud-Ouest C/c, 4 av. du Lycée ℡ 54.44.40 et Zone Ind. St-Charles ℡ 54.30.11

Le PERRAY-EN-YVELINES 78610 Yvelines 60 ⑨, 96 ㉓㉔ – 3 968 h. alt. 180 – ✪ 3.
Paris 55 – Arpajon 37 – Mantes-la-Jolie 44 – Rambouillet 6 – Versailles 25.

XXX **Aub. de l'Artoire,** NE : 2 km par N 10 ✆ 041.97.91, « Parc » – Ⓟ
fermé janv. au 7 fév., mardi soir et merc. – **R** carte 100 à 145.

XX **Aub. des Bréviaires,** aux Bréviaires : 3,5 km par D 61 ✆ 041.98.47 – Ⓟ
fermé 13 fév. au 4 mars, merc. soir et jeudi – SC : **R** 70/110.

RENAULT Lagrange, ✆ 484.80.47

Le PERREUX-SUR-MARNE 94 Val-de-Marne 56 ⑪, 101 ⑰⑱ – Voir à Paris, Proche banlieue.

PERROS-GUIREC 22700 C.-du-N. 59 ① G. Bretagne – 7 793 h. alt. 70 – Casino A – ✪ 96.
Voir Belvédère ≤★ – Sentier des douaniers★★ A – Sémaphore ≤★ 3,5 km par ②.
18 de St-Samson ✆ 23.87.34 SO : 7 km.
Office de Tourisme (fermé dim. hors sais.) et Accueil de France (Informations, change et réservations d'hôtels pas plus de 5 jours à l'avance) 21 pl. Hôtel de Ville ✆ 23.21.15, Télex 740637.
par ① : Paris 522 – Lannion 11 – St-Brieuc 74 – Tréguier 20.

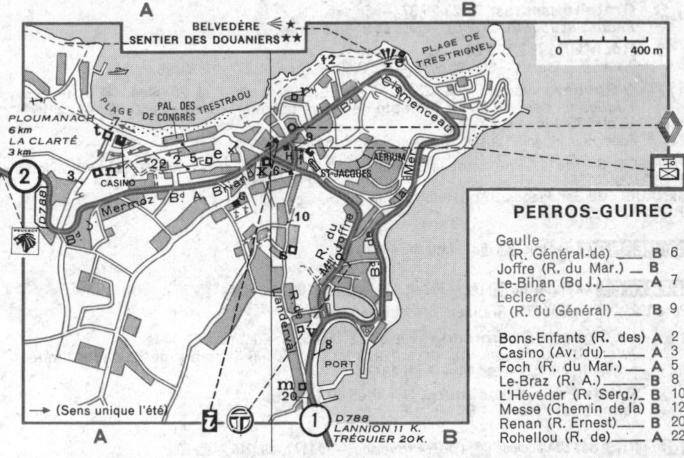

Gd H. de Trestraou, bd J.-Le-Bihan ✆ 23.24.05, ≤ – |♿. AE GB ① E. ✗ rest
R voir rest. Homard Bleu - SC : ☕ 15 – 68 ch 135/200, 4 appartements 250/300 – P 163/240. A t

Printania ⛱, 12 r. Bons-Enfants ✆ 23.21.00, ≤ la mer et les îles, « Jardin fleuri », ✗ – |♿ Ⓟ – 40. AE GB ① E. ✗ rest A e
SC : **R** *(du 1er oct. au 30 avril fermé sam., dim. et le midi)* 70/100 – ☕ 18 – 38 ch 115/200 – P 205/248.

Morgane M, 46 av. Casino ✆ 23.22.80, « Jardin avec piscine couverte » – | wc wc ☎ Ⓟ. ✗ rest A n
15 mai-15 sept. – SC : **R** 55/140 – ☕ 15 – 28 ch 120/180 – P 175/200.

France ⛱, 14 r. Rouzig ✆ 23.20.27, ≤, – wc wc ☎ Ⓟ. ✗ rest B r
5 fév.-5 nov., fermé dim. soir et lundi hors sais. – SC : **R** 40/90 – ☕ 12 – 30 ch 62/125 – P 130/180.

Levant, sur le port ✆ 23.20.15, ≤ – | TV wc wc ☎ Ⓟ . ✗ ch B m
fermé 13 déc. au 3 janv., sam. et dim. soir en hiver – SC : **R** 40/80 – ☕ 12 – **19 ch** 95/185.

St-Yves, bd A.-Briand ✆ 23.21.31 – wc ☎ Ⓟ A x
1er mai-20 sept. – **R** 50/65 – ☕ 11 – **18 ch** 65/110 – P 128/150.

Bon Accueil (annexe M - wc wc), 16 r. Landerval ✆ 23.24.11, – wc ☎ Ⓟ. ✗ rest B v
fermé oct. et sam. de nov. à Pâques – SC : **R** 35/100 – ☕ 10 – **21 ch** 70/140 – P 130/160.

Cyrnos, 10 r. Sergent-l'Hévéder ✆ 23.20.42, ≤, – Ⓟ. ✗ B s
fin avril-fin sept. – SC : **R** (dîner seul.) 40/75 – ☕ 13 – 12 ch 70/95.

XXX **Homard Bleu,** bd J.-le-Bihan ✆ 23.24.55, ≤ – Ⓟ. AE GB ① A t
SC : **R** 68/150.

XX **le Sphinx** ⛱ avec ch, 67 chemin de la Messe ✆ 23.25.42, ≤ les îles, – wc ☎ . ✗ ch B e
fermé janv. – **R** *(fermé lundi)* 37/150 – ☕ 12 – 11 ch 75/150 – P 145/175.

à la Clarté par ② : 2,5 km – ✉ **22700** Perros-Guirec.
Voir ☀★.

le Verger, ☎ 23.23.29, – **P**. . ✂ rest
12 avril-fin sept. – SC : **R** 35/70 – ☕ 9,50 – 20 ch 52/56 – P 95/106.

à Ploumanach par ② : 6 km – ✉ **22700** Perros-Guirec.
Voir Rochers★★ – Parc municipal★★.
ℹ Office de Tourisme r. St-Guirec (15 juin-15 sept. et fermé dim. après-midi) ☎ 23.06.63.

Phare, ☎ **23.23.08,** – wc ☎ **P**. ✂ rest
Pâques-15 sept. – SC : **R** (dîner seul.) 55 – ☕ 13 – 24 ch 78/145.

Parc, ☎ **23.24.88** – wc ☎. ✂ rest
Pâques, week-ends en mai, Pentecôte-23 sept. – SC : **R** 33/130 – ☕ 11 – 12 ch 50/110 – P 110/150.

Pen-ar-Guer, ☎ **23.23.27** – **P**. ✂
Pâques (sauf rest.) et 15 mai-15 sept. – SC : **R** 37/80 – ☕ 9,50 – 34 ch 40/65 – P 90/110.

Oratoire sans rest, ☎ **23.25.97** – . ✂
Pâques et 15 juin-15 sept. – SC : ☕ 9 – **12 ch** 44/85.

Roch'Hir, ☎ **23.23.24** – **P**. ✂ rest
1er avril-20 sept. – SC : **R** 38/50 – ☕ 9,50 – 24 ch 42/50 – P 92/95.

XXX ✿ **Rochers** avec ch, ☎ **23.23.02,** ← – wc wc ☎ – 25. . ✂ rest
Pâques-fin sept. – SC : **R** (nombre de couverts limité - prévenir) 60/200 – ☕ 16 – 16 ch 125/175 – P 200/210
Spéc. Homard grillé "Justin", Bar farci, Saint-Pierre aux groseilles.

PEUGEOT Gar. de la Clarté, bd de la Corniche ☎ 23.23.20
RENAULT Gd Gar. Plages, 37 pl. Hôtel de Ville ☎ 23.20.35
TALBOT Gar. de la Côte, 39 r. Maréchal-Joffre ☎ 23.22.07 **N**

Le PERROU 61 Orne **60** ⑭ – rattaché à Mamers.

PERTHES 52 H.-Marne **61** ⑨ – 700 alt. 127 – ✉ **52100** St-Dizier – ⚙ 25.
Paris 196 – Chaumont 83 – St-Dizier 9,5 – Vitry-le-François 20.

XX **La Cigogne Gourmande** avec ch, ☎ **05.46.76** – rest **P**.
fermé 1er au 30 juil., mardi soir et merc. – SC : **R** (nombre de couverts limité - prévenir) 48/150 – ☕ 14 – **7 ch** 48/72.

X **Relais Paris-Strasbourg,** N 4 ☎ **05.40.14** – **P**
fermé août et sam. – SC : **R** 28/62.

PERTUIS 84120 Vaucluse **84** ③ **G. Provence** – 10 117 h. alt. 216 – ⚙ 90.
ℹ Office de Tourisme pl. Mirabeau (fermé lundi) ☎ 79.15.56.
Paris 749 – Aix-en-Pr. 20 – Apt 35 – Avignon 72 – Cavaillon 45 – Manosque 36 – Salon-de-Pr. 41.

Sevan Ⓜ, rte de Manosque E : 1,5 km ☎ **79.19.30,** ←, , , – ☎ ♿ **P** – 120. AE . ✂ rest
1er mars-3 nov. – SC : **R** 62/75 – ☕ 18 – 37 ch 163/182, 4 appartements 285 – P 228.

du Quatre Septembre, 60 pl. du 4-septembre ☎ **79.01.52** – ☎. ✂ rest
fermé mai – SC : **R** *(fermé lundi en hiver)* 30/55 – ☕ 11 – 15 ch 55/156 – P 115/180.

XXX **L'Aubarestiëro** Ⓜ avec ch, pl. Garcin ☎ **79.14.74** – wc ☎. ✂ ch
SC : **R** 50/170 – ☕ 12,50 – 13 ch 75/150 – P 135/155.

X **L'Escapade,** rte Bastidonne E : 1,5 km ☎ **79.03.09** – **P**
fermé 20 sept. au 8 oct. et mardi – SC : **R** 27 bc/38 bc.

PEUGEOT Rolland, pl. de la Diane ☎ 79.00.62 **N**
Meysson, rte d'Aix, N 556 ☎ 79.07.31

Le PERTUISET 42 Loire **76** ⑧ – rattaché à Firminy.

PESSAC 33 Gironde **71** ⑨ – 51 444 h. alt. 36 – voir Bordeaux à l'Alouette.

Le PETIT-CHAUMONT 89 Yonne **61** ⑬ – rattaché à Champigny-sur-Yonne.

PETIT-CLAMART 92 Hauts-de-Seine **60** ⑩, **101** ㉔ – voir à Paris, Proche banlieue.

La PETITE-PIERRE 67 B.-Rhin 57 ⑰ **G. Vosges** – 632 h. alt. 339 – ✉ **67290** Wingen-sur-Moder – ☎ 88.

Paris 433 – Haguenau 40 – Sarrebourg 32 – Sarreguemines 48 – Sarre-Union 26 – ♦Strasbourg 57.

- **Aux Trois Roses,** ☎ 70.45.02, ←, 🌳 – |‡| ⇔wc ⋒wc ☎ ♿ – 🚶 80. ✗ ch
  fermé 17 nov. au 20 déc. – SC : **R** *(fermé dim. soir et lundi)* 48/115 – ☐ 18 – **31 ch** 43/185 – P 105/175.
- **Vosges,** ☎ 70.45.05, ←, 🌳 – ⇔wc ⋒wc ☎ Ⓟ – 🚶 30. 🚗. ✗ ch
  fermé 4 nov. au 4 déc., 8 au 15 janv., mardi soir et merc. – SC : **R** 45/140 ♁ – ☐ 12 – **20 ch** 60/150 – P 115/155.
- **Lion d'Or,** ☎ 70.45.06, ←, 🌳 – ▤ rest ⇔wc ⋒wc ☎. AE. ✗ ch
  fermé janv. à mi fév., merc. soir et jeudi – SC : **R** 30/120 ♁ – ☐ 12 – 30 ch 50/140 – P 100/150.

à l'Étang d'Imsthal SE : 3,5 km par D 178 – ✉ **67290** Wingen sur Moder :

- **Aub. d'Imsthal** ♨, ☎ 70.45.21, ←, baignade, 🌳 – ⇔wc ⋒ ☎ Ⓟ. 🚗. ✗ rest
  fermé janv. – SC : **R** *(fermé lundi soir et mardi)* 30/110 ♁ – ☐ 10 – 21 ch 40/150 – P 120/150.

à Graufthal SO : 9 km par D 178 et D 122 – ✉ **67320** Drulingen :

- **Vieux Moulin** ♨, ☎ 70.17.28, ←, parc, ⛱ – ⇔ ⋒ Ⓟ – 🚶 25
  fermé 12 nov. au 26 déc. – **R** *(fermé lundi soir et mardi)* 35/70 ♁ – ☐ 8 – **18 ch** 40/60 – P 80/85.

PETIT-FORT-PHILIPPE 59 Nord 51 ③ – rattaché à Gravelines.

La PEYRADE 34 Hérault 83 ⑯⑰ – rattaché à Frontignan.

PEYRAT-LE-CHÂTEAU 87470 H.-Vienne 72 ⑲ **G. Périgord** – 1 518 h. alt. 428 – ☎ 55.

ℹ Syndicat d'Initiative à la Mairie (fermé dim.) ☎ 69.40.23.

Paris 405 – Aubusson 45 – Guéret 53 – ♦Limoges 51 – Tulle 83 – Ussel 79 – Uzerche 60.

- **Aub. Bois de l'Étang,** ☎ 69.40.19 – ⇔wc ⋒wc ☎ Ⓟ – 🚶 30. GB. ✗ rest
  fermé janv. – **R** 28/60 ♁ – ☐ 9,50 – 35 ch 35/80 – P 100/120.
- **Bellerive,** ☎ 69.40.67, ← – ⋒wc Ⓟ
  fermé fin janv. à début mars et merc. – SC : **R** 28/80 – ☐ 9 – 10 ch 53/74 – P 110/115.

au Lac de Vassivière ★★ E : 6 km par D 13 – ✉ **87470** Peyrat-le-Château :

- **La Caravelle** M ♨, ☎ 69.40.97, ← lac, 🏖 – ⇔wc ☎ Ⓟ – 🚶 25. ✗
  fermé janv. et fév. – **R** 65/120 – ☐ 15 – 22 ch 160/170 – P 200/250.
- **Golf du Limousin** ♨, ☎ 69.41.34 – ⇔wc ☎ Ⓟ
  1er mars-30 nov. et fermé merc. hors saison – SC : **R** 35/65 – ☐ 11 – 11 ch 49/78 – P 115/135.

RENAULT Gar. Ratat-Champétinaud, ☎ 69.40.11

PEYREHORADE 40300 Landes 78 ⑦⑰ **G. Pyrénées** – 3 066 h. alt. 8 – ☎ 58.

ℹ Syndicat d'Initiative pl. Sablot (fermé dim.) ☎ 73.00.52.

Paris 729 – ♦Bayonne 36 – Cambo-les-Bains 42 – Dax 23 – Oloron-Ste-Marie 63 – Pau 71.

- **Mimi,** r. Nauton-Truquez ☎ 73.00.06 – ⇔wc ⋒ ☎. ✗ ch
  fermé 10 au 25 mai, 20 sept. au 5 oct., vend. soir et sam. midi hors sais. – SC : **R** 37/75 ♁ – ☐ 9 – **15 ch** 52/100 – P 95/138.
- ✿ **Central** (Barrat) avec ch, pl. A.-Briand ☎ 73.03.22 – ⇔ ⋒ ☎ 🚘. 🚗
  fermé 15 nov. au 28 déc., dim. soir et lundi de sept. à juin – SC : **R** 35/130 ♁ – ☐ 9 – 10 ch 39/65 – P 110
  Spéc. Feuilleté d'huîtres, Filets de sole aux nouilles fraiches, Pigeon grillé. Vins Madiran.

PEUGEOT Gar. Lannot-Vergé, ☎ 73.00.29

PEYRIAC-MINERVOIS 11 Aude 83 ⑫ – 1 041 h. alt. 131 – ✉ **11160** Caunes-Minervois – ☎ 68.

Paris 890 – Béziers 59 – Carcassonne 24 – Castres 71 – Narbonne 41 – St-Pons 54.

- **Château de Violet** ♨, N : 1 km sur D 35 ☎ 78.10.42, parc, ←, « Beau mobilier » – TV 🚘 Ⓟ – 🚶 90. AE E
  du 1er oct. au 15 juin - prévenir – SC : **R** carte 95 à 130 – ☐ 20 – **10 ch** 160/265 – P 200/270.

PEYRUS 26 Drôme 77 ⑫ – 249 h. alt. 360 – ✉ **26120** Chabeuil – ☎ 75.

Paris 580 – Crest 28 – Romans-sur-Isère 24 – Valence 19.

- **Cerfs** ♨, ☎ 59.81.46, 🌳 – ⇔wc ⋒ ☎ Ⓟ. 🚗
  fermé 15 au 30 sept., 2 au 15 janv. et merc. hors sais. – SC : **R** 30/80 ♁ – ☐ 9 – **17 ch** 40/75 – P 90/110.

PÉZENAS 34120 Hérault **83** ⑮ **G. Causses** – 8 058 h. alt. 20 – ⚙ 67.

Voir Vieille ville★★ : Hôtels de Lacoste★ D, d'Alfonce★ E, de Malibran★ B.

ℹ Office de Tourisme Boutique du Barbier Gély (fermé dim.) ☎ 98.11.82.

Paris 809 ① – Agde 18 ② – Béziers 23 ② – Lodève 41 ① – ♦Montpellier 52 ① – Sète 36 ①.

PÉZENAS

Conti (R.) 8
Jaurès (Cours Jean) 15
République (Pl. de la) 25
Trois-Six (Pl. des) 29

Alliès (R. A.-P.) 2
Anatole France (R.) 3
Bonnet (Pl.) 4
Briand (Av. A.) 5
Combes (Av.) 6
Combescure (Bd) 7
Cordeliers (Fg des) 9
Denfert-Rochereau (R.) 12
Gaulle (Av. Gén. de) 13
Guérin (Av. C.) 14
Joliot Curie (Bd F. et I.) 16
Ledru-Rollin (Pl.) 18
Mazel (Av. G.) 19
Mistral (Pl.) 21
Montagne (Av.) 22
Montagne (Allées Gén.) 23
St-Jean (R.) 26
Sarazin (Bd) 27
Victor-Hugo (R.) 30
Vidal de la Blache (Av. P.) 31
Voltaire (Bd) 33
8-Mai (Av. du) 34
14-Juillet (Pl. du) 35

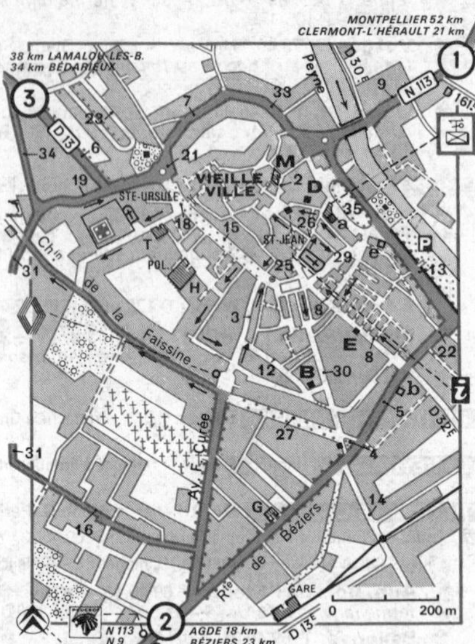

🏨 **Genieys,** 19 av. A.-Briand **(b)** ☎ 98.13.99 – wc wc ☎ 🚗.
fermé 2 au 24 nov., 2 au 10 mars et dim. du 1er déc. au 7 juin – SC : **R** *(fermé lundi sauf juil.-août et dim. soir du 1er déc. au 7 juin)* 35/85 ⅋ – ☕ 10 – 20 ch 50/100.

🏨 **Gd H. Molière,** pl. 14-Juillet **(e)** ☎ 98.14.00 – wc 🚗 Ⓟ – 🏛 80. GB
SC : **R** 35/95 ⅋ – ☕ 10 – 26 ch 45/90.

✕ **Chez Jean,** 14 pl. 14-Juillet **(a)** ☎ 98.14.18
fermé 1er sept. au 1er oct. et merc. – **R** 35/58 ⅋.

CITROEN Vidal, N 113, carr. rte d'Adge ☎ 98.11.27
PEUGEOT Meriguet, rte de Béziers ☎ 98.14.94
RENAULT Sabat, pl. Poncet ☎ 98.14.22
Gautrand-Pneus, rte Béziers, N 113 ☎ 98.12.17

PFAFFENHOFFEN 67350 B.-Rhin **57** ⑱ **G. Vosges** – 2 306 h. alt. 170 – ⚙ 88.

Voir Musée de l'Imagerie peinte et populaire alsacienne★.

Paris 470 – Haguenau 14 – Sarrebourg 49 – Sarre-Union 50 – Saverne 26 – ♦Strasbourg 36.

✕✕ **Agneau** avec ch, ☎ 90.72.38 – wc wc 🚗 Ⓟ.
fermé 15 juil. au 7 août, dim. soir et lundi – SC : **R** 35/120 ⅋ – ☕ 9,50 – 18 ch 32/90 – P 80/110.

PHALSBOURG 57370 Moselle **57** ⑰ **G. Vosges** – 4 348 h. alt. 330 – ⚙ 8.

Paris 435 – ♦Metz 109 – Sarrebourg 16 – Sarreguemines 50 – ♦Strasbourg 57.

🏨 **Erckmann-Chatrian,** pl. d'Armes ☎ 708.31.33 – wc wc ☎ – 🏛 30.
fermé oct. – SC : **R** *(fermé lundi soir et mardi)* 32/120 ⅋ – ☕ 12 – **18 ch** 50/85.

🏨 **Notre-Dame** ⛰, à Bonne-Fontaine E : 4 km par N 4 et VO ☎ 708.34.33, ≤ – wc wc ☎ 🚗 Ⓟ – 🏛 80. GB E
fermé 20 au 28 nov., 10 au 31 janv. et vend. – SC : **R** 100 bc/38 ⅋ – ☕ 9,50 – **17 ch** 55/110 – P 100/150.

CITROEN Gar. Wetzel, ☎ 707.11.67
PEUGEOT Klein, ☎ 708.35.36
Gar. Dene ☎ 707.11.27 N

PIERRE-DE-BRESSE 71270 S.-et-L. **70** ③ **G. Bourgogne** – 2 050 h. alt. 202 – ⚙ 85.

Paris 358 – Beaune 46 – Chalon-sur-Saône 50 – Dole 35 – Lons-le-Saunier 35.

🏠 **Poste,** pl. Hôtels ☎ 76.24.47 – 🚗 Ⓟ.
fermé janv., lundi soir et mardi – SC : **R** 30/90 ⅋ – ☕ 8 – **7 ch** 38/70.

PEUGEOT Gar. Degrange, ☎ 76.23.96 N
RENAULT Gar. Prost ☎ 76.22.64

PIERREFONDS 60 Oise 56 ③, 96 ⑩ G. Environs de Paris – 1 723 h. alt. 81 – ✉ 60350 Cuise-la-Motte – ☎ 4.

Voir Château★★.

Paris 87 – Compiègne 14 – Crépy-en-Valois 17 – Soissons 31 – Villers-Cotterêts 15.

Etrangers, ☎ 442.80.18, ≤ – wc ☎ – 50. GB. ※
fermé 20 janv. au 5 mars et vend. – SC : **R** 35/80 – ☐ 9 – 16 ch 42/96 – P 108/150.

PIERREFONTAINE-LES-VARANS 25510 Doubs 66 ⑰ – 1 501 h. alt. 694 – ☎ 81.

Paris 461 – ♦Besançon 52 – Montbéliard 59 – Morteau 32 – Pontarlier 48.

XX **Commerce** avec ch, ☎ 56.10.50 – wc. ※ rest
fermé 20 déc. au 20 janv. et lundi – SC : **R** 32/80 ⅃ – ☐ 9 – **8 ch** 45/85 – P 85/100.

PIERRELATTE 26700 Drôme 81 ① – 10 045 h. alt. 60 – ☎ 75.

Syndicat d'Initiative avec A.C. pl. Champ-de-Mars ☎ 04.07.98.

Paris 629 – Bollène 14 – Montélimar 23 – Nyons 46 – Orange 32 – Pont-St-Esprit 16 – Valence 66.

Centre et rest. Recollets M, 6 pl. Église ☎ 04.28.59 – wc wc ☎ P.
SC : **R** *(fermé sam.)* 28/60 ⅃ – ☐ 9,50 – **29 ch** 60/128.

Host. Tom, 5 av. Gén.-de-Gaulle ☎ 04.00.35 – wc ☎ . ※ rest
fermé nov. et sam. hors sais. – SC : **R** carte 60 à 95 – ☐ 10,50 – 13 ch 53/91.

Tricastin sans rest, r. Caprais-Favier ☎ 04.05.82 – wc P
fermé 25 oct. au 5 nov., 1er fév. au 1er mars, sam. et dim. – SC : ☐ 9 – **12 ch** 68.

au Sud 4 km sur N 7 :

Motel de Pierrelatte sans rest, ☎ 04.07.99 – wc ☎ P. . ※
fermé 15 janv. au 15 fév. – SC : ☐ 12,50 – **22 ch** 85/135.

X **Relais des Côtes du Rhône** avec ch, ☎ 04.04.86 – P. GB
fermé oct., vend. soir et sam. – SC : **R** 41 bc/70 bc – ☐ 9,50 – 4 ch 52/62.

CITROEN Goussard, rte du Serre ☎ 04.00.20
FIAT Gar. Palmier, rte de St-Paul ☎ 04.03.40
PEUGEOT Midena, rte St-Paul ☎ 04.00.27
RENAULT Pierrelatte-Automobiles, 25 Av. de la Gare ☎ 04.23.66
TALBOT Ets Robert, rte Lyon ☎ 04.21.44
Jérome-Pneus, quartier Beauregard, N 7 ☎ 04.29.76
Pneus-Service, 23 av. Gén.-de-Gaulle ☎ 04.26.59

PILAT (Mont) ★★ 42 Loire 76 ⑨ G. Vallée du Rhône.

Voir Crêt de l'Oeillon ※★★★ 15 mn – Crêt de la Perdrix ※★ 15 mn.

Paris 532 – ♦St-Étienne 25.

PILAT-PLAGE 33 Gironde 78 ⑫ – Voir à Pyla-sur-Mer.

Le PIN 36 Indre 68 ⑱ – rattaché à Gargilesse-Dampierre.

Le-PIN-LA-GARENNE 61 Orne 60 ④ – 510 h. alt. 158 – ✉ 61400 Mortagne-au-Perche – ☎ 33.

Paris 164 – Alençon 42 – Bellême 8 – Mortagne-au-Perche 9.

XX **La Croix d'Or** avec ch, ☎ 25.80.33 – P. GB
fermé 1er au 15 oct., 5 au 27 fév. et lundi sauf fêtes – SC : **R** 25/85 ⅃ – ☐ 6 – **4 ch** 36.

PINSOT 38 Isère 77 ⑥ – rattaché à Allevard.

PIONSAT 63330 P.-de-D. 73 ③ – 1 176 h. alt. 530 – ☎ 73.

Paris 352 – Aubusson 57 – ♦Clermont-Ferrand 71 – Montluçon 30 – Vichy 80.

A la Queue du Milan, ☎ 85.60.71 – ☎ P
SC : **R** *(fermé lundi)* 29/60 ⅃ – **13 ch**

RENAULT Gar. Deuscht, à Chotard ☎ 85.62.23
RENAULT Gar. Roffet, ☎ 85.60.29

PIRIAC-SUR-MER 44 Loire-Atl. 63 ⑬ G. Bretagne – 1 110 h. – ✉ 44420 La Turballe – ☎ 40.

Voir Pointe du Castelli ※★ SO : 1 km.

Paris 459 – Guérande 13 – ♦Nantes 90 – La Roche-Bernard 31 – St-Nazaire 32 – La Turballe 6.

Port, ☎ 23.50.09, ≤ – wc wc. . ※ rest
15 mars-30 sept. et fermé jeudi sauf de juin à sept. – SC : **R** 44/72 – ☐ 10 – 24 ch 40/94 – P 110/140.

Se siete in ritardo sull'itinerario previsto,
alle 19 confermate telefonicamente la prenotazione :
la sicurezza e la consuetudine lo esigono.

PITHIVIERS <SP> **45300** Loiret **60** ⑳ **G. Environs de Paris** – 10 442 h. alt. 120 – ☎ 38.

ℹ Office de Tourisme Mail-Ouest Gare Routière ☎ 30.50.02.

Paris 82 ① – Chartres 73 ⑥ – Châteaudun 76 ⑥ – Fontainebleau 46 ② – Montargis 45 ④ – •Orléans 43 ⑤.

Cochery (Bd) 2
Couronne (R. de la) 3
Duhamel (Pl.) 4
Gambetta (Av.) 6
Gaulle (Pl. Gén.-de) 7
Martroi (Pl. du) 8

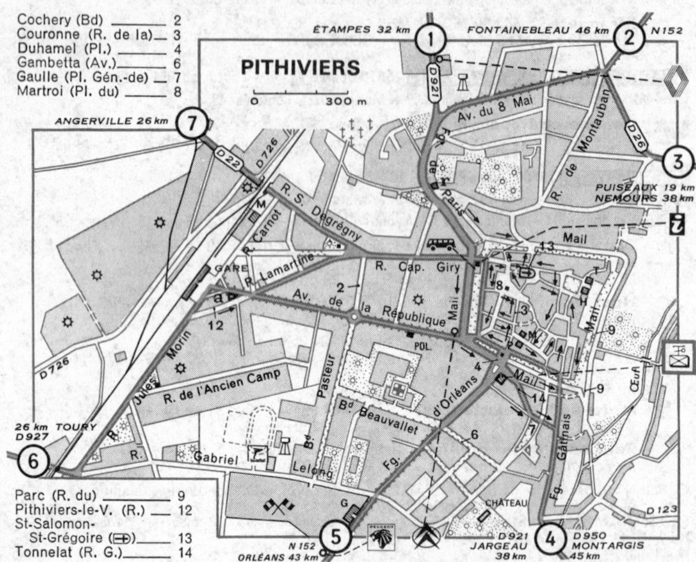

Parc (R. du) 9
Pithiviers-le-V. (R.) 12
St-Salomon-St-Grégoire (⊕) 13
Tonnelat (R. G.) 14

🏠 **La Chaumière,** 77 av. République **(a)** ☎ 30.03.61 – ⇔wc ⋒wc – 🏆 50. 🚗
fermé janv. et lundi – SC : **R** 40/100 🍷 – ☕ 11 – 8 ch 110/120.

XXX **Péché Mignon,** 48 fg Paris **(r)** ☎ 30.05.32, ≤, **« Jardin fleuri »** – **P**
fermé 15 fév. au 15 mars, mardi soir et merc. – SC : **R** 52/130.

AUDI-VOLKSWAGEN Delafoy-Caillette, 16 mail Ouest ☎ 30.03.82
CITROEN Molvaut, 6 av. République ☎ 30.19.22
PEUGEOT Balançon-Malidor, 76 fg Orléans ☎ 30.21.58

RENAULT Beauce-Gâtinais-Automobiles, av. du 11-Novembre ☎ 30.28.56

⊛ Théron, r. Gare-de-Marchandises ☎ 30.20.08

La PLACETTE (Col de) 38 Isère **77** ④ – alt. 596 – ✉ **38340** Voreppe – ☎ 76.

Paris 558 – Chambéry 39 – •Grenoble 26 – St-Laurent-du-Pont 9,5 – Voiron 14 – Voreppe 5,5.

🏠 **du Col,** ☎ 50.04.65, ≤ – ⇔wc ⋒ ☎ – 🏆 50. 🚗 **E**
SC : **R** *(fermé 3 au 15 janv. et vend.)* 36/100 🍷 – ☕ 11 – **28 ch** 50/100 – P 105/140.

PLA D'ADET 65 H.-Pyr. **85** ⑲ – rattaché à St-Lary-Soulan.

La PLAGNE 73 Savoie **74** ⑱ **G. Alpes** – alt. 1 980 – Sports d'hiver : 1 980/3 250 m 🚡6 ⛷70 – ✉ **73210** Aime – ☎ 79.

Voir La Grande Rochette ✳★★ (accès par télécabine).

ℹ Office du Tourisme (fermé sam. et dim. hors sais.) ☎ 09.02.01, Télex 980043.

Paris 668 – Bourg-St-Maurice 31 – Chambéry 109 – Moûtiers 34.

🏨 France Ⓜ 🐦, ☎ 09.28.15, Télex 980087, ≤ – 🛗 **P** – 🏆 50
sais. – 82 ch.

🏨 **Christina et rest. Edelweiss** 🐦, ☎ 09.28.20, Télex 980266, ≤ – 🛗 **P**. AE GB ⓓ E
déc.-Pâques – **R** 60/100 – ☕ 20 – **58 ch** 150/320, 4 appartements 320/500 – P 250/345.

🏨 **Graciosa** 🐦, ☎ 09.00.18, ≤ – ⇔wc ⋒ ☎ **P**. 🚗. 🚫 rest
10 juil.-fin août et 1er déc.-1er mai – SC : **R** 75/95 – ☕ 17 – 10 ch 180/250 – P 190/270.

🏨 Mélèzes 🐦, ☎ 09.00.06, ≤ – ⇔wc ⋒wc ☎ **P**
sais. – 25 ch.

X **du Soleil,** ☎ 09.03.28, ≤
1er déc.-1er mai – SC : **R** carte 65 à 95.

La PLAINE-SUR-MER 44770 Loire-Atl. 67 ① – 1 797 h. alt. 33 – 40.

Paris 435 – •Nantes 58 – Pornic 7,5 – St-Michel-Chef-Chef 6,5 – St-Nazaire 27.

Anne de Bretagne M, au Port de Gravette NO : 3 km ☎ 21.54.72, ← – wc wc ☎ P – 30 à 150
SC : **R** 40/115 – 11 – 26 ch 120/130 – P 135/175.

La Prée, Plage de la Prée O : 3 km par D 13 ☎ 21.50.13, ← côte et estuaire
28 mars-20 sept., fermé mardi soir hors sais. et merc. – SC : **R** carte 65 à 105.

PLAINPALAIS (Col de) 73 Savoie 74 ⑯ – rattaché à La Féclaz.

PLAISANCE 32160 Gers 82 ③ – 1 577 h. alt. 133 – 62.

Paris 732 – Aire-sur-L'Adour 30 – Auch 55 – Condom 64 – Mont-de-Marsan 61 – Pau 65 – Tarbes 44.

La Ripa Alta, ☎ 69.30.43 – wc wc ☎. AE
fermé nov. et lundi sauf du 15 juil. au 15 sept. – SC : **R** (dim. prévenir) 40 bc/130 – 12 – **15 ch** 50/135 – P 115/155.

CITROEN Gar. Lenfant, ☎ 69.32.13

PLAISIR 78370 Yvelines 60 ⑨, 96 ⑭ – 23 116 h. alt. 111 – 3.

Paris 44 – Dreux 48 – Mantes-la-Jolie 34 – Rambouillet 28 – Versailles 16.

Le Chiquito, Les Gâtines ☎ 639.05.17 – P
R carte 65 à 90.

CITROEN Gar. de la Boissière, r. de la Boissière ☎ 055.37.50
CITROEN Gar. de la Chaine, 12 r. J.-Régnier ☎ 639.27.18
PEUGEOT Gar. Cabailh, Zone Ind., 7 r. des Frères Lumière ☎ 055.53.45 N ☎ 055.17.30
RENAULT Gar. des Petits Prés, 16 r. de la Gare ☎ 055.80.84

PLANCHER-LES-MINES 70 H.-Saône 66 ⑦⑧ – 1 452 h. alt. 460 – ✉ 70290 Champagney – 84.

Paris 421 – Belfort 22 – Lure 27 – Luxeuil-les-Bains 46 – •Mulhouse 59 – Le Thillot 26 – Vesoul 59.

Roches, ☎ 23.10.24 – wc wc ☎ P – 30.
fermé 1er au 15 sept. et lundi – **R** 42/62 – 8,50 – **18 ch** 41/84 – P 85/125.

PLAN D'EAU 43 H.-Loire 76 ⑥ – rattaché à La Chaise-Dieu.

PLAN-DE-LA-TOUR 83 Var 84 ⑰ – 1 260 h. alt. 69 – ✉ 83120 Ste-Maxime – 94.

Paris 867 – Cannes 71 – Draguignan 36 – St-Tropez 19 – Ste-Maxime 9, 5.

Mas des Brugassières sans rest, ☎ 43.72.42, ←, , , – wc ☎ P.
14 – **11 ch** 200.

Ponte Romano avec ch, ☎ 43.70.56, « Mas provençal dans un joli jardin, » – wc ☎ P. GB. rest
mars-15 nov. – SC : **R** *(fermé lundi)* carte 130 à 180 – 20 – **6 ch** 200/250, 4 appartements 350.

PLAN-D'ORGON 13750 B.-du-R. 84 ① – 1 745 h. alt. 70.

Paris 705 – Aix-en-Provence 53 – Arles 38 – Avignon 23 – •Marseille 78 – Nîmes 56.

Flamant Rose, rte St-Rémy ☎ (90) 73.10.17, – wc ☎ P.
fermé 10 janv. au 10 mars – SC : **R** *(fermé lundi midi de mars à oct., dim. soir et lundi hors sais.)* 60/120 – 12 – 15 ch 110/135 – P 150/160.

PLAN-DU-VAR 06 Alpes-Mar. 84 ⑲, 195 ⑯ – alt. 141 – ✉ 06670 St-Martin-du-Var – 93.

Voir Gorges de la Vésubie* au NE – Défilé du Chaudan** N : 2 km.**

Env. Bonson : Belvédère, retable de St-Benoît* dans l'église NO : 9 km, G. Côte d'Azur.**

Paris 866 – Antibes 39 – Cannes 49 – •Nice 31 – Puget-Théniers 34 – St-Étienne-de-T. 60 – Vence 27.

Cassini, rte Nationale ☎ 08.91.03 –
fermé janv. et vend. – SC : **R** 35/80 – 9 – 16 ch 50/85 – P 110/130.

PLASCASSIER 06 Alpes-Mar. 84 ⑧⑨, 195 ㉔ – rattaché à Grasse.

PLEAUX 15700 Cantal 76 ① – 1 767 h. alt. 642 – 71.

Syndicat d'Initiative à la Mairie (fermé sam. après-midi et dim.) ☎ 40.41.18.

Paris 504 – Argentat 31 – Aurillac 47 – Brive-la-Gaillarde 75 – Mauriac 20 – St-Céré 69 – Tulle 61.

Commerce avec ch, ☎ 40.41.11 – rest
R 24/45 – 8,50 – **12 ch** 40/55 – P 75/85.

PEUGEOT Garcelon, ☎ 40.41.33 N ☎ 40.41.55
Gar. Bony, ☎ 40.42.64 N

PLÉHÉREL-PLAGE 22 C.-du-N. 59 ④ – rattaché à Sables d'Or.

PLÉNEUF-VAL-ANDRÉ 22370 C.-du-N. 59 ④ – 3 963 h. alt. 70 – ☎ 96.

Paris 415 – Dinan 43 – Erquy 9 – Lamballe 17 – St-Brieuc 29 – St-Cast 29 – St-Malo 54.

au Val-André O : 2 km **G. Bretagne** – Casino – ✉ **22370** Pléneuf-Val-André.

Voir Le tour de la Pointe de Pléneuf ≤★ N : 30 mn.

ℹ Office de Tourisme 1 cours Winston-Churchill (fermé dim. hors sais.) ☎ 72.20.55.

Clemenceau sans rest, r. Clemenceau ☎ 72.23.70 – wc ☎ P
fermé 5 janv. au 5 fév. et lundi – SC : ☕ 10 – **23 ch** 80/150.

Mer, r. Amiral-Charner ☎ 72.20.44 – P
15 mars-15 nov. – SC : **R** 40/95 – ☕ 11 – 22 ch 60/90 – P 115/135.

Printania 🐎, r. Ch.-Cotard ☎ 72.20.51, ≤ – rest
1er juin-15 sept. – SC : **R** 55/65 – ☕ 12 – 20 ch 40/65 – P 115/135.

Casino sans rest, 10 r. Ch.-Cotard ☎ 72.20.22, ≤ –
12 avril-1er oct. – SC : ☕ 10 – **17 ch** 50/60.

XX ✿ **Cotriade** (Le Saout), au port de Piégu : 1 km ☎ 72.20.26, ≤ – .
fermé déc., lundi soir hors sais. et mardi – SC : **R** (nombre de couverts limité - prévenir) 60/180
Spéc. Homard grillé, Turbot étuvé aux poireaux, Salade "Verdelet" au foie gras.

XX **Le Biniou,** 121 r. Clemenceau ☎ 72.24.35 – GB E
mars-fin sept. et fermé merc. – SC : **R** 38/140.

CITROEN Troalen, ☎ 72.20.20
PEUGEOT Gar. Robert ☎ 72.22.15
RENAULT Gar. Huitric, ☎ 72.20.12

PLESSIS-PICARD 77 S.-et-M. 61 ①② – rattaché à Melun.

PLESTAN 22 C.-du-N. 59 ⑭ – rattaché à Lamballe.

PLESTIN-LES-GRÈVES 22310 C.-du-N. 58 ⑦ G. Bretagne – 3 241 h. alt. 114 – ☎ 96.

ℹ Syndicat d'Initiative à la Mairie (1er juil.-31 août et fermé dim.) ☎ 35.61.93.

Paris 526 – Guingamp 47 – Lannion 18 – Morlaix 20 – St-Brieuc 78.

Côtes d'Armor, rte de l'Armorique N : 3,5 km par D 42 ☎ 35.63.11, ≤ – wc wc ☎ P. E
1er avril-1er oct. – SC : **R** *(fermé lundi midi hors sais.)* 35/85 – ☕ 12 – **20 ch** 50/108 – P 98/128.

CITROEN Ropars, ☎ 35.62.24

PLEURTUIT 35730 I.-et-V. 59 ⑤ – 3 768 h. alt. 68 – ☎ 99.

✈ de Dinard-Pleurtuit-St-Malo : Touraine Air Transport ☎ 46.15.76, NO : 2 km.

Paris 376 – Dinan 15 – Dinard 7 – Dol-de-Bretagne 29 – Lamballe 45 – ♦Rennes 66 – St-Malo 15.

Angelus, r. Dinan ☎ 46.41.53, –
fermé 20 sept. au 28 oct., dim. soir et lundi hors sais. – SC : **R** 40/75 – ☕ 9,50 – 7 ch 50/75.

CITROEN Gar. Lebreton, ☎ 46.41.91
PEUGEOT Guilloury, ☎ 46.41.33
RENAULT Laurent ☎ 46.41.05

PLÉVEN 22 C.-du-N. 59 ⑤ – 630 h. alt. 80 – ✉ 22130 Plancoët – ☎ 96.

Paris 415 – Dinan 24 – Dinard 31 – Lamballe 16 – St-Brieuc 37 – St-Malo 39.

Manoir Vaumadeuc 🐎, ☎ 84.14.67, « Manoir 15e s., parc » – P. GB. rest
1er avril-3 janv. – **R** (nombre de couverts limité - prévenir) 90/205 – ☕ 20 – 9 ch 260/350 – P 300/380.

PLEYBER-CHRIST 29 Finistère 58 ⑥ G. Bretagne – 2 525 h. alt. 131 – ✉ 29223 St-Thégonnec – ☎ 98.

Paris 545 – ♦Brest 55 – Carhaix-P. 41 – Châteaulin 48 – Landivisiau 16 – Morlaix 10 – Quimper 68.

Gare, ☎ 78.43.76, – P. ch
fermé 15 sept. au 15 oct. et sam. – **R** 35/70 – ☕ 8 – **10 ch** 30/50 – P 90.

RENAULT Gar. Disez, ☎ 78.41.76 N

PLOËRMEL 56800 Morbihan 63 ④ G. Bretagne – 7 022 h. alt. 76 – ☎ 97.

Voir Église St-Armel★ – Maison des Marmousets★.

ℹ Syndicat d'Initiative pl. Lamennais (juil.-août et fermé dim.) ☎ 74.02.70 et 16 bd Foch (hors saison et fermé dim.) ☎ 74.05.17.

Paris 409 ② – La Baule 88 ⑤ – Châteaubriant 90 ③ – Concarneau 134 ⑥ – Dinan 68 ① – Guingamp 107 ⑥ – Pontivy 46 ⑥ – Redon 46 ④ – ♦Rennes 60 ② – St-Brieuc 87 ⑥ – Vannes 46 ⑤.

Plan page ci-contre

Commerce, 70 r. Gare ☎ 74.05.32 – P. Y a
fermé 20 déc. à fin janv. et dim. hors sais. – SC : **R** 29 – ☕ 10,50 – **19 ch** 45/70.

PLOËRMEL

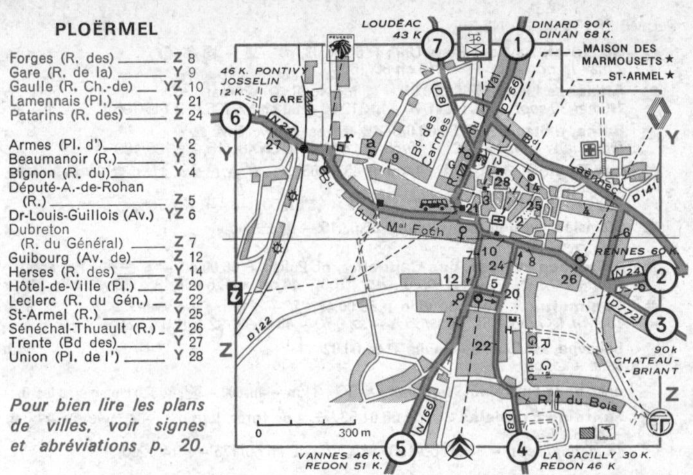

Forges (R. des) Z 8
Gare (R. de la) Y 9
Gaulle (R. Ch.-de) YZ 10
Lamennais (Pl.) Y 21
Patarins (R. des) Z 24

Armes (Pl. d') Y 2
Beaumanoir (R.) Y 3
Bignon (R. du) Y 4
Député-A.-de-Rohan (R.) Z 5
Dr-Louis-Guillois (Av.) YZ 6
Dubreton (R. du Général) Z 7
Guibourg (Av. de) Z 12
Herses (R. des) Y 14
Hôtel-de-Ville (Pl.) Z 20
Leclerc (R. du Gén.) Z 22
St-Armel (R.) Y 25
Sénéchal-Thuault (R.) Z 26
Trente (Bd des) Y 27
Union (Pl. de l') Y 28

Pour bien lire les plans de villes, voir signes et abréviations p. 20.

à la Chapelle par ⑤ : 9 km – ✉ **56460** Serent :

Relais du Val d'Oust Ⓜ, ☎ 74.94.33 – wc ☎ Ⓟ – 30. GB Ⓓ. ✻ ch
fermé 12 au 27 oct. et lundi – SC : **R** 40/95 – ☕ 12 – 15 ch 80/90.

CITROEN Migue, 33 r. Gén.-Dubreton ☎ 74.05.07
FIAT Gar. Gesbert, 58 bis r. Gén.-Dubreton ☎ 74.01.23
PEUGEOT Massicot, 35 bd Foch ☎ 74.00.51
RENAULT Triballier, 15 rte de Rennes ☎ 74.01.66
TALBOT Chouffeur, 6 av. de Rennes ☎ 74.02.55
Corbel, Zone Ind. de Gourhel ☎ 74.03.03

PLOEUC-SUR-LIÉ 22 C.-du-N. 58 ⑩ – rattaché à Moncontour.

PLOGOFF 29 Finistère 58 ⑬ – 2 359 h. alt. 65 – ✉ **29113** Audierne – 98.
Env. Pointe du Van ≤** NO : 6 km, **G. Bretagne.**
Paris 600 – Audierne 10 – Douarnenez 32 – Pont-L'Abbé 42 – Quimper 45.

Ker-Moor ⛬, plage du Loch E : 2,5 km ☎ 70.62.06, ≤ – Ⓟ. ✻ rest
1er avril-30 sept. – SC : **R** 32/65 – ☕ 9 – 18 ch 50/65 – P 100/110.

PLOMBIÈRES-LES-BAINS **88370** Vosges 62 ⑯ **G. Vosges** – 1 089 h. alt. 456 – Stat. therm. (2 mai-30 sept.) – Casino B – 29 – **Voir La Feuillée Nouvelle** ≤★ **5 km par** ②.
Office de Tourisme r. Stanislas (fermé sam. et dim. hors saison) ☎ 66.01.30.
Paris 370 ④ – Belfort 72 ② – Épinal 29 ④ – Gérardmer 42 ① – Vesoul 48 ② – Vittel 73 ④.

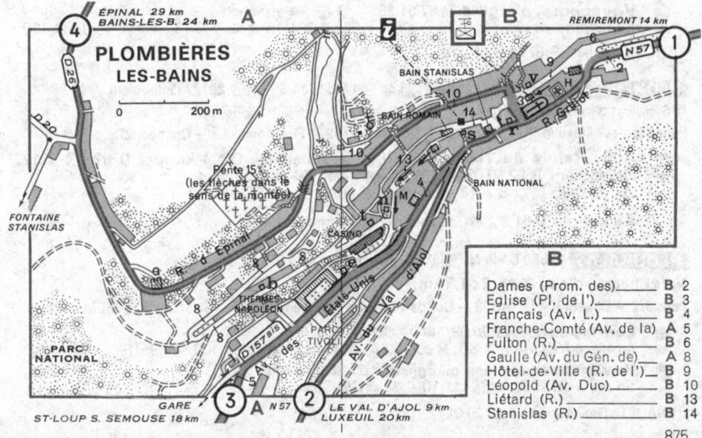

Dames (Prom. des) B 2
Eglise (Pl. de l') B 3
Français (Av. L.) B 4
Franche-Comté (Av. de la) A 5
Fulton (R.) B 6
Gaulle (Av. du Gén. de) A 8
Hôtel-de-Ville (R. de l') B 9
Léopold (Av. Duc) B 10
Liétard (R.) B 13
Stanislas (R.) B 14

Gd Hôtel, 2 av. des États-Unis ☎ 66.00.03, – AB **e**
2 mai-1er oct. – ☕ 11 – **115 ch** 80/160.

Alsace, r. Liétard ☎ 66.00.05 – wc wc. rest B **n**
1er mai-30 sept. – SC : **R** 41/70 – ☕ 10,50 – **60 ch** 62/105 – P 145/195.

Bains, r. Stanislas ☎ 66.00.08 – rest wc wc B **s**
fermé janv. et fév. – SC : **R** 40/55 – ☕ 11 – **40 ch** 48/115 – P 135/180.

Les Rosiers , par ② : 1 km ☎ 66.02.66, ≤, – wc wc . . rest
Pâques-15 oct. – SC : **R** 36/70 – ☕ 12 – **25 ch** 50/140 – P 137/205.

Stanislas, av. Gén.-de-Gaulle ☎ 66.02.16 – wc B **t**
sais. – 42 ch.

Abbesses et Rest. des Capucins, pl. Église ☎ 66.00.40 – wc .
1er mai-30 sept. – SC : **R** 50/65 – ☕ 10,50 – **44 ch** 55/125 – P 135/185. B **r**

Commerce, r. Hôtel de Ville ☎ 66.00.47, – wc wc.
15 avril-1er nov. – SC : **R** 35/85 – ☕ 9,50 – **45 ch** 40/92 – P 100/160. B **v**

Bellevue, av. Gén.-de-Gaulle ☎ 66.00.02 A **b**
sais. – 25 ch.

près de la Fontaine Stanislas -A-SO : 3 km – alt. 600 – ✉ **88370** Plombières-les-B. :

Fontaine Stanislas , ☎ 66.01.53, ≤, « en forêt, jardin » – wc – 30. .
1er avril-30 sept. – SC : **R** 50/120 – ☕ 12 – 19 ch 50/175 – P 140/200.

PLOMBIÈRES-LÈS-DIJON 21 Côte-d'Or 66 ⑫ – rattaché à Dijon.

PLOMODIERN 29127 Finistère 58 ⑮ – 1 938 h. alt. 112 – ✆ 98.

Voir Retables★ de la chapelle Ste-Marie-du-Ménez-Hom N : 3,5 km – Charpente★ de la chapelle St-Côme NO : 4,5 km, G. Bretagne.

Paris 564 – ♦Brest 59 – Châteaulin 12 – Crozon 26 – Douarnenez 20 – Quimper 29.

Ferme de Porz-Morvan sans rest, E : 3 km ☎ 81.53.23, ≤, – wc wc . .
Pâques-oct. – ☕ 13 – **8 ch** 100/150.

La Crémaillère, ☎ 81.50.10 –
fermé oct., sam. et dim. de nov. à Pâques – SC : **R** 30/75 – ☕ 9 – 26 ch 50/81 – P 87/110.

Ménez-Hom, ☎ 81.51.25 – rest
1er avril-20 sept. et fermé lundi hors sais. – **R** 30/100 – ☕ 10 – 15 ch 35/48 – P 90/100.

CITROEN Quiniou, ☎ 81.51.26

PLONÉOUR-LANVERN 29 Finistère 58 ⑭ – 4 364 h. alt. 75 – ✉ **29120** Pont-l'Abbé – ✆ 98.

Paris 574 – Douarnenez 26 – Guilvinec 14 – Plouhinec 21 – Pont-l'Abbé 7 – Quimper 19.

Ty Didrouz sans rest, ☎ 87.62.30, – wc . .
1er mars-oct. – SC : ☕ 9,50 – **19 ch** 55/100.

Mairie, r. J.-Ferry ☎ 87.61.34, – wc wc
fermé déc. – SC : **R** 45/150 – ☕ 10 – 18 ch 47/108 – P 103/142.

Voyageurs, pl. Église ☎ 87.61.35 – . . ch
fermé janv. et vend. soir hors sais. – SC : **R** 38/115 – ☕ 9 – 13 ch 35/65 – P 90/115.

CITROEN Hélias, ☎ 87.60.26

PLONÉVEZ-PORZAY 29 Finistère 58 ⑮ – 1 533 h. alt. 95 – ✉ **29127** Plomodiern – ✆ 98.

Syndicat d'Initiative pl. Église (1er juil.-31 août et fermé dim.) ☎ 92.53.57.

Paris 565 – Châteaulin 15 – Crozon 34 – Douarnenez 12 – Plomodiern 7,5 – Quimper 21.

Aub. Relais de Tréfeuntec , **à Tréfeuntec** O : 4 km par D 61 ✉ 29127 Plomodiern ☎ 92.50.03 – . GB. rest
SC : **R** 30/95 – ☕ 8 – **18 ch** 42/62 – P 80/93.

à 4 km par D 61 - voir à Ste-Anne-la-Palud

PLOUBALAY 22650 C.-du-N. 59 ⑤ **G. Bretagne** – 2 217 h. alt. 30 – ✆ 96.

Voir Château d'eau ※★★ E : 1,5 km.

Paris 372 – Dinan 18 – Dinard 10 – Dol-de-Bretagne 32 – Lamballe 37 – St-Brieuc 58 – St-Malo 18.

Saint-Cast, ☎ 27.20.09, – rest
fermé oct. et lundi – SC : **R** 30/120 – ☕ 10 – 18 ch 39/100 – P 95/190.

Voyageurs sans rest, pl. Église ☎ 27.20.33 –
fin mars-20 sept. – SC : ☕ 10 – **17 ch** 38/55.

RENAULT Descournut, ☎ 27.20.01

PLOUDALMÉZEAU 29262 Finistère 58 ③ – 4 477 h. alt. 50 – 98.

Syndicat d'Initiative pl. Église (1er juil.-31 août et fermé dim.).

Paris 609 – •Brest 26 – Carhaix-Plouguer 114 – Landerneau 43 – Morlaix 76 – Quimper 101.

Voyageurs, pl. Église ☎ 48.10.13 –
fermé 15 sept. au 15 oct. et lundi – SC : R 35/75 – 12 – **11 ch** 45/100 – P 95/130.

à Kersaint O : 4 km par D 168 – ✉ **29236** Porspoder :

Host. du Castel, ☎ 48.63.35 –
1er mai-30 sept. et fermé lundi – SC : **R** *(fermé oct., dim. soir et lundi)* 35/92 – 9.50 – 12 ch 42/62 – P 93/104.

PLOUESCAT 29221 Finistère 58 ⑤ **G. Bretagne** – 4 067 h. alt. 33 – 98.

Syndicat d'Initiative r. St-Julien (juil.-août et fermé dim. après-midi) ☎ 69.62.18.

Paris 569 – •Brest 43 – Brignogan-Plage 16 – Morlaix 34 – Quimper 95 – St-Pol-de-Léon 15.

Baie du Kernic, rte de Brest O : 2 km sur D 10 ☎ **69.63.41** –
fermé 3 nov. au 4 déc. et lundi hors sais. – **R** 35/160 – 11 – 18 ch 50/75 – P 110/125.

Aub. de Kersabiec, O : 2,5 km par D 10 ✉ **29235 Plounévez-Lochrist** ☎ **69.60.08** – . GB
fermé fév. et merc. sauf juil. et août – SC : **R** 45/160.

L'Azou avec ch, r. Gén.-Leclerc ☎ **69.60.16** – GB
fermé 28 sept. au 24 oct. et mardi sauf de fin juin à fin sept. – SC : **R** 32/150 – 9,50 – 9 ch 42/68 – P 92/95.

CITROEN Rouxel, ☎ 69.60.03
RENAULT Quillec, ☎ 69.61.10

PLOUGASNOU 29228 Finistère 58 ⑥ **G. Bretagne** – 3 368 h. alt. 51 – 98.

Voir St-Jean du Doigt : Enclos paroissial : trésor, église*, fontaine* SE : 2,5 km – Ste-Barbe ≤* NO : 2 km – Pointe de Primel : rochers*, ✻* NO : 4 km puis 15 mn.**

Office de Tourisme r. des Martyrs (saison et fermé dim.) ☎ 67.31.88.

Paris 543 – Guimgamp 64 – Lannion 34 – Morlaix 17 – Quimper 95.

France (Annexe : M - 10 ch - wc), ☎ **67.30.15,** – . ch
fermé 15 au 30 oct. – SC : **R** 35/120 – 9,50 – 20 ch 50/130 – P 90/130.

CITROEN Moal, ☎ 67.35.20
RENAULT Prigent, à Kermébel ☎ 72.30.65
Gar. Le Filous, ☎ 67.31.69

PLOUGASTEL-DAOULAS 29213 Finistère 58 ④ **G. Bretagne** – 8 223 h. alt. 110 – 98.

Voir Calvaire – Site* de la chapelle St-Jean NE : 5 km.**

Env. Kerdeniel ✻ SO : 8,5 km.**

Paris 585 – •Brest 11 – Morlaix 50 – Quimper 62.

Kastel Roc'h M sans rest., à l'échangeur de la D 33 ☎ **40.32.00,** – wc wc – 80.
SC : 12,50 – **45 ch** 70/121.

CITROEN Gar. du Centre, 2 r. neuve ☎ 40.36.23
RENAULT Plougastel-Automobiles, r. de Kerguélen ☎ 40.31.77

PLOUHARNEL 56720 Morbihan 63 ⑪⑫ – rattaché à Carnac.

PLOUHINEC 29149 Finistère 58 ⑭ – 5 593 h. alt. 101 – 98.

Paris 586 – Audierne 4,5 – Douarnenez 20 – Pont-l'Abbé 28 – Quimper 31.

Ty Frapp, r. de Rozavot ☎ **70.89.90** – . ch
fermé sept. et lundi – SC : **R** 29/57 – 10 – **13 ch** 50/65 – P 93.

PLOUIGNEAU 29234 Finistère 58 ⑥⑦ – 3 337 h. alt. 250 – 98.

Paris 522 – Carhaix-P. 49 – Guingamp 43 – Huelgoat 31 – Lannion 36 – Morlaix 10 – Quimper 91.

Aub. de Pen Ar C'hra, N 12 ☎ **67.70.02** –
fermé nov. et vend. – SC : **R** 35/120.

An Ty Korn avec ch, pl. Église ☎ **67.72.72,** – . GB.
fermé 8 au 30 sept., 10 au 18 fév., dim. soir et lundi sauf juil. et août – SC : **R** 35/130 – 9,50 – 7 ch 55/75 – P 100/120.

RENAULT Gar. Tanguy, ☎ 67.70.07

PLOUMANACH 22 C.-du-N. 59 ① – rattaché à Perros-Guirec.

PLOUNÉOUR-TREZ 29 Finistère 58 ⑤ – rattaché à Brignogan-Plage.

PLOUNÉRIN 22910 C.-du-Nord 58 ⑦ – 712 h. alt. 208 – ☎ 96.
Paris 509 – Guingamp 30 – Lannion 23 – Morlaix 23 – St-Brieuc 61.

XX ✿ **Relais de Bon Voyage** (Fer), ☎ 38.61.04 – Ⓟ. ⓓ
fermé mi janv. à mi fév. et merc. – SC : **R** 60/120
Spéc. Terrine de rouget, St-Pierre au sabayon de citron, Salade de choux aux filets de canard.

RENAULT Gar. Tocquer, ☎ 38.61.10

PLOZÉVET 29 Finistère 58 ⑭ – 3 443 h. – ✉ **29143** Plogastel-St-Germain – ☎ 98.
Paris 580 – Audierne 10 – Châteaulin 45 – Douarnenez 18 – Quimper 25.

Moulin de Brénizenec Ⓜ sans rest, rte de Pont-l'Abbé : 4 km ☎ 58.30.33, ←, – wc Ⓟ. AE
fermé oct. – SC : ☕ 14 – **10 ch** 152/163.

PLUMELEC 56420 Morbihan 63 ③ – 2 598 h. alt. 166 – ☎ 97.
Paris 437 – Josselin 15 – Locminé 18 – Ploërmel 27 – ♦Rennes 87 – Vannes 25.

Lion d'Or, pl.Église ☎ 60.32.08 – Ⓟ.
fermé 15 sept. au 15 oct. – **R** *(fermé sam. hors sais.)* 32/70 – ☕ 8,50 – **15 ch** 40/62 – P 82/90.

PLUVIGNER 56330 Morbihan 63 ② – 4 540 h. alt. 88 – ☎ 97.
Paris 473 – Auray 10 – Lorient 32 – Pontivy 35 – Vannes 31.

X **Croix Blanche,** 14 r. St-Michel ☎ 24.71.03 –
fermé 1er au 16 oct., 14 janv. au 1er fév., mardi soir et merc. – SC : **R** 39/78.

☞ ***Les pastilles numérotées des plans de ville ①, ②, ③ sont répétées sur les cartes Michelin à 1/200 000. Elles facilitent le passage entre les cartes et les guides Michelin.***

Le POËT 05300 H.-Alpes 81 ⑤ – 511 h. alt. 550 – ☎ 92.
Paris 696 – Gap 36 – Serres 25 – Sisteron 12.

XX **Ecuries du Seigneur,** ☎ 65.70.01 – Ⓟ
fermé 1er au 15 juil., 26 sept. au 10 oct., jeudi hors sais. et merc. – SC : **R** 45.

FORD Gar. Allemand, ☎ 65.71.52

Le POËT-LAVAL 26 Drôme 81 ② – rattaché à Dieulefit.

POINTE – voir au nom propre de la pointe.

POINT-SUBLIME 04 Alpes-de-H.-Pr 84 ⑥ **G. Côte d'Azur** – alt. 783 – ✉ **04120** Castellane – ☎ 92.
Voir ←** sur Grand Canyon du Verdon 15 mn – Couloir Samson** S : 1,5 km – Clue de Carejuan* E : 4 km.**
Paris 815 – Castellane 18 – Digne 72 – Draguignan 54 – Manosque 77 – Salernes 65 – Trigance 13.

POINT-SUBLIME 48 Lozère 80 ⑤ **G. Causses** – alt. 861.
Voir ←*** sur Canyon du Tarn.**
Paris 596 – Ste-Enimie 33 – Sévérac-le-Château 21.

Le POIRÉ-SUR-VIE 85 Vendée 67 ⑬ – 4 526 h. alt. 54 – ✉ **85170** Belleville-sur-Vie – ☎ 51.
Paris 412 – Cholet 64 – Nantes 53 – La Roche-sur-Yon 14 – Les Sables-d'Olonne 41.

Centre, ☎ 31.81.20 – – 30
fermé 17 fév. au 12 mars, dim. soir et lundi midi – SC : **R** 25/100 – ☕ 10 – **22 ch** 41/70 – P 75/80.

CITROEN Gar. Piveteau, ☎ 31.80.42
RENAULT Gar. Bretaudeau, ☎ 31.80.28

POISSY 78300 Yvelines 55 ⑲, 101 ⑪⑫ **G. Environs de Paris** – 37 703 h. alt. 27 – ☎ 3.
Voir Église N.-Dame* – Villa Le Corbusier*.
Paris 29 ③ – Mantes-la-Jolie 29 ⑤ – Pontoise 17 ① – Rambouillet 48 ⑤ – St-Germain-en-Laye 6 ③.

Plan page ci-contre

XX ✿ **Esturgeon** (Soulat), 6 crs 14-Juillet ☎ 965.00.04, ← – AE GB ⓓ AX **a**
fermé août, 7 au 15 janv. et jeudi – **R** carte 110 à 155
Spéc. Foie gras frais, Turbotin au blanc de poireaux, Caneton aux cerises.

CITROEN Legrand, 18 av. F.-Lefebvre ☎ 965.20.55
PEUGEOT Poissy-Autom., 29 bd Robespierre ☎ 074.02.80
RENAULT Adde, 39 bd Gambetta ☎ 074.04.37
Marsat-Poissy-Pneus, 40 bd Robespierre ☎ 965.29.09

CONSTRUCTEUR : Talbot, 45 r. J.-P.-Timbaud ABX ☎ **965.40.00**

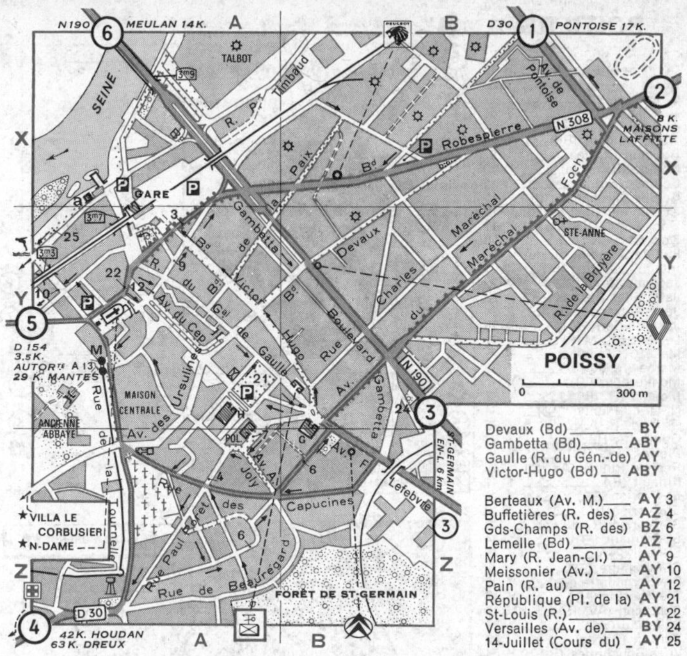

POITIERS P 86000 Vienne 68 ⑬⑭ **G. Côte de l'Atlantique** – 85 466 h. alt. 116 – 49.

Voir Église N.-D.-la-Grande** : façade*** – Église St-Hilaire-le-Grand** Z **B** – Cathédrale* – Église Ste-Radegonde* – Baptistère St-Jean* – Grande salle* du Palais de Justice – Boulevard Coligny <* V12 – Musée Ste-Croix* Y**M**.

9 ☎ 47.68.38 E : 3 km par D 6 V.

de Poitiers-Biard ☎ 58.28.85, O : 3 km.

Office de Tourisme Hôtel de Ville (fermé dim.) ☎ 41.21.24 – A.C.O. 2 r. Claveurier ☎ 88.03.63 - T.C.F. 11 r. V.-Hugo ☎ 41.58.22.

Paris 333 ① – Angers 133 ⑦ – ♦Limoges 119 ③ – ♦Nantes 176 ⑥ – Niort 74 ⑤ – ♦Tours 100 ①.

Plans page suivante

France, 28 r. Carnot ☎ 41.32.01, Télex 790526 – – 120. AE GB ⓓ E Y **h**
SC : **R** 52/75 – 18 – **86 ch** 65/300.

Royal-Poitou [M], rte de Paris par ① : 5 km ☎ 01.72.86, – TV P – 50. AE GB ⓓ E
SC : **R** 45/85 – 14,50 – **32 ch** 150/170 – P 159/197.

Europe sans rest, 39 r. Carnot ☎ 88.12.00, – wc wc P. GB Z **n**
SC : 12 – **50 ch** 75/180.

Minimote [M], Quartier Beaulieu ☎ 61.11.02 – TV wc P – 25. AE GB ⓓ V **t**
SC : **R** *(fermé dim.)* 40/52 – 12 – **35 ch** 125/145.

Relais du Stade sans rest, 86 r. J.-Coeur par ③ ☎ 46.25.12 – wc wc P. AE GB
SC : 9,50 – **25 ch** 59/118.

XXX **Maxime,** 4 r. St-Nicolas ☎ 41.09.55 – AE GB ⓓ Y **u**
fermé Pâques, Pentecôte, 20 juil. au 20 août, 22 déc. au 5 janv. et dim. – SC : **R** 40/85.

XX **Armes d'Obernai,** 19 r. A.-Ranc ☎ 41.16.33 – GB Y **e**
fermé 1er au 15 sept., 18 fév. au 9 mars, dim. soir et lundi – SC : **R** 50/120.

XX **Le Poitevin,** 76 r. Carnot ☎ 88.35.04 Z **a**
fermé juil., dim. et jours fériés – SC : **R** carte 75 à 115.

tourner →

POITIERS

Carnot (R.)	Z	8
Cordeliers (R. des)	Y	13
Gambetta (R.)	Y	20
Grand'Rue	Y	
Marché (R. du)	Y	31
Abbé-Frémont (Bd)	X	2
Bouchet (R. Jean)	X	6
Chaîne (R. de la)	X	10
Coligny (Bd)	V	12
Cueille-Mirebalaise (R.)	V	15
Cueille-Mirebalaise (Fg)	V	16
Demi-Lune (Carrefour.)	X	17
Descartes (R.)	X	18
Fief de Grimoire (R. du)	V	19
Intend.-Le-Nain (R.)	X	21
Jacques Cœur (Av.)	V	22
Jardin-des-Plantes (R.)	X	23
Jean-Alexandre (R.)	Z	24
Jean-de-Berry (Pl.)	X	25
Leclerc (Pl. Mar.)	Y	27
Macé (R. Jean)	X	29
Marne (R. de la)	Y	32
Montierneuf (⊞)	X	
Mouton (R. du)	X	33
N.-D.-du-Planty (⊞)	V	34
Orillard (R. A.)	Y	35
Oudin (R. H.)	Y	37
Pierre-Levée (R.)	V	39
Recteur Pineau (Av. du)	V	40
Riffault (R.)	Y	41
St-Cyprien (⊞)	V	
St-Cyprien (R.)	Z	42
St-Cyprien (R. du Fg)	V	43
St-Germain (⊞)	X	44
St-Paul (⊞)	V	45
St-Porchaire (⊞)	Y	
Ste-Bernadette (⊞)	V	46
Ste-Thérèse (⊞)	V	47
Schuman (Av. R.)	V	49
Solferino (Bd)	Y	51
Verdun (Bd de)	Y	52
VIles-Boucheries (R.)	Y	54
Ville (Porte de)	Z	56
11-Novembre (Av. du)	V	57

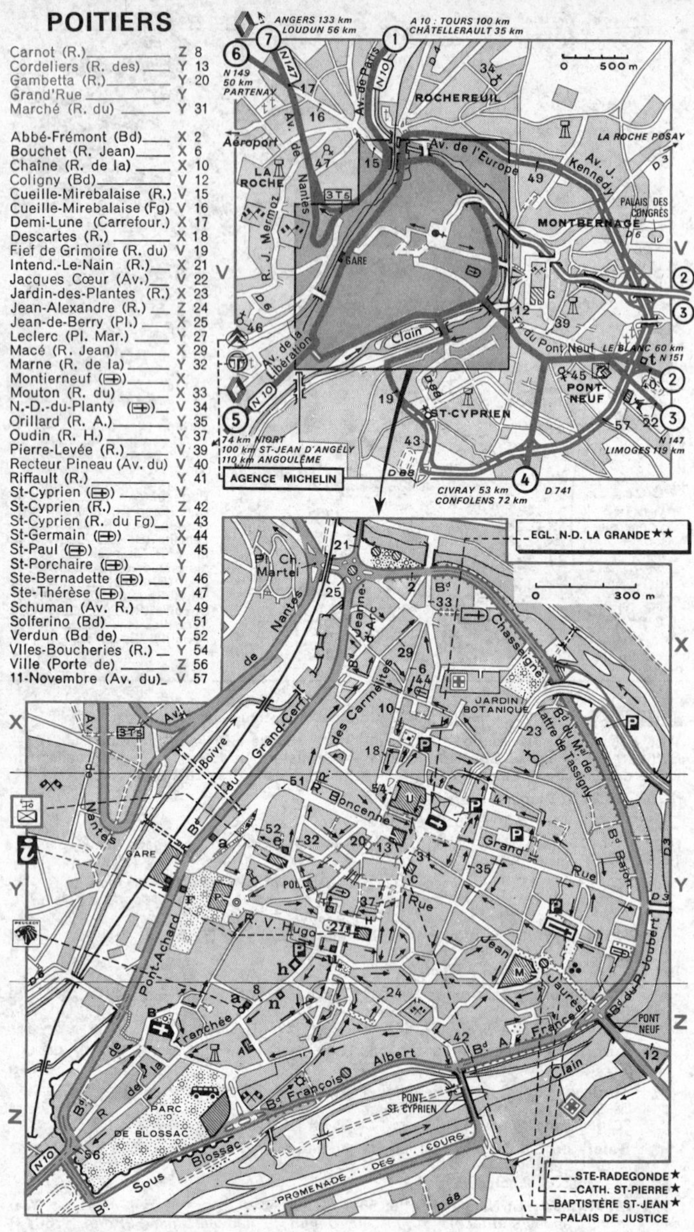

XX **Terminus-Max** avec ch, 3 bd Pont-Achard ⅌ 58.38.90 – ⊟wc ⋔wc ☎. AE GB ◑ E — Y **r**
fermé 2 au 22 juil. (sauf hôtel) et 22 déc. au 5 janv. – SC : **R** *(fermé dim.)* 40/90 ♨ – ☕ 12 – **20 ch** 50/120 – P 140/190.

X **Paris** avec ch, 123 bd Gd-Cerf ⅌ 58.39.37 – ⋔. — Y **a**
fermé 7 au 22 sept. et lundi – SC : **R** 35/75 ♨ – ☕ 8,50 – 10 ch 48/62 – P 115/125.

à St-Benoit S : 4 km par D 88 - V – 5 147 h. – ✉ **86280** St-Benoit :

XX **Le Chalet de Venise** ⛰, ✆ 88.45.07, – wc ☎ Ⓟ. ch
fermé janv., dim. soir et lundi – SC : **R** 40/80 🍷 – ☕ 10 – **10 ch** 80/100.

à Naintré S : 4 km rte Ligugé – ✉ **86000** Poitiers :

A l'Orée des Bois ⛰, ✆ 57.11.44 – – 15 ch.

route de Paris par ① : 9 km sur N 10 – ✉ **86360** Chasseneuil :

Novotel Ⓜ, ✆ 52.78.78, Télex 791944, – ☎ ♿ Ⓟ – 300. AE GB ⓓ
R snack carte environ 65 – ☕ 20 – **89 ch** 170/200.

Relais de Poitiers Ⓜ, ✆ 52.90.41, Télex 790502, – ☎ ♿ Ⓟ – 50 à 800. AE GB ⓓ E
SC : **R** 50/130 – ☕ 14 – **94 ch** 150/300, 5 appartements 300 – P 210/235.

aux Quatre Assiettes par ④ : 8,5 km – ✉ **86240** Ligugé :

X **Quat'z'Assiettes,** ✆ 88.42.19 – Ⓟ
fermé 17 août au 7 sept., dim. soir et lundi – SC : **R** 37/65 🍷.

rte de Bordeaux par ⑤ : 7 km – ✉ **86240** Ligugé :

Bois de la Marche Ⓜ, ✆ 53.06.25, ≤, parc, – ♿ Ⓟ – 30 – 30 ch.

à Périgny par ⑥ et D 43 : 17 km - 3 280 h. – ✉ **86190** Vouillé :

Château de Périgny Ⓜ ⛰, ✆ 51.80.43, ≤, parc, – ☎ Ⓟ. AE GB ⓓ E
SC : **R** 77/107 – ☕ 24 – **38 ch** 170/430, 3 appartements – P 238/327.

MICHELIN, Agence, 117 av. du 8 Mai 1945 ✆ **57.13.59**

ALFA-ROMEO, AUSTIN, JAGUAR, MORRIS Auto-Sport, N 147 à Migné-Auxances ✆ 58.24.18
AUDI-VOLKSWAGEN Brillant, Zone Ind. Demi-Lune, rte de Nantes ✆ 58.23.29
CITROEN Diffusion Automobile du Poitou, 157 av. du 8 Mai 1945 ✆ 53.00.30
FIAT, LANCIA-AUTOBIANCHI Gar. St-Christophe, Porte de Paris ✆ 41.25.00
FORD Poitou-Autom., 99 av. du 8 Mai 1945 ✆ 57.17.92
MERCEDES-BENZ V.E.G.A., N 10 sortie Nord ✆ 52.90.20
OPEL S.A.G.A.M.P., 107 bd Grand-Cerf ✆ 58.24.24
PEUGEOT Gd Gar. Poitou, 90 r. Carnot ✆ 41.35.61
RENAULT S.A.C.O.A., rte de Saumur à Migné-Auxances ✆ 58.29.82
RENAULT Gar. Bourgoin, 62 bis av. du 8 Mai 1945 ✆ 57.10.07
TALBOT Centre Automobile du Poitou, 137 av. du 8 Mai 1945 ✆ 53.04.51
TOYOTA Gar. de l'avenue, 364 av. de Nantes ✆ 58.35.78
Auto-Hall, Z.I. à Fontaine le Comte ✆ 57.15.22
Gar. Martin, 31 av. J. Coeur ✆ 46.22.47

Aux 100 000 Pneus, 13 bd J.-d'Arc ✆ 41.07.91
Chouteau, av. du 8 Mai 1945 ✆ 57.20.77
Fraudeau, 108 av. Libération ✆ 58.22.77

POIX-DE-PICARDIE 80290 Somme 52 ⑰ G. Nord de la France – 1 755 h. alt. 106 – 22.

Office de Tourisme r. St-Denis (Pâques-fin août) ✆ 90.08.25 et à la Mairie (fermé dim.) ✆ 90.07.04.

Paris 120 – Abbeville 43 – ♦Amiens 28 – Beauvais 44 – Dieppe 79 – Forges-les-Eaux 42.

Poste, ✆ 90.00.33 – Ⓟ. ch
fermé vacances de fév. – SC : **R** 45/65 – ☕ 9,50 – 19 ch 52/90 – P 105/120.

Au Cardinal, ✆ 90.08.23 – GB E
fermé 5 au 30 mars, dim. soir et lundi sauf fêtes – **R** 33/100 🍷 – ☕ 10 – 23 ch 44/59 – P 116.

à Caulières O : 7 km par N 29 – ✉ **80590** Lignières-Châtelain :

XX **Aub. de la Forge,** ✆ 40.00.91 – Ⓟ
fermé 18 au 29 août, vacances de fév., mardi soir et merc. – SC : **R** 43/140.

CITROEN Gar. Sergent, ✆ 90.00.35 N
FIAT Gar. Kins, à Caulières ✆ 40.00.58
PEUGEOT Gressier, ✆ 90.00.44

POLIGNY 39800 Jura 70 ④ G. Jura (plan) – 4 893 h. alt. 327 – 84.

Voir Statues★ dans la collégiale – Culée de Vaux★ S : 2 km.

Syndicat d'Initiative Grande-Rue (Pâques, juin-sept. fermé dim. et fêtes) ✆ 37.24.21.

Paris 402 – ♦Besançon 60 – Chalon-sur-Saône 75 – Dole 37 – Lons-le-Saunier 28 – Pontarlier 67.

Paris, 7 r. Travot ✆ 37.13.87, – wc wc ☎.
6 mars-4 nov., fermé lundi soir et mardi midi – SC : **R** 40/90 – ☕ 11,50 – 27 ch 45/120 – P 120/140.

aux Monts de Vaux : rte de Genève 4,5 km – alt. 560 – ✉ **39800** Poligny.
Voir ≤★.

Host. Monts de Vaux ⛰, ✆ 37.12.50, ≤, parc – Ⓟ
fermé début nov. à fin déc., mardi et merc. midi – SC : **R** carte 85 à 130 – 9 ch ☕ 175/320 – P 335/450.

à Passenans SO : 11 km par N 83 et D 57 – ✉ **39230** Sellières :

🏨 **Revermont** ⛰, ☎ 85.20.66, ≤, parc, 🏊 – ascenseur ⊟wc ☎ ♿ 🚗 🅟 – 🏊 35. 💳. 🚫 rest
fermé 2 janv. au 28 fév., dim. soir et lundi midi – SC : **R** 40/130 – ☕ 12 – 28 ch 60/144 – P 264/348 (pour 2 pers.).

à Montchauvrot SO : 13 km sur N 83 – ✉ **39230** Sellières :

🏨 **La Fontaine,** ☎ 85.50.02 – ⊟wc 🚿wc ☎ 🅟 – 🏊 50. 💳
✦ *fermé 1er déc. au 4 janv., dim. soir et lundi sauf du 1er juil. au 1er oct.* – SC : **R** 35/88 🍷 – ☕ 11 – 20 ch 100/130 – P 120/140.

RENAULT Comte-Automobile, ☎ 37.24.80
RENAULT Gar. Chapelle, ☎ 37.15.01
Ⓜ Chevassu-Pneus, ☎ 37.15.67

POLLIAT 01310 Ain 74 ② – 1 558 h. alt. 213 – ⚙ 74.

Paris 416 – Bourg-en-Bresse 10 – ✦Lyon 72 – Mâcon 24 – Villefranche-sur-Saône 53.

🏠 **Place,** ☎ 30.40.19 – 🚿
✦ *fermé 8 au 29 juin, dim. soir et lundi* – SC : **R** 28/90 – ☕ 10 – **10 ch** 41/65 – P 94/100.

POLLIONNAY 69 Rhône 73 ⑲⑳ – 866 h. alt. 417 – ✉ **69290** Craponne – ⚙ 7.

Paris 472 – L'Arbresle 13 – ✦Lyon 18 – Montbrison 64.

✗ **Madame Terrasse,** ☎ 847.12.06
✦ *fermé 10 août au 8 sept. et lundi* – SC : **R** (déj. seul.) 25/85 🍷.

POLMINHAC 15 Cantal 76 ⑫ – 1 175 h. alt. 650 – ✉ **15800** Vic-sur-Cère – ⚙ 71.

Paris 529 – Aurillac 16 – Murat 35 – Vic-sur-Cère 5.

🏨 **Parasols,** N 122 ☎ 47.40.10, ≤, 🌳 – ⊟ 🚿wc ☎ 🅟
✦ *fermé oct.* – SC : **R** 28/60 – ☕ 10 – 30 ch 58/85 – P 78/98.

🏠 **Bon Accueil** ⛰, près Gare ☎ 47.40.21, ≤, 🌳 – ▤ rest 🚿 🅟. 🚫
✦ *fermé oct.* – SC : **R** 28/50 🍷 – ☕ 10 – **20 ch** 45/65 – P 75/80.

POMMERA 62 P.-de-C. 52 ⑧⑨ – rattaché à Doulens (80 Somme).

POMPADOUR 19 Corrèze 75 ⑧ – voir Arnac-Pompadour.

PONS 17800 Char.-Mar. 71 ⑤ G. Côte de l'Atlantique – 5 418 h. alt. 20 – ⚙ 46.

Voir Hospice des Pèlerins★ par ④ – Donjon★ de l'ancien château B – Boiseries★ du château d'Usson 1 km par D 249.

ℹ Syndicat d'Initiative Mairie (15 juin-15 sept.) ☎ 94.00.04.

Paris 482 ⑦ – Blaye 54 ④ – ✦Bordeaux 98 ④ – Cognac 23 ① – La Rochelle 92 ⑦ – Royan 41 ⑤ – Saintes 22 ⑦.

🏨 **Aub. Pontoise,** r. Gambetta **(e)** ☎ 94.00.99 – ⊟wc 🚿wc ☎ ♿ 🚗 🅟 – 🏊 25. 💳. 🚫
fermé 20 déc. au 20 janv., dim. soir et lundi sauf juil. et août – SC : **R** 45/120 – ☕ 14 – 24 ch 68/160 – P 135/200.

à St-Léger par ⑦ : 5 km – ✉ **17800** Pons :

✗ **Le Rustica** ⛰ avec ch, ☎ 91.25.75, 🌳 – 🅟
✦ *fermé 1er au 15 oct., 8 au 15 fév. et merc. sauf du 15 juin au 15 sept.* – SC : **R** 34/75 – ☕ 9 – **7 ch** 50/65 – P 100/120.

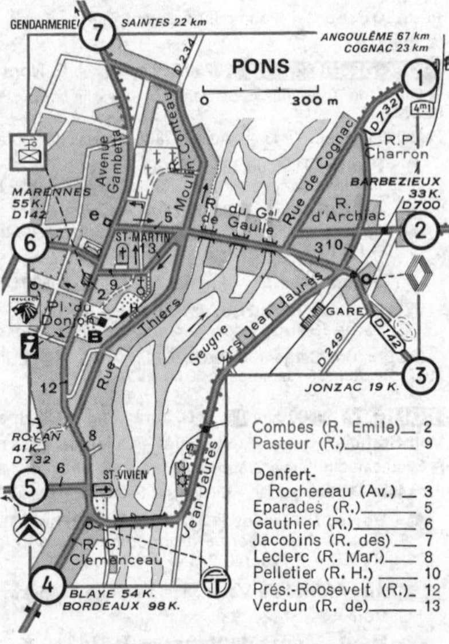

CITROEN Colin-Martin, ☎ 94.00.25
FORD Gar. Royer, ☎ 91.30.65
PEUGEOT Relais de Saintonge, ☎ 91.32.47
RENAULT Girerd, ☎ 91.32.85
TALBOT Gar. Marquizeau, ☎ 94.00.91

PONT (Lac de) 21 Côte-d'Or 65 ⑰⑱ – rattaché à Semur-en-Auxois.

PONTACQ 64 Pyr.-Atl. 85 ⑦ – 2 345 h. alt. 365 – 59.

Paris 779 – Laruns 47 – Lourdes 12 – Nay 14 – Oloron-Ste-Marie 50 – Pau 28 – Tarbes 19.

Béarn Bigorre, au Sud : 2 km rte de Lourdes ✉ 65380 Ossun ☎ 53.57.55 – wc ⓟ
1er avril-10 nov. – SC : **R** 38/55 – 12 – 18 ch 60/120 – P 110/140.

à St-Vincent SO : 6 km par VO – ✉ **64800** Nay :

Touristes ≫, ☎ 53.50.27, ←, – ⓟ.
fermé 10 oct. au 9 nov. – **R** 32/52 – 9,50 – 11 ch 39/49 – P 95/120.

PONTAILLAC 17 Char.-Mar. 71 ⑮ – rattaché à Royan.

PONTAILLER-SUR-SAÔNE 21270 Côte-d'Or 66 ⑬ **G. Bourgogne** – 1 310 h. alt. 188 – 80.

Paris 343 – Auxonne 14 – •Besançon 53 – •Dijon 31 – Dole 34 – Genlis 22 – Gray 24.

Host. des Marronniers avec ch, ☎ 36.12.76 – ⓟ. ch
fermé 23 déc. au 3 fév., mardi soir et merc. – SC : **R** 56/74, carte dim. soir – 8 – 4 ch 49.

PONT-A-LA-PLANCHE 87 H.-Vienne 72 ⑥ – rattaché à St-Junien.

PONT-A-MOUSSON 54700 M.-et-M. 57 ⑬ **G. Vosges** – 15 058 h. alt. 181 – 8.

Voir Place Duroc* – Anc. abbaye des Prémontrés*.

Syndicat d'Initiative 52 pl. Duroc (fermé dim. et lundi) ☎ 381.06.90 - A.C. 21 bd Ney ☎ 381.01.21.

Paris 326 ① – •Metz 31 ① – •Nancy 31 ② – Toul 33 ③ – Verdun 73 ④.

PONT-A-MOUSSON

Duroc (Pl.)	5
Thiers (Pl.)	19
Bois-le-Prêtre (R.)	2
Cavallier (Av. C.)	3
Clemenceau (R.)	4
Fabvier (R.)	6
Gambetta (R.)	7
Joffre (R. Mar.)	9
Leclerc (Av. Gén.)	12
Patton (Av. Gén.)	13
Poterne (R. de la)	14
Riolles (Bd des)	15
St-Laurent (R.)	16
St-Martin (R.)	17
Victor-Hugo (R.)	21
Xavier-Rogé (Av.)	23

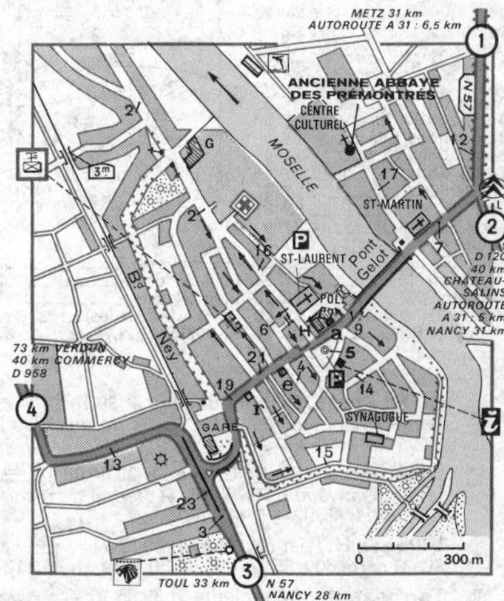

Pour un bon usage des plans de ville, voir les signes conventionnels p. 20.

Providence sans rest, 41 r. V.-Hugo **(r)** ☎ 381.15.86 – wc.
SC : 9 – **16 ch** 39/90.

La Calèche, 4 r. Clémenceau **(e)** ☎ 381.15.87 –
fermé 20 juil. au 17 août, 24 déc. au 2 janv., dim. soir et lundi – SC : **R** 40/95.

Horne, 37 pl. Duroc **(a)** ☎ 381.04.50
fermé 15 août au 15 sept., mardi soir, merc. soir et lundi – **R** 25/50.

CITROEN Gar. Fasse, av. États-Unis ☎ 381.01.31
PEUGEOT Gar. André, r. du Pont-Mouja, Blénod ☎ 381.01.08

Cella-Dimoff, r. R.-Blum ☎ 381.15.35

PONTARION 23250 Creuse 72 ⑨ – 388 h. alt. 443 – 55.

Paris 378 – Aubusson 29 – Bourganeuf 10 – Guéret 27 – Montluçon 78.

Rôtisserie du Thaurion, ☎ 64.50.78 – ⓟ.
fermé 3 nov. au 1er déc., dim. soir et lundi midi en hiver – SC : **R** 30/70 – 10 – **14 ch** 36/80 – P 80/90.

PONTARLIER 25300 Doubs 70 ⑥ G. Jura – 18 841 h. alt. 837 – 81.

Voir par ② : Les Rosiers ≤** 2 km – Cluse** de la Cluse-et-Mijoux 4 km.

Env. Grand Taureau ** par ② : 11 km.

Office de Tourisme 56 r. République (fermé dim. et lundi matin sauf juil.-août) ☎ 39.01.44.

Paris 453 ③ – •Bâle 159 ① – Beaune 141 ③ – Belfort 125 ④ – •Besançon 58 ④ – Dole 88 ③ – •Genève 119 ② – Lausanne 70 ② – Lons-le-Saunier 77 ③ – Neuchâtel 53 ②.

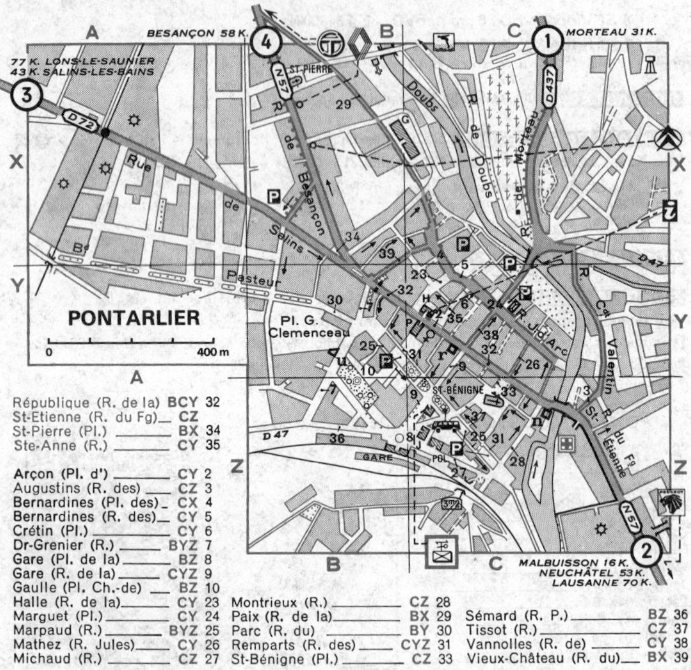

République (R. de la) BCY 32
St-Etienne (R. du Fg) CZ
St-Pierre (Pl.) BX 34
Ste-Anne (R.) CY 35

Arçon (Pl. d') CY 2
Augustins (R. des) CZ 3
Bernardines (Pl. des) CX 4
Bernardines (R. des) CY 5
Crétin (Pl.) CY 6
Dr-Grenier (R.) BYZ 7
Gare (Pl. de la) BZ 8
Gare (R. de la) CYZ 9
Gaulle (Pl. Ch.-de) BZ 10
Halle (R. de la) CY 23
Marguet (Pl.) CY 24
Marpaud (R.) BYZ 25
Mathez (R. Jules) CY 26
Michaud (R.) CZ 27
Montrieux (R.) CZ 28
Paix (R. de la) BX 29
Parc (R. du) BY 30
Remparts (R. des) CYZ 31
St-Bénigne (Pl.) CZ 33
Sémard (R. P.) BZ 36
Tissot (R.) CZ 37
Vannolles (R. de) CY 38
Vieux-Château (R. du) BX 39

Gd H. Poste, 55 r. République ☎ 39.18.12 – wc wc – CY **r**
fermé 15 oct. au 15 nov. – SC : **R** *(fermé vend.)* 35/80 – 11 – **55 ch** 36/150 – P 125/150.

Commerce, 18 r. Dr-Grenier ☎ 39.04.09 – wc – 30. GB BY **u**
fermé 5 janv. au 5 fév. – SC : **R** *(fermé dim. soir et lundi midi hors sais.)* 40/80 – 12 – 40 ch 45/92 – P 130/150.

Villages H., par ③ : 1 km ☎ 39.22.71 – wc . GB
SC : **R** carte 60 à 85 – 10,50 – **44 ch** 85/110 – P 140/190.

Terrasse, 1 r. République ☎ 39.05.15 – wc wc . CZ **n**
fermé 15 au 30 nov. – SC : **R** 37/45 – 11 – **32 ch** 44/110 – P 115/180.

à Doubs par ④ et D 130 : 2 km – alt. 813 – **25300** Pontarlier :

Gai Soleil, ☎ 39.16.86, ≤ – . ch
15 juin-15 sept. et fermé lundi en juin et sept. – SC : **R** (diner seul.) 38/60 – 10 – 11 ch 40/70 – P 80/110.

au Lac de St-Point* par ② et D 437 : 8 km :

Voir ressources hôtelières à ***Oye et Pallet, Les Grangettes, Malbuisson***

CITROEN International-Autom., 38 r. Besançon ☎ 39.01.18
FIAT Gar. Dornier, 55 r. Salins ☎ 39.09.85
FORD Gar. Roussillon, 115 rte de Besançon ☎ 39.11.68
PEUGEOT Gar. Beau-Site, 29 av. Armée de l'Est ☎ 39.23.95 N
RENAULT Gar. Deffeuille, 48 r. Besançon ☎ 39.10.64

TALBOT Gar. Belle-Rive, 80 r. Besançon ☎ 39.14.42
TOYOTA, VOLVO Graber, 73 r. Besançon ☎ 39.17.80

La Maison du Pneu, 3 r. des Lavaux ☎ 39.19.01
Pontarlier-Pneu, 12 r. J.-Mermoz ☎ 39.04.44 N ☎ 39.03.38

PONTAUBAULT 50128 Manche 59 ⑧ – 487 h. alt. 31 – ✉ 50300 Avranches – ✪ 33.
Paris 313 – Avranches 7 – Dol-de-Bretagne 34 – Fougères 33 – •Rennes 67 – St-Lô 63.

13 Assiettes ⅋, N 175 N : 1 km ☎ 58.14.03, ⋯ – ⋯wc ☎ **P**. ⋯ ch
15 mars - 15 nov. et fermé merc. hors sais. – SC : **R** 36/110 – ☐ 10 – 36 ch 55/85 – P 132/147.

à Céaux O : 4 km sur D 43 – ✉ 50220 Ducey :

Au P'tit Quinquin, ☎ 58.13.46 – ⋯wc ⋯ ☎ **P**. ⋯
4 avril-5 oct. – SC : **R** *(fermé mardi du 1er avril au 30 juin)* 28/90 – ☐ 9 – 17 ch 50/95.

PONTAUBERT 89 Yonne 65 ⑯ – rattaché à Avallon.

PONT-AUDEMER 27500 Eure 55 ④ **G. Normandie** – 10 011 h. alt. 9 – ✪ 32.
Voir Église St-Ouen★.
Paris 168 ① – •Caen 74 ⑤ – Évreux 68 ② – •Le Havre 48 ① – Lisieux 36 ④ – •Rouen 52 ①.

PONT-AUDEMER

Clemencin (R. Paul) 5
Gambetta (R.) 13
Jaurès (R. Jean) 18
République (R. de la) 27
Thiers (R.) 30
Victor-Hugo (Pl.) 33

Canel (R. Alfred) 2
Carmélites (R. des) 3
Cordeliers (R. des) 6
Delaquaize (R. S.) 7
Félix-Faure (Quai) 9
Ferry (R. Jules) 12
Gaulle (Pl. Général de) 14
Gillain (Pl. Louis) 16
Goulley (Pl. J.) 17
Joffre (R. Mar.) 20
Kennedy (Pl.) 21
Maquis-Surcouf (R.) 22
N.-D. du Pré (R.) 23
Pasteur (Bd) 24
Pot-d'Étain (Pl. du) 25
Président-Pompidou (R. du) 26
Sadi-Carnot (R.) 28
Seule (Rue de la) 29
Verdun (Pl. de) 32

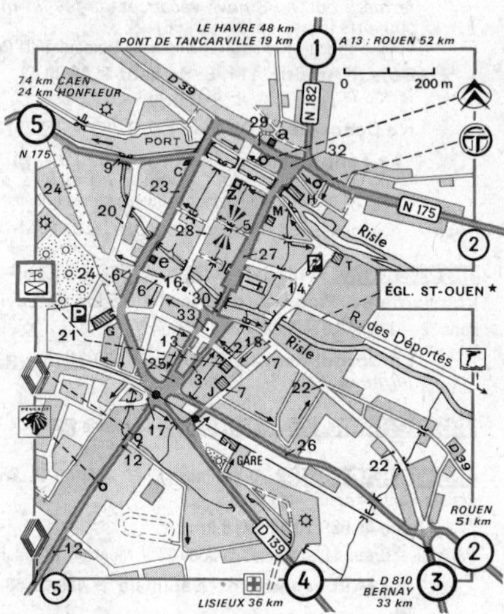

La Risle, 16 quai R.-Leblanc **(z)** ☎ 41.14.57 – ⋯ ch
fermé 20 août au 10 sept., 20 déc. au 10 janv. et dim. soir – SC : **R** 37/43 ⅋ – ☐ 9.50 – 18 ch 42/60.

La Frégate, 4 r. La-Seüle **(a)** ☎ 41.12.03 – GB
fermé août, dim. soir et lundi – **R** 70/75.

✿ **Aub. du Vieux Puits** (Foltz) ⅋ avec ch, 6 r. N.-D.-du-Pré **(e)** ☎ 41.01.48, « Maison normande ancienne, bel intérieur rustique, jardin » – ⋯ ch
fermé 29 juin au 9 juil., 21 déc. au 22 janv., lundi soir et mardi – SC : **R** carte 105 à 145 – ☐ 15 – 8 ch 50/120
Spéc. Truite Bovary au champagne, Canard aux cerises, Tarte.

à Corneville-sur-Risle par ② : 6 km – ✉ 27500 Pont-Audemer :

Cloches de Corneville, ☎ 57.01.04 – ⋯wc ⋯ ☎ **P**. ⋯ AE GB E. ⋯ ch
SC : **R** *(fermé 10 janv. au 4 mars et merc.)* carte 65 à 95 – ☐ 15 – **11 ch** 80/180.

à Campigny par ③ et D 29 : 6 km – ✉ 27500 Pont-Audemer :

Le Petit Coq aux Champs M ⅋ avec ch, La Pommeraye ☎ 41.04.19, « Chaumière normande dans un jardin fleuri », ⋯ – TV ⋯wc ☎ **P** – ⋯ 30. ⋯ AE GB ⊙ E
fermé jeudi hors sais. – SC : **R** 115/200 – ☐ 25 – 10 ch 260/300.

AUDI-VOLKSWAGEN Huet, 20 rte de St-Paul ☎ 41.04.34
CITROEN Roulin, 7 r. de la Seule ☎ 41.01.56
DATSUN, Hartog, 7 pl. L.-Gillain ☎ 41.04.16
FIAT Vacher, 16 r. Maquis-Surcouf ☎ 41.03.04
FORD Gar. Valmont, 20 rte Honfleur, St-Germain-Village ☎ 41.05.48
OPEL Gar. des Deux Ponts, 22 r. N.-D.-du-Pré ☎ 41.00.13

PEUGEOT Ets Delamare, 25 r. J.-Ferry ☎ 41.00.47
RENAULT Ets Froidmont, rte d'Honfleur à St-Germain-Village ☎ 41.14.10
RENAULT Fouquet, 13 r. J.-Ferry ☎ 41.11.98 **N**
TALBOT Durfort, 10 rte de Rouen ☎ 41.01.57

Subé-Pneurama, r. des Fossés ☎ 41.14.89

PONTAUMUR 63380 P.-de-D. 73 ⑬ – 916 h. alt. 538 – 73.

Paris 395 – Aubusson 48 – •Clermont-Ferrand 44 – Le Mont-Dore 63 – Montluçon 74 – Ussel 62.

Poste, ☎ 79.90.15 – wc wc.
fermé 15 nov. au 2 janv. dim. soir et lundi sauf juil. et août – SC : **R** 33/70 – 10 – 20 ch 50/90 – P 90/120.

Lyon, ☎ 79.90.09 – . ch
fermé 15 janv. au 15 fév. et merc. hors sais. – SC : **R** 30/55 – 7,50 – 8 ch 38.

AUDI-VOLKSWAGEN Gar. Gorsse, ☎ 79.90.40 PEUGEOT Thiallier-Comes, ☎ 79.90.02

PONT-AVEN 29123 Finistère 58 ⑪⑯ **G. Bretagne** (plan) – 3 561 h. alt. 30 – 98.

Voir Promenade au Bois d'Amour★ N : 30 mn par D4.

Syndicat d'Initiative pl. Mairie (1er juin-15 sept. et fermé dim.) ☎ 06.04.70.

Paris 526 – Carhaix-Plouguer 62 – Concarneau 15 – Quimper 37 – Quimperlé 17 – Rosporden 14.

XXX ✿ **Moulin Rosmadec** (Sebilleau), près pont ☎ 06.00.22, ≤, « Ancien moulin sur l'Aven, décor et mobilier bretons » –
fermé 5 oct. au 8 nov., vacances de fév. et merc. sauf fériés – SC : **R** (nombre de couverts limité - prévenir) 66/122
Spéc. Suprême de sole au champagne, Homard grillé Rosmadec, Canette au poivre.

X **Bois d'Amour,** 11 r. E.-Bernard ☎ 06.00.53
fermé oct. et merc. – SC : **R** 28/62.

rte Concarneau O : 4 km par D 783 – ✉ **29123** Pont-Aven :

XX ✿ **La Taupinière** (Guilloux), ☎ 06.03.12 – Ⓟ.
fermé mi-sept. à mi-oct., lundi soir hors sais. et mardi – SC : **R** carte 85 à 115
Spéc. Délices de la mer, Langoustines géantes grillées, Tarte aux pommes chaude.

TALBOT Quénéhervé, à Croissant-Kergoz ☎ 06.03.11

PONTCARRÉ 77135 S.-et-M. 61 ②, 96 ⑲ – 1 166 h. – 6.

Voir Ferrières : Parc ★ du château N : 3,5 km, G. Environs de Paris.

Paris 32 – Lagny 9,5 – Meaux 29 – Melun 30.

X **La Bordelaise,** 10 Gde-Rue ☎ 430.31.76 – Ⓟ. GB
fermé mardi – SC : **R** 40/150.

PONTCHARRA-SUR-TURDINE 69 Rhône 73 ⑨ – rattaché à Tarare.

PONTCHARTRAIN 78 Yvelines 60 ⑨, 96 ⑭ **G. Environs de Paris** – alt. 112 – ✉ **78760** Jouars-Pontchartrain – 3.

Isabella ☎ 639.10.62, E : 3 km.

Paris 49 – Dreux 44 – Mantes-la-Jolie 32 – Montfort-l'Amaury 10 – Rambouillet 22 – Versailles 17.

XXX ✿ **L'Aubergade,** rte Nationale ☎ 489.02.63, « Beau jardin fleuri, volière » – Ⓟ
fermé 28 juil. au 26 août, mardi soir hors sais. et merc. – **R** carte 110 à 150
Spéc. Gratin de queues d'écrevisses, Carré d'agneau, Délice Aubergade.

XXX ✿ **Chez Sam,** ☎ 489.02.05, « Cuisinier troubadour, jardin fleuri » – Ⓟ. AE GB
fermé 15 janv. au 15 fév., lundi soir hors sais. et mardi sauf fériés – SC : **R** carte 130 à 170
Spéc. Terrine de légumes, Turbotin farci, Bavarois aux fruits.

à Ste-Appoline E : 3 km sur N 12 – ✉ **78370** Plaisir :

XXX **Maison des Bois,** ☎ 639.23.17, « Demeure rustique, jardin » – Ⓟ. GB
fermé août, vac. de fév., dim. soir et jeudi – SC : **R** carte 95 à 140.

aux Mousseaux S : 3 km par D 13E – ✉ **78760** Jouars-Pontchartrain :

XXX **Aub. de la Dauberie** M avec ch, ☎ 487.80.57, « Coquette hostellerie dans un cadre champêtre et fleuri » – wc Ⓟ – 25. AE GB
fermé fév., lundi et mardi – SC : **R** carte 130 à 180 – 24 – 7 ch 230.

CITROEN Palazzi et Page, 45 rte Nationale ☎ 489.02.68 RENAULT Pontchartrain Gar., 77 rte du Pontel ☎ 489.42.04

PONT-D'AIN 01160 Ain 74 ③ – 2 266 h. alt. 237 – 74.

Syndicat d'Initiative les quatre Vents (1er juil.-31 août et fermé dim.) ☎ 39.05.84.

Paris 445 – Belley 56 – Bourg-en-Bresse 19 – Nantua 35 – Villefranche-sur-Saône 60.

Alliés, ☎ 39.00.09 – wc wc.
fermé nov. et vend. sauf juil.-août – SC : **R** 50/120 – 11 – **18 ch** 70/150.

X **Terminus** avec ch, face gare ☎ 39.07.17 – Ⓟ
fermé 16 au 22 juin, oct., lundi soir et mardi – SC : **R** 27/70 – 9,50 – **4 ch** 32/50.

CITROEN Gar. Blanc, ☎ 39.01.33

PONT-DE-BARRET 26 Drôme 77 ⑫ – 424 h. alt. 230 – ✉ 26160 La Bégude-de-Mazenc – ⚙ 75.

Paris 609 – Crest 18 – Dieulefit 19 – Montélimar 27 – Nyons 49 – Valence 48.

Savena, ☎ **90.17.77,** – ⚐ ℗. ch
fermé janv. et mardi hors sais. – 11 ch.

PONT-DE-BEAUVOIR 50 Manche 59 ⑦ – rattaché au Mont-St-Michel.

Le PONT-DE-BEAUVOISIN 38480 Isère et 73330 Savoie 74 ⑭⑮ **G. Alpes** – 2 987 h. alt. 230 – ⚙ 76.

Paris 540 – Chambéry 28 – Bourg-en-Bresse 92 – ♦Grenoble 57 – ♦Lyon 79 – La Tour-du-Pin 19.

Morris, SE : 2 km par D 82 ☎ **37.02.05,** – ⚐wc ☎ ℗.
fermé janv. et dim. soir – SC : **R** 45/80 – 12 – **20 ch** 65/110 – P 90/110.

Gallet et Poste, av. Pravaz ☎ **37.01.05.**

CITROEN Chaboud, ☎ 37.03.10 N
FORD Angelin, ☎ 37.25.49 N
LADA, SKODA, TALBOT Gar. Termoz, ☎ 37.05.60 N
PEUGEOT Cloppet, ☎ 37.25.63
RENAULT Gar. Central, ☎ 37.00.13 N

PONT-DE-BRIQUES 62 P.-de-C. 51 ⑪ – rattaché à Boulogne-sur-Mer.

PONT-DE-BROGNY 74 H.-Savoie 74 ⑥ – rattaché à Annecy.

PONT-DE-CHAZEY-VILLIEU 01 Ain 74 ③ – rattaché à Meximieux.

PONT-DE-CHERUY 38230 Isère 74 ⑬ – 3 853 h. alt. 220 – ⚙ 7.

Paris 490 – Belley 56 – Bourgoin-Jallieu 27 – ♦Grenoble 93 – ♦Lyon 29 – Meximieux 20 – Vienne 42.

Bergeron sans rest, r. Giffard ☎ **832.10.08** – ⚐
fermé 15 au 31 août – SC : 8,50 – **16 ch** 45/80.

CITROEN Garnier, ☎ 832.11.46 N ☎ 837.03.76
CITROEN Gar. Serriére, ☎ 832.21.55
FIAT Tunesi, à Tignieu-Jameyzieu ☎ 832.23.48
PEUGEOT Maunand, ☎ 832.11.07
RENAULT Muet, Tignieu-Jameyzieu ☎ 832.25.79 N
TALBOT Gar. du Bon Coin, ☎ 832.12.06

Le PONT-DE-CLAIX 38 Isère 77 ⑤ – rattaché à Grenoble.

PONT-DE-DORE 63 P.-de-D. 73 ⑮ – alt. 304 – ✉ 63920 Peschadoires – ⚙ 73.

Voir S : Vallée de la Dore★, G. Auvergne.

Paris 387 – Ambert 49 – ♦Clermont-Ferrand 41 – Issoire 53 – Lezoux 10 – Riom 38 – Thiers 6.

Avenue, ☎ **80.10.14,** – ⚐wc ℗.
fermé 20 déc. au 15 janv. et dim. sauf juil.-août – SC : **R** *(fermé dim. soir et lundi midi)* 40/90 – 8,50 – 18 ch 40/80.

Gare, ☎ **80.23.28,** – ℗
9 ch.

Mère Dépalle, ☎ **80.10.05** – ℗
fermé sam. du 1er oct. au 31 mars et lundi soir du 1er avril au 30 sept. – SC : **R** 40/100.

PONT-DE-LA-CHAUX 39 Jura 70 ⑮ – alt. 717 – ✉ 39150 St-Laurent-en-Grand-Vaux – ⚙ 84.

Voir Gorges de la Langouette★ E : 3,5 km puis 30 mn – N : cours de la Lemne★ – Cascade de la Billaude★ NE : 4,5 km puis 30 mn (G. Jura).

Paris 437 – Champagnole 12 – ♦Genève 77 – Lons-le-Saunier 47.

Beauséjour, ☎ **51.52.51** – wc ⚐wc ℗ – 30.
SC : **R** 30/75 – 9 – **22 ch** 40/65 – P 90/95.

PONT-DE-LA-MADELEINE 46 Lot 79 ⑩ – rattaché à Figeac.

PONT-DE-L'ARCHE 27340 Eure 55 ⑥ **G. Normandie** – 2 883 h. alt. 24 – ⚙ 35.

Paris 118 – Les Andelys 32 – Elbeuf 11 – Évreux 34 – Gournay-en-Bray 55 – Louviers 11 – ♦Rouen 18.

Ferme de la Borde, N 15 ☎ **23.03.90, « jardin fleuri »** – ℗
fermé août, dim. soir et lundi – SC : **R** carte 95 à 120.

La Pomme, aux Damps 1,5 km au bord de l'Eure ☎ **23.00.46,** – ℗
fermé 27 juil. au 20 août, vacances de fév., dim. soir, mardi soir et merc. – SC : **R** 42/85.

Elbeuf, ☎ **23.00.56** – GB.
fermé 25 août au 15 sept., dim. soir et vend. – **R** 27/57.

PONT-DE-L'ISÈRE 26 Drôme 77 ② – 1 854 h. alt. 119 – ✉ **26600** Tain-l'Hermitage – ⚙ 75.

Paris 558 – Romans-sur-Isère 18 – Tournon 9 – Valence 9.

Motel des Portes du Midi, N7 ☎ 58.60.26, – 🅿. AE
1er mars-31 oct. – SC : **R** *(fermé dim. midi)* 40 – 9 – **18 ch** 50/80.

XXX ✿ **Chabran** M avec ch, ☎ 58.60.09 – rest TV wc 🅿. AE GB
fermé 4 au 27 août, vacances scol. de fév., dim. soir hors sais. et lundi – SC : **R** 95/210 – 18 – 12 ch 100/160
Spéc. Escalope de saumon (mars à juil.), Langoustines sautées au citron, Aiguillettes de boeuf. **Vins** Côtes-du-Rhône.

PONT-DE-LUNEL 34 Hérault 83 ⑧ – rattaché à Lunel.

PONT-DE-MENAT 63 P.-de-D. 73 ③ – ✉ **63560** Menat – ⚙ 73.

Voir Gorges de la Sioule★ N et S, G. Auvergne.

Paris 363 – Aubusson 89 – Gannat 28 – Montluçon 41 – Riom 34 – St-Pourçain-sur-Sioule 50.

XX **Aub. Maître Henri** avec ch, ☎ 85.50.20 – 🅿. GB.
fermé 15 sept. au 15 oct. et merc. – SC : **R** 28/55 – 8,50 – 10 ch 42/50 – P 73.

Gorges de Chouvigny ★★ NE par D 915 G. Auvergne – ✉ **63560** Menat :

X **Roches** avec ch, ☎ 85.51.49, ← – 🅿
fermé 15 déc. au 4 janv. – **R** 30/70 – 8,50 – 8 ch 45/65 – P 85/95.

X **Beau Site** avec ch, ☎ 85.51.47, ← – wc 🅿
fermé 15 nov. au 20 déc. et jeudi en janv. et fév. – SC : **R** 26/60 – 8 – 8 ch 40/58 – P 78/90.

Le PONT-DE-MONTVERT 48220 Lozère 80 ⑥ **G. Causses** – 312 h. alt. 875 – ⚙ 66.

Paris 629 – Alès 61 – Florac 21 – Génolhac 28 – Mende 58 – Villefort 46.

Sources du Tarn, ☎ 45.80.25, ← – wc wc.
R *(fermé jeudi midi hors sais.)* 45/75 – 15 – 20 ch 60/150.

CITROEN Gar. Guin, ☎ 45.80.06

Le PONT-DE-PACÉ 35 I.-et-V. 59 ⑯ – rattaché à Rennes.

PONT-DE-PANY 21410 Côte d'Or 66 ⑪ alt. 290 – ⚙ 80.

Paris 294 – Avallon 86 – Beaune 46 – ♦Dijon 21 – Saulieu 55.

XX **Pont de Pany** avec ch, ☎ 23.60.59 – 🅿. GB
fermé 5 janv. au 12 fév. et merc. – SC : **R** 36/85 – 10 – **16 ch** 50/72.

PONT-DE-POITTE 39 Jura 70 ⑭ **G. Jura** – 592 h. alt. 439 – ✉ **39130** Clairvaux-les-Lacs – ⚙ 84.

Paris 423 – Champagnole 34 – ♦Genève 96 – Lons-le-Saunier 17.

XX **Ain** avec ch, ☎ 48.30.16 – wc wc
fermé janv., dim. soir et lundi – SC : **R** 38/120 – 10 – **10 ch** 48/100 – P 100/120.

PONT-DE-ROIDE 25150 Doubs 66 ⑱ **G. Jura** – 4 527 h. alt. 351 – ⚙ 81.

Paris 483 – Baume-les-Dames 40 – ♦Besançon 69 – Montbéliard 18 – Morteau 53 – Neuchâtel 76.

Voyageurs, 15 pl. Centrale ☎ 96.92.07, – wc wc
SC : **R** *(fermé sam. d'oct. à avril)* 38/110 – 15 – **26 ch** 58/150 – P 120/155.

RENAULT Vurpillat, ☎ 92.42.27

PONT-DE-SALARS 12290 Aveyron 80 ③ – 1 567 h. alt. 690 – ⚙ 65.

Paris 633 – Albi 87 – Millau 46 – Rodez 25 – St-Affrique 56 – Villefranche-de-Rouergue 71.

Voyageurs, ☎ 46.82.08 – wc wc 🅿.
fermé 1er au 9 oct., 15 déc. au 20 janv. et lundi – SC : **R** 35/110 – 10,50 – 36 ch 45/160 – P 98/140.

CITROEN Vayssière, ☎ 46.85.31 N ☎ 46.83.04 RENAULT Capoulade, ☎ 46.83.16 N

PONT D'ESPAGNE 65 H.-Pyr. 85 ⑰ – rattaché à Cauterets.

PONT-DE-VAUX 01190 Ain 70 ⑫ – 2 128 h. alt. 177 – ✆ 85 (S.-et-L.).

Syndicat d'Initiative 2 r. Mar.-de-Lattre-de-Tassigny (juil.-août et fermé lundi) ☎ 37.30.02.

Paris 382 – Bourg-en-Bresse 38 – Lons-le-Saunier 60 – Mâcon 22 – St-Amour 35 – Tournus 18.

XX ✿ **du Raisin** (Badez) avec ch, ☎ 37.30.97 – ⇔wc ⋒wc ☎ ⇔. ⇔. ✗ ch
fermé 1er janv. au 2 fév., dim. (sauf rest) et lundi sauf fériés – SC : **R** 35/140 – ☐ 10 – 7 ch 80/120
Spéc. Grenouilles Maitre d'hôtel, Crèpes Parmentier, Délice du chef. Vins Viré, Brouilly.

XX ✿ **Commerce** (Patrone) avec ch, ☎ 37.30.56 – ⇔wc ⋒wc ☎ ⇔. ✗ ch
fermé 15 au 25 juin, 1er au 20 déc., 14 au 23 fév., mardi et merc. sauf du 1er juil. au 15 sept. – SC : **R** 60/130 – ☐ 13 – 10 ch 100/120
Spéc. Gâteau de foies de volaille, Grenouilles sautées fines herbes, Volaille de Bresse à la crème. Vins Mâcon, Chiroubles.

XX **La Reconnaissance** avec ch, ☎ 37.30.55 – ⇔ ⋒ ⇔ – 🏊 80. ⇔ GB E
fermé 25 nov. au 10 déc., 15 fév. au 5 mars, dim. soir et lundi du 15 sept. au 15 juin – SC : **R** 35/130 ♁ – ☐ 12 – 12 ch 60/130.

CITROEN Juennard, ☎ 37.31.13 RENAULT Maingret, ☎ 37.31.26
PEUGEOT S.O.C.R.A.P., ☎ 37.35.79

PONT-D'HÉRAULT 30 Gard 80 ⑯ – rattaché au Vigan.

PONT-D'OUILLY 14690 Calvados 55 ⑪ **G. Normandie** – 1 230 h. alt. 81 – ✆ 31.

Paris 234 – Briouze 25 – •Caen 48 – Falaise 18 – Flers 25 – Villers-Bocage 43 – Vire 39.

Commerce, ☎ 69.80.16, ⇔ – **P**. ✗
fermé 1er au 15 oct., 2 au 28 janv., dim. soir et lundi sauf du 15 juin au 15 sept. – SC : **R** 28/90 – ☐ 9 – 14 ch 40/80 – P 77/90.

Place, ☎ 69.80.11 – ✗ ch
fermé sept. et merc. – SC : **R** 30 bc/66 ♁ – ☐ 8,50 – 7 ch 45/70 – P 95.

PONT-DU-BOUCHET 63 P.-de-D. 73 ③ – ✉ **63380** Pontaumur – ✆ 73.

Paris 401 – •Clermont-Ferrand 54 – Pontaumur 12 – Riom 39 – St-Gervais-d'Auvergne 18.

La Crémaillère ⊗, ☎ 86.80.07, ≤, ⇔ – ⇔wc ⋒wc **P**. ✗
fermé 15 déc. au 15 janv., vend. soir et sam. midi du 1er nov. à fin fév. – SC : **R** 40/86 – ☐ 10,50 – 15 ch 57/94 – P 98/126.

PONT DU CHAMBON 19 Corrèze 75 ⑩ – rattaché à Marcillac-la-Croisille.

PONT-DU-DIABLE (Gorges du) ** 74 H.-Savoie 70 ⑰⑱ **G. Alpes.**

PONT-DU-DOGNON 87 H.-Vienne 72 ⑧ **G. Périgord** – alt. 290 – ✉ **87340** La Jonchère-St-Maurice – ✆ 55.

Paris 392 – Bellac 52 – Bourganeuf 27 – La Jonchère-St-Maurice 9 – •Limoges 26 – La Souterraine 42.

Rallye ⊗, St-Laurent-les-Églises ☎ 56.56.11, ≤ lac – ⇔wc ⋒wc ☎ **P** – 🏊 30. E. ✗ rest
fermé 15 nov. au 15 déc. et hors saison : prévenir – SC : **R** 38/100 – ☐ 14 – **20 ch** 65/120 – P 110/140.

PONT-DU-GARD 30 Gard 80 ⑲ **G. Provence** – alt. 27 – ✉ **30210** Remoulins – ✆ 66.

Voir Pont-aqueduc romain***.

Maison du Tourisme ☎ 37.00.02.

Paris 695 – Alès 47 – Arles 40 – Avignon 25 – Nîmes 23 – Orange 37 – Pont-St-Esprit 42 – Uzès 14.

Vieux Moulin, ☎ 37.14.35, ≤ pont du Gard – ▤ rest ⇔wc ⋒wc ☎ **P**. ⇔ AE ⓓ
1er avril-5 oct. – SC : **R** 75/140 – ☐ 19 – 14 ch 230 – P 184/250.

XX **Le Colombier** ⊗ avec ch, SE : 0,8 km par D 981 ☎ 37.05.28, ⇔ – ⇔wc ☎ ⇔ **P**. ⇔
fermé déc., mardi soir et merc. du 1er oct. au 15 mars – SC : **R** 35/95 – ☐ 12 – 10 ch 46/110 – P 140/170.

à Castillon du Gard N : 4 km par D 19 et D 228 – ✉ **30210** Castillon-du-Gard :

Le Vieux Castillon M ⊗, ☎ 37.00.77, ⛱, ✗ – 🛗 ⇔wc ☎ **P**. AE GB
fermé 5 janv. au 10 mars – **R** 100/130 – ☐ 21 – **21 ch** 200/390 – P 300/400.

Voir aussi ressources hôtelières de *Remoulins* SE : 3 km

PONT DU LOUP 06 Alpes-Mar. 84 ⑨, 195 ㉔ – alt. 300 – ✉ **06490** Tourette-sur-Loup – ✆ 93 – **Voir** N : Gorges du Loup** – Le Bar-sur-Loup : site*, Danse macabre* dans l'église St-Jacques, ≤* de la place de l'église S : 3 km – Cascade de Courmes* N : 3 km, **G. Côte d'Azur.**

Paris 929 – Antibes 35 – La Colle-sur-Loup 12 – Coursegoules 21 – Grasse 12 – •Nice 39 – Vence 14.

La Réserve, ☎ 59.32.81, ≤, ⛱, ⇔ – ⇔wc ⋒wc ☎ ⇔ **P**. ⇔ AE ⓓ
SC : **R** 42/80 – **18 ch** ☐ 100/160 – P 160/185.

PONT-DU-NAVOY 39 Jura 70 ④⑤ – 274 h. alt. 480 – ✉ **39300** Champagnole – ❂ 84.

Env. Cirque de Ladoye ≤ NO : 11 km, G. Jura.**

Paris 429 – Champagnole 11 – Lons-le-Saunier 23 – Poligny 23.

Cerf, ☎ 51.20.87 – wc wc – *fermé 12 nov. au 22 déc., 5 au 31 janv. et lundi de sept. à fév.* – SC : **R** 32/90 – 11 – 30 ch 50/140 – P 105/140.

RENAULT Gar. Poix-Daude Frères, ☎ 51.21.80

PONTEMPEYRAT **43** H.-Loire et **42** Loire 76 ⑦ – alt. 750 – ✉ **43500** Craponne-sur-Arzon (H.-Loire) – ❂ 77.

Paris 475 – Ambert 40 – Montbrison 57 – Le Puy 44 – ♦St-Étienne 54 – Yssingeaux 44.

Mistou, ☎ **51.62.46, « parc au bord de l'Ance »** – wc wc – 40 – *12 avril-1er oct.* – SC : **R** 54/98 – 12 – 20 ch 80/110 – P 140/170.

Host. de l'Ance, ☎ **51.63.52,** ≤, – *15 mai-15 oct. et fermé merc.* – SC : **R** 38/98.

PONT-EN-ROYANS **38680** Isère 77 ③ **G. Alpes** (plan) – 1 170 h. alt. 208 – ❂ 76.

Voir Site★ – Route de Presles★★ NE – Petits Goulets★ SE : 2 km.

Paris 588 – Die 58 – ♦Grenoble 63 – Romans-sur-I. 27 – St-Marcellin 14 – Villard-de-Lans 24.

Bonnard, ☎ 36.00.54 – – *hôtel : fermé oct. au 31 mars, rest : fermé oct. et merc.* – SC : **R** 42/75 – 10 – 15 ch 50/60 – P 115.

Beau Rivage, ☎ 36.00.63, ≤ – – *fermé déc., janv. et lundi du 1er oct. au 1er avril* – SC : **R** 35/70 – 8,50 – 16 ch 50/70 – P 85/95.

à Auberives en Royans O : 4 km – ✉ **38680** Pont-en-Royans :

La Salamandre, ☎ 36.00.01, – wc – *fermé nov., 1er au 15 mars et mardi* – SC : **R** 32/80 – 9 – 10 ch 42/100 – P 90/130

PEUGEOT Gar. Universel, ☎ 36.00.89
RENAULT Gar. des Alpes, ☎ 36.03.67

Le PONTET 84 Vaucluse 81 ⑫ – rattaché à Avignon.

Le PONTET D'EYRANS 33 Gironde 71 ⑦ – alt. 14 – ✉ **33390** Blaye – ❂ 56.

Paris 535 – Blaye 9 – ♦Bordeaux 53 – Jonzac 36 – Mirambeau 21 – St-André-de-C. 28 – Saintes 67.

Voyageurs, ☎ 42.71.09 – – *fermé 15 oct. au 15 nov. et merc.* – SC : **R** 28/60 – 9 – 10 ch 35/59.

PEUGEOT Ferandier, ☎ 42.71.07

PONT-ÉVÊQUE 38 Isère 74 ⑫ – rattaché à Vienne.

PONT-FARCY 14 Calvados 59 ⑨ – 441 h. alt. 66 – ✉ **14380** St-Sever-Calvados – ❂ 31.

Paris 299 – ♦Caen 59 – St-Lô 24 – Villedieu-les-Poêles 19 – Villers-Bocage 34 – Vire 18.

Coq Hardi avec ch, ☎ 68.86.03 – *fermé 15 au 30 nov. et mardi* – SC : **R** 35/70 – 9 – 6 ch 40 – P 110.

CITROEN Thomas, ☎ 68.86.11 N

PONTGIBAUD **63230** P.-de-D. 73 ⑬ **G. Auvergne** – 1 015 h. alt. 672 – ❂ 73.

Syndicat d'Initiative pl. République (juil.-août et fermé dim.) et à la Mairie (fermé sam. et dim.) ☎ 88.70.42.

Paris 400 – Aubusson 71 – ♦Clermont-Ferrand 23 – Le Mont-Dore 42 – Riom 26 – Ussel 71.

Poste, ☎ 88.70.02 – wc wc – *fermé janv., dim. soir et lundi sauf juil.-août* – SC : **R** 30/75 – 9,50 – 10 ch 65/85 – P 90/100.

CITROEN Chabry, ☎ 88.70.05
RENAULT Tournaire, ☎ 88.70.41
PEUGEOT Gar. du Pont, ☎ 88.70.14

PONTHIERRY 77 S.-et-M. 61 ①, 96 ㊳ – alt. 60 – ✉ **77310** St-Fargeau-Ponthierry – ❂ 6.

Paris 46 – Corbeil Essonnes 11 – Étampes 38 – Fontainebleau 19 – Melun 10.

Auberge Cheval Blanc, ☎ 065.70.21 – – *fermé 20 déc. au 14 janv. et dim. soir* – **R** 75/96.

CITROEN Gar. des Trois sept, 62 av. Fontainebleau, St-Fargeau ☎ 065.70.52 N ☎ 498.47.23
PEUGEOT Gar. des Bordes, 107 av. Fontainebleau, St-Fargeau ☎ 065.71.13 N ☎ 065.77.71
RENAULT Gar. Tractaubat, pl. Gén.-Leclerc ☎ 065.70.39
TALBOT Gar. du Centre, 10 av. Fontainebleau à Pringy ☎ 065.70.31 N

PONTIVY ⟨SP⟩ 56300 Morbihan

58 ⑲ G. Bretagne – 14 323 h. alt. 60 – ⚙ 97.

Voir Stival : vitraux* de la chapelle St-Mériadec NO : 3,5 km par ⑥.

Syndicat d'Initiative pl. A.-Briand (Pâques-fin sept. et fermé dim.) ☎ 25.04.10 et Mairie (hors saison, fermé sam. et dim.) ☎ 25.00.33.

Paris 458 ② – Concarneau 88 ⑤ – Dinan 93 ② – Lorient 58 ④ – Quimper 117 ④ – ♦Rennes 107 ② – St-Brieuc 64 ② – Vannes 52 ③.

Porhoët M sans rest, 41 av. Gén.-de-Gaulle ☎ 25.34.88 – wc wc Y **a**
SC : 11 – **28 ch** 46/115.

Martin, 1 r. Leperdit ☎ 25.02.04 – 25. Y **n**
fermé 15 déc. au 15 janv. et dim. en hiver – SC : **R** 35/90 – 12 – **30 ch** 50/120 – P 100/150.

Napoléon sans rest, r. Butte ☎ 25.13.58 – wc E. Y **d**
fermé fév. et dim. d'oct. à juin – SC : 9 – **14 ch** 65/85.

Robic, r. J.-Jaurès ☎ 25.11.80 – 25
29 ch. Z **e**

CITROEN Laloge, rte de Vannes ☎ 25.30.56
PEUGEOT S.A.I.P., rte de Lorient ☎ 25.12.19
RENAULT Quéré, rte de Rostrenen ☎ 25.42.88
TALBOT Gar. Pontivyens, rte de Vannes ☎ 25.12.82

PONTIVY

Nationale (R.)	YZ	
Pont (R. du)	Y	22
Caïnain (R.)	Y	2
Couvent (Quai du)	Y	3
Fil (R. du)	Y	5
Friedland (R.)	Y	6
Haucourt (Av. d')	Z	8
Jaurès (R. Jean)	Z	12
Leclerc (Av. Gén.)	Y	14
Le Goff (R.)	Z	15
Lorois (R.)	Y	17
Marengo (R. de)	Z	18
Martray (Pl. du)	Y	19
Mun (R. Albert-de)	Z	20
Niémen (Quai)	Y	21
Presbourg (Quai)	Y	23
Viollard (Bd)	Z	28

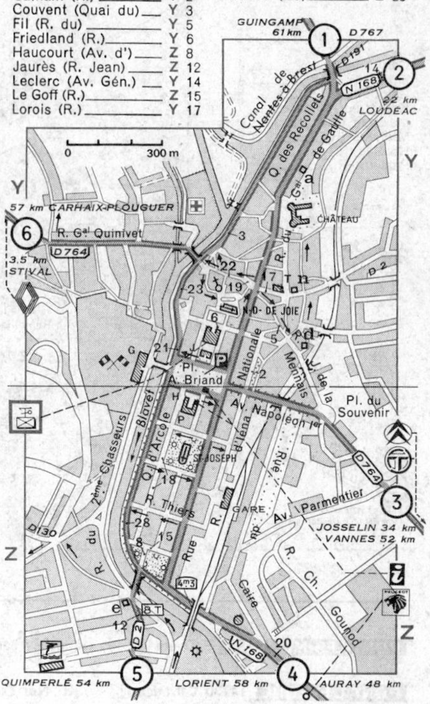

Les hôtels ou restaurants agréables sont indiqués dans le guide par un signe rouge.
Aidez-nous en nous signalant les maisons où, par expérience, vous savez qu'il fait bon vivre.
Votre guide Michelin 1982 sera encore meilleur.

PONT-L'ABBÉ 29120 Finistère 58 ⑭⑮ G. Bretagne – 7 823 h. alt. 4 – ⚙ 98.

Env. Calvaire** de la chapelle N.-D.-de-Tronoën O : 8 km.

Office de Tourisme à la Mairie (fermé sam. et dim.) ☎ 87.24.44.

Paris 567 ① – Douarnenez 33 ④ – Quimper 20 ①.

Plan page suivante

Tour d'Auvergne, 22 pl. Gambetta **(e)** ☎ 87.00.47 – wc wc
fermé 1er au 15 janv. et lundi – **R** 36/47 – 9,50 – **28 ch** 52/150 – P 105/145.

Voyageurs avec ch, 6 quai St-Laurent **(a)** ☎ 87.00.37
fermé vacances de fév. et lundi – SC : **R** 32/80 – 9,50 – 20 ch 45/71 – P 100/115.

Relais de Ty-Boutic, par ③ : 3 km ☎ 87.03.90 – AE GB E
fermé 1er au 15 sept., fév., mardi soir et merc. sauf juil. et août – SC : **R** 30/120.

CITROEN Gar. Chapalain, rte de Plomeur à Kerouan ☎ 87.16.37 N ☎ 87.06.53
CITROEN Lorda-Tanneau, 21 r. Victor-Hugo ☎ 87.00.91
PEUGEOT Gar. Bringand, 19 r. Ch.-Le-Bastard ☎ 87.06.50
RENAULT Kerlen, 122 r. Gén.-de-Gaulle ☎ 87.14.45
TALBOT Gar. Chatalen, rte Quimper à Kermaria ☎ 87.29.08

PONT-L'ABBÉ

Château (R. du) — 3
Gaulle (R. Gén.-de)
J.-J.-Rousseau (R.) — 6
Lamartine (R.)
Simon (R. Jules) — 13
Victor-Hugo (R.)

Cariou (R.) — 2
Eglise (R. de l') — 4
Gambetta (Pl.) — 5
Kerentrée (R. de) — 7
Marceau (R.) — 8
Michelet (R.) — 9
Nicolas (R.) — 10
Pasteur (R.) — 12

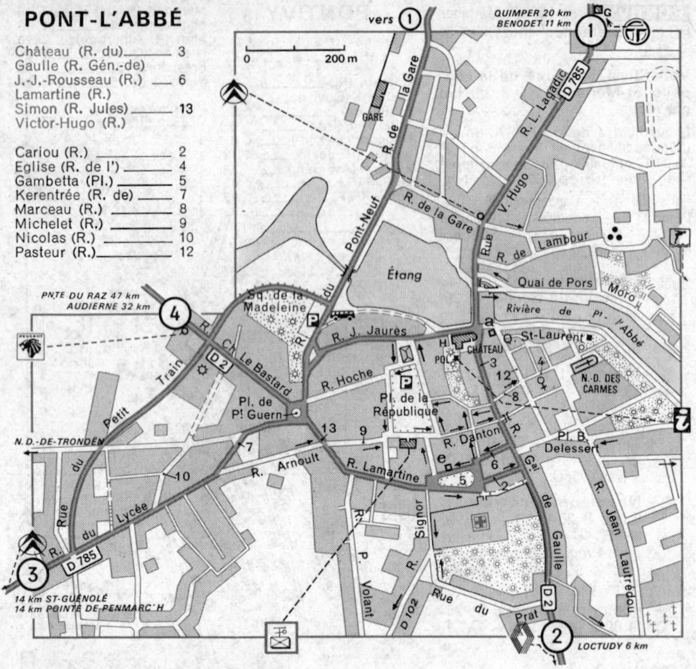

PONT-LES-MOULINS 25 Doubs 66 ⑯ – rattaché à Baume-les-Dames.

PONT-L'ÉVÊQUE 14130 Calvados 55 ③ **G. Normandie** – 3 764 h. alt. 16 – ✪ 31.

ℹ Syndicat d'Initiative Hôtel de Brilly (juil.-août, fermé sam. et dim. après-midi) ☎ 64.12.77.

Paris 196 ② – ♦Caen 48 ② – ♦Le Havre 64 ② – ♦Rouen 80 ② – Trouville-Deauville 11 ⑦.

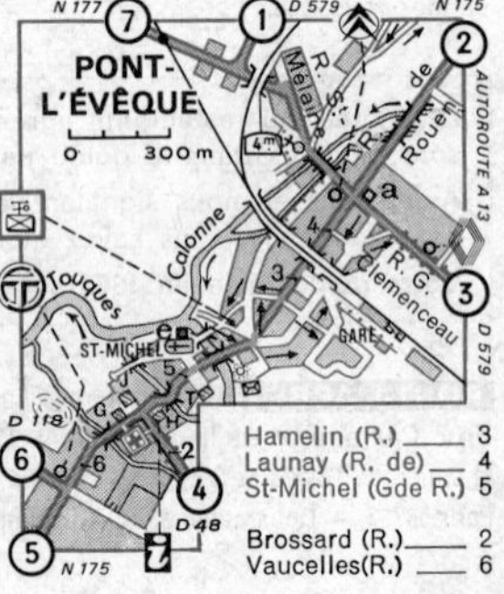

Hamelin (R.) — 3
Launay (R. de) — 4
St-Michel (Gde R.) — 5

Brossard (R.) — 2
Vaucelles (R.) — 6

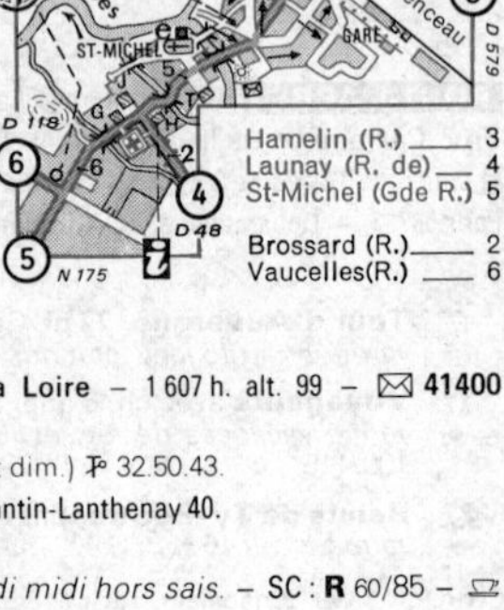

🏨 **Lion d'Or,** pl. Calvaire **(a)** ☎ 64.00.38 – ⌂wc ☎ **P** – 🏰 50. AE GB
fermé 15 déc.-15 janv. et merc. hors sais. – SC : **R** 40/120 – ☕ 15 – 16 ch 80/150.

XX **Aub. de la Touques,** pl. Église **(e)** ☎ 64.01.69
fermé oct., lundi soir et mardi – SC : **R** 60/90.

CITROEN Dupuits, ☎ 64.01.86
RENAULT Gar. du-Lion-d'Or ☎ 64.15.54
TALBOT Garez, ☎ 64.02.11 **N**

PONT-L'ÉVÊQUE 60 Oise 56 ③ – rattaché à Noyon.

PONTLEVOY 41 L.-et-Ch. 64 ⑰ **G. Châteaux de la Loire** – 1 607 h. alt. 99 – ✉ **41400** Montrichard – ✪ 54.

ℹ Syndicat d'Initiative à la Mairie (fermé sam. après-midi et dim.) ☎ 32.50.43.

Paris 206 – Blois 25 – Contres 14 – Montrichard 7,5 – Romorantin-Lanthenay 40.

🏨 **École,** ☎ 32.50.30, 🌳 – ⌂wc ☎ **P**
fermé oct., 15 fév. au 15 mars, lundi soir et mardi midi hors sais. – SC : **R** 60/85 – ☕ 16 – 15 ch 50/110 – P 200.

RENAULT Debrais, ☎ 32.50.20 — Gar. Marionnet, ☎ 32.50.11

PONTOISE 95 Val-d'Oise 55 ⑳, 101 ② – voir à Cergy-Pontoise.

PONTORSON 50170 Manche 59 ⑦ G. Normandie – 3 558 h. alt. 18 – 33.
Syndicat d'Initiative pl. Église (Pâques, Pentecôte et fin juin-début sept.) ☎ 60.20.65.
Paris 327 ② – Avranches 22 ② – Dinan 45 ⑤ – Fougères 38 ④ – ♦Rennes 57 ④ – St-Malo 43 ⑤.

Montgomery, r. Couesnon (a) ☎ 60.00.09, – wc wc. AE GB E
3 avril-2 nov. – SC : **R** 44/108 – 11 – 36 ch 42/140 – P 197/270.

Bretagne, r. Couesnon (f) ☎ 60.10.55 – wc wc.
fermé 1er nov. au 1er janv. et lundi – SC : **R** 32/80 – 10 – **13 ch** 44/120 – P 120/150.

Poste et Croix d'Or, r. Couesnon (d) ☎ 60.00.45 – rest wc wc – 60. GB
1er avril-15 nov. et fermé mardi – SC : **R** 35/100 – 11 – **33 ch** 50/120 – P 150/220.

Relais Clemenceau, bd Clemenceau (u) ☎ 60.10.96 –
fermé en fév. et lundi – SC : **R** 29/60 – 8,50 – 17 ch 40/80 – P 95.

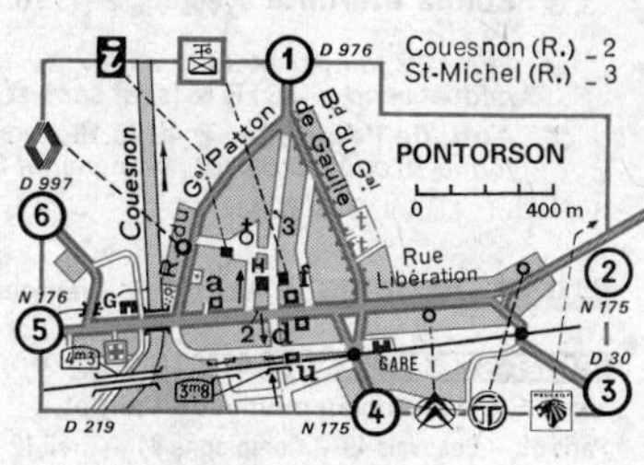

CITROEN Jamin, ☎ 60.00.29
PEUGEOT Galle-Vettori, ☎ 60.00.37
RENAULT Gar-Boulaux, ☎ 60.10.76
TALBOT Gar. Mogicato, ☎ 60.25.05 N

PONT-POL-TY-GLAS 29 Finistère 58 ⑯ – rattaché à Châteauneuf-du-Faou.

PONT-RÉAN 35 I.-et-V. 63 ⑥ – rattaché à Rennes.

PONT-ROYAL 13 B.-du-R. 84 ② – rattaché à Senas.

PONT-ST-ESPRIT 30130 Gard 80 ⑩ G. Vallée du Rhône – 6 823 h. alt. 59 – 66.
Office de Tourisme La Citadelle, av. Pasteur (fermé dim.) ☎ 39.13.25.
Paris 647 ② – Alès 61 ③ – Avignon 60 ② – Carpentras 47 ② – Montélimar 42 ② – Nîmes 59 ③.

PONT-ST-ESPRIT

Haut-Mazeau (R.) 12
Joliot-Curie (R.) 18
Minimes (R. des) 21
Mistral (Allées Frédéric) 22
République (Pl. de la) 27
St-Jacques (R.) 29

Allègre-Chemin (Bd) 2
Amandiers (Chemin des) 3
Bonnefoy-Sibour (Quai) 4
Doumergue (Av. G.) 5
Elysée (Chemin de l') 6
Gambetta (Bd) 8
Gaulle (Av. du Gén.-de) 9
Hôtel-de-Ville (Pl. de l') 13
Jaurès (Allées Jean) 14
Jemmapes (R.) 16
Libération (Pl. de la) 19
Paroisse (R. de la) 24
Plan (Pl. du) 25
St-Michel (Pl.) 30
St-Pierre (Pl.) 33
St-Saturnin 35
Taillant (R. Pierre) 36
11-Novembre-1918 (R.) 38

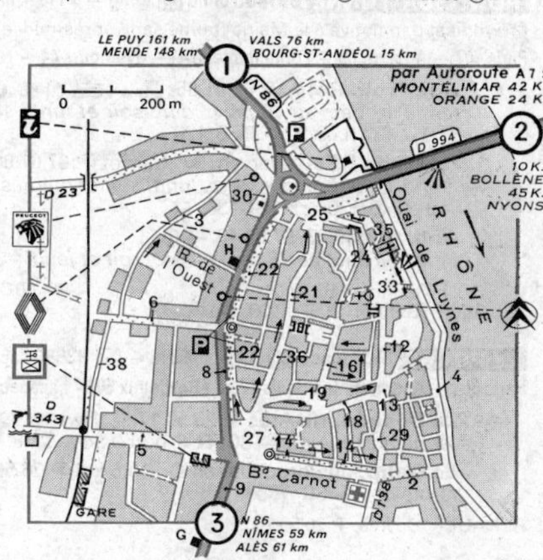

au Sud par ③ : 4,5 km rte de Bagnols-sur-Cèze :

Valaurie M sans rest, ✉ 30200 Bagnols-sur-Cèze ☎ 89.66.22, ←, – wc
fermé 15 déc. au 15 janv. – SC : 11,50 – **22 ch** 85/112.

CITROEN Guigou, 15 bd Gambetta ☎ 39.08.60
PEUGEOT Giannellini, S.A.P.S.E., av. Kennedy ☎ 39.10.68 N ☎ 39.10.22
RENAULT Barre, 21 bd Gambetta ☎ 39.11.37

PONT-ST-PIERRE 27360 Eure 55 ⑦ **G. Normandie** – 1 163 h. alt. 17 – ✪ 32.

Voir Boiseries* de l'église – Côte des Deux-Amants** SO : 4,5 km puis 15 mn.

Paris 111 – Les Andelys 18 – Évreux 45 – Louviers 21 – Pont-de-l'Arche 10 – ♦Rouen 21.

XXX **Bonne Marmite** avec ch, ✆ 49.70.24 – TV ⇔wc ☎ – 🏔 25. 🚗 AE GB ⓓ. ✂ ch
fermé 27 juil. au 14 août, 25 fév. au 15 mars, dim. soir du 1er sept. au 1er avril, sam. midi et vend. – SC : **R** 56 (sauf sam. soir)/130 – ☕ 14 – 10 ch 98/170 – P 175/210.

XX **Aub. de l'Andelle,** ✆ 49.70.18 – GB
fermé 16 août au 6 sept., dim. soir et lundi – SC : **R** 79/129 🍷

RENAULT Carnel, ✆ 49.70.48

🔘 Brunel, Le Petit Nojeon à Fleury-sur-Andelle ✆ 49.01.22

PONT-STE-MARIE 10 Aube 61 ⑰ – rattaché à Troyes.

PONT-STE-MAXENCE 60700 Oise 56 ①② **G. Environs de Paris** – 9 426 h. alt. 32 – ✪ 4.

Voir ⩽ * de l'Ancien moulin de Calipet.

Paris 61 – Beauvais 49 – Compiègne 24 – Creil 12 – Senlis 12.

XX **Host. du Marais** avec ch, pl. Perronet ✆ 472.20.63 – ⇔wc ☎. GB ⓓ
fermé 15 au 28 fév. – SC : **R** 38/58 🍷 – ☕ 12 – **6 ch** 100.

PONT-SALOMON 43330 H.-Loire 76 ⑧ – 1 352 h. alt. 635 – ✪ 77 (Loire).

Paris 539 – Le Puy 57 – La Chaise-Dieu 69 – ♦St-Étienne 21 – Yssingeaux 30.

🏠 **Modern'H.,** ✆ 35.50.18 – 🚿. 🚗. ✂ ch
fermé sam. – SC : **R** 26/41 🍷 – ☕ 8,50 – **12 ch** 38/52 – P 68/70.

Les PONTS-NEUFS 22 C.-du-N. 59 ④ – alt. 33 – ✉ **22400** Lamballe – ✪ 96.

Paris 440 – Carhaix-Plouguer 88 – Erquy 20 – Lamballe 12 – Loudéac 44 – St-Brieuc 14.

XXX ✿✿ **Lorand-Barre** (Damour), ✆ 32.78.71, ⩽, « Bel intérieur rustique breton »
fermé 15 déc. au 15 fév., dim. soir et lundi – **R** (nombre de couverts limité prévenir) 160/235
Spéc. Homard grillé, Ris de veau au porto, Poulet sauté à l'estragon.

PONT-SUR-YONNE 89140 Yonne 61 ⑬⑭ – 2 710 h. alt. 65 – ✪ 86.

🅸 Syndicat d'Initiative à la Mairie (fermé sam. après-midi et dim.) ✆ 67.16.79.

Paris 107 – Auxerre 69 – Fontainebleau 41 – Nemours 44 – Nogent-sur-S. 37 – Provins 35 – Sens 12.

🏨 **Aux Trois Rois,** ✆ 67.01.05, 🌳 – ⇔ 🚿 ☎ Ⓟ. ✂
fermé 1er déc. au 15 janv., dim. soir et lundi sauf juil. et août – SC : **R** 40/80 – ☕ 8,50 – 13 ch 45/90 – P 85/120.

XX **Host. de l'Ecu** avec ch, 3 r. Carnot ✆ 67.01.00 – 🚿wc. 🚗 ⓓ
fermé 15 janv. au 1er mars, lundi soir et mardi sauf juil. et août – SC : **R** 45/65 – ☕ 9 – 8 ch 45/130 – P 100/130.

XX **Aub. km 99,** ✆ 67.00.40 – Ⓟ
fermé 24 août au 18 sept., merc. soir et jeudi – SC : **R** 65/125 🍷.

CITROEN Soutin, ✆ 67.12.04
PEUGEOT Gonnet, ✆ 67.12.00

TALBOT Nottet, ✆ 67.10.97

Le PORGE 33 Gironde 78 ① – 1 058 h. – ✉ **33680** Lacanau – ✪ 56.

Paris 606 – Andernos-les-Bains 17 – ♦Bordeaux 50 – Lacanau-Océan 25 – Lesparre-Médoc 53.

🏨 **La Bécade,** rte Arès ✆ 26.50.17 – 🚿wc ☎ Ⓟ. ✂ ch
fermé oct. et lundi – SC : **R** 40 bc/60 bc – ☕ 8 – **17 ch** 60/90 – P 90/100.

X **Le Galip,** au Porge-Océan O : 10,5 km ✆ 26.50.33 – GB
fermé nov. – SC : **R** 58.

RENAULT Deyres, ✆ 26.50.16

PORNIC 44210 Loire-Atl. 67 ① **G. Côte de l'Atlantique** (plan) – 2 708 h. – Casino le Môle – ✪ 40.

⛳9 ✆ 82.06.69, O : 1 km.

🅸 Syndicat d'Initiative pl. Môle (fermé nov., déc., janv., dim. après-midi, lundi matin et jeudi) ✆ 82.04.40.

Paris 427 – ♦Nantes 51 – La Roche-sur-Yon 79 – Les Sables-d'Olonne 89 – St-Nazaire 29.

🏨 **Ourida,** 43 r. Verdun ✆ 82.00.83, 🌳 – 🚿wc ☎ Ⓟ. ✂
fermé 1 au 15 mars – **R** 27/77 🍷 – ☕ 10,50 – 10 ch 38/100 – P 100/160.

XX **La Source** avec ch, Plage Gourmalon S : 2 km ✆ 82.01.07, ⩽ –, sans 🍽 Ⓟ
Pâques-fin sept. – SC : **R** *(fermé mardi hors sais.)* 98 – ☕ 11 – 28 ch 48/55 – P 230/240 (pour 2 pers.).

à Ste-Marie O : 3 km – ✉ **44210** Pornic :

🏨 **Les Sablons** Ⓜ 🌿, ✆ 82.09.14, 🌳 – ⇔wc ☎ Ⓟ. 🚗 GB. ✂
SC : **R** 55/80 – ☕ 11 – 30 ch 115/150 – P 175/195.

AUDI-VOLKSWAGEN Lecointre, 21 r. Cdt-l'Herminier ☎ 82.04.49 N
CITROEN Gar. du Môle, 26 quai Leray ☎ 82.00.08
PEUGEOT Gaudin, rte Bleue ☎ 82.00.26
RENAULT Guitteny, 7 r. du Gén.-de-Gaulle ☎ 82.01.17

PORNICHET 44380 Loire-Atl. 63 ⑭ **G. Bretagne** (plan) – 5 538 h. – Casino – 40.

Office de Tourisme pl. A.-Briand (fermé déc., jeudi hors sais. et dim. sauf matin en sais.) ☎ 61.08.92.

Paris 440 – La Baule 6 – ♦Nantes 71 – St-Nazaire 11.

- **Sud Bretagne,** bd République ☎ 61.02.68, – wc wc ☎. AE GB
  15 mars-15 oct. – SC : **R** 120 bc /60 – 18 – 40 ch 120/250 – P 175/250.
- **Charmettes**, av. Flornoy ☎ 61.04.30, – wc wc. GB. rest
  1er juin-10 sept. – SC : **R** 55/80 – 10,50 – 34 ch 50/145 – P 125/175.
- **France,** pl. Gare ☎ 61.08.68 – wc ℗.
  2 mai-30 sept. – SC : **R** 50/80 – 12 – 20 ch 60/150 – P 125/210.
- **Normandy H.,** av. Mazy ☎ 61.03.08 – . GB.
  SC : **R** *(fermé fin sept. à début avril)* 30/70 – 10 – **26 ch** 45/82 – P 102/120.

CITROEN Dudilieu, ☎ 61.03.12
PEUGEOT Gar. Robert, ☎ 60.31.62 N ☎ 60.13.18
RENAULT Le Cam, ☎ 61.04.10

PORQUEROLLES (Ile de) ★★★ 83 Var 84 ⑯ **G. Côte d'Azur** – ✉ 83400 Hyères – 94.

Accès par transports maritimes :

depuis **La Tour Fondue** (presqu'île de Giens). En 1980 : en saison, départ toutes les 1/2 h ; hors saison, 5 services quotidiens - Traversée 15 mn - 25 F (AR). Renseignements : Transports Maritimes et Terrestres du Littoral Varois ☎ 58.21.81 (La Tour Fondue).

depuis **Cavalaire.** En 1980 : du 15 juin au 10 sept., 3 services hebdomadaires - Traversée 2 h 30 – 45 F (AR). Renseignements : Cie Maritime des Vedettes "Ile d'Or" ☎ 72.08.04 (Cavalaire).

depuis le **Port de la Plage d'Hyères.** En 1980 : du 1er juin au 31 août, 6 services quotidiens - Traversée 30 mn – 26 F (AR). Renseignements : Transports Maritimes et Terrestres du Littoral Varois ☎ 57.44.07 (Port d'Hyères).

depuis **Le Lavandou.** En 1980 : du 15 juin au 15 sept., 3 services hebdomadaires - Traversée 50 mn – 45 F (AR). Renseignements : Cie Maritime des Vedettes "Iles d'Or" ☎ 71.01.02 (Le Lavandou).

depuis **Toulon.** En 1980 : du 1er juil. au 13 sept., 1 service quotidien - Traversée 1 h 30 - 45 F (AR). Renseignements : Service Maritime Touristique Varois, quai Stalingrad ☎ 92.96.82 (Toulon).

- **Ste Anne**, ☎ 58.30.04, – wc . rest
  fermé 10 nov. au 15 déc. – SC : **R** 50 – 15 ch (pension seul) – P 147/200.
- Aub. Arche de Noé avec ch, ☎ 58.30.74 – wc. rest
  15 mars-1er nov. – 9 – **16 ch** 115/360.
- **Les Glycines** avec ch, ☎ 58.30.36 – wc .
  15 mars-15 oct. – SC : **R** 52 – 11 ch (pension seul) – P 170/220.

à l'Ouest : 3,5 km du port :

- **Mas du Langoustier,** ☎ 58.30.09, ←, parc, « dans un site boisé près du rivage, », – TV wc ☎ – 80.
  début mai-mi sept. – SC : **R** 77 – 16 – 50 ch 80/248 – P 205/290.

PORS EVEN 22 C.-du-N. 59 ② – rattaché à Paimpol.

PORTBAIL 50580 Manche 54 ⑪ **G. Normandie** – 1 629 h. – 33.

Excurs. à l'Ile de Jersey★ (voir Jersey).

Paris 348 – Carentan 38 – ♦Cherbourg 45 – Coutances 43 – St-Lô 58 – Valognes 29.

- **La Galiche,** pl. E.-Laquaine ☎ 54.84.18 – wc . . ch
  fermé fév. et lundi – SC : **R** 30/65 – 9 – **12 ch** 40/90 – P 105/155.

CITROEN Gar. Legouix, ☎ 54.88.31
RENAULT Gar. Moderne, ☎ 54.80.07

PORT-BARCARES 66 Pyr.-Or. 86 ⑩ – rattaché à Barcarès.

PORT-BLANC 22 C.-du-N. 59 ① **G. Bretagne** – ✉ 22710 Penvénan – 96.

Paris 520 – Guingamp 36 – Lannion 19 – Perros-Guirec 17 – St-Brieuc 71 – Tréguier 11.

- **Iles,** ☎ 92.66.49, – wc wc ℗. . rest
  Pâques et 28 mai-25 sept. – SC : **R** 35/75 – 10 – **35 ch** 45/140 – P 100/140.
- Le Rocher M sans rest, ☎ 20.45.04 – wc ℗ – *sais.* – 10 ch.

PORT-CAMARGUE 30 Gard 83 ⑱ – rattaché à Grau-du-Roi.

PORT-CROS (Ile de) ★★ 83145 Var 84 ⑯⑰ G. Côte d'Azur – 94.
Accès par transports maritimes .

depuis **Le Lavandou.** En 1980 : de Pâques au 20 oct., 2 à 6 services quotidiens ; hors saison, 4 services hebdomadaires - Traversée 50 mn – 33 F (AR) par Cie Maritime des Vedettes "Iles d'Or" ℡ 71.01.02 (Le Lavandou).

depuis **Cavalaire.** En 1980 : du 15 juin au 10 sept., 1 service hebdomadaire - Traversée 1 h 10 – 33 F (AR) par Cie Maritime des Vedettes "Iles d'Or" ℡ 72.08.04 (Cavalaire).

depuis le **Port de la Plage d'Hyères.** En 1980 : du 1er avril au 30 sept., 1 service quotidien ; du 1er oct. au 31 mars, 4 services hebdomadaires - Traversée 1 h 15 – 41 F (AR). Renseignements : Transports Maritimes et Terrestres du Littoral Varois ℡ 57.44.07 (Port d'Hyères).

Le Manoir, ℡ 71.90.52, ≤, parc – wc wc . . rest
11 avril-18 oct. – SC : **R** 95/160 – 26 ch (pension seul) – P 275/350.

PORT-D'AGRÈS 12 Aveyron 76 ⑪ – rattaché à Decazeville.

PORT-DE-BOUC 13110 B.-du-R. 84 ① G. Provence – 21 426 h. – 42.
Paris 764 – Aix-en-Provence 53 – Arles 46 – ♦Marseille 48 – Martigues 8.

Super Panorama, NO : 2 km sur N 568 ℡ 06.64.21 – wc . GB. ch
SC : **R** *(fermé sam.)* 35/55 – 11 – **20 ch** 90/100.

PORT-DE-CARHAIX 29 Finistère 58 ⑰ – rattaché à Carhaix.

PORT-DE-GAGNAC 46 Lot 75 ⑲ – rattaché à Bretenoux.

PORT-DE-GRAVETTE 44 Loire-Alt. 67 ① – rattaché à La Plaine-sur-Mer.

PORT-DE-GROSLÉE 01 Ain 74 ⑭ – rattaché à Groslée.

PORT-DE-LA-MEULE 85 Vendée 67 ⑪ – rattaché à Yeu (Ile d').

PORT-DE-LANNE 40 Landes 78 ⑰ – 602 h. alt. 10 – ✉ **40300** Peyrehorade – 58.
Paris 727 – ♦Bayonne 30 – Dax 20 – Mont-de-Marsan 72 – Peyrehorade 6,5 – St-Vincent-de-T. 21.

Vieille Auberge avec ch, ℡ 73.16.29, « Cadre ancien, jardin fleuri » – wc wc . GB
1er juil.-15 sept. – **R** *(fermé lundi midi)* 35/90 – 12 – **7 ch** 70/120.

PORT DONNANT 56 Morbihan 63 ⑪ – voir Belle-Ile.

PORTE (Col de) 38 Isère 77 ⑤ – rattaché au Sappey-en-Chartreuse.

Le PORTEL 62480 P.-de-C. 51 ① – rattaché à Boulogne.

PORT-EN-BESSIN 14520 Calvados 54 ⑭ G. Normandie – 2 132 h. alt. 12 – 31.
Voir Port★.
Syndicat d'Initiative quai Baron Gérard (juil.-août et fermé dim.).
Paris 277 – Arromanches-les-Bains 11 – Bayeux 9 – ♦Caen 36 – Carentan 40 – Isigny-sur-Mer 29.

Marine, ℡ 21.70.08, ≤ – rest wc wc .
fermé 28 nov. au 1er fév. – SC : **R** 30/38 – 9 – 17 ch 42/80.

RENAULT David, ℡ 21.72.34

PORT GOULPHAR 56 Morbihan 63 ⑪ – rattaché à Belle-Ile-en-Mer.

PORT GRIMAUD 83 Var 84 ⑰ G. Côte d'Azur – ✉ **83310** Cogolin – 94.
Voir ≤★ de la tour de l'Église oecuménique.
Paris 872 – Brignoles 60 – Hyères 48 – St-Tropez 7 – Ste-Maxime 8 – ♦Toulon 66.

Giraglia M, ℡ 56.31.33, Télex 470494, ≤ golfe, , , – TV – 40. AE . rest
fermé 10 oct. au 24 déc. – SC : **R** *(fermé lundi soir et mardi en hiver)* 105 – 15 – **43 ch** 255/600 – P 335/505.

Port sans rest, ℡ 56.36.18 – wc .
SC : 18 – **12 ch** 185/270.

La Tartane, ℡ 56.38.32 – GB
fermé 15 oct. au 20 déc. et merc. sauf de juil. à mi sept. – SC : **R** 50/90.

à La Foux S : 2 km sur N 98 – ✉ **83310** Cogolin :

Port Diffa, ℡ 56.29.07, Cuisine marocaine – . AE .
fermé déc. et janv. – SC : **R** 75 .

PORT-HALIGUEN 56 Morbihan 63 ⑫ – rattaché à Quiberon.

PORTIVY 56 Morbihan 63 ⑪ – rattaché à Quiberon.

PORT-JOINVILLE 85 Vendée 67 ⑪ – rattaché à Yeu (Ile d').

PORT-LA-NOUVELLE 11210 Aude 86 ⑩ **G. Causses** – 4 618 h. – 68.

Office de Tourisme av. Mer (fermé dim. hors sais.) ✆ 48.00.51.

Paris 874 – Carcassonne 79 – Narbonne 30 – ♦Perpignan 50 – Quillan 113.

- **Méditerranée,** bd Front-de-Mer ✆ 48.03.08, ← – ▮ TV ⇔wc ⋒wc ☎ – 🏂 50. AE GB ⓓ E
  fermé 20 nov. au 5 janv. – SC : **R** 40/100 ♁ – ☕ 15 – **32 ch** 160/190 – P 130/210.

FIAT, LANCIA-AUTOBIANCHI Gar. Marill, ✆ 48.04.86 PEUGEOT Gar. Provence Auto, ✆ 48.03.10

PORT-LAUNAY 29 Finistère – rattaché à Chateaulin.

PORT-LESNEY 39430 Jura 70 ⑤ **G. Jura** – 642 h. alt. 248 – 84.

Paris 405 – Arbois 12 – ♦Besançon 40 – Dole 40 – Lons-le-Saunier 50 – Poligny 23 – Salins-les-B. 11.

- **Gd Hôtel Parc** ⛱, ✆ 73.81.41, ←, parc, « Manoir du 18e s. », 🎾 – ⇔wc ☎ Ⓟ – 🏂 30.
  15 avril-15 nov. – SC : **R** carte 70 à 105 – ☕ 12 – **15 ch** 65/160 – P 125/180.

PORT-LIN 44 Loire-Atl. 63 ⑬⑭ – rattaché au Croisic.

PORT-LOUIS 56290 Morbihan 63 ① **G. Bretagne** – 3 720 h. alt. 10 – 97.

Voir Citadelle★ : musée naval★.

Paris 502 – Auray 29 – Lorient 19 – Pontivy 58 – Quiberon 39 – Quimperlé 38 – Vannes 47.

- **Avel Vor,** r. Locmalo ✆ 82.47.59, ← – ▮ ⇔wc ☎. AE GB ⓓ.
  fermé 15 nov. au 15 déc. et 7 au 16 fév. – SC : **R** 40/140 ♁ – ☕ 15 – 24 ch 130/170 – P 195.
- **Commerce,** r. Notre-Dame ✆ 82.46.05, 🌳 – ⇔wc ⋒wc ☎ – 🏂 30.
  fermé dim. soir du 1er oct. à Pâques – SC : **R** 40/110 – ☕ 12 – **30 ch** 45/130 – P 115/170.

RENAULT Gar. de l'Avancée, ✆ 82.47.85

PORT-MANECH 29 Finistère 58 ⑪ **G. Bretagne** – ✉ **29139** Névez – 98.

Paris 538 – Carhaix-Plouguer 74 – Concarneau 17 – Pont-Aven 12 – Quimper 39 – Quimperlé 29.

- **Ar Moor,** ✆ 06.82.48, ← – ⇔wc ☎ Ⓟ.
  1er mars-31 oct. – **R** 40/130 – ☕ 11 – **36 ch** 90/150 – P 150/190.
- **du Port,** ✆ 06.82.17, 🌳 – ⇔wc ⋒wc ☎.
  Pâques-fin sept. – SC : **R** 40/140 – ☕ 10 – **36 ch** 50/170.

PORT-MARIA 56 Morbihan 63 ⑪ – rattaché à Quiberon.

Le PORT-MARLY 78 Yvelines 55 ⑳, 101 ⑫ – voir à Paris, Proche banlieue.

PORT-MORT 27 Eure 55 ⑰, 96 ① – 685 h. alt. 16 – ✉ **27600** Gaillon – 32.

Paris 93 – Les Andelys 11 – Evreux 31 – Vernon 11.

- XX **Aub. des Pêcheurs,** ✆ 52.60.43, 🌳 – GB
  fermé août, vac. de fév., lundi soir et mardi – SC : **R** 52/75.

PORT-NAVALO 56 Morbihan 63 ⑫ **G. Bretagne** – ✉ **56640** Arzon – 97.

Paris 474 – Muzillac 37 – ♦Nantes 121 – Redon 74 – La Roche-Bernard 52 – Vannes 34.

à La Plage de Kerjouanno SE : 3,5 km par N 780 et VO – ✉ **56640** Arzon.
Voir Tumulus de Tumiac★, ←★ au NE : 1 km puis 15 mn.

- XX **Grange aux Moines,** ✆ 41.21.79, « Jardin fleuri » – Ⓟ. E
  1er mai-30 sept. et fermé mardi sauf juil.-août – SC : **R** 40/80.

PORT-RACINE 50 Manche 54 ① – rattaché à St-Germain-des-Vaux.

PORTRIEUX 22 C.-du-N. 59 ③ – rattaché à St-Quay-Portrieux.

PORTS 37 I.-et-L. 68 ④ – 412 h. alt. 43 – ✉ **37800** Ste-Maure-de-Touraine – 47.

Paris 282 – Châtellerault 27 – Chinon 40 – Loches 48 – ♦Tours 54.

- X **Le Grillon,** Le Bec des Deux Eaux ✆ 65.02.74 – Ⓟ
  fermé 1er au 14 juil., 1er au 15 oct., jeudi soir et vend. – SC : **R** 25/90 ♁.

PORT-ST-LOUIS 13230 B.-du-R. 84 ⑪ G. Provence – 10 393 h. – 42.

Paris 780 – Arles 39 – ♦Marseille 74 – Salon-de-Provence 54.

Le Tamaris, rte Plage Napoléon : 2 km ☏ 86.10.49, – wc **P**. GB
SC : **R** *(fermé du 20 au 31 déc. et sam.)* 45/120 – 9 – **10 ch** 90 – P 144.

PORT-SUR-SAÔNE 70170 H.-Saône 66 ⑤ – 2 482 h. alt. 261 – 84.

Paris 350 – Bourbonne-les-Bains 44 – Épinal 83 – Gray 52 – Jussey 22 – Langres 63 – Vesoul 12.

Pomme d'Or avec ch, ☏ 74.01.56 – **P**. ch
fermé 24 août au 16 sept. et lundi – SC : **R** 27/100 – 10 – **7 ch** 48/80 – P 90/100.

à Vauchoux S : 3 km par D 6 – ✉ **70170** Port-sur-Saône :

✿ **Château de Vauchoux** (Turin), ☏ 74.00.79 – **P**. AE GB E
fermé 1er au 10 juil., fév., mardi soir et merc. – SC : **R** 100/180
Spéc. Terrine de soles, Dodine de cailles truffées au foie gras d'oie, Marquise au chocolat. **Vins** Champlitte.

PORT-VENDRES 66660 Pyr.-Or. 86 ⑳ G. Pyrénées – 5 757 h. alt. 25 – 68.

Syndicat d'Initiative quai Forgas (hors saison matin seul., fermé sam. après-midi et dim.) ☏ 82.07.54.

Paris 939 – ♦Perpignan 31.

Costa Brava avec ch, 1 rte Collioure ☏ 82.03.04 – **P**
1er avril-fin nov. et fermé merc. (sauf hôtel en sais.) – SC : **R** 32 bc/49 – 9 – 10 ch 39/50 – P 175/195 (pour 2 pers.).

Lopez, 1 r. camille-Pelletan ☏ 82.12.65

PORT-VILLEZ 78 Yvelines 55 ⑱, 96 ①② – rattaché à Vernon.

La POSTE DE BOISSEAUX 28 E.-et-L. 60 ⑲ – rattaché à Angerville (91 Essonne).

Pas de publicité payée dans ce guide.

POUANCÉ 49420 M.-et-L. 63 ⑧ G. Châteaux de la Loire – 3 202 h. alt. 73 – 41.

Syndicat d'Iniative r. Porte Angervine (juil.-août, fermé dim. et lundi) ☏ 92.45.86.

Paris 328 – Ancenis 43 – Angers 60 – Châteaubriant 16 – Laval 51 – ♦Rennes 65 – Vitré 46.

Cheval Blanc, rte de Segré ☏ 92.41.16 – wc
fermé 10 janv. au 10 mars et lundi hors sais. – SC : **R** 35/80 – 12,50 – **14 ch** 60/120 – P 130/190.

POUDENAS 47 L.-et-G. 79 ⑬ – 351 h. alt. 66 – ✉ **47170** Mézin – 58.

Paris 695 – Agen 47 – Aire-sur-l'Adour 62 – Condom 19 – Mont-de-Marsan 66 – Nérac 17.

La Belle Gasconne, ☏ 65.71.58
fermé janv., dim. soir et lundi – SC : **R** (nombre de couverts limité - prévenir) 65/130.

POUGUES-LES-EAUX 58320 Nièvre 69 ③ G. Bourgogne – 2 014 h. alt. 192 – Casino – 86.

Paris 228 – La Charité-sur-Loire 13 – Clamecy 64 – Corbigny 56 – Nevers 11 – Prémery 24.

Gd Hôtel, N 7 ☏ 68.85.44, – wc **P** – 35 à 90
18 ch.

Central H., N 7 ☏ 68.85.00 – . ch
fermé 15 nov. au 15 déc. – SC : **R** 38/73 – 10,50 – 13 ch 47/83 – P 90/130.

Courte Paille (ouvert 10 h à 22 h), rte Paris NO : 2 km, ✉ 58400 La Charité-sur-Loire, ☏ 68.88.33 – **P**. GB
R carte environ 45 .

à Germigny-sur-Loire O : 6 km – ✉ **58320** Pougues-les-Eaux :

Chez Daniel, ☏ 68.87.99 – **P**
fermé fév. et merc.

POUILLON 40350 Landes 78 ⑦ – 2 425 h. alt. 28 – 58.

Syndicat d'Initiative à la Mairie (fermé sam. après-midi et dim.) ☏ 73.21.62.

Paris 721 – ♦Bayonne 51 – Dax 15 – Orthez 29 – Pau 70.

Aub. Au Pas de Vent avec ch, ☏ 73.20.88 – wc **P**
fermé 1er au 15 sept. et lundi – SC : **R** 28/85 – 9 – **3 ch** 80 – P 110.

PEUGEOT Gar. Garein, ☏ 73.20.54
RENAULT Gar. Bacheré, ☏ 73.20.95
RENAULT Gar. Dubosq, ☏ 73.21.33 N

POUILLY-EN-AUXOIS 21320 Côte-d'Or 65 ⑱ G. Bourgogne – 1 249 h. alt. 384 – 80.

Paris 272 – Autun 45 – Avallon 65 – Beaune 46 – •Dijon 42 – Montbard 58 – Saulieu 31.

Motel Val Vert M sans rest, rte d'Arnay-le-Duc ℗ 90.82.34 – wc ☎ – 50.
SC : 12,50 – **30 ch** 125/170.

Poste avec ch, ℗ 90.86.44 – wc
fermé 5 au 20 janv., 1er au 15 juin, dim. soir et lundi sauf fériés – SC : **R** 33/70 – 8 – 7 ch 36/100 – P 120/160.

Courte Paille (ouvert 10 h à 22 h), rte Arnay-le-Duc ℗ 90.70.34 – . GB
R carte environ 45.

à *Chateauneuf* SE : 10 km par D 18 – ✉ **21320** Pouilly-en-Auxois.

Voir Site★ du village★ – Château★.

Host. du Château, ℗ 33.00.23, – . AE GB E
fermé janv., fév., lundi soir et mardi du 15 sept. au 15 juin – SC : **R** 75/105 – 14 – 11 ch 65/110.

PEUGEOT Gar. Jeanin, ℗ 90.82.11 N RENAULT Gar. Orset-Auto-21, ℗ 90.80.45

POUILLY-SUR-LOIRE 58150 Nièvre 65 ⑬ G. Bourgogne – 1 798 h. alt. 177 – 86.

Office de Tourisme à la Mairie (matin seul. sauf juil., août, fermé sept., dim. et fêtes) ℗ 39.12.55.

Paris 202 – Château-Chinon 89 – Clamecy 57 – Cosne-sur-Loire 15 – Nevers 37 – Vierzon 84.

Le Relais Fleuri et rest Coq Hardi, SE : 0,5 km ℗ 39.12.99, « Jardin fleuri et vue sur la Loire » – wc – – 50.
fermé 8 janv. au 8 fév. et jeudi hors sais. – SC : **R** 35/130 – 12 – **10 ch** 95/110.

Bouteille d'Or, rte Paris ℗ 39.13.84 – wc wc . ch
fermé 15 déc. au 15 janv. et vend. hors sais. – SC : **R** 40/100 – 13 – 31 ch 80/140 – P 120/140.

XXX ✿ **Espérance** (Raveau) avec ch, ℗ 39.10.68, ←, – wc wc . AE GB. ch
fermé 1er au 20 déc., 2 au 30 janv., dim. soir hors sais. et lundi – SC : **R** 90/160 – 18 – 4 ch 120
Spéc. Écrevisses au Pouilly (avril-oct.), Sandre aux petits légumes, Steack de canard au Pinot. Vins Sancerre, Pouilly Fumé.

XX **Chez Mémère,** ℗ 39.11.32
fermé lundi – SC : **R** 35/70.

XX **La Vieille Auberge,** N 7 déviation sud ℗ 39.17.98 – . GB E
fermé 16 mars au 3 avril, 14 sept. au 2 oct., mardi soir sauf juil.-août et merc. – SC : **R** 37/75.

CITROEN Gar. Prulière, ℗ 39.14.44 N PEUGEOT Gar. S.A.P.L., ℗ 39.14.65

à *Charenton* SE : 2 km embranchement déviation N 7 – ✉ **58150** Pouilly-sur-Loire :

X **Relais Grillade,** ℗ 70.07.00, ← – . GB
fermé 4 au 31 janv. – SC : **R** 28/62.

POULAINS (Pointe des) 56 Morbihan 63 ⑪ – voir à Belle-Ile.

POULDREUZIC 29134 Finistère 58 ⑭ – 2 141 h. alt. 56 – 98.

Paris 580 – Audierne 16 – Douarnenez 18 – Pont-l'Abbé 16 – Quimper 25.

Ker Ansquer M, NO : 2 km par D 2 ✉ 29143 Plogastel-St-Germain ℗ 54.41.83, ←, – wc wc .
20 mai-20 sept. – 12 – 11 ch (1/2 pens. seul.).

PEUGEOT Strullu, ℗ 54.40.21

Le POULDU 29 Finistère 58 ⑫ G. Bretagne – ✉ **29121** Clohars-Carnoët – 98.

Syndicat d'Initiative bd Océan (1er juin-15 sept.) ℗ 96.93.42.

Paris 513 – Concarneau 37 – Lorient 23 – Moëlan-sur-Mer 11 – Quimper 59 – Quimperlé 16.

Castel Treaz sans rest, ℗ 96.91.11, ←, – wc wc .
1er juin-15 sept. – SC : 15 – **24 ch** 75/175.

Bains, ℗ 96.90.11, ← – wc .
1er mai-fin sept. – SC : **R** 42/130 – 10 – 49 ch 55/140 – P 115/175.

Quatre Chemins, ℗ 96.90.44, – wc . rest
31 mai-14 sept. – SC : **R** 35/80 – 10,50 – 38 ch 50/120 – P 100/145.

Dunes, ℗ 96.92.78, ←, , – wc wc . rest
1er juin-15 sept. – SC : **R** 40/80 – 11 – 49 ch 54/170 – P 110/180.

Le POULIGUEN 44510 Loire-Atl. 63 ⑭ G. Bretagne (plan) – 4 641 h. – ✪ 40.

de la Baule ☎ 60.46.18 NE : 10 km.

Office de Tourisme Port Sterwitz (fermé merc. et dim. hors saison) ☎ 60.50.11.

Paris 445 – La Baule 3 – Guérande 5,5 – ♦Nantes 76 – St-Nazaire 18.

Orée du Bois sans rest, r. Mar.-Foch ☎ 60.52.80 – wc wc ☎.
SC : 12 – **15 ch** 100/140.

Jules Verne, 2 r. Alger ☎ 60.72.67 – wc wc ☎
SC : **R** 30/60 – 11 – **8 ch** 105/110 – P 150/160.

Voile d'Or, av. Plage ☎ 60.51.47, ← – GB
fermé janv., mardi soir et merc. – SC : **R** 60/140.

RENAULT Henot, ☎ 60.51.15 — TOYOTA Gar. de la Plage, ☎ 60.50.15

POULLAOUEN 29246 Finistère 58 ⑥⑦ – 1 793 h. alt. 164 – ✪ 98.

Paris 515 – Carhaix-Plouguer 10 – Châteaulin 48 – Huelgoat 11 – Landerneau 58 – Morlaix 37.

Argoat, ☎ 93.09.18 – rest
fermé oct. et lundi – SC : **R** 35/65 – 9,50 – 16 ch 50/85 – P 110/120.

POURVILLE-SUR-MER 76 S.-Mar. 52 ④ G. Normandie – ✉ **76550** Offranville – ✪ 35.

Paris 205 – Dieppe 4,5 – ♦Rouen 61 – St-Valéry-en-Caux 32.

Au Trou Normand, ☎ 84.27.69 – GB
fermé 2 au 22 nov., lundi soir et mardi – SC : **R** 36/58.

POUZAUGES 85700 Vendée 67 ⑯ G. Côte de l'Atlantique – 5 556 h. alt. 225 – ✪ 51.

Voir Puy Crapaud ** SE : 2,5 km – Bois de la Folie★ : ←★ NO : 1 km.

Office de Tourisme pl. Calvaire (15 juin-15 sept., fermé sam. et dim.) ☎ 57.01.37.

Paris 384 – Bressuire 28 – Chantonnay 21 – Cholet 36 – ♦Nantes 81 – La Roche-sur-Y. 54.

Aub. de la Bruyère M, ☎ 57.13.46, ← plaine vendéenne, – wc wc ☎ P – 200. E
fermé 15 au 28 fév. – SC : **R** *(fermé lundi midi du 15 sept. au 15 juin)* 40/120 – 12 – **30 ch** 55/140 – P 150/205.

La Chouannerie, 27 r. A.-Delavau ☎ 57.01.69, ←, , – wc ☎ P. AE
fermé 1er au 15 fév. et dim. – SC : **R** *(fermé dim. soir et lundi midi)* carte 70 à 100 – 12 – **9 ch** 120/140 – P 230.

Boule d'Or, pl. Église ☎ 57.01.42 – P
fermé 20 déc. au 10 janv. et sam. – SC : **R** 25/76 – 7 – **10 ch** 41/67 – P 82/91.

PEUGEOT Vendée Automobiles, av. des sables, "Les Lilas" ☎ 57.00.12

POUZAY 37 I.-et-L. 68 ④ – 759 h. alt. 44 – rattaché à Sainte-Maure-de-Touraine.

POUZILHAC 30 Gard 80 ⑲⑳ – 372 h. alt. 230 – ✉ **30210** Remoulins – ✪ 66.

Paris 673 – Alès 48 – Arles 50 – Avignon 34 – Bagnols-sur-Cèze 15 – Nîmes 33 – Pont-St-Esprit 26.

Manoir, ☎ 37.22.93 – P. ch
fermé merc. – 10 ch.

PRADES 43 H.-Loire 76 ⑥ G. Auvergne – 84 h. alt. 550 – ✉ **43300** Langeac – ✪ 71.

Voir Site★.

Paris 498 – Brioude 43 – Mende 97 – Monistrol-d'A. 17 – Le Puy 41 – St-Chély-d'A. 64 – St-Flour 66.

✿ **Chalet de la Source** (Mollon) , rte Langeac NO 1,5 km ☎ 74.02.39, ← – wc ☎ P.
1er mai-1er oct. – SC : **R** 45/120 – 12 – **17 ch** 65/130 – P 105/155
Spéc. Croutes aux champignons, Escalopes de saumon, Salmis de pintadeau. **Vins** Côtes du Vivarais, Côtes d'Auvergne.

Host. du Vieux Moulin , ☎ 74.01.40 – wc P. rest
SC : **R** 32/50 – 10 – **14 ch** 48/100 – P 85/110.

PRADES SP 66500 Pyr.-Or. 86 ⑰⑱ G. Pyrénées – 6 866 h. alt. 357 – ✪ 68.

Voir Abbaye St-Michel-de-Cuxa★ S : 3 km.

Syndicat d'Initiative r. V.-Hugo (fermé sam. après-midi et dim.) ☎ 05.27.58.

Paris 954 – Andorre-la-Vieille 123 – ♦Perpignan 43.

Glycines, impasse des Glycines ☎ 96.51.65 – wc wc . ch
SC : **R** *(fermé dim. hors saison)* 40/60 – 12 – 27 ch 60/120 – P 80/120.

Voir aussi ressources hôtelières de *Molitg-les-Bains* NO : 7 km

RENAULT Prades-Autom., rte de Marquixanes ☎ 05.03.17
RENAULT Bosom, 17 rte de Marquixanes ☎ 05.14.12
Pneu-Service, 5 bd Gare ☎ 05.05.05

Le PRADET 83220 Var 84 ⑮ – 7 678 h. alt. 30 – ✪ 94.

Syndicat d'Initiative pl. Gén.-de-Gaulle (fermé dim. et lundi) ☎ 98.40.25.

Paris 847 – Draguignan 81 – Hyères 10 – ♦Toulon 9.

Le Viking M, les Hauts du Pin de Galle ☎ 98.44.11, ←, – wc wc ☎ P
fermé nov. – SC : **R** *(fermé dim. hors sais.)* 60 – 14 – **11 ch** 95/115 – P 203/220.

Azur, Chemin des Bonnettes ☎ 98.43.63, – wc P.
fermé 2 au 20 janv. – SC : **R** *(fermé sam. d'oct. à mai)* 32/55 – 10 – **18 ch** 46/100 – P 110/140.

à La Garonne S : 2,5 km par D 86 – ✉ **83220** Le Pradet :

Le Vieux Moulin, ☎ 98.43.40, ← rade, , – wc wc ☎ P.
fermé janv. – SC : **R** *(fermé lundi hors sais.)* 45/100 – 15 – **16 ch** 60/140 – P 120/180.

aux Oursinières S : 3 km par D 86 – ✉ **83220** Le Pradet :

L'Escapade M sans rest, ☎ 98.44.47, « jardin », – wc ☎ P.
fermé vacances Noël et Jour de l'an – SC : 16 – **12 ch** 140/200.

CITROEN Gar. Galloy, ☎ 98.43.31

PRALOGNAN-LA-VANOISE 73710 Savoie 74 ⑱ **G. Alpes** – 569 h. alt. 1 404 – Sports d'hiver 1 404/2 360 m 1 11, – ✪ 79.

Voir Site★ – Parc national de la Vanoise★★ – La Chollière★ SO : 1,5 km puis 30 mn.

Office de Tourisme Maison du Parc (fermé dim. hors saison) ☎ 08.71.68, Télex 980240.

Paris 661 – Chambéry 102 – Moûtiers 28.

Capricorne M, ☎ 08.71.63, ← – wc wc ☎ P. GB
SC : **R** 43/50 – 13,50 – **15 ch** 112/140 – P 128/175.

Grand Bec, ☎ 08.71.10, ← – wc wc ☎ P. rest
6 juin-14 sept. et 19 déc.-Pâques – SC : **R** 45/60 – 12 – 39 ch 80/140 – P 120/170.

Parisien, ☎ 08.72.31, ← – wc ☎ P.
1er juin-15 sept. et 18 déc.-20 avril – SC : **R** 40/48 – 12,50 – 22 ch 38/92 – P 92/145.

Le Petit Poucet, ☎ 08.70.81, ← – P
fermé 20 au 31 sept. et sam. – SC : **R** 30/48.

PRA-LOUP 04 Alpes-de-H.-P. 81 ⑧ – rattaché à Barcelonnette.

PRAMOUSQUIER 83 Var 84 ⑰ – rattaché à Cavalière.

Le PRARION 74 H.-Savoie 74 ⑧ – rattaché aux Houches.

PRAT-DE-BOUC 15 Cantal 76 ③ – rattaché à Murat.

PRATS-DE-MOLLO-LA-PRESTE 66230 Pyr.-Or. 86 ⑱ **G. Pyrénées** (plan) – 1 198 h. alt. 745 – ✪ 68 – **Voir** Ville haute★.

Syndicat d'Initiative Foyer Rural (1er mai-fin sept., fermé sam. après-midi et dim.) ☎ 39.70.83.

Paris 966 – Céret 31 – ♦Perpignan 61.

Touristes, ☎ 39.72.12, ←, – wc ☎ P
Pâques-22 oct. – SC : **R** 39/90 – 11 – **44 ch** 50/120 – P 107/145.

Bellevue, ☎ 39.72.48 – wc wc.
avril-fin oct. – SC : **R** 45/70 – 8,50 – **18 ch** 48/130 – P 100/130.

Costabonne, Le Firal ☎ 39.70.24 – wc. rest
9 avril-22 oct. – SC : **R** 37/64 – 10 – 18 ch 42/106 – P 85/106.

Ausseil, ☎ 39.70.36 – wc. ch
fermé nov. et lundi – **R** 35/60 – 9 – **23 ch** 40/90 – P 88/100.

Aîre i Sol, ☎ 39.72.46, ←, – P. rest
1er mai-30 sept. – SC : **R** 35/50 – 9,50 – **20 ch** 42/46 – P 90.

Crémaillère avec ch, rte de la Preste : 2 km par D 115 A ☎ 39.70.62, ←, – P
fermé 15 au 31 janv. et merc. – SC : **R** 32/55 – 9 – 4 ch 65 – P 95.

à La Preste : – Stat. therm. (9 avril-22 oct.) – ✉ **66230** Prats-de-Mollo – ✪ 68

Val de Tech, ☎ 39.71.12, ←, – wc ☎. rest
20 avril-20 oct. – SC : **R** 45/55 **Les Allades** *(1er mai-20 oct., fermé lundi et mardi)* **R** (dîner seul.) carte 75 à 115 – 11,50 – **40 ch** 100/150.

Ribes, ☎ 39.71.04, ← vallée, – wc wc P. rest
8 avril-22 oct. – SC : **R** 50 – 9 – 26 ch 55/110 – P 96/120.

Host. du Coffret, ☎ 39.71.02, ← – wc ☎. GB. rest
7 avril-23 oct. – SC : **R** 34/65 – 9 – **25 ch** 35/85 – P 100/108.

CITROEN Pagès-Xatard, ☎ 39.71.34 RENAULT Vial, ☎ 39.70.23

PRAYSSAC 46220 Lot 79 ⑦ – 2 239 h. alt. 120 – 65.

Paris 596 – Cahors 27 – Gourdon 40 – Sarlat-la-Canéda 56 – Villeneuve-sur-Lot 48.

- **Le Vidal,** ☎ 36.41.78 – wc. AE GB E
  fermé 5 nov. au 4 déc. et lundi – SC : **R** 40 bc/70 bc – 12 – **10 ch** 70/105 – P 120/160.

CITROEN Gar. Seguy-Cussac, ☎ 36.42.07 N RENAULT Gar. Parazines, ☎ 36.41.15

Les PRAZ-DE-CHAMONIX 74 H.-Savoie 74 ⑧⑨ – rattaché à Chamonix.

PRAZ-ST-BON 73 Savoie 74 ⑱ – rattaché à Courchevel.

PRAZ-SUR-ARLY 74 H.-Savoie 74 ⑦ – 679 h. alt. 1 036 – Sports d'hiver : 1 036/1 486 m 6 – ✉ **74120** Megève – 50.

Office de Tourisme (fermé sam. et dim. hors saison) ☎ 21.90.57.

Paris 617 – Albertville 26 – Annecy 55 – Flumet 5,5 – Megève 4,5.

- **Quatre As,** ☎ 21.90.11, ≤ – wc wc.
  1er juil.-15 sept. et 20 déc.-30 avril – SC : **R** 35/54 – 13 – **12 ch** 110/130 – P 170.
- **Mont Charvin**, ☎ 21.90.05, ≤, – wc wc rest
  1er juin-30 sept., Noël-vacances de printemps – SC : **R** 45/90 – 15 – 31 ch 60/150 – P 135/170.
- **Val d'Arly,** ☎ 21.90.02 –
  20 juin-15 sept. et 20 déc.-fin avril – SC : **R** (snack en hiver) – 9,50 – **23 ch** 35/60.

Une voiture bien équipée, possède à son bord des cartes Michelin à jour.

PRÉ-EN-PAIL 53140 Mayenne 60 ② – 2 495 h. alt. 227 – 43.

Voir SO : Corniche du Pail ≤★, G. Normandie.

Syndicat d'Initiative à la Mairie (fermé dim. et lundi) ☎ 03.00.54.

Paris 216 – Alençon 24 – Argentan 40 – Bagnoles 24 – Domfront 37 – Laval 67 – Mayenne 37.

- **Bretagne,** N 12 ☎ 03.00.06 – wc
  fermé 15 déc. au 15 janv. et vend. de sept. à Pâques – SC : **R** 28/65 – 10,50 – **19 ch** 36/120 – P 100/150.

PEUGEOT Gar. Huet, ☎ 03.00.12 N

PRÉFAILLES 44 Loire-Atl. 67 ① – 628 h. – ✉ **44770** La Plaine-sur-Mer – 40.

Voir Pointe St-Gildas★ O : 2 km, G. Côte de l'Atlantique.

Syndicat d'Initiative Grande-Rue (fermé dim.) ☎ 21.62.22.

Paris 438 – ♦Nantes 62 – Pornic 10 – St-Brévin-les-Pins 18.

- **St-Paul,** ☎ 21.60.13, – wc rest
  fermé 15 nov. au 15 déc. – SC : **R** 48/110 – 12 – 62 ch 45/90 – P 95/130.

PRÉLENFREY 38 Isère 77 ④ **G. Alpes** – alt. 950 – ✉ **38450** Vif – 76.

Voir Site★.

Paris 592 – Clelles 36 – ♦Grenoble 29 – Monestier-de-Clermont 20 – Vizille 25.

- **Le Gerbier**, ☎ 72.37.62, ≤, – rest
  fermé oct. et merc. – SC : **R** 38/55 – 10 – **24 ch** 38/75 – P 78/95.
- **La Sapinière**, ☎ 72.37.65, ≤ – E
  fermé 15 oct. au 1er nov. et mardi – SC : **R** 30/45 – 9 – **14 ch** 45/47 – P 85/87.

PRÉMERY 58700 Nièvre 65 ⑭ **G. Bourgogne** – 2 788 h. alt. 237 – 86.

Paris 235 – La Charité-sur-Loire 28 – Château-Chinon 56 – Clamecy 40 – Cosne-sur-L. 48 – Nevers 29.

- **Poste,** Gde-Rue ☎ 68.12.30 – rest
  fermé fév. et lundi – SC : **R** 26/95 – 8,50 – 16 ch 38/66 – P 85/90.
- **Agriculture,** r. Gare ☎ 68.11.96 –
  fermé janv. et lundi – SC : **R** 28/90.

CITROEN Modern. Gar., ☎ 68.12.82 TALBOT Chatillon, ☎ 68.11.59
RENAULT Caliste, ☎ 68.10.76

PRÉMESQUES 59 Nord 51 ⑮⑯ – rattaché à Lille.

Le PRÉ-ST-GERVAIS 93 Seine-St-Denis 56 ⑪, 101 ⑯ – voir à Paris, Proche banlieue.

La PRESTE 66230 Pyr.-Or. 86 ⑰ – rattaché à Prats-de-Mollo.

PREUILLY-SUR-CLAISE 37290 I.-et-L. 68 ⑤⑥ **G. Périgord** – 1 603 h. alt. 79 – ✪ 47.

ℹ Syndicat d'Initiative à la Mairie (fermé dim.) ☎ 94.50.04.

Paris 315 – Le Blanc 30 – Châteauroux 64 – Châtellerault 35 – Loches 36 – Poitiers 61 – ♦Tours 81.

✕ **Image,** ☎ 94.50.07 – GB.
fermé 5 au 27 oct. et lundi – SC : **R** (dim. et fêtes prévenir) 50/110 ♁.

RENAULT Besnard, ☎ 94.50.44

PRIAY 01 Ain 74 ③ – 771 h. alt. 240 – ✉ **01160** Pont-d'Ain – ✪ 74.

Paris 451 – Belley 59 – Bourg-en-Bresse 26 – Meximieux 15 – Nantua 42 – Villefranche-sur-Saône 53.

✕✕ ✿✿ **La Mère Bourgeois,** ☎ 38.61.81 – AE GB ⓓ
fermé 15 janv. au 15 fév., merc. soir et jeudi sauf fériés – SC : **R** (nombre de couverts limité - prévenir) 96/210 et carte
Spéc. Pâté chaud Bourgeois, Truite saumonée au beurre mousse, Poularde de Bresse aux morilles.
Vins Chardonnay, Chiroubles.

PRIVAS P **07000** Ardèche 76 ⑲ **G. Vallée du Rhône** – 11 216 h. alt. 294 – ✪ 75.

ℹ Syndicat d'Initiative (fermé lundi hors saison et dim.) 1 av. Chomérac ☎ 64.33.35.

Paris 602 ② – Alès 104 ④ – Mende 140 ④ – Montélimar 33 ③ – Le Puy 118 ④ – Valence 40 ②.

PRIVAS

- Chomérac (Av. de) 2
- Esplanade (Crs) 3
- Europe Unie (Av. de l') 5
- Faugier (Av.) 6
- Filliat (R. P.) 8
- Foiral (Pl. du) 9
- Gare (Av. de la) 12
- Mobiles (Bd des) 13
- Mont Toulon (Bd du) 15
- Moulin de Madame (Av. du) 16
- Palais (Cours du) 18
- République (R.) 20
- Temple (Cours du) 21
- Vernon (Bd de) 23

Les plans de villes sont orientés le Nord en haut

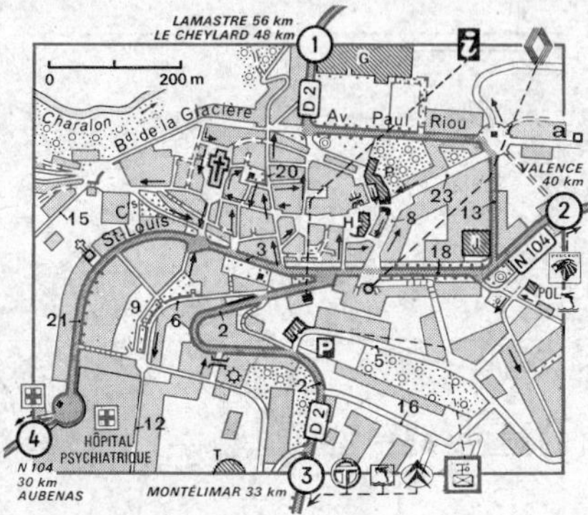

🏨 **La Chaumette** M ⛰, av. Vanel **(a)** ☎ 64.30.66, Télex 345444, 🌳 – 🛗 TV P – 🏛 50. AE GB ⓓ E
SC : **R** *(fermé sam. midi sauf du 1er juin au 31 août)* 50/80 – ☕ 17 – **36 ch** 130/180 – P 225/235.

au Col de l'Escrinet par ④ : 13 km – ✉ **07200** Aubenas :

🏨 **Escrinet** ⛰, ☎ 35.50.90, ← vallée, 🏊, 🌳 – 🛁wc 🚿wc ☎ ♿ 🚗 P. 🐕 rest
1er mars-15 nov., fermé dim. soir et lundi midi hors sais. – SC : **R** 55/125 – ☕ 12 – 17 ch 120/160, 3 appartements 250 – P 150/250.

CITROEN Tinland, Zone Ind., La Plaine du Lac ☎ 64.32.24

FIAT Gar. des Cévennes, rte Aubenas, Bas Ruissol ☎ 64.23.08

FORD Vacher et Lardon, N 104 à Veyras ☎ 64.33.33

PEUGEOT Gd Gar. Midi, N 104 à Coux ☎ 64.23.33

RENAULT S.A.P.A.C., 1 cours du Palais ☎ 64.10.76

TALBOT Seita, rte de Montélimar ☎ 64.33.01

R.I.P.A., 27 av. de Coux ☎ 64.05.56

PROVENCHÈRES-SUR-FAVE 88490 Vosges 62 ⑱ – 761 h. alt. 407 – ✪ 29.

Paris 402 – Épinal 64 – St-Dié 14 – Sélestat 34 – ♦Strasbourg 75.

🏨 **Aub. du Spitzemberg** ⛰, à la Petite Fosse ☎ 57.20.46, « Dans la forêt vosgienne », 🌳 – 🛁wc 🚿wc ☎ P – 🏛 30. 🐕
fermé oct. et mardi – SC : **R** 38/160, dîner à la carte ♁ – ☕ 8.50 – **10 ch** 95/105 – P 105/145.

Ne confondez pas :

Confort des hôtels	: 🏨🏨🏨 ... 🏨, 🏠
Confort des restaurants	: ✕✕✕✕✕ .... ✕
Qualité de la table	: ✿✿✿, ✿✿, ✿

PROVINS <SP> 77160 S.-et-M. 61 ④ G. Environs de Paris – 13 100 h. alt. 92 – ⚙ 6.

Voir Ville Haute★★ ABY: remparts ★★ AY, tour de César★★ ≤★ : BY.

Env. St-Loup-de-Naud : portail★★ de l'église★ 7 km par D1 SE du plan.

Office de Tourisme Tour César ☎ 400.16.65.

Paris 85 ⑤ – Châlons-sur-M. 99 ① – Fontainebleau 53 ④ – Meaux 67 ⑤ – Melun 48 ⑤ – Sens 47 ④.

PROVINS

Cordonnerie (R. de la) CZ 24
Friperie (R. de la) CZ 37
Hugues le Grand (R.) CZ 43
Leclerc (Pl. du Mar.) BZ 47
Val (R. du) BZ 79

Anatole-France (Av.) BZ 2
Arnoul (R. Victor) CZ 3
Balzac (Pl. Honoré de) BZ 4
Bordes (R. des) CZ 7
Bourquelot (R. Félix) CY 8
Capucins (R. des) BZ 13
Changis (R. de) CZ 14
Châtel (Pl. du) AY 18
Chomton (Bd Gilbert) BZ 19
Clemenceau (R. Georges) AZ 22
Collège (R. du) BY 23
Courloison (R.) CY 27
Couverte (R.) AY 28
Desmarets (R. Jean) AY 29
Ferté (Av. de la) CY 33
Fourtier-Masson (R.) BZ 34
Gambetta (Bd) BZ 38
Garnier (R. Victor) BZ 39
Gd Quartier Gén. (Bd du) CZ 42
Jacobins (R. des) BY 44
Nocard (R. Edmond) CZ 54
Opoix (R. Christophe) BZ 57
Palais (R. du) BY 59
Plessier (Bd du Gén.) CZ 64
Pompidou (Av. Georges) BY 67
Pont-Pigy (R. du) BZ 68
Prés (R. des) BY 69
Remparts (Allée des) AY 72
St-Ayoul (Pl. et ⊞) CZ 73
St-Nicolas (R.) BZ 74
St-Quiriace (Pl. et ⊞) BZ 77
Ste-Croix (⊞) BYZ
Souvenir (Av. du) CY 78
Verdun (Av. de) CY 82
29e Dragons (Pl. du) CY 84

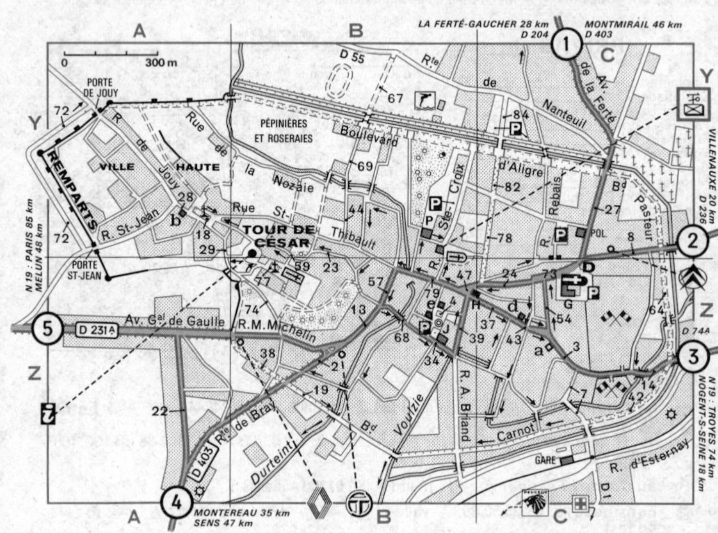

🏨 **La Fontaine,** 10 r. V.-Arnoul ☎ 400.00.10 – 🅿. CZ **a**
fermé 16 au 31 août, 1er au 15 fév. et jeudi sauf fériés – SC : **R** 50/90 – ☕ 10 – 13 ch 50/95.

✗✗ **Vieux Remparts,** 3 r. Couverte - Ville Haute ☎ 400.02.89 – GB AY **b**
fermé sept., mardi soir et merc. – SC : **R** 45/145.

✗✗ **Le Médiéval,** 6 pl. H.-de-Balzac ☎ 400.01.19 BZ **e**
fermé 15 au 31 août, 15 au 28 fév., dim. soir et lundi soir – SC : **R** 60/100 ₰.

✗ **Le Berri,** 17 r. H.-Le-Grand ☎ 400.03.86 – AE GB CZ **d**
fermé 2 au 15 janv. 22 juin au 22 juil. et lundi – SC : **R** (dim. prévenir) 28 bc/70 ₰.

✗ **Le Chalet,** 1 pl. H.-de-Balzac ☎ 400.02.27 BZ **e**
SC : **R** 25/70 ₰.

CITROEN Gar. Briards, 19 r. Bourquelot ☎ 400.01.56
FORD Gar. du Griffon, 21 r. Edmond-Nocard ☎ 400.01.23
OPEL Gar. de Champagne, 2 r. A.-Briand ☎ 400.04.86 N
PEUGEOT Autom. de la Brie, 1 av. de la Voulzie, Zone Ind. ☎ 400.11.50
RENAULT Randon, 23 r. Max-Michelin ☎ 400.03.67
TALBOT Bouron, 5 av. A.-France ☎ 400.00.95
La Centrale du Pneu, 39 r. Courloison ☎ 400.03.23

PRUNIÈRES 05 H.-Alpes 77 ⑰ – rattaché à Chorges.

PUBLIER 74 H.-Savoie 70 ⑰ – rattaché à Amphion.

PUGET-THÉNIERS 06260 Alpes-Mar. 81 ⑲, 195 ⑬⑭ **G. Côte d'Azur** (plan) – 1 520 h. alt. 410 – 93.

Voir Vieille ville* – Groupe sculpté* et retable de N.-D-de-Secours* dans l'église B – Statue * de Maillol – N : Gorges de la Roudoule* : site** du pont de St-Léger et site* du village de la Croix.

Env. Entrevaux : Site** – Ville forte* O : 7 km.

Paris 832 – Barcelonnette 96 – Cannes 84 – Digne 88 – Draguignan 110 – Manosque 129 – •Nice 65.

Vieux Chêne (provisoirement sans rest.), ☎ 05.00.14 – *fermé janv., fév. et lundi* – SC : 9 – **12 ch** 98/148.

CITROEN Casalengo, quartier St-Roch ☎ 05.00.25

PUGEY 25 Doubs 66 ⑮ – rattaché à Besançon.

PUGNY-CHATENOD 73100 Savoie 74 ⑮ – rattaché à Aix-les-Bains.

PUJOLS 47 L.-et-G. 79 ⑤ – rattaché à Villeneuve-sur-Lot.

PUSSY 73 Savoie 74 ⑰ – 279 h. alt. 750 – ✉ **73260** Aigueblanche – 79.

Paris 630 – Albertville 23 – Chambéry 70 – Moûtiers 12.

Bellachat, ☎ 55.50.87, ← – *fermé 15 nov. au 15 déc. et merc. hors sais.* – **R** 29/55 – 9 – **7 ch** 56/60 – P 80/100.

PUTANGES-PONT-ECREPIN 61210 Orne 60 ② **G. Normandie** – 947 h. alt. 127 – 33.

Paris 213 – Alençon 57 – Argentan 20 – Briouze 14 – Falaise 17 – La Ferté-Macé 22 – Flers 32.

Lion Verd, ☎ 35.01.86 – wc *fermé janv.* – SC : **R** 25/60 – 8 – 20 ch 35/100 – P 65/95.

CITROEN Pottier, à Pont-Ecrepin ☎ 35.00.52

PUTEAUX 92 Hauts-de-Seine 55 ⑳, 101 ⑭ – voir à Paris, Proche banlieue.

Le PUY P 43000 H.-Loire 76 ⑦ **G. Auvergne** – 29 024 h. alt. 630 – 71.

Voir Site*** – Cathédrale*** : trésor** et cloître** – Chapelle St-Michel d'Aiguilhe** AY B – Rocher Corneille ←* – Musée Crozatier : section lapidaire*, dentelles* AZ M – Pèlerinage (15 août) – Orgues d'Espaly* : ** 3 km par ⑤ – Espaly St-Marcel : ←* du rocher St-Joseph 2 km par ④.

Env. Ruines du château de Polignac* : * 6 km par ⑤.

Office de Tourisme (fermé sam. et dim. hors saison) et Accueil de France (Informations et réservations d'hôtels, pas plus de 5 jours à l'avance), pl. du Breuil ☎ 09.38.41 et 23 r. tables (juil.-août) ☎ 09.27.42.

Paris 516 ⑤ – Alès 146 ② – Aurillac 169 ⑤ – Avignon 215 ② – •Clermont-Ferrand 131 ⑤ – •Grenoble 192 ① – •Lyon 134 ① – Mende 92 ② – •St-Étienne 78 ① – Valence 113 ①.

Plan page suivante

Chris'tel M, 15 bd A.-Clair ☎ 02.24.44 – rest – 60. AE GB — AZ e
SC : **R** 38/65 – 13 – **30 ch** 145/155 – P 190/230.

Bristol, 7 av. Foch ☎ 09.13.38 – wc wc . AE E — BZ y
fermé 1er fév. au 15 mars – SC : **R** *(fermé lundi)* 35/70 – 11 – 33 ch 45/130.

Cygne, 47 bd Mar.-Fayolle ☎ 09.32.36 – wc wc . GB E — BZ d
fermé 15 déc. au 1er fév. – SC : **R** *(fermé vend. sauf juil., août)* 34/74 – 12 – **42 ch** 50/150.

Val Vert, par ② : 1,5 km sur N 88 ☎ 09.09.30 – wc .
fermé 11 au 28 oct., 24 déc. au 8 janv. et sam. hors sais. – SC : **R** 30/55 – 11 – 23 ch 60/120.

Gd Cerf, 3 av. Ch.-Dupuy ☎ 09.05.51 — BZ a
fermé 20 sept. au 6 oct., 8 fév. au 15 mars, hôtel : dim. hors sais., rest. : lundi – SC : **R** 35/70 – 10 – **13 ch** 45 – P 100/105.

Le Paditz, pl. du Breuil ☎ 02.30.66 – — BZ s
SC : **R** (au sous-sol) *(fermé lundi)* carte 95 à 130 **Brasserie G.B.V.** (rez-de-chaussée) *(fermé lundi du 1er oct. au 1er juil.)* **R** carte environ 65 .

Petit Vatel, 9 pl. Michelet ☎ 09.36.14 – GB — BZ v
fermé nov., dim. soir et lundi en hiver – SC : **R** 45/110.

Trouvère, 18 r. Grangevieille ☎ 09.25.59 — AY n
fermé 15 au 30 janv. et lundi – SC : **R** 30/60.

Host. Poste, 53 bd St-Louis ☎ 09.33.50 — AY v
fermé 22 déc. au 22 janv. et vend. – SC : **R** 30/72 .

à Blavozy par ① et N 88 : 9 km – alt. 690 – ✉ **43700** Brives-Charensac :

Moulin de Barette , au pont de Sumène E : 1,5 km par N 88 et VO ☎ 08.00.88, – wc wc – 50. . rest
fermé janv. – SC : **R** *(fermé lundi hors sais.)* 38/100 – 15 – 30 ch 90/160 – P 130/160.

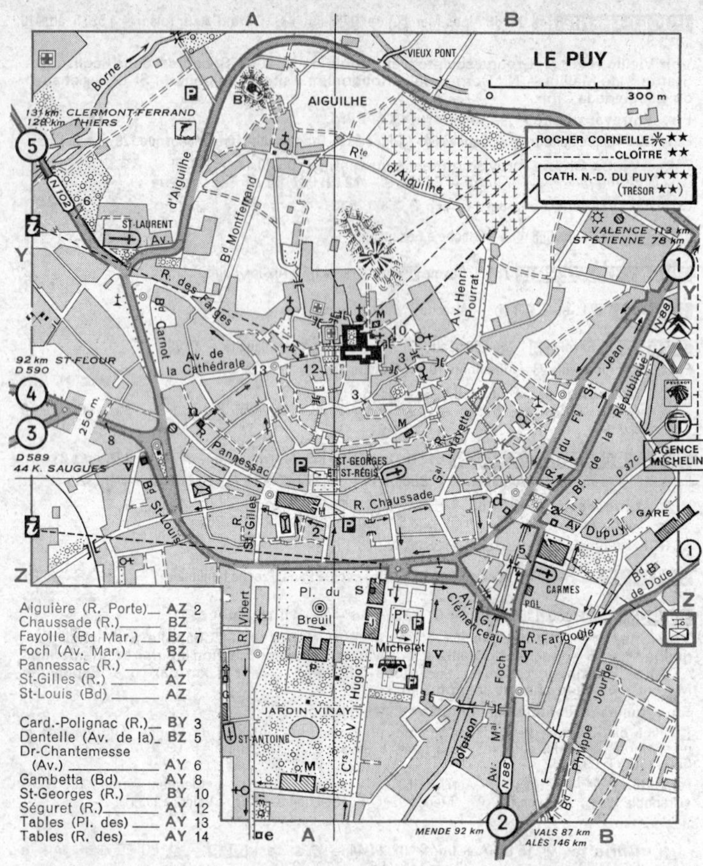

MICHELIN, Agence, Z. I. de Blavozy, St-Germain-Laprade BY ☎ 08.02.15

ALFA-ROMEO Le Puy Autom., Rocade D'Aiguille ☎ 02.29.01
AUDI-VOLKSWAGEN Stand-88, Zone Ind. à Blavozy ☎ 08.03.61
AUSTIN, JAGUAR, MORRIS, TRIUMPH Gar. Gouteyron, 28 bis r. Vibert ☎ 09.34.06
CITROEN Pouderoux, Zone Ind. de Corsac à Brives Charensac ☎ 05.44.88
DATSUN, VOLVO Vigouroux, 13 rte de Roderie à Aiguilhe ☎ 09.19.29
FIAT St-Laurent Autos, 1 av. d'Aiguilhe ☎ 09.10.17
FORD Pays-Fayolle, 25 bd G.-Sand ☎ 02.14.44
LADA, SKODA Gar. Trives, 51 av. des Champs-Elysées à Chadrac ☎ 09.13.66
LANCIA-AUTOBIANCHI, TOYOTA Escudero, 18 bd de la République ☎ 09.02.81
OPEL Gar. République, 26 bd République ☎ 09.13.20
PEUGEOT Gd Gar. de Corsac, Zone Ind. Corsac à Brives-Charensac ☎ 09.39.55
RENAULT Gd Gar. Velay, Zone Ind. Corsac à Brives-Charensac ☎ 02.36.55
TALBOT Velay-Autom., Zone Ind. à Brives-Charensac ☎ 09.61.35
Gar. Bonnet, 44 bd St-Louis ☎ 09.20.59
Gar. Boyer, 63 bis av. Mar.-Foch ☎ 09.37.16
Gar. Pradines, 6 pl. Cl.-Charbonnier ☎ 09.32.03
Gar. Racing 2000, 33 av. Foch ☎ 09.43.35

Chaussende, Zone Ind. Corsac à Brives-Charensac ☎ 02.05.01
Pascal-Pneu, la Chartreuse à Brives-Charensac ☎ 09.35.89
R.I.P.A., 44 av. Ch.-Dupuy à Brives-Charensac ☎ 02.13.41

PUY DE DÔME **63** P.-de-D. **73** ⑬⑭ **G. Auvergne** – alt. 1 465 – ✉ **63870** Orcines – 73.

Voir Balcon d'orientation ✳★★★

Accès par route taxée.

Paris 404 – ♦Clermont-Ferrand 15.

XX **Le Dôme** avec ch, au Sommet ☎ 91.49.00, ≤ Monts d'Auvergne – wc ☎ Ⓟ
début mai-fin sept. – SC : **R** 50/88 – 12 – **10 ch** 79/132 – P 105/165.

PUY DE SANCY 63 P.-de-D. 73 ⑬ – ressources hôtelières voir au Mont.

PUYLAURENS 81700 Tarn 82 ⑩ – 2 790 h. alt. 350 – 63.

Paris 728 – Albi 53 – Carcassonne 58 – Castres 22 – Gaillac 46 – Montauban 83 – ♦Toulouse 49.

Gd H. Pagès, square Ch.-de-Gaulle ☎ 75.00.09 – wc
SC : **R** 28/60 – 7 – **21 ch** 36/65 – P 85/100.

PEUGEOT Morera, ☎ 75.03.49

PUY-L'ÉVÊQUE 46700 Lot 79 ⑦ **G. Périgord** – 2 501 h. alt. 110 – 65.

Syndicat d'Initiative à la Mairie (juil.-août) ☎ 36.30.33.

Paris 597 – Cahors 31 – Gourdon 41 – Sarlat-la-Canéda 58 – Villeneuve-sur-Lot 44.

Bellevue, ☎ 36.30.70, ≤ vallée du Lot, – wc
15 mars-15 nov. et fermé lundi hors sais. – SC : **R** 42/120 – 12,50 – **15 ch** 65/120 – P 120/150.

FIAT, LADA Gar. Foissac, ☎ 36.30.10
PEUGEOT Gar. Couailhac et Besset, ☎ 36.31.67
RENAULT Gar. Cros, ☎ 36.30.49

PUY MARY 15 Cantal 76 ③ **G. Auvergne** – Ouest de Murat 22 km - alt. 1 787.

Voir ※★★★.

Accès 1 h AR du Pas de Peyrol★★.

Paris 523 – Murat 23.

PUYMIROL 47270 L.-et-G. 79 ⑮ **G. Périgord** – 742 h. alt. 153 – 58.

Paris 658 – Agen 17 – Moissac 43 – Villefranche-sur-Lot 30.

XX ❀ **L'Aubergade** (Trama), 52 r. Royale ☎ 95.31.46 – AE GB
fermé mardi – SC : **R** 65
Spéc. Terrine de poireaux aux truffes, Ragoût de ris de veau, Charlotte aux amandes.

RENAULT Berron, ☎ 95.33.32

PUYMOREAU (Etang de) 87 H.-Vienne 72 ⑰ – rattaché à St-Yrieix-la-Perche.

PUYOO 64 Pyr.-Atl. 78 ⑦⑧ – 1 109 h. alt. 41 – ✉ **64270** Salies de Béarn – 59.

Paris 734 – Dax 28 – Orthez 14 – Pau 55 – Peyrehorade 16 – Salies-de-Béarn 7,5 – Tartas 45.

Voyageurs, ☎ 38.10.98, – wc . rest
fermé fév. et lundi – SC : **R** 30/80 – 11 – **14 ch** 40/80 – P 90/120.

RENAULT Bareille, ☎ 38.06.90

PUYS 76 S.-Mar. 52 ④ – rattaché à Dieppe.

PUY-ST-VINCENT 05 H.-Alpes 77 ⑰ – 200 h. alt. 1 390 – Sports d'hiver : 1 390/2 450 m 1 9 – ✉ **05290** Vallouise – 92.

Voir Les Prés★ : ≤★ SE : 2 km, **G. Alpes.**

Paris 736 – L'Argentière-la-B. 9,5 – Briançon 25 – Gap 82 – Guillestre 30 – Pelvoux (Commune de) 13.

Saint-Roch M , aux Prés E : 1 km par D 4 ☎ 23.32.79, ≤ vallée et montagnes – wc .
15 juin-31 août et 20 déc.-20 avril – SC : **R** 45/70 – 15 – **11 ch** 145 – P 190.

La Pendine , aux Prés E : 1 km par D 4 ☎ 23.32.62, ≤ – wc .
1er juin-30 sept. et 1er déc.-20 avril – SC : **R** 35/75 – 9 – 32 ch 72/130 – P 110/135.

PYLA-SUR-MER 33115 Gironde 78 ⑫ **G. Côte de l'Atlantique** – 56.

Office de Tourisme à la Mairie (fermé sam. et dim. hors saison) ☎ 22.53.83.

Paris 629 – Arcachon 4 – Biscarrosse 34 – ♦Bordeaux 62.

Voir plan d'Arcachon agglomération

Beau Rivage, bd Océan ☎ 22.52.41 – wc . rest AY **u**
1er juin-15 sept. – SC : **R** 65 – 11 – **19 ch** 85/180 – P 160/200.

Maminotte sans rest, allée Acacias ☎ 22.55.73 – wc wc AY **n**
SC : 10 – **12 ch** 120/165.

Ahurentzat sans rest, bd Océan ☎ 22.55.52, – , sans AY **f**
1er juin-30 sept. – SC : 8,50 – **17 ch** 70/120.

XXX ❀ **La Guitoune** (Hérès) avec ch, bd Océan ☎ 22.70.10 – wc wc .
AE GB E AY **g**
fermé 12 nov. au 20 déc. – SC : **R** carte 105 à 160 – 22 – **22 ch** 150/250 – P 300
Spéc. Bouillabaisse, Magret de canard au poivre vert, Saumon braisé au Champagne (15 fév.-30 août). **Vins** Château Pouyanne, Bouteilley.

à Pilat-Plage S : D 112 – ✉ **33115** Pyla-sur-Mer.
Voir Dune★ : ✲★★.

🏨 **Oyana** 🐦, ☎ 22.72.59, ≤ bassin – ⌂wc ⋒ ☎. 🚗 AZ **z**
15 mars-15 oct. – SC : **R** 50 – ☕ 10 – **17 ch** 70/150 – P 152/168.

XXX **Corniche** 🐦 avec ch, ☎ 22.72.11, ≤ bassin – ⌂wc ⋒ ☎. 🚗 GB AZ **z**
24 mars-31 oct. et 15 déc.-4 janv. – SC : **R** 70 – ☕ 12 – 13 ch 90/160 – P 190/220.

QUARRÉ-LES-TOMBES 89630 Yonne 65 ⑯ **G. Bourgogne** – 863 h. alt. 460 – ⊚ 86.
Paris 235 – Auxerre 72 – Avallon 19 – Château-Chinon 57 – Clamecy 49 – ♦Dijon 100 – Saulieu 27.

🏨 **Nord et Poste,** ☎ 32.24.55 – ⌂ ⋒ ☎
SC : **R** 45/75 – ☕ 10 – 35 ch 55/110 – P 100/120.

X **Aub. de l'Atre,** aux Lavants SE : 6,5 km ✉ 89630 Quarré les Tombes ☎ 32.20.79, 🌳 – **P**. GB
fermé 2 janv. à fin fév. et merc. – SC : **R** 40/85.

CITROEN, LANCIA-AUTOBIANCHI Gar. Naulot, ☎ 32.23.58 **N**

QUATRE-ASSIETTES 86 Vienne 68 ⑬ – rattaché à Poitiers.

QUATRE CHEMINS 15 Cantal 76 ⑫ – rattaché à Aurillac.

QUATRE ROUTES D'ALBUSSAC 19 Corrèze 75 ⑨ – alt. 600 – ✉ **19400** Argentat – ⊚ 55.
Voir Roche de Vic ✲★ S : 2 km puis 15 mn, G. Périgord.
Paris 500 – Aurillac 72 – Brive la Gaillarde 26 – Mauriac 69 – St-Céré 39 – Tulle 19.

🏨 **Roche de Vic,** ☎ 28.15.87, 🌳 – ⌂wc ⋒wc ♿ **P**. 🚗 GB
◆ *fermé oct. et vend. hors sais.* – SC : **R** 25/100 – ☕ 8 – 14 ch 37/60 – P 85/100.

🏨 **Aub. Limousine,** ☎ 28.15.83, 🌳 – ⋒ 🚗 **P**. 🚗
◆ *fermé nov. et lundi* – SC : **R** 25/65 🍷 – ☕ 9 – **12 ch** 40/50 – P 95/110.

QUATZENHEIM 67 B.-Rhin 62 ⑨ – 499 h. alt. 165 – ✉ **67370** Truchtersheim – ⊚ 88.
Paris 474 – Haguenau 28 – Molsheim 13 – Obernai 23 – Saverne 26 – ♦Strasbourg 17.

XX **Agneau d'Or,** ☎ 69.02.95 – **P**. 🐕
◆ *fermé 15 juil. au 15 août et merc.* – SC : **R** 26/84 🍷.

QUÉDILLAC 35 I.-et-V. 59 ⑮ – 1 046 h. alt. 76 – ✉ **35290** St-Méen-le-Grand – ⊚ 99.
Paris 391 – Dinan 26 – Lamballe 39 – Loudéac 52 – Ploermel 43 – ♦Rennes 40.

🏨 **Relais de la Rance,** ☎ 07.21.25, 🌳 – ⌂wc ⋒ ☎ **P**. 🐕
◆ *fermé 6 janv. au 5 fév.* – SC : **R** *(fermé dim. soir hors sais.)* 35/85 🍷 – ☕ 11 – **12 ch** 45/90 – P 85/110.

Les QUELLES 67 B.-Rhin 62 ⑧ – alt. 530 – ✉ **67130** Schirmeck – ⊚ 88.
Paris 415 – St-Dié 43 – Senones 31 – ♦Strasbourg 56.

🏨 **Neuhauser** 🐦, ☎ 97.06.81, ≤ – ⌂wc ☎ **P**. GB
fermé janv. – SC : **R** *(fermé merc.)* 40/100 – ☕ 10 – 9 ch 60/140 – P 100/150.

☞ *Les localités dont les noms sont soulignés de rouge sur les cartes Michelin à 1/200 000 sont citées dans ce guide. Utilisez une carte récente pour profiter de ce renseignement régulièrement mis à jour.*

Le QUESNOY 59530 Nord 53 ⑤ **G. Nord de la France** – 5 370 h. alt. 125 – ⊚ 27.
Voir Fortifications★.
i Office de Tourisme Hôtel de Ville (fermé sam. après-midi et dim.) ☎ 49.12.16.
Paris 220 ① – Cambrai 33 ⑤ – Guise 41 ④ – ♦Lille 69 ① – Maubeuge 28 ② – Valenciennes 18 ①.

Plan page ci-contre

XXX **Host. Parc** avec ch, r. V.-Hugo ☎ 49.02.42 – ⌂ ⋒ ☎ **P**. 🐕 ch Z **e**
fermé 3 au 26 août, vacances de fév., dim. soir et lundi – **R** 35/85 🍷 – ☕ 9 – **7 ch** 60/75.

par ④ : 2 km sur D 934 – ✉ **59530** Le Quesnoy :

XX **Les Vanneaux,** ☎ 49.15.40, 🌳 – **P**
fermé 17 août au 1er sept., 28 déc. au 5 janv., lundi et le soir sauf sam. – SC : **R** carte 110 à 160.

CITROEN Lyskawa, ☎ 49.02.60 RENAULT Lebrun, ☎ 49.08.36

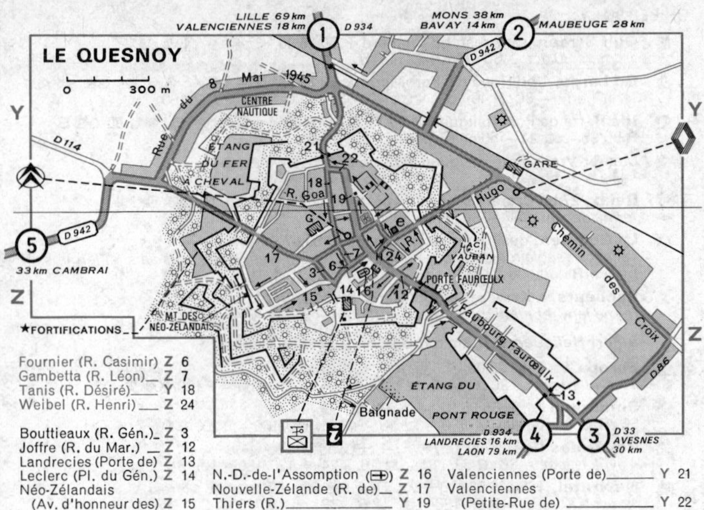

Fournier (R. Casimir) Z 6
Gambetta (R. Léon) Z 7
Tanis (R. Désiré) Y 18
Weibel (R. Henri) Z 24

Bouttieaux (R. Gén.) Z 3
Joffre (R. du Mar.) Z 12
Landrecies (Porte de) Z 13
Leclerc (Pl. du Gén.) Z 14
Néo-Zélandais (Av. d'honneur des) Z 15
N.-D.-de-l'Assomption Z 16
Nouvelle-Zélande (R. de) Z 17
Thiers (R.) Y 19
Valenciennes (Porte de) Y 21
Valenciennes (Petite-Rue de) Y 22

QUESTEMBERT 56230 Morbihan 63 ④ **G. Bretagne** – 4 890 h. alt. 100 – 97.

Paris 423 – Locminé 47 – Ploërmel 36 – Redon 33 – ♦Rennes 88 – La Roche-Bernard 22 – Vannes 27.

XXX ✿✿ **Bretagne** (Paineau) M avec ch, r. St-Michel ✆ 26.11.12 – wc. AE
fermé 2 janv. au 15 mars, dim. soir et lundi sauf en juil.-août et fériés – SC : **R** (nombre de couverts limité - prévenir) carte 160 à 210 – 25 – **5 ch** 180/240
Spéc. Huitres en paquets, Pieds de porc fourrés, Millefeuille chaud d'araignée de mer.

RENAULT Gar. Marquer, ✆ 26.10.41

La QUEUE-EN-BRIE 94 Val-de-Marne 61 ①②, 101 ㉘㉙ – voir à Paris, Proche banlieue.

QUIBERON 56170 Morbihan 63 ⑫ **G. Bretagne** (plan) – 4 723 h. – Casino – 97.

Voir Côte sauvage★★ NO : 2,5 km.

Office de Tourisme 7 r. Verdun (fermé dim. hors saison) ✆ 50.07.84, Télex 950538.

Paris 501 – Auray 28 – Concarneau 100 – Lorient 49 – Quimper 112 – Vannes 46.

Sofitel M, ✆ 50.20.00, Télex 730712, ≤, – – 200. AE E. rest
fermé janv. – SC : rest. **Thalassa R** carte 105 à 130 – **108 ch** 270/615, 5 appartements – P 430/570.

Ker Noyal, ✆ 50.08.41, –.
1er mars-31 oct. – SC : **R** 80/110 – 18,50 – 92 ch 150/220 – P 175/220.

Bellevue, r. Tiviec ✆ 50.16.28, – wc wc. AE E. rest
Pâques-10 oct. – SC : **R** 60/80 – 13 – 40 ch 140/200 – P 145/200.

Petite Sirène M, 15 bd Mer ✆ 50.17.34, ≤ – cuisinette wc. AE
1er mars-1er nov. – SC : **R** *(fermé merc. hors sais.)* 40/95 – 11 – **14 ch** 110/130, 5 appartements 280.

Roch Priol, r. Sirènes ✆ 50.04.86 – wc wc
fermé 3 janv. au 3 fév. – SC : **R** 46/62 – 12 – **39 ch** 82/145 – P 140/190.

Beau Rivage, r. Port-Maria ✆ 50.08.39, ≤ – wc.
Pâques-25 sept. – SC : **R** 45/95 – 12 – **47 ch** 90/150 – P 140/180.

Hoche, pl. Hoche ✆ 50.07.73, – wc wc. E
1er fév.-15 oct. – SC : **R** 50/120 – 14 – 39 ch 65/160 – P 140/200.

Ty Breiz sans rest, bd Chanard ✆ 50.09.90, ≤, – wc wc. ch
5-22 avril et 15 mai-fin sept. – SC : 12 – **32 ch** 55/160.

Druides, 6 r. Port Maria ✆ 50.14.74 – wc wc. ch
1er avril-30 sept. – SC : **R** 45/85 – 12 – 30 ch 80/160 – P 140/180.

tourner →

Gulf Stream sans rest, bd Chanard ☎ 50.16.96, ≤, – wc ☎
1er mars-30 oct. – SC : **19 ch** 60/150.

Gd Large, 1 bd Hoedic à Port Maria ☎ 50.13.39, ≤ – wc wc ☎. GB. rest
fermé janv. – SC : **R** 40/75 – 10 – 20 ch 70/130 – P 132/160.

Idéal, rte de Port-Haliguen ☎ 50.12.72 – wc wc ☎. AE GB E
R 35/95 – 11 – 50 ch 55/95 – P 110/155.

Men-er-Vro, r. Port-Haliguen ☎ 50.16.08 – wc ☎
sais. – 20 ch.

Relax, 27 bd Castero à Kermorvan ☎ 50.12.84, ≤ – . AE GB
fermé déc. et janv. – SC : **R** 35/85.

La Goursen, quai Océan à Port Maria ☎ 50.07.94
vacances scolaires de Pâques, 1er juin-30 sept., week-ends hors sais. et fermé sam. midi – **R** carte 90 à 120.

Pêcheurs, r. Kervozes à Port Maria ☎ 50.12.75
fermé janv. et lundi du 15 sept. au 15 juin – SC : **R** 40/48.

à Port Haliguen E : 2 km par D 200 – ✉ **56170** Quiberon :

Europa M, ☎ 50.25.00, ≤, – . rest
1er avril-10 oct. – SC : **R** 55/80 – 12 – 56 ch 110/160 – P 180/200.

Sombreuil M, ☎ 50.06.92, ≤ – . AE
SC : **R** *(7 fév.-11 nov.)* 40/80 – 13 – **42 ch** 140/160 – P 200/220.

Relais des Iles, ☎ 50.18.74, ≤ – wc wc ☎.
4 avril-1er oct. – SC : **R** 59/110 – 16 – 24 ch 120/180 – P 175/200.

Navirotel, ☎ 50.16.52 – wc wc ☎. AE GB . rest
1er avril-30 sept. – **R** 65/120 – 12,50 – 21 ch 150/200.

à St-Julien N : 2 km – ✉ **56170** Quiberon :

Baie, ☎ 50.08.20 – wc wc ☎
25 mars-30 sept. – SC : **R** 60 – 11 – 21 ch 45/100 – P 129/155.

Au Vieux Logis, ☎ 50.12.20 – wc wc . GB.
Pâques-fin sept. – SC : **R** 50/80 – 12 – 22 ch 52/150 – P 130/150.

à St-Pierre N : 4,5 km par D 768 – ✉ **56510** St-Pierre.
Mairie (fermé sam., dim. et fêtes) ☎ 50.92.00.

Plage, ☎ 50.92.10, ≤ – wc wc ☎ .
2 au 20 avril et début mai-1er oct. – SC : **R** 60/80 – 13 – 41 ch 80/180 – P 150/210.

Bretagne, r. Gén.-de-Gaulle ☎ 50.91.47 –
25 mars-25 sept. – SC : **R** 45/65 – 8,50 – **21 ch**.

Poste, ☎ 50.92.05 – wc wc ☎. GB. rest
1er avril-25 sept. – SC : **R** 40/80 – 10,50 – 22 ch 70/130.

à Portivy N : 7 km par D 768 et VO – ✉ **56510** St-Pierre.
Voir Pointe du Percho ≤★ au SO : 1,5 km.

La Taverne avec ch, ☎ 50.91.61, ≤ –
Pâques-fin sept. – SC : **R** 60/95 – 8 – 15 ch 55 – P 115.

CITROEN Gar. St-Christophe, ☎ 50.07.71 — PEUGEOT Le Borgne, ☎ 50.16.37

QUIÉVRECHAIN 59 Nord 53 ⑤ – rattaché à Valenciennes.

QUILLAN 11500 Aude 86 ⑦ G. Pyrénées – 5 142 h. alt. 291 – 68.
Voir Défilé de Pierre Lys★ S : 5 km.
Office de Tourisme pl. Gare (fermé dim. sauf matin en saison) ☎ 20.07.78.
Paris 828 – Andorre 114 – Carcassonne 51 – Foix 62 – Limoux 27 – ♦Perpignan 74 – Prades 92.

La Chaumière, bd Ch.-de-Gaulle ☎ 20.17.90 – wc wc ☎ – 50. . ch
fermé nov. – SC : **R** 35/90 – 13 – 38 ch 40/140 – P 100/150.

Pierre Lys, av. Carcassonne ☎ 20.08.65 – wc ☎ .
fermé 15 nov. au 15 déc. – SC : **R** 35/155 – 10 – **18 ch** 46/98 – P 165/199.

Cartier, bd Ch.-de-Gaulle ☎ 20.05.14 – wc wc ☎ .
1er mars-15 déc. – SC : **R** 35/90 – 10 – **28 ch** 52/135.

au Sud : 10 km sur D117 (carrefour D117 - D107) – ✉ **11140** Axat :

Rébenty, ☎ 20.50.78 – GB
fermé 21 déc. au 23 janv., mardi soir et merc. sauf du 9 juil. au 1er sept. – SC : **R** 38/60.

CITROEN Gar. Nivet, ☎ 20.04.27
PEUGEOT Gar. Roosli, ☎ 20.01.01
RENAULT Gar. Escur, ☎ 20.06.66
Saunier, ☎ 20.00.49

QUIMPER P 29000 Finistère 58 ⑮ G. Bretagne – 60 510 h. alt. 8 – ✪ 98.

Voir Cathédrale★★ – Grandes fêtes de Cornouaille★ (fin juillet) – Rue Kéréon★ – Mont Frugy ≤★ BZ – Musées : Beaux-Arts★★ BY **H**, Breton★ BY **M** – Descente de l'Odet★★ en bateau 1 h 30.

⛳ de Quimper et de Cornouaille ☎ 56.97.09, ; à la Forêt-Fouesnant par ③ : 17 km.

✈ de Quimper-Pluguffan : ☎ 94.01.28 par ③ : 7 km.

🚗 ☎ 90.26.21.

ℹ Office de Tourisme 3 r. Roi-Gradlon (fermé sam. hors saison) ☎ 95.04.69 – A.C.O. Finistère 12 r. E.-Fréron ☎ 95.20.89.

Paris 555 ② – ◆Brest 71 ① – Lorient 64 ② – ◆Rennes 206 ② – St-Brieuc 139 ① – Vannes 115 ②.

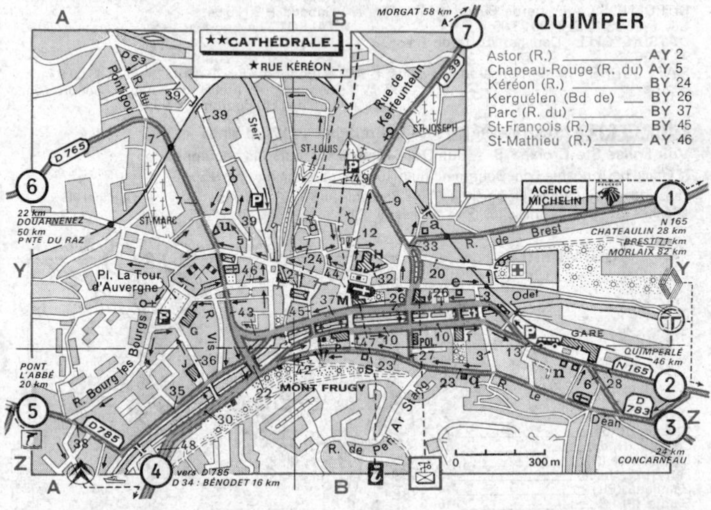

Briand (R. Aristide) BYZ 3
Concarneau (R. de) BZ 6
Douarnenez (R. de) AY 7
Douves (R. des) BY 9
Dupleix (Bd) BY 10
Fréron (R. Elie) BY 12
Gare (Av. de la) BZ 13
Gourmelen (R. Etienne) BY 20
Jacob (Pont Max) AZ 22
Jaurés (R. Jean) BZ 23
Le Hars (R. Th.) BZ 27
Libération (Av. de la) BZ 28
Locmaria (Allées) AZ 30
Mairie (R. de la) BY 32
Massé (Pl. A.) BY 33
Odet (Q. de l') AZ 35
Palais (R. du) AZ 36
Pont-l'Abbé (R. de) AZ 38
Providence (R. de la) AY 39
Résistance (Pl. de la) BZ 42
Ronarc'h (R. Amiral) AY 43
St-Corentin (Pl.) BY 44
St-Mathieu (⊕) AY
Ste-Catherine (R.) BYZ 47
Ste-Thérèse (⊕) BZ
Styvel (Pl. du) AZ 48
Tourbie (Pl. de la) BY 49

Griffon Ⓜ, rte Bénodet par ④ : 3 km ☎ 90.33.33, ⛱, 🏖 – ☎ Ⓟ – 🏃 40 à 100. AE GB ⓓ. ✂ rest — BZ **q**
SC : **R** *(fermé 15 janv. au 15 fév. et dim. hors sais.)* 49/110 – ☕ 13 – **50 ch** 160/180 – P 205/270.

Tour d'Auvergne Ⓜ, 13 r. Réguaires ☎ 95.08.70 – 🛗 🛁wc 🚿wc ☎ Ⓟ. 🏨 GB E — BY **e**
fermé 19 déc. au 5 janv. – SC : **R** *(fermé dim. d'oct. à Pâques)* 47/130 – ☕ 11,50 – 45 ch 55/145 – P 168/192.

Gradlon sans rest, 30 r. Brest ☎ 95.04.39 – 🛁wc 🚿wc ☎. AE GB ⓓ E. ✂
fermé 20 déc. au 10 janv. – SC : ☕ 12 – **25 ch** 140/145. — BY **a**

Moderne, 21 bis av. Gare ☎ 90.31.71, Télex 940792 – 🛗 🛁wc 🚿wc ☎ 🚗. 🏨 GB. ✂ ch — BZ **n**
fermé 20 déc. au 10 janv. – SC : **R** *(fermé sam. d'oct. à mars)* 39/105 – ☕ 11 – **67 ch** 45/150.

Transvaal, 57 r. J.-Jaurès ☎ 90.09.91 – 🛁 🚿wc ☎ 🚗. AE GB ⓓ — BZ **s**
fermé 1er au 15 oct. et 20 déc. au 5 janv. – SC : **R** *(fermé sam. d'oct. à mars)* 38/105 🌡 – ☕ 11 – 52 ch 55/110 – P 129/211.

Sapinière sans rest, rte Bénodet 4 km par ④, ✉ 29000 Quimper ☎ 90.39.63 – 📺 🛁 🚿wc ☎ Ⓟ – 🏃 40. 🏨 AE GB ⓓ. ✂
fermé oct. – SC : ☕ 11 – **40 ch** 55/90.

Celtic, 13 r. Douarnenez ☎ 95.02.97 – 🛁wc 🚿 — AY **u**
◆ *fermé mi oct. à mi-nov. et dim. sauf juil. et août* – **R** 32/85 – ☕ 10 – 35 ch 45/92 – P 100/135.

Terminus sans rest, 15 av. Gare ☎ 90.00.63 – 🚿 ☎. ✂ ch — BZ **n**
SC : ☕ 9 – **25 ch** 40/75.

XX **Le Parisien,** 13 r. J.-Jaurès ☎ 90.35.29 – GB — BZ q
fermé fin juil. à fin août et dim. – SC : **R** carte 70 à 115.

X **Buffet Gare,** ☎ 90.01.03 — BY
fermé sam. – SC : **R** 35/50 ₰.

MICHELIN, Agence, 4 r. du Stade de Kerhuel, Zone Ind. Ouest par ① ☎ **90.23.48**

ALFA-ROMEO Jourdain, 36 rte de Bénodet ☎ 90.60.64
AUDI-VOLKSWAGEN Gar. Honoré, 51 rte de Concarneau ☎ 90.05.47
AUSTIN, TRIUMPH Gar. St-Christophe, Z.A.C. Kernevez, rte Douarnenez ☎ 55.51.70
CITROEN S.C.A.F., rte de Bénodet à Ménez-Bily ☎ 90.33.47 N ☎ 90.28.05
DATSUN, OPEL Damian, 70 rte de Brest ☎ 95.18.38
FIAT SODAQ, Rte de Concarneau Ty Bos ☎ 90.37.57
FORD Bretagne-Autom., 105 av. de Ty-Bos ☎ 90.32.00 N ☎ 90.28.05
MERCEDES-BENZ Belléguic, rte de Coray ☎ 90.03.69
PEUGEOT Nédélec, 66 rte de Brest ☎ 95.42.74
RENAULT Narvor, 43 av. de Coray à Ergue-Gaberic ☎ 90.25.94
TALBOT Le Bourhis, 13 av. Libération ☎ 90.18.49

Bégot et Fils, 79 rte de Brest ☎ 95.09.33
Comptoir et Atelier du Pneu, r. Lebon Zone Ind. de l'Hippodrome ☎ 90.18.87

QUIMPERLÉ 29130 Finistère 58 ⑫⑰ **G. Bretagne** – 11 712 h. alt. 35 – 98.

Voir Église Ste-Croix★★ B – Rue Dom-Morice★ 9 maisons anciennes★.

Office de Tourisme Pont Bourgneuf (juin-15 sept. et fermé dim.) ☎ 96.04.32.

Paris 510 ② – Carhaix-Plouguer 58 ① – Concarneau 34 ④ – Pontivy 54 ② – Quimper 46 ⑤ – ♦Rennes 161 ② – St-Brieuc 109 ① – Vannes 70 ②.

QUIMPERLÉ

Bourgneuf (R. du) 3
Brémond-d'Ars (R.) 4
Carnot (Pl.) 6
Écoles (Pl. des) 12
Genot (R.) 17
Mellac (R.) 25
St-Michel (Pl.) 32
Savary (R.) 33

Bel-Air (Pl. du) 2
Clohars (R. de) 7
Couedic (R. du) 8
Dom-Morice (R.) 9
Ferry (Av. Jules) 13
Gambetta (Pl.) 14
Gaulle (Pl. Ch. de) 16
Jaurès (Pl. Jean) 19
La-Tour-d'Auvergne (R.) 21
Leuriou (R.) 22
Paix (R. de la) 27
Pasteur (Av.) 28
Pont-Aven (R. de) 30
Thiers (R.) 35

Pour un bon usage des plans de villes, voir les signes conventionnels 20.

Hermitage sans rest, S : 2 km par D 49 ☎ 96.04.66, « Parc », – wc wc ☎ P – 30.
1er mars-1er nov. – SC : **R** (voir rest. Relais du Roc) – 14 – 22 ch 95/140, 3 appts. 270.

XX **Relais du Roch,** S : 2 km par D 49 ☎ 96.12.97 – P. GB
fermé 15 déc. au 15 janv. – SC : **R** 48/160.

XX **Aub. de Toulfoën** avec ch, S : 3 km par D 49 ☎ 96.00.29, – P. GB. ch
fermé 28 sept. au 31 oct. et lundi – SC : **R** 50/120 – 12 – 6 ch 60/100.

AUDI-VOLKSWAGEN Gar. Quimperlois, 22 rte Lorient ☎ 96.04.56
CITROEN Gar. Gaudart, rte de Quimper à Roz-Glass ☎ 96.20.30
PEUGEOT Gar. Oswald, rte d'Hennebont ☎ 96.07.93 N ☎ 96.23.60
RENAULT Guillou, 39 rte Lorient ☎ 96.31.45 N ☎ 96.23.60
TALBOT Ouest-Autom., rte Lorient ☎ 96.11.91 N ☎ 96.23.60

Le Borgne, 53 rte Lorient ☎ 96.00.49
Lorans-Pneus, 40 rte Quimper ☎ 96.01.39

QUINCIÉ-EN-BEAUJOLAIS 69 Rhône 73 ⑨ – 1 022 h. alt. 319 – ✉ **69430** Beaujeu – 74.

Paris 430 – Beaujeu 5 – Bourg-en-Bresse 50 – ♦Lyon 56 – Mâcon 36 – Roanne 70.

X ✿ **Aub. du Pont des Samsons** (Fouillet), E : 2,5 km sur D37 ☎ 04.32.09 – P. AE GB
fermé janv., du 22 au 30 juin, dim. soir et lundi – SC : **R** 40/125
Spéc. Suivant saison. Vins Beaujolais.

QUINCY-VOISINS 77860 S.-et-M. 56 ⑫⑬ – 2 999 h. alt. 137 – ⚙ 6.

Paris 48 – Lagny-sur-Marne 15 – Meaux 7 – Melun 49.

✗ **Aub. Demi-Lune** avec ch, N 36 ℡ 004.11.09,
fermé 2 janv. au 5 fév., merc. soir et jeudi – SC : **R** 45/88 – 12 – **9 ch** 60/75.

QUINSAC 33 Gironde 75 ⑪ – 1 734 h. alt. 49 – ✉ **33360** Latresne – ⚙ 56.

Paris 568 – ♦Bordeaux 15 – Langon 33 – Libourne 35.

✗✗ **Robinson,** SE : 2 km sur D 10 ℡ 21.31.09, – Ⓟ
fermé oct. et mardi – **R** 100/180.

QUINTIN 22800 C.-du-N. 59 ⑫⑬ **G. Bretagne** – 3 599 h. alt. 179 – ⚙ 96.

Office de Tourisme à la Mairie (fermé sam. après-midi et dim.) ℡ 74.84.01.

Paris 469 – Guingamp 32 – Lamballe 35 – Loudéac 31 – Quimper 110 – St-Brieuc 19.

Commerce, r. Rochonen ℡ 32.80.25 – wc . . ch
fermé 1er au 15 sept., 23 déc. au 6 janv., dim. soir et lundi midi du 15 sept. au 30 juin sauf fériés – SC : **R** 48/95 – 10,50 – 14 ch 59/95.

RENAULT Auto-Quintinaise, St-Brandan ℡ 32.87.04 N

TALBOT Le Fur, ℡ 32.80.49
Gar Le Floch, ℡ 32.80.67

RABASTENS 81800 Tarn 82 ⑨ **G. Causses** – 4 220 h. alt. 117 – ⚙ 63.

Voir Chapiteaux★ de l'église N.-D.-du-Bourg.

Syndicat d'Initiative 6 pl. St-Michel (15 juin-15 sept. et fermé dim.).

Paris 703 – Albi 39 – Carcassonne 106 – Castres 61 – Lavaur 22 – Montauban 49 – ♦Toulouse 37.

Pré Vert, prom. Lices ℡ 33.70.51, – wc wc Ⓟ – 20
fermé mi-nov. à mi déc., lundi (sauf hôtel) et dim. soir hors sais. – SC : **R** 37 (sauf fêtes)/90 – 10,50 – **13 ch** 58/135 – P 103/145.

CITROEN Milhau, ℡ 33.75.18
PEUGEOT Mouisset, ℡ 33.75.23

RENAULT Baysse-Laborde, ℡ 33.70.44
TALBOT Bourdet, à Couffouleux ℡ 33.71.66

RABASTENS-DE-BIGORRE 65140 H.-Pyr. 85 ⑧ – 1 082 h. alt. 217 – ⚙ 62.

Paris 790 – Aire-sur-l'Adour 60 – Castelnau-Magnoac 46 – Mirande 29 – Plaisance 27 – Tarbes 19.

Chez Yvonne, ℡ 96.60.20 – Ⓟ
fermé 1er au 8 mai, 14 oct. au 6 nov., dim. soir et vend. – **R** 27/50 – 6,50 – **10 ch** 35/42.

Platanes, ℡ 96.61.77 – .
fermé vend. – SC : **R** 28/55 – 9 – 7 ch 50/78 – P 90/98.

RABOT 41 L.-et-Ch. 64 ⑨ – rattaché à Lamotte-Beuvron.

RACHECOURT-SUR-MARNE 52 H.-Marne 61 ⑩ – 887 h. alt. 173 – ✉ **52170** Chevillon – ⚙ 25.

Paris 224 – Bar-le-Duc 37 – Chaumont 55 – Joinville 12 – Ligny-en-Barrois 35 – St-Dizier 19 – Toul 82.

✗✗ **Vieille Auberge** avec ch, N 67 ℡ 04.40.35, « Intérieur rustique authentique », – . GB
fermé dim. soir et lundi du 1er oct. au 30 avril – **R** 30/55 – 11 – 7 ch 60.

RAGUENÈS-PLAGE 29 Finistère 58 ⑪ – ✉ **29139** Nevez – ⚙ 98.

Paris 538 – Carhaix-Plouguer 74 – Concarneau 17 – Pont-Aven 12 – ♦Quimper 39 – Quimperlé 29.

Chez Pierre, ℡ 06.81.06, – wc wc Ⓟ.
4 avril-3 mai et 15 mai-29 sept. – SC : **R** *(fermé merc. en juil. et août sauf semaine du 16 au 23 août)* 46/85 – 11 – 21 ch 80/147 – P 123/155.

RAMATUELLE 83350 Var 84 ⑰ **G. Côte d'Azur** – 1 443 h. alt. 135 – ⚙ 94.

Voir Col de Collebasse ←★ **S : 4 km.**

Paris 880 – Hyères 61 – Le Lavandou 38 – St-Tropez 12 – Ste-Maxime 18 – ♦Toulon 79.

Le Baou M , ℡ 79.20.48, ← mer, – ch Ⓟ. AE
14 mars-5 nov. – SC : **R** 120 – 22 – 16 ch 255/330.

RAMBERCHAMP 88 Vosges 62 ⑰ – rattaché à Gérardmer.

RAMBLE 74 H.-Savoie 70 ⑰ – rattaché à Habère-Poche.

RAMBOUILLET SP 78120 Yvelines 60 ⑧⑨, 96 ㉓㉔ **G. Environs de Paris** – 20 052 h. alt. 160 – ⚙ 3 – **Voir Boiseries★ du château** AZ – **Parc★** AZ : **bergerie nationale★, Grisailles★ de la laiterie de la Reine, jardin anglais★ et chaumière des coquillages★ – Forêt de Rambouillet★.**

Syndicat d'Initiative à l'Hôtel de Ville (fermé 15 août au 15 sept. et vend.) ℡ 483.11.91.

Paris 54 ① – Chartres 41 ③ – Etampes 44 ③ – Mantes-la-Jolie 70 ① – ♦Orléans 90 ③ – Versailles 32 ①.

RAMBOUILLET

Chasles (R.) BZ 2
Félix-Faure (Pl.) BZ 3
Gaulle (R. du Gén.-de) AZ 6

Foch (R. Mar.) BYZ 4
Gambetta (R.) BZ 5
Libération (Pl. de la) AZ 7
Motte (R. de la) AY 9
Patenôtre (R.R.) BZ 10
Poincaré (R. Raymond) AZ 12
Providence (R. de la) AY 13
République (R. de la) AZ 14
Thome (Pl. André) ABZ 16

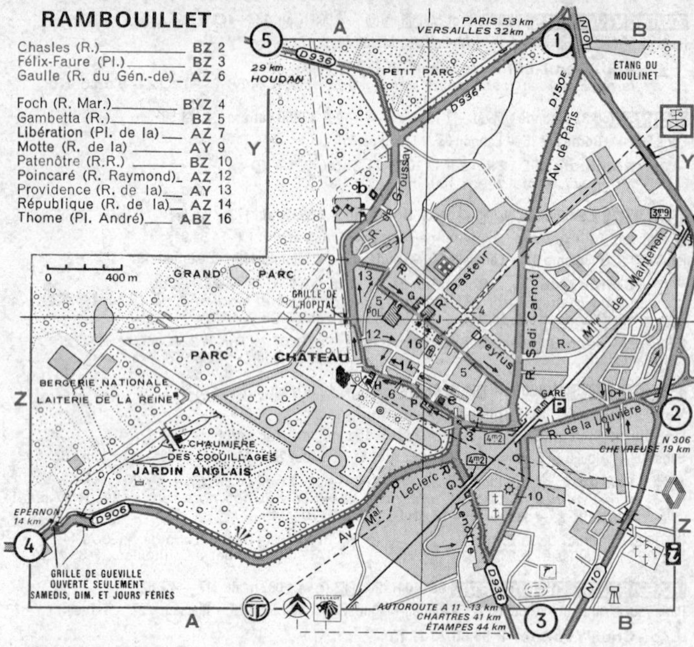

🏨 **St-Charles** sans rest, 1 r. Groussay ☎ 483.06.34, ≼ – ⇔wc ⋒wc ☎ Ⓟ. ⊛. ⊘ AY **b**
fermé 17 déc. au 2 janv. – ☕ 12 – **14 ch** 95/160.

XXX **Aub. Joyeux Louvetier,** par ② : 2 km N 306 ☎ 041.03.19, ≼ – Ⓟ. AE ⓞ
fermé 15 juil. au 15 août, mardi soir et merc. – SC : **R** (prévenir) 75.

X **Poste,** 101 r. Gén.-de-Gaulle ☎ 483.03.01 BZ **e**
fermé 18 août au 14 sept., dim. soir et lundi – SC : **R** (nombre de couverts limité - prévenir) carte 65 à 100.

à Gazeran par ④ : 4,5 km – ✉ **78120** Rambouillet :

XX Au Rendez-vous de Chasse, D 906 ☎ 483.81.49, ≼

X **Villa Marinette** avec ch, D 906 ☎ 483.19.01, ≼ – ⊘
fermé 20 août au 15 sept., vacances de fév., mardi soir et merc. – SC : **R** carte 65 à 95 – ☕ 10 – 6 ch 44/60.

aux Chaises par ④ et D 80 : 11 km – ✉ **78120** Rambouillet :

XX **Maison des Champs,** ☎ 483.50.19, « Jardin fleuri » – Ⓟ. GB
fermé août, fév., lundi soir, mardi soir et merc. – **R** (nombre de couverts limité - prévenir) carte 80 à 120.

ALFA-ROMEO, DATSUN Gar. Central, 15 r. Clemenceau ☎ 483.01.87
AUDI-VOLKSWAGEN, BMW SOFRIGA, 60 r. de Groussay ☎ 483.11.63
CITROEN Van de Maele, r. G.-Lenôtre ☎ 041.81.81
FIAT Gar. Hude, 15 r. de la Louvière ☎ 041.03.41
PEUGEOT Préhel, 56 r. Lenôtre, Le Bel Air ☎ 041.01.70
RENAULT Gar. de la Gare, 24 r. R.-Patenôtre ☎ 041.13.27
TALBOT Rambouillet Automobiles., 51 av. Gén.- Leclerc ☎ 483.01.40

RAMONVILLE-ST-AGNE 31 H.-Gar. **82** ⑧ – rattaché à Toulouse.

RANCON 87 H.-Vienne **72** ⑦ **G. Périgord** – 733 h. alt. 217 – ✉ **87290** Chateauponsac – ⊛ 55.
ℹ Syndicat d'Initiative à la Mairie (fermé merc. et dim.) ☎ 68.15.15.
Paris 372 – Bellac 12 – •Limoges 44 – La Souterraine 34.

X **L'Oie et le Gril,** ☎ 68.15.06 – GB
◆ *fermé janv. et merc. sauf en été* – SC : **R** 30/52 ♨.

RANDAN 63310 P.-de-D. **73** ⑤ **G. Auvergne** – 1 383 h. alt. 407 – ⊛ 70.
ℹ Syndicat d'Initiative à la Mairie (fermé après-midi et lundi) ☎ 41.50.02.
Paris 364 – Aigueperse 14 – •Clermont-Ferrand 40 – Gannat 23 – Riom 25 – Thiers 32 – Vichy 14.

Centre, ☎ 41.50.23 – ⋒. ✗ ch
fermé 10 nov. au 15 déc., et merc. – SC : **R** 30/120 ♁ – ☕ 8 – 11 ch 42/62 – P 75/80.

Host. du Parc avec ch, ☎ 41.51.89 – ⋒ ⋒.
fermé janv., fév. et dim. soir en hiver – SC : **R** 38/95 – ☕ 9 – **10 ch** 55/75 – P 100.

CITROEN Elambert, ☎ 41.51.62
PEUGEOT Lacroix, ☎ 41.51.22
RENAULT Joly, ☎ 41.50.45

RANG 25 Doubs 66 ⑰ – 469 h. alt. 287 – ✉ **25250** L'Isle-sur-le-Doubs – ☎ 81.

Paris 465 – Baume-les-D. 22 – Belfort 38 – ♦Besançon 51 – Lure 39 – Montbéliard 27 – Vesoul 53.

Moderne avec ch, ☎ 96.32.54 – 🚗 🅟.
fermé 1er au 15 oct., 24 déc. au 14 janv. et merc. – **R** 29/92 ♁ – ☕ 10 – **10 ch** 36/55 – P 85/95.

RANRUPT 67 B.-Rhin 62 ⑧ – 309 h. alt. 520 – ✉ **67420** Saales – ☎ 88.

Paris 406 – Lunéville 67 – St-Dié 30 – Sélestat 28 – Senones 21 – ♦Strasbourg 64.

du Col de Steige ⑤, S : 2 km ☎ 97.60.65, ≤ – 🚗 🅟
fermé 4 au 31 janv., lundi et mardi hors sais. – SC : **R** 35 ♁ – ☕ 8 – 14 ch 35/45 – P 80/90.

RANTIGNY 60 Oise 56 ① – rattaché à Liancourt.

RAON-L'ÉTAPE **88110** Vosges 62 ⑦ – 7 754 h. alt. 291 – ☎ 29.

ℹ Syndicat d'Initiative r. J.-Ferry (juil.-août, fermé dim. et lundi) ☎ 41.66.67.

Paris 372 – Épinal 46 – Lunéville 34 – ♦Nancy 69 – Neufchâteau 107 – St-Dié 16 – Sarrebourg 51.

Relais Lorraine Alsace avec ch, 31 r. J.-Ferry ☎ 41.43.28 – ⋒
fermé lundi – SC : **R** 35/45 ♁ – ☕ 10 – 6 ch 45/90.

annexe : l'Eau vive Ⓜ ⑤, 🌳 – ⋒wc 🅟.
fermé 23 déc. au 5 janv. – SC : ☕ 10 – **12 ch** 100/140.

RASTEAU 84 Vaucluse 81 ② – 566 h. alt. 200 – ✉ **84110** Vaison-la Romaine – ☎ 90.

Paris 661 – Avignon 38 – Bollène 22 – Orange 18 – Vaison-la-Romaine 7,5.

Bellerive Ⓜ ⑤, S : 1,5 km par D 69 ☎ 36.06.48, ≤, 🏊 – cuisinette ⋒wc ☎ 🅟. ✗
fermé janv. – SC : **R** 50/90 – ☕ 15 – **15 ch** 160 – P 195.

RENAULT Digonnet, ☎ 46.10.53

RATHSAMHAUSEN 67 B.-Rhin 62 ⑲ – rattaché à Sélestat.

RAULHAC **15470** Cantal 76 ⑫⑬ – 386 h. alt. 780 – ☎ 71.

Paris 542 – Aurillac 31 – Entraygues-sur-Truyère 38 – Murat 48 – St-Chély-d'Apcher 92 – St-Flour 66.

Midi, ☎ 49.55.02 – ⋒ 🚗. ✗ ch
R 28/45 – ☕ 8 – 18 ch 38/60 – P 71/75.

RAUZAN 33 Gironde 75 ⑫ **G. Côte de l'Atlantique** – 903 h. alt. 100 – ✉ **33420** Branne – ☎ 56.

ℹ Syndicat d'Initiative à la Mairie (fermé sam. et dim.) ☎ 84.13.04.

Paris 566 – Bergerac 62 – ♦Bordeaux 38 – Libourne 23 – Marmande 44.

La Gentilhommière, ☎ 84.13.42, 🌳 – 🅟
fermé 15 au 30 nov. et lundi – SC : **R** 35 bc/150.

RAVEL 69 Rhône 74 ⑪ – rattaché à Mornant.

Le RAYOL 83 Var 84 ⑰ **G. Côte d'Azur** – 846 h. alt. 150 – ✉ **83240** Cavalaire-sur-Mer – ☎ 94.
Voir Site★.

Paris 892 – Cavalaire-sur-Mer 7 – Le Lavandou 14 – St-Tropez 25 – Ste-Maxime 29 – ♦Toulon 54.

Bailli de Suffren ⑤, à la Plage ☎ 05.60.38, Télex 420535, ≤ mer et les îles, 🏖 – |$| 🅟 – 🏛 30. AE GB ⓓ. ✗ rest
15 mai-15 sept. – SC : **R** 120 – ☕ 20 – **47 ch** 380/520 – P 410/460.

RAZ (Pointe du) ★★★ 29 Finistère 58 ⑬ **G. Bretagne** – alt. 72 – ☎ 98.

Paris 605 – Douarnenez 37 – Pont-L'Abbé 47 – Quimper 50.

de l'Iroise ⑤, ✉ 29113 Audierne ☎ 70.64.65, ≤ – ⋒ 🅟.
fermé 12 nov. à Noël et 4 janv. au 10 fév. – SC : **R** *(fermé merc.)* 32/57 – ☕ 9,50 – **10 ch** 47/70 – P 97/102.

à La Baie des Trépassés par D 784 et VO : 3,5 km – ✉ **29113** Audierne :

Baie des Trépassés ⑤, ☎ 70.61.34, ≤ – ⋒ 🅟
1er mars-5 nov., 20 déc.-5 janv. et fermé merc. hors sais. sauf vacances scolaires – SC : **R** 35/125 – ☕ 12,50 – 14 ch 50/100 – P 122/140.

RÉ (Ile de) ★ 17 Char.-Mar. 71 ⑫ G. Côte de l'Atlantique – 46.

Accès : Transports maritimes, pour La Pointe de Sablanceaux :

depuis **La Pallice (5,5 km : O de La Rochelle).** En 1980 : 33 à 70 services quotidiens - Traversée 20 mn – Voyageurs 8 F (AR), autos 38 F (AR), par Régie Départementale des Passages d'Eau ☎ 35.61.48 (La Rochelle).

Ars-en-Ré – 1 020 h. – ✉ **17590.**

Le Martray, Le Martray E : 3 km par D 735 ☎ 29.40.04 – wc
1er avril-5 nov. – SC : **R** 50/70 – 11 – 10 ch 75/85 – P 135/140.

CITROEN Blanchard, ☎ 29.40.43 | RENAULT Gar. du Moulin Bleu, ☎ 29.40.89

Le Bois-Plage – 1 317 h. – ✉ **17580.**

Syndicat d'Initiative r. Barjottes (fermé après-midi hors saison et dim.) ☎ 09.23.26.

Les Gollandières, ☎ 09.23.99, – wc wc ☎ – 30. AE E. rest
fermé début nov. à mi-déc. et vacances de fév. – SC : **R** 50/85 – 12 – **32 ch** 115/180 – P 180/210.

La Flotte – 1 737 h. – ✉ **17630.**

Office de Tourisme quai Sénac ☎ 09.60.38.

Richelieu, ☎ 09.60.70, Télex 791492, ≤, – rest TV ☎ – 40. GB
fermé 3 janv. au 6 fév. – SC : **R** 100/180 – 30 – 30 ch (16 pav.) 280/350 – P 310/450
Spéc. Homard grillé (mars à nov.), Mille feuille de turbot, Marguerite de coquille Saint-Jacques. Vins Blanc de Ré, Muscadet sur Lie.

Hippocampe sans rest, ☎ 09.60.68 – .
SC : 10,50 – **17 ch** 49/113.

CITROEN Atlantic-Gar., ☎ 09.60.29 | TALBOT Gar. Chauffour, ☎ 09.60.25

Rivedoux-Plage – 737 h. – ✉ **17940.**

Syndicat d'Initiative pl. Mairie (1er juil.-31 août et fermé dim. après-midi) ☎ 09.80.62 et r. de la Corniche ☎ 09.80.15.

Aub. de la Marée, ☎ 09.80.02, ≤ – wc wc
Pâques-fin sept. – SC : **R** 50/140 – 13 – 25 ch 66/150 – P 115/180.

XX **A l'Ombre des Pins,** ☎ 09.80.28 –
SC : **R** 46 .

FORD Nautic-Gar., ☎ 09.80.11

St-Clément-des-Baleines – 480 h. – ✉ **17590** Ars-en-Ré.

Voir Phare des Baleines ★ N : 2,5 km.

Le Chat Botté, ☎ 29.42.09, – .
fermé nov. et lundi – SC : **R** 47/81 – 11 – 23 ch 49/74 – P 115/129.

St-Martin-de-Ré – 2 193 h. – ✉ **17410.**

Voir Fortifications★ – Office de Tourisme av. V.-Bouthillier (fermé matin hors sais. et dim. après-midi) ☎ 09.20.06.

Les Colonnes, 19 quai Job-Foran ☎ 09.21.58, ≤ – wc . GB. ch
fermé 15 déc. au 1er fév. – SC : **R** *(fermé merc.)* 50/100 – 15 – **30 ch** 130/175 – P 185/250.

XX **St-Hubert,** ☎ 09.20.38, ≤
1er mars-1er nov. – SC : **R** 40/73.

X **Chez Francis,** 12 quai Bernonville ☎ 09.20.51
SC : **R** 46 .

RENAULT Gar. Neveur, ☎ 09.20.74 | RENAULT Gar. du Port, ☎ 09.20.41

Ste-Marie-de-Ré – 1 165 h. – ✉ **17740.**

Atalante, le Port N-Dame ☎ 30.22.44, ≤, – TV ☎ – 100. AE GB E
fermé 3 janv. au 15 fév. – SC : **R** 75/121 – 20 – **65 ch** 205/325 – P 245/385.

PEUGEOT Menanteau, ☎ 30.21.08

RÉALMONT 81120 Tarn 83 ① – 2 625 h. alt. 212 – 63.

Paris 724 – Albi 20 – Castres 22 – Graulhet 17 – Lacaune 56 – St-Affrique 85 – ♦Toulouse 75.

Noël (Galinier), r. H. de Ville ☎ 55.52.80 – wc – 60 à 150. AE GB .
fermé fév., dim. soir et lundi d'oct. à Pâques – SC : **R** (nombre de couverts limité - prévenir) 70/180 – 16 – 14 ch 60/140 – P 145/180
Spéc. Pascade au Roquefort, Écrevisses flambées aux herbes (sauf mai), Tournedos aux morillons. Vins Gaillac, Minervois.

CITROEN Auto-Sélection, ☎ 55.50.22
PEUGEOT Gar. Chabbal, ☎ 55.52.01
RENAULT Conrazier, ☎ 55.51.38

RECLOSES 77 S.-et-M. 61 ⑫ – rattaché à Fontainebleau.

RECOUVRANCE 29 Finistère 58 ④ – rattaché à Brest.

RECUEIL 59 Nord 51 ⑯ – rattaché à Roubaix.

REDON <SP> 35600 I.-et-V. 63 ⑤ G. Bretagne – 10 759 h. alt. 12 – ☎ 99.

Voir Tour★ de l'église St-Sauveur.

ℹ Office de Tourisme pl. Parlement (fermé sam. hors saison et dim.) ☎ 71.06.04.

Paris 400 ① – Ancenis 81 ② – La Baule 63 ② – Châteaubriant 58 ② – Dinan 103 ① – Laval 127 ① – ♦Nantes 76 ② – Ploërmel 46 ① – ♦Rennes 65 ① – St-Nazaire 51 ② – Vannes 57 ③.

REDON

Douves (R. des) YZ 6
Etats (R. des) Y 9
Grande-Rue Z 15
Notre-Dame (R.) Y 18
Victor-Hugo(R.) YZ 35

Bonne-Nouvelle (Av.) Z 2
Calvaire (R. du) Y 3
Desmars (R. Joseph) Z 5
Duchesse-Anne (Pl.) Z 7
Foch (R. du Mar.) Y 10
Franklin (R.) Y 12
Gare (Av. de la) Y 14
Liberté (Bd de la) Y 16
République (Pl.) Y 19
Richelieu (R.) Z 20
St-Michel (R.) Y 23
St-Nicolas (Pont) Z 24
St-Nicolas (R.) Z 25
St-Pierre (R.) Z 26
St-Sauveur (Pl.) Y 27
Surcouf (Quai) Z 28
Thiers (Rue) Y 29
Tribunal (R. du) Y 32
Union (R. de l') Z 33
Vannes (R. de) Z 34

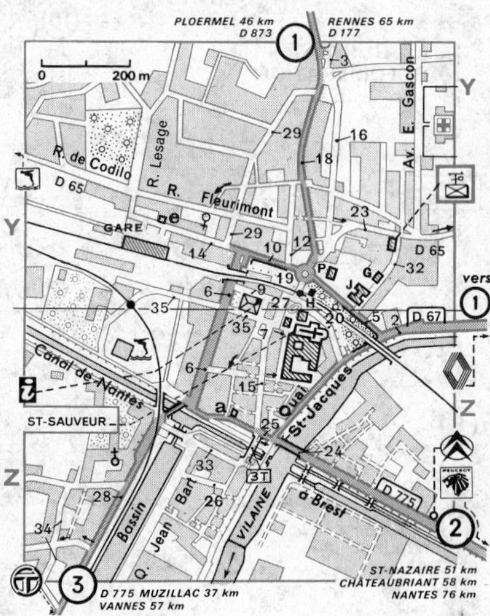

🏠 **France** sans rest, 30 r. Duguesclin ☎ 71.06.11 – wc ☎. Z **a**
SC : ☕ 9 – **20 ch** 40/105.

🏠 **Bretagne,** pl. Gare ☎ 71.00.42, – wc ☎. Y **e**
fermé dim. – SC : **R** 45/90 – ☕ 10,50 – 17 ch 40/120.

par ② **: 6 km par D 164 – ✉ 44460 à St-Nicolas-de-Redon (Loire-Atl.)**

XX **Aub. du Poteau Vert** avec ch, ☎ 71.13.12, – wc ♿ Ⓟ – 80. E.
fermé 1er au 15 oct., 1er au 15 fév., dim. soir et lundi – SC : **R** 40/150 – ☕ 8 – **6 ch** 70.

CITROEN Gar. Vinouze, av. J.-Burel à St-Nicolas-de-Redon ☎ 71.00.36
FORD, MERCEDES-BENZ Gar. de la Corniche, rte de Rennes ☎ 71.10.73
PEUGEOT Chalme, 8 av. J.-Burel à St-Nicolas-de-Redon ☎ 71.08.45
RENAULT Ets Ménard, Zone Ind. de Briangaud, rte Rennes ☎ 71.17.36
TALBOT Gar. Mazarguil, rte de Vannes ☎ 71.17.81
TOYOTA Thomas, Zone Ind. de Briangaud, rte Rennes ☎ 71.04.05

Ⓟ Métayer, 49 rte de Vannes ☎ 71.18.50

REICHSFELD 67 B.-Rhin 62 ⑨ – 239 h. alt. 340 – ✉ 67140 Barr – ☎ 88.

Paris 448 – Barr 7 – Sélestat 17 – ♦Strasbourg 44 – Molsheim 27 – Villé 13.

🏠 **Bleesz** , ☎ 85.50.61 – wc ☎ Ⓟ. ch
fermé mi fév. à mi mars – SC : **R** *(fermé merc. soir et jeudi)* 30/52 – ☕ 10 – 8 ch 100 – P 120.

REICHSTETT 67 B.-Rhin 62 ⑩ – rattaché à Strasbourg.

REILHAC 43 H.-Loire 76 ⑤ – rattaché à Langeac.

REIMS <SP> **51100** Marne **56** ⑥⑯ **G. Nord de la France** – 183 610 h. alt. 83 – ⚙ 26.

Voir Cathédrale*** BY : Tapisseries** – Basilique St-Rémi** CZ : intérieur*** – Place Royale* BY – Caves de Champagne* BCX, CZ – Porte Mars* BX **N** – Hôtel de la Salle* BY **E** – Chapelle Foujita* BX **K** – Palais du Tau** BY **S** : trésor** – Hôtel-Musée le Vergeur* BX **M2** – Musée St-Denis** BY **M1**.

Env. Fort de la Pompelle : casques allemands* 9 km par ③.

18 ☎ 48.60.14 à Gueux par ⑧ : 9,5 km.

Office de Tourisme (fermé dim. et fêtes) avec A.C. (☎ 47.34.76) et Accueil de France (Informations et réservations d'hôtels, pas plus de 5 jours à l'avance) 3 bd Paix ☎ 47.04.60, Télex 830631 - T.C.F. 26 r. J.-J. Rousseau ☎ 47.76.17.

Paris 143 ⑦ – Bruxelles 213 ⑩ – Châlons-sur-Marne 45 ④ – ♦Lille 212 ⑨ – Luxembourg 231 ④.

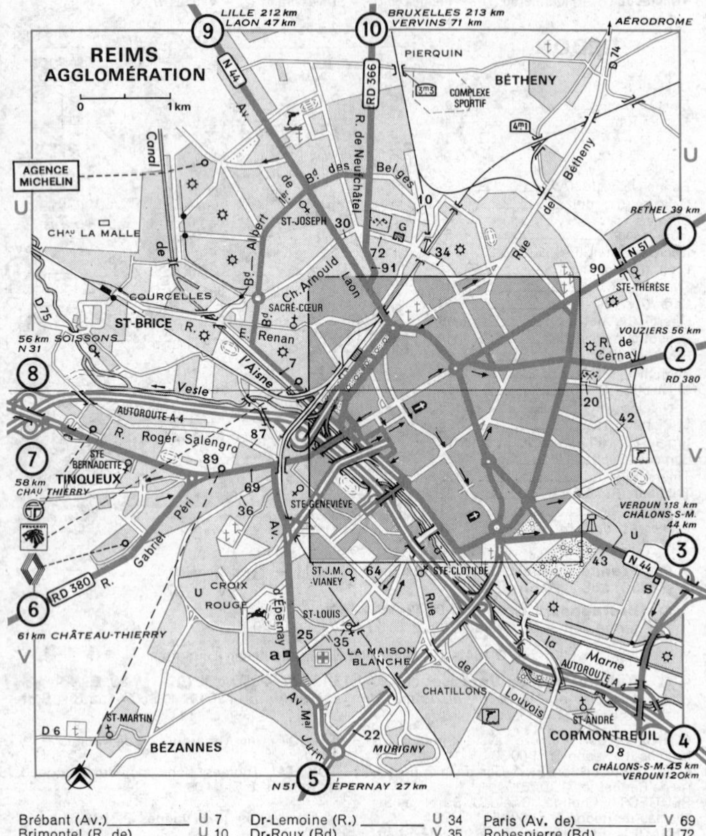

Brébant (Av.) U 7	Dr-Lemoine (R.) U 34	Paris (Av. de) V 69
Brimontel (R. de) U 10	Dr-Roux (Bd) V 35	Robespierre (Bd) U 72
Carré (R. du Gén.) UV 20	Dor (R. François) V 36	Tinqueux (R. de) V 87
Champagne (Av. de) V 22	Europe (Av. de l') V 42	Vaillant-Couturier (R.P.) V 89
Cognacq-Jay (R.) V 25	Farman (Av. Henri) V 43	Witry (Route de) U 90
Danton (R.) U 30	Maison-Blanche (R.) V 64	Zola (R. Emile) U 91

Frantel [M], 31 bd P.-Doumer ☎ 88.53.54, Télex 830629 – 350. AE GB ⓓ E. rest — AY **v**
SC : rest. **les Ombrages R** carte 105 à 150 – 21 – **116 ch** 190/265, 9 appartements.

Paix et rest. Le Drouet [M], 9 r. Buirette ☎ 40.04.08, Télex 830974 – 50 à 150. AE GB ⓓ E — AY **q**
R *(fermé dim.)* carte 90 à 120 – 15 – **99 ch** 150/188, 8 appartements 212.

Bristol H. sans rest, 76 pl. Drouet-d'Erlon ☎ 47.35.08 – wc wc. AE GB ⓓ E — AXY **f**
SC : 11 – **39 ch** 75/130.

Univers sans rest, 41 bd Foch ☎ 47.52.71 – wc. — AX **a**
SC : 10 – **43 ch** 55/105.

- **Gd H. du Nord** sans rest, 75 pl. D.-d'Erlon ☎ 47.39.03 – |‡| ⊟wc ⋒wc ☎. AE ⓓ — SC : ☕ 14,50 – **50 ch** 100/168. — AY **p**
- **Crystal** ♨ sans rest, 86 pl. Drouet-d'Erlon ☎ 47.59.88 – |‡| ⊟wc ⋒ ☎ — SC : ☕ 15 – **28 ch** 58/150. — AXY **n**
- **Continental** sans rest, 93 pl. D.-d'Erlon ☎ 47.49.97 – |‡| ⊟wc ⋒wc ☎. GB E — *fermé 20 déc. au 5 janv.* – SC : ☕ 15 – **60 ch** 70/170. — AXY **r**
- **Victoria** sans rest, 1 r. Buirette ☎ 47.21.79 – |‡| ⋒wc ☎. — *fermé 18 déc. au 10 janv.* – SC : ☕ 13 – **28 ch** 95/110. — AY **q**
- **Welcome** sans rest, 29 r. Buirette ☎ 88.06.39 – |‡| ⊟wc ⋒wc ☎. — *fermé 20 déc. au 10 janv.* – SC : ☕ 13 – **70 ch** 43/140. — AY **u**
- **Gambetta** sans rest, 13 r. Gambetta ☎ 47.41.64 – ⋒wc ☎. — SC : ☕ 12 – **14 ch** 70/120. — BY **d**
- **Consuls** sans rest, 7 r. Gén.-Sarrail ☎ 88.46.10 – ⋒ ☎. GB — *fermé août* – SC : ☕ 12 – **20 ch** 46/117. — BX **s**
- **Ardenn'H.** sans rest, 6 r. Caqué ☎ 47.42.38 – ⋒wc ☎. — SC : ☕ 11 – **14 ch** 78/120. — AY **y**
- **Anvers** sans rest, 2 pl. République ☎ 47.51.82 – ⊟ ⋒ ☎. — SC : ☕ 12 – **27 ch** 50/135. — AX **e**
- **Cécyl** sans rest, 24 r. Buirette ☎ 47.57.47 – |‡| ⊟wc ⋒wc ☎. E. — SC : ☕ 11 – **23 ch** 52/110. — AY **m**
- **Libergier** sans rest, 20 r. Libergier ☎ 47.28.46 – ⊟wc ⋒ ☎. GB. — SC : ☕ 10 – **17 ch** 36/95. — AY **e**
- XXXX ✿✿✿ **Boyer,** 184 av. Épernay ☎ 06.08.60 – Ⓟ. AE GB ⓓ E — V **a** — *fermé août, 20 déc. au 12 janv., dim. soir et lundi* – **R** (nombre de couverts limité - prévenir) carte 150 à 175 — Spéc. suivant produits de saison. Vins Chouilly, Bisseuil.
- XXX **Le Florence,** 43 bd Foch ☎ 47.35.36 – AE GB ⓓ E — AX **n** — *fermé 1er au 17 août, lundi soir et 1er mai* – **R** 90/130.
- XX **Foch,** 37 bd Foch ☎ 47.48.22 – AE GB ⓓ — AX **a** — *fermé 15 au 30 août, 15 au 28 fév. et dim. de sept. à Pâques* – SC : **R** 90.
- X **Le Forum,** 32 pl. Forum ☎ 47.56.87 – GB ⓓ — BXY **z** — *fermé lundi soir et jeudi soir* – SC : **R** 30/53 ♨.

rte de Soissons par ⑧ :

- **Novotel** Ⓜ, ☎ 08.11.61, Télex 830034, ⛱ – ▤ rest TV ☎ Ⓟ – 25 à 150. AE GB ⓓ — **R** snack carte environ 65 – ☕ 20 – **125 ch** 180/200.

rte de Châlons-sur-Marne par ③ :

- **Mercure** Ⓜ, ☎ 05.00.08, Télex 830782 – |‡| ▤ rest TV ⊟wc ☎ ♿ Ⓟ – 50 à 150. AE GB ⓓ — V **s** — **R** carte environ 70 – ☕ 18 – **98 ch** 175/205.

à Sillery par ③ et D 8E : 11 km – ✉ **51500** Sillery :

- XX **Relais de Sillery,** ☎ 49.10.11 – ⓓ — *fermé 1er au 15 fév., lundi, mardi et dim. le soir* – SC : **R** carte 75 à 110.

à Châlons-sur-Vesle par ⑧ et D 26 : 10 km – ✉ **51140** Jonchery-sur-Vesle :

- XXX ✿ **Assiette Champenoise** (Lallement), ☎ 49.34.94 – AE GB ⓓ. — *fermé 9 au 26 fév., fin juil., dim. soir et merc.* – **R** carte 130 à 160 — Spéc. Escalope de saumon mariné, Filet de St Pierre aux huîtres, Rognon de veau au vinaigre de champagne. Vins Cramant, Bouzy.

Voir aussi ressources hôtelières de *Berry-au-Bac* par ⑨ : 20 km, *Mont-Chenot* par ⑤ : 11 km et *Sept-Saulx* par ③ : 23 km

MICHELIN, Agence régionale, Chemin de St-Thierry, Zone Ind. des 3 Fontaines à St-Brice-Courcelles U ☎ 09.19.32

AUDI-VOLKSWAGEN Gar. du Rhône, bd S.-Allende, Z.A. la Neuvillette ☎ 87.13.61
BMW Héraut, 16 av. de Paris ☎ 08.63.68
PEUGEOT Gds Gar. de Champagne, 16 av. Brébant U ☎ 40.07.60
RENAULT Succursale, 8 r. Col.-Fabien AY ☎ 40.20.00

Ⓜ Champagne-Pneus, 35 r. C.-Lenoir ☎ 88.09.52
Leclerc-Pneus, 19 r. Magdeleine ☎ 05.03.45
Pneumatiques Maltrait-Cunrath, 12 r. du Cloître ☎ 47.48.47
Reims-Pneus, 27 r. du Champ-de-Mars ☎ 88.30.15
Tyresoles Sébat-Est, 350 av. Laon ☎ 09.26.73

Périphérie et environs

CITROEN Gar. Ardon, 38 av. P.-V.-Couturier à Tinqueux V ☎ 08.24.24
DATSUN, OPEL, GM Reims Autos, 2 av. R.-Salengro à Tinqueux ☎ 08.21.08
MERCEDES-BENZ Sodiva, 45 bis N 44 à la Neuvilette ☎ 09.05.50 N ☎ 08.01.08
RENAULT Gar. Moine, Zone Ind. Moulin de l'Écaille à Tinqueux V ☎ 08.31.31 N ☎ 08.01.08
TALBOT Sté Rémoise-Autom., N 31 à Tinqueux V ☎ 08.96.00
VOLVO Gar. Delhorbe, 52 av. Nationale, La Neuvilette ☎ 09.21.31

RÉPERTOIRE DES RUES DU PLAN DE REIMS

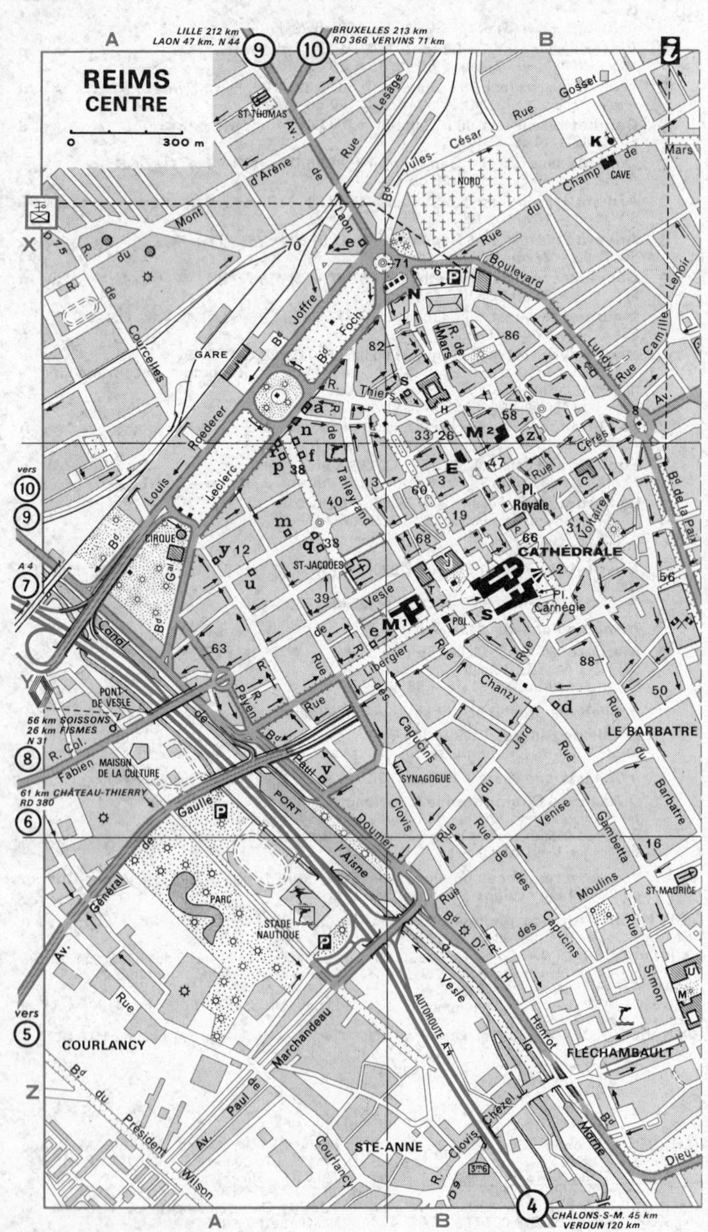

Buirette (R.) AY 12
Capucins (R. des) BYZ
Carmes (R. des) BZ 16
Carnégie (Pl.) BY
Carré (R. Gén.) UV 20
Carteret (Bd) CX
Cérès (R.) BXY
Cernay (R. de) CX
Champagne (Av. de) V 22
Champ de Mars (R. du) BX
Chanzy (R.) BY
Chézel (R. Clovis) BZ
Clemenceau (Av. G.) CY
Clovis (R.) ABY
Cognacq-Jay (R.) V 25
Colbert (R.) BXY 26 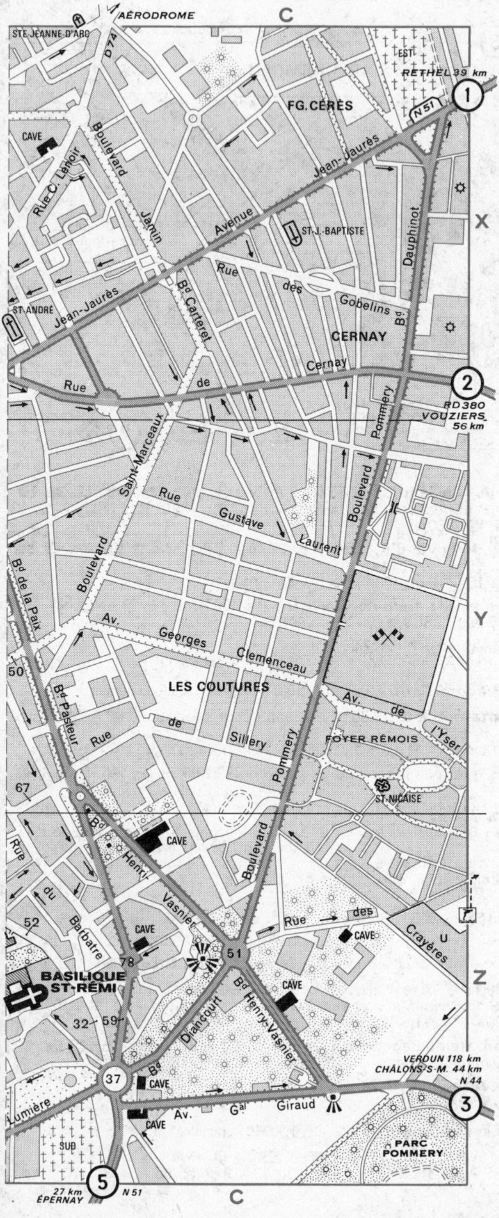
Courcelles (R. de) AX
Courlancy (R. de) AZ
Crayères (R. des) CZ
Danton (R.) U 30
Dauphinot (Bd) CX
Desteuque (R. E.) BY 31
Diancourt (Bd) CZ
Dieu-Lumière (Bd) BZ
Dieu-Lumière (R.) CZ 32
Dr-Henrot (Bd) BZ
Dr-Jacquin (R.) BXY 33
Dr-Lemoine (R.) U 34
Dr-Roux (Bd) V 35
Dor (R. François) V 36
Doumer (Bd Paul) AY
Droits-de-l'Homme (Pl.) CZ 37
Dubois (R. Th.) AY 39
Epernay (Av. d') V
Europe (Av. de l') V 42
Fabien (R. Col.) AY
Farman (Av. H.) V 43
Foch (Bd) AX
Forum (Pl.) BY 47
Gambetta (R.) BYZ
Gaulle (Av. de) AYZ
Gerbert (R.) BCY 50
Giraud (Av. Gén.) CZ
Gobelins (R. des) CX
Gosset (R.) BX
Gouraud (Rd-Pt Gén.) CZ 51
Grand-Cerf (R. du) CZ 52
Jamin (Bd) CX
Jamot (Pl. Paul) BY 56
Jard (R. du) BY
J.-J.-Rousseau (R.) BX 58
Joffre (Bd) AX
Juin (Av. Mar.) V
Jules-César (Bd) BX
Lambert (Bd Victor) CZ 59
Langlet (Crs J.-B.) BY 60
Laurent (R. Gust.) CY
Leclerc (Bd Gén.) AY
Lenoir (R. C.) BCX
Lesage (R.) ABX
Libergier (R.) ABY
Louvois (R. de) V
Lundy (Bd) BX
Magdeleine (R.) AY 63
Maison-Blanche (R.) V 64
Marchandeau (Av. P.) AZ
Mars (R. de) BX
Martyrs de la Résistance (Pl.) BY 66
Mont d'arène (R.) AX
Montlaurent (R.) CY 67
Moulins (R. des) BZ
Myron-Herrick (Pl.) BY 68
Neufchâtel (R. de) U
Paix (Bd de la) BCY
Paris (Av. de) V 69
Payen (R.) AY
Pasteur (Bd) CY
Péri (R. Gabriel) V
Pommery (Bd) CYZ
Prés. Roosevelt (R.) AX 70
Prés. Wilson (Bd) AZ
Renan (R. Ernest) U
République (Pl.) BX 71
Robespierre (Bd) U 72
Roederer (Bd L.) AXY
Royale (Pl.) BY
St-Marceaux (Bd) CY
St-Nicaise (Pl.) CZ 78
Salengro (R. Roger) V
Sarrail (R. Gén.) ABX 82
Sillery (R. de) CY
Simon (R.) BZ
Temple (R. du) BX 86
Thiers (R.) AX
Tinqueux (R. de) V 87
Université (R. de l') BY 88
Vaillant Couturier (R.) V 89
Vasnier (Bd H.) CZ
Venise (R. de) BYZ
Vesles (R. de) AY
Voltaire (R.) BY
Witry (Route de) U 90
Yser (Av. de l') CY
Zola (R. Emile) U 91

La REMIGEASSE 17 Char.-Mar. 71 ⑭ – rattaché à Oléron (Ile d').

REMIREMONT 88200 Vosges 62 ⑯ **G. Vosges** – 11 499 h. alt. 400 – ⚙ 29.

Voir Rue Ch.-de-Gaulle★ – Crypte★ de l'église.

Syndicat d'Initiative 2 pl. H.-Utard (fermé matin hors saison, dim. et lundi) ☎ 62.23.70.

Paris 400 ⑤ – Belfort 67 ② – Colmar 80 ① – Épinal 27 ⑤ – ♦Mulhouse 82 ② – Vesoul 64 ④.

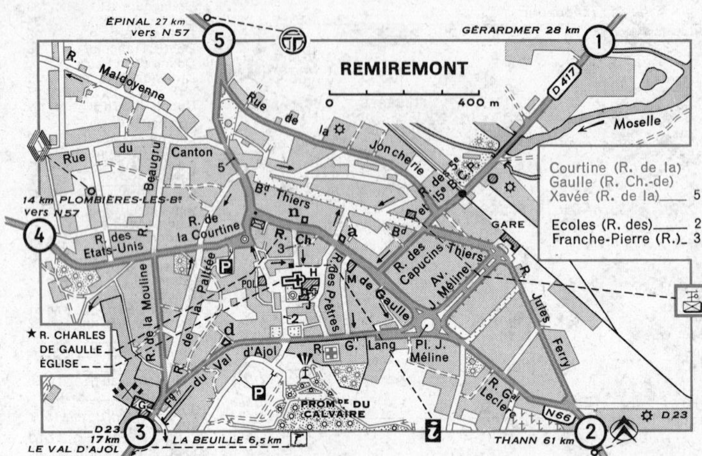

Poste, 67 r. Gén.-de-Gaulle **(a)** ☎ 62.55.67 – wc wc . AE GB
fermé 14 au 29 août, 18 déc. au 9 janv., vend. soir et sam. – SC : **R** 36/70 – 12 – **21 ch** 58/170 – P 120/160.

Chanoinesses M, 16 fg Val-d'Ajol **(d)** ☎ 62.27.46 – TV wc . AE GB E
SC : **R** 35/85 – 15 – **16 ch** 140/165 – P 225/250.

Commerce sans rest, 23 r. Gén.-de-Gaulle **(n)** ☎ 62.50.92 – .
fermé 15 nov. au 15 déc. – SC : 9 – **31 ch** 40/56.

XX ✿ **Les Abbesses** (Aiguier), ☎ 62.02.96 – GB
fermé 1er au 8 juil., 8 au 20 janv., dim. soir et lundi – SC : **R** 85/110.

par ⑤, sortie St-Nabord-Centre : 5 km – 3 303 h. – ✉ **88200** Remiremont :

Host. claire-Fontaine, ☎ 62.23.96, ≤, « Beau décor intérieur », – wc . AE. rest
fermé 1er janv. au 13 mars – **R** carte 100 à 130 – 16 ch 180/250.

Montiroche sans rest, échangeur de St-Nabord ☎ 62.06.59, ≤, – wc .
sais. – SC : 15 – **14 ch** 110/140.

CITROEN Gar. Anotin, Les Bruyères, rte de Mulhouse ☎ 62.29.45
RENAULT Pierre, 13 r. de la Maix ☎ 62.55.95
TALBOT Gar. Vilmard, rte Épinal ☎ 62.23.06
Geoffroy-Villaume, St-Nabord ☎ 62.23.13
Mignot, 13 pl. J.-Méline ☎ 62.23.32

REMOULINS 30210 Gard 80 ⑲⑳ **G. Provence** – 1 900 h. alt. 27 – ⚙ 66.

Syndicat d'Initiative Maison du Tourisme(juil.-août et fermé dim.) ☎ 37.00.02.

Paris 691 – Alès 49 – Arles 37 – Avignon 22 – Nîmes 20 – Orange 34 – Pont-St-Esprit 39.

Moderne, ☎ 37.20.13 – rest wc . GB. ch
fermé 18 oct. au 29 nov., vend. soir et sam. du 12 sept. au 30 juin – SC : **R** 32/60 – 10 – 22 ch 55/90 – P 120 bc/125 bc.

Aub. de Castillon, rte de Bagnols-sur-Cèze N : 3 km ☎ 37.02.70 –
fermé 20 fév. au 20 mars et merc. – SC : **R** 35/65 – 8 – 15 ch 50/70.

XX **Aub. des Escaravats,** ☎ 37.10.24 – GB.
fermé merc. – SC : **R** 90/180.

à Lédenon SO : 7 km par N 86 et D 223 – ✉ **30210** Remoulins :

XX **Host. Village** avec ch, ☎ 37.04.94, – .
fermé janv. et merc. – SC : **R** carte 80 à 110 – 13 – **9 ch** 55/85 – P 135/170.

RENAULT S.O.D.E.M., ☎ 37.04.25

RÉMUZAT **26510** Drôme 81 ③④ – 332 h. alt. 459 – ✪ 75.

Paris 683 – Die 56 – Nyons 27 – Sault 75 – Serres 39 – Valence 121.

- **Baudoin,** ☏ 26.09.03 – *15 mars-15 nov.* – SC : **R** 30/58 – ☕ 10 – **7 ch** 45/70 – P 75/88.

RENAISON **42370** Loire 73 ⑦ – 2 088 h. alt. 380 – ✪ 77.

Voir Barrage de la Tache : rocher-belvédère★ O : 5 km **G. Vallée du Rhône.**

Paris 382 – Chauffailles 46 – Lapalisse 40 – Roanne 11 – ♦St-Étienne 89 – Thiers 58 – Vichy 57.

- **Central,** pl. 11-Novembre ☏ 64.40.17 – *fermé 10 au 30 sept., 10 au 25 fév., dim. et fêtes le soir et merc.* – SC : **R** 40/120 – ☕ 9 – **8 ch** 41/55 – P 82/88.
- XXX ✿ **Jacques-Coeur** (Lavialle) avec ch, rte Vichy ☏ 64.40.05 – *fermé 3 au 9 août, nov., vend. et dim. soir* – SC : **R** 65/150 – ☕ 8,50 – **10 ch** 40/65 – P 115/130
  Spéc. Poulet Jacques Coeur, Loup grillé, Pâtisseries. **Vins** Côtes Roannaises.

RENCUREL **38** Isère 77 ④ – 310 h. alt. 820 – ✉ **38680** Pont-en-Royans – ✪ 76.

Paris 604 – ♦Grenoble 48 – Romans-sur-Isère 42 – St-Marcellin 29 – Villard-de-Lans 14 – Voiron 45.

- **Familial H.** ☏ 38.97.68, ≤ – *fermé 20 nov. au 20 déc.* – SC : **R** 30/70 – ☕ 9,50 – **18 ch** 40/70 – P 84/94.

RENNES P **35000** I.-et-V. 59 ⑰ **G. Bretagne** – 205 733 h. alt. 30 – ✪ 99.

Voir Palais de Justice★★ – Retable★★ de la cathédrale BY **B** – Le Vieux Rennes★ – Jardin du Thabor★ CDX – Musées CY **M** : de Bretagne★★, des Beaux-Arts★★, Musée automobile de Bretagne 4 km par ②.

Rennes-St-Jacques ☏ 64.24.18 Chavagne par ⑦ : 6 km.

de Rennes-St-Jacques ☏ 50.41.13 par ⑦ : 7 km.

Office de Tourisme Pont de Nemours (fermé lundi matin hors sais. et dim.) ☏ 79.01.98 – A.C.O. 11 pl. Bretagne ☏ 30.89.88 - T.C.F. 13 pl. Champs-Jacquet ☏ 30.00.54.

Paris 347 ③ – Angers 126 ⑤ – ♦Brest 241 ⑨ – ♦Caen 175 ② – ♦Le Mans 153 ③ – ♦Nantes 107 ⑥.

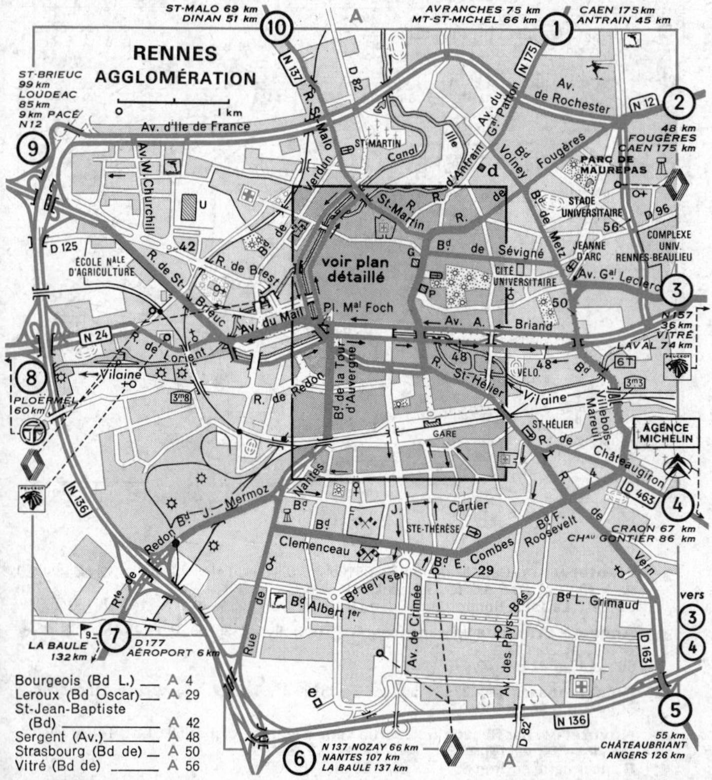

Bourgeois (Bd L.) ___ A 4
Leroux (Bd Oscar) ___ A 29
St-Jean-Baptiste (Bd) ___ A 42
Sergent (Av.) ___ A 48
Strasbourg (Bd de) ___ A 50
Vitré (Bd de) ___ A 56

RENNES

Du-Guesclin (R.) CY 9
Estrée (R.) CX 20
Jaurès (R. Jean) CY 25
Joffre (R. Mar.) CY 26
Le Bastard (R.) CX 28
Liberté (Bd de la) BCY
Monnaie (R. de la) BXY 32
Motte-Fablet (R.) CX 33
Nemours (R. de) CY 34
Palais (Pl. du) CY 36

Arsenal (R. de l') BZ 2
Bonne-Nouvelle (⊞) CX 3
Bretagne (Pl. de) BY 4
Cavell (R. Edith) CY 5
Chateaubriand (Quai) CY 6
Duguay-Trouin (Quai) BY 8
Foch (Pl. Mar.) BY 21
Gambetta (R.) CY 22
Hôtel-Dieu (R. de l') CX 23
Ille-et-Rance (Quai d') BY 24
Lamennais (Quai) BY 27
Mairie (Pl. de la) CY 30
Notre-Dame (⊞) CX 35

République (Pl. de la) CY 38
Sacrés-Cœurs (⊞) CZ
St-Cast (Quai) BY 39
St-Etienne (⊞) BX
St-Germain (Pl. et ⊞) CY 40
St-Guillaume (R.) BX 41
St-Pierre (Cathédrale) BY B
St-Sauveur (R. et ⊞) BY 44
St-Thomas (R.) CY 45
Ste-Anne (Pl.) CX 47
Toussaints (⊞) CY 52
Viarmes (R. de) CY 53
Vincennes (R. de) CX 54

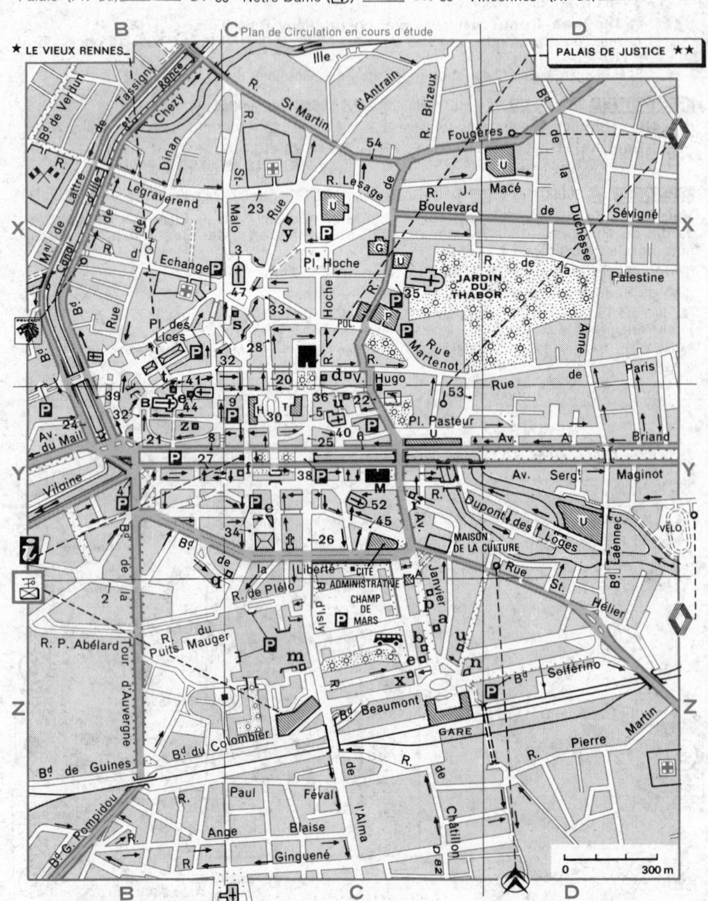

Frantel [M], 1 r. Cap.-Maignan ⊠ 35100 ☎ 79.54.54, Télex 730905 – ⧗ ▤ rest [TV] ☎ ♿ Ⓟ – 30 à 300. AE GB ◑ E. ※ rest CZ **m**
SC : rest. **La Table Ronde** *(fermé dim.)* **R** carte 105 à 145 – ☕ 21 – **140 ch** 190/250.

Anne de Bretagne [M] sans rest, 4 r. Tronjolly ⊠ 35100 ☎ 79.15.15 – ⧗ ☎ ♿ 🚗 – 25. GB CY **q**
SC : ☕ 15 – **42 ch** 140/170.

Président sans rest, 27 av. Janvier ⊠ 35100 ☎ 65.42.22 – ⧗ ☎ 🚗. AE GB ◑ CZ **p**
SC : ☕ 15 – **34 ch** 140/200.

Novotel [M], par Rocade Sud sortie centre commercial ☎ 50.61.32, Télex 740144, 🏊, 🌳 – ▤ rest [TV] ☎ Ⓟ – 25 à 200. AE GB ◑ A **e**
R snack carte environ 65 – ☕ 20 – **99 ch** 175/200.

P.L.M. Du Guesclin, 5 pl. Gare ✉ 35100 ☎ 79.47.47, Télex 740748 – 30. AE GB — CZ x
R carte 55 à 90 – 15 – **73 ch** 90/160.

Cheval d'Or sans rest, pl. Gare ✉ 35100 ☎ 30.25.80 – wc wc – 25. — CZ e
SC : 16 – **40 ch** 75/154.

Voyageurs sans rest, 28 av. Janvier ✉ 35100 ☎ 30.34.36 – wc AE GB — CZ b
fermé 24 juil. au 9 août, 24 déc. au 3 janv. – SC : 12,50 – **32 ch** 66/127.

Brest sans rest, pl. Gare ✉ 35100 ☎ 30.35.83 – wc — CZ n
SC : 12 – **36 ch** 55/120.

Astrid sans rest, 32 av. L.-Barthou ✉ 35100 ☎ 30.82.38 – wc — CZ u
SC : 11 – **30 ch** 68/130.

Angelina sans rest, 1 q. Lamennais ✉ 35100 ☎ 79.29.66 – wc — CY f
SC : 10 – **25 ch** 50/110.

Garden-H. sans rest, 3 r. Duhamel ✉ 35100 ☎ 30.74.32 – wc AE — CY r
SC : 15 – **21 ch** 76/130.

Victor Hugo sans rest, 14 r. V.-Hugo ☎ 79.03.45 – wc — CX d
16 – **24 ch** 60/155.

Sévigné sans rest, 47 av. Janvier ✉ 35100 ☎ 67.27.55 – wc — CZ a
SC : 12 – **45 ch** 68/140.

XXX **Le Coq-Gadby,** 156 r. Antrain ☎ 38.05.55, « Jardin intérieur » – AE — A d
fermé 1er au 20 août et lundi – SC : **R** 55/100.

XX ✪ **Escu de Runfâo** (Granville), 5 r. Chapitre ☎ 30.95.75 – AE GB — BY z
fermé dim., lundi midi et fêtes – SC : **R** 100/200
Spéc. Salade homard (avril-sept.), Aiguillettes de canard, Noisettes et côtes de chevreuil sauce poivrade.

XX **Aub. St-Sauveur,** 6 r. St-Sauveur ☎ 30.42.69, Cadre rustique. GB — BXY e
fermé 9 au 20 août et dim. – SC : **R** carte 105 à 155.

XX **Ti-Koz,** 3 r. St-Guillaume (près cathédrale) ☎ 30.52.98, « Vieille maison dite de Du Guesclin » – GB E — BXY t
fermé 10 au 24 août et dim. – SC : **R** carte 85 à 130.

XX ✪ **Corsaire,** 52 r. Antrain ☎ 36.33.69 — CX y
fermé dim. sauf le midi de sept. à juin – SC : **R** carte 95 à 120
Spéc. Plateau de fruits de mer, Paté de langoustines St-Jacques, Suprême de barbue braisé au cidre doux.

XX **La Pastourelle,** 18 r. Penhoët ✉ 35100 ☎ 79.44.03 – GB — CX s
fermé 10 au 31 août, dim. et lundi – SC : **R** 55 dîner à la carte.

XX **Palais,** 6 pl. Palais ☎ 30.21.19 – AE GB E — CX d
fermé dim. soir et lundi – SC : **R** 41/150, carte dim. soir.

XX **Baron,** 26 r. St-Georges ☎ 30.45.36 — CY u
fermé 26 juil. au 15 août, sam. midi et dim. – **R** 45.

à Cesson-Sévigné par ③ : 5 km – 9 583 h. – ✉ **35510** Cesson-Sévigné :

Germinal M, 9 cours de la Vilaine ☎ 62.11.01, – wc – 40. GB
SC : **R** *(fermé 1er au 15 août, 1er au 15 fév., dim. soir et lundi)* 35/100 – 12 – **20 ch** 95/150.

Ibis M, ☎ 62.93.93, Télex 740321 – wc – 25 à 50. GB
SC : **R** carte environ 55 – 12 – **76 ch** 130/150.

XX **Aub. de la Hublais,** 28 r. Rennes ☎ 62.11.06 – GB
fermé 2 au 23 août et dim. – SC : **R** carte 65 à 105.

au Pont-de-Pacé par ⑨ : 10 km – ✉ **35740** Pacé :

XX **Pont,** ☎ 60.61.06, –
fermé 1er au 22 juil., dim. soir et lundi – SC : **R** 38/80.

à Noyal-sur-Vilaine par ③ : 12 km – 3 604 h. – ✉ **35530** Noyal-sur-Vilaine :

XX **Forges** avec ch, ☎ 00.51.08 –
fermé 11 au 28 août, 10 au 22 fév., merc. soir et dim. soir – SC : **R** 40/85 – 8,50 – **10 ch** 40/60.

à Pont-Rean par ⑦ : 15 km – ✉ **35170** Bruz.
Voir Église★ de Bruz NE : 3 km.

XX Beau Rivage, D 177 ☎ 52.81.35 –

au Boël par ⑦ et D 131 : 17 km – ✉ **35580** Guichen :

XX **Aub. Vieux Moulin,** ☎ 52.72.25, , . GB
fermé janv., dim. soir et jeudi – SC : **R** carte 75 à 100.

Voir aussi ressources hôtelières de *Liffré* par ② : 17 km

MICHELIN, Agence régionale, Z.I. de Chantepie, r. Veyettes par ④ ☎ **50.72.00**

ALFA-ROMEO Guénée, 21 r. de Brest ☎ 59.24.02
AUDI-VOLKSWAGEN Gar. Floc, 53 bis r. de Rennes, Cesson-Sévigné ☎ 62.94.94
AUDI-VOLKSWAGEN Générale Autom. Rennaise, 4 r. de la Donelière, Zone Ind. de St-Grégoire ☎ 59.61.87
AUSTIN, BMW, MORRIS J.-Huchet, 316 rte St-Malo ☎ 59.11.22
AUSTIN, JAGUAR, MORRIS, OPEL-GM-US, ROVER, TRIUMPH Gar. du Mail, 30 av. du Mail ☎ 59.12.24
CITROEN Succursale, 4 r. Breillou Z.I. Sud Est Chantepie ☎ 53.15.15 N ☎ 50.70.56
CITROEN Gar. St-Hélier, 5 r. M.-Alizon ☎ 30.78.63
FIAT Monnier, 20 r. Malakoff ☎ 65.00.99
FORD Gar. de l'Europe, 73 av. Mail ☎ 59.01.52
MERCEDES-BENZ Delourmel, 9 allée Cerisaie, Zone Ind., St-Grégoire ☎ 38.10.10
PEUGEOT R.F.A., rte Paris, Cesson-Sévigné ☎ 62.16.06
PEUGEOT Sourget, 5 r. de la Bletterie ☎ 59.00.40 et 20 bd de Chezy ☎ 30.19.78
RENAULT Succursale, 42 bd Marbeuf ☎ 59.77.77 et ZUP-Sud, Centre Alma ☎ 51.50.22
RENAULT Cupif, 14 r. Serg.-Guihard ☎ 30.13.25
RENAULT Houédé, 145 r. Châtillon ☎ 50.56.63
RENAULT Laurent, 7 imp. Maquis-de-St-Marcel ☎ 36.33.94
RENAULT Louyer, 103 bd de Vitré ☎ 36.39.47
RENAULT Ridard, 85 r. Fougères ☎ 38.03.65
TALBOT Rennes Automobiles, 137 rte Lorient ☎ 59.10.14
TOYOTA, VOLVO Defrance, 40 av. Sergent-Maginot ☎ 67.21.11
Gar. de L'Ouest, 6 r. Gutenberg ☎ 36.29.64

Comptoir et Atelier du Pneu, rte de Laval à Noyal-sur-Vilaine ☎ 00.53.44
Ets Jean Fresnel, 70 av. Mail ☎ 59.35.29
Vallée-Pneus, 58 r. Poulain-Duparc ☎ 30.57.55, 171 av. Gén.-Leclerc ☎ 36.28.50 et Zone Ind., rte Lorient ☎ 59.13.47

Pour une demande de renseignements ou de réservation auprès d'un hôtelier, il est d'usage de joindre un timbre-réponse.

La RÉOLE **33190** Gironde **79** ③ **G. Côte de l'Atlantique** – **5 145 h. alt. 23** – **56.**

Voir Signal du Mirail ≤★ 2,5 km par ①.

Office de Tourisme pl. Libération (1er juin-15 sept., fermé dim. et lundi) ☎ 61.13.55 et à la Mairie (fermé dim.) ☎ 61.10.11.

Paris 589 ⑤ – **Bergerac 67** ① – **♦Bordeaux 64** ④ – **Libourne 46** ⑤ – **Marmande 19** ②.

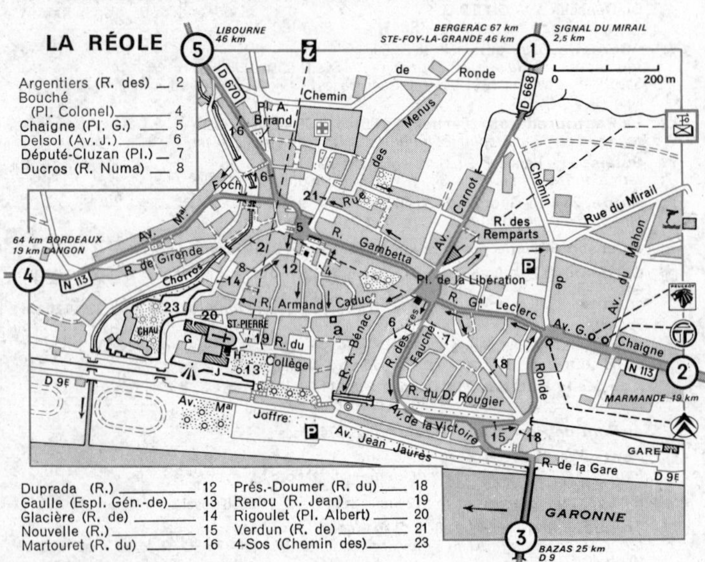

Centre, r. A.-Caduc **(a)** ☎ 61.02.64 – wc. GB
fermé 24 déc. au 20 janv. et dim. – **R** 30/60 – 9 – **12 ch** 40/80.

à Gironde-sur-Dropt par ④ : **4 km** – ✉ **33190** La Réole :

Les Trois Cèdres, ☎ **61.06.70,** – wc.
fermé 1er au 15 nov. et lundi – **SC** : **R** 36/80 – 15 – **14 ch** 85/120 – P 150.

ALFA-ROMEO, FORD Gar. Thomas, ☎ 61.04.41
CITROEN Gd Gar. Carnevillier, ☎ 61.00.34
PEUGEOT New-Car-33, ☎ 61.02.13
TALBOT Gar. Leyrat, ☎ 61.00.79

Pneu Sce Réolais, Zone Ind. Frimont ☎ 61.04.51

RETHEL <SP> 08300 Ardennes 56 ⑦ **G. Nord de la France** – 9 026 h. alt. 76 – ✪ 24.

ℹ Syndicat d'Initiative à la Mairie (juil.-août et fermé dim.).

Paris 182 ④ – Charleville-Mézières 44 ② – Laon 70 ④ – ♦Reims 39 ④ – Verdun 119 ③.

RETHEL

Les plans de villes sont orientés le Nord en haut.

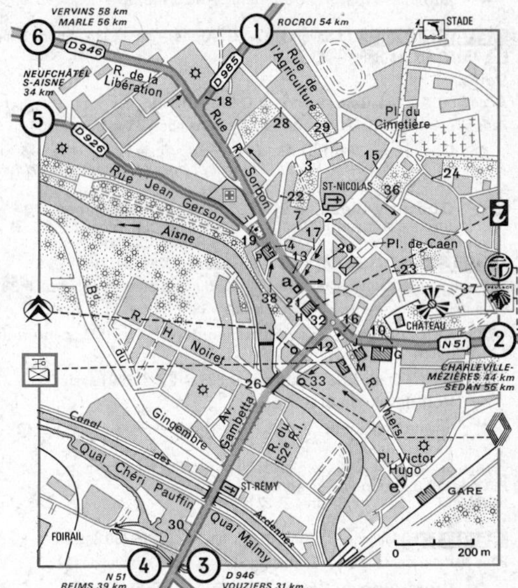

🏨 ✿ **Moderne** (Siegel), pl. Gare **(e)** ☎ 39.04.54 – TV ⇔wc ⋒wc ☎ 🚗 **P**. AE GB ◑ E. ✗ ch
fermé 20 déc. au 5 janv. – SC : **R** carte 90 à 135 – ☕ 15 – **25 ch** 65/150 – P 160/215
Spéc. Truite Rethéloise, Côte à l'Ardennaise, Soufflé. **Vins** Côteaux champenois, Ambonnay.

🏨 **Au Sanglier des Ardennes,** 1 r. P.-Curie **(a)** ☎ 39.05.19 – ⇔wc ⋒ ☎ **P**. AE GB ◑ E
fermé 24 déc. au 2 janv. – SC : **R** *(fermé lundi)* 53/90 🍷 - **Brasserie R** carte environ 50 – ☕ 17 – **24 ch** 55/150 – P 120/210.

AUDI-VOLKSWAGEN Charpentier, Zone Ind. de Pargny, r. de Bitburg ☎ 39.09.15
CITROEN Rethel-Automobiles, 11 r. Colbert ☎ 39.08.89
FIAT, LANCIA-AUTOBIANCHI Millart 37 av. Gambetta ☎ 39.04.18
FORD Gar. Mathieu, r. de la Grangette à Sault les Rethel ☎ 39.11.36
PEUGEOT S.R.A., Zone Ind., r. de Bitburg ☎ 39.03.48
RENAULT Centre-Auto-Rethélois, 2 rond-point E.-Zola ☎ 39.07.06
TALBOT Dachy Auto Loisirs, r. Comtesse, Zone Ind. Pargny ☎ 39.11.88

◍ St. Rémy Pneu, 5 r. des Dames ☎ 38.01.70

RETJONS 40 Landes 79 ⑫ – 402 h. alt. 98 – ✉ **40120** Roquefort – ✪ 58.

Paris 658 – Aire-sur-l'Adour 45 – Auch 105 – Langon 54 – Marmande 70 – Mont-de-Marsan 30.

Host. Landaise 🐎, S : 1,5 km sur D 932 ☎ 58.54.33, parc – ⇔wc ♿ **P**. ✗ ch
R 30/42 – ☕ 6,50 – **10 ch** 30/50 – P 75.

RETOURNAC 43130 H.-Loire 76 ⑦ **G. Vallée du Rhône** – 2 624 h. alt. 509 – ✪ 71.

Voir Gorges de la Loire★ NE et O – Église★ de Chamalières-sur-Loire O : 5 km.

ℹ Syndicat d'Initiative à la Mairie (fermé dim.) ☎ 59.41.00.

Paris 493 – Ambert 58 – Monistrol-sur-Loire 22 – Le Puy 37 – ♦St-Étienne 52 – Yssingeaux 14.

🏨 **Mourgue,** Grande-Rue ☎ 59.42.10 – ⇔ ⋒ ☎ 🚗. ✗ rest
15 mai-1er nov. – SC : **R** 36/66 🍷 – ☕ 9 – **15 ch** 35/100 – P 100/125.

RENAULT Raynaud, ☎ 59.40.78

Gar. Jamon, à Orcier ☎ 59.41.85 N

REUGNY 37 I.-et-L. 64 ⑮ – 1 192 h. alt. 67 – ✉ **37380** Monnaie – ✪ 47.

ℹ Syndicat d'Initiative à la Mairie (fermé sam. après-midi hors sais. et dim.) ☎ 52.94.32.

Paris 220 – Amboise 12 – Château-Renault 15 – Montrichard 31 – ♦Tours 22.

✕ **La Crémaillère,** ☎ 52.94.04
fermé 1er au 20 oct., 18 au 28 fév., dim.soir et lundi – **R** 35/70 🍷.

REUILLY-SAUVIGNY 02 Aisne 56 ⑮ – 153 h. alt. 67 – ✉ **02130** Fère-en-Tardenois – ✪ 23.
Paris 111 – Château-Thierry 15 – Épernay 33 – Laon 72 – Montmirail 29 – •Reims 47.

XX **Aub. Le Relais** avec ch, N 3 ☏ 71.93.02, – **P**. GB
fermé fév., mardi soir et merc. – SC : **R** 33/93 – 9 – 7 ch 52/86.

REVARD (Mont) 73 Savoie 74 ⑮ **G. Alpes** – alt. 1 538 – Sports d'hiver : 1 538/1 550 m 5, –
✉ **73100** Aix-les-Bains – ✪ 79.
Voir ✻★★★.
Accès : d'Aix-les-Bains par ② et D 913 : 21 km.
Paris 587 – Aix-les-Bains 21 – Annecy 47 – Chambéry 26 – Trévignin 14.

Chalet , ☏ 61.51.43, ≤ – wc **P**. . rest
1er juin-30 sept., 15 déc.-20 avril et hors sais. rest. ouvert le dim. – SC : **R** 35/70 – 12 – 30 ch 50/120.

XX **Quatre Vallées,** ☏ 61.47.35, ≤ lac et montagnes – **P**
fermé 1er nov. au 20 déc. et mardi sauf juil. et août – SC : **R** (déj. seul.) 45/120.

REVEL 31250 H.-Gar. 82 ⑳ **G. Causses** – 7 329 h. alt. 210 – ✪ 61.
Syndicat d'Initiative pl. Centrale (fermé dim. après-midi et lundi) ☏ 83.50.06.
Paris 759 – Carcassonne 44 – Castelnaudary 19 – Castres 27 – Gaillac 60 – •Toulouse 53.

XXX **Le Lauragais,** 25 av. Castelnaudary ☏ 83.51.22, « Intérieur rustique » – **P**
SC : **R** 60/150.

à St-Ferréol SE : 3 km par D 629 – ✉ **31250** Revel.
Voir Bassin de St-Ferréol★.

Ferme de Riquet, ☏ 83.53.45, ≤, – wc wc **P** – 60
16 ch.

CITROEN Fabre, 6 av. de la Gare ☏ 83.53.37
PEUGEOT Baylet, rte de Castres ☏ 83.54.10
RENAULT D.S.A., rte Castres ☏ 27.65.33
TALBOT Kircher, 1 av. du Coude ☏ 83.53.02
Lavail, rte Castelnaudary ☏ 83.50.09

RÉVILLE 50 Manche 54 ③ – 1 233 h. alt. 9 – ✉ **50760** Barfleur – ✪ 33.
Paris 354 – Carentan 45 – •Cherbourg 31 – St-Lô 73 – Valognes 22.

Au Moyne de Saire, ☏ 54.10.06 – **P**.
fermé 12 nov. au 20 déc., dim. soir et lundi midi – SC : **R** 26/60 – 9 – 12 ch 45/75 – P 85/110.

REVIN 08500 Ardennes 53 ⑱ **G. Nord de la France** – 11 806 h. alt. 134 – ✪ 24.
Voir Mont Malgré Tout ≤★★ E : 2 km puis 30 mn – Rocher de la Faligeotte ≤★ E : 2 km.
Syndicat d'Initiative quai E.-Quinet (juil.-août) ☏ 40.15.65 et à la Mairie (fermé dim.) ☏ 40.10.44.
Paris 242 – Charleville-Mézières 23 – Givet 32 – Rocroi 12.

François 1er, 46 quai C.-Desmoulins ☏ 40.15.88 – wc **P**. GB
fermé dim. soir – SC : **R** 39/98 – 10 – 20 ch 62/108 – P 148/198.

CITROEN Verrier, 230 r. J.-Moulin ☏ 40.11.40
PEUGEOT SIGA, r. W.-Rousseau ☏ 34.62.34

Les REYS DE SAULCE 26 Drôme 77 ⑪ – rattaché à Saulce-sur-Rhône.

Le RHIEN 70 H.-Saône 66 ⑦ – rattaché à Ronchamp.

RHINAU 67 B.-Rhin 62 ⑩ – 2 216 h. alt. 159 – ✉ **67230** Benfeld – ✪ 88.
Paris 460 – Marckolsheim 26 – Molsheim 36 – Obernai 26 – Sélestat 29 – •Strasbourg 33.

X **Bords du Rhin** avec ch, au passage du bac ☏ 74.60.36 – wc **P**. GB
ch
fermé 15 janv. au 15 fév. – SC : **R** *(fermé lundi soir et mardi)* 25/50 – 9,50 – **15 ch** 85/95 – P 110.

CITROEN Furstenberger, ☏ 74.60.59

La RHUNE (Montagne de) 64 Pyr.-Atl. 85 ② **G. Pyrénées** – alt. 900.
Voir ✻★★★.
Accès : par chemin de fer à crémaillère du col de St-Ignace.
Paris 773 – Ascain 3,5.

RIANS 83560 Var 84 ④ – 1 647 h. alt. 355 – ✪ 94.
Syndicat d'Initiative pl. Rosteuil (juil.-août et fermé lundi) ☏ 80.33.37.
Paris 774 – Aix-en-Provence 39 – Avignon 98 – Draguignan 69 – Manosque 37 – •Toulon 77.

Esplanade, ☏ 80.31.12, ≤ – . . rest
SC : **R** 40/75 – 11 – 8 ch 50/70.

RENAULT Verne, N 561, quartier St-Esprit ☏ 80.30.78

RIBEAUVILLÉ ⟨SP⟩ 68150 H.-Rhin 62 ⑱⑲ G. Vosges – 4 412 h. alt. 240 – ✪ 89.

Voir Tour des Bouchers★.

Office de Tourisme Grand-Rue (fermé dim. hors saison) Tél. 73.62.22.

Paris 429 ⑤ – Colmar 15 ③ – Gérardmer 59 ④ – ♦Mulhouse 57 ④ – St-Dié 41 ⑤ – Sélestat 15 ②.

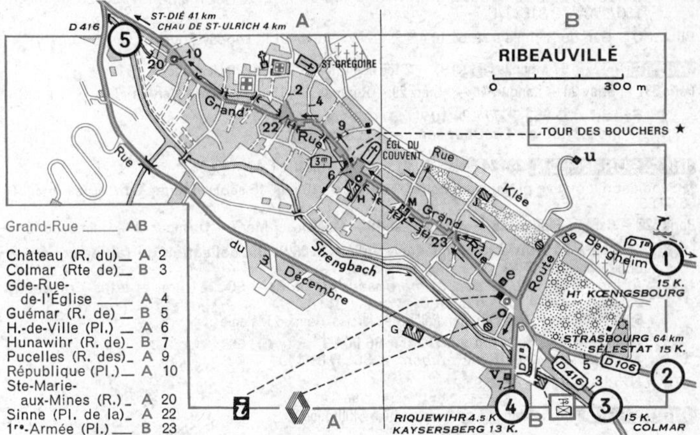

Pépinière, par ⑤ : 4 km Tél. 73.64.14, alt. 400, ≤, « Dans la forêt vosgienne », – wc. AE
fermé janv. et fév. – SC : **R** *(fermé merc.)* (sem. dîner seul) 49/100 – 16.50 – 18 ch 130/200 – P 190/200.

✿ **Clos St-Vincent** (Chapotin) M avec ch, Tél. 73.67.65, ≤, « Dans le vignoble dominant la plaine d'Alsace », – wc. B u
1er mars-30 nov. – SC : **R** *(fermé mardi soir et merc.)* (nombre de couverts limité - prévenir) 120/165 – **9 ch** 250/320
Spéc. Ris et rognons de veau aux petits légumes, Filet de turbot à l'oseille, Noisette de chevreuil sauce poivrade (juil. à déc.). Vins Riesling, Gewurztraminer.

Vosges avec ch, 2 r. Grande Rue Tél. 73.61.39 – wc. AE GB E. ch
fermé 15 nov. au 1er déc., fév., merc. soir et jeudi – **R** 55/150 – 14 – 15 ch 60/105. B e

Relais des Ménétriers, 10 av. Gén.-de-Gaulle Tél. 73.64.52 – AE GB B v
fermé 10 janv. au 10 fév., dim. soir et lundi – SC : **R** 60.

CITROEN Gar. Wickersheim, à Hunawihr Tél. 73.62.02 N
RENAULT Gar. Bebou, Tél. 73.61.33 N
Gar. Findeli, Tél. 73.61.17

RIBÉRAC 24600 Dordogne 75 ④. G. Côte de l'Atlantique – 4 444 h. alt. 68 – ✪ 53.

Syndicat d'Initiative pl. Gén.-de-Gaulle (1er mai-30 sept., fermé dim. et lundi) Tél. 90.03.10.

Paris 501 – Angoulême 58 – Barbezieux 59 – Bergerac 51 – Libourne 66 – Nontron 49 – Périgueux 37.

Chêne Vert, 42 r. Couleau Tél. 90.05.65 – wc wc. GB
SC : **R** 40/120 – 11 – 10 ch 58/80.

France, r. M.-Dufraisse Tél. 90.00.61, – wc.
fermé 15 déc. au 15 fév. et lundi – SC : **R** 36/55 – 10 – **19 ch** 40/85.

CITROEN Lafargue, Tél. 90.05.38
PEUGEOT Fargeout, Tél. 90.01.09
TALBOT S.O.R.A., Tél. 90.20.55 N Tél. 90.23.98

La RIBÈRE 32 Gers 82 ⑤ – rattaché à Auch.

RIBOU (Lac de) 49 M.-et-L. 67 ⑥ – rattaché à Cholet.

RICHARDMÉNIL 54 M.-et-M. 62 ⑤ – 2 377 h. alt. 260 – ✉ 54630 Flavigny – ✪ 8.

Paris 317 – Épinal 55 – Lunéville 33 – ♦Nancy 14 – Neufchâteau 54 – Toul 35 – Vittel 58.

Bon Accueil, rte Messein Tél. 354.62.10 –
fermé 1er au 15 mars, 1er au 15 sept., merc. soir et jeudi sauf fériés – SC : **R** 46/80.

Relais du Sous-Bois, rte Nancy Tél. 354.63.21 – GB
fermé janv. et mardi – SC : **R** 40/80.

RICHELIEU 37120 I.-et-L. 68 ③ G. Châteaux de la Loire – 2 529 h. alt. 41 – 47.

Syndicat d'Initiative Grande rue (1er juin-1er oct.) ☎ 58.11.18.

Paris 294 – Châtellerault 30 – Chinon 21 – Poitiers 54 – Thouars 44 – ♦Tours 60.

Château de Milly , SE : 9 km par D 749 ☎ 58.14.56, « parc » – wc ☎ P – 30. AE GB D. rest
fermé nov., 1er au 15 mars et mardi hors sais. – SC : **R** 100/140 – 20 – **16 ch** 100/270 – P 315/375.

PEUGEOT Gar. du Richelais, ☎ 58.10.41 RENAULT Legeay-Foucault, ☎ 58.10.76

RICHEMONT 57 Moselle 57 ③④ – 2 166 h. alt. 174 – ✉ **57270** Uckange – 8.

Paris 331 – Briey 20 – Longwy 46 – ♦Metz 20 – Rombas 7 – Thionville 9,5 – Verdun 77.

XX **Freddy,** D 953 ☎ 771.24.10 – P. GB D
fermé 12 juil. au 4 août et sam. – SC : **R** 42/85 .

RIEC-SUR-BÉLON 29124 Finistère 58 ⑪⑯ – 4 158 h. alt. 48 – 98.

Syndicat d'Initiative pl. Église (Pâques, Pentecôte, 15 juin-15 sept. et fermé dim. après-midi) ☎ 06.97.65.

Paris 522 – Carhaix-Plouguer 61 – Concarneau 19 – Moëlan-sur-Mer 7 – Quimper 41 – Quimperlé 13.

XXX ✿ **Chez Mélanie** avec ch, face église ☎ 06.91.05, collection de tableaux, – . AE D
fermé 15 nov. au 20 déc. et mardi sauf juil.-août – SC : **R** (dim. et fêtes - prévenir) 65/205 – 14 – 8 ch 80/130
Spéc. Timbale de fruits de mer, Palourdes farcies, Homard Mélanie.

XX **Kerland** , S : 4 km sur D 24 ☎ 96.60.93, ← – P. GB
fermé 21 janv. au 18 fév. et merc. – SC : **R** 65/140.

CITROEN Coyac-Rouat, ☎ 06.91.27

RIEDISHEIM 68 H.-Rhin 66 ⑩ – rattaché à Mulhouse.

RIEUMES 31370 Hte-Garonne 82 ⑰ – 2 225 h. alt. 281 – 61.

Paris 745 – Auch 60 – Foix 74 – St-Gaudens 59 – ♦Toulouse 39.

L'Ovalie, pl. Marché ☎ 91.90.72 – ch
SC : **R** *(fermé vend. soir)* 22/65 – 8 – **18 ch** 28/45 – P 70/80.

CITROEN Gar. Rieumois, ☎ 91.81.28

RIEUPEYROUX 12240 Aveyron 80 ① – 2 903 h. alt. 718 – 65.

Paris 642 – Albi 54 – Carmaux 38 – Millau 93 – Rodez 38 – Villefranche-de-Rouergue 24.

Commerce, ☎ 65.53.06, , – wc wc ☎ P. rest
fermé 20 déc. au 10 janv., dim. soir et lundi midi du 1er oct. au 1er juin – SC : **R** 30/65 – 10 – **27 ch** 40/70 – P 85/100.

CITROEN Malrieu, ☎ 65.53.47 RENAULT Gar. Costes, ☎ 65.54.15

RIEUTORT-DE-RANDON 48 Lozère 76 ⑮ – 686 h. alt. 1 130 – ✉ **48700** St-Amans – 66.

Paris 554 – Mende 18 – Le Puy 80 – St-Alban-sur-Limagnole 30 – St-Chély-d'Apcher 30.

Plateau du Roy , N 106 ☎ 47.33.03, ←, – wc wc ☎ P. rest
1er avril-15 oct. – SC : **R** 45/69 – 12 – 17 ch 110/160 – P 150/175.

RIEUX-MINERVOIS 11 Aude 83 ⑫ G. Causses – 1 881 h. alt. 115 – ✉ **11160** Caunes-Minervois – 68 – Voir Église★.

Paris 888 – Béziers 57 – Carcassonne 26 – Mazamet 57 – Narbonne 39.

XX **Logis de Mérinville** avec ch, ☎ 78.11.78 – wc wc
fermé 3 janv. au 3 fév. et merc. – SC : **R** 52/75 – 9 – **8 ch** 36/70 – P 98/130.

RIGNAC 12390 Aveyron 80 ① – 1 762 h. alt. 500 – 65.

Syndicat d'Initiative pl. Portail-Haut (juil.-août et fermé dim.) ☎ 43.53.69.

Paris 620 – Aurillac 90 – Figeac 38 – Rodez 29 – Villefranche-de-Rouergue 28.

Marre, ☎ 64.51.56, – wc P
fermé 9 au 24 juin et sam. sauf juil. et août – **R** 25/60 – 7,50 – **18 ch** 37/60 – P 70/84.

RIGNY 70 H.-Saône 66 ⑭ – rattaché à Gray.

RILLY-SUR-LOIRE 41 L.-et-Ch. 64 ⑯ – 378 h. alt. 65 – ✉ **41150** Onzain – 54.

Paris 206 – Amboise 13 – Blois 21 – Montrichard 17 – ♦Tours 37.

Château de la Hte Borde , ☎ 46.98.09, parc – wc wc ☎ P – 35. E.
15 mars-15 nov. – SC : **R** *(fermé lundi sauf fériés)* 55/100 – 11 – 18 ch 65/115 – P 100/140.

Aub. des Voyageurs, ☎ 46.98.85 – rest
fermé 24 déc. au 1er fév. et merc. – SC : **R** 32/70 – 10 – **10 ch** 42/52 – P 92.

RIMBACH-PRÈS-GUEBWILLER 68 H.-Rhin 62 ⑱ – 262 h. alt. 563 – ✉ **68500** Guebwiller – ⚙ 89.

Paris 486 – Belfort 58 – Cernay 18 – Colmar 33 – Guebwiller 9 – ♦Mulhouse 26 – Thann 25.

Aigle d'Or ⛰, ☎ 76.89.90, ⛱ – ⚲ 🚗 Ⓟ. ⛌
fermé 1er au 15 mars – SC : **R** 40/80 ⚱ – ☕ 8,50 – **19 ch** 28/66 – P 85/95.

RIMONT 09420 Ariège 86 ③ – 519 h. alt. 525 – ⚙ 61.

Paris 821 – La Bastide-de-Serou 15 – Foix 32 – Le Mas-d'Azil 14 – St-Girons 12.

Bascaing, ☎ 66.06.70 – 🚗 Ⓟ. ⛌ ch
fermé oct. et lundi hors sais. – SC : **R** 30/60 ⚱ – ☕ 9 – **12 ch** 40/60 – P 100.

RIOM ⟨SP⟩ **63200** P.-de-D. 73 ④ **G. Auvergne** – 17 962 h. alt. 353 – ⚙ 73.

Voir Église N.-D.-du-Marthuret★ : Vierge à l'Oiseau★★★ – Maison des Consuls★ – Hôtel Guimoneau★ – Palais de Justice : Ste-Chapelle★ et tapisseries★ – Cour★ de l'Hôtel de ville. Musées : Auvergne★, Mandet★ Y **M – Mozac : chapiteaux★★, trésor★★ de l'église★ 2 km par ⑤ – Marsat : Vierge noire★★ dans l'église SO : 3 km par D 83,** Z.

Env. Ruines du château de Tournoël★★ : ✵★ 7 km par ⑤ et D 986 – Chateaugay : donjon★ du château et ✵★ 7,5 km par ④ et D 15 E – Église★ d'Ennezat 9 km par ③.

ℹ Office de Tourisme 16 r. Commerce (hors sais. matin seul. et fermé dim.) ☎ 38.22.38.

Paris 374 ② – ♦Clermont-Fd 15 ④ – Montluçon 76 ① – Moulins 81 ② – Thiers 56 ④ – Vichy 44 ②.

RIOM

Commerce (R. du) ____ YZ 5
Horloge (R. de l') ____ Y 10
Hôtel-de-Ville (R. de l') _ Y 12
St-Amable (R. et ⛪) __ Y 24

Bade (Fg de la) ____ Y 2
Chancelier-de-l'Hospital (Bd) ____ Y 3
Clémentel (Bd Étienne) _ Z 4
Croisier (R.) ____ Z 6
Fédération (Pl. de la) __ Y 9
Laurent (Pl. J.-B.) ____ Z 13
Layat (Fg de) ____ Y 14
Libération (Av. de la) __ Z 15
Madeline (Av. du Cdt) __ Y 16
Marthuret (R. et ⛪) __ Z 17
Martyrs-de-la-Résistance (Pl. des) __ Y 18
Menut (Pl. Marinette) YZ 19
Pré-Madame (Prom. du) _ Y 21
République (Bd de la) _ Y 22
St-Louis (R.) ____ Y 25
Taules (Carrefour des) __ Y 27

Pour un bon usage des plans de villes, voir les signes conventionnels p. 20.

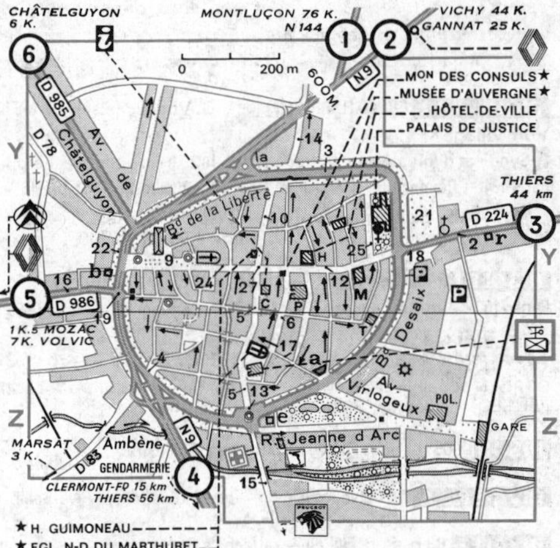

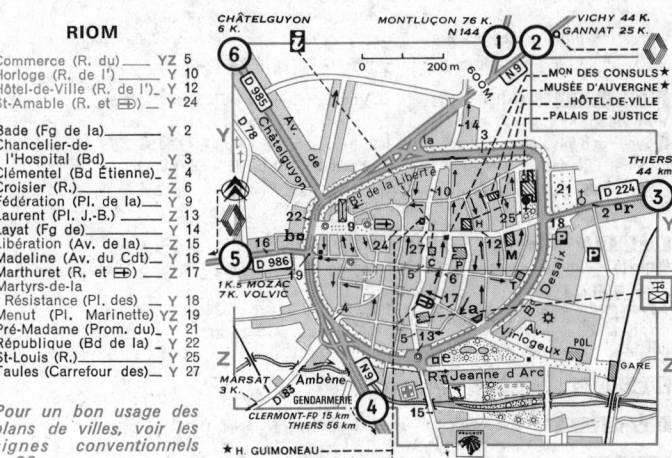

Lyon sans rest, 107 fg La-Bade ☎ **38.07.66** – ⚲wc ☎ Ⓟ. 💳. ⛌ — Y **r**
fermé 8 au 31 oct. – SC : ☕ 9,50 – **15 ch** 41/75.

La Caravelle sans rest, 21 bd République ☎ **38.31.90** – ⚲wc ☎. 💳 AE ⓓ E — Y **b**
SC : ☕ 9 – **15 ch** 45/65.

Napoléon, 8 r. Jeanne d'Arc ☎ **38.24.27** – ⚲ ☎. ⛌ ch — Z **e**
fermé oct. et lundi – SC : **R** 33/65 – ☕ 8,50 – **9 ch** 50/60.

Voyageurs avec ch, 58 r. Marthuret ☎ **38.01.17** – 🛁wc ⚲ ☎ 🚗. 💳. ⛌ rest — Z **a**
fermé dim. soir et lundi midi – SC : **R** 55/80 – ☕ 10 – **13 ch** 55/100.

Moulin de Villeroze, SO : 2 km par rte de Marsat - Z - ☎ **38.11.82** – Ⓟ
fermé lundi – SC : **R** 40/60 ⚱.

CITROEN Place, Z.A. rte de Volvic à Mozac ☎ 38.03.93
PEUGEOT Chalas, 81 rte de Clermont ☎ 38.23.05
RENAULT Lafont, rte de Paris ☎ 38.22.75
RENAULT Gaudoin, Z.A. à Mozac ☎ 38.20.76
Gioffre 26 rte Paris ☎ 38.00.86

RIOM-ÈS-MONTAGNES 15400 Cantal 76 ②③ **G. Auvergne** – 3 920 h. alt. 842 – ⚙ 71.

Voir Église St-Georges★.

ℹ Office de Tourisme pl. Gén.-de-Gaulle (fermé matin et lundi hors sais.) ☎ 78.07.37.

Paris 493 – Aurillac 94 – Mauriac 36 – Murat 39 – Ussel 54.

Modern, face gare ☎ **78.00.13** – 🛁wc ⚲wc ☎. ⛌ rest
fermé 1er au 15 oct. et dim. hors sais. – SC : **R** 32/50 – ☕ 8,50 – **26 ch** 36/70 – P 71/85.

CITROEN Tible, ☎ 78.00.35 N
PEUGEOT Riom-Automobiles, ☎ 78.03.08
RENAULT Veremes, ☎ 78.00.39

RION-DES-LANDES 40370 Landes 78 ⑤ – 2 651 h. alt. 63 – ✪ 58.
Paris 682 – ♦Bayonne 82 – ♦Bordeaux 117 – Dax 33 – Mimizan 48 – Mont-de-Marsan 42.

Le Relais des Landes, rte Tartas ☎ 57.10.20 – ⋒ Ⓟ. GB
fermé 1er au 15 oct., 18 fév. au 4 mars, vend. soir et sam. midi hors sais. – SC : **R** 35/80 – ☕ 8,50 – **13 ch** 40/73 – P 80/91.

RIORGES 42 Loire 73 ⑦ – rattaché à Roanne.

RIOTORD 43 H.-Loire 76 ⑨ – 1 404 h. alt. 840 – ✉ **43220** Dunières – ✪ 71.
Paris 562 – Annonay 33 – ♦St-Étienne 31 – Vienne 72 – Yssingeaux 31.

La Forestière ⛰, rte de Clavas ☎ 75.38.62, ≤, 🌳 – ⊟wc ⋒wc ☎ Ⓟ. ⚔ ch
fermé 15 janv. au 15 fév. et mardi – SC : **R** 30/80 – ☕ 12 – **7 ch** 100 – P 115.

RIOZ 70190 H.-Saône 66 ⑮ – 816 h. alt. 264 – ✪ 84.
Paris 423 – Belfort 77 – ♦Besançon 22 – Gray 47 – Vesoul 25 – Villersexel 37.

Logis Comtois, ☎ 74.21.13, 🌳 – ⊟wc ⋒ ☎ Ⓟ. 🚗. ⚔
fermé 10 déc. au 31 janv., dim. soir et lundi midi – SC : **R** 40/80 ⚲ – ☕ 11 – **25 ch** 75/140.

CITROEN Varin, ☎ 74.20.76
RENAULT Pernin, ☎ 74.22.24

*Les hôteliers souhaitent que vous dîniez à leur restaurant, toutefois certains vous logeront même si vous ne prenez pas de repas. Nous indiquons leurs **chambres en caractères gras** (voir p. 18).*

RIQUEWIHR 68340 H.-Rhin 62 ⑱⑲ **G. Vosges** (plan) – 1 195 h. alt. 300 – ✪ 89.
Voir Village★★★.
ℹ Syndicat d'Initiative pl. Voltaire (1er juin-20 sept. et fermé mardi) ☎ 47.80.80.
Paris 434 – Colmar 13 – Gérardmer 62 – Ribeauvillé 4,5 – St-Dié 46 – Sélestat 19.

XX **Aub. Schoenenbourg,** r. Piscine ☎ 47.92.28 – Ⓟ
fermé janv., merc. soir et jeudi – SC : **R** 70/140.

RISCLE 32400 Gers 82 ② – 1 859 h. alt. 105 – ✪ 62.
Paris 719 – Aire-sur-l'Adour 17 – Auch 70 – Condom 61 – Mirande 55 – Pau 55 – Tarbes 52.

Paix, ☎ 69.70.14 – ⋒ ☎ 🚗
fermé 1er au 15 sept. – SC : **R** 28/80 ⚲ – ☕ 8 – 16 ch 37/65 – P 90/100.

CITROEN Coulom, ☎ 69.70.08
PEUGEOT Laffargue, ☎ 69.72.61
Caritey ☎ 69.70.31

RISOUL 05 H.-Alpes 77 ⑱ – rattaché à Guillestre.

RIVA-BELLA 14 Calvados 55 ② – voir à Ouistreham-Riva-Bella.

RIVALET 63 P.-de-D. 73 ⑭ – rattaché à St-Nectaire.

RIVE-DE-GIER 42800 Loire 73 ⑲ **G. Vallée du Rhône** – 17 797 h. alt. 242 – ✪ 77.
Paris 499 – ♦Lyon 37 – Montbrison 58 – Roanne 99 – ♦St-Étienne 22 – Thiers 129 – Vienne 27.

XXX ✿✿ **Host. Renaissance** (Laurent) avec ch, 41 r. A.-Marrel ☎ 75.04.31, 🌳 – ⊟wc ☎ Ⓟ – 🏛 25. 🚗 AE GB ⓞ
fermé mi janv. à mi fév., dim. soir du 15 oct. au 15 mai – SC : **R** 85/260 – ☕ 18 – 10 ch 100/180 – P 300
Spéc. Filets de rouget à l'hermitage, Pigeon en ballotine au ris de veau, Gratin de framboises glacé. **Vins** Viognier, St-Joseph.

CITROEN Bellon, 9 r. J.-Guesde ☎ 75.00.39
PEUGEOT Boutin, 44 r. Cl.-Drivon ☎ 75.04.22
PEUGEOT Furminieux, quartier de Combe-plaine ☎ 75.01.06
RENAULT Gar. Ripagérien, 10 r. M.-Gorki ☎ 75.01.55
TALBOT Putinier, 18 av. Mar.-Juin ☎ 75.02.30
⊕ Stat de la Madeleine, 68 r. Martyrs de la Résistance ☎ 75.03.10

RIVEDOUX-PLAGE 17 Char.-Mar. 71 ⑫ – voir à Ré (Ile de).

RIVES 38140 Isère 77 ④ – 5 007 h. alt. 360 – ✪ 76.
Paris 538 – Bourgoin-Jallieu 36 – La Côte-St-André 20 – ♦Grenoble 31 – St-Marcellin 30 – Voiron 10.

Terminus, à la gare ☎ 91.07.42 – ⊟wc ☎ Ⓟ. 🚗 GB
SC : **R** *(fermé dim.)* 38/55 ⚲ – ☕ 12 – **15 ch** 70/120 – P 130/150.

PEUGEOT Gar. du Dauphiné, ☎ 91.07.13
RENAULT Rives Automobiles, Le Plan ☎ 91.03.06
TALBOT Gar. de la Poste, à Renage ☎ 91.42.22

RIVESALTES 66600 Pyr.-Or. 86 ⑨⑲ G. Pyrénées – 6 754 h. alt. 29 – 68.

de Perpignan-Rivesaltes : 61.22.24 : 4 km.

Paris 902 – Narbonne 57 – ♦Perpignan 10 – Quillan 69.

Alta Riba M, av. Gare 64.01.17 – wc wc – 200.
fermé 15 déc. au 15 janv. – SC : **R** *(fermé dim. soir et lundi midi)* 35/85 – 11 – **54 ch** 85/120.

Debèze, 11 r. A.-Barbès 64.05.88 – E
fermé 15 déc. au 15 janv. – SC : **R** *(fermé sam. sauf juil. et août)* 35/90 – 9 – 16 ch 45/110 – P 100/130.

CITROEN Galabert, 13 av. Gambetta 64.07.67 RENAULT Vila, 22 r. Ed.-Vaillant 64.02.14

RIVIÈRE-SUR-TARN 12640 Aveyron 80 ④ – 625 h. alt. 379 – 65.

Paris 628 – Mende 71 – Millau 12 – Rodez 71 – Sévérac-le-Château 30.

Andrieu, 60.81.40, – wc ch
fermé oct. et jeudi hors sais. – SC : **R** 27/70 – 8 – 22 ch 38/72 – P 90/120.

La RIVIÈRE-THIBOUVILLE 27 Eure 55 ⑮ – alt. 72 – **27550** Nassandres – 32.

Paris 137 – Bernay 14 – Évreux 35 – Lisieux 38 – Le Neubourg 16 – Pont-Audemer 33 – ♦Rouen 49.

XX **Soleil d'Or** avec ch, 45.00.08, – wc – 30.
fermé fév. et merc. sauf juil. et août – SC : **R** 46/130 – 11 – **6 ch** 47/105 – P 100/165.

PEUGEOT Gar. Chaise, N 13 à Nassandres 45.00.33 N

RIXHEIM 68 H.-Rhin 66 ⑩ – rattaché à Mulhouse.

ROANNE 42300 Loire 73 ⑦ G. Vallée du Rhône – 56 498 h. alt. 279 – 77.

Voir Gorges de la Loire★ S : 3 km par D 56, AZ.

Office de Tourisme (fermé lundi matin) et T.C.F. Cours République 71.51.77.

Paris 391 ⑥ – Bourges 196 ⑥ – Chalon-sur-Saône 132 ① – ♦Clermont-Ferrand 101 ④ – ♦Dijon 200 ① – ♦Lyon 86 ③ – Montluçon 140 ⑥ – ♦St-Étienne 77 ③ – Valence 195 ③ – Vichy 74 ⑥.

Plan page suivante

Gd Hôtel et rest. l'Astrée, 18 cours République 71.48.82, Télex 300573 – TV – 50 à 100. AE GB AY **f**
fermé 27 déc. au 11 janv. – SC : **R** *(fermé 4 au 21 août, sam. midi et dim.)* 53/98 – 16 – **48 ch** 78/220.

Terminus sans rest, face gare 71.79.69 – wc ch AY **f**
SC : 13 – **51 ch** 85/150.

XXXX ✿✿✿ **H. des Frères Troisgros** M avec ch, pl. Gare 71.66.97 – rest TV wc wc . AE AY **r**
fermé 2 au 31 janv. et mardi – SC : **R** (nombre de couverts limité - prévenir) 200/280 et carte – 36 – **18 ch** 180/350
Spéc. suivant produits de saison. Vins Fleurie.

XX **Bonnin,** 48 r. Ch.-de-Gaulle 71.21.69 – . AE BY **n**
fermé 14 juil. au 14 août, dim. soir et lundi – SC : **R** 45/110 .

XX **Taverne Alsacienne,** pl. Paix 71.21.14 BZ **m**
fermé 26 avril au 22 mai, 11 au 23 oct. et lundi – SC : **R** 38/80 **Brasserie R** carte environ 60.

X **Don Camillo,** 6 r. P.-Brossolette 71.87.88 AY **p**
fermé 11 au 24 mai et 7 au 27 sept. sam. midi et lundi – **R** carte 50 à 70.

au Coteau (rive droite de la Loire) – 8 494 h. – **42120** Le Coteau :

Artaud, 133 av. Libération 67.00.68 – rest TV wc wc – 150. GB E BZ **e**
fermé 1er au 20 juil. et dim. – SC : **R** 40/150 – 11 – **17 ch** 85/180.

XX **Aub. Costelloise,** 2 av. Libération 68.12.71 BZ **a**
fermé 25 juil. au 23 août, vacances de fév., mardi soir, merc. et dim. soir. – SC : **R** 35/115.

X **Chez Barnay** (La Terrasse) avec ch, au pont de Rhins par ② 67.26.46 – wc
fermé 20 au 28 fév. et août – SC : **R** *(fermé dim. soir et lundi)* 32 bc/75 – 8 – **12 ch** 42/75.

à Riorges O : 3 km par D 31 - AZ – 9 366 h. – **42300** Roanne :

XX **Le Marcassin** avec ch, rte St-Alban-les-Eaux 71.30.18 – wc . GB. ch
fermé 1er au 21 août et vacances de fév. – SC : **R** *(fermé dim. du 1er oct. au 30 avril et sam.)* 35/130 – 12 – **10 ch** 65/110.

Als-Lorraine (Av.) — AZ 2
Anatole-France (R.) ABZ 3
Foch (R. Mar.) — BZ
Gaulle (R. Ch.-de) — BZ 9
Jaurès (R. Jean) — BZ

Briand (Pl. Aristide) BZ 4
Cadore (R. de) — BY 5
Carnot (R.) — BZ 6
Clemenceau (Pl.) — BY 7
H.-de-Ville (Pl. de l') BZ 10
Lattre-de-T. (Pl. de) — BY 12
Libération (Av. de la) — BZ 13
N.-D.-des-Victoires ([church]) — BZ
Prom.-Populle (Pl. des) — AZ 14
République (Cours de la) AY 15
Roche (R. Alexandre) — BY 16
St-Étienne ([church]) — BY
St-Louis ([church]) — AZ
Ste-Anne ([church]) — AY
Vachet (R. Julien) — AY 20

par ⑥, rte St-Germain : 7 km – ✉ **42640** St-Germain-L'Espinasse :

Relais de Roanne [M] [quiet], ☎ 71.97.35, [garden] – [lift] rest [TV] [bath]wc [shower]wc [phone] [disabled access] [garage] [P] – [conference] 40. [credit cards]
SC : **R** *(fermé en mars)* 42/100 – [breakfast] 13,50 – **30 ch** 95/140.

à Lentigny par ④ : 8,5 km – ✉ **42128** Lentigny :

Ferme Napoléon avec ch, ☎ 63.11.11, « aménagée avec recherche », [garden] – [TV] [bath]wc [phone] [P], [credit cards] GB
fermé août, dim. soir et lundi – SC : **R** 70/185 – [breakfast] 20 – 7 ch 120.

MICHELIN, Agence, Zone Ind. Arsenal Sud, 8 av. de la Marne par ① ☎ **72.06.09**

CITROEN Gar. St-Louis, 8 r. A.-Raffin ☎ 71.36.68
CITROEN Gar. Ste-Anne, 52 r. Mulsant ☎ 71.28.35
FORD Gar. de la Poste, 56 r. R.-Salengro ☎ 68.31.99
LANCIA-AUTOBIANCHI Gar. de France 126 av. Paris ☎ 72.46.44
RENAULT Lafay, 6 Esplanade Diderot ☎ 71.04.08
TALBOT S.A.R.D.A., 55 r. St-Alban ☎ 71.52.35
VOLVO Gd Gar. Gobelet, 54 av. Gambetta ☎ 72.30.22

[tyre dealer] Comptoir Roannais C/c, bd C.-Benoit ☎ 71.49.21
Ets Indust. Pneumatique, 82, r. A.-Dourdein ☎ 72.32.31

Périphérie et environs

AUDI-VOLKSWAGEN Gar. Route Bleue, Zone Ind. Le Coteau, Voie n° 3 ☎ 67.34.00
BMW, TOYOTA L'Autom. Costelloise, 21 r. A.-France à Le Coteau ☎ 68.38.66
CITROEN Lagoutte, N 7, Les Plaines à Le Coteau ☎ 67.00.22 [N]
DATSUN Gar. Sinoir, 16 av. Paris à Riorges ☎ 71.73.42
FIAT, MERCEDES SOGEMO, Aiguilly, D 482 à Vougy ☎ 72.26.22
PEUGEOT SAGG, rte Paris, Riorges ☎ 71.66.17

[tyre dealer] Ets. Indust. Pneumatique, 4 pl. de l'Eglise, le Coteau ☎ 67.05.12

ROCAMADOUR 46 Lot 75 ⑱⑲ G. Périgord (plan) – 708 h. alt. 210 – ✉ **46500** Gramat – ✆ 65.

Voir Site*** – Château ✻*** – Fresques* de la chapelle St-Michel – Tapisseries* dans l'Hôtel de Ville.

Office de Tourisme Grande rue (1er avril-30 sept.) ✆ 33.62.59.

Paris 543 – Brive-la-Gaillarde 55 – Cahors 59 – Figeac 46 – Gourdon 36 – St-Céré 29 – Sarlat-la-C. 66.

- **Beau Site et Notre Dame,** ✆ 33.63.08, Télex 520421, ≤, « Bel aménagement intérieur » – |♦| P. AE GB ① E
  4 avril-1er nov. – SC : **R** 52/155 – ☕ 16 – **55 ch** 75/175 – P 175/270.
- **Ste-Marie** ⑤, ✆ 33.63.07, ≤, « Terrasse avec vue agréable » – ⌂wc ✆ ⇔.
  12 avril-8 oct. – SC : **R** 40/100 – ☕ 12 – **22 ch** 80/160.
- **Château et Relais Amadourien** M ⑤, rte du Château par D 673 : 1,5 km ✆ 33.62.22, ≤ – ⌂wc ⌂wc ✆ P – 80
  12 avril-20 oct. – SC : **R** 38/110 – ☕ 11 – 58 ch 95/130 – P 140/150.
- **Ascenseur,** ✆ 33.62.44 – ⌂wc ⌂wc ✆ P. AE GB ①
  1er avril-3 nov. – SC : **R** 30/160 – ☕ 14 – **64 ch** 50/180 – P 140/200.
- **Panoramic** ⑤, à l'Hospitalet ✆ 33.63.06, ≤ – ⌂wc ✆ P. ✻ rest
  1er fév.-15 nov. et fermé vend. hors sais. – SC : **R** 38/150 – ☕ 13 – 13 ch 85/130 – P 135/170.
- **Terminus-Hôtel** sans rest., ✆ 33.62.14 – ⌂wc. AE
  15 avril-30 sept. – SC : ☕ 14 – **16 ch** 52/110.
- **Lion d'Or,** ✆ 33.62.04 – ⌂ ⌂
  Pâques-1er nov. – SC : **R** 38/75 – ☕ 12 – **28 ch** 43/73.
- XX **Bellevue** avec ch, (annexe 13 ch ≤ ⌂wc ✆ P), à l'Hospitalet ✆ 33.62.10 – P. AE ①
  fermé 5 janv. au 5 fév. et merc. hors sais. sauf vacances scolaires – SC : **R** 42/170 – ☕ 14 – 20 ch 54/165.

à la Gare NE : 5 km par D 673 :

- **Voyageurs** sans rest, ✆ 33.63.19 – P. ✻ rest
  fermé oct. et lundi – SC : ☕ 9 – **12 ch** 55/70.

à l'Est : 4,5 km par D 36 et N 681 : Château de Roumegouse, voir à Gramat.

Garage Sirieys, ✆ 33.63.15

La ROCHE 29 Finistère 58 ⑤ – rattaché à Landerneau.

La ROCHE-BÉRANGER 38 Isère 77 ⑤ – rattaché à Chamrousse.

La ROCHE-BERNARD 56130 Morbihan 63 ⑭ G. Bretagne – 1 038 h. alt. 30 – ✆ 99.

Voir Pont*.

18 de la Bretesche ✆ 45.30.03 (✆ 40 - Loire-Atl.), SE : 11 km.

Paris 438 – Ancenis 92 – •Nantes 69 – Ploërmel 57 – Redon 33 – St-Nazaire 36 – Vannes 40.

- **Deux Magots,** ✆ 90.60.75 – ⌂wc ⌂ ✆. ✻
  fermé 15 au 31 déc. dim. soir et lundi d'oct. à Pâques – SC : **R** 32/100 – ☕ 9 – **15 ch** 85/200.
- **Bretagne,** ✆ 90.60.65 – ⌂wc ✆ P. ✻
  fermé fév. et lundi sauf juil. et août – SC : **R** 30/120 ⅄ – ☕ 8,50 – 15 ch 57/122.
- X **Aub. Bretonne** avec ch, ✆ 90.60.28, – ⌂. ①
  fermé 15 nov. au 10 déc. et jeudi – SC : **R** 35/100 – ☕ 8 – 10 ch 37/110.

à Camoël SO : 10 km par D 774 et D 34 – ✉ **56130** La Roche Bernard :

- **La Vilaine** M, ✆ 90.01.55 – ⌂wc ⌂ ✆ P.
  fermé 1er au 15 oct., 1er au 15 fév., dim. soir et lundi sauf juil. et août – SC : **R** 28/95 ⅄ – ☕ 10,50 – **20 ch** 61/135 – P 110/145.

CITROEN Gar. Biton, ✆ 90.61.11

La ROCHE-CANILLAC 19 Corrèze 75 ⑩ – 214 h. alt. 460 – ✉ **19320** Marcillac-la-Croisille – ✆ 55.

Paris 507 – Argentat 21 – Aurillac 76 – Mauriac 55 – St-Céré 63 – Tulle 26 – Ussel 61.

- **Aub. Limousine,** ✆ 29.12.06 – ⌂wc ⌂wc ✆ P. ✻ rest
  Pâques-30 sept. – SC : **R** 32/80 – ☕ 10 – 20 ch 70/110 – P 115/130.

ROCHECORBON 37 I.-et-L. 64 ⑮ – rattaché à Tours.

La ROCHE-DERRIEN 22450 C.-du-N. 59 ①② – 982 h. alt. 75 – ✪ 96.
Paris 501 – Guingamp 24 – Lannion 17 – Perros-Guirec 19 – St-Brieuc 52 – Tréguier 6.

Ledoran, ☏ 35.36.02 – Ⓟ. ✂ ch
fermé 1er au 20 sept. et dim. hors sais. – SC : **R** 38/75 ⅌ – ☕ 10 – 17 ch 44/70 – P 90/100.

CITROEN Bergot, ☏ 35.36.23 — Gar. St-Jean, ☏ 35.36.34
RENAULT Bienvenut, ☏ 35.36.26

La ROCHE-DES-ARNAUDS 05 H.-Alpes 77 ⑯ – 678 h. alt. 950 – ✉ **05400** Veynes – ✪ 92.
Paris 674 – Die 81 – Gap 15 – Serres 28 – Veynes 12.

Céüse H., D 994 ☏ **54.82.02,** ⛰ – ⌂wc ⚐ ☎ Ⓟ. 🚗. ✂ rest
SC : **R** 28/55 – ☕ 11 – **31 ch** 60/120 – P 85/105.

ROCHE D'OËTRE 61 Orne 55 ⑪ **G. Normandie** – alt. 120.
Voir Site★★.

ROCHEFORT ⟨SP⟩ **17300** Char.-Mar. 71 ⑬ **G. Côte de l'Atlantique** – 32 884 h. alt. 5 – Stat. therm. (fermé janv.) – ✪ 46.

Voir Maison de Loti★ BZ **B** – **Musée municipal★** BZ **M1** – **Echillais : façade★ de l'église 4,5 km par ③.**

ℹ Office de Tourisme (fermé sam. après-midi hors saison et dim.) av. Sadi-Carnot ☏ 99.08.60.

Paris 468 ① – ♦Limoges 191 ② – Niort 60 ① – La Rochelle 31 ④ – Royan 40 ③ – Saintes 40 ②.

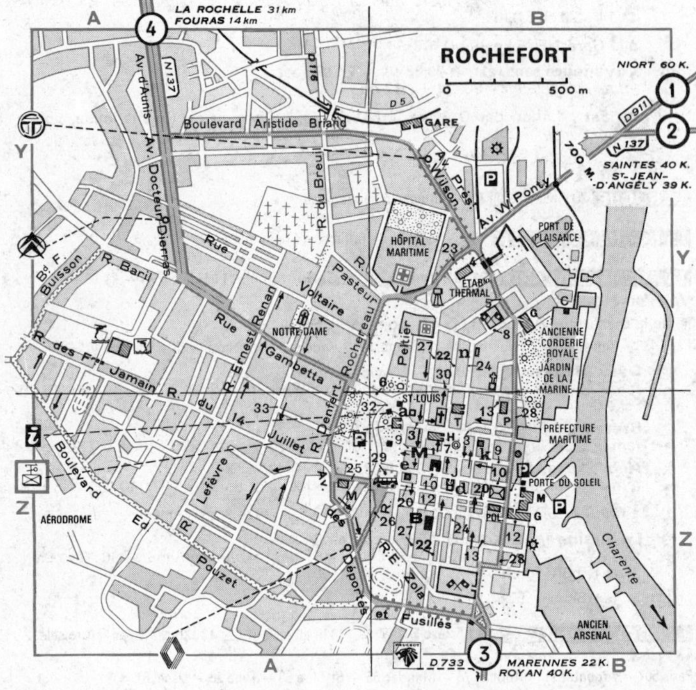

Audry-de-Puyravault (R.)	BZ	3	Carnot (Av. Sadi)	BY	6	Rochambeau (Av.)	AZ	25
Gambetta (R.)	AY		Colbert (Pl.)	BZ	7	Roux (R. Auguste)	ABZ	26
Gaulle (Av. Gén. de)	BZ	10	Dr-Pujos (R. du)	BY	8	Thiers (R.)	BYZ	27
La-Fayette (Av.)	BZ	20	Duvivier (R.)	BZ	9	Toufaire (R.)	BZ	28
République (R. de la)	BYZ	24	Grimaux (R.)	BZ	12	Verdun (Pl. de)	BZ	29
			Jaurès (R. Jean)	BZ	13	Victor-Hugo (R.)	BY	30
Bégon (Porte)	BY	4	Loti (R. Pierre)	BYZ	22	3e R.I.C. (Av. du)	BZ	32
Bégon (R.)	BY	5	Pelletan (Av. Camille)	BY	23	4-Septembre (R. du)	AZ	33

Roca Fortis sans rest, 14 r. République ☎ 99.26.32, – wc ☎ GB BY
SC : 12 – **17 ch** 75/130.

France sans rest, 55 r. Dr-Peltier ☎ 99.34.00 – wc ☎ BZ **a**
fermé 20 déc. au 15 janv. – SC : 9,50 – **29 ch** 47/102.

Le Paris, 27 av. La Fayette ☎ 99.33.11 – wc wc ☎ – 70. GB BZ **d**
SC : **R** *(fermé dim.)* 38/60 – 12 – **42 ch** 55/150.

XX **Le Marais,** 10 r. Lesson ☎ 99.47.13 – GB E BZ **k**
fermé 14 au 21 juin, 16 au 29 nov., 15 au 21 fév. et dim. sauf fêtes – SC : **R** 35/85 .

XX **Tourne-Broche,** 56 av. Ch.-de-Gaulle ☎ 99.20.19 – E BZ **e**
fermé 25 juin au 10 juil., 1er au 15 mars, dim. et lundi – SC : **R** 30/60 .

à Soubise par ③ et D 258E : 8,5 km – ✉ **17780** Soubise.
Voir Croix hosannière★ de Moëze SO : 3,5 km.

XXX **Le Soubise** avec ch, ☎ 99.31.18, – wc wc ☎ Ⓟ – 20. AE GB E
fermé oct., dim. soir et lundi sauf juil., août – **R** 40/110 – 12 – **22 ch** 96/190.

AUSTIN, MORRIS, TRIUMPH, ROVER Gar.Central, 31 av. La Fayette ☎ 99.00.65
CITROEN Rochefort Autom., 186 bis av. Dr-Dieras ☎ 99.20.71
FORD Gar. Zanker, 76 r. Gambetta ☎ 99.37.33
PEUGEOT Morisset Petit, 60 av. du 11-Novembre ☎ 99.02.76
RENAULT Peyronnet, av. Fusillés-et-Déportés ☎ 99.20.09
TALBOT Garnier-Maillet, av. Wilson ☎ 99.28.94
TOYOTA Gar. St-Christophe, 50 av. W.-Ponty ☎ 99.30.43
Moyet-Pneus, 67 r. du Breuil ☎ 99.20.62

ROCHEFORT-DU-GARD

30650 Gard 80 ⑳ – 1 128 h. alt. 97 – 90.
Voir Sanctuaire N.-D. de Grâce : chemin de Croix ≤★ NE : 2 km, G. Provence.
Paris 683 – Alès 61 – Arles 49 – Avignon 11 – Nîmes 33 – Orange 23 – Remoulins 12.

Mas de la Rouvette, NE : 1 km sur D 976 ☎ 31.73.11, ≤ – wc ☎ Ⓟ – 100. . ch
fermé fév. et mardi – SC : **R** 45/100 – 12 – **18 ch** 55/125 – P 125/160.

ROCHEFORT-EN-TERRE

56 Morbihan 63 ④ **G. Bretagne** – 599 h. alt. 52 – ✉ **56220** Malansac – 99.
Voir Site★ – Maisons anciennes★.
Paris 413 – Ploërmel 33 – Redon 25 – ♦Rennes 78 – La Roche-Bernard 24 – Vannes 34.

XX **Host. Lion d'Or,** ☎ 43.32.80, « Maison du 15e siècle »
fermé 15 nov. au 15 déc. et mardi sauf juil. et août – SC : **R** 60/120.

ROCHEFORT-MONTAGNE

63210 P.-de-D. 73 ⑬ – 1 308 h. alt. 850 – 73.
Syndicat d'Initiative à la Mairie (matin seul., fermé dim. et lundi) ☎ 21.22.51.
Paris 422 – Aubusson 89 – ♦Clermont-Ferrand 33 – Mauriac 80 – Le Mont-Dore 19 – Ussel 53.

Puy-de-Dôme, ☎ 21.22.19 – . ch
fermé 20 sept. au 15 oct., vend. soir et sam. du 15 oct. au 30 juin sauf vacances de fév. et Pâques – SC : **R** *(déj. seul. du 15 oct. au 15 mai sauf vacances scolaires)* 35/42 – 9 – 8 ch 35/48 – P 80/85.

Centre, ☎ 21.22.10, – .
fermé oct. et dim. – SC : **R** 28/50 – 9 – 16 ch 43/55.

CITROEN Lassalas, ☎ 21.22.70
RENAULT Bony, à Massagettes ☎ 21.23.24
TALBOT Clermont, ☎ 21.22.17

ROCHEFORT-SUR-LOIRE

49190 M.-et-L. 63 ⑳ **G. Châteaux de la Loire** – 1 622 h. alt. 85 – 41.
Voir O : Corniche angevine★.
Syndicat d'Initiative "Grand Cour" (23 juin-31 août et fermé dim. après-midi) ☎ 41.80.24.
Paris 312 – Angers 20 – Chalonnes-sur-Loire 9 – Cholet 45.

Grand Hôtel, r. R.-Gasnier ☎ 41.80.06, – wc ☎ Ⓟ. GB. rest
fermé 15 janv. au 15 fév., dim. soir et lundi hors sais. – SC : **R** 30/65 – 9 – 8 ch 54/95 – P 100/130.

RENAULT Gar. Hubert, ☎ 41.80.38
Gar. Plassais, Station Total, ☎ 41.80.19

OCHEFOUCAULD 16110 Charente 72 ⑭ G. Côte de l'Atlantique (plan) – 3 783 h. alt. 85 45.

Château★.

s 442 – Angoulême 22 – Confolens 41 – ♦Limoges 81 – Nontron 41 – Ruffec 42.

La Vieille Auberge, Gde-Rue ☎ 62.02.72 – wc wc ☎ – 40. AE ⓓ
fermé 15 janv. au 5 fév. – SC : **R** *(fermé lundi de nov. à Pâques sauf fêtes)* 42/120 – ☐ 11 – **28 ch** 41/120 – P 115/160.

CITROEN Bordron, ☎ 62.01.41
RENAULT Gar. Cyclope, à Pont-d'Agris, rte Limoges ☎ 20.03.91 ☎ 62.02.03

ROCHEGUDE 26 Drôme 81 ② – rattaché à Orange.

La ROCHE-GUYON 95780 Val-d'Oise 55 ⑱, 96 ② G. Environs de Paris – 603 h. alt. 14 – ⚙ 3.

Voir Route des Crêtes★★ N : 2 km.

Paris 76 – Évreux 41 – Freneuse 9,5 – Gisors 31 – Mantes-la-Jolie 16 – Pontoise 44 – Vernon 13.

St-Georges ☎ 479.70.16, ≤ – wc Ⓟ
fermé vacances de Noël et merc. hors sais. – **R** 60/100 – ☐ 12,50 – 15 ch 76/100.

*à **Chantemesle*** E : 3 km – ✉ **95780** La Roche-Guyon.

Voir Église★ de Vétheuil SE : 4 km.

Aub. Lapin Savant Ⓜ, ☎ 478.13.43, ≤, – wc ☎ Ⓟ – 30. ch
fermé nov., merc. soir et jeudi – **R** carte 95 à 125 – ☐ 16 – **16 ch** 165/195.

La ROCHE-L'ABEILLE 87 H.-Vienne 72 ⑰ – rattaché à St-Yrieix-La-Perche.

La ROCHELLE Ⓟ 17000 Char.-Mar. 71 ⑫ G. Côte de l'Atlantique – 81 884 h. – Casino X – ⚙ 46.

Voir Le Port★★ : Vieux Port★★ Z, Tour de la Lanterne★★ Z **B**, Tour St-Nicolas★ Z**D**, Plan-relief★ (tour Chaine) Z **E** – La Ville★★ : Hôtel de Ville★ Z **H**, Hôtel de la Bourse★ Z **C**, Maison Henri II★ Y, **K**, – Porte de la Grosse Horloge★ Z **F**, Rues du Palais★ Z, Chaudrier★ Y, du Minage★ Y, des Merciers★ Y – Parc Charruyer★ Y – Rue de l'Escale★ Z – Musées : Lafaille★★ Y **M3**, d'Orbigny★ Y **M2**, Beaux-Arts★ Y **M1**.

✈ de la Rochelle-Laleu : Touraine Air Transport ☎ 34.83.14, NO : 4,5 km - X.

ℹ Office de Tourisme 10 r. Fleuriau (fermé dim.) ☎ 41.14.68 - Accueil de France (Informations et réservations d'Hôtels, pas plus de 5 jours à l'avance) 11 bis r. Augustins ☎ 41.43.33, Télex 790712 - A.C. 32 r. Dupaty ☎ 41.02.06.

Paris 471 ② – Angoulême 128 ③ – ♦Bordeaux 189 ④ – ♦Nantes 146 ② – Niort 63 ②.

Plan page ci-contre

❀ **Yachtman et rest. Le Pacha** (Le Divellec) Ⓜ, 23 quai Valin ☎ 41.20.68, Télex 790762, – ☐ ☎ – 25 à 120. AE ⓓ E Z **w**
R *(fermé dim. soir et lundi hors sais.)* 180, grill **le Midship R** 44 – ☐ 25 – **34 ch** 250/300 – P 300/400
Spéc. Huîtres chaudes à la laitue de mer, Rouget poêlé, Rognon de veau. Vins Ile de Ré, Neuville de Poitou.

Les Brises Ⓜ sans rest, chemin digue Richelieu (av. P.-Vincent) ☎ 34.89.37, ≤ mer et les îles – Ⓟ. GB. X **q**
fermé 15 déc. au 15 janv. – SC : ☐ 15 – **46 ch** 130/280.

Champlain sans rest, 20 r. Rambaud ☎ 41.23.99, Télex 790786, « Bel intérieur et agréable jardin » – ☐ ☎ Y **b**
33 ch.

France-Angleterre Ⓜ, 22 r. Gargoulleau ☎ 41.34.66, – ☐ ☎ Ⓟ – 25. AE GB ⓓ E Y **r**
SC : **R** voir rest. Richelieu – ☐ 16 – **76 ch** 89/199.

François 1er sans rest, 13 r. Bazoges ☎ 41.28.46 – wc wc ☎ Ⓟ. Y **u**
SC : ☐ 13 – **33 ch** 98/130.

Terminus sans rest, 11 pl. Cdt de Motte Rouge ☎ 41.31.94 – wc wc ☎. Z **x**
SC : ☐ 13 – **25 ch** 127/150.

Commerce, 6 pl. Verdun ☎ 41.08.22 – wc wc ☎ – 25 à 90. AE ⓓ
fermé 18 déc. au 20 janv. – SC : **R** *(fermé lundi)* 43/70 – ☐ 10,50 – **64 ch** 49/110. Y **s**

Majestic sans rest, 8 av. Coligny ☎ 34.10.23 – wc wc ☎ X **a**
fermé 15 déc. au 15 janv. – SC : ☐ 12,50 – **15 ch** 83/120.

Le Savary sans rest, 2 r. Alsace-Lorraine ☎ 34.83.44 – wc ☎ Ⓟ. GB X **z**
SC : ☐ 11 – **28 ch** 61/150.

Atlantic H. sans rest, 23 r. Verdière ☎ 41.16.68 – wc ☎. Z **t**
SC : ☐ 9,50 – **23 ch** 46/90.

tourner →

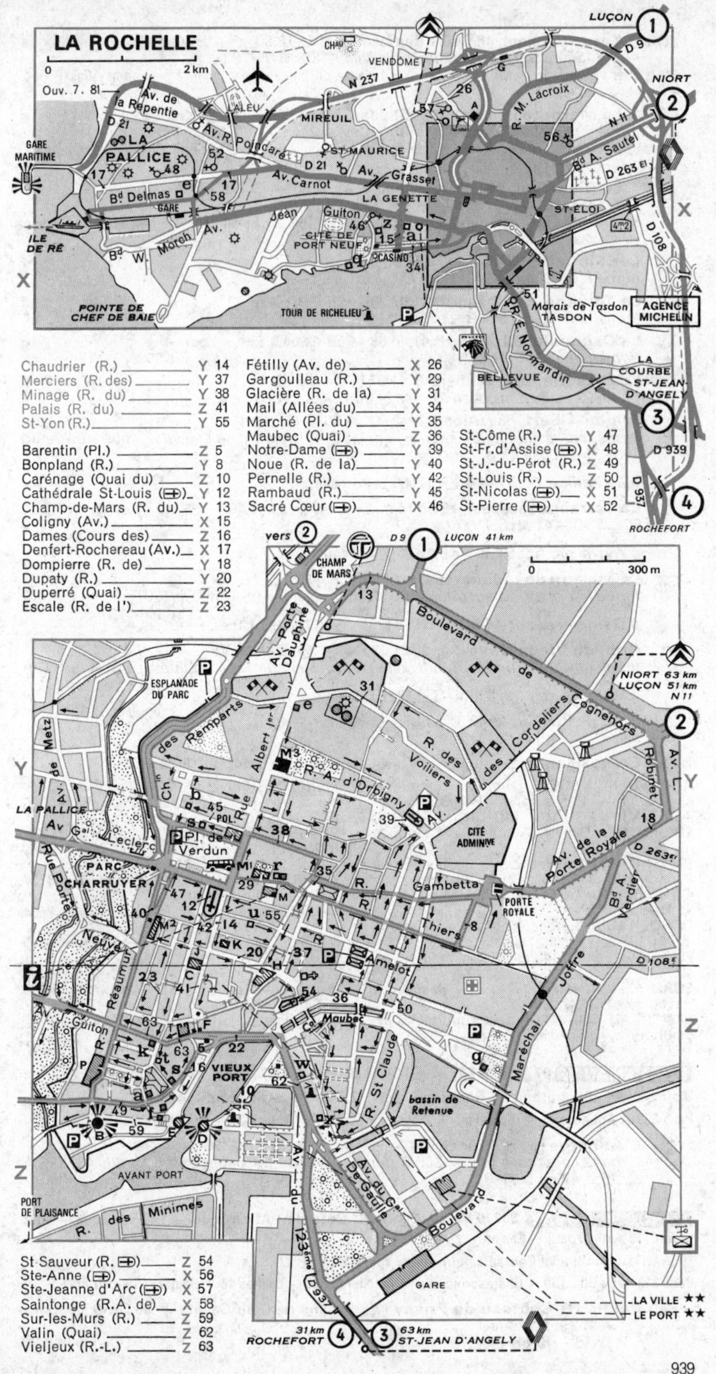

Chaudrier (R.) Y 14
Merciers (R. des) Y 37
Minage (R. du) Y 38
Palais (R. du) Z 41
St-Yon (R.) Y 55

Barentin (Pl.) Z 5
Bonpland (R.) Y 8
Carénage (Quai du) Z 10
Cathédrale St-Louis (⊞) Y 12
Champ-de-Mars (R. du) Y 13
Coligny (Av.) X 15
Dames (Cours des) Z 16
Denfert-Rochereau (Av.) X 17
Dompierre (R. de) Y 18
Dupaty (R.) Y 20
Duperré (Quai) Z 22
Escale (R. de l') Z 23
Fétilly (Av. de) X 26
Gargoulleau (R.) Y 29
Glacière (R. de la) Y 31
Mail (Allées du) X 34
Marché (Pl. du) Y 35
Maubec (Quai) Z 36
Notre-Dame (⊞) Y 39
Noue (R. de la) Y 40
Pernelle (R.) Y 42
Rambaud (R.) Y 45
Sacré Cœur (⊞) X 46
St-Côme (R.) Y 47
St-Fr. d'Assise (⊞) X 48
St-J.-du-Pérot (R.) Z 49
St-Louis (R.) Z 50
St-Nicolas (⊞) X 51
St-Pierre (⊞) X 52
St-Sauveur (R. ⊞) Z 54
Ste-Anne (⊞) X 56
Ste-Jeanne d'Arc (⊞) X 57
Saintonge (R.A. de) X 58
Sur-les-Murs (R.) Z 59
Valin (Quai) Z 62
Vieljeux (R.-L.) Z 63

XXX ❀ **Serge** (Coulon), 46 Cours des Dames ☎ 41.18.80, ≤ – AE GB ① Z s
fermé 15 janv. au 8 fév. et dim. hors sais. – SC : **R** 95/180
Spéc. Mouclade du pays d'Aunis, Andouillette de bar, Homard grillé à l'estragon. Vins Poitou, Muscadet.

XXX ❀ **La Marmite** (Marzin), 14 r. St-Jean ☎ 41.17.03 – ▤. AE GB ① Z a
fermé 29 juin au 9 juil., 27 janv. au 12 fév. et merc. – SC : **R** 85/180
Spéc. Huîtres chaudes en feuillantine, St-Pierre au Coulis de homard, Turbot à la graine de moutarde. Vins Rosé de Mareuil.

XXX ❀ **Le Richelieu,** 24 r. Gargoulleau ☎ 41.34.66 – Ⓟ. AE ① Y r
fermé 8 au 31 déc. et dim. – SC : **R** 90
Spéc. Salade de langoustines et goujonnettes de sole au Safran, Filet de bar au Saint-Emilion, Pâtisseries.

XX **Les Flots,** 1 r. Chaîne ☎ 41.32.51, ≤ – ▤ Z f
fermé fév. et lundi – SC : **R** 45/70.

XX **La Taverne,** 6 r. Chaîne ☎ 41.07.26 – AE GB ① E Z f
fermé dim. soir – SC : **R** 55/130.

XX **La Cagouille,** bd Joffre ☎ 41.46.08 – AE GB ① E Z g
fermé lundi – SC : **R** 35/100.

XX **La Closerie,** 20 r. Verdière ☎ 41.57.05 – GB ① Z k
fermé 22 au 28 juin, 14 au 27 déc. et dim. – SC : **R** 60.

X **Prince Albert,** 58 r. Albert-1er ☎ 41.06.60 – AE GB E Y e
fermé dim. sauf midi de sept. à juin – SC : **R** (nombre de couverts limité - prévenir) carte 95 à 195.

à La Pallice O : 5 km – ✉ **17000** La Rochelle :

La Terrasse sans rest, 10 bd Mar.-Lyantey ☎ 35.63.40 – ⇌wc ⋒ ☎ Ⓟ. ✂
SC : ▭ 10 – **41 ch** 55/100. X e

à Aytré par ④ : 5 km – 6 900 h. – ✉ **17440** Aytré :

XXX **La Maison des Mouettes,** bd Plage ☎ 44.29.12, ≤, ⌂ – Ⓟ
fermé fév. et lundi sauf fêtes – SC : **R** (dim. et fêtes prévenir) 70/120.

à Dompierre-sur-Mer par ② : 8 km – ✉ **17220** La Jarrie :

XX **Aub. du Vieux Noyer,** ☎ 35.31.32, ⌂ – Ⓟ. AE GB ①
fermé mi-janv. à mi-fév., lundi soir et mardi sauf juil., août et fêtes – SC : **R** 46/160.

à la Jarne par ③ : 8 km – ✉ **17220** La Jarrie :

XX Logis de Ronflac, ☎ 44.31.24, ≤, ⛱, ⌂, ✂ – Ⓟ
sais.

MICHELIN, Agence, Z.I. de Périgny, av. Louis Lumière, Voie D X ☎ **44.12.76**

AUDI-VOLKSWAGEN Comptoir Autom.-Rochelais, 141 av. E.-Normandin ☎ 44.30.47
AUSTIN, JAGUAR, MORRIS, ROVER, TRIUMPH La Genette-Automobile, 8 r. de Tunis ☎ 34.92.78
BMW, OPEL Cormier, Z.A.C. de Beaulieu à Puilboreau ☎ 34.78.73
CITROEN Bernard-Privat, 99 bd de Cognehors ☎ 41.48.22
CITROEN Gar. Bretonnier, 8 r. de la Trompette ☎ 34.79.79
FIAT Gar. Lenoir, 143 r. E.-Normandin ☎ 44.46.24
FORD Gar. Chagneau, Z.A.C. de Beaulieu à Puilboreau ☎ 34.42.25
LANCIA-AUTOBIANCHI Gar. Laporte, 46 av. de Rompsay ☎ 41.70.55
MERCEDES-BENZ S.A.V.I.A., Centre Commercial de Beaulieu à Puilboreau ☎ 34.54.22 N ☎ 44.45.02
PEUGEOT Brenuchot, av. Guiton ☎ 34.87.82
RENAULT Euro-Gar., à Beaulieu-Est, Puilboreau ☎ 34.44.25 N ☎ 34.56.26
RENAULT La Rochelle-Automobile, 178 av. E.-Normandin ☎ 44.01.00
TALBOT Ternant, 2 av. Porte-Dauphine ☎ 34.51.11
VOLVO Gar. Debert, 51 r. de la Trompette ☎ 34.80.22

Charente-Pneus, N 137, Angoulins ☎ 35.20.94
Moyet-Pneus, Porte Royale ☎ 41.33.27

ROCHEMAURE 07 Ardèche 77 ⑪ – 1 068 h. alt. 76 – ✉ **07400** Le Teil d'Ardèche – ✪ 75.

Voir Site★★ du château de Rochemaure O : 2,5 km, G. Vallée du Rhône.

Paris 609 – Aubenas 41 – Montélimar 5 – Pont-St-Esprit 43 – Privas 27 – Villeneuve-de-Berg 25.

L'Auberge M, ☎ 49.07.05, ⌂ – ⇌wc ⋒ ☎ Ⓟ – 🏛 25. ⇌ GB
fermé 20 déc. au 4 janv. – SC : **R** *(fermé dim. soir hors sais. et lundi midi)* 45/70 ⅌ – ▭ 15 – **47 ch** 50/120.

La ROCHE-POSAY 86270 Vienne 68 ⑤ G. Côte de l'Atlantique – 1 402 h. alt. 73 – Stat. therm. (10 avril-10 oct.) – Casino – ✪ 49.

ℹ Syndicat d'Initiative Cours Pasteur (fermé dim.) ☎ 86.20.37.

Paris 312 – Le Blanc 30 – Châteauroux 76 – Châtellerault 23 – Loches 48 – Poitiers 49 – ♦Tours 80.

Relais H. Château de Posay M ⛭ sans rest, au Casino ☎ 86.20.10, ≤, parc, ⛱ – ☎ Ⓟ. AE ①
SC : ▭ 16 – **13 ch** 135/170.

Thermal St Roch, ☎ 86.21.03, – |‡| ⇔wc ⋒wc ☎ **P**. ⇔. ⚹ rest
SC : **R** 40/52 ⅓ – ☐ 10 – **45 ch** 50/140 – P 110/170.

Europe [M] sans rest, ☎ 86.21.81, – |‡| ⇔wc ⋒wc ☎ ♿ **P**
2 avril-30 sept. – SC : ☐ 8,50 – **31 ch** 72/84.

Esplanade, ☎ 86.20.48 – |‡| ⇔wc ⋒wc ☎. ⇔
1er avril-30 sept. – SC : **R** 35/90 – ☐ 9,50 – **25 ch** 42/100 – P 105/130.

RENAULT Bonhomme, ☎ 86.20.17 **N**

Les ROCHES-DE-CONDRIEU 38370 Isère **74** ⑪ – 1 594 h. alt. 153 – ✪ 74.

Paris 502 – Annonay 35 – •Grenoble 104 – Rive-de-Gier 22 – Vienne 12.

✪ **Bellevue** (Bouron), ☎ 59.41.42, ≤ – ⇔wc ⋒wc ☎ ⇔. ⇔ **AE GB** ⓓ
fermé 4 au 14 août, 14 au 28 fév. et lundi de nov. à mars – SC : **R** *(fermé lundi)* (dim. et fêtes prévenir) 65/150 ⅓ – ☐ 13 – 17 ch 65/130 – P 170/190
Spéc. Feuilleté aux escargots en poivrade, Turbot au Champagne, Aiguillettes de canard au vinaigre et au miel. **Vins** Condrieu, Côte Rôtie.

PEUGEOT, RENAULT Capellaro, ☎ 59.41.32

RENAULT Marconnet, à St-Clair-du-Rhône ☎ 59.41.03

ROCHES-LES-BLAMONT 25 Doubs **66** ⑱ – 377 h. alt. 600 – ✉ **25310** Hérimoncourt – ✪ 81.

Paris 489 – Baume-les-Dames 55 – Belfort 29 – •Besançon 89 – Montbéliard 16 – St-Hippolyte 19.

XX ✪ **Aub. de la Charrue d'Or** (Piguet), ☎ 35.18.40, – **P**. **GB** ⓓ
fermé fév., 1er au 7 sept., dim. soir et lundi – SC : **R** (prévenir) 75/165
Spéc. Terrine de truite, Rognon de veau aux baies roses, Chausson de ris de veau Jurassienne.

ROCHESSON 88 Vosges **62** ⑰ – 755 h. alt. 541 – ✉ **88120** Vagney – ✪ 29.

Paris 417 – La Bresse 16 – Épinal 45 – Gérardmer 11 – St-Amé 10 – Thann 54 – Le Thillot 31.

Croix de Lorraine, ☎ 61.78.16 – **P**
fermé sept. – SC : **R** 26/48 ⅓ – ☐ 8 – 16 ch 40/60 – P 78/98.

La ROCHE-SUR-FORON 74800 H.-Savoie **74** ⑥ **G. Alpes** – 6 818 h. alt. 547 – ✪ 50.

i Office de Tourisme à la Mairie (fermé sam. sauf en saison et dim.) ☎ 03.00.27.

Paris 566 – Annecy 30 – Bonneville 8 – •Genève 25 – Thonon-les-Bains 42.

Les Afforets et rest. la Renaissance [M], r. Egalité ☎ 03.35.01 – |‡| ⇔wc ⋒wc ☎ ⇔ **P**. ⇔ **AE**
fermé 15 au 30 déc. et dim. hors sais. – SC : **R** 48/150 – ☐ 11 – **28 ch** 90/110 – P 140/170.

Beauregard ⚘, N : 1,5 km par rte Thonon et VO ☎ 03.22.37, ≤ – ⋒wc ☎ ⇔ **P**. ⇔
1er fév.-30 oct. et fermé dim. hors sais. – SC : **R** 40/80 – ☐ 12 – **17 ch** 60/110 – P 96/110.

PEUGEOT Duret, av. des Afforêts, Zone Ind. ☎ 03.05.00 **N** ☎ 03.20.93

TALBOT Station du Mole, av. de la Libération ☎ 03.21.97

Piot-Pneu, av. L.-Rannard ☎ 03.10.46

La ROCHE-SUR-YON [P] 85000 Vendée **67** ⑬⑭ **G. Côte de l'Atlantique** – 48 053 h. alt. 74 – ✪ 51.

i Office de Tourisme 1 r. G.-Clemenceau (fermé dim. hors saison) ☎ 37.06.31, Télex 700807 - A.C. Vendéen, 17 r. Lafayette ☎ 37.04.60.

Paris 413 ② – Cholet 65 ② – •Nantes 65 ① – Niort 89 ③ – La Rochelle 83 ④.

Plan page suivante

Napoléon [M] sans rest, 50 bd A.-Briand **(r)** ☎ 37.13.56 – |‡| ⇔wc ⋒wc ☎ ⇔ – 🏛 120. **AE GB** ⓓ. ⚹
SC : ☐ 16 – **29 ch** 115/200.

Vendée [M] sans rest, 4 r. Malesherbes **(e)** ☎ 37.28.67 – |‡| ⇔wc ⋒wc ☎. ⇔ **GB** ⓓ **E**
SC : ☐ 12 – **32 ch** 58/165.

St-Jean, 7 r. Chanzy **(b)** ☎ 37.12.07 – |‡| ⇔wc ⋒wc ☎. ⚹
fermé 22 déc. au 3 janv. – SC : **R** *(fermé dim.)* 32/75 – ☐ 9,50 – 24 ch 55/74.

Gallet, 75 bd Mar.-Leclerc **(n)** ☎ 37.02.31 – TV ⇔wc ⋒ ☎ ⇔. ⇔ **AE GB** ⓓ **E**. ⚹ ch
fermé 19 déc. au 4 janv. et dim. du 15 sept. au 30 avril – **R** 70/200 – ☐ 15 – 12 ch 95/210 – P 250/295.

France sans rest, 19 av. Gambetta **(m)** ☎ 37.08.61 – ⇔wc ⋒wc ☎. ⇔
SC : ☐ 12 – **33 ch** 57/110.

XX **Vieux Moulin,** pl. Vendée **(a)** ☎ 37.06.43 – **GB E**. ⚹
fermé 15 au 31 août, 25 déc. au 1er janv., sam. soir et dim. – SC : **R** 33/66 ⅓.

XX **Rivoli,** 31 bd A.-Briand **(u)** ☎ 37.43.41 – **GB** ⓓ **E**
fermé 1er au 23 août, vacances de fév. et dim. – SC : **R** 44 (sauf fêtes)/74.

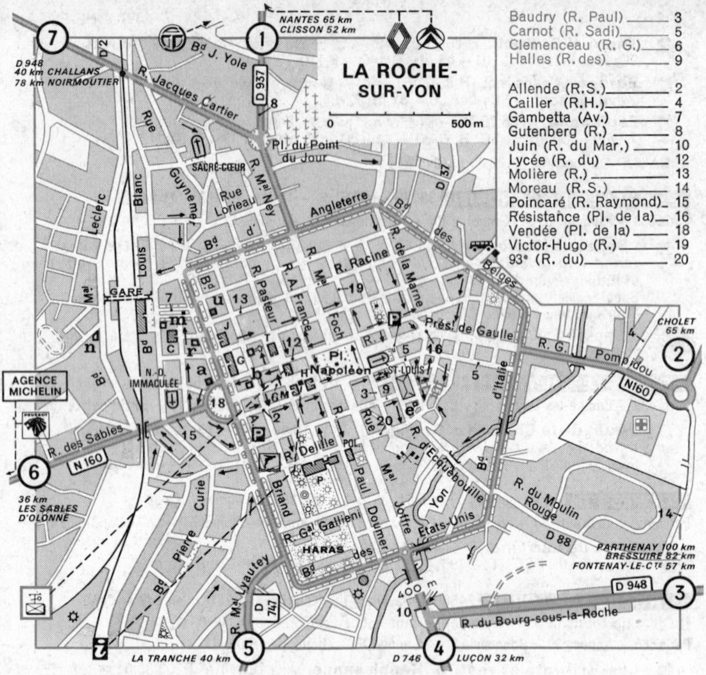

LA ROCHE-SUR-YON

Baudry (R. Paul) 3
Carnot (R. Sadi) 5
Clemenceau (R. G.) 6
Halles (R. des) 9

Allende (R.S.) 2
Cailler (R.H.) 4
Gambetta (Av.) 7
Gutenberg (R.) 8
Juin (R. du Mar.) 10
Lycée (R. du) 12
Molière (R.) 13
Moreau (R.S.) 14
Poincaré (R. Raymond) 15
Résistance (Pl. de la) 16
Vendée (Pl. de la) 18
Victor-Hugo (R.) 19
93e (R. du) 20

par ② : 5 km sur rte Cholet – ✉ **85000** La Roche-sur-Yon :

XX **Aub. de Noiron,** ☎ 37.05.34 – ⓟ. GB ⓓ E
fermé 27 août au 3 sept., dim. soir et lundi sauf juil.-août et fériés – SC : **R** 70/210.

MICHELIN, Agence, r. de Montréal, Z.I. Sud par ⑥ ☎ 05.02.74

CITROEN Guénant-Auto, rte de Nantes, ☎ 62.29.64
FORD Gar. Baudry, bd Lavoisier ☎ 37.22.35
PEUGEOT Sté Vendéenne Autom., rte des Sables ☎ 37.17.54
RENAULT Gd Gar. Moderne, rte de Nantes ☎ 62.11.57
TALBOT Sorin, 17 bd Sully ☎ 37.08.15

Ⓜ Le Pneu Yonnais, rte de Nantes, Zone Ind. Nord ☎ 37.05.77
Robin, 17 r. Mar.-Foch ☎ 37.04.13
Vendée-Pneus, r. du Commerce, Zone Ind. Sud ☎ 37.07.15

La ROCHETTE **73110** Savoie **74** ⑯ – 3 178 h. alt. 347 – ✪ 79.

Voir Vallée des Huiles★ NE, G. Alpes.

Paris 592 – Albertville 37 – Allevard 10 – Chambéry 32 – ♦Grenoble 48.

🏠 **Parc sans rest,** ☎ 25.53.37, ⛱ – ⛲ ⓟ
fermé 15 sept. au 15 oct. – SC : ☕ 8 – **12 ch** 38/42.

PEUGEOT Gar. Maréchal, ☎ 25.52.71
RENAULT Gar. Blanchin, ☎ 25.50.28 **N**
Gar. Fachinger ☎ 25.52.73

ROCROI **08230** Ardennes **53** ⑱ **G. Nord de la France** – 2 911 h. alt. 377 – ✪ 24.

i Syndicat d'Initiative à la Mairie (fermé sam. et dim.) ☎ 35.10.22.

Paris 235 – Charleville-Mézières 29 – Laon 83 – ♦Reims 92 – St-Quentin 102 – Valenciennes 113.

🏠 **Commerce,** pl. A.-Briand ☎ 35.11.15 – 🛁wc ⛲wc ☎. AE GB ⓓ. ⚔ ch
fermé 5 janv. au 10 fév. et lundi du 1er oct. au 1er avril. – SC : **R** 33/75 🌡 – ☕ 12 – 12 ch 40/130 – P 120/170.

RENAULT Gar. Coche, ☎ 35.11.00 **N** ☎ 35.16.55

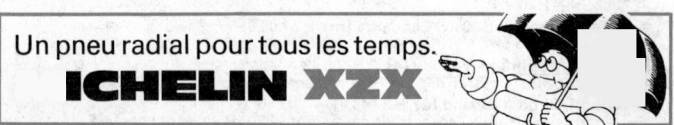

RODEZ P 12000 Aveyron 80 ② G. Causses – 28 165 h. alt. 632 – 65.

Voir Clocher★★★ de la cathédrale N.-Dame★★ – Maisons Anciennes★ BY **B**, BZ **B** – Musée Fenaille★ BZ **M1**.

de Rodez-Marcillac : Touraine Air Transports ☎ 68.52.53 par ③ : 10 km.

Syndicat d'Initiative pl. Foch (fermé dim.) ☎ 68.02.27.

Paris 608 ① – Albi 78 ② – Alès 208 ① – Aurillac 96 ① – Brive-la-Gaillarde 157 ③ – ♦Clermont-Ferrand 223 ① – Montauban 135 ② – Périgueux 216 ③ – ♦Toulouse 154 ②.

Tour Maje sans rest, bd Gally ☎ 68.34.68 – AE GB — BZ **s**
SC : 12 – **42 ch** 75/145, 3 appartements 190.

Broussy, 1 av. V.-Hugo ☎ 68.18.71 – wc wc – AE GB E
SC : **R** *(fermé sam. en hiver)* 40/120 – 15 – **73 ch** 60/155 – P 155/240. — AY **e**

Parc sans rest, pl. Armes ☎ 68.11.22 – wc wc – 30. AE GB E. — BY **r**
SC : 12,50 – **25 ch** 42/135.

Biney sans rest, 7 bd Gambetta ☎ 68.01.24 – wc wc GB
fermé 18 déc. au 3 janv. – SC : 9,50 – **28 ch** 80/100. — BY **k**

Moderne, 9 r. Abbé-Bessou ☎ 68.03.10 – wc wc . — AY **t**
fermé 10 au 30 janv. – SC : **R** *(fermé dim. soir et lundi du 1er sept. au 30 juin)* 30/90 – 9,50 – **27 ch** 50/105 – P 100/135.

Midi, 1 r. Béteille ☎ 68.02.07 – wc GB. — AY **b**
fermé 15 déc. au 15 janv., sam. soir et dim. sauf juil. et août – **R** 32/66 – 12 – **34 ch** 57/110 – P 130/151.

Clocher sans rest, 4 r. Séguy ☎ 68.10.16 – wc wc — BY **d**
SC : 11 – **22 ch** 45/110.

Poste, 2 r. Béteille ☎ 68.01.47 – wc wc . GB E — BY **a**
fermé 19 déc. au 10 janv. – SC : **R** *(fermé sam. soir et dim. sauf du 14 juil. au 31 août)* 30/75 – 11 – **24 ch** 50/130 – P 90/140.

Régent, 11 av. Durand-de-Gros ☎ 67.03.30 – GB — BX **n**
fermé 25 sept. au 20 oct. et dim. – SC : **R** (fêtes déj. seul.) 55 (sauf fêtes)/120 .

St-Amans, 12 r. Madeleine ☎ 68.03.18 — BZ **v**
fermé fév. et lundi – **R** 40/65.

Le Rutène, 42 r. Béteille ☎ 68.11.36 – — BX **g**
fermé mardi – SC : **R** 30/65 .

Les Trois Mulets, 31 r. St-Cyrice ☎ 67.20.55 – — BX **a**
fermé 15 au 31 juil., dim. soir et lundi – SC : **R** 27/47 .

à Olemps par ② et D 653 : 3 km – ✉ **12000** Rodez :

Les Peyrières, ☏ 68.50.91 – wc wc.
fermé vend. soir et dim. soir du 15 sept. au 15 mai. – SC : **R** 27/55 – 9 – **21 ch** 55/108 – P 90/120.

rte de Marcillac-Vallon N : 3,5 km par D601 n – ✉ **12000** Rodez :

Host. de Fontanges Ⓜ, rte Marcillac ☏ 68.47.81, parc, – – 40. AE GB
fermé janv. – SC : **R** *(fermé lundi de nov. à mai)* 44/100 – 15 – **27 ch** 100/180, 4 appartements 230 – P 200/270.

à la Roquette : 6 km par ① et N 88 – ✉ **12000** Rodez :

La Rocade, ☏ 67.17.12 – . GB E. ch
fermé 28 août au 14 sept., 18 déc. au 4 janv., vend. soir et sam. – SC : **R** 28/60 – 9 – **17 ch** 40/58 – P 72/82.

à Gages-le-Haut par ① et N 88 : 10 km – ✉ **12630** Gages-le-Haut :

Relais de la Plaine, ☏ 68.34.04, –
fermé 30 sept. au 20 oct. et sam. sauf de juil. à sept. – **R** 25/60 – 8 – **22 ch** 39/65 – P 75/85.

MICHELIN, Agence Régionale, Rue. des Artisans, Z.I. de Bel Air par ③ ☏ **42.17.88**

AUDI-VOLKSWAGEN Gar. Besset et Jean, Zone Artisanale Bel-Air ☏ 68.32.83
BMW, FIAT Gar. Higonenc, rte Decazeville ☏ 68.30.16
CITROEN Vigouroux, 78 av. de Paris ☏ 67.04.33
FORD Boutonnet, La Gineste, rte Decazeville ☏ 68.30.90
OPEL-GM-US Bonnefils, rte de la Primaube, N 88 ☏ 68.38.45
PEUGEOT Solier, 44 rte Espalion à Onet le Château ☏ 67.06.60
RENAULT Ginestet-Raynal, rte d'Espalion à Onet le Château ☏ 67.04.10

Boutet, 17 r. Beteille ☏ 68.02.54
Central-Pneus, Zone Ind. de la Prade à Onet le château ☏ 67.16.11
Escoffier-Pneus, Zone Ind. de la Prade à Onet le Château ☏ 67.07.43
Guitard, 19 bd Laromiguière ☏ 68.12.23
Tout pour le pneu, 40 r. Béteille ☏ 68.01.13

ROGNAC

ROGNAC 13340 B.-du-R. 84 ② – 6 146 h. alt. 24 – 42.
Paris 747 – Aix-en-Provence 26 – Marseille 32 – Martigues 25 – Salon-de-Provence 25.

Cadet Roussel, Carrefour N 113 - rte Berre ☏ 87.00.33 – rest wc . GB
fermé dim. – SC : **R** 30 (sauf fêtes)/100 – 10 – **13 ch** 45/100 – P 100/130.

Host. Royal Provence avec ch, au Sud sur N 113 ☏ 87.00.27, ←, – wc . GB . ch
fermé 5 au 28 juil. et dim. soir sauf fêtes – SC : **R** 35/95 – 9 – **10 ch** 68/90 – P 95/120.

FORD Fragnol, à Berre l'Etang ☏ 85.40.45
RENAULT Laleuf, ☏ 87.29.31

ROGNY

ROGNY 89 Yonne 65 ② G. Bourgogne – 735 h. alt. 148 – ✉ **89220** Bleneau – 86.
Paris 147 – Auxerre 60 – Gien 24 – Montargis 33.

Aub. des Sept Ecluses, ☏ 74.91.41 – wc
fermé 15 au 30 sept., fév., lundi soir et mardi – SC : **R** 38/86 – 15 – **9 ch** 75/100 – P 120/140.

ROISSY-EN-FRANCE

ROISSY-EN-FRANCE 95 Val-d'Oise 56 ⑪, 101 ⑧ – voir à Paris, Proche banlieue.

ROLLAND

ROLLAND 33 Gironde 75 ② – rattaché à Coutras.

ROLLEBOISE

ROLLEBOISE 78 Yvelines 55 ⑱, 96 ② G. Environs de Paris – 457 h. alt. 20 – ✉ **78270** Bonnières-sur-Seine – 3.
Voir Corniche de Rolleboise★S – Château★ et parc★ de Rosny-sur-Seine SE : 3 km.
Paris 69 – Évreux 37 – Mantes-la-Jolie 9 – Vernon 15 – Versailles 53.

✿ **Château de la Corniche** Ⓜ , ☏ 093.21.24, Télex 695544, ← vallée de la Seine, parc, , – – 25 à 50. GB E
fermé fév. et lundi de sept. à avril – SC : **R** 100/180 – 20 – **26 ch** 140/260.

Host. Rolleboise (chez Maurice), rte Nationale ☏ 093.21.07, ←
fermé 15 janv. au 25 fév. et mardi – SC : **R** 60/90.

ROMAGNE-SOUS-MONTFAUCON

ROMAGNE-SOUS-MONTFAUCON 55 Meuse 56 ⑩ – 248 h. alt. 230 – ✉ **55110** Dun-sur-Meuse – 29.
Voir Cimetière américain, G. Vosges.
Paris 266 – Bar-le-Duc 79 – Ste-Menehould 45 – Verdun 43 – Vouziers 35.

Aub. du Coq Gaulois, ☏ 80.93.72
fermé fév. et lundi – **R** 30/100.

CITROEN Gar. Sicard, ☏ 80.93.74

ROMANÈCHE-THORINS 71 S.-et-L. 74 ① **G. Vallée du Rhône** – 1 801 h. alt. 187 – ✉ **71570** La Chapelle de Guinchay – ⚙ 85.

Paris 410 – Chauffailles 52 – ♦Lyon 56 – Mâcon 17 – Villefranche-sur-Saône 29.

- ✿ **Maritonnes** (Fauvin), près gare ☎ 35.51.70, « Parc fleuri » – ☎ Ⓟ. AE
  fermé 15 déc. au 1er fév., dim. soir du 1er oct. au 30 juin, mardi midi du 30 juin au 1er oct. et lundi – SC : **R** 90/170 – ☕ 16 – 19 ch 130/190
  Spéc. Grenouilles sautées fines herbes, Cassolette de queues d'écrevisses, Fricassée de volaille aux morilles. **Vins** Pouilly-Fuissé, Chenas.
- XX **Commerce avec ch, à la gare** ☎ 35.51.82 – wc ☎ Ⓟ
  16 ch.

ROMANS-SUR-ISÈRE 26100 Drôme 77 ② **G. Vallée du Rhône** – 34 202 h. alt. 167 – ⚙ 75.

Voir Tentures de l'église St-Barnard.**

ℹ Office de Tourisme (fermé dim. sauf matin en saison) avec A.C. pl. J.-Nadi ☎ 02.28.72.

Paris 561 ⑤ – Die 73 ④ – ♦Grenoble 83 ② – ♦St-Étienne 118 ⑤ – Valence 18 ④ – Vienne 71 ⑤.

ROMANS-SUR-ISÈRE BOURG-DE-PÉAGE

Cordeliers (Côte des) BZ 6	Chan.-Chevalier (R.) AZ 3	Masses (Côte des) AY 15
Faure (Pl. Maurice) AZ	Chevalier (Q. Ulysse) BZ 4	N.-D.-de-Lourdes (⊞) BY
Mathieu-de-la-Drôme(R.) BZ 16	Clérieux (R. du Fg-de) AZ 5	Poids-des-Farines (Côte) AZ 18
	Fuseau (R. du) AZ 7	St-Barnard (⊞) AZ
	Gailly (Pl. E.) AY 9	St-Jean-Bosco (⊞) AY
	Jacquemard (Pl.) AZ 12	St-Nicolas (⊞) BZ
	Massenet (Pl.) BZ 13	Semard (R. P.) AY 20

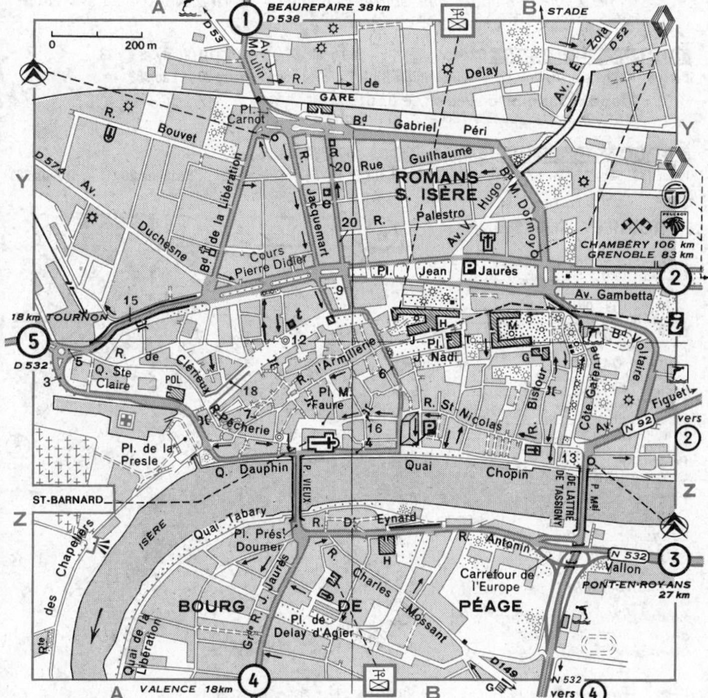

- **Terminus** sans rest, 48 av. P.-Sémard ☎ 02.46.88 – ⧉ wc ⧉wc ☎ – 🏋 30. AY **a**
  fermé 1er au 20 juin et 24 déc. au 7 janv. – SC : ☕ 12 – **32 ch** 43/138.
- **Magdeleine** sans rest, 31 av. P.-Sémard ☎ 02.33.53 – wc ⧉wc ☎. GB. AY **e**
  fermé 3 au 14 août et dim. – SC : ☕ 9,50 – **16 ch** 60/130.
- XX **Ponton,** 40 pl. Jacquemart ☎ 02.29.91 AY **t**
  fermé 15 au 31 août, vacances de fév., dim. soir et lundi – SC : **R** 56/89.

à Bourg-de-Péage ABZ – 9 006 h. alt. 126 – ✉ **26300** Bourg-de-Péage :

XX **Au N'import'où,** par ④ rte Valence ☎ 72.41.72, ⛱ – Ⓟ
R 65.

XX **Astier,** à Pizançon par ③ : 2 km par N 532 ☎ 70.06.27 – ▤. ✂
fermé 15 juil. au 15 août, sam. soir et dim. – SC : **R** 80.

à Granges-les-Beaumont par ⑤ : 6 km – ✉ **26600** Tain l'Hermitage :

XXX ✿ **Les Cèdres** (Boissy), ☎ 71.50.67, ⛱, ⛱ – Ⓟ
fermé 1er au 15 nov., mardi soir et merc. – SC : **R** 55/200.

X **Lanaz** avec ch, ☎ 71.50.56 – ⇔wc ☎ Ⓟ.
◆ *fermé sept. et mardi* – SC : **R** 26/70 ⅄ – ☕ 10 – **8 ch** 100 – P 90/140.

AUDI-VOLKSWAGEN Tabarin, 12 bd de la Libération ☎ 02.32.20
CITROEN Romans-Automobiles, pl. Massenet ☎ 70.00.06
FIAT Gar. Badarello, Zone Ind., N 92 ☎ 70.03.60
OPEL Fillat, 47 av. J.-Moulin ☎ 02.07.66
PEUGEOT Gar. des Dauphins, Zone Ind., N 92 ☎ 70.24.66
RENAULT Gar. Comas, Zone Ind., N 92 ☎ 70.29.45
RENAULT Standard Automobiles, 6 bd Max-Dormoy ☎ 02.29.55
TALBOT Riou, 21 av. Gambetta ☎ 70.07.01

Ⓜ Dorcier, 41 cours P.-Didier ☎ 02.24.64
Piot-Pneu, Zone Ind., N 92 ☎ 70.43.51

ROMBAS 57120 Moselle 57 ③ – 13 303 h. alt. 173 – ⚙ 8.

Paris 324 – Briey 15 – ♦Metz 18 – Thionville 19 – Verdun 71.

🏨 **Europa,** 19 r. Clemenceau à **Clouange** ✉ 57120 Rombas ☎ 767.07.88 – ⇔wc
◆ ⋒wc ☎ Ⓟ – 🏔 40. GB
fermé 9 juil. au 5 août, vend. soir et sam. midi – SC : **R** 27/45 ⅄ – ☕ 9 – **20 ch** 58/95.

ROMENY-SUR-MARNE 02 Aisne 56 ⑭ – 309 h. alt. 64 – ✉ 02310 Charly – ⚙ 23.

Paris 87 – Château-Thierry 12 – Coulommiers 31 – La Ferté-sous-Jouarre 20 – Laon 88.

X **Manoir Casquéro** avec ch, ☎ 82.01.22, ⛱ –
fermé merc. – SC : **R** 37/80 – ☕ 8 – **6 ch** 58 – P 85/120.

ROMILLY-SUR-SEINE 10100 Aube 61 ⑤ – 17 573 h. alt. 75 – ⚙ 25.

Paris 120 ⑤ – Châlons-s.-M. 74 ① – Nogent-sur-S. 18 ⑤ – Sens 60 ⑤ – Sézanne 26 ① – Troyes 38 ③.

ROMILLY-SUR-SEINE

Boule-d'Or (R. de la) 3
Brossolette (Av. P.) 4
Carnot (Rue) 5
Château (Av. du) 6
Gambetta (R.) 8
Gaulle (R. Gén. de) 9
Jaurès (Av. Jean) 10
Lattre-de-Tassigny (R. Mar. de) 12
Leclerc (Av.) 13
Liberté (Av. de la) 14
Magenta (R.) 16
Martyrs (Pl. des) 17
Partouneaux (R.) 19
Pasteur (R.) 21
St-Martin (⛪)

Les pastilles numérotées des plans de ville ①, ②, ③ sont répétées sur les cartes Michelin à 1/200 000.

Elles facilitent le passage entre les cartes et les guides Michelin.

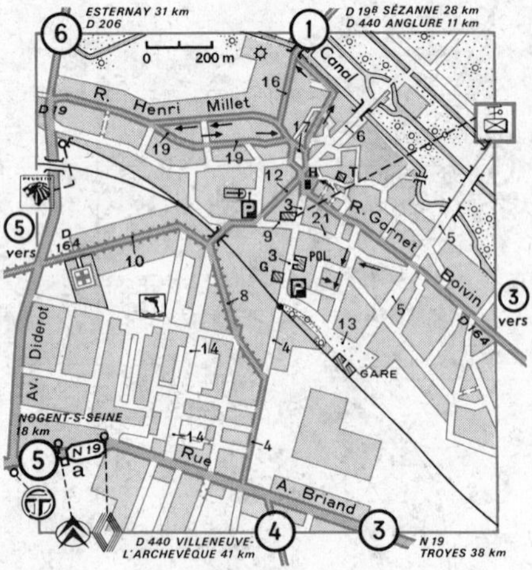

🏨 **Héxagone** Ⓜ N 19 **(a)** ☎ 24.92.40 – ⋒wc ☎ ♿ Ⓟ. GB
fermé août, lundi (sauf hôtel) et dim. soir – SC : **R** grill 60 bc/100 bc – ☕ 12 – **36 ch** 100/130.

AUDI-VOLKSWAGEN, **LANCIA-AUTOBIANCHI** Gar. Rocca, 55 av. J.-Jaurès ☎ 24.90.42
CITROEN Garnerot, 126 r. A.-Briand N 19 ☎ 24.79.48 Ⓝ
FORD Gar. D'Agostino, 6 r. E.-Zola ☎ 24.71.58 Ⓝ
OPEL Mastin, 2 r. de la Concorde ☎ 24.76.71
PEUGEOT Crelier, Rond-Point du Val-Thibault ☎ 24.74.45
RENAULT Brillais, bd Robespierre ☎ 24.85.77 Ⓝ ☎ 24.70.38
TALBOT Romilly-Autos, rte de Nogent ☎ 24.79.82
Gar. Boyer 28 r. Milford-Haven ☎ 24.81.52

Ⓜ La Centrale du Pneu, 223 r. A.-Briand ☎ 24.79.40

ROMORANTIN-LANTHENAY 41200 L.-et-Ch. 64 ⑱ **G. Châteaux de la Loire** – 17 041 h. alt. 88 – 54.

Voir Maisons anciennes★ B – Musée de Sologne★ H.

Syndicat d'Initiative pl. Paix (fermé dim. et lundi) ☎ 76.43.89.

Paris 197 ① – Blois 41 ⑤ – Châteauroux 67 ③ – ♦Orléans 68 ① – ♦Tours 93 ④ – Vierzon 33 ③.

ROMORANTIN-LANTHENAY

Clemenceau (R. Georges) 5
Trois-Rois (R. des) 30
Verdun (R. de) 32

Brault (R. Porte) 2
Capucins (R. des) 3
Ecu (R. de l') 6
Four-à-Chaux (R. du) 7
Gaulle (Pl. Gén. de) 9
Ile-Marin (Quai de l') 12
Limousins (R. des) 13
Lyautey (Av. Mar.) 15
Mail (R. du) 16
Milieu (R. du) 17
Orléans (Fg d') 19
Paix (Pl. de la) 20
Pierre (R. de la) 21
Prés.Wilson (R. du) 23
Rantin (R. du) 24
Résistance (R. de la) 25
St-Fiacre (R.) 26
St-Roch (Fg) 27
Sirène (R. de la) 29

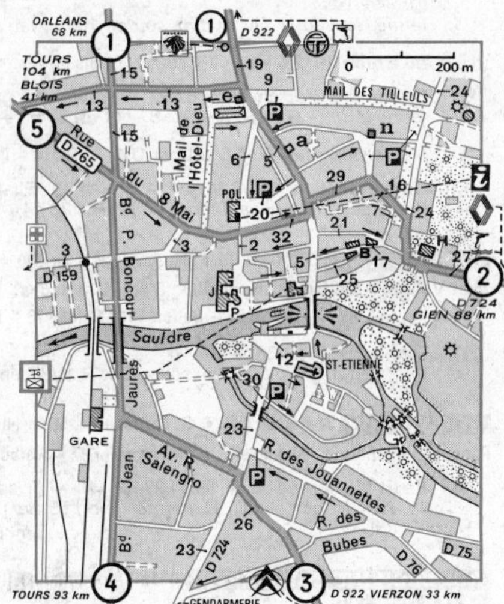

🏨🏨 **Gd H. Lion d'Or** Ⓜ, 69 r. Clemenceau **(a)** ☎ 76.00.28 – 🛗 📺 ☎ Ⓟ – 35 à 50. AE GB ⓓ E
fermé 11 janv. au 12 fév. – SC : **R** (nombre de couverts limité - prévenir) 135/200 et carte – ☕ 25 – 8 ch 180/250
Spéc. Feuilleté d'asperges (avril-juin), Nage de filets de sole et d'écrevisses, Crème brûlée au caramel. **Vins** Vouvray, Bourgueil.

🏨 **Rose des Vents** sans rest, à Lanthenay par ① 2,5 km, pl. Église ☎ 76.09.19, – wc wc ☎ ♿ Ⓟ
fermé 15 déc. au 15 fév. et lundi – SC : ☕ 11 – **14 ch** 74/110.

XX **Le Colombier** avec ch, 10 pl. Vieux-Marché **(n)** ☎ 76.12.76 – wc wc ☎ Ⓟ. E
SC : **R** *(fermé 14 au 22 sept., 15 janv. au 15 fév. et lundi)* 40/90 – ☕ 11 – **10 ch** 86/110.

XX **Orléans** avec ch, 2 pl. Gén.-de-Gaulle **(e)** ☎ 76.01.65 – wc ☎ – 25
SC : **R** 40/72 – ☕ 12 – 10 ch 49/110.

CITROEN Berry Sologne Auto, 91 Av. de Villefranche ☎ 76.03.10
PEUGEOT Hureau, 14 fg Orléans ☎ 76.01.98
RENAULT Gar. Hubert, av. de Paris ☎ 76.06.68
RENAULT Sport-Auto, 162 av. de Salbris ☎ 76.17.18
TALBOT Girard, 86 fg Orléans ☎ 76.11.01

RONCE-LES-BAINS 17 Char.-Mar. 71 ⑭ **G. Côte de l'Atlantique** – ✉ **17390** La Tremblade – 46.

Syndicat d'Initiative pl. Brochard (saison) ☎ 36.76.02.

Paris 512 – Marennes 9 – La Rochelle 60 – Royan 27 – Saintes 51.

🏨 **Gd Chalet**, ☎ 36.76.41, ≤, – Ⓟ. rest
20 mai-20 sept. – SC : **R** 55 – ☕ 10,50 – 31 ch 45/80 – P 106/125.

Besonders angenehme Hotels oder Restaurants sind im Führer rot gekennzeichnet.
Sie können uns helfen, wenn Sie uns Häuser angeben, wo es sich nach Ihrer Erfahrung gut leben läßt.
Jährlich erscheint eine neue, verbesserte Ausgabe aller Roten Michelin-Führer.

🏨🏨🏨🏨🏨 ... 🏨
XXXXX ... X

RONCHAMP 70250 H.-Saône 66 ⑦ – 3 087 h. alt. 353 – 84.

Voir Chapelle★★, G. Jura.

Syndicat d'Initiative à la Mairie (fermé sam. et dim.) 20.64.70.

Paris 405 – Belfort 21 – Lure 12 – Luxeuil-les-Bains 31 – Vesoul 43.

Le Ronchamp M sans rest, rte de Belfort 20.60.35, – wc wc . GB
fermé Noël au 1er fév. et dim. soir du 1er nov. au 30 avril – SC : 12 – **21 ch** 90/120.

au Rhien N : 2,5 km – **70250** Ronchamp :

Carrer avec ch, 20.62.32 – wc . ch
fermé lundi – **R** 30/85 – 8 – **11 ch** 35/60 – P 80/110.

à Champagney E : 4,5 km par D 4 – 3 080 h. – **70290** Champagney :

Commerce, 23.13.24, – . E. rest
fermé oct. et lundi sauf fériés – SC : **R** 35/85 – 9 – **25 ch** 41/55 – P 75/95.

ROPPENTZWILLER 68 H.-Rhin 66 ⑩ – 624 h. alt. 370 – **68480** Ferrette – 89.

Voir Village ★ de Grentzingen NO : 5 km, G. Vosges.

Paris 543 – Altkirch 15 – ♦Bâle 25 – Belfort 49 – Colmar 76 – Delle 29 – Montbéliard 47.

Eicher, 25.81.38 – .
fermé août, lundi et mardi soir – SC : **R** 25/90, en sem. dîner à la carte.

ROQUEBRUN 34 Hérault 83 ⑭ **G. Causses** – 569 h. alt. 89 – **34460** Cessenon – 67.

Paris 853 – Béziers 30 – Lodève 63 – ♦Montpellier 97 – Narbonne 51 – St-Pons 39.

Petit Nice avec ch, 89.64.27, ←, – , sans .
1er avril-1er oct. – SC : **R** *(fermé lundi)* 55 bc/130 bc – 15 – **10 ch** 50/65 – P 95/100.

ROQUEBRUNE-CAP-MARTIN 06190 Alpes-Mar. 84 ⑩, 195 ㉘ **G. Côte d'Azur** – 11 246 h. alt. 68 à 300 – 93.

Voir Village perché★★ : rue Moncollet★, ★★ du donjon★ – Cap Martin ←★★ – ←★★ de l'hôtel Vistaëro SO : 4 km.

Office de Tourisme Hôtel de Ville (fermé sam. et dim.) 35.60.67.

De Roquebrune : Paris 957 – Menton 5 – Monte-Carlo 7 – ♦Nice 26.

Plans : voir à Menton

Vistaëro M, Grande Corniche SO : 4 km par ③ 35.01.50, Télex 461021, ← littoral, , – TV – 35. AE GB E
fermé mi nov. à mi fév. – SC : **R** 130/360 – 25 – 24 ch 320/600, 3 appartements 600.

Alexandra M, 93 av. W.-Churchill 35.65.45, ← – TV. AX **a**
fermé nov. – SC : **R** voir rest. Le Sporting – **40 ch** 160/320.

Regency sans rest, 98 av. J.-Jaurès par ③ : 2,5 km 35.00.91, ← – wc . AE E
fermé 1er nov. au 15 janv. – SC : **12 ch** 130/160.

Westminster, 14 av. L.-Laurens, quartier Bon-Voyage par ③ : 3 km 35.00.68, ←, – wc wc . .
1er fév.-5 oct. – SC : **R** (dîner seul.) 60 – 9,50 – 30 ch 50/120.

Reine d'Azur, 29 prom. Cap-Martin 35.76.84, ←, – rest AX **d**
fév.-15 oct. – SC : **R** (dîner résidents seul.) 42/60 – 10 – **17 ch** 63/75 – P 120/154.

✿ **Roquebrune** (Mme Marinovich), 100 av. J.-Jaurès par ③, (corniche inférieure) 35.00.16, ← – AE GB E
fermé 7 janv. au 6 fév. et merc. hors sais., merc. midi et vend. midi du 1er juil. au 15 sept. – SC : **R** 130
Spéc. Poissons en papillote, Bouillabaisse, Homard ou Langouste. **Vins** Bandol, Cassis.

✿ **Hippocampe** (Teyssier), av. W.-Churchill 35.81.91, ← baie et littoral – .
fermé 2 au 23 mai, 1er au 23 oct., 2 au 23 janv. et lundi – SC : **R** (déj. seul. hors sais. et prévenir) 70/165 AX **h**
Spéc. Soupe de poissons, Filets de sole en brioche, Coq au vin. **Vins** Château Minuty, Bellet.

Le Sporting du Cap, 48 av. W.-Churchill 35.63.07, ←, – AE AX **a**
fermé 1er nov. au 5 déc. et lundi hors sais. – SC : **R** 100/135.

Les Lucioles, au village par ③ 35.02.19, ←
1er avril-31 oct. et fermé jeudi – SC : **R** 75.

à Monte-Carlo Beach : **ressources hôtelières voir à Monaco**

CITROEN Gar. de Carnolès, 159 av. Verdun 35.77.85

ROQUEFAVOUR 13 B.-du-R. 84 ②③ – ✉ 13122 Ventabren – ☎ 42.
Voir Aqueduc★, G. Provence.
Paris 753 – Aix-en-Provence 12 – ♦Marseille 31 – Martigues 37 – Salon-de-Provence 28.

Arquier, ☎ 24.20.45, ←, parc – wc wc ☎ P. GB. ✻
fermé fév. – SC : **R** 50/130 – ☕ 12 – 18 ch 50/130 – P 100/180.

ROQUEFORT 40120 Landes 79 ⑪⑫ **G. Côte de l'Atlantique** – 2 112 h. alt. 75 – ☎ 58.
i Syndicat d'Initiative à la Mairie (fermé sam. après-midi, dim. et lundi matin) ☎ 58.50.46.
Paris 665 – Agen 106 – Aire-sur-l'Adour 37 – Auch 97 – Langon 61 – Mont-de-Marsan 22.

Le Colombier M, ☎ 58.50.57, – wc ☎ P.
fermé merc. sauf juil. à sept. – SC : **R** 25/70 – ☕ 9,50 – **18 ch** 38/65 – P 70/76.

Commerce, ☎ 58.50.13 – wc P
fermé 25 oct. au 16 nov. et lundi sauf juil. et août – SC : **R** 27/80 – ☕ 10 – **15 ch** 35/85 – P 85/95.

CITROEN Germain, ☎ 58.50.68 | Gar. Duparc, ☎ 58.50.54
PEUGEOT Pallas, ☎ 58.50.25 N

ROQUEFORT-SUR-SOULZON 12250 Aveyron 80 ⑭ **G. Causses** – 949 h. alt. 630 – ☎ 65.
Voir Rocher St-Pierre ← ★.
Paris 654 – Lodève 65 – Millau 24 – Rodez 82 – St-Affrique 14 – Le Vigan 76.

Grand Hôtel, ☎ 60.90.20 – wc wc ☎. GB
1er mars-31 oct. – SC : **R** 55/95 – ☕ 15 – 15 ch 60/180.

La ROQUE-GAGEAC 24 Dordogne 75 ⑰ **G. Périgord** – 373 h. alt. 150 – ✉ **24250** Domme – ☎ 53.
Voir Site★★.
Paris 550 – Cahors 54 – Fumel 59 – Lalinde 46 – Périgueux 69 – Sarlat-La-Canéda 13.

Gardette, ☎ 29.51.58, ← – wc wc ☎ P. ✻ rest
Pâques-15 oct. – **R** 40/140 – ☕ 11 – 17 ch 74/130 – P 160.

Belle Étoile, ☎ 29.51.44, ← – wc wc ☎. ✻ ch
15 avril-15 oct. – SC : **R** 35/70 – ☕ 10 – **17 ch** 70/130 – P 100/130.

rte de Cenac SE : 4 km par D 703 – ✉ **24250** Domme :

Le Périgord M, ☎ 28.36.55, – wc wc ☎ P – 200. AE
SC : **R** 45/80 – ☕ 12 – 41 ch 110/160 – P 160.

ROQUEMAURE 30150 Gard 81 ⑪⑫ – 3 646 h. alt. 19 – ☎ 66.
Paris 671 – Alès 69 – Avignon 16 – Bagnols-sur-Cèze 19 – Nîmes 45 – Orange 11 – Pont-St-Esprit 30.

Château de Cubières, ☎ 50.14.28, ←, parc – wc ☎ P
fermé 2 janv. au 15 fév. – SC : **R** *(fermé mardi hors sais.)* 55/70 – ☕ 13 – **12 ch** 115/130 – P 170.

Clément V M sans rest, ☎ 50.17.58 – wc ☎ P. GB
1er mars-30 nov. – SC : ☕ 10,50 – **19 ch** 72/110.

La ROQUETTE 12 Aveyron 80 ② – rattaché à Rodez.

ROSBRUCK 57 Moselle 57 ⑯ – rattaché à Forbach.

ROSCANVEL 29 Finistère 58 ④ **G. Bretagne** – 653 h. – ✉ **29129** Camaret – ☎ 98.
Voir Pointe des Espagnols ✻★★ N : 3 km.
Paris 595 – ♦Brest 68 – Camaret-sur-Mer 7 – Châteaulin 45 – Quimper 66.

Kreis-Ar-Mor, ☎ 27.48.93 –
25 ch.

ROSCOFF 29211 Finistère 58 ⑥ **G. Bretagne (plan)** – 3 732 h. – ☎ 98.
Voir Église★ – Aquarium Ch. Pérez★.
i Syndicat d'Initiative Chapelle Ste-Anne, r. Gambetta (avril-sept., fermé dim. et fêtes) ☎ 69.70.70.
Paris 561 – ♦Brest 62 – Landivisiau 27 – Morlaix 29 – Quimper 100.

Brittany M, bd Ste-Barbe ☎ 69.70.78, ← port et île, – cuisinette rest ☎ P – 40 à 120. AE GB. ✻ rest
1er avril-mi oct. – SC : **R** 68/130 – ☕ 15 – 33 ch 210/250, 5 appartements 370 – P 230/260.

Gulf Stream M, à Roskogoz ☎ 69.73.19, ←, – P. ✻ rest
30 mars-30 sept. – SC : **R** 60/160 – ☕ 12 – 32 ch 140 – P 140/190.

tourner →

Triton M sans rest, Roc'higou ☎ 61.24.44, – wc wc ☎ P. . ✻
1er fév.-15 nov. – SC : ☕ 14 – **45 ch** 76/140.

Talabardon, pl. Église ☎ 61.24.95, ≤ – wc wc ☎. ✻
8 avril-30 sept. – SC : **R** 60/135 – ☕ 15 – 44 ch 70/140 – P 125/160.

Régina sans rest, r. Ropartz Morvan ☎ 61.23.55, – wc wc ☎
26 avril-20 sept. – SC : ☕ 11,50 – **57 ch** 96/130.

Bellevue , r. Jeanne d'Arc ☎ 61.23.38, ≤ – wc wc ☎. . ✻ rest
10 mai-30 sept. – SC : **R** 44/105 – ☕ 12 – 23 ch 60/130 – P 135/170.

Angleterre, r. A.-de-Mun ☎ 69.70.42, « Jardin fleuri » – wc wc ☎. ✻
3 mai-20 sept. – SC : **R** 40/50 – ☕ 10 – **40 ch** 50/110 – P 116/140.

Centre "Chez Janie", r. Gambetta ☎ 61.24.25, ≤ – ☎. GB. ✻ ch
1er avril-31 oct. et fermé mardi sauf juil. et août – SC : **R** 35/140 – ☕ 11 – **22 ch** 55/130 – P 105/140.

Bains, pl. Église ☎ 61.20.65, ≤, – wc. . ✻ rest
Pâques-fin oct. – SC : **R** 40/60 – ☕ 10 – **70 ch** 60/120 – P 100/135.

Plage, av. V.-Hugo ☎ 69.70.26, – ☎. . ✻ rest
fermé oct. – SC : **R** 35/60 – ☕ 8 – **28 ch** 52/65 – P 95/101.

RENAULT Gar. Hamon, ☎ 69.72.09

ROSHEIM 67560 B.-Rhin 62 ⑨ G. Vosges – 3 499 h. alt. 194 – ☎ 88.

Voir Église St-Pierre et St-Paul★.

Syndicat d'Initiative à la Mairie (fermé sam. sauf matin en saison et dim.) ☎ 50.40.10.

Paris 484 – Erstein 22 – Molsheim 6,5 – Obernai 6 – Sélestat 29 – ♦Strasbourg 29.

XX **Aub. Cerf** avec ch, r. Gén.-de-Gaulle ☎ 50.40.14, – wc. E. ✻ ch
fermé fin juil. au 15 août, Noël au 8 janv., vend. et sam. – SC : **R** carte 90 à 130 – ☕ 11 – **3 ch** 60/120.

XX **La Petite Auberge,** r. Gén.-de-Gaulle ☎ 50.40.60
fermé 10 au 24 juin, 16 déc. au 5 janv. et merc. – SC : **R** 40/100 .

PEUGEOT Gar. Jost, ☎ 50.40.53 RENAULT Gar. Béraud, ☎ 50.40.22

La ROSIÈRE 73 Savoie 74 ⑱⑲ G. Alpes – alt. 1 820 – Sports d'hiver : 1 820/2 400 m 11 – ✉ 73700 Bourg-St-Maurice – ☎ 79.

Paris 684 – Bourg-St-Maurice 23 – Chambéry 125 – Chamonix 60 – Val d'Isère 48.

Roc Noir , ☎ 07.10.02, ≤ montagnes – wc wc ☎ P. ✻
1er déc.-1er mai – SC : **R** 50/100 – ☕ 20 – **30 ch** 120/150 – P 130/150.

Relais Petit St-Bernard , ☎ 07.10.01, ≤ montagnes – wc ☎ P
15 juin-20 sept. et 15 déc.-20 avril – SC : **R** 38/45 – ☕ 14 – 25 ch 50/135 – P 125/185.

Les ROSIERS 49 M.-et-L. 64 ⑫ G. Châteaux de la Loire – 1 824 h. alt. 24 – ✉ 49350 Gennes – ☎ 41.

Syndicat d'Initiative à la Mairie (juil.-août, matin seul.) ☎ 51.80.04.

Paris 288 – Angers 30 – Baugé 26 – Bressuire 64 – Cholet 62 – La Flèche 44 – Saumur 15.

Val de Loire, pl. Jeanne de Laval ☎ 51.80.30 – wc – 30.
fermé 25 sept. au 30 oct. et lundi – SC : **R** 36/64 – ☕ 10,50 – **11 ch** 52/120.

XXX ✿ **Jeanne de Laval** (Augereau) avec ch, rte Nationale ☎ 51.80.17, « Jardin fleuri » – wc wc ☎ P – 25. AE ①. ✻ rest
fermé 12 nov. au 1er janv. et mardi – SC : **R** (nombre de couverts limité - prévenir) carte 125 à 185 – ☕ 20 – 7 ch 70/200.

Annexe Ducs d'Anjou
SC : ☕ 20 – 8 ch 110/200

Spéc. Foie gras de canard, Saumon au beurre blanc (fév. à juil.), Poularde à la crème d'estragon.
Vins Savennières, Champigny.

XX **La Toque Blanche,** O : 0,5 km par N 152 ☎ 51.80.75
fermé 1er au 21 fév., mardi soir et merc. – SC : **R** (dîner prévenir) 30 bc/70.

ROSOY 89 Yonne 61 ⑭ – rattaché à Sens.

ROSPORDEN 29140 Finistère 58 ⑯ G. Bretagne – 4 389 h. alt. 118 – ☎ 98.

Voir Clocher★ de l'église.

Paris 537 – Carhaix-Plouguer 51 – Châteaulin 48 – Concarneau 13 – Quimper 22 – Quimperlé 26.

Gare, pl. Gare ☎ 59.23.89 – wc ☎. E
fermé 15 nov. au 1er déc., 8 fév. au 1er mars, dim. soir et lundi hors sais. – SC : **R** 45/200 – ☕ 12,50 – 30 ch 60/140 – P 142/180.

Arvor, pl. Gare ☎ 59.20.32 – wc wc . GB. rest
fermé janv., vend. soir, sam. et dim. soir hors sais. – SC : **R** 39/140 – 10 – 34 ch 55/135 – P 105/125.

Gai Logis, rte Quimper ☎ 59.22.38, –
fermé mars et sam. hors sais. – SC : **R** 35/150 – 9 – 18 ch 65/100 – P 95/120.

La Vieille Auberge avec ch, r. E.-Prévost ☎ 59.20.79 – wc
fermé 25 sept. au 28 oct. et lundi sauf en juil.-août – SC : **R** 38/140 – 10 – 8 ch 105/125 – P 92/140.

CITROEN Monfort, rte de Concarneau ☎ 59.22.72
PEUGEOT Jourdrain, 3 rte de Quimper ☎ 59.20.37
RENAULT Castrec, 2 r. de la Gare ☎ 59.20.25

ROTHENEUF 35 I.-et-V. 59 ⑥ – rattaché à St-Malo.

ROUBAIX 59100 Nord 51 ⑥⑯ G. Nord de la France – 109 797 h. alt. 22 – 20.

Voir Chapelle d'Hem* : vitraux** 5 km par ⑥ voir plan de Lille p. 3 KS **B.**

des Flandres ☎ 72.20.74 par ⑦ : 8 km ; du Sart, au château du Sart ☎ 72.02.51 par ⑦ : 5 km ; de Brigode à Villeneuve d'Ascq ☎ 91.17.86 par ⑦ : 6 km ; de Bondues ☎ 78.80.03 par D 9 : 8 km - AX.

Office de Tourisme à la Mairie (fermé sam. après-midi, dim. et lundi) ☎ 70.70.02 - A.C. 42 r. Mar.-Foch ☎ 70.92.80.

Paris 228 ⑦ – Kortrijk 23 ② – •Lille 12 ⑦ – Tournai 19 ⑤.

Accès et sorties : voir à Lille p. 2 et 3

Plan pages suivantes

P.L.M. Gd Hôtel M sans rest, 22 av. J.-Lebas ☎ 70.15.90, Télex 132301 – TV – 25 à 150. AE GB E — BY **r**
SC : **95 ch** 155/230.

Centre sans rest, 1 r. P.-Motte ☎ 70.69.52 – wc wc — BY **e**
SC : 9 – **20 ch** 44/95.

❀ **Le Caribou** (Siesse), 8 r. Mimerel ☎ 70.87.08 – . — BY **u**
fermé 6 juil. au 23 août, vacances de fév., Pâques et lundi – SC : **R** (dîner sur commande) carte 135 à 160
Spéc. Foie gras chaud, Langoustines à ma façon, Gibier (en saison).

Maurice, 29 Grand'Place ☎ 70.70.38 — BY **n**
fermé août, vend. soir et dim. soir – **R** carte 105 à 145.

Chez Charly, 127 r. J.-B.-Lebas ☎ 70.78.58 – — AX **a**
fermé vacances scolaires de Pâques, août et sam. – SC : **R** (déj. seul.) 60.

Rest. du Grand Café, 4 av. J.-Lebas ☎ 70.71.57 – AE GB — BY **s**
fermé août, vend. soir, dim. soir et sam. – **R** (1er étage) 40/60.

à Villeneuve d'Ascq par ⑦ : 6 km rte Lille – 50 640 h. – ✉ **59650** :.

Le Chantilly, 98 av. Flandre ☎ 72.40.30 – . AE GB — plan de Lille JS
fermé juil., dim. soir, lundi et jeudi soir – SC : **R** 60/85 .

La Bourgogne, 73 av. Flandre ☎ 72.01.07 – AE GB — plan de Lille JS
fermé 10 au 25 sept., sam. midi et dim. soir – SC : **R** (dîner prévenir) 100/250.

au Recueil par ⑥ sortie le Recueil : 8 km – ✉ **59650** Villeneuve d'Ascq :

Vieille Forge, 160 r. Lannoy ☎ 75.65.75 – . AE GB E — plan de Lille KT
fermé août, merc. soir et dim. soir – SC : **R** 50/120.

à Forest sur Marque par ⑤ et D 952 : 9 km – ✉ **59510** Hem :

Aub. de la Marque, ☎ 34.94.16 – GB — plan de Lille KT
fermé 27 juil. au 25 août, lundi soir et mardi – **R** 60/80 .

AUDI-VOLKSWAGEN Beulque, 42 av. J.-B.-Lebas ☎ 70.67.97
AUSTIN, MORRIS, TRIUMPH Gar.Baert, 17 r. Mar.-Foch ☎ 70.76.94
CITROEN Cabour et Van Cauwenberghe, 71 r. Racine AX a ☎ 36.01.00
CITROEN Gar. du Fresnoy, 1 bis r. Remiremont AX b ☎ 70.51.76
CITROEN Gar. Labbe, 66 bd Metz BX ☎ 70.46.69
CITROEN Gar. du Parc, 70 bd Cambrai AZ ☎ 70.86.41
FIAT, LADA France-Auto, 160 bd Gambetta ☎ 70.90.15
FORD Gar. Ponthieux et Cie, 209 av. R.-Salengro ☎ 75.29.92
FORD Gar. St-Jean 118 r. St-Jean ☎ 70.87.54
OPEL Gar. du Colisée, 6 r. Molière ☎ 75.13.41
PEUGEOT Roubaisienne d'Automobiles, 6 bd Metz BX ☎ 70.90.98
RENAULT Succursale, 33 r. J.-Moulin BY ☎ 70.40.60
RENAULT Gar. Destailleurs, 10 r. Alsace AX ☎ 70.54.21
TALBOT Centre Automobile de Roubaix, 65 r. Tourcoing BX ☎ 70.40.74
TOYOTA G.A.R., 63 bd de la République ☎ 70.97.09
Gar. Tancré, 40 r. Lille ☎ 70.64.68

Crépy Pneus, 29 r. de l'Ouest ☎ 70.98.02
Daesslé et Klein, 21 av. Lagache ☎ 75.44.70
Prévost, 29 r. Victor-Hugo ☎ 75.53.79
Promo-Pneus, 24 bd d'Halluin ☎ 70.97.31

au-dessus voir plan de Tourcoing

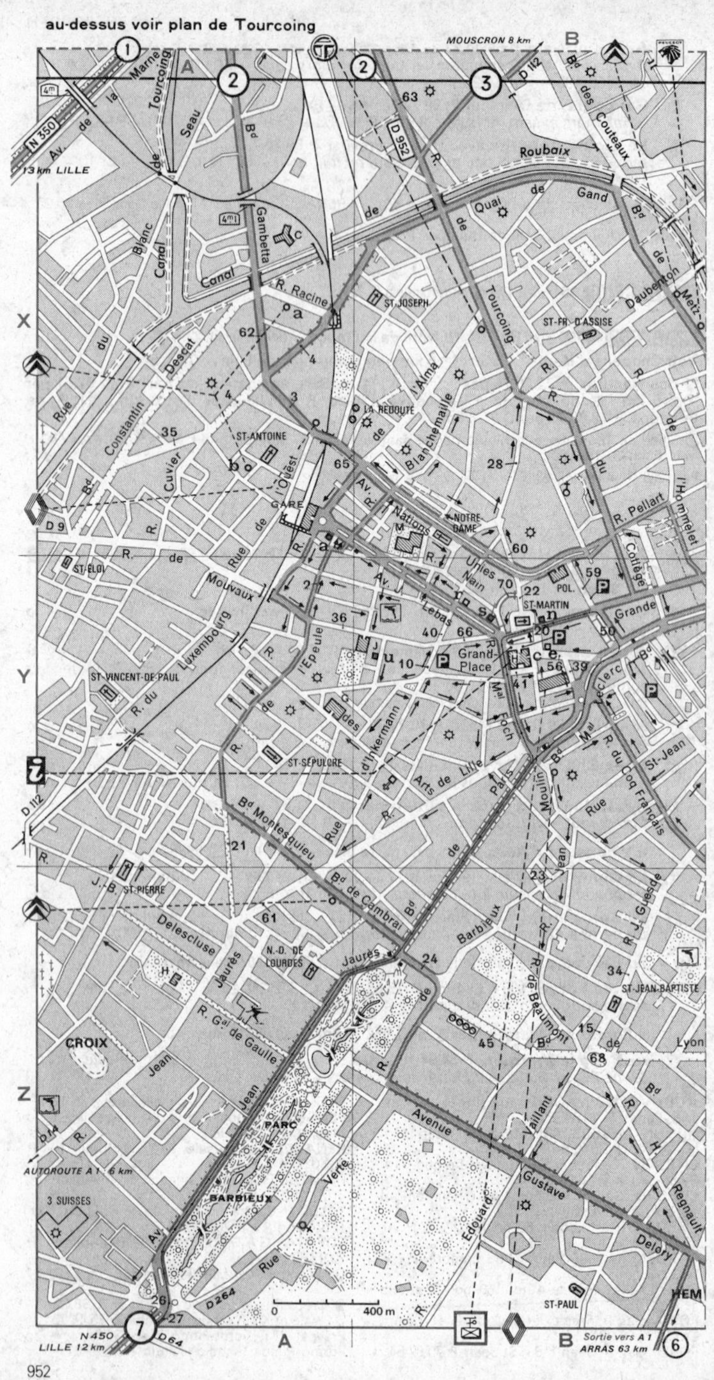

ROUBAIX

Epeule (R. de l') AY
Grand-Place BY
Grande-Rue BCY
Lannoy (R. de) CZ
Lebas (Av. J.) BY
Motte (R. Pierre) BY 56
Sarrail
(R. du Général) BY 66

Alger (R. d') CX
Alma (R. de l') ABX
Alouette (R. de l') AY 2
Alsace (R. d') AX 3
Armentières (Bd d') AX 4
Arts (R. des) ABY
Avelghem (R. d') CX 8
Barbieux (R. de) BZ
Beaumont (R. de) BZ
Beaurepaire (Bd de) CY
Belfort (Bd de) CY
Blanchemaille (R. de) BX

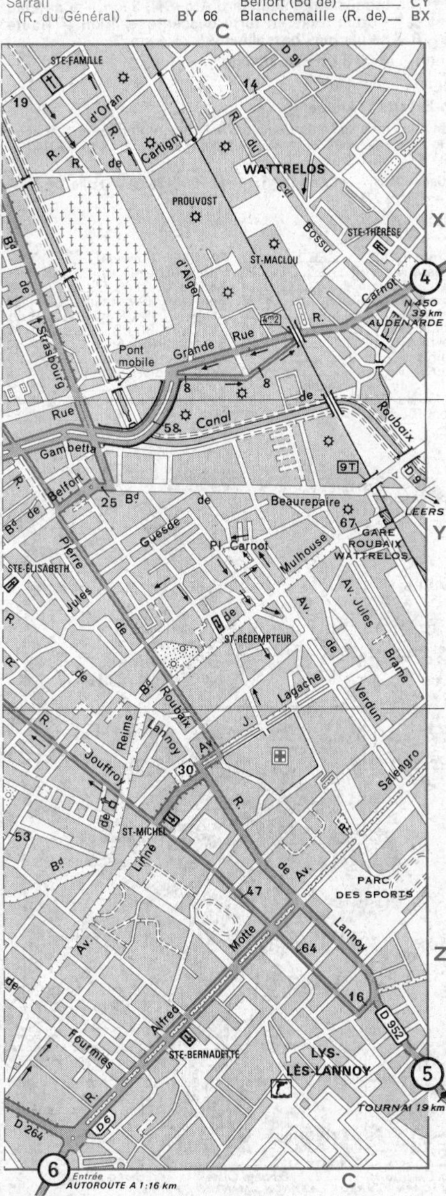

Blanc-Seau (R. du) AX
Bois (R. du) BY 10
Bossu (R. du Cdt) CX
Brame (Av. Jules) CY
Cambrai (Bd de) ABZ
Carnot (Pl.) CY
Carnot (R.) CX
Cartigny (R. de) CX
Castermant (R. Ch) CX 14
Cateau (Bd du) BZ 15
Chemin Vert (R. du) CZ 16
Collège (R. du) BXY
Constantine (R. de) CX 19
Contour St-Martin BY 20
Coq Français (R. du) BY
Courbet (R. Amiral) AYZ 21
Couteaux (Bd des) BX
Curé (R. du) BY 22
Cuvier (R.) AX
Daguessau (R.) BZ 23
Daubenton (R.) BX
Delescluse (R. J.-B.) AYZ
Delory (Av. Gustave) ABZ
Descat (Bd Constantin) AX
Douai (Bd de) BZ 24
Faidherbe (Pl. du Gén.) CY 25
Fer à Cheval (Carr. du) AZ 26
Flandre (Av. de) AZ 27
Fosse-aux-chênes (R.) BX 28
Foch (R. Mar.) BY
Fourmies (Bd de) BCZ
Fraternité (Pl. de la) CZ 30
Gambetta (Bd) BCY
Gambetta (Bd)
TOURCOING AX
Gand (Quai de) BX
Gaulle (R. Gén. de) AZ
Goujon (R. Jean) BZ 34
Gounod (R. Ch.) AX 35
Grand chemin (R. du) ABY 36
Guesde (R. Jules) BCYZ
Halle (R. de la) BY 39
Hommelet (R. de l') BX
Hospice (R. de l') BY 40
Hôtel-de-Ville (R. de l') BY 41
Inkermann (R. d') ABY
Jaurès (Av. J.) AZ
Jaurès (R. J.) CROIX AZ
Jouffroy (R.) CZ
Lacordaire (Bd) BZ 45
Lagache (Av. J.) CYZ
Leclerc (Bd Mar.) BY
Leconte-Baillon (R.) CZ 47
Liberté (Pl. de la) BY 50
Lille (R. de) BY
Linné (Av.) CZ
Luxembourg (R. du) AY
Lyon (Bd de) BCZ
Marne (Av. de la)
TOURCOING AX
Metz (Bd de) BX
Montesquieu (Bd) AY
Montgolfier (R.) CZ 53
Motte (Av. Alfred) CZ
Moulin (R. Jean) BYZ
Mouvaux (R. de) AXY
Mulhouse (Bd de) CY
Nain (R.) BY
Nyckès (Pont) CY 58
Oran (R. d') CX
Ouest (R. de l') AX
Paris (Bd de) BY
Pauvrée (R.) BY 59
Pays (R. du) BXY 60
Pellart (R.) BX
Prof. Langevin (R. du) AZ 61
Regnault (R. Henri) BZ
Reims (Bd de) CZ
République (Bd de la) AX 62
Roubaix (R. Pierre de) CY
Roubaix (R. de)
TOURCOING BX 63
Rousseau (R. J.-J.) CZ 64
St-Jean (R.) BY
St-Vincent-de-Paul (R.) ABX 65
Salengro (Av. R.) CZ
Sévigné (R. de) CY 67
Strasbourg (Bd de) CX
Tourcoing (R. de) BX
Travail (Pl. du) BZ 68
Vaillant (R. Ed.) BZ
Verdun (Av .de) CY
Verte (R.) AZ
Vieil abreuvoir (R. du) BY 70

ROUEN P 76000 S.-Mar. 55 ⑥ G. Normandie – 118 332 h. alt. 10 – ⚙ 35.

Voir Cathédrale* – Le vieux Rouen*** : ✳** du beffroi, Église St-Ouen**, Église** et Aître** St-Maclou, Palais de Justice**, Rue du Gros Horloge**** DEY **39, Rue St Romain**** EY **57, Place du Vieux-Marché*** DX **65, verrière * de l'église Jeanne d'Arc** DX, **Rue Ganterie*** EX, **– Rue Damiette*** FY **28, Rue Martainville*** FGY **Église St-Godard*** EX **– Vitraux* de l'église St-Patrice** DX **Musées : Beaux-Arts** (céramiques de Rouen***)** EX **M1 , Le Secq des Tournelles**** EX **M2, Antiquités* (émaux**, ivoires**, mosaïque de Lillebonne**)** FVX **M1 – Côte Ste-Catherine ✳*****B, **3,5 km – Bonsecours : ✳** du calvaire et ≤** du monument à Jeanne d'Arc** B **N, 3 km – Canteleu ≤* de la terrasse de l'église et ✳** de la route en forte descente** A, **4 km – Route d'accès au Centre Universitaire** A **R ✳** par rue Chasselièvre**AB 23, **4 km.**

Env. Roches de St-Adrien ≤* par ④ et D7 8 km puis 15 mn.

⛳18 ☎ 74.05.41 près Mont-St-Aignan AB, **N : 4 km.**

Circuit automobile de Rouen-les-Essarts 13 km par ⑥.

ℹ Office de Tourisme (fermé dim. et fêtes hors saison) et Accueil de France (Informations, change et réservations d'hôtels pas de 5 jours à l'avance), 25 pl. Cathédrale ☎ 71.41.77, Télex 770940 – A.C.O. 46 r. Gén.-Giraud ☎ 71.44.89 - T.C.F. 46 r. Ours ☎ 70.23.60.

Paris 139 ⑥ – •Amiens 116 ① – •Caen 124 ⑥ – •Calais 212 ① – •Le Havre 88 ⑧ – •Lille 226 ① – •Le Mans 195 ⑥ – •Rennes 307 ⑥ – •Tours 273 ⑥.

ROUEN

Alliés (Av. des) A 2
Ango (R. Jean) A 4
Béthencourt (Quai Jean-de) A 6
Bonsecours (Rte de) B 7
Brossolette (Bd) A 9
Bruyères (Rd-Pt des) A 13
Caen (Av. de) AB 15
Canteleu (Rte de) A 18
Carnot (Av.) A 21
Chasselièvre (R.) AB 23
Clères (Chemin de) B 24
Corneille (R. Pierre) B 25
Corniche (Rte de la) B 26
Elbeuf (R. d') B 34
Havre (Rte du) A 35
Jaurès (Av. Jean) A 36
Jaurès (Bd Jean) A 37
Leclerc-de-Hauteclocque (Av. du Gén.) A 38
Mont-Riboudet (Av. du) A 42
Pène (R. Annie-de) B 44
Pitres (Chemin de) B 45
Renard (R. du) AB 48
Rondeaux (Av. Jean) A 50
Roosevelt (Bd Franklin) A 51
Ste-Lucie (Rd-Pt) A 52
Siegfried (Bd André) A 53
Sotteville (R. de) B 54
Val-d'Eauplet (R. du) B 55
Verdun (Bd de) A 56
11-Novembre (Bd du) A 57
14-Juillet (Av. du) B 58

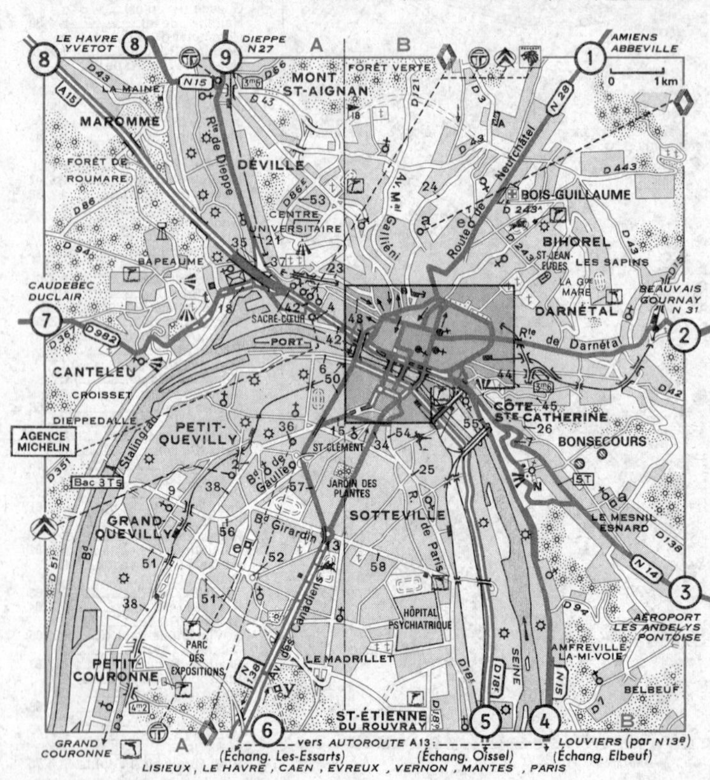

Frantel M, r. Croix de Fer 98.06.98, Télex 180949 – TV – 100. AE GB. rest EY **f**
SC : rest. **le Tournebroche** *(fermé sam.)* **R** carte 90 à 125 – 21 – **125 ch** 210/280.

Dieppe et rest. Le Quatre Saisons, pl. B. Tissot 71.96.00, Télex 180413 – TV – 30. AE GB E EV **z**
SC : **R** carte 90 à 130 – 14 – **44 ch** 165/215 – P 260/295.

Viking sans rest, 21 quai du Havre 70.34.95, – wc wc. AE E DY **y**
SC : 11 – **37 ch** 65/150.

Gd H. Nord sans rest, 91 r. Gros-Horloge 70.41.41 – wc wc. AE DY **u**
SC : 11 – **62 ch** 72/155.

Paris sans rest, 12 r. Champmeslé 70.09.26 – wc wc. AE GB DY **t**
SC : 11 – **22 ch** 60/140.

Normandie sans rest, 19 r. Bec 71.55.77 – wc wc. GB E EY **n**
SC : 11 – **23 ch** 75/140.

Cathédrale sans rest, 12 r. St-Romain 71.57.95 – wc wc. EY **h**
SC : 12 – **25 ch** 90/165.

Arcade M, 20 pl. St-Sever 76100 62.81.82, Télex 770675 – wc – 30 DZ **k**
SC : **R** *(fermé dim.)* carte environ 60 – 11 – **144 ch** 110/120.

Bristol sans rest, 4 r. aux Juifs 71.54.21 – wc wc. EY **a**
fermé 2 au 16 janv. – SC : 11,50 – **15 ch** 60/120.

Morand sans rest, 1 r. Morand 71.46.07 – wc EX **s**
SC : 13 – **16 ch** 92/150.

Astrid sans rest, 121 r. J.-D'Arc 71.75.88 – wc wc. AE GB E EV **a**
SC : 11 – **40 ch** 55/125.

Québec sans rest, 18 r. Québec 70.09.38 – wc wc. AE EY **q**
fermé 23 déc. au 10 janv. – SC : 11 – **38 ch** 58/135.

Gaillardbois sans rest, 12 pl. Gaillardbois 70.34.28 – wc EY **z**
fermé 16 août au 7 sept. – SC : 10 – **20 ch** 40/100.

Lisieux sans rest, 4 r. Savonnerie 71.87.73 – wc EY **b**
SC : 10 – **27 ch** 55/110.

Europe sans rest, 87 r. aux Ours 70.83.30 – wc DY **e**
27 ch.

Vieille Tour sans rest, 42 pl. Hte-Vieille-Tour 70.03.27 – wc wc. EY **d**
fermé 26 déc. au 15 janv. – SC : 10 – **23 ch** 45/120.

Couronne, 31 pl. Vieux-Marché 71.40.90, « Maison normande du 14e s. » – AE GB. DX **d**
fermé dim. soir et lundi – SC : **R** carte 80 à 125
Spéc. Suprême de turbot, Caneton à la rouennaise, Blanc manger aux fruits.

Aub. l'Écu de France, pl. Vieux-Marché 71.46.30, Cadre normand –
juil.-août : fermé dim. et lundi ; hors sais : fermé dim. soir et lundi – SC : **R** 100. DX **h**

Dufour, 67 r. St-Nicolas 71.90.62, « Cadre vieux normand » EY **w**
fermé août, dim. soir et lundi – SC : **R** carte 70 à 115.

Beffroy, 15 r. Beffroy 71.55.27, Cadre normand – AE GB E EX **b**
fermé mi juil. à mi août dim. et lundi – SC : **R** 70/90.

La Salamandre, 14 quai Corneille 71.84.92 – GB. EY **e**
fermé 10 au 16 août, sam. midi et dim. – SC : **R** 80 bc/110 bc.

Vieux Moulin, à Bapeaume r. Samuel Lecoeur 76820 Bapeaume 36.39.59 – P. AE GB A **t**
SC : **R** 60/135.

La Marée, 20 pl. Vieux Marché 71.71.18 – AE DY **n**
fermé 15 juil. au 5 août, 1er au 15 fév., dim. soir et lundi sauf fériés – **R** 65/80.

La Grillade, 121 r. Jeanne d'Arc 71.47.01 EV **a**
fermé 27 juil. au 17 août, sam. soir et dim. sauf Pâques et Pentecôte – SC : **R** 33.

Marine, 42 quai Cavelier-de-la-Salle 76100 73.10.01 DY **p**
fermé août, 24 déc. au 2 janv., dim. soir et sam. – SC : **R** 37/70.

Roi d'Ys, 92 r. République 70.88.86 – AE GB FY **u**
fermé 1er au 22 janv. – SC : **R** 33/55.

La Vieille Auberge, 37 r. St-Étienne-des-Tonnelliers 70.56.65 DY **v**
fermé août, dim. et fêtes – SC : **R** 35/70.

Victoria-Brasserie Alsacienne, 13 pl. St-Marc 71.55.88 – FY **s**
fermé 15 juin au 15 juil., mardi soir et merc. – SC : **R** 35/50.

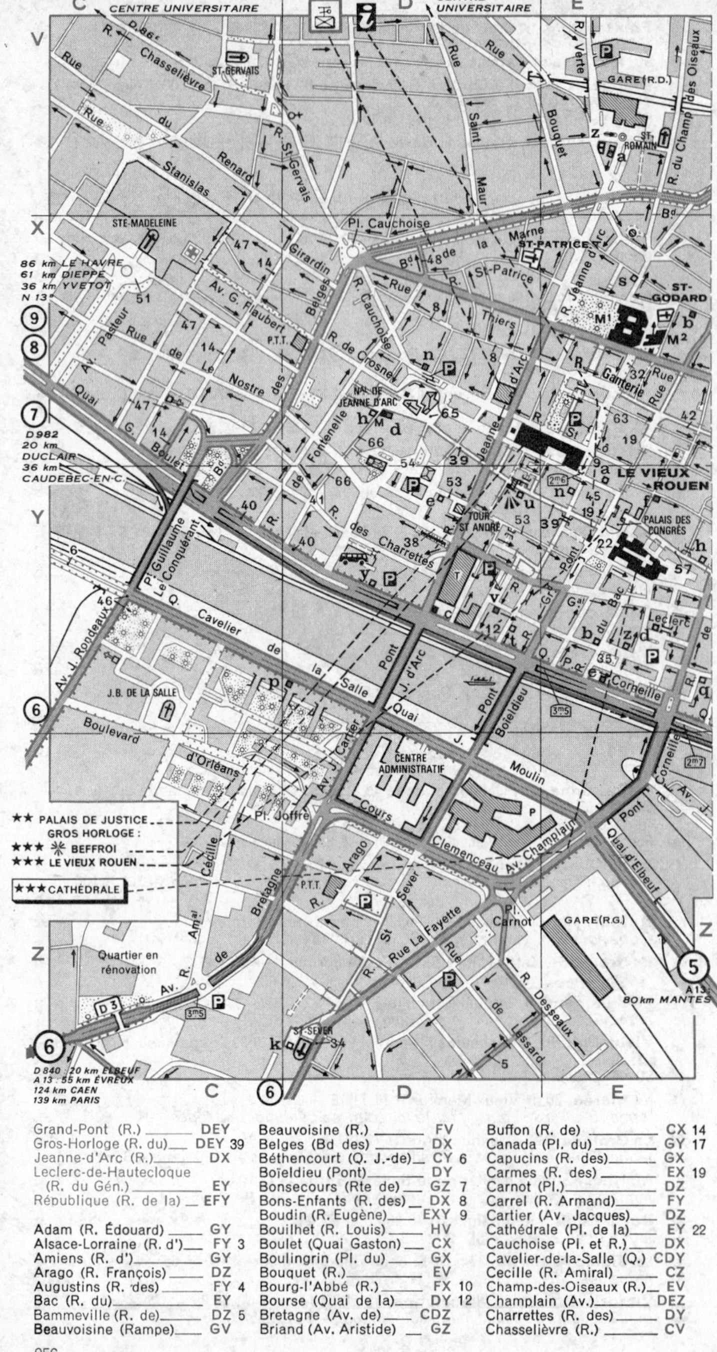

Grand-Pont (R.)	DEY	
Gros-Horloge (R. du)	DEY	39
Jeanne-d'Arc (R.)	DX	
Leclerc-de-Hautecloque (R. du Gén.)	EY	
République (R. de la)	EFY	
Adam (R. Édouard)	GY	
Alsace-Lorraine (R. d')	FY	3
Amiens (R. d')	GY	
Arago (R. François)	DZ	
Augustins (R. des)	FY	4
Bac (R. du)	EY	
Bammeville (R. de)	DZ	5
Beauvoisine (Rampe)	GV	
Beauvoisine (R.)	FV	
Belges (Bd des)	DX	
Béthencourt (Q. J.-de)	CY	6
Boïeldieu (Pont)	DY	
Bonsecours (Rte de)	GZ	7
Bons-Enfants (R. des)	DX	8
Boudin (R. Eugène)	EXY	9
Bouilhet (R. Louis)	HV	
Boulet (Quai Gaston)	CX	
Boulingrin (Pl. du)	GX	
Bouquet (R.)	EV	
Bourg-l'Abbé (R.)	FX	10
Bourse (Quai de la)	DY	12
Bretagne (Av. de)	CDZ	
Briand (Av. Aristide)	GZ	
Buffon (R. de)	CX	14
Canada (Pl. du)	GY	17
Capucins (R. des)	GX	
Carmes (R. des)	EX	19
Carnot (Pl.)	DZ	
Carrel (R. Armand)	FY	
Cartier (Av. Jacques)	DZ	
Cathédrale (Pl. de la)	EY	22
Cauchoise (Pl. et R.)	DX	
Cavelier-de-la-Salle (Q.)	CDY	
Cecille (R. Amiral)	CZ	
Champ-des-Oiseaux (R.)	EV	
Champlain (Av.)	DEZ	
Charrettes (R. des)	DY	
Chasselièvre (R.)	CV	

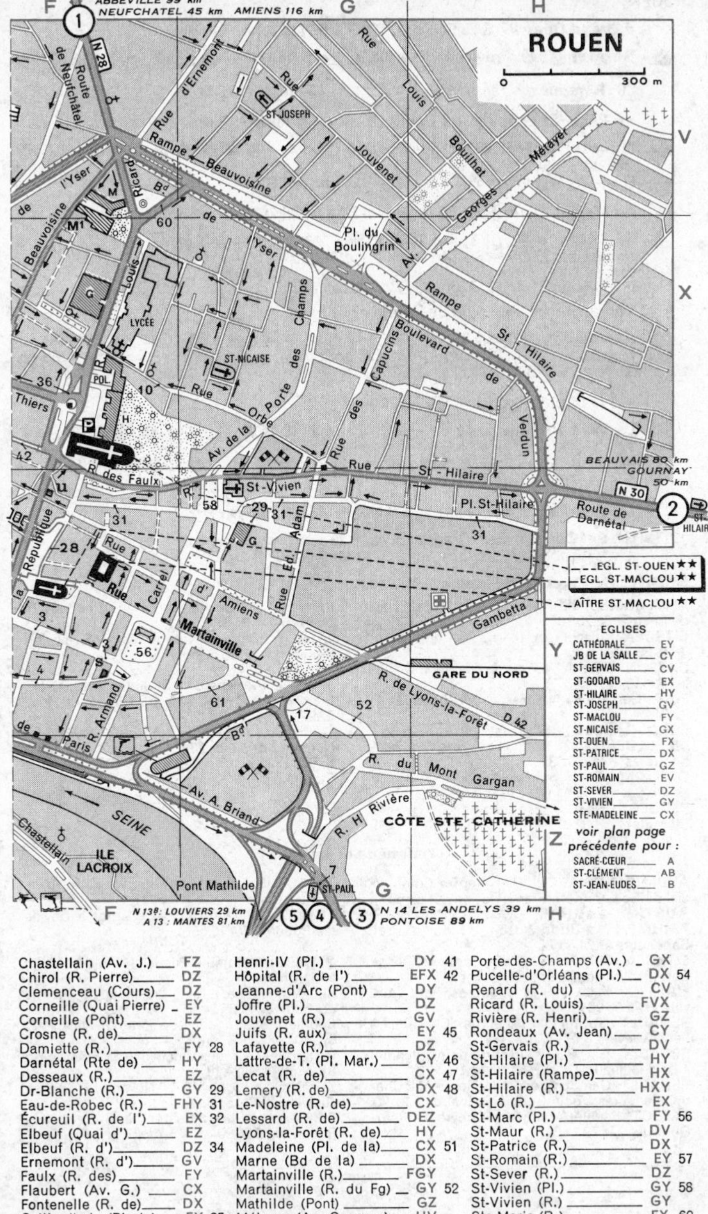

Chastellain (Av. J.) FZ
Chirol (R. Pierre) DZ
Clemenceau (Cours) DZ
Corneille (Quai Pierre) EY
Corneille (Pont) EZ
Crosne (R. de) DX
Damiette (R.) FY 28
Darnétal (Rte de) HY
Desseaux (R.) EZ
Dr-Blanche (R.) GY 29
Eau-de-Robec (R.) FHY 31
Écureuil (R. de l') EX 32
Elbeuf (Quai d') EZ
Elbeuf (R. d') DZ 34
Ernemont (R. d') GV
Faulx (R. des) FY
Flaubert (Av. G.) CX
Fontenelle (R. de) DX
Gaillardbois (Pl. du) EY 35
Gambetta (Bd) HY
Ganterie (R.) EX
Gaulle (Pl. Gén.-de) FX 36
Girardin (R. Stanislas) CV
Giraud (R. Gén.) DY 38
Guillaume-le-Conquérant (Pont) CY
Havre (Quai du) CDY 40

Henri-IV (Pl.) DY 41
Hôpital (R. de l') EFX 42
Jeanne-d'Arc (Pont) DY
Joffre (Pl.) DZ
Jouvenet (R.) GV
Juifs (R. aux) EY 45
Lafayette (R.) DZ
Lattre-de-T. (Pl. Mar.) CY 46
Lecat (R. de) CX 47
Lemery (R. de) DX 48
Le-Nostre (R. de) CX
Lessard (R. de) DEZ
Lyons-la-Forêt (R. de) HY
Madeleine (Pl. de la) CX 51
Marne (Bd de la) DX
Martainville (R.) FGY
Martainville (R. du Fg) GY 52
Mathilde (Pont) GZ
Métayer (Av. Georges) HV
Mont-Gargan (R. du) HZ
Moulin (Quai Jean) DEZ
Neufchâtel (Rte de) FV
Orbe (R.) GX
Orléans (Bd d') CZ
Ours (R. aux) DEY 53
Paris (Quai de) EFZ
Pasteur (Av.) CX

Porte-des-Champs (Av.) GX
Pucelle-d'Orléans (Pl.) DX 54
Renard (R. du) CV
Ricard (R. Louis) FVX
Rivière (R. Henri) GZ
Rondeaux (Av. Jean) CY
St-Gervais (R.) DV
St-Hilaire (Pl.) HY
St-Hilaire (Rampe) HX
St-Hilaire (R.) HXY
St-Lô (R.) EX
St-Marc (Pl.) FY 56
St-Maur (R.) DV
St-Patrice (R.) DX
St-Romain (R.) EY 57
St-Sever (R.) DZ
St-Vivien (Pl.) GY 58
St-Vivien (R.) GY
Ste-Marie (R.) FX 60
Schuman (R. Robert) GY 61
Socrate (R.) EX 63
Thiers (R.) DFX
Verdun (Bd de) HX
Verte (R.) EV
Vieux-Marché (Pl. du) DX 65
Vieux-Palais (R. du) DXY 66
Yser (Bd de l') FV

à Grand Quevilly S : 5,5 km par D 3 – ✉ **76120** Grand Quevilly :

Sorete! Ⓜ, av. Provinces ☎ 69.63.50, Télex 180743 – 🛗 📺 ☎ – 🏛 150. AE GB ⓓ A e
SC : **R** *(fermé dim. soir)* 45/65 🍷 – ☕ 16 – **45 ch** 110/165.

au Parc des Expositions par ⑥ : 6 km – ✉ **76800** St-Étienne-du-Rouvray :

Novotel Ⓜ, ☎ 66.58.50, Télex 180215, 🏊, 🌳 – 🛗 ▤ 📺 ☎ Ⓟ – 🏛 25 à 250. AE GB ⓓ A y
R snack carte environ 65 – ☕ 20 – **135 ch** 178/193.

Le Mesnil-Esnard par ③ : 6 km – 4 310 h. – ✉ **76240** Le Mesnil-Esnard :

St-Léonard 🐦, pl. Église ☎ 80.16.88 – 🛁 🚿 Ⓟ – 🏛 30. 🚗. ✗ ch B a
fermé 6 au 30 juil. – SC : **R** *(fermé merc.)* 40/85 – ☕ 10 – 14 ch 40/90 – P 120/135.

à Montigny par ⑦ : 8 km – ✉ **76380** Canteleu :

Voir Ancienne abbatiale St-Georges* S : 4 km.

Atlas Ⓜ 🐦, ☎ 36.05.97, 🌳 – 🛁wc 🚿wc ☎ 🚗 Ⓟ – 🏛 40. AE GB. ✗ rest
fermé dim. – SC : **R** *(fermé 1er au 22 août, sam. midi et dim.)* 45 – ☕ 12 – **20 ch** 90/160 – P 170/220.

sur N 14 par ③ : 9 km – ✉ **76520** Boos :

XX **Le Vert Bocage** avec ch, rte de Paris ☎ 80.14.74 – 🛁wc Ⓟ – 🏛 30. 🚗. ✗ ch
fermé 16 juil. au 2 août, 13 fév. au 1er mars et dim. – SC : **R** 28 (sauf sam. et fêtes)/60 🍷 – ☕ 7,50 – 21 ch 36/80 – P 104/148.

Le Houlme par ⑨ : 10 km – 4 324 h. – ✉ **76770** Malaunay :

XX **Gd S "Car Go"**, rte Dieppe ☎ 74.46.20 – Ⓟ
fermé 15 août au 1er sept., dim. soir et lundi – SC : **R** 37/75.

MICHELIN, Agence régionale, 19 r. J.-Ango A ☎ 88.18.50

ALFA ROMEO, FERRARI Europe Auto, 32 av. de Caen ☎ 63.20.10
CITROEN Succursale, 144 av. Mt-Riboudet A ☎ 98.35.50
DATSUN S.E.R.A., 486 rte de Dieppe à Deville les Rouen ☎ 74.13.76
FIAT Gar. Pillet, 118 bis av. Mt-Riboudet ☎ 70.84.24
FORD Gar. Guez, 135 r. Lafayette ☎ 72.76.84
MERCEDES-BENZ Madeleine Auto, 2 r. Martin Frères ☎ 88.16.88
OPEL-GM-US Normande Omnium Auto, 31 av. de Caen ☎ 72.11.63
PEUGEOT S.I.A. de Normandie, 116 av. Mt-Riboudet A ☎ 89.81.44
RENAULT Succursale, 184 av. du Mont Riboudet A ☎ 89.81.89
TALBOT Seine-Automobiles, 180 av. Mt-Riboudet A ☎ 98.52.98

Ⓜ Ansselin-Pneus, 51 r. St-Julien ☎ 62.00.24
Blard-Pneus-Center, 46 r. de Lillebonne ☎ 71.72.97
Central-Auto-Pneus, 27 r. A.-Carrel ☎ 71.49.28
Normandie-Pneus, 28 r. F.-Arago ☎ 72.32.38
S.R.C.-Pneus, 107 r. d'Elbeuf ☎ 72.70.90
Stapneu, 8 r. de Constantine ☎ 89.73.86

Périphérie et environs

AUDI-VOLKSWAGEN Blet, Centre Commercial du Bois-Cany, le Grand-Quevilly ☎ 69.69.45
AUSTIN, JAGUAR, MORRIS, ROVER, TRIUMPH Albion-Auto, r. du Canal, Bapeaume ☎ 74.46.74
CITROEN Succursale, Centre Commerciale de Bois-Cany à Grand-Quevilly A ☎ 69.77.77
FIAT Gar. Pillet, 128 av. J.-Jaurès, Petit-Quevilly ☎ 72.96.96
RENAULT Succursale, 20 pl. des Chartreux à Petit-Quevilly A ☎ 73.01.73
RENAULT Gar. Bigois, 1871 rte de Neufchatel à Bois-Guillaume B **e** ☎ 61.17.14
RENAULT Gar. du Chemin de Clères, 138 Chemin de Clères à Bois-Guillaume B **a** ☎ 71.22.70
TALBOT Rédélé-Autom., 1 r. Chevreul à Petit-Quevilly A ☎ 73.24.02
TALBOT S.A.M.A., 94 r. Martyrs de la Résistance à Maromme A ☎ 74.36.86
TOYOTA S.I.D.A.T., 16 av. Carnot à Deville-lès-Rouen ☎ 74.15.65

Ⓜ Marsat-Maromme-Pneus, 141 pl. A.-Briand à Maromme ☎ 74.27.69
Subé-Pneurama, r. de la Chesnaie, St-Étienne-du-Rouvray ☎ 65.24.53
Regnier, 18 av. J.-Jaurès à Petit-Quevilly ☎ 72.67.01
Rouen-Pneus, r. des Cateliers à St-Étienne-du-Rouvray ☎ 65.34.13
SITEC, 51 à 59 bd du 11-Novembre, Le Petit Quevilly ☎ 72.16.06
S.R.C.-Pneus, bd Industriel à Sotteville-lès-Rouen ☎ 72.50.90

Participez à notre effort permanent de mise à jour

Adressez-nous vos remarques et vos suggestions.

Cartes et guides Michelin
46 avenue de Breteuil - 75341 Paris Cedex 07

ROUFFACH 68250 H.-Rhin 62 ⑲ G. Vosges (plan) – 5 102 h. alt. 204 – ☎ 89.

Voir Église N.-D.-de-l'Assomption*.

Paris 458 – ♦Bâle 60 – Belfort 60 – Colmar 15 – Guebwiller 10 – ♦Mulhouse 28 – Thann 27.

Château d'Isenbourg ⊗, ☎ 49.63.53, ⁂, ⁂ – |♦| ♿ Ⓟ – ⁂ 70. AE GB
fermé mi-janv. à mi-mars – **R** 110/135 – ⊏ 21 – **30 ch** 225/410 – P 310/430.

à Bollenberg SO : 4 km par N 83 D 18B et VO – ✉ 68111 Westhalten :

Motel du Bollenberg ⊗, ☎ 49.62.47 – ⊏wc ⁂wc ☎ ⁂ Ⓟ. ⁂ E
SC : **R** voir rest. Vieux Pressoir – ⊏ 12 – 50 ch 100/120.

XX **Vieux Pressoir,** ☎ 49.60.04, meubles rustiques – Ⓟ. E
SC : **R** 50/150.

CITROEN Sauter, ☎ 49.61.46
RENAULT Habermacher, ☎ 49.60.08
Gar. Ebelin, ☎ 49.60.28

ROUFFILLAC 24 Dordogne 75 ⑱ – ✉ 24370 Carlux – ☎ 53.

Paris 550 – Brive-la-Gaillarde 49 – Gourdon 25 – Sarlat-la-Canéda 17.

Cayre, ☎ 29.70.24, ⁂, ⁂, ⁂ – ⊏ ⁂wc ☎ Ⓟ. ⁂
fermé oct. – SC : **R** 35/110 ⅌ – ⊏ 12 – 15 ch 60/90 – P 110/120.

Le ROUGET 15290 Cantal 76 ⑪ – 963 h. alt. 606 – ☎ 71.

Paris 557 – Aurillac 25 – Figeac 44 – Laroquebrou 15 – St-Céré 37 – Tulle 76.

Voyageurs, ☎ 62.10.14 – ⊏wc ⁂wc ⁂ Ⓟ. ⁂ ch
R 25 bc/45 bc – ⊏ 8 – **38 ch** 65 – P 56/62.

ROUILLAC 16170 Charente 72 ⑬ – 1 729 h. alt. 110 – ☎ 45.

ℹ Syndicat d'Initiative à la Mairie (1er sept.-30 juin, fermé sam. et dim.).

Paris 436 – Angoulême 24 – Cognac 25 – Ruffec 37 – St-Jean-d'Angély 41.

X **Commerce** avec ch, 26 r. Jarnac ☎ 96.77.13 – ⊏wc Ⓟ
fermé 1er au 21 oct., vacances scolaires de fév. et lundi – SC : **R** 40/70 ⅌ – ⊏ 10 – **8 ch** 50/100 – P 120.

ROUILLAS-BAS 63 P.-de-D. 73 ⑭ – rattaché à Aydat.

ROULLET 16 Charente 72 ⑬ – rattaché à Angoulême.

ROUMAZIÈRES-LOUBERT 16270 Charente 72 ⑤ – 3 146 h. alt. 223 – ☎ 45.

Paris 423 – Angoulême 48 – Chabanais 13 – Confolens 18 – ♦Limoges 59 – Nontron 63 – Ruffec 39.

Commerce Ⓜ, av. Gare ☎ 71.21.38, ⁂ – ⊏wc ☎ Ⓟ
fermé 21 déc. au 3 janv. – **R** 29/96 ⅌ – ⊏ 12 – **19 ch** 86/120 – P 120.

Les ROUSSES 39220 Jura 70 ⑮⑯ G. Jura – 2 193 h. alt. 1 120 – Sports d'hiver : 1 120/1 680 m ⁂39, ⁂ – ☎ 84.

Voir Gorges de la Bienne* O : 3 km.

ℹ Office de Tourisme pl. Pasteur (fermé dim. hors sais.) ☎ 60.02.55.

Paris 468 – ♦Genève 47 – Gex 30 – Lons-le-Saunier 66 – Nyon 25 – St-Claude 33.

⁂ **France (Petit)** Ⓜ, ☎ 60.01.45 – Ⓟ
1er juil.-début nov. et 10 déc.-Pentecôte – SC : **R** 60/165 – ⊏ 13 – **34 ch** 80/185 – P 152/198
Spéc. Ballotine de pigeon, Filets de truite aux nouilles, Rable de lapereau à la crème d'estragon.

La Redoute, ☎ 60.00.40 – TV ⊏wc ⁂wc ☎ Ⓟ
SC : **R** 40/100 – ⊏ 12,50 – 26 ch 100/130 – P 135/160.

Christiania, ☎ 60.01.32, ⁂ – ⊏wc ⁂wc ☎ Ⓟ. ⁂
juin-sept. et 5 déc.-27 avril – SC : ⊏ 12 – 27 ch 60/150.

Relais des Gentianes, ☎ 60.02.79, ⁂ – ⊏wc ☎. ⁂ GB ⁂. ⁂ rest
fermé juin et oct. – SC : **R** 48/118 – ⊏ 12 – 14 ch 53/110 – P 110/140.

des Rousses, ☎ 60.00.02 – ⊏wc ☎
fermé mai, oct., merc. soir et jeudi hors sais. – SC : **R** 35/75 ⅌ – ⊏ 9,50 – 13 ch 45/70 – P 85/100.

Risoux sans rest, ☎ 60.02.57, ⁂ – ⁂ ⁂ Ⓟ. ⁂
25 juin-20 sept. et 15 déc.-Pâques – SC : **18 ch** ⊏ 90/110.

à la Cure SE : 2,5 km – ✉ 39220 Les Rousses :

XX **Arbez,** ☎ 60.02.20, ⁂ – Ⓟ. ⁂
fermé juin, nov. et mardi hors sais. – SC : **R** 38/140.

RENAULT Gar. des Neiges, ☎ 60.02.54

ROUSSILLON 84 Vaucluse 81 ⑬ G. Provence (plan) – 1 097 h. alt. 390 – ✉ 84220 Gordes – ⊕ 90.

Voir Site★ du village★ – Chaussée des Géants★★.

Paris 727 – Apt 11 – Avignon 48 – Bonnieux 12 – Carpentras 44 – Cavaillon 27 – Sault 36.

- **Résidence des Ocres** ⪪ sans rest, ☎ 75.60.50 – ▤ ⇔wc ☏
  fermé 15 au 30 nov. et 10 janv. au 10 fév. – SC : ☐ 10 – **15 ch** 110/145.
- XX **David,** ☎ 75.60.13, ≤ falaises et vallée – GB ⓓ
  fermé en juin, en fév., dim. soir et lundi – SC : **R** (dim. et fêtes prévenir) 70/150.

ROUTOT 27350 Eure 55 ⑲ G. Normandie – 1 010 h. alt. 145 – ⊕ 32.

Voir La Haye-de-Routot : ifs millénaires★ N : 4 km.

Paris 152 – Bernay 47 – Évreux 68 – ♦Le Havre 54 – Pont-Audemer 18 – ♦Rouen 36.

- XX **L'Écurie,** ☎ 57.30.30 – GB
  fermé 15 au 24 juil., vacances de fév., mardi et merc. – **R** 62/100.

CITROEN Gar. Bocquier, ☎ 57.30.48 N PEUGEOT Gar. Lefieux, ☎ 57.31.23

ROUVRES-EN-XAINTOIS 88 Vosges 62 ⑭ – 367 h. alt. 318 – ✉ 88500 Mirecourt – ⊕ 29.

Paris 325 – Épinal 43 – Lunéville 61 – Mirecourt 9 – ♦Nancy 57 – Neufchâteau 31 – Vittel 24.

- Aub. du Xaintois, ☎ 37.03.43 – ⊓wc ☏ ⇐ Ⓟ
  19 ch.
- XX **Burnel** avec ch, ☎ 37.04.10 – ⇔wc ☎ Ⓟ. ⇐ ⓓ
  fermé en fév., dim. soir d'oct. à Pentecôte et lundi – SC : **R** (dim. et fêtes prévenir) 40/90 ♁ – ☐ 10 – **8 ch** 50/115 – P 140/180.

ROUVRES-LA-CHÉTIVE 88 Vosges 62 ⑬ – rattaché à Neufchâteau.

ROUXMESNIL-BOUTEILLES 76 S.-Mar. 52 ④ – rattaché à Dieppe.

ROYAN 17200 Char.-Mar. 71 ⑮ G. Côte de l'Atlantique – 18 694 h. – Casinos : Municipal B, de Pontaillac A – ⊕ 46.

Voir Front de mer★ – Église N.-Dame★.

⛳ de la Côte de Beauté ☎ 22.16.24 par ④ : 7 Km.

Bac pour le Verdon : renseignements ☎ 38.59.91.

ℹ Office de Tourisme Palais des Congrès (fermé sam. après-midi hors sais. et dim. sauf matin en saison) ☎ 38.65.11, Télex 790441 et Rond-Point Poste (fermé dim. hors saison) ☎ 05.04.71.

Paris 498 ① – ♦Bordeaux 123 ② – Périgueux 174 ② – Rochefort 40 ⑤ – Saintes 37 ①.

Plan page ci-contre

Grande Conche :

- **Family Golf H. et rest. Le Galion,** 28 bd Garnier ☎ 05.14.66 – |≑| ⇔wc ⊓wc ☏ Ⓟ. ⇐ AE GB ⓓ — C **m**
  1er mars-15 nov. – SC : ☐ 15 – **27 ch** 125/170.
- **Hermitage,** 56 Front de Mer ☎ 38.57.33, ≤ – ⇔wc ⊓wc ☏. ⇐ AE GB ⓓ — B **h**
  1er fév.-31 oct. – SC : **R** 45/90 – ☐ 13 – **25 ch** 75/160 – P 185/215.
- **Les Embruns** sans rest, 18 bis Bd Garnier ☎ 05.02.17, ≤ – |≑| ⇔wc ☏ Ⓟ. AE ⓓ E — C **b**
  1er mars-nov. – SC : ☐ 12,50 – **24 ch** 110/150.
- **France,** 2 r Gambetta ☎ 05.02.29 – |≑| ⇔wc ⊓wc ☏ ♿. ⇐ AE GB ⓓ E — B **r**
  SC : **R** *(fermé fin déc. à fin janv. et lundi)* 55/130 – ☐ 15 – **32 ch** 77/172 – P 158/205.
- **Beauséjour,** 32 av. Grande Conche ☎ 05.09.40 – ⇔wc ⊓wc ☏. ⪻ — C **e**
  1er avril-30 oct. – SC : **R** 48/90 – ☐ 13 – **19 ch** 110/115 – P 167/170.
- **Vialard** sans rest, 23 bd A.-Briand ☎ 05.06.72 – ⇔wc ⊓wc ☏. ⇐ — B **p**
  fermé oct. – SC : ☐ 13 – **25 ch** 60/140.
- **Parisien** sans rest, 1 r. Notre-Dame ☎ 05.10.15 – ⇔wc ⊓ ☏ Ⓟ — B **f**
  Pentecôte-20 sept. – SC : ☐ 14 – **19 ch** 67/110.
- **H. de Ville,** 1 bd A.-Briand ☎ 05.00.64 – ⇔wc ⊓ ☏ — B **x**
  ◆ SC : **R** 29/65 – ☐ 12 – **20 ch** 50/95 – P 108/130.
- **Le Girondin,** 109 crs Europe ☎ 05.01.26 – |≑| ⇔wc ⊓. ⇐ — C **k**
  ◆ *fermé 15 déc. au 15 janv.* – SC : **R** *(fermé lundi du 1er oct. à Pâques)* 35/110 – ☐ 9 – **47 ch** 45/85 – P 100/120.
- XXX **Le Chalet,** 6 bd La Grandière ☎ 05.04.90 – ▤ — C **u**
  fermé 15 nov. au 15 déc. et merc. – SC : **R** carte 85 à 120.
- XX **Le Squale,** 102 av. Semis ☎ 05.51.34 — C **x**
  fermé 15 oct. au 15 nov., dim. soir hors sais. et merc. – SC : **R** carte 80 à 130.

tourner →

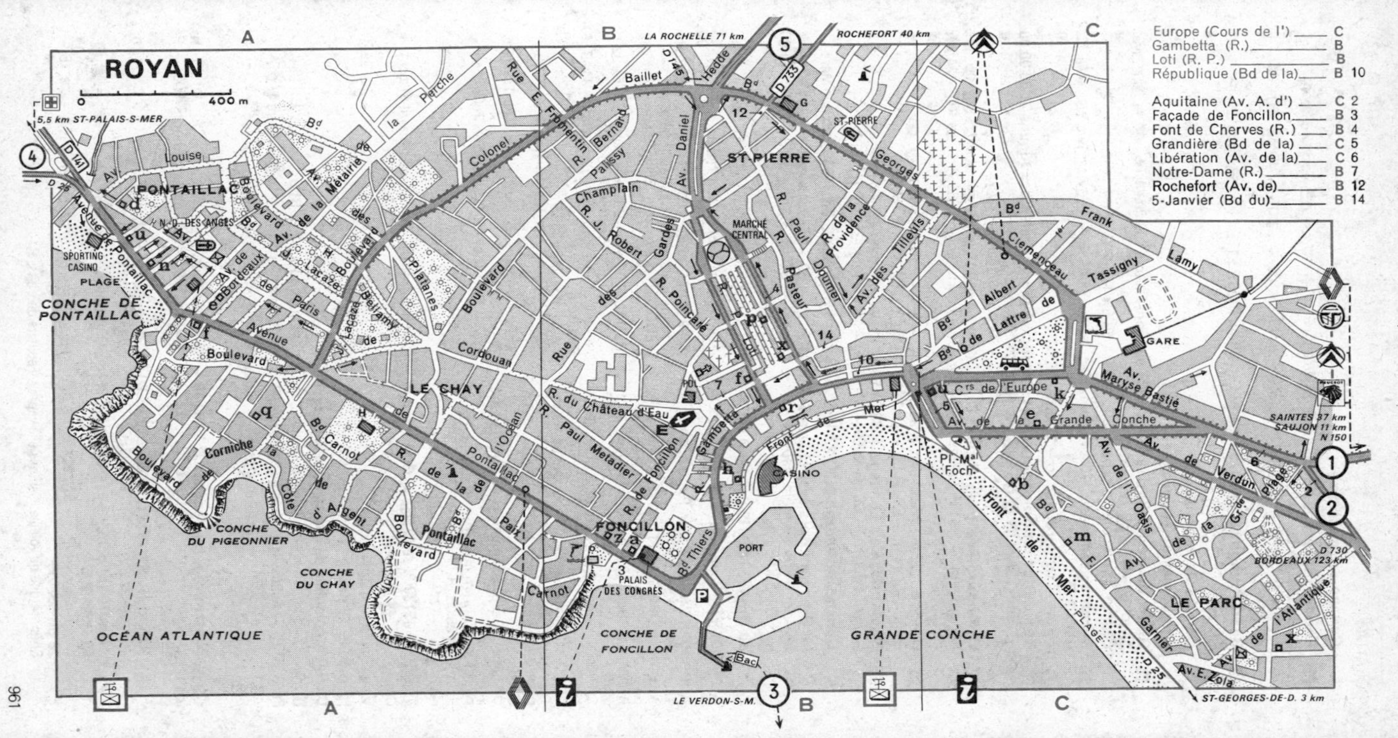

ROYAN
0
400 m
Europe (Cours de l') C
Gambetta (R.) B
Loti (R. P.) B
République (Bd de la) B 10
Aquitaine (Av. A. d') C 2
Façade de Foncillon B 3
Font de Cherves (R.) B 4
Grandière (Bd de la) C 5
Libération (Av. de la) C 6
Notre-Dame (R.) B 7
Rochefort (Av. de) B 12
5-Janvier (Bd du) B 14
LA ROCHELLE 71 km
ROCHEFORT 40 km
5,5 km ST-PALAIS-S-MER
SAINTES 37 km
SAUJON 11 km
N 150
BORDEAUX 123 km
D 730
ST-GEORGES-DE-D. 3 km
LE VERDON-S-M.
D 25
D 141
D 145
D 733
ST-PIERRE
PONTAILLAC
LE CHAY
FONCILLON
LE PARC
MARCHÉ CENTRAL
GARE
CASINO
PORT
SPORTING CASINO
PLAGE
PALAIS DES CONGRÈS
CONCHE DE PONTAILLAC
CONCHE DU PIGEONNIER
CONCHE DU CHAY
CONCHE DE FONCILLON
GRANDE CONCHE
OCÉAN ATLANTIQUE
N.-D.-DES-ANGES
Bac
Avenue de Pontaillac
Boulevard Carnot
Corniche
Côte d'Argent
R. du Château d'Eau
R. Paul Métadier
R. de Foncillon
Bd Thiers
Front de Mer
Pl. Mal Foch
Av. Maryse Bastié
Av. de la Grande Conche
Av. de Verdun
Av. de l'Oasis
Av. E. Zola
Bd Frank
Bd Clemenceau
Tassigny
Lamy
Bd Albert de Lattre de Tassigny
Av. des Tilleuls
R. de la Providence
R. Paul Doumer
R. Pasteur
R. Poincaré
Av. Daniel Hedde
Baillet
Bd Georges
Rue E. Fromentin
R. Bernard Palissy
Champlain
R. J. Robert
Gardes
Colonel
la Perche
Louise
Av. de la Métairie
Bd J. Lacaze
Platanes
Bellamy
Cordouan
Av. de Paris
l'Océan
R. de la Paix
Pontaillac

Conche de Foncillon :

Foncillon, Façade Foncillon ℱ 38.48.00, ⩤ – |‡| ▤ rest ⊟wc ⩎wc ☎ Ⓟ – ⛺ 50. AE GB ⓓ E. ⚔ rest B **a**
1er avril-30 sept. – SC : **R** *(1er juin-30 sept.)* 75/100 – ☕ 18 – 45 ch 150/250 – P 220/400.

Beau Rivage sans rest, 9 façade Foncillon ℱ 38.73.11, ⩤ – ⊟wc ⩎ ☎. ⚔
SC : ☕ 13,50 – **23 ch** 75/150. B **z**

Conche de Pontaillac.

Voir Corniche★ et Conche★.

Gd H. de Pontaillac sans rest, 195 av. Pontaillac ℱ 38.00.44, ⩤, ⚘ – |‡| ⊟wc ⩎wc ☎ 🚗 – ⛺ 120. 🚗 A **u**
Pâques, Pentecôte-15 sept. – SC : ☕ 15 – **55 ch** 140/200.

Miramar sans rest, 173 av. Pontaillac ℱ 38.03.64, ⩤ – ⊟wc ⩎wc ☎. 🚗 AE GB ⓓ E A **n**
7 avril-15 oct. – SC : ☕ 16 – **27 ch** 120/200.

Résidence de Saintonge rest Pavillon bleu ⛵, allée des Algues ℱ 38.00.00 – ⊟wc ⩎wc ☎ ♿ Ⓟ – ⛺ 30. 🚗 GB. ⚔ rest A **q**
11 avril-30 sept. – SC : **R** 38/85 – ☕ 14 – **33 ch** 70/150 – P 130/170.

La Chaumière, 61 av. Paris ℱ 38.01.01, ⚘ – ⊟wc ⩎wc ☎. 🚗 AE GB ⓓ
Pâques-oct. – SC : **R** *(fermé merc. hors sais.)* carte environ 60 🌡 – ☕ 14 – **24 ch** 70/150 – P 140/170. A **d**

Denise, 122 av. Pontaillac ℱ 38.06.75, ⩤ – ⊟wc ⩎wc, sans ▥ Ⓟ. ⚔ A **f**
21 juin-12 sept. – SC : **R** 55 – ☕ 13,50 – 25 ch 125/135 – P 160/180.

Goélands, 4 av. Ermitage ℱ 38.01.50 – ⊟wc ⩎wc ☎ Ⓟ. ⚔ A **e**
12 avril-fin sept. – SC : **R** 55/60 – ☕ 13,50 – 20 ch 125/135 – P 160/180.

Conche de Nauzan NO : 2,5 km, voir aussi à St-Palais – ✉ **17640** Vaux-sur-Mer :

La Biche au Bois avec ch, rte St-Palais ℱ 38.01.52 – ⩎wc. 🚗
fév.-oct. et fermé merc. sauf 1er juin au 15 sept. – SC : **R** 30/70 – ☕ 9 – 10 ch 60/80 – P 135/160.

au Grallet NO : 10 km par D 145 – XXX, voir à St-Palais.

ALFA-ROMEO Baribeaud, 50 av. Gde-Conche ℱ 05.04.62
AUDI-VOLKSWAGEN Gar. Pasteur, 1 av. des Tilleuls ℱ 05.14.56
AUSTIN, MORRIS, OPEL, ROVER Gar. Européen, 76 bd de Lattre-de-Tassigny ℱ 05.32.29
BMW Gar. Bienvenue, 43 av. M.-Bastié ℱ 05.01.62
CITROEN Ardon Royan, rte de Saintes ℱ 05.16.50
CITROEN Casagrande, 24 bd De Lattre-de-Tassigny ℱ 05.04.26
CITROEN Corpron, 20 bd Clemenceau ℱ 05.07.66
DATSUN Gar. Cassagnau, 44 av. Mar.-Leclerc ℱ 05.01.66
FIAT LANCIA-AUTOBIANCHI Boisnard, rte de Saintes ℱ 05.05.26
FORD Gar. Zanker, 11 r. Notre Dame ℱ 05.69.87
MERCEDES-BENZ, TOYOTA Thomas, Zone Commerciale, rte de Saintes ℱ 05.05.49
PEUGEOT Max-Labat, Zone Commerciale, rte de Saintes ℱ 05.54.75 N
RENAULT Royan-Diffusion-Automobile, 32 r. Lavoisier rte de Saintes ℱ 05.00.24
RENAULT Marche, 75 av. Pontaillac ℱ 38.48.88
TALBOT Gar. Richard, Zone Commerciale, rte de Saintes ℱ 05.03.55
VOLVO Tantin, rte de Rochefort ℱ 38.07.88

Moyet-Pneus, 50 bd de Lattre-de-Tassigny ℱ 05.54.24
Royan-Pneus, av. de la Libération ℱ 05.46.93

ROYAT 63130 P.-de-D. 73 ⑭ G. Auvergne – 4 491 h. alt. 456 – Stat. therm. (6 avril-31 oct.) – Casino BY – ⚙ 73.

Voir Église St-Léger★.

⛳ ℱ 35.87.27 par ② : 6 km.

Circuit automobile de montagne d'Auvergne.

ℹ Syndicat d'Initiative pl. Allard (fermé nov., déc. et dim. hors sais.) ℱ 35.81.87.

Paris 393 ① – Aubusson 92 ③ – La Bourboule 49 ③ – ♦Clermont-Fd 3,5 ① – Le Mont-Dore 47 ②.

Accès et sorties : voir plan de Clermont-Ferrand

Plan page ci-contre

Métropole, bd Vacquez ℱ 35.80.18 – |‡| ♿. ⚔ rest BY **h**
1er mai-1er oct. – SC : **R** 72 – ☕ 20 – **80 ch** 100/280, 5 appartements 500 – P 190/320.

Royal H. St-Mart, av Gare ℱ 35.80.01, ⚘ – |‡| Ⓟ – ⛺ 35 BY **n**
1er mai-30 sept. – SC : **R** 65/180 – ☕ 15 – **64 ch** 80/180.

✽ **Radio** (Mioche), av.P.-Curie ✉ 63400 Chamalières ℱ 35.81.32, ⩤, ⚘ – |‡| Ⓟ. AE GB ⓓ E BY **w**
fermé janv. et fév. – SC : **R** *(fermé dim. soir et lundi midi)* carte 120 à 165 – ☕ 15 – **26 ch** 80/165
Spéc. Terrine de volaille, Gambas à la vapeur, Feuilleté de fruits.

ROYAT

Jaurès (Av. Jean) ABZ
Nationale (R.) AZ 16

Agid (Av. J.) BZ 3
Allard (Pl.) BY 4
Beau-Site (Av.) BY 7
Cohendy (R. A.) AZ 8
Gare (Av. de la) BY 13
La-Bruyère (R.) BY 14
Paulet (R. P.) AZ 17
Rouzaud (Av.) BY 19
Royat (Av. de) BY 21
Souvenir (R. du) AZ 22
Thermes (Av. des) BY 24
Vaquez (Bd) BY 25
Victoria (R.) AZ 27

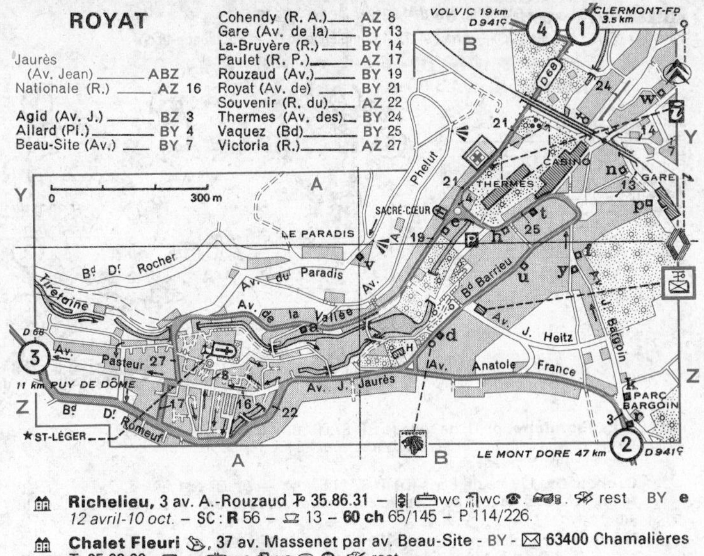

🏨 **Richelieu,** 3 av. A.-Rouzaud ☎ 35.86.31 – wc wc ☎. rest BY **e**
12 avril-10 oct. – SC : **R** 56 – ☕ 13 – **60 ch** 65/145 – P 114/226.

🏨 **Chalet Fleuri**, 37 av. Massenet par av. Beau-Site - BY - ✉ **63400** Chamalières ☎ 35.09.60, – wc wc ☎ Ⓟ. rest
SC : **R** 57/120 – ☕ 12 – **39 ch** 80/120 – P 138/220.

🏨 **Parc Majestic** sans rest, av. Jocelyn-Bargoin ☎ 35.84.36, – wc ☎ Ⓟ. BZ **f**
avril-oct. – SC : ☕ 11 – **22 ch** 65/150.

🏨 **Univers,** av. Gare ☎ 35.81.28, – wc wc ☎. BY **p**
avril-30 sept. – SC : **R** 60/80 – ☕ 13 – **45 ch** 60/150 – P 135/200.

🏨 **Cottage**, av. Jocelyn-Bargoin ☎ 35.82.53, – ☎ Ⓟ. BZ **y**
début avril-30 sept. – SC : **R** 33/50 – ☕ 8,50 – 35 ch 37/102 – P 90/120.

🏨 **Chalet Camille,** bd Barrieu ☎ 35.80.87, – Ⓟ. rest BZ **u**
1er avril-15 oct. – SC : **R** 30/40 – ☕ 9 – **20 ch** 40/57 – P 95/120.

XXX **Le Paradis,** av. Paradis ☎ 35.85.46, ≤ Royat et Clermont, – Ⓟ BZ **v**
fermé 2 janv. au 8 fév., dim. soir et lundi – SC : **R** 60/120.

XX **Belle Meunière** avec ch, av. Vallée ☎ 35.80.17 – wc wc ☎. E
fermé fév. – SC : **R** *(fermé lundi du 1er nov. au 30 mars)* 86/175 – ☕ 14 – **11 ch** 56/162 – P 150/220. AZ **a**

XX **Coq en Pâte,** 8 bd Vaquez ☎ 35.99.05 BY **t**
fermé fin oct. à mi-nov. et mardi – SC : **R** 60.

XX **L'Oasis,** Parc Bargoin ☎ 35.82.79, ≤ BZ **k**
fermé 15 janv. au 15 fév., dim. soir et lundi sauf vacances scolaires – SC : **R** 40/85.

XX **L'Hostalet,** 47 bd Barrieu ☎ 35.82.67 BZ **d**
fermé début janv. au 4 avril, 6 au 14 oct. et lundi – SC : **R** 50 bc/90.

X **Aub. Écu de France,** av. J.-Agid ☎ 35.81.81 – Ⓟ. GB BZ **r**
fermé dim. soir hors sais. et merc. – SC : **R** 38/75.

par ② : 6 km – ✉ **63130** Royat :

XX **Golf de Charade,** ☎ 35.92.17, ≤ golf et Clermont – Ⓟ
SC : **R** 50/120. Voir plan de Clermont-Fd. S **e**

CITROEN Gar. Boyer, 50 av. des Thermes, à Chamalières ☎ 37.71.57
PEUGEOT S.E.G.T.R.A., 49 bd Barrieu ☎ 35.82.20
RENAULT Valleix, 57 bd Gambetta, à Chamalières ☎ 93.11.43

Dans ce guide
un même symbole, un même caractère,
imprimés en noir ou en rouge, en maigre ou en **gras**
n'ont pas tout à fait la même signification
Lisez attentivement les pages explicatives (p. 13 à 20).

🏨 🏨
41 ch – **28 ch**

ROYE 80700 Somme 52 ⑳ G. Nord – 6 368 h. alt. 88 – ⚙ 22.

Paris 112 ⑤ – ♦Amiens 43 ⑥ – Arras 74 ⑦ – Compiègne 40 ⑤ – St-Quentin 46 ②.

ROYE

Pour un bon usage des plans de villes, voir les signes conventionnels p. 20.

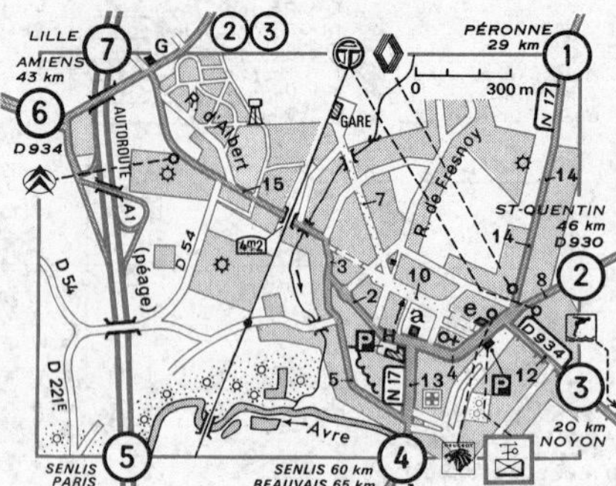

XXX ✿ **La Flamiche,** pl. H. de Ville **(a)** ☎ 87.00.56 – AE GB ⓓ
fermé 1er au 26 août, 20 déc. au 5 janv., dim. et lundi – **R** 70/120
Spéc. Suivant produits de saison.

XX **Croix d'Or,** 123 rte de Paris **(b)** ☎ 87.11.57, – **P**. AE GB ⓓ
fermé 12 au 25 fév., 13 août au 4 sept., mardi soir et merc. – SC : **R** 48/125, carte le dim.

XX **Nord** avec ch, pl. République **(e)** ☎ 87.10.87 – GB. ch
fermé 15 juil. au 5 août, 15 fév. au 5 mars, mardi soir et merc. sauf fêtes – SC : **R** 45/125 – ☕ 12 – 7 ch 45/66.

CITROEN Roye-Automobiles, Zone Ind., Impasse du Moulin ☎ 87.02.06
FORD Page-Dequen, 29 r. Basse-Ville ☎ 87.01.78 **N** ☎ 87.16.07
PEUGEOT Gar. Dallet, 5 pl.de la République ☎ 87.10.89
RENAULT Carlier, pl. de la République ☎ 87.01.08
TALBOT Gaudefroy, 10 r. de Nesle ☎ 87.07.88
Straubhaar, 12 rte de Péronne ☎ 87.11.03

Le ROZIER 48 Lozère 80 ④⑤ G. Causses – 114 h. alt. 390 – ✉ **48150** Meyrueis – ⚙ 65 (Aveyron).

Voir Belvédère des Terrasses du Truel★ E : 3,5 km.

Env. Corniche du Causse Noir ≤★★ SE : 13 km puis 15 mn.

Syndicat d'Initiative (15 juin-15 sept. et fermé dim. après-midi) ☎ 62.60.89.

Paris 637 – Florac 62 – Mende 63 – Millau 21 – Sévérac-le-Château 31 – Le Vigan 78.

Voyageurs, ☎ 60.60.09 – wc wc ☎.
fermé oct. – SC : **R** 32/70 – ☕ 11 – 24 ch 50/110 – P 90/110.

Doussière sans rest, ☎ 62.60.25 – wc
Pâques-oct. – ☕ 8,50 – **18 ch** 43/90.

RUEIL-MALMAISON 92 Hauts-de-Seine 55 ⑳, 101 ⑬ – voir Paris, Proche banlieue.

RUFFEC 16700 Charente 72 ④ G. Côte de l'Atlantique – 4 669 h. alt. 108 – ⚙ 45.

Office de Tourisme à l'Hôtel de Ville (fermé sam. après-midi et dim.) ☎ 31.05.42.

Paris 399 – Angoulême 43 – Cognac 62 – Confolens 43 – Niort 68 – Poitiers 66 – St-Jean-d'Angély 62.

à Verteuil-sur-Charente S : 6 km par N 10 et D 26 – ✉ **16510** Verteuil-sur-Charente.

Voir Mise au tombeau★ dans l'église.

La Paloma , rte Villars ☎ 31.41.32, – wc **P**.
1er avril-15 oct. – SC : **R** *(fermé mardi midi)* 40/80 – ☕ 10 – 10 ch 70/120 – P 160/190.

FIAT Gar. Lavaud, ☎ 31.01.45
PEUGEOT Moreau, ☎ 31.02.09
RENAULT S.A.C.D.A., Zone Ind. ☎ 31.07.12
Rogeon-Pneus, ☎ 31.07.95
Sofica, ☎ 31.02.75

RUFFIEUX 73 Savoie 74 ⑤ – 363 h. alt. 296 – ✉ **73310** Chindrieux – ⚙ 79.

Paris 510 – Aix-les-Bains 21 – Bellegarde-sur-Valserine 35 – Bourg-en-Bresse 90 – ♦Lyon 110.

Château de Collonges , ☎ 63.27.38, ≤, parc, « Beau mobilier » – **P**. rest
16 mars-31 déc. – SC : **R** *(fermé dim. soir et lundi hors sais.)* 80 – ☕ 17 – **11 ch** 120/220 – P 227/260.

RUGY 57 Moselle 57 ④ – rattaché à Metz.

RUMILLY 74150 H.-Savoie 74 ⑤ **G. Alpes** – 8 960 h. alt. 345 – ✪ 50.

Syndicat d'Initiative pl. Armes (juin-15 sept. et fermé dim. après-midi) ☎ 01.11.17 - A.C. Banque Laydernier ☎ 01.11.10.

Paris 556 – Aix-les-Bains 20 – Annecy 17 – Bellegarde-sur-Valserine 35 – Belley 45 – •Genève 51.

- **Poste,** 17 r. Ch.-de-Gaulle ☎ 01.28.61, – . ch
  fermé 25 sept. au 25 oct. – SC : **R** *(fermé dim. soir et lundi hors sais.)* 30/100 – 10 – 14 ch 50/95 – P 95/120.
- **Cottage** avec ch, fg Pont-Neuf ☎ 01.20.75 –
  fermé 1er au 12 juil., 8 au 29 déc. et mardi de sept. à juin – SC : **R** 30/100 – 11 – **17 ch** 55 – P 95/110.

à Moye NO : 4 km par D 231 – ✉ **74150** Rumilly :

- **Relais du Clergeon** , ☎ 01.23.80, ≤ – wc wc – 50.
  fermé 7 au 27 sept. et 4 au 24 janv. – SC : **R** *(fermé lundi en mai, juin et merc. d'oct. à avril)* 36/115 – 11,50 – **22 ch** 55/120 – P 100/155.

CITROEN Gar. Lacrevaz, 7 r. J.-Béard ☎ 01.11.75

PEUGEOT Gantelet, 16 av. E.-André ☎ 01.01.64

TALBOT Vincent, av. Gantin ☎ 01.10.15

RUNGIS 94 Val-de-Marne 61 ①, 101 ㉕㉖ – voir à Paris, Proche banlieue.

RUOMS 07120 Ardèche 80 ⑨ **G. Vallée du Rhône** – 1 736 h. alt. 120 – ✪ 75.

Paris 655 – Alès 52 – Aubenas 24 – Pont-St-Esprit 54.

- **Savel** , ☎ 39.60.02, – wc – 25
  fermé fév. et lundi – SC : **R** 30/80 – 9 – **15 ch** 67/84 – P 110/130.

Ruoms route d'Alès – ✉ **07120** Ruoms :

- **Host. Château de Sampzon** , à 5 km ☎ 39.67.14, ≤, parc – wc wc
  hôtel : Pâques-15 sept. et rest : avril-déc. – SC : **R** 55/110 – 17 – **12 ch** 130/170.
- **La Chapoulière,** à 3,5 km ☎ 39.65.43 –
  fermé 19 au 31 déc. et merc. – **R** 30/55 – 12 – 11 ch 45/75 – P 90/105.

CITROEN Dupland, ☎ 39.61.23

FIAT Perbost, ☎ 39.62.55

RENAULT Bouschon, ☎ 39.61.08

RUPT-SUR-MOSELLE 88360 Vosges 62 ⑯⑰ – 3 863 h. alt. 425 – ✪ 29.

Syndicat d'Initiative r. Eglise (fermé sam. après-midi, dim. et lundi matin) ☎ 61.34.09.

Paris 412 – Epinal 39 – Lure 37 – Luxeuil-les-Bains 30 – Remiremont 12 – Le Thillot 11.

- **Centre** avec ch, r. Église ☎ 61.34.73 – wc . AE GB E
  fermé janv., dim. soir et lundi sauf juil.-août – SC : **R** 36/160 – 10 – **11 ch** 52/130 – P 105/150.

RUYNES-EN-MARGERIDE 15320 Cantal 76 ⑭⑮ – 584 h. alt. 914 – ✪ 71.

Syndicat d'Initiative à la Mairie (fermé après-midi sam. et dim.) ☎ 23.41.59.

Paris 502 – Aurillac 89 – Langeac 47 – Le Puy 81 – St-Chély-d'Apcher 31 – St-Flour 13.

- **Moderne** , ☎ 23.41.17, – wc wc . rest
  1er mars-1er nov. – SC : **R** 30/55 – 9 – **30 ch** 45/80 – P 75/95.

RENAULT Brun, ☎ 23.42.31

RY 76116 S.-Mar. 55 ⑦ **G. Normandie** – 525 h. alt. 75 – ✪ 35.

Voir Porche★ de l'église.

Paris 117 – Buchy 19 – Fleury 14 – Gournay-en-Bray 31 – Lyons-la-Forêt 14 – •Rouen 20.

- **Aub. La Crevonnière** avec ch, ☎ 23.60.52, ≤, « Dans un jardin au bord de l'eau » – . AE. ch
  fermé août et merc. – SC : **R** 50/120 – 12 – **4 ch** 50/80.

CITROEN Gar. Duval, ☎ 23.60.76

SAALES 67420 Bas-Rhin 62 ⑧ – 1 045 h. alt. 560 – ✪ 88.

Paris 401 – Molsheim 47 – Raon-l'Étape 29 – St-Dié 20 – Sélestat 40 – •Strasbourg 69.

- **Roche des Fées,** ☎ 97.70.90 – wc wc . ch
  fermé 15 oct. au 1er nov., 15 janv.-1er fév. mardi soir hors sais. et merc. – SC : **R** 38/85 – 9,50 – 16 ch 55/110 – P 105/120.

Garage Bonhomme, ☎ 97.71.80

Les SABLES-D'OLONNE SP 85100 Vendée 67 ⑫ **G. Côte de l'Atlantique** – 18 204 h. – Casino de la plage AZ, Casino des Sports CY – ✪ 51.

Voir Le Remblai★ BCZ.

Office de Tourisme, pl. Navarin (fermé dim. hors sais.) ☎ 32.03.28, Télex 710195.

Paris 449 ② – Angoulême 204 ④ – Cholet 101 ② – •Nantes 91 ② – Niort 110 ④ – Poitiers 184 ④ – Rochefort 128 ④ – La Rochelle 100 ④ – La Roche-sur-Yon 36 ②.

LES SABLES-D'OLONNE

Bisson (R.) ______ BZ 8
Guynemer (R.) ______ CZ
Halles (R. des) ______ BZ 29
H.-de-Ville (R. de l') ______ BZ
Nationale (R.) ______ CZ

Travot (R.) ______ BZ 60

Anjou (Av. d') ______ BY 2
Aquitaine (Av. de l') ______ CY 3
Arago (Bd) ______ BY 4
Baudry (Av. F.) ______ BY 5
Bauduère (R. de la) ______ CZ 6
Beauséjour (R.) ______ BY 7
Briand (Av. A.) ______ CY 9
Caisse-d'Epargne (R.) ______ BZ 10

Castelnau (Bd) ______ BY 12
Château-d'Olonne (Av.) CY 13
Collineau (Pl. du Gén.) BZ 14
Commerce (Pl. du) ______ AZ 15
Coty (Av. R.) ______ CY 16
Dingler (Quai) ______ AZ 18
Dr-Canteleau (R. du) ______ AY 19
Dr-Schweitzer (R. du) ______ CY 22
Doumer (Av. P.) ______ CY 23
Fricaud (R.D.) ______ BY 24

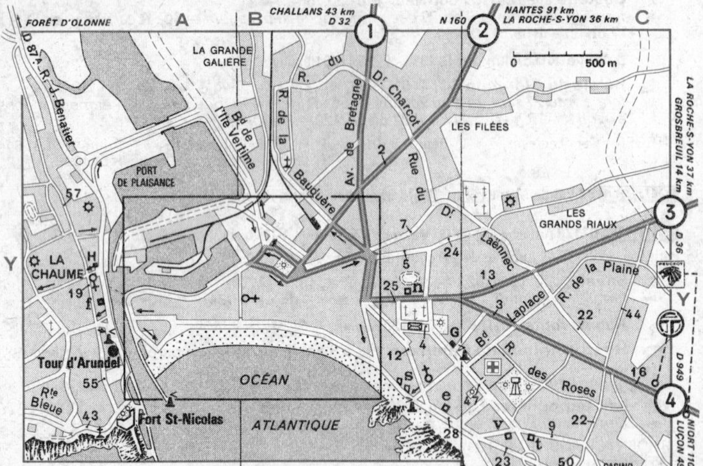

Gabaret (Av. A.) ______ BY 25
Gambetta (R.) ______ CZ 26
Godet (Prom. G.) ______ BY 28
Leclerc (R. Gén.) ______ BZ 33
Liberté (Pl. de la) ______ BZ 35
Louis XI (Pl.) ______ CZ 36
Navarin (Pl.) ______ BZ 40
Nicot (Av.) ______ BZ 41
N.-D.-Bon-Port (⊞) ______ BZ B
Nouch (Corniche du) AY 43

Nouettes (R. des) ______ CY 44
Palais-de-Justice (Pl.) ______ BY 46
Pasteur (Bd) ______ CY 47
Prés.-Kennedy (Prom.) CY 48
Rhin-et-Danube (Av.) ______ CY 50
Roosevelt (Bd F.) ______ AZ 53
St-Michel (⊞) ______ CZ 54
St-Nicolas (R.) ______ AY 55
St-Pierre (⊞) ______ BY
Sauniers (R. des) ______ AY 57

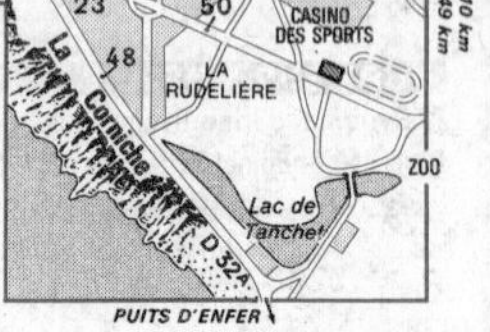

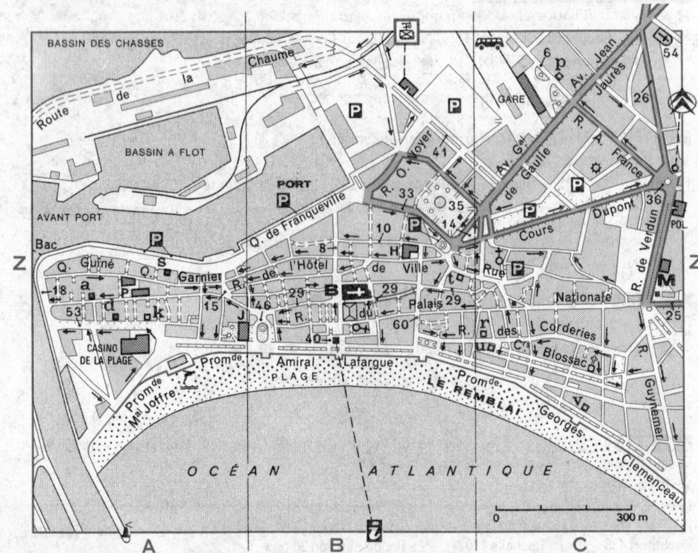

Atlantic M, 5 prom. Godet ☎ 32.67.71, Télex 710474, ≤, – ǀ TV. AE GB
SC : **R** *(fermé 1er déc. au 30 janv. et dim. du 1er oct. au 30 avril)* 50/100 – ☐ 15 – 30 ch 120/250 – P 170/250. BY **e**

Beau Rivage, 40 prom. G.-Clemenceau ☎ 32.03.01, ≤ – wc ☎.
fermé 15 déc. au 15 fév., dim. soir et lundi du 15 sept. au 15 mai sauf vac. scol. et fêtes – SC : **R** 140 bc – ☐ 14 – **35 ch** 120/190 – P 175/220. CZ **v**

Roches Noires sans rest, 12 prom. G.-Clemenceau ☎ 32.01.71, ≤ – wc wc ☎. BY **s**
Pâques-1er oct. – SC : ☐ 12 – **27 ch** 100/180.

Arundel, 8 bd F.-Roosevelt ☎ 32.03.77 – wc ☎ AZ **k**
1er avril-1er oct. – SC : **R** 50/80 – ☐ 12,50 – 42 ch 150/180 – P 170/185.

Chêne Vert M, 5 r. Bauduère ☎ 32.09.47 – wc wc ☎ CZ **p**
fermé 15 sept. au 15 oct. et dim. hors sais. – SC : **R** 28/33 – ☐ 10 – 31 ch 90/155 – P 110/140.

Merle Blanc sans rest, 59 av. A.-Briand ☎ 32.00.35, – wc. CY **t**
30 mars-30 sept. – SC : ☐ 9,50 – **32 ch** 45/105.

Chez Antoine, 60 r. Napoléon ☎ 95.08.36 – wc . AZ **a**
1er avril-30 sept. – SC : **R** 40/45 – ☐ 9,50 – 20 ch 52/120 – P 102/140.

Alizé M sans rest, 78 av. Alcide-Gabaret ☎ 32.44.90 – . BY **n**
Pâques et 15 mai-fin sept. – ☐ 10 – **22 ch** 55/115.

Commerce sans rest, 8 r. Hoche ☎ 32.02.80 – wc ☎. GB. BZ **t**
SC : ☐ 12 – **30 ch** 65/130.

L'Étoile, 67 cours Blossac ☎ 32.02.05 – . CZ **u**
hôtel : 1er avril-30 sept. – SC : **R** *(1er juin-15 sept. et fermé mardi)* 35/70 – ☐ 10 – 24 ch 55/95 – P 100/120.

Les Hirondelles, 44 r. Corderies ☎ 95.10.50 – wc **P** CZ **r**
1er avril-20 sept. – SC : **R** 50/60 – ☐ 11 – 60 ch 52/100 – P 98/150.

La Pergola, 8 prom. G.-Clemenceau ☎ 32.04.64 – wc wc ☎ BY **s**
fermé 15 oct. au 1er déc. et lundi – **R** 35/80 – ☐ 11 – 12 ch 90/150 – P 160/190.

Pins et le Calme, 43 av. A.-Briand ☎ 32.03.18 – ☎ CY **v**
Pâques-30 sept. – SC : **R** 50/60 – ☐ 11 – 50 ch 100 – P 110/150.

XX **Au Capitaine,** 5 quai Guiné ☎ 95.18.10 – AE GB E AZ **s**
fermé 28 sept. au 31 oct., 21 au 28 déc., 9 au 16 mars, dim. et lundi sauf fériés et juil.-août – SC : **R** carte 100 à 150.

X **Théâtre,** 20 bd F.-Roosevelt ☎ 32.00.92 – AZ **d**
mars-nov. et fermé merc. – SC : **R** 30/45.

à la Chaume Ouest du plan - AY – ✉ **85100** Les Sables-d'Olonne :

XXX **Loulou,** rte Bleue ☎ 32.00.22, ≤ côte sauvage – **P**. AE GB E
fermé 1er au 25 oct., vac. de fév., le soir du 15 nov. à fin mars sauf sam. et mardi – SC : **R** 50/75.

X **Paix,** 20 quai George-V ☎ 95.11.52 AY **f**
fermé 26 oct. au 24 nov., vacances de fév. et lundi sauf du 30 juin au 15 sept. – SC : **R** 40/110.

au Sud-Est : 7 km par D 32A, route de la Corniche CY – ✉ **85100** Les Sables-d'O. :

XX **Relais de Cayola,** ☎ 95.11.16, ≤ – **P**. AE GB
fermé janv. et mardi hors sais. – SC : **R** 38/74.

AUDI-VOLKSWAGEN Tixier, rte la Rochelle, la Mouzinière ☎ 32.41.04
CITROEN Gar. Gambetta, 4 r. Gambetta ☎ 32.01.63
FIAT, Morilleau, 8 r. Volta ☎ 32.03.74
PEUGEOT Gar. de Vendée, rte Talmond, Le Chateau d'Olonne ☎ 32.36.18
TALBOT Brissonnaud, rte de Talmont ☎ 32.03.23
TOYOTA Gar. de l'Avenue, 80 av. A.-Gabaret ☎ 32.07.59
Vulc. Sablaise, 14 av. J.-Jaurès ☎ 32.03.92

SABLES-D'OR-LES-PINS 22 C.-du-N. 59 ④ G. Bretagne – ✉ 22240 Fréhel – 96.

☎ 41.42.57, SE.

Syndicat d'Initiative pl. Fêtes (juil.-août) ☎ 41.42.40.

Paris 404 – Dinan 44 – Dol-de-Bretagne 59 – Lamballe 27 – St-Brieuc 39 – St-Cast 20 – St-Malo 45.

Ajoncs d'Or, ☎ 41.42.12, – wc ☎ **P**. rest
11 au 21 avril et 23 mai-23 sept. – SC : **R** 35/200 – ☐ 15 – 75 ch 50/150 – P 115/190.

Dunes d'Armor et Mouettes, ☎ 41.42.06, – wc ☎ **P**. . rest
mi mai-20 sept. – SC : **R** 36/100 – ☐ 14 – 65 ch 60/160 – P 115/180.

Voile d'Or, ☎ 41.42.49, ≤, – wc ☎ **P**.
1er mars-15 nov. et fermé lundi hors sais. – **R** 40/90 – ☐ 12,50 – **16 ch** 70/120 – P 115/160.

Diane sans rest, ☎ 41.42.07 – wc ☎ **P**.
Pâques et 30 mai-13 sept. – SC : ☐ 12,50 – **50 ch** 63/170.

tourner →

Morgane Ⓜ sans rest, ℗ 41.46.90 – wc wc ☎ ♿ Ⓟ. .
Pâques, Pentecôte et 1er juin-20 sept. – SC : 14 – **20 ch** 100/180.

Bon Accueil, ℗ 41.42.19, – wc ☎ Ⓟ. . rest
Pâques et 16 mai-20 sept. – SC : **R** 37/100 – 12 – 46 ch 60/160 – P 115/180.

Pins, ℗ 41.42.20, – Ⓟ. GB. rest
1er avril-30 sept. – SC : **R** 30/65 – 12 – 22 ch 36/68 – P 85/96.

à Pléhérel-Plage E : 3,5 km par D 34 – ✉ **22240** Fréhel :

Plage et Fréhel , ℗ 41.40.04, – Ⓟ. rest
25 mars-12 nov. et vac. de fév. – **R** 35/82 – 9,50 – 28 ch 47/103 – P 86/107.

Gar. Hamon, ℗ 41.42.48

SABLÉ-SUR-SARTHE 72300 Sarthe 64 ① G. Châteaux de la Loire – 11 761 h. alt. 27 – 43 – A.C.O. Mairie pl. R.-Élizé ℗ 95.04.17.

Paris 251 ③ – Angers 52 ⑥ – La Flèche 26 ④ – Laval 42 ⑦ – ♦Le Mans 48 ③ – Mayenne 59 ⑦.

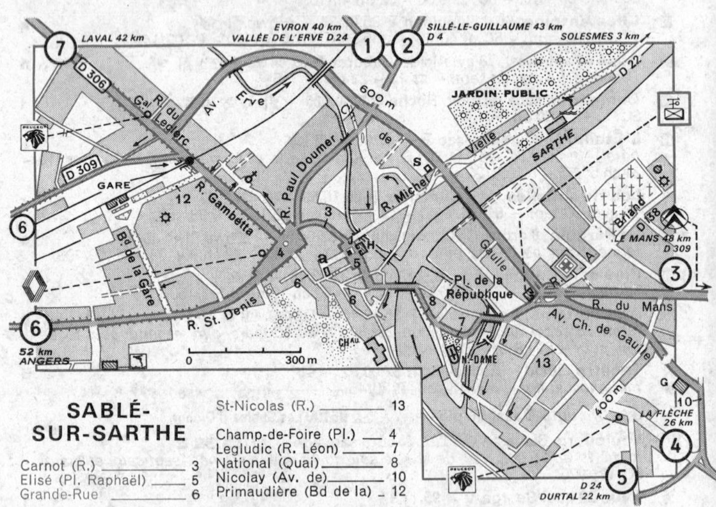

Campanile, 9 av. Ch. de Gaulle **(f)** ℗ 95.30.53, – wc ♿ Ⓟ. GB
SC : **R** 43 bc/56 bc – 17 – **30 ch** 130 – P 168/218.

St-Martin, 3 r. Haute-St-Martin **(a)** ℗ 95.00.03 –
fermé mars, vend. soir et sam. midi du 15 sept. au 1er juil. – SC : **R** 36/65 – 9 – 11 ch 45/70 – P 94/105.

à Solesmes NE : 3 km par D 22 – ✉ **72300** Sablé-sur-Sarthe.

Voir Saints de Solesmes★★ dans église abbatiale (chant grégorien) – Pont ≤★.

✿ **Gd Hôtel** (Jaquet) Ⓜ, ℗ 95.45.10, – TV wc wc – 100. GB E
SC : **R** *(fermé dim. soir)* 50/100, carte le dim. – 14 – **39 ch** 80/150 – P 140/190
Spéc. Terrine de rougets aux écrevisses, gratin de queues de langoustines.

BMW, FIAT, LANCIA-AUTOBIANCHI Viaduc-Autos, av. Gén.-de-Gaulle ℗ 95.04.42
CITROEN Gar. Gayet, rte du Mans ℗ 95.06.51
PEUGEOT Gar. Hennequin, 109 r. Gén.-Leclerc ℗ 95.01.32
PEUGEOT Sablé-Auto-Diffusion, 113 r. St-Nicolas ℗ 95.00.82
RENAULT Fressonnet, 13 pl. Champ-de-Foire ℗ 95.01.42
Gar. Bodinier, 3 r. du Role à Solesmes ℗ 95.45.08

Les SABLETTES 83 Var 84 ⑮ G. Côte d'Azur – Casino – ✉ **83500** La Seyne-sur-Mer – 94.

Voir Presqu'île de St-Mandrier★ : ★★.

Syndicat d'Initiative 6 r. Léon Blum (fermé dim.) ℗ 94.73.09.

Paris 838 – Aix-en-Provence 79 – La Ciotat 35 – ♦Marseille 62 – ♦Toulon 10.

Provence-Plage, ℗ 94.84.38, ≤ – wc wc ☎ Ⓟ.
SC : **R** 35/85 – 10 – **19 ch** 80/110 – P 120/180.

à St-Elme E : 2,5 km par D 18 – ✉ **83500** La Seyne-sur-Mer :

Méditerranée sans rest, ☎ 94.81.83 – wc wc – **42 ch**.

La Crémaillère, rte St-Mandrier ☎ 94.89.89 –
fermé oct., nov. et lundi – SC : **R** 29/72 – 9,50 – **14 ch** 52/71 – P 102/122.

Rest. La Jetée, 1er étage ☎ 94.77.60, ← – GB
fermé 6 janv. au 2 fév., lundi sauf fériés et le soir du 24 sept. à Pâques sauf vend. et sam. – SC : **R** carte 90 à 140.

SABRES 40630 Landes 78 ④ – 1 148 h. alt. 78 – 58.

Voir Musée ★ de plein air de Marquèze NO: 4 km, G. Côte de l'Atlantique.

Paris 652 – Arcachon 87 – •Bayonne 110 – •Bordeaux 88 – Mimizan 40 – Mont-de-Marsan 35.

Aub. des Pins, ☎ 07.50.47, parc – wc . GB.
fermé oct. et lundi hors sais. – **R** 30/100 – 8,50 – 15 ch 55/110 – P 95/135.

SACHÉ 37 I.-et-L. 64 ⑭ – rattaché à Azay-le-Rideau.

SACLAY 91 Essonne 60 ⑩, 101 ㉓ – voir à Paris, Proche banlieue.

SAHORRE 66 Pyr.-Or. 86 ⑰ – rattaché à Vernet-les-Bains.

SAIGNES 15240 Cantal 76 ② **G. Auvergne** – 871 h. alt. 500 – 71.

Paris 477 – Aurillac 83 – •Clermont-Ferrand 92 – Mauriac 27 – Le Mont-Dore 57 – Ussel 38.

Les Terrasses, ☎ 40.63.75 – . ch
1er juin-15 sept. – SC : **R** 25/52 – 6,50 – **10 ch** 35/59 – P 75/85.

SAIGNON 84 Vaucluse 81 ⑭ – rattaché à Apt.

SAILLAGOUSE 66800 Pyr.-Or. 86 ⑯ **G. Pyrénées** – 837 h. alt. 1 305 – 68.

Voir Gorges du Sègre★ E : 2 km.

Syndicat d'Initiative à la Mairie (vacances scolaires après-midi seul. et fermé dim.) ☎ 04.72.89.

Paris 1 002 – Bourg-Madame 9 – Font-Romeu 12 – Mont-Louis 12 – •Perpignan 91.

Planotel M, ☎ 04.72.08, ←, – wc
1er juin-30 sept. et 20 déc.-vacances de printemps – SC : **R** voir H. Planes – 12 – **20 ch** 60/130 – P 100/130.

Planes (La Vieille Maison Cerdane), ☎ 04.72.08 – wc
fermé 14 oct. au 9 déc. – SC : **R** 50 bc/100 – 12 – **36 ch** 50/120 – P 105/125.

Christiannia, ☎ 04.72.07 – wc wc .
fermé 20 au 30 avril et 1er au 15 oct. – SC : **R** 35/100 – 10 – **26 ch** 50/90 – P 90/120.

à Llo E : 2 km par D 33 – ✉ **66800** Saillagouse – **Voir Site★.**

Aub. Atalaya, ☎ 04.70.04, ←, « Jolie auberge rustique », – wc . rest
fermé 5 janv. au 15 fév. – SC : **R** *(fermé mardi hors sais.)* 68 – 15 – **7 ch** 165/180 – P 182/245.

à Eyne NE : 8 km par N 116 et D 29 – ✉ **66800** Saillagouse :

Aub. d'Eyne M, ☎ 04.71.12, ←, – wc wc . . rest
fermé 15 oct. au 15 déc. – SC : **R** *(fermé lundi midi)* carte 100 à 140 – 20 – **11 ch** 132/209 – P 210/280.

CITROEN Cerdagne Gar., ☎ 04.70.55 RENAULT Gar. Domenech, ☎ 04.70.30

SAIL-LES-BAINS 42 Loire 73 ⑦ – 307 h. alt. 310 – Stat. therm. (15 mai-21 sept.) – ✉ **42310** La Pacaudière – 77.

Paris 366 – Digoin 40 – Lapalisse 24 – Roanne 33 – •St-Étienne 110 – St-Martin-d'Estréaux 7.

Gd Hôtel, ☎ 64.30.81, ←, « Grand parc », – wc wc . AE. rest
15 mai-fin sept. – SC : **R** 30/90 – 12 – **32 ch** 50/150 – P 90/150.

SAINS-DU-NORD 59177 Nord 53 ⑥ – 3 454 h. alt. 240 – 27.

Paris 203 – Avesnes-sur-Helpe 7 – Fourmies 10 – Guise 39 – Hirson 23 – •Lille 105 – Vervins 34.

✿ **Aub. du Châtelet** (Carlier), au pont de Sains SE : 3,5 km sur D 951 ☎ 61.06.70, ← – . AE GB.
fermé 17 août au 12 sept., 2 au 14 janv., dim. et fêtes le soir et merc. – SC : **R** (nombre de couverts limité - prévenir) 150 bc /35
Spéc. Marmite Yolande, Gigue de petit chevreuil à la broche (nov.-déc.), Tarte au Maroilles.

Centre avec ch, r. Léo-Lagrange ☎ 61.00.68 – . .
fermé 16 août au 1er sept. et lundi – **R** 26/65 – 8 – **7 ch** 35/60.

SAINS-EN-AMIENOIS 80 Somme 52 ⑱ – rattaché à Amiens.

ST-AFFRIQUE 12400 Aveyron 80 ⑬ **G. Causses** – 9 215 h. alt. 329 – ⚙ 65.

Office de Tourisme bd Verdun (1er juin-30 sept. et fermé dim.) ☎ 99.09.05 - A.C. 12 bd V.-Hugo ☎ 99.14.44.

Paris 661 ② – Albi 82 ④ – Castres 94 ④ – Lodève 72 ② – Millau 31 ② – Rodez 81 ①.

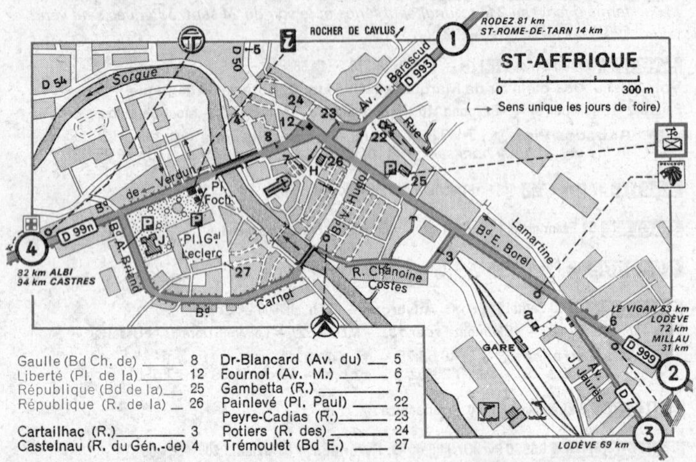

Moderne et Gare, à la gare (a) ☎ 49.20.44 – wc wc.
fermé 15 déc. au 5 janv. – SC : **R** 34/60 – 11 – **39 ch** 55/120 – P 113/144.

Le Majestic, rte Albi par ④ ☎ 99.00.07 – wc
fermé 1er nov. au 1er janv. – SC : **R** *(fermé lundi midi)* 30/55 – 10 – 13 ch 48/85.

CITROEN Bousquet, 29 bd V.-Hugo ☎ 99.11.33
PEUGEOT Sorgauto, 36 bd E.-Borel ☎ 99.01.70
RENAULT Vergnaud, 4 av. M. Fournol ☎ 99.12.31
TALBOT Pujol, av. J.-Bourgougnon ☎ 99.01.42

Laurens, 47 bd Verdun ☎ 99.07.91
Maury, rte de Vabres, Le Vern ☎ 99.06.83
Roujon, 1 r. Baudin ☎ 99.00.16
Vayssettes, 55 bd E.-Borel ☎ 99.03.88

ST-AGNAN-EN-VERCORS 26 Drôme 77 ⑭ – rattaché à la Chapelle-en-Vercors.

ST-AGRÈVE 07320 Ardèche 76 ⑨⑲ **G. Vallée du Rhône** (plan) – 2 718 h. alt. 1 050 – ⚙ 75.

Voir Mont Chiniac ←★★.

Syndicat d'Initiative Grand-rue (15 juin-15 sept. et vacances scolaires) ☎ 30.15.06.

Paris 603 – Aubenas 76 – Lamastre 21 – Privas 73 – Le Puy 52 – ♦St-Étienne 73 – Yssingeaux 39.

Faurie, 36 av. Cévennes ☎ 30.11.60, – wc. rest
Pentecôte-fin sept. – SC : **R** 50/65 – 11 – **30 ch** 50/95 – P 100/125.

Boissy-Teyssier, ☎ 30.12.43 –
fermé 25 sept. au 25 oct. et sam. – SC : **R** 30/70 – 9 – 11 ch 45/60 – P 90/110.

Cévennes, ☎ 30.10.22 –
fermé 15 au 30 sept., 15 au 30 nov. et merc. sauf en été – SC : **R** 40/70 – 9 – 10 ch 46/62 – P 80/95.

CITROEN Debard, ☎ 30.15.22
PEUGEOT Courtial, ☎ 30.13.34
RENAULT Gar. Mathias, ☎ 30.14.55

TALBOT Chazallet, ☎ 30.12.23
Gar. Lyonnet, ☎ 30.12.55

ST-AIGNAN 41110 L.-et-Ch. 64 ⑰ **G. Châteaux de la Loire** (plan) – 3 680 h. alt. 84 – ⚙ 54.

Voir Église★.

Office de Tourisme plage de St-Aignan (1er juil.-31 août) ☎ 75.22.85.

Paris 219 – Blois 39 – Châteauroux 63 – Romorantin-Lanthenay 33 – ♦Tours 61 – Vierzon 57.

Gd H. St-Aignan, ☎ 75.18.04, ← – wc wc – 25
fermé déc. à fév. – SC : **R** 48/100 – 18 – 23 ch 55/180.

Relais Touraine et Sologne avec ch, Le Boeuf Couronné N : 1 km ✉ 41140 Noyers-sur-Cher ☎ 75.15.23 –
fermé 5 janv. au 18 fév., mardi soir et merc. hors sais. – SC : **R** 46/120 – 10,50 – 14 ch 48/96 – P 105/125.

Gare avec ch, à la gare de Noyers N : 2 km sur D 675 ✉ 41140 Noyers-sur-Cher ☎ 75.16.38 – ch
fermé 11 nov. au 1er déc. et lundi – SC : **R** 32/75 – 8,50 – **12 ch** 38/62 – P 100/120.

CITROEN Gar. Bel-Air, ☎ 75.23.92 🅽
FORD Gar. Lucas, ☎ 75.10.65
PEUGEOT Gar. Danger, La Croix-Michel ☎ 75.19.72

RENAULT Rolland, Noyers-sur-Cher ☎ 75.20.45 🅽 ☎ 75.34.50
RENAULT Touraine Sologne Autos, ☎ 75.20.65

ST-AIGULIN 17360 Char.-Mar. 75 ③ – 2 359 h. alt. 31 – ✪ 46.

Paris 507 – Angoulême 64 – Bergerac 68 – Jonzac 49 – Libourne 38 – Périgueux 71.

France, pl. Gare ☎ 04.80.08 – 🚗 🅿
fermé 1er au 15 oct., vacances de fév. et merc. – SC : **R** 26/105 – ☕ 10 – **11 ch** 49/125.

Vieilleville, ☎ 04.80.15

ST-ALBAIN (Aire de) 71 S.-et L. 69 ⑲ – Aire de Service A6 - voir à Mâcon.

ST-ALBAN-DE-MONTBEL 73 Savoie 74 ⑮ – rattaché à Aiguebelette (Lac d').

ST-ALBAN-LES-EAUX 42 Loire 73 ⑦ – 823 h. alt. 470 – ✉ **42370** Renaison – ✪ 77.

Paris 387 – Lapalisse 45 – Montbrison 59 – Roanne 12 – ♦St-Étienne 90 – Thiers 54 – Vichy 62.

XX **St-Albanais,** ☎ 65.84.23
fermé août et merc. – SC : **R** 30/80 🌡.

ST-ALBAN-SUR-LIMAGNOLE 48120 Lozère 76 ⑮ – 2 321 h. alt. 950 – ✪ 66.

Paris 537 – Espalion 74 – Mende 41 – Le Puy 75 – St-Chély-d'Apcher 13 – Séverac-le-Château 84.

Centre Ⓜ, ☎ 31.50.04 – 🛗 🚿wc ☎. ✂ rest
fermé janv. et dim. soir du 1er nov. à Pâques – SC : **R** 30/80 🌡 – ☕ 12 – 20 ch 40/140 – P 88/130.

CITROEN Gar. Tichit, ☎ 31.50.20

ST-ALBIN-DE-VAULSERRE 38 Isère 74 ⑭ – 299 h. alt. 283 – ✉ **38480** Pont-de-Beauvoisin – ✪ 76.

Paris 545 – Belley 39 – Chambéry 28 – ♦Grenoble 53 – ♦Lyon 83.

La Buquinière, ☎ 37.05.66 – 🚿wc 🚿 🅿. ✂ ch
fermé 16 août au 16 sept. et sam. – SC : **R** 35/80 🌡 – ☕ 10 – **8 ch** 45/90 – P 85/100.

☞ *Les localités citées dans le* ***guide Michelin*** *sont soulignées de rouge sur les* ***cartes Michelin*** *à 1/200 000.*

ST-AMAND-LES-EAUX 59230 Nord 51 ⑰ **G. Nord de la France** – 16 948 h. alt. 17 – Stat. therm. (1er mars-15 déc.) et – Casino par ② : 4 km – ✪ 27.

Voir Tour* – Forêt de Raismes* par ②.

🅸 Office de Tourisme Tour Abbatiale (fermé mardi) ☎ 48.67.09 - A.C. Camping Mont des Bruyères ☎ 48.56.87.

Paris 215 ③ – Denain 15 ③ – Douai 33 ④ – ♦Lille 39 ④ – Tournai 18 ① – Valenciennes 14 ③.

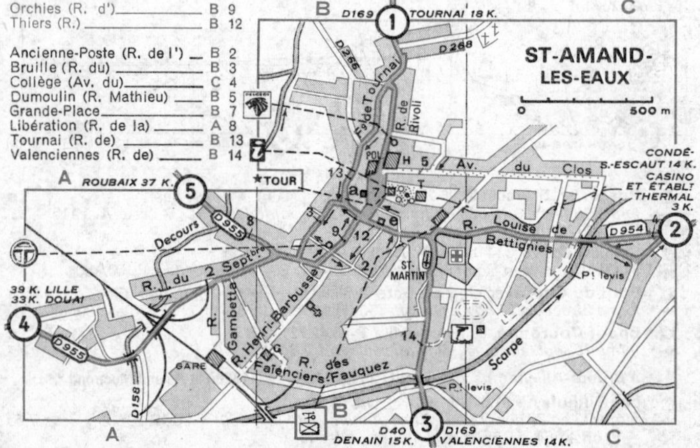

🏨 La Tour sans rest, 19 r. Thiers ☎ 48.45.31 – 🛗 🛁 🚿wc ☎ – **18 ch** B **e**

✕✕ **Aub. de la Forêt,** rte de Raismes par ③ : 4 km ☎ 47.80.99 – Ⓟ. 🚫
fermé dim. soir – **R** carte 80 à 120.

✕ **Brasserie Alsacienne,** 23 Gde-Place ☎ 48.50.62 – GB B **a**
fermé août et lundi sauf fériés – SC : **R** 40/65 🍷.

PEUGEOT Gar. Guyot, 10 r. de Rivoli ☎ 48.45.67 | Europneus, 1 r. Gambetta ☎ 48.54.43
TALBOT Gar. Pavot, 1 pl. 8-Mai-1945 ☎ 48.57.84

ST-AMAND-MONTROND SP **18200** Cher 69 ① ⑪ **G. Périgord** – 12 771 h. alt. 162 – ☎ 48.

Voir Ancienne abbaye de Noirlac★ 4 km par ⑦.

Env. Château de Meillant★★ 8 km par ①.

🅸 Office de Tourisme pl. République (fermé dim. et fêtes) ☎ 96.16.86.

Paris 273 ⑦ – Bourges 44 ⑦ – Châteauroux 67 ⑥ – Montluçon 49 ④ – Moulins 85 ③ – Nevers 77 ③.

ST-AMAND-MONTROND

Barbusse (R. Henri) AB
Mutin (Pl.) B 13
Mutin (R. Porte) B 14
Nationale (R.) B 15
Audebrand (R. Philibert) B 2
Constant (R.B.) B 3
Dr-Vallet (R. du) AB 4
Fleurus (Cours) B 6
Foch (Av. Mar.) B 7
Gare (Av. de la) A 9
Giraud (Pl. Jean) A 10
Hôtel-Dieu (R. de l') B 12
Petit-Vougan (R. du) A 16
Pont-Pasquet (R. du) B 17
Porte-de-Bourges (R.) B 18
Porte-Verte (R.) B 19
Pyat (R. Félix) A 20
République (Pl. de la) B 21
Rochette (R.) B 22
St-Jean (R.) B 23
Vallette (R. J.) B 24
Vieilles-Prisons (R. des) B 25

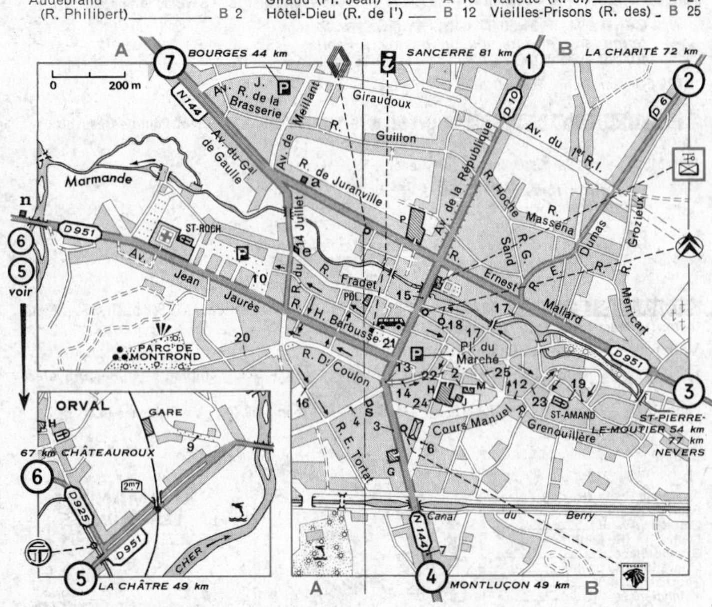

🏨 **Poste,** 9 r. Dr-Vallet ☎ 96.27.14 – 🛁wc 🚿 ☎ Ⓟ. 🚗. 🚫 rest AB **s**
fermé 18 nov. au 18 déc. et lundi hors sais. sauf fériés – SC : **R** carte 70 à 115 – ☕ 12 – 24 ch 40/135.

🏨 **Croix d'Or,** 28 r. 14 Juillet ☎ 96.09.41 – 🛁 🚿. 🚫 ch A **e**
SC : **R** *(fermé vend. soir hors sais.)* 29/100 – ☕ 8 – **17 ch** 40/70 – P 100/130.

✕✕ **Pont du Cher** avec ch, 2 av. Gare ☎ 96.00.51, ⋞, 🌳 – 🚿 ☎ 🚗 Ⓟ A **n**
fermé 21 oct. au 21 nov. et lundi – SC : **R** 30/70 – ☕ 8 – 13 ch 45/70 – P 80/100.

✕✕ **Boeuf Couronné,** 86 r. Juranville ☎ 96.42.72 – Ⓟ A **a**
fermé 15 sept. au 15 oct. et jeudi sauf août – SC : **R** 34/75 🍷.

à Bruère-Allichamps par ⑦ et D 35 : 8,5 km – ✉ **18200** St-Amand-Montrond :

🏨 **Les Tilleuls,** ☎ 61.02.75, ⋞ – 🛁wc Ⓟ
fermé 13 au 30 oct., 13 au 28 fév. et merc. sauf juil.-août – SC : **R** 29/42 🍷 – ☕ 7,50 – **10 ch** 46/64 – P 85/95.

CITROEN Laumonier, 11 r. Porte-de-Bourges ☎ 96.03.94
PEUGEOT Desson, 15 r. B.-Constant ☎ 96.10.07
RENAULT Gar. Centre, 45 r. Juranville ☎ 96.05.89
TALBOT Berrichonne Automobile, 33 rte de Lignières à Orval ☎ 96.23.15 N
Chassagnard, 19 r. Petit-Vougan ☎ 96.11.21

ST-AMÉ 88 Vosges 62 ⑯⑰ – 2 101 h. alt. 399 – ✉ **88120** Vagney – 29.

Paris 408 – Épinal 34 – Gérardmer 21 – Remiremont 7 – Thann 50.

Mon Rocher, à Celles SO : 2 km par N 417 ☎ 61.21.23, – wc ⓟ – 30. GB. rest
SC : **R** 42/85 – 13 – 15 ch 55/130 – P 120/160.

ST-AMOUR **39160** Jura 70 ⑬ – 2 853 h. alt. 253 – 84.

Syndicat d'Initiative à la Mairie (fermé sam. après-midi et dim.) ☎ 48.74.77.

Paris 411 – Bourg-en-B. 28 – Chalon-sur-Saône 73 – Lons-le-Saunier 33 – Mâcon 57 – Tournus 46.

Alliance, ☎ 48.74.94, « Demeure du 17ᵉ s », – wc wc ⓟ.
Pâques-1ᵉʳ oct. – SC : **R** 50/122 – 15 – 16 ch 57/136.

PEUGEOT Gar. Guilleminet, à Mont-Orient ☎ 48.73.90
RENAULT Gar. Comas, ☎ 48.73.52 N

ST-ANDIOL **13670** B.-du-R. 84 ① – 2 019 h. alt. 52 – 90.

Syndicat d'Initiative à la Mairie (fermé sam. et dim.) ☎ 95.02.02.

Paris 697 – Aix-en-Provence 58 – Arles 37 – Avignon 18 – Cavaillon 10 – ♦Marseille 83 – Nîmes 54.

Motel Garden Center, N : 2 km rte d'Avignon ☎ 95.02.60 – rest wc ⓟ. AE
fermé 15 au 30 oct. et 5 au 22 janv. – SC : **R** *(fermé merc. en hiver)* 40/60 – 12 – **21 ch** 90/110 – P 200/250.

CITROEN Courtial, ☎ 95.00.12

ST-ANDRÉ-D'APCHON 42 Loire 73 ⑦ **G. Vallée du Rhône** – 1 565 h. alt. 417 – ✉ **42370** Renaison – 77.

Paris 385 – Lapalisse 42 – Montbrison 61 – Roanne 11 – ♦St-Étienne 89 – Thiers 55 – Vichy 60.

XX **Lion d'Or** avec ch, ☎ 65.81.53 – wc ⓟ.
fermé 9 au 28 fév., dim. soir et lundi – SC : **R** 37/160 – 10 – **7 ch** 55/120.

ST-ANDRÉ-DE-CORCY **01390** Ain 74 ② – 1 077 h. alt. 297 – 7.

Paris 455 – Bourg-en-Bresse 38 – ♦Lyon 24 – Meximieux 21 – Villefranche-sur-Saône 24.

XX ✿ **Bérard** (Paul et Beaujeu), ☎ 881.10.03, – ⓟ. GB
fermé fév., merc. soir et jeudi – SC : **R** (nombre de couverts limité - prévenir) 70/150
Spéc. Mousseline de brochet, Pigeonneau de Bresse aux gousses d'ail, Sablé aux fruits. **Vins** Manicle, Chiroubles.

à St-Marcel N : 3 km par N 83 – ✉ **01390** St-André-de-Corcy :

Manoir des Dombes sans rest, ☎ 881.13.37 – wc ⓟ. AE. rest
fermé janv. et dim. hors sais. – SC : 18 – **16 ch** 100/200.

XX **La Colonne,** ☎ 881.11.06 – AE
fermé 15 déc. au 15 janv., lundi soir et mardi – SC : **R** 50/90.

PEUGEOT Gar. Durand, ☎ 881.11.60

ST-ANDRÉ-DE-CUBZAC **33240** Gironde 71 ⑧ – 5 020 h. alt. 30 – 56.

Syndicat d'Initiative N 143 (1ᵉʳ juil.-30 sept., fermé dim. et lundi matin) ☎ 43.34.40.

Paris 536 – Angoulême 93 – Blaye 26 – ♦Bordeaux 27 – Jonzac 64 – Libourne 20 – Saintes 93.

Lion d'Or, 113 r. Nationale ☎ 43.02.71 – . GB
fermé déc. et lundi en hiver – SC : **R** 28/45 – 7,50 – 10 ch 39/70.

à Gueynard NE : 8 km sur N 10 – ✉ **33240** St-André-de-Cubzac :

XX **Le Girondin** avec ch, ☎ 68.71.32 – wc ⓟ.
fermé déc., janv., fév. et merc. – SC : **R** 37/110 – 9 – 10 ch 50/80.

CITROEN Darroman, ☎ 43.06.49
FORD Gar. de l'Europe, ☎ 43.03.95
OPEL Gar. Abbadie, ☎ 43.01.42
PEUGEOT Gar. Hoyal, ☎ 43.10.77
RENAULT Nord-Gironde-Auto, N 137 à Pugnac ☎ 68.80.50
RENAULT Gar. St-André-Autom., ☎ 43.02.67

ST-ANDRÉ-DES-EAUX 44 Loire-Atl. 63 ⑭ – 2 255 h. alt. 20 – ✉ **44600** St-Nazaire – 40.

Paris 438 – La Baule 8 – ♦ Nantes 74 – St-Nazaire 9,5 – La Roche-Bernard 27.

X **Aub. Haut Marland,** rte de la Chaussée-Neuve N : 3,5 km ☎ 22.31.85 – ⓟ
fermé nov. et fév., mardi hors sais. et lundi – SC : **R** 28 bc/90.

ST-ANDRÉ-LES-ALPES 04170 Alpes-de-H.-P. 81 ⑱ G. Côte d'Azur – 945 h. alt. 894 – 92.
Voir Route de Toutes Aures* SE.
Syndicat d'Initiative à la Mairie (1er juil.-15 sept. et fermé dim.).
Paris 787 – Castellane 21 – Colmars 28 – Digne 43 – Manosque 84 – Puget-Théniers 45.

Monge sans rest, 89.01.06, – wc wc .
1er avril-15 oct. – SC : 10 – **16 ch** 47/70.

Clair Logis, 89.04.05, ← – . . rest
1er fév.-fin oct. – SC : **R** 35/65 – 10 – **12 ch** 55/68 – P 110.

Grand Hôtel, à la gare 89.05.06 – . rest
Pâques-sept. – **R** 28/84 – 9,50 – **24 ch** 40/58 – P 100/110.

Parc avec ch, pl. Église 89.00.03, – .
1er fév.-15 nov. – SC : **R** 34/80 – 12 – 13 ch 46/85 – P 100/120.

CITROEN Chabot, 89.00.01 N — PEUGEOT Rouvier, 89.03.02 N

ST-ANDRÉ-SUR-CAILLY 76 S.-Mar. 55 ⑦ – 524 h. alt. 170 – ✉ 76690 Cleres – 35.
Paris 128 – Dieppe 52 – Neufchâtel-en-Bray 30 – ♦Rouen 15.

Aub. Henri IV avec ch, N 28 34.71.69 – wc – 30.
fermé lundi soir et mardi – SC : **R** 45/65 – 12 – 7 ch 80.

RENAULT Gar. Lasnon, 34.71.61 N

ST-ANTHÈME 63660 P.-de-D. 73 ⑰ G. Vallée du Rhône – 1 215 h. alt. 940 – Sports d'hiver : 940/1 400 m 3, – 73.
Paris 457 – Ambert 22 – ♦Clermont-Ferrand 111 – Montbrison 24.

Voyageurs, 95.40.16 – wc . E
1er mai-1er nov., vacances scol. de Noël, fév., Pâques et fermé lundi sauf juil. et août – SC : **R** 30/70 – 10 – **32 ch** 42/100 – P 95/120.

ST-ANTOINE 05 H.-Alpes 77 ⑰ – rattaché à Pelvoux (Commune de).

ST-ANTOINE-PLOUEZOCH 29 Finistère 58 ⑥ – rattaché à Morlaix.

ST-AQUILIN-DE-PACY 27 Eure 55 ⑰ – rattaché à Pacy-sur-Eure.

ST-ARNOULT-EN-YVELINES 78730 Yvelines 60 ⑨, 96 ㉔ G. Environs de Paris – 4 043 h. alt. 130 – 3 – de Rochefort en Yvelines 484.31.81, NE : 5 km.
Paris 54 – Chartres 41 – Dourdan 8 – Etampes 26 – Rambouillet 14 – Versailles 36.

La Remarde, 484.20.09 –
fermé août, 23 au 31 déc., mardi soir et merc. – SC : **R** 40/70.

ST-AUBAN 04 Alpes-de-H.-Pr 81 ⑯ – rattaché à Château-Arnoux.

ST-AUBIN-LES-ELBEUF 76 S.-Mar. 55 ⑥ – rattaché à Elbeuf.

ST-AUBIN-SUR-MER 14750 Calvados 55 ① G. Normandie – 1 189 h. – 31.
Office de Tourisme Digue Favreau (Pâques, Pentecôte et 1er juin-30 sept.) 97.30.41.
Paris 257 – Arromanches-les-Bains 19 – Bayeux 26 – Cabourg 31 – ♦Caen 18.

Clos Normand, 97.30.47, ←, – wc wc . . rest
15 mars-15 oct. – SC : **R** 44/67 – 10,50 – 30 ch 65/115 – P 110/148.

St-Aubin, 97.30.39, ← – wc
mars-30 sept. – SC : **R** 35/88 – 11 – 26 ch 55/105 – P 100/150.

Normandie, 97.30.17, – wc wc .
mars-30 sept. – SC : **R** 33/90 – 10 – 23 ch 40/90 – P 85/140.

RENAULT Varin, 97.33.69

ST-AVOLD 57500 Moselle 57 ⑮ G. Vosges – 18 938 h. alt. 230 – 8.
Paris 371 – Haguenau 115 – Lunéville 76 – ♦Metz 45 – ♦Nancy 73 – Saarbrücken 30 – Sarreguemines 27 – ♦Strasbourg 125 – Thionville 68 – Trier 96.

Novotel M, sur N 33 (échangeur A 32) 792.25.93, Télex 860966, « A l'orée de la forêt », , – rest – 200. AE GB
R snack carte environ 65 – 20 – **60 ch** 175/220.

Europe M, 7 r. Altmayer 792.00.33 – wc wc – 50. AE E
SC : **R** *(fermé sam.)* 31/132 – 12 – **34 ch** 125/155 – P 143/197.

Le Neptune, à la piscine 792.27.90, ← – . E.
fermé 22 août au 22 sept., lundi et le soir sauf sam. – SC : **R** 80.

CITROEN Gar. Rein, 65 r. Gén.-Mangin 792.23.57 N
FORD Gar. Moderne, 12 r. Mar.-Foch 792.10.28
RENAULT Pierrard, 13 av. G.-Clemenceau 792.52.60
TALBOT Epin-Autom., 41 r. Foch 792.10.47
Berwald, N 3 Moulin-Neuf 792.19.07
Leclerc-Pneu, 1 r. Gén.-Mangin 792.24.68

ST-AYGULF 83 Var 84 ⑱, 195 ㉝ G. Côte d'Azur – ✉ 83600 Fréjus – ☎ 94.

Office de Tourisme pl. Poste (fermé dim.) ☎ 44.22.09.

Paris 879 – Brignoles 69 – Draguignan 33 – Fréjus 7 – St-Raphaël 9 – Ste-Maxime 14.

Catalogne M sans rest, ☎ 81.01.44, ≤, ⛱, – 🛗 P.
avril-15 oct. – SC : **32 ch** ☕ 220/260.

Belle Époque, ☎ 44.26.59 – GB
fermé 15 nov. au 15 déc. et merc. hors sais. – SC : **R** 40/62.

ST-BARTHÉLEMY-DE-SÉCHILIENNE 38 Isère 77 ⑤ – 358 h. alt. 450 – ✉ 38220 Vizille – ☎ 76.

Paris 591 – Le Bourg d'Oisans 26 – ♦Grenoble 27.

Gd Belle Lauze , S : 6 km sur D 114 ☎ 72.18.15, ≤ – P. ch
SC : **R** 30/60 – ☕ 10 – 8 ch 55 – P 100.

ST-BENOIT 01 Ain 74 ⑭ – 486 h. alt. 210 – ✉ 01300 Belley – ☎ 74.

Paris 494 – Belley 18 – Bourg-en-Bresse 68 – ♦Lyon 69 – La Tour-du-Pin 26 – Vienne 71 – Voiron 41.

Pont d'Evieu, au pont d'Evieu SO : 2,5 km ☎ 39.72.56 – P. GB E
fermé 1er au 23 sept. et merc. hors sais. – SC : **R** 31/75

ST-BENOIT 86 Vienne 68 ⑬⑭ – rattaché à Poitiers.

ST-BENOIT-SUR-LOIRE 45 Loiret 64 ⑩ G. Châteaux de la Loire – 1 790 h. alt. 100 – ✉ 45110 Châteauneuf-sur-Loire – ☎ 38.

Voir Clocher-porche* de la Basilique** (chant grégorien).**

Paris 143 – Bourges 90 – Châteauneuf-sur-Loire 10 – Gien 31 – Montargis 43 – ♦Orléans 35.

Labrador sans rest, ☎ 35.74.38 – wc P.
fermé janv. et dim. soir hors sais. – SC : ☕ 11 – **14 ch** 55/125.

CITROEN Bellé, ☎ 35.74.19 RENAULT Asselin, ☎ 35.74.37 ☎ 62.45.55

ST-BÉRON 73 Savoie 74 ⑮ – 1 060 h. alt. 334 – ✉ 73520 La Bridoire – ☎ 76 (Pont de Beauvoisin).

Paris 547 – Belley 40 – Chambéry 26 – ♦Lyon 85 – La Tour-du-Pin 25 – Voiron 30.

Debauge avec ch, pl. Gare ☎ 31.11.16, – P
fermé 15 janv. à fin fév., mardi soir et merc. sauf juil. et août – SC : **R** 40/110 – ☕ 10 – 20 ch 40/120 – P 95/120.

ST-BERTRAND-DE-COMMINGES 31 H.-Gar. 85 ⑳ G. Pyrénées (plan) – 251 h. alt. 446 – ✉ 31510 Barbazan – ☎ 61.

Voir Site* – Cathédrale* : boiseries, cloître** et trésor* – Basilique St-Just* de Valcabrère NE : 2 km.**

Paris 797 – Bagnères-de-Luchon 33 – Lannemezan 25 – St-Gaudens 17 – Tarbes 61 – ♦Toulouse 107.

Comminges , ☎ 88.31.43, ≤ – wc
Pâques-5 oct. – SC : **R** 38/55 – ☕ 11 – **13 ch** 55/110.

ST-BONNET 05500 H.-Alpes 77 ⑯ – 1 394 h. alt. 1 025 – ☎ 92.

Env. ≤ du col du Noyer O : 10 km, G. Alpes.**

Paris 654 – Gap 15 – ♦Grenoble 90 – La Mure 52.

Mauberret-Combassive , ☎ 55.00.19 – wc .
fermé 5 nov. au 20 déc. – SC : **R** 45/60 – ☕ 11 – 27 ch 90/110 – P 115/175.

La Crémaillère , ☎ 55.00.60, ≤, Parc – wc wc P. E. rest
Pâques-30 sept. et vacances de fév. – SC : **R** 35/70 – ☕ 10 – **25 ch** 55/110 – P 105/135.

aux Barraques SO : 1 km sur N 85 – ✉ 05500 St-Bonnet :

Modern, ☎ 55.02.91, – wc wc P.
fermé oct. – SC : **R** 30/60 – ☕ 10 – 36 ch 48/95 – P 95/120.

PEUGEOT Gar. du Pont, ☎ 55.02.52 RENAULT Gar. Piot, à la Fare-en-Champsaur ☎ 55.00.97

ST-BONNET-DE-JOUX 71220 S.-et-L. 69 ⑱ – 957 h. alt. 382 – ☎ 85.

Voir Château de Chaumont* NO : 3 km.

Env. Butte de Suin ** SE : 7 km puis 15 mn, G. Bourgogne.

Paris 392 – Chalon-sur-Saône 55 – Charolles 14 – Mâcon 53 – Montceau-les-Mines 37.

Val de Joux avec ch, ☎ 24.72.39 – P. .
fermé 1er janv. à mi fév. et lundi – **R** 30/100 – ☕ 9 – 5 ch 39/60.

ST-BONNET-DE-SALERS 15 Cantal 76 ② – rattaché à Salers.

ST-BRÉVIN-LES-PINS 44250 Loire-Atl. 67 ① – 8 614 h. – 40.

Pont de St-Nazaire N : 3 km - voir à St-Nazaire.

Office de Tourisme 10 r. Église (fermé dim. sauf matin en saison et lundi matin) 27.24.32.

Paris 433 – Challans 63 – ♦Nantes 57 – Noirmoutier-en-l'Ile 71 – Pornic 17 – St-Nazaire 14.

Petit Trianon, 239 av. Mindin 27.22.16, – wc . GB.
Pâques-30 sept. – SC : **R** 32/80 – 14 – 21 ch 49/115 – P 105/165.

Roches, 1 r. Église 27.20.56, ≤, – . rest
Pâques-30 sept. – SC : **R** 33/70 – 9 – 21 ch 52/70 – P 103/110.

Central, 14 r. Gén.-de-Gaulle 27.20.57 – GB
fermé oct. et lundi – SC : **R** 32/100.

à Mindin N : 3 km – **44250** St-Brévin-les-Pins :

Débarcadère, 27.20.53, ≤, – . AE GB E
15 janv.-15 oct. et fermé dim. soir hors sais. – SC : **R** 30/60 – 10 – **19 ch** 50/80 – P 90/110.

CITROEN S.A.M.O., 55 av. Mar.-Foch 27.20.23
FIAT, LANCIA AUTOBIANCHI Gar. des Pins, 168 av. R.-Poincaré 27.21.25
RENAULT Gar. Clisson, 32 r. Albert Chassagne 27.20.07

ST-BRÉVIN-L'OCÉAN 44 Loire-Atl. 67 ① – Casino – 44250 St-Brévin-les-Pins – 40.

Pont de St-Nazaire N : 5,5 km - voir à St-Nazaire.

Syndicat d'Initiative pl. d'Ouessant (Pâques-30 sept. et fermé lundi matin) 27.24.33.

Paris 433 – Challans 60 – ♦Nantes 57 – Pornic 14 – St-Michel-Chef-Chef 7 – St-Nazaire 16.

Gd H. Casino et Plage, bd Océan 27.20.05, ≤ – wc .
1er mai-20 sept. – SC : **R** 33/95 – 12 – **40 ch** 50/140 – P 112/180.

Normandy, 59 av. Près.-Roosevelt 27.20.65, – . AE.
1er juin-15 sept. – SC : **R** 40/55 – 10 – **29 ch** 53/95 – P 100/140.

Val d'Or, 144 av. Mar.-Foch 27.20.14 – .
1er juin-15 sept. – SC : **R** 31/80 – 10 – 20 ch 45/50 – P 80/105.

TALBOT Gar. Atlantique, 19 av. Prés.-Roosevelt 27.20.64

ST-BRIAC-SUR-MER 35 I.-et-V. 59 ⑤ G. Bretagne – 1 619 h. – 35800 Dinard – 99.

18 88.32.07 NO : 2 km.

Syndicat d'Initiative jardin public (Pâques, Pentecôte et 15 juin-15 sept.) 88.32.47.

Paris 376 – Dinan 24 – Dol-de-Bretagne 30 – Lamballe 43 – ♦Rennes 75 – St-Cast 22 – St-Malo 16.

Houle, 88.32.17, – wc wc . GB, ch
Pâques-25 sept. – SC : **R** *(fermé lundi)* 35/60 – 9 – 18 ch 52/100 – P 115/130.

CITROEN Gar. de la Houle, 88.33.49

ST-BRIEUC P 22000 C.-du-N. 59 ③ G. Bretagne – 56 282 h. alt. 99 – 96.

Voir Cathédrale★ – Tertre Aubé ≤★.

Env. Pointe du Roselier★ NO : 8,5 km par D 24 CX.

18 des Ajoncs d'Or 70.48.13 par ① : 23 km.

de St-Brieuc : Touraine Air Transport 61.69.76 E : 3,5 km AY

94.04.79.

Office de Tourisme Gare routière (fermé dim. hors saison) 33.32.50 – A.C.O. 6 pl. Du-Guesclin 33.16.20.

Paris 451 ② – ♦Brest 144 ④ – ♦Caen 226 ② – ♦Cherbourg 260 ② – Dinan 59 ② – Lorient 122 ③ – Morlaix 84 ④ – Quimper 139 ③ – ♦Rennes 99 ② – St-Malo 76 ② – Vannes 106 ③.

Plan page ci-contre

Le Griffon M, à l'aéroport par ④ : 3,5 km 94.57.62, « Jardin » – . AE GB . rest
SC : **R** *(fermé 1er au 15 nov., 1er au 15 fév. et dim. sauf le soir en juil. et août)* 50/150 – 13 – **42 ch** 130/170, 3 appartements 240 – P 205/270.

Pomme d'Or M, à Langueux par ② : 4 km 22360 Langueux 61.12.10 – – 50 à 120. GB
fermé 20 déc. au 3 janv. – SC : **R** *(fermé dim.)* 35/80 – 12,50 – **46 ch** 125/155.

Alexandre 1er M sans rest, 19 pl. Du-Guesclin 33.79.45 – – 50. AE GB E CY **e**
fermé 18 déc. au 3 janv. – SC : 13 – **43 ch** 135/200.

Pignon Pointu sans rest, 16 r. J.-J.-Rousseau 33.02.39 – wc wc . CZ **y**
fermé 20 déc. au 4 janv., sam. soir et dim. d'oct. à mars – SC : 11 – **17 ch** 58/132.

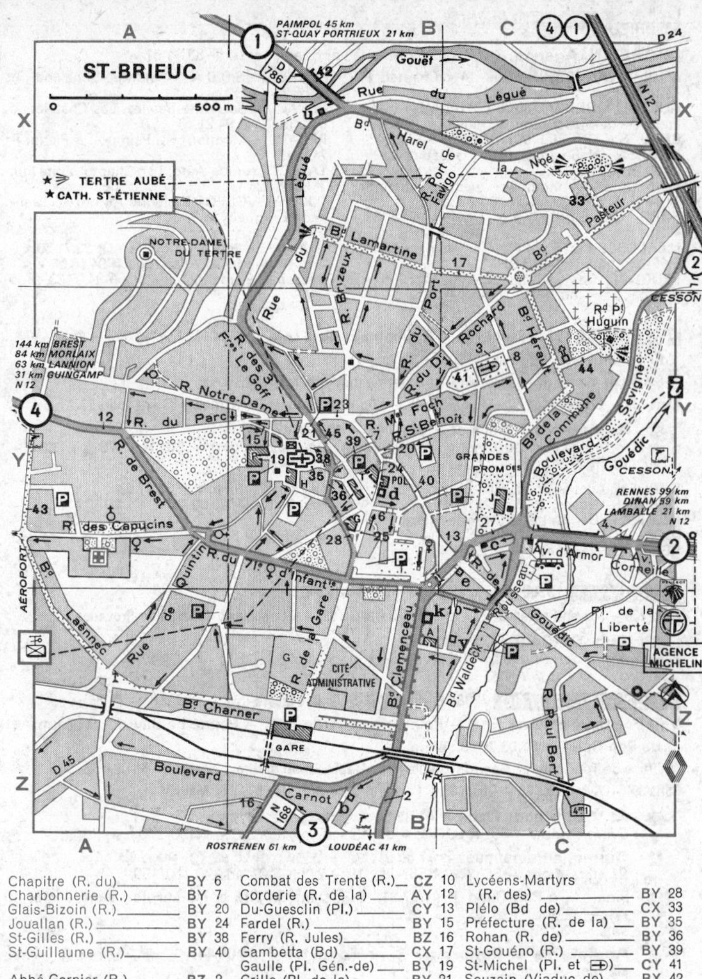

Chapitre (R. du) BY 6
Charbonnerie (R.) BY 7
Glais-Bizoin (R.) BY 20
Jouallan (R.) BY 24
St-Gilles (R.) BY 38
St-Guillaume (R.) BY 40

Abbé-Garnier (R.) BZ 2
Abbé-Josselin (R. de l') CY 3
Balzac (R.) CY 4
Chateaubriand (R.) CY 8
Combat des Trente (R.) CZ 10
Corderie (R. de la) AY 12
Du-Guesclin (Pl.) CY 13
Fardel (R.) BY 15
Ferry (R. Jules) BZ 16
Gambetta (Bd) CX 17
Gaulle (Pl. Gén.-de) BY 19
Grille (Pl. de la) BY 21
Houvenagle (R.) BY 23
Le-Gorrec (R. Pierre) BY 25
Libération (Av. de la) CY 27
Lycéens-Martyrs (R. des) BY 28
Plélo (Bd de) CX 33
Préfecture (R. de la) BY 35
Rohan (R. de) BY 36
St-Gouéno (R.) BY 39
St-Michel (Pl. et ⊕) CY 41
Souzain (Viaduc de) BX 42
Tour-d'Auvergne (Bd) AY 43
Victor-Hugo (R.) CY 44
3-Frères-Merlin (R. des) BY 45

St-Georges sans rest, 1 ter r. de Robien ☎ 94.24.06, – ⋯ P — BZ **b**
fermé 1er au 15 janv. – SC : ☕ 9 – **27 ch** 50/75.

Le Covec sans rest, pl. Poste-et-Théâtre ☎ 33.23.18 – wc ☎. AE GB E. — BY **d**
SC : ☕ 12 – **10 ch** 105/135.

Celtic sans rest, 7 bd Clemenceau ☎ 33.39.79 – — BCZ **k**
fermé 24 déc. au 5 janv., sam. soir et dim. d'oct. à fév. – ☕ 11 – **20 ch** 36/80.

XXX **Croix Blanche,** 61 r. Genève à Cesson - CXY - E 2 km ☎ 33.16.97
fermé août, dim. soir et vend. – SC : **R** 55/85.

XXX **Aux Pesked,** 59 r. du Légué ☎ 33.34.65, ≤ — BX **u**
fermé 1er au 15 oct., 1er mars au 1er avril, dim. soir et lundi – SC : **R** 50/100.

XX **La Vieille Tour,** à Sous-La-Tour NE : 3 km par D 24 - CX - ✉ 22190 Plérin ☎ 33.10.30, ≤ – GB.
fermé 1er au 10 sept., 1er au 15 janv. et dim. – **R** (nombre de couverts limité - prévenir) 52/150.

tourner →

MICHELIN, Agence, Z.A.C. de la Hazaie à Langueux par ② ☎ **33.44.61**

AUDI-VOLKSWAGEN Rué, 14 r. Chaptal, ☎ 33.18.48
AUSTIN, MORRIS, ROVER, TRIUMPH Gar. Pieto, rte de Moncontour à Yffiniac ☎ 72.62.58
BMW Gar. Chaudet, 56 r. de Paris ☎ 33.20.42
CITROEN Neumager, 101 r. Gouédic ☎ 33.24.05 N ☎ 33.44.07
FIAT Générale Autom. de l'Ouest, 16 r. J.-Ferry ☎ 94.01.20 N ☎ 33.44.07
FORD Gge Garreau, 44 r. Dr. Rahuel ☎ 33.40.15
MERCEDES-BENZ, OPEL Gar. Hamon, 19 bd de l'Atlantique ☎ 94.43.59
PEUGEOT Gds Gar. des Côtes-du-Nord, 65 r. Chaptal, Zone Ind. ☎ 33.04.24 N ☎ 33.44.07
RENAULT S.B.D.A., r. Monge, Zone Ind. ☎ 33.66.28
RENAULT Gar. Auto-Service, Les Chatelets à Ploufragan ☎ 94.21.46
RENAULT Montfort, rte Paimpol, à Plérin ☎ 74.52.61
TALBOT Europe-Auto, 18 r. Chaptal, Zone Ind. ☎ 33.68.42
TOYOTA, VOLVO Bretagne-Autom., r. Laennec à Langueux ☎ 33.36.68

Andrieux-Pneus, 6 r. de Paris ☎ 33.71.50
Auto-Pneus, 55 bd Atlantique ☎ 94.66.66
Desserrey-Pneus, 32 r. E.-Zola ☎ 94.07.33

ST-CALAIS 72120 Sarthe 64 ⑤ G. Châteaux de la Loire (plan) – 4 577 h. alt. 105 – 43.

Voir Façade* de l'église N.-Dame.

Syndicat d'Initiative à l'Hôtel de Ville (fermé dim. et fêtes) ☎ 35.00.36.

Paris 185 – Châteaudun 59 – ♦Le Mans 45 – Nogent-le-Rotrou 53 – ♦Orléans 93 – ♦Tours 73.

Angleterre, r. Guichet ☎ **35.00.43** – Ⓟ. ch
fermé 24 déc. au 11 janv., 15 au 29 juin, dim. soir et lundi – SC : **R** 32/70 – 9 – 13 ch 40/70.

CITROEN Costes, ☎ 35.00.59
CITROEN Parisse, ☎ 35.01.26
PEUGEOT Gar. Butté, la Croix-de-Pierre ☎ 35.00.98
RENAULT Daguenet, ☎ 35.05.51
TALBOT J. Rioton, ☎ 35.01.52
Gar. Poitou, ☎ 35.00.46

Botras, ☎ 35.00.95

ST-CANNAT 13760 B.-du-R. 84 ② – 1 862 h. – 42.

Paris 736 – Aix-en-Provence 16 – Apt 40 – Cavaillon 36 – ♦Marseille 46 – Salon-de-Provence 18.

Aub. St-Cannat, ☎ **28.20.22**
fermé oct. et merc. – SC : **R** 30/62.

ST-CAST-LE-GUILDO 22380 C.-du-N. 59 ⑤ G. Bretagne (plan) – 3 232 h. – 96.

Voir Pointe de St-Cast ← – Pointe de la Garde ←** – Pointe de Bay ←* S : 5 km.**

de Pen Guen ☎ 41.03.20, S : 4 km.

Office de Tourisme pl. Gén.-de-Gaulle (fermé après-midi et dim. hors sais.) ☎ 41.81.52.

Paris 394 – Avranches 89 – Dinan 36 – Fougères 99 – St-Brieuc 50 – St-Malo 34.

Ar Vro, Grande Plage ☎ **41.85.01** – Ⓟ. AE ①
5 juin-7 sept. – SC : **R** 80/120 – 15 – 47 ch 100/200 – P 190/240.

Dunes, r. Primauguet ☎ **41.80.31,** – wc wc Ⓟ.
21 mars-4 oct. – SC : **R** 55/155 – 15 – 27 ch 100/145 – P 150/190.

Pins, à **Pen-Guen** ☎ **41.07.81,** ←, **« Dans un site boisé surplombant la mer »,** – wc Ⓟ
sais. – 32 ch.

Angleterre et Panorama, r. Fosserole ☎ **41.00.44,** ←, – Ⓟ. rest
13 juin-5 sept. – SC : **R** 60/90 – 10 – 38 ch 47/63 – P 110/118.

Bon Abri, r. Sémaphore ☎ **41.85.74** – Ⓟ. ch
1er juin-10 sept. – SC : **R** 40/50 – 10,50 – 43 ch 42/60 – P 94/96.

PEUGEOT Gar. Depagne, ☎ 41.86.67
Gar. des Dunes, ☎ 41.84.26

ST-CÉRÉ 46400 Lot 75 ⑲⑳ G. Périgord (plan) – 4 356 h. alt. 152 – 65.

Voir Site* – Château de Montal O : 3 km.**

Env. Cirque d'Autoire* : ← par Autoire (site*) O : 8 km.**

Office de Tourisme pl. République (fermé après-midi hors saison et dim.) ☎ 38.11.85.

Paris 544 – Aurillac 64 – Brive-la-Gaillarde 54 – Cahors 76 – Figeac 42 – Tulle 58.

Paris et du Coq Arlequin, bd Dr-Roux ☎ **38.02.13,** – wc Ⓟ.
fermé 1er janv. au 1er mars et lundi hors sais. – SC : **R** 48/120 – 27 ch 90/180 – P 150/185.

France, av. Fr.-de-Maynard ☎ **38.02.16,** – Ⓟ.
28 juin-15 sept. – SC : **R** (dîner seul) 40/100 – 10 – **24 ch** 46/120.

CITROEN Gar. du Haut-Quercy, ☎ 38.18.71
MERCEDES-BENZ Payrot, ☎ 38.01.07
RENAULT Grassetie, ☎ 38.02.12
TALBOT Fournier, ☎ 38.12.50

Souilhac, ☎ 38.16.54

ST-CERGUES 74 H.-Savoie 70 ⑯⑰ – 1 847 h. alt. 615 – ✉ **74140** Douvaine – ☎ 50.

Paris 559 – Annecy 51 – Annemasse 9 – Bonneville 23 – •Genève 16 – Thonon-les-Bains 21.

France, ☎ 43.50.32, – wc wc ☎ P. rest
fermé 15 oct. au 1er déc., dim. soir et lundi du 20 sept. au 31 mai – SC : **R** 36/115 – 11 – **22 ch** 65/115 – P 104/135.

XX **Aub. des Fontaines,** ☎ 43.53.69
fermé juil., dim. soir et lundi – **R** 60/120.

ST-CERNIN 15310 Cantal 76 ② G. Auvergne – 1 355 h. alt. 767 – ☎ 71.

Voir Boiseries* de l'église St-Louis.

Paris 520 – Aurillac 22 – Brive-la-Gaillarde 113 – Mauriac 36.

Les Tilleuls , ☎ 47.60.73, ← – ☎ P. ch
R 30/38 – 8,50 – **10 ch** 50/62 – P 68/80.

ST-CHAMOND 42400 Loire 73 ⑲ G. Vallée du Rhône – 40 533 h. alt. 375 – ☎ 77.

Paris 509 ① – Feurs 50 ④ – •Lyon 47 ① – Montbrison 48 ④ – •St-Étienne 12 ④ – Vienne 37 ①.

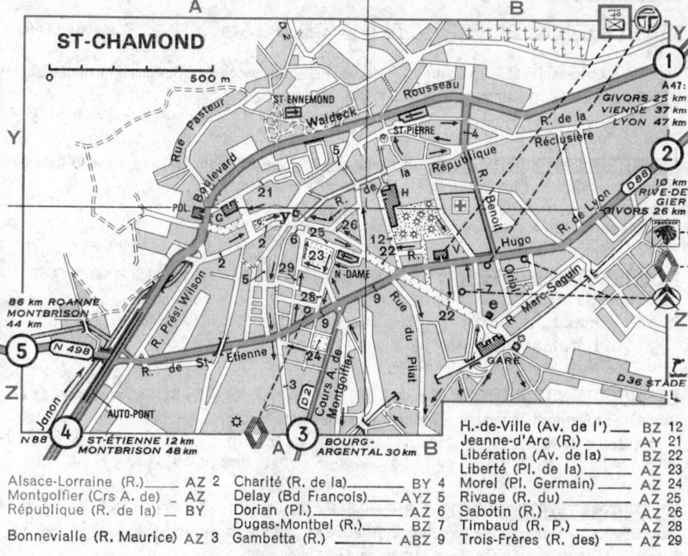

H.-de-Ville (Av. de l') BZ 12
Jeanne-d'Arc (R.) AY 21
Libération (Av. de la) BZ 22
Liberté (Pl. de la) AZ 23
Morel (Pl. Germain) AZ 24
Rivage (R. du) AZ 25
Sabotin (R.) AZ 26
Timbaud (R. P.) AZ 28
Trois-Frères (R. des) AZ 29

Alsace-Lorraine (R.) AZ 2
Montgolfier (Crs A. de) AZ
République (R. de la) BY

Bonnevialle (R. Maurice) AZ 3

Charité (R. de la) BY 4
Delay (Bd François) AYZ 5
Dorian (Pl.) AZ 6
Dugas-Montbel (R.) BZ 7
Gambetta (R.) ABZ 9

Lion d'Or, 29 bd Delay ☎ 22.01.38 – wc wc ☎ – 25. AZ **y**
fermé dim. soir et lundi fériés – **R** 30/80 – 9 – 15 ch 50/89.

XX **Chemin de Fer** avec ch, 27 av. Libération ☎ 22.00.15 – ☎. E BZ **e**
fermé août, dim. soir (sauf hôtel) et sam. – SC : **R** 30 bc/85 – 10 – 11 ch 36/65.

à l'Horme par ② : 3 km – 5 051 h. – ✉ **42400** St-Chamond :

Vulcain M sans rest, ☎ 22.17.11 – wc wc ☎ P. GB
SC : 11 – **30 ch** 86/130.

à St-Paul-en-Jarez par ② D 88 et D 7 : 6 km – 3 408 h. – ✉ **42320** La Grand-Croix :

X **St-Paul,** ☎ 75.21.14 –
fermé 1er au 23 août, vacances de fév., dim. soir et vend. – SC : **R** 28/70.

ALFA ROMEO Gar. Relave Carrefour du Champ de Geai ☎ 22.03.30 N
CITROEN Chataing, 3 bis r. R.-Chambovet ☎ 22.01.72
CITROEN Gar. des Palermes, 38 r. Victor-Hugo ☎ 22.03.75
FIAT Chabroud, 46 r. Victor-Hugo ☎ 22.05.26
FORD Martinez, 10 r. St-Etienne ☎ 22.03.69
MERCEDES-BENZ SALTA, voie express à La Varizelle ☎ 22.16.52

PEUGEOT Boniface-Vallée du Gier, C.D. 88, bretelle Autoroute St-Julien ☎ 22.59.77
RENAULT Fonsala-Autom., bd Fonsala ☎ 22.22.98
RENAULT Varenne, 26 r. Gambetta ☎ 22.02.58
TALBOT Gar. Reymond, 24 r. Victor-Hugo ☎ 22.02.62
Gar. du Parc, 26 r. Victor-Hugo ☎ 22.04.68

ST-CHARTIER 36 Indre 68 ⑲ – rattaché à La Châtre.

ST-CHÉLY-D'APCHER 48200 Lozère 76 ⑮ – 5 305 h. alt. 1 000 – ☎ 66.
Syndicat d'Initiative (1er juil.-31 août et fermé lundi) ☎ 31.03.67.
Paris 524 – Mende 48 – Millau 106 – Le Puy 85 – Rodez 98 – St-Flour 35.

- **Jeanne d'Arc,** 49 av. Gare ☎ 31.00.46, – ⇔ .
  fermé dim. du 1er nov. à Pâques – SC : **R** 29/66 – 10 – 15 ch 50/75 – P 90/110.
- **Lion d'Or,** r. Th.-Roussel ☎ 31.00.14 – .
  fermé 1er janv. au 1er fév. – SC : **R** (dim. prévenir) 28/50 – 10 – **30 ch** 40/55 – P 100/110.

CITROEN Barrandon, ☎ 31.00.33
RENAULT Chauvet, ☎ 31.06.12 ☎ 31.03.27
Terrisson-Pneus, ☎ 31.00.64

ST-CHÉLY-D'AUBRAC 12470 Aveyron 80 ③④ – 610 h. alt. 800 – Sports d'hiver à Brameloup : 1 120/1 388 m 5 – ☎ 65.
Paris 565 – Espalion 21 – Mende 75 – Rodez 52 – St-Flour 75 – Séverac-le-Château 58.

- **Voyageurs-Vayrou** , ☎ 44.27.05 – ch
  1er avril-1er déc. – SC : **R** 31/60 – 8,50 – **14 ch** 33/50 – P 70/77.

ST-CHRISTAU 64 Pyr.-Atl. 85 ⑥ – voir à Lurbe-St-Christau.

ST-CHRISTOPHE-EN-BOUCHERIE 36 Indre 68 ⑳ – 342 h. alt. 271 – ✉ **36400** La Châtre – ☎ 54.
Paris 284 – Châteauroux 45 – La Châtre 16 – Issoudun 36 – Montluçon 59 – St-Amand-Montrond 36.

- **Le Relais,** D 940 ☎ 30.01.07 – . ch
  fermé 20 sept. au 20 oct. et lundi hors sais. – SC : **R** 50/90 – 11 – **10 ch** 50/68 – P 90/110.

ST-CIRGUES-DE-JORDANNE 15 Cantal 76 ②⑫ – 249 h. alt. 800 – ✉ **15590** Lascelle-Mandailles – ☎ 71 – Paris 562 – Aurillac 17 – Murat 45 – St-Simon 11.

- **Tilleuls,** ☎ 47.92.19 – wc wc
  Pâques-1er oct. et vacances de fév. – SC : **R** 30/100 – 10 – **17 ch** 40/100 – P 80/110.

ST-CIRGUES-LA-LOUTRE 19 Corrèze 75 ⑩ – 304 h. alt. 460 – ✉ **19220** St-Privat – ☎ 55.
Voir Tours de Merle★★ SO : 4 km, G. Périgord.
Paris 532 – Argentat 21 – Aurillac 47 – Mauriac 38 – Pléaux 17 – St-Céré 59 – Tulle 51.

- **Aub. Ruines de Merle** , ☎ 28.27.15 – .
  SC : **R** 25/45 – 8 – 9 ch 45/65 – P 75/80.

ST-CIRGUES-SUR-COUZE 63 P.-de-D. 73 ⑭ – 235 h. alt. 400 – ✉ **63320** Champeix – ☎ 73.
Paris 431 – ♦ Clermont-Ferrand 46 – Issoire 9 – Le Mont-Dore 45.

- **des 4 Saisons** , ☎ 71.10.11, – wc
  fermé 1er au 10 nov., 7 au 15 fév., 22 au 30 juin et merc. – SC : **R** 33/80 – 9,50 – 10 ch 60/80 – P 97.

ST-CIRQ-LAPOPIE 46 Lot 79 ⑨ **G. Périgord** – 167 h. alt. 137 – ✉ **46330** Cabrerets – ☎ 65.
Voir Site★★ – Vestiges de l'ancien château ≤★★ – Le Bancourel ≤★.
Paris 626 – Cahors 33 – Figeac 45 – Villefranche-de-Rouergue 36.

- **Aub. du Sombral "Aux Bonnes Choses"** M , ☎ 31.26.08 – wc wc
  fermé 15 nov. au 15 fév., mardi soir sauf rest. et merc. sauf vacances scolaires – SC : **R** 42/105 – 15 – 10 ch 80/120.

ST-CLAIR 83 Var 84 ⑯ – rattaché au Lavandou.

ST-CLAUDE 39200 Jura 70 ⑮ **G. Jura** – 14 086 h. alt. 434 – ☎ 84.
Voir Site★★ – Cathédrale★ : stalles★★ – Place Louis-XI ≤★ – Gorges du Flumen★ par ② – Env. Route de Morez (D 69) ≤★★ 7 km par ① – Crêt pourri ★ E : 6 km puis 30 mn par D 304 BZ.
Office de Tourisme (fermé dim. sauf juil., août) et A.C. 1 av. Belfort ☎ 45.34.24.
Paris 466 ③ – Annecy 87 ② – Bourg-en-Bresse 73 ③ – ♦Genève 61 ② – Lons-le-Saunier 60 ③.

Plan page ci-contre

- **St-Hubert** M sans rest, rte Genève ☎ 45.10.70 – wc wc . AE GB
  fermé 20 nov. au 5 déc. – SC : 11,50 – **30 ch** 85/130. BZ **s**
- **Jura H.** M sans rest, 40 av. Gare ☎ 45.24.04 – wc wc . AZ **a**
  SC : 12 – **23 ch** 75/120.
- **Poste** sans rest, 1 r. Reybert ☎ 45.24.70 – BZ **z**
  fermé 15 sept. au 15 oct. – SC : 10,50 – **16 ch** 38/68.
- **Clef d'Or,** rte Genève ☎ 45.08.84 BZ **s**
  fermé 1er au 15 sept., 15 au 28 fév., mardi soir et merc. – SC : **R** 32/65 .

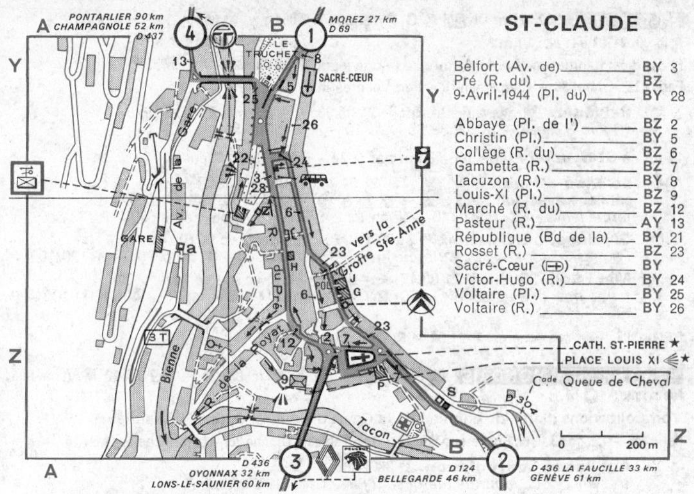

par ② et D 290 : 3 km - BZ – ⊠ **39200** St-Claude :

Joly ⛰, au Martinet (près camping) ☎ 45.12.36, ⋞, « Jardin fleuri » – ⇔wc ⋒ ☎ Ⓟ. 🚗. ✈
fév.-31 oct. et fermé dim. soir et lundi sauf du 1er juin au 15 sept. – SC : **R** 50/90 – ☕ 11 – **16 ch** 40/130 – P 120/150.

à Villard-St-Sauveur par ② et D 290 : 5 km - BZ – alt. 580 – ⊠ **39200** St-Claude :

Au Retour de la Chasse ⛰, ☎ 45.11.32, ⋞ – ⇔wc ⋒ Ⓟ – 🏊 100. 🚗.
✈ ch
fermé 12 nov. au 20 déc. et lundi sauf vacances scolaires – SC : **R** 29/80 – ☕ 10 – 12 ch 50/100 – P 90/110.

AUDI-VOLKSWAGEN Central Gar., 6 r. Voltaire ☎ 45.01.52
CITROEN Baud et Martelet, 16 r. Rosset ☎ 45.01.96
FIAT Gar. de Genève, 11 r. Lt-Froidurot ☎ 45.21.01
FORD Gar. Grenard, 23 r. Carnot ☎ 45.06.48
PEUGEOT Gar. Carnot, ZA d'Etables, rte de Lyon ☎ 45.11.07
RENAULT Lacuzon-Autom., 21 r. Carnot ☎ 45.12.03
TALBOT Duchêne, 21 rte Valfin ☎ 45.12.07
Jura-Pneu, 28 r. Collège ☎ 45.15.37

ST-CLÉMENT-DES-BALEINES 17 Char.-Mar. **71** ⑫ – voir à Ré (Ile de).

ST-CLÉMENT-DES-LEVÉES 49 M.-et-L. **64** ⑫ – 935 h. alt. 26 – ⊠ **49350** Gennes – ⚙ 41.
Paris 284 – Angers 34 – Bauge 30 – Saumur 12 – ♦Tours 76.

XX **Beau Site** avec ch, D 952 ☎ 51.83.72, ⋞ – Ⓟ. 🚗
fermé 15 au 30 nov., 15 janv. au 15 fév. et merc. – SC : **R** 39/90 – ☕ 9 – 5 ch 40/52.

ST-CLOUD 92 Hauts-de-Seine **55** ⑳, **101** ⑭ – voir à Paris, Proche banlieue.

ST-COME-D'OLT 12 Aveyron **80** ③ – rattaché à Espalion.

ST-CYBRANET 24 Dordogne **75** ⑰ – 273 h. alt. 79 – ⊠ **24250** Domme – ⚙ 53.
Paris 553 – Cahors 55 – Fumel 51 – Gourdon 29 – Lalinde 49 – Périgueux 72 – Sarlat-la-Canéda 16.

Relais Fleuri, ☎ 28.33.70 – Ⓟ. ✈ ch
fermé 15 nov. au 15 déc. – SC : **R** 33/130 – ☕ 10 – **7 ch** 42/70 – P 85/112.

Beau Rivage, ☎ 28.32.13, 🌳 – Ⓟ
fermé vacances de fév. et merc. du 1er oct. au 1er mai – SC : **R** 28/65 ⅌ – ☕ 8,50 – 8 ch 48/60 – P 95.

ST-CYPRIEN 24220 Dordogne **75** ⑯ **G. Périgord** – 1 785 h. alt. 72 – ⚙ 53.
Voir Château de Fages ⋞★ N : 3 km.
Paris 539 – Bergerac 53 – Cahors 75 – Fumel 53 – Gourdon 43 – Périgueux 54 – Sarlat-la-Canéda 21.

L'Abbaye ⛰, ☎ 29.20.48, ⋞, 🏊, 🌳 – ⇔wc ⋒wc ☎ Ⓟ. 🚗 AE Ⓓ
22 mars-10 oct. – SC : **R** *(fermé merc. en sept.)* 35/125 – ☕ 13 – **20 ch** 100/160 – P 170/220.

Terrasse, pl. Champ-de-Foire ☎ 29.21.69 – ⇔wc ⋒wc ☎
1er mars-15 nov. – SC : **R** *(fermé lundi hors sais.)* 38/110 – ☕ 11 – 16 ch 50/140 – P 95/140.

RENAULT Castillon-Veyssière, ☎ 29.20.23

ST-CYPRIEN 66750 Pyr.-Or. 86 ⑳ **G. Pyrénées** – 3 684 h. – ⚙ 68.

⛳9 ⛳18 ☎ 21.01.71, N : 1 km.

ℹ Syndicat d'Initiative quai A.-Raimbaud (fermé jeudi) ☎ 21.03.33.

Paris 922 – Céret 33 – ♦Perpignan 15 – Port-Vendres 20.

Belvédère Ⓜ 🐦, r. P.-Benoît ☎ 21.05.93, ⩽ – wc wc ☎ Ⓟ
1er juin-30 sept. – SC : **R** 39/85 – ☕ 10 – 30 ch 110/150.

à St-Cyprien-Plage NE : 3 km par D 22 – ✉ **66750** St Cyprien :

Le Mas d'Huston Ⓜ 🐦, ☎ 21.01.71, Télex 500834, ⩽, parc, « Construction catalane avec golf », 🏊, 🎾 – ⛓ ☎ ♿ Ⓟ – 🏛 120. AE GB ⓓ E. 🚫 rest
fermé janv. – SC : **R** 90/140 – 42 ch ☕ 240/300, 4 appartements 600 – P 270/360.

Glycines, r. E. Delacroix ☎ 21.00.11, ⩽ – wc wc ☎ Ⓟ. 🚗 GB
Pâques-30 sept. – SC : **R** *(fermé merc.)* 50/90 – ☕ 10 – **34 ch** 60/140 – P 120/150.

Mar i Sol, r. Rodin ☎ 21.00.17, ⩽ – ⛓ wc wc ☎. 🚫 rest
fermé nov. et 9 au 22 fév. – SC : **R** *(fermé mardi)* 45/70 – ☕ 15 – **40 ch** 90/100 – P 195.

RENAULT Gar. des Albères, ☎ 21.02.44 🅽

ST-CYR-EN-TALMONDAIS 85 Vendée 71 ⑪ – 283 h. alt. 36 – ✉ **85540** Moutiers-les-Mauxfaits – ⚙ 51.

Voir Collections d'art* du château de la Court d'Aron, **G. Côte de l'Atlantique.**

Paris 446 – Luçon 13 – La Roche-sur-Yon 29 – Les Sables d'Olonne 36 – La Tranche-sur-Mer 18.

✕ **Aub. de la Court d'Aron,** ☎ 30.81.80
1er avril-1er oct. et fermé mardi sauf juil. et août – SC : **R** 65 🍷.

RENAULT Gar. Thuaud, ☎ 30.80.56 🅽

ST-CYR-L'ÉCOLE 78 Yvelines 60 ⑩, 101 ㉒ – voir à Paris, Proche banlieue.

ST-CYR-SUR-MORIN 77750 S.-et-M. 56 ⑬ **G. Environs de Paris** – 1 026 h. alt. 62 – ⚙ 6.

Paris 75 – Coulommiers 14 – La Ferté-sous-Jouarre 7,5 – Melun 60.

✕✕ **Moderne,** ☎ 023.80.03, ⩽, « Collections d'outils anciens », 🌳 – Ⓟ
fermé 15 déc. au 15 fév. et merc. – SC : **R** (dim. prévenir) 40/140.

ST-DALMAS-DE-TENDE 06430 Alpes-Mar. 84 ⑩⑳, 195 ⑧⑨ – alt. 696 – ⚙ 93.

Voir S : Haute vallée de la Roya** – Gorges de Bergue* S : 3 km, **G. Côte d'Azur.**

Paris 869 – Fontan 8 – ♦Nice 79 – Sospel 36.

Terminus 🐦, ☎ 04.60.10 – Ⓟ. 🚫 rest
fermé janv. et vend. – SC : **R** 38/65 – ☕ 9 – 23 ch 40/90 – P 95/140.

ST-DALMAS-VALDEBLORE 06 Alpes-Mar. 84 ⑲, 195 ⑥ – voir à Valdeblore.

ST-DENIS 93 Seine-St-Denis 56 ⑪, 101 ⑯ – voir à Paris, Proche banlieue.

ST-DENIS-D'ANJOU 53 Mayenne 64 ① – 1 316 h. alt. 38 – ✉ **53290** Grez-en-Bouere – ⚙ 43.

Paris 262 – Angers 42 – ♦Le Mans 58 – Sablé-sur-Sarthe 10.

✕✕ **Aub. Roi René,** ☎ 07.52.30 – Ⓟ
fermé début janv. à fin fév., mardi soir et merc. – SC : **R** 33/90 🍷.

CITROEN Langlois, ☎ 07.52.06 🅽 RENAULT Babin, ☎ 07.52.25

ST-DENIS-DE-L'HÔTEL 45 Loiret 64 ⑩ – rattaché à Jargeau.

ST-DENIS-D'ORQUES 72 Sarthe 60 ⑫ – 826 h. alt. 127 – ✉ **72350** Brûlon – ⚙ 43.

Paris 237 – Alençon 62 – La Flèche 54 – Laval 38 – ♦Le Mans 37 – Mayenne 45 – Sablé-sur-Sarthe 28.

✕ **Aub. de la Gde Charnie,** ☎ 27.43.12 – Ⓟ
fermé 1er au 15 sept. et merc. – SC : **R** 42/120.

RENAULT Gar. Touchard, ☎ 27.43.11 TALBOT Gar. Leffray, ☎ 27.44.33

ST-DENIS-SUR-SARTHON 61420 Orne 60 ② – 957 h. alt. 196 – ⚙ 33.

Paris 203 – Alençon 12 – Argentan 40 – Domfront 49 – Falaise 63 – Flers 59 – Mayenne 49.

La Faïencerie, ☎ 27.30.16, parc – wc wc ☎ Ⓟ
15 mars-15 nov. – SC : **R** *(fermé mardi midi)* 45/65 – ☕ 12 – 17 ch 65/140 – P 180/200.

RENAULT Gar. Poirier, ☎ 27.30.32

ST-DÉZERY 19 Corrèze 73 ⑪ – rattaché à Ussel.

ST-DIDIER-EN-VELAY **43140** H.-Loire **76** ⑧ – 2 775 h. alt. 835 – ✪ 71.

Paris 543 – Annonay 48 – Firminy 15 – Lamastre 69 – Le Puy 58 – ♦St-Étienne 25 – Yssingeaux 31.

XX **Aub. Velay** avec ch, pl. Fontaine ☎ 61.01.54 – ⋒. GB E
fermé août, 7 au 16 fév., fermé (sauf en juin et juil.) : sam. du 1er nov. au 1er avril, lundi du 1er avril au 30 oct. et dim. soir – SC : **R** 36/145 – ☕ 11 – **8 ch** 38/105 – P 90/110.

ST-DIÉ ‹SP› **88100** Vosges **62** ⑰ **G. Vosges** – 26 539 h. alt. 343 – ✪ 29.

Voir Église N.-D.-de-Galilée★ – Cloître★ – Cathédrale★.

i Office de Tourisme 32 r. Thiers (fermé dim.) ☎ 56.17.62.

Paris 388 ④ – Belfort 128 ② – Colmar 63 ① – Épinal 50 ③ – ♦Mulhouse 98 ② – ♦Strasbourg 90 ①.

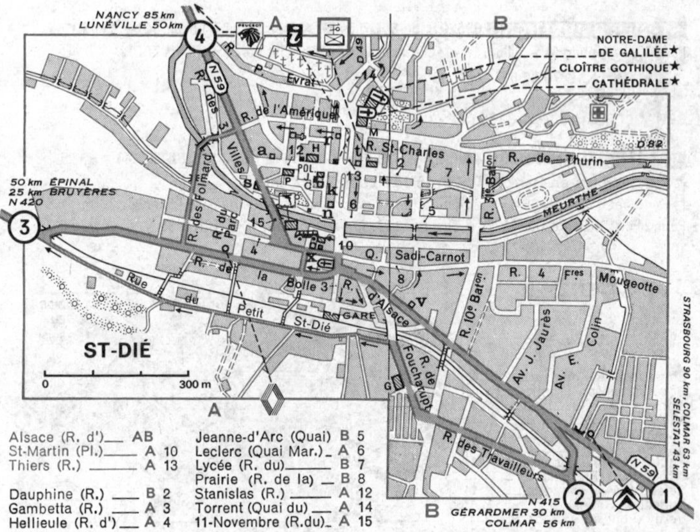

Alsace (R. d') AB
St-Martin (Pl.) A 10
Thiers (R.) A 13
Dauphine (R.) B 2
Gambetta (R.) A 3
Hellieule (R. d') A 4
Jeanne-d'Arc (Quai) B 5
Leclerc (Quai Mar.) A 6
Lycée (R. du) B 7
Prairie (R. de la) B 8
Stanislas (R.) A 12
Torrent (Quai du) A 14
11-Novembre (R.du) A 15

France M sans rest, 1 r. Dauphine ☎ 56.32.61 – TV ⇔wc ☎. AE GB ① — A **t**
SC : ☕ 11 – **11 ch** 130/140.

Stanislas, 32 r. Stanislas ☎ 56.41.51 – ⇔wc ⋒ ☎ P. GB — A **a**
fermé 20 déc. au 20 janv. – SC : **R** *(fermé dim. et lundi)* 50/100 – ☕ 12 – **24 ch** 55/130, 3 appartements 200.

Vosges sans rest, 57 r. Thiers ☎ 56.16.21 – ⇔wc ⋒wc ☎ – 60. AE GB ① — A **r**
SC : ☕ 10,50 – **30 ch** 57/140.

Globe sans rest, 2 quai de Lattre ☎ 56.13.40 – ⇔wc ⋒wc ☎. — A **n**
fermé 21 déc. au 4 janv. et 5 au 16 avril – SC : ☕ 11 – **18 ch** 50/145.

Parc sans rest, 5 r. J.-J. Baligan ☎ 56.36.54 – ⇔ ⋒wc ☎. — A **k**
SC : ☕ 10 – **6 ch** 75/110.

Voyageurs sans rest, 22 r. Hellieule ☎ 56.21.56 – ⋒. . — A **x**
fermé 15 sept. au 20 oct. – SC : ☕ 8 – **14 ch** 36/60.

Moderne, 64 r. Alsace ☎ 56.11.71 – ⋒ P. . ch — B **v**
fermé 15 déc. au 15 janv., vend. soir et sam. sauf juil. et août – SC : **R** 33/75 – ☕ 8 – 14 ch 39/60 – P 117/138.

XX **Au Petit Robinson,** par ④ : 6 km N 59 ✉ 88470 St-Michel-sur-Meurthe ☎ 58.34.06, ←, – P.
fermé 1er au 8 mars, 16 juil. au 12 août et lundi sauf fériés – **R** carte 95 à 130.

XX **Petit Chantilly,** r. 11 Novembre ☎ 56.15.43 – AE GB ① E — A **s**
fermé 15 août au 15 sept., jeudi soir et vend. – SC : **R** 40/58.

XX ✪ **Tétras** (Giuliano), 4 r. Hellieule ☎ 56.10.12 – AE GB ① E. — A **x**
fermé 30 sept. au 30 oct., vend. soir et sam. – SC : **R** (nombre de couverts limité - prévenir) 50/150
Spéc. Parfait de foies de volailles, Sandre à l'oseille, Tarte aux amandes et miel de sapin (sept. à avril). Vins Pinot blanc et rouge.

tourner →

route de Colmar par ② : 6,5 km – ✉ **88580** Saulcy-sur-Meurthe:

XX **Lo Kébé** avec ch, à **Saulcy-sur-Meurthe** ☎ 58.00.78 – ⇔wc ⋒wc. ⇐ GB ⊕
fermé 17 au 30 nov., dim. soir (sauf hôtel) et lundi – SC : **R** 30/50 ♖ – ☐ 8,50 – **7 ch** 38/80 – P 110/145.

BMW Gar. Charaud, 1 av. J.-Jaurès ☎ 56.20.96
CITROEN Vosges-Autom., 130 bis r. d'Alsace ☎ 56.29.95 ▣ ☎ 55.22.22
FIAT Morice, 18 quai Carnot ☎ 56.19.66
FORD Gar. Thouzet, rte de Raon ☎ 56.23.30
LANCIA-AUTOBIANCHI, TOYOTA Vallet-Autos, N 59 à Ste-Marguerite ☎ 56.27.31
MERCEDES-BENZ Gar. Antoine, 125 r. d'Alsace ☎ 56.25.83
PEUGEOT Gd Gar. Central Schaefer, 27 av. de Verdun ☎ 56.25.21 ▣
RENAULT Ets Husson, 52 r. de la Bolle ☎ 56.28.57

◉ Daesslé et Klein, 126 r. d'Alsace ☎ 56.11.34
Villaume, 73 r. Alsace ☎ 56.11.08

ST-DIER D'AUVERGNE **63520** P.-de-D. **73** ⑮ **G. Auvergne** – 711 h. alt. 446 – ✪ 73.

Paris 408 – Ambert 34 – Billom 17 – ♦Clermont-Ferrand 44 – Issoire 37 – Thiers 27.

X **Paris,** ☎ 70.80.67 – ⓟ. ⛌
SC : **R** 36/75.

RENAULT Legros, ☎ 70.80.56 ▣ ☎ 70.80.47

ST-DIZIER <SP> **52100** H.-Marne **61** ⑨ **G. Nord de la France** – 39 815 h. alt. 146 – ✪ 25.

⛳9 de Combles-en-Barrois ☎ (29) 45.16.03 par ① : 23 km.

ℹ Syndicat d'Initiative Pavillon du Jard (après-midi seul. et fermé dim.) ☎ 05.31.84.

Paris 205 ⑤ – Bar-le-Duc 24 ① – Chaumont 74 ③ – ♦Nancy 101 ② – Troyes 85 ④ – Vitry-le-F. 29 ⑤.

🏨 **Gambetta** Ⓜ, 62 r. Gambetta ☎ 05.22.10 – 🛗 📺 🚗 ⓟ – 🏛 100. AE ⊕ Z e
SC : **R** *(dim. et fêtes déj. seul.)* 35/69 ♖ – ☐ 14 – **33 ch** 95/190 – P 180/220.

🏨 **Soleil d'Or** Ⓜ, par ① : 3,5 km ☎ 05.68.22, Télex 840946, ⛱ – 🛗 ☎ ♿ ⓟ – 🏛 150. AE GB ⊕ E
SC : **R** Grill carte environ 65 – ☐ 12,50 – **60 ch** 140/240 – P 230.

🏠 **Picardy** sans rest, 15 av. Verdun ☎ 05.09.12, ⇐ – ⋒wc ⓟ. ⛌ Z b
SC : ☐ 9 – **12 ch** 50/85.

X **Bar de l'Est** avec ch, 56 av. Alsace Lorraine ☎ 05.03.14 – ⋒wc ⓟ. ⛌ Z s
fermé 10 au 31 août – SC : **R** 23/35 – ☐ 6,50 – **23 ch** 40/60.

MICHELIN, Agence, Z.I. St-Jean, Voie Sud Y ☎ **05.07.84**

AUDI-VOLKSWAGEN, MERCEDES-BENZ Galichet, 50 av. République ☎ 05.09.90
BMW, OPEL Gar. Masson, 92 bis r. E.-Renan ☎ 05.02.63
CITROEN Gar. Fontaine, 34 av. R.-Salengro ☎ 05.20.68 N ☎ 05.23.84
FORD Dynamic-Motors, rte de Bar-le-Duc ☎ 05.23.98
PEUGEOT Gar. Clabaut, rte de Bar-le-Duc, Bettancourt-la-Ferrée ☎ 05.15.12
RENAULT Fogel, 20 av. états-Unis ☎ 05.02.56
TALBOT C.A.B., 61 av. Alsace-Lorraine ☎ 05.07.33

Barrois-Pneus, rte de Bar-le-Duc, Bettancourt-la-Ferrée ☎ 05.19.16
Saunier-St-Dizier-Pneu, 111 r. E.-Renan ☎ 05.23.54
Tyresoles-Sebat-Est, 38 r. J.-J.-Rousseau ☎ 05.10.21

ST-DOULCHARD 18 Cher 69 ① – rattaché à Bourges.

ST-DYÉ-SUR-LOIRE 41 L.-et-Ch. 64 ⑦⑧ – 587 h. alt. 75 – ✉ 41500 Mer – 54.
Paris 172 – Beaugency 21 – Blois 14 – ♦Orléans 46 – Romorantin-Lanthenay 45.

La Renaissance, ☎ 81.60.06 – wc wc ☎.
SC : **R** 39 – 12 – 19 ch 60/150.

Manoir Bel Air , ☎ 81.60.10, ←, Parc – wc wc ☎ & – 25. rest
fermé 1er janv. au 15 fév. – SC : **R** 55/85 – 10,50 – 28 ch 80/120 – P 140.

SAINTE... – voir suite nomenclature des Saints.

ST-ELME 83 Var 84 ⑮ – rattaché aux Sablettes.

ST-ÉMILION 33330 Gironde 75 ⑫ G. Côte de l'Atlantique (plan) – 3 363 h. alt. 102 – 56.
Voir Site★ – Église monolithe★ – Ancien cloître des Cordeliers★ – ←★ de la tour du château du Roi.
Office de Tourisme pl. du Clocher ☎ 24.72.03.
Paris 551 – Bergerac 56 – ♦Bordeaux 39 – Langon 49 – Libourne 8 – Marmande 60.

Aub. de la Commanderie, r. Cordeliers ☎ 24.70.19 – wc wc ☎. rest
fermé 20 déc. au 1er fév. – SC : **R** 55/150 – 12 – 14 ch 65/160.

Chez Germaine, pl. Clocher ☎ 24.70.88 – AE
fermé janv. et lundi – SC : **R** 45/85.

Logis de la Cadène, pl. Marché-au-Bois ☎ 24.71.40
fermé 15 au 30 juin, 1er au 15 sept. et lundi – SC : **R** (déj. seul.) 30/75.

RENAULT Vallade, ☎ 24.72.68

ST-ÉTIENNE 04230 Alpes-de-H.-Pr 81 ⑮ G. Côte d'Azur – 561 h. alt. 697 – 92.
Paris 775 – Digne 46 – Forcalquier 17 – Sault 47 – Sisteron 30.

St Clair , S : 2 km par D 13 ☎ 76.07.09, ←, – wc . ch
fermé 15 nov. au 15 déc. – SC : **R** 34/70 – 9 – **27 ch** 60/92 – P 102/157.

Parc , ☎ 76.01.02, – wc ☎ . GB
fermé 20 avril au 15 mai et 1er au 20 oct. – SC : **R** 40/75 – 9,50 – **24 ch** 60/90 – P 90/120.

ST-ÉTIENNE P 42000 Loire 73 ⑲, 76 ⑨ G. Vallée du Rhône – 221 256 h. alt. 517 – 77.
Voir Musée d'Art et d'Industrie : musée d'Armes★ et peintures modernes★ du musée des Beaux-Arts - Z **M**.
Env. Guizay ←★★ S : 10 km - V – Gouffre d'Enfer★★ SE : 11 km par D 8 - V.
de St-Étienne-Bouthéon : ☎ 36.54.79 par ⑤ : 15 km.
Office de Tourisme 12 r. Gérentet (fermé lundi matin et dim.) ☎ 25.12.14, Télex 330683 - A.C. 9 r. Général-Foy ☎ 32.55.99 - T.C.F. 31 r. République ☎ 33.47.25.
Paris 521 ① – ♦Clermont-Ferrand 149 ④ – ♦Grenoble 139 ① – ♦Lyon 59 ① – Valence 118 ①.

Plans pages suivantes

Frantel M, r. Wuppertal SE du plan, par cours Fauriel ✉ 42100 ☎ 25.22.75, Télex 300050 – rest ☎ & – 50 à 200. AE GB E. rest U **a**
SC : rest. **La Ribandière** *(fermé dim.)* **R** carte 100 à 140 – 21 – **120 ch** 185/295.

Le Grand Hôtel, 10 av. Libération ☎ 32.99.77, Télex 330811 – & – 35. AE E Y **b**
SC : **R** voir rest. Gillet – 16 – **66 ch** 115/250.

Astoria M sans rest, r. H.-Déchaud SE du plan, par cours Fauriel ✉ 42100 ☎ 25.09.56 – ☎ & – 30. AE GB E U **d**
SC : 11 – **33 ch** 95/150.

tourner →

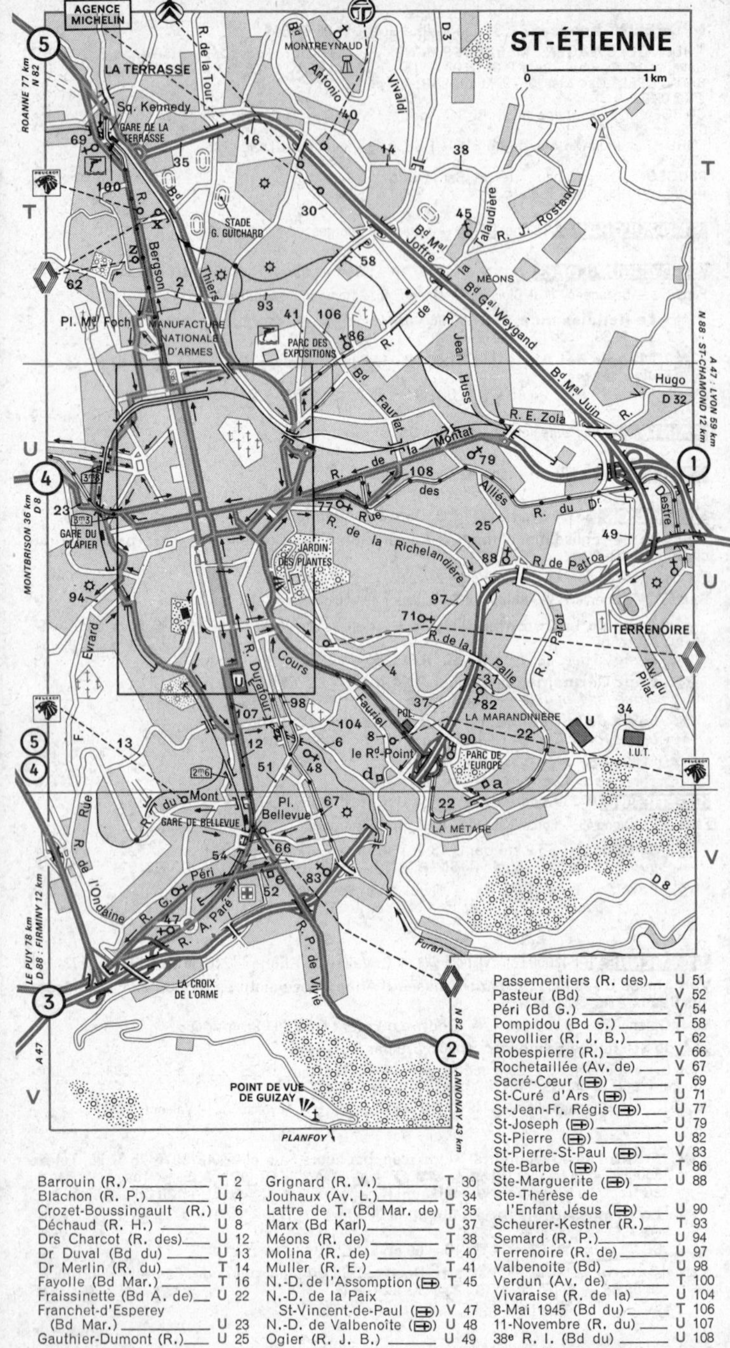

ST-ÉTIENNE
0
1 km
AGENCE MICHELIN
LA TERRASSE
Sq. Kennedy
GARE DE LA TERRASSE
R. de la Tour
Bd Antonio Vivaldi
MONTREYNAUD
D 3
STADE G. GUICHARD
R. P. Bergson
Bd Thiers
Pl. Mal Foch
MANUFACTURE NATIONALE D'ARMES
PARC DES EXPOSITIONS
Bd Mal Joffre
Bd Gal Weygand
Bd Mal Juin
MÉONS
R. J. Rostand
R. Talaudière
R. de la Jean Huss
Bd Fauriat
R. E. Zola
Hugo
D 32
R. de la Montat
R. des Alliés
R. du Dr Destre
R. de la Richelandière
R. de Patroa
JARDIN DES PLANTES
GARE DU CLAPIER
R. de la Palle
R. J. Parot
Av. du Pilat
TERRENOIRE
R. Dutour
Cours Fauriel
LA MARANDINIÈRE
PARC DE L'EUROPE
le Rd-Point
I.U.T.
R. du Mont
GARE DE BELLEVUE
Pl. Bellevue
LA MÉTARE
Rue de l'Ondaine
R. G. Péri
R. A. Paré
R. P. de Vivié
LA CROIX DE L'ORME
Furan
D 8
POINT DE VUE DE GUIZAY
PLANFOY
ROANNE 77 km N 82
MONTBRISON 36 km D 8
LE PUY 78 km D 88 : FIRMINY 12 km
A 47
N 82 ANNONAY 43 km
A 47 : LYON 59 km N 88 : ST-CHAMOND 12 km

ST-ÉTIENNE

Bérard (R. P.) ______ Y 3
Foy (R. Gén.) ______ Y 20
Gambetta (R.) ______ Z
Gaulle (R. Ch. de) ______ X
Gervais (R. E.) ______ Y 27
Grand Moulin (R. du) ______ Y 28
Hôtel-de-Ville (Pl. de l') ______ Y 32
Libération (Av. de la) ______ Y
Michelet (R.) ______ Z
Peuple (Pl. du) ______ Y 55
Président Wilson (R.) ______ Y 59

République (R. de la) ______ Y
Résistance (R. de la) ______ Y 61

Bouchard (Crs J.) ______ Z 6
Chavanelle (Pl.) ______ Z 8
Denfert-Rochereau (Av.) ______ Y 11
Dormoy (R. M.) ______ Y 15
Fougerolle (R.) ______ Z 17
Fourneyrond (Pl.) ______ Y 19
Jacquard (Pl.) ______ Y 33
La Nativité (⊞) ______ X 42
Notre-Dame (⊞) ______ Z 43
N.-D. de Lourdes (⊞) ______ Z 46

Papin (R. D.) ______ Z 50
Pointe-Cadet (R.) ______ Z 57
Rivière (R. du Sergent) ______ X 64
Sadi-Carnot (Pl.) ______ X 67
St-Charles (⊞) ______ Y 70
St-Ennemond (⊞) ______ Z 73
St-Etienne (⊞) ______ Y 74
St-Jean-Baptiste (⊞) ______ X 75
St-Louis (⊞) ______ Z 80
St-Roch (⊞) ______ Z 85
Ste-Marie (⊞) ______ Y 89
Sauzéa (R. H.) ______ Y 92
Servet (R. M.) ______ Y 95
Villebœuf (Pl.) ______ Z 102

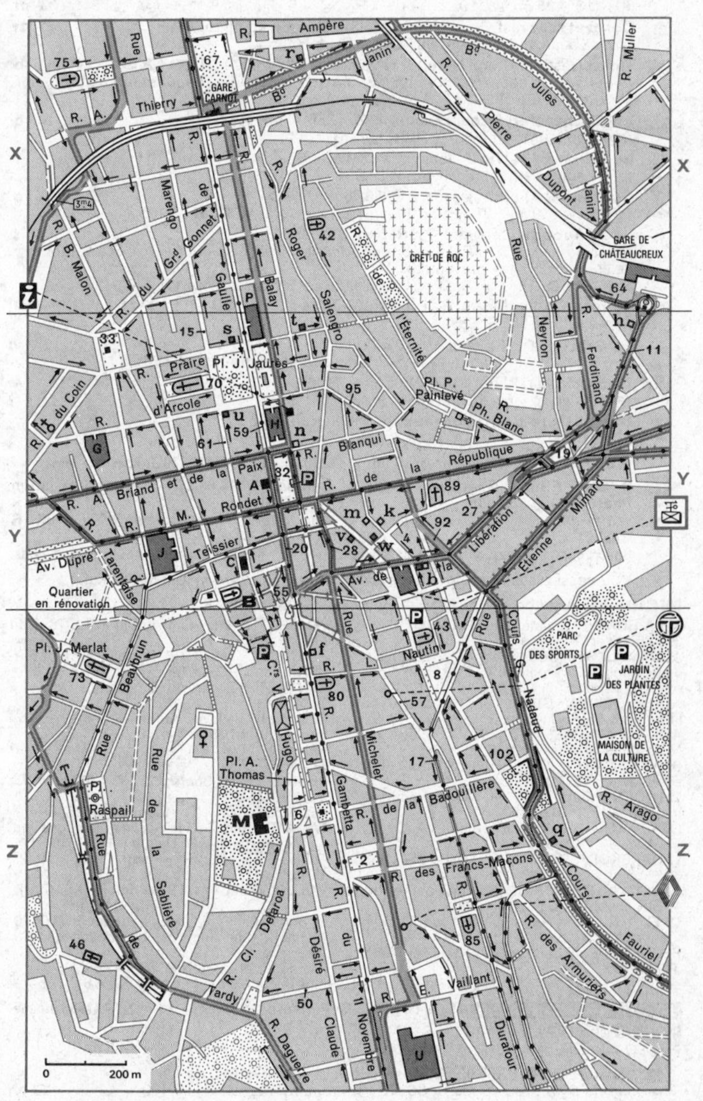

Terminus du Forez, 31 av. Denfert-Rochereau ✉ 42100 ✆ 32.48.47 – rest wc wc. AE E — Y **h**
SC : **R** *(fermé sam. midi et dim.)* 40/80 – ☕ 11 – **66 ch** 80/125 – P 150.

Midi M sans rest, 19 bd Pasteur ✉ 42100 ✆ 57.32.55 – wc wc. GB — V **e**
fermé 1er au 26 août – SC : ☕ 11 – **21 ch** 105/135.

Arts sans rest, 11 r. Gambetta ✆ 32.42.11 – wc wc — Z **f**
SC : ☕ 9 – **63 ch** 38/93.

Hot. Cheval Noir, 11 r. F.-Gillet ✆ 33.41.72 – wc. AE GB E — Y **k**
fermé 9 au 23 août – SC : **R** *(fermé dim.)* 36/68 – ☕ 10 – **45 ch** 48/120 – P 84/135.

Touring-Continental sans rest, 10 r. F.-Gillet ✆ 32.58.43 – wc wc — Y **m**
SC : ☕ 8 – **25 ch** 44/110.

Central sans rest, 3 r. Blanqui ✆ 32.31.86 – wc. — Y **n**
fermé 25 juil. au 25 août – SC : ☕ 9 – **25 ch** 50/85.

XXX **Gillet** (rest. du Grand Hôtel), 1 r. Valette ✆ 32.04.90 – AE GB E — Y **b**
fermé 5 au 26 août, vacances de fév., dim. du 1er juin au 31 août et lundi du 1er sept. au 31 mai – SC : **R** 53/130.

XX **Le Chantecler,** 5 cours Fauriel ✆ 25.48.55 – GB — Z **q**
fermé août, dim. et lundi – SC : **R** 55/110.

XX **Le Régency,** 17 bd J.-Janin ✆ 74.27.06 – AE — X **r**
fermé août, sam. et dim. – SC : **R** 34/77.

XX **Colonnes,** 17 pl. J.-Jaurès ✆ 32.66.76 – AE GB — Y **s**
fermé 6 au 19 juil., 21 déc. au 1er janv., dim. et fêtes – SC : **R** 32/105.

XX ✿ **Le Bouchon** (Lejeune), 7 r. Robert ✆ 32.93.32 — Y **t**
fermé 15 juin au 6 juil., 14 au 28 déc., dim. et fêtes le soir et lundi – SC : **R** (nombre de couverts limité - prévenir) 50/110
Spéc. Tarte aux poireaux, Poissons, Chariot de desserts. **Vins** Côte Rôtie, Viognier.

XX **Taverne Alsacienne,** 5 pl. J.-Jaurès ✆ 32.43.07 – GB — Y **u**
fermé sam. – SC : **R** 36/80.

X **Le Gratin,** 30 r. St-Jean ✆ 32.32.60 — Y **v**
fermé 14 juil. au 15 août, sam. midi, dim. soir et lundi – SC : **R** 28/65.

X **Gerberie,** 5 r. P.-Bérard ✆ 21.98.04 – AE GB — Y **w**
fermé 2 au 10 janv. et dim. – SC : **R** 60/120.

X **Buffet Gare Châteaucreux,** pl. Stalingrad ✆ 32.33.69 — X
SC : **R** 35/72.

à St-Priest-en-Jarez par ⑤ : 4 km – 4 628 h. alt. 531 – ✉ **42270** St-Priest-en-Jarez :

XXX ✿ **Clos Fleuri** (Gagnaire), 76 av. A.-Raimond ✆ 74.63.24, « Terrasse et jardin fleuris » – AE
fermé en août, vacances de fév., dim. soir, lundi et mardi soir en hiver – SC : **R** 70/200
Spéc. Petites salades, Compote de pigeonneau à la menthe fraîche (avril-oct.), St-Pierre aux poivrons.

Voir aussi ressources hôtelières à ***Andrézieux-Bouthéon*** par ⑤ : 17 km

MICHELIN, Agence, Z.I. de Montreynaud, 9 r. V.-Grignard T ✆ **74.22.88**

ALFA-ROMEO Gar. de la Rue Balay, 40 r. Balay ✆ 32.62.89
AUDI-VOLKSWAGEN Gas, 14 r. de Talaudière, Zone Ind. Verpilleux ✆ 32.39.95 88 r. des Alliés ✆ 32.66.06
AUDI-VOLKSWAGEN Gar. Rocle, rte de l'Étrat à St-Priest-en-Jarez ✆ 74.26.44
AUSTIN, MORRIS, TRIUMPH Kamblock, 2 r. Moisson-Desroches ✆ 32.66.25
BMW, DATSUN Gar. Jourjon, 87 bis r. Désiré-Claude ✆ 57.20.17
CITROEN Gatty, Z.I. de Montreynaud r. V.-Grignard T ✆ 74.91.77
FORD E.D.A., Z.I. de Montreynaud r. G.-Delory ✆ 74.42.44
LADA, SKODA Biosca, 25 r. Désiré-Claude ✆ 32.91.95
LANCIA-AUTOBIANCHI Gar. de Fourneyron, 10 pl. Locarno ✆ 32.56.02
OPEL St-Étienne Autom., 50 rue Désiré-Claude ✆ 32.50.25
PEUGEOT Ets Boniface, 98 à 104 r. Bergson T ✆ 74.27.55
PEUGEOT Centre-Sud-Autom., 24 à 28 r. du Mont V ✆ 57.17.37
PEUGEOT Gar. du Rond Point, 23 r. H.-Déchaud ✆ 25.05.80
RENAULT Succursale, 5 r. Claude-Oddé T x ✆ 74.91.44
RENAULT Bellevue-Autom.-Granet, 1 r. Thimonier V ✆ 57.28.28
RENAULT Gar. Baury, 81 rue Michelet Z ✆ 32.43.52
RENAULT Gar. Bourriaud, 113 r. Bergson T z ✆ 74.52.11
RENAULT Hardy, 11 r. Liogier U ✆ 25.46.74
TALBOT Stéphanoise-Automobile, Zone Ind. de Montreynaud r. G.-Delory T ✆ 74.74.66
TALBOT Lagier, 26 r. Pointe-Cadet Z ✆ 25.15.48
VOLVO Dutel, 47 r. 11-Novembre ✆ 57.07.61

Briday-Pneus, 36 r. de la Montat ✆ 33.06.20
Métifiot, Zone Ind. de Montreynaud 12 r. V.-Grignard ✆ 79.06.03
Pastourel, 2 r. de la Tour ✆ 74.42.66
Piot-Pneu, 109 r. du Soleil ✆ 33.06.81

ST-ÉTIENNE-CANTALÈS 15 Cantal 76 ⑪ **G. Périgord** – 183 h. alt. 540 – ✉ **15150** Laroquebrou – ◎ 71 – **Voir Barrage★.**

Paris 547 – Aurillac 23 – Figeac 62 – Mauriac 54.

Pradel ✆ 62.35.09, ←, – wc. GB.
fermé 6 janv. au 10 fév. – SC : **R** *(fermé mardi hors sais.)* 35/100 – ☕ 13 – **20 ch** 80/140 – P 120/150.

ST-ÉTIENNE-DE-BAÏGORRY 64430 Pyr.-Atl. 85 ③ **G. Pyrénées** – 1 783 h. alt. 162 – 59.

Syndicat d'Initiative pl. Mairie 37.43.11.

Paris 792 – Cambo-les-Bains 31 – Pau 114 – St-Jean-Pied-de-Port 11.

Arcé, 37.40.14, ≤, « Terrasse au bord de l'eau », – wc wc.
1er mars-3 nov. – SC : **R** (dim. prévenir) 60/85 – 13 – **24 ch** 100/170 – P 120/210
Spéc. Terrine de foies de canard aux truffes, Sole farcie au cerfeuil, Civet de marcassin. **Vins** Irouleguy, Jurançon.

Panoramique, sur D 15 37.41.89, – wc – 80. GB
fermé 20 nov. au 27 déc. – SC : **R** 45/150 – 15 – **21 ch** 55/135 – P 98/200.

ST-ÉTIENNE-DE-FONTBELLON 07 Ardèche 76 ⑲ – rattaché à Aubenas.

ST-ÉTIENNE-DE-FURSAC 23 Creuse 72 ⑧ – rattaché à la Souterraine.

ST-ÉTIENNE-DE-TINÉE 06660 Alpes-Mar. 81 ⑨, 195 ④ **G. Côte d'Azur** – 1 938 h. alt. 1 144 – 93 – **Voir Site★ – Vallée de la Tinée★★ N et S – Clocher★ de l'église.**

Syndicat d'Initiative 1 r. Communes-de-France (1er juil.-31 août) 02.41.96.

Paris 794 – Barcelonnette 58 – Briançon 126 – Cannes 110 – ♦Nice 91 – Puget-Théniers 80.

La Pinatelle, 02.40.36, ≤,
fermé 1er oct. au 1er déc. – SC : **R** 35/55 – 9 – 15 ch 35/40 – P 100/110.

ST-ÉTIENNE-DU-BOIS 01 Ain 70 ⑬ – rattaché à Bourg-en-Bresse.

ST-ÉTIENNE-DU-GRÈS 13 B.-du-R. 80 ⑳ – rattaché à St-Rémy-de-Provence.

ST-EUSTACHE 74 H.-Savoie 74 ⑯ – rattaché à St-Jorioz.

ST-FÉLIX 74510 H.-Savoie 74 ⑮ – 1 190 h. alt. 368 – 50.

Paris 580 – Aix-les-Bains 14 – Annecy 19 – Rumilly 11.

Relais des Deux Savoies, 60.90.02, – rest – 50. AE GB
fermé 5 janv. au 8 fév. et mardi hors sais. – **R** carte 100 à 135 – 25 – 20 ch 100/300.

Carrin avec ch, 60.90.09 –
fermé 2 nov. au 15 déc. et lundi – SC : **R** 30/70 – 8 – **6 ch** 40/60.

ST-FÉLIX-LAURAGAIS 31540 H.-Gar. 82 ⑲ **G. Causses** – 1 110 h. alt. 327 – 61.
Voir Site★.

Paris 756 – Auterive 45 – Carcassonne 54 – Castres 37 – Gaillac 70 – ♦Toulouse 43.

Aub. du Poids Public, 83.00.20, ≤, « Bel aménagement intérieur », – wc wc – 25.
SC : **R** *(fermé dim. soir du 15 oct. au 15 mars)* 50/100 – 15 – 13 ch 125/165 – P 115/155.

ST-FERRÉOL 31 H.-Gar. 82 ⑳ – rattaché à Revel.

ST-FIRMIN 05800 H.-Alpes 77 ⑯ – 535 h. alt. 900 – 92.

Paris 638 – Corps 11 – Gap 31 – ♦Grenoble 74 – La Mure 36 – St-Bonnet 18.

Alpes, 55.20.02 – wc wc. E
fermé 5 au 31 janv. – SC : **R** 28/70 – 12 – **26 ch** 80/120 – P 120/145.

au Séchier E : 4 km – alt. 900 – 05800 St-Firmin :

Loubet, 55.21.12, ≤, – wc wc rest
Pâques et juin-20 sept. – SC : **R** 31/85 – 9 – **23 ch** 55/120 – P 80/140.

ST-FLORENTIN 89600 Yonne 61 ⑮ **G. Bourgogne** – 7 207 h. alt. 105 – 86.
Voir Vitraux★ de l'église.

Syndicat d'Initiative 10 r. Terrasse (avril-oct., fermé mardi et dim.) 35.11.86.

Paris 173 ④ – Auxerre 31 ③ – Chaumont 134 ② – ♦Dijon 154 ② – Sens 45 ④ – Troyes 49 ①.

Plan page suivante

Est, 7 r. Fg St-Martin **(e)** 35.10.35 –
1er mars-1er déc. et fermé sam. en mars, oct. et nov. – SC : **R** 35/70 – 9 – 29 ch 40/125 – P 90/110.

Grande Chaumière avec ch, 3 r. Capucins **(a)** 35.15.12 – wc
fermé 20 déc. au 10 janv. et merc. – SC : **R** 60/120 – 12 – 12 ch 40/140.

Tilleuls, 3 r. Decourtive **(s)** 35.09.09, – GB
fermé 2 nov. au 1er déc., dim. soir et lundi du 1er sept. au 15 juin – SC : **R** 50/100.

ST-FLORENTIN

Grande-Rue ______ 5
St-Martin (R.) ______ 15

Aval (R. du Fg-d') ______ 2
Dilo (Pl.) ______ 3
Dilo (R. du Fg) ______ 4
Guimbarde (R. de la) ______ 6
Halle (Pl. de la) ______ 7
Landrecies (Fg) ______ 9
Leclerc (R. Gén.) ______ 10
Montarmance (R.) ______ 12
Pont (R. du) ______ 13
Rempart (R. Basse-du) ______ 14
St-Martin (R. du Fg) ______ 17

Pour bien lire les plans de villes voir signes et abréviations p. 20.

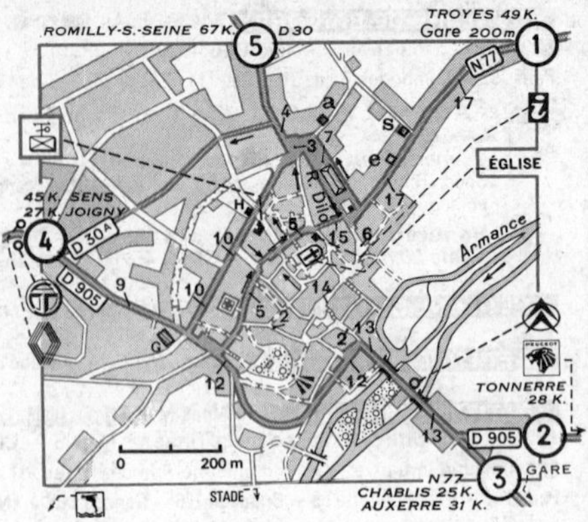

à *Venizy* par ⑤ : 4,5 km – ✉ **89210** Brienon sur Armençon :

Moulin des Pommerats 🐎, ℡ 35.08.04, ⩽, « jardin fleuri » – ⛀wc ⛆wc ☎ Ⓟ. 🚘 GB E. ✂ ch
fermé fév. – SC : **R** *(fermé dim. soir et lundi hors sais.)* 75/145 – ☕ 15 – 12 ch 150/220 – P 160/220.

à *Neuvy-Sautour* par ① : 7 km – ✉ **89570** Neuvy-Sautour :

Dauphin, ℡ 56.30.01 – Ⓟ
fermé 15 au 30 sept., 15 au 31 janv., mardi soir et merc. – SC : **R** 45/90 🌡.

CITROEN Gar. Bleu, 25 fg du Pont ℡ 35.12.52
PEUGEOT Bourgogne-Autom., rte de Genève ℡ 35.07.44
RENAULT S.A.F.A., rte de Paris ℡ 35.06.26
TALBOT Gar. de l'Europe, av. 8-Mai ℡ 35.06.05
TOYOTA Gar. Moderne, 17 pl. Dilo ℡ 35.02.50

ST-FLORENT-LE-VIEIL

49410 M.-et-L. 63 ⑲ **G. Châteaux de la Loire** – **2 416 h. alt. 16** – ⚙ 41 – **Voir Tombeau★ dans l'église** – **Esplanade ⩽★.**

ℹ Syndicat d'Initiative à la Mairie (fermé dim. hors sais.) ℡ 41.20.39.

Paris 329 – Ancenis 15 – Angers 42 – Châteaubriant 55 – Château-Gontier 63 – Cholet 37 – Laval 92.

Host. de la Gabelle, ℡ 41.20.19, ⩽ – ⛀ ⛆ 🚗. GB
fermé 30 oct. au 3 nov., 23 déc. au 3 janv. – SC : **R** 35/100 🌡 – ☕ 10 – **17 ch** 40/70 – P 80/100.

Boule d'Or, ℡ 41.20.02 – ⛀wc ⛆ Ⓟ. 🚘. ✂ rest
fermé 19 au 25 oct., vend. soir et sam. d'oct. à avril – SC : **R** 39/65 – ☕ 8 – 13 ch 39/80 – P 96/120.

PEUGEOT Gar. Alloyer, ℡ 41.20.07

ST-FLOUR

<SP> **15100** Cantal 76 ④⑭ **G. Auvergne** – **8 831 h. alt. 881** – ⚙ **71.**

Voir Site★★ – Cathédrale★ – Brassard★ dans le musée de la Haute Auvergne – Plateau de la Chaumette : calvaire ⩽★ S : 3 km par D 40 puis 30 mn.

ℹ Office de Tourisme 2 pl. Armes (fermé dim. hors saison) ℡ 60.14.41.

Paris 489 ① – Aurillac 76 ④ – Issoire 67 ① – Millau 141 ② – Le Puy 92 ② – Rodez 118 ③.

Plan page ci-contre

Ville basse :

L'Étape Ⓜ, 24 av. République **(b)** ℡ **60.13.03** – 🛗 ♿ 🚗 Ⓟ. AE ⓓ
fermé 1er au 15 oct., dim. soir et lundi midi du 1er oct. au 1er mai – SC : **R** 37/120 – ☕ 12 – 23 ch 126/136 – P 150/160.

St-Jacques, 6 pl. Liberté **(s)** ℡ **60.09.20,** 🍴 – ⛀wc ⛆wc ☎ 🚗. 🚘 E
fermé 1er nov. au 5 janv. – SC : **R** 45/100 – ☕ 12 – 30 ch 70/155.

Nouvel H. Bonne Table, av. République **(n)** ℡ 60.05.86, Télex 390804 – 🛗 ⛀wc ⛆wc ☎ ♿ 🚗 Ⓟ. 🚘 AE GB ⓓ E
fermé janv., vend. soir et sam. midi – SC : **R** 35/100 – ☕ 11 – 48 ch 50/130 – P 105/160.

L'Eventail, 7 av. République **(u)** ℡ **60.14.07** – ⛀wc ⛆ ☎ Ⓟ
25 mai-5 oct. – SC : **R** 32/52 – ☕ 10 – 20 ch 51/95 – P 105/112.

Ville haute :

Europe, 12 cours Ternes **(a)** ℡ **60.03.64,** ⩽ vallée – 🛗 ⛀wc ⛆wc ☎. 🚘
1er fév.-15 nov. – SC : **R** 30/80 – ☕ 11 – 45 ch 48/140 – P 100/140.

Gd H. Voyageurs, 25 r. Collège **(v)** ℡ **60.15.51** – 🛗 ⛀wc ☎ 🚗. 🚘 AE GB ⓓ E
fermé 15 déc. au 31 janv. et lundi du 15 oct. à Pâques – SC : **R** 40/90 – ☕ 12 – 39 ch 60/140 – P 115/150.

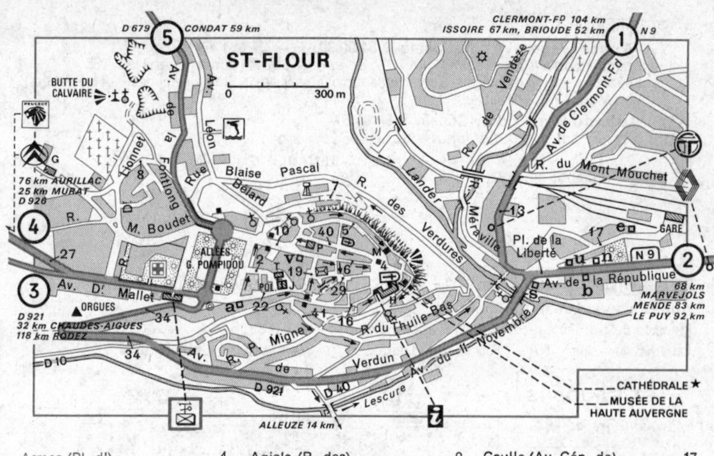

Armes (Pl. d') 4
Breuil (R. du) 6
Collège (R. du) 10
Lacs (R. des) 22
Liberté (Pl. de la)
Marchande (R.) 29
Agials (R. des) 2
Belloy (R. de) 5
Cardinal Bernet (R. du) 7
Cardinal Saliège (Av. du) 8
Delorme (Av. du Cdt) 13
Frauze (R. de la) 16
Gaulle (Av. Gén. de) 17
Halle (Pl. de la) 19
Lioran (Av. du) 27
Orgues (Av. des) 34
Sorel (R.) 40
Thuile-Haut (R. du) 41

ALFA-ROMEO, VOLVO Teissedre, Zone Ind. Montplain, rte d'Aurillac ☎ 60.12.97 N ☎ 60.10.35
CITROEN Pic, rte d'Aurillac, Zone Ind. Montplain ☎ 60.07.42
LADA, LANCIA-AUTOBIANCHI Gar. Quérel r. M.-Boudet ☎ 60.09.64
OPEL Delair, 5 av. Dr-Mallet ☎ 60.03.08
PEUGEOT Montplain-Autom. av. du Lioran, Z.I.-Montplain ☎ 60.02.43 N ☎ 60.18.85
RENAULT Berthet, av. République ☎ 60.01.81
TALBOT Tournadre, 21 Av. du Cdt. Delorme ☎ 60.13.08
Gar. Latapie, crs Spy des Ternes ☎ 60.05.20

ST-FRANÇOIS-LONGCHAMP 73 Savoie **74** ⑰ **G. Alpes** – 159 h. – Sports d'hiver : 1 450/2 300 m ⛷13 – ✉ **73130** La Chambre – 79.

Paris 630 – Aiguebelle 35 – Albertville 60 – Chambéry 71 – Moûtiers 42 – St-Jean-de-Maurienne 22.

Station haute : Longchamp – alt. 1 610 – ✉ **73130** La Chambre.

Syndicat d'Initiative ☎ 56.24.03.

Cheval Noir, ☎ 56.33.36, ≤ – TV wc ⋒ ☎ P. . rest
20 déc.-20 avril – SC : **R** 45/65 – 15 – 19 ch 65/95, 8 appartements 150 – P 125/165.

La Pérelle ⛰, ☎ 56.32.96, ≤ – wc ⋒wc ☎ ♿ P.
juil.-août et 20 déc.-20 avril – SC : **R** 45/53 – 12 – **30 ch** 73/145 – P 120/156.

Le Grenier, ☎ 56.32.07, ≤ – wc ☎ . GB.
15 déc.-1er mai – SC : **R** 45 – 27 ch pension seul. – P 205.

ST-FULGENT 85250 Vendée **67** ⑭ – 2 646 h. alt. 73 – 51.

Paris 384 – Cholet 36 – Fontenay-le-Comte 59 – ♦Nantes 53 – La Roche-sur-Yon 33.

Bon Gite, 21 r. Nationale ☎ 06.61.12 – wc ⋒wc ☎ P – 25. AE GB E. ch
fermé dim. soir et lundi midi – SC : **R** 32/75 – 11 – **12 ch** 60/108 – P 110/155.

Gar. David, ☎ 98.65.83

ST-GALMIER 42330 Loire **73** ⑱ **G. Vallée du Rhône** – 3 809 h. alt. 400 – Casino – 77.

Voir Vierge du Pilier★ et triptyque★ dans l'église.

Syndicat d'Initiative bd G.-Cousin (1er juin-30 sept. et fermé jeudi) ☎ 54.06.08.

Paris 451 – ♦Lyon 60 – Montbrison 24 – Montrond-les-B. 10 – Roanne 60 – ♦St-Étienne 22.

La Charpinière M ⛰, ☎ 54.10.20, parc, – rest TV ♿ P – 50. AE GB
SC : **R** *(fermé janv., dim. soir et lundi sauf du 15 juin au 30 sept.)* 70/135 – 20 – **34 ch** 170/300 – P 315.

Voyageurs, pl. Hôtel de Ville ☎ 54.00.25 – ⋒ . ch
fermé 20 déc. au 20 janv., dim. soir (rest. seul.) et vend. – SC : **R** 33/70 – 7,50 – 11 ch 40/72.

tourner →

XX ✿ **Poste** (Vaganay), r. Nationale ☎ 54.00.30, ≤ – AE GB ⓓ
fermé 15 au 31 juil., 15 janv. au 5 fév. et jeudi – SC : **R** (dim. prévenir) 55/165
Spéc. Mousseline de brochet, Suprême de turbotin, Volaille de Bresse demi-deuil (oct. à Pâques).
Vins Mâcon-Viré, Chiroubles.

XX **Aub. du Parc,** bd Dr-Cousin ☎ 54.01.57
fermé 1er au 17 août et lundi – SC : **R** 45/130.

FIAT Gar. les Sources, ☎ 54.00.61
PEUGEOT Morel, ☎ 54.00.92
RENAULT Gar. Pailleux, ☎ 54.06.71

☞ *Michelin n'accroche pas de panonceau aux hôtels et restaurants qu'il signale.*

ST-GAUDENS SP **31800** H.-Gar. 86 ① **G. Pyrénées** – 12 830 h. alt. 405 – ✪ 61.
Voir Boulevard Jean-Bepmale ≤★ Z.
ℹ Office de Tourisme pl. mas-St-Pierre (fermé dim. et fêtes) ☎ 89.15.99.
Paris 796 ② – Auch 76 ① – Foix 90 ② – Lourdes 79 ⑤ – Tarbes 65 ⑤ – ♦Toulouse 90 ②.

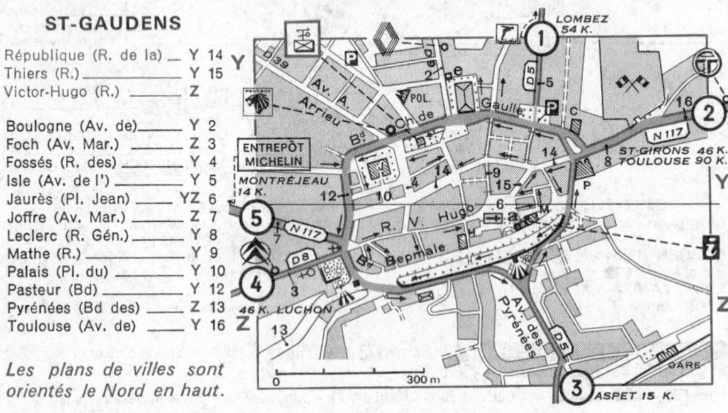

Les plans de villes sont orientés le Nord en haut.

🏨 **Commerce,** av. Boulogne ☎ 89.44.77 – ⛿ ⇔wc ⋒ ☎ ⇐. ⇐ . ⛔ — Y e
SC : **R** 38/100 – ☕ 12 – **50 ch** 50/100 – P 110/130.

🏨 **Esplanade** sans rest, 7 pl. Mas St-Pierre ☎ 89.15.90, ≤ – ⛿ ⇔wc ⋒ ☎. ⇐ — Z a
SC : ☕ 14 – **12 ch** 55/95.

XX **Comminges,** bd J.-Bepmale ☎ 89.14.04 – GB — Z a
fermé sept., dim. soir et lundi – SC : **R** 40/100 ♁.

à Valentine par ④ : 2 km – ✉ **31800** St-Gaudens :

🏨 **Beau Rivage,** au pont de Valentine ☎ 89.06.47 – ⋒ ☎ Ⓟ. ⇐
✦ SC : **R** 34/80 ♁ – ☕ 10 – 12 ch 45/90 – P 110.

à Villeneuve-de-Rivière par ⑤ : 6 km – alt. 386 – ✉ **31800** St-Gaudens :

🏨 ✿ **Host. des Cèdres** ⛰, ☎ 89.36.00, ⇐ – TV ☎ Ⓟ – 🏛 35
SC : **R** 65/155 – ☕ 18 – **20 ch** 120/185 – P 170/210.

Voir aussi ressources hôtelières de ***Sauveterre-de-Comminges*** par ④ : 9,5 km

MICHELIN, Entrepôt, rte de Tarbes par ⑤ ☎ 89.06.84

ALFA-ROMEO St-Gaudens-Autom., 38 bd Ch.-de-Gaulle ☎ 89.19.52
CITROEN Hugoné, 19 av. Mar.-Foch ☎ 89.14.18
PEUGEOT Comet, 11 bd Ch.-de-Gaulle ☎ 89.16.19
RENAULT S.I.A.C., 14 av. de Boulogne ☎ 89.54.00
TALBOT Cagire-Auto, N 117 rte Toulouse à Landorthe ☎ 89.00.59
Ⓜ Central-Pneu, 43 bd Ch.-de-Gaulle ☎ 89.11.24
Comptoir du Pneu, 162 av. de Toulouse ☎ 89.28.25

ST-GAULTIER **36800** Indre 68 ⑰ **G. Périgord** – 2 190 h. alt. 113 – ✪ 54.
ℹ Syndicat d'Initiative 13 pl. Église (fermé dim. et lundi) ☎ 47.00.31.
Paris 301 – Argenton-sur-Creuse 10 – Le Blanc 29 – Châteauroux 31 – Loches 74 – Montmorillon 54.

🏨 **Promenade,** ☎ 47.04.36 – Ⓟ
✦ *fermé juin et lundi* – SC : **R** 25/65 ♁ – ☕ 10 – 12 ch 44 – P 90/100.

CITROEN Vannier, à Chasseneuil ☎ 47.05.42
PEUGEOT Grégoire, ☎ 47.06.66
RENAULT Gourier, ☎ 47.01.24

ST-GENIÈS 24 Dordogne 75 ⑰ alt. 1 119 m – ✉ 24590 Salignac-Eyvignes – ✆ 53.

Paris 514 – Brive-la-Gaillarde 41 – Sarlat-la-Canéda 14 – Souillac 25.

X **Relais des Touristes** avec ch, E sur D 704 ✆ 28.82.11, ⛱, – wc Ⓟ
fermé merc. soir du 15 sept. au 15 mai – SC : **R** 25/48 – 7,50 – **10 ch** 38/70 – P 65/85.

CITROEN Lagorce ✆ 28.82.19 Deviers, ✆ 28.86.75

ST-GENIEZ-D'OLT 12130 Aveyron 80 ④ **G. Causses** – 2 241 h. alt. 420 – ✆ 65.

Syndicat d'Initiative Salles des Cloîtres (1er juil.-15 sept.) ✆ 46.43.32 et r. Tuilière (16 sept.-30 juin, fermé après-midi, dim. et lundi) ✆ 47.40.82.

Paris 602 – Espalion 27 – Florac 93 – Mende 69 – Rodez 46 – Sévérac-le-Château 24.

Poste , ✆ 47.43.30, , , – wc wc Ⓟ. GB
fermé 5 janv. au 26 fév. – SC : **R** 29/95 – 11 – 54 ch 50/105 – P 120/165.

France, ✆ 47.42.20 – wc – 80.
SC : **R** *(fermé dim. hors sais.)* 28/60 – 9,50 – **42 ch** 41/80 – P 85/105.

CITROEN Deltour, ✆ 47.42.21 RENAULT Fages, ✆ 47.41.40

ST-GENIS-POUILLY 01630 Ain 70 ⑮ – 4 576 h. alt. 450 – ✆ 50.

Paris 535 – Bellegarde-sur-Valserine 28 – Bourg-en-Bresse 107 – •Genève 11 – Gex 11.

Motel International, sur D 984 SO : 2 km ✆ 42.02.72, ← – TV wc wc
Ⓟ. AE GB E
SC : **R** *(fermé dim. soir)* 28/65 – 13 – **44 ch** 90/160.

CITROEN Gar. du Centre, ✆ 42.10.03 N ✆ 42.06.19 RENAULT Gar. Pelletier, ✆ 42.12.91

ST-GENIX-SUR-GUIERS 73240 Savoie 74 ⑭ **G. Alpes** – 1 586 h. alt. 236 – ✆ 76.

Paris 534 – Aix-les-Bains 42 – Belley 24 – Chambéry 36 – •Lyon 72 – Morestel 21 – Voiron 32.

Bellet, SO sur N 516 ✆ 31.60.04, – wc Ⓟ. ch
fermé janv., dim. soir et lundi sauf juil. et août – SC : **R** 40/130, dîner à la carte – 12 – **20 ch** 60/120 – P 120/138.

XX **Vieille Maison** avec ch, rte St-Didier ✆ 31.60.15, , – wc Ⓟ.
fermé 1er au 25 sept., 20 déc. au 1er janv., dim. soir et merc. sauf juil. et août – SC : **R** 37/140 – 10 – **12 ch** 60/110 – P 105/160.

RENAULT Fatiguet, ✆ 31.62.07 RENAULT Ponson, ✆ 31.63.35

ST-GEOIRE-EN-VALDAINE 38620 Isère 74 ⑭ **G. Alpes** – 1 365 h. alt. 436 – ✆ 76.

Voir Stalles* de l'église.

Paris 546 – Belley 47 – Chambéry 48 – •Grenoble 47 – •Lyon 84 – La Tour-du-Pin 25.

Val d'Ainan, ✆ 06.50.04 – AE GB . ch
fermé oct. et lundi – 17 ch.

ST-GEORGES-DE-DIDONNE 17110 Char.-Mar. 71 ⑮ **G. Côte Atlantique** – 3 983 h. – ✆ 46.

Voir Pointe de Vallières* – Forêt et pointe de Suzac* S : 3 km.

Office de Tourisme bd Michelet (1er fév.- 30 sept. et fermé dim. sauf juil.-août) ✆ 05.20.98.

Paris 501 – Blaye 78 – •Bordeaux 122 – Jonzac 56 – La Rochelle 73 – Royan 3.

Les Bégonias, pl. Michelet ✆ 05.08.13, meubles anciens – wc wc
fin mai-15 sept. – SC : **R** 35/55 – 11 – 19 ch 44/95 – P 145/184.

Sylviana, bd Côte de Beauté ✆ 05.08.11, ← – wc , sans Ⓟ. .
1er juin-15 sept. – SC : **R** 45/70 – 10 – 18 ch 55/105 – P 125/150.

Colinette , 16 av. Gde-Plage ✆ 05.15.75 – wc. ch
début mars-début nov. – SC : **R** *(fermé dim. soir et lundi hors sais.)* 30/85 – 10 – **27 ch** 51/100 – P 116/140.

FORD Gar. Central, ✆ 05.07.50 Gar. Pont Rouge, ✆ 05.07.88
RENAULT Andreu, ✆ 05.08.14

ST-GEORGES-DE-RENEINS 69830 Rhône 74 ① – 2 982 h. alt. 222 – ✆ 74.

Paris 424 – Bourg-en-Bresse 43 – Chauffailles 47 – •Lyon 40 – Mâcon 30 – Villefranche-sur-Saône 9.

Sables, r. Saône ✆ 67.64.08 – wc Ⓟ.
fermé dim. soir du 1er nov. au 1er fév. – SC : **R** (dîner seul.) 26 – 8,50 – **17 ch** 42/72.

XX **Host. St-Georges,** N 6 ✆ 67.62.78
fermé 20 déc. au 20 janv., dim. soir et merc. – SC : **R** 52/120.

CITROEN Lagardette, ✆ 67.64.59 PEUGEOT Gar. Salus, ✆ 67.64.46 N

St-GEORGES-D'OLÉRON 17 Char.-Mar. 71 ⑬ – Voir à Oléron.

ST-GEORGES-LAGRICOL 43 H.-Loire 76 ⑦ – 447 h. alt. 852 – ✉ 43500 Craponne-sur-Arzon – ☎ 71.

Paris 474 – Ambert 39 – Montbrison 68 – Le Puy 36 – Retournac 19 – ♦St-Étienne 65 – Yssingeaux 33.

L'Escale, sur D 9 ☎ 00.24.22, – P
fermé 10 janv. au 10 fév. et lundi hors sais. – SC : **R** 27/55 – 8 – **10 ch** 42/57 – P 78/87.

ST-GEORGES-LA-POUGE 23 Creuse 72 ⑩ – 427 h. alt. 565 – ✉ 23250 Pontarion – ☎ 55.

Paris 386 – Aubusson 21 – Bourganeuf 24 – Guéret 34 – Montluçon 71.

Domaine des Mouillères, N : 2 km par D 3 et VO ☎ 66.60.64, ←, – wc. ch
12 avril-1er oct. – SC : **R** (dîner pour résidents seul.) carte 55 à 90 – 13 – **7 ch** 100/140.

ST-GEORGES-SUR-LOIRE 49170 M.-et-L. 63 ⑲⑳ **G. Châteaux de la Loire** – 2 706 h. alt. 20 – ☎ 41 – **Voir Château de Serrant* : appartements** NE : 2 km.**

Paris 305 – Ancenis 33 – Angers 18 – Châteaubriant 63 – Château-Gontier 55 – Cholet 46.

Tête Noire, r. Nationale ☎ 41.13.12 –
fermé 2 au 12 sept., fév. et merc. – SC : **R** 68/80.

ST-GEOURS-DE-MAREMNE 40 Landes 78 ⑰ – 1 254 h. alt. 24 – ✉ 40230 St-Vincent-de-Tyrosse – ☎ 58.

Paris 708 – ♦Bayonne 36 – Castets 23 – Dax 17 – Mont-de-Marsan 65 – Peyrehorade 22.

Host. Landaise avec ch, face poste ☎ 57.30.25, – wc wc. ch
fermé le soir du 1er oct. au 1er mai – SC : **R** 75 – 14 – 5 ch 110/150.

CITROEN Gar. Gruntz, ☎ 57.30.74 N — TALBOT Gar. Goulaze, ☎ 57.30.76

ST-GERMAIN-DE-JOUX 01490 Ain 74 ④⑤ – 546 h. alt. 515 – ☎ 50.

Paris 495 – Bellegarde-sur-Valserine 12 – Belley 61 – Bourg-en-Bresse 67 – Nantua 13 – St-Claude 34.

Reygrobellet, N 84 ☎ 59.81.13 – wc wc P. GB.
fermé 1er oct. au 10 nov., mardi soir et merc. sauf août – SC : **R** 40/130 – 12 – **20 ch** 55/125 – P 100/130.

ST-GERMAIN-DES-VAUX 50 Manche 54 ① – 240 h. – ✉ 50440 Beaumont-Hague – ☎ 33.
Voir Baie d'Ecalgrain S : 3 km – Port de Goury* NO : 2 km.**
Env. ← sur anse de Vauville SE : 9,5 km par Herqueville, G. Normandie.**

Paris 389 – Barneville-Carteret 49 – ♦Cherbourg 29 – Nez-de-Jobourg 8 – St-Lô 107.

L'Erguillère, à Port Racine E : 2 km ☎ 52.75.31, « jardin fleuri dominant la mer » – wc P. ch
fermé 3 janv. au 1er mars, dim. soir et lundi sauf vacances scolaires – SC : **R** 85/110 – 14 – 10 ch 120/140 – P 175/200.

ST-GERMAIN-DU-BOIS 71330 S.-et-L. 70 ③ – 1 893 h. alt. 210 – ☎ 85.

Paris 370 – Chalon-sur-Saône 32 – Dole 56 – Lons-le-Saunier 29 – Mâcon 71 – Tournus 43.

Host. Bressane avec ch, ☎ 76.04.69 – P. rest
fermé 10 au 25 juin, 10 au 24 janv. et vend. – SC : **R** 35/99 – 10,50 – **11 ch** 39/69.

Ferme des Rampes, ☎ 76.02.70 – P
fermé 15 au 28 fév., merc. et jeudi – SC : **R** 31/105.

PEUGEOT Guyot, ☎ 76.03.84 N — RENAULT Mainier, ☎ 76.02.92

ST-GERMAIN-DU-CRIOULT 14 Calvados 59 ⑩ – rattaché à Condé-sur-Noireau.

ST-GERMAIN-DU-PLAIN 71370 S.-et-L. 70 ②⑫ – 1 368 h. alt. 192 – ☎ 85.

Paris 358 – Bourg-en-Bresse 63 – Chalon-sur-Saône 14 – Lons-le-Saunier 50 – Tournus 20.

Poste M sans rest, ☎ 47.01.96 – wc.
SC : 12 – **9 ch** 55/132.

ST-GERMAIN-EN-LAYE SP 78 Yvelines 55 ⑲⑳, 101 ⑫ – voir à Paris, Proche banlieue.

ST-GERMAIN-LAVAL 42260 Loire 73 ⑰ **G. Vallée du Rhône** – 1 777 h. alt. 430 – ☎ 77.
Syndicat d'Initiative à la Mairie (fermé sam. après-midi et dim.) ☎ 65.41.30.

Paris 416 – L'Arbresle 67 – Montbrison 29 – Roanne 35 – ♦St-Étienne 62 – Thiers 47 – Vichy 69.

Aub. des Voyageurs, ☎ 65.40.84 – wc
fermé 1er au 21 janv., dim. soir et lundi sauf juil. et août – SC : **R** 25/80 – 8,50 – **13 ch** 35/85 – P 80/115.

Touristes, ☎ 65.41.08 – wc
fermé fév. et mardi sauf juil.-août – SC : **R** 29/80 – 8,50 – **14 ch** 40/82 – P 68/90.

CITROEN Gar. Burelier, ☎ 65.46.37 — TALBOT Rambaud ☎ 65.41.09
RENAULT Durand, ☎ 65.40.44 N ☎ 65.41.94

ST-GERMAIN-LEMBRON 63340 P.-de-D. 73 ⑮ – 1 661 h. alt. 420 – ✪ 73.

Paris 432 – Brioude 23 – •Clermont-Ferrand 47 – Issoire 10 – Murat 63 – St-Flour 58.

Poste, rte Issoire ☎ 96.41.21 – ⊟wc ⋒ 🚗 Ⓟ
fermé 2 au 30 nov. – SC : **R** 28/60 ♁ – ⊐ 8 – 20 ch 42/85 – P 80/100.

CITROEN Mercier, ☎ 96.41.15

ST-GERMAIN-L'HERM 63630 P.-de-D. 73 ⑯ – 864 h. alt. 1 000 – ✪ 73.

ℹ Syndicat d'Initiative à la Mairie (fermé sam. après-midi et dim.) ☎ 72.00.56.

Paris 453 – Ambert 29 – Brioude 32 – •Clermont-Ferrand 68 – Le Puy 67 – •St-Étienne 106.

France, ☎ 72.00.27, ≤, 🌳 – 🚗. 🚗. ✂ rest
fermé oct. – SC : **R** 28/69 ♁ – ⊐ 9 – **25 ch** 32/58 – P 70/75.

CITROEN, TALBOT Gar. Confolent, ☎ 72.00.77 RENAULT Gar. de Cecco, ☎ 72.00.49 N
N

ST-GERMER-DE-FLY 60850 Oise 55 ⑧⑨ – rattaché à Gournay-en-Bray.

Demandez chez le libraire le catalogue des ***publications Michelin***

ST-GERVAIS-D'AUVERGNE 63390 P.-de-D. 73 ③ **G. Auvergne** – 1 781 h. alt. 725 – ✪ 73.

ℹ Syndicat d'Initiative à la Mairie (fermé sam. après-midi et dim.) ☎ 85.71.53.

Paris 369 – Aubusson 74 – •Clermont-Ferrand 55 – Gannat 48 – Montluçon 48 – Riom 40 – Ussel 88.

Castel H. 🐦, ☎ 85.70.42, 🌳 – ⊟wc ⋒wc 🚗 Ⓟ
fermé 6 au 31 janv. – SC : **R** 40/85 – ⊐ 12 – **30 ch** 45/120 – P 105/130.

Relais d'Auvergne, rte Châteauneuf ☎ 85.70.10 – ⋒wc 🚗. ✂
SC : **R** 35/58 – ⊐ 10 – 20 ch 40/85 – P 75/90.

PEUGEOT Quisset, ☎ 85.71.69
RENAULT Guittonny ☎ 85.72.39

ST-GERVAIS-LES-BAINS
74170 H.-Savoie 74 ⑧ **G. Alpes** – 4 789 h. alt. 807 – Stat. therm. (3 mai-26 sept.) – Sports d'hiver : 900/2 100 m ⛰6 ⛷34, ⛷ – ✪ 50.

Voir Route du Bettex★★★ 3 km par ③ – SE : Le Nid d'Aigle ≤★★ par Tramway du Mont-Blanc – (station intermédiaire du Col de Voza, télésiège en été pour la table d'orientation du Prarion ✱★★).

Env. par D 43 : Le Planey ✱★★ S 10,5 km – Le Plateau de la Croix ✱★★ S : 12 km – Site★★ de St-Nicolas-de-Véroce S : 9 km.

🚗 ☎ 78.12.76.

ℹ Office de Tourisme av. Mt-d'Arbois (fermé dim. hors saison) ☎ 78.22.43, Télex 385607.

Paris 607 ⑤ – Annecy 79 ⑤ – Bonneville 41 ⑤ – Chamonix 25 ① – Megève 11 ③ – Morzine 56 ⑤.

Alpenrose Ⓜ 🐦, chemin La Mollaz **(a)** ☎ 78.29.55, Télex 385295, ≤, 🏊, 🌳 – ⧉ 📺 ♿ Ⓟ – 🏛 100. GB
1er juin-20 sept. et 15 déc.-Pâques – SC : **R** 140/180 – ⊐ 27 – 24 ch 290/520, 5 appartements – P 290/520.

Carlina Ⓜ 🐦, près téléphérique du Bettex **(w)** ☎ 47.41.10, ≤, 🏊, 🌳 – ⧉ Ⓟ. AE E. ✂
1er juin-30 sept. et 15 déc.-fin avril – SC : **R** 65/90 – ⊐ 15 – 34 ch 110/175 – P 180/220.

ST-GERVAIS-LES-BAINS LE FAYET

Comtesse (R.)	2
Diable (Pont du)	3
Gontard (Av.)	4
Miage (Av. de)	5
Mont-Blanc (R. et jardin du)	6
Mont-Lachat (R. du)	7

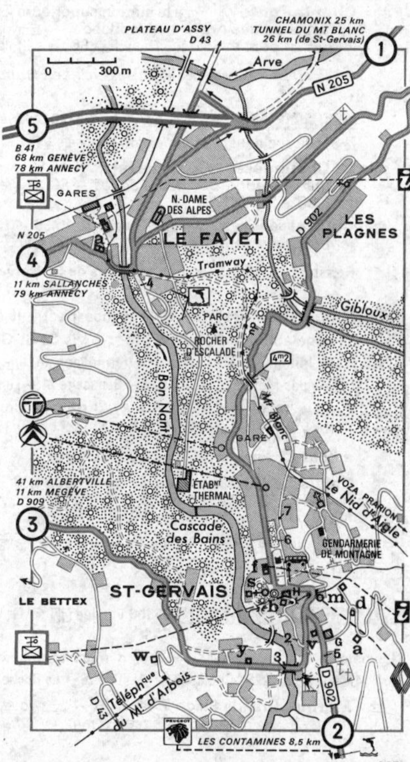

Host. du Nérey, av. Mont d'Arbois **(y)** ✆ 47.45.21, Télex 385016, ≤, ▢, ⚘ – |ǀ|
⊏wc ⋒wc ☎ **P** – 🚸 40. ▬ AE ⓞ E. ✱ rest
fermé 1ᵉʳ oct. au 10 déc. – SC : **R** 55/70 – ▭ 15 – **35 ch** 120/220 – P 185/220.

Val d'Este Ⓜ, pl. Église **(b)** ✆ 78.01.88, ≤ – ⊏wc ⋒wc ☎. ▬ AE GB
SC : **R** *(fermé 9 au 30 juin et 9 nov. au 15 déc.)* 68 – ▭ 13 – **14 ch** 120/180 – P 175/225.

L'Adret ⛰ sans rest, chemin La Mollaz **(d)** ✆ 78.08.43, ≤ – ⋒wc ☎. ✱
1ᵉʳ juin-25 sept. et 15 déc.-Pâques – SC : ▭ 14 – **15 ch** 110/180.

Couttet, pl. Église **(f)** ✆ 78.26.65 – ⊏wc ⋒wc ☎. ▬ AE ⓞ
fermé oct. et 21 avril au 20 mai – SC : **R** 40/90 – ▭ 12 – **22 ch** 52/120 – P 96/132.

Régina sans rest, av. du Miage **(v)** ✆ 78.31.77, ⚘ – ⊏wc ⋒ ☎
fin mai-25 sept. et 18 déc.-25 avril – SC : ▭ 13 – **19 ch** 90/130.

Maison Blanche ⛰, r. Vieux Pont du Diable **(s)** ✆ 78.25.77, ≤ – ⊏wc ⋒wc ☎. ▬
début juin-fin sept. et 20 déc.-Pâques – SC : **R** 40/80 – ▭ 11 – 14 ch 135 – P 105/155.

CITROEN Tuaz, ✆ 78.30.75
PEUGEOT Grandjacques, ✆ 78.03.44
RENAULT Modern'Gar., ✆ 78.27.45 **N** ✆ 78.32.95
TALBOT Gar. du Berchat, ✆ 78.21.91

à Bellevue par le T.M.B. : ⛰ voir ***Les Houches***

au Bettex SO : stat. interméd. téléphériq. – alt. 1 400 – ✉ **74170** St-Gervais :

Arbois-Bettex ⛰, ✆ 78.35.44, ≤ Massif Mt-Blanc, ⛱, ⚘ – **P**. AE ⓞ. ✱ rest
15 juin-15 sept. et 20 déc.-20 avril – SC : **rest. R** carte 85 à 125 - **grill La Côterie R** carte environ 60 🍷 – ▭ 12,50 – **27 ch** 145/195.

Belle Étoile ⛰, ✆ 78.29.35, ≤ Massif Mt-Blanc – ⊏wc ⋒ ☎. ✱
1ᵉʳ juil.-31 août et Noël-Pâques – **R** 40 – ▭ 10 – **20 ch** 40/120 – P 110/145.

au Mt-d'Arbois par téléphérique – ✉ **74190** Le Fayet :

Chez la Tante Ⓜ ⛰, à la station supérieure ✆ 21.31.30, « Panorama exceptionnel de la chaîne des Aravis au Mt-Blanc » – ⊏wc ⋒wc ☎. ▬. ✱ ch
1ᵉʳ juil.-31 août et 15 déc.-15 avril – SC : **R** self 45 🍷 – 21 ch ▭ 100/150 – P 160/170.

au Prarion – Ressources hôtelières : voir ***Les Houches***.

Le Fayet N : 4 km – alt. 567 – ✉ **74190** Le Fayet.

ℹ Syndicat d'Initiative (fermé dim. hors sais.) ✆ 78.13.88.

La Chaumière, av. Genève **(a)** ✆ 78.15.88 – ⊏wc ⋒wc ☎ **P**. ▬ E
◆ *1ᵉʳ mai-30 sept. et 20 déc.-Pâques* – SC : **R** *(fermé lundi)* 35/110 – ▭ 10 – **22 ch** 100/200 – P 120/170.

Central sans rest, av. Gare **(a)** ✆ 78.15.99 – ⊏wc ⋒wc ☎ **P**. ▬ AE GB
fermé 15 oct. au 15 déc. – SC : ▭ 14 – **30 ch** 50/130.

Ressources hôtelières aux environs de St-Gervais : voir carte à Chamonix

ST-GILLES

30800 Gard **83** ⑨ **G. Provence** (plan) – 10 743 h. alt. 7 – ⚙ 66.

Voir Ancienne abbatiale** et crypte* – Vis de St-Gilles**.

ℹ Syndicat d'Initiative Maison Romane (fermé janv. et dim.) ✆ 87.33.75.

Paris 731 – Aigues-Mortes 37 – Arles 17 – Beaucaire 24 – Lunel 30 – •Montpellier 57 – Nîmes 19.

Cours, 10 av. F.-Grifeuille ✆ 87.31.93 – ⊏ ⋒wc ☎. ▬ GB
◆ *fermé janv.* – SC : **R** 30/70 – ▭ 11 – 25 ch 50/150 – P 135/165.

à l'Est 3,5 km sur N 572 – ✉ **13200** Arles :

Relais Les Cabanettes Ⓜ ⛰, ✆ 87.31.53, Télex 480451, ≤, ⛱ – ▤ ⊏wc ☎ ♿ ⇔ **P**. ▬ AE GB ⓞ E
fermé 5 janv. au 1ᵉʳ mars – SC : **R** 75/150 – ▭ 18 – 29 ch 195/280 – P 250/325.

PEUGEOT Crumière, 71 bd Gambetta ✆ 87.31.25
Gar. de la Marine, 14 bd Chanzy ✆ 87.29.73
⊛ Peysson-Pneus, 3 pl. F.-Mistral ✆ 87.33.25

ST-GILLES-CROIX-DE-VIE

85800 Vendée **67** ⑫ **G. Côte de l'Atlantique** – 6 851 h. alt. 7 – ⚙ 51.

ℹ Syndicat d'Initiative pl. G.-Kergoustin (fermé dim. et lundi après-midi hors sais.) ✆ 55.03.66.

Paris 447 – Challans 22 – Cholet 99 – •Nantes 78 – La Roche-sur-Yon 43 – Les Sables-d'Olonne 30.

Marina, Grande Plage ✆ 55.30.97 – ⊏wc ☎ – 🚸 30. GB. ✱
fermé 1ᵉʳ au 15 oct., 13 déc. au 8 janv. et lundi – SC : **R** 40/62 – ▭ 10,50 – 40 ch 82/130 – P 127/150.

Embruns, 16 bd Mer ☎ 55.11.40, ≤ – ⇔wc ⋒ ☏. 🚗. ✗
fermé 26 oct. au 30 nov. et sam. d'oct. à mai – SC : **R** (dim., juil. et août-prévenir) 41/70 – ☕ 12 – 23 ch 50/90 – P 105/140.

Voyageurs, sur le port ☎ 55.10.12 – ⋒. 🚗. ✗ ch
fermé 15 oct. au 15 nov. et lundi – SC : **R** 35/115 – ☕ 8,50 – 20 ch 44/82 – P 81/100.

L'Écume, sur la corniche, NO : 4 km ✉ 85270 St-Hilaire-de-Riez ☎ 55.08.34, ≤, **produits de la mer** – Ⓟ
fermé déc., janv. et jeudi – **R** carte 105 à 145.

Jean Bart, Grande Plage ☎ 55.06.19, ≤ – GB
1er avril-30 sept. et fermé lundi – SC : **R** carte 65 à 95 🍷.

CITROEN Goillandeau, rte des Sables, Km 3 à Givrand ☎ 55.13.94

PEUGEOT EL.ME.CA., 2 r. Pasteur ☎ 55.10.19

ST-GINGOLPH 74 H.-Savoie 70 ⑱ **G. Alpes** – 679 h. alt. 385 – ✉ **74500** Évian-les-Bains – ⚙ 50.

ℹ Syndicat d'Initiative à la Mairie (fermé sam. après-midi et dim.) ☎ 75.06.50.

Paris 603 – Annecy 98 – Évian-les-Bains 17 – Montreux 21.

Ducs de Savoie 🐎, ☎ 75.01.51, ≤ – ⇔ ⋒wc ☏ Ⓟ. 🚗 GB
fermé 3 au 31 janv. et mardi hors sais. – SC : **R** 55/80 🍷 – ☕ 12 – 15 ch 60/90 – P 80/95.

National, ☎ 75.01.30, ≤ – ⋒ Ⓟ. ✗
fermé 15 oct. au 15 nov. et merc. – SC : **R** 40/90 – ☕ 11 – **13 ch** 50/70 – P 90/100.

TALBOT Gar. Bare, ☎ 75.14.08

ST-GIRONS SP 09200 Ariège 86 ③ – 8 796 h. alt. 391 – ⚙ 61.

Voir St-Lizier : Cloître★ de la cathédrale N : 2 km, G. Pyrénées.

ℹ Office de Tourisme pl. Capots (fermé dim. hors sais.) ☎ 66.14.11, Télex 520594.

Paris 798 ① – Auch 114 ① – Foix 44 ② – St-Gaudens 46 ① – ♦Toulouse 92 ①.

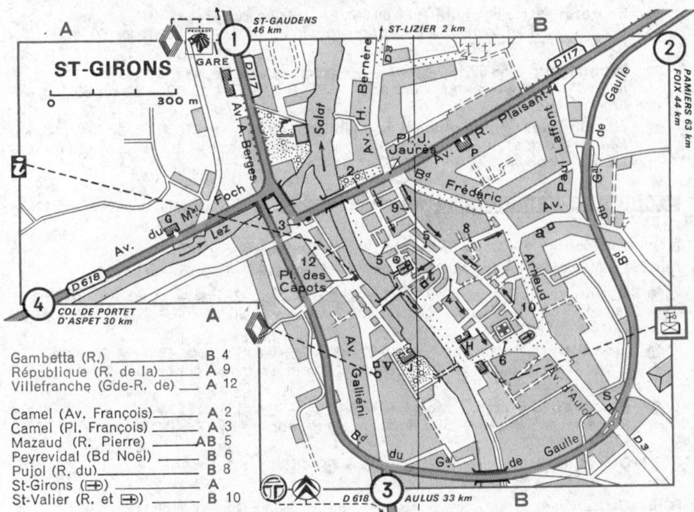

Eychenne 🐎, 8 av. P.-Laffont ☎ 66.20.55, « **Bel aménagement intérieur** », 🚗 – 🚗 Ⓟ – 🏊 50. AE GB ⓓ E — B a
fermé 8 déc. au 15 janv. – SC : **R** 48/120 – ☕ 15 – **50 ch** 68/190 – P 145/205
Spéc. Foie de canard frais aux raisins, Cassoulet au confit, Soufflé au Grand Marnier.

Gd H. de France, 4 pl. Poilus ☎ 66.00.23 – ⇔wc ⋒wc ☏. 🚗 AE GB ⓓ
fermé 15 janv. au 5 fév. – SC : **R** 30/110 🍷 – ☕ 11 – 20 ch 50/120 – P 110/130. — B t

Mirouze, 19 av. Gallieni ☎ 66.12.77, 🚗 – ⇔ ⋒wc ☏ Ⓟ. 🚗 — A v
fermé 24 déc. au 2 janv. – SC : **R** 32/50 🍷 – ☕ 9,50 – 25 ch 40/100 – P 100/120.

Le Vallier sans rest, 29 av. Aulot ☎ 66.22.25 – ⋒ ☏. AE GB. ✗ — B s
fermé sept., vend. soir et sam. midi hors sais. – SC : ☕ 8,50 – **11 ch** 60 – P 85.

CITROEN Gar. du Couserans, av. de la Résistance, L'Arial ☎ 66.34.45
PEUGEOT Carbonne, rte Toulouse à St-Lizier ☎ 66.31.00 **N**
RENAULT Austria-Autos, rte de Toulouse, St-Lizier ☎ 66.32.32 **N**

TALBOT Tariol, 62 av. de la Résistance ☎ 66.21.77

Reynes, 48 bd. F.-Arnaud ☎ 66.07.53

ST-GIRONS-PLAGE 40 Landes **78** ⑮ – ✉ **40560** Vielle-St-Girons – 58.
Paris 705 – Castets 21 – Léon 14 – Mimizan 37 – Mont-de-Marsan 81 – St-Julien-en-Born 19.

- X **Au Rescapé, à la plage** ☎ **42.93.09**
sais.

ST-GOBAIN **02410** Aisne **56** ④ **G. Nord de la France** – 2 660 h. alt. 200 – 23.
Voir Forêt★★.
Paris 137 – Compiègne 55 – La Fère 11 – Laon 20 – Noyon 31 – St-Quentin 35 – Soissons 28.

- X **Parc,** r. Luce-de-Lancival ☎ **52.80.58,** – **P**
fermé 14 juil. au 15 août, dim. soir et lundi – **R** 45/80.

ST-GROUX 16 Charente **72** ③ – rattaché à Mansle.

ST-GUÉNOLÉ 29 Finistère **58** ⑭ **G. Bretagne** – ✉ **29131** Penmarch – 98.
Voir Musée préhistorique★ – ≤★★ du phare d'Eckmühl★ S : 2,5 km – Église★ de Penmarch SE : 3 km – Pointe de la Torche ≤★ NE : 4 km.
Syndicat d'Initiative pl. A.-Dupany (juil.-août, fermé sam. et dim.) ☎ 58.79.05.
Paris 581 – Douarnenez 43 – Guilvinec 8 – Plonéour-Lanvern 17 – Pont-l'Abbé 14 – Quimper 34.

- ✿ **Mer** (Gloaguen), ☎ **58.62.22,** ≤ – wc wc . . ch
fermé 15 oct. au 24 nov., 1er au 20 fév. et lundi hors sais. – SC : **R** (nombre de couverts limité - prévenir) 60/270 – 13 – 17 ch 120/150 – P 138/210
Spéc. Homard à la bigoudène, Brochette de langoustines, Turbot étuvé aux légumes.
- **Sterenn** **M**, rte Eckmühl ☎ **58.60.36,** ≤ – wc **P**. .
Pâques-5 oct. et fermé merc. sauf du 15 juin au 15 sept. – SC : **R** 40/160 – 13 – 16 ch 110/150 – P 140/200.
- **Moguerou,** ☎ **58.62.16,** , – wc **P**. . rest
fév.-fin oct. et week-ends hors sais. – SC : **R** 56/100 – 12 – **54 ch** 60/166 – P 125/190.
- **Les Ondines** , rte phare d'Eckmühl ☎ **58.60.36** – wc wc . . rest
Pâques-5 oct. et fermé merc. sauf du 15 juin au 15 sept. – SC : **R** voir H. Sterenn – 13 – **19 ch** 80/130 – P 100/160.

ST-HILAIRE-DU-HARCOUËT **50600** Manche **59** ⑨ **G. Normandie** – 5 701 h. alt. 194 – 33.
Office de Tourisme à la Mairie (fermé sam. et dim.) ☎ 49.10.06.
Paris 292 – Alençon 99 – Avranches 27 – ♦Caen 98 – Fougères 28 – Laval 66 – St-Lô 69.

- **Cygne,** rte Fougères ☎ **49.11.84** – wc wc – 60. **GB** **E**
fermé 15 déc. au 15 janv. et dim. soir hors sais. – SC : **R** 35/60 – 12 – **47 ch** 80/130 – P 110/160.
- **Lion d'Or,** r. Avranches ☎ **49.10.82,** – wc **P** – 30.
fermé 15 au 31 oct., 15 au 31 janv., dim. soir et lundi midi hors sais. – SC : **R** 35/55 – 11 – 21 ch 45/100.
- **Relais de la Poste,** r. Mortain ☎ **49.10.31** – .
fermé 15 au 29 déc. – SC : **R** *(fermé vend. hors sais.)* 27/140 – 10 – 12 ch 42/75 – P 110.
- **Ouest,** rte Mortain ☎ **49.11.70** – **P**.
SC : **R** 32 – 10 – 25 ch 32/39 – P 83.

FORD Gar. Lerbourg, ☎ 49.12.56
PEUGEOT Gar. Lemonnier, ☎ 49.24.90
RENAULT Gar. Boulaux, ☎ 49.20.71
TALBOT Lelandais, ☎ 49.21.90

Gar. Blouin-Dupont, ☎ 49.11.41
Gar. Garnier, ☎ 49.12.02
Gar. Legemble, à Parigny ☎ 49.11.09

ST-HILAIRE-DU-ROSIER 38 Isère **77** ③ – 1 324 h. alt. 201 – ✉ **38160** St-Marcellin – 76.
Paris 579 – ♦Grenoble 65 – Romans-sur-Isère 18 – St-Marcellin 8.

- XXX ✿✿ **Bouvarel avec ch,** S : 3 km ☎ **36.50.87,** ≤, « jardin » – wc wc **P**.
fermé 4 au 31 janv. et mardi du 15 oct. à Pâques – SC : **R** 125/230 et carte – 19 – 14 ch 140/180 – P 210/250
Spéc. Poulet aux écrevisses, Ravioles, Chaussons aux truffes du Dauphiné. **Vins** Chante Alouette, St-Joseph.

ST-HILAIRE-LE-CHATEAU 23 Creuse 72 ⑨⑩ – 356 h. alt. 459 – ✉ 23250 Pontarion – ✆ 55.

Paris 382 – Aubusson 25 – Bourganeuf 14 – Guéret 31 – •Limoges 64 – Montluçon 81.

du Thaurion M, ☎ 64.50.12 – TV ⇔wc ☎ P. AE GB ①
fermé 1er au 15 déc., 15 fév. au 1er mars et merc. hors sais. – SC : **R** 35/150 – ☕ 15 – **10 ch** 120/160 – P 140/300.

ST-HIPPOLYTE 25190 Doubs 66 ⑱ G. Jura – 1 216 h. alt. 380 – ✆ 81.

Voir Site★.

ℹ Syndicat d'Initiative à la Mairie (fermé sam. après-midi, dim. et lundi matin) ☎ 96.55.74.

Paris 495 – •Bâle 94 – Belfort 50 – •Besançon 81 – Montbéliard 30 – Pontarlier 72.

Bellevue, rte Maîche ☎ 96.51.53 – ⇔wc ⋒ ☎ ⇌ P. ✗
fermé 1er au 15 nov., janv. et sam. du 1er nov. au 31 mars – SC : **R** 33/65 ♁ – ☕ 11 – **14 ch** 45/120 – P 90/120.

ST-HIPPOLYTE 68590 H.-Rhin 62 ⑲ G. Vosges – 1 259 h. alt. 250 – ✆ 89.

Voir Cimetière militaire allemand ☼★ à Bergheim S : 3,5 km.

Paris 433 – Colmar 20 – Ribeauvillé 7 – St-Dié 45 – Sélestat 9 – Villé 17.

Munsch « Aux Ducs de Lorraine » M ⛐, ☎ 73.00.09, ≤ – ⇅ TV P. AE ①. ✗ ch
fermé 23 nov. au 8 déc. et 15 janv. au 1er mars – SC : **R** *(fermé lundi)* 55/160 – ☕ 15 – 40 ch 70/235 – P 155/235.

A la Vignette, ☎ 73.00.17 – ⇔wc ⋒wc ☎. ✗
fermé déc. et jeudi – **R** 35/70 ♁ – ☕ 10 – 16 ch 115.

ST-HIPPOLYTE 63 P.-de-D. 73 ④ – rattaché à Châtelguyon.

ST-HONORAT (Ile) ★★ 06 Alpes-Mar. 84 ⑨, 195 ㉟㊴ G. Côte d'Azur – ✆ 93.

Voir ancien monastère fortifié★ : ≤★★.

Accès par transports maritimes :

⛴ depuis **Golfe-Juan et Juan-les-Pins** (escale à l'Ile Ste-Marguerite). En 1980 : de mars à fin oct., 3 à 5 départs quotidiens dans les deux sens - Traversée 40 mn – 20 F (AR) - René Conte, port de Golfe-Juan ☎ 63.81.31.

⛴ depuis **Cannes** (escale à l'Ile Ste-Marguerite). En 1980 : du 1er avril au 30 sept.6 départs quotidiens, hors saison : 4 départs quotidiens - Traversée 30 mn – 12,50 F (AR) - par Cie Esterel-Chanteclair, gare Maritime des Iles ☎ 39.11.82 (Cannes).

ST-HONORÉ-LES-BAINS 58360 Nièvre 69 ⑥ G. Bourgogne – 958 h. alt. 302 – Stat. therm. (2 mai-30 sept.) – Casino – ✆ 86.

ℹ Office de Tourisme pl. F.-Bazot (fermé après-midi, merc. hors sais. et dim. sauf matin en saison) ☎ 30.71.70.

Paris 306 – Château-Chinon 27 – Luzy 22 – Moulins 66 – Nevers 67 – St-Pierre-le-Moutier 64.

Henry Robert, ☎ 30.72.33, ≤, parc – ⇔wc ⋒wc ☎ P. GB
19 avril-30 sept. – SC : **R** 50/150 – ☕ 15 – **18 ch** 45/140 – P 130/180.

du Guet, ☎ 30.72.12, ≤ – ⋒ ☎. ✗ rest
Pâques-1er nov. – SC : **R** 42/60 – ☕ 11 – **32 ch** 65/110 – P 95/140.

ST-IGNACE (col de) 64 Pyr.-Atl. 85 ② – rattaché à Ascain.

ST-JACQUES-DES-BLATS 15580 Cantal 76 ③ – 395 h. alt. 991 – ✆ 71.

Paris 512 – Aurillac 33 – Brioude 75 – Issoire 92 – St-Flour 42.

Touristes et Griou (annexe M, ≤, ⛱ - 12 ch ⇔wc), ☎ 47.05.86 – ⇔wc ⋒wc ☎ P. ✗ rest
fermé 15 oct. au 15 déc. – SC : **R** 26/50 – ☕ 8,50 – 20 ch 45/80 – P 75/90.

Chalet Fleuri, ☎ 47.05.09, ≤ – P. ✗ rest
fermé 1er nov. au 15 déc. – SC : **R** 28/38 – ☕ 9,50 – **43 ch** 40/45 – P 72/80.

ST-JACUT-DE-LA-MER 22750 C.-du-N. 59 ⑤ G. Bretagne – 957 h. – ✆ 96.

Voir Pointe du chevet ≤★ : 2 km.

ℹ Syndicat d'Initiative pl. Nouvelle Poste (15 juin-15 sept., fermé dim. et fêtes) ☎ 27.71.91.

Paris 383 – Dinan 25 – Dol-de-B. 40 – Lamballe 38 – St-Cast 17 – St-Malo 26 – St-Brieuc 58.

Vieux Moulin ⛐, ☎ 27.71.02, ⛱ – ⇔wc P. ✗
mars-oct. – SC : **R** 29/70 – ☕ 9 – 30 ch 55/104 – P 110/150.

Routes enneigées

Pour tous renseignements pratiques, consultez les cartes Michelin **« Grandes Routes »** 998, 999, 916 ou 989.

ST-JAMES 50240 Manche 59 ⑧ G. Normandie – 2 661 h. alt. 110 – ✪ 33.

Voir Cimetière américain.

Paris 312 – Avranches 18 – Fougères 22 – ♦Rennes 60 – St-Lô 74 – St-Malo 58.

Normandie, pl. Bagot ☎ 48.31.45 – wc. E
fermé oct. et vend. – **R** 35/70 – ☐ 10 – **10 ch** 50/100.

CITROEN Gar. Lotton, ☎ 48.33.71 — Gar. Neyret, ☎ 48.32.14 N
RENAULT Gar. Coquelin, ☎ 48.33.80 N

ST-JEAN (col) 04 Alpes-de-H.-P. 81 ⑦ – alt. 1 333 – Sports d'hiver : 1 300/2 100 m ⛷8 – ✉ **04140** Seyne – ✪ 92.

Paris 717 – Barcelonnette 33 – Digne 54 – Gap 46.

Le St-Jean M ⛰, ☎ 35.03.28, ≤ – wc ☎ P. E
SC : **R** 40/90 – ☐ 12 – 31 ch 88/110 – P 115/150.

ST-JEAN 31 H.-Gar. 82 ⑧ – rattaché à Toulouse.

ST-JEAN-AUX-AMOGNES 58 Nièvre 69 ④ – 300 h. alt. 270 – ✉ **58270** St-Benin-d'Azy – ✪ 86.

Paris 255 – Autun 89 – Château-Chinon 52 – Decize 30 – Nevers 16.

Au Rendez-vous des Chasseurs ⛰ avec ch, ☎ 58.63.55, ⛱ – wc.
7 ch.

ST-JEAN-AUX-BOIS 60 Oise 56 ②③, 96 ⑩ G. Environs de Paris – 285 h. alt. 71 – ✉ **60350** Cuise-la-Motte – ✪ 4.

Voir Église★.

Paris 81 – Beauvais 68 – Compiègne 11 – Senlis 33 – Soissons 37 – Villers-Cotterêts 21.

La Bonne Idée ⛰ avec ch, ☎ 442.84.09, ⛱ – ▤ rest wc ☎.
fermé 15 janv. au 15 fév. – SC : **R** 120 – ☐ 18 – 12 ch 180.

Die im Michelin-Führer
verwendeten Zeichen und Symbole haben –
fett *oder dünn gedruckt, rot oder schwarz –*
jeweils eine andere Bedeutung.
Lesen Sie daher die Erklärungen (S. 37 bis 44) aufmerksam durch.

ST-JEAN-CAP-FERRAT 06290 Alpes-Mar. 84 ⑩, 195 ㉗ G. Côte d'Azur – 2 268 h. alt. 20 – ✪ 93.

Voir Fondation Ephrussi-de-Rothschild★★ : site★★, musée Ile de France★★, **M jardins**★ – Phare ☼★★ – Pointe de Ste-Hospice ≤★ de la chapelle.

Office de Tourisme 87 bis av. D.-Semeria (fermé sam. après-midi, dim. et fêtes hors sais.) ☎ 01.36.86.

Paris 943 ④ – Menton 23 ③ – ♦Nice 10 ④.

Plan page ci-contre

✿ **Voile d'Or** M ⛰, au Port **(f)** ☎ 01.13.13, Télex 470317, ≤ port et golfe, ⛱, ⛱ – |♦| ▤ ♿ – 🏛 25
1er fév.-31 oct. – **R** carte 140 à 210 – 50 ch ☐ 320/740, 5 appartements – P 480/700
Spéc. Royale de loup St-Jeannoise, Filets de rougets à la moëlle et au vin rouge, Selle d'agneau rôtie (avril à sept.). **Vins** Bellet.

Gd H. du Cap-Ferrat ⛰, au Cap-Ferrat, bd Gén.-de-Gaulle **(a)** ☎ 01.04.54, Télex 470184, ≤, « Vaste parc, ⛱, ⛱, en bordure de mer, funiculaire privé » – |♦| ▤ ☎ ♿ P – 🏛 80. AE ⓓ E. ✂ rest
1er avril-31 oct. – SC : **R** carte 145 à 180 et **Le Faradol** à la piscine *(1er mai au 30 sept., déj. seul.)* carte environ 100 – ☐ 35 – **60 ch** 410/870, 7 appartements – P 480/710.

Panoramic ⛰ sans rest, av. Albert-1er **(s)** ☎ 01.06.62, ≤ anse de St-Jean – wc wc ☎ P. AE ⓓ E
fermé 15 nov. au 15 janv. – SC : ☐ 20 – **20 ch** 205/265.

Brise Marine ⛰, av. J.-Mermoz **(x)** ☎ 01.30.73, ≤, ⛱ – wc wc ☎. ✂ rest
1er fév.-31 oct. – SC : **R** (dîner seul.) 60 – 16 ch ☐ 155/230.

Clair Logis ⛰ sans rest, av. Centrale **(z)** ☎ 01.31.01, « Parc » – wc wc ☎ P. ✂
fermé 15 nov. au 15 déc. – SC : **16 ch** ☐ 130/180.

La Costière ⛰, av. Albert 1er **(e)** ☎ 01.30.04, ≤ – P
fermé 1er oct. au 1er déc. – SC : **R** 70 – 15 ch (pens. seul.) – P 120.

ST-JEAN-CAP-FERRAT

Les flèches rouges indiquent les sens uniques supplémentaires l'été.

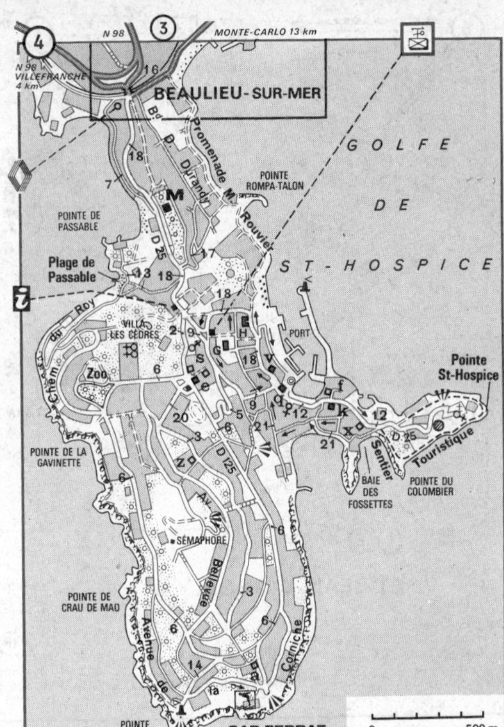

XXX ✿ **Petit Trianon** (Brouchet), bd Gén.-de-Gaulle **(e)** ☎ 01.31.68, « Pergola fleurie » – AE
fermé 15 oct. au 7 déc., merc. soir et jeudi hors sais. – SC : **R** 95/175
Spéc. Mousseline de rascasse, Langouste grillée, Poulet aux écrevisses. **Vins** Bandol, Cassis.

XX ✿ **Les Hirondelles** (Mme Venturino), av. J.-Mermoz **(k)** ☎ 01.30.25, ≤ port – Ⓟ
fermé 15 nov. au 5 janv., dim. et lundi – SC : **R** carte 110 à 160
Spéc. Sardines farcies, Bouillabaisse, Poissons et aioli.. **Vins** Bellet, Vignelaure.

XX **Cappa,** av. J.-Mermoz **(q)** ☎ 01.30.07, ≤ port et golfe
fermé 15 oct. au 30 nov. et merc. – SC : **R** 80.

XX ✿ **Provençal** (Migliori), 2 av. D.-Semeria **(v)** ☎ 01.30.15, ≤ – AE ⓓ
fermé 3 nov. au 24 déc., lundi soir de janv. au 30 avril et mardi – **R** carte 110 à 190
Spéc. Huitres chaudes aux fines herbes, St Jacques à l'estragon, Escalope de saumon.

Voir aussi ressources hôtelières de ***Beaulieu*** et ***Villefranche***

RENAULT Gar. Toso, ☎ 01.05.89

ST-JEAN-D'ANGÉLY ⟨SP⟩ **17400** Char.-Mar. **71** ③④ **G. Côte de l'Atlantique** – **10 317** h. alt. 30 – ✪ 46.

🅘 Syndicat d'Initiative à l'Hôtel de Ville (hors saison après-midi seul., fermé 15 nov. au 15 janv., lundi sauf après-midi en saison et dim.) ☎ 32.04.72.

Paris 433 ② – Angoulême 65 ② – Cognac 36 ③ – Niort 45 ① – La Rochelle 63 ⑤ – Saintes 27 ③.

Plan page suivante

Paix, 5 av. Gén.-de-Gaulle ☎ 32.00.93 – wc Ⓟ – 60. B **a**
fermé déc., dim. soir et lundi midi hors sais. sauf fêtes – SC : **R** 35/63 – ☕ 11 – **16 ch** 56/150.

MERCEDES-BENZ S.A.V.I.A., Zone Ind., 18 av. Point-du-Jour ☎ 32.00.13
PEUGEOT Nouraud-Amy, Zone Ind., 27 av. Point-du-Jour ☎ 32.08.16
RENAULT Guiberteau et Gaudin, rte de Saintes ☎ 32.06.30

TALBOT Gar. Drevet, 19 fg Taillebourg ☎ 32.01.74
Urunuela, 76 av. Général-de-Gaulle ☎ 32.01.47

Pneu-équipement, Zone Ind. av. Point-du-Jour ☎ 32.12.43

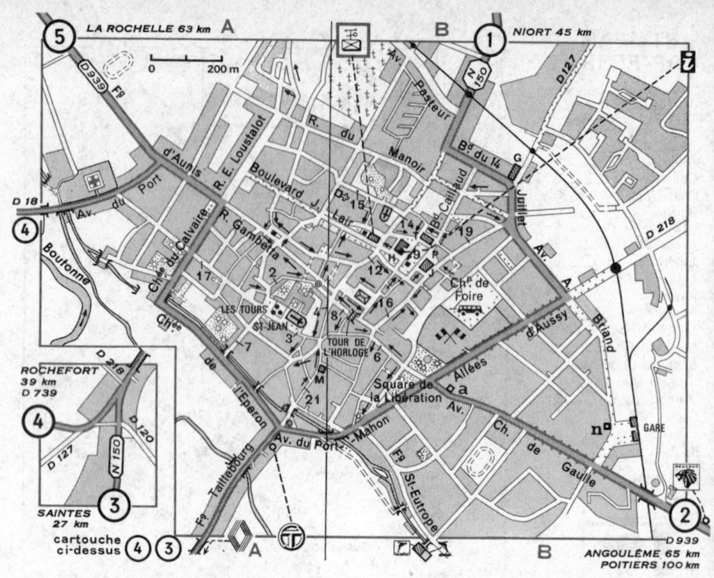

ST-JEAN-D'ANGÉLY

ST-JEAN-D'ARVEY 73 Savoie 74 ⑮⑯ – 587 h. alt. 578 – ✉ **73230** St-Alban-Leysse – 79.
Paris 569 – Albertville 54 – Annecy 46 – Chambéry 9 – Les Déserts 5,5.

Therme, ☎ 28.40.33, ≤ – Ⓟ. ch
15 déc.-30 sept. – SC : **R** 38/52 – 10 – **25 ch** 50/70 – P 90/100.

ST-JEAN-DE-BLAIGNAC 33 Gironde 75 ⑫ – 341 h. alt. 21 – ✉ **33420** Branne – 56.
Paris 561 – Bergerac 56 – ♦Bordeaux 37 – Langon 37 – Libourne 17 – Marmande 48 – La Réole 29.

XXX ✿✿ **Aub. St-Jean** (Male), ☎ 84.51.06, ≤ – AE
fermé 15 au 30 sept., 1er au 15 janv., dim. soir et lundi – SC : **R** 80/250 et carte
Spéc. Gâteau d'huîtres et caviar, Homard à la vapeur, Foie de canard. **Vins** Vin du pays.

ST-JEAN-DE-BOISEAU 44 Loire-Atl. 67 ③ – rattaché à Nantes.

ST-JEAN-DE-BRAYE 45 Loiret 64 ⑨ – rattaché à Orléans.

ST-JEAN-DE-CHEVELU 73 Savoie 74 ⑮ – 338 h. alt. 310 – ✉ **73170** Yenne – 79.
Paris 561 – Aix-les-Bains 17 – Bellegarde-sur-V. 60 – Belley 21 – Chambéry 19 – La Tour-du-Pin 44.

La Source, S : 3 km 5 par rte du Col du Chat ☎ 36.80.16, ≤, – Ⓟ. ch
SC : **R** 32/65 – 9 – **12 ch** 52/62 – P 85/95.

ST-JEAN-DE-GONVILLE 01 Ain 74 ⑤ – 742 h. alt. 490 – ✉ **01630** St-Genis-Pouilly – 50.
Paris 529 – Annecy 56 – Bellegarde-sur-Valserine 22 – Bourg-en-Bresse 101 – ♦Genève 18 – Gex 19.

XXX **Demornex** avec ch, ☎ 59.35.34, « Jardin fleuri » – Ⓟ. AE
fermé 4 janv. au 12 fév., dim. soir et lundi – SC : **R** 80/165 – 12 – 10 ch 46/70 – P 94.

ST-JEAN-DE-LA-BLAQUIÈRE 34 Hérault 83 ⑤ – rattaché à Lodève.

ST-JEAN-DE-LIER 40 Landes 78 ⑥ – 316 h. alt. 13 – ✉ **40380** Montfort-en-Chalosse – 58.
Paris 713 – Castets 29 – Dax 21 – Mont-de-Marsan 38 – Montfort-en-Chalosse 12 – Orthez 40.

Cantelutz, ☎ 57.21.94, – wc Ⓟ – 25.
15 avril-30 oct. – SC : **R** 27/65 – 8 – **12 ch** 40/65 – P 74/86.

ST-JEAN-DE-LOSNE 21170 Côte-d'Or **70** ③ **G. Bourgogne** – 1 605 h. alt. 184 – ⚙ 80.

Paris 344 – Auxonne 17 – ♦Dijon 32 – Dole 22 – Genlis 20 – Gray 52 – Lons-le-Saunier 62.

- **Aub. de la Marine,** à Losne ☎ 29.05.11 – wc.
  fermé 20 déc. au 31 janv. – SC : **R** *(fermé lundi)* 30/48, carte dim. soir – ☕ 10,50 – **18 ch** 43/90 – P 85/150.
- **Saônotel,** ☎ 29.04.77 – . rest
  fermé 25 oct. au 14 déc. et sam. en hiver – SC : **R** 29/78 – ☕ 8,50 – **15 ch** 40/103 – P 98/152.

PEUGEOT Gaillard, ☎ 29.05.53 **N** RENAULT Witt, à Losne ☎ 29.06.40 **N**

ST-JEAN-DE-LUZ 64500 Pyr.-Atl. **85** ② **G. Pyrénées** – 12 056 h. – Casino BY – ⚙ 59.

Voir Église St-Jean-Baptiste★ – Maison de l'Infante★ – Corniche basque★★ par ④ – Sémaphore de Socoa ≤★★ 5 km par ④.

de la Nivelle ☎ 26.18.99, S : 1 km ; de Chantaco ☎ 26.14.22 par ② : 2,5 km.

Office de Tourisme, pl. Maréchal-Foch (fermé dim. sauf matin en sais.) ☎ 26.03.16.

Paris 763 ① – ♦Bayonne 21 ① – Biarritz 15 ① – Pau 128 ① – San-Sebastiàn 33 ③.

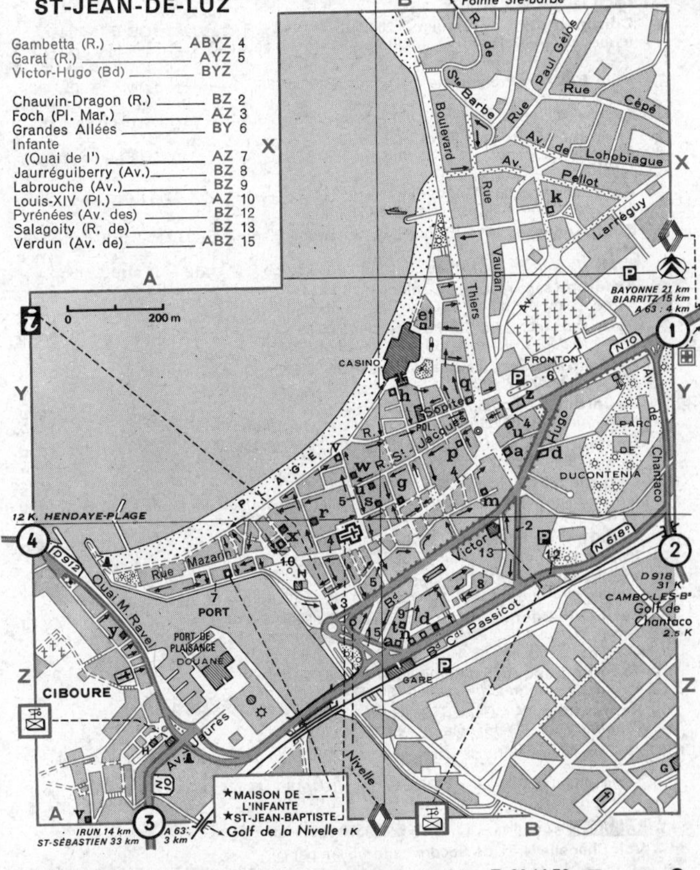

- **Chantaco et rest. El Patio,** face golf par ② : 2 km ☎ 26.14.76, – – **P**. AE rest
  Pâques-oct. – **R** 100/140 – ☕ 22 – 24 ch 180/300, 4 appartements 400 – P 260/380.
- **Madison** sans rest, 25 bd Thiers ☎ 26.35.02 – . AE GB BY **q**
  fermé 15 nov. au 15 déc. – SC : ☕ 15 – **25 ch** 135/170.

tourner →

Commerce M sans rest, 3 bd Cdt-Passicot ☎ 26.31.99, Télex 540518 – wc ☎ BZ **d**
fermé 15 déc. au 31 janv. – SC : **36 ch** 70/160.

H. Poste sans rest, 83 r. Gambetta ☎ 26.04.53 – wc wc AE BY **z**
20 mars-20 oct. – SC : 14 – **35 ch** 80/170.

Plage, 33 r. Garat ☎ 51.03.44, ← – wc wc AY **v**
Pâques-15 oct. – SC : **R** 45/50 – 12 – 24 ch 80/180 – P 150/180.

Petit Trianon, 56 bd V.-Hugo ☎ 26.11.90 – wc wc BY **d**
hôtel fermé 25 oct. au 10 janv. et dim. – SC : **R** *(15 juin-15 sept.)* 42/62 – 12 – 26 ch 100/150 – P 115/210.

Hôtel et Motels Basques, à la pointe Ste-Barbe - BX - ☎ 26.04.24, ←, parc – wc wc P AE E
4 avril-21 sept. – SC : **R** 65/80 – 13 – 29 ch et 12 pav. 85/215 – P 215/250.

Les Goëlands, 4 av. Etcheverry ☎ 26.10.05 – wc wc P. rest BX **k**
fermé 15 déc. au 15 janv. – SC : **R** *(Pâques-fin sept.)* 45/55 – 12 – **44 ch** 74/166 – P 150/185.

La Fayette, 20 r. République ☎ 26.17.74 – wc wc ☎. GB AZ **x**
SC : **R** (1er étage) *(fermé 15 nov. au 15 déc. et lundi)* carte environ 65 – 13 – **18 ch** 120/140 – P 136/168.

Continental, 15 av. Verdun ☎ 26.01.23 – wc wc. GB E. rest
fermé nov. – SC : **R** *(fermé dim. hors sais.)* (dîner seul.) 48 – 12 – 24 ch 70/120. BZ **a**

Villa Bel Air, Promenade J.-Thibaut ☎ 26.04.86, ← – wc wc P. rest BY **h**
4 avril-4 nov. – SC : **R** *(fermé dim.)* (snack dîner seul.) 42 – 13 – **16 ch** 95/160.

Trinquet-Maïtena, r. Midi ☎ 26.05.13 – wc BY **m**
fermé 1er au 15 oct. – SC : **R** *(juil.-fin sept.)* 75 bc/35 – 10 – **13 ch** 72/120 – P 145/165.

Agur sans rest, 96 r. Gambetta ☎ 26.21.55 – wc wc. GB BY **u**
15 mars-15 nov. – SC : 11 – **20 ch** 85/130.

Prado (Annexe - - 15 ch wc ☎), prom. Plage ☎ 51.03.71 – wc wc ☎. BY **e**
SC : **R** *(1er juin-1er oct.)* (dîner seul. 1/2 pens.) 50/55 – 12 – **33 ch** 100/135.

Atherbea sans rest, 10 bd Thiers ☎ 26.14.14 – wc wc. BY **a**
fermé 2 janv. à Pâques – SC : 10 – **16 ch** 65/110.

Paris sans rest, 1 bd Cdt-Passicot ☎ 26.00.62 – wc BZ **n**
fermé 15 déc. au 15 fév. – SC : 11 – **23 ch** 52/110.

St-Jean sans rest, 3 av. Labrouche ☎ 26.00.86 – wc. BZ **t**
SC : 11 – **30 ch** 53/99.

du Jardin, 5 r. Loquin ☎ 26.05.51 – BY **p**
mars-oct. – SC : **R** *(fermé mardi)* 35/45 – 9 – **14 ch** 50/65 – P 90/95.

Restaurant 4, 4 r. Ondicola ☎ 26.05.99 – AE GB BZ **d**
fermé nov. – **R** 80/180.

Ostatua, 25 r. Église ☎ 26.47.22 – AE GB ABY **s**
fermé 15 nov. au 8 déc., mardi hors sais. et lundi midi en juil.-août – SC : **R** carte 70 à 115.

Chipiron, 4 r. Etchegaray ☎ 26.03.41 – AE BY **g**
fermé fév. et lundi hors sais. – SC : **R** carte 70 à 105.

Vieille Auberge, 22 r. Tourasse ☎ 26.19.61 AYZ **r**
fermé 8 janv. au 10 mars et merc. du 1er oct. au 15 juin – SC : **R** 40/60.

Petit Grill Basque, 4 r. St-Jacques ☎ 26.03.53 – AY **u**
fermé 15 déc. à début fév., vend. soir du 1er juil. au 15 sept. et merc. du 16 sept. au 30 juin – SC : **R** 30/32.

Taverne Basque, 5 r. République ☎ 26.01.26. GB AZ **x**
1er mars-31 oct. et fermé merc. – SC : **R** 40.

Ramuntcho, 24 r. Garat ☎ 26.03.89 AY **w**
7 juin-fin sept. et fermé mardi – SC : **R** 30/70.

CITROEN Eskualduna, 18 rte de Bayonne ☎ 26.12.88
FIAT Gar. de La Rhune, 6 r. Axular ☎ 26.03.87
FORD Autos-Durruty, Zone Ind. de Layatz ☎ 26.45.94
RENAULT Gar. Lamerain 4 bd Victor-Hugo ☎ 26.04.02 et Zone ind. de Layatz, N 10 ☎ 26.94.80

Ciboure AZ du plan – 6 373 h. – ✉ 64500 St-Jean-de-Luz.

Voir Chapelle N.-D. de Socorri : site★ 5 km par ③.

Helro Baïta, r. E.-Baignol par ③ ☎ 26.07.73, – wc wc. rest
11 avril-5 mai et 1er juin-1er oct. – SC : **R** 39 – 11 – **26 ch** 55/120 – P 100/130.

Chez Dominique, quai M.-Ravel ☎ 26.29.16, ← AZ **y**
fermé mars, 15 au 30 oct., dim. soir et lundi en hiver – SC : **R** carte 90 à 120.

Chez Mattin, 51 r. E.-Baignol ☎ 26.19.52 – AZ **v**
fermé début nov. à mi janv. et lundi – SC : **R** carte environ 80.

à Socoa par ④ : 1 km – ✉ **64500** St-Jean-de-Luz :

✕ Chez Pantxua, ☎ 26.13.73
sais.

par rte de la Corniche par ④ : 3 km – ✉ **64700** Hendaye :

✕✕ **Aub. de la Corniche,** ☎ 26.30.23, ⩽ Côte Basque et Pyrénées, 🏞 – Ⓟ
fermé lundi – SC : **R** 40.

ST-JEAN-DE-MAURIENNE ⟨SP⟩ **73300** Savoie **77** ⑦ **G. Alpes** – 10 421 h. alt. 546 – ✪ 79.

Voir Ciborium★ et stalles★ de la cathédrale AY E.

ℹ Office de Tourisme pl. Cathédrale (fermé lundi) ☎ 64.03.12.

Paris 631 ① – Albertville 60 ① – Chambéry 71 ① – ♦Grenoble 108 ① – Turino 138 ②.

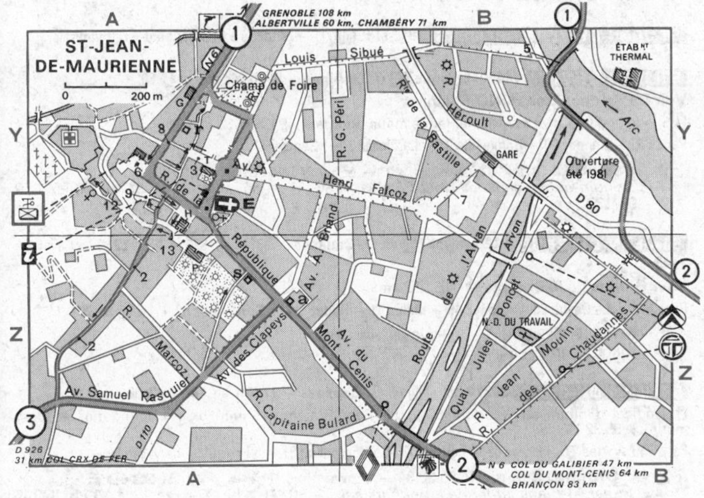

Libération (R. de la) ____ AY 8
République (R. de la) __ AYZ
Bonrieux (R. de) ____ AZ 2
Brun-Rollet (R.) ____ AY 3
Collège (R. du) ____ AY 4
Échaillon (Pont de l') __ BY 5
Fodéré (Pl.) ____ AY 6
Gare (Av. de la) ____ BY 7
Marché (Pl. du) ____ AY 9
Orme (R. de l') ____ AY 12
Sous-Préfecture (R. de la) AZ 13

🏨 **St Georges** sans rest, 334 r. République ☎ 64.01.06, 🏞 – 🛁wc 🚿wc ☎ Ⓟ. 🚗 — AZ **s**
SC : ☕ 12 – **23 ch** 45/110.

🏨 **Europe,** 15 av. Mont-Cenis ☎ 64.00.21 – 🛗 🛁wc 🚿 ☎ Ⓟ. 🚗 — AZ **a**
fermé mi oct. au 2 nov. – SC : **R** carte environ 70 – ☕ 12 – **35 ch** 55/90 – P 137/190.

🏨 **Bernard,** 18 r. Libération ☎ 64.01.53 – 🛁wc ☎. 🚗 — AY **r**
fermé nov. et lundi – SC : **R** 40/100 🍷 – ☕ 12 – **15 ch** 50/80 – P 125/150.

CITROEN Deléglise, quai Jules-Poncet ☎ 64.05.88
PEUGEOT Alpettaz, N 6, Les Plans ☎ 64.13.88
RENAULT Duverney, av. Mt-Cenis ☎ 64.12.33
TALBOT Damiano, Les Chaudannes ☎ 64.08.89

Ⓜ Piot-Pneu, angle pl. Champ-de-Foire ☎ 64.05.74
Tessaro-Pneus, les Plans ☎ 64.10.75

ST-JEAN-DE-MONTS **85160** Vendée **67** ⑪ **G. Côte de l'Atlantique** – 5 543 h. – Casino La Pastourelle – ✪ 51.

ℹ Office de Tourisme Palais des Congrès av. Forêt (fermé dim. hors sais.) ☎ 58.00.48, Télex 711391.

Paris 447 – Cholet 99 – ♦Nantes 76 – Noirmoutier 32 – La Roche-sur-Yon 55 – Les Sables-d'O. 47.

🏨 **Tante Paulette** 🐚, 32 r. Neuve ☎ 58.01.12 – 🚿wc ☎. 🚗. 🚫 ch
14 mars-22 sept. – SC : **R** 39/95 – ☕ 9,50 – 36 ch 46/95 – P 95/140.

🏨 **La Cloche d'Or** 🐚, av. Tilleuls ☎ 58.00.58 – 🛁wc 🚿wc. **GB**. 🚫
◆ *Pâques-fin sept.* – SC : **R** *(de nov. à Pâques déj. seul. et fermé lundi hors sais.)* 35/80 – ☕ 10 – **24 ch** 50/95 – P 100/130.

🏨 **Casino,** av. Mer ☎ 58.01.68 – 🛁wc 🚿wc ☎ Ⓟ. 🚗 **GB**
◆ *Pâques-28 sept.* – SC : **R** 33/75 – ☕ 9 – **33 ch** 46/75 – P 80/120.

tourner →

Le Montois sans rest, r. Gén.-de-Gaulle ☎ 58.60.62 – wc. *fermé oct. et dim. en hiver* – SC : 11 – **25 ch** 45/80.

La Pinède sans rest, 181 av. Valentin ☎ 58.64.44 – Ⓟ. *Pâques-fin sept.* – SC : 8,50 – **10 ch** 50/70.

XXX **Le Galion,** au casino (1er étage) espl. Mer ☎ 58.01.02, ← – AE GB Ⓓ *15 avril-13 sept. et fermé jeudi sauf du 1er juil. au 13 sept.* – SC : **R** 75/140.

à Orouet SE : 6 km – ✉ **85160** St-Jean-de-Monts :

Aub. de la Chaumière, 103 av. Orouet ☎ 58.67.44 – wc wc ☎ Ⓟ. ch *Pâques-fin sept.* – SC : **R** 30/95 – 10 – 17 ch 95/130 – P 130/170.

ALFA-ROMEO Gar. Simon, ☎ 58.26.27 N
PEUGEOT Gar. Besseau, ☎ 58.26.16
RENAULT Vrignaud, ☎ 58.61.44

ST-JEAN-DE-REBERVILLIERS 28 E.-et-L. 60 ⑦ – rattaché à Châteauneuf-en-Thymerais.

ST-JEAN-DE-SIXT 74450 H.-Savoie 74 ⑦ **G. Alpes** – 511 h. alt. 956 – ✪ 50.

Voir Défilé des Étroits* NO : 3 km.

Syndicat d'Initiative à la Mairie (fermé matin hors sais.) ☎ 02.24.12.

Paris 566 – Annecy 29 – Bonneville 23 – La Clusaz 3 – ♦Genève 48.

Beau Site , ☎ 02.24.04, ←, – wc wc ☎ Ⓟ. rest *fin juin-début sept. et Noël-Pâques* – SC : **R** 29/55 – 10 – **24 ch** 50/95 – P 95/130.

ST-JEAN-DU-BRUEL 12 Aveyron 80 ⑮ **G. Causses** – 831 h. alt. 520 – ✉ **12230** La Cavalerie – ✪ 65.

Env. Gorges de la Dourbie NE : 10 km.**

Paris 671 – Le Caylar 26 – Lodève 45 – Millau 41 – Rodez 112 – St-Affrique 52 – Le Vigan 36.

Midi, ☎ 62.26.04, ← – wc ☎ . *mars-15 nov.* – SC : **R** 31/80 – 9,50 – 27 ch 40/80 – P 93/115.

ST-JEAN-DU-GARD 30270 Gard 80 ⑰ **G. Causses** – 2 626 h. alt. 189 – ✪ 66.

Syndicat d'Initiative Foyer communal, av. René-Boudon (15 juin-15 sept. fermé dim. et lundi matin) ☎ 85.32.11.

Paris 735 – Alès 27 – Florac 53 – Lodève 93 – ♦Montpellier 81 – Nîmes 61 – Le Vigan 59.

L'Oronge, Gde-rue ☎ 85.30.34 – wc wc ☎ . AE GB Ⓓ E *1er avril-1er janv. et fermé lundi hors sais.* – SC : **R** 35 bc/80 – 12 – **30 ch** 45/145 – P 105/130.

X **Corniche des Cévennes** avec ch, rte Florac ☎ 85.30.38, ←, , – wc Ⓟ. *fermé nov. et merc. du 1er oct. au 15 mars* – SC : **R** 30 bc/48 – 16 ch 50/75 – P 100.

PEUGEOT Rossel J.-C., ☎ 85.30.32
RENAULT Gar. Rossel, ☎ 85.30.24 N
Gar. Central, ☎ 85.30.43

ST-JEAN-EN-ROYANS 26190 Drôme 77 ③ **G. Alpes** – 2 708 h. alt. 253 – ✪ 75.

Syndicat d'Initiative avec A.C. pl. Champ-de-Mars (15 juin-15 sept. et fermé lundi) ☎ 48.61.39.

Paris 588 – Die 63 – Romans-sur-Isère 27 – St-Marcellin 24 – Valence 45 – Villard-de-Lans 33.

au Col de la Machine SE : 11 km – alt. 1 010.

Env. S : Forêt de Lente.**

du Col , ✉ 26190 St-Jean-en-Royans ☎ 45.57.67, ← – Ⓟ. ch *fermé 12 nov. au 15 déc.* – SC : **R** 32/70 – 9,50 – 10 ch 50/60 – P 87.

CITROEN Gar. Central, ☎ 48.60.35 N
FIAT Gar. Royannais, ☎ 48.66.86
PEUGEOT Lyonne, ☎ 48.60.18 N
RENAULT Usclard, ☎ 48.63.80 N ☎ 48.62.75
TALBOT Villard, ☎ 48.61.02

ST-JEAN-LA-RIVIÈRE 06 Alpes-Mar. 84 ⑲, 195 ⑯ – alt. 285 – ✉ **06450** Lantosque – ✪ 93.

Voir Saut des Français ← S : 5 km.**

Env. Madone d'Utelle ✲* et retable* de l'église d'Utelle SO : 15 km, – G. Côte d'Azur.**

Paris 876 – Levens 13 – ♦Nice 41 – Puget-Théniers 44 – St-Martin-Vésubie 24.

X **Giletti,** ☎ 03.17.11, ← SC : **R** (déj. seul.) 35/50.

ST-JEAN-LE-BLANC 45 Loiret 64 ⑨ – rattaché à Orléans.

ST-JEAN-LE-THOMAS 50 Manche 59 ⑦ – ✉ 50530 Sartilly – ⚙ 33.
ℹ Syndicat d'Initiative r. Gén.-de-Gaulle (fermé dim. en hiver) ☎ 48.84.21.
Paris 336 – Avranches 17 – Granville 16 – St-Lô 72 – Villedieu-les-Poêles 30.

Bains, ☎ 48.84.20, , – wc wc Ⓟ. AE GB. ch
15 mars-3 oct. et fermé merc. hors sais. – **R** 28/78 – 10 – 33 ch 52/130 – P 110/155.

ST-JEAN-LE-VIEUX 64 Pyr.-Atl. 85 ③ – rattaché à St-Jean-Pied-de-Port.

ST-JEANNET 06640 Alpes-Mar. 84 ⑨, 195 ㉕㉖ **G. Côte d'Azur** – 1 865 h. alt. 400 – ⚙ 93.
Voir Site★, ≤★.
Paris 937 – Antibes 24 – Cannes 34 – Grasse 34 – ♦Nice 27 – St-Martin-Vésubie 57 – Vence 8.

Chante Grill, ☎ 59.50.63
fermé oct. – SC : **R** 35/70.

ST-JEAN-PIED-DE-PORT 64220 Pyr.-Atl. 85 ③ **G. Pyrénées** – 1 887 h. alt. 163 – ⚙ 59.
Voir Ville haute★.
ℹ Office de Tourisme pl. Ch.-de-Gaulle (fermé sam. après-midi et dim. sauf juil.-août) ☎ 37.03.57.
Paris 796 ③ – ♦Bayonne 54 ③ – Dax 86 ① – Oloron-Ste-M. 70 ① – Pau 103 ① – San-Sebastián 97.

ST-JEAN-PIED-DE-PORT

Citadelle (R. de la) 3
Espagne (R. d') 4
Gaulle (Pl. Ch.-de) 12
Eyhéraberry (Allée d') 5
Floquet (Pl.) 6
France (Porte de) 7
Gare (Av. de la) 9
Pont Neuf 13
St-Jacques (Ch. de) 15
St-Jacques (Porte) 16
St-Michel (Rte de) 18
Ste-Eulalie (Rue) 19
11-Novembre (R. du) 21

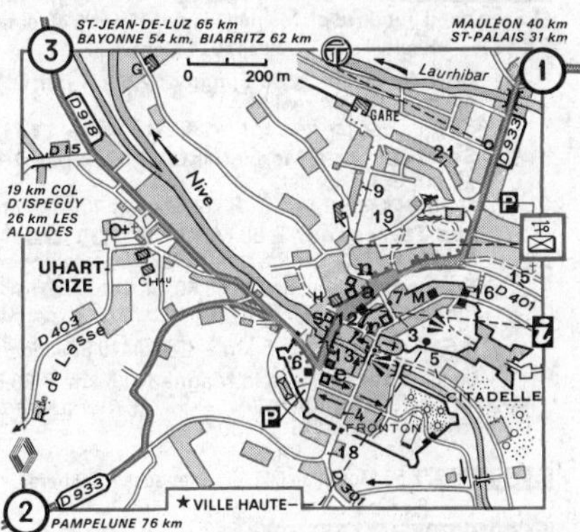

To go a long way quickly, use Michelin maps at a scale of 1 : 1 000 000.

✿ **Pyrénées** (Arrambide), pl. Gén.-de-Gaulle **(a)** ☎ 37.01.01 – wc wc .
fermé 12 nov. au 22 déc., mardi sauf vac. scol. et fériés – SC : **R** (dim. et saison - prévenir) 80/120 – 12 – 31 ch 62/160 – P 130/180
Spéc. Salade tiède de St-Jacques aux truffes (oct. à avril). Foie gras grillé. Terrine de fruits à la mousse d'amandes (fév. à nov.). Vins Irouléguy, Jurançon.

Continental sans rest, 3 r. Renaud **(n)** ☎ 37.00.25 – wc Ⓟ. AE
Pâques-15 nov. – SC : 14 – **19 ch** 110/160.

Central, (s) ☎ 37.00.22 – wc . AE.
fermé 20 déc. au 5 fév. – SC : **R** 38/120 – 12 – 14 ch 85/130 – P 120/180.

Haïzpea sans rest, à **Uhart-Cize** 1,5 km par rte de Lasse ☎ 37.05.44, ≤, parc – wc Ⓟ. .
20 mars-30 sept. – 10 ch (1/2 pens. seul.).

Navarre sans rest, **(e)** ☎ 37.01.67 – wc wc . .
1er juil.-15 sept. – SC : 10 – **9 ch** 60/100.

Ramuntcho, r. de France **(r)** ☎ 37.03.91 – .
mai-15 oct. – SC : **R** 37/48 – 9,50 – **17 ch** 48/65 – P 92/99.

Mendy, à **St-Jean-le-Vieux** par ① 4,5 km ✉ 64220 St-Jean-Pied-de-Port ☎ 37.11.81, –
fermé nov., déc. et merc. – SC : **R** 35/45 – 9 – **10 ch** 45/55 – P 85/90.

Etche Ona avec ch, **(e)** ☎ 37.01.14 – wc wc . ch
fermé 3 nov. au 10 déc. et vend. hors sais. sauf vac. scol. – SC : **R** 42/90 – 12 – 13 ch 65/100 – P 125/142.

Ipoutchaïnia avec ch, à **Ascarat** O : 3 km par D 15 ☎ 37.02.34, ≤ – Ⓟ – 12 ch.

à Aincillé SE : 4,5 km par D 401 – ✉ **64220** St-Jean-Pied-de-Port :

Pecoïtz , ☎ 37.11.88, ≤, – Ⓟ. rest
fermé janv. et fév. – SC : **R** 33/75 – 9,50 – 16 ch 48/75 – P 90/105.

RENAULT Gar. Eskualduna, à Uhart-Cize ☎ 37.00.57

TALBOT Gar. des Pyrénées, ☎ 37.00.81

ST-JEAN-POUTGE 32 Gers 82 ④ – 322 h. alt. 111 – ✉ **32190** Vic Fezensac – ☎ 62.
Paris 708 – Aire-sur-l'Adour 60 – Auch 22 – Condom 27 – Mont-de-Marsan 82 – Roquefort 75.

de la Baïse, ☎ 64.62.11 – rest wc wc ☎ P – 35. AE GB E.
fermé oct. et lundi – SC : **R** 40/130 – ☕ 12 – **21 ch** 50/100 – P 100/120.

ST-JEOIRE 74490 H.-Savoie 74 ⑦ – 1 949 h. alt. 588 – ☎ 50.
Paris 574 – Annecy 54 – Bonneville 17 – Chamonix 57 – ♦Genève 31 – Megève 43 – Morzine 32.

Alpes, ☎ 39.80.33, – wc ☎ P
fermé 20 avril au 10 mai, 25 sept. au 10 nov., lundi hors sais. et vacances scolaires – SC : **R** 35/85 – ☕ 10 – 20 ch 50/140 – P 96/150.

Sapins, ☎ 39.80.38, – wc ☎ – 11 ch.

TALBOT Gar. Favrat, La Tour de Fer ☎ 39.87.54

ST-JOACHIM 44720 Loire-Atl. 63 ⑮ **G. Bretagne** – 4 165 h. – ☎ 40.
Paris 429 – ♦Nantes 59 – Redon 43 – St-Nazaire 15 – Vannes 64.

Aub. du Parc, Ile de Fedrun ☎ 88.53.01, – P
2 fév.-15 nov. et fermé dim. soir et lundi sauf du 15 juin au 15 sept. – **R** carte 90 à 120.

ST-JORIOZ 74410 H.-Savoie 74 ⑥ – 2 450 h. alt. 467 – ☎ 50.
Syndicat d'Initiative pl. Mairie (15 juin.-15 sept. et fermé dim.) ☎ 68.61.82.
Paris 546 – Albertville 36 – Annecy 9 – Megève 51.

Bon Accueil , à Epagny : 2,5 km par D 10 A ☎ 68.60.40, ←, , – wc wc ☎ P. rest
Pâques et mai-fin sept. – SC : **R** 40/55 – ☕ 11 – **21 ch** 65/110 – P 95/140.

Semnoz , à Monnetier O : 1,5 km par D 10 A ☎ 68.60.28, , – ♿ P – 50. GB. rest
1er mai-30 sept. – SC : **R** 40/70 – ☕ 10 – 40 ch 50/100 – P 100/120.

Les Terrasses, ☎ 68.60.16, – P. GB.
fermé oct., nov., dim. soir et lundi hors sais. sauf fêtes – SC : **R** 42/90 .

Tournette avec ch, ☎ 68.60.14, – P.
Pâques-oct. – SC : **R** 40/70 – ☕ 12 – 15 ch 50/65 – P 85/105.

à St-Eustache S : 5 km – ✉ **74410** St-Jorioz :

La Cochette , à la Magne N : 5 km ☎ 68.50.08, ←, – P.
fermé 10 janv. au 1er fév. – SC : **R** *(fermé mardi et merc. hors sais.)* 35/75 – ☕ 10 – 15 ch 80/100 – P 100/130.

ST-JULIEN 56 Morbihan 63 ⑫ – rattaché à Quiberon.

ST-JULIEN-CHAPTEUIL 43260 H.-Loire 76 ⑦ **G. Vallée du Rhône** – 1 658 h. alt. 821 – ☎ 71.
Voir Site★.
Env. Montagne du Meygal★ : Grand Testavoyre ☼★★ NE : 14 km puis 30 mn.
Syndicat d'Initiative à la Mairie (juil.-août et fermé dim.) ☎ 08.70.14.
Paris 536 – Lamastre 53 – Privas 105 – Le Puy 20 – St-Agrève 32 – Yssingeaux 17.

Barriol, ☎ 08.70.17 – wc wc ☎
fermé nov.; sam. midi et vend. – SC : **R** 30/100 – ☕ 14 – 20 ch 50/135 – P 88/136.

PEUGEOT Gar. Abrial, ☎ 08.72.20 N
RENAULT Gar. de Chapteuil, ☎ 08.72.79 N ☎ 08.70.05
Gar. Roubin, ☎ 08.70.35 N

ST-JULIEN-DE-JORDANNE 15 Cantal 76 ② – alt. 920 – ✉ **15590** Lascelle Mandailles – ☎ 71 – **Voir Vallée de Mandailles★★, G. Auvergne.**
Paris 570 – Aurillac 24 – Mauriac 54 – Murat 37.

Touristes, ☎ 47.94.71, ←, – P. ch
fermé 15 oct. au 15 nov. – SC : **R** 35/55 – ☕ 8 – **18 ch** 35/48 – P 78/90.

ST-JULIEN-D'EMPARE 12 Aveyron 79 ⑩ – rattaché à Figeac.

ST-JULIEN-DU-VERDON 04 Alpes-de-H.-Pr 81 ⑱ **G. Côte d'Azur** – 66 h. alt. 914 – ✉ **04170** St-André-les-Alpes – ☎ 92 – **Voir** E : **Clue de Vergons★.**
Paris 795 – Castellane 14 – Digne 50 – Puget-Théniers 38.

Lou Pidanoux, ☎ 89. 05.87, ← – P
fermé 15 déc. au 15 fév. – SC : **R** 40/55 – ☕ 9,50 – 17 ch 43/70 – P 100/115.

ST-JULIEN-EN-BEAUCHÊNE 05 H.-Alpes 77 ⑮ – 101 h. alt. 922 – ✉ **05140** Aspres-sur-Buëch – ☎ 92.
Paris 645 – Clelles 31 – Die 52 – Gap 43 – ♦Grenoble 81 – Serres 26 – Veynes 17.

Bermond-Gauthier, ☎ 58.03.52, – wc P.
fermé janv. – SC : **R** 30/85 – ☕ 10 – **21 ch** 40/90 – P 80/100.

ST-JULIEN-EN-BORN 40170 Landes 78 ⑮ – 1 222 h. alt. 22 – ⚙ 58.
Paris 681 – Belin 73 – Castets 21 – Mimizan 18 – Mont-de-Marsan 68.

- **Pré Fleuri** ⛰, sans rest, rte Mézos ☎ 42.80.09, ⛱ – 🚗 🅟. ✗
  15 mai-15 nov. et fermé lundi – SC : ☕ 10 – **12 ch** 48/80.

ST-JULIEN-EN-CHAMPSAUR 05 H.-Alpes 77 ⑯ – 273 h. alt. 1 140 – ✉ **05500** St-Bonnet-en-Champsaur – ⚙ 92.
Paris 659 – Gap 17 – •Grenoble 95 – La Mure 57 – Orcières 20.

- **Les Chenêts** ⛰, ☎ 55.03.15 – 🛁wc 🚿 ☎ 🚗 🅟. GB. ✗ rest
  fermé 30 sept. au 31 oct. – SC : **R** 35/50 – ☕ 12 – 23 ch 60/100 – P 100/130.

ST-JULIEN-EN-GENEVOIS ⟨SP⟩ **74160** H.-Savoie 74 ⑥ – 6 368 h. alt. 461 – ⚙ 50.
Paris 537 – Annecy 35 – Bonneville 34 – •Genève 9 – Nantua 55 – Thonon-les-Bains 44.

- **Savoie** M sans rest, av. L.-Armand ☎ 49.03.55 – |♦| 🛁wc 🚿wc ☎ 🅟. 🚗 AE GB ⓓ
  SC : ☕ 12 – **20 ch** 95/135.
- **Le Soli** M ⛰ sans rest, ☎ 49.11.31 – |♦| 🚿wc ☎ 🅟. AE E. ✗ rest
  SC : ☕ 15 – **22 ch** 90/120.
- XXX ✿ **Diligence et Taverne du Postillon** (Favre), av. Genève ☎ 49.07.55 – ▤. ⓓ
  fermé 28 juin au 14 juil., 12 au 24 janv. dim. soir et lundi – SC : **R** Taverne (sous sol) 80/160
  Spéc. Pâté chaud d'écrevisses, Turbot gros sel, Tête de veau à la Mondeuse. **Vins** Crépy, Mondeuse.
- XXX **Abbaye de Pomier,** S : 8 km par N 201 et VO ☎ 04.40.64, « Terrasse avec ≤ campagne genevoise » – 🅟
  fermé 3 janv. au 4 fév., dim. soir et lundi – SC : **R** 90.

au Col du Mont-Sion S : 9,5 km – ✉ **74350** Cruseilles :

- **H. Rey** M, ☎ 44.13.29, ≤, parc, 🏊 – |♦| 🛁wc 🚿wc ☎ ♿ 🅟. 🚗 AE
  fermé 5 au 25 janv. – SC : **R** voir rest. **Clef des Champs** – ☕ 12,50 – **31 ch** 110/151 – P 142/178.
- XX **Clef des Champs** avec ch, ☎ 44.13.11, ≤, parc – 🛁wc 🚿wc ☎ 🅟. 🚗
  fermé 22 oct. au 5 nov. et 5 au 24 janv. – SC : **R** *(fermé vend. midi et jeudi sauf juil.-août)* 38/105 – ☕ 11,50 – **9 ch** 51/115 – P 121/156.

ST-JULIEN-LA-VÊTRE 42 Loire 73 ⑰ – rattaché à Noirétable.

ST-JULIEN-SUR-CHER 41 L.-et-Ch. 64 ⑱⑲ – rattaché à Villefranche-sur-Cher.

ST-JUNIEN 87200 H.-Vienne 72 ⑥ **G. Périgord** – 11 723 h. alt. 179 – ⚙ 55.
Voir Collégiale*.
ℹ Office de Tourisme pl. Champ-de-Foire (1er juin-1er sept. et fermé dim.) ☎ 02.17.93.
Paris 433 ① – Angoulême 73 ③ – Bellac 33 ① – Confolens 27 ③ – •Limoges 30 ① – Ruffec 70 ③.

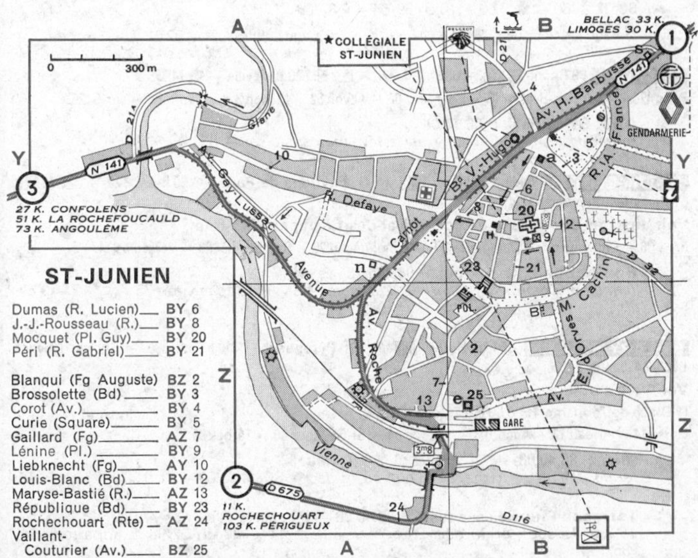

Relais de Comodoliac [M], 22 av. Sadi-Carnot ☎ 02.27.26, Télex 590336, – TV ☎ ♿ P – 40. AE GB (D) E AY **n**
SC : **R** 50/100 – 15 – **28 ch** 130/150 – P 200.

Concorde [M] sans rest, 49 av. H.-Barbusse ☎ 02.17.08 – TV wc wc ☎ P BY **s**
SC : 9 – **26 ch** 63/98.

Modern'H., 44 av. P.-Vaillant-Couturier ☎ 02.17.82 – BZ **e**
fermé 15 au 30 sept., 20 déc. au 5 janv., sam. et dim. soir d'oct. à juin – SC : **R** 28/60 – 8 – **18 ch** 42/60 – P 95/100.

Le Corot avec ch, 46 r. L.-Dumas ☎ 02.17.74 – ch BY **a**
fermé fév. et lundi hors sais – SC : **R** 45/110 – 10 – **10 ch** 43/83.

Au pont à la Planche par ① D 675 : 5 km – ✉ **87200** St-Junien :

Rendez vous des Chasseurs avec ch, ☎ 02.19.73 – P
fermé 15 oct. au 15 nov. – SC : **R** 30/100 – 8,50 – **8 ch** 40/90 – P 100/130.

FORD Gar. Chantemerle, 13 av. d'Oradour-sur-Glane ☎ 02.37.37
PEUGEOT Gar. Delage, 55 bd Victor-Hugo ☎ 02.01.55
RENAULT St-Junien-Autos, 49 av. Oradour-sur-Glane ☎ 02.38.37
TALBOT Gar. Blanchet, 57 bis av. H.-Barbusse ☎ 02.24.30
Pneus et C/c, 15 bd de la République ☎ 02.14.57

ST-JUST 01 Ain 74 ③ – rattaché à Bourg-en-Bresse.

ST-JUST-EN-CHEVALET 42430 Loire 73 ⑦ – 2 127 h. alt. 654 – 77.

Syndicat d'Initiative Mairie (fermé sam. et dim.) ☎ 65.00.62.

Paris 395 – L'Arbresle 85 – Montbrison 47 – Roanne 30 – •St-Étienne 80 – Thiers 29 – Vichy 51.

Moderne, ☎ 65.01.53 – wc . AE GB E
fermé 10 au 25 sept., dim. soir et lundi d'oct. à juin – SC : **R** 40/100 – 10 – **10 ch** 50/90 – P 100/120.

Poste, r. Thiers ☎ 65.01.42 – wc P
fermé 2 nov. au 20 déc., 5 janv. à Pâques et mardi sauf été – SC : **R** 25/75 – 8 – **18 ch** 40/80 – P 90/115.

PEUGEOT Dulac, à Juré ☎ 65.03.54 N
TALBOT Chaux, ☎ 65.04.13

ST-JUSTIN 40 Landes 79 ⑫ – 973 h. alt. 90 – ✉ **40240** Labastide d'Armagnac – 58.

Paris 676 – Aire-sur-l'Adour 36 – Auch 86 – •Bordeaux 115 – Marmande 71 – Mont-de-Marsan 25.

Cadet de Gascogne, ☎ 44.80.77 –
SC : **R** 28/60 – 8 – **10 ch** 39/52 – P 75/85.

Aub. Landaise avec ch, ☎ 44.82.12 – ☎
SC : **R** 25/60 – 7,50 – 10 ch 39/64 – P 82/88.

Central Garage, ☎ 44.82.03 N ☎ 44.83.44
Garage Labarbe, ☎ 44.82.61

ST-LAGER 69 Rhône 74 ① – 839 h. alt. 222 – ✉ **69220** Belleville – 74.

Paris 426 – Bourg-en-Bresse 46 – Charolles 66 – •Lyon 52 – Mâcon 32 – Villefranche-sur-S. 25.

Aub. St-Lager, ☎ 66.16.08
fermé 1er au 13 juil., 15 janv. au 15 fév., merc. et le soir – SC : **R** 42/120.

ST-LAMBERT 78 Yvelines 60 ⑨, 101 ㉑ **G. Environs de Paris** – 480 h. alt. 120 – ✉ **78470** St-Rémy-les-Chevreuse – 3.

Voir Vestiges de l'abbaye de Port-Royal-des-Champs★ N : 2,5 km.

Paris 38 – Chevreuse 6 – Dampierre 6,5 – Longjumeau 26 – Rambouillet 23 – Versailles 14.

Bon Accueil avec ch, ☎ 043.70.73, ≤, – P
fermé nov., mardi soir (sauf rest.) et merc. – SC : **R** carte environ 75 – 12 – **3 ch** 60.

ST-LARY-SOULAN 65170 H.-Pyr. 85 ⑲ **G. Pyrénées** – 710 h. alt. 830 – Sports d'hiver : 1 600/2 425 m 3 26, – 62.

Voir Vallée d'Aure★.

Office de Tourisme ☎ 98.50.81, Télex 520360.

Paris 814 – Arreau 12 – Auch 103 – Luchon 44 – St-Gaudens 66 – Tarbes 69.

Mir, ☎ 98.40.03, – wc ☎ P.
fermé 20 avril au 16 mai et 15 oct. au 1er déc. – SC : **R** 40/60 – 9,50 – 26 ch 60/90 – P 100/150.

Terrasse Fleurie sans rest, ☎ 39.40.26 – TV wc ☎ P. AE. rest
15 mai-15 sept. et 15 déc.-20 avril – SC : 11 – **22 ch** 52/96, 6 appartements 135/150.

La Pergola ⛰, ☎ 98.40.46, – wc – wc ☎ P. ✗
fermé 1er au 30 mai et 2 nov. au 15 déc. – SC : **R** 45/80 – ☕ 8,50 – 14 ch 85 – P 120/130.

Pons "Le Dahu", ☎ 39.43.66, ≤, – wc P. ✗ rest
fermé nov. – SC : **R** 30/40 🍷 – ☕ 8 – **31 ch** 55 – P 80/95.

à Espiaube NO : 11 km par D 123 et VO – alt. 1 600 – ✉ **65170** St-Lary :

La Sapinière ⛰, ☎ 98.44.04 – wc wc ☎ P. ✗ rest
1er juil.-1er sept. et 1er déc.-1er mai – SC : **R** 35/80 – ☕ 10,50 – **16 ch** 72/130 – P 102/146.

au Pla d'Adet - à la station supérieure du téléphérique O : 13 km par D 123 – alt. 1 680 – ✉ **65170** St-Lary :

Christiania ⛰ sans rest, ☎ 98.44.42, ≤ Pyrénées – wc ☎ – 25.
15 déc.-10 avril – SC : ☕ 14 – **24 ch** 120/160.

La Bergerie ⛰, ☎ 98.44.11, ≤ – wc ☎ P. ✗ rest
15 déc.15 avril – 10 ch.

ST-LATTIER 38 Isère 77 ③ – 775 h. alt. 179 – ✉ **38160** St-Marcellin – ☎ 76.
Paris 575 – •Grenoble 70 – Romans-sur-Isère 14 – St-Marcellin 13.

Brun, N 92 ☎ 36.54.76 – wc wc ☎ P.
R 25/70 🍷 – ☕ 9 – **11 ch** 60 – P 100.

XXX ✿ **Lièvre Amoureux** avec ch, ☎ 36.50.67, « Jardin fleuri » – wc ☎ P. AE ①
fermé 3 janv. au 3 fév. et lundi sauf fêtes – SC : **R** 95/170 – ☕ 22 – 7 ch 180.
à la Chêneraie M ⛰, ≤ – TV wc ☎ ♿. ✗ – 4 appartements 380
Spéc. Salade bretonne, Faisan aux cèpes (période de chasse), Lièvre à la broche sauce poivrade (période de chasse et sur commande). Vins St-Joseph, Cornas.

XX **Aub. Viaduc,** RN 92 ☎ 36.51.65 – P
fermé oct., mardi soir et merc. – SC : **R** 60/105.

ST-LAURENT-DE-COGNAC 16 Charente 72 ⑪ – rattaché à Cognac.

ST-LAURENT-DE-LA-SALANQUE 66250 Pyr.-Or. 86 ⑳ – 3 971 h. – ☎ 68.
Paris 905 – Elne 22 – Narbonne 60 – •Perpignan 14 – Quillan 79 – Rivesaltes 10.

Aub. du Pin, rte Perpignan ☎ 28.01.62, – wc ☎ P. ✗
fermé 21 sept. au 5 oct., 2 janv. au 28 fév. et lundi sauf juil., août et sept. – SC : **R** 35 bc/80 🍷 – ☕ 8,50 – **22 ch** 68/85 – P 120/130.

Commerce, ☎ 28.02.21 – ☎. ✗
fermé 28 sept. au 27 oct. – SC : **R** *(fermé vend. hors sais.)* 60/80 – ☕ 9 – 29 ch 50/78 – P 105/129.

CITROEN Gar. Formenty, ☎ 28.01.08 | RENAULT Gar. Castay, ☎ 37.01.07

ST-LAURENT-DE-MURE 69720 Rhône 74 ⑫ – 2 762 h. alt. 252 – ☎ 7.
Paris 480 – •Lyon 18 – Pont-de-Chéruy 16 – La Tour-du-Pin 38 – Vienne 31.

Le St-Laurent, ☎ 840.91.44, parc – wc wc ☎ P. AE
fermé vend. soir et sam. – **R** 45/90 🍷 – ☕ 9 – **22 ch** 42/100.

CITROEN Gar. Armanet, ☎ 840.80.10

ST-LAURENT-DU-PONT 38380 Isère 77 ⑤ **G. Alpes** – 3 709 h. alt. 416 – ☎ 76.
Voir Gorges du Guiers Mort★★ SE : 2 km – Site★ de la Chartreuse de Curière SE : 4 km.
Paris 563 – Chambéry 29 – •Grenoble 36 – La Tour-du-Pin 40 – Voiron 15.

Beauséjour, av. V.-Hugo ☎ 06.21.88 – ☎ P
fermé 25 oct. au 5 déc., dim. soir et lundi hors sais. – SC : **R** 34/80 🍷 – ☕ 9 – **17 ch** 55/90 – P 100/110.

CITROEN Favre, ☎ 06.20.24 | RENAULT Brille, ☎ 06.40.86
PEUGEOT Gar. Borderon, ☎ 06.21.89 | TALBOT Roudet, ☎ 06.21.03

ST-LAURENT-DU-VAR 06700 Alpes-Mar. 84 ⑨, 195 ㉖ **G. Côte d'Azur** – 17 728 h. alt. 17 – ☎ 93.
Voir Corniche du Var★ au N.
Paris 925 – Antibes 16 – Cagnes-sur-Mer 5 – Cannes 27 – Grasse 31 – •Nice 9,5 – Vence 14.

Le Gabian M sans rest, N 7 ☎ 31.24.95 – cuisinette wc wc ☎ ♿ P. ✗
fermé nov. – SC : ☕ 10 – **21 ch** 85/130.

Plage sans rest, rte bord de mer ☎ 31.08.29 – cuisinette wc ☎ P. AE GB ① E
15 janv.-15 oct. – SC : **50 ch** ☕ 150.

L'Albergo, bord du Var ☎ 31.54.97 – ☎ P. ✗
fermé déc. – SC : **R** *(fermé sam.)* 29/55 – 20 ch ☕ 49/73 – P 110/121.

ST-LAURENT-EN-GRANDVAUX 39150 Jura **70** ⑮ **G. Jura** – 1 806 h. alt. 908 – 84.

Syndicat d'Initiative pl. Thévenin (vacances de fév., Pâques, 7 juil.-2 sept., Noël et fermé dim.) ☎ 60.15.25.

Paris 447 – Champagnole 22 – Lons-le-Saunier 46 – Morez 12 – Pontarlier 59 – St-Claude 30.

Commerce, ☎ 60.11.41, – wc wc
fermé nov. et lundi sauf vacances scol. – **R** 31/42 – 12 – **24 ch** 40/150 – P 100/150.

Place (chez Maurice), ☎ **60.13.97**
fermé mai, oct. et lundi – **R** (déj. seul.) 38/55.

PEUGEOT Gar. Cobo, ☎ 60.15.77
RENAULT Gar. de la Route Blanche ☎ 60.11.90
N
Gar. Bouvet, ☎ 60.11.78

ST-LAURENT-EN-ROYANS 26 Drôme **77** ③ – 1 294 h. alt. 312 – ✉ **26190** St-Jean-en-Royans – 75.

Paris 588 – •Grenoble 67 – Romans-sur-Isère 27 – St-Marcellin 19 – Valence 45 – Villard-de-Lans 29.

Bérard, ☎ **48.61.13**
fermé janv. et mardi sauf de juin à sept. – SC : **R** 40/85 – 8 – 8 ch 45/60.

RENAULT Garage Magnan, ☎ 48.65.38 N

ST-LAURENT-ET-BÉNON 33112 Gironde **71** ⑰ **G. Côte de l'Atlantique** – 2 503 h. alt. 10 – 56.

Paris 598 – Blaye (bac) 16 – •Bordeaux 43 – Lesparre-Médoc 20.

Lion d'Or, ☎ 59.40.21 –
fermé nov. et sam. sauf juil. et août – SC : **R** 30/90 – 10 – **14 ch** 50/80 – P 70/100.

CITROEN Gar. Nogues, ☎ 59.40.83

ST-LAURENT-NOUAN 41 L.-et-Ch. **64** ⑧ – rattaché à Chambord.

ST-LAURENT-SUR-SÈVRE 85 Vendée **67** ⑤ **G. Côte de l'Atlantique** – 4 067 h. alt. 125 – ✉ **85290** Mortagne-sur-Sèvre – 51.

Paris 360 – Bressuire 36 – Cholet 12 – •Nantes 62 – La-Roche-sur-Yon 60.

Hermitage, r. Jouvence ☎ 67.63.03 – wc wc ☎ .
SC : **R** 35/60, carte le dim. – 12 – **18 ch** 70/120 – P 150/180.

ST-LÉGER 17 Char.-Mar. **71** ⑤ – rattaché à Pons.

ST-LÉGER-EN-YVELINES 78 Yvelines **60** ⑧⑨, **96** ㉓ **G. Environs de Paris** – 934 h. alt. 150 – ✉ **78610** Le Perray – 3.

Paris 61 – Dreux 39 – Mantes-la-Jolie 43 – Montfort-l'Amaury 7,5 – Rambouillet 11 – Versailles 33.

Aub. Belle Aventure M, ☎ 486.31.35, – wc wc
13 ch.

Gros Billot, ☎ 486.30.11, – wc wc – 25. GB. ch
fermé 7 juil. au 4 août, 21 au 25 déc., lundi soir et mardi – SC : **R** carte 85 à 120 – 12,50 – 20 ch 90/135.

ST-LÉONARD-DE-NOBLAT 87400 H.-Vienne **72** ⑱ **G. Périgord** – 5 538 h. alt. 346 – 55.

Voir Église* : clocher**.

Office de Tourisme Foyer Rural (15 juin-15 sept.) ☎ 56.01.13 (Mairie).

Paris 415 – Aubusson 67 – Brive-la-Gaillarde 97 – Guéret 61 – •Limoges 22.

Gd St-Léonard, rte Clermont ☎ 56.18.18 – wc . AE GB. rest
fermé janv., lundi soir et mardi midi – SC : **R** 36/82 – 11 – 16 ch 53/110 – P 106/132.

Modern, ☎ 56.00.25 –
fermé 4 au 10 oct., fév., dim. soir et lundi midi – SC : **R** 35/70 – 9 – 9 ch 59/68 – P 90/140.

à la Gare de Brignac NO : 10 km par D941 et D 124 :

Beau Site , ☎ 56.00.56, parc – .
fermé 15 janv. au 15 fév. et lundi hors sais. – SC : **R** 29/53 – 7,50 – 9 ch 40/52 – P 78/90.

CITROEN Gar. Valade, ☎ 56.04.53
FIAT, LANCIA-AUTOBIANCHI Gar. Legouteux, ☎ 56.04.22
PEUGEOT Gar. Ducros, ☎ 56.17.17
RENAULT Gar. Moulinjeune, ☎ 56.04.91

ST-LÉONARD-DES-BOIS 72 Sarthe 60 ⑫ **G. Normandie** – 568 h. alt. 98 – ⊠ **72590** St-Georges-le-Gaultier – ✪ 43.

Voir Alpes Mancelles★.

ℹ Syndicat d'Initiative à la Mairie (juil.-août) ☎ 97.28.10.

Paris 211 – Alençon 20 – Fresnay-sur-Sarthe 12 – Laval 75 – ♦Le Mans 50 – Mayenne 46.

Touring H. Ⓜ, ☎ **97.28.03, Télex 720410,** ←, **« Jardin au bord de l'eau »** – 🛗 ♿ Ⓟ – 100. AE GB ⓓ E. ✂ rest
fermé janv. – SC : **R** *(dim. prévenir)* 50/80 – ☕ 16 – 33 ch 90/170 – P 145/190.

ST-LÉOPARDIN-D'AUGY 03 Allier 69 ⑬ – 516 h. alt. 308 – ⊠ **03160** Bourbon-l'Archambault – ✪ 70.

Paris 284 – Bourbon-l'Archambault 16 – Bourges 80 – Moulins 26 – Nevers 45.

Centre, ☎ **66.22.78** – 🚿 Ⓟ. ✂
fermé fév. – SC : **R** 22/67 – ☕ 8,50 – **7 ch** 48/63 – P 81.

La tranquillité de l'hôtel est l'affaire de tous et donc de vous aussi.

ST-LÔ Ⓟ **50000** Manche 54 ⑬ **G. Normandie** – 25 037 h. alt. 14 – ✪ 33.

Voir Haras★.

ℹ Office de Tourisme (fermé lundi matin et dim.) et A.C.O. 2 r. Havin ☎ 57.06.49.

Paris 303 ③ – ♦Caen 58 ② – ♦Cherbourg 78 ⑧ – Fougères 96 ⑥ – Laval 144 ⑥ – ♦Rennes 131 ⑥.

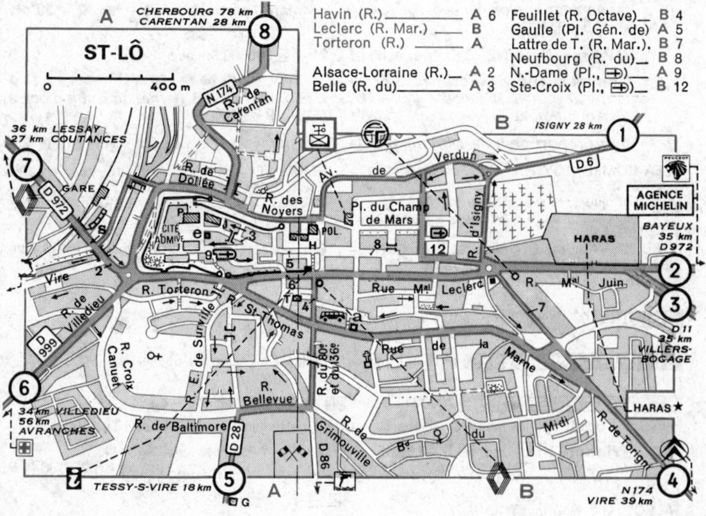

Gare et Marignan, pl. Gare ☎ **57.15.15,** ← – 🛁wc 🚿wc ☎ 🚗 – 70. 🚘 E
fermé 1er au 15 fév. – SC : **R** 35/140 🍷 – ☕ 12 – 18 ch 42/120 – P 85/145. A **s**

Voyageurs, 5 av. Briovère ☎ **57.01.94,** ← – 🛁wc 🚿wc ☎. 🚘 AE GB ⓓ E
fermé 20 déc. au 15 janv., dim. soir et lundi midi – SC : **R** 32/65 – ☕ 12 – **15 ch** 52/145 – P 78/115. A **s**

Gd H. Univers, 1 av. Briovère ☎ **57.11.53,** ← – 🛁wc 🚿 ☎ – 30 à 50. 🚘 AE
fermé 15 janv. au 1er fév. et dim. en hiver – SC : **R** 35/75 🍷 – ☕ 10 – 25 ch 40/100 – P 125/135. A **s**

Terminus, 3 av. Briovère ☎ **57.14.71,** ← – 🚿wc ☎. 🚘 GB E. ✂ ch A **s**
fermé 8 déc. au 6 janv. – SC : **R** *(fermé dim.)* 30/50 - Brasserie **R** carte environ 45 🍷 – ☕ 10 – **15 ch** 55/100 – P 120/140.

Armoric sans rest, 15 r. Marne ☎ **57.17.47** – 🛁wc 🚿wc ☎. 🚘 B **a**
SC : ☕ 10 – **21 ch** 44/110.

XXX **Crémaillère** avec ch, pl. Préfecture ☎ **57.14.68** – 🛁wc 🚿. AE GB ⓓ E A **e**
fermé 22 déc. au 4 janv. et sam. – SC : **R** 55/75 – ☕ 8,50 – 12 ch 40/130.

MICHELIN, Agence, Z.I., r. L.-Jouhaux par ② ☎ **57.91.97**

tourner →

AUDI-VOLKSWAGEN Gar. de Normandie, Promenade des Alluvions ☎ 57.09.12
CITROEN Bekaert, rte de Torigni, Z.I. de la Chevalerie ☎ 57.09.58 N
DATSUN Gar. Dessoude, 29 Rte de Coutances à Agneaux ☎ 57.71.05
FIAT Gar. Motus, rte de Bayeux ☎ 57.99.40
FIAT Gar. Maudouit, 6 r. Croix-Canuet ☎ 57.17.79
FORD Gar. Le Page, 34 r. Villedieu ☎ 57.18.44
LANCIA-AUTOBIANCHI, MERCEDES-BENZ, **TOYOTA** Gar. des Ronchettes, rte de Torigni ☎ 57.00.10
OPEL Elisabeth, rte Coutances à Agneaux ☎ 57.12.58

PEUGEOT Éts Duval, av. de Paris ☎ 57.04.50
RENAULT Legoueix, 6 r. Mar.-Leclerc ☎ 57.16.44
RENAULT Gar. Tessier, rte de Périers à Agneaux ☎ 57.56.58
TALBOT Gar. Point du jour, 114 r. Mar.-Juin ☎ 57.83.90
Gar. Bazin-Bariteaud, av. Paris ☎ 57.67.15
Gar. Marie, 164 rte de Tessy ☎ 57.12.98

Devaux, 17 bis r. du Neufbourg ☎ 57.15.59
Lane, 1 r. Fontaine Venise ☎ 57.52.37

ST-LOUIS 68300 H.-Rhin 66 ⑩ – 18 112 h. alt. 225 – 89.

Paris 556 – Altkirch 28 – ♦Bâle 5 – Belfort 62 – Colmar 66 – Ferrette 24 – ♦Mulhouse 29.

voir plan de Bâle agglomération

Pfiffer, 77 r. Mulhouse ☎ 69.74.44 – wc wc ☎ . T **x**
fermé 2 au 24 août et 20 déc. au 5 janv. – SC : **R** *(fermé dim. et lundi)* 55/85, dîner à la carte – 12 – **36 ch** 65/200.

à Huningue E : 2 km par D 469 – 6 576 h. – ✉ **68330** Huningue :

Tivoli, 15 av. Bâle ☎ 67.73.05 – wc wc ☎ . T **b**
fermé août et Noël-Nouvel An – **R** *(fermé mardi)* carte 75 à 120 – 12 – **30 ch** 55/150 – P 180.

à Village-Neuf NE : 3 km par N 66 et D 21 – ✉ **68300** St-Louis :

Cheval Blanc, 6 r. Rosenau ☎ 67.79.15 – wc ☎ . rest T **v**
fermé 22 juin au 15 juil., 22 déc. au 5 janv. et lundi – SC : **R** *(fermé dim. soir d'oct. à avril et lundi)* 45/85 – 10 – **12 ch** 60/110 – P 80/100.

à l'Aéroport de Bâle-Mulhouse NO : 5 km par N 66 et D 12 XX voir à Bâle

ALFA-ROMEO, TOYOTA Gar. Feldbauer, 20 r. des Prés ☎ 67.22.26
CITROEN Flury, 11 r. du Rhône T ☎ 67.13.02
FIAT Gar. Salamon, 9 r. St-Louis à Huningue ☎ 67.18.95
FORD Sax-Autom., 10 r. des Prés ☎ 67.47.94
PEUGEOT Gar. Ledy, pl. de l'Europe T ☎ 67.80.35 N

RENAULT Gar. Bader, 81 av. du Gén.-de-Gaulle T ☎ 67.00.15
TALBOT Gar. du Rhin, 43 r. St-Louis à Huningue T ☎ 67.12.71

Daesslé et Klein, 65 av. du Gén.-de-Gaulle ☎ 69.81.08

ST-LOUP 03 Allier 69 ⑭ – rattaché à Varennes-sur-Allier.

ST-LOUP-DE-VARENNES 71 S.-et-L. 69 ⑨ – rattaché à Chalon-sur-Saône.

ST-LOUP-SUR-SEMOUSE 70800 H.-Saône 66 ⑥ – 4 692 h. alt. 245 – 84.

Paris 352 – Bourbonne-les-Bains 48 – Épinal 50 – Gray 81 – Remiremont 32 – Vesoul 33 – Vittel 59.

Trianon, pl. J.-Jaurès ☎ 49.00.45 – wc wc ☎. GB. rest
fermé fév. – SC : **R** *(fermé sam. d'oct. à mars)* 40/100 – 11 – **10 ch** 90/130 – P 110/130.

TALBOT Gar. Dormoy, ☎ 49.02.32

ST-LYPHARD 44 Loire-Atl. 63 ⑭ G. Bretagne – 1 871 h. alt. 12 – ✉ 44410 Herbignac – 40.

Voir Clocher de l'église ☼★★.

Paris 442 – La Baule 17 – ♦Nantes 70 – Redon 40 – St-Nazaire 21.

X **Le Nezil,** SO : 3 km par D 47 ☎ 45.81.41, –
1er mars-15 déc. et fermé mardi – SC : **R** 70/160.

ST-MACAIRE-EN-MAUGES 49450 M.-et-L. 67 ⑤ – 4 852 h. alt. 96 – 41.

Paris 348 – Ancenis 39 – Angers 61 – Cholet 12 – ♦Nantes 47.

La Gâtine M, ☎ 46.70.23 – wc ☎ – 30.
fermé 12 juil. au 12 août – SC : **R** *(fermé dim. soir et lundi)* 35/100 – 11 – **15 ch** 47/82.

ST-MACLOU 27 Eure 55 ④ – 295 h. alt. 114 – ✉ 27210 Beuzeville – 32.

Paris 177 – Bolbec 29 – Évreux 81 – ♦Le Havre 44 – Honfleur 15 – Pont-Audemer 9.

XX **La Crémaillère** avec ch, ☎ 41.17.75
fermé 23 sept. au 22 oct., 21 au 25 déc., merc. soir et jeudi – SC : **R** 51/68 – 9,50 – 6 ch 35/50 – P 130/183.

ST-MAIXENT-L'ÉCOLE **79400** Deux-Sèvres 68 ⑫ **G. Côte de l'Atlantique** – 9 613 h. alt. 65 – ✪ 49.

Voir Église abbatiale★ B.

Office de Tourisme Porte Châlon (fermé merc. et dim.) ☎ 26.14.50.

Paris 383 ② – Angoulême 104 ② – Niort 24 ④ – Parthenay 29 ① – Poitiers 50 ②.

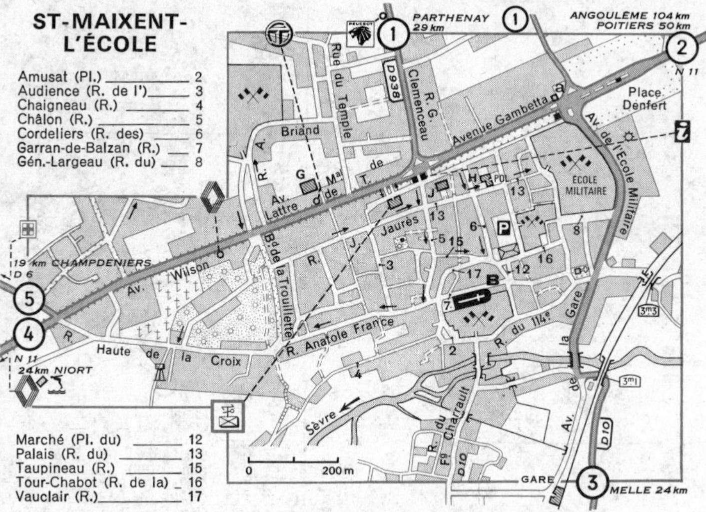

Cheval Blanc, 8 av. Gambetta **(a)** ☎ 26.10.08 – GB.
fermé 22 déc. au 5 janv. et dim. soir – SC : **R** 29/70 – 8 – 12 ch 33/49.

PEUGEOT Brochet, 87 av. G.-Clemenceau ☎ 76.13.42
RENAULT S.A.M.E.A., N 11, rte de Niort ☎ 76.10.75
RENAULT Gar. Mouzin, 13 av. Wilson ☎ 26.10.80
TALBOT St-Maixent-Gar., 28 av. De Lattre-de-Tassigny ☎ 26.10.50 N
Macke, av. de Lattre-de-Tassigny ☎ 76.13.08
Gaillard, 12 av. de Blossac ☎ 26.10.26

ST-MALO SP **35400** I.-et-V. 59 ⑥ **G. Bretagne** – 46 270 h. – Casino BX – ✪ 99.

Voir Site★★★ – Le tour des Remparts★★★ AX **– Château★★** AX **: musée de St-Malo★ M – La Rance★★ en bateau** AX **– Quic-en-Groigne★** AX **E – Fort national★ : ≤★★ 15 mn** AV **– Tourelles du guet ✱★★ – Ile du Grand Bé★ 45 mn** AX **– Vitraux★ de la cathédrale St-Vincent** AX **B – Usine marémotrice de la Rance : digue ≤★ S : 4 km.**

de Dinard - Pleurtuit - St-Malo : Touraine Air Transport ☎ 46.15.76 par ③ : 8 km.

Office de Tourisme Port des Yachts (fermé dim. hors saison) ☎ 56.64.48.

Paris 370 ③ – Alençon 178 ③ – Avranches 65 ③ – Dinan 29 ③ – ◆Rennes 69 ③ – St-Brieuc 76 ③.

Plans page suivante

Intra muros :

Central, 6 Gde-Rue ☎ **40.87.70** – – 25 AX **n**
SC : **R** *(fermé janv.)* 70/100 – 17 – 44 ch 150/260 – P 220/320.

Elizabeth M sans rest, 2 r. Cordiers ☎ **56.24.98** – wc ☎. AE GB AX **d**
SC : 16 – **10 ch** 200/220.

Ajoncs d'Or M sans rest, 10 r. Forgeurs ☎ **56.42.87** – wc wc . AE GB AX **a**
fermé 15 nov. au 25 déc. – SC : **21 ch** 78/190.

Bristol Union sans rest, 4 pl. Poissonnerie ☎ **40.83.36** – wc wc . AX **r**
1er mars-15 nov. – SC : 11 – **24 ch** 97/143.

Commerce sans rest, 11 r. St-Thomas ☎ **40.85.56** – wc . . AX **b**
fin mars-début oct. – SC : 9,50 – **42 ch** 56/135.

Noguette, 9 r. Fosse ☎ **40.83.57** – wc . . AX **y**
fermé 12 nov. au 15 déc., dim. soir et lundi midi – SC : **R** 30/58 – 10 – 12 ch 80/130 – P 130/150.

tourner →

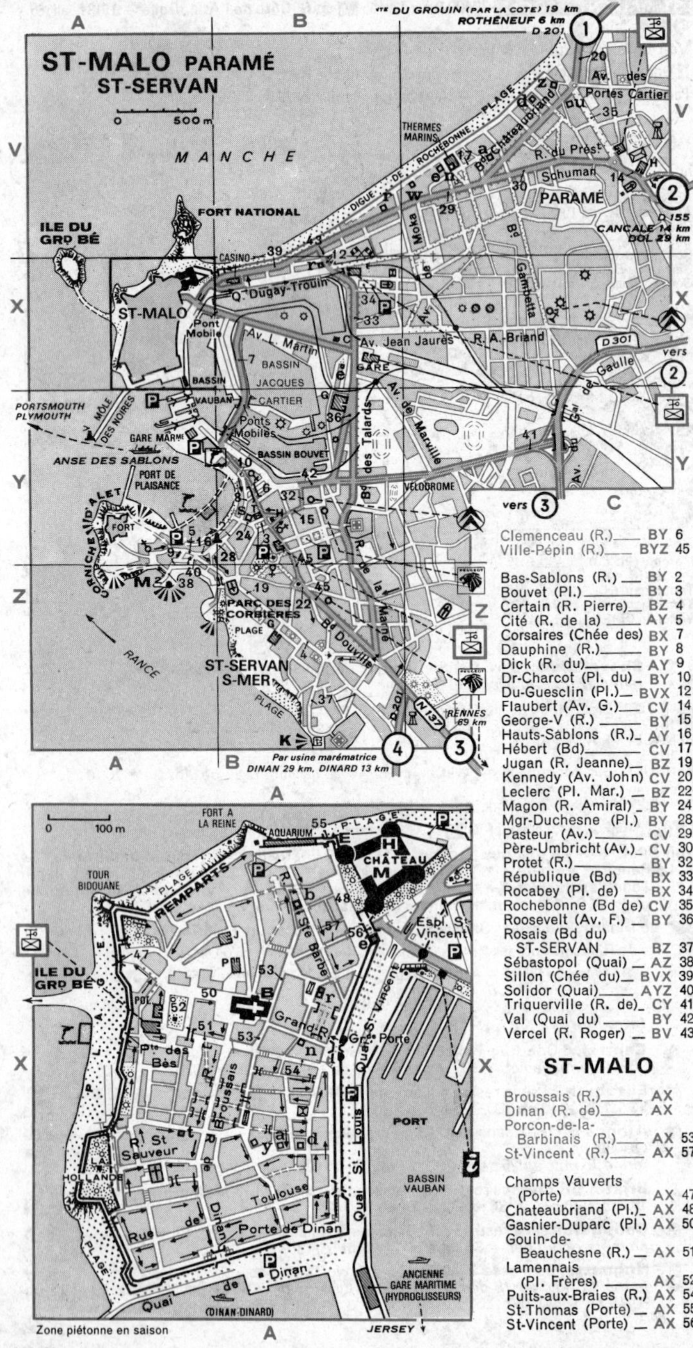

Clemenceau (R.) BY 6
Ville-Pépin (R.) BYZ 45

Bas-Sablons (R.) BY 2
Bouvet (Pl.) BY 3
Certain (R. Pierre) BZ 4
Cité (R. de la) AY 5
Corsaires (Chée des) BX 7
Dauphine (R.) BY 8
Dick (R. du) AY 9
Dr-Charcot (Pl. du) BY 10
Du-Guesclin (Pl.) BVX 12
Flaubert (Av. G.) CV 14
George-V (R.) BY 15
Hauts-Sablons (R.) AY 16
Hébert (Bd) CV 17
Jugan (R. Jeanne) BZ 19
Kennedy (Av. John) CV 20
Leclerc (Pl. Mar.) BZ 22
Magon (R. Amiral) BY 24
Mgr-Duchesne (Pl.) BY 28
Pasteur (Av.) CV 29
Père-Umbricht (Av.) CV 30
Protet (R.) BY 32
République (Bd) BX 33
Rocabey (Pl. de) BX 34
Rochebonne (Bd de) CV 35
Roosevelt (Av. F.) BY 36
Rosais (Bd du ST-SERVAN) BZ 37
Sébastopol (Quai) AZ 38
Sillon (Chée du) BVX 39
Solidor (Quai) AYZ 40
Triquerville (R. de) CY 41
Val (Quai du) BY 42
Vercel (R. Roger) BV 43

ST-MALO

Broussais (R.) AX
Dinan (R. de) AX
Porcon-de-la-Barbinais (R.) AX 53
St-Vincent (R.) AX 57

Champs Vauverts (Porte) AX 47
Chateaubriand (Pl.) AX 48
Gasnier-Duparc (Pl.) AX 50
Gouin-de-Beauchesne (R.) AX 51
Lamennais (Pl. Frères) AX 52
Puits-aux-Braies (R.) AX 54
St-Thomas (Porte) AX 55
St-Vincent (Porte) AX 56

XX ✿ **Duchesse Anne** (Thirouard), 5 pl. Guy La Chambre ☎ 40.85.33 – AX **e**
fermé déc., janv. et merc. sauf juil.-août – SC : **R** carte 85 à 115
Spéc. Poissons et crustacés.

XX **A L'Abordage,** 5 pl. Poissonnerie ☎ 40.87.53 AX **r**
fermé 25 nov. au 15 déc., 1er au 15 mars, lundi en juil. et août et merc. – SC : **R** 55/80

X **Chez Gilles,** 2 r. Pie qui boit ☎ 40.97.25 AX **t**
fermé 15 déc. au 15 janv., sauf Noël et Jour de l'An – SC : **R** 50/100.

Extra Muros :

Duguesclin M sans rest, 1 pl. Duguesclin ☎ 56.01.30 – wc wc ☎. AE BX **r**
fermé 10 janv. au 15 fév. – SC : 15 – **23 ch** 80/200.

Digue sans rest, 49 chaussée Sillon ☎ 56.09.26, ≤ – wc ☎. GB. BV **r**
7 avril-5 oct. – SC : 14 – **53 ch** 111/189.

Alba sans rest, sur digue ☎ 56.07.18, ≤ – wc wc ☎ P. GB. CV **w**
SC : 11 – **21 ch** 58/130.

XX **Aub. Hermine** avec ch, 4 pl. Hermine ☎ 56.31.32 – wc wc ☎. GB. ch BX **e**
fermé 20 déc. au 5 janv. – SC : **R** *(fermé dim.)* 50 – 14 ch 62/150 – P 152/205.

AUSTIN, MORRIS, OPEL, **TRIUMPH** Auto-Ouest, r. Gén. Patton, Z.A.C. la Madeleine ☎ 56.65.69
CITROEN Gar. Côte d'Émeraude, 131 bd Gambetta ☎ 56.06.69 N ☎ 56.49.13
FIAT Gar. Leborgne, 77 bd des Talards ☎ 56.39.47
FORD Gar. des Corsaires, 2 av. L.-Martin ☎ 56.78.66
PEUGEOT G.A.M.A.-Preston, Z.A.C. La Madeleine, N 137 ☎ 81.95.68
RENAULT Gar. Malouins, 57 av. Pasteur ☎ 56.11.02
VOLVO Gar. Rouxel, 12 av. J.-Jaurès ☎ 56.14.90
Vallée-Pneu, 49 quai Duguay-Trouin ☎ 40.92.54

Paramé CV du plan – ✉ **35400** St-Malo :

Thermes M, aux Thermes marins 100 bd Hébert ☎ 56.02.56, ≤ – rest P – 30 à 80. rest CV **n**
SC : **R** 38/70 – 12 – **67 ch** 58/195, 7 appartements 188/216 – P 146/304.

Rochebonne et Taverne Alsacienne, 15 bd Chateaubriand ☎ 56.01.72 – wc wc ☎ ♿. GB CV **u**
SC : **R** *(fermé merc. du 1er oct. au 1er avril)* 35/100 – 10 – **39 ch** 92/145 – P 150/180.

Gd H. Courtoisville, 69 bd Hébert ☎ 56.07.33, – wc wc ☎ ♿ P – 30. . CV **a**
fin mars-9 nov. – SC : **R** 45/50 – 11,50 – 32 ch 85/150 – P 135/175.

Chateaubriand sans rest, 8 bd Hébert ☎ 56.01.19, ≤ – wc ☎ P. CV **d**
Pâques-oct. – SC : **21 ch** 69/165.

Le Manoir, 102 bd Hébert ☎ 56.11.08 – wc wc ☎. rest CV **e**
1er avril-31 oct. – SC : **R** 35/45 – 10 – 17 ch 75/140 – P 115/150.

Courlis sans rest, 9 r. Bains ☎ 56.00.15 – P CV **z**
1er mars-15 oct. – SC : 10 – **10 ch** 55/85.

à Rothéneuf par ① : 6 km – ✉ **35400** St-Malo :

Centre, ☎ 56.96.16, – ☎
fermé 15 déc. au 1er fév. et lundi – SC : **R** 32/45 – 10 – 23 ch 42/81 – P 85/110.

Voir aussi à ***La Gouesnière*** par ③ : 12 km

St-Servan-sur-Mer (St-Malo Sud) ABYZ du plan – ✉ **35400** St-Malo.

Voir Corniche d'Alet ≤★★ AYZ – Parc des Corbières ≤★ AZ – Belvédère du Rosais ★ BZ **K** – Tour Solidor★ AZ **M2 : musée du Cap Hornier★, ★.**

Servannais, 4 r. Amiral Magon ☎ 56.20.45 – wc wc ☎ BY **s**
fermé janv., dim. soir et lundi du 1er oct. au 1er mai – SC : **R** 38/85 – 10 – **48 ch** 58/136 – P 131/176.

XXX ✿ **Métairie du Beauregard** (Gonthier), par ③ N 137 et rte de Dol ☎ 81.37.06, – P. AE
Pâques-fin sept. – SC : **R** carte 90 à 155
Spéc. Poissons, Homard grillé, Foie gras frais de canard.

BMW, **LANCIA-AUTOBIANCHI** Gar. Surcouf, 16 r. de La Marne ☎ 56.21.74
CITROEN Gar. de l'Hôtel de Ville, 25 r. George-V ☎ 56.22.13
DATSUN, MERCEDES-BENZ Gar. de la Rance, 12 bd de la Rance ☎ 81.89.83
PEUGEOT Chenault, 3 r. E.-Brouard ☎ 56.20.77
PEUGEOT Gar. de l'Arrivée, 81 r Ville-Pépin ☎ 81.20.85

ST-MAMET 31 H.-Gar. 85 ⑳ – rattaché à Luchon.

ST-MAMET-LA-SALVETAT 15220 Cantal 76 ⑪ – 1 355 h. alt. 743 – ✪ 71.

Paris 564 – Aurillac 19 – Entraygues-sur-Truyère 44 – Figeac 50 – St-Céré 62 – Tulle 84.

Le Cantou, à Manhes SO : 3 km par N 122 ☏ 62.70.12 – wc P
SC : **R** 29/45 – 10 – **12 ch** 45/80 – P 78/92.

RENAULT Gar. Labouygues, ☏ 62.71.88 N

ST-MANDÉ 94 Val-de-Marne 56 ⑪, 101 ㉖ – voir à Paris, Proche banlieue.

ST-MARCEL 01 Ain 74 ② – rattaché à St-André-de-Corcy.

ST-MARCEL 36 Indre 68 ⑰⑱ – rattaché à Argenton-sur-Creuse.

ST-MARCEL 71 S.-et-L. 69 ⑨ – rattaché à Chalon-sur-Saône.

ST-MARCEL-D'ARDÈCHE 07 Ardèche 80 ⑨⑩ – 1 197 h. alt. 62 – ✉ 07700 Bourg St-Andéol – ✪ 75.

Paris 646 – Montélimar 41 – Pont-St-Esprit 9,5 – Privas 68.

Jardin, ☏ 04.66.10 – P
fermé 5 au 16 oct., 15 au 28 fév. et lundi hors sais. – SC : **R** 30/80 – 9 – 20 ch 40/80 – P 75/85.

RENAULT Gar. Chalvesche, ☏ 04.65.54 N

ST-MARCELLIN 38160 Isère 77 ③ G. Vallée du Rhône – 6 990 h. alt. 281 – ✪ 76.

Syndicat d'Initiative à l'Hôtel de Ville (fermé sam. après-midi et lundi matin) ☏ 38.41.61.

Paris 558 ① – Die 72 ③ – ♦Grenoble 57 ② – Valence 43 ④ – Vienne 75 ① – Voiron 36 ②.

Savoyet-Serve M, 16 bd Gambetta **(a)** ☏ 38.04.17 – rest wc wc P – 50.
fermé janv., dim. soir et lundi midi d'oct. à mai – SC : **R** 40/95 – 12 – **76 ch** 50/180 – P 120/180.

AUDI, VOLKSWAGEN, OPEL Lascoumes, 27 av. Provence ☏ 38.12.34 N
CITROEN Gar. Costaz, 16 avenue des Alpes ☏ 38.09.25
FIAT Gar. Cotte-Gaudin, 4 av. des Alpes ☏ 38.10.83
PEUGEOT Cuzin, rte de Chatte ☏ 38.25.90
RENAULT Giraud, 4 rte de Romans ☏ 38.07.06
TALBOT Gar. Jourdan, 6 r. St-Laurent ☏ 38.14.74

Mouren, 19 av. Provence ☏ 38.01.14

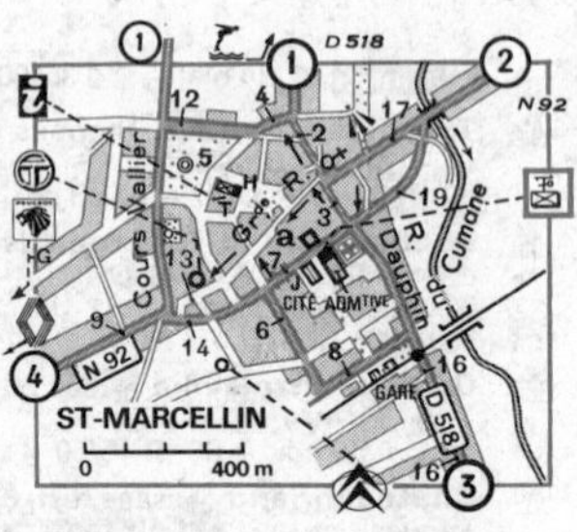

Baillet (R. J.) 2
Beauvoir (R.) 3
Brenier-de-Montmorand (R.) 4
Champ de Mars 5
Durivail (R. A.) 6
Gambetta (Bd) 7
Gare (Av. de la) 8
Provence (Av.) 9
Riondel (Bd) 12
St-Laurent (R.) 13
Stendhal (Bd B.) 14
Vercors (Av. du) 16
Vinay (Fg de) 17
19 Mars 1962 (R. du) 19

ST-MARCELLIN-DE-VARS 05 H.-Alpes 77 ⑱ – rattaché à Vars.

ST-MARS-LA-JAILLE 44540 Loire-Atl. 63 ⑱ – alt. 28 – ✪ 40.

Paris 338 – Ancenis 18 – Angers 51 – Chateaubriant 29 – ♦Nantes 51.

Relais St-Mars, pl. Nationale ☏ 77.00.13
fermé dim. soir et lundi – SC : **R** 35/95.

ST-MARTIN-BELLEVUE 74 H.-Savoie 74 ⑥ – rattaché à Annecy.

ST-MARTIN-D'AUXIGNY 18110 Cher 65 ⑪ – 1 635 h. alt. 208 – ✪ 48.

Paris 214 – Bonny-sur-Loire 60 – Bourges 15 – Gien 61 – ♦Orléans 97 – Salbris 41 – Vierzon 34.

St-Georges, à la Pipière D 940 ✉ 18110 St-Martin-d'Auxigny ☏ 26.50.14 – wc P – 30. GB
fermé fév. – **R** 49/170 – 16 – **10 ch** 60/140.

CITROEN Pinet, ☏ 26.50.21
RENAULT Fachaux, ☏ 26.50.26

ST-MARTIN-DE-CRAU 13310 B.-du-R. 83 ⑩ – 8 760 h. alt. 18 – ✪ 90.

Paris 734 – Arles 18 – ♦Marseille 79 – Martigues 40 – St-Rémy-de-Pr. 23 – Salon-de-Pr. 24.

Aub. des Épis, ☏ 98.41.17 – wc P. GB E
fermé 1er fév. au 6 mars, dim. soir et lundi de fin oct. à fin mars – SC : **R** 42/65 – 10 – 12 ch 68/100 – P 130/145.

ST-MARTIN-DE-LA-PLACE 49 M.-et-L. 64 ⑫ – 1 013 h. alt. 25 – ✉ 49160 Longué – ✆ 41.

Voir Château de Boumois★ SE : 3 km, G. Châteaux de la Loire.

Paris 316 – Angers 38 – Baugé 28 – La Flèche 46 – Les Rosiers 7,5 – Saumur 7,5.

✗ **Cheval Blanc,** ☎ 51.35.23, –
fermé 15 déc. au 15 janv. et lundi sauf juil.-août – SC : **R** 38/90 .

ST-MARTIN-DE-LONDRES 34380 Hérault 83 ⑥ **G. Causses** – 895 h. alt. 187 – ✆ 67.

Paris 785 – Alès 69 – Béziers 75 – Lodève 49 – ♦Montpellier 25 – Nîmes 62 – le Vigan 38.

✗✗ **La Crèche** avec ch, NO : 5 km par D 122 et chemin privé ☎ 55.00.04, ←, « Bergeries aménagées » , parc, – wc ☎ . AE E. ch
fermé lundi d'oct. à Pâques – SC : **R** 90/150 – 15 – **7 ch** 130/160 – P 230.

ST-MARTIN-DE-RÉ 17 Char.-Mar. 71 ⑫ – voir à Ré (Ile de).

SAINT-MARTIN-D'ESTRÉAUX 42620 Loire 73 ⑥ ⑦ – 1 463 h. alt. 470 – ✆ 77.

Paris 359 – Chauffailles 56 – Lapalisse 17 – La Pacaudière 7,5 – Roanne 31 – ♦St-Étienne 109.

✗ **Nord** avec ch, N 7 ☎ 64.00.13 – .
fermé 1er au 15 sept. (sauf hôtel), 15 au 31 déc. et sam. – **R** 30/80 – 10 – **10 ch** 40/52 – P 100.

ST-MARTIN-DE-VALAMAS 07310 Ardèche 76 ⑲ – 1 640 h. alt. 550 – ✆ 75.

Env. Ruines de Rochebonne★ : site★★ E : 7 km, G. Vallée du Rhône.

Syndicat d'Initiative r. Poste (juil.-août) et à la Mairie (fermé sam. après-midi et dim.) ☎ 30.41.76.

Paris 612 – Aubenas 61 – Le Cheylard 9,5 – Lamastre 30 – Privas 58 – Le Puy 67 – St-Agrève 15.

Poste, ☎ 30.43.79, ←, –
fermé 20 déc. au 20 fév. – SC : **R** 30/75 – 9 – **11 ch** 42/85 – P 92/110.

CITROEN Pourtier, ☎ 30.41.68 N
PEUGEOT Agier, ☎ 30.44.09 N
RENAULT Mounier, ☎ 30.44.97
TALBOT Gar. Laffont, ☎ 30.40.76

ST-MARTIN-DU-FAULX 87 H.-Vienne 72 ⑦ – rattaché à Limoges.

ST-MARTIN-DU-LAC 71 S.-et-L. 73 ⑦ – rattaché à Marcigny.

ST-MARTIN-D'URIAGE 38 Isère 77 ⑤ – rattaché à Uriage-les-Bains.

ST-MARTIN-DU-TOUCH 31 Hte-Gar. 82 ⑦ – rattaché à Toulouse.

ST-MARTIN-DU-VAR 06670 Alpes-Mar. 84 ⑨, 195 ⑯ – 1 318 h. alt. 122 – ✆ 93.

Paris 944 – Antibes 35 – Cannes 45 – ♦Nice 27 – Puget-Théniers 38 – St-Martin-V. 38 – Vence 23.

✗✗✗ ✿ **Issautier** (Auberge Belle Route), S : 3 km ☎ 08.10.65 – . GB
fermé fév., dim. soir et lundi sauf fériés – SC : **R** (nombre de couverts limité - prévenir) 120/170
Spéc. Composé d'artichauts et langoustines, Civet de St-Jacques à la truffe (oct. à avril), Quasi d'agneau de Sisteron. **Vins** St-Tropez, Domaine de la Garde.

ST-MARTIN-EN-HAUT 69850 Rhône 73 ⑲ – 2 624 h. alt. 736 – ✆ 7.

Paris 485 – ♦Lyon 31 – Montbrison 46 – Roanne 73 – ♦St-Étienne 49 – Vienne 36.

✗ **Soleil** avec ch, pl. Église ☎ 848.60.05 –
fermé sept. et mardi – **R** 28/70 – 8,50 – **10 ch** 30/45 – P 98.

CITROEN Gar. Guyot, ☎ 848.62.37 N
PEUGEOT Gar. Joannon, ☎ 848.63.37

ST-MARTIN-LA-GARENNE 78 Yvelines 55 ⑱ – rattaché à Mantes.

ST-MARTIN-LA-MÉANNE 19 Corrèze 75 ⑩ – 458 h. alt. 485 – ✉ **19320** Marcillac-La-Croisille – ✆ 55.

Voir Barrage du Chastang★ SE : 5 km, G. Périgord.

Paris 515 – Aurillac 67 – Brive-la-Gaillarde 58 – Mauriac 53 – St-Céré 56 – Tulle 34 – Ussel 59.

Voyageurs, ☎ 29.11.53 – . rest
fermé 5 au 19 oct. et 1er au 15 fév. – SC : **R** (en sais. prévenir) 30/90 – 8 – **19 ch** 40/65 – P 80/85.

ST-MARTIN-LE-VINOUX 38 Isère 77 ⑤ – rattaché à Grenoble.

ST-MARTIN-VÉSUBIE 06 Alpes-Mar. 84 ⑲, 195 ⑥ G. Côte d'Azur (plan) – 1 188 h. alt. 960 – ✉ 06450 Lantosque – ☎ 93.

Voir Venanson ≤*, fresques* de la chapelle St-Sébastien S : 4,5 km.

Env. Le Boréon (cascade*) et Parc national du Mercantour** N : 8 km – Vallon de la Madone de Fenestre* et cirque** NE : 12 km.**

Office de Tourisme pl. Félix-Faure (1er juin-30 sept. et fermé dim. matin) ☎ 03.21.28.

Paris 900 – Antibes 72 – Barcelonnette 115 – Cannes 82 – Digne 156 – Menton 75 – ♦Nice 65.

Source 🔇 sans rest, rte Venanson ☎ 03.22.45, ≤, 🌳 – wc ☎ ♿ **P**. 🚗. 🚫
Vacances scolaires et week-ends – SC : **15 ch** ☕ 100/155.

Edward's et Châtaigneraie 🔇, ☎ 03.21.22, « Parc » – wc ☎ **P**. 🚫 rest
20 juin-14 sept. – SC : **R** (pens. seul.) – ☕ 10 – 50 ch 50/130 – P 110/145.

Bonne Auberge, ☎ 03.20.49, 🌳 – wc ☎ ♿ **P**. 🚫 rest
fermé 11 nov. au 20 déc. – SC : **R** *(fermé merc. du 1er oct. au 30 mai)* 40/110 – ☕ 11 – 33 ch 40/137 – P 120/160.

RENAULT Gar. des Deux Vallées, ☎ 03.23.21

ST-MATHIEU (Pointe de) 29 Finistère 58 ③ – rattaché au Conquet.

ST-MATHURIN-SUR-LOIRE 49 M.-et-L. 64 ⑪ – 1 707 h. alt. 24 – ✉ 49250 Beaufort-en-Vallée – ☎ 41.

Paris 284 – Angers 20 – Baugé 26 – La Flèche 44 – Les Rosiers 10 – Saumur 25.

XX **La Promenade,** E : 1,5 km sur N 152 ☎ 80.50.49, ≤, 🌳 – **P**. GB
fermé fév., dim. soir et lundi – SC : **R** 55/100.

ST-MAUR-DES-FOSSES 94 Val de Marne 61 ①, 101 ㉘ – rattaché à Paris Proche Banlieue (La Varenne-St-Hilaire).

Come districarsi nei sobborghi di Parigi?
Utilizzando la ***carta stradale Michelin*** *n.* **101** *:*
chiara, precisa ed aggiornata.

ST-MAURICE 94 Val-de-Marne 56 ⑪, 101 ㉖㉗ – voir à Paris, Proche banlieue.

ST-MAURICE-DE-GOURDANS 01 Ain 74 ⑬ G. Vallée du Rhône – 1 192 h. alt. 201 – ✉ 01800 Meximieux – ☎ 74.

Voir Intérieur* de l'église.

Paris 467 – Belley 63 – Bourg-en-Bresse 47 – ♦Lyon 40 – La Tour-du-Pin 49 – Vienne 55.

Relais St-Maurice 🔇, rte Meximieux ☎ 61.81.45, 🌳 – wc **P**. 🚗
fermé 15 sept. au 15 oct., vend. soir et sam. midi – SC : **R** 37/120 – ☕ 10 – **10 ch** 45/95 – P 85/120.

ST-MAURICE-EN-TRIÈVES 38 Isère 77 ⑭⑮ – 132 h. alt. 840 – ✉ 38930 Clelles-en-Trièves – ☎ 76.

Paris 625 – Clelles 12 – Die 50 – Gap 63 – ♦Grenoble 61 – Serres 46.

Au Bon Accueil 🔇, ☎ 34.70.13, ≤ – **P**
fermé 15 janv. au 15 fév. – SC : **R** 28/35 – ☕ 8 – 18 ch 35/55 – P 78/88.

ST-MAURICE-SUR-DARGOIRE 69 Rhône 74 ⑪ – 1 296 h. alt. 463 – ✉ 69440 Mornant – ☎ 7.

Paris 486 – Givors 13 – ♦Lyon 27 – St-Chamond 19 – Vienne 25.

X **Voyageurs** avec ch, ☎ 881.20.11, ≤ – wc wc. 🚗
fermé 16 août au 16 sept. et sam. – **R** 33/95 – ☕ 8 – **7 ch** 35/65 – P 100/120.

ST-MAURICE-SUR-MOSELLE 88560 Vosges 66 ⑧ G. Vosges – 1 857 h. alt. 549 – Sports d'hiver au Ballon d'Alsace : 550/1 250 m (3), et à la Tête du Rouge Gazon (6) – ☎ 29.

Syndicat d'Initiative pl. 2 Oct.-1944 (15 juin-15 sept. et fermé matin sauf dim.) ☎ 61.52.34 et Mairie (fermé sam. après-midi et lundi matin) ☎ 61.51.21.

Paris 430 – Belfort 39 – Bussang 3,5 – Épinal 57 – Thann 31 – Le Thillot 7.

Host. Relais des Ballons, ☎ 61.51.09, 🌳 – wc ☎ **P**. 🚗 AE GB ⓓ
15 mars-5 déc. et fermé lundi soir et mardi midi – **R** (dim. prévenir) 66/160 – ☕ 17 – 17 ch 65/145 – P 200/220.

Au Pied des Ballons, ☎ 61.52.54, ≤, 🌳, – TV wc wc ☎ **P**. 🚗 GB ⓓ E
fermé nov. et lundi – SC : **R** 35/120 – ☕ 9 – **12 ch** 64/88, 10 chalets 125 – P 100/120.

ROEN Vuillemin, ☎ 61.51.23

ST-MAXIMIN-LA-STE-BAUME 83470 Var 84 ④⑤ **G. Provence** – 4 578 h. alt. 303 – ✪ 94.
Voir Basilique ★★ – **Ancien couvent royal** ★.
Paris 801 – Aix-en-Pr. 43 – Brignoles 20 – Draguignan 77 – ♦Marseille 50 – Rians 23 – ♦Toulon 55.

✗ **Chez Nous,** bd J.-Jaurès ℡ 78.02.57
fermé 1er déc. au 18 janv. et merc. – SC : **R** 34/63 ℑ.

PEUGEOT Gar. Grimaud, ℡ 78.00.45 Pneu-St-Maximinois, ℡ 78.00.89
RENAULT Centrauto, ℡ 78.01.04

ST-MÉDARD 40 Landes 82 ① – rattaché à Mont-de-Marsan.

ST-MÉDARD-CATUS 46 Lot 79 ⑦ – rattaché à Catus.

ST-MÉDARD-DE-GUIZIÈRES 33 Gironde 75 ③ – 1 857 h. alt. 19 – ✉ **33230** Coutras – ✪ 56.
Voir Petit-Palais : façade ★ **de l'église S : 4 km, G. Côte de l'Atlantique.**
Paris 521 – ♦Bordeaux 52 – Castillon-la-Bataille 21 – Langon 63 – Libourne 21 – Périgueux 69.

Gare, ℡ 49.60.14 – ⋔ 🚗 Ⓟ
fermé 1er oct. au 6 nov. et sam. hors sais. – SC : **R** 30 bc/90 bc – ☕ 9 – **15 ch** 45/70 – P 75/90.

✗ **Le Grillon,** ℡ 49.61.02 – Ⓟ
fermé juin et lundi – SC : **R** (déj. seul.) 30/100 ℑ.

CITROEN Gar. Conchou, ℡ 49.60.16 Ⓝ

ST-MÉDARD-EN-JALLES 33 Gironde 71 ⑨ – rattaché à Bordeaux.

ST-MICHEL-CHEF-CHEF 44730 Loire-Atl. 67 ① – 2 447 h. alt. 28 – ✪ 40.
Syndicat d'Initiative à la Mairie (fermé sam. et dim.) ℡ 27.80.01.
Paris 430 – ♦Nantes 54 – Pornic 8 – St-Brévin-les-Pins 8,5 – St-Nazaire 21.

Les Embruns, plage Redois ℡ 82.30.34, ≤, ⛱ – ⋔wc Ⓟ. ✉. ✻ rest
Pâques-15 sept. – SC : **R** *(fermé jeudi hors sais.)* 26/53 – ☕ 8,50 – **20 ch** 41/66 – P 79/98.

ST-MICHEL-DE-MAURIENNE 73140 Savoie 77 ⑦ – 3 709 h. alt. 712 – ✪ 79.
Paris 645 – Briançon 69 – Chambéry 85 – Modane 17 – St-Jean-de-Maurienne 14.

Savoy H., r. Gén.-Ferrié ℡ 56.55.12 – ⊟wc ☎ 🚗. ✉ AE GB. ✻ rest
fermé 15 juin au 10 juil. et lundi hors sais. – SC : **R** 50/100 – ☕ 12 – **24 ch** 60/140 – P 130/145.

Alpes, r. Gén.-Ferrié ℡ 56.51.22 – ⊟wc ⋔wc ☎ 🚗 Ⓟ. GB
fermé du 15 nov. au 15 déc. et lundi – SC : **R** 35/75 – ☕ 10 – **22 ch** 45/130 – P 125/140.

Galibier, rte St-Jean-de-Maurienne ℡ 56.50.49 – ⊟wc ⋔ 🚗 Ⓟ. ✉. ✻
fermé oct. et dim. sauf juil. et août – SC : **R** 32/60 – ☕ 9,50 – **21 ch** 44/105 – P 76/102.

CITROEN Gar. Gros, ℡ 56.53.61 Ⓝ Gar. Juillard, ℡ 56.55.85 Ⓝ

ST-MICHEL-DES-ANDAINES 61 Orne 60 ① – rattaché à La Ferté-Macé.

ST-MICHEL-EN-GRÈVE 22 C.-du-N. 58 ⑦ **G. Bretagne** – 382 h. – ✉ **22300** Lannion – ✪ 96.
Voir Lieue de Grève ★ **SO – Grand Rocher** ≤★ **SO : 3 km puis 30 mn.**
Paris 518 – Carhaix-Plouguer 69 – Guingamp 39 – Lannion 11 – Morlaix 27 – St-Brieuc 70.

Plage, ℡ 35.74.43, ≤ – |♦| ⊟wc ☎ 🚗. GB. ✻ rest
fermé 3 janv. au 23 fév. – SC : **R** 30/60 – ☕ 9 – **38 ch** 50/100 – P 110/150.

St-Michel, ℡ 35.74.87 – Ⓟ
fermé oct. et lundi – **R** 35/65 – ☕ 12 – 17 ch 38/50 – P 82/90.

ST-MICHEL-EN-L'HERM 85580 Vendée 71 ⑪ **G. Côte de l'Atlantique** – 1 965 h. alt. 8 – ✪ 51.
Paris 447 – Luçon 15 – La Rochelle 43 – La Roche-sur-Yon 47 – Les Sables-d'Olonne 54.

L'Extase, pl. Mairie ℡ 30.20.10 – ⋔ 🚗 Ⓟ. ✻ rest
1er juin-30 sept. – SC : **R** 35 – ☕ 9 – **10 ch** 61/79 – P 97/107.

Central, pl. Mairie ℡ 30.20.14, ⛱ – ⋔ Ⓟ – 🏛 30 à 50
fermé 15 sept. au 15 oct. et lundi – **R** 27/85 – ☕ 9 – 16 ch 45/57 – P 80/86.

CITROEN Sourdonnier, ℡ 30.23.09

ST-MICHEL-MONT-MERCURE 85 Vendée 67 ⑮ **G. Côte de l'Atlantique** – 1 507 h. alt. 287 – ✉ **85700** Pouzauges – ✪ 51.

Voir ☼★★ **de la tour de l'église.**

Paris 377 – Bressuire 35 – Cholet 29 – Clisson 46 – La Roche-sur-Yon 52.

XX **Aub. Mt-Mercure,** près Église ☎ 57.20.26, ≤ bocage vendéen, – Ⓟ.
fermé 1er au 15 sept. et merc. – SC : **R** 28/75 dîner à la carte.

RENAULT Genty, ☎ 57.21.15

ST-MICHEL-SUR-LOIRE 37 I.-et-L. 64 ⑭ – rattaché à Langeais.

ST-MICHEL-SUR-ORGE 91240 Essonne 60 ⑩, 96 ㉗, 101 ㉟ – 20 735 h. – ✪ 6.

Paris 30 – Arpajon 8,5 – Évry 13 – Melun 34.

XX **La Michodière,** 86 bis rte Ste Geneviève ☎ 015.31.76 – Ⓟ.
fermé dim. soir – **R** carte 90 à 140.

ST-MIHIEL 55300 Meuse 57 ⑫ **G. Vosges** – 5 661 h. alt. 226 – ✪ 29.

Voir Pâmoison de la Vierge★ dans l'église St-Michel – Sépulcre★ dans l'église St-Étienne.

Syndicat d'Initiative pl. Halles (Pâques-15 oct., fermé lundi et mardi sauf fêtes) ☎ 89.04.50 - A.C. 25 r. Carnot ☎ 89.10.97.

Paris 304 ⑤ – Bar-le-Duc 33 ④ – ♦Metz 66 ① – ♦Nancy 62 ② – Toul 50 ③ – Verdun 35 ⑤.

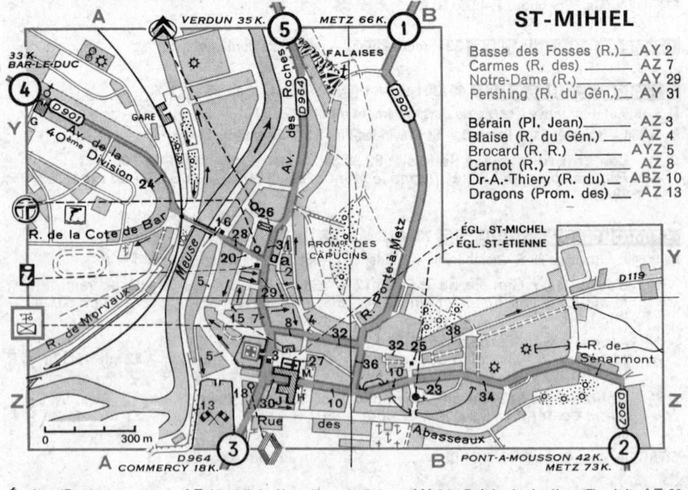

Basse des Fosses (R.)	AY	2
Carmes (R. des)	AZ	7
Notre-Dame (R.)	AY	29
Pershing (R. du Gén.)	AY	31
Bérain (Pl. Jean)	AZ	3
Blaise (R. du Gén.)	AZ	4
Brocard (R. R.)	AYZ	5
Carnot (R.)	AZ	8
Dr-A.-Thiery (R. du)	ABZ	10
Dragons (Prom. des)	AZ	13
Écoles (R. des)	AZ	15
Foch (Pl.)	AY	16
Fort (R. du)	AZ	18
Halles (Pl. des)	AY	20
Larzillère-Beudant (R)	BZ	23
Libération (Av. de la)	AY	24
Ligier-Richier (Pl.)	BZ	25
Manège (Pl. du)	AY	26
Moines (Pl. des)	AZ	27
Nantes (R. de)	AY	28
Palais-de-Justice (R. du)	AZ	30
Poincaré (R.)	ABZ	32
Porte-à-Nancy (R.)	BZ	34
Tête-d'Or (R. de la)	BZ	36
Tisserands (R. des)	BZ	38

Régence, 38 r. Basse-des-Fossés ☎ 89.01.05 – AY **a**
14 ch.

à Bannoncourt par ④ et D 34 : 10 km – ✉ **55300** St-Mihiel :

XX **La Clé des Champs,** ☎ 90.11.67 – Ⓟ
fermé janv., dim. soir et lundi (sauf fériés) – SC : **R** 45/140.

CITROEN Gar. Moderne-Collin, 10 r. du Marché ☎ 89.05.80
RENAULT Savard et Douvier, pl. J.-Berain ☎ 89.05.76
TALBOT Gar. Duvergé, ☎ 89.00.42

ST-MITRE-LES-REMPARTS 13 B.-du-R. 84 ⑫ – rattaché à Martigues.

ST-NABORD 88 Vosges 62 ⑯ – rattaché à Remiremont.

ST-NAIXENT 24 Dordogne 75 ⑮ – rattaché à Bergerac.

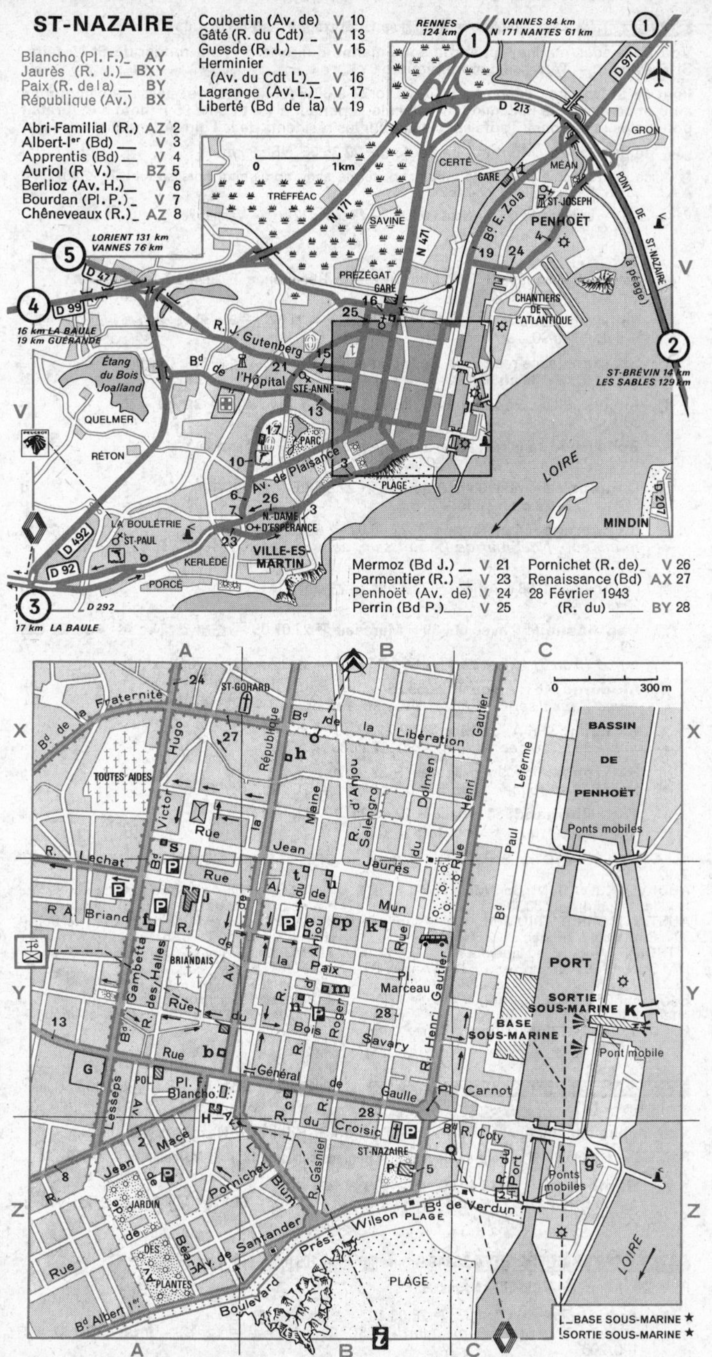
ST-NAZAIRE
Blancho (Pl. F.) AY
Jaurès (R. J.) BXY
Paix (R. de la) BY
République (Av.) BX
Abri-Familial (R.) AZ 2
Albert-Ier (Bd) V 3
Apprentis (Bd) V 4
Auriol (R V.) BZ 5
Berlioz (Av. H.) V 6
Bourdan (Pl. P.) V 7
Chêneveaux (R.) AZ 8
Coubertin (Av. de) V 10
Gâté (R. du Cdt) V 13
Guesde (R. J.) V 15
Herminier (Av. du Cdt L') V 16
Lagrange (Av. L.) V 17
Liberté (Bd de la) V 19
Mermoz (Bd J.) V 21
Parmentier (R.) V 23
Penhoët (Av. de) V 24
Perrin (Bd P.) V 25
Pornichet (R. de) V 26
Renaissance (Bd) AX 27
28 Février 1943 (R. du) BY 28
RENNES 124 km
VANNES 84 km
N 171 NANTES 61 km
LORIENT 131 km
VANNES 76 km
16 km LA BAULE
19 km GUÉRANDE
17 km LA BAULE
ST-BRÉVIN 14 km
LES SABLES 129 km
PONT DE ST-NAZAIRE (à péage)
TRÉFFÉAC
SAVINE
PREZÉGAT
GARE
CERTÉ
MÉAN
GRON
ST-JOSEPH
PENHOËT
CHANTIERS DE L'ATLANTIQUE
Bd E. Zola
R. J. Gutenberg
Bd de l'Hôpital
STE-ANNE
Étang du Bois Joalland
QUELMER
RÉTON
PARC
Av. de Plaisance
PLAGE
LA BOULÉTRIE
ST-PAUL
N.-DAME D'ESPÉRANCE
VILLE-ES-MARTIN
KERLÉDÉ
PORCÉ
LOIRE
MINDIN
BASSIN DE PENHOËT
Ponts mobiles
PORT
SORTIE SOUS-MARINE
BASE SOUS-MARINE
Pont mobile
ST-GOHARD
TOUTES AIDES
BRIANDAIS
JARDIN DES PLANTES
Bd de la Fraternité
Bd de la Libération
Rue Jean Jaurès
Rue A. de Mun
R. de la Paix
Rue du Bois Savary
Rue du Général de Gaulle
R. du Croisic
Pl. Marceau
Pl. Carnot
Pl. F. Blancho
Bd R. Coty
Bd de Verdun
Bd Prést Wilson
Av. de Santander
Boulevard Albert 1er
ST-NAZAIRE
BASE SOUS-MARINE ★
SORTIE SOUS-MARINE ★

ST-NAZAIRE <SP> 44600 Loire-Atl. 63 ⑮ G. Bretagne – 69 769 h. – ✪ 40.

Voir Base sous-marine* et sortie sous-marine du port* – Pont routier de St-Nazaire-St-Brévin* V – Terrasse panoramique* CY K

Pont de St-Nazaire : péage en 1980 : auto 22 à 30 F (conducteur et passagers compris), auto et caravane 38 F, camion et véhicule supérieur à 1,5 t : 38 à 95 F moto 5 F, (gratuit pour vélos et piétons). Tarifs spéciaux pour les résidents de la Loire Atlantique.

✈ de St-Nazaire - Montoir - La Baule : ☎ 22.35.06, NE : 8 km V.

🅸 Office de Tourisme pl. François-Blancho (fermé sam. après-midi hors saison) ☎ 22.40.65 – A.C.O. 120 av. République ☎ 22.46.62.

Paris 430 ① – La Baule 17 ③ – •Nantes 61 ① – •Rennes 124 ① – Vannes 76 ⑤.

Plans page précédente

- **Europe** M sans rest, 2 pl. Martyrs-de-la-Résistance ☎ 22.49.87 – P. AE GB — BY **e**
  SC : ☕ 11 – **38 ch** 64/200.
- **Berry**, 1 pl. Gare ☎ 22.42.61, Télex 700952 – lift TV wc wc ☎. AE GB ⓓ — V **r**
  R carte 65 à 90 – 27 ch.
- **Bretagne** sans rest, 7 av. République ☎ 22.43.75 – lift wc ☎. AE. — AY **b**
  SC : ☕ 9,50 – **33 ch** 52/120.
- **Armoric**, 92 av. République ☎ 22.51.31 – wc ☎. AE GB ⓓ — BX **h**
  23 ch.
- **Belle Epée** sans rest, 45 r. J.-Jaurès ☎ 22.55.93 – wc ☎. — BY **t**
  fermé 22 déc. au 3 janv. – SC : ☕ 9 – **13 ch** 43/95.
- **Dauphin** sans rest, 33 r. J.-Jaurès ☎ 22.56.85 – ☎. — BY **u**
  SC : ☕ 12 – **22 ch** 60/135.
- **du Pilotage**, 14 pl. Rampe ☎ 22.06.92 – rest. — CZ **g**
  ◆ *fermé oct., Noël-jour de l'An et sam. sauf juil. et août* – SC : **R** 33/88 – ☕ 10 – 12 ch 38/85.
- **Le Provençal**, 68 r. Anjou ☎ 22.42.84 – — BY **p**
  20 ch.
- XXX **Bon Accueil** M avec ch, 39 r. Marceau ☎ 22.07.05 – wc wc ☎. AE GB ⓓ — BY **n**
  fermé 15 au 31 juil. et sam. – SC : **R** 50/95 – ☕ 12 – **11 ch** 70/125.
- X **Moderne**, 46 r. Anjou ☎ 22.55.88 — BY **m**
  ◆ *fermé 7 au 22 sept., 15 au 28 fév., dim. soir et lundi* – SC : **R** 29/75.
- X **Parisien**, 31 r. A.-de-Mun ☎ 22.21.32 — BY **k**
  ◆ *fermé 15 au 30 déc. et sam.* – SC : **R** 30/80 ₰.
- X **St-Tropez**, 95 r. Jean-Jaurès ☎ 22.04.26 — AX **s**
  ◆ *fermé 1er au 15 mai, 15 au 30 nov. et lundi* – SC : **R** 30 bc/70 bc.
- X **Trou Normand**, 60 r. Paix ☎ 22.46.24 — AY **f**
  ◆ *fermé vend. soir* – SC : **R** 27/68 ₰.

ALFA-ROMEO, **TOYOTA** Bodet, 10 bd R.-Coty ☎ 22.32.57
AUDI-VOLKSWAGEN Gar. Moison, 60 r. de la Ville Halluard ☎ 22.30.30
AUSTIN, MORRIS, TRIUMPH Gar. Hougard, 30 r. B.-Marcet à Trignac ☎ 22.30.08
CITROEN Minot, 49 bd Libération ☎ 22.55.74
DATSUN, LADA Europ-Auto, 63 r. d'Anjou ☎ 22.23.07
FIAT, MERCEDES-BENZ Rogier, bd de l'Hôpital ☎ 70.31.67
FORD Auto de la Côte d'Amour, 79 rte Côte d'Amour ☎ 70.44.10
OPEL Atlantic-Motors, 20 r. H.-Gautier ☎ 22.42.51
PEUGEOT Gar. du Centre, 150 rte de la Côte d'Amour ☎ 70.20.08
RENAULT Centre-Auto de l'Etoile, rte Pornichet, le Landreau ☎ 70.35.07
VOLVO Gar. Dumas, 98 rte de la Côte d'Amour ☎ 70.08.99

Ⓜ Bourneix, 18 bd Hôpital ☎ 70.07.19
Picaud-Pneus, 210 rte de la Côte d'Amour ☎ 70.00.39

ST-NAZAIRE-EN-ROYANS 26 Drôme 77 ③ G. Alpes – 586 h. alt. 175 – ✉ 26190 St-Jean-en-Royans – ✪ 75.

Voir Monument aux fusillés de 1944 – Pont de St-Hilaire-St-Nazaire* NO : 1 km.

Paris 579 – •Grenoble 63 – Pont-en-Royans 9 – Romans-sur-Isère 18 – St-Marcellin 15 – Valence 36.

- XX **Rome** avec ch, ☎ 48.40.69, ≤ – P.
  fermé 5 au 27 oct., 1er au 10 mars et lundi en hiver – SC : **R** 40/100 – ☕ 9,50 – 10 ch 75 – P 85.

ST-NAZAIRE-LE-DÉSERT 26340 Drôme 81 ③ – 205 h. alt. 558 – ✪ 75.

Paris 628 – Crest 39 – Die 37 – Nyons 38.

- **Aub. du Désert** M, ☎ 26.03.10 – wc ☎ P. GB
  1er avril-30 sept. et fermé mardi – SC : **R** 40/103 ₰ – ☕ 12 – **9 ch** 130/160 – P 170/200.

ST-NECTAIRE 63710 P.-de-D. 73 ⑭ **G. Auvergne** (plan) – 678 h. alt. 760 – Stat. therm. (25 mai-30 sept.) – Casino – ✪ 73.

Voir Église★★ : trésor★★ – Puy de Mazeyres ✻★ E : 3 km puis 30 mn.

ℹ Office de Tourisme Parc Grands Thermes (20 mai-30 sept. et fermé dim. matin) ☎ 88.50.86 et à la Mairie (oct.-avril, fermé sam. après-midi et dim.) ☎ 88.50.41.

Paris 427 – ♦Clermont-Ferrand 43 – Issoire 26 – le Mont-Dore 25.

Le Savoy, ☎ **88.50.28,** – wc wc ☎ P. . rest
23 mai-30 sept. – SC : **R** 35/70 – ☕ 12 – **33 ch** 42/120 – P 100/150.

Modern'H sans rest, ☎ **88.50.04** – wc wc ☎ P
25 mai-30 sept. – SC : ☕ 11 – **42 ch** 42/115.

Paix, ☎ **88.50.20,** – wc wc ☎ P.
20 mai-30 sept. – SC : **R** 40/65 – ☕ 10 – 30 ch 50/95 – P 100/125.

*à **Rivalet*** E : 7 km sur D 996 – ✉ **63320** Montaigut-le-Blanc :

Le Rivalet avec ch, ☎ **96.73.92,** – P
fermé 1er au 15 janv., lundi soir et mardi – SC : **R** 39/85 – ☕ 9 – **8 ch** 42/63.

RENAULT Gar. Souchal, ☎ 88.50.23 N ☎ 88.50.33

ST-NICOLAS-DES-EAUX 56150 Morbihan 63 ② **G. Bretagne** – ✪ 97.

Paris 465 – Lorient 48 – Pontivy 16 – Quimperlé 47 – Vannes 48.

Vieux Moulin, ☎ **51.81.09,** – wc ☎ P
fermé 15 oct. au 1er nov., 1er au 8 fév. et lundi – SC : **R** 30/115 – ☕ 10 – **12 ch** 52/100 – P 85/115.

ST-NIZIER-DU-MOUCHEROTTE 38 Isère 77 ④ **G. Alpes** – 307 h. alt. 1 180 – Sports d'hiver : 1 160/1 300 m 3 – ✉ **38250** Villard-de-Lans – ✪ 76.

Voir Le Moucherotte ✻★★★ S : par téléphérique – Belvédère ✻★★.

ℹ Syndicat d'Initiative (saison) ☎ 45.40.60.

Paris 579 – ♦Grenoble 17 – Sassenage 17 – Villard-de-Lans 17.

Le Concorde, ☎ **45.42.61,** ← – wc wc ☎ P – 30. . ch
fermé 15 nov. au 15 déc. – SC : **R** 32/66 – ☕ 10,50 – **30 ch** 68/104 – P 106/124.

ST-NOM-LA-BRETÈCHE 78860 Yvelines 55 ⑲, 101 ⑪ – 2 997 h. alt. 135 – ✪ 3.

☎ 460.90.80.

Paris 29 – Dreux 56 – Mantes-la-Jolie 31 – Rambouillet 37 – St-Germain-en-Laye 8 – Versailles 12.

Aub. de la Forêt, rte St-Germain ☎ **460.80.63,** – AE GB
fermé nov., dim. soir et lundi – **R** carte 105 à 140.

ST-OMER SP 62500 P.-de-C. 51 ③ **G. Nord de la France** – 17 988 h. alt. 21 – ✪ 21.

Voir Basilique N.-Dame★★ – Hôtel Sandelin et musée★ – Anc. chapelle des Jésuites★ – Jardin public★ AZ.

Env. Etang d'Harchelles★ 9 km par ②.

d'Eperlecques ☎ 38.07.60 par ① : 15 km.

ℹ Office de Tourisme à l'Hôtel de Ville (fermé sam. matin en sais. et dim. sauf matin en sais.) ☎ 98.40.88 et avec A.C. 52 r. Carnot ☎ 38.31.66.

Paris 254 ② – Abbeville 86 ④ – ♦Amiens 113 ② – Arras 74 ② – Béthune 43 ② – Boulogne-sur-Mer 52 ⑤ – ♦Calais 40 ⑤ – Dunkerque 39 ① – Ieper 54 ② – ♦Lille 65 ②.

Plan page suivante

✿ **Bretagne** (Mme Beauvalot), **2 pl. Vainquai** ☎ **38.25.78** – wc wc ☎ P – 40. GB. ch BY r
SC : **R** *(fermé 10 au 25 août, du 2 au 15 janv., dim. et fêtes le soir et sam.)* carte 100 à 140 - grill *(fermé sam. midi et lundi)* carte environ 55 – ☕ 12 – **31 ch** 65/180
Spéc. Foie gras frais de canard, Suprême de turbotin aux poireaux, Assiette gourmande.

St-Louis sans rest, **25 r. Arras** ☎ **38.35.21** – wc wc ☎ . BZ s
SC : ☕ 12 – **20 ch** 60/100.

Crémaillère, 12 bd Strasbourg ☎ **38.42.77** – GB AY a
fermé 13 juil. au 3 août, 21 déc. au 4 janv., dim. soir et lundi – **R** 30/56.

CITROEN Gar. Boulant, 35 r. J.-Derheims ☎ 38.20.88 N ☎ 98.42.13
PEUGEOT SADA-Damide, Zone Ind. les Madeleines, r. St-Adrien - prolongée ☎ 98.04.44 N ☎ 98.49.10
RENAULT Gar. Audomarois, rte d'Arques ☎ 38.25.77
TALBOT Gar. Legrand, 201 r. de Dunkerque ☎ 38.27.66

Comptoir du Pneumatique, 47 r. Faidherbe ☎ 38.34.84
Equipneu, r. du Lobel, Zone Ind., Arques ☎ 38.42.43
Foulon Pneus, 15 r. d'Aire ☎ 38.33.68

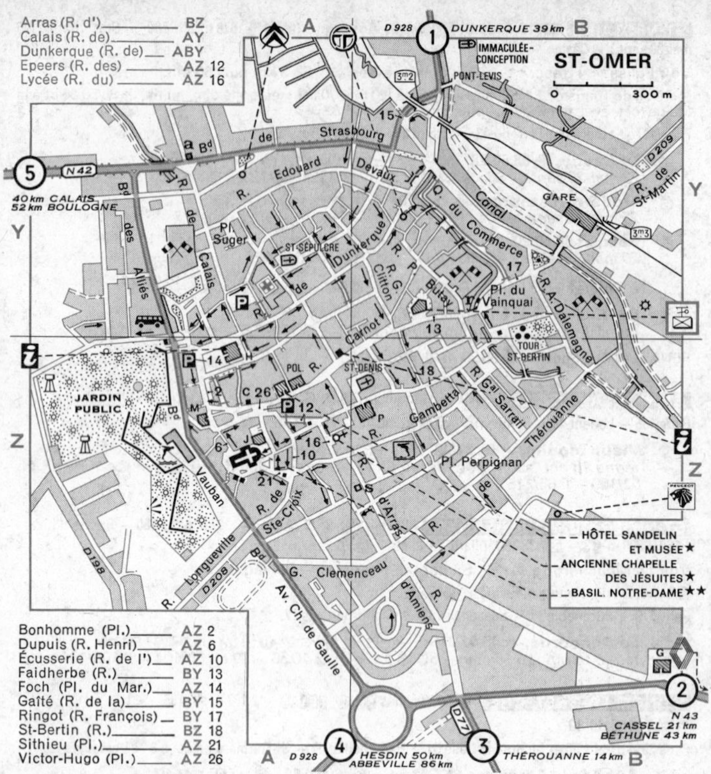

ST-OMER-EN-CHAUSSÉE 60860 Oise 55 ⑨ – 1 125 h. alt. 101 – ✪ 4.

Paris 89 – Aumale 36 – Beauvais 13 – Breteuil 33 – Gournay-en-Bray 28 – Poix 31.

XX **Aub. de Monceaux,** aux Monceaux S : 1 km sur D 901 ☎ 447.50.32, – GB
fermé janv., merc. soir et jeudi – SC : **R** carte 65 à 95.

ST-OUEN 93 Seine-St-Denis 55 ⑳, 101 ⑮ – voir à Paris, Proche banlieue.

ST-OUEN-L'AUMÔNE 95 Val-d'Oise 55 ⑳, 101 ② – rattaché à Cergy Pontoise.

ST-OYEN-MONTBELLET 71 S.-et-L. 69 ⑲⑳ – rattaché à Fleurville.

ST-PAIR-SUR-MER 50380 Manche 59 ⑦ **G. Normandie** – Casino – ✪ 33.

Syndicat d'Initiative pl. Marché (20 juin-15 sept.) ☎ 50.52.77.

Paris 342 – Avranches 23 – Granville 3,5 – St-Lô 60.

France, ☎ 50.19.03 – AE GB
1er mars-30 sept. et fermé mardi de mars à juin – SC : **R** 27/80 – 8,50 – 21 ch 43/55 – P 95/130.

ST-PALAIS 64120 Pyr.-Atl. 85 ④ **G. Pyrénées** – 2 260 h. alt. 51 – ✪ 59.

Syndicat d'Initiative pl. Hôtel de Ville (fermé sam. et dim. hors sais.) ☎ 38.71.78.

Paris 761 – ♦Bayonne 54 – Dax 55 – Pau 80 – St-Jean-Pied-de-Port 31.

Trinquet, ☎ 38.73.13 – wc. ch
fermé fév. et lundi en hiver – **R** 35/80 – 10 – 14 ch 50/80 – P 85/95.

ST-PALAIS-SUR-MER 17420 Char.-Mar. 71 ⑮ G. Côte de l'Atlantique – 2 219 h. alt. 15 – ☎ 46.

Voir Sentier de la Corniche★.

de la Côte de Beauté ☎ 22.16.24 N : 3 km.

Office de Tourisme Résidence St-Palais (1er mars-30 sept., fermé lundi de mars à mai et dim. sauf matin en saison) ☎ 22.11.09.

Paris 503 – La Rochelle 75 – Royan 5,5.

Villa Nausicaa, ☎ 22.14.78, <, « jardin » – wc wc. . rest
Pâques-20 sept. – **R** 70 – 17 – **10 ch** 130/240.

Le Cordouan, ☎ 22.10.33 – wc wc. . rest
15 mai-15 sept. – SC : **R** 64/78 – 18 – 36 ch 110/190 – P 175/210.

Primavera , rte Gde Côte : 2 km ☎ 22.20.35, <, parc, – wc wc ☎ & – 30. . ch
fermé 1er nov. au 25 déc. – SC : **R** 52/70 – 13 – 21 ch 90/120 – P 150/160.

Plage, ☎ 22.10.32 – wc
25 juin-15 sept. – SC : **R** 34/75 – 13 – **20 ch** 70/110 – P 120/155.

CITROEN Valz, ☎ 22.10.53

à la plage de Nauzan SE : 1,5 km – ✉ **17420** St-Palais-sur-Mer :

Téthys , ☎ 38.31.00, < – . ch
1er juin-15 sept. – SC : **R** 35/80 – 23 ch (pens. seul.) – P 90/110.

à la Grande Côte ★★ NO : 3 km – ✉ **17420** St-Palais-sur-Mer :

Océan, ☎ 22.20.19, < –
sais. – 10 ch.

au Grallet N : 6 km par D 242 – ✉ **17920** Breuillet :

La Grange, ☎ 22.72.64, « Ancienne ferme aménagée, parc fleuri, » –
10 juin-6 sept. – SC : **R** carte 95 à 120.

ST-PANCRACE 06 Alpes-Mar. 84 ⑨ – rattaché à Nice.

ST-PANTALÉON 71 S.-et-L. 69 ⑦⑧ – rattaché à Autun.

ST-PARDOUX 63440 P.-de-D. 73 ④ – 416 h. alt. 600 – ☎ 73.

Paris 373 – Aubusson 105 – ♦Clermont-Ferrand 39 – Montluçon 52 – Vichy 43.

Bon Accueil, ☎ 97.40.02 –
fermé oct. et lundi hors sais. – SC : **R** 40/60 – 8,50 – **10 ch** 45/85 – P 85/95.

RENAULT Malleret, ☎ 97.40.94

ST-PARDOUX 79 Deux-Sèvres 68 ⑪ – 1 183 h. alt. 195 – ✉ **79310** Mazières-en-Gatine – ☎ 49.

Paris 384 – Fontenay-le-Comte 53 – Niort 32 – Parthenay 11 – St-Maixent-l'École 28.

Voyageurs, ☎ 63.40.11 – .
fermé sept., dim. soir et lundi – SC : **R** 25/63 .

CITROEN Guérin, ☎ 63.40.06 PEUGEOT Gar. Martin, ☎ 63.40.31

ST-PARDOUX-LA-CROISILLE 19 Corrèze 75 ⑩ – 176 h. alt. 520 – ✉ **19320** Marcillac-la-Croisille – ☎ 55.

Paris 509 – Aurillac 80 – Mauriac 45 – St-Céré 68 – Tulle 28 – Ussel 51.

Beau Site , ☎ 27.85.44, <, parc, , – wc wc . . rest
mai-30 sept. – SC : **R** (nombre de couverts limité - prévenir) 55/140 – 12 – 30 ch 100/120, 5 appartements 140 – P 132/150.

ST-PAUL 04520 Alpes-de-H.-P. 81 ⑧⑨ G. Alpes – 221 h. alt. 1 470 – ☎ 92.

Voir Site★★ du pont du Châtelet★ NE : 4,5 km.

Paris 758 – Barcelonnette 22 – Briançon 62.

ST-PAUL 06570 Alpes-Mar. 84 ⑨, 195 ㉕ G. Côte d'Azur – 1 974 h. alt. 150 – ☎ 93.

Voir Site★ – Remparts★ – Fondation Maeght★.

Office de Tourisme Maison Tour, r. Grande (fermé mardi et dim. matin) ☎ 32.86.95.

Paris 929 – Antibes 16 – Cagnes-sur-Mer 7 – Cannes 27 – Grasse 22 – ♦Nice 20 – Vence 4,5.

La Colombe d'Or, ☎ 32.80.02, Télex 970607, « Peintures modernes, cadre "vieille Provence" et jardin romain » – ch ☎ . AE
fermé 6 nov. au 20 déc. – **R** carte environ 125 – **16 ch** 340/400, 8 appartements 460.

tourner →

par route de la Colle et des Hauts de St-Paul :

🏨 ✿ **Mas d'Artigny** Ⓜ, ☎ 32.84.54, Télex 470601, « Luxueux ensemble hôtelier, ≤, piscine, tennis, parc » – ascenseur, TV, ☎, P – 30 à 250
R 115/150 – 24 – **49 ch** 250/500, 23 appartements avec piscine privée – P 360/630
Spéc. Saumon mariné au basilic, Soupresse de loup et homard, Pascalines d'agneau. **Vins** Côtes de Provence.

sur la route de la Colle, D 7 :

Aub. Le Hameau Ⓜ sans rest, ☎ 32.80.24, ≤, « Jardin en terrasses » – wc wc ☎ P.
fermé 3 janv. au 3 fév. – SC : – **15 ch** 130/250.

Orangers Ⓜ sans rest, ☎ 32.80.95, ≤, « Beau jardin » – wc ☎.
fermé 12 nov. au 22 déc. – SC : **9 ch** 250/350.

XXX **Les Oliviers,** ☎ 32.80.13 – P. AE GB
fermé 4 janv. au 21 fév. et mardi du 1er oct. au 1er avril – **R** 75/125.

XXX **Aubergo Dou Souleü** avec ch, ☎ 32.80.60, ≤ St-Paul, piscine – wc ☎ P. AE GB ⓓ E
fermé 1er déc. au 30 janv. – SC : **R** *(fermé merc.)* 90/120 – 15 – 7 ch 160/230.

ST-PAUL-DE-LOUBRESSAC 46 Lot 79 ⑱ – 362 h. alt. 218 – ✉ **46170** Castelnau-Montratier – ✪ 65.

Paris 615 – Cahors 22 – Montauban 43.

X **La Grange du Levat,** ☎ 31.98.15 – P. GB
fermé nov. et vend. – SC : **R** 35/105.

Gibert, à Montdoumerc ☎ 31.97.38

ST-PAUL-DES-LANDES 15 Cantal 76 ⑪ – 789 h. alt. 540 – ✉ **15250** Jussac – ✪ 71.

Paris 553 – Aurillac 12 – Figeac 65 – Laroquebrou 13 – Mauriac 61 – St-Céré 52 – Tulle 72.

Voyageurs, ☎ 62.30.05 – wc P
fermé 15 au 30 juin, 15 au 30 oct. et lundi d'oct. à avril – SC : **R** 35/50 ⅓ – 8 – **11 ch** 45/50 – P 77/85.

RENAULT Gar. Nangeroni, ☎ 63.30.01 N

ST-PAUL-DE-VARCES 38 Isère 77 ④ – rattaché à Grenoble.

ST-PAUL-EN-BORN 40 Landes 78 ④⑭ – 486 h. alt. 15 – ✉ **40200** Mimizan – ✪ 58.

Paris 656 – Arcachon 58 – Belin 54 – Castets 56 – Labouheyre 21 – Mimizan 7 – Mont-de-Marsan 75.

L'Écureuil, ☎ 07.41.16 – wc ☎ P. ch
SC : **R** *(fermé sam. d'oct. à Pâques)* 32/66 – 11 – **12 ch** 46/88.

ST-PAUL-EN-CHABLAIS 74 H.-Savoie 70 ⑰⑱ – 887 h. alt. 827 – ✉ **74500** Évian-les-Bains – ✪ 50.

Paris 587 – ♦Genève 44 – Lausanne 76 – Montreux 47 – Thonon-les-Bains 11.

Host. de Gavot Ⓜ, rte Thollon ☎ 75.30.38, ≤ – wc wc ☎ P
fermé 15 nov. au 15 déc. et lundi – SC : **R** 55/85 – 11 – **24 ch** 105/140 – P 110/135.

ST-PAUL-EN-JAREZ 42 Loire 73 ⑲ – rattaché à St-Chamond.

ST-PAUL-LE-JEUNE 07460 Ardèche 80 ⑧ – 854 h. alt. 255 – ✪ 75.

Voir Banne : ruines de la citadelle ≤★ N : 5 km, **G. Vallée du Rhône.**

Paris 676 – Alès 30 – Aubenas 44 – Pont-St-Esprit 52 – Vallon-Pont-d'Arc 27 – Villefort 37.

X **Aub. de la Cocalière,** S : 2,5 km D 104 ☎ 39.81.34 – P. GB
fermé janv., fév. et jeudi du 15 sept. au 15 mai – **R** 60.

ST-PAUL-LES-MONESTIER 38 Isère 77 ⑭ – rattaché à Monestier-de-Clermont.

ST-PÉ-DE-BIGORRE 65270 H.-Pyr. 85 ⑦⑰ **G. Pyrénées** – 2 035 h. alt. 333 – ✪ 62.

Paris 800 – Laruns 41 – Lourdes 10 – Pau 31 – Pontacq 16 – Tarbes 29.

Pyrénées, ☎ 94.80.08 – wc wc ☎. AE GB E
15 mars-20 oct. et 20 déc.-10 janv. – **R** 32/90 – 12 – **46 ch** 50/90 – P 92/130.

ST-PÉE-SUR-NIVELLE 64 Pyr.-Atl. 85 ② – 2 571 h. alt. 30 – ✉ **64310** Ascain – ✪ 59.

Paris 761 – ♦Bayonne 21 – Cambo-les-Bains 18 – Pau 131 – St-Jean-de-Luz 13.

Nivelle, ☎ 54.10.27 – P. GB
fermé 11 nov. au 11 déc. – SC : **R** 35/80 – 9 – **38 ch** 44/85 – P 105 bc/120 bc.

à Ibarron O : 1,5 km – ✉ **64310** Ascain :

Bonnet, ☎ 54.10.26, ⛱, ✂ – |♦| wc wc ☎ Ⓟ – 60. AE GB E. ch
fermé 11 nov. au 12 déc. et lundi d'oct. à mai – SC : **R** 42/95 – 11 – 60 ch 95/110 – P 115/135.

Fronton, ☎ 54.10.12 – .
fermé janv. et lundi d'oct. à mai – SC : **R** 38/70 – 9 – 16 ch 40/85 – P 86/94.

par rte de St-Jean-de-Luz et D 307 : 4 km – ✉ **64310** Ascain :

Aub. Basque , ☎ 54.10.15, ←, – wc ☎ Ⓟ.
15 juin-fin sept. – **R** (résidents seul.) – 16 ch (1/2 pens. seul.).

ST-PÉRAY 07130 Ardèche **77** ⑪⑫ – 5 021 h. alt. 128 – 75.

Voir Ruines du château de Crussol : site*** et ←** SE : 2 km, **G. Vallée du Rhône.**

Paris 565 – Lamastre 36 – Privas 39 – Tournon 14 – Valence 4.

à Soyons S : 7 km par N 86 – ✉ **07130** St-Péray :

La Musardière Ⓜ, quartier du Vivier ☎ 60.83.55, ← parc, ⛱, ✂ – |♦| TV ☎ ♿ Ⓟ – 30. GB
SC : **R** *(fermé sam. d'oct. à mars)* 85/145 – 15 – **10 ch** 160/240.

à St-Romain-de-Lerps NO : 9 km par D 287 – ✉ **07130** St-Péray.

Voir ✼***, **G. Vallée du Rhône.**

✿ **Château du Besset** Ⓜ , SO : 3 km par VO ☎ 44.41.63, ←, « château sur la colline, beaux aménagements, parc ⛱, ✂, » – TV ☎ Ⓟ. GB
17 avril-12 oct. – SC : **R** carte 175 à 230 – **6 ch** 750, 4 appartements – P 680/800
Spéc. Flan de truffes au foie gras, Cassolette d'écrevisses aux morilles, Fricassée de pintade. **Vins** Cornas, Hermitage.

ST-PÈRE 89 Yonne **65** ⑮⑯ – rattaché à Vézelay.

ST-PHILIBERT 56 Morbihan **63** ⑫ – rattaché à La Trinité-sur-Mer.

ST-PIERRE-DE-BOEUF 42 Loire **77** ① – 1 126 h. alt. 155 – ✉ **42410** Pelussin – 77.

Paris 512 – Annonay 23 – ♦Lyon 50 – ♦St-Étienne 54 – Tournon 45 – Vienne 22.

XX **La Diligence,** ☎ 59.11.21 – Ⓟ
fermé 10 au 31 janv., dim. soir et lundi – SC : **R** 50/105.

RENAULT Gar. de la Rochette, ☎ 59.11.26

ST-PIERRE-DE-CHARTREUSE 38 Isère **77** ⑤ **G. Alpes** – 566 h. alt. 888 – Sports d'hiver : 888/1 700 m 2 10, – ✉ **38380** St-Laurent-du-Pont – 76.

Voir Terrasse de la Mairie ←* – Prairie de Valombré ←* sur couvent de la Grande Chartreuse O : 4 km et belvédère des Sangles ←** O : 6 km puis 30 mn – La Scia ✼* par télébenne – Site* de Perquelin E : 3,5 km – La Correrie : musée Cartusien* du couvent de la Grande Chartreuse NO : 3,5 km.

Office de Tourisme (fermé dim. après-midi et mardi) ☎ 08.62.08.

Paris 574 – Belley 66 – Chambéry 40 – ♦Grenoble 29 – La Tour-du-Pin 51 – Voiron 26.

Beau Site, ☎ 08.61.34, ←, ⛱ – wc wc ☎ – 40. AE. rest
fermé nov. – SC : **R** 50/120 – 15 – **34 ch** 60/170 – P 130/180.

Parc , ☎ 08.60.39, ←, jardin – wc ☎ Ⓟ
fermé 1er au 15 déc. – SC : **R** 41/82 – 11,50 – **20 ch** 48/91 – P 102/132.

Nord, ☎ 08.61.10, – wc Ⓟ.
fermé mai et oct. – SC : **R** 35/75 – 8,50 – **19 ch** 45/90 – P 115/150.

X **Aub. Atre Fleuri** avec ch, S : 3 km sur D 512 ☎ 08.60.21 – Ⓟ.
fermé 11 nov. au 15 déc., mardi soir et merc. hors sais. – SC : **R** 28/100 – 9,50 – 8 ch 44/69 – P 99/116.

au Col du Cucheron N : 3,5 km par D 512 – Sports d'hiver : 1 050/1 550 m 7 – ✉ **38380** St-Laurent-du-Pont :

X **Chalet H. du Cucheron** avec ch, ☎ 08.62.06, ← –
fermé mardi et du 15 oct. au 15 déc. sauf week-ends – SC : **R** 38/75 – 9 – **8 ch** 46/70 – P 95/130.

ST-PIERRE-DELS-FORCATS 66 Pyr.-Or. **86** ⑯ – rattaché à Mont-Louis.

ST-PIERRE-DE-MAILLÉ 86260 Vienne **68** ⑮ – 1 092 h. alt. 87 – 49.

Voir Angles-sur-l'Anglin : site* et ruines du château* NE : 4 km, **G. Côte de l'Atlantique.**

Paris 336 – Le Blanc 22 – Châtellerault 32 – Poitiers 44.

X **Relais de la Gartempe,** ☎ 48.60.23
fermé lundi – SC : **R** 27/82 .

CITROEN Gar. Guerraud, ☎ 48.60.14

ST-PIERRE-D'ENTREMONT 38 Isère 73 Savoie 74 ⑮ G. Alpes – 440 h. alt. 640 – ✉ 73670 St-Pierre-d'Entremont – ⚙ 79 – **Voir Cirque de St-Même★★ SE : 4,5 km – Gorges du Guiers Vif★★ et Pas du Frou★★ O – Château du Gouvernement★ : ≤★ SO : 3 km.**

ℹ Syndicat d'Initiative (vacances scolaires) ☎ 65.81.90.

Paris 567 – Belley 61 – Chambéry 25 – Les Échelles 12 – ♦Grenoble 54 – ♦Lyon 106.

H. du Château de Montbel, ☎ 65.81.65, ≤ – wc. . *fermé 20 au 30 avril, 1er nov. au 15 déc., dim. soir et lundi hors sais.* – SC : **R** *(fermé lundi hors sais.)* 32/80 – 10 – 10 ch 40/85 – P 85/120.

Le Grand Som, ☎ 65.80.22, ≤ – ch *fermé 1er oct. au 10 nov. et merc. hors sais.* – SC : **R** 33/90 – 11 – 11 ch 45/65 – P 92/98.

ST-PIERRE-DES-CORPS 37 I.-et-L. 64 ⑮ – rattaché à Tours.

ST-PIERRE-DES-NIDS 53370 Mayenne 60 ② – 1 419 h. alt. 184 – ⚙ 43.

ℹ Syndicat d'Initiative r. Avaloires (fermé dim. après-midi) ☎ 03.50.27.

Paris 206 – Alençon 15 – Argentan 44 – Domfront 48 – Laval 78 – Mayenne 48.

Dauphin avec ch, rte Alençon ☎ 03.52.12 – Ⓟ – 30. GB. *fermé 17 août au 5 sept., 20 déc. au 2 janv. et merc.* – SC : **R** 45/140 – 10 – 10 ch 42/65 – P 88.

ST-PIERRE-D'OLÉRON 17 Char.-Mar. 71 ⑬ – voir à Oléron (Ile d').

ST-PIERRE-DU-VAUVRAY 27430 Eure 55 ⑰ – rattaché à Louviers.

ST-PIERRE-EN-FAUCIGNY 74 H.-Savoie 74 ⑦ – rattaché à Bonneville.

ST-PIERRE-LE-MOUTIER 58240 Nièvre 69 ③ **G. Bourgogne** – 2 256 h. alt. 214 – ⚙ 86.

ℹ Syndicat d'Initiative pl. République (juil.-août et fermé dim.).

Paris 262 – Autun 109 – Bourges 67 – Château-Chinon 84 – Montluçon 76 – Moulins 31 – Nevers 23.

Vieux Puits sans rest, près Église ☎ 68.41.96 – . SC : 11 – **11 ch** 70/90.

La Vigne, Relais Gastronomique, rte de Decize ☎ 68.41.66, parc – Ⓟ *fermé fév., lundi soir et mardi* – SC : **R** (dim. et fêtes prévenir) 70/130.

AUDI-VOLKSWAGEN Puyet, ☎ 68.48.26
CITROEN Gar. Blondelet, ☎ 68.40.60
PEUGEOT Clostre, ☎ 68.40.74 N ☎ 68.46.99
RENAULT Garnaud, ☎ 68.42.50

ST-PIERRE-LÈS-AUBAGNE 13 B.-du-R. 84 ⑭ – rattaché à Aubagne.

ST-PIERRE-QUIBERON 56 Morbihan 63 ⑪⑫ – rattaché à Quiberon.

ST-PIERRE-SUR-DIVES 14170 Calvados 55 ⑬ **G. Normandie** – 4 312 h. alt. 32 – ⚙ 31. **Voir Église★.**

ℹ Syndicat d'Initiative 17 r. St-Benoit (15 juin-15 sept., fermé dim. et fêtes).

Paris 203 – ♦Caen 31 – Falaise 20 – Lisieux 29 – Livarot 16 – Vimoutiers 25.

Gare, bd Collas ☎ 20.74.22, – Ⓟ. GB SC : **R** 35/115 – 9,50 – 19 ch 40/60 – P 78/85.

CITROEN Gar. Depussay, ☎ 20.71.36
Tout pour le Pneu, ☎ 20.80.97

ST-PIERRE-SUR-MER 11 Aude 83 ⑭ – rattaché à Narbonne.

ST-POL-DE-LÉON 29250 Finistère 58 ⑥ **G. Bretagne** – 8 750 h. alt. 52 – ⚙ 98.

Voir Anc. Cathédrale★★ – Chapelle du Kreisker★★ : ★★ de la tour.

ℹ Office de Tourisme pl. Évêché (fermé lundi hors saison et dim.) ☎ 69.05.69.

Paris 554 ② – ♦Brest 58 ③ – Brignogan-Plage 31 ③ – Châteaulin 70 ③ – Landerneau 39 ③ – Morlaix 20 ② – Quimper 95 ③.

Cheval Blanc et rest. Le Mayombe, 6 r. au Lin **(a)** ☎ 69.01.00 – Ⓟ *fermé nov.* – SC : **R** *(fermé dim. soir et lundi)* 35/85 – 8 – **14 ch** 45/70.

PEUGEOT Perennes, 10 rte de Roscoff ☎ 69.01.63
RENAULT Gar. Charetteur, pl. du Kreisker ☎ 69.02.08

Caroff-Pneus, 28 r. de Brest ☎ 69.08.87

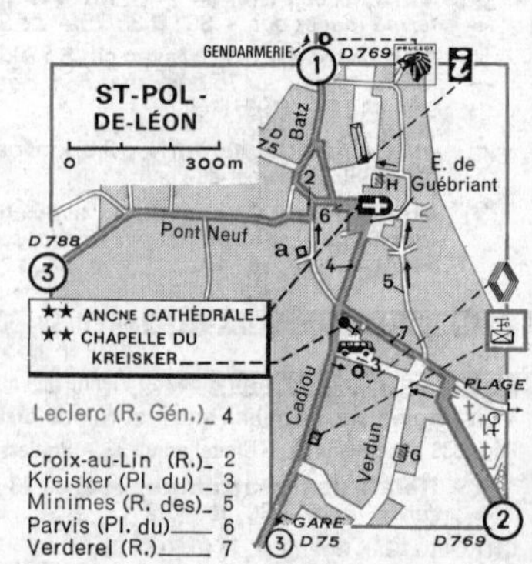

ST-POL-SUR-TERNOISE 62130 P.-de-C. 51 ⑬ – 6 507 h. alt. 87 – ⚙ 21.

ℹ Syndicat d'Initiative (fermé sam. après-midi et dim.) et A.C. (☎ 03.10.50) à l'Hotel de Ville ☎ 03.04.98.

Paris 212 ② – Abbeville 56 ④ – Arras 34 ② – Béthune 29 ① – Boulogne-sur-Mer 86 ④ – Doullens 28 ③ – St-Omer 55 ⑤.

Lion d'Or, 74 r. Hesdin **(a)** ☎ 03.12.93 – wc ☎ – 80. **R** *(fermé 27 juil. au 12 août)* 33/112 – 12 – 20 ch 56/120.

CITROEN Martinage, 149 r. d'Hesdin ☎ 03.09.54
PEUGEOT Gar. Dortu 110 r. d'Hesdin ☎ 03.15.54
RENAULT Bailleul, 184 r. Béthune ☎ 03.06.55 N

ST-POL-SUR-TERNOISE

Carmes (R. des)	2
Carnot (Bd.)	3
Drecq (R.J.)	4
Faidherbe (R.)	6
Frévent (R. de)	7
Gambetta (Bd)	9
Gaulle (Av. de)	10
Hesdin (R. d')	12
Pt-Simon (R. du)	13
Wathieumetz (R.)	15

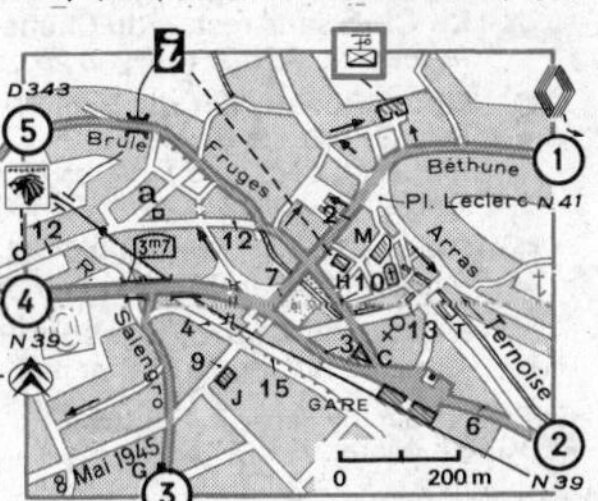

ST-PONS-DE-THOMIÈRES 34220 Hérault 83 ⑬ G. Causses – 3 417 h. alt. 301 – ⚙ 67.

Voir Grotte de la Devèze★ SO : 5 km.

ℹ Syndicat d'Initiative r. Foirail (avril-1er oct.) ☎ 97.06.65.

Paris 877 – Béziers 51 – Carcassonne 71 – Castres 51 – Lodève 73 – Narbonne 52 – St-Affrique 88.

Château de Ponderach , S : 1,2 km par rte de Narbonne ☎ 97.02.57, ≤, parc – wc ☎ – 60. AE *Pâques-15 oct.* – SC : **R** 85/190 – 20 – **11 ch** 130/280 – P 350/450.

Pastré, av. Gare ☎ 97.00.54 – rest wc *fermé 20 déc. au 23 janv.* – SC : **R** *(fermé sam. du 15 sept. au 30 juin)* 35 bc/75 – 9,50 – 20 ch 42/100 – P 80/215.

au Nord : 10 km sur D 907 – ✉ **34220** St-Pons :

Aub. du Cabaretou avec ch, ☎ 97.02.31, ≤ vallée et montagne, – wc ☎ . rest *fermé fév. et merc. hors sais.* – SC : **R** 40/140 – 12 – 10 ch 50/100 – P 105/128.

PEUGEOT Barthez, ☎ 97.01.86
RENAULT Prax, ☎ 97.01.42

Évitez de fumer au cours du repas :
vous altérez votre goût et vous gênez vos voisins.

ST-POURÇAIN-SUR-SIOULE 03500 Allier 69 ⑭ G. Auvergne – 5 567 h. alt. 237 – ⚙ 70.

Voir Anc. abbatiale Ste-Croix★.

ℹ Syndicat d'Initiative bd Ledru-Rollin (15 juin-21 sept.) ☎ 45.32.73 et r. Verdun (22 sept.-14 juin matin seul., fermé dim. et lundi) ☎ 45.44.18.

Paris 324 ① – Montluçon 61 ⑤ – Moulins 31 ① – Riom 50 ③ – Roanne 79 ② – Vichy 27 ③.

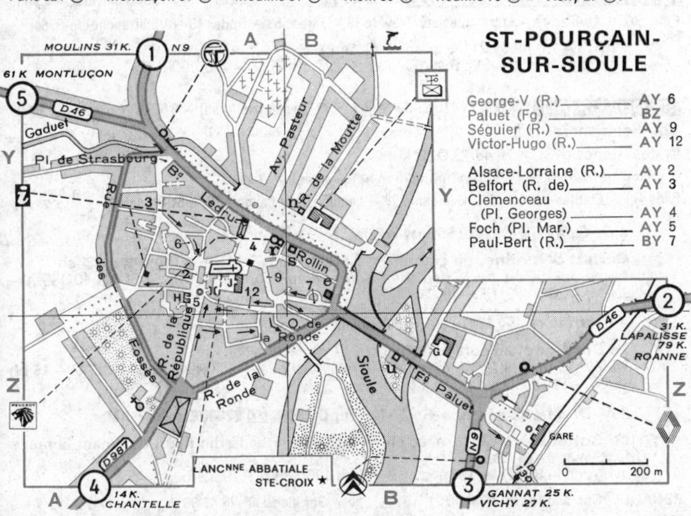

ST-POURÇAIN-SUR-SIOULE

George-V (R.)	AY	6
Paluet (Fg)	BZ	
Séguier (R.)	AY	9
Victor-Hugo (R.)	AY	12
Alsace-Lorraine (R.)	AY	2
Belfort (R. de)	AY	3
Clemenceau (Pl. Georges)	AY	4
Foch (Pl. Mar.)	AY	5
Paul-Bert (R.)	BY	7

Chêne Vert (Giraudon), bd Ledru-Rollin ☎ 45.40.65 – wc – 80. AE GB E ABY **s**
fermé 5 janv. au 10 fév. et mardi du 1er nov. au 30 avril – SC : **R** (nombre de couverts limité - prévenir) 48/150 – 12 – **35 ch** 45/120
Spéc. Terrine de ris de veau, Parfait d'écrevisses, Poulet au fromage. Vins St-Pourçain.

Le Club sans rest, r. du Chêne-Vert ☎ 45.43.18 – wc wc AY **r**
fermé 4 au 12 mai et 1er au 25 oct. – SC : 9,50 – **11 ch** 42/100.

Deux Ponts, îlot de Tivoli ☎ 45.41.14 – wc wc – 60 à 130. AE GB E BZ **u**
fermé 1er déc. au 5 janv. et 1er oct. au 1er mai : hôtel le dim., rest. le lundi – SC : **R** 30/120 – 12 – 28 ch 45/130 – P 120/165.

Globe, 11 r. M. Berthelot ☎ 45.30.42 – rest BY **n**
fermé 10 oct. au 15 nov. et lundi hors sais. – SC : **R** 30/75 – 9 – 15 ch 37/71.

Host. des Cours, bd Ledru-Rollin ☎ 45.31.92 – BY **e**
fermé 1er oct. au 15 nov. et mardi – SC : **R** 30/57.

CITROEN Gar. de Paris, ☎ 45.33.99
PEUGEOT Moret, ☎ 45.41.58
RENAULT Bussonnet, ☎ 45.30.48
TALBOT Gilbert, ☎ 45.42.75

ST-PRIEST 69800 Rhône 74 ⑫ – rattaché à Lyon.

ST-PRIEST-EN-JAREZ 42 Loire 73 ⑲ – rattaché à St-Étienne.

ST-PRIEST-LA-ROCHE 42147 Loire 73 ⑦⑧ – 285 h. alt. 434 – 77.

Paris 410 – L'Arbresle 61 – Montbrison 56 – Roanne 20 – ♦St-Étienne 69.

Château, S : 4 km par D 42 ☎ 64.91.36, ← –
fermé fév. et merc., du 1er nov. au 1er avril ouvert seul. sam., dim. et lundi – SC : **R** 39/60, dîner à la carte.

ST-PRIEST-TAURION 87480 H.-Vienne 72 ⑧ **G. Périgord** – 1 690 h. alt. 240 – 55.

Paris 393 – Bellac 49 – Bourganeuf 40 – ♦Limoges 13 – La Souterraine 55.

Relais du Taurion, ☎ 39.70.14, –
fermé vacances scolaires de Noël, dim. soir et lundi midi hors sais. – SC : **R** 30/65 – 12 – 11 ch 45/90 – P 80/110.

ST-PRIVAT-D'ALLIER 43460 H.-Loire 76 ⑯ – 590 h. alt. 800 – 71.

Paris 526 – Brioude 72 – Cayres 20 – Langogne 55 – Le Puy 22 – St-Chély-d'Apcher 63 – St-Flour 72.

Vieille Auberge, ☎ 57.20.56 – wc wc .
2 mars-13 oct. et 28 oct.-14 janv. – **R** 28/60 – 9 – 36 ch 41/70 – P 75/88.

ST-PROJET-DE-CASSANIOUZE 15 Cantal 76 ⑪⑫ – alt. 220 – ✉ **15340** Calvinet – 71.

Paris 592 – Aurillac 47 – Entraygues-sur-Truyère 19 – Figeac 53 – Rodez 46 – Villefranche-de-R. 64.

Pont , ☎ 49.94.21, ←, parc – . E
1er mars-31 oct. – SC : **R** 28/65 – 9 – 17 ch 45/65 – P 80/90.

ST-QUAY-PORTRIEUX 22410 C.-du-N. 59 ③ **G. Bretagne** (plan) – 3 559 h. – Casino – 96.

Voir Sémaphore ←★★.

18 des Ajoncs d'Or ☎ 70.48.13 O : 7 km.

Office de Tourisme pl. Verdun (fermé dim. hors saison) ☎ 70.40.64.

Paris 471 – Étables-sur-Mer 4 – Guingamp 28 – Lannion 55 – Paimpol 26 – St-Brieuc 21.

à St-Quay – ✉ **22410** St-Quay-Portrieux :

Gerbot d'Avoine, bd Littoral ☎ 70.40.09 – wc wc . ch
fermé du 15 nov. au 15 déc., dim. soir et lundi d'oct. à fin avril – SC : **R** 40/130 – 11 – 26 ch 65/130 – P 105/140.

à Portrieux – ✉ **22410** St-Quay-Portrieux :

Le Bretagne, au port ☎ 70.40.91, ← – .
15 fév.-15 nov. et fermé mardi du 15 fév. à Pâques – SC : **R** 38/85 – 12 – **15 ch** 45/65 – P 100/120.

à N. D.-de-L'Espérance S : 2,5 km sur D 786 – ✉ **22680** Étables-sur-Mer :

La Colombière M avec ch, ☎ 70.61.64, ←, « Jardin fleuri dominant la mer » – wc . GB.
avril-oct. – SC : **R** 65/185 – 18 – 5 ch 125/175 – P 195/215.

RENAULT Gar. Moderne, ☎ 70.40.21
Gar. Ledu, ☎ 70.41.93

ST-QUENTIN 02100 Aisne 53 ⑭ G. Nord de la France – 69 153 h. alt. 74 – 23.

Voir Basilique★ – Pastels de Quentin de la Tour★★ au musée Lécuyer.

Office de Tourisme (fermé lundi matin et dim.) avec T.C.F. (☎ 62.56.00) à l'Hôtel de Ville ☎ 67.05.00 - A.C. 33 r. R.-Lenoir ☎ 67.06.10.

Paris 155 ⑦ – ◆Amiens 73 ⑦ – Charleroi 118 ③ – ◆Lille 116 ⑦ – ◆Reims 96 ④ – Valenciennes 70 ①

Gd Hôtel M sans rest, 6 r. Dachery ☎ 62.69.77, Télex 140225 – TV ☎ – 40. AE GB E — BZ **n**
SC : 14 – **40 ch** 90/160.

Paix, Albert 1er et rest. Le Brésilien, 3 pl. du 8-Octobre ☎ 62.77.62 – TV wc wc ☎ P. GB E — BZ **a**
R 40/80 – 12 – **64 ch** 65/150.

France et Angleterre sans rest, 28 r. E.-Zola ☎ 62.13.10 – wc wc ☎ P. AE GB E — AY **d**
SC : 11 – **28 ch** 62/120.

XX **Au Petit Chef,** 31 r. Émile-Zola ☎ 62.28.51 – AE GB — AY **s**
fermé juil., Noël-jour de l'an, sam. soir et dim. – SC : **R** 40.

XX **Univers,** 11 pl. H.-de-Ville ☎ 62.76.58 – AE GB E — AY **r**
fermé dim. soir et lundi – SC : **R** (1er étage) 40 bc/100 bc.

XX **Le Riche,** 10 r. Toiles ☎ 62.33.53 — ABY **e**
fermé 10 au 30 août, 5 au 15 janv. et dim. – SC : **R** 42/80.

à Neuville St-Amand SE : 3 km par D 12 - BZ – 02100 St-Quentin :

XXX ✿ **Château** (Meiresonne), ☎ 68.41.82, parc – P. GB
fermé août, du 26 déc. au 1er janv., dim. soir et lundi – SC : **R** (prévenir) 80/160
Spéc. Suivant saison.

à **Holnon** par ⑦ : 6 km – ✉ **02760** Holnon :

XX **Pot d'Étain,** ☎ 66.67.29 – Ⓟ. GB
R 38/100.

MICHELIN, Agence, 6 rte de Chauny BX ☎ **67.03.29**

AUDI-VOLKSWAGEN, DATSUN Gar. du Cambrésis, 98 r. A.-Dumas ☎ 67.15.75
CITROEN Gds Gar. Favresse, rte d'Amiens ☎ 62.42.15 N
FORD Gar. Moderne, r. du Cdt-Raynal ☎ 67.14.90
OPEL Fiszel-Auto, 32 bd V.-Hugo ☎ 67.21.91
PEUGEOT Ets Favresse, 418 rte de Paris ☎ 62.34.23
RENAULT Gueudet, rte de Vermand ☎ 62.70.79
TALBOT SO.VE.REAU, 55 r. G.-Pompidou ☎ 62.29.31
VOLVO Ets Lesot, 52 av. Faidherbe ☎ 62.29.41

Ⓜ Joncourt-Pneus, 51 ter av. Gén.-de-Gaulle ☎ 62.59.37
Pneus-Lepilliez-Dubois, 3 pl. Basilique et Zone Ind., r. de Picardie à Gauchy ☎ 62.33.30

ST-RAMBERT-D'ALBON 26140 Drôme 77 ① – 4 186 h. alt. 144 – ✪ 75.

Paris 520 – Annonay 19 – La Côte-St-André 42 – St-Vallier 11 – Tournon 26 – Valence 50 – Vienne 29.

Croix d'Or, r. Nationale ☎ **31.00.35** – ⊟wc ⋒wc ☎ 🚗. 🚗 GB
fermé 8 au 25 août, 14 fév. au 1er mars et jeudi – **SC** : **R** 30/62 🍼 – ☕ 9 – **11 ch** 62/125 – P 95/140.

CITROEN Gar. Cochard, ☎ 31.01.74
RENAULT Jay-Rolland, N 7 Chanas (Isère) ☎ 31.00.37
RENAULT Gar. Ortega, ☎ 31.01.49 N

ST-RAPHAËL 83700 Var 84 ⑧, 195 ㉝ G. Côte d'Azur – 23 163 h. – Casino Z – ✪ 94.

Voir Collection d'amphores★ dans le musée archéologique Y **M.**

⛳18 **de Valescure** ☎ **52.16.58, NE par D 37 : 6 km.**

🚗 ☎ **85.13.89.**

ℹ Office de Tourisme (fermé dim. sauf matin en saison) et A.C. pl. Gare ☎ 95.16.87.

Paris 876 ③ – Aix-en-Provence 119 ③ – Cannes 43 ④ – ♦Marseille 131 ③ – ♦Toulon 96 ③.

Accès et sorties : voir plan de Fréjus

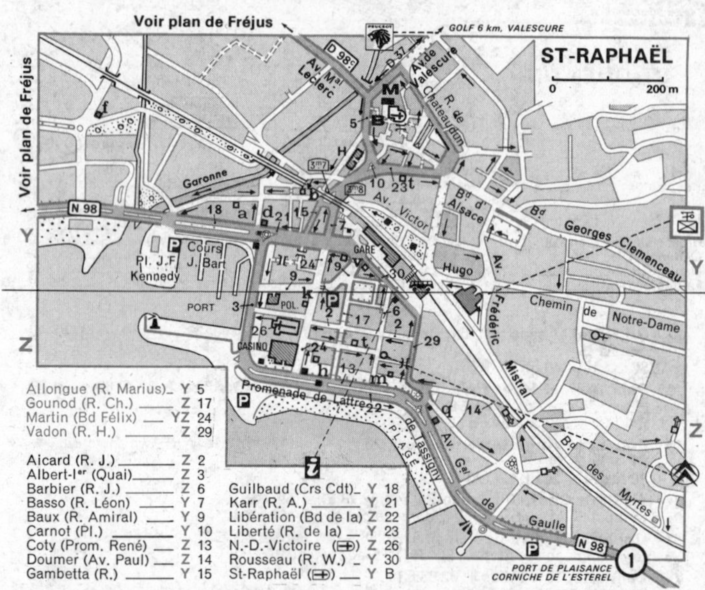

Beau Séjour, prom. Prés.-Coty ☎ **95.03.75,** ≤ – |‡| ⊟wc ⋒wc ☎. GB ⓓ
1er fév.-31 oct. – **SC** : **R** 60/95 – ☕ 14 – 41 ch 170/200 – P 200/225. Z **m**

Excelsior, bd F.-Martin ☎ **95.02.42,** ≤ – |‡| ⊟wc ⋒wc ☎. 🚗 AE GB ⓓ E
SC : **R** 60/88 – ☕ 16 – 40 ch 82/210 – P 185/270. Z **h**

Europe et Gare sans rest, 9 r. Amiral-Baux ℡ 95.42.91 – wc wc. AE GB E. — Y **v**
SC : 15 – **32 ch** 100/155.

Pastorel, 54 r. Liberté ℡ 95.02.36 – wc wc. — Y **t**
fév.-oct. – SC : **R** 42/70 – 7 – **28 ch** 48/180 – P 140/180.

France sans rest, pl. Galliéni ℡ 95.17.03 – wc — Y **v**
fermé déc. – SC : 12 – **28 ch** 130.

Provençal sans rest, 197 r. Garonne ℡ 95.01.52 – wc. — Y **a**
fin mars-fin oct. – SC : 11 – **28 ch** 60/140.

Sélect H. sans rest, r. Boëtmann ℡ 95.06.22 – wc. — Z **t**
fermé déc. et janv. – SC : 11,50 – **19 ch** 47/135.

Bonne Auberge, 54 r. Garonne ℡ 95.69.72 – wc — Y **b**
sais. – 16 ch.

Genève, 92 bd F.-Martin ℡ 95.23.35 – rest. — Z **k**
fermé déc. et janv. – SC : **R** 30 – 10 – 30 ch 60/80 – P 100/120.

XXX **La Voile d'Or,** 1 bd Gén.-de-Gaulle ℡ 95.17.04, ≤ – AE GB — Z **q**
fermé 15 nov. au 20 déc. et merc. sauf du 10 juil. au 30 août – SC : **R** 100/140.

XX **Jean-Bart** avec ch, av. Cdt Guilbaud ℡ 95.25.38, ≤ – wc wc. AE E — Y **d**
fermé 5 janv. au 15 fév. – SC : **R** 50 – 17 – 13 ch 135/150 – P 180/200.

à Boulouris par ① : 5 km – ✉ **83700** St-Raphaël :

Etap Cap Boulouris M, ℡ 95.45.45, Télex **461558**, ≤, « **parc** », – wc P. AE GB E
SC : **R** 70/75 – 18 – 50 ch 200/260 – P 288/358.

La Potinière M, ℡ 95.21.43, parc, – TV wc P. AE
fermé 10 nov. au 20 déc. – SC : **R** *(fermé merc. sauf juil. et août)* 85/120 – 18 – 21 ch 200/240, 4 appartements 285.

CITROEN Gd Gar. des Bains, 98 r. J.-Barbier ℡ 95.16.72
FORD Gar. Vagneur, 142 av. Valescure ℡ 95.42.78
PEUGEOT Bacchi, 658 av. de Verdun ℡ 52.27.36

ST-RÉMY 21 Côte-d'Or 65 ⑦ – rattaché à Montbard.

ST-RÉMY 79 Deux-Sèvres 71 ① – rattaché à Niort.

ST-RÉMY-DE-PROVENCE 13210 B.-du-R. 81 ⑫ G. Provence – 7 970 h. alt. 60 – 90.

Voir Hôtel de Sade : dépôt lapidaire★ B – les Antiques★★ : Mausolée★★, Arc municipal★, Ruines de Glanum★ 1 km par ③.

Env. ★★ de la Caume 7 km par ③.

Office de Tourisme pl. J.-Jaurès (fermé dim. et fêtes sauf matin en saison) ℡ 92.05.22.

Paris 708 ① – Arles 25 ④ – Avignon 21 ① – ♦Marseille 91 ② – Nîmes 42 ④ – Salon-de-Provence 37 ②.

Host. du Vallon de Valrugues M sans rest, Chemin Canto Cigalo par ② ℡ 92.04.40, Télex 431677, ≤, P.
1er mars-3 nov. – SC : 23 – **24 ch** 253/344, 10 appartements 293/344.

Les Antiques, av. Pasteur **(e)** ℡ 92.03.02, « Beaux salons, parc, club hippique », – P. AE
début avril-fin oct. – SC : **R** 100/120 – 25 – 27 ch 200 – P 305/355.

Le Castelet des Alpilles, pl. Mireille **(h)** ℡ 92.07.21, – wc wc P – 25. AE GB
fermé 20 janv. au 1er mars – SC : **R** *(fermé lundi du 2 nov. au 30 mars)* 50/100 – 19 – 19 ch 95/200 – P 200/265.

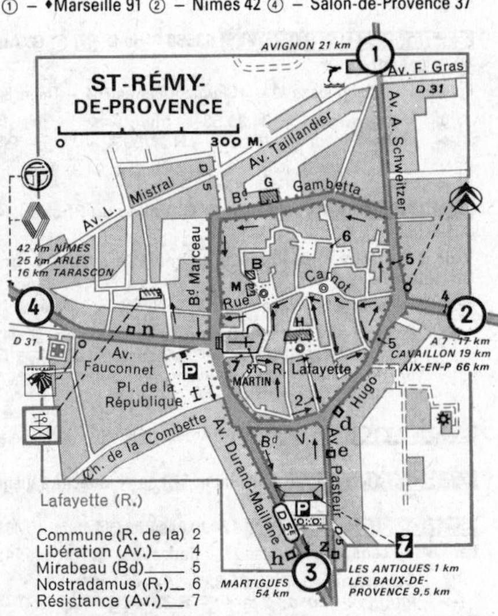

tourner →

Canto Cigalo M sans rest, chemin Canto Cigalo par ② ✆ 92.14.28, ≤, – wc wc .
1er mars-1er nov. – SC : 13 – **20 ch** 120/140.

Van Gogh M sans rest, av. J.-Moulin par ② ✆ 92.14.02, , – wc wc .
1er mars-fin nov. – SC : 11 – **18 ch** 110/140.

Cheval Blanc sans rest, 6 av. Fauconnet **(n)** ✆ 92.09.28 – wc
SC : 10 – **20 ch** 90/100.

Soleil sans rest, av. Pasteur **(z)** ✆ 92.00.63, , – wc wc .
fermé 20 nov. au 31 janv. – SC : 12 – **15 ch** 110/130.

Château de Roussan sans rest, rte Tarascon par ④ : 2 km ✆ 92.11.63, ≤, « Demeure 18e s. dans un parc » – wc .
20 mars-20 oct. – SC : 16 – **12 ch** 170/210.

Arts, 30 bd Victor-Hugo **(d)** ✆ 92.08.50 – wc
fermé 8 au 16 nov., vacances de fév. et merc. du 15 oct. au 15 mars – SC : **R** 38 bc/90 bc – 12 – **18 ch** 60/115 – P 125/160.

XX **Villa Glanum** avec ch, rte des Baux par ③ ✆ 92.03.59, – wc
fermé fin nov. au début janv. – SC : **R** 53/85 – 12 – **8 ch** 100 – P 135/150.

à Maillane NO : 7 km par D 100 – ✉ **13910** Maillane :

X **Oustalet Maïanen,** ✆ 91.74.60
fermé déc., janv. et le soir sauf juil. et août – SC : **R** (déj. seul.) 35/50 .

à St-Etienne-du-Grès par ④ : 9 km – ✉ **13150** St-Etienne-du-Grés :

XX **Aub du Grès,** ✆ 91.18.61
fermé 15 fév. au 20 mars, 25 au 31 oct. et lundi – SC : **R** 46/100.

CITROEN Gar. des Alpilles, 22 bd Mirabeau ✆ 92.09.34
FORD Merklen, 38 av. Libération ✆ 92.01.24
PEUGEOT Gar. Perrin, 29 av. Fauconnet ✆ 92.10.21
RENAULT Gar. Cabassut, rte Tarascon ✆ 92.00.35
TALBOT Maurin, rte de Tarascon ✆ 92.13.16

ST-RÉMY-LÈS-CHEVREUSE **78470** Yvelines 60 ⑨⑩, 101 ㉜ **G. Environs de Paris** – 5 058 h. alt. 73 – 3.

9 de Chevry 2, ✆ 012.25.56 SE : 4,5 km.

Paris 30 – Longjumeau 21 – Rambouillet 21 – Versailles 14.

XX ✿ **La Cressonnière** (Toulejbiez), ✆ 052.00.41, –
fermé 1er au 15 fév., 1er au 15 sept., dim. soir en hiver, mardi soir et merc. – SC : **R** carte 120 à 165
Spéc. Homard rôti (mai à oct.), Boeuf saignant à la ficelle, Gratin aux fruits.

RENAULT Cressely-Autos, à Cressely ✆ 052.64.52
TOYOTA Gar. du Claireau, ✆ 052.41.00

ST-RÉMY-SUR-DUROLLE **63550** P.-de-D. 73 ⑥ **G. Auvergne** – 2 009 h. alt. 650 – 73.

Voir Calvaire ✵★.

Paris 394 – Chabreloche 12 – ♦Clermont-Ferrand 54 – Thiers 8,5.

Voyageurs, ✆ 94.30.53 – wc
fermé 15 oct. au 15 nov. – **R** 26/80 – 9 – 9 ch 48/80.

RENAULT Gar. des Bruyères, ✆ 94.31.18 N ✆ 94.33.93

ST-RESTITUT **26** Drôme 81 ① **G. Vallée du Rhône** – 492 h. alt. 150 – ✉ **26130** St-Paul-Trois-Châteaux – 75.

Voir Décoration★ de l'église et belvédère ≤★ 15 mn – Cathédrale★ de St-Paul-Trois-Châteaux NO : 4 km.

Paris 636 – Bollène 9 – Montélimar 31 – Nyons 36 – Valence 74.

XX **Aub. des Quatre-Saisons** avec ch, ✆ 04.71.88, « Maisons romanes aménagées en hostellerie », – wc . AE
fermé 15 au 30 nov., 15 au 31 janv., lundi soir et mardi midi – SC : **R** 39/99 – 16 – **11 ch** 150/220 – P 155/280.

ST-ROMAIN-DE-LERPS **07** Ardèche 77 ⑪ – rattaché à St-Péray.

ST-ROMAIN-EN-GAL **69** Rhône 74 ⑪ – rattaché à Vienne.

ST-ROME-DE-CERNON **12490** Aveyron 80 ⑬⑭ – 846 h. alt. 110 – 65.

Paris 647 – Lodève 58 – Millau 17 – Rodez 75 – St-Affrique 14 – Le Vigan 69.

Commerce, ✆ 60.91.32 – .
fermé 20 déc. au 3 janv. – **R** 32/45 – 7,50 – **13 ch** 45/70 – P 75/85.

ST-SALVADOUR 19 Corrèze 75 ⑨ – rattaché à Seilhac.

ST-SAMSON-DE-LA-ROQUE 27 Eure 55 ④ – 288 h. alt. 72 – ✉ **27680** Quillebeuf-sur-Seine – ☎ 32.

Voir Phare de la Roque ☀★ N : 2 km, G. Normandie.

Paris 179 – Beuzeville 12 – Bolbec 23 – Évreux 81 – ♦Le Havre 38 – Honfleur 21 – Pont-Audemer 13.

XX **Relais du Phare,** pl. de l'Église ☎ 57.61.68, 🚗 – Ⓟ. AE ⓓ
fermé lundi soir et mardi – SC : **R** 85/90.

ST-SATUR 18 Cher 65 ⑫ – rattaché à Sancerre.

ST-SATURNIN-D'APT 84490 Vaucluse 81 ⑭ – 1 430 h. alt. 422 – ☎ 90.

Paris 738 – Apt 9 – Avignon 68 – Carpentras 40.

Voyageurs, ☎ 75.42.08 – ⋒wc. 🚗. ✂
fermé 15 au 30 sept. et merc. hors sais. – SC : **R** 55/120 – ☕ 12 – 12 ch 60/160 – P 150/210.

XX **St-Hubert,** ☎ 75.42.02
fermé 20 juin au 10 juil., vac. de fév., dim. soir et lundi – SC : **R** *(dim. et fêtes prévenir)* 60/130.

ST-SAUD-LACOUSSIÈRE 24 Dordogne 72 ⑯ – 1 148 h. alt. 340 – ✉ **24470** St-Pardoux-la-Rivière – ☎ 53.

Paris 448 – Brive-la-Gaillarde 113 – Châlus 23 – ♦Limoges 58 – Nontron 16 – Périgueux 68.

XX **Host. St-Jacques** ⛰ avec ch, ☎ 56.97.21, « Terrasse et jardin fleuri », ⛱, ✂ – ⌂wc ☎ Ⓟ
12 avril-30 sept. et fermé lundi sauf juil. et août – SC : **R** 40/75 – ☕ 15 – **14 ch** 90/150 – P 150/175.

X Aub. Vieux Moulin ⛰ avec ch, E : 2 km par D 79 ☎ 56.97.26, ≤, parc – Ⓟ
8 ch.

ST-SAUVEUR-LA-SAGNE 63 P.-de-D. 76 ⑥ – 156 h. alt. 814 – ✉ **63220** Arlanc – ☎ 73.

Paris 461 – Ambert 26 – Brioude 45 – ♦Clermont-Ferrand 111 – Issoire 51 – Le Puy 59.

La Dore ⛰, ☎ 72.40.16, ≤, 🚗 – Ⓟ. ✂ rest
1er juin-20 sept. – SC : **R** 33/55 🍷 – ☕ 9 – **26 ch** 37/48 – P 90.

ST-SAUVEUR-LES-BAINS 65 H.-Pyr. 85 ⑱ – rattaché à Luz-St-Sauveur.

ST-SAUVEUR-LE-VICOMTE 50390 Manche 54 ② **G. Normandie** – 2 214 h. alt. 30 – ☎ 33.

ℹ Syndicat d'Initiative à la Mairie (fermé dim. et lundi) ☎ 41.60.26.

Paris 339 – Barneville-Carteret 19 – Carentan 30 – ♦Cherbourg 35 – Coutances 40 – St-Lô 55.

Aub. Vieux Château, ☎ 41.60.15, 🚗 – Ⓟ. 🚗 E. ✂ rest
hôtel fermé dim. soir et rest. fermé lundi – SC : **R** 24/80 – ☕ 8 – 9 ch 36/45 – P 95/100.

CITROEN Jacqueline, ☎ 41.60.41
PEUGEOT Gauthé, ☎ 41.61.18 Ⓝ
RENAULT Gar. Maignan, ☎ 41.65.34

ST-SAVIN 38 Isère 74 ⑬ – rattaché à Bourgoin-Jallieu.

ST-SAVIN 65 H.-Pyr. 85 ⑰ – rattaché à Argelès-Gazost.

ST-SAVIN 86310 Vienne 68 ⑮ **G. Côte de l'Atlantique** – 1 323 h. alt. 83 – ☎ 49.

Voir Église abbatiale★★ : Peintures murales★★★ – Pont-Vieux ≤★.

Paris 317 – Le Blanc 19 – Poitiers 41.

La Grange, rte d'Antigny ☎ 48.07.06, 🚗 – ⌂ ⋒. 🚗 AE GB ⓓ E. ✂ ch
fermé oct., 17 au 25 juin et lundi – SC : **R** 35/80 – ☕ 12 – 8 ch 65/85.

CITROEN Gar. Central, ☎ 48.00.23
PEUGEOT Gar. Rio, ☎ 48.02.79
RENAULT Nibeaudeau, ☎ 48.00.03

ST-SAVINIEN 17350 Char.-Mar. 71 ④ **G. Côte de l'Atlantique** – 2 262 h. alt. 15 – ☎ 46.

Env. Château de la Roche Courbon★ et Jardins★ : ≤★★ SO : 10 km.

ℹ Syndicat d'Initiative pl. du Marché (15 juin-15 sept. et fermé dim.) ☎ 90.21.07.

Paris 448 – Rochefort 28 – La Rochelle 60 – St-Jean-d'Angély 15 – Saintes 18 – Surgères 30.

X **L'Auberge,** ☎ 90.20.79
fermé nov. et merc. sauf fériés – SC : **R** 35 (sauf sam. soir)/120 🍷.

PEUGEOT Garnier, ☎ 90.20.24
Gar. Roy, à Puyvineux ☎ 90.21.12

ST-SÉBASTIEN-SUR-LOIRE 44 Loire-Alt. 67 ③ – rattaché à Nantes.

ST-SEINE-L'ABBAYE 21440 Côte-d'Or 65 ⑪ G. Bourgogne – 352 h. alt. 451 – 80.
Paris 288 – Avallon 82 – Châtillon-sur-Seine 57 – •Dijon 27 – Montbard 48.

Poste, ℗ 35.00.35, – wc ⋒ ☎ P. . ⌘ rest
fermé janv. et mardi en hiver – SC : R 45/140 – 15 – 25 ch 80/140 – P 210/260.

TALBOT Gar. Pau ℗ 35.01.88 N

ST-SERNIN-SUR-RANCE 12380 Aveyron 80 ⑫ G. Causses – 696 h. alt. 290 – 65.
Paris 693 – Albi 50 – Cassagnes-Bégonhès 58 – Castres 75 – Lacaune 30 – Rodez 83 – St-Affrique 32.

France, ℗ 99.60.26, ≤ – wc ⋒wc ☎ P. GB
fermé dim. soir et lundi de nov. à Pâques – SC : R 30/95 – 9 – **20 ch** 39/82 – P 99/119.

CITROEN Gar. Bardy, ℗ 99.61.61

ST-SERVAN-SUR-MER 35 I.-et-V. 59 ⑥ – rattaché à St-Malo.

ST-SEURIN-DE-CURSAC 33 Gironde 71 ⑦ – rattaché à Blaye.

ST-SEVER 40500 Landes 78 ⑥ G. Pyrénées – 4 797 h. alt. 102 – 58.
Voir Chapiteaux★ de l'église.
Mairie (1er sept.-31 mai, fermé dim. et lundi) ℗ 76.00.02 et pl. Tour du Sol (1er juin-31 août et fermé dim.) ℗ 76.00.10.
Paris 704 – Aire-sur-l'Adour 32 – Dax 48 – Mont-de-Marsan 16 – Orthez 37 – Pau 69 – Tartas 23.

❀ **Relais du Pavillon** (Dumas) M, au N : 2 km D 933 ℗ 76.20.22, – rest wc ⋒wc ☎ P. AE GB
fermé dim. soir du 1er nov. au 31 mars – SC : R 60/120 – 17 – 14 ch 90/140
Spéc. Foie de canard, Brochette gourmande, Selle d'agneau en croquemitoufle. **Vins** Madiran, Tursan.

France et Ambassadeurs, pl. Cap-du-Pouy ℗ 76.00.01 – wc ⋒ – 30. GB
fermé oct., dim. soir et lundi midi – SC : R 28/110 – 8,50 – **22 ch** 30/75.

CITROEN Gar. Gauzère, ℗ 76.00.58 — Gar. Cazenave, ℗ 76.00.19
PEUGEOT Junca, ℗ 76.02.95

ST-SIMON 15 Cantal 76 ⑫ – 1 007 h. alt. 648 – ✉ 15130 Arpajon-sur-Cère – 71.
Paris 552 – Aurillac 6,5.

Tilleuls, ℗ 47.11.96 – ⌘ ch
fermé 15 au 30 sept. et lundi – SC : R 28/60 – 8,50 – **15 ch** 45/50 – P 80.

ST-SORLIN-D'ARVES 73 Savoie 77 ⑥⑦ G. Alpes – 268 h. alt. 1 550 – ✉ 73530 St-Jean-d'Arves – 79.
Voir Site★ de l'église de St-Jean-d'Arves SE : 2,5 km – **Env.** Col de la Croix de Fer ✻★★ O : 7,5 km – Col du Glandon ≤★ puis Combe d'Olle★★ O : 10 km.
Paris 643 – Albertville 82 – Le Bourg-d'Oisans 44 – Chambéry 95 – St-Jean-de-Maurienne 20.

Chardon Bleu , ℗ 56.75.43, ≤ – ⋒ ☎. . ⌘
20 juin-10 sept. et 10 déc.-25 avril – R 30/55 – 10 – **29 ch** 70/100 – P 130/150.

ST-SYLVAIN 14 Calvados 54 ⑯ – 728 h. alt. 48 – ✉ 14190 Grainville-Langan-Meric – 31.
Paris 245 – •Caen 20 – Falaise 20 – Lisieux 41 – St-Pierre-sur-Dives 13.

XX **Aub. Crémaillère,** ℗ 78.11.18
fermé 1er au 15 juil., vacances de fév., lundi soir, mardi soir et merc. – SC : R (hors sais. déj. seul. et week-ends) 30/85.

ST-SYMPHORIEN-DE-LAY 42470 Loire 73 ⑧ – 1 549 h. alt. 480 – 77.
Paris 408 – •Lyon 69 – Montbrison 50 – Roanne 17 – •St-Étienne 67 – Thizy 17.

Poste, N7 ℗ 64.75.35 – ⋒ P. ⌘ ch
fermé oct. et mardi sauf de juil. à sept. – SC : R 26/40 – 7,50 – **10 ch** 33/60.

ST-SYMPHORIEN-DE-MARMAGNE 71 S.-et-L. 69 ⑦⑧ – rattaché à Marmagne.

ST-THÉGONNEC 29223 Finistère 58 ⑥ G. Bretagne – 1 986 h. alt. 112 – 98.
Voir Enclos paroissial★★ – **Env.** Enclos paroissial★★ de Guimiliau SO : 7,5 km.
Paris 546 – Châteaulin 53 – Landivisiau 9,5 – Morlaix 12 – Quimper 73 – St-Pol-de-Léon 23.

Aub. St-Thégonnec, pl.Mairie ℗ 79.61.18, – ⋒ ☎. . ⌘ rest
fermé nov., 1er au 15 mars, vend. soir et sam. de sept. à Pâques – SC : R 39/120 – 10 – 9 ch 49/67 – P 90/95.

ST-THIBAULT 18 Cher 65 ⑫⑬ – rattaché à Sancerre.

ST-TROJAN-LES-BAINS 17 Char.-Mar. 71 ⑭ – voir à Oléron (Ile d').

ST-TROPEZ 83990 Var 84 ⑰ G. Côte d'Azur – 5 434 h. – ✪ 94.

Voir Musée de l'Annonciade★★ – Port★ – Môle Jean Réveille ≤★ – Citadelle★ : ≤★ des remparts, ☀★★ du donjon – Chapelle Ste-Anne ≤★ S : 4 km par ① et D 93.

ℹ Office de Tourisme quai Jean-Jaurès (fermé dim.) ☎ 97.03.64.

Par ① : Paris 877 – Aix-en-Provence 120 – Brignoles 63 – Cannes 75 – Draguignan 50 – ♦Toulon 69.

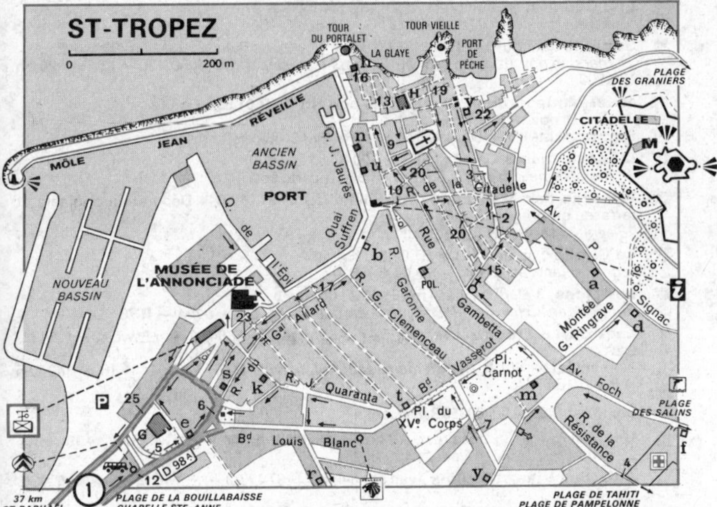

En saison : sens unique (flèche rouge), zone piétonne dans la vieille ville de 14 h à 2 h.

Aire-du-Chemin	2	Guichard (R. du Cdt)	9	Péri (Quai Gabriel)	17
Aumale (Bd d')	3	Laugier (R. V.)	10	Ponche (R. de la)	19
Belle-Isnarde (R. de la)	4	Leclerc (Av. Maréchal)	12	Portail-Neuf (R. du)	20
Blanqui (Pl. Auguste)	5	Mairie (R. de la)	13	Remparts (R. des)	22
Croix-de-Fer (Pl. de la)	6	Miséricorde (R.)	15	Seillon (R.)	23
Grangeon (Av.)	7	Mistral (Quai Frédéric)	16	11-Novembre (Av. du)	25

Byblos M, av. P.-Signac **(d)** ☎ 97.00.04, Télex 470235, ≤, « Demeures provençales richement meublées », – ▤ TV ☎ – **P** – 130. AE GB ⓓ
fermé 2 nov. au 20 déc. – **R** carte 120 à 175 – **40 ch** ☐ 480/740, 19 appartements.

Résidence de la Pinède M, à la plage de la Bouillabaisse par ① : 1 km ☎ 97.04.21, Télex 470489, ≤, , – ▤ ch TV ☎ ♿ **P**. AE ⓓ. ✻ rest
28 avril-20 oct. – SC : **R** 130/150 – 35 ch ☐ 400/700, 5 appartements.

La Mandarine M, rte de Tahiti ☎ 97.21.00, ≤, , – ☎ **P**. AE GB ⓓ
10 avril-fin oct. – SC : **R** carte 115 à 145 – ☐ 30 – **36 ch** 360/640.

Résidence des Lices M sans rest, **(y)** ☎ 97.28.28, , – ☎ **P**. AE ⓓ E
1er avril-15 oct. – SC : ☐ 20 – **34 ch** 240/450.

Paris sans rest, pl. Croix-de-Fer **(e)** ☎ 97.01.10 – ▤. ✻
mai-fin sept. – SC : ☐ 20 – **57 ch** 150/350.

Levant M sans rest, rte Salins : 2,5 km ☎ 97.33.33, ≤, « Beau jardin », – ☎ **P**. ⓓ
Pâques-15 oct. – SC : ☐ 25 – **28 ch** 375.

Pré de la Mer M sans rest, 2,5 km par rte des Salins ☎ 97.12.23, – cuisinette wc ☎ ♿ **P**.
1er avril-31 oct. et 21 déc.-3 janv. – SC : ☐ 24 – **11 ch** 285/315.

La Tartane M sans rest, rte des Salins 3 km ☎ 97.21.23, ≤, , – ▤ wc ☎ ♿ **P**. ✻
1er avril-15 oct. – SC : ☐ 19 – **12 ch** 310.

La Ponche, pl. Rèvelin **(v)** ☎ 97.02.53 – ▤ ch TV wc wc ☎.
15 fév.-15 oct. – SC : **R** carte 100 à 145 – ☐ 20 – **23 ch** 100/350.

Lou Troupelen sans rest, chemin des Vendanges **(f)** ☎ 97.04.98, – wc ☎ ♿ **P**. GB ⓓ
1er avril-15 oct. – SC : ☐ 20 – **42 ch** 150/211.

Les Micocouliers sans rest, quartier Treizain par ① : 2 km ☎ 56.05.46, , – ▤ wc wc ☎ **P**. ✻
1er avril-15 oct. – SC : ☐ 19 – **22 ch** 150/390.

tourner →

Ermitage sans rest, av. P.-Signac **(a)** ✆ 97.01.52, ≤, – wc wc ☎ Ⓟ. AE ⓓ
15 mars-15 oct. – SC : ☐ 14 – **29 ch** 135/215.

Palmiers sans rest, 26 bd Vasserot **(t)** ✆ 97.01.61, – wc wc ☎ ♿.
SC : ☐ 17 – **22 ch** 85/160.

Lou Cagnard sans rest, av. P.-Roussel **(r)** ✆ 97.04.24, – wc wc ☎
fermé 15 nov. au 15 déc. – SC : ☐ 10 – **19 ch** 90/150.

Sube, 15 quai Suffren **(b)** ✆ 97.00.02, ≤ – wc wc ☎. AE GB ⓓ E
1er mars-15 nov. et du 15 nov. au 1er mars rest. seul. – SC : **R** 60/120 – ☐ 15 – **26 ch** 120/300.

XXX ✿ **Leï Mouscardins,** extrémité du port **(h)** ✆ 97.01.53, ≤ golfe –
1er fév.-1er nov. – **R** carte 110 à 150
Spéc. Langouste grillée, Bouillabaisse, St-Pierre. Vins St-Tropez, Gassin.

XX **L'Escale,** quai J.-Jaurès **(n)** ✆ 97.00.63, ≤ –
1er mars-1er nov. et 20 déc.-3 janv. – SC : **R** carte 95 à 140.

XX **Auberge des Maures,** 4 r. Dr Boutin **(k)** ✆ 97.01.50, « Décoration originale et terrasse ombragée » – AE
13 avril-30 sept. – **R** (dîner seul.) carte 110 à 150.

XX **Le Girelier,** au port **(u)** ✆ 97.03.87, ≤ –
fermé 1er janv. au 15 fév. – SC : **R** 40/70.

XX **Les Lices,** 3 pl. des Lices **(m)** ✆ 97.29.00 – ⓓ
fermé 1er au 15 fév., le midi de juin à sept. et merc. d'oct. à mai – **R** 70/120.

X **Laétitia-La Frégate** avec ch, 52 r. Allard **(s)** ✆ 97.04.02 – wc wc ☎. AE GB
avril-fin oct. – SC : **R** *(fermé merc. sauf juil. à sept.)* 60/95 – ☐ 14 – 16 ch 140/185 – P 140/160.

par ① et D 93 – ✉ **83350** Ramatuelle :

Dei Marres Ⓜ sans rest, à 3 km ✆ 97.26.68, ≤, – wc wc ☎ Ⓟ.
20 mars-5 oct. – SC : **12 ch** ☐ 150/310.

XX **Aub. des Vieux Moulins** avec ch, à 4 km ✆ 97.17.22 – wc ☎ Ⓟ. AE GB ⓓ
1er juin-20 sept. – SC : **R** (dîner seul.) 150 – ☐ 25 – **7 ch** 170/300.

Ouest par ① : 3,5 km – ✉ **83990** St-Tropez :

Mas de Chastelas Ⓜ , ✆ 56.09.11, parc, « Ancienne magnaneraie au milieu des vignobles », ⛱, 🎾 – ☎ Ⓟ. AE GB ⓓ. rest
Pâques-fin sept. – SC : **R** (dîner seul.) 150 – ☐ 28 – **19 ch** 300/550.

Le Motel de St-Tropez Ⓜ sans rest, ✆ 56.11.30, parc, ⛱ – wc ☎ Ⓟ. ⓓ.
1er mai-1er oct. – SC : ☐ 20 – **20 ch** 190/350.

à la Plage de Tahiti SE : 4 km – ✉ **83350** Ramatuelle :

La Figuière Ⓜ , ✆ 97.18.21, ≤, ⛱, , 🎾 – Ⓟ.
11 avril-fin sept. – **R** Grill carte environ 100 – **37 ch** ☐ 190/350.

St-Vincent Ⓜ sans rest, ✆ 97.42.48, ≤, ⛱ – TV ☎ ♿ Ⓟ
Pâques-6 nov. – SC : **16 ch** ☐ 280/345.

St-André Ⓜ sans rest, ✆ 97.21.54, – wc ☎ ♿ Ⓟ. .
19 avril-fin sept. – SC : ☐ 15 – **28 ch** 180/260.

La Ferme d'Augustin sans rest, ✆ 97.18.12, ≤, – wc wc ☎ Ⓟ. .
Pâques-1er oct. – SC : ☐ 18 – **30 ch** 200/260.

XX **Maeva,** ✆ 97.17.64 – Ⓟ
Pâques-nov. et 20 déc.-2 janv. – SC : **R** (dîner seul. en sem.) 120/150.

CITROEN Azzena, à Gassin ✆ 56.10.38
PEUGEOT Gar. L.-Blanc, bd L.-Blanc ✆ 97.00.03
Gar. Paoli, pl. Carnot ✆ 97.05.43

ST-USUGE 71 S.-et-L. **70** ⑬ – rattaché à Louhans.

ST-VAAST-LA-HOUGUE **50550** Manche **54** ③ **G. Normandie** – 2 269 h. – ⚙ 33.

⛳9 de Fontenay-sur-Mer S : 16 km.

Office de Tourisme Quai Vauban (15 juin-30 sept.) ✆ 54.41.37.

Paris 350 – Carentan 40 – ♦Cherbourg 30 – St-Lô 68 – Valognes 17.

France et Fuschias, r. Mar.-Foch ✆ 54.42.26, – wc ☎. GB ⓓ
fermé 10 au 31 janv. et lundi du 15 sept. au 15 mai sauf vacances scolaires – SC : **R** 32/120 – ☐ 14 – 16 ch 60/140 – P 110/160.

CITROEN, LANCIA-AUTOBIANCHI Gar. du Centre, à Quettehou ✆ 54.14.19
PEUGEOT Fesnien, ✆ 54.43.08
PEUGEOT Gar. du Port, ✆ 54.43.64
RENAULT Dujardin, à Quettehou ✆ 54.11.44 N

ST-VALÉRIEN 89150 Yonne 61 ⑬ – 1 231 h. – ✆ 86.

Paris 111 – Auxerre 63 – Nemours 32 – Sens 14.

✗ **Gatinais,** ☎ 88.62.78
fermé 7 au 30 sept., 9 au 28 fév., mardi et merc. – SC : **R** carte 80 à 125.

PEUGEOT Gar. Février, ☎ 88.61.05

ST-VALÉRY-EN-CAUX 76460 S.-Mar. 52 ③ **G. Normandie (plan)** – 3 347 h. – Casino – ✆ 35.

Voir Falaise d'Aval ≤★ O : 15 mn.

Syndicat d'Initiative pl. H. de Ville (avril-oct.) ☎ 97.00.63.

Paris 198 – Bolbec 42 – Dieppe 32 – Fécamp 32 – ♦Rouen 59 – Yvetot 30.

Terrasses, sur plage ☎ 97.11.22, ≤ – wc wc. GB
fermé 24 déc. au 1er fév. et vend. – SC : **R** 53/96 – 13 – **12 ch** 80/150 – P 130/175.

Bains, pl. Marché ☎ 97.04.32
fermé 1er déc. au 1er fév., dim. soir (sauf hôtel) et lundi – SC : **R** 40/65 – 8,50 – 13 ch 50/80.

✗ **Pigeon Blanc,** près vieille Église ☎ 97.03.55
fermé 10 janv. au 10 fév. et mardi sauf juil.-août – SC : **R** 28/72.

CITROEN Soudé, ☎ 97.01.88
PEUGEOT Gar. Central, ☎ 97.05.33

ST-VALLIER 26240 Drôme 77 ① **G. Vallée du Rhône** – 5 425 h. alt. 138 – ✆ 75.

Voir Défilé de St-Vallier★ SO.

Paris 530 – Annonay 21 – ♦St-Étienne 61 – Tournon 15 – Valence 33 – Vienne 40.

✗✗ **Terminus,** 116 av. J.-Jaurès, rte de Lyon ☎ 23.01.12 – P. AE GB
fermé du 10 au 24 août, mardi soir et merc. – SC : **R** 45/150.

✗✗ **Voyageurs** avec ch, 2 av. J.-Jaurès ☎ 23.04.42 – rest wc. AE GB
fermé 13 sept. au 4 oct., dim. soir et lundi du 1er nov. au 1er avril – SC : **R** (nombre de couverts limité - prévenir) 37/130 – 10,50 – **9 ch** 58/95.

à Sarras (07 Ardèche) O : 1,5 km par N 86C – ✉ **07370** Sarras – ✆ 75

Vivarais, av. Vivarais ☎ 23.01.88 – wc P
fermé fév. et mardi hors sais. – SC : **R** 35/90 – 10 – 10 ch 70/95.

Commerce, av. Vivarais ☎ 23.03.88 – wc. ch
fermé 12 oct. au 16 nov., dim. soir et lundi midi – SC : **R** 25/48 – 8 – **11 ch** 36/52.

CITROEN Gar. de la Brassière, ☎ 23.02.65
FIAT Gar. Fourel, à Sarras ☎ 23.13.68
RENAULT Cézard, rte Bleue à Sarras ☎ 23.03.56
RENAULT Martin-Nave, ☎ 23.13.34
RENAULT Trouiller, ☎ 23.07.78

ST-VALLIER-DE-THIEY 06460 Alpes-Mar. 84 ⑧, 195 ㉓ **G. Côte d'Azur** – 612 h. alt. 724 – ✆ 93.

Voir Pas de la Faye ≤★★ NO : 5 km – Col de la Lèque ≤★ SO : 5 km.

Paris 929 – Cannes 29 – Castellane 51 – Draguignan 61 – Grasse 12 – ♦Nice 51.

✗ Alpes, sur N 85 ☎ 42.70.18.

ST-VÉRAN 05490 H.-Alpes 77 ⑲ **G. Alpes** – 232 h. alt. 2 040 : la plus haute commune d'Europe – Sports d'hiver : 2 040/2 585 m 6, – ✆ 92.

Voir Village★★.

Syndicat d'Initiative (fermé sam. et dim. hors sais.) ☎ 45.82.21.

Paris 747 – Briançon 51 – Guillestre 32.

Grand Tétras M, ☎ 45.82.42, ≤ – wc wc P. rest
15 juin-14 sept. et 13 déc.-fin vacances scolaires de printemps – SC : **R** 38 – 14,50 – **21 ch** 84/180 – P 163/220.

ST-VINCENT 64 Pyr.-Atl. 85 ⑦ – rattaché à Pontacq.

ST-VINCENT-DE-MERCUZE 38 Isère 77 ⑤ – 543 h. alt. 346 – ✉ **38660** Le Touvet – ✆ 76.

Paris 587 – Allevard 16 – Chambéry 27 – ♦Grenoble 32.

Aub. St-Vincent, ☎ 08.46.97 – wc.
fermé 28 juin au 7 juil., 17 août au 7 sept., dim. soir et lundi sauf juil. et août – SC : **R** 55/80 – 14 – **18 ch** 100 – P 130/170.

ST-VINCENT-DE-TYROSSE 40230 Landes 78 ⑰ G. Côte de l'Atlantique – 4 063 h. alt. 23 – 58.

Paris 715 – •Bayonne 25 – Dax 24 – Mont-de-Marsan 72 – Pau 95 – Peyrehorade 24.

Côte d'Argent M, rte Hossegor ☎ 77.02.16, – wc wc P.
SC : **R** *(fermé sam. soir et dim. soir du 1er oct. au 31 mars)* (dîner seul.) – 22 ch.

Touristes, N 10 (face arènes) ☎ 77.03.28, – wc wc P
1er nov. au 31 janv. : fermé dim. soir (sauf hôtel) et sam. soir – SC : **R** 28/75 – 8,50 – 10 ch 44/85 – P 78/95.

XXX ✿ **Le Hittau** (Janjo), ☎ 77.11.85, « Ancienne bergerie dans un jardin fleuri » – P. AE GB
fermé 15 fév. au 1er avril, dim. soir d'oct. à mai et lundi sauf juil.-août – SC : **R** carte 100 à 145
Spéc. Emincé de pigeonneau aux pêches, Filets de sole aux courgettes, Foie frais chaud au vinaigre de Xérès.

RENAULT Darrigade, ☎ 77.03.33 — Comptoir Landais Pneu, ☎ 77.00.88

ST-VINCENT-DU-LOROUËR 72 Sarthe 64 ④ G. Châteaux de la Loire – 775 h. alt. 84 – ✉ 72150 Le Grand Lucé – 43.

Paris 221 – La Flèche 54 – •Le Mans 32 – •Tours 54 – Vendôme 55.

XX **Aub. Hermitière,** aux sources de l'Hermitière : SO par D 304 et D 137 ☎ 44.84.45, ← – P. AE
fermé janv., fév., mardi, merc. et jeudi d'oct. à mars, mardi soir et merc. d'avril à sept. – SC : **R** 55/85.

CITROEN Gar. Gérault, ☎ 44.84.01

ST-VINCENT-SUR-JARD 85 Vendée 67 ⑪ G. Côte de l'Atlantique – 452 h. alt. 10 – ✉ 85520 Jard-sur-Mer – 51.

Syndicat d'Initiative r. Clemenceau (juil.-août et fermé dim.) ☎ 33.41.37.

Paris 446 – Challans 67 – Luçon 32 – La Roche-sur-Yon 33 – Les Sables-d'Olonne 22.

Bon Accueil et Résidence (annexe 16 ch wc), pl. Église ☎ 33.41.88 – wc P – 30 à 50. AE E
1er mars-31 oct. et fermé lundi soir et mardi hors sais. – SC : **R** 30/75 – 10 – 35 ch 50/100 – P 107/149.

X **Chalet St Hubert** avec ch (annexe 10 ch), rte Jard ☎ 33.40.33 – wc wc P. AE GB
fermé 12 nov. au 15 déc., vacances de fév., mardi soir et merc. hors sais. – SC : **R** 28/70 – 9 – 20 ch 40/110 – P 85/125.

ST-VIT 25410 Doubs 66 ⑭⑮ – 1 947 h. alt. 251 – 81.

Paris 391 – •Besançon 18 – Dole 28 – Gray 39 – Pontailler-sur-Saône 40 – Salins-les-Bains 37.

XX **Soleil d'Or** avec ch, ☎ 87.71.40, – . ch
fermé 20 au 29 juin, 20 déc. au 1er fév., lundi soir hors sais. et mardi – SC : **R** 48/120 – 12 – 7 ch 72/140.

XX **Le Tisonnier,** E : 5 km sur N 73 ☎ 55.10.01 – P
fermé 1er au 20 juil. et mardi – SC : **R** 40/60 .

CITROEN Faivre-Naudot, ☎ 87.70.60

ST-WANDRILLE-RANÇON 76 S.-Mar. 55 ⑤ – 1 268 h. alt. 25 – ✉ 76490 Caudebec-en-Caux – 35 – **Voir Abbaye**★★ **(chant grégorien), G. Normandie.**

Paris 167 – Barentin 18 – Duclair 15 – Lillebonne 20 – •Rouen 35 – Yvetot 14.

XX **Aub. Deux Couronnes,** ☎ 96.11.44, « Maison normande ancienne » – GB
fermé 1er au 15 sept., 1er au 21 fév., dim. soir en hiver et lundi – SC : **R** 55/70 .

ST-YRIEIX-LA-PERCHE 87500 H.-Vienne 72 ⑰ G. Périgord – 7 828 h. alt. 369 – 55.
Voir Collégiale du Moûtier★ B.

Office de Tourisme pl. Nation (1er juil.-31 août et fermé dim.) ☎ 75.94.60.

Paris 435 ① – Brive 62 ③ – •Limoges 41 ① – Périgueux 62 ④ – Rochechouart 52 ⑤ – Tulle 74 ②.

Plan page ci-contre

à l'étang de Puymoreau par ③ : 4 km – ✉ 87500 St-Yrieix-la-Perche :

X **Vieux Moulin,** ☎ 75.08.21, ← –
fermé merc. – SC : **R** 27/56.

à la Roche l'Abeille par ① : 12 km – ✉ 87800 Nexon :

✿ **Moulin de la Gorce** (Bertranet) , S : 2 km par D 17 ☎ 00.70.66, ←, « En bordure d'étang, parc » – TV wc ☎ P. GB
fermé janv. et dim. soir sauf du 15 juin au 30 sept. – SC : **R** carte 110 à 145 – 18 – **6 ch** 180/230 – P 250/280
Spéc. Suivant produits de saison.

ST-YRIEIX-LA-PERCHE

Hôtel-de-ville (Bd de l') 12

Attane (Pl.) 2
Condamy (R.) 3
Dr. Lemoyne (Av.) 5
Ferry (Av. Jules) 6
Gambetta (Av.) 7
Gare (Av. de la) 8
Gutenberg (Av.) 9
Limoges (Av. de) 14
Loménie (R. de) 15
Marceau (Av.) 16
Marché (R. du) 18
Nation (Pl. de la) 19
Pont-las-Bordas (R. du) 21
Poterne (R. de la) 22
République (Pl. de la) 24
Timbault (Av.) 25
4-Septembre (Pl.) 27
63ᵉ Régiment d'Infanterie (R. du) 28

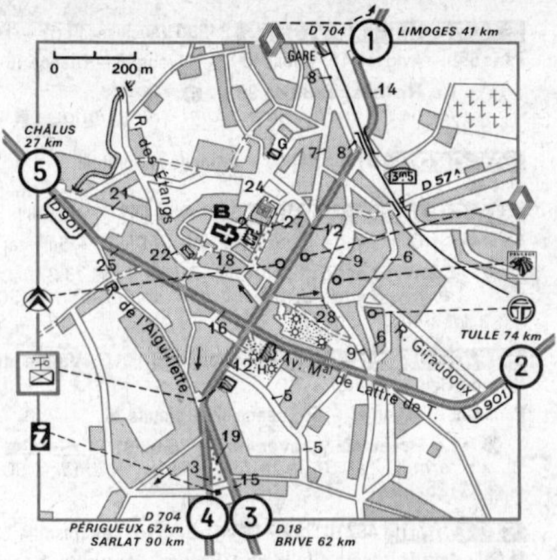

Pour un bon usage des plans de villes, voir les signes conventionnels p. 20.

CITROEN Lenfant, 40 bd Hôtel de Ville ☎ 75.00.30
PEUGEOT Bosselut, 21 av. Gutenberg ☎ 75.00.23
RENAULT Saint-Yrieix Autom., rte de Limoges ☎ 75.90.80
RENAULT Faurel, 9 bis bd Hôtel de Ville ☎ 75.10.70
TALBOT Fitte, 25 av. J.-Ferry ☎ 75.07.06

ST-ZACHARIE **83640** Var **84** ⑭ – 1 725 h. alt. 282 – ✪ 42.

Paris 791 – Aix-en-Provence 32 – ♦Marseille 33 – ♦Toulon 61.

Le Ratelier, ☎ 72.91.39 – ⋔ – 8 ch.

STE-ADRESSE **76** S.-Mar. **55** ③ – rattaché au Havre.

STE-AGNÈS **06** Alpes-Mar. **84** ⑩⑳, **195** ㉘ – rattaché à Menton.

STE-ANNE-D'AURAY **56** Morbihan **63** ② **G. Bretagne** – 1 502 h. alt. 34 – ✉ **56400** Auray – ✪ 97.

Voir Trésor★ de la basilique – Pardon (25 et 26 juil.).

Paris 475 – Auray 6 – Hennebont 30 – Locminé 27 – Lorient 39 – Quimperlé 53 – Vannes 16.

Croix Blanche, 25 r. Vannes ☎ 57.64.44, – wc ⋔wc ☎ **P**. .
fermé 2 janv. au 15 fév., mardi soir et merc. d'oct. à juin – SC : **R** 45/78 – ☕ 15 – 16 ch 120/134 – P 160/210.

Paix, 26 r. Vannes ☎ 57.65.08 – ⋔
mars-nov. et fermé lundi soir (sauf rest) et mardi – SC : **R** 35/60 – ☕ 8,50 – **16 ch** 41/60.

Annexe le Myriam **M** , r. Parc ☎ **57.70.44** – wc ☎ **P**
Pâques-sept. – SC : ☕ 9 – **30 ch** 100/130.

✕✕ **L'Auberge** avec ch, 56 r. Vannes ☎ 57.61.55 – ⋔ **P**. **E**. ch
fermé 15 janv. au 10 mars et lundi – SC : **R** 40/80 – ☕ 12 – 10 ch 45/75 – P 100/120.

RENAULT Josset, ☎ 57.64.13

STE-ANNE-DU-CASTELLET **83** Var **84** ⑭ – rattaché au Castellet.

STE-ANNE-LA-PALUD (Chapelle de) **29** Finistère **58** ⑭ **G. Bretagne** – alt. 65 – ✪ 98.

Voir Pardon (fin août).

Paris 567 – ♦Brest 66 – Châteaulin 19 – Crozon 38 – Douarnenez 16 – Plomodiern 11 – Quimper 25.

❀ **Plage** (Mme Le Coz) , à la plage ✉ 29127 Plomodiern ☎ 92.50.12, ←, , – **P**. **AE** **GB** **O**. rest
3 avril-30 sept. – SC : **R** 92/180, dîner à la carte – ☕ 20 – 28 ch 220/300 – P 250/325
Spéc. Bar au vert de laitue, Turbot au beurre blanc, Charlotte aux pommes.

STE-APPOLINE **78** Yvelines **60** ⑨, **96** ⑭ – rattaché à Pontchartrain.

La STE-BAUME **83** Var **84** ⑭ **G. Provence** – alt. 670 – ✉ **83640** St-Zacharie – ✪ 94.

Env. Forêt de la Ste-Baume★★ au SE de l'Hôtellerie.

Paris 796 – Nans-les-Pins 12.

Ressources hôtelières : voir à *Nans-les-Pins*

STE-CÉCILE-LES-VIGNES **84290** Vaucluse 81 ② – 1 652 h. alt. 106 – ✪ 90.

Paris 651 – Avignon 47 – Bollène 12 – Nyons 26 – Orange 16 – Vaison-la-Romaine 22.

XXX **Le Relais,** ☎ 30.84.39 – Ⓟ. ✂
fermé mi fév. à mi mars, dim. soir et lundi – **R** 45/110.

STE-CROIX 01 Ain 74 ② – rattaché à Montluel.

STE-CROIX-AUX-MINES 68 H.-Rhin 62 ⑱ – 2 338 h. alt. 314 – ✉ **68160** Ste-Marie – ✪ 89.

Paris 413 – Colmar 40 – Ribeauvillé 23 – St-Dié 25 – Sélestat 18.

XX **Central** avec ch, 41 r. M.-Burus ☎ 58.73.27 – wc. GB ⓓ. ✂
fermé 15 sept. au 15 oct. dim. soir et lundi – SC : **R** 50/160 – ☕ 12 – **9 ch** 50/120 – P 100/150.

STE-CROIX-EN-JAREZ 42 Loire 73 ⑲ **G. Vallée du Rhône** – 310 h. alt. 420 – ✉ **42800** Rive-de-Gier – ✪ 77.

Paris 509 – ♦Lyon 47 – St-Étienne 32 – Vienne 36.

X **Le Prieuré** avec ch, ☎ 75.06.91 – . GB E. ✂ ch
fermé 17 au 31 août, 17 au 28 fév. et lundi – SC : **R** 37/97 – ☕ 12 – **4 ch** 96/116 – P 125/140.

STE-ÉNIMIE **48210** Lozère 80 ⑤ **G. Causses (plan)** – 636 h. alt. 470 – ✪ 66.

ℹ Office de Tourisme à la Mairie (Pâques, Pentecôte, 1er juin-30 sept. et fermé dim. après-midi) ☎ 48.50.09.

Paris 599 – Florac 27 – Mende 28 – Meyrueis 29 – Millau 56 – Sévérac-le-Château 46 – Le Vigan 86.

Château de la Caze : voir à La Malène.

Burlatis Ⓜ sans rest, ☎ 48.52.30 – wc wc ☎. ✂
17 avril-1er oct. – SC : ☕ 10 – **15 ch** 100/120.

Paris, ☎ 48.50.02, ≤ – wc ☎ Ⓟ.
15 mai-1er oct. – SC : **R** 35/80 – ☕ 12 – **20 ch** 75/120.

Commerce, ☎ 48.50.01, ≤ – wc ☎ .
1er avril-15 oct. – SC : **R** *(fermé lundi midi hors sais.)* 30/60 – ☕ 13 – **20 ch** 60/120 – P 130/170.

STE-FOY 71 S.-et-L. 73 ⑧ – 163 h. alt. 478 – ✉ **71110** Marcigny – ✪ 85.

Paris 392 – Charolles 36 – Chauffailles 24 – Digoin 33 – Lapalisse 46 – Mâcon 73 – Roanne 34.

Le Brionnais, ☎ 25.83.27 – ☎ Ⓟ
fermé fév. et lundi sauf du 1er juin au 31 août – SC : **R** 25/68, carte le dim. soir – ☕ 8 – **7 ch** 35/55 – P 71.

STE-FOY-LA-GRANDE **33220** Gironde 75 ⑬⑭ **G. Côte de l'Atlantique** – 3 577 h. alt. 20 – ✪ 56.

ℹ Office de Tourisme à la Mairie (fermé matin, vend. et dim.) ☎ 46.03.00.

Paris 557 ① – ♦Bordeaux 70 ⑤ – Langon 57 ④ – Marmande 44 ③ – Périgueux 64 ①.

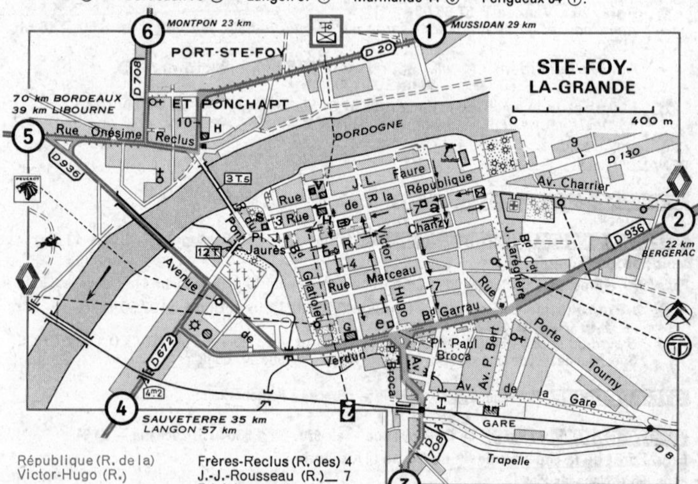

République (R. de la)
Victor-Hugo (R.)
Coreille (Allées de) 3
Frères-Reclus (R. des) 4
J.-J.-Rousseau (R.) 7
Résistance (Av.) 9
Tricoche (R.E.) 10

Gd Hôtel, 117 r. République **(a)** ☎ **46.00.08** – wc ☎ . AE GB E
fermé 3 au 10 janv., 4 au 11 oct., dim. soir et lundi midi – SC : **R** 40/160 – 12 – **18 ch** 93/150.

Victor Hugo M sans rest, 103 r. V.-Hugo **(e)** ☎ **46.18.03** – wc wc ☎ .
SC : 10 – **12 ch** 70/100.

Boule d'Or, pl. J.-Jaurès **(s)** ☎ **46.00.76** – wc wc ☎ – 25. . ch
fermé 1er au 15 sept., 20 déc. au 20 fév. et lundi sauf juil. et août – SC : **R** 32/70 – 8,50 – **25 ch** 42/90.

Vieille Auberge avec ch, r. Pasteur **(v)** ☎ **46.04.78** – . ch
fermé 15 nov. au 10 déc., dim. soir et lundi – SC : **R** 35/110 – 9 – 7 ch 40/70 – P 110/130.

CITROEN Gouneau, à Pineuilh ☎ 46.10.92
DATSUN Héritier, ☎ 46.07.63 N ☎ 46.34.75
FIAT Marzelle, ☎ 46.02.15
FORD Angelini, ☎ 46.08.22
PEUGEOT A.C.A.L., à Pineuilh ☎ 46.00.61
RENAULT Angelini, à Pineuilh ☎ 46.07.30
RENAULT Daniel, ☎ 46.01.63
TALBOT Centre-auto ☎ 46.01.24

STE-FOY-TARENTAISE 73640 Savoie 74 ⑲ – 593 h. alt. 1 051 – 79.
Paris 673 – Chambéry 114 – Moûtiers 39 – Val d'Isère 19.

Le Monal M, ☎ 07.01.05, ← – wc wc ☎
1er juin-30 sept. et 15 nov.-1er mai – SC : **R** 35/50 – 11 – **27 ch** 65/120 – P 95/120.

STE-GEMME-MORONVAL 28 E.-et-L. 60 ⑦ – rattaché à Dreux.

STE-GENEVIÈVE-SUR-ARGENCE 12420 Aveyron 76 ⑬ – 1 063 h. alt. 800 – 65.
Env. Barrage de Sarrans N : 8 km, G. Auvergne.**
Syndicat d'Initiative à la Mairie (fermé dim.) ☎ 66.41.46.
Paris 559 – Aurillac 59 – Chaudes-Aigues 37 – Espalion 47 – Mende 114.

Voyageurs, ☎ **66.41.03,** – wc wc
fermé 18 sept. au 6 oct. et dim. soir du 1er nov. à Pâques – SC : **R** 30/55 – 10 – 17 ch 40/80 – P 75/95.

STE-HERMINE 85210 Vendée 67 ⑮ – 2 307 h. alt. 30 – 51.
Paris 416 – Fontenay-le-Comte 22 – ♦Nantes 89 – La Roche-sur-Yon 34 – Les Sables-d'Olonne 61.

Relais de la Marquise, ☎ **30.00.11** – .
fermé oct., vend. soir et sam. – SC : **R** 30/65 – 10 – 12 ch 45/65.

STE-LIVRADE 47110 L.-et-G. 79 ⑤ – 6 016 h. alt. 53 – 58.
Voir Fongrave : retable* de l'église O : 5 km, G. Côte de l'Atlantique.
Syndicat d'Initiative à la Mairie (fermé jeudi et sam. après-midi et dim.) ☎ 01.04.76.
Paris 622 – Agen 39 – Marmande 43 – Nérac 49 – Tonneins 26 – Villeneuve-sur-Lot 9,5.

Midi, ☎ **01.00.32** – rest wc wc ☎ . .
fermé 20 déc. au 20 mars – SC : **R** 35/59 – 10 – **15 ch** 85/120 – P 80/110.

au NO : **9 km par D 667** – **47380** Monclar d'Agenais :

Le Teysset, SO : 3,5 km ☎ **79.95.56** – . AE GB
fermé 15 janv. à fin fév. et jeudi – **R** 32/95.

FIAT Boudou, bd du Nord ☎ 01.02.09
LANCIA-AUTOBIANCHI S.E.D.E.A.C., rte de Villeneuve ☎ 01.05.70
PEUGEOT Gar. Getto, bd du Nord ☎ 01.01.15
TALBOT Gar. de la Poste, r. Téron ☎ 01.04.77 N

STE-MARGUERITE (Ile) ** 06 Alpes-Mar. 84 ⑨, 195 ㉟㊴ **G. Côte d'Azur** – **06400** Cannes – 93.
Voir Forêt – ←* de la terrasse du Fort-Royal.**
Accès par transports maritimes :.
depuis **Cannes**. En 1980 : du 1er avril au 30 sept. 6 départs quotidiens, hors saison : 4 départs quotidiens - Traversée 15 mn - 9,50 F (AR) - par Cie Esterel-Chanteclair, gare maritime des Iles ☎ 39.11.82 (Cannes).
depuis **Golfe-Juan et Juan-les-Pins.** En 1980 : de mars à fin oct., 3 à 5 départs quotidiens dans les deux sens - Traversée 25 mn – 16 F (AR) - René Conte, port de Golfe-Juan ☎ 63.81.31.

STE-MARGUERITE 76 S.-Mar. 52 ④ – rattaché à Varengeville-sur-Mer.

STE-MARIE 44 Loire-Atl. 67 ① – rattaché à Pornic.

STE-MARIE-AUX-MINES 68160 H.-Rhin 62 ⑱ G. Vosges – 6 874 h. alt. 360 – ✪ 89.

Tunnel de Ste-Marie-aux-Mines : Péage aller simple : autos 10 F, camions 20 à 40 F - Tarifs spéciaux AR pour autos et camions.

Office de Tourisme 1 pl. Gare (fermé merc. et dim. hors saison) ☎ 58.80.50, Télex 880200.

Paris 411 – Colmar 34 – Ribeauvillé 19 – St-Dié 23 – Sélestat 22.

Cromer, 185 r. Mar.-de-Lattre-de-Tassigny ☎ 58.70.19 – wc wc – 30 à 60. rest
fermé lundi – SC : **R** *(fermé dim. soir et lundi)* 40/106 – 11 – **21 ch** 40/102 – P 108/130.

CITROEN Vogel, 176 r. Clemenceau ☎ 58.74.73 N
FORD Gar. Schroth, Echery N° 2 ☎ 58.71.06
PEUGEOT Moeglen, 10 r. Wilson ☎ 58.70.40

STE-MARIE-DE-CAMPAN 65 H.-Pyr. 85 ⑲ – alt. 857 – ✉ **65200** Bagnères-de-Bigorre – ✪ 62.

Env. ✵★★★ du col d'Aspin SE : 13 km, G. Pyrénées.

Paris 804 – Arreau 26 – Bagnères-de-Bigorre 12 – Luz-St-Sauveur 35 – Tarbes 33.

Chalet H., NO : 1 km sur D 935 ☎ 95.85.64, ≤, parc, – wc wc rest
1er juin-30 sept. et 15 déc.-30 avril – SC : **R** 40/100 – 11 – 25 ch 67/143 – P 120/170.

à Campan N : 5 km par D 935 – ✉ **65200** Bagnères-de-Bigorre :

Beauséjour, ☎ 95.35.30 –
fermé oct. et lundi – SC : **R** 28/50 – 8,50 – 12 ch 35/66 – P 88/95.

à Payolle, au bord du lac par N 618 et VO : 9 km – alt. 1 070 – ✉ **65200** Bagnères-de-Bigorre :

Arcoch, ☎ 95.85.76, ≤, – wc
fermé 12 mai au 3 juin et 13 oct. au 30 nov. – SC : **R** 35/62 – 10 – 18 ch 70/110 – P 125/140.

STE-MARIE-DE-GOSSE 40750 Landes 78 ⑰ – 765 h. alt. 40 – ✪ 59.

Paris 725 – ♦Bayonne 24 – Dax 27 – Mont-de-Marsan 79 – Peyrehorade 14.

Les Routiers, sur N 117 ✉ 40390 St-Martin-de-Seignanx ☎ 56.32.02 – ch
fermé 10 oct. au 10 nov. et sam. – SC : **R** 26/65 – 8 – **15 ch** 34/54 – P 75/84.

STE-MARIE-DE-RÉ 17 Char.-Mar. 71 ⑫ – rattaché à Ré (Ile de).

STE-MARIE-DE-VARS 05 H.-Alpes 77 ⑱ – rattaché à Vars.

STES-MARIES-DE-LA-MER – voir après Saintes.

STE-MARINE 29 Finistère 58 ⑮ – ✉ **29120** Pont-l'Abbé – ✪ 98.

Paris 561 – Bénodet 5,5 – Concarneau 26 – Pont-l'Abbé 9,5 – Quimper 19.

Le Jeanne d'Arc (Fargette) avec ch, ☎ 56.32.70 –
fermé 15 sept. au 15 nov., lundi soir et mardi – SC : **R** carte 100 à 130 – 10 – 10 ch 62/82
Spéc. Gratinée de langoustines, Jardinière de homard Bressane, Gâteau glacé.

STE-MAURE-DE-TOURAINE 37800 I.-et-L. 68 ④⑤ G. Châteaux de la Loire – 4 016 h. alt. 72 – ✪ 47.

Paris 271 – Le Blanc 69 – Châtellerault 35 – Chinon 33 – Loches 31 – Thouars 71 – ♦Tours 37.

Veau d'Or, 13 r. Dr Patry ☎ 65.40.41 – wc
fermé fév. et mardi – SC : **R** 30/65 – 8 – 11 ch 45/70 – P 70/90.

La Gueulardière avec ch, rte Nationale ☎ 65.40.71 – GB
fermé oct. et lundi – **R** 30/130 – 9,50 – 15 ch 40/100.

à Pouzay S : 8 km – ✉ **37800** Ste-Maure-de-Touraine :

Gardon Frit, ☎ 65.21.81
fermé 1er au 15 sept., mardi soir et merc. – SC : **R** 35/88

CITROEN Bou, à Noyant ☎ 65.82.18 N
CITROEN Gar. Rico, ☎ 65.40.46 N
FORD Gar. Picouleau, ☎ 65.41.75 N
PEUGEOT Saint-Aubin, ☎ 65.40.85 N
RENAULT Esnault, ☎ 65.41.13
TALBOT Duport, à Pouzay ☎ 65.21.89

STE-MAXIME 83120 Var 84 ⑰ G. Côte d'Azur – 6 882 h. – Casino A – ✪ 94.

Voir Sémaphore ✵★ N : 1,5 km.

de Beauvallon ☎ 96.16.98 par ③ : 4 km.

Office de Tourisme (fermé dim. sauf matin en saison) avec A.C. Promenade Simon-Lorière ☎ 96.14.19, Télex 970080.

Paris 879 ① – Aix-en-Provence 122 ① – Cannes 61 ② – Draguignan 36 ① – ♦Toulon 73 ③.

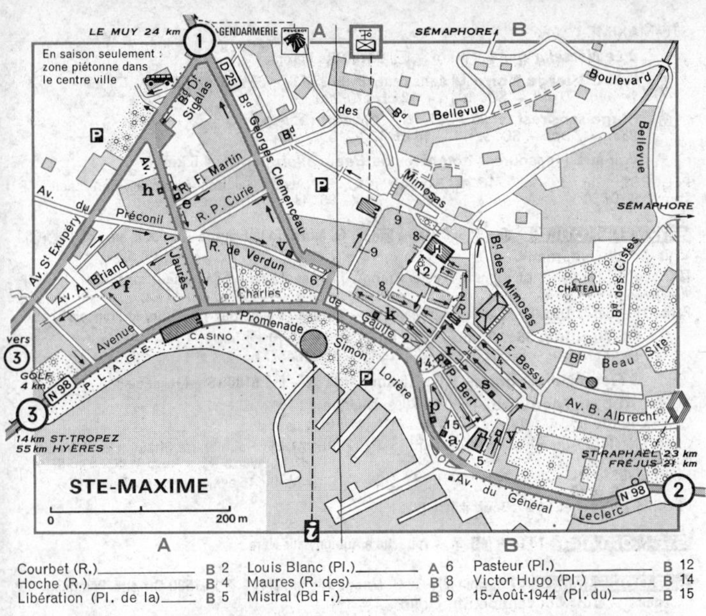

Courbet (R.) B 2 · Hoche (R.) B 4 · Libération (Pl. de la) B 5 · Louis Blanc (Pl.) A 6 · Maures (R. des) B 8 · Mistral (Bd F.) B 9 · Pasteur (Pl.) B 12 · Victor Hugo (Pl.) B 14 · 15-Août-1944 (Pl. du) B 15

Belle Aurore, La Croisette par ③ ℱ 96.02.45, « En bordure de mer, ≤, » – Ⓟ
1er mars-31 oct. – **R** *(fermé jeudi du 1er mars à Pâques)* 110 – ☕ 18 – 18 ch 200/300 – P 280/350.

Résidence Brutus sans rest, bd Mer par ③ ℱ 96.13.55, ≤ mer – |♦| AE
28 fév.-5 nov. – SC : ☕ 22 – **49 ch** 110/270.

Calidianus M sans rest, quartier de la Croisette par ③ : 1 km ℱ 96.23.21, ≤, – wc ☎ Ⓟ.
SC : ☕ 20 – **25 ch** 200/220.

Muzelle-Montfleuri, bd Montfleuri par ② ℱ 96.19.57, ≤, – |♦| wc wc ☎ Ⓟ. rest
20 mars-15 oct. – SC : **R** 60/70 – ☕ 12 – **31 ch** 140/180 – P 170/225.

''La Croisette'' Résidence sans rest, bd Romarins par ③ ℱ 96.17.75, ≤, – |♦| wc wc ☎ Ⓟ. rest
10 mars-10 nov. – SC : ☕ 13 – **20 ch** 134/200.

Royal Bon Repos sans rest, r. J.-Aicard ℱ 96.08.74 – cuisinette TV wc ☎ Ⓟ. AE Ⓓ — B **y**
4 avril-31 oct. – SC : ☕ 15 – **23 ch** 123/195.

Le Revest, av. J.-Jaurès ℱ 96.19.60 – wc wc ☎. — A **h**
hôtel : Pâques-10 oct., rest. : 15 mai-30 sept. – SC : **R** 38/67 – ☕ 9,50 – 26 ch 90/130 – P 160/200.

L'Ensoleillée, av. J.-Jaurès ℱ 96.02.27 – wc wc ☎. — A **e**
Pâques-1er oct. – SC : **R** *(fermé sam.)* 45/70 – ☕ 11 – 29 ch 60/125 – P 110/140.

Préconil sans rest, bd A.-Briand ℱ 96.01.73 – wc ☎ — A **f**
1er mars-fin nov. – SC : ☕ 11 – **20 ch** 75/150.

L'Esquinade, sur le port ℱ 96.01.65, Produits de la mer – Ⓓ — B **p**
fermé 5 nov. au 15 déc. et merc. – SC : **R** carte 110 à 180.

✿ **La Gruppi,** av. Ch.-de-Gaulle ℱ 96.03.61, ≤, Produits de la mer – — B **k**
fermé oct. et lundi – SC : **R** (nombre de couverts limité - prévenir) carte 100 à 140
Spéc. Bouillabaisse, Bourride, Chapon farci. Vins Château Minuty, Vidauban.

Hermitage, sur le port ℱ 96.17.77 — B **a**
SC : **R** carte 80 à 110.

Sans Souci, r. Paul-Bert ℱ 96.18.26 — B **s**
1er avril-5 oct. – SC : **R** 42/49.

La Réserve, pl. Victor-Hugo ℱ 96.18.32 – — B **r**
1er-26 avril et 23 mai-11 oct. – SC : **R** 50/70.

Chez Michel, pl. Louis-Blanc ℱ 96.02.16 – GB — A **v**
fermé janv., fév. et lundi – SC : **R** 37/48.

à La Nartelle par ② : 4 km – ✉ **83120** Ste-Maxime :

Host. Vierge Noire Ⓜ sans rest, ☏ 96.33.11 – wc ☎ Ⓟ. AE ⓓ
1er avril-30 oct. – SC : ☕ 18 – **12 ch** 170/200.

Plage sans rest, ☏ 96.14.01, ≤ – wc ☎ Ⓟ.
23 mai-7 oct. – SC : ☕ 11 – **18 ch** 122/215.

Voir aussi ressources hôtelières de ***Beauvallon*** par ③ : 4,5 km

PEUGEOT Gar. du Golfe, 15 rte Plan-de-la-Tour ☏ 96.07.30
RENAULT Gar. de l'Arbois, av. Gén.-Leclerc ☏ 96.14.03

STE-MENEHOULD 51800 Marne 56 ⑲ **G. Nord de la France** – 6 096 h. alt. 139 – 26.
Voir ≤★ du "château".

Office de Tourisme pl. Général-Leclerc (après-midi seul., fermé sam. sauf saison et dim.) ☏ 60.85.83.

Paris 221 – Bar-le-Duc 48 – Châlons-sur-Marne 46 – ♦Reims 78 – Verdun 47 – Vitry-le-Francois 51.

St-Nicolas, 36 r. Chanzy ☏ 60.80.59 – wc ☎.
fermé mardi – SC : **R** 37/75 – ☕ 12 – **15 ch** 45/71.

à Florent-en-Argonne NE : 7,5 km par D 85 – ✉ **51800** Ste-Menehould :

Aub. la Menyère, ☏ 60.93.70, « Maison du 16e s. » –
fermé fév. et lundi – SC : **R** 27, carte le dim.

CITROEN N 3 Automobile, rte de Verdun ☏ 60.83.57 N
MERCEDES-BENZ, OPEL Gar. Garet, 49 r. Florion ☏ 60.81.38 N
PEUGEOT Crochet, 61 av. Bournizet ☏ 60.84.78
RENAULT Roudier, rte Chalons ☏ 60.80.80
TALBOT Pillard, N 3 à Auve ☏ 60.25.46 N
Chardeville, 15 av. Kellermann ☏ 60.81.06

STE-MONTAINE 18 Cher 64 ⑳ – rattaché à Aubigny-sur-Nère.

STE-ODILE (Mont) 67 B.-Rhin 62 ⑨ **G. Vosges** – alt. 761 – ✉ **67530** Ottrott - Pèlerinage 13 décembre – **Voir** Couvent de Ste-Odile★ : ✻★★.

Paris 435 – Molsheim 23 – Sélestat 28 – ♦Strasbourg 42.

STE-RADEGONDE 79 Deux-Sèvres 67 ⑦ ⑧ – rattaché à Thouars.

SAINTES 17100 Char.-Mar. 71 ④ **G. Côte de l'Atlantique** – 28 403 h. alt. 27 – 46.
Voir Vieille ville★ AZ – Arènes★ Y **B** – Église St-Eutrope : crypte★★ AZ **D** – Abbaye aux Dames : église Ste-Marie★ BZ **B** – Cathédrale St-Pierre★ AZ **E** – Arc de Germanicus★ BZ **F** – Musée des Beaux-Arts★ AZ **M2**.

9 de Hautmont ☏ 74.27.61 par ② : 3 km.

☏ 74.00.77.

Office de Tourisme Esplanade A.-Malraux (fermé sam. après-midi et dim. hors saison) ☏ 74.23.82 T.C.F. pl. Bassompière ☏ 93.06.60.

Paris 461 ② – ♦Bordeaux 118 ⑤ – Niort 72 ② – Poitiers 127 ② – Rochefort 40 ⑨ – Royan 37 ⑦.

Plan page ci-contre

Commerce Mancini , r. des Messageries ☏ 93.06.61, Télex 791012 – . AE GB ⓓ E — AZ **e**
fermé 15 déc. au 15 janv. – SC : **R** *(fermé sam. d'oct. à juin)* 50/95 – ☕ 14 – **44 ch** 80/160, 5 appartements 175.

Relais du Bois St-Georges Ⓜ sur D 137 ☏ 93.50.99, ≤, parc – TV ☎ Ⓟ – 90. — Y **d**
SC : **R** *(fermé 1er au 23 juil., dim. soir et lundi)* 56 – ☕ 20 – **21 ch** 70/200.

Les Bosquets Ⓜ , rte Rochefort par ⑦ : 2 km ☏ 74.04.47, – wc wc ☎ Ⓟ. GB — Y **b**
hôtel fermé 20 déc. au 10 janv. et dim. soir du 1er nov. au 30 avril – SC : **R** Grill 32 bc – ☕ 15 – **35 ch** 115/150.

Messageries sans rest, r. Messageries ☏ 93.64.99 – wc wc ☎ . GB — AZ **r**
fermé 24 déc. au 3 janv. – SC : ☕ 12 – **38 ch** 66/120.

Avenue Ⓜ, 116 av. Gambetta ☏ 74.16.85 – wc wc ☎ Ⓟ – 60. ch — BZ **s**
fermé oct. et lundi – SC : **R** voir Brasserie Louis – ☕ 10,50 – **15 ch** 65/95.

France et rest. Chalet, pl. Gare ☏ 93.01.16, – wc ☎ – 25 à 120. GB E — BZ **a**
fermé 6 nov. au 6 déc. – SC : **R** *(fermé vend. de déc. à Pâques)* 30/80 – ☕ 10 – **30 ch** 55/120.

Brasserie Louis, 116 av. Gambetta ☏ 74.16.85 – Ⓟ — BZ **s**
fermé oct. et lundi – SC : **R** 38/68 .

rte de Rochefort par ⑦ : 6 km – ✉ **17100** Saintes :

La Vieille Forge, N 137 ☏ 93.33.30, – Ⓟ
fermé 4 au 24 juin, 2 au 13 janv. et mardi – SC : **R** 48/90.

SAINTES

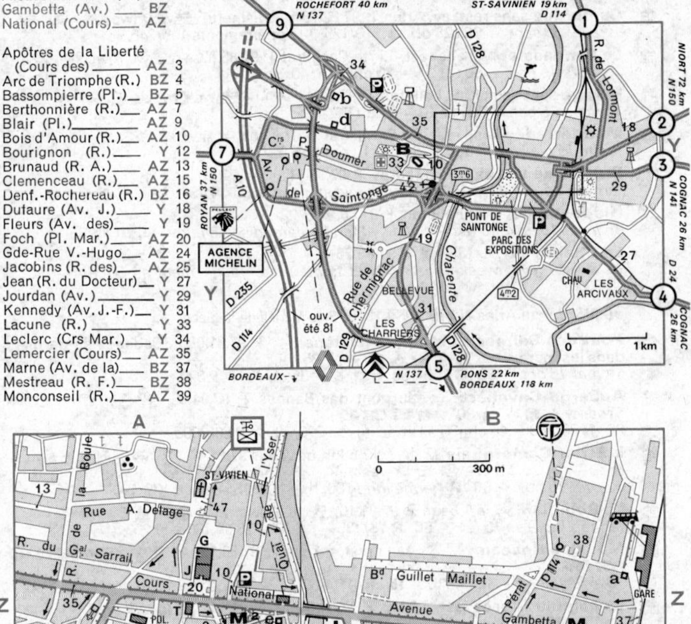

dans la Vallée de la Charente par ④ : 10,5 km – ✉ **17610** Chaniers :

✕ **Relais d'Orlac,** ☎ 91.00.77, ⋞ – Ⓟ. GB
fermé fév. et jeudi – SC : **R** 45/90.

MICHELIN, Agence, Z. I., 4 r. de l'Ormeau de Pied Y ☎ **74.08.29**

AUDI-VOLKSWAGEN Gar. Central, 12 r. E-Fromentin ☎ 74.24.99
CITROEN Ardon, rte Bordeaux ☎ 93.37.22 🅽 ☎ 93.31.33
FIAT LANCIA-AUTOBIANCHI Dufour, 20 av. S.-Allende à Bellevue ☎ 93.12.04
FORD S.A.V.I.A.L., Zone Ind. des Charriers, rte Bordeaux ☎ 93.43.44
OPEL Saintonge-Automobiles, 145 av. Gambetta ☎ 93.55.38
PEUGEOT Guerry, Fief des Fougères, Zone Ind., rte de Royan ☎ 93.48.33
RENAULT Bagonneau, Zone Ind., Cours P.-Doumer ☎ 93.67.66
TALBOT Basty, 7 r. F.-Mestreau ☎ 93.43.88

Ⓜ Aubert-Pneus, rte de Bordeaux ZI de l'Ormeau de Pied ☎ 93.11.03
Moyet-Pneus, 14 r. Gauthier ☎ 74.26.86
Relais du Pneu, av. de Nivelles ☎ 74.15.03

STES-MARIES-DE-LA-MER **13460** B.-du-R. **83** ⑲ **G. Provence** (plan) – 2 120 h. – ✪ 90.

Voir Église★ – Pèlerinage des Gitans★★ (24 et 25 mai).

ℹ Office de Tourisme av. Van Gogh (fermé dim. après-midi hors sais.) ☎ 97.82.55.

Paris 777 – Aigues-Mortes 32 – Arles 39 – ♦Marseille 129 – ♦Nîmes 53 – St-Gilles 34.

🏨 **Mas des Rièges** Ⓜ sans rest, par rte Cacharel ☎ **97.85.07**, ⛱, 🌳 – 🛁wc 🚿wc ☎ ♿ Ⓟ. 🚗. ✗
15 mars-15 nov. – SC : ☕ 15 – **14 ch** 155/180.

🏨 **Galoubet** sans rest, rte Cacharel ☎ **97.82.17**, ⋞ – 🛁wc 🚿wc ☎ Ⓟ. ✗
fermé 5 janv. au 5 fév. - SC : ☕ 12 – **21 ch** 130/180.

Lou Marquès sans rest, 6 r. Vibre ☎ 97.82.89 – wc wc ☎ ♿.
mars-fin oct. – SC : 11 – **18 ch** 110/130.

Camargue sans rest, av. Arles ☎ 97.82.03 – cuisinette wc wc ☎.
1er avril-30 sept. – SC : **25 ch** 110/125, 10 appartements 195/245.

Le Fangassier Ⓜ sans rest, 12 rte Cacharel ☎ 97.85.02 – wc wc ☎.
15 mars-15 nov. – SC : 11 – **20 ch** 120/140.

Mirage sans rest, r. C.-Pelletan ☎ 97.80.43, – wc wc ☎ ♿.
15 mars-15 oct. – SC : 10 – **27 ch** 90/130.

Méditerranée sans rest, bd F.-Mistral ☎ 97.82.09 – wc ☎.
fermé 15 nov. au 15 déc. – SC : 10 – **14 ch** 62/130.

XXX **Brûleur de Loups,** av. G.-Leroy ☎ 97.83.31, ← – AE
fermé 1er au 24 déc., 15 janv. au 1er fév. et merc. – SC : **R** 75/160.

XX **Hippocampe,** r. C.-Pelletan ☎ 97.80.91
15 mars-15 nov., 15 déc.-1er janv. et fermé mardi d'oct. à juin – SC : **R** 42/85.

X **Le Chalut,** 39 r. F.-Mistral ☎ 97.83.20
de nov. à fév. : week-ends seul., et fermé merc. du 1er mars au 30 juin – SC : **R** 48/62.

au Nord : rte Arles N 570 – ✉ **13460** Stes-Maries-de-la-Mer :

Pont des Bannes et Mas Ste-Helène, ☎ 97.81.09, « Cabanes de gardians dans les marais », – ♿ Ⓟ – 35
1er mai-15 oct. – SC : **R** 100/160 – 12 – 35 ch 216 – P 320.

Auberge Cavalière, au pont des Bannes ☎ 97.84.62, ←, – wc wc ☎ ♿ Ⓟ – 30. AE GB
SC : **R** 80/180 – 48 ch (30 à l'annexe), 270/300 – P 560/600.

L'Étrier Camarguais Ⓜ, à 2,5 km et VO ☎ 97.81.14, – TV wc ☎ ♿ Ⓟ – 35. AE GB E. rest
12 avril-15 nov. – SC : **R** *(fermé lundi)* 80/150 – 15 – 27 ch 175/190.

Le Boumian, à 1,5 km ☎ 97.81.15, – wc ☎ ♿ Ⓟ – 30.
fermé 2 janv. au 15 fév. – SC : **R** 75/135 – 12 – 28 ch 181 – P 253.

Mas des Roseaux Ⓜ sans rest, à 1 km ☎ 97.86.12, ←, – wc ☎ ♿ Ⓟ.
10 avril-15 oct. – SC : 10 – **15 ch** 180/200.

La Lagune Ⓜ sans rest, à 2 km ☎ 97.84.34, – wc ☎ Ⓟ.
15 – **15 ch** 185.

XX **Pont de Gau** avec ch, à 5 km ☎ 97.81.53 – wc ☎ ♿ Ⓟ
fermé janv. au 20 fév., mardi soir et merc. – SC : **R** 45/150 – 12 – **9 ch** 110/120 – P 220.

route du Bac NO – ✉ **13460** Stes-Maries-de-la-Mer :

Mas de la Fouque Ⓜ, 4 km par D 38 et chemin privé ☎ 97.81.02, ←, « dans la Camargue », – wc ☎ ♿ Ⓟ – 30. GB
13 mars-13 nov. – SC : **R** *(fermé mardi)* (dîner seul.) 110/150 – 20 – 10 ch 200/290.

Le Clamador sans rest, 4 km par D 38 ☎ 97.84.26, ← – wc wc ☎ ♿ Ⓟ.
31 mars-4 nov. et déc. – SC : 12 – **22 ch** 130/150.

au NE 5 km par D 85A et chemin privé – ✉ **13460** Stes-Maries-de-la-Mer :

Host. de Cacharel, ☎ 97.84.59, ←, « en pleine Camargue » – wc wc ☎ ♿ Ⓟ. – *1er mars-30 nov.* – SC : **R** 70/120 – **10 ch**.

au Nord : 7 km par D 85A et chemin privé – ✉ **13460** Stes-Maries-de-la-Mer :

Mas du Clarousset Ⓜ, ☎ 97.81.66, ←, – wc ☎ ♿ Ⓟ.
SC : **R** *(fermé merc. sauf fêtes)* (prévenir) 70 (sauf sam. soir)/130 – 18 – 10 ch 230/250.

STE-SAVINE 10 Aube 61 ⑯ – rattaché à Troyes.

STE-SÉVÈRE-SUR-INDRE 36160 Indre 68 ⑲⑳ G. Périgord – 1 067 h. alt. 307 – 54.

Paris 314 – Châteauroux 51 – La Châtre 15 – Guéret 46 – Montluçon 59.

X **Écu de France** avec ch, ☎ 30.52.72 – wc.
fermé 15 sept. au 6 oct. 10 au 20 fév. et lundi – SC : **R** 44/75 – 12 – **7 ch** 50/100 – P 85/110.

SALAUNES 33 Gironde 71 ⑱ – 397 h. alt. 49 – ✉ 33160 St-Médard-en-Jalles – 56.

Paris 585 – Arcachon 77 – ♦Bordeaux 25 – Lacanau-Océan 34 – Lesparre-Médoc 45.

Domaine des Ardillières Ⓜ, D 6 ☎ 05.20.70, – wc ☎ ♿ Ⓟ – 200. AE
SC : **R** 77 – 11 – 40 ch 120/170 – P 145/170.

SALBRIS 41300 L.-et-Ch. 64 ⑲ G. Châteaux de la Loire – 6 204 h. alt. 112 – 54.
Paris 185 – Blois 67 – Bourges 50 – Montargis 101 – •Orléans 56 – Vierzon 23.

Parc M, av. Orléans ℱ 97.18.53, Télex 751164, parc – P.
fermé 15 janv. au 22 fév. – SC : **R** *(fermé lundi hors sais.)* 45/120 – 15 – **29 ch** 80/200 – P 150/320.

La Sauldraie, N : 1 km N 20 ℱ 97.17.76, parc – wc wc P. rest
fermé 13 au 23 sept. et 15 fév. au 1er avril – SC : **R** *(fermé mardi)* 40/70 – 12 – 13 ch 50/150.

La Clé des Champs, 52 av. Orléans ℱ 97.14.15, – P.
fermé 4 fév. au 13 mars, dim. soir et merc. – SC : **R** 35/67.

CITROEN Vincent, 41 bd République ℱ 97.16.46
LANCIA-AUTOBIANCHI, TALBOT Gar. Deniau, 70 bd République ℱ 97.00.42
PEUGEOT Gar. Grimault, 56 av. Nancay ℱ 83.00.07

SALERNES 83690 Var 84 ⑥ G. Côte d'Azur – 2 522 h. alt. 222 – 94.
Paris 850 – Aix-en-Provence 93 – Digne 92 – Draguignan 23 – •Marseille 93 – •Toulon 82.

Host. Allègre, ℱ 70.60.30, – wc – 25.
fermé 8 janv. au 2 fév., dim. soir et lundi – SC : **R** 40/70 – 10 – **25 ch** 50/125 – P 110/130.

RENAULT Gar. Boutal, ℱ 70.60.52

SALERS 15410 Cantal 76 ② G. Auvergne (plan) – 541 h. alt. 951 – 71.
Voir Grande-Place** – Église* – Promenade de Barrouze ≤*.
Syndicat d'Initiative pl. Tissandier d'Escous (15 juin-15 sept.) ℱ 40.70.68 et à la Mairie (fermé sam. après-midi et dim.) ℱ 40.72.33.
Paris 503 – Aurillac 49 – Brive-la-Gaillarde 102 – Mauriac 19 – Murat 43.

Le Bailliage M, ℱ 40.71.95, – wc P – 30
fermé 12 nov. au 12 déc. – SC : **R** 32/55 – 9,50 – 29 ch 65/110 – P 100/120.

Beffroi sans rest, ℱ 40.70.11 – wc wc P.
12 avril-13 nov. – 9,50 – **10 ch** 90.

Remparts, ℱ 40.70.33, ≤ Monts du Cantal – wc
fermé 1er au 28 oct. et 5 au 30 nov. – SC : **R** 42/55 – 10 – 18 ch 65/95 – P 85/120.

à St-Bonnet-de-Salers NO : 4 km par D 22 et D 29 – alt. 843 – ✉ 15140 St-Martin-Valmeroux :

Dagiral, ℱ 69.12.65 – P
fermé 15 sept. au 10 oct. – SC : **R** 38/50 – 9,50 – 15 ch 47/55 – P 77/80.

au Theil SO : 6 km par D35 et D37 – ✉ 15140 St-Martin-Valmeroux :

Host. Maronne M, ℱ 69.20.33, ≤, – wc wc.
19 mars-3 nov. – SC : **R** *(fermé mardi midi)* 50/85 – 11 – 20 ch 100/130.

à Anglards-de-Salers NO : 11 km par D 22 – ✉ 15380 Anglards-de-Salers.
Voir Gorge de St-Vincent* E : 5 km.

Commerce, ℱ 40.00.33, – .
fermé 12 oct. au 15 nov. – SC : **R** 40/60 – 9 – 27 ch 62 – P 85/95.

CITROEN Gar. Moderne, ℱ 40.70.80 N
RENAULT Gar. Roux, ℱ 40.72.04 N

SALÈVE (Mont) ** 74 H.-Savoie 74 ⑥ G. Alpes – alt. 1 380 au Grand Piton, 1 184 à la table d'orientation des Treize Arbres ** (13 km SO d'Annemasse par ④, D 41 puis 15 mn) – 50

Dusonchet, à la Croisette - Alt. 1 176 ✉ 74560 Monnetier-Mornex ℱ 94.52.04, ≤ – wc wc P.
fermé 1er nov. au 15 déc. et merc. (sauf hôtel en juil. et août) – SC : **R** 33/50 – 9,50 – **10 ch** 50/110 – P 100/110.

SALIES-DE-BÉARN 64270 Pyr.-Atl. 78 ⑧ G. Pyrénées – 5 601 h. alt. 54 – Stat. therm. – Casino La Rotonde – 59.
Office de Tourisme 4 bd St-Guily (1er juin-15 sept. et fermé dim. matin) ℱ 38.00.33.
Paris 747 ③ – •Bayonne 54 ③ – Dax 36 ① – Orthez 17 ① – Pau 58 ① – Peyrehorade 18 ③.

Plan page suivante

Le Blason, pl. J.-d'Albret **(n)** ℱ 38.00.53 – wc. rest
SC : **R** 35/80 – 12 – **29 ch** 50/95 – P 120/180.

Larquier, r. Salines **(r)** ℱ 38.10.43 – wc P.
1er avril-30 sept. – SC : **R** 35/50 – 9,50 – **20 ch** 48/55 – P 105/150.

Les Chênes, bd Paris **(b)** ℱ 38.12.05,
vacances de Pâques-30 sept. – SC : **R** voir rest. La Terrasse – 9 – **14 ch** 40/42 – P 100/110.

Terrasse, r. Loumé **(e)** ℱ 38.09.83
fermé vacances de Pâques, de Noël et lundi – SC : **R** 36/40.

CITROEN Gar. des Thermes, ℱ 38.14.45
PEUGEOT Gar. Hourdebaigt, ℱ 38.06.19 N
RENAULT Gar. Garbay, ℱ 38.11.63

SALIES-DE-BÉARN

Coustères (R. Élysée) ______ 4
Jardin-Public (Cours) ______ 6
Jeanne d'Albret (Pl.) ______ 7
St-Vincent (R.) ______ 13

Bains (R. des) ______ 2
Drs Foix (Av. des) ______ 5
Laclabotte (R.) ______ 8
Leclerc (Av. du Mar.) ______ 9
Pyrénées (Av. des) ______ 10
St-Martin (R.) ______ 12
Tanneurs (R. des) ______ 14
Temple (Pl. du) ______ 15
Toulet (R. Paul-Jean) ______ 16
Trinité (Av. de la) ______ 18

*Pour aller loin rapidement, utilisez les **cartes Michelin** à 1/1 000 000.*

*To go a long way quickly, use **Michelin maps** at a scale of 1 : 1 000 000.*

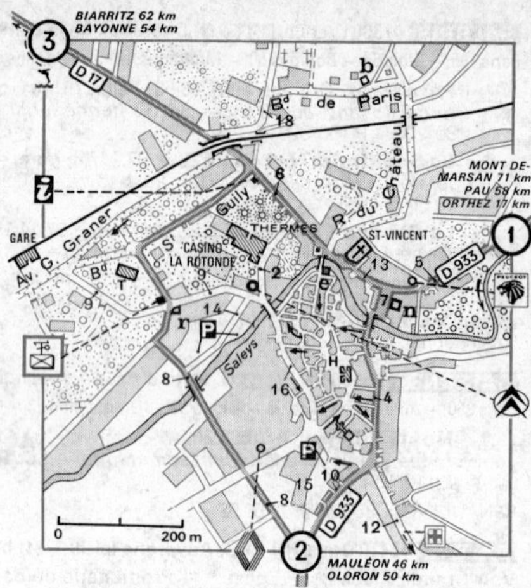

SALIES-DU-SALAT **31260** H.-Gar. **86** ② – 2 312 h. alt. 300 – Stat. therm. (mai-sept.) – Casino – 61.

Syndicat d'Initiative bd J.-Jaurès (1er juin-30 sept.) et à la Mairie (oct.-fin mai et fermé dim.) ☎ 90.53.93.

Paris 782 – Auch 88 – St-Gaudens 22 – St-Girons 25 – ♦Toulouse 76.

Gd Hôtel, ☎ 90.56.43, – wc P. *10 juin-20 sept.* – SC : **R** 33/65 – 8,50 – **28 ch** 50/125 – P 100/160.

SALINS-LES-BAINS **39110** Jura **70** ⑤ **G. Jura** – 4 465 h. alt. 331 – Stat. therm. (fermé déc. et janv.) – Casino Y – 84 – **Voir Site★** – Fort Belin★ Z – Fort St-André★ O : 4 km par D 94 (S du plan).

Syndicat d'Initiative pl. Anc.-Salines (fermé dim. et lundi hors sais.) ☎ 73.01.34 - A.C. rte Baud ☎ 73.01.19.

Paris 410 ④ – ♦Besançon 45 ④ – Dole 45 ④ – Lons-le-Saunier 52 ④ – Poligny 25 ④ – Pontarlier 43 ②.

Messageries, r. République ☎ 73.03.15 – Y **n** *fermé oct.* – SC : **R** 38 – 8 – 20 ch 45/95 – P 100/140.

Aub. le Val d'Héry avec ch, par ③ : 3 km sur D 467 ☎ 73.06.54 – P. *fermé sept. et merc. sauf juil.-août* – SC : **R** 36/145 – 10,50 – **7 ch** 37/54 – P 90.

CITROEN Gar. Salins-Zurich, ☎ 73.04.80
FORD, TALBOT Gar. Salinois, ☎ 73.08.63 N ☎ 73.09.06
PEUGEOT Vurpillot, ☎ 73.05.45
RENAULT Hierle, ☎ 73.11.56

SALINS-LES-BAINS

Alliés (Pl. des) ______ Y 3
Gambetta (R.) ______ X 9
Liberté (R. de la) ______ X
République (R.) ______ Z

Aubarède (Pl.) ______ Z 2
Barbarine (Prom.) ______ X 4
Considérant (R.) ______ Y 7
David (R. Charles) ______ Y 8
Notre-Dame ______ Y
Orgemont (R. d') ______ YZ 12
Pasteur (R. Louis) ______ Z 13
Préval (R.) ______ Z 14
St-Anatoile ______ Z
St-Maurice ______ X
Zola (Pl. Émile) ______ Y 15

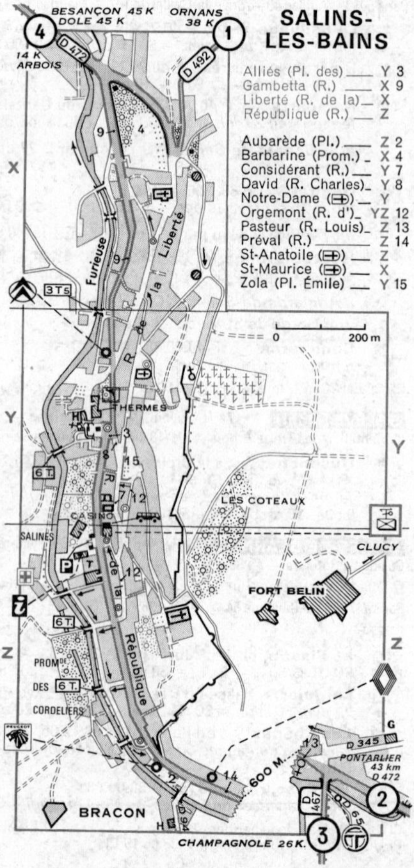

BESANÇON 45 K DOLE 45 K — ORNANS 38 K — 14 K ARBOIS — THERMES — CASINO — SALINES — LES COTEAUX — FORT BELIN — CLUCY — PROM DE DES CORDELIERS — PONTARLIER 43 km D 472 — BRACON — CHAMPAGNOLE 26 K. — 200 m

SALLANCHES 74700 H.-Savoie 74 ⑧ **G. Alpes** – 10 005 h. alt. 554 – ⚙ 50.

Voir ☼** sur le Mt-Blanc – Chapelle de Médonnet : ☼** S : 4 km – Cascade d'Arpenaz* N : 5 km.

🅘 Syndicat d'Initiative quai Hôtel de Ville (fermé sam. après-midi) ☎ 58.04.25.

Paris 599 – Annecy 68 – Bonneville 29 – Chamonix 28 – Megève 13 – Morzine 45.

- **Les Sorbiers,** 17 r. Paix ☎ 58.01.22, < parc – ⎅ ⛀wc ⋔wc ☎ ♿ 🅟 – 🏔 40. AE
  SC : **R** *(fermé dim. sauf vacances scolaires)* 43/70 – ☕ 15 – **40 ch** 57/140 – P 155/180.
- **St-Jacques** sans rest, 1 quai St-Jacques ☎ 58.01.35 – ⛀wc ☎. ✻
  SC : ☕ 10 – **9 ch** 65/80.
- XX **La Crémaillère** ⛰ avec ch, à Fessy S : 1,5 km par ancienne rte Combloux ☎ 58.32.50, < Mt-Blanc, 🌳 – ⛀ ⋔wc ☎ 🅟.
  fermé début janv. à début fév. – SC : **R** *(fermé lundi hors sais. sauf vacances scol.)* 40/150 – ☕ 13 – **23 ch** 80/120 – P 120/140.
- XX **La Chaumière,** rte de Megève ☎ 58.00.59 – 🅟
  fermé 14 sept. au 1er oct. et merc. – SC : **R** carte 70 à 105.
- XX **La Braconne,** face au stade rte 3 Lacs ☎ 58.05.28 – 🅟. GB
  fermé 1er au 21 juin, 1er au 21 déc. et mardi – SC : **R** carte 75 à 100 🌡.

à Cordon SO : 4 km par D 113 – alt. 871 – Sports d'hiver : 871/1 600 m ⛷3 – ✉ **74700** Sallanches

- **Chamois d'Or** ⛰, ☎ 58.05.16, < chaine Mont-Blanc, 🏊, 🌳, 🎾 – ⎅ ♿ 🅟 – 🏔 25. AE ⓓ
  15 déc.-15 sept. – SC : **R** 58/85 – **30 ch** ☕ 100/165 – P 140/180.
- **Roches Fleuries** ⛰, ☎ 58.06.71, < chaine Mont-Blanc, « Bel intérieur », 🌳 – 🚗 🅟. ✻ rest
  fermé 10 oct. au 20 déc. – SC : **R** 60/80 – ☕ 17 – **29 ch** 100/130 – P 145/175.
- **Solneige** ⛰, ☎ 58.04.06, < chaine Mont-Blanc, 🌳 – ⛀wc ⋔wc ☎ 🅟
  fermé 26 sept. au 19 déc. – SC : **R** 40/50 – ☕ 12 – **29 ch** 66/88 – P 112/115.
- **Les Rhodos** ⛰, ☎ 58.13.54, < Mt-Blanc – ⛀wc ⋔wc ☎ 🅟. ✻ rest
  1er juin-20 sept. et 15 déc.-20 avril – SC : **R** 39/45 – ☕ 11 – **25 ch** 70/95 – P 90/115.
- **Le Cordonant** Ⓜ ⛰, ☎ 58.34.56, < chaine Mont-Blanc – ⛀wc ⋔ 🅟. ✻ rest
  fermé 3 nov. au 15 déc. – SC : **R** 40/60 – ☕ 12 – 15 ch 70/90 – P 98/120.

CITROEN Gar. Greffoz, 50 av. de Genève ☎ 58.20.49 🅽 ☎ 58.01.17
FIAT, LANCIA-AUTOBIANCHI Gar. St-Martin, rte de Passy, St-Martin-sur-Arve ☎ 58.05.65
FORD Gar. des Alpes, rte de Chamonix ☎ 58.14.44
PEUGEOT Gar. de Warens, 44 av. de Genève ☎ 58.11.32
RENAULT Les Gar. Réunis, 27 av. de Genève ☎ 58.10.05
TALBOT Gar. des Aravis, rte du Fayet ☎ 58.24.75 🅽 ☎ 58.27.68
Gar. Levet, 51 av. de Genève ☎ 58.06.28
⊛ Sallanches-Pneus, 7 av. Genève ☎ 58.00.34

SALLES 33770 Gironde 78 ② **G. Côte de l'Atlantique** – 3 287 h. alt. 23 – ⚙ 56.

Paris 609 – Andernos-les-Bains 30 – Arcachon 33 – Belin 11 – ♦Bordeaux 44 – Mimizan 59.

- **Host. du Pin,** ☎ 88.40.16 – ⋔wc ☎ 🚗. ✻
  fermé 21 sept. au 4 oct. et lundi hors sais. – SC : **R** 35/110 – ☕ 13 – 10 ch 55/80.

RENAULT Dupin, ☎ 88.40.32

SALLES-ARBUISSONNAS-EN-BEAUJOLAIS 69 Rhône 73 ⑨ **G. Vallée du Rhône** – 459 h. alt. 343 – ✉ **69830** St-Georges-de-Reneins – ⚙ 74.

Paris 432 – Bourg-en-Bresse 50 – Chauffailles 46 – ♦Lyon 42 – Mâcon 38 – Villefranche-sur-Saône 11.

- XX **La Benoite,** ☎ 67.52.93 – 🅟. AE GB ⓓ
  fermé 3 au 9 août, 2 au 23 fév., lundi et mardi – SC : **R** 40/90.

CITROEN Gar. du Chapitre, à Fond-de-Salles ☎ 67.54.09

SALLES-CURAN 12410 Aveyron 80 ⑬ – 1 517 h. alt. 833 – ⚙ 65.

🅘 Syndicat d'Initiative (1er juil.-31 août et fermé dim.).

Paris 648 – Albi 77 – Millau 37 – Rodez 40 – St-Affrique 41.

- ✿ **Host. du Lévézou** (Bouviala) ⛰, ☎ 46.34.16, demeure du 14e s. – ⛀wc ⋔wc ☎ 🅟. E. ✻ rest
  1er avril-30 oct. – SC : **R** (dim. prévenir) 45/110 – ☕ 12 – 25 ch 40/150 – P 130/160
  Spéc. Ris d'agneau sautés aux morilles, Toupine de pieds de porc au Cahors, Steack de canard aux échalottes. Vins St-Saturnin.
- **Aub. du Pareloup,** ☎ 46.35.22 – ⋔. ✻ rest
  1er mars-1er déc. et fermé lundi du 1er oct. à mai – SC : **R** 29 bc/65 bc – ☕ 9 – 15 ch 40/55 – P 90/95.

Les SALLES-SUR-VERDON 83630 Var 84 ⑥ – 125 h. alt. 503 – ⚙ 94.

Paris 805 – Brignoles 60 – Draguignan 50 – Manosque 63 – Moustiers-Ste-Marie 13.

- **Le Verdon** Ⓜ ⛰, ☎ 70.20.02, < – ⛀wc ☎ 🅟. ✻
  fermé déc. et vend. – SC : **R** 45/70 – ☕ 15 – **19 ch** 120 – P 330.
- **Aub. des Salles** ⛰, ☎ 70.20.04, <, 🌳 – ⛀wc ⋔wc ☎ 🅟
  15 mars-15 nov. – SC : **R** 40/80 – ☕ 10 – 22 ch 90/100 – P 150/160.

SALON-DE-PROVENCE 13300 B.-du-R. 84 ② G. Provence – 35 587 h. alt. 82 – ✪ 90.

Voir Château de l'Empéri : musée** BYZ.

Env. Vieux Vernègue : ※*** de la Tour NE : 12 km par D 16 BY – Lançon de Provence : table d'Orientation ≤** SE : 7,5 km par ② puis 15 mn.

⛳9 de l'École de l'air ☎ 53.90.90 par ② : 3 km.

ℹ Office de Tourisme (fermé dim. sauf matin en sais.) A.C. et T.C.F. r. des Fileuses de soie ☎ 56.27.60, Telex 430156.

Paris 723 ① – Aix-en-Pr. 36 ② – Arles 42 ③ – Avignon 46 ① – ♦Marseille 55 ② – Nîmes 71 ③.

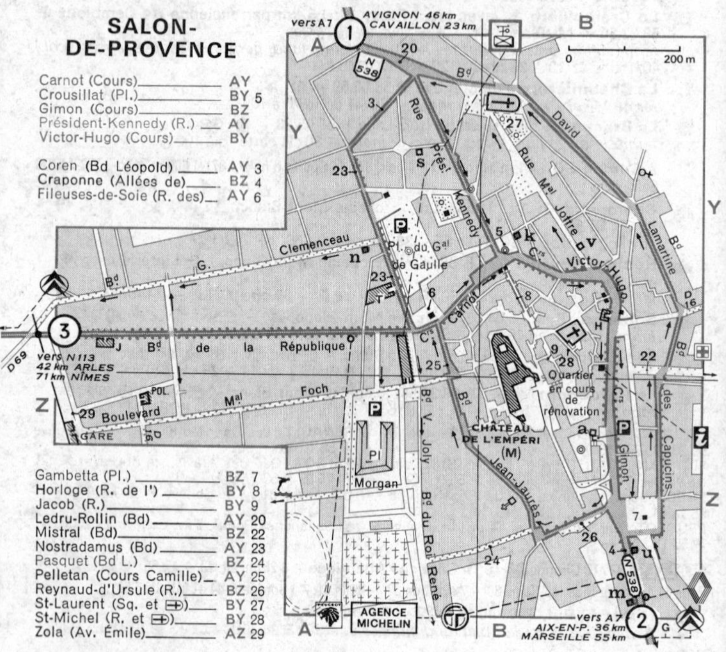

Emperi M, 144 cours Gimon ☎ 56.59.57, Télex 440979 – TV ☎ 🚗 – 🏔 200. AE GB ⓓ. 🚫 rest BZ **a**
SC : **Le Pilon d'Or** *fermé dim. soir et lundi* **R** carte 95 à 130 - **Le Relais** (Brasserie) **R** carte environ 60 🌡 – ☕ 19 – **89 ch** 175/205 – P 234/253.

Midi M, 518 allées de Craponne par ② ☎ 53.34.67 – 🛁wc 🚿wc ☎ Ⓟ
24 ch.

Roi René, 561 allées Craponne par ② ☎ 53.20.22 – 🛗 🛁wc 🚿wc ☎ Ⓟ. 🐕 GB E. 🚫 ch
fermé 3 janv. au 3 fév. – SC : **R** 30/62 🌡 – ☕ 13 – **65 ch** 60/150 – P 160/230.

Vendôme sans rest, 34 r. Mar.-Joffre ☎ 56.01.96 – 🛁wc 🚿wc ☎. 🐕 ⓓ BY **v**
SC : ☕ 10 – **22 ch** 50/120.

Sélect-H. 🌿 sans rest, 35 r. Bailli-de-Suffren ☎ 56.07.17 – 🚿wc ☎. 🐕. 🚫 AY **s**
SC : ☕ 10,50 – **19 ch** 55/102.

XX ✿ **Robin,** 1 bd G.-Clémenceau ☎ 56.06.53 – AE ⓓ E AY **n**
fermé vacances scol. de fév., lundi et dim. soir en hiver – SC : **R** 68/160
Spéc. Filet de turbot à l'oseille, Aiguillette de magret Bégudienne, Chariot des desserts. Vins Château Simone, La Bégude.

XX **Craponne,** 146 allées Craponne ☎ 53.23.92 BZ **m**
fermé sept., dim. soir et lundi – SC : **R** 48/75.

XX **Le Touring,** pl. Crousillat ☎ 56.00.07 BY **k**
fermé 15 fév. au 1er mars et merc. d'oct. à juin – SC : **R** 50/85.

X **Le Poêlon,** 71 allées Craponne ☎ 53.31.38 BZ **u**
fermé août, sam. midi et mardi – SC : **R** 60/70.

au NE : 5 km par D 16 BY et voie privée – ✉ **13300** Salon-de-Provence :

Abbaye de Ste-Croix ⑤, ☎ 56.24.55, Télex 401247, ←, parc, ⌶ – ⓟ – 🏔 35. AE GB ⓓ
fermé 15 nov. au 15 janv. – **R** *(fermé dim. soir et lundi midi hors sais.)* 100/125 – ☕ 20 – **20 ch** 250/290.

à la Barben SE : 8 km par ②, N 572 et D 22E – ✉ **13330** Pélissanne :

XX **Touloubre** ⑤ avec ch, ☎ 55.16.85, 🌳 – wc ☎ ⓟ – 🏔 30. 🐕. ✻ ch
fermé 15 au 30 nov., 15 au 28 fév. et lundi du 1er oct. au 1er avril – SC : **R** 55/130 – ☕ 14 – **16 ch** 59/125 – P 190/240.

XX **Le Vieux Four,** au Château E : 3 km ☎ 55.10.85 – ⓟ. AE GB ⓓ E. ✻
fermé oct. et mardi – SC : **R** 60/150.

à Lançon-de-Provence par ② et N 113 : 8 km – 3 412 h. – ✉ **13680** Lançon :

XX **Les Olivarelles,** ☎ 57.73.89
fermé fin août-début sept., 1er au 15 janv., dim. soir et lundi – SC : **R** 29/110 ♨.

sur Autoroute A 7 : Aire de Lançon SE : 9 km par ② – ✉ **13680** Lançon :

Sofitel M, ☎ 53.90.70, Télex 440183, ⌶ – ▤ TV ☎ ♿ ⓟ – 🏔 120. AE GB ⓓ E
SC : rest. **l'Olivier R** (dîner seul.) carte environ 85 – ☕ 25 – **98 ch** 220/310.

MICHELIN, Agence, r. des Canesteux, Z.I. du Quintin par bd du Roi René AZ ☎ **53.35.46**

AUDI-VOLKSWAGEN Gar. Palma, 25 r. Sévigné ☎ 53.32.95
AUSTIN, MORRIS, TRIUMPH Combin, 80 bd J.-Jaurès ☎ 56.21.58
CITROEN Gar. Le National, N 113, Les Broquetiers ☎ 53.14.66
CITROEN SAMICA, 306 av. Michelet ☎ 53.29.64
FIAT, LANCIA Gar. Gambetta, pl. Gambetta ☎ 53.33.21
FORD Gar. Foch, 302 bd Mar.-Foch ☎ 56.21.19
PEUGEOT Blanc, 9 bd République ☎ 56.23.71
RENAULT S.A.P.A.S., 245 allées Craponne ☎ 53.32.02
TALBOT Provence Autom., 122 allées Craponne ☎ 53.13.52

Ⓜ Bués-Pneus, quartier Crau-Sud déviation N 113 ☎ 53.30.40
Omnica, bd du Roi-René ☎ 53.15.75
Pyrame, 411 bd du Roi-René ☎ 53.30.38

SALORNAY-SUR-GUYE 71810 S.-et-L. 69 ⑱⑲ – 721 h. alt. 212 – ⚙ 85.

Paris 387 – Chalon-sur-Saône 49 – Charolles 29 – Mâcon 36 – Montceau-les-Mines 31 – Tournus 35.

Pompanon, rte Autun ☎ 59.44.38 – 🚗. GB
fermé 10 sept. au 10 oct. et dim. de sept. à mars – SC : **R** 28/40 ♨ – ☕ 7,50 – **10 ch** 36/46.

PEUGEOT Forest et Simon, ☎ 59.43.11
RENAULT Gar. Descombes, ☎ 59.41.28

SALSES 66 Pyr.-Or. 86 ⑨ – 2 053 h. alt. 12 – ✉ **66600** Rivesaltes – ⚙ 68.

Voir Fort★★, G. Pyrénées.

Paris 891 – Narbonne 47 – ♦Perpignan 16 – Rivesaltes 9,5 – St-Laurent-de-la-Salanque 9.

Les SALVAGES 81 Tarn 83 ① – rattaché à Castres.

SALVAGNY 74 H.-Savoie 74 ⑧ – rattaché à Samoëns.

La SALVETAT-SUR-AGOUT 34330 Hérault 83 ③ G. Causses – 1 115 h. alt. 663 – ⚙ 67.

Office de Tourisme (15 juin-15 sept. et fermé dim. après-midi) ☎ 97.64.44.

Paris 728 – Castres 49 – Lacaune 20 – Lodève 82 – ♦Montpellier 141.

Cros, ☎ 97.60.21, 🌳 – 🚗
fermé 25 déc. au 31 janv. – SC : **R** *(fermé lundi hors sais.)* 35/65 ♨ – ☕ 9 – **23 ch** 45/55 – P 90/100.

SALVIAC 46340 Lot 75 ⑰ G. Périgord – 995 h. alt. 159 – ⚙ 65.

ℹ Syndicat d'Initiative (1er juil.-31 août) ☎ 41.50.61.

Paris 569 – Cahors 36 – Fumel 38 – Gourdon 13 – Sarlat-la-Canéda 30.

XX **Le Gamache,** ☎ 41.51.27
fermé fév. et lundi – SC : **R** 50/100.

SAMATAN 32130 Gers 82 ⑯ – 2 056 h. alt. 165 – ⚙ 62.

Paris 731 – Auch 35 – Gimont 17 – Montauban 77 – St-Gaudens 56 – Tarbes 91 – ♦Toulouse 48.

Maigné, ☎ 62.30.24 – 🏛 🚗 – 🏔 30
fermé 20 sept. au 20 oct. – SC : **R** 40 bc/120 bc – ☕ 9 – **15 ch** 40/70 – P 120.

SAMOENS 74340 H.-Savoie 74 ⑧ G. Alpes – 1 724 h. alt. 714 – Sports d'hiver : 800/2 480 m 1 15 – 50.

Env. La Rosière ←** N : 6 km – Cirque du Fer à Cheval** E : 13 km.

Office de Tourisme gare routière (fermé dim. après-midi hors sais.) ☎ 90.40.28, Télex 385924.

Paris 598 – Annecy 76 – Bonneville 36 – Chamonix 63 – ♦Genève 55 – Megève 50 – Morzine 30.

Neige et Roc M, ☎ 90.40.72, ←, , , – cuisinette wc wc – 25. rest
1er juin-15 sept. et Noël-Pâques – SC : **R** 45/70 – 12 – **32 ch** 110/130 – P 130/165.

Glaciers, ☎ 90.40.06, ←, , – wc wc . rest
1er juin-20 sept. et 15 déc.-25 avril – SC : **R** 50/80 – 12 – **50 ch** 80/130 – P 110/150.

Sept Monts, ☎ 90.40.58, ←, – wc . rest
1er juin-28 sept. et 20 déc.-20 avril – SC : **R** 40/50 – 11 – **35 ch** 70/130 – P 130/150.

Edelweiss, NE : 1,5 km par rte Planpraz ☎ 90.41.32, ← montagnes, – rest
début juin-15 sept. et 20 déc.-20 avril – SC : **R** 36/50 – 10 – **12 ch** 70/90 – P 90/110.

Eteski, à Vercland SO : 3 km ☎ 90.44.60, ← montagnes, – . rest
fermé 20 sept. au 15 déc. – SC : **R** 35/45 – 11 – **22 ch** 44/60 – P 98/104.

à Salvagny SE : 9 km par D 907 et D 29 – ✉ **74740** Sixt :

Le Petit Tetras, ☎ 90.42.51, ← – wc wc . E. rest
1er juin-15 sept. et 15 déc.-vacances de printemps – SC : **R** 38/42 – 9,50 – **24 ch** 60/100 – P 110/150.

à Nant-Bride : 10 km par rte de Sixt – ✉ **74740** Sixt :

XX **Aub. des Trois Rois,** ☎ 90.44.28, ← –
août, week-ends en sept. et dim. midi en oct. – SC : **R** 50/100 .

à Morillon O : 4,5 km – ✉ **74440** Taninges :

Le Sauvageon, SE : 1,5 km par D 255 et VO ☎ 90.10.25, ←, – wc . rest
fermé 7 avril au 1er mai, 15 sept. au 15 oct. et lundi hors sais. – SC : **R** 40/120 – 10 – **14 ch** 70/95 – P 120/130.

Morillon, ☎ 90.10.32, ←, – wc wc .
15 juin-15 sept. et 15 déc.-20 avril – SC : **R** 35/55 – 9,50 – **18 ch** 60/105 – P 90/140.

CITROEN Gar. Central, ☎ 90.43.82

SAMOIS-SUR-SEINE 77920 S.-et-M. 61 ②, 96 ㊵ G. Env. Paris – 1 574 h. alt. 84 – 6.

Paris 64 – Fontainebleau 7,5 – Melun 14 – Montereau-Faut-Yonne 21.

Host. Country Club, quai F.D. Roosevelt ☎ 424.60.34, ←, – wc – 30. GB
fermé 13 au 17 juil., 23 déc. au 1er janv., vacances de fév. et lundi – SC : **R** 42/65 – 14 – **17 ch** 70/130 – P 180/250.

SANARY-SUR-MER 83110 Var 84 ⑭ G. Côte d'Azur – 10 406 h. alt. 20 – 94.

Voir Chapelle N.-D.-de-Pitié ←* B – Site* de N.-D. de Pépiole E : 5 km.

Office de Tourisme Jardins de la Ville (fermé dim. du 1er oct. au 1er juil.) ☎ 74.01.04.

Paris 828 ① – Aix-en-Provence 71 ① – La Ciotat 27 ① – ♦Marseille 54 ① – ♦Toulon 12 ②.

Plan page ci-contre

Gd H. des Bains, bd d'E.-d'Orves **(a)** ☎ 74.13.47, ←, – wc .
SC : **R** *(15 mars-1er nov. et fermé lundi hors sais.)* 60/90 – 12 – 34 ch 60/135 – P 130/180.

Tour, quai Gén-de-Gaulle **(n)** ☎ 74.10.10, ← – wc . GB
fermé 20 nov. au 20 janv. – SC : **R** *(fermé merc. hors sais.)* 50/100 – 12 – 27 ch 90/160 – P 150/200.

Primavera, av. Port-Issol **(e)** ☎ 74.00.36 – wc .
1er avril-fin sept. – SC : **R** 30/60 – 10 – **14 ch** 60/100 – P 100/130.

Synaya, chemin Olive **(r)** ☎ 74.10.50, – wc .
mars-fin oct. – SC : **R** 30/35 – 8 – **12 ch** 37/75 – P 80/105.

X **La Calèche,** pl. Poste **(u)** ☎ 74.22.20 – GB
fermé 10 au 25 mai, 15 au 30 nov. et lundi sauf le soir en sais. – SC : **R** 42/60.

à l'Ouest par ① : 3 km – ✉ **83110** Sanary :

Voir aussi ressources hôtelières de ***Six-Fours-les-Plages*** par ③ : 4 km

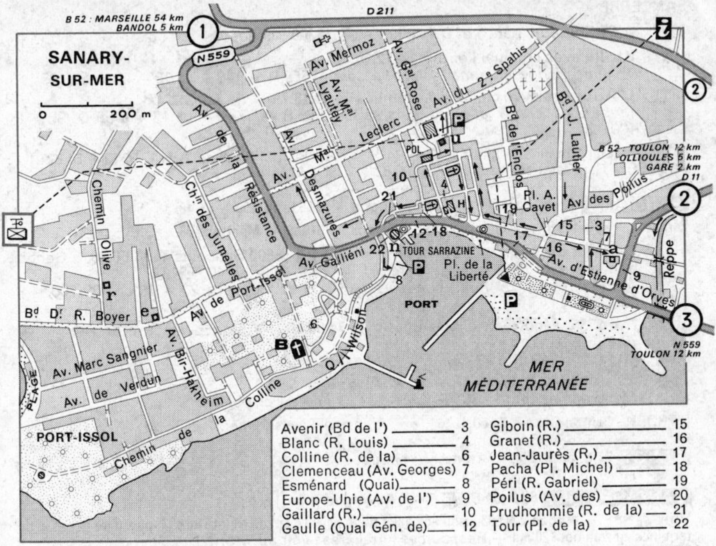

SANARY-SUR-MER

Avenir (Bd de l')	3	Giboin (R.)	15
Blanc (R. Louis)	4	Granet (R.)	16
Colline (R. de la)	6	Jean-Jaurès (R.)	17
Clemenceau (Av. Georges)	7	Pacha (Pl. Michel)	18
Esménard (Quai)	8	Péri (R. Gabriel)	19
Europe-Unie (Av. de l')	9	Poilus (Av. des)	20
Gaillard (R.)	10	Prudhommie (R. de la)	21
Gaulle (Quai Gén. de)	12	Tour (Pl. de la)	22

A la carte — Dans les restaurants à « prix fixes », il est généralement possible de se faire servir également à la carte.

SANCERRE 18300 Cher 65 ⑫ **G. Châteaux de la Loire** – 2 542 h. alt. 312 – 48.

Voir Site★ – Tour des Fiefs ★.

Syndicat d'Initiative à la Mairie (fermé sam. après-midi et dim.) ☎ 54.00.26 et pl. Beffroi (juin-15 sept.) ☎ 54.08.21.

Paris 203 ① – Bourges 46 ③ – La Charité-sur-Loire 26 ② – Salbris 75 ③ – Vierzon 71 ③.

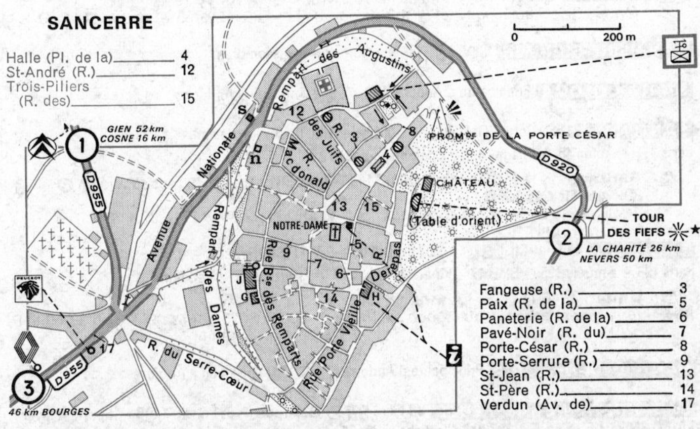

Rempart, Rempart des Dames **(n)** ☎ 54.10.18 – wc .
fermé nov. et mardi – SC : **R** 30/80 – 12 – **12 ch** 75/94.

La Tasse d'Argent, 18 Rempart des Augustins **(s)** ☎ 54.01.44, ≤ vignobles – E.
fermé 15 janv. au 25 fév. et merc. d'oct. à juin – SC : **R** 46/140.

à St-Satur par ① : 4 km – ✉ **18300** Sancerre :

Laurier avec ch, 29 r. Commerce ☎ 54.17.20 – .
fermé fév., dim. soir et lundi hors sais. – SC : **R** 38/92 – 12 – 10 ch 43/89.

à St-Thibault par ① et D 4 : 5 km – ✉ **18300** Sancerre :

XX **Étoile** avec ch, quai Loire ☎ 54.12.15, ≤ – ⇔ ☎ Ⓟ. ✻ ch
1er mars-15 nov. et fermé merc. hors sais. – SC : **R** 57/140 – ☕ 13 – 11 ch 55/105.

XX **L'Auberge** avec ch, 37 r. J.-Combes ☎ 54.13.79 – Ⓟ. AE GB. ✻
fermé 2 au 30 nov. et mardi hors sais. – SC : **R** 43/77 ⅄ – ☕ 12 – **5 ch** 65/95 – P 100/120.

CITROEN Gar. Vatan, à St-Satur ☎ 54.11.34
PEUGEOT Gar. Cotat-Mulhausen, ☎ 54.00.62
RENAULT Bonlieu, ☎ 54.12.82 N ☎ 54.32.91

SANCOINS 18600 Cher 69 ③ G. Bourgogne – 3 558 h. alt. 206 – ✪ 48.

Paris 264 – Bourges 51 – Montluçon 72 – Nevers 39 – St-Amand-Montrond 38.

Donjon de Jouy ⛰, SO : 4 km par D 41 ✉ 18600 Sancoins ☎ 74.56.88, « Gentilhommière du 17e s. dans un parc », 🏊, ✻ – Ⓟ – 🏛 40. ⓓ. ✻
fermé janv., fév. et lundi hors sais. – SC : **R** 85/130 – ☕ 20 – 38 ch 130/200 – P 230/250.

Parc ⛰ sans rest, r. M.-Audoux ☎ 74.56.60, ⛭ – ⇔wc ⫙wc ☎ 🚗 – 🏛 70 à 100. ✻
SC : ☕ 13 – **10 ch** 100/120.

St-Joseph, ☎ 74.56.13 – ⇔wc ⫙ ☎ 🚗. ✻
fermé oct. et lundi – SC : **R** 42/65 ⅄ – ☕ 11 – 11 ch 65/140.

CITROEN Central Gar., ☎ 74.50.42
Ⓟ Pneus Center, ☎ 74.55.28

SANCY 77 S.-et-M. 56 ⑬ – rattaché à Meaux.

SANCY (Puy de) 63 P.-de-D. 73 ⑬ G. Auvergne – alt. 1 886.

Voir ✻*** – **Accès** : N 683 jusqu'au chalet du Sancy, à 4 km du Mont-Dore ② puis téléphérique, du terminus au sommet : 20 mn – **Ressources hôtelières** : voir au ***Mont-Dore***.

SAND 67 B.-Rhin 62 ⑩ – 735 h. alt. 143 – ✉ 67230 Benfeld – ✪ 88.

Paris 450 – Barr 15 – Erstein 6,5 – Molsheim 24 – Obernai 14 – Sélestat 19 – ♦Strasbourg 28.

Host. La Charrue ⛰, ☎ 74.42.66 – ▤ ch ⇔wc ⫙ ☎ Ⓟ. 🚌 GB
✦ *fermé fév. et lundi* – SC : **R** 27/95 – ☕ 8,50 – **26 ch** 50/120 – P 110/135.

TALBOT Gar. Schneider, ☎ 74.42.02

SANGUINET 40460 Landes 78 ③ – 1 364 h. alt. 24 – ✪ 58.

Paris 624 – Arcachon 26 – Belin-Beliet 30 – ♦Bordeaux 59 – Mimizan 39 – Mont-de-Marsan 93.

Les Eaux qui Rient ⛰, au lac ☎ 78.61.15, ≤ – ⫙ Ⓟ. ✻ rest
fermé 10 déc. au 20 janv. et le soir de nov. à fév. – SC : **R** 38/65 – ☕ 8 – 11 ch 60.

SAN-PEIRE-SUR-MER 83 Var 84 ⑰⑱ – rattaché aux Issambres.

SANTA-COLOMA Principauté d'Andorre 86 ⑭, 43 ⑥ – voir à Andorre.

SANTENAY 21590 Côte-d'Or 70 ① – 1 008 h. – Stat. therm. – Casino – ✪ 80.

Paris 334 – Autun 45 – Chagny 4,5 – Chalon-sur-Saône 21.

Santana ⛰, av. Sources ☎ 20.62.11, Télex 350190 – |‡| ▤ rest ⇔wc ☎ Ⓟ – 🏛 30. 🚌 AE GB ⓓ E
1er avril-fin nov. – SC : **R** 46 ⅄ – ☕ 15 – **60 ch** 125/190 – P 177/232.

SANTENAY 41 L.-et-Ch. 64 ⑥ – 307 h. alt. 115 – ✉ 41190 Herbault – ✪ 54.

Paris 198 – Amboise 25 – Blois 17 – Château-Renault 17 – Herbault 5 – Vendôme 31.

Union, ☎ 46.11.03 – Ⓟ. 🚌. ✻ ch
✦ *fermé mars et merc. du 1er oct. au 15 juil.* – SC : **R** 28/75 ⅄ – ☕ 9 – 6 ch 38/69 – P 82/90.

SANT-JULIA-DE-LORIA Principauté d'Andorre 86 ⑭, 43 ⑥ – voir à Andorre.

Le SAPPEY-EN-CHARTREUSE 38 Isère 77 ⑤ G. Alpes – 371 h. alt. 1 015 – Sports d'hiver : 1 015/1 350 m ⛷5, ⛷ – ✉ 38700 La Tronche – ✪ 76.

Voir Charmant Som ✻*** NO : 4,5 km puis 1 h – Fort du St-Eynard ✻** S : 4 km.

Paris 576 – Chambéry 52 – ♦Grenoble 15 – St-Pierre-de-Chartreuse 14 – Voiron 38.

Skieurs ⛰, ☎ 08.80.15, ≤, 🏊, ⛭ – TV ⇔wc ⫙wc ☎ Ⓟ. 🚌
fermé mai et 31 août au 30 sept. – SC : **R** *(1er juin-31 août, vacances scolaires de Noël, fév. et Pâques)* carte 60 à 115 – ☕ 15 – **17 ch** 70/170 – P 120/180.

Bon Abri ⛰, ☎ 08.81.20, ≤ – ⫙ Ⓟ
1er juin-20 sept., 22 déc.-7 janv. et 5 fév.-10 avril – SC : **R** 55/75 – ☕ 12 – 14 ch 60/120 – P 120/140.

XX **Le Pudding,** ☎ 08.80.26 – ✗
fermé sept., dim. soir et merc. – SC : **R** 44/71.

au Col de Porte N : 4,5 km par D 512 – alt. 1 350 – Sports d'hiver : 1 350/1 720 m ≴6 – ✉ **38700** La Tronche :

⌂ **Chalet H. Rogier** ⛰, ☎ 08.82.04, ← – ⋒wc ☎ **P**. 🚗
fermé nov. – SC : **R** (dîm. prévenir) 38/125 – ▭ 11 – 16 ch 80/125 – P 140/160.

SARE 64 Pyr.-Atl. **85** ② G. **Pyrénées** – 1 871 h. alt. 70 – ✉ **64310** Ascain – ❂ 59.

Paris 776 – Cambo-les-Bains 24 – Pau 137 – St-Jean-de-Luz 14 – St-Pée-sur-Nivelle 7,5.

⌂ ✿ **Arraya,** ☎ 54.20.46, « **Cadre rustique basque, jardin** » – ⌓wc ⋒wc ☎. 🚗. ✗ ch
1er mai-2 nov. – SC : **R** 60/80 – ▭ 20 – 19 ch 110/200 – P 200/250
Spéc. Salade de gésiers de canards confits, Tournedos au fumet de cèpes, Louvine gratinée. **Vins** Jurançon, Madiran.

⌂ **Pikassaria** ⛰, S : 2 km par VO ☎ 54.21.51, ← – ⌓wc ☎ **P**. ✗ ch
✦ *fermé janv. et jeudi* – SC : **R** 35/70 – ▭ 10 – **30 ch** 52/120 – P 90/115.

⌂ Lastiry, ☎ 54.20.07 – ⋒wc. ✗
fermé janv. et lundi – 20 ch.

⌂ **Poste,** ☎ 54.20.06 – ⌓ 🚗. ✗ ch
✦ *fermé fév. et mardi* – SC : **R** 32/60 – ▭ 9 – **9 ch** 45/84 – P 105/120.

SARLAT-LA-CANÉDA SP
24200 Dordogne **75** ⑰ G. **Périgord** – 10 880 h. alt. 145 – ❂ 53.

Voir Vieux Sarlat★★ : Maison de la Boétie★ Z **D, place des Oies★** Y, **Hôtel de Malleville★** Y **B – Quartier Ouest★** YZ.

🅘 Office de Tourisme pl. Liberté (fermé dim.) ☎ 59.27.67.

Paris 537 ① – Bergerac 74 ③ – Brive-la-Gaillarde 51 ① – Cahors 71 ② – Périgueux 66 ④.

⌂ **La Madeleine,** 1 pl. Petite-Rigaudie ☎ 59.10.41 – 🚗 AE GB ◑ E Y **e**
avril-déc. et fermé dim. soir et lundi du 1er nov. au 20 déc. – SC : **R** 50/110 – ▭ 15 – 18 ch 135/165, 3 appartements 190 – P 180/205.

⌂ **Salamandre** M sans rest, r. Abbé Surguier ☎ 59.01.81 – cuisinette TV ⌓wc ⋒wc ☎ 🚗. 🚗 AE ◑ E Z **s**
11 avril-2 nov. – ▭ 18 – **19 ch** 120/200, 5 appartements 220.

⌂ **St-Albert,** pl. Pasteur ☎ 59.01.09 – ▤ rest ⌓wc ⋒wc ☎ – 🏊 35. AE GB ◑ E. ✗ ch
SC : **R** 45/135 – ▭ 13 – **57 ch** 70/130 – P 120/160. Z **n**

⌂ **Compostelle** M sans rest, 18 av. Selves ☎ 59.08.53 – TV ⌓wc ⋒wc ☎. 🚗 Y **r**
1er avril-5 nov. – SC : ▭ 13 – **10 ch** 112/130.

⌂ **Host. la Verperie** ⛰, ☎ 59.00.20, ←, « **Jardin ombragé et fleuri** » – ⌓wc ⋒wc ☎. 🚗. ✗
✦ *fermé 15 au 30 nov., 20 déc. au 7 janv. et dim.* – SC : **R** 35/120 – **13 ch**. Y **b**

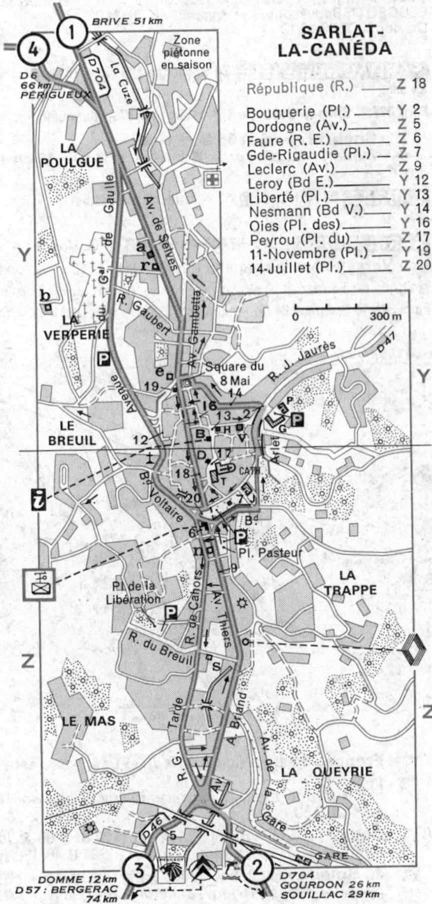

XX **Marcel,** 8 av. Selves ☎ 59.21.98 — Y **a**
15 fév.-15 nov., fermé lundi du 15 fév. au 30 mars et du 15 sept. au 15 nov. – SC : **R** 36/100 ♂.

X **Rossignol,** bd H. Arlet ☎ 59.03.20 — Y **v**
fermé 16 au 30 nov. – **R** 38/120 ♂.

au Sud par ② : 2 km :

La Hoirie sans rest, ☎ 59.05.62, ←, « Maison périgourdine dans un parc » – wc wc ☎ ♿ Ⓟ.
1er avril-15 oct. – SC : ☕ 15 – **12 ch** 140/180.

au NO par ④ : 3 km :

Host. Meysset M, ☎ 59.08.29, ←, parc – ♿ Ⓟ – 100. AE GB
10 avril-3 oct. – SC : **R** 80/180 – ☕ 16 – 21 ch 175/195, 7 appartements 230/270 – P 197/225.

rte Gourdon par ② et VO : 7 km – ✉ **24200** Sarlat

X **Philip,** ☎ 59.27.50 – Ⓟ
fermé 15 sept. au 15 oct., janv., fév. et lundi – SC : **R** 38/95.

AUDI-VOLKSWAGEN, MERCEDES-BENZ Gar. du Viaduc, à Le Pontet ☎ 59.06.83
CITROEN Sarlat-Autos, rte Vitrac ☎ 59.10.64
FORD Fournet, rte de Vitrac ☎ 59.05.23
OPEL Matigot, r. Louis Mie ☎ 59.37.67
PEUGEOT Bouyssonnie et Maurel, av. de la Dordogne ☎ 59.12.10
RENAULT Robert, 33 av. Thiers ☎ 59.35.21
Lacombe, 3 av. gambetta ☎ 59.00.93
Comptoir Sarladais du Pneu, 40 av. Thiers ☎ 59.00.33

SARLIAC-SUR-L'ISLE

24 Dordogne 75 ⑥ – 651 h. alt. 102 – ✉ **24420** Savignac-les-Églises – ⚙ 53.

Paris 477 – Brive-la-Gaillarde 81 – ♦Limoges 87 – Périgueux 15.

Chabrol, ☎ 06.01.35 – .
fermé 1er au 20 sept. – **R** 30/80 – ☕ 8,50 – **10 ch** 40/65 – P 90/95.

SARRAS

07 Ardèche 77 ① – rattaché à St-Vallier.

SARREBOURG

SP **57400** Moselle 62 ⑧ **G. Vosges** – 15 050 h. alt. 250 – ⚙ 8.

Voir Vitrail★ dans la chapelle des Cordeliers **B.**

Office de Tourisme 13 av. France (fermé dim. et lundi) ☎ 703.11.82.

Paris 391 ④ – Épinal 84 ④ – Lunéville 53 ④ – ♦Metz 111 ① – St-Dié 67 ④ – Sarreguemines 53 ①.

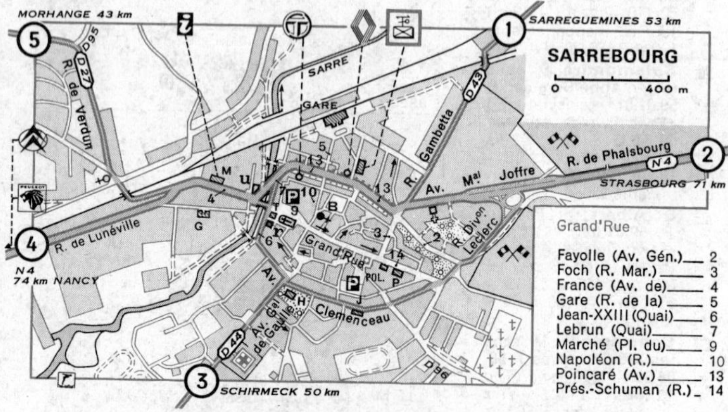

France, 3 av. France **(u)** ☎ 703.21.47 – rest wc wc ☎ Ⓟ – 50.
SC : **R** *(fermé 1er au 15 janv., vend. soir et dim. soir)* 30/120 ♂ – ☕ 12 – **50 ch** 65/188 – P 110/150.

XX **Chez Eddy,** à Hoff N : 2 km par D 27 et D 95 ☎ 703.32.01, ← – Ⓟ
fermé 15 août au 1er sept. et merc. – SC : **R** 43/120 ♂.

XX **du Soleil** avec ch, 5 r. Halles **(r)** ☎ 703.21.71 – wc ☎ Ⓟ. ch
fermé 24 déc. au 15 janv. et lundi – **R** 33/95 ♂ – ☕ 10 – **14 ch** 50/120 – P 90/130.

AUDI-VOLKSWAGEN Lett. 6 av. Joffre ☏ 703.14.02
CITROEN Gar. Rein, N 4 ☏ 703.29.29
PEUGEOT Sarrebourg-Auto, N 4, à Imling ☏ 703.29.66

RENAULT Billiar, 25 av. Poincaré ☏ 703.21.14
TALBOT Est-Gar., 8 av. Poincaré ☏ 703.23.48

Ⓓ Daesslé et Klein, 1 r. du Musée ☏ 703.21.87
Kautzmann, 5 r. du Dr-Schweitzer ☏ 703.23.53

SARREGUEMINES <SP> **57200 Moselle 57** ⑯⑰ **G. Vosges – 26 293 h. alt. 220 – ⚙ 8.**

ℹ Office de Tourisme Hôtel de Ville (fermé sam. et dim.) bureau de change en saison les sam., dim. et fêtes ☏ 798.52.32.

Paris 394 ③ – Colmar 149 ② – Épinal 137 ② – Karlsruhe 138 ① – Lunéville 93 ② – Mannheim 143 ③ – ♦Metz 68 ③ – ♦Nancy 90 ② – St-Dié 120 ② – Saarbrücken 18 ③ – ♦Strasbourg 104 ②.

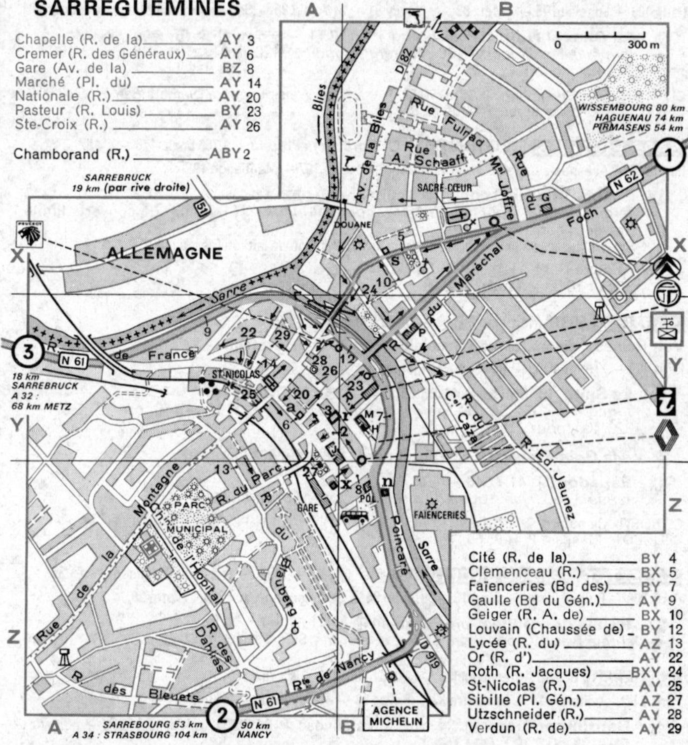

🏨 **Alsace et Rotisserie Ducs de Lorraine** [M], 10 r. Poincaré ☏ 798.44.32 – 🛗 📺 ☎ Ⓟ – 🎤 30. AE ⓓ E. ✗ ABY **r**
fermé juil. et 15 au 28 fév. – **R** 80/130 - **La Taverne R** carte 60 à 85 🍷 – ☕ 20 – **26 ch** 160/200.

🏠 **Union,** 28 r. Geiger ☏ 795.28.42 – 🛁wc 🚿wc ☎ Ⓟ. AE GB ⓓ E BX **s**
fermé 24 déc. au 1er janv. – SC : **R** *(fermé sam. midi et dim.)* 40/80 🍷 – ☕ 14 – **22 ch** 85/155 – P 165/220.

🏠 **Deux Étoiles** sans rest, 4 r. Gén.-Crémer ☏ 798.46.32 – 🛁wc 🚿 ☎. 🚗 AE GB E – SC : ☕ 7,50 – **18 ch** 45/110 AY **a**

XXX **Charrue d'Or** avec ch, 21 r. Poincaré ☏ 798.44.79 – 🛁wc 🚿 ☎ – 🎤 40. 🚗. ✗ ch BZ **n**
fermé dim. soir – SC : **R** 40/120 🍷 – ☕ 12 – **9 ch** 80/100 – P 162/244.

X **Laroche,** 3 pl. Gare ☏ 798.03.23 ABZ **x**
fermé 17 août au 8 sept., 22 déc. au 2 janv., lundi soir et mardi – SC : **R** 38/95 🍷.

par ③ et rte de Grosbliederstroff : 2 km – ✉ **57200** Sarreguemines

XXX ❀ **Aub. St-Walfrid** (Schneider), ☏ 798.43.75, 🌳 – Ⓟ
fermé août, 2 au 20 janv., dim. et lundi – **R** 80/140.

XXX **Vieux Moulin,** ☏ 798.22.59 – Ⓟ. AE GB ⓓ E
fermé 4 août au 3 sept., mardi et merc. – SC : **R** 40/110.

MICHELIN, Agence, Chemin des Tuileries, rte Nancy BZ ☎ **798.15.86**

AUDI-VOLKSWAGEN Gd Gar. Niderlender, 1 A rte de Nancy ☎ 798.54.78
CITROEN Gar. Fournier, 79 r. Clemenceau ☎ 795.10.88 N
FIAT, LANCIA-AUTOBIANCHI Gar. Meyer, 9 r. du Marché ☎ 798.21.31
FORD Salon de l'Auto, 29 r. Poincaré ☎ 798.49.30
OPEL Koehle, 95 r. Mar.-Foch ☎ 795.04.24
PEUGEOT Derr, 6 Chaussée Louvain ☎ 798.27.94
RENAULT Gd Gar. Bang, 17 av. Gare ☎ 798.13.93
TALBOT Sarre Auto, 4 bd des Faïenceries ☎ 798.25.75

Berwald, 22 a r. Claire-Oster ☎ 795.06.42

SARRE-UNION 67260 B.-Rhin 57 ⑰ – 3 130 h. alt. 240 – 88.

Paris 409 – Lunéville 75 – •Metz 83 – •Nancy 81 – St-Avold 38 – Sarreguemines 24 – •Strasbourg 81.

Au Cheval Noir, r. Phalsbourg ☎ 00.12.71 – wc ☎ P. ch
fermé 1er au 21 oct. – SC : **R** *(fermé lundi)* 22/120 – 9 – **15 ch** 39/100 – P 90/110.

CITROEN Gar. Stutzmann, ☎ 00.10.70 N
RENAULT Gar. Schoepfer, ☎ 00.10.02 N
Weiss-Pneus, à Diemeringen ☎ 00.42.60

SARS-POTERIES 59216 Nord 53 ⑥ **G. Nord de la France** – 1 766 h. alt. 176 – 27.

Paris 212 – Avesnes-sur-Helpe 9 – Charleroi 43 – •Lille 107 – Maubeuge 19.

XXX ✿ **Aub. Fleurie** (Lequy), ☎ 61.62.48 – P. GB.
fermé 15 au 31 août, 1er au 15 fév., dim. et lundi – **R** (nombre de couverts limité - prévenir) carte 85 à 125
Spéc. Crustacés à la crème, Produits de la mer, Agneau de lait rôti (déc. à juil.).

Annexe ( ) , ☎ **61.62.72,** – wc P.
SC : 10,50 – **11 ch** 75/100.

SARZEAU 56370 Morbihan 63 ⑬ – 4 088 h. alt. 21 – 97.

Voir Ruines★ du château de Suscinio SE : 3,5 km, G. Bretagne.

Paris 462 – •Nantes 109 – Redon 62 – Vannes 22.

Le Sage, pl. Église ☎ **41.85.85,** – wc wc .
fermé janv. – SC : **R** *(fermé lundi)* 50/100 – 15 – **50 ch** 121/220 – P 320/400 (pour 2 pers.).

à la Grée-Penvins SE : 7,5 km par D 198 – ✉ **56370** Sarzeau :

XX **Espadon,** ☎ **41.72.48** –
fermé 6 au 20 janv. et merc. d'oct. à mars. – SC : **R** 38/200.

CITROEN Clinchard, ☎ 41.81.23
PEUGEOT Mahéas, ☎ 41.85.65
RENAULT Pépion, ☎ 41.84.12

SASSETOT-LE-MAUCONDUIT 76 S.-Mar. 52 ⑫ – 749 h. – ✉ **76540** Valmont – 35.

Paris 206 – Bolbec 28 – Fécamp 15 – •Rouen 64 – St-Valéry-en-Caux 21 – Yvetot 29.

XX **Relais des Dalles,** près château ☎ **27.41.83,**
fermé 2 au 17 nov., 1er au 15 fév. et mardi – SC : **R** 35/95 .

SATILLIEU 07290 Ardèche 76 ⑨ – 2 026 h. alt. 476 – 75.

Paris 547 – Annonay 14 – Lamastre 37 – Privas 93 – St-Vallier 20 – Tournon 31 – Yssingeaux 54.

Gentilhommière M , rte de Lalouvesc ☎ **34.95.31,** parc, , – wc P – 50 à 100. E
SC : **R** voir rest. H. du Pont – 11 – **11 ch** 150 – P 155.

Pont, Grand'Rue ☎ **34.95.31** – wc . E
1er mars-1er nov. – SC : **R** 39/110 – 10 – **27 ch** 47/120 – P 100/125.

XX **Julliat-Roche** avec ch, ☎ **34.95.86** – rest wc . GB
fermé janv. et fév. – SC : **R** *(fermé dim. soir hors sais.)* 30/100 – 12 – **11 ch** 75/140 – P 100/140.

RENAULT Géry, ☎ 34.95.53 N

SAUCLIÈRES 12 Aveyron 80 ⑮ – 198 h. alt. 750 – ✉ **12230** La Cavalerie – 66.

Paris 673 – Le Caylar 19 – Lodève 38 – Millau 43 – Rodez 114 – St-Affrique 54 – Le Vigan 29.

XX **Le Cable,** SE : 1,5 km sur D 999 ☎ **62.26.09** – P
15 mars-12 nov. et fermé mardi soir et merc. sauf juil.-août – SC : **R** 32/100.

SAUGUES 43170 H.-Loire 76 ⑯ **G. Auvergne** – 2 649 h. alt. 960 – 71.

Paris 505 – Brioude 50 – Mende 74 – Le Puy 44 – St-Chély-d'Apcher 41 – St-Flour 50.

La Terrasse, ☎ **77.83.10** –
fermé nov. et lundi – SC : **R** 25/60 – 8 – **20 ch** 45/68 – P 85/88.

PEUGEOT Gar. R.-Sauvant, ☎ 77.83.30
TALBOT Gar. Villedieu-Eymard, ☎ 77.81.40

SAUJON 17600 Char.-Mar. 71 ⑮ – 4 431 h. alt. 7 – Stat. therm. – 46.

Syndicat d'Initiative pl. Église (1er juil.-31 août et fermé dim.) ☎ 02.83.77.

Paris 487 – ♦Bordeaux 120 – Marennes 22 – Rochefort 32 – La Rochelle 62 – Royan 11 – Saintes 26.

Thermalia, pl. Église ☎ 02.80.62 – wc wc – 30. ch
fermé 10 déc. au 10 janv. et merc. – SC : **R** 50/80 – 10 – **19 ch** 50/130.

Commerce, r. Saintonge ☎ 02.80.50, – wc
fermé 18 oct. au 21 nov. et lundi hors sais. – SC : **R** 50/65 – 11 – 19 ch 50/120 – P 110/138.

XX **Aub. du Moulin** avec ch, par D 17 et VO : 1,5 km ☎ 02.83.25, ←, , – . ch
1er juil.-15 sept. et week-ends hors sais. – SC : **R** 45/80 – 10 – 15 ch 43/75 – P 95/120.

à Châlons par D 1 : 7 km au Nord – ✉ **17600** Saujon :

Moulin de Châlons M, D 733 ☎ 22.82.72, « Ancien moulin à marée du 18e s., belle décoration intérieure », parc – wc wc . AE
1er mai-30 sept. et fermé mardi hors sais. – SC : **R** 46/90 – 18 – **15 ch** 160/180 – P 195/255.

La Galiote M sans rest, ☎ 22.81.94, « Bel intérieur », – wc wc
1er mai-30 sept. – SC : 10 – **9 ch** 80/110.

à l'Eguille NO : 7 km par D 14 et D 122 E2 – ✉ **17600** Saujon :

X **La Cabane,** ☎ 22.83.07 –
mars-fin sept., en oct.-nov. week-ends seul. et fermé mardi – SC : **R** carte 65 à 100.

PEUGEOT Daviaud, ☎ 02.80.30 — RENAULT Gar. du Parc, ☎ 02.81.45

SAULCE-SUR-RHÔNE 26370 Drôme 77 ⑪ – 1 199 h. alt. 103 – 75.

Paris 592 – Crest 25 – Montélimar 17 – Privas 26 – Valence 30.

La Capitelle , à Mirmande SE : 3 km ✉ 26270 Loriol ☎ 61.02.72, ← – wc wc . rest
15 mars-31 oct. et fermé mardi – SC : **R** (dîner seul) 60/90 – 17 – **14 ch** 100/185.

Les Reys de Saulce, aux Reys de Saulce N 7 ✉ 26270 Loriol ☎ 61.00.22, – wc .
fermé 1er déc. au 15 janv. et lundi – SC : **R** 40/70 – 10 – 15 ch 47/100 – P 100/130.

SAULCHOY 62 P.-de-C. 51 ⑫ – 220 h. alt. 13 – ✉ **62870** Campagne-lès-Hesdin – 21.

Paris 197 – Abbeville 34 – Arras 74 – Berck-Plage 24 – Doullens 44 – Hesdin 18 – Montreuil 15.

XX **Val d'Authié,** ☎ 90.30.20 –
SC : **R** 65/75.

SAULGES 53 Mayenne 60 ⑪ **G. Châteaux de la Loire** – 420 h. alt. 80 – ✉ **53340** Ballée – 43.

Paris 252 – Château-Gontier 40 – La Flèche 48 – Laval 37 – ♦Le Mans 58 – Mayenne 43.

Ermitage M , ☎ 01.22.28, – TV wc – 150. GB
fermé fév. et lundi sauf fériés, juil. et août – SC : **R** 38/95 – 10 – **20 ch** 45/120 – P 85/110.

SAULIEU 21210 Côte-d'Or 65 ⑰ **G. Bourgogne** – 3 156 h. alt. 514 – 80.

Voir Basilique St-Andoche★ – Le Taureau★ par Pompon B – Salle Pompon★ au musée M.

Syndicat d'Initiative r. Argentine (1er juil.-30 sept.) ☎ 64.00.21.

Paris 251 ① – Autun 41 ④ – Avallon 39 ① – Beaune 76 ② – Clamecy 77 ① – ♦Dijon 73 ②.

Plan page suivante

Poste sans rest, 1 r. Grillot **(t)** ☎ 64.05.67, Télex 350540 – . AE
SC : 12,50 – **48 ch** 60/170, 3 appartements 200.

Tour d'Auxois, pl. Abreuvoir **(u)** ☎ 64.13.30 –
fermé 1er déc. au 8 janv., dim. soir et lundi – SC : **R** 35/70 – 10 – 30 ch 35/60.

XXX ✿✿ **Côte d'Or** avec ch, 2 r. Argentine **(e)** ☎ 64.07.66 – wc wc . AE
R carte 135 à 180 – 23 – 17 ch 100/215
Spéc. Terrine de foie gras, Ragoût de homard (avril à oct.), Aiguillettes de canard.

XX **Borne Impériale** avec ch, 16 r. Argentine **(v)** ☎ 64.19.76 – . GB
fermé 15 nov. au 15 déc. et mardi – SC : **R** 60/120 – 11 – 7 ch 45/80.

XX **Aub. du Relais** avec ch, 8 r. Argentine **(a)** ☎ 64.13.16 – wc
fermé 4 janv. au 10 fév., merc. soir et jeudi – SC : **R** 45/90 – 13 – 5 ch 70/90.

X **Vieille Auberge** avec ch, 17 r. Grillot **(n)** ☎ 64.13.74 – .
fermé 25 nov. au 15 janv. et merc. – SC : **R** 55/80 – 9 – **7 ch** 40/52.

SAULIEU

Marché (R. du) 14

Argentine (R.) 2
Bertin (R. J.) 3
Courtépée (R.) 4
Foire (R.) 6
Gare (Av. de la) 7
Gaulle (Pl. Ch. de) 8
Grillot (R.) 12
Sallier (R.) 15
Vauban (R.) 18

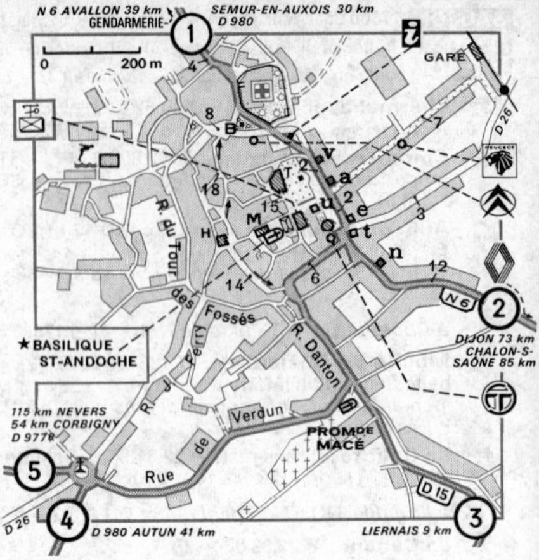

Les localités citées dans le **guide Michelin** sont soulignées de rouge sur les **cartes Michelin** à 1/200 000.

CITROEN Gar. Griesser, ☎ 64.17.99
PEUGEOT Gar. de la Gare, ☎ 64.00.87 N
RENAULT S.C.A.S.A., ☎ 64.03.45 N
TALBOT Gar. de la Tour, ☎ 64.15.99
Gar. Moderne, ☎ 64.08.08

SAULT 84390 Vaucluse 81 ⑭ **G. Provence** – 1 230 h. alt. 765 – ⚙ 90.
Voir Nef★ de l'église.
Env. Gorges de la Nesque★★ : belvédère★★ SO : 11 km sur D 942.
i Syndicat d'Initiative av. Promenade (15 juin-15 sept.) ☎ 64.01.21.
Paris 728 – Aix-en-Provence 92 – Apt 37 – Avignon 68 – Carpentras 45 – Digne 93 – Gap 102.

Signoret, ☎ **64.00.45**
26 ch.

*à **Aurel*** N : 5 km par D 942 – ✉ **84390** Sault :

Relais du Ventoux , ☎ **64.00.62** – .
fermé janv. et vend. – SC : **R** 30/65 – 7,50 – **11 ch** 50/65.

CITROEN Gar. Pantoustier, ☎ 64.02.29
RENAULT Gar. de la Lavande, ☎ 64.02.41

SAULZET-LE-CHAUD 63 P.-de-D. 73 ⑭ – rattaché à Ceyrat.

SAUMUR SP 49400 M.-et-L. 64 ⑫ **G. Châteaux de la Loire** – 23 601 h. alt. 30 – ⚙ 41.
Voir Château★★ : musée d'Arts décoratifs★★, musée du cheval★, tour du Guet ★ – Église N.-D.-de-Nantilly★ : tapisseries★★ – Hôtel de ville★ – Tapisseries★ de l'église St-Pierre – Pont ★ – Musée Barbet de Vaux★ X M.
i Office de Tourisme et des Vins (fermé dim. hors sais.) et A.C.O. 25 r. Beaurepaire ☎ 51.03.06.
Paris 299 ① – Angers 52 ① – Châtellerault 76 ③ – Cholet 66 ④ – La Flèche 51 ① – Laval 119 ① – ♦Le Mans 93 ① – ♦Nantes 127 ④ – Niort 115 ④ – Poitiers 90 ③ – ♦Tours 66 ①.

Plan page ci-contre

Roi René et rest Table du Roy, 94 av. Gén.-de-Gaulle ☎ **50.45.30**, – wc wc P – 30. GB — X **a**
fermé 15 nov. au 15 déc. – SC : **R** 50/80 – 12 – 34 ch 50/220 – P 140/310.

Londres sans rest, 48 r. Orléans ☎ **51.23.98** – wc P. . — Y **x**
fermé 15 nov. au 10 déc. – SC : 10 – **27 ch** 46/110.

Croix Verte, 49 r. Rouen par ① ☎ **50.39.31** – rest P. GB
fermé 15 déc. au 31 janv. – SC : **R** *(fermé dim. en hiver)* 30/65 – 11 – **18 ch** 52/90 – P 110/130.

Alexandre sans rest, 26 r. Lorraine ☎ **51.33.40** – wc wc P — Y **u**
SC : 10 – **15 ch** 40/120.

Gambetta, 12 r. Gambetta ☎ **51.11.13** — Y **r**
fermé 20 déc. au 20 janv., dim. soir et lundi sauf fêtes – SC : **R** 32/90.

L'Escargot, 30 r. Mar.-Leclerc ☎ **51.20.88** — Z **s**
fermé 15 nov. au 15 déc., lundi et mardi – SC : **R** 35/60.

*à **Bagneux*** par ④ : 1,5 km – ✉ **49400** Saumur :

Campanile, ☎ **50.14.40** – wc P. GB
SC : **R** 43 bc/56 bc – 17 – **34 ch** 140 – P 173/223.

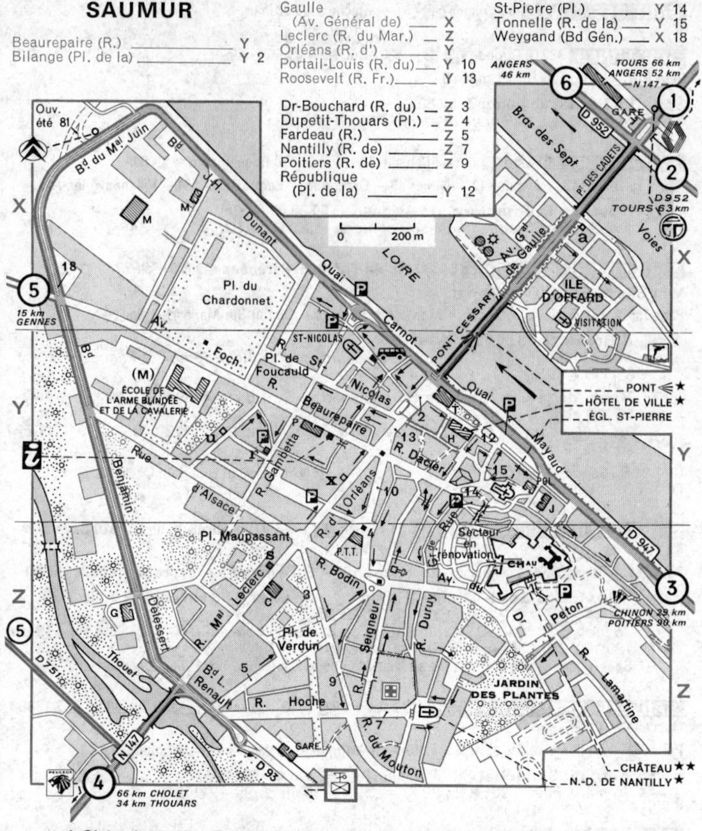

à Chênehutte-les-Tuffeaux par ⑤ et D 751 : 8 km – ✉ **49350** Gennes :

Le Prieuré ⛰, ☎ 50.15.31, ≤, « Site boisé dominant la Loire, parc, ⛱ », 🎾 – Ⓟ – 🏕 50. AE
fermé 5 janv. au 1er mars – **R** 90/175 – ☕ 22 – **36 ch** 200/320 – P 275/385
Spéc. Poissons au beurre d'écrevisses, Filet de boeuf mariné aux herbes, Nougat glacé au coulis de framboises. **Vins** Brézé, Champigny.

CITROEN Jolly, bd Mar.-Juin ☎ 50.41.01
FIAT Gar. du Centre, 136 r. Pont-Fouchard, à Bagneux ☎ 50.10.39
FORD Boutin, 81 r. d'Orléans ☎ 51.22.33
OPEL Gar. Rabiller, rte du Mans ☎ 50.39.69
PEUGEOT Charbonneau, 103 r. du Pont-Fouchard à Bagneux ☎ 50.11.33
RENAULT C.E.S.A.M., 86 rte Rouen ☎ 50.38.66
TALBOT Gar. Guillemet, 5 r. Rouen ☎ 50.48.68

Ⓟ Anjou-Pneus, 1 bd L.-Renault ☎ 51.08.46
Godelu-Pneus, 70 quai Mayaud ☎ 51.20.08 et rte Doué-la-Fontaine, Distre ☎ 50.17.96

SAUSSET-LES-PINS 13960 B.-du-R. 84 ⑫ – 2 657 h. – ⚙ 42.

ℹ Office de Tourisme bd ch.-Roux (juil.-août et fermé dim.) ☎ 45.16.34.

Paris 777 – Aix-en-Provence 45 – ♦Marseille 31 – Martigues 12 – Salon-de-Provence 56.

XX **Plage** M avec ch, ☎ 45.06.31, ≤, ⛱, 🌳 – ▤ rest ⌂wc ⌂wc ☎.
fermé oct., lundi hors sais. – SC : **R** 90/150 – ☕ 12 – 11 ch 120 – P 200.

X **La Jetée,** ☎ 45.07.61, ≤
15 janv.-15 oct., fermé le soir sauf vend. et sam. du 15 janv. au 1er juin et merc. – SC : **R** 60/80.

SAUSSIGNAC 24 Dordogne 75 ⑭ – 432 h. alt. 123 – ✉ 24240 Sigoulès – ⚙ 53.

Paris 569 – Bergerac 17 – Libourne 52 – Périgueux 64 – Ste-Foy-la-Grande 13.

Relais de Saussignac ⛰, ☎ 58.12.08 – ⌂wc ⌂ ☎ Ⓟ – 🏕 40.
fermé fév. – SC : **R** *(fermé lundi du 1er oct. au 31 mars)* 30/70 🍷 – ☕ 9,50 – **18 ch** 60/95 – P 100/145.

SAUT-DES-CUVES 88 Vosges 62 ⑰ – rattaché à Gérardmer.

SAUTERNES 33210 Gironde 79 ① – 580 h. alt. 50 – ⚙ 56.

Paris 616 – •Bordeaux 55 – Langon 9.

X **La Forge,** au bourg ℡ 62.60.69
fermé 23 fév. au 9 mars et merc. – SC : **R** 30/80.

SAUVETERRE 30 Gard 81 ⑪ – 913 h. alt. 28 – ✉ **30150** Roquemaure – ⚙ 66.

Paris 675 – Alès 73 – Avignon 12 – Nîmes 49 – Orange 15 – Pont-St-Esprit 34 – Villeneuve-lès-A. 8.

XXX **Host. La Crémaillère,** rte Avignon ℡ 50.35.05 – Ⓟ
fermé 15 au 30 sept., mardi soir et merc. – SC : **R** 60/160 ₰.

SAUVETERRE-DE-BÉARN 64390 Pyr.-Atl. 85 ④ **G. Pyrénées** – 1 668 h. alt. 67 – ⚙ 59.

Voir Site★, ≤★★ du vieux pont.

Paris 755 – •Bayonne 62 – Dax 45 – Mont-de-Marsan 78 – Oloron-Ste-Marie 41 – Pau 66.

A Boste, ℡ 38.50.62 – . ✻
fermé 4 au 16 mai, 5 oct. au 7 nov., dim. soir et lundi de nov. à Pâques – SC : **R** 35/110 – ☕ 12 – 9 ch 40/80 – P 90/130.

XX **Host. de la Grange** avec ch, à Guinarthe S : 1,5 km ℡ 38.51.22, – Ⓟ. AE. ✻ ch
1er avril-1er nov. et fermé lundi du 15 sept. au 31 mai – SC : **R** 30/70 – ☕ 9 – **11 ch** 45/75 – P 90/105.

CITROEN Serres, ℡ 38.50.21
PEUGEOT Maisonnave ℡ 38.52.71
RENAULT Gar. Bidegain, ℡ 38.52.52

SAUVETERRE-DE-COMMINGES 31 H.-Gar. 86 ① – 771 h. alt. 480 – ✉ **31510** Barbazan – ⚙ 61.

Paris 782 – Bagnères-de-Luchon 36 – Lannemezan 32 – St-Gaudens 9,5 – Tarbes 68 – •Toulouse 100.

❀ **Host. des Sept-Molles** (Ferran) ⛰, à Gesset S : 3 km par D 9 ℡ 88.30.87, ≤, , , – | ♿ Ⓟ – 30. AE ⓓ
15 mars-30 oct. – SC : **R** (dim., fêtes, juil. et août - prévenir) 80/120 – ☕ 18 – **19 ch** 120/160, 4 appartements 200 – P 180/200
Spéc. Charcuterie maison, Truite au bleu, Magret grillé au feu de bois. Vins Jurançon blanc.

SAUVETERRE-DE-ROUERGUE 12 Aveyron 80 ① **G. Causses** – 891 h. alt. 460 – ✉ **12800** Naucelle – ⚙ 65.

Paris 662 – Albi 54 – Millau 95 – Rodez 40 – St-Affrique 89 – Villefranche-de-Rouergue 44.

Aub. du Sénéchal ⛰, ℡ 47.05.78 – wc ☎. GB. ✻
1er mai-3 nov. – SC : **R** 35/70 ₰ – ☕ 12 – **15 ch** 85/95 – P 110/130.

SAUX 65 H.-Pyr. 85 ⑧ – rattaché à Lourdes.

Le SAUZE 04 Alpes-de-H.-P. 81 ⑧ – rattaché à Barcelonnette.

SAUZON 56 Morbihan 63 ⑪ – voir Belle-Ile-en-Mer.

SAVERDUN 09700 Ariège 82 ⑱ – 4 220 h. alt. 235 – ⚙ 61.

Paris 755 – Muret 36 – Pamiers 15 – •Toulouse 49.

Château Larlenque, N 20 ℡ 69.30.20, parc – wc wc ☎ Ⓟ – 30. AE. ✻ rest
fermé nov. – SC : **R** 45/100 – ☕ 12 – **17 ch** 75/170 – P 135/180.

SAVERNE SP 67700 B.-Rhin 57 ⑱ **G. Vosges** – 10 430 h. alt. 210 – ⚙ 88.

Voir Château★ : façade★★ – Maisons anciennes★ A **E** – **St-Jean-Saverne : chapelle St-Michel★, ≤★ N : 4,5 km par D 115 puis 30 mn,** A – **Ruines du château du Haut-Barr★ : ≤★ SO : 5 km par D 102 puis D 171,** A.

ℹ Syndicat d'Initiative 78 Grand'Rue (fermé sam. et dim.) ℡ 91.18.52 et Château des Rohan (juil.-15 sept.) ℡ 91.80.47.

Paris 449 ① – Lunéville 80 ⑤ – St-Avold 86 ① – Sarreguemines 65 ① – •Strasbourg 39 ③.

Plan page ci-contre

Chez Jean, 3 r. Gare ℡ 91.10.19 – | wc wc ☎ – 45. ⓓ. ✻ A **d**
fermé 1er au 25 sept., dim. soir et lundi – SC : **R** 28/105 ₰ – ☕ 10 – 22 ch 49/105.

Geiswiller, 17 r. Côte ℡ 91.18.51 – wc wc ☎ Ⓟ – 40. AE ⓓ ✻ rest A **a**
SC : **R** *(fermé lundi)* 35/110 ₰ – ☕ 11 – 18 ch 45/130 – P 105/140.

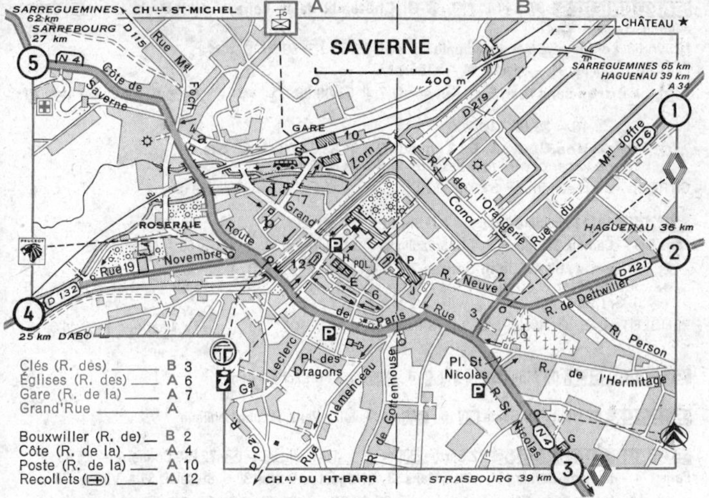

Boeuf Noir, 22 Gde-Rue ☎ 91.10.53 – wc wc ☎ . A **b**
fermé 15 au 31 juil., 1er au 15 oct., dim. soir et mardi – SC : **R** 32/95 – 9 – 20 ch 36/100 – P 150/175.

Fischer, 15 r. Gare ☎ 91.19.53 – wc wc ☎ . A **s**
fermé 20 déc. au 15 janv. et sam. – SC : **R** *(fermé vend. soir et sam.)* 28/80 – 11 – 21 ch 55/140.

BMW, OPEL Gar. Diemer, 32 r. de L'Hermitage ☎ 91.19.00
CITROEN Wallior, 21 r. St-Nicolas ☎ 91.17.52
PEUGEOT Gar. Ohl, 37 rte Paris ☎ 91.17.15
RENAULT Billiar, 116 r. St-Nicolas ☎ 91.22.22 N

RENAULT Guss, 6 r. Dettwiller ☎ 91.17.23
TALBOT Gar. Roser, 40 rte Paris ☎ 91.12.55

Daesslé et Klein, 26 r. de L'Hermitage ☎ 91.18.22

SAVIGNAC-LES-ÉGLISES 24420 Dordogne 75 ⑥ – 732 h. alt. 111 – 53.

Paris 474 – Brive-la-Gaillarde 62 – Lanouaille 25 – ♦Limoges 84 – Périgueux 21 – Uzerche 72.

Parc M , ☎ 05.00.12, « Parc » – . AE GB E.
fermé 15 au 28 oct., 5 janv. au 5 mars et lundi hors sais. – SC : **R** 90/135 – 19 – 14 ch 230/300
Spéc. Chausson de truffes, Charlotte de poivrons doux, Suprême de canard aux baies de cassis. **Vins** Bergerac, Cahors.

SAVIGNÉ-L'ÉVÊQUE 72000 Sarthe 60 ⑬ – rattaché au Mans.

SAVIGNY-LÈS-BEAUNE 21420 Côte-d'Or 69 ⑨ – 1 411 h. alt. 265 – 80.

Syndicat d'Initiative r. Vauchey-Very (1er juin-15 sept.).

Paris 321 – Beaune 6 – Bouilland 10 – ♦Dijon 38.

L'Ouvrée , ☎ 21.51.52, – wc wc ☎ – 25.
fermé 1er fév. au 15 mars – SC : **R** 50/110 – 10,50 – 22 ch 100/130.

PEUGEOT Gar. Busquin, ☎ 21.52.06

SAVIGNY-SUR-ORGE 91600 Essonne 61 ①, 101 ㉟㊱ – voir à Paris, Proche banlieue.

SAVINES-LE-LAC 05160 H.-Alpes 81 ⑦ **G. Alpes** – 762 h. alt. 810 – 92.

Voir Forêt de Boscodon★★ : ≤★★ SE : 5 km.

Syndicat d'Initiative av. Combe d'Or (1er juin-30 sept. et fermé dim.) ☎ 44.20.44.

Paris 695 – Barcelonnette 46 – Briançon 59 – Digne 87 – Gap 28 – Guillestre 32 – Sisteron 72.

Flots Bleus M sans rest, ☎ 44.20.89, ≤ – wc wc ☎ – 25.
fermé 15 nov. au 15 déc. – SC : 12 – **20 ch** 95/140.

Eden Lac , ☎ 44.20.53, ≤, – wc ☎
SC : **R** 45/80 – 11,50 – 20 ch 70/130 – P 128/160.

Relais Fleuri, ☎ 44.20.32, ≤ –
1er mai-1er nov. et fermé mardi – SC : **R** 45/65.

SAVONNIÈRES 37 I.-et-L. 64 ⑭ **G. Châteaux de la Loire** – 1 461 h. alt. 45 – ✉ **37300** Joué-lès-Tours – ⚙ 47.

ℹ Syndicat d'Initiative 69 r. Principale (1er avril-15 oct.) ☎ 50.00.10.

Paris 251 – Chinon 34 – Saumur 54 – ♦Tours 17.

Cèdres sans rest, E : 3 km sur D 7 ☎ 53.00.28, – wc wc. E
SC : 16 – **35 ch** 110/200.

XX **Rest. des Cèdres,** E : 3 km sur D 7 ☎ 53.37.58 – GB
fermé vacances de fév. et vend. – SC : **R** 60/200.

CITROEN Gar. Lechiffre, ☎ 50.00.35 N — Gar. Carreau, ☎ 50.03.05

SCAER 29111 Finistère 58 ⑯ – 6 721 h. alt. 185 – ⚙ 98.

Paris 523 – Carhaix-Plouguer 37 – Châteaulin 48 – Concarneau 27 – Pontivy 65 – Quimper 36.

Brizeux, 56 av. Jean-Jaurès ☎ 59.40.59 – wc .
fermé 3 janv. au 10 fév. et lundi – SC : **R** 33/155 – 11,50 – 18 ch 53/105 – P 105/135.

PEUGEOT Gar. de l'Isole, Moulin du Pont ☎ 59.41.74 — TALBOT Trévarin, 27 r. Laennec ☎ 59.44.04

SCAFFARELS 04 Alpes-de-H.-P. 81 ⑱, 195 ⑫ – rattaché à Annot.

SCEAUX 92 Hauts-de-Seine 60 ⑩, 101 ㉕ – voir à Paris, Proche banlieue.

SCEAUX-SUR-HUISNE 72 Sarthe 60 ⑭⑮ – 424 h. alt. 93 – ✉ **72160** Connerré – ⚙ 43.

Paris 174 – La Ferté-Bernard 11 – ♦Le Mans 33 – Nogent-le-Rotrou 32 – St-Calais 35 – Vibraye 15.

XX **Aub. Panier Fleuri** avec ch, ☎ 93.40.08 – AE GB
fermé 1er fév. au 1er mars et merc. – SC : **R** 45/150 – 9 – 6 ch 40/75.

La SCHLUCHT (Col de) 88 Vosges 62 ⑱ **G. Vosges** – alt. 1 139 – Sports d'hiver : 1 139/1 250 m 3 – ⚙ 89 – **Voir Route des Crêtes***** N et S.

Paris 427 – Colmar 37 – Épinal 56 – Gérardmer 15 – Guebwiller 46 – St-Dié 39 – Thann 48.

Collet , au Collet : 2 km sur rte de Gérardmer, ✉ 88400 Gérardmer, ☎ (29) 63.11.43, ← – wc .
fermé 15 nov. au 15 déc. – SC : **R** 48/100 – 11 – 22 ch 70/125 – P 150/170.

Le Tétras, ✉ 88400 Gérardmer, ☎ (29) 63.11.37, ← – wc – 30 – 18 ch.

SCHWEIGHOUSE-SUR-MODER 67 B.-Rhin 57 ⑲ – rattaché à Haguenau.

SEBOURG 59 Nord 53 ⑤ – rattaché à Valenciennes.

Le SECHIER 05 H.-Alpes 77 ⑯ – rattaché à St-Firmin.

SÉCHIN 25 Doubs 66 ⑯ – rattaché à Baume-les-Dames.

SECONDIGNY 79130 Deux-Sèvres 67 ⑰ – 2 020 h. alt. 183 – ⚙ 49.

Paris 387 – Bressuire 27 – Fontenay-le-Comte 39 – Niort 35 – Parthenay 14 – La Roche-sur-Yon 86.

Écu de France, ☎ 63.70.22 – wc
R 35/60 – 9 – **15 ch** 50/90 – P 100/120.

CITROEN Gar. Bernier, ☎ 63.70.20 — Gar. Piet, ☎ 63.70.58
Gar. Guérin ☎ 63.70.27

SEDAN SP **08200** Ardennes 53 ⑲ **G. Nord de la France** – 25 430 h. alt. 157 – ⚙ 24.

Voir Château fort* BY

ℹ Office de Tourisme Chateau Fort (1er avril-25 oct.) ☎ 29.03.28 et Hôtel de Ville (fermé sam., dim. et fêtes) ☎ 29.03.85.

Paris 239 ③ – Châlons-sur-Marne 116 ③ – Charleville-Mézières 22 ③ – Liège 146 ① – Luxembourg 100 ① – ♦Metz 139 ② – Namur 108 ① – ♦Reims 96 ③ – Thionville 123 ② – Verdun 80 ②.

Plan page ci-contre

Univers, pl. Gare ☎ 29.04.35 – wc . — AZ **e**
fermé août et dim. – SC : **R** 35/100 – 12 – **11 ch** 55/150 – P 100/150.

XX ❀ **Au Bon Vieux Temps** (Leterme), 3 pl. Halle ☎ 29.03.70 – AE GB E. — BZ **r**
fermé juin, dim. soir et lundi – **R** carte 120 à 150
Spéc. St Jacques à la mousse de cresson (oct. à mai), Noisettes d'agneau aux Mangues, Rognon de veau au Bouzy. Vins Bouzy.

XX **Embassy** avec ch, 28 r. Gambetta ☎ 29.00.77 – GB — BYZ **s**
SC : **R** *(dim. soir en hiver)* 30/120 – 9,50 – **12 ch** 40/46 – P 120.

X **Chariot d'Or,** 20 pl. Torcy ☎ 29.04.87 – — AZ **v**
fermé juil., 14 au 24 fév., vend. soir, dim. soir et sam. – SC : **R** 28/80 .

Armes (Pl. d') BZ 3
Carnot (R.) BZ 5
Gambetta (R.) BZ 12
Halle (Pl. de la) BZ 14
Leclerc (Av. du Mar.) BZ 21
Ménil (R. du) BZ 26

Alsace-Lorraine (Pl. d') BZ 2
Calonne (Pl.) BZ 4
Château (Pl. du) BY 6
Crussy (Pl.) BZ 7
Fleuranges (R. de) AZ 8
Franquin (Av. E.) BZ 10
Goulden (Pl.) BY 13
Harcourt (Pl. d') BY 16
Jardin (Bd du Gd) BY 17
La-Rochefoucauld (R. de) BY 18
Lattre-de-T. (Bd Mar.-de) AZ 19
Law (Bd) BY 20
Marne (Av. de la) AZ 22
Martyrs-de-la-R. (Av. des) AZ 24
Ménil (Fg du) BZ 25
Promenoir des Prêtres BZ 28
Rochette (Bd de la) BZ 29
Rovigo (R.) BY 30
St-Vincent (Pl.) ABY 32
Strasbourg (R. de) BZ 33
Turenne (Pl.) BY 35
Vesseron-Lejay (R.) AY 36
Wuidet-Bizot (R.) BZ 37

AUDI-VOLKSWAGEN Poncelet, 2 pl. de Torcy ☎ 27.01.01
CITROEN Froussart, 19 av. Verdun ☎ 27.08.23 🅽
FORD Gar. Turenne, 20 av. Philippoteaux ☎ 27.32.88
PEUGEOT S.I.S.A., 6 av. Gén.-de-Gaulle ☎ 27.13.25
RENAULT Ardennes-Autos, 67 av. Ch.-de-Gaulle, Balan ☎ 29.35.40 🅽 ☎ 29.37.10
TALBOT Gar. St-Christophe, 1 av. Philippoteaux ☎ 27.17.89

Pneu-Station, 45 av. Ch.-de-Gaulle, Balan ☎ 27.44.22

SÉES 61500 Orne 60 ③ G. Normandie (plan) – 5 243 h. alt. 188 – 33.

Voir Cathédrale★ : choeur et transept★★ – Forêt d'Ecouves★★ SO : 5 km.

Syndicat d'Initiative à l'Hôtel de Ville (Pâques, 1er mai-30 sept., fermé matin et mardi) ☎ 27.98.08.

Paris 183 – L'Aigle 44 – Alençon 21 – Argentan 23 – Domfront 65 – Mortagne-au-Perche 33.

Cheval Blanc, 1 pl. St-Pierre ☎ 27.80.48 –
fermé oct., sam. hors sais. et vend. – SC : **R** 25/75 – 8 – 9 ch 40/59.

Normandy, 20 pl. Gén.-de-Gaulle ☎ 27.80.67
fermé 15 sept. au 5 oct. – **R** 35/48.

PEUGEOT Gar. Boivin, ☎ 27.80.14
RENAULT Gar. Herouin, ☎ 27.84.10

SÉEZ 73430 Savoie 74 ⑱ – 1 134 h. alt. 904 – 79.

Paris 664 – Aosta 83 – Bourg-St-Maurice 3 – Chambéry 105 – Val-d'Isère 28.

Malgovert, ☎ 07.02.05, ≤, – wc wc .
Pâques, 10 juin-1er oct., Noël-jour de l'An, fév. et week-ends en janv., mars et 1er mai – SC : **R** 38/50 – 12 – 20 ch 55/100 – P 95/135.

Belvédère , E : 11 km par N 90 ✉ 73700 Bourg-St-Maurice ☎ 07.02.04, ≤ vallée et montagne – wc .
juil. au 7 sept., vacances scolaires et week-ends – SC : **R** 33/70 – 11 – **28 ch** 66/142 – P 120/150.

SEGOS 32 Gers 82 ② – rattaché à Aire-sur-l'Adour.

SEGRÉ 49500 M.-et-L. 63 ⑨ **G. Châteaux de la Loire** – 7 167 h. alt. 29 – 41.
Paris 305 – Angers 36 – Châteaubriant 40 – Laval 50 – •Nantes 81 – •Rennes 87.

Gare, 92.15.52 –
R 24/60 – 10 – **19 ch** 32/73 – P 75/90.

La Corvette, 37 quai Tribunal 92.19.46
fermé 1er au 15 fév. et lundi hors sais. – SC : **R** 28/72.

CITROEN Guérif, 34 r. Lamartine 92.23.75
PEUGEOT Chesneau rte de Segré à Ste-Gemmes-d'Andigné 92.22.52
RENAULT Autos du Segréen, 54 r. Lamartine 92.12.28

SÉGURET 84 Vaucluse 81 ② – rattaché à Vaison-la-Romaine.

SÉGUR-LES-VILLAS 15 Cantal 76 ③ – 434 h. alt. 1 000 – 15300 Murat – 71.
Paris 513 – Allanche 12 – Aurillac 64 – Condat 18 – Mauriac 56 – Murat 18 – St-Flour 43.

Santoire M, à La Carrière du Monteil de Ségur S : 4 km sur D 3 20.70.68, – wc wc. E
fermé 15 nov. au 1er déc. – **R** 28/65 – 9 – **18 ch** 52/80 – P 82/100.

CITROEN Gare de la Santoire, La Carrière 20.70.57

SEICHES-SUR-LE-LOIR 49140 M.-et-L. 64 ① – 2 168 h. alt. 28 – 41.
Syndicat d'Initiative à la Mairie (fermé jeudi et sam. après-midi) 80.00.37.
Paris 268 – Angers 19 – Château-Gontier 42 – Château-la-Vallière 52 – La Flèche 28 – Saumur 45.

Host. St-Jacques, à Matheflon N : 2 km par VO 80.00.30 – wc .
fermé 15 janv. au 1er mars, dim. soir et lundi du 1er oct. au 1er avril – SC : **R** 32/70 – 9 – **10 ch** 40/80 – P 90/110.

Cheval Blanc, N 23 80.00.62 – . .
fermé juil., dim. soir et sam. – SC : **R** 25/60 – 8 – 9 ch 38/50.

SEIGNELAY 89250 Yonne 65 ⑤ **G. Bourgogne** – 1 132 h. alt. 126 – 86.
Paris 171 – Auxerre 14 – Chablis 25 – Joigny 21 – Nogent-sur-S. 79 – St-Florentin 19 – Tonnerre 42.

Commerce, 40.71.21 – . rest
fermé 1er sept. au 1er oct., dim. soir et lundi – SC : **R** 28/48 – 8,50 – 19 ch 39/60.

TALBOT Gar. Leray, 40.73.15

SEIGNOSSE 40510 Landes 78 ⑰ – 1 003 h. – 58.
Office de Tourisme av. des Lacs (fermé sam. et dim. hors sais.) 43.32.15.
Paris 720 – •Bayonne 27 – Castets 36 – Mont-de-Marsan 79 – St-Vincent-de-Tyrosse 7,5.

La Soleillade avec ch, 72.80.38, « Parc » – wc wc
1er avril au 30 sept. et fermé mardi – SC : **R** 35/120 – 12 – **7 ch** 80/165.

SEILHAC 19700 Corrèze 75 ⑨ – 1 319 h. alt. 490 – 55.
Syndicat d'Initiative à la Mairie (fermé sam. et dim.) 27.05.26 et pl. Horloge (juil.-août).
Paris 466 – Aubusson 101 – Brive-la-Gaillarde 33 – •Limoges 74 – Tulle 15 – Uzerche 16.

Relais des Monédières, à Montargis de Seilhac SE : 1 km 27.04.74, parc –
fermé nov. – SC : **R** 27/55 – 9,50 – **21 ch** 45/70 – P 90/100.

à St-Salvadour NE : 8 km par D 940, D 44 et D 173E – 19700 Seilhac :

Ferme du Léondou, 21.60.04, « Grange aménagée », –
fermé nov. – SC : **R** 24/110.

SEILLANS 83 Var 84 ⑦, 195 ㉒ **G. Côte d'Azur** – 1 211 h. alt. 366 – 83440 Fayence – 94.
Voir N.-D. de l'Ormeau : retable** SE :1 km.
Paris 895 – Castellane 56 – Draguignan 32 – Fayence 7,5 – Grasse 31 – St-Raphaël 41.

Clariond et H. de France M, 76.06.10, , , – wc wc . .
fermé janv. – SC : **R** *(fermé merc. hors sais.)* 70 – 15 – **26 ch** 100/220 – P 200/270.

Deux Rocs, 76.05.33 – wc wc . . rest
1er avril-31 oct. – SC : **R** *(fermé mardi hors sais.)* 50/135 – 14 – **15 ch** 110/195 – P 175/230.

route de Draguignan SO : 10 km par D 53 et D 562 – 83440 Fayence :

Relais de Garron, 76.09.43 – . AE E
SC : **R** 55/75.

SEIN (Ile de) ★ **29162** Finistère 58 ⑫ **G. Bretagne** – 607 h. – ⚙ 98.

Voir Phare ☼★★.

Accès par transports maritimes :

⛴ depuis **Audierne** (ou de l'embarcadère de Ste-Evette). En 1980 : du 1er juil. au 31 août, 3 services quotidiens ; hors saison, 1 service quotidien (sauf mercredi) - Traversée 1 h – 45 F (AR). Renseignements : quai Jean Jaurès ☏ 70.02.38 (Audierne) et ☏ 70.02.37 (Ste-Evette).

XX Aub. des Senans, ☏ 70.90.01
Pâques-oct..

SEIX **09140** Ariège 86 ③ – 1 009 h. alt. 510 – ⚙ 61.

Voir Vallée du Haut Salat★ N et S, G. Pyrénées.

ℹ Syndicat d'Initiative pl. Allée (juil.-sept.) et à la Mairie (fermé dim.) ☏ 66.83.55.

Paris 816 – Ax-les-Thermes 76 – Foix 62 – St-Girons 18.

X **Aub. des Deux Rivières** avec ch, au pont de la Taule S : 5 km ☏ 66.83.57, – ◆ Ⓟ. GB.
15 mai-30 sept., vacances scolaires et week-ends – SC : **R** 30/70 – ☕ 9 – 11 ch 39/44 – P 77/94.

SÉLESTAT ⟨SP⟩ **67600** B.-Rhin 62 ⑲ **G. Vosges** – 15 749 h. alt. 182 – ⚙ 88.

Voir Église Ste-Foy★ – Église St-Georges★ – Bibliothèque humaniste★ BY **M** – **Volerie des Aigles : démonstrations de dressage★ au château de Kintzheim par ④ : 4,5 km puis 30 mn.**

ℹ Syndicat d'Initiative pl. République (fermé dim.) ☏ 92.02.66.

Paris 431 ⑤ – Colmar 22 ③ – Gérardmer 75 ③ – St-Dié 43 ⑤ – ◆Strasbourg 47 ①.

Chevaliers (R. des) .... BYZ 3
Hôpital (R. de l') .... BZ 6
Président-Poincaré (R. du) .... BZ 20
4e-Zouaves (R. du) .... AZ 31
Marché aux Choux .... BY 8
République (Pl. de la) .... AZ 21
Ste-Barbe (R.) .... BZ 22
Schaal (Pl. du Gén.) .... ABY 23
Schwilgué (R.) .... BY 24
Serruriers (R. des) .... BY 25
Strasbourg (Pl. Porte-de) .... BY 27
Victoire (Pl. de la) .... BZ 28
Vieux Marché aux Vins .... BY 29
17-Novembre (R. du) .... BZ 32

🏨 **Vaillant,** pl. République ☏ 92.09.46 – 🛗 ⛀wc ⛆wc ☎ – 🏊 45.
SC : **R** *(fermé Noël-Jour de l'An, en fév., dim. soir hors sais. et lundi)* 42 – ☕ 11 – 36 ch 111/138. AZ **n**

XX **Vieille Tour,** 8 r. Jauge ☏ 92.15.02 BY **s**
fermé 2 au 9 mars, 6 au 20 juil., dim. soir et lundi sauf fériés – SC : **R** 38/145 .

XX **Lido,** au stade nautique ☏ 92.07.43, ← – Ⓟ ⓓ BZ **t**
◆ *fermé 16 au 31 août, 23 déc. au 1er janv., lundi soir et mardi* – SC : **R** 35/120 .

à ***Rathsamhausen*** E : 4 km par D 21 - BY – ✉ **67600** Sélestat :

XX **Host. St-Hubert** avec ch, ☏ 92.14.58, – ⛀wc ⛆ ☎ Ⓟ. AE ⓓ
fermé fév. – SC : **R** *(fermé merc. hors sais.)* 38/130 – ☕ 10 – 12 ch 70/110 – P 100/130.

à ***Châtenois*** par ⑤ : 4,5 km – ✉ **67730** Châtenois :

Aigle, ☎ 92.12.67, – 🅟.
fermé fév. et merc. sauf de juil. à oct. – SC : **R** 35/85 – ☕ 9 – 18 ch 50/80 – P 129/159.

à ***Baldenheim*** E : 8,5 km par D 21 - BY - et D 209 – ✉ **67600** Sélestat :

XX **Couronne,** r. Sélestat ☎ 85.32.22 – 🅟. AE
fermé 27 juil. au 10 août, 2 au 10 janv. et lundi sauf fériés – SC : **R** 42/135.

BMW, ALFA-ROMEO Gar. Walter, 33 rte de Ste Marie aux Mines à Chatenois ☎ 82.07.22 🅽
CITROEN Gar. Ménétré, 89 rte Strasbourg ☎ 92.08.42
CITROEN Gar. Schaellebaum, 5 rte de Scherwiller à Chatenois ☎ 92.12.41
FIAT Danner, 14 rte de Colmar ☎ 92.28.77
FIAT, MERCEDES-BENZ Gar. Ligner, 24 rte de Sélestat à Chatenois ☎ 82.05.20
PEUGEOT S.I.D.A., 5 rte Colmar ☎ 92.00.25
RENAULT Borocco, 101 rte de Colmar ☎ 92.88.77
TALBOT Gar. Michel, 49 rte Strasbourg ☎ 92.10.75

Daesslé-Klein, 95 rte de Colmar ☎ 92.14.95
Ets Kautzmann, 32 bd Thiers ☎ 92.07.34

SELLES-ST-DENIS **41** L.-et-Ch. 64 ⑲ **G. Châteaux de la Loire** – 1 071 h. alt. 98 – ✉ **41300** Salbris – 54.

Paris 196 – Blois 56 – Mennetou-sur-Cher 16 – Romorantin-Lanthenay 15 – Salbris 11 – Vierzon 25.

XX **Cheval Blanc avec ch,** ☎ 83.21.11 – wc ☎ 🅟. AE GB
fermé 15 fév. au 15 mars – SC : **R** *(fermé lundi soir et mardi)* 60/100 – ☕ 12 – 17 ch 30/90.

SELLES-SUR-CHER **41130** L.-et-Ch. 64 ⑱ **G. Châteaux de la Loire** – 4 656 h. alt. 86 – 54.

Voir Église*.

Paris 221 – Blois 41 – Romorantin-Lanthenay 18 – ♦Tours 74 – Valencay 14 – Vierzon 42.

Lion d'Or, 14 pl. Paix ☎ 97.40.83 – wc wc 🅟. GB
fermé 27 sept. au 5 oct., fév., dim. soir hors sais. et lundi – SC : **R** 31/90 – ☕ 13 – 15 ch 40/95 – P 112/167.

PEUGEOT Chavignon, ☎ 97.56.03
RENAULT Chevalier, ☎ 97.45.57

SEMBADEL-GARE **43** H.-Loire 76 ⑥ – 328 h. alt. 1 091 – ✉ **43160** La Chaise-Dieu – 71.

Paris 474 – Ambert 39 – Brioude 46 – La Chaise-Dieu 6 – Le Puy 35 – ♦St-Étienne 73.

Moderne , face gare ☎ 00.90.15 – wc 🅟. rest
SC : **R** 30/55 – ☕ 10 – 48 ch 35/65 – P 85/100.

SEMÈNE **43** H.-Loire 76 ⑧ – rattaché à Aurec-sur-Loire.

Le SEMNOZ **74** H.-Savoie 74 ⑥⑯ **G. Alpes** – ✉ **74000** Annecy – 50.

Voir Crêt de Châtillon ※* (accès par D 41 : d'Annecy 20 km ou du col de Leschaux 14 km, puis 15 mn).**

sur D41 – ✉ **74000** Annecy :

Semnoz Alpes , au sommet, alt. 1 704 ☎ 01.23.17, ≤ Mont-Blanc – 🅟
Pentecôte-30 sept. et 15 déc.-1er mai – SC : **R** 30/60 – ☕ 9,50 – **14 ch** 39/65 – P 95/105.

Rochers Blancs , près du sommet, alt. 1 650 ☎ 01.23.60, ≤ – 🅟
15 mai-30 sept. et 1er déc.-1er mai – SC : **R** 28/80 – ☕ 10 – **18 ch** 45/52 – P 90/110.

SEMUR-EN-AUXOIS **21140** Côte-d'Or 65 ⑰⑱ **G. Bourgogne** – 5 371 h. alt. 290 – 80.

Voir Site* – Église N.-Dame* – Pont Joly ≤*.

Office de Tourisme (hors saison fermé sam. après-midi, dim. et lundi matin) avec A.C. pl. Gaveau ☎ 97.05.96.

Paris 249 ④ – Auxerre 85 ④ – Avallon 42 ④ – Beaune 82 ④ – ♦Dijon 81 ④ – Montbard 18 ①.

Plan page ci-contre

Lac , au lac de Pont ③ : 3 km par D 103B ☎ 97.11.11 – wc wc ☎ 🅟. ch
fermé 15 déc. au 1er fév. et lundi – SC : **R** *(fermé dim. soir et lundi sauf juil. et août)* 40/76 – ☕ 12 – **23 ch** 50/130 – P 110/150.

Gourmets, r. Varenne **(r)** ☎ 97.09.41 –
fermé 25 oct. au 1er janv. et vend. du 1er janv. au 1er juil. – SC : **R** (dim. prévenir) 40/100 – ☕ 9 – 15 ch 40/62.

XX **La Cambuse,** 8 r. Févret **(e)** ☎ 97.06.78
14 mars-17 nov. et fermé mardi sauf du 1er mai au 1er sept. – SC : **R** 50/90.

X **Quinconces,** 58 r. Paris **(a)** ☎ 97.02.00 – 🅟
fermé 5 au 30 oct. et lundi sauf fériés – SC : **R** 39/85 .

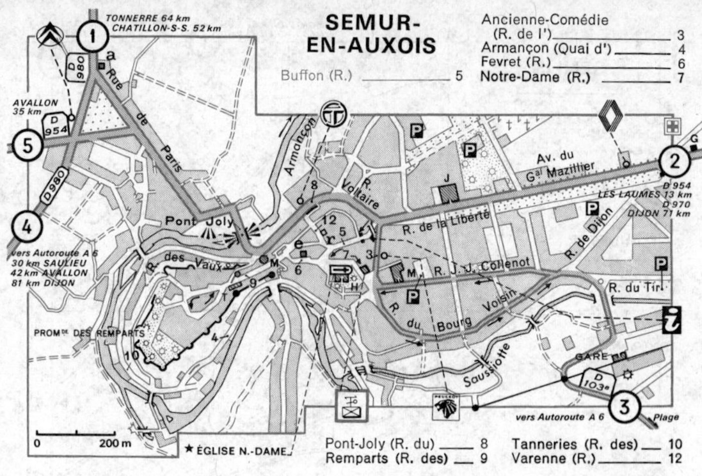

à Villeneuve-sous-Charigny : SE : 9 km par ② et D 970 – ✉ **21140** Semur-en-A. :

- **Aub. du Chaudron,** ☎ 97.10.14 – 🅟.
  fermé oct. et lundi de nov. à avril – SC : **R** 29/35 – 9 – **7 ch** 40/75 – P 90.

CITROEN ets Jarno, ☎ 97.07.89
PEUGEOT Martin, ☎ 97.13.43
RENAULT Girard, ☎ 97.05.10
TALBOT Pignon, ☎ 97.07.18

SÉNAS **13560** B.-du-R. **84** ② – 3 265 h. alt. 95 – ✪ 90.

Paris 713 – Aix-en Pr. 46 – Avignon 36 – ♦Marseille 66 – St-Rémy-de-Pr. 25 – Salon-de-Pr. 12.

- **Terminus,** N7 ☎ 57.20.08 – wc 🅟. rest
  fermé 3 janv. au 3 fév. et jeudi – SC : **R** 35/55 – 12 – 15 ch 60/130 – P 140/180.
- **Luberon** avec ch, N7 ☎ 57.20.10 – wc . GB
  fermé 15 oct. au 10 déc., lundi soir et mardi – SC : **R** 35/90 – 10 – 7 ch 65/100.

à Pont-Royal, rte Aix-en-Provence – ✉ **13370** Mallemort :

- **Moulin de Vernègues** [M], N7 ☎ 57.42.33, Télex 401645, « Ancien relais royal de chasse, parc », – TV 🅟 – 50 à 100. AE
  R 130/180 – 35 – **38 ch** 250/380 – P 340/380.
- **Le Provençal,** N7 ☎ 57.40.64 – 🅟. ch
  fermé 15 déc.-15 janv. et merc. – SC : **R** 30 – 8 – **10 ch** 53/70 – P 90.

Novelty Gar., ☎ 57.20.18

SENLIS <SP> **60300** Oise **56** ⑪⑫, **96** ⑧⑨ **G. Environs de Paris** – 14 387 h. alt. 76 – ✪ 4.

Voir Anc. cathédrale N.-Dame★★ BCY – Quartier de la cathédrale★ : enceinte gallo-romaine ←★ BY **B**, vieilles rues★ – Remparts ←★ BCZ **B** – Forêt d'Halatte★ 5 km par ① – Butte d'Aumont ☼★ 4,5 km par ⑥ puis 15 mn.

Env. Ruines du château fort de Montépilloy★ 9 km par ③.

18 9 de Morfontaine, ☎ 454.31.35 par ④ : 10 km.

Office de Tourisme pl. ParvisNotre-Dame (fermé 1er déc. au 1er mars, matin et mardi) ☎ 453.06.40.

Paris 51 ③ – ♦Amiens 102 ③ – Arras 131 ③ – Beauvais 52 ⑥ – Compiègne 35 ③ – ♦Lille 172 ③ – Mantes-la-Jolie 85 ⑤ – Meaux 38 ③ – Soissons 61 ③.

Plan page suivante

- **St-Éloi** [M] sans rest, 40 fg St-Martin ☎ 453.02.93 – wc wc 🅟. AZ **n**
  fermé dim. – SC : 9 – **20 ch** 46/145.
- **Host. de la Porte Bellon,** 51 r. Bellon ☎ 453.03.05, – wc 🅟. GB. CY **t**
  fermé 20 déc. au 20 janv. et vend. hors sais. – SC : **R** 56/100 – 10 – 20 ch 38/130.
- **Rôt. de Formanoir,** 17 r. Châtel ☎ 453.04.39 BY **a**
  R carte 80 à 120.

AUDI-VOLKSWAGEN Gar. du Valois, 39 rte de Crépy ☎ 453.02.17
CITROEN Gd Gar. des Obiers 51 fg St-Martin ☎ 453.12.42
PEUGEOT SAFARI-SENLIS, 56 av. de Creil ☎ 453.16.46
RENAULT S.A.C.L.I., 64 av. Gén.-de-Gaulle ☎ 453.08.18 N
RENAULT Delacharlery, 10 av. Mar.-Foch ☎ 453.08.18 N
Gar. Briziou, cours Boutteville ☎ 453.02.53

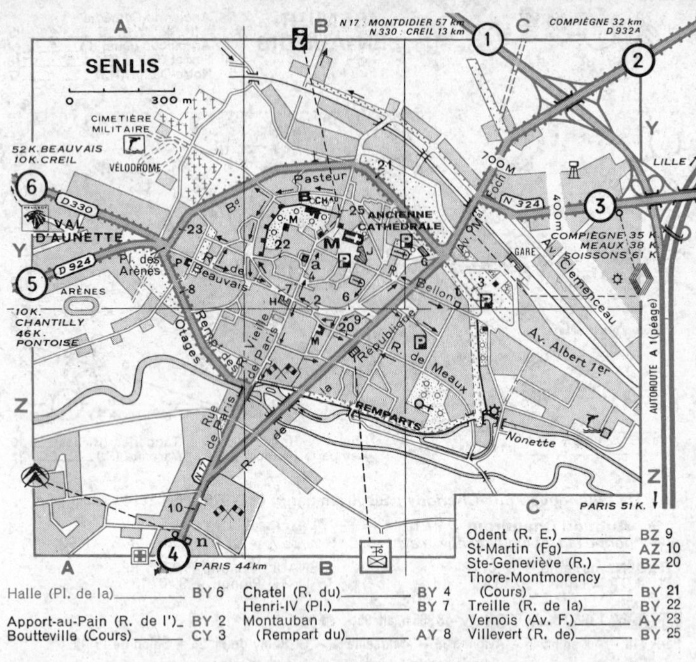

SENLISSE 78 Yvelines [60] ⑨, [101] ㉛ – 435 h. alt. 103 – ✉ 78720 Dampierre – ✪ 3.

Paris 40 – Longjumeau 30 – Rambouillet 15 – Versailles 24.

XXX **Aub. du Pont Hardi** avec ch, ☎ 052.50.78, ≤, « Beau jardin fleuri » – WC. *fermé vacances de fév., 17 au 29 août, mardi soir et merc.* – SC : **R** (dim. prévenir) carte 130 à 175 – ☕ 16 – **5 ch** 150/170.

XX **Aub. du Gros Marronnier** avec ch, ☎ 052.51.69, – WC. AE. ch
R *(fermé 15 nov. au 31 déc., lundi soir et mardi midi d'oct. à Pâques)* 75 – ☕ 17 – **11 ch** 90/120.

SENNECEY-LÈS-DIJON 21 Côte-d'Or [66] ⑫ – rattaché à Dijon.

SENNEVILLE 78 Yvelines [55] ⑱ – rattaché à Mantes-la-Jolie.

SENONCHES 28250 E.-et-L. [60] ⑥ – 3 224 h. alt. 218 – ✪ 37.

Paris 120 – Chartres 37 – Dreux 35 – Mortagne-au-P. 42 – Nogent-le-R. 33 – Verneuil-sur-Avre 23.

XX **Forêt** avec ch, pl. Champ-de-Foire ☎ 37.78.50 –
fermé fév. et jeudi – SC : **R** 34/45 – ☕ 8 – 14 ch 40/90 – P 110/120.

AUDI-VOLKSWAGEN David, ☎ 37.78.20
CITROEN Gar. Central, ☎ 37.71.18
RENAULT Bercher, ☎ 37.77.14

SENONES 88210 Vosges [62] ⑦ **G. Vosges** – 3 990 h. alt. 390 – ✪ 29.

Syndicat d'Initiative à la Mairie (fermé sam. et dim.) ☎ 57.91.43.

Paris 384 – Épinal 58 – Lunéville 47 – St-Dié 21 – Sélestat 48.

Bon Gîte, pl. Vaultrin ☎ 57.92.46 – rest
fermé 1er au 15 août. et 25 déc. au 15 janv. – SC : **R** *(fermé sam.)* 29/69 – ☕ 7,50 – **10 ch** 40/70 – P 90.

SENS SP 89100 Yonne [61] ⑭ **G. Bourgogne** – 27 458 h. alt. 69 – ✪ 86.

Voir Cathédrale : trésor** – Palais synodal-Officialité*.**

Office de Tourisme pl. Jaurès (fermé mardi et dim. hors saison) ☎ 65.19.49. Télex 800306.

Paris 119 ⑥ – Auxerre 57 ③ – Châlons-sur-Marne 134 ① – •Dijon 204 ③ – Fontainebleau 53 ⑥ – Meaux 104 ⑥ – Montargis 51 ④ – •Reims 151 ① – Soissons 159 ⑥ – Troyes 65 ②.

SENS

Cornet (Av. Lucien) Z
Déportés-de-la-Résistance (R.) Z
Grande-Rue Z 15
République (Pl. de la) Z 27
République (R. de la) Z 28

Briand (Bd Aristide) Y 2
Castors (Bd des) Y 4
Chambonas (Cours) Z 8
Churchill (Bd Winston) Y 9
Cousin (Square J.) Z 12
Garibaldi (Bd des) Z 13
Gaulle (R. Gén. de) Y 14
Industrie (R. de l') Y 17
Kennedy (Bd Président) Y 18
Leclerc (R. du Gén.) YZ 19
Maupéou (Bd de) Z 21
Moulin (Quai J.) Z 23
Pépinière (R. de la) YZ 24
Pont Neuf (Bd du) Y 25
Sarrail (Bd Gén.) Y 31
Voulx (R. de) Y 32

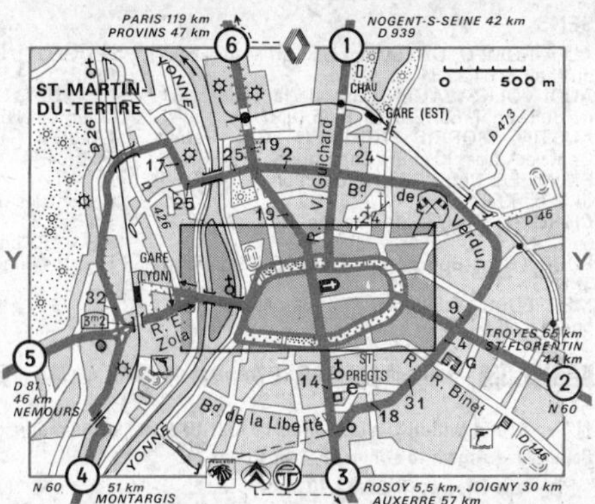

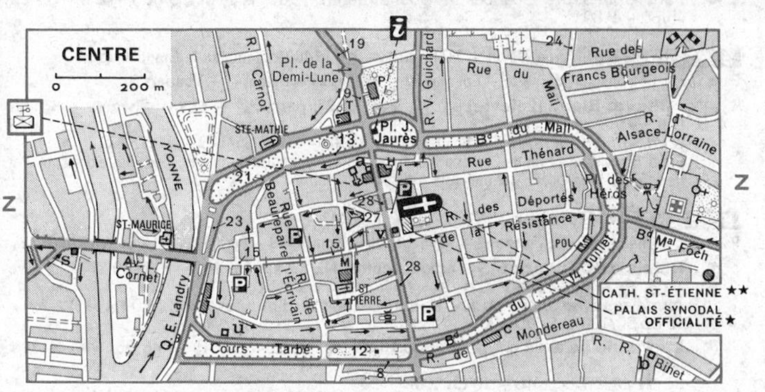

Paris et Poste (Godard), 97 r. République ☎ 65.17.43, « Salle à manger rustique bourguignon » – rest – AE GB E Z **a**
fermé 1er au 15 déc. – SC : **R** 108/175 – 20 – 37 ch 120/250
Spéc. Escargots, Boudin noir aux pommes, Caneton vigneronne. **Vins** Coulanges, Irancy.

H. Résidence R. Binet sans rest, 20 r. R.-Binet ☎ 65.67.89 – wc wc Z **b**
SC : 10 – **31 ch** 59/130.

Parc sans rest, 9 cours Tarbé ☎ 64.26.99, – wc wc . AE GB
SC : 10,50 – **20 ch** 60/138. Z **u**

St-Pregts, 89 r. Gén.-de-Gaulle ☎ 65.19.63 – wc wc . Y **e**
fermé 15 janv. au 15 fév. et vend. – SC : **R** 32/68 – 8,50 – **18 ch** 40/80 – P 100/130.

Palais, 18 pl. République ☎ 65.13.69 – Z **v**
fermé 22 juin au 6 juil., 5 au 26 janv., dim. soir et lundi – SC : **R** 45/75.

Aub. de la Vanne, rte Lyon par ③ ☎ 65.13.63, ←, – . GB E
fermé 29 juil. au 12 août, 24 déc. au 14 janv., mardi soir et merc. – SC : **R** 40/70.

Soleil Levant, 51 r. E.-Zola ☎ 65.71.82 – GB Z **s**
fermé 15 déc. au 15 janv. et vend. – SC : **R** 40/65.

à Rosoy par ③ : 5,5 km – **89100** Sens :

Bon Abri, ☎ 86.10.05, ← – wc . AE
15 avril-1er sept., 1er au 15 fév., fermé dim. soir et lundi – SC : **R** 60/130 – 10 – **11 ch** 78/95.

à Soucy par ① : 7 km – **89100** Sens :

Aub. du Regain avec ch, ☎ 86.64.62, cadre campagnard, – – 25
fermé 5 sept. au 5 oct., dim. soir et lundi – SC : **R** 38/68 – 9 – **10 ch** 60/110 – P 120.

à Malay-le-Petit par ② : 8 km – **89100** Sens :

Aub. Rabelais avec ch, ☎ 88.21.44, – .
fermé 12 nov. au 12 déc. et jeudi – SC : **R** 65/120 – 10,50 – 7 ch 56/110.

ALFA-ROMEO, DATSUN, Gar. du Mail, 12 bd du Mail ℡ 64.25.34
AUDI-VOLKSWAGEN Gar. de la Vanne, 184 rte de Lyon ℡ 65.12.18 N ℡ 65.19.97
AUSTIN, MORRIS, TRIUMPH Gar. Paris-Genève Autos, 10 cours Chambonas ℡ 65.05.93
BMW Éts Berni, 133 rte de Lyon ℡ 65.70.90 N ℡ 65.19.97
CITROEN Gd Gar. de l'Yonne, rte de Lyon ℡ 65.12.92
FORD Sens-Bourgogne-Autos, 5 bd Verdun ℡ 65.51.23
MERCEDES Etoile Gar., 7 r. des Noues-Bouchardes ℡ 64.25.24
PEUGEOT S.E.G.A.M., 16 bd Kennedy ℡ 65.19.12
RENAULT Sté Senonaise d'Autom., Carr. Ste-Colombe N 6 à St-Denis-sur-Sens ℡ 65.18.33
TALBOT Gar. Prieur, rte de Lyon, Pont Bruant ℡ 65.04.14

Centrale du Pneu, 105 r. du Gén.-de-Gaulle ℡ 65.24.33
S.O.V.I.C., bd Kennedy ℡ 65.25.05
Tous les Pneus, 184 rte Lyon ℡ 65.12.18

SENTEIN 09 Ariège 86 ② **G. Pyrénées** – 296 h. alt. 732 – ✉ **09800** Castillon-en-Couserans – 61.

Syndicat d'Initiative à la Mairie (1er juil.-10 sept., fermé matin, dim. et lundi) ℡ 66.73.92.

Paris 822 – Argein 15 – Foix 68 – St-Girons 24.

Le Biros, ℡ 96.72.70 –
Pâques-fin sept., vacances de Noël et de fév. – SC : **R** 35 bc/50 bc – 9 – 21 ch 45/80 – P 80.

SEPT-SAULX 51 Marne 56 ⑰ – 337 h. alt. 96 – ✉ **51400** Mourmelon-le-Grand – 26.

Paris 168 – Châlons-sur-Marne 26 – Épernay 32 – ♦Reims 25 – Rethel 47 – Vouziers 60.

Cheval Blanc (Lefevre) M, ℡ **61.60.27, parc,** – wc wc . AE GB
fermé mi janv. à mi-fév. – **R** 110/170 – 16 – 20 ch 85/175 – P 250/270
Spéc. Ecrevisses au vin de Champagne, Fricassée de St Pierre en papillotte, Cassolette de rognon et ris de veau. **Vins** Villers Marmery (Blanc de blancs), Bouzy.

SEREILHAC 87620 H.-Vienne 72 ⑰ – 1 352 h. alt. 312 – 55.

Paris 411 – Châlus 15 – Confolens 52 – ♦Limoges 20 – Nontron 49 – Périgueux 61 – St-Yrieix-la-P. 42.

Relais des Tuileries, aux Betoulles NE : 2 km sur N 21 ℡ 39.10.27 – wc – 25.
fermé nov., vacances de fév. et lundi – SC : **R** (dim. prévenir) 28/100 – 12 – **10 ch** 90/100 – P 120/130.

La Meule M avec ch, N 21 ℡ 39.10.08, – wc – 35. AE GB
SC : **R** 40/150 – 18 – **10 ch** 100.

SEREZIN-DU-RHÔNE 69 Rhône 74 ⑪ – 1 828 h. alt. 164 – ✉ **69360** St-Symphorien-d'Ozon – 7 – Paris 478 – ♦Grenoble 106 – ♦Lyon 16 – Rive-de-Gier 22 – La Tour-du-Pin 55 – Vienne 15.

La Bourbonnaise avec ch, ℡ 847.80.58, « **Jardin fleuri** » – wc .
fermé 3 au 23 août et dim. soir en hiver – SC : **R** 55/105 – 11 – **15 ch** 50/90.

SERGEAC 24 Dordogne 75 ⑰ **G. Périgord** – 142 h. alt. 71 – ✉ **24290** Montignac – 53.

Paris 505 – Brive-la-Gaillarde 47 – Les Eyzies-de-Tayac 18 – Périgueux 56 – Sarlat-la-Canéda 26.

Le Belvédère, à Castel-Merle SO : 0,5 km ℡ 50.70.08, ≤, Musée privé de préhistoire –
fermé 19 au 31 janv. et lundi – **R** 40/90.

EL SERRAT Principauté d'Andorre 86 ⑭, 43 ⑥ – rattaché à Andorre.

SERRAVAL 74 H.-Savoie 74 ⑰ – 278 h. alt. 763 – ✉ **74230** Thones – 50.

Paris 567 – Albertville 26 – Annecy 30 – Bonneville 42 – Faverges 10 – Megève 41 – Thônes 10.

Tournette, ℡ 02.06.64, ≤ – wc – 40. rest
fermé 20 oct. au 20 nov. et mardi – SC : **R** 35/60 – 9,50 – **18 ch** 48/85 – P 98/115.

La SERRE 19 Corrèze 73 ⑪ – rattaché à Ussel.

SERRE-CHEVALIER 05 H.-Alpes 77 ⑱ **G. Alpes** – Sports d'hiver : 1 350/2 660 m 6 48, – 92 – **Voir** ✻★★.

De Chantemerle : Paris 674 – Briançon 6 – Gap 93 – ♦Grenoble 110 – Col du Lautaret 22.

à Chantemerle – alt. 1 350 – ✉ **05330** St-Chaffrey.

Env. Col de Granon ✻★★ NE : 12 km.

Office de Tourisme (fermé sam. après-midi et dim. hors sais.) ℡ 24.00.34, Télex 400152.

Le Gd Hôtel, ℡ 24.15.16, ≤ – wc – 100. rest
1er juil.-31 août et 15 déc.-20 avril – SC : **R** 55 bc/65 bc – 17 – 60 ch 110/220 – P 160/290.

La Balme sans rest, ℡ 24.01.89, ≤ – wc ☎ P. GB. rest
20 juin-20 sept. et 6 déc.-2 mai – SC : **28 ch** 120/220.

Boule de Neige, ℡ 24.00.16 –
20 déc.-Pâques – SC : **R** 50 – 8 – 10 ch 50/80 – P 100/150.

La Fourchette, ℡ 24.06.66 – AE
1er juin-15 oct. et 1er déc. au 25 avril – SC : **R** 45/65.

CITROEN Gar. Dovetta, à St-Chaffrey ℡ 24.00.07

à Villeneuve-la-Salle – alt. 1 452 – ✉ **05240** La-Salle-les-Alpes.

Office de Tourisme Centre d'Accueil (fermé sam. et dim. hors sais.) ℡ 24.71.88.

Vieille Ferme, ℡ 24.02.79, ≤, « Belle salle voûtée, rôtisserie », – wc wc P. rest
13 juin-20 sept. et 5 déc.-2 mai – SC : **R** 46/98 – 13 – **30 ch** 120/180 – P 140/195.

Serre Chevalier, ℡ 24.03.67, ≤, – wc .
28 juin-8 sept. et 18 déc.-20 avril – SC : **R** 49/69 – 17 – 24 ch 100/190.

Lièvre Blanc, ℡ 24.04.05, , – wc P. AE GB
fermé 15 sept. au 1er déc. – SC : **R** 60/115 – 15 – 26 ch 70/180 – P 161/263.

Aux Trois Pistes avec ch, ℡ 24.03.50, ≤, – wc wc P. GB
fermé nov. et du 3 au 18 mai – SC : **R** *(fermé dim. hors saison)* 42/85 – 12 – 15 ch 50/150 – P 120/170.

au Monetier-les-Bains – 832 h. alt. 1 470 – ✉ **05220** Le Monetier-les-Bains.

Office de Tourisme Pré Chabert (fermé dim. hors sais.) ℡ 24.40.83.

Europe, ℡ 24.40.03 – wc wc ☎.
1er juin-30 sept. et 15 déc.-30 avril – SC : **R** 40/60 – 15 – 28 ch 100/130 – P 165/180.

Alliey, ℡ 24.40.02, – P.
15 mai-20 sept. et 15 déc.-20 avril – SC : **R** 35/55 – 10 – 25 ch 40/80 – P 115/135.

Le Barbin, Le Serre Barbin SE : 4 km sur N 91 et VO ℡ 24.04.42 – P
sais.

SERRE-PONÇON (Barrage et Lac de) ** 05 H.-Alpes 81 ⑦ G. Alpes.

SERRES 05700 H.-Alpes 81 ⑤ G. Alpes – 1 355 h. alt. 663 – 92.

Syndicat d'Initiative r. Varanfrein (juil.-août) ℡ 67.03.50.

Paris 671 – Die 65 – Gap 42 – ♦Grenoble 107 – La Mure 80 – Manosque 87 – Nyons 64.

Fifi Moulin, ℡ 67.00.01, – wc . AE E
fermé 15 nov. aux vacances de fév. et mardi d'oct. à juin – **R** 40/70 – 11 – 25 ch 75/92 – P 125/145.

Nord, ℡ 67.00.25 – wc . AE
fermé 20 janv. au 10 fév. – SC : **R** 37/75 – 10 – 16 ch 40/100 – P 110/130.

CITROEN Alleoud, ℡ 67.00.28
RENAULT Reynaud, ℡ 67.00.11 N
TALBOT Faure, ℡ 67.03.60 N

SERRIÈRES 07340 Ardèche 77 ① G. Vallée du Rhône – 1 426 h. alt. 139 – 75.

Syndicat d'Initiative à la Mairie (juil.-août) ℡ 34.00.46.

Paris 519 – Annonay 15 – Privas 91 – Rive-de-Gier 40 – ♦St-Étienne 54 – Tournon 37 – Vienne 28.

Schaeffer, ℡ 34.00.07 – .
fermé 1er déc. au 15 janv. et mardi – SC : **R** 38/90 – 10 – **12 ch** 50/70 – P 90.

Parc avec ch, ℡ 34.00.08 –
fermé fév. et lundi hors sais. – SC : **R** 35/85 – 9 – **9 ch** 50/60.

RENAULT Gar. Gines, ℡ 34.02.25 N ℡ 59.13.16

SERVOZ 74 H.-Savoie 74 ⑧ G. Alpes – 468 h. alt. 815 – ✉ 74310 Les Houches – 50.

Voir Gorges de la Diosaz* : chutes**.

Paris 613 – Annecy 81 – Bonneville 43 – Chamonix 14 – Megève 23 – St-Gervais-les-Bains 12.

Chamois, ℡ 47.20.09, ≤, – wc ☎ P.
26 avril-30 sept. et 15 déc.-21 avril – SC : **R** 40/68 – 13 – 9 ch 135 – P 110/150.

La Sauvageonne, ℡ 47.20.40, ≤ – TV P. GB
fermé 21 mai au 7 juin, 4 au 30 nov. et merc. hors sais. – SC : **R** 38/110 – 12 – **11 ch** 108/132 – P 120/145.

Alpes, ℡ 47.21.85, ≤, – wc wc P. .
Pâques-fin sept. – SC : **R** 35/55 – 12,50 – 30 ch 45/55 – P 80/100.

Cimes Blanches, N : 2 km par D 143 ℡ 47.20.05, ≤ – P.
week-ends en mai, 15 juin-15 sept. et 15 déc.-30 avril – SC : **R** (Pens. seul. hiver) 32/50 – 10 – 13 ch 60 – P 85/90.

SÈTE 34200 Hérault 83 ⑯ G. Causses – 40 179 h. – ✪ 67.

Voir Circuit★ du Mt-St-Clair ✻★★ 1,5 km, AZ.

ℹ Office de Tourisme pl. A.-Briand (fermé sam. après-midi hors sais. et dim.).

Paris 790 ③ – Béziers 53 ③ – Lodève 72 ③ – ♦Montpellier 34 ③.

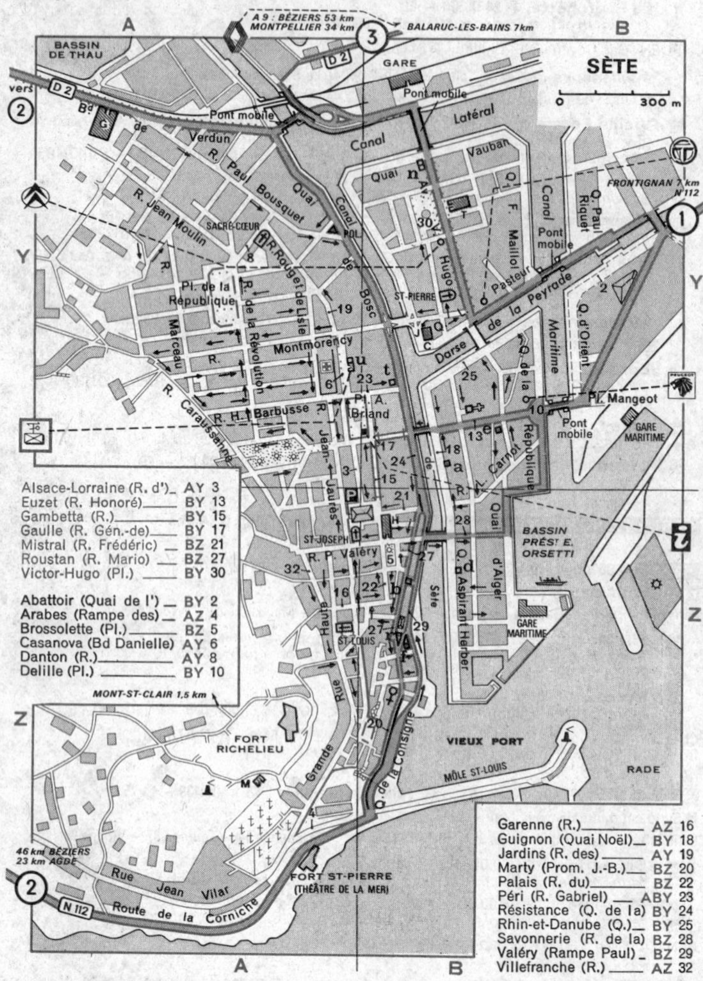

Grand Hôtel, 17 quai Mar.-de-Lattre-de-Tassigny ☎ 74.21.64, Télex 480225 – 🛗 📺 ☎ – 🅿 70. AE GB ⊙ E — BY **t**
fermé 23 déc. au 11 janv. – SC : **R** voir rest La Rotonde – ☕ 15 – **47 ch** 60/200, 4 appartements 250.

Orque Bleue sans rest, 10 quai Aspirant Herbert ☎ 74.29.69, ≤ – 🛗 🛁wc 🚿wc ☎ — BZ **d**
fermé 15 janv. au 1er mars – SC : ☕ 15 – **30 ch** 120/150, 6 appartements 150/195.

Régina sans rest, 6 bd D.-Casanova ☎ 74.31.41 – 🛗 🛁wc ☎. 🚗 AE GB ⊙ ✱ — AY **u**
fermé 1er au 15 déc. – SC : **20 ch** ☕ 75/165.

Dôme, 29 av. V.-Hugo ☎ 74.25.54 – 🛁 🚿 ☎. 🚗 — BY **n**
SC : **R** 28/60 🍷 – ☕ 10 – **16 ch** 55/75 – P 140.

XX **La Palangrotte,** rampe P.-Valéry ☎ 74.19.78, ≤ – BZ **r**
fermé 15 déc. au début fév. dim. soir et lundi d'oct. à fin mai – SC : **R** 52/70.

XX **La Rotonde,** 17 quai Mar.-de-Lattre-de-Tassigny ☎ 48.62.58 – AE GB
fermé 20 déc. au 5 janv. et dim. – SC : **R** 60. BY **t**

XX **Le Chalut,** 38 quai Gén.-Durand ☎ 74.16.24, produits de la mer – GB BZ **f**
fermé 2 janv. au 10 fév. et merc. – SC : **R** 55/80.

XX **La Madrague,** 16 quai Gén.-Durand ☎ 74.19.38 BZ **b**
fermé 1er nov. au 1er janv. et merc. – SC : **R** 39/59.

X **Rest. Alsacien,** 25 r. P.-Sémard ☎ 74.25.08 BY **e**
fermé juin et merc. – SC : **R** (dîner seul. en juil.-août) carte 60 à 95.

sur la Corniche par ② : 2 km :

Impérial sans rest, pl. É.-Herriot ☎ 53.28.32, Télex 480046 – . AE GB E
SC : 16 – **37 ch** 115/260, 4 appartements 320.

Sables d'Or sans rest, pl. Ed.-Herriot ☎ 53.09.98 – wc wc . GB
SC : 13 – **30 ch** 102/176.

Les Tritons sans rest, bd Joliot-Curie ☎ 53.03.98 – wc . GB
.
11 avril-5 oct. – SC : 13 – **36 ch** 100/125, 4 appartements 195.

Le Bosphore , pl. É.-Herriot ☎ 53.05.53 – wc . AE E. rest
fermé 20 sept. au 15 oct. – SC : **R** *(fermé dim. hors sais.)* 40/70 – 13 – 14 ch 83/132 – P 108/120.

Le Floride sans rest, ☎ 53.20.64 – wc wc .
Pâques-1er nov. – SC : 14 – **17 ch** 100/150.

CITROEN Gar. Arribat, 23 av. V.-Hugo ☎ 74.37.23
OPEL, **TOYOTA** Sète-Autom., 46 quai de Bosc ☎ 74.36.66
PEUGEOT Gar. Sud-Est, 3 pl. Delille ☎ 74.22.91
RENAULT Sète-Exploitation-Autos, Zone Ind. des Eaux Blanches ☎ 48.79.79
TALBOT Auto Agence Sétoise, 13 quai L.-Pasteur ☎ 74.54.00

Comptoir Méridional du C/c, 76 rte de Montpellier ☎ 48.80.50
Escoffier-Pneus, 18 quai F.-Maillol ☎ 74.56.21
Guittard, 2 quai L.-Pasteur ☎ 74.19.10
Martinez-Pneus, 24 quai République ☎ 74.26.48

SÉVÉRAC-LE-CHÂTEAU 12150 Aveyron 80 ④ G. Causses – 3 030 h. alt. 750 – 65.

Syndicat d'Initiative à la Mairie (fermé sam. sauf matin en saison et dim.) ☎ 46.62.63.

Paris 598 – Alès 144 – Espalion 47 – Florac 73 – Mende 65 – Millau 32 – Rodez 49 – St-Flour 109.

Moderne Terminus, à Sévérac-gare ☎ 46.64.10 – wc .
fermé oct., 2 au 12 mai, vend. soir et sam. sauf juil. et août – SC : **R** 35/80 – 13 – **25 ch** 40/110 – P 120/160.

Causses, à Sévérac-gare ☎ 46.60.15 – wc . . rest
fermé oct. – **R** 28/39 – 9 – **13 ch** 40/90 – P 76/96.

CITROEN Gintrand, Sévérac-Gare ☎ 46.63.20
RENAULT Gar. Cartaillac, Sévérac-Gare ☎ 46.62.04 N
TALBOT Dardevet, Sévérac-Gare ☎ 46.60.61

SEVREAU 79 Deux-Sèvres 71 ② – rattaché à Niort.

SÈVRES 92 Hauts-de-Seine 60 ⑩, 101 ㉔ – voir à Paris, Proche banlieue.

SEVRIER 74 H.-Savoie 74 ⑥ G. Alpes – 2 163 h. alt. 456 – 74410 St-Jorioz – 50.

Syndicat d'Initiative pl. Mairie (juil.-août, fermé dim. après-midi) ☎ 46.40.56.

Paris 542 – Albertville 40 – Annecy 5 – Megève 55.

Eramotel M , ☎ 46.43.83, ≤, , – wc . AE GB
fermé 15 nov. au 15 déc. – SC : **R** *(fermé mardi)* carte 70 à 100 – 14 – 18 ch 150.

Beau-Séjour, ☎ 46.41.06, – wc wc . . rest
Pâques-fin sept. et fermé merc. hors sais. – SC : **R** 45/85 – 11,50 – 34 ch 60/145 – P 105/160.

au Nord sur N 508 – 74410 St-Jorioz :

Les Tonnelles, ☎ 46.41.58 – wc – 30.
fermé 15 oct. au 15 nov. – SC : **R** *(fermé lundi)* 30/120 – 11 – **26 ch** 80/145 – P 120/145.

La Fauconnière, ☎ 46.41.18, ≤, – . .
fermé janv., lundi midi et dim. soir – SC : **R** 35/80 – 11 – 21 ch 45/80 – P 102/120.

CITROEN Mègevand, ☎ 46.41.44

SEWEN 68 H.-Rhin 66 ⑧ G. Vosges – 552 h. alt. 500 – ✉ 68290 Masevaux – ☎ 89.
Voir Lac d'Alfeld★ O : 4 km.
Paris 530 – Altkirch 39 – Belfort 32 – Colmar 66 – ♦Mulhouse 39 – Thann 33 – Le Thillot 28.

- **Au Relais des Lacs,** ☎ 82.01.42, ≤, – wc. rest
fermé 5 janv. au 5 fév., 21 au 30 sept. et mardi hors sais. – SC : **R** 45/85 – 10,50 – 16 ch 40/95 – P 95/130.
- **Vosges,** E : 0,5 km ☎ 82.00.43, ≤, – wc. rest
fermé 15 oct. au 15 nov. et jeudi hors sais. – SC : **R** 29/90 – 9,50 – **22 ch** 40/95 – P 89/110.

SEYNE 04140 Alpes-de-H.-P. 81 ⑦ G. Côte d'Azur – 1 242 h. alt. 1 200 – Sports d'hiver : 1 200/ 1 800 m 9 – ☎ 92.
Voir Col du Fanget ≤★ SO : 5 km.
Syndicat d'Initiative à la Mairie (fermé dim.) ☎ 35.00.42.
Paris 712 – Barcelonnette 45 – Briançon 104 – Digne 42 – Gap 45 – Guillestre 77.

- **Au Vieux Tilleul** , SE : 1,5 km par D 7 et VO ☎ 35.00.04, ≤, cercle hippique, patinoire, – wc wc. rest
17 déc.-30 sept. – SC : **R** 50/140 – 12 – **18 ch** 70/160 – P 140/170.
- **La Chaumière,** ☎ 35.00.48 –
SC : **R** 45/50 – 13 – 10 ch 45/118 – P 120/130.

La SEYNE-SUR-MER 83500 Var 84 ⑮ G. Côte d'Azur – 51 669 h. – ☎ 94.
Voir ≤★ du musée naval de Balaguier E : 3 km.
Office de Tourisme 6 r. Léon-Blum (fermé dim.) ☎ 94.73.09.
Paris 834 – Aix-en-Provence 77 – La Ciotat 33 – ♦Marseille 60 – ♦Toulon 7.

- **Univers** sans rest, 11 quai S.-Fabre ☎ 94.85.70, ≤ –
SC : 8 – **8 ch** 65/74.
- **Moderne** sans rest, 2 r. Léon-Blum ☎ 94.86.68 –
SC : 9,50 – **18 ch** 75/85.

PEUGEOT S.O.T.R.A., av. Estienne-d'Orves, q. Bregaillon ☎ 94.18.95
RENAULT Grisoni, D 26, camp Laurent, bretelle-autoroute ☎ 94.19.55
Aude, 105 av. Gambetta ☎ 87.09.38
Vulcanisation Seynoise, 2 r. Mabily ☎ 94.83.48

SEYSSEL 01420 Ain et 74270 Frangy-Haute-S 74 ⑤ G. Jura – 1 043 h. alt. 258 – ☎ 50 (Ain et H.-Savoie).
Voir Val du Fier★ SE : 3 km, G. Alpes.
Syndicat d'Initiative pl. de l'Orme (1er juil.-31 août et fermé dim.) ☎ 59.26.56.
Paris 529 – Aix-les-B. 33 – Annecy 39 – Bellegarde 22 – Belley 30 – Bourg-en-Br. 86 – ♦Genève 44.

- ✿ **Rhône** (Herbelot), ☎ 59.20.30, ≤ – wc wc. AE GB
fermé 22 déc. au 25 janv., dim. soir et lundi midi hors sais. – SC : **R** 48/175 – 16 – **17 ch** 50/150 – P 125/160
Spéc. Escargots ma manière, Lavaret Robert's (15 fév.-15 nov.), Poularde de Bresse aux morilles. Vins Peclette, Seyssel.
- **Ici on loge à pied, à cheval,** rive gauche ✉ 74270 Frangy ☎ 59.22.09 – wc . GB
SC : **R** *(fermé mardi)* 35/95 – 12 – **15 ch** 60/100 – P 110/130.
- **Beau Rivage,** ☎ 59.20.08, ≤ – wc wc – 35.
fermé 1er au 21 oct., 15 fév. au 1er mars, lundi soir et mardi – SC : **R** 35/95 – 13 – **22 ch** 47/110 – P 85/120.

dans le Val de Fier S : 3 km par D 991 et D 14 :

- XX **Rôt. du Fier,** ✉ 74270 Frangy ☎ 59.21.64, –
fermé 15 au 30 janv. et merc. – SC : **R** 45/110.

CITROEN Gar. Rossi, ☎ 59.21.85
PEUGEOT Vigouroux, ☎ 59.22.44

SÉZANNE 51120 Marne 61 ⑤ G. Nord de la France – 6 548 h. alt. 137 – ☎ 26.
Syndicat d'Initiative pl. République (15 juin-30 sept. et fermé dim. après-midi) et 13 pl. Champ Benoit (30 sept.-15 juin).
Paris 111 ④ – Châlons-sur-Marne 57 ② – Meaux 77 ④ – Melun 90 ④ – Sens 78 ③ – Troyes 60 ③.

Plan page ci-contre

- **France,** 25 r. Léon-Jolly ☎ 80.52.52 – wc wc. GB — Y a
fermé 15 janv. au 15 fév. – SC : **R** 52 – 12 – **31 ch** 49/98.
- **Croix d'Or,** 53 r. N.-Dame ☎ 80.61.10 – wc wc. GB — Z e
fermé 2 au 16 janv. et lundi (sauf hôtel d'avril à sept.) – SC : **R** 36/110 – 12 – **13 ch** 46/74 – P 114/190.
- **Relais Champenois et Lion d'Or,** 157 r. Notre-Dame ☎ 80.58.03 – GB — Z s
fermé 1er au 15 mars, 15 au 30 sept. et vend. sauf fériés – SC : **R** 34/50 – 10 – **7 ch** 41/58

SÉZANNE

Doumer (R. Paul) Z 7
Halle (R. de la) Y 13
Jolly (R. Léon) YZ 17
Notre-Dame (R.) Z
République (Pl.) YZ 31

Acacias (R. des) Y 2
Bouvier-Sassot (R.) YZ 3
Châlons (R. de) Y 4
Cordeliers (Mail des) Y 5
Dr-Faurichon (R. du) Z 6
Écoles (R. des) Z 8
Épernay (R. d') Y 9
Faucon (R. du Cap) YZ 10
Fontaine du Vé (Av. de la) Y 12
Haute (R.) Z 14
Hôtel-de-Ville (R.) Y 15
Jaurès (Av. Jean) Z 16
Juiverie (R. de la) YZ 18
Laplatte (R. Gaston) Y 19
Marseille (Mail de) Z 20
Mont-Blanc (Mail du) Z 21
Orléans (Cours d') Y 24
Paris (R. de) YZ 25
Pierrefitte (R.) Y 26
Provence (Mail de) Z 27
Récollets (R. des) Z 28
Religieuses (Mail des) YZ 29
Vauvert (R. du) Y 33
Victimes-de-la-Résistance (R. des) Z 35
Virgo-Maria (R.) Y 36

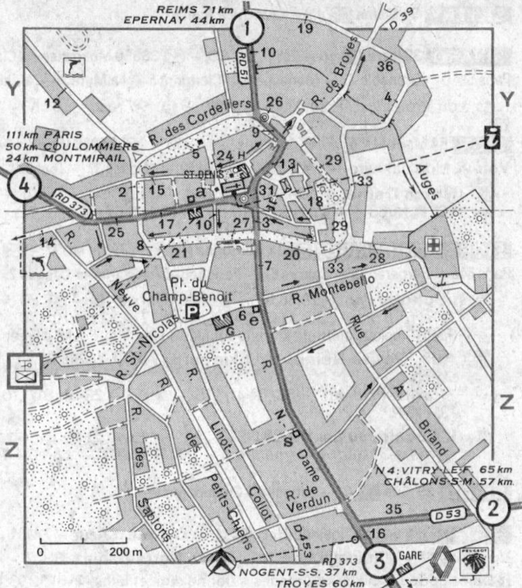

CITROEN LANCIA-AUTOBIANCHI Vissuzaine, av. J.-Jaurès ☎ 80.50.02
PEUGEOT Gar. Notre-Dame, Zone Ind., rte Troyes ☎ 80.71.01
RENAULT S.C.A.T., Zone Ind., rte de Troyes ☎ 80.57.31

SIDOBRE (Plateau du) ★★ **81** Tarn 83 ①② **G. Causses.**

SIERCK-LES-BAINS **57480** Moselle 57 ④ **G. Vosges** – 1 583 h. alt. 202 – ⚙ 8.

Voir ≤★ **du château fort.**

ℹ Syndicat d'Initiative Tour de l'Horloge (1er mai-30 sept.) ☎ 283.74.14.

Paris 358 – Luxembourg 33 – ♦Metz 45 – Thionville 18 – Trier 51.

XXX ✿ **La Vénerie** (Terver), ☎ 283.72.41, Parc, « Cadre élégant »
fermé 25 janv. au 1er mars et lundi – **R** 85/140
Spéc. Gratin de cuisses de grenouilles, Foie gras frais, Rognons de veau Liégeoise. **Vins** Gris de Contz et de Toul.

à Montenach **SE : 3,5 km sur D 956** – ✉ **57480** Sierck-les-Bains

X **Aub. de la Klauss,** ☎ 283.72.38, – **P**
fermé 1er au 15 août, 1er au 15 janv. et lundi – **SC** : **R** 30/65 🍷.

RENAULT Becker, ☎ 283.72.29 N

SIGNES **83870** Var 84 ⑮ – 922 h. alt. 344 – ⚙ 94.

Paris 819 – Aix-en-Provence 61 – Brignoles 32 – ♦Marseille 47 – ♦Toulon 38.

XX **L'Estaminet,** ☎ 90.88.93 – GB
fermé fév. et merc. sauf juil. et août – **SC** : **R** (prévenir) 50/120.

SIGNY-L'ABBAYE **08460** Ardennes 53 ⑰ **G. Nord de la France** – 1 678 h. alt. 206 – ⚙ 24.

Paris 205 – Charleville-Mézières 34 – Hirson 38 – Laon 71 – Rethel 23 – Rocroi 31 – Sedan 46.

🏠 **Aub. de l'Abbaye,** ☎ 35.81.27 – wc
fermé janv., fév., merc. soir et jeudi – **SC** : **R** 38/70 – ☕ 9 – **12 ch** 50/100 – P 80/100.

RENAULT Turquin, ☎ 35.81.37

SILLÉ-LE-GUILLAUME **72140** Sarthe 60 ⑫ **G. Normandie** – 2 964 h. alt. 161 – ⚙ 43.

Paris 229 – Alençon 37 – Angers 99 – Laval 54 – Mamers 47 – ♦Le Mans 33 – Mayenne 41.

🏠 **Bretagne,** pl. Croix d'Or ☎ 20.10.10 – **P**. GB
fermé 1er au 23 mars et lundi – **SC** : **R** 40/100 🍷 – ☕ 10 – 13 ch 60/70 – P 100/110.

PEUGEOT Ménard, ☎ 20.12.96 N
RENAULT Gar. Simon, ☎ 20.10.74
TALBOT Sillé-Automobiles, ☎ 20.11.80 N ☎ 20.12.95

SILLERY 51 Marne 56 ⑰ – rattaché à Reims.

SINARD 38 Isère 77 ⑭ – 256 h. alt. 790 – ✉ **38650** Monestier-de-Clermont – 76.
Paris 594 – ♦Grenoble 31 – Monestier-de-Clermont 5 – La Mure 38 – Vizille 27.

du Violet , ☎ **34.03.16**, ←, – Ⓟ. rest – 16 ch.

SION 54 M.-et-M. 62 ④ **G. Vosges** – alt. 495 – ✉ **54330** Vézelise – 8.
Voir ☀★ **du calvaire** – Paris 320 – Épinal 52 – ♦Nancy 37 – Toul 37 – Vittel 43.

Notre Dame, ☎ 326.91.82, ←, – Ⓟ.
SC : **R** 28/63 – 6,50 – 16 ch 36/60 – P 67/74.

SIORAC-EN-PÉRIGORD 24 Dordogne 75 ⑯ – 793 h. alt. 77 – ✉ **24170** Belvès – 53.
Paris 542 – Bergerac 45 – Cahors 67 – Périgueux 57 – Sarlat-la-Canéda 29.

✿ **Scholly** , ☎ 28.60.02 – wc wc Ⓟ – 80. AE GB
1er avril-5 nov. – SC : **R** 60/145 – 17 – **32 ch** 70/170 – P 135/190
Spéc. Omelette aux truffes, Truite soufflée au Riesling, Poulet aux cèpes. **Vins** Cahors, Pécharmant.

Aub. Petite Reine, S : 1 km sur D 710 ☎ 28.60.42, , – wc wc Ⓟ. ch
11 avril au 15 oct. – SC : **R** 41/115 – 13 – **26 ch** 81/110, 4 appartements 173 – P 131/154.

L'Escale, au pont ☎ 28.60.23, – wc Ⓟ. E
15 mars-31 déc. et fermé lundi – SC : **R** 40/100 – 11 – 16 ch 40/105 – P 90/130.

SIROD 39 Jura 70 ⑤ – rattaché à Champagnole.

SISTERON 04200 Alpes-de-H.-P. 81 ⑤⑥ **G. Côte d'Azur** – 7 443 h. alt. 482 – 92.
Voir Site★★ – Citadelle★ : ☀★ – Église Notre-Dame★ B.
Office de Tourisme Les « Arcades » (fermé dim. et fêtes) ☎ 61.12.03.
Paris 705 ① – Barcelonnette 97 ① – Carpentras 111 ② – Digne 39 ② – Gap 48 ① – ♦Grenoble 141 ①.

SISTERON

Droite (R.)
Provence (R. de) 25
Saunerie (R.)

Arcades (R. des) 2
Arène (Av. Paul) 3
Bourg-Reynaud (Pl.) 5
Combes (R. des) 6
Cordeliers (R. des) 8
Coste (R. de la) 9
Dr-Robert (Pl. du) 10
Gaulle (Pl. Gén. de) 13
Glissoir (R. du) 14
Horloge (Pl. de l') 15
Libération (Av. de la) 16
Longue-Androne (R.) 18
Marres (Chemin des) 19
Melchior-Donnet (Cours) 20
Mercerie (R.) 22
Moulin (Av. Jean) 23
Porte-Sauve (R.) 24
République (Pl. de la) 26
Ste-Ursule (R.) 27
Tivoli (Pl. du) 29
Verdun (Allée de) 30

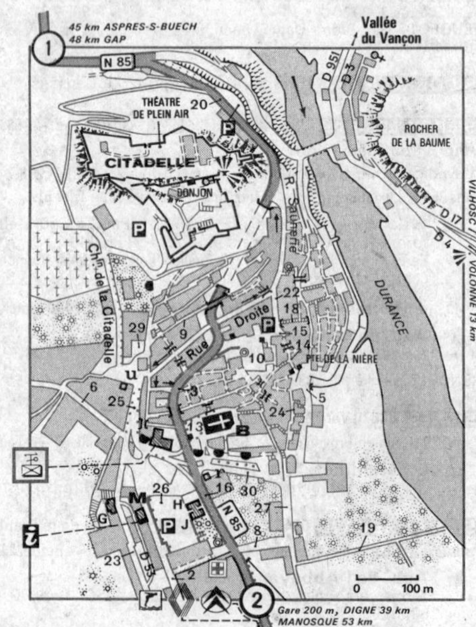

Pour un bon usage des plans de villes, voir les signes conventionnels p. 20.

Gd H. du Cours sans rest., pl. Église **(r)** ☎ 61.04.51 – AE GB E
15 mars-30 nov. – SC : 13,50 – **50 ch** 90/150.

Tivoli, pl. Tivoli **(u)** ☎ 61.15.16 – wc wc .
fermé 15 déc. au 1er mars – SC : **R** *(fermé sam. soir et dim.)* 35/45 – 10,50 – **19 ch** 55/110 – P 94/107.

Rest du Cours, pl. Église **(r)** ☎ 61.00.50 – Ⓟ. GB
1er mars-5 nov. – SC : **R** 39/110.

CITROEN Provence Gar., rte de Marseille ☏ 61.12.28
FIAT, LANCIA-AUTOBIANCHI Gar. Moderne, rte Marseille ☏ 61.03.17 N ☏ 61.03.29
PEUGEOT Gar. Roca-Espitallier, 1 av. J.-Jaurès ☏ 61.07.09

RENAULT Alpes-Autom., av. de la Libération ☏ 61.01.64

Ayme-Pneus, av. de la Libération ☏ 61.08.15

SIVRY 77115 S.-et-M. 61 ②, 96 ㊵ – 652 h. alt. 85 – 6.

Paris 62 – Coulommiers 52 – Fontainebleau 16 – Melun 7,5 – Provins 43.

XX **La Vieille Auberge,** N 105 ☏ 438.70.20 – P. GB
fermé août, lundi soir et mardi – SC : **R** 43/65 ⅓.

SIVRY-SUR-MEUSE 55 Meuse 56 ⑩ – 425 h. alt. 184 – ✉ 55110 Dun-sur-Meuse – 29.

Paris 285 – Bar-le-Duc 79 – Verdun 23 – Vouziers 54.

XX **Planson** avec ch, ☏ 87.81.05 – AE GB
fermé mardi – SC : **R** 45/150 ⅓ – 25 – **6 ch** 40/60.

SIX-FOURS-LES-PLAGES 83140 Var 84 ⑭ G. Côte d'Azur – 22 783 h. – 94.

Voir Fort de Six-Fours ✻★ N : 2 km.

Env. Chapelle N.-D.-du-Mai ✻★★ S : 6 km.

Syndicat d'Initiative pl. de Bonnegrâce (fermé sam. et dim. hors saison) ☏ 07.02.21.

Paris 832 – Aix-en-Provence 75 – La Ciotat 31 – ♦Marseille 58 – ♦Toulon 11.

L'Isly H. sans rest., 101 bis r. République ☏ 25.43.68, – wc P.
SC : 12,50 – **20 ch** 55/130.

XX **Aub. St-Vincent,** au pont du Brux ☏ 25.70.50 – P. GB
fermé lundi – SC : **R** 49/85.

à la Plage de Bonnegrâce N : 1 km – ✉ **83140** Six-Fours :

Ile Rose, ☏ 07.10.56, – wc wc P. ch
SC : **R** *(fermé lundi)* 35/70 – 10 – 25 ch 46/120 – P 100/150.

Rayon de Soleil, ☏ 25.71.07, – P.
fermé 1er déc. au 5 janv. et vend. du 15 sept. au 15 juin – SC : **R** 65 ⅓ – 8 – 14 ch 50/70 – P 102/115.

Mendez, 454 av. Mar.-Juin ☏ 25.20.80

SIZUN 29237 Finistère 58 ⑤ G. Bretagne – 1 871 h. alt. 113 – 98.

Voir Enclos paroissial★.

Paris 556 – Carhaix-Plouguer 52 – Châteaulin 36 – Landerneau 17 – Morlaix 31 – Quimper 58.

Voyageurs, ☏ 68.80.35 – P. ch
fermé 13 sept. au 4 oct. – SC : **R** 30/65 ⅓ – 9,50 – 14 ch 50/100 – P 85/110.

RENAULT Dolou, ☏ 68.80.38 N

SOCHAUX 25600 Doubs 66 ⑧ – 6 350 h. alt. 318 – 81.

Paris 481 – Audincourt 4 – Belfort 18 – ♦Besançon 81 – Montbéliard 5.

Voir plan de Montbéliard agglomération

Motel de Sochaux sans rest, 3 r. Gd Charmont ☏ 94.16.04 – wc P
fermé août – SC : 9,50 – **12 ch** 52/86. BY s

CONSTRUCTEUR : S.A. des Automobiles Peugeot, BY ☏ 91.83.42

SOCOA (Port de) 64 Pyr.-Atl. 85 ② – rattaché à St-Jean-de-Luz (Ciboure).

SOISSONS 02200 Aisne 56 ④ G. Nord de la France – 32 112 h. alt. 55 – 23.

Voir Anc. Abbaye de St-Jean-des-Vignes★★ – Intérieur★★ de la Cathédrale★ – Musée de l'anc. abbaye de St-Léger★ BY **M.**

Office de Tourisme avec A.C. Cour St-Jean-des-Vignes ☏ 53.17.37.

Paris 98 ⑥ – ♦Amiens 115 ⑦ – Arras 144 ⑦ – Compiègne 38 ⑦ – Laon 37 ② – ♦Lille 185 ⑦ – Meaux 65 ⑥ – ♦Reims 56 ③ – St-Quentin 60 ① – Senlis 61 ⑥ – Troyes 151 ⑤.

Plan page suivante

Motel des Lions M, rte Reims par ③ : 3 km ✉ 02207 Villeneuve-St-Germain ☏ 59.30.60, – TV P – 80. GB
SC : **R** 45/58 ⅓ – 16,50 – **28 ch** 120/160.

Gare sans rest, pl. Gare ☏ 53.31.61 – . CZ a
fermé 1er au 30 août et lundi – SC : 9,50 – **12 ch** 40/65.

XX **Grenadin,** 19 rte de Fère-en-Tardenois ☏ 53.08.12 – GB CZ u
fermé août, dim. soir et lundi – SC : **R** 38/75 ⅓.

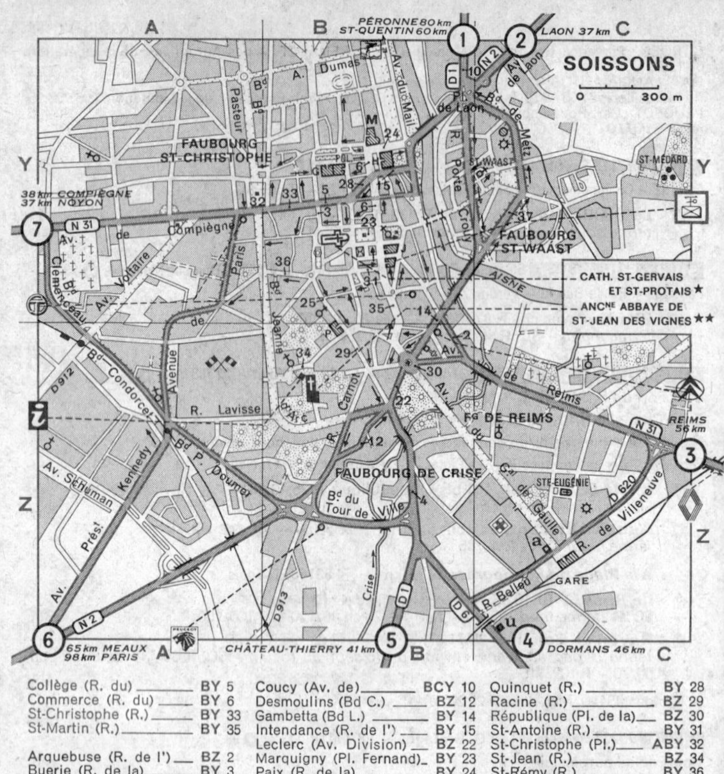

Collège (R. du)	BY 5	Coucy (Av. de)	BCY 10	Quinquet (R.)	BY 28
Commerce (R. du)	BY 6	Desmoulins (Bd C.)	BZ 12	Racine (R.)	BZ 29
St-Christophe (R.)	BY 33	Gambetta (Bd L.)	BY 14	République (Pl. de la)	BZ 30
St-Martin (R.)	BY 35	Intendance (R. de l')	BY 15	St-Antoine (R.)	BY 31
		Leclerc (Av. Division)	BZ 22	St-Christophe (Pl.)	ABY 32
Arquebuse (R. de l')	BZ 2	Marquigny (Pl. Fernand)	BY 23	St-Jean (R.)	BZ 34
Buerie (R. de la)	BY 3	Paix (R. de la)	BY 24	St-Rémy (R.)	BY 36
Château-Thierry (Av. de)	BZ 4	Panleu (R. de)	BY 25	Strasbourg (Bd de)	CY 37

ALFA-ROMEO S.D.A., 10 av. de Compiègne ☎ 53.10.69
BMW Gar. de l'Est, 78 av. de Reims ☎ 53.30.04
CITROEN Soissons-Auto, 8 bd Gambetta ☎ 59.13.24 🅽
DATSUN Gar. de la Bêcherie, rte de Reims à Venizel ☎ 55.40.11
FIAT S.E.V.A., 12 r. Belleu ☎ 53.31.63
OPEL S.A.P.A., 9 bis av. de Reims ☎ 53.36.36
PEUGEOT Gd Gar. Jeanne-d'Arc, 13 bd du Tour de Ville ☎ 53.04.14
RENAULT Larminaux, rte Reims ☎ 53.26.57
TALBOT Idoine, 3 av. Compiègne ☎ 53.04.41
TALBOT Pluche, 11 r. des Feuillants ☎ 53.00.70
TOYOTA Gar. Central, 7 r. St-Jean ☎ 53.27.57

Fischbach, 60 av. de Compiègne ☎ 53.25.76

SOLDEU Principauté d'Andorre 86 ⑮, 43 ⑦ – voir à Andorre.

SOLÉRIEUX **26** Drôme 81 ② – 96 h. alt. 105 – ✉ **26130** St-Paul-Trois-Châteaux – ⚙ 75.
Env. Clansayes ≤★★ N : 9 km, **G. Vallée du Rhône.**
Paris 639 – Bollène 15 – Montélimar 33 – Nyons 29 – Orange 28 – Pont-St-Esprit 25 – Valence 77.

- **Ferme St-Michel** ⛰, rte de la Baume D 341 ☎ 98.10.66, ≤, 🏊, 🌳 – 🛁wc 🚿wc ☎ 🅿. 🚫
  SC : **R** *(fermé dim. soir et lundi midi)* 39/78 – ☕ 12 – **10 ch** 110/150.

SOLESMES **72** Sarthe 64 ①② – rattaché à Sablé-sur-Sarthe.

SOLIGNAC **87110** H.-Vienne 72 ⑰ **G. Périgord** – 1 123 h. alt. 242 – ⚙ 55.
Voir Église abbatiale★ – Ruines du château de Chalusset★ SE : 5 km puis 30 mn.
Paris 405 – Brive-la-Gaillarde 90 – ♦Limoges 11 – Nontron 70 – Périgueux 92 – Tulle 82.

- **Les Remparts** ⛰ sans rest, r. Remparts ☎ 00.54.62, 🌳 – 🛁wc ☎. 🚗
  1er mars-30 sept. – SC : ☕ 10 – **9 ch** 37/150.
- XX **St-Éloi avec ch**, ☎ 00.50.11 – 🚿wc ☎ – 🏛 100. 🚗
  SC : **R** *(fermé merc. de sept. à juin)* 35/75 🍷 – ☕ 10 – 10 ch 52/115 – P 160/200.

SOLRE-LE-CHATEAU 59740 Nord 53 ⑥ G. Nord de la France – 2 142 h. alt. 200 – ✪ 27.

Syndicat d'Initiative à la Mairie (fermé sam. et dim.) ☎ 61.61.14.

Paris 217 – Avesnes-sur-Helpe 14 – Charleroi 38 – Hirson 31 – ♦Lille 112 – Maubeuge 18 – Trélon 14.

XX **La Potinière,** ☎ 61.64.55 –
fermé 1er au 15 sept., 1er au 15 mars, dim. soir et lundi – SC : **R** (prévenir) 130 bc/145 bc.

SOMBERNON 21540 Côte-d'Or 66 ⑪ – 582 h. alt. 535 – ✪ 80.

Paris 285 – Avallon 78 – Beaune 59 – ♦Dijon 29 – Montbard 52.

Le Sombernon, ☎ 33.41.23, ≤ – wc
fermé 15 janv. au 15 fév. et merc. – SC : **R** 25/80 – 8 – 10 ch 36/90 – P 80/120.

CITROEN Lefaure, ☎ 33.40.16 RENAULT Guyot, ☎ 33.40.21 N

SOMMIÈRES 30250 Gard 83 ⑧ G. Causses (plan) – 3 169 h. alt. 34 – ✪ 66.

Paris 739 – Aigues-Mortes 28 – Alès 42 – Lunel 13 – ♦Montpellier 28 – Nîmes 28 – Le Vigan 63.

Aub. Pont Romain , ☎ 80.00.58, – wc wc ☎ P. GB
fermé 14 au 30 sept. et vacances de fév. – SC : **R** *(fermé lundi de juin à sept. et merc. d'oct. à juin.)* 80/120 – 12 – **15 ch** 65/150.

Nord, ☎ 80.03.51 – wc – 60
fermé 3 au 31 janv. et lundi sauf du 1er juil. au 15 sept. – SC : **R** 28/50 – 7,50 – 28 ch 70 – P 90

SOPHIA-ANTIPOLIS 06 Alpes-Mar. 84 ⑨ – rattaché à Antibes.

SORÈDE 66 Pyr.-Or. 86 ⑲⑳ – 1 491 h. alt. 64 – ✉ **66700** Argelès-sur-Mer – ✪ 68.

Paris 932 – Argelès-sur-Mer 6,5 – Le Boulou 14 – Céret 21 – ♦Perpignan 24 – Port-Vendres 17.

St-Jacques , ☎ 89.00.60, ≤, , – wc P rest
R 50 bc – 10 – **15 ch** 80/110 – P 130.

SORGES 24 Dordogne 75 ⑥ – 876 h. alt. 178 – ✉ **24420** Savignac-les-Églises – ✪ 53.

Syndicat d'Initiative pl. Poste (1er juil.-15 sept. après-midi seul.) et à la Mairie (fermé sam. après-midi et dim.) ☎ 05.02.22.

Paris 468 – Brantôme 25 – ♦Limoges 77 – Nontron 45 – Périgueux 24 – Thiviers 13 – Uzerche 74.

La Crémaillère, ☎ 05.02.05, – wc wc P. GB. rest
fermé 11 nov. au 15 déc. et merc. hors sais. – **R** 32/110 – 12 – **16 ch** 60/120 – P 110/130.

Mairie, pl. Mairie ☎ 05.02.11, ≤ – wc wc P. GB
SC : **R** 32/120 – 11 – **10 ch** 50/100 – P 105/115.

SORGUES 84700 Vaucluse 81 ⑫ – 15 057 h. alt. 30 – ✪ 90.

Paris 683 – Avignon 11 – Carpentras 16 – Cavaillon 28 – Orange 18.

Davico, ☎ 39.11.02 – wc wc ch
fermé 15 déc. au 15 janv. et dim. – SC : **R** 45/120 – 12 – **30 ch** 75/155 – P 170/195.

à Entraigues E : 4,5 km par D 38 – ✉ **84320** Entraigues :

Béal M, ☎ 83.17.22 – wc wc P. ch
SC : **R** *(fermé fév. et lundi)* 36/53 – 10,50 – **21 ch** 100/135 – P 172/212.

PORSCHE Gar. SONAUTO, Zone Ind., lotissement 32 ☎ 39.90.40

SOS 47 L.-et-G. 79 ⑬ – 723 h. alt. 123 – ✉ **47170** Mézin – ✪ 58.

Paris 693 – Agen 52 – Aire-sur-l'Adour 56 – Condom 25 – Mont-de-Marsan 60 – Nérac 23.

X Sosserie (s'informer), ☎ 65.60.25 – .

SOSPEL 06380 Alpes-Mar. 84 ⑳, 195 ⑱ G. Côte d'Azur – 2 159 h. alt. 349 – ✪ 93.

Voir Retable de l'Immaculée Conception★ dans l'église St-Michel – Route★★ du col de Braus SO – Route★ du col de Brouis N – Vallée de la Bévera★ et gorges de Piaon★★ NO : 4 km – Paris 979 – Menton 22 – ♦Nice 43.

Étrangers, bd Verdun ☎ 04.00.09 – rest wc wc ☎ – 30. E
fermé 1er déc. au 20 janv. – SC : **R** 38/70 – 11 – 35 ch 70/125 – P 110/165.

Gare, espl. Gianotti ☎ 04.00.14 – P. ch
SC : **R** 38/62 – 8,50 – 10 ch 44/56 – P 77/95.

XX **Aub. Provençale** avec ch, rte Menton à 1,5 km ☎ 04.00.31, ≤ – wc wc P. GB E
fermé 25 oct. au 10 déc. et jeudi midi – SC : **R** 35/100 – 10 – **12 ch** 60/180 – P 140/180.

au Col de Brouis N : 10 km par D 2204 – alt. 880 – ✉ **06540** Breil-sur-Roya.

Voir ≤★.

X **Auberge du Col de Brouis** avec ch, ☎ 04.51.86, ≤ – P
fermé nov. et lundi – SC : **R** 39/66 – 9 – **9 ch** 40/70.

PEUGEOT Rey, ☎ 04.01.24 RENAULT Cauvin, ☎ 04.02.60 N

SOUBISE 17 Char.-Mar. 71 ⑬⑭ – rattaché à Rochefort.

SOUCY 89 Yonne 61 ⑭ – rattaché à Sens.

SOUESMES 41 L.-et-Ch. 64 ⑳ – 1 060 h. alt. 127 – ✉ **41300** Salbris – 54.
Paris 196 – Aubigny-sur-Nère 21 – Blois 78 – Bourges 49 – Cosne-sur-Loire 62 – Gien 49 – Salbris 11.

XX **Auberge Croix Verte** avec ch, ℡ 98.83.70 – wc P
fermé dim. soir et lundi – SC : **R** 35/55 – 8 – 20 ch 35/70.

SOUILLAC 46200 Lot 75 ⑱ **G. Périgord** (plan) – 4 371 h. alt. 104 – 65.
Voir Anc. église abbatiale : bas-relief "Isaïe"★★, revers du portail★.
Office de Tourisme 9 bd Malvy (fermé matin hors saison et dim. sauf matin en saison) ℡ 37.81.56.
Paris 527 – Brive-la-Gaillarde 37 – Cahors 66 – Figeac 74 – Gourdon 29 – Sarlat-la-Canéda 29.

Puy d'Alon M sans rest, av. J.-Jaurès ℡ 37.89.79, – wc wc P.
15 avril-31 oct. – SC : 12 – **11 ch** 100/140.

Les Granges Vieilles , rte Sarlat O : 1,5 km ℡ 37.80.92, ≤, parc – wc wc P – 50.
fermé nov. – SC : **R** 60/125 – 15 – 11 ch 120/230 – P 180/250.

Ambassadeurs, 12 av. Gén.-de-Gaulle ℡ 32.78.36 – wc wc .
fermé 28 sept. au 28 oct., vacances de fév. et sam. d'oct. à juin – SC : **R** 29/120 – 11 – 28 ch 55/130 – P 100/130.

Le Quercy sans rest, 1 r. Récège ℡ 37.83.56 – wc wc .
fermé 1er janv. au 15 mars – SC : 12 – **25 ch** 70/100.

Gd Hôtel, pl. Verninac ℡ 37.78.30 – wc wc – 30
1er mai-30 sept. et fermé merc. hors sais. – SC : **R** 35/125 – 10 – 17 ch 70/145 – P 115/160.

Renaissance, 2 av. Jaurès ℡ 37.78.04, – wc wc P. AE GB E
15 mars-30 nov. et fermé sam. du 8 sept. au 5 juin – SC : **R** 35/70 – 11 – 24 ch 90/130 – P 130/150.

Périgord, 31 av. Gén.-de-Gaulle ℡ 37.78.28, – wc P – 30. AE E
1er mai-15 oct. – SC : **R** 32/70 – 10 – 35 ch 70/160 – P 115/160.

France, 64 bd L.-J.-Malvy ℡ 37.81.06, – wc . ch
fermé 5 nov. au 15 déc., dim. soir et lundi d'oct. à Pentecôte – SC : **R** 35/77 – 11,50 – 35 ch 54/98 – P 105/128.

XX **Vieille Auberge** avec ch, pl. Minoterie ℡ 37.79.43, – cuisinette rest wc wc – 80. GB E
fermé fév., mardi soir et merc. – SC : **R** 60/150 – 12 – 20 ch 80/110 – P 150/175.

XX **Auberge du Puits** avec ch, 5 pl. Puits ℡ 37.80.32 – wc
fermé 31 oct. au 1er janv., dim. soir et lundi hors sais. – SC : **R** 30/105 – 10 – 14 ch 45/90 – P 85/125.

Voir aussi ressources hôtelières de *Lacave* S : 11 km, *Cressensac N : 17 km*

RENAULT Sanfourche, ℡ 32.73.03 N
TALBOT Gar. Cadier, ℡ 37.82.72
Pneus-Service, ℡ 37.81.88

SOULAC-SUR-MER 33780 Gironde 71 ⑯ **G. Côte de l'Atlantique** – 2 387 h. – Casino de la Plage – 56.
Office de Tourisme pl. Marché (fermé dim. et lundi hors saison) ℡ 59.86.61.
Paris (bac) 509 – Arcachon 134 – ♦Bordeaux 93 – Lesparre-Médoc 30 – Royan (bac) 9,5.

Dame de Coeur, ℡ 59.80.80 – .
SC : **R** 35/68 – 10 – **16 ch** 50/80 – P 120/140.

à l'Amélie-sur-Mer SO : 4,5 km par VO – ✉ **33780** Soulac-sur-Mer :

Pins , ℡ 59.80.01 – wc P. AE E.
fermé 15 nov. au 15 déc. – SC : **R** *(fermé vend. soir et dim. soir d'oct. à Pâques)* 50/80 – 13,50 – 33 ch 55/150 – P 120/190.

CITROEN Gar. de la Gare, ℡ 59.85.55

SOULAGES-BONNEVAL 12 Aveyron 76 ⑬ – rattaché à Laguiole

Le SOULIÉ 34 Hérault 83 ③ – 111 h. – ✉ **34330** La Salvetat-sur-Agout – 67.
Paris 738 – Béziers 65 – Castres 50.

X **Moulin de Vergouniac,** SO : 1,5 km sur D 150 ℡ 97.05.62 – P
fermé fév. et mardi – SC : **R** (dim. prévenir) 38/108.

SOULLANS 85 Vendée 67 ⑫ – 2 272 h. alt. 9 – ✉ **85300** Challans – 51.
Paris 437 – Challans 6 – La-Roche-sur-Yon 45 – Les Sables-d'Olonne 38 – St-Jean-de-Monts 18.

X **Relais du Marais** avec ch, ℡ 68.04.18 – GB E. ch
fermé oct. et lundi – SC : **R** 30/60 – 8,50 – 8 ch 42/64 – P 84.

SOULTZ 68 H.-Rhin 66 ⑨ – rattaché à Guebwiller.

SOULTZBACH-LES-BAINS 68 H.-Rhin 62 ⑱ – 576 h. alt. 321 – ✉ **68230** Turckheim – ⚙ 89.
Paris 451 – Colmar 15 – Gérardmer 39 – Guebwiller 34 – ♦Mulhouse 52 – Munster 6,5 – Le Thillot 59.

St-Christophe, ☎ 71.13.09 – Ⓟ.
fermé janv. et merc. – **R** 27/55 – ☕ 12 – 11 ch 45/80.

sur N 417 NE : 2 km – ✉ **68230** Turckheim :

Motel la Prairie Ⓜ, ☎ **71.10.00** – wc wc ☎ ♿ Ⓟ – 20 ch.

SOULTZEREN 68 H.-Rhin 62 ⑱ – 1 061 h. alt. 450 – ✉ **68140** Munster – ⚙ 89.
Syndicat d'Initiative 80 r. Principale ☎ 77.37.33.
Paris 440 – Colmar 23 – Gérardmer 29 – Guebwiller 43 – St-Dié 53 – Thann 60 – Le Thillot 49.

Pont, rte Schlucht 1,5 km ☎ **77.35.23** – Ⓟ
fermé nov. et lundi hors vacances scolaires – SC : **R** 27/60 – ☕ 9 – 15 ch 44/64 – P 90/100.

SOUMOULOU 64420 Pyr.-Atl. 85 ⑦ – 720 h. alt. 296 – ⚙ 59.
Paris 768 – Lourdes 24 – Nay 16 – Pau 17 – Pontacq 11 – Tarbes 23.

Béarn, ☎ 33.60.09, – wc wc ☎ Ⓟ – 40. AE ⓓ E. rest
fermé nov. et lundi d'oct. à juin – SC : **R** 35/100 – ☕ 11 – **13 ch** 48/125 – P 139/191.

France, ☎ **33.60.13** – Ⓟ
fermé lundi du 1er oct. au 30 juin – SC : **R** 22/48 – ☕ 7 – 8 ch 35/43 – P 71.

SOUQUET 40 Landes 78 ⑤ – ✉ **40260** Castets – ⚙ 58.
Paris 671 – Belin 62 – Castets 12 – Mimizan 38 – Mont-de-M. 53 – St-Julien-en-Born 19 – Tartas 26.

Paris-Madrid Ⓜ, ☎ **57.60.46**, – wc wc ☎ Ⓟ. GB E.
1er mars au 1er nov. et fermé lundi sauf de juil. à sept. – SC : **R** 35/55 – ☕ 12 – 15 ch 90/120.

RENAULT Gar. Fauret, ☎ 57.61.15

SOURDEVAL 50150 Manche 59 ⑨ – 3 624 h. alt. 220 – ⚙ 33.
Voir Vallée de la Sée★ O, G. Normandie.
Paris 270 – Avranches 38 – Domfront 36 – Flers 32 – Mayenne 63 – St-Hilaire-du-H. 26 – Vire 13.

Halle, ☎ **59.60.41** – Ⓟ
R 35/45 – ☕ 8 – **9 ch** 35/55 – P 80/90.

PEUGEOT Gar. Postel, ☎ 59.60.35

SOUSCEYRAC 46190 Lot 75 ⑳ – 1 044 h. alt. 559 – ⚙ 65.
Paris 560 – Aurillac 48 – Cahors 92 – Figeac 40 – Mauriac 73 – St-Céré 16.

✿ **Au Déjeuner de Sousceyrac** (Espinadel), ☎ **33.00.56** – wc. AE GB. rest
1er avril-15 nov. et fermé sam. sauf juil. et août – SC : **R** 30/100 – ☕ 10 – 15 ch 30/80 – P 85/95
Spéc. Salade de queues d'écrevisses et de foie de canard (sauf juin), Escalope de foie de canard aux pommes, Poulet sauté aux morilles. **Vins** Cahors, Côteaux du Quercy.

TALBOT Gar. Gamba, ☎ 33.00.23

SOUS-LA-TOUR 22 C.-du-N. 59 ③ – rattaché à St-Brieuc.

SOUSTONS 40140 Landes 78 ⑯ – 5 127 h. alt. 5 – ⚙ 58.
Voir Étang de Soustons★ O : 1 km, G. Côte de l'Atlantique.
Syndicat d'Initiative "La Grange" (15 juin-15 sept. et fermé dim. après-midi) ☎ 48.02.62.
Paris 708 – Castets 23 – Dax 29 – Mont-de-Marsan 77 – St-Vincent-de-Tyrosse 13.

La Bergerie (annexe Château Bergeran), av. Lac ☎ **48.01.43**, parc – wc ☎ Ⓟ. GB.
1er mai-30 sept. – SC : **R** (dîner seul. et pour résidents) 60 – ☕ 14 – **12 ch** 100/140.

Host. du Marensin, pl. Sterling ☎ **48.05.16** – .
fermé 1er au 15 nov., 1er au 15 fév. – SC : **R** *(fermé sam. hors saison)* 28/85 – ☕ 9,50 – **13 ch** 14 ch 70/93 – P 118/131.

Lac, au lac ☎ **48.08.80**, ← – wc ☎. . ch
7 juin-fin sept. – SC : **R** 40/120 – ☕ 11 – 12 ch 120/170.

✿ **Pavillon Landais** (Ducassé) avec ch, av. Lac ☎ **48.04.49**, **« Belle vue sur lac, parc »**, – wc ☎ Ⓟ. AE GB ⓓ. ch
fermé 22 déc. au 1er mars, dim. soir et lundi midi du 15 sept. au 10 mai – SC : **R** 80 – ☕ 15 – **8 ch** 120/135
Spéc. Saumon grillé béarnaise (mars-fin juil.), Escalope de foie de canard au vinaigre de framboises, Filets de sole. **Vins** Madiran, Jurançon.

CITROEN Lartigau, ☎ 48.04.80
PEUGEOT Desbieys, ☎ 48.00.57
RENAULT Dufour, ☎ 48.00.22 N
TALBOT Gar. Bouyrie, ☎ 48.01.75

LA SOUTERRAINE 23300 Creuse 72 ⑧ **G. Périgord** – 5 505 h. alt. 366 – ✪ 55.
Voir Église★.

ℹ Syndicat d'Initiative 8 av. Gén.-Leclerc (1er juin-30 sept. et fermé dim.) ☎ 63.03.36.

Paris 341 ⑤ – Bellac 40 ③ – Châteauroux 72 ⑤ – Guéret 34 ① – ♦Limoges 56 ③.

LA SOUTERRAINE

Marché (Pl. du) 29

Auzanet (R. Barthélémy) 2
Bernhausen (Pl. de) 3
Cités (R. des) 4
Coq (R. du) 7
Dr-Bridot (R. du) 8
Font-aux-Moines (R. de la) 9
Font-Froide (R.) 12
Fossés-des-Canards (R. des) 13
Fossés-des-Gentils (R. des) 14
Fossés-St-Michel (R. des) 17
Gaulle (Bd Ch.-de) 18
Guichet (R. du) 19
Haute-St-Michel (R.) 22
Hermitage (R. de l') 23
Lavaud (R. de) 24
Leclerc (Av. du Gén.) 27
Lefaure (Pl. A.) 28
Montaudon (R. H.) 32
Picoty (R. A.) 33
République (R. de la) 34
St-Jacques (R.) 37
8 Mai 1945 (Bd du) 38

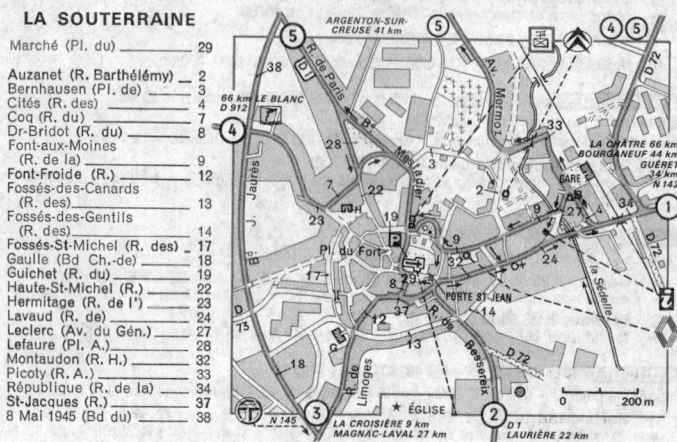

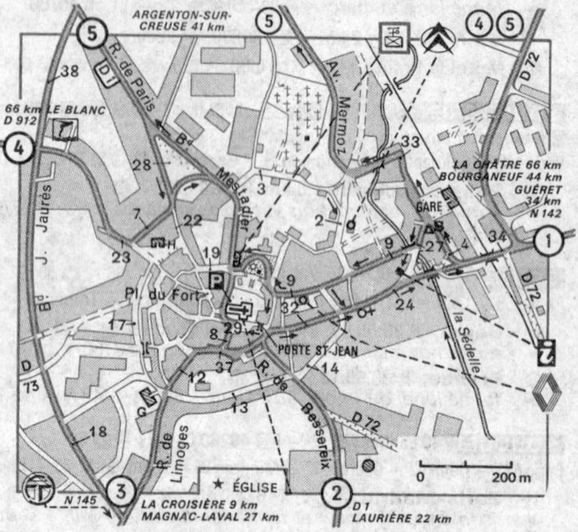

La Véranda, pl. Gare **(s)** ☎ 63.00.32 – ⋒ 🚗 Ⓟ
fermé 23 au 31 mai, 30 août au 13 sept., 24 déc. au 3 janv., sam. sauf juil., août et dim. – SC : **R** (dîner seul. et pour résidents) 33 – ☕ 8,50 – **13 ch** 38/83.

à St-Etienne-de-Fursac par ② : 11 km – ✉ **23290** St-Etienne-de-Fursac :

Moderne, ☎ 63.60.56, – ⋒wc ☎ 🚗 Ⓟ. GB E
fermé 15 oct. au 1er nov., 15 fév. au 1er mars, dim. soir et lundi midi – SC : **R** 30/140 – ☕ 9,50 – 14 ch 45/100 – P 110/140.

CITROEN Chambraud, ☎ 63.08.89
RENAULT Husson, ☎ 63.03.47
TALBOT Gar. du Massif Central, à St-Maurice ☎ 63.11.34 N
Rousseau, ☎ 63.00.25

SOUVIGNY 03210 Allier 69 ⑭ **G. Auvergne** – 2 119 h. alt. 242 – ✪ 70.
Voir Prieuré St-Pierre★★.

Paris 305 – Bourbon-l'Archambault 15 – Montluçon 55 – Moulins 12.

✕ ✿ **Aub. des Tilleuls** (Lainé), ☎ 43.60.70 – 30.
fermé 8 au 15 oct., 1er au 20 fév., lundi soir et mardi sauf juil. et août – SC : **R** 68/140
Spéc. Suivant saison. Vins Sancerre.

SOUVIGNY-EN-SOLOGNE 41 L.-et-Ch. 64 ⑩ – 395 h. alt. 143 – ✉ **41600** Lamotte-Beuvron – ✪ 54.

Paris 173 – Gien 42 – Lamotte-Beuvron 14 – Montargis 63 – ♦Orléans 44.

✕ **Aub. Croix Blanche** avec ch, ☎ 88.40.08 – Ⓟ – 30.
fermé 17 janv. au 7 mars et merc. – SC : **R** 43/90 – ☕ 9 – 9 ch 53 – P 105/115.

RENAULT Gar. Paret, ☎ 88.43.18

SOYAUX 16 Charente 72 ⑭ – rattaché à Angoulême.

SOYONS 07 Ardèche 77 ⑪⑫ – rattaché à St-Péray.

SPEZET 29135 Finistère 58 ⑯ – 2 176 h. alt. 111 – ✪ 98.
Voir Chapelle N.-D.-du-Crann★ : vitraux★★ S : 1 km, G. Bretagne.

ℹ Syndicat d'Initiative à la Mairie (fermé sam. après-midi et dim.) ☎ 93.80.03.

Paris 522 – Carhaix-Plouguer 17 – Châteaulin 32 – Concarneau 51 – Pontivy 67 – Quimper 44.

L'Argoat, rte Châteauneuf ☎ 93.80.23, ⩽, – Ⓟ.
fermé 13 sept. au 4 oct. et lundi sauf juil. et août – SC : **R** 32/100 – ☕ 9,50 – 10 ch 38/50 – P 85/95.

STAINS 93 Seine-St-Denis 56 ⑪, 101 ⑯ – voir à Paris, Proche banlieue.

STAINVILLE 55 Meuse 62 ① – 368 h. alt. 209 – ✉ 55500 Ligny-en-Barrois – ✪ 29.
Paris 225 – Bar-le-Duc 19 – Commercy 36 – Joinville 35 – Neufchâteau 70 – St-Dizier 20 – Toul 59.

XX ✿ **La Petite Auberge,** ☎ 78.60.10 – AE GB ①
fermé 23 juil. au 12 août, vend. soir, sam. et dim. soir – SC : **R** (nombre de couverts limité - prévenir) 70/85
Spéc. Truite aux herbes en papillote, St-Jacques à la nage (15 oct. au 15 avril), Filet de boeuf aux morilles.

STEINBRUNN-LE-BAS 68 H.-Rhin 66 ⑩ – rattaché à Mulhouse.

STRASBOURG P 67000 B.-Rhin 62 ⑩ **G. Vosges** – 257 303 h. communauté urbaine 398 709 h. alt. 139 – ✪ 88.

Voir Cathédrale* : horloge astronomique*, <**** CX – **Cité ancienne***** BCX : **la Petite France**** BX, **Rue du Bain-aux-Plantes**** BX **7, Place de la Cathédrale*** CX **17,** – **Maison Kammerzell*** CX **e, Château des Rohan*** CX, **Cour du Corbeau*** CX **19,** – **Ponts couverts*** BX **B, Place Kléber*** CV, **Hôtel de Ville*** CV **H, rue Mercière : <*** CX **53** – **Barrage Vauban** ☼****** BX **D** – **Mausolée** dans l'église St-Thomas** CX **E Orangerie*** DEU – **Promenades sur l'Ill et les canaux*** CX – **Visite du port* en vedette** CY – **Musées : Oeuvre N.-Dame***** CX **M1, collections de céramiques** du château des Rohan** CX, **Alsacien*** CX **M2,** – **Historique*** CX **M3.**

d'Illkirch-Graffenstaden ☎ 66.17.22 FS

de Strasbourg-Entzheim : Air France ☎ 32.99.74 par D 392 : 12 km FR.

☎ 32.07.51.

Office de Tourisme (fermé sam. après-midi et dim.) et Accueil de France (Informations et réservations d'hôtels, pas plus de 5 jours à l'avance), Palais des Congrès av. Schutzenberger ☎ 35.03.00, Télex 890666, pl. Gare (fermé sam. après-midi et dim. hors saison) ☎ 32.51.49 et – 10 pl. Gutemberg (fermé sam. après-midi et dim. hors saison) ☎ 32.57.07 – Bureau d'accueil, pont Europe (Opération de change)(fermé sam. après-midi et dim. hors saison) ☎ 61.39.23 - A.C. 5 av. Paix ☎ 36.04.34 - T.C.F. 11 r. Division-Leclerc ☎ 32.72.63.

Paris 488 ① – ♦Bâle 145 ③ – Bonn 359 ③ – ♦Bordeaux 1 040 ① – Frankfurt 218 ③ – Karlsruhe 82 ③ – ♦Lille 524 ① – Luxembourg 219 ① – ♦Lyon 489 ⑤ – Stuttgart 160 ③.

Plans : Strasbourg p. 2 à 6

Sofitel M, pl. St-Pierre-le-Jeune ☎ 32.99.30, Télex 870894, patio – 🛗 ▤ TV ☎ ♿ ⛟ – 🏛 30 à 100. AE GB ① E. ✗ rest — CV **s**
SC : **R** *(fermé dim.)* rest. **Le Chateaubriand R** carte 125 à 160 🍷 – ☕ 29 – **180 ch** 200/510, 5 appartements.

Terminus-Gruber, 10 pl. Gare ☎ 32.87.00, Télex 870998 – 🛗 TV ☎ ♿ – 🏛 80. AE GB ① E — BV **m**
rest. **Cour de Rosemont** *(fermé 15 déc. au 15 janv.)* **R** 70/102 🍷 – ☕ 17 – **78 ch** 115/280, 6 appartements 250/320 – P 220/265.

Holiday Inn M, 20 pl. Bordeaux ☎ 32.49.12, Télex 890515, ⛱ – 🛗 ▤ rest TV ☎ ♿ P – 🏛 500 — CT **n**
SC : **La Louisiane R** carte 95 à 130 🍷 – ☕ 30 – **168 ch** 299/369.

Novotel M, quai Kléber ☎ 22.10.99, Télex 880700 – 🛗 ▤ rest TV ☎ ♿ – 🏛 250. AE GB ① — BV **k**
R snack carte environ 65 – ☕ 20 – **96 ch** 250/290.

Gd Hôtel sans rest, 12 pl. Gare ☎ 32.46.90, Télex 870011 – 🛗 ♿. AE ① — BV **m**
SC : ☕ 16 – **96 ch** 180/225, 4 appartements 220/250.

Monopole-Métropole sans rest, 16 r. Kuhn ☎ 32.11.94, Télex 890366, « Décor alsacien » – 🛗 TV ☎ ⛟. AE GB ① E — BV **p**
SC : ☕ 12 – **104 ch** 58/240.

France M sans rest, 20 r. Jeu-des-Enfants ☎ 32.37.12, Télex 890084 – 🛗 TV ☎ ⛟ – 🏛 30. AE ① — BV **v**
SC : ☕ 15 – **70 ch** 170/230.

Nouvel H. Maison Rouge sans rest, 4 r. F.-Bourgeois ☎ 32.08.60, Télex 880130 – 🛗 ☎ ♿. AE GB ① — CX **g**
SC : ☕ 15 – **130 ch** 85/190, 6 appartements 300.

des Rohan sans rest, 17 r. Maroquin ☎ 32.85.11 – 🛗 TV ⛀wc ⛆wc ☎. ⛟. ✗ — CX **u**
SC : ☕ 18 – **36 ch** 155/260.

Hannong sans rest, 15 r. 22-Novembre ☎ 32.16.22, Télex 890551 – 🛗 TV ⛀wc ⛆wc ☎ ♿ P – 🏛 50. ⛟ AE GB ① E — BV **f**
SC : ☕ 15 – **70 ch** 140/225.

Bristol et Rest. Louis XIII, 4 pl. Gare ☎ 32.00.83, Télex 890317 – 🛗 ▤ rest TV ⛀wc ⛆wc ☎ – 🏛 30. ⛟ AE GB ① E — BV **h**
SC : **R** 80/200 🍷 – 40 ch ☕ 105/230 – P 240/300.

La Dauphine M sans rest, 30 r. 1er Armée ☎ 36.26.61 – 🛗 TV ⛀wc ⛆wc ☎ ⛟. ⛟ AE GB ① — CY **a**
fermé 23 déc. au 2 janv. – SC : ☕ 15 – **45 ch** 160/200.

RÉPERTOIRE DES RUES DE STRASBOURG

Rue	Page	Carré	N°
Division Leclerc (R.)	p. 6	CX	
Gdes Arcades (R. des)	p. 6	CV	
Kléber (Pl.)	p. 6	CV	
Maire Kuss (R. du)	p. 6	BV	48
Mésange (R. de la)	p. 6	CV	54
Nuée-Bleue (R. de la)	p. 6	CV	
Vieux-Marché-aux-Poissons (R. du)	p. 6	CX	94
22-Novembre (R. du)	p. 6	BV	
Alpes (Quai des)	p. 5	DY	
Alsace (Av. d')	p. 6	CV	2
Anvers (Bd d')	p. 4	EV	
Anvers (Pont d')	p. 5	EX	
Arc-en-ciel (R. de l')	p. 6	CV	3
Arnold (Pl.)	p. 4	DV	
Austerlitz (Pl.)	p. 6	CX	
Austerlitz (R.)	p. 6	CX	4
Bach (Bd J. S.)	p. 4	EV	6
Bain-aux-Plantes (R.)	p. 6	BX	7
Bâle (R. de)	p. 5	DZ	
Barrage (R. du)	p. 4	CT	8
Bateliers (Quai des)	p. 6	CX	
Belges (Quai des)	p. 5	EY	
Bischwiller (Rte de)	p. 2	FP	
Bischwiller (R. de)	p. 4	BU	10
Bœcklin (R.)	p. 2	GP	12
Bordeaux (Pl. de)	p. 4	CU	
Boston (R. de)	p. 5	DY	
Bouchers (R. des)	p. 6	CX	
Boussingault (R.)	p. 4	EU	14
Briand (Av. A.)	p. 5	EZ	
Brigade Alsace-Lorraine (R. de la)	p. 5	CY	15
Broglie (Pl.)	p. 6	CV	
Brûlée (R.)	p. 6	CV	
Castelnau (R. Gén. de)	p. 6	CV	16
Cathédrale (Pl. de la)	p. 6	CX	17
Château (Pl. du)	p. 6	CX	
Clemenceau (Bd)	p. 4	CU	
Colmar (Rte de)	p. 3	FR	
Conrad (R. du Gén.)	p. 4	EV	
Conseil-des-Quinze (R.)	p. 4	EU	
Contades (R. du)	p. 4	CT	
Corbeau (Cour du)	p. 6	CX	18
Corbeau (Pl. du)	p. 6	CX	19
Landsberg (R. du)	p. 5	DY	
Lattre-de-Tassigny (Pl. Mar. de)	p. 5	CY	
Lauth (R.)	p. 4	DU	
Leblois (Bd)	p. 5	DX	
Liberté (Av. de la)	p. 6	CV	
Lyon (Bd de)	p. 5	BY	
Lyon (Rte de)	p. 3	FS	
Mairie (R. de la)	p. 4	CT	49
Marne (Bd de la)	p. 4	EV	
Marseillaise (Av. de la)	p. 6	CV	
Massenet (R.)	p. 4	DU	52
Mercière (R.)	p. 6	CX	53
Metz (Bd de)	p. 6	BV	
Mineurs (R. des)	p. 6	CV	
Mittelhausbergen (Route de)	p. 2	FQ	
Molsheim (R. de)	p. 6	BX	
Montagne Verte (R.)	p. 5	AY	
Mulhouse (R. de)	p. 5	CZ	
Nancy (Bd de)	p. 5	AX	
National (R. du Fg)	p. 6	BX	
Neuhof (Rte de)	p. 3	FR	
Neuhof (Rte du)	p. 3	GR	
Noyer (R. du)	p. 6	BV	55
Oberhausbergen (Rte d')	p. 2	FQ	56
Oberlin (R.)	p. 4	CU	
Ohmacht (R.)	p. 4	DU	57
Orangerie (Bd de l')	p. 4	EU	
Orphelins (R. des)	p. 6	CX	
Paix (Av. de la)	p. 4	CU	
Parchemin (R. du)	p. 6	CV	60
Pasteur (Quai L.)	p. 5	CY	
Pasteur (R. L.)	p. 4	CT	
Patrie (R. de la)	p. 4	CT	
Petit-Rhin (Rte du)	p. 5	EY	
Picquart (R. du Gén.)	p. 4	EV	
Pierre (R. du Fg de)	p. 6	CV	61
Plaine-des-Bouchers (R. de la)	p. 5	BZ	
Polygone (Rte du)	p. 5	CZ	
Pont (R. du)	p. 3	GR	62
Pont-de-l'Europe (Av.)	p. 3	GR	64
Preiss (Bd J.)	p. 4	DU	
Prés. Edwards (Bd du)	p. 4	DU	67
Prés. Poincaré (Bd)	p. 4	BU	68

Course (Pte R. de la) p.6 BV 20
Desaix (Quai) p.6 BV 22
Dôme (R. du) p.6 CV
Dordogne (Bd de la) p.4 DU 23
Église Rouge (R. de l') p.4 CT
Étoile (Pl. de l') p.5 CY
Europe (Av. de l') p.4 DU
Finkmatt (Quai) p.6 CV 24
Finkwiller (Quai) p.6 BZ 25
Finkwiller (R.) p.6 BX
Foch (R. du Mar.) p.6 CV 26
Foch (R. du Mar.)
LINGOLSHEIM p.3 FR
Forêt-Noire (Av. de la) p.5 EX
Fossé-des-Tanneurs (R.) p.6 BX 27
Fossé-des-Treize (R.) p.6 CV 29
Francs-Bourgeois (R.) p.6 CX 30
Frères (R. des) p.6 CV
Frey (Quai Ch.) p.6 CX 32
Fustel-de-
Coulanges (Quai) p.5 CY 33
Ganzau (R. de la) p.3 GS
Gaulle (Av. du Gén. de) p.5 DX
Gaulle (Rte du Gén. de) p.4 BT
Grand-Pont (R. du) p.5 EX 34
Grand'Rue p.6 BX
Gutenberg (Pl. et R.) p.6 CX 36
Haguenau (Pl. de) p.4 BU
Haguenau (R.) p.4 BU 39
Hallebardes (R. des) p.6 CX
Haute-Montée
(R. de la) p.6 CV 40
Havre (R. du) p.3 GR
Herrenschmidt (Av.) p.4 CT
Hochfelden (R. de) p.4 AU
Homme-de-Fer (Pl. de) p.6 CV 41
Hôpital (Rte de l') p.5 CY
Jaurès (Av. J.) p.5 DZ
Joffre (R. du Mar.) p.6 CV
Juifs (R. des) p.6 CV
Juin (R. du Mar.) p.5 DX 42
Kageneck (R.) p.6 BV
Kablé (R. J.) p.5 CU
Kléber (Quai) p.6 CV
Koenig (Quai du Gén.) p.5 CY 43
Kœnigshoffen (R. de) p.5 AX 44
Kuhn (R.) p.6 BV
Kuss (Pont) p.6 BV 46

Prés. Wilson (Bd du) p.6 BV
Printemps (Allée du) p.4 DT
Rathsamhausen (R. de) p.5 DZ
Recollets (R. des) p.6 CV 70
République (Pl. de la) p.6 CV
République (R. de la) p.2 FP 71
Rhin (Rte du) p.5 DY
Ribeauvillé (R. de) p.5 DZ
Richter (R. Fr. X.) p.4 EU 73
Robertsau (Allée de la) p.4 DU
Romains (Rte des) p.2 FQ
Rome (R. de) p.5 DX
Roseraie (R. de la) p.4 CT 74
St-Aloïse (R.) p.5 DZ
St-Étienne (Pl.) p.6 CV
St-Jean (Quai) p.6 BV 76
St-Michel (R.) p.6 BX 77
St-Nicolas (Quai) p.6 CX
Ste-Marguerite (R.) p.6 BX
Saverne (R. du Fg de) p.6 BV
Schirmeck (Rte de) p.5 AY 79
Schutzenberger (Av.) p.4 CT 80
Schweighaeuser (R.) p.4 DV 82
Sébastopol (R. de) p.6 BV 83
Strasbourg (Rte de) p.3 FR 86
Sturm (Quai J.) p.6 CV
Tarade (R.) p.5 EX 87
Temple Neuf (Pl.) p.6 CV 88
Temple Neuf (R.) p.6 CV 89
Travail (R. du) p.4 BU 90
Turckheim (Quai) p.6 BX 91
Vauban (R.) p.5 EX
Verdun (R. de) p.4 DV
Victoire (Bd de la) p.5 DX
Vienne (Rte de) p.5 CY 92
Vieux-Marché-aux-
Vins (R. du) p.6 BV
Vosges (Av. des) p.4 CU
Wagner (R.) p.4 EV 95
Wantzenau (Rte de la) p.2 GP
Wasselonne (Rte de) p.2 FQ
Winston Churchill
(Pont) p.5 DY
Wissembourg (R. de) p.4 BU 98
Ypres (R. d') p.4 EV
Yser (R. de l') p.4 EV
Zurich (R. de) p.6 CX
1re Armée (R. de la) p.5 CY

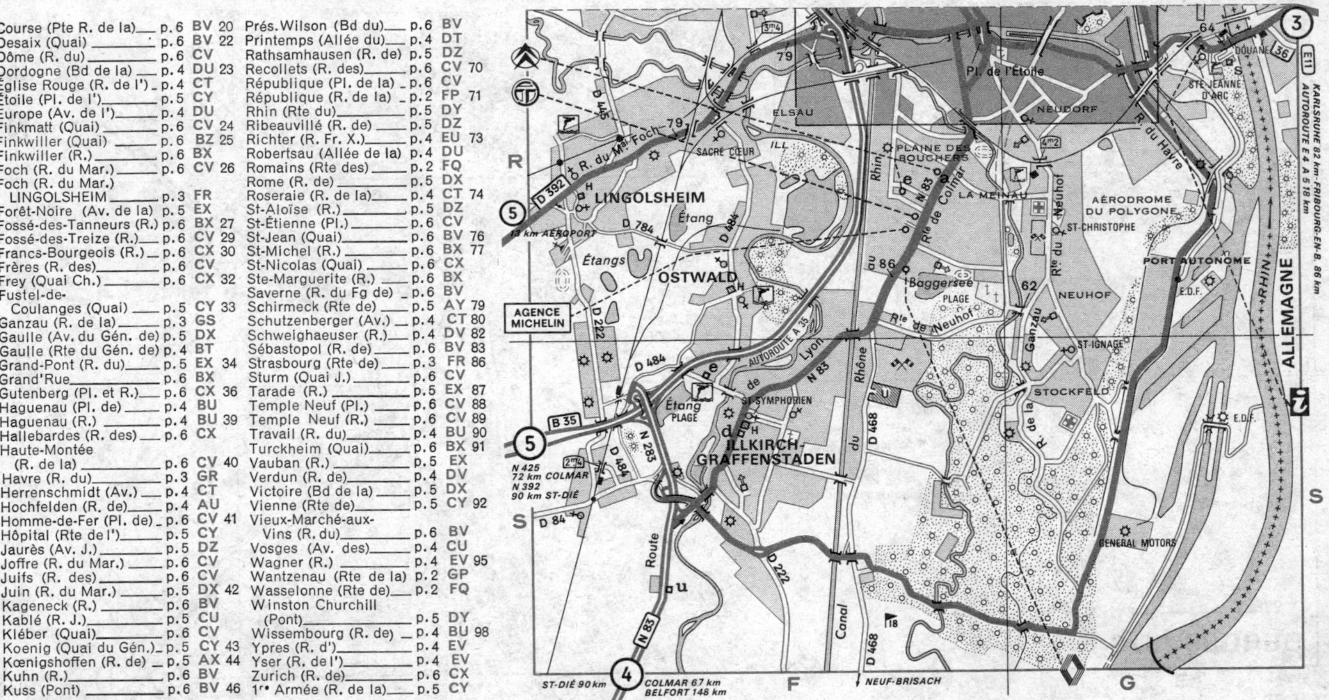

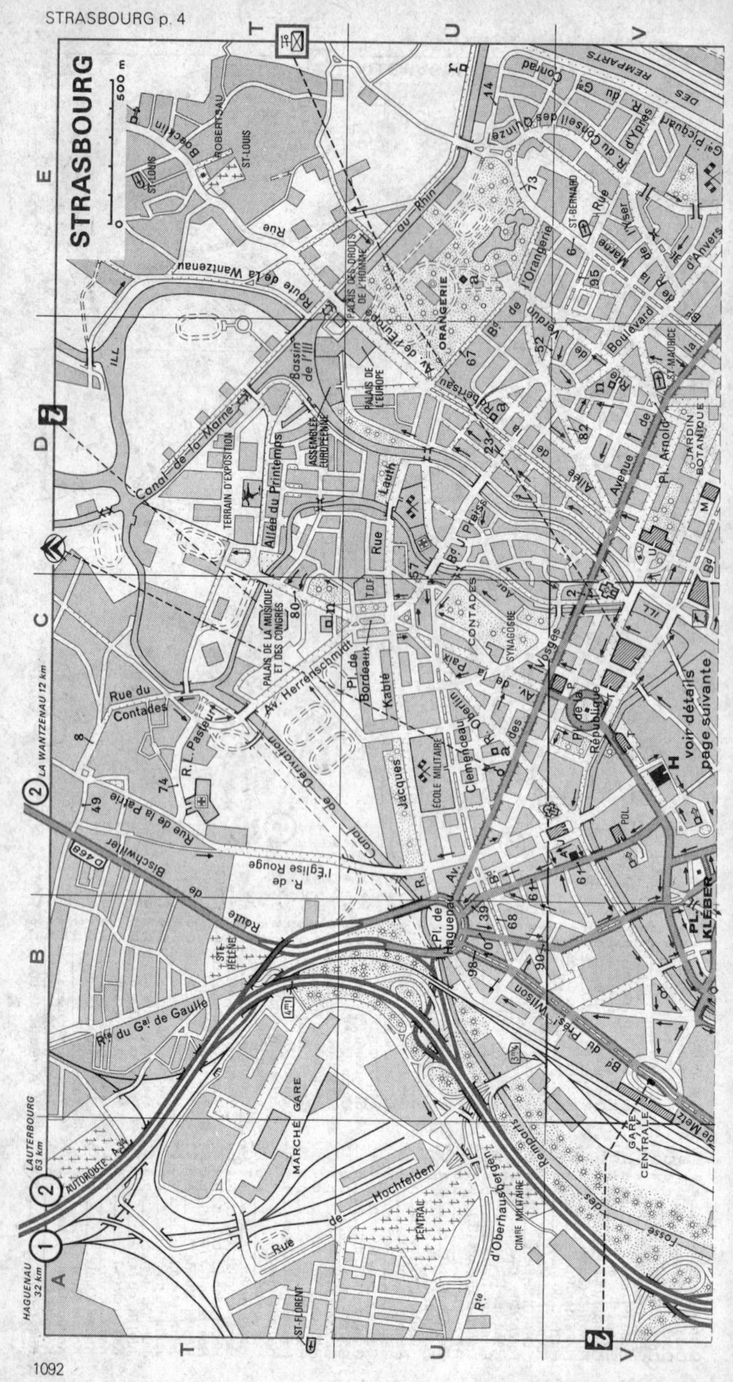
STRASBOURG
0
500 m
HAGUENAU 32 km
LAUTERBOURG 63 km
LA WANTZENAU 12 km
ROBERTSAU
ST-LOUIS
Route de la Wantzenau
Rue Boecklin
Canal de la Marne au Rhin
ILL
Bassin de l'Ill
PALAIS DE L'EUROPE
PALAIS DES DROITS DE L'HOMME
ASSEMBLÉE EUROPÉENNE
TERRAIN D'EXPOSITION
Allée du Printemps
Av. de l'Europe
ORANGERIE
Bd de l'Orangerie
Allée de la Robertsau
Rue du Conseil des Quinze
R. du Gal Conrad
R. d'Ypres
Gal Picquart
REMPARTS
ST-BERNARD
Rue de la Marne
R. d'Anvers
Boulevard de la Victoire
Bd de Verdun
ST-MAURICE
Avenue de la Forêt-Noire
Pl. Arnold
JARDIN BOTANIQUE
Rue Lauth
Bd J. Pleiss
CONTADES
SYNAGOGUE
PALAIS DE LA MUSIQUE ET DES CONGRÈS
Av. Herrenschmidt
Pl. de Bordeaux
Rue du Contades
R. L. Pasteur
Rue de la Patrie
Route de Bischwiller
R. de l'Église Rouge
Canal de Dérivation
Rue Jacques Kablé
ÉCOLE MILITAIRE
Av. de la Paix
R. Oberlin
Av. des Vosges
Pl. de la République
voir détails page suivante
PL. KLÉBER
Pl. de Haguenau
STE-HÉLÈNE
Rte du Gal de Gaulle
AUTOROUTE A 34
MARCHÉ GARE
Rue de Hochfelden
CENTRAL
CIMRE MILITAIRE
Rte d'Oberhausbergen
ST-FLORENT
Bd du Prést Wilson
Fossé des Remparts
GARE CENTRALE
R. de Metz
POL
A B C D E
T U V

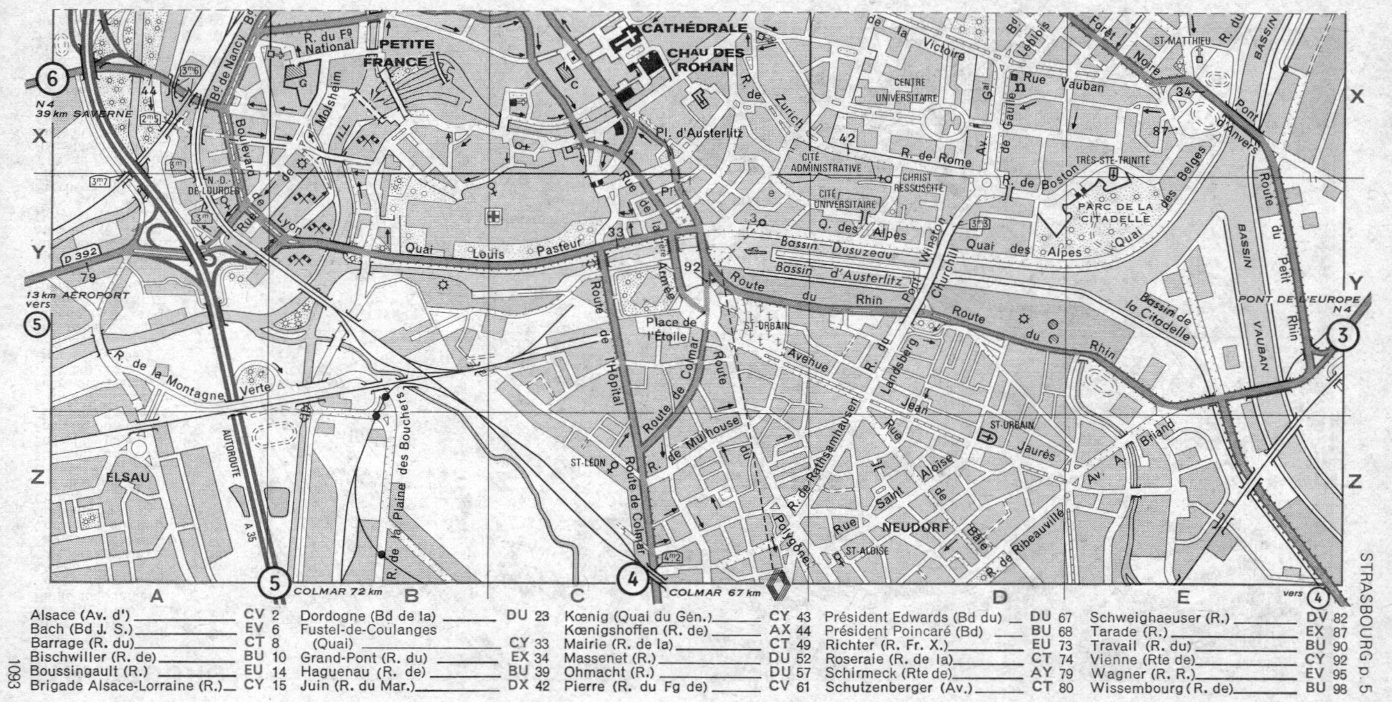

Alsace (Av. d')	CV	2
Bach (Bd J. S.)	EV	6
Barrage (R. du)	CT	8
Bischwiller (R. de)	BU	10
Boussingault (R.)	EU	14
Brigade Alsace-Lorraine (R.)	CY	15
Dordogne (Bd de la)	DU	23
Fustel-de-Coulanges (Quai)	CY	33
Grand-Pont (R. du)	EX	34
Haguenau (R. de)	BU	39
Juin (R. du Mar.)	DX	42
Kœnig (Quai du Gén.)	CY	43
Kœnigshoffen (R. de)	AX	44
Mairie (R. de la)	CT	49
Massenet (R.)	DU	52
Ohmacht (R.)	DU	57
Pierre (R. du Fg de)	CV	61
Président Edwards (Bd du)	DU	67
Président Poincaré (Bd)	BU	68
Richter (R. Fr. X.)	EU	73
Roseraie (R. de la)	CT	74
Schirmeck (Rte de)	AY	79
Schutzenberger (Av.)	CT	80
Schweighaeuser (R.)	DV	82
Tarade (R.)	EX	87
Travail (R. du)	BU	90
Vienne (Rte de)	CY	92
Wagner (R. R.)	EV	95
Wissembourg (R. de)	BU	98

STRASBOURG

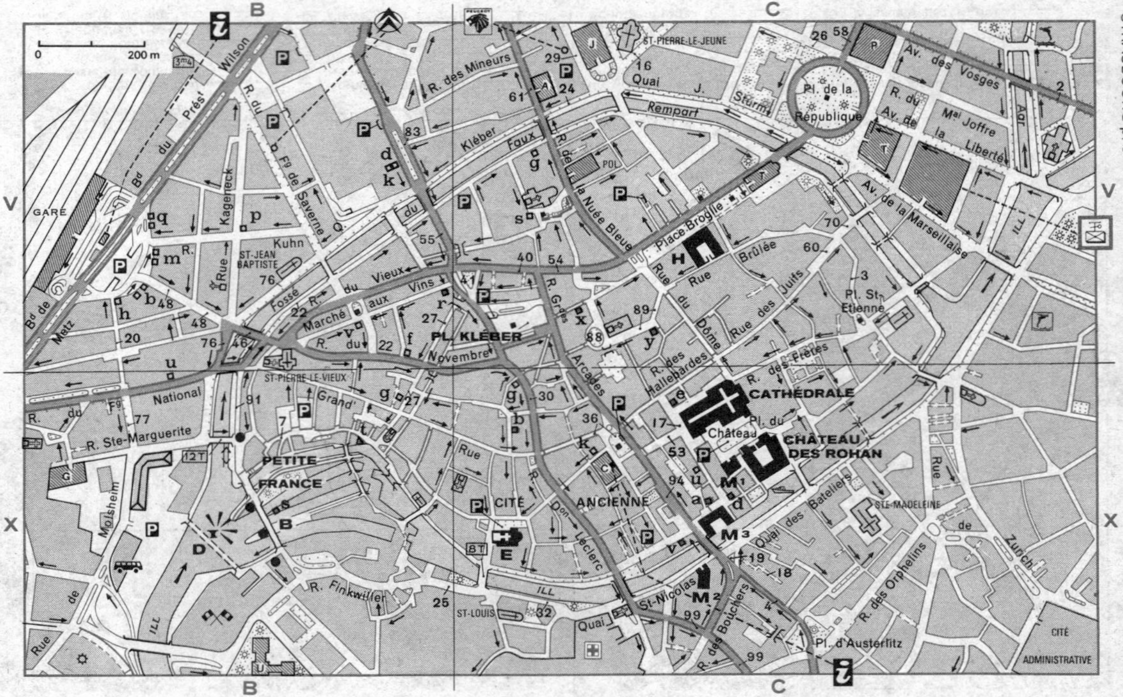

B
C
V
X
0
200 m
GARE
Bd de Metz
Bd du Prést Wilson
ST-PIERRE-LE-JEUNE
Pl. de la République
Quai J. Sturm
Rempart
Av. des Vosges
Mal Joffre
Av. de la Liberté
Av. de la Marseillaise
R. des Mineurs
Quai Kléber
Faux
R. de la Nuée Bleue
Place Broglie
Rue Brûlée
Rue des Juifs
Pl. St Etienne
PL. KLÉBER
R. du 22 Novembre
Arcades
R. du Dôme
R. des Hallebardes
R. des Frères
CATHÉDRALE
Pl. du Château
CHÂTEAU DES ROHAN
Quai des Bateliers
STE-MADELEINE
R. des Orphelins
Rue de Zurich
CITÉ ADMINISTRATIVE
Pl. d'Austerlitz
R. des Bouchers
St-Nicolas
CITÉ ANCIENNE
R. Don Leclerc
ILL
ST-LOUIS
Quai
R. Finkwiller
PETITE FRANCE
ST-PIERRE-LE-VIEUX
Grand' Rue
R. Ste-Marguerite
National
ST-JEAN BAPTISTE
Kuhn
Fg de Saverne
Kageneck
Molsheim
Rue de

Vendôme sans rest, 9 pl. Gare ☎ 32.45.23 – wc wc. BV **b**
SC : 12 – **39 ch** 70/150.

Gutenberg sans rest, 31 r. Serruriers ☎ 32.17.15 – wc. CX **k**
SC : 12 – **50 ch** 50/140.

Europe sans rest, 38 r. Fossé-des-Tanneurs ☎ 32.17.88 – wc wc. AE GB BX **g**
SC : 14 – **60 ch** 75/180.

Princes sans rest, 33 r. Geiler ☎ 61.55.19 – wc wc. DV **n**
SC : 12 – **43 ch** 105/130.

Orangerie sans rest, 58 allée Robertsau ☎ 35.10.69 – wc wc. AE DU **a**
SC : 12 – **25 ch** 90/180.

Carlton, 15 pl. Gare ☎ 32.62.39 – wc wc. rest BV **q**
fermé 20 déc. au 8 janv. – SC : **R** 40/50 – 12 – **67 ch** 70/130 – P 120/160.

Union sans rest, 8 quai Kellermann ☎ 32.70.41 – wc. AE GB
fermé Noël et Nouvel An – SC : 14 – **59 ch** 110/140. CV **g**

Ibis, 1 pl. Halles ☎ 22.14.99, Télex 880399 – wc. BV **d**
SC : **R** snack carte environ 65 – 9 – **97 ch** 140/155.

Pax, 24 r. Fg-National ☎ 32.14.54 – wc wc – 80. BVX **u**
SC : **R** *(fermé dim. de nov. à mars)* 40/70 – 14 – **110 ch** 43/115.

National, 13 pl. Gare ☎ 32.35.09 – wc wc. AE E BV **q**
SC : **R** snack 28/48 – 12 – **87 ch** 80/145.

Lutétia sans rest, 2 r. Gén.-Rapp ☎ 35.20.45 – wc wc. CU **a**
SC : 13 – **45 ch** 45/150.

Rhin sans rest, 7 pl. Gare ☎ 32.35.00 – wc wc. BV **b**
fermé 22 déc. au 3 janv. – SC : 14 – **63 ch** 70/150.

XXX ✿✿ **Crocodile** (Jung), 10 r. Outre ☎ 32.13.02 – AE. CV **x**
fermé 8 juil. au 10 août, 24 déc. au 1er janv., dim. et lundi – SC : **R** 135 et carte
Spéc. Foie d'oie poêlé aux asperges (avril-août), Gratin de homard, Gourmandises "Crocodile". **Vins** Vins d'Alsace.

XXX ✿ **Valentin-Sorg** (14e ét.), 6 pl. Homme-de-Fer ☎ 32.12.16, ※ Strasbourg – AE BV **r**
fermé 15 au 31 août, 1er au 15 fév., dim. soir et mardi – SC : **R** 100/160
Spéc. Cassolette d'escargots aux girolles, Volaille au vinaigre de Xérès, Pêche Valentin. **Vins** Riquewihr, Pinot noir.

XXX ✿ **Buerehiesel** (Westermann), dans le parc de l'Orangerie ☎ 61.62.24, ←, « Belle demeure alsacienne dans le parc » – AE EU **a**
fermé 13 au 27 août, 27 déc. au 2 janv., vacances de fév., mardi soir et merc. – SC : **R** 130/210
Spéc. Foie de canard poêlé, Turbot au beurre d'orange, Salmis de pigeon au Bourgogne. **Vins** Tokay, Gewurztraminer.

XXX **Maison des Tanneurs dite "Gerwerstub",** 42 r. Bain-aux-Plantes ☎ 32.79.70, « Vieille maison alsacienne, au bord de l'Ill » – AE BX **t**
fermé 29 juin au 8 juil., 20 déc. au 22 janv., dim. et lundi – SC : **R** 95.

XXX **Maison Kammerzell,** 16 pl. Cathédrale ☎ 32.42.14, « Belle maison alsacienne du 16e s. » – AE GB E CX **e**
fermé jeudi soir hors sais. et vend. – SC : **R** 75/185.

XXX **La Volière,** 1 av. Gén.-de-Gaulle ☎ 61.05.79 – AE GB DX **n**
fermé 20 juil. au 20 août et dim. – SC : **R** 80/170.

XX **Zimmer,** 8 r. Temple-Neuf ☎ 32.35.01 – AE GB CV **y**
fermé 9 au 30 août, 23 déc. au 4 janv., mardi soir et dim. – SC : **R** 75.

XX **Gourmet sans Chiqué,** 15 r. Ste-Barbe ☎ 32.04.07, Décor alsacien – AE GB
fermé dim. – SC : **R** 78/160. CX **b**

XX **Muller's,** 10 pl. Marché aux Cochons de lait ☎ 32.01.53 – . CX **d**
fermé juin, fév., lundi soir et mardi – SC : **R** 160.

XX **Buffet Gare,** pl. Gare (1er étage) ☎ 32.68.28 – AE E BV
SC : **R** 35/100.

X **A l'Ancienne Douane,** 6 r. Douane ☎ 32.42.19, « Terrasse au bord de l'eau »
fermé merc. – SC : **R** 24/60. CX **v**

X **Ami Schutz,** 1 r. Ponts Couverts ☎ 32.76.98 – AE BX **s**
fermé 20 déc. au 5 janv., dim. soir et lundi – SC : **R** 35 bc/90 bc.

X **Strissel,** pl. Grande-Boucherie ☎ 32.14.73, Rest.-dégustation de vins, cadre rustique – rest. GB CX **a**
fermé 8 au 31 juil., vacances de fév., dim. soir et lundi – SC : **R** 25/52.

au port autonome :

Écluse du Rhin, 50 quai Jacoutot ☎ 61.15.77, – . GB
fermé janv. – SC : **R** *(fermé lundi)* 35/100 – 12 – **14 ch** 36/110 – P 80/120. EU **r**

tourner →

au pont de l'Europe :

P.L.M. Motel du Pont de l'Europe M, T° 61.03.23, Télex 870833, ← – P – 100 à 400. AE GB – GR **s**
SC : **R** 38/78 – 17 – **88 ch** 170/200, 5 appartements 280.

à Cronenbourg NO : 2 km par D 31 – ✉ **67200** Strasbourg :

XX **Rolling,** 127 rte Mittelhausbergen T° 30.33.88 – P. AE GB – FQ **k**
fermé 27 juil. au 9 août, dim. soir et lundi – SC : **R** carte 100 à 165.

à Lampertheim : 10 km par D 64 - FP – ✉ **67450** Mundolsheim :

XX **Aub. de la Forêt** avec ch, à l'Est sur D 64 rte de Hoerd ✉ **67550 Vendenheim** T° 20.01.15 – P. ch
fermé 15 au 31 août – SC : **R** *(fermé lundi)* 28/82 – 10 – 10 ch 50/65 – P 85/100.

à Reichstett : 7 km par D 37 - FP – 4 433 h. – ✉ **67460** Souffelweyersheim :

Aigle d'Or M sans rest, T° 20.07.87 – wc wc. AE GB – FP **a**
SC : 16 – **18 ch** 115/180.

à La Wantzenau NE du plan par D 468 – 4 216 h. – ✉ **67610** La Wantzenau :

A la Gare M sans rest, 32 r. Gare T° 96.63.44 – wc wc P.
fermé 15 juil. au 10 août – SC : 8,50 – **19 ch** 60/100.

XX ✿ **Au Moulin** (Clauss), S : 1,5 km par D 468 T° 96.20.01, « Jardin fleuri » – P. AE E – GP **a**
fermé juil., 15 au 31 janv., jeudi, dim. et fêtes le soir – SC : **R** 98/142
Spéc. Foie gras frais maison, Matelote au vin blanc (en saison), Poussin "Mère Clauss". **Vins** Tokay, Pinot noir.

XX ✿ **Zimmer,** r. Héros T° 96.62.08 – P. AE GB
fermé août, dim. soir et lundi – SC : **R** 55/120
Spéc. Foie d'oie aux reinettes (oct. à fév.), Matelote au Riesling, Poussin à la Wantzenau. **Vins** Pinot noir, Edelzwicker.

XX ✿ **A la Barrière** (Aeby), 3 rte Strasbourg T° 96.20.23 – P
fermé 17 août au 11 sept., vacances de fév., merc. soir et jeudi – SC : **R** (dim. prévenir) carte 110 à 145
Spéc. Foie gras, Filet de sandre au cerfeuil, Ris de veau braisé. **Vins** Riesling.

XX **J. Schaeffer** (ex Soleil), 1 quai Bâteliers T° 96.20.29 – P. AE
fermé 22 juil. au 5 août, 12 janv. au 2 fév., lundi soir et mardi – **R** 68/100.

à Illkirch-Graffenstaden 8 km - FS – ✉ **67400** Illkirch-Graffenstaden :

Alsace M, 187 rte Lyon T° 66.41.60 – wc P – 70. GB
fermé 24 déc. au 2 janv. – SC : **R** *(fermé sam. midi et dim.)* 27/60 – 11,50 – **40 ch** 130/142 – P 170/220. FS **d**

près de l'échangeur de Colmar A 35 10 km - FS – ✉ **67400** Illkirch-Graffenstaden :

Mercure M, T° 66.03.00, Télex 890277, – P – 200. AE GB – FS **e**
R carte environ 70 – 18 – **95 ch** 170/195.

Novotel M, T° 66.21.56, Télex 890142, – rest P – 25 à 200. AE GB – FS **u**
R snack carte environ 65 – 20 – **76 ch** 185/215.

à Ittenheim par ⑥ : 12,5 km – ✉ **67370** Truchtersheim :

Au Boeuf, T° 69.01.42, – wc wc P. ch
fermé 8 juin au 1er juil., 16 déc. au 20 janv. et lundi – SC : **R** 30/60 – 8 – **14 ch** 95 – P 125.

MICHELIN, Agence régionale, 9 r. Livio, Strasbourg-Meinau FR T° 39.39.40

ALFA ROMEO, AUTOBIANCHI, LANCIA Gar. des Boulevards 2 r. du Rhin Napoléon T° 61.18.86
AUDI-VOLKSWAGEN Gd Gar. du Polygone, 25 rte de Colmar T° 34.31.33
BMW Gd Gar. du Building, 24 r. Fossé-des-Tanneurs T° 32.31.21
CITROEN Succursale, 200 rte de Colmar FR **a** T° 39.99.10 N T° 39.25.70
CITROEN Gar. Astoria, 46 av. des Vosges CU T° 35.27.04
CITROEN Gd Gar. Geng, 19 r. Saglio FR **e** T° 79.07.01
CITROEN Herberich, 30 r. fg-Saverne BV T° 32.69.35
DATSUN, VOLVO Albert-Auto., 48 rte de l'Hopital T° 34.29.51
FIAT Gd Gar. Danner, 27 r. Wasselonne T° 32.63.23
MERCEDES-BENZ Select-Station Service, 1 b pl. Haguenau T° 36.31.30

PEUGEOT Kroely, 15 r. Fossé-des-Treize CV T° 32.43.00 N
RENAULT Succursale, 3 quai du Gén.-Koënig CY T° 36.22.84 et 47 r. de la Charmille FQ **e** T° 30.18.48
RENAULT Finck, 201 rte des Romains FQ **a** T° 30.20.39
TALBOT Sté Nouvelle Strasbourgeoise des A 270 rte de Colmar FR T° 39.99.05
Metzger, 34 r. du fg de Pierre T° 32.39.20

Daesslé et Klein, 75 av. des Vosges T° 35.16.10 et 15 r. de Marlenheim T° 22.08.35
Kautzmann, 8 bd Poincaré T° 32.42.04, 15 r. Vauban T° 61.32.35 et 280 rte de Colmar T° 39.99.20
Letzelter, 8 r. de la Schwanou T° 34.25.80
Louis, 24 r. du Mar.-Lefebvre T° 39.02.93
Vulca-Moderne, 7 av. J.-Jaurès T° 34.05.10

Périphérie et environs

ALFA-ROMEO Gar. T.T.A., 8 r. Le-Nôtre à Mittelhausbergen ℡ 56.04.88
AUDI-VOLKSWAGEN Gd Gar. du Polygone, N 83 à Illkirch-Graffenstaden ℡ 66.09.42
LANCIA-AUTOBIANCHI, PORSCHE-MITSUBISHI Gar. Hess, 46 rte de Brumath à Souffelweyersheim ℡ 20.90.90
RENAULT Succursale, 4 rte de Strasbourg à Illkirch Graffenstaden FR ℡ 39.99.85

RENAULT Gar. Simon, 1 r. des Pompiers à Schiltigheim FP ℡ 33.62.22

Daesslé et Klein, 2 rte de Strasbourg à Illkirch-Graffenstaden ℡ 39.21.10
Metzger, 121 r. Gén.-Leclerc à Ostwald ℡ 30.22.72
Vulcastra, 58 rte de Brumath à Souffelweyersheim ℡ 20.22.75

SUC-AU-MAY 19 Corrèze 72 ⑲ **G. Périgord.**
Voir ☼*.**

SUCÉ-SUR-ERDRE 44 Loire-Atl. 63 ⑰ – rattaché à Nantes.

SUCY-EN-BRIE 94 Val-de-Marne 61 ①, 101 ㉘ – voir à Paris, Proche banlieue.

SULLY (Château de) ** 71 S.-et-L. 69 ⑧ **G. Bourgogne.**

SULLY-SUR-LOIRE 45600 Loiret 65 ① **G. Châteaux de la Loire** – 5 184 h. alt. 119 – 38.
Voir Château* : charpente.**
18 ℡ 36.52.08 par ⑥ : 4 km.
Office de Tourisme pl. Gén.-de-Gaulle (fermé dim. et fêtes) ℡ 35.32.21.
Paris 154 ① – Bourges 82 ④ – Gien 23 ③ – Montargis 40 ① – ♦Orléans 42 ⑥ – Vierzon 80 ⑤.

SULLY-SUR-LOIRE

Grand-Sully (R. du) 6
Porte-de-Sologne (R.) 12

Champ-de-Foire (Bd du) 2
Chemin de Fer (R. du) 3
Collégiale St-Ythier (⊞) 4
Epinettes (R.) 5
Jeanne-d'Arc (Bd) 7
Marronniers (Rue des) 9
Porte-Berry (R.) 10
St-François (R. du Fg) 15
St-Germain (R. du Fg) 16
St-Germain (⊞) 17

Les principales voies commerçantes figurent en rouge au début de la liste des rues des plans de villes.

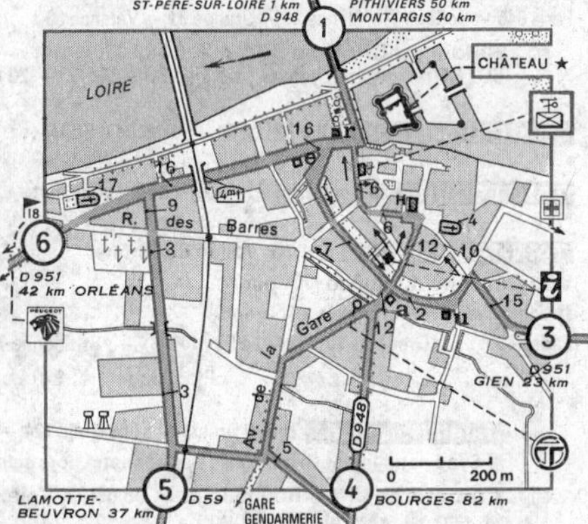

Pont de Sologne, r. Porte-de-Sologne **(a)** ℡ 35.26.34 – wc ☎ Ⓟ.
SC : **R** 45/100 – ☕ 10 – **25 ch** 39/115 – P 113/194.

Poste, r. Fg St-Germain **(e)** ℡ 35.26.22 – ☎ Ⓟ – 60.
fermé 15 janv. au 3 mars – SC : **R** 45/120 – ☕ 12 – 26 ch 42/120 – P 140/160.

Host. Grand Sully avec ch, bd Champ-de-Foire **(u)** ℡ 35.27.56, – wc ☎ Ⓟ.
fermé 15 déc. au 25 janv. et merc. sauf fériés – SC : **R** 45/100 – ☕ 15 – 12 ch 55/130.

Esplanade avec ch, pl. Pilier **(r)** ℡ 35.20.83, ← – wc Ⓟ. GB
fermé 20 janv. au 1er mars, mardi soir et merc. – SC : **R** 50/105 – ☕ 14 – 12 ch 45/90 – P 140/184.

PEUGEOT Vergnes, ℡ 36.54.56

TALBOT Gar. Paris-Sologne, ℡ 35.23.50

SUPER-BESSE 63 P.-de-D. 73 ⑬ – rattaché à Besse-en-Chandesse.

SUPER-LIORAN 15 Cantal 76 ③ – rattaché au Lioran.

SUPER-SAUZE 04 Alpes-de-H.-Pr 81 ⑧ – rattaché à Barcelonnette.

Le SUQUET 06 Alpes-Mar. 84 ⑲, 195 ⑯ – alt. 400 – ✉ **06450** Lantosque – ✪ 93.

Paris 880 – Levens 17 – ♦Nice 45 – Puget-Théniers 48 – Roquebillière 10 – St-Martin-Vésubie 20.

Aub. Bon Puits [M], ☎ 03.17.65, – 150
fermé janv., fév. et mardi hors sais. – SC : **R** 38/60 – ☐ 10 – **10 ch** 80/120 – P 135/160.

SURGÈRES 17700 Char.-Mar. 71 ③ **G. Côte de l'Atlantique** – 6 501 h. alt. 24 – ✪ 46.

Voir Église N.-Dame★.

Syndicat d'Initiative Tour du Château (Pâques-fin oct., fermé dim. et lundi matin) ☎ 07.20.02.

Paris 442 – Luçon 61 – Niort 34 – Rochefort 26 – La Rochelle 34 – St-Jean-d'Angély 29.

Trois Piliers et rest. St-Gilles, 8 av. de la Libération ☎ 07.22.76 – .
AE GB ⓓ
fermé 20 déc. au 10 janv. – SC : **R** *(fermé dim. et lundi hors sais. sauf fériés)* 38/85 – ☐ 12 – 18 ch 44/80 – P 110/140.

CITROEN Dupont, rte La Rochelle ☎ 07.01.71
PEUGEOT Glénaud, 1 rte de Niort ☎ 07.01.16
RENAULT Boisseau, 6 av. St-Pierre ☎ 07.00.47
TALBOT Durand, r. Binetterie ☎ 07.01.28

Woodman-Pneus, 4 r. Tonnay-Boutonne ☎ 07.11.03

SURVILLIERS-ST-WITZ 95470 Val-d'Oise 56 ⑪, 96 ⑧ – 2 741 h. alt. 140 – ✪ 3.

Paris 35 – Chantilly 14 – Lagny 32 – Luzarches 10 – Meaux 37 – Pontoise 40 – Senlis 14.

Mercure [M], près échangeur A1 ☎ 471.92.03, Télex 695917, – rest – 25 à 200. AE GB ⓓ
R carte environ 70 – ☐ 18 – **115 ch** 197.

Novotel [M], sur D 16 par échangeur A1 Survilliers ☎ 471.06.52, Télex 695910, – rest – 25 à 300. AE GB ⓓ
R snack carte environ 65 – ☐ 20 – **79 ch** 197/207.

SUZE-LA-ROUSSE 26130 Drôme 81 ② **G. Provence** – 1 201 h. alt. 129 – ✪ 75.

Paris 645 – Bollène 7 – Nyons 28 – Orange 31 – Valence 80.

Relais du Château [M], ☎ 04.87.07, ←, – wc . GB.
SC : **R** *(fermé mardi hors sais.)* 40/80 – ☐ 10 – **20 ch** 110/140 – P 280.

TAHITI (Plage de) 83 Var 84 ⑰⑱ – rattaché à St-Tropez.

TAILLECOURT 25 Doubs 66 ⑧ – rattaché à Audincourt.

TAIN-TOURNON 77 ①② **G. Vallée du Rhône.**

Voir Corniche du Rhône★★★ par ④.

voir à Tain-l'Hermitage et à Tournon.

Paris 549 ② – ♦Grenoble 101 ② – Le Puy 106 ⑤ – ♦St-Étienne 75 ① – Valence 18 ② – Vienne 59 ②.

Plan page ci-contre

Tain-l'Hermitage 26600 Drôme – 5 569 h. alt. 124 – ✪ 75.

Syndicat d'Initiative pl. Église (fermé matin hors sais. et dim.) ☎ 08.06.81.

Commerce, 1 av. République ☎ 08.65.00, Télex 345573 – ch wc wc . AE GB ⓓ E — Y e
fermé 15 nov. au 15 déc. – SC : **R** *(fermé merc. hors sais.)* 50/120 – ☐ 13 – 28 ch 165/180 – P 190/210.

Deux Côteaux sans rest, 18 r. J.-Péala ☎ 08.33.01 – wc .
fermé 1er au 15 sept. et dim. du 15 oct. au 1er mars – SC : ☐ 10 – **22 ch** 55/150. — Y a

Grappe d'Or, 13 av. Jean-Jaurès ☎ 08.28.52 — Y s
fermé fév. et lundi – SC : **R** 38/100.

Buffière-Bonnet ☎ 08.29.71

Tournaire-Pneus, ☎ 08.28.97

Tournon 07300 Ardèche 77 ① – 9 555 h. alt. 123 – ✪ 75.

Voir Terrasses★ du château.

Syndicat d'Initiative pl. St-Julien (15 avril-1er oct. et fermé dim.) ☎ 08.10.23 et Mairie (fermé sam. et dim.) ☎ 08.10.65.

Paris sans rest, pl. Lycée ☎ 08.01.11, Télex 345156 – wc wc . AE GB ⓓ — Z z
fermé dim. hors sais. – ☐ 12 – **19 ch** 100/180, 3 appartements 300.

Gare, av. Gare ☎ 08.05.23 – . — Z x
fermé 22 déc. au 3 janv. – SC : **R** *(fermé sam. midi, fériés et dim.)* 30/70 – ☐ 8 – 14 ch 37/80 – P 80/100.

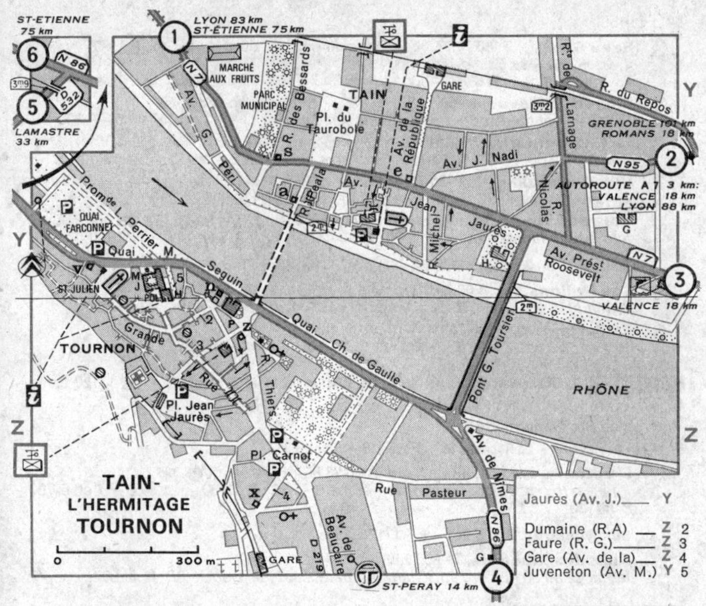

XX **Château** avec ch, ☎ 08.60.22 – ⌂wc ☎ ⇔. ⚐ AE GB ◑ Y **n**
fermé fév., dim. soir et lundi hors sais. – SC : **R** 60/160 – ☕ 12 – 7 ch 80/150.

X **Chaumière** avec ch, 76 quai Farconnet ☎ 08.07.78, Cadre rustique – ⌂wc ☎. ⚐ AE GB ◑ Y **v**
fermé 1er fév. au 13 mars et lundi hors sais. – SC : **R** 45/110 – ☕ 12 – 10 ch 72/150 – P 130/150.

route de Lamastre par ⑤ : 3,5 km – ✉ **07300** Tournon :

⌂ **Le Manoir** sans rest, ☎ 08.20.31, ≤, ⛱ – ⌂wc ☎ ⓟ. GB
15 mars-15 oct. – SC : ☕ 10 – **10 ch** 50/110.

CITROEN Gélibert, quai Farconnet ☎ 08.01.33 TALBOT Fournier, r. V.-d'Indy ☎ 08.11.22

TALANT 21 Côte-d'Or 66 ⑫ – rattaché à Dijon.

TALENCE 33 Gironde 71 ⑨ – rattaché à Bordeaux.

TALLOIRES 74 H.-Savoie 74 ⑥ G. Alpes – 809 h. alt. 447 – ✉ **74290** Veyrier-du-Lac – ✪ 50.
Voir Site*** – Site** de l'Ermitage St-Germain* E : 4 km.
⛳18 du lac d'Annecy ☎ 60.12.89, NO : 1 km.
ℹ Office de Tourisme pl. Mairie (fermé sam. et dim. hors saison) ☎ 44.70.64.
Paris 550 – Albertville 33 – Annecy 13 – Megève 48.

Aub. du Père Bise (François Bise) ✿✿✿ Ⓜ ⛭, bord du lac ☎ 60.72.01, Télex 385812, ≤, « Repas sous l'ombrage, face au lac, parc » – TV ☎ ♿ ⓟ. AE GB ◑
9 mai-23 nov. et 7 fév.-22 avril – SC : **R** 300 et carte – ☕ 35 – 15 ch 240/420, 9 appartements – P 550/850
Spéc. Truite "auberge", Blanquette de homard, Suprême de pigeon bordelaise.

Abbaye ⛭, ☎ 67.40.88, « Terrasse et jardin ombragés avec belle vue sur le lac », ⚐ – ☎ ⓟ. AE GB ◑. ✻ rest
1er mai-10 oct. – SC : **R** 120/160 – 32 ch ☕ 195/400 – P 295/380.

✿ **Le Cottage** (Fernand Bise) Ⓜ ⛭, ☎ 60.71.10, « De la terrasse, belle vue sur le lac, jardin fleuri » – ⇅ ⓟ. ◑. ✻ rest
15 mars-15 oct. – SC : **R** 80/170 – ☕ 20 – **36 ch** 100/400 – P 230/360
Spéc. Chiffonnade d'écrevisses, Suprême de volaille à la fondue de poireau. Vins Seyssel, Apremont.

Hermitage Ⓜ ⛭, chemin de la cascade d'Angon ☎ 60.71.17, ≤ lac et monts, parc, ⛱, ⚐, ✂ – ⇅ cuisinette TV ☎ ⓟ – ⛺ 40. AE. ✻
15 mars-30 oct. et fermé mardi – SC : **R** 70/160 – **50 ch** ☕ 120/240 – P 200/280.

Lac Ⓜ ⛭, ☎ 44.71.08, ⛱, ⚐ – ⇅ ♿ ⓟ. AE GB ◑. ✻ rest
1er juin-25 sept. – SC : **R** 75/85 – ☕ 18 – **47 ch** 150/250 – P 195/250.

Beau Site ⑤, ☎ 60.71.04, ≤, « Dans un parc au bord du lac », ⛵, ✗ – ⇔wc ⋒wc ☎ ℗. 🚗. AE. ✗ rest
25 mai-30 sept. – **R** 68/90 – ⊡ 17 – 38 ch 74/180 – P 150/230.

Manoir-Bellevue, ☎ 60.73.73, ≤, ⛱ – ⇔wc ⋒wc ☎ ℗. ◑
fermé oct. et merc. hors sais. – SC : **R** 70/120 – ⊡ 17 – **13 ch** 155/170 – P 202/210.

La Charpenterie, ☎ 60.70.47 – ⇔wc ☎ ℗. 🚗 AE
27 mars-19 oct. – SC : **R** *(fermé mardi hors sais.)* 56/82 – ⊡ 12 – **16 ch** 82/175.

Villa Tranquille ⑤, ☎ 60.70.43, ⛱ – ⇔wc ⋒ ☎ ℗. ✗ rest
1er juin-15 sept. – SC : **R** 40/70 – ⊡ 11 – **19 ch** 67/110 – P 100/150.

XX **Villa des Fleurs** ⑤ avec ch, ☎ 60.71.14, ⛱ – ⇔wc ☎ ℗. AE GB ◑
fermé fév., dim. soir et lundi – SC : **R** 58/120 – ⊡ 15 – 7 ch 145 – P 119/165.

à Angon S : 2 km par D 909A – ✉ **74290** Veyrier-du-Lac :

Les Grillons ⑤, ☎ 60.70.31, ≤, ⛱ – ⇔wc ☎ ℗. 🚗. ✗
20 mars-15 oct. – SC : **R** 50/70 – ⊡ 20 – 30 ch 70/150 – P 110/175.

La Bartavelle, ☎ 60.70.68 – ⋒. ✗ rest
1er juin-15 sept. – SC : **R** 40/50 – ⊡ 9 – 10 ch 49/68 – P 88/97.

TALMONT 17 Char.-Mar. 71 ⑮ G. Côte de l'Atlantique – 92 h. alt. 23 – ✉ 17120 Cozes – ⊛ 46.

Voir Église Ste-Radegonde★.

Paris 495 – Blaye 72 – La Rochelle 86 – Royan 16 – Saintes 35.

XX **L'Estuaire** avec ch, au Caillaud ☎ 90.73.85, ≤, ⛱ – ⋒ ℗. ✗ ch
Pâques-15 oct. et fermé mardi soir et merc. – SC : **R** 41/80 – ⊡ 9,50 – 7 ch 60/80 – P 96/120.

aux Monards SE : 5 km – ✉ **17120** Cozes :

XX **Aub. des Monards,** ☎ 90.72.85 – ✗
fermé 12 au 30 nov., 10 au 30 janv. et mardi sauf juil.-août – SC : **R** 48/80.

LA TAMARISSIÈRE 34 Hérault 83 ⑮ – voir à Agde.

TAMNIÈS 24 Dordogne 75 ⑰ – 282 h. alt. 193 – ✉ 24620 Les Eyzies-de-Tayac – ⊛ 53.

Paris 537 – Brive-la-Gaillarde 51 – Les Eyzies-de-Tayac 14 – Périgueux 59 – Sarlat-la-Canéda 19.

Laborderie ⑤, ☎ 29.68.59, ≤ – ⇔wc ⋒wc ☎ ℗. 🚗 E. ✗ rest
1er fév.-15 nov. – SC : **R** 35/100 – ⊡ 12 – **18 ch** 80/130 – P 100/150.

TANCARVILLE (Pont routier de) ★ 76 S.-Mar. 55 ④ G. Normandie – 1 026 h. alt. 48 – ✉ 76430 St-Romain-de-Colbosc – ⊛ 35.

Voir ≤★ sur estuaire.

Péage : auto 4 à 9 F (conducteur et passagers compris), remorque 2,50 F, moto 1 F, cyclomoteur 0,50 F, camion de 6,50 à 23 F, gratuit pour piétons et vélos.

Du centre du pont : Paris 175 – ♦Caen 77 – ♦Le Havre 29 – Pont-Audemer 19 – ♦Rouen 59.

à Tancarville-Écluse – ✉ **76430** St-Romain-de-Colbosc :

XX **Marine** avec ch, au pied du pont D 982 ☎ 39.77.15, ≤ pont, ⛱ – ⇔wc ⋒ ☎ ℗. GB
fermé 15 août au 1er sept., 15 fév. au 1er mars et lundi – SC : **R** 95 – ⊡ 12 – **14 ch** 65/120.

TANINGES 74440 H.-Savoie 74 ⑦ G. Alpes – 2 434 h. alt. 640 – ⊛ 50.

ℹ Syndicat d'Initiative av. Thézières (fermé matin, sam. hors saison et dim.) ☎ 90.25.05.

Paris 587 – Annecy 64 – Bonneville 25 – Chamonix 52 – ♦Genève 44 – Megève 38 – Morzine 19.

XX **La Crémaillère,** à Flérier SO : 1 km ☎ 90.21.98, ⛱ – ℗
fermé 24 sept. au 15 oct., 14 au 28 janv. et jeudi – SC : **R** 32/75, dîner à la carte.

CITROEN Gar. Anthonioz, ☎ 90.20.45 | RENAULT Gar. Delfante, ☎ 90.20.71 Klipfel, ☎ 90.22.27

TANTONVILLE 54116 M.-et-M. 62 ⑤ – 611 h. alt. 302 – ⊛ 8.

Voir Château d'Haroué★ E : 3,5 km.

Env. Signal de Vaudémont ☼★★ (monument à Barrès) SO : 10 km, **G. Vosges.**

Paris 331 – Épinal 46 – ♦Nancy 28 – Vittel 43.

TANUS 81 Tarn 80 ⑪ – 623 h. alt. 440 – ✉ 81190 Mirandol-Bourgnounac – ⊛ 63.

Paris 654 – Albi 32 – Millau 89 – Rodez 46 – St-Affrique 73.

X **Voyageurs** avec ch, ☎ 76.30.06 – ⋒wc 🚗. ✗ ch
fermé 15 oct. au 15 nov., 1er au 15 fév. et merc. – SC : **R** 40/100 – ⊡ 8 – **17 ch** 45/80 – P 70/90.

TAPONAS 69 Rhône 73 ⑩ – rattaché à Belleville.

TARARE 69170 Rhône 73 ⑨ **G. Vallée du Rhône** – 12 188 h. alt. 375 – ✆ 74.
Office de Tourisme (fermé dim. et lundi) pl. Madeleine ✆ 63.06.65.
Paris 467 ① – Feurs 35 ② – ♦Lyon 43 ① – Montbrison 60 ② – Villefranche-sur-Saône 32 ①.

TARARE

Janisson (Pl.)	10
Pêcherie (R.)	15
Baronnat (R.)	2
Boucher-de-Perthes (R.)	3
Cornil (R.)	4
Croizat (Pl. Ambroise)	5
Dr-Guffon (R.)	6
Dolet (R. E.)	7
Gaulle (Av. Ch. de)	8
Herriot (Av. E.)	9
Jaurès (Av. Jean)	12
Lamartine (Bd)	13
Montagny (R.)	14
Radisson (R.)	16
République (Pl. de la)	18
République (R. de la)	19
Serroux (R.)	23
Verdun (R. de)	25

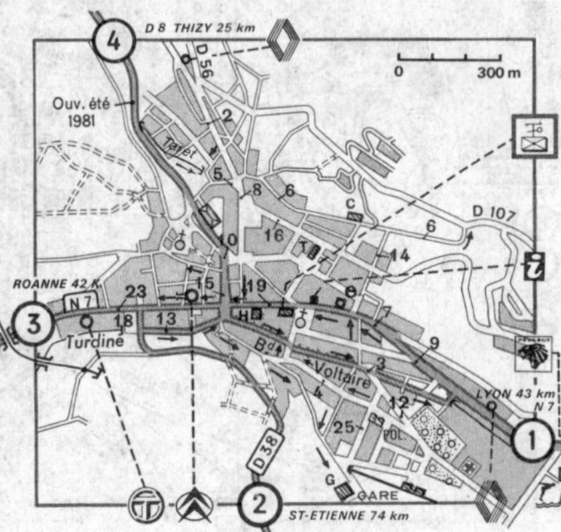

Le Français, 14 r. E.-Dolet (e) ✆ 63.38.82 – rest. GB
fermé août, sam. et dim. – SC : **R** (voir rest. Jean Brouilly) – 9 – **10 ch** 45/85.

Jean Brouilly, 3 ter r. Paris ✆ 63.24.56 – AE GB
fermé 3 au 18 août, dim. soir et lundi – SC : **R** 45/150 ₰.

Mère Paul avec ch, par ③ : 2 km ✆ 63.14.57 – Ⓟ.
fermé sept., mardi soir et merc. – SC : **R** 26/75 ₰ – 10 – 14 ch 45/75.

à Pontcharra-sur-Turdine par ① : 5,5 km – ✉ **69490** Pontcharra-sur-Turdine :

France, ✆ 63.72.97 – wc Ⓟ. ch
fermé merc. du 1er oct. au 30 juin – SC : **R** 28/85 ₰ – 15,50 – 11 ch 70/125 – P 102/132.

Bains, sur D 33 ✆ 63.71.09
fermé 27 janv. au 27 fév. et mardi – SC : **R** 23/47 ₰.

AUDI-VOLKSWAGEN Gar. du Viaduc 33 rte de Paris ✆ 63.06.04
CITROEN Central Gar., 28 r. République ✆ 63.06.10
OPEL Duperray, 14 av. Ed.-Herriot ✆ 63.03.66
PEUGEOT Dubois, N 7 ✆ 63.03.80
RENAULT Laurent, rte Valsonne ✆ 63.04.07
RENAULT Gar. Vericel, 46 av. Ed. Herriot ✆ 63.15.92
TALBOT Beylier, 17 r. Serroux ✆ 63.05.41 N

Ne cherchez pas au hasard un hôtel agréable et tranquille, mais consultez les cartes p. 46 à 53.

TARASCON 13150 B.-du-R. 81 ⑪ **G. Provence** – 10 665 h. alt. 9 – ✆ 90.
Voir Château** : ☼** – **Église Ste-Marthe*** AB.
Office de Tourisme av. République (fermé sam.) ✆ 91.03.52.
Paris 710 ⑥ – Arles 18 ③ – Avignon 23 ① – ♦Marseille 107 ② – Nîmes 26 ⑤.

Plan page suivante

Provencal Bis M sans rest, 7 av. Victor-Hugo ✆ 91.06.43 – wc. GB. B r
SC : 14 – **11 ch** 130/200.

St-Jean, 24 bd Victor-Hugo ✆ 91.13.87 – wc wc. AE GB. B q
SC : **R** *(fermé merc. hors sais.)* 40/100 – 12 – **12 ch** 95/105 – P 120/130.

Provençal, 12 cours A.-Briand ✆ 91.11.41 – wc. A s
1er mars-31 oct. – SC : **R** *(fermé sam. du 1er mars au 30 juin et du 1er au 31 oct.)* 32/65 ₰ – 10 – 22 ch 50/105 – P 70/185.

Terminus, pl. Colonel-Berrurier ✆ 91.18.95 – wc. A n
fermé merc. – SC : **R** 35/60 – 9 – 25 ch 50/100 – P 92/170.

Moderne sans rest, 26 bd Itam ✆ 91.01.70 – . B a
SC : 8,50 – **28 ch** 44/66.

CITROEN Gar. Chabas, bd Gambetta ✆ 91.12.71 N ✆ 91.15.55
FIAT Roullet, 66 bis bd Itam ✆ 91.24.15
PEUGEOT Barthélémy, 13 bd V.-Hugo ✆ 91.00.71
Gar. Tartrat, 19 bd Itam ✆ 91.15.55
Reboul, 28 bd Itam ✆ 91.12.36

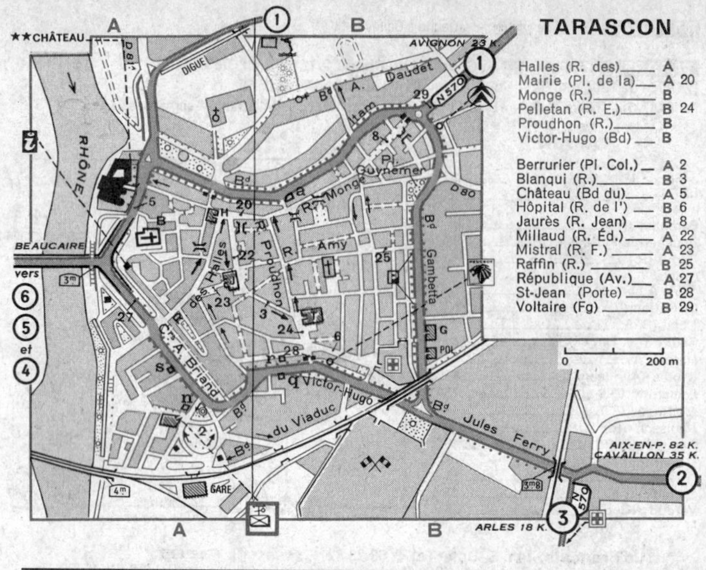

TARASCON-SUR-ARIÈGE 09400 Ariège 86 ④⑤ G. Pyrénées – 4 167 h. alt. 474 – ✪ 61.

Voir Grotte de Niaux★★ (dessins préhistoriques) S : 4 km.

ℹ Syndicat d'Initiative 9 r. V.-Pilhes (fermé sam. et dim.) ☎ 64.64.00.

Paris 805 – Ax-les-Thermes 26 – Foix 16 – Lavelanet 29.

- **Host. Poste,** av. V.-Pilhes ☎ 64.60.41, – wc ☎. *fermé 1er nov. au 15 déc. et lundi du 15 sept. au 15 juin* – **R** carte 60 à 90 – ☕ 10 – 30 ch 50/120.
- **Confort** sans rest, 3 quai A.-Sylvestre ☎ 64.61.90 – wc wc Ⓟ *fermé 24 déc. au 4 janv. et dim. du 1er oct. au 30 juin* – SC : ☕ 9,50 – **14 ch** 52/105.

CITROEN Gar. du Stade, ☎ 64.63.76
PEUGEOT Comelera et Spadotti, ☎ 64.61.11
RENAULT Fernandez, ☎ 64.60.59
RENAULT Gar. Teychene, ☎ 64.60.44

TARBES Ⓟ 65000 H.-Pyr. 85 ⑧ G. Pyrénées – 57 765 h. alt. 304 – ✪ 62.

Voir Jardin★ et Musée Massey (musée international des Hussards★ BX M).

✈ de Tarbes - Ossun - Lourdes ☎ 34.42.22 par ⑥ : 9 km.

🚗 ☎ 93.56.22.

ℹ Syndicat d'Initiative (fermé dim.) - A.C. 6 r. E.-Ténot ☎ 93.14.23.

Paris 771 ① – ◆Bordeaux 210 ① – Lourdes 19 ⑥ – Pau 40 ⑦ – ◆Toulouse 155 ④.

Plan page ci-contre

- **Président** Ⓜ, rte Lourdes ☎ 93.98.40, Télex 530522, ≤, – rest TV ☎ ♿ Ⓟ – 80 à 180. AE GB ⓓ E. rest — AZ **s**
  SC : **Le Toit de Bigorre R** 75/100 - **Grill-Cintra R** 40 – ☕ 18 – **57 ch** 120/260, 3 appartements 400 – P 240/330.
- **Concorde** Ⓜ, par ⑥ : 3 km sur rte Lourdes ✉ 65310 Laloubère ☎ 93.51.18 – TV ☎ Ⓟ – 25 à 70. AE GB ⓓ E
  SC : **R** 45/65 – ☕ 12 – **42 ch** 110/200 – P 180/210.
- **Foch** Ⓜ sans rest, 18 pl. Verdun ☎ 93.71.58 – TV ☎ ♿ Ⓟ. AE GB ⓓ — AY **e**
  fermé 24 juil. au 14 août, 24 au 31 déc. et dim. – SC : ☕ 15 – **30 ch** 120/220.
- **Henri IV** sans rest, 7 av. B.-Barère ☎ 34.01.68 – wc wc ☎ Ⓟ. AE GB ⓓ — AY **k**
  SC : ☕ 12 – **25 ch** 95/170.
- **Martinet** Ⓜ sans rest, 13 bd Martinet ☎ 37.96.30 – wc ☎ Ⓟ. GB — CY **q**
  SC : ☕ 10 – **24 ch** 55/95.
- **Terminus,** 42 av. Joffre ☎ 93.00.33 – wc ☎. E. — AX **n**
  SC : **R** *(fermé sept. et sam.)* 33/50 – ☕ 12 – **32 ch** 60/140 – P 120/160.
- **Normandie** sans rest, 33 r. Massey ☎ 93.08.47 – wc ☎ ♿ Ⓟ. — AX **b**
  SC : ☕ 10 – **21 ch** 50/140.

Croix Blanche sans rest, pl. Verdun ☎ 93.08.54 – wc ⁂ ☎ AY **r**
SC : ☕ 10 – **32 ch** 47/105.

Family H. sans rest, 64 r. Victor-Hugo ☎ 93.02.33 – wc ⁂wc ☎. AX **d**
SC : ☕ 10 – **21 ch** 40/98.

Marne sans rest, 4 av. Marne ☎ 93.03.64 – wc ⁂wc. CY **s**
SC : ☕ 9 – **26 ch** 45/120.

Pyrénées sans rest, 35 av. Corps-Franc-Pommiès par ⑦ ☎ 93.05.80 – ⁂ Ⓟ. AE.
fermé les week ends en sept. – SC : ☕ 10 – **15 ch** 45/98.

Toup' Ty, 86 av. B.-Barère ☎ 93.32.08 AX **x**
fermé 15 juil. au 15 août et lundi – SC : **R** 35/100 .

L'Isard avec ch, 70 av. Mar.-Joffre ☎ 93.06.69 – . AX **f**
SC : **R** *(fermé sam. midi et dim. soir)* 35/120 – ☕ 9 – **7 ch** 47/50.

Buffet Gare, ☎ 93.16.22 AX
fermé sam. du 1er oct. au 30 mai – SC : **R** 40/75 .

par ② : 9 km – ✉ **65800** Aureilhan :

Ferme St-Ferréol , ☎ 36.22.15, ←, parc, « Dans un domaine agricole » – wc ⁂wc ☎ & Ⓟ – 100. AE GB
SC : **R** *(fermé dim. soir hors sais.)* 37/85 – ☕ 10 – **21 ch** 65/140 – P 130/160.

à Juillan par ⑥ : 4 km – 3 136 h. – ✉ **65290** Juillan :

L'Aragon, N 21 ☎ 93.99.33 – wc ⁂ ☎ Ⓟ. GB
fermé 15 nov. au 15 déc. – SC : **R** *(fermé lundi du 1er oct. au 1er juin)* 33/80 – ☕ 10 – **14 ch** 73/104 – P 107/117.

à l'Aéroport par ⑥ : 9 km – ✉ **65290** Juillan :

Caravelle, ☎ 34.59.96, ← – Ⓟ. AE
fermé 15 nov. au 15 déc. et mardi – SC : **R** carte 105 à 140.

Par ⑦ : 6 km rte de Pau – ✉ **65420** Ibos :

La Chaumière du Bois, ☎ 31.03.51, parc – wc P. AE GB
SC : **R** *(fermé mi janv. à mi fév. et lundi)* 40 – 12 – **10 ch** 140/160.

MICHELIN, Agence, chemin de l'Abattoir AX ☎ **36.53.87**

AUDI-VOLKSWAGEN Gar. Tolsan, rte de Pau ☎ 34.35.83
DATSUN LADA Raoux Bd Kennedy ☎ 93.28.97
FIAT Gar. Pellet, 7 r. Corps-Francs Pommies ☎ 93.21.11
LANCIA-AUTOBIANCHI Ros, N 117 Lotissement Garounère ☎ 93.03.39
RENAULT Pyrénées Véhicules, Rte de Bordeaux à Bordères-sur-l'Echez ☎ 37.64.02 N ☎ 37.18.72

Central-Pneu, 1 bd Mar.-de-Lattre-de-Tassigny ☎ 34.74.96
Comptoir du Pneu, 10 r. Clément ☎ 34.52.01
Dours, 13 bis cours de Reffye ☎ 93.01.84
Labazuy-Pneus, 6 r. Destarac ☎ 36.58.20

Périphérie et environs

ALFA-ROMEO, MERCEDES-BENZ Continental-Motors, 18 rte Lourdes à Odos ☎ 34.28.60
BMW Tarbes-Auto, rte de Pau à Ibos ☎ 34.38.45
CITROEN Vinches, 28 rte de Lourdes à Odos ☎ 93.94.95 N ☎ 93.18.72
FORD Gar. Pomiers, 137 rte de Toulouse à Semeac ☎ 93.96.96
OPEL Bigal-Auto 51 rte de Vic à Borderes-sur-l'Echez ☎ 36.69.15
PEUGEOT Benoît, rte de Pau à Ibos ☎ 93.53.90
RENAULT Pyrénées-Autom., rte de Lourdes à Odos ☎ 34.38.83 N ☎ 37.18.72
TALBOT C.-Fabre, rte de Toulouse à Séméac ☎ 93.38.74

Germa, 2 av. des Sports à Aureilhan ☎ 36.61.52

TARDETS-SORHOLUS 64470 Pyr.-Atl. 85 ⑤ – 818 h. alt. 216 – 59.
Syndicat d'Initiative (1er juil.-31 août) ☎ 28.50.26.
Paris 794 – Mauléon-Licharre 13 – Oloron-Ste-Marie 27 – Pau 60 – St-Jean-Pied-de-Port 53.

Gave, ☎ 28.53.67, ←, – cuisinette wc wc P. GB E.
fermé lundi – SC : **R** 35/78 – 10 – 24 ch 53/110 – P 95/120.

Soulé, ☎ 28.50.22, ←, – P. GB
20 fév.-15 nov. et fermé mardi – SC : **R** 28/75 – 10 – 18 ch 35/60 – P 90.

Pont d'Abense avec ch, à Abense de Haut ☎ 28.54.60, – P.
fermé 15 nov. au 15 déc. et vend. hors sais. – SC : **R** 35/80 – 9 – 12 ch 40/95 – P 90/110.

TARGASSONNE 66 Pyr.-Atl. 86 ⑯ – rattaché à Font-Romeu.

TARN (Gorges du) *** 48 Lozère 80 ⑤ **G. Causses**.

TARNAC 19 Corrèze 72 ⑳ **G. Périgord** – 506 h. alt. 700 – ✉ **19170** Bugeat – 55.
Paris 439 – Aubusson 49 – Bourganeuf 54 – Eymoutiers 24 – ♦Limoges 69 – Tulle 72 – Ussel 47.

Voyageurs M, ☎ 95.53.12 – wc wc .
fermé 20 déc. au 31 janv. – SC : **R** 29/72 – 11,50 – **17 ch** 48/95 – P 82/105.

TARTAS 40400 Landes 78 ⑥ – 3 078 h. alt. 52 – 58.
Syndicat d'Initiative à la Mairie (fermé sam. après-midi et dim.) ☎ 73.41.06.
Paris 696 – Arcachon 131 – ♦Bordeaux 132 – Dax 25 – Mont-de-Marsan 27 – Orthez 43 – Pau 100.

L'Aub. à Bros, à Bégaar O : 2 km N 124 ☎ 73.41.67 – P. ch
fermé le soir du 1er déc. au 28 fév. et sam. en hiver – **R** carte environ 60 – 10 – 10 ch 60/80

PEUGEOT Duboscq, ☎ 73.40.31
TALBOT Gar. Gembert, ☎ 73.40.28

TAULÉ 29231 Finistère 58 ⑥ – 2 425 h. alt. 90 – 98.
Paris 540 – ♦Brest 57 – Morlaix 7 – Quimper 83 – St-Pol-de-Léon 16.

Relais des Primeurs, à la gare N : 1,5 km ☎ 67.11.03, – P.
fermé sept., vend. soir et sam. – **R** 32/90 – 10 – 16 ch 50/70 – P 80/90.

TAUSSAT-LES-BAINS 33148 Gironde 78 ② – 56.
Paris 610 – Andernos-les-Bains 4,5 – Arcachon 36 – ♦Bordeaux 50.

Host. Tamaris, sur la plage ☎ 82.16.14, ←, , – P
fermé lundi – SC : **R** 40/120 – 10 – **14 ch** 60/75 – P 130/180.

TAVEL 30126 Gard 81 ⑪ – 1 161 h. alt. 80 – 66.
Paris 680 – Alès 67 – Avignon 14 – Nîmes 39 – Orange 20 – Pont-St-Esprit 33 – Roquemaure 8,5.

Aub. de Tavel M avec ch, ☎ 50.03.41, – wc wc – 40. AE GB
fermé fév. – SC : **R** *(fermé lundi du 1er oct. au 31 mars)* 70/95 – 18 – 11 ch 146/185 – P 290/340.

Host. du Seigneur avec ch, ☎ 50.04.26, expo. tableaux – P – 40. ch
fermé 15 déc. au 15 janv., merc. soir et jeudi – SC : **R** 28/60 – 8,50 – 7 ch 45/64.

TAVERNY 95150 Val-d'Oise 55 ⑳, 101 ④ – voir à Paris, Proche banlieue.

TAVERS 45 Loiret 64 ⑧ – rattaché à Beaugency.

Le TEILLEUL 50640 Manche 59 ⑨ – 1 605 h. alt. 70 – ☎ 33.
Paris 273 – Avranches 46 – Domfront 19 – Fougères 38 – Mayenne 38 – St-Lô 77.

Clé des Champs M, E : 1 km sur N 176 ☎ 59.42.27 – wc ☎ P – 25. AE GB
fermé 3 au 25 janv. – SC : **R** 32/80 – 11 – **20 ch** 60/120 – P 130/150.

PEUGEOT Gar. Lemonnier, ☎ 59.40.20 — RENAULT Gar. Bonsens, ☎ 59.40.28 N ☎ 59.42.86

TEMPLERIE 35 I.-et-V. 59 ⑲ – rattaché à Fougères.

TENCE 43190 H.-Loire 76 ⑧ **G. Vallée du Rhône** – 2 846 h. alt. 840 – ☎ 71.
Syndicat d'Initiative 2 r. St-Agrève (1er juil.-31 août) ☎ 59.81.99.
Paris 572 – Le Chambon-sur-Lignon 8,5 – Lamastre 41 – Le Puy 46 – •St-Étienne 53 – Yssingeaux 19.

Le Grand Hôtel (Placide), ☎ 59.82.76, parc – wc wc ☎
fermé 22 au 30 sept. et 2 janv. au 15 fév. – SC : **R** 85/175 – 18 – 18 ch 120/180 – P 170/195
Spéc. Terrine de grives, Pain d'écrevisses sauce cardinal, Gâteau de truite à l'estragon. **Vins** St-Joseph, Chante Alouette.

Poste, r. St-Agrève ☎ 59.82.87, – ☎. ch
fermé janv. et lundi de nov. à Pâques – SC : **R** 30/68 – 10 – 17 ch 42/64 – P 83/99.

Gouit, pl. Chatiague ☎ 59.82.39 –
fermé janv., dim. soir et lundi hors sais. – SC : **R** 28/85 – 8,50 – 22 ch 40/65 – P 80.

PEUGEOT Gar. Bachelard, ☎ 59.80.20 N — TALBOT Gounon, ☎ 59.80.03 N

TENDE 06430 Alpes-Mar. 84 ⑳ **G. Côte d'Azur** – 2 056 h. alt. 816 – ☎ 93.
Paris 865 – Cuneo 45 – Menton 57 – •Nice 83 – Sospel 40.

Centre sans rest, 12 pl. République ☎ 04.62.19 – wc
fermé mardi sauf été – SC : 8,50 – **13 ch** 36/68.

TENDON 88 Vosges 62 ⑯⑰ – 423 h. alt. 460 – ✉ **88460** Docelles – ☎ 29.
Paris 396 – Épinal 23 – Gérardmer 18 – Remiremont 24.

Au Repos des Cascades , ☎ 66.21.13, ← – cuisinette wc ☎ P. AE GB E
SC : **R** 32/49 – 13 – 13 ch 96/105 – P 130/150.

TENDU 36 Indre 68 ⑱ – rattaché à Argenton-sur-Creuse.

TERGNIER 02700 Aisne 56 ④ – 6 217 h. alt. 55 – ☎ 23.
Paris 129 – Chauny 6 – Laon 30 – Noyon 23 – St-Quentin 27 – Soissons 36 – Vervins 56.

Le Rallye, r. P.-Sémard ☎ 57.22.79 – P.
fermé août et dim. – SC : **R** 35/40 – 9 – **10 ch** 50/65.

TALBOT Tuppin-Auto, N 32 à Condren ☎ 57.16.60 — Dupont-Pneus, N 32 à Condren ☎ 56.00.58

TERMIGNON 73 Savoie 77 ⑧ **G. Alpes** – 341 h. alt. 1 300 – ✉ **73500** Modane – ☎ 79.
Paris 679 – Chambéry 120 – Col du Lautaret 75 – Modane 17 – St-Jean-de-Maurienne 48.

Doron, ☎ 05.20.44 – P. rest
20 juin-15 sept. et vacances scolaires – SC : **R** 35/45 – 8,50 – 16 ch 45/60 – P 90/100.

La TERRIÈRE 85 Vendée 71 ⑪ – rattaché à La Tranche-sur-Mer.

TERTENOZ 74 H.-Savoie 74 ⑰ – rattaché à Faverges.

TESSÉ-LA-MADELEINE 61 Orne 60 ① – rattaché à Bagnoles-de-l'Orne.

La TESSOUALLE 49 M.-et-L. 67 ⑥ – rattaché à Cholet.

TESSY-SUR-VIRE 50420 Manche 54 ⑬ – 1 493 h. alt. 47 – ☎ 33.
Paris 301 – Avranches 47 – •Caen 61 – Granville 44 – St-Lô 18 – Villedieu-les-Poêles 25 – Vire 24.

France, ☎ 56.30.01, – P.
fermé fin déc. à début janv., dim. soir et lundi midi – SC : **R** 26/54 – 8,50 – 12 ch 38/60 – P 80/95.

CITROEN Burnouf, ☎ 56.30.15 — TALBOT Dupont, ☎ 56.30.11 N
RENAULT Hérbert ☎ 56.31.25

La TESTE 33260 Gironde **78** ② ⑫ – 17 035 h. – ⚙ 56.

18 ☎ 22.44.00, O : 2 km.

ℹ Office de Tourisme pl. J.-Hameau (fermé dim. et lundi) ☎ 66.55.49.

Paris 626 – Andernos-les-Bains 35 – Arcachon 4 – Belin-Beliet 39 – Biscarrosse 34 – ♦Bordeaux 59.

France sans rest, 35 r. Port ☎ 66.27.69 – wc ☎. GB
fermé 13 au 30 oct. – SC : ☕ 10,50 – **15 ch** 90/130.

PEUGEOT Estrade, Zone Ind., Voie 8 ☎ 66.34.69
RENAULT Arc-Auto, Zone Ind. ☎ 83.26.35
RENAULT Gar. de la Côte, 36 av. Gén.-de-Gaulle ☎ 66.31.98
TALBOT Difauto, Jetée Est au port ☎ 66.26.19
Lascaray, 53 av. Gén.-de-Gaulle ☎ 66.27.22

TÉTEGHEM 59 Nord **51** ④ – rattaché à Dunkerque.

Le TEULET 19 Corrèze **75** ⑳ – ✉ 19430 Mercoeur – ⚙ 55.

Paris 535 – Argentat 24 – Aurillac 30.

Relais du Teulet, ☎ 28.71.09 – Ⓟ. ch
fermé sam. du 1er nov. à Pâques – SC : **R** 25/40 – ☕ 7,50 – 10 ch 36/38 – P 75.

THANN <SP> 68800 H.-Rhin **66** ⑨ **G. Vosges** – 8 523 h. alt. 340 – ⚙ 89.

Voir Collégiale St-Thiébaut★★.

ℹ Office de Tourisme pl. Joffre (Pâques, 1er juin-30 sept. et fermé dim.) ☎ 37.00.43.

Paris 533 ② – Belfort 41 ② – Colmar 44 ② – Épinal 88 ③ – Guebwiller 23 ② – ♦Mulhouse 21 ②.

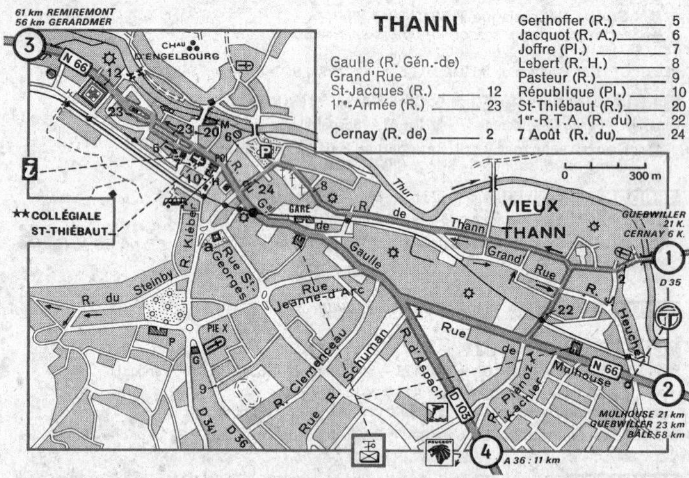

Parc, 23 r. Kléber **(a)** ☎ 37.10.98, – wc ☎ Ⓟ – 30. E
fermé nov. – SC : **R** 27/120 – ☕ 13,50 – **19 ch** 50/105.

PEUGEOT Jeker, 16 rte de Roderen ☎ 37.81.72
TALBOT Boeglin, 64 rte Mulhouse, Vieux-Thann ☎ 37.04.03

THANNENKIRCH 68 H.-Rhin **62** ⑲ **G. Vosges** – 396 h. alt. 510 – ✉ 68590 St-Hippolyte – ⚙ 89.

Voir Route★ de Schaentzel (D 48¹) N : 3 km.

Paris 426 – Colmar 21 – St-Dié 39 – Sélestat 15.

Taennchel , ☎ 73.10.15, – wc Ⓟ. . ch
vac. de fév.-15 nov. et fermé lundi soir et mardi hors sais. – SC : **R** carte 55 à 80 – ☕ 9 – 15 ch 40/110 – P 105/120.

THAON 14610 Calvados **54** ⑮ **G. Normandie** – 1 028 h. alt. 29 – ⚙ 31.

Voir Ancienne église★.

Paris 253 – Bayeux 20 – ♦Caen 12 – Courseulles-sur-Mer 10.

XX **Aub. de la Mue,** ☎ 80.01.47 – Ⓟ
fermé oct. et merc. – SC : **R** 25/72.

CITROEN Gar. Goumault, ☎ 80.03.03 N ☎ 80.01.83

THAON 88 Vosges 62 ⑯ – rattaché à Épinal.

Le THEIL 15 Cantal 76 ② – rattaché à Salers.

THEIX 56 Morbihan 63 ③ – rattaché à Vannes.

THEIZÉ 69 Rhône 73 ⑨ – 854 h. alt. 490 – ✉ **69620** Le Bois-d'Oingt – ✆ 74.
Paris 447 – Chauffailles 51 – ♦Lyon 34 – Tarare 23 – Villefranche-sur-Saône 12.

Espérance, carrefour D 38E D 96 ✆ 70.22.26, ← – .
fermé 20 sept. au 20 oct., mardi soir et merc. – SC : **R** 43/65 – ☕ 10 – **9 ch** 45/65.

RENAULT Gar. Mazallon, ✆ 70.22.40

THEL 69 Rhône 73 ⑧ – rattaché à Cours.

THÈMES 89 Yonne 61 ⑭ – ✉ **89410** Cézy – ✆ 86.
Paris 138 – Auxerre 36 – La Celle-St-Cyr 4 – Joigny 8,5 – Montargis 50 – Sens 27.

XX **P'tit Claridge** avec ch, ✆ 63.10.92, – Ⓟ
fermé 15 janv. au 20 fév. et lundi – SC : **R** 60/80 – ☕ 12 – **13 ch** 45/80 – P 100/110.

THENISY 77 S.-et-M. 61 ③④ – 175 h. alt. 71 – ✉ **77520** Donnemarie-Dontilly – ✆ 6.
Paris 84 – Coulommiers 42 – Melun 46 – Montereau-faut-Yonne 21 – Provins 15 – Sens 38.

X **Aub. Fleurie**, ✆ 401.33.02 – Ⓟ
fermé 1er au 15 août, 1er au 15 fév. et merc. – SC : **R** carte 65 à 90.

THÉOULE-SUR-MER 06590 Alpes-Mar. 84 ⑧, 195 ㉞ **G. Côte d'Azur** – 798 h. alt. 4 à 155 – ✆ 93.
Syndicat d'Initiative pl. Gén.-Bertrand (fermé après-midi hors sais. et dim.) ✆ 38.97.75.
Paris 901 – Cannes 10 – Draguignan 57 – ♦Nice 41 – St-Raphaël 36.

Gd Hôtel sans rest, ✆ 38.96.04 – wc. GB
15 mai-30 sept. – SC : ☕ 10 – **24 ch** 89/140.

Adrienne, ✆ 49.96.06, ← – wc wc Ⓟ.
fermé 15 nov. au 15 déc. – SC : **R** *(fermé lundi soir et mardi)* 32/47 – ☕ 10 – **16 ch** 46/98 – P 120/150.

à la Galère S : 1,8 km par N 98 – ✉ **06590** Théoule :

✿ **Guerguy** "La Galère", ✆ 90.34.54, « Jardins en terrasses, ← littoral et les îles » – wc Ⓟ.
1er fév.-15 nov. – SC : **R** (nombre de couverts limité - prévenir) carte 160 à 220 – **14 ch** ☕ 350/400
Spéc. Bourride, Filet de loup en papillotte. Vins Château-Simone, Cassis.

Voir aussi ressources hôtelières de ***Miramar*** S : 6 km

THÉRONDELS 12 Aveyron 76 ⑬ – 683 h. alt. 960 – ✉ **12600** Mur-de-Barrez – ✆ 65.
Paris 547 – Aurillac 49 – Chaudes-Aigues 54 – Espalion 68 – Murat 59 – Rodez 88 – St-Flour 57.

Miquel, ✆ 66.02.72 – wc wc Ⓟ.
fermé 3 janv. au 1er fév. – SC : **R** 30/45 – ☕ 9 – **22 ch** 38/62 – P 68/80.

THÉSÉE 41 L.-et-Ch. 64 ⑰ **G. Châteaux de la Loire** – 1 099 h. alt. 68 – ✉ **41140** Noyers-sur-Cher – ✆ 54.
Voir Château du Gué-Péan* N : 5 km.
Paris 215 – Blois 34 – Châteauroux 77 – Montrichard 9,5 – Romorantin-Lanthenay 40 – Vierzon 64.

Host. Moulin de la Rennes, ✆ 71.41.56, ←, – wc Ⓟ
SC : **R** 45/80 – ☕ 11 – 15 ch 65/125 – P 170/210.

XX **La Mansio** avec ch, ✆ 71.40.07 – Ⓟ
fermé 2 janv. au 2 fév., lundi soir et mardi hors sais. – SC : **R** 28/75 – ☕ 9 – 8 ch 38/45 – P 75.

THIBERVILLE 27230 Eure 55 ⑭ – 1 508 h. alt. 169 – ✆ 32.
Paris 158 – Bernay 13 – Brionne 23 – Évreux 56 – Lisieux 17 – Orbec 16 – Pont-Audemer 27.

Levrette, ✆ 43.80.22 – Ⓟ
fermé vac. de fév. et dim. soir – SC : **R** 45/68 – ☕ 8 – 8 ch 45/55 – P 90.

RENAULT Gar. Leprevost, ✆ 43.80.27

THIÉBLEMONT-FARÉMONT 51 Marne 61 ⑨ – rattaché à Vitry-le-François.

THIERS 63300 P.-de-D. 73 ⑯ **G. Auvergne** – 17 828 h. alt. 436 – ✪ 73.

Voir Site★★ – Maison du Pirou★ – Terrasse du Rempart ≤★ – Rocher de Borbes ≤★ S : 3,5 km par D 102.

ℹ Office de Tourisme pl. Mutualité (1er mai-31 oct. et fermé dim.) ☎ 80.10.74.

Paris 386 ③ – Bourg-en-Bresse 181 ① – Chalon-sur-Saône 232 ① – ♦Clermont-Ferrand 45 ② – Issoire 60 ② – ♦Lyon 137 ① – Le Puy 128 ② – Roanne 59 ① – ♦St-Étienne 107 ① – Vichy 36 ③.

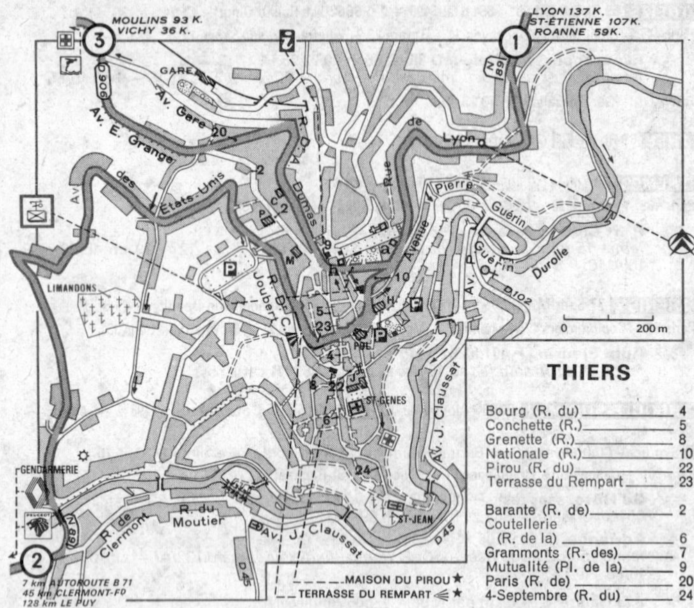

Aigle d'Or, 8 r. Lyon **(a)** ☎ 80.00.50 – wc. GB.
fermé nov. et lundi – SC : **R** 30/55 – 9,50 – **25 ch** 34/92 – P 109/141

Grammont, 11 r. Grammonts **(h)** ☎ 80.00.27
fermé vend. soir et dim. soir – SC : **R** 33/65.

Voir aussi ressources hôtelières de ***Pont-de-Dore*** par ② : 6 km

AUDI-VOLKSWAGEN Gar. Perron, 79 av. L.-Lagrange ☎ 80.20.49
CITROEN Sauvagnat, 90 r. de Lyon ☎ 80.03.74
FORD Rouette, 57 av. L.-Lagrange ☎ 80.26.51
PEUGEOT Thiers-Autom., 52 av. L.-Lagrange ☎ 80.57.54
RENAULT S.A.R.A.C Zone Ind. du Felet ☎ 80.55.10

Estager-Pneus, Zone des Molles, av. L.-Lagrange ☎ 80.15.97
Piot-Pneu, 95 r. de Lyon ☎ 80.13.75

THIÉZAC 15450 Cantal 76 ⑫⑬ **G. Auvergne** – 789 h. alt. 805 – ✪ 71.

Voir Pas de Compaing★ NE : 3 km – ℹ Mairie ☎ 47.52.82.

Paris 518 – Aurillac 27 – Murat 24 – Vic-sur-Cère 6.

Elancèze (annexe Belle vallée), ☎ **47.00.22** – wc wc. ch
SC : **R** 30/50 – 9 – **29 ch** 35/90 – P 75/105.

Commerce, ☎ 47.01.67, – . rest
R 30/50 – 8,50 – 35 ch 45/70 – P 72/85.

THIL 01 Ain 74 ⑫ – 480 h. alt. 179 – ✉ **01120** Montluel – ✪ 7.

Paris 472 – Bourg-en-Bresse 51 – ♦Lyon 22 – Meximieux 20 – Miribel 7,5 – Montluel 7.

Plage (Chez Mado), ☎ 806.23.99 – .
SC : **R** 25/60 – 8,50 – **16 ch** 33/80 – P 90/140.

Le THILLOT **88160** Vosges 66 ⑧ **G. Vosges** – 5 127 h. alt. 500 – ✪ 29.

ℹ Syndicat d'Initiative à la Mairie (fermé sam. après-midi, dim. et lundi matin) ☎ 61.00.59.

Paris 423 – Belfort 44 – Colmar 81 – Épinal 50 – ♦Mulhouse 59 – St-Dié 63 – Vesoul 63.

Cheval Blanc avec ch, 17 r. Ch.-de-Gaulle ☎ **61.00.13** – wc . GB
SC : **R** 22/70 – 8,50 – **13 ch** 38/104 – P 100/142.

au Menil NE : 3,5 km par D 486 – alt. 515 – ✉ **88160** Le Thillot :

🏨 **Les Sapins,** ☎ 61.02.46, ≤, – wc wc ☎ Ⓟ. . ✂ rest
fermé 15 nov. au 15 déc. – SC : **R** 45/110 – 11 – **21 ch** 60/100 – P 115/135.

au col des Croix SO : 4 km par D 486 – alt. 753 – ✉ **88160** Le Thillot :

🏨 **Perce-Neige,** ☎ 61.02.63 – wc wc ☎ Ⓟ.
fermé 15 nov. au 15 déc. – SC : **R** 40/90 – 10 – **16 ch** 60/120 – P 110/130.

THIONVILLE SP **57100** Moselle **57** ③④ **G. Vosges** – 44 191 h. alt. 155 – 8.

Voir Château de la Grange* par ① : 2 km.

Office de Tourisme 16 r. Vieux-Collège (fermé dim. et fêtes hors saison) ☎ 234.07.33.

Paris 340 ④ – Luxembourg 35 ⑦ – ♦Metz 29 ④ – ♦Nancy 83 ④ – Trier 70 ② – Verdun 87 ④.

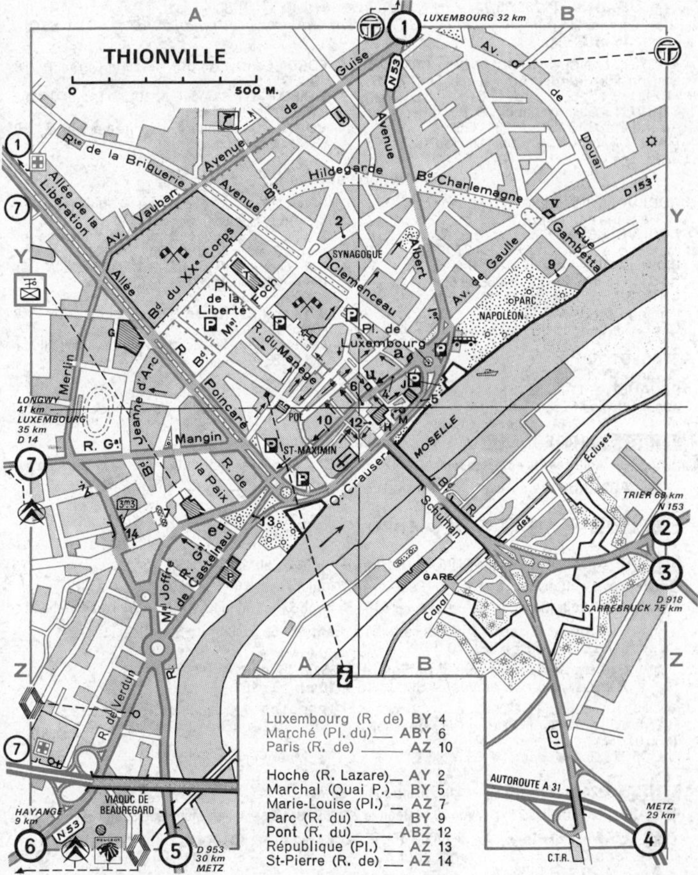

Luxembourg (R. de)	BY	4
Marché (Pl. du)	ABY	6
Paris (R. de)	AZ	10
Hoche (R. Lazare)	AY	2
Marchal (Quai P.)	BY	5
Marie-Louise (Pl.)	AZ	7
Parc (R. du)	BY	9
Pont (R. du)	ABZ	12
République (Pl.)	AZ	13
St-Pierre (R. de)	AZ	14

🏨 **Aux Portes de France,** 1 pl. Gén.-Patton ☎ 253.30.01 – wc wc ☎. AE ⓓ. ✂ ch — BY **v**
fermé 30 juil. au 30 août – SC : **R** *(fermé sam. midi et vend.)* 42/60 – 11 – **22 ch** 53/138.

🏨 **Parc** sans rest, 10 pl. République ☎ 253.71.80 – wc wc ☎. AE GB — AZ **e**
SC : 15 – **42 ch** 60/135.

🏨 **Beffroi** sans rest, 2 r. Mersch ☎ 253.31.30 – wc ☎. GB. ✂ — BY **u**
SC : 9 – **24 ch** 48/105.

XXX **Concorde** avec ch, 6 pl. Luxembourg ☎ 253.83.18, ✳ Thionville – wc wc ☎. AE GB E. ✂ ch — BY **a**
R *(fermé août)* 90/120 – 15 – **26 ch** 80/120.

au NO par Allée de la Libération sortie Elange - AY : 3 km – ✉ **57100** Thionville :

Horizon ⛰, 50 rte Crève-Coeur ☎ 288.53.65, ← – wc ☎ Ⓟ. AE GB ⓓ. ✂
fermé 26 déc. au 28 fév. – SC : **R** voir rest. Aub. Crève Coeur – ☐ 16 – **10 ch** 140/200.

Aub. Crève-Coeur, ☎ 288.50.52 – Ⓟ. AE GB ⓓ
fermé dim. soir en hiver et lundi – SC : **R** 60/120.

à Florange par ⑤ et D 18 : 5 km – 12 446 h. – ✉ **57190** Florange :

Capon sans rest, av. Lorraine ☎ 258.51.37 – wc ☎ Ⓟ.
SC : ☐ 9 – **36 ch** 65/85.

à Bertrange S : 6 km par D 1 - BZ – ✉ **57310** Guénange :

Helitel, ☎ 283.65.74 – wc wc ☎ Ⓟ – 30
fermé 23 déc. au 2 janv. – SC : **R** *(fermé dim. soir et lundi)* 29/52 – ☐ 8,50 – **16 ch** 39/90.

AUSTIN, LANCIA-AUTOBIANCHI, MORRIS Gar. du Fort, rte de Yutz, Percée Sud ☎ 256. 11.74
CITROEN Gar. Weiland, 36 rte d'Esch-sur-Alzette ☎ 288.10.15 N ☎ 234.05.50
FIAT Gar. du Centre, 50 av. de Guise ☎ 253. 27.13
FORD Central Auto, 1 rte de la Digue ☎ 288. 55.48
TALBOT Gar. Moderne, 10 av. Douai ☎ 253. 30.08 N ☎ 234.05.50
VOLVO Gar. Vaillant, 18 r. de Verdun ☎ 288. 58.81

Périphérie et environs

AUDI-VOLKSWAGEN Gar. Charron, 46 b r. de Hayange à Uckange ☎ 258.21.67
AUDI-VOLKSWAGEN Gd Gar. Lorrain, 5 r. République à Knutange ☎ 284.25.19
BMW, LANCIA-AUTOBIANCHI Gar. Burlet, 27 rte de Verdun à Terville ☎ 288.58.83
CITROEN Gd Gar. Moderne, 5 r. Nationale à Florange ☎ 258.00.71 N
OPEL Hubert, 18 r. de Verdun à Terville ☎ 288.47.47
PEUGEOT Gar. de la Fensch, 14 r. Verdun à Florange ☎ 258.46.21 N
RENAULT Gd Gar. de la Moselle, 25 r. de Verdun à Terville ☎ 288.49.60 N
RENAULT Gar. Colombo, av. de Lorraine à Florange ☎ 258.50.53
TALBOT Dimanche, 9 rte du Bénélux à Hettange-Grande ☎ 253.10.56
Gar. Diettert, 4 pl. de la République à Hettange-Grande ☎ 250.21.20 N

Becker, 22 rte de Metz à Florange ☎ 288. 45.45
Leclerc-Pneu, 33 rte de Verdun à Terville ☎ 288.43.28

THIRON 28480 E.-et-L. 60 ⑯ G. Normandie – 1 029 h. alt. 241 – 37.

Paris 131 – Chartres 41 – Châteaudun 41 – La Loupe 22 – Nogent-le-Rotrou 14 – Verneuil-sur-Avre 56.

Aub. Abbaye avec ch, r. Commerce ☎ 49.42.74, – Ⓟ – 10 ch.

THIVARS 28 E.-et-L. 60 ⑰, 96 ㉛ – rattaché à Chartres.

THIVIERS 24800 Dordogne 75 ⑥ G. Périgord – 4 380 h. alt. 253 – 53.

Syndicat d'Initiative pl. Mar.-Foch (Pâques et 15 juin-15 sept.) ☎ 55.12.50.

Paris 455 – Brive-la-Gaillarde 82 – •Limoges 64 – Nontron 32 – Périgueux 37 – St-Yrieix-la-Perche 31.

France et Russie Ⓜ sans rest, 51 r. Lamy ☎ 55.17.80 – wc ☎. AE GB
SC : ☐ 15 – **11 ch** 58/140.

Pré de l'Isle sans rest, 7 pl. Foirail ☎ 55.03.75, parc – wc ☎ Ⓟ
Pâques, juin-oct. et Noël – SC : ☐ 16 – **10 ch** 105/160.

CITROEN Beaufils, ☎ 55.00.74
FIAT-LANCIA-AUTOBIANCHI Gar. Joussely, ☎ 55.01.24
PEUGEOT Gar. Moderne, ☎ 55.00.46
RENAULT Gar. du Progrès, ☎ 55.09.92
TALBOT Boucher, ☎ 55.00.86

Maury-Pneus, ☎ 55.17.11

THIZY 69240 Rhône 73 ⑧ – 4 065 h. alt. 504 – 74.

Paris 413 – Chauffailles 27 – •Lyon 70 – Roanne 22 – Tarare 25 – Villefranche-sur-Saône 53.

La Musardière ⛰, ☎ 64.03.15, ← – wc ☎ Ⓟ.
fermé 1er au 17 août, lundi sauf hôtel et dim. soir – SC : **R** 48/120 – ☐ 12 – **12 ch** 85/120 – P 185/200.

CITROEN Dumas, ☎ 64.01.31 N
PEUGEOT Gar. des Promenades, ☎ 64.01.42
RENAULT Flandin, à Bourg-de-Thizy ☎ 64. 05.43 N
TALBOT Dechavanne, à Bourg-de-Thizy ☎ 64. 01.95

THIZY 89 Yonne 65 ⑥⑦ – 164 h. alt. 303 – ✉ **89420** Guillon – 86.

Paris 220 – Avallon 17 – Montbard 37 – Tonnerre 45.

L'Atelier ⛰ avec ch, ☎ 32.11.92, – wc Ⓟ. AE GB ⓓ E. ✂
12 avril-11 nov. et fermé mardi, merc. sauf vac. scol. et jeudi – SC : **R** 60/90 – ☐ 12 – 5 ch 80/150.

CITROEN Gar. Gentil, ☎ 33.84.14 N ☎ 33.83.16

THOIRETTE 39 Jura 70 ⑭ – 234 h. alt. 292 – ✉ 39240 Arinthod – ✪ 74.
Paris 459 – Bourg-en-Bresse 33 – Lons-le-Saunier 54 – Nantua 20 – Oyonnax 16 – St-Claude 40.

Source, SO : 1 km sur D 936 ☎ 76.80.42, ≤, – P. rest
fermé 15 oct. au 5 nov., 2 au 26 janv. et vend. hors sais. – SC : **R** 29/75 – 8,50 – **10 ch** 43/68 – P 75/83.

THOIRY 78770 Yvelines 55 ⑲, 96 ⑬ **G. Environs de Paris** – 581 h. alt. 160 – ✪ 3.
Voir Réserve africaine★ – Paris 51 – Dreux 44 – Mantes 24 – Rambouillet 31 – Versailles 30.

Étoile M, ☎ 487.40.21, – wc – 50. AE GB E. ch
SC : **R** 51/72 – 15 – **20 ch** 98/145 – P 157/180.

THOISSEY 01140 Ain 74 ① – 1 454 h. alt. 175 – ✪ 74.
Paris 415 – Bourg-en-Bresse 37 – Chauffailles 53 – ♦Lyon 56 – Mâcon 16 – Villefranche-sur-Saône 29.

✿✿ **Chapon Fin et rest. P. Blanc** , ☎ 04.04.74, « Élégante installation », – P. GB
fermé 5 janv. au 14 fév. et mardi d'oct. à mai – SC : **R** 110/220 et carte – 20 – 25 ch 125/280
Spéc. Gâteau de foies blonds de volaille, Saumon frais au Fleurie (avril-oct.), Fricassée de volaille aux morilles. **Vins** Chiroubles, St-Véran.

Beau Rivage , au port ☎ 04.01.66, ≤ – wc P. ch
15 mars-15 oct. et fermé dim. soir – SC : **R** 44/80 – 11 – 10 ch 62/90 – P 120.

CITROEN Delorme, à St-Didier-sur-Chalaronne ☎ 04.03.26 N

PEUGEOT Berry, à St-Didier-sur-Chalaronne ☎ 04.04.68 N
RENAULT Chevrolat, ☎ 04.02.25

THOLLON 74 H.-Savoie 70 ⑱ **G. Alpes** – 401 h. alt. 992 – Sports d'hiver : 992/2 000 m 1 12 – ✉ 74500 Évian-les-Bains – ✪ 50 – **Voir Pic de Mémise ★★ 30 mn.**
Paris 596 – Annecy 92 – Évian-les-Bains 11 – Thonon-les-Bains 20.

Les Gentianes , au télécabine E : 2 km ☎ 75.09.35, ≤ lac et montagnes – wc wc P.
1er juin-30 sept. et 15 déc.-25 avril – SC : **R** 36/69 – 11,50 – **22 ch** 105/110 – P 129/205.

Bon Séjour , ☎ 75.07.56, – wc wc P
fermé 22 au 30 avril et 15 nov. au 15 déc. – SC : **R** 45/100 – 15 – 22 ch 100/150 – P 115/150.

Bellevue, ☎ 75.07.01, ≤, – P
fermé 22 avril au 15 mai et 25 oct. au 1er déc. – SC : **R** 33/65 – 9,50 – 20 ch 33/70 – P 90/100.

Le THOLY 88530 Vosges 62 ⑰ – 1 550 h. alt. 600 – ✪ 29.
Voir Grande Cascade de Tendon★ NO : 5 km, G. Vosges.
Syndicat d'Initiative à la Mairie (fermé dim.) ☎ 61.81.18.
Paris 403 – Bruyères 21 – Épinal 30 – Gérardmer 10 – Remiremont 18 – St-Amé 10 – St-Dié 40.

Gérard, ☎ 61.81.07, ≤, , – wc wc P – 40. GB
fermé 28 sept. au 26 oct. – SC : **R** 35/60 – 10 – 20 ch 52/110 – P 120/140.

Grande Cascade, NO : 5 km sur D 11 ✉ 88530 Le Tholy ☎ 66.21.08, ≤ – wc P
fermé 15 nov. au 15 déc. – SC : **R** *(fermé lundi)* 35/110 – 10 – **20 ch** 45/90 – P 90/110.

Relais du Chaud Costet, sur D 11 ☎ 61.81.15, ≤ – P. rest
fermé juin, oct., nov. et janv. – SC : **R** 30/50 – 10 – 15 ch 47/110 – P 95/110.

à Julienrupt SO : 5 km par D 417 – ✉ **88120** Vagney :

Vallée de Cleurie, ☎ 60.10.00 – wc wc P – 50. GB.
fermé oct. et merc. soir – **R** 38/80 – 11 – 15 ch 46/120 – P 90/140.

THONES 74230 H.-Savoie 74 ⑦ **G. Alpes** – 3 748 h. alt. 626 – ✪ 50 – **Voir Vallée de Manigod★★ S : 3 km – Morette-Glières (cimetière militaire de Morette) NO : 3 km.**
Office de Tourisme 1 pl. Avet (fermé dim. hors sais.) ☎ 02.00.26.
Paris 557 – Albertville 36 – Annecy 20 – Bonneville 32 – Faverges 20 – Megève 41.

Nouvel H. Commerce M, r. Clefs ☎ 02.13.66 – wc wc P
fermé 21 avril au 4 mai, 20 oct. au 20 nov. et merc. hors sais. – SC : **R** 35/90 – 12 – 25 ch 90/140 – P 135/150.

Gd H. Central, 1 r. Clefs ☎ 02.00.04, wc P. rest
fermé 15 sept. au 15 oct., 20 avril au 10 mai et lundi – SC : **R** 33/55 – 9,50 – 30 ch 100/150 – P 120/150.

Midi, pl. Hôtel de Ville ☎ 02.00.44 – TV wc .
fermé 15 nov. au 15 déc. – SC : **R** *(fermé lundi)* 30/60 – 9,50 – 22 ch 47/110 – P 88/140.

Hermitage, av. Vieux-Pont ☎ 02.00.31 – TV wc wc P. rest
fermé 20 oct. au 10 nov. et vend. – SC : **R** 27/55 – 8 – **35 ch** 40/70 – P 75/95.

THONON-LES-BAINS ⟨SP⟩ **74200** H.-Savoie **70** ⑰ **G. Alpes** – 25 227 h. alt. 426 – Stat. therm. – ✪ 50 – **Voir** Les Belvédères★★ ABY – Chemin de Croix★ de la Basilique AY **D** – Voûtes★ de l'église St-Hippolyte AY **E** – Château de Ripaille★ **N : 2 km** BY

Office de Tourisme pl. Hôtel de Ville (fermé sam. après-midi hors saison et dim.) ☎ 71.00.51.

Paris 579 ④ – Annecy 74 ③ – Chamonix 100 ③ – ♦Genève 33 ④.

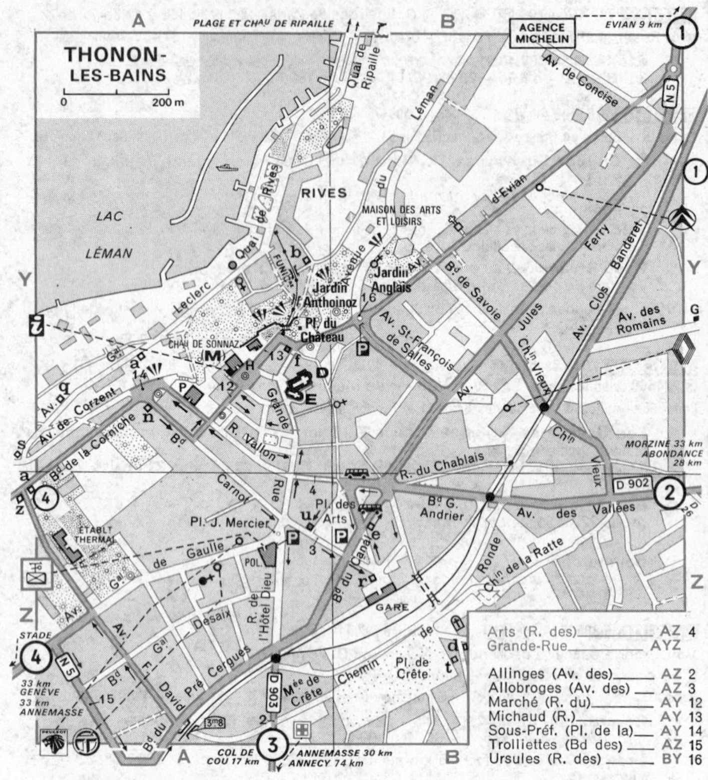

Savoie et Léman (École hôtelière), 2 bd Corniche ☎ 71.13.80, Télex 385905, ≤, 🌳 – 🛗 ♿ Ⓟ. ⓓ E. ✂ rest — AY **n**
fermé sept., vacances scol., de Noël, fév. et de printemps – SC : **R** 85/105 🍷 – **31 ch** ☕ 130/250, 4 appartements 320 – P 290/430.

Duché de Savoy, av. Gén.-Leclerc ☎ 71.40.07 – 🛁wc 🚿wc ☎ 🚗. ✂ — AY **a**
6 fév.-fin nov. – SC : **R** *(fermé lundi)* 52/110 – ☕ 13 – 15 ch 110/130 – P 170/180.

Clos Savoyard, 50 av. Genève par ④ : 2 km ☎ 71.03.91, 🌳 – 🛁wc 🚿wc ☎ Ⓟ. 🚗 AE ⓓ. ✂ rest
fermé 1er au 9 mai et 5 au 31 oct. – SC : **R** *(fermé lundi)* 60/140 – ☕ 15 – **18 ch** 85/155 – P 190/230.

Alpazur H. sans rest, 8 av. Gén.-Leclerc ☎ 71.37.25, ≤, 🌳 – 🛗 🚿wc ☎. ✂ — AY **q**
15 avril-30 sept. – SC : ☕ 12 – **26 ch** 80/150.

France sans rest, 12 bd Canal ☎ 71.24.47 – 🛗 🛁wc ☎ Ⓟ — BZ **e**
25 mai-25 sept. – SC : ☕ 13,50 – **54 ch** 75/150.

Beau Site 🌿 sans rest, 1 r. du Port ☎ 71.26.89, ≤, 🌳 – 🛁 🚿wc ☎ 🚗 Ⓟ. 🚗 — AY **b**
Pâques-fin sept. – SC : ☕ 13 – **23 ch** 55/140.

Corniche, 24 bd Corniche ☎ 71.10.73, ≤, 🏖 – 🚿wc ☎ Ⓟ. ✂ — AZ **a**
15 mai-15 sept. – SC : **R** 35/65 – ☕ 12 – **23 ch** 140 – P 120/140.

Trianon du Léman 🌿, av. Corzent ☎ 71.25.78, ≤, 🌳, ✂ – 🛁wc Ⓟ. ✂ ch — AY **s**
Pâques-fin sept. – SC : **R** 45/105 – ☕ 12,50 – 18 ch 58/125 – P 120/170.

Villa des Fleurs 🌿 sans rest, 4 av. Jardins ☎ 71.11.38, 🌳 – 🛁wc 🚿wc ☎ Ⓟ. ✂ — BZ **d**
Pâques-fin oct. et vacances de fév. – SC : ☕ 13 – **11 ch** 80/120.

A l'Ombre des Marronniers, 17 pl. Crête ☎ 71.26.18, – wc wc ☎ P. BZ t
fermé nov. et lundi hors sais. – SC : **R** 30/55 – 11 – **19 ch** 60/98.

Bocage H. sans rest, 38 bd Corniche ☎ 71.01.20, – wc wc P. AZ z
fermé 1er au 21 oct. – SC : 10,50 – **10 ch** 70/130.

Lausanne sans rest, pl. Château ☎ 71.07.13 – ☎. AY f
fermé janv. et dim. hors sais. – SC : 9 – **10 ch** 49/90.

H. Terminus sans rest, pl. Gare ☎ 71.25.69 – wc ☎ P. BZ r
fermé oct. – SC : 9 – **41 ch** 50/100.

La Grillandière, 11 av. Genève par ④ : 1,5 km ☎ 71.36.87, – P. AE GB
fermé juil. et dim. – SC : **R** 42/120.

Victoria avec ch, 5 pl. Arts ☎ 71.02.82 – AE GB E AZ u
fermé 1er au 21 juin et lundi – SC : **R** 43/72 – 12 – **20 ch** 50/60.

à Armoy SE : 7 km par D 26 - BZ – alt. 620 – ✉ **74200** Thonon-les-Bains :

Carlina M, ☎ 71.39.09, ≤, – wc ☎ P – 60. rest
fermé 1er janv. au 9 fév. et merc. sauf en été – SC : **R** 48/90 – 12 – **18 ch** 90/120 – P 130/140.

A l'Écho des Montagnes , ☎ 71.32.01, – P. ch
fermé 20 déc. à début fév. et mardi hors sais. – SC : **R** 32/68 – 8,50 – **40 ch** 46/56 – P 85.

Voir aussi ressources hôtelières de ***Bonnatrait*** par ④ : 9,5 km

MICHELIN, Agence, Z.I. de Vongy par ① ☎ 71.36.76

ALFA-ROMEO, LANCIA-AUTOBIANCHI Gar. Grillet, av. de Senevulaz ☎ 71.37.43
BMW, PORSCHE-MITSUBISHI, TOYOTA Gar. de la Source, 5 chemin de Morcy ☎ 71.39.78
CITROEN SADAL, 13 av. d'Évian ☎ 71.00.93
FORD Gar. de Thuyset, 16 av. des Prés-Verts ☎ 71.31.50
LADA, OPEL Gar. Ricaud, av. des Abattoirs ☎ 71.02.11
PEUGEOT Lemuet, 3 av. Gén.-de-Gaulle ☎ 71.34.58
RENAULT Degenève, av. J.-Ferry ☎ 71.00.74
N ☎ 71.78.83
TALBOT Gar. des Bains, 10 av. Gén.-de-Gaulle ☎ 71.32.92
VOLVO Gar. Cornu, 6 av. des Près-Verts ☎ 71.02.91
Alp Gar., av. Fontaine couverte ☎ 71.17.64

Chablais Autos Accessoire, av. des Romains ☎ 71.46.29
Pneus-Service, av. du Clos de la Forge à Tully ☎ 71.45.23
Quiblier-Pneus, r. du Commerce ☎ 71.38.72

THORAME-HAUTE-GARE

THORAME-HAUTE-GARE 04 Alpes-de-H.-P. 81 ⑱ – alt. 1 135 – ✉ **04170** St-André-les-Alpes – 92.

Paris 798 – Beauvezer 11 – Castellane 32 – Colmars 17 – Digne 54 – Manosque 95 – Puget-Th. 56.

Gare, ☎ 89.02.54, ≤, – wc . rest
1er avril-15 oct. – SC : **R** 42/56 – 9 – **15 ch** 29/90 – P 90/110.

THORENC

THORENC 06 Alpes-Mar. 81 ⑲, 195 ㉓ **G. Côte d'Azur** – alt. 1 250 – ✉ **06750** Caille – 93.

Voir Col de Bleine ≤** N : 4 km.

Paris 833 – Castellane 35 – Draguignan 65 – Grasse 40 – ♦Nice 79 – Vence 42.

Terrasse , ☎ 60.00.21, –
1er mai-30 sept. – SC : **R** 40/56 – 10 – 10 ch 50/75 – P 100.

THORENS-GLIÈRES

THORENS-GLIÈRES **74570** H.-Savoie 74 ⑥ **G. Alpes** – 1 376 h. alt. 674 – 50.

Syndicat d'Initiative Immeuble P.T.T. (15 juin-15 sept. et fermé dim.) ☎ 77.40.31.

Paris 558 – Annecy 19 – Bonneville 24 – ♦Genève 41 – ♦Lyon 156 – La Roche-sur-Foron 16.

Parmelan, ☎ 77.41.08, ≤ – wc ☎ P.
Pâques-1er nov. – SC : **R** *(fermé dim. hors sais.)* 38/70 – 11 – **37 ch** 50/160 – P 85/160.

THORIGNÉ-SUR-DUÉ

THORIGNÉ-SUR-DUÉ 72 Sarthe 60 ⑭ – rattaché à Connerré.

THORIGNY-SUR-MARNE

THORIGNY-SUR-MARNE 77 S.-et-M. 56 ⑫, 101 ⑳ – rattaché à Lagny.

Le THORONET

Le THORONET 83 Var 84 ⑥ – 575 h. alt. 142 – ✉ **83340** Le Luc – 94.

Voir Abbaye du Thoronet* O : 4,5 km, **G. Côte d'Azur.**

Paris 839 – Brignoles 25 – Draguignan 22 – St-Raphaël 47 – ♦Toulon 64.

Relais de l'Abbaye avec ch, NO : 3 km par D 84 ☎ 73.87.59, ≤, – wc ☎ P
SC : **R** *(fermé lundi soir et mardi)* 80 – 16 – **5 ch** 75/145.

THOUARS

THOUARS **79100** Deux-Sèvres 67 ⑧ **G. Châteaux de la Loire** – 12 631 h. alt. 87 – 49.

Voir Site* – Façade* de l'église St-Médard.

Office de Tourisme 17 pl. Saint-Médard (fermé dim. et lundi) ☎ 66.17.65.

Paris 327 ② – Bressuire 29 ⑤ – Châtellerault 69 ③ – Cholet 67 ⑥ – La Roche-sur-Yon 111 ⑥.

Château M, rte de Parthenay **(a)** ☎ 66.18.52, ≤ – wc ⋒ ☎ **P**. ✻ ch
fermé 26 juin au 18 juil. et 1er au 16 janv. – **20 ch**.

Le Relais M sans rest, par ① : 3 km sur D 938 ☎ 66.29.45 – wc ⋒wc ☎ **P**. ✻
SC : ☕ 9,50 – **15 ch** 55/85

à Ste-Radegonde par ⑥ et VO : 5 km – ✉ **79100** Thouars :

X **Aub. des Pommiers** avec ch, ☎ 66.06.13, ≤ – ⋒wc **P**. ✻ ch
fermé oct., dim. soir (sauf rest.) et lundi – SC : **R** 26/60 ⅄ – ☕ 7,50 – **9 ch** 36/50 – P 87/100.

CITROEN Papin, 56 av. V.-Leclerc ☎ 66.21.45
MERCEDES-BENZ, OPEL Gélineau, 96 r. C.-Pelletan ☎ 66.15.25
PEUGEOT S.E.D.A., Zone Ind., rte de Saumur ☎ 66.13.48
RENAULT Salvra, 41 bd P.-Curie ☎ 66.21.78
RENAULT Lignée, Zone Ind., rte de Saumur ☎ 66.21.10
Gar. Rouilleau, pl. Berton ☎ 66.08.14

Baudry, 24-26 pl. Lavault ☎ 66.06.52

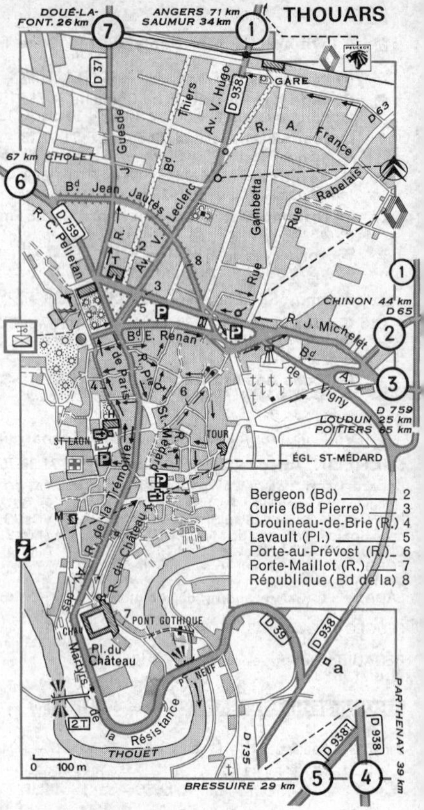

THOUARS

Bergeon (Bd) 2
Curie (Bd Pierre) 3
Drouineau-de-Brie (R.) 4
Lavault (Pl.) 5
Porte-au-Prévost (R.) 6
Porte-Maillot (R.) 7
République (Bd de la) 8

THUEYTS 07330 Ardèche 76 ⑱

G. Vallée du Rhône (plan) – 1 035 h. alt. 462 – ✪ 75.

Voir Coulée basaltique★.

Paris 650 – Privas 50 – Le Puy 72.

Nord, N 102 ☎ 36.40.38, – wc ☎
Pâques-1er nov. et fermé lundi hors sais. – SC : **R** 40/65 – ☕ 12 – **25 ch** 63/132 – P 115/132.

Platanes, N 102 ☎ 36.41.67, – rest ⋒wc **P**
1er fév.-4 nov. – SC : **R** 35/70 ⅄ – ☕ 10 – **25 ch** 60/120 – P 100/150.

Marronniers, ☎ 36.40.16, – ⋒. ✻
fermé 1er au 25 oct., 1er fév. au 15 mars et merc. – SC : **R** 40/64 – ☕ 9,50 – 19 ch 40/70 – P 95/115.

THURY-HARCOURT 14220 Calvados 55 ⑪ G. Normandie – 1 408 h. alt. 46 – ✪ 31.

Voir Boucle du Hom★ NO : 3 km.

Office de Tourisme (fermé merc. après-midi, lundi et jeudi matin) pl. St-Sauveur ☎ 79.70.45.

Paris 265 – ♦Caen 26 – Condé-sur-Noireau 19 – Falaise 26 – Flers 31 – St-Lô 53 – Vire 45.

XXX ✿ **Relais de la Poste** avec ch, rte Caen ☎ 79.72.12, ≤, « Salle à manger rustique, jardin » – wc ⋒ ☎ **P**. AE GB
fermé 4 au 27 janv., dim. soir (sauf hôtel) et lundi hors sais. – SC : **R** (dim. prévenir) 90/140 – ☕ 15 – 10 ch 80/130 – P 220/260
Spéc. Soupe des Vikings, Ragoût fin d'écrevisses aux pâtes fraîches, Tarte chaude aux pommes.

à Goupillières N : 8,5 km par D 6 et D 212 – ✉ **14210** Evrecy :

XX **Aub. du Pont de Brie** avec ch, Halte de Grimbosq E : 1,5 km par D 171 ☎ 79.37.84, ≤, – wc **P**. ✻
fermé 17 août au 2 sept., 1er au 15 fév. et merc. – SC : **R** 38/80 – ☕ 12 – 6 ch 48/55 – P 110.

CITROEN Duval, ☎ 79.70.74

THYEZ 74 H.-Savoie 74 ⑦ – 2 540 h. alt. 497 – ✉ 74300 Cluses – ✪ 50.

Paris 582 – Annecy 49 – Bonneville 11 – Chamonix 49 – Cluses 7 – Megève 35 – Morzine 34.

Savoyard, ☎ 98.60.54, ≤, – **P**. ✻
R *(fermé sam.)* 35/60 – ☕ 9 – **25 ch** 55/60 – P 100/120.

ALFA-ROMEO, AUSTIN-MORRIS, TRIUMPH PORSCHE-MITSUBISHI Gar. Vallée de L'Arve, ☎ 98.41.16

TIERCÉ 49 M.-et-L. 64 ① – 2 025 h. alt. 31 – ✉ **49140** Seiches-sur-le-Loir – ✪ 41.

Env. Plafond★★ de la salle des Gardes du château★ de Plessis-Bourré O : 8 km, G. Châteaux de la Loire.

Paris 274 – Angers 21 – Château-Gontier 36 – Château-la-Vallière 63 – La Flèche 34 – Saumur 56.

- **Le Tiercé** sans rest, 19 r. de Longchamp ☎ **42.64.02** – Ⓟ. rest
SC : 8,50 – **18 ch** 44.

TIGNES 73320 Savoie 74 ⑲ **G. Alpes** – 1 412 h. alt. 2 100 – Sports d'hiver : 2 100/3 500 m 7 48 – ✪ 79.

Voir Site★★ – Barrage★★ NE : 6 km.

☎ **06.30.01 S : 2 km.**

Office de Tourisme au Lac (fermé merc. hors sais.) ☎ 06.15.55, Télex 980030.

Paris 691 – Bourg-St-Maurice 30 – Chambéry 127 – Val d'Isère 13.

- **Les Hauts de Tovière** Ⓜ, au Lavachet ☎ 06.34.93, Télex 980039, ←, – ☎ Ⓟ. AE GB
4 juil.-24 août et 28 oct.-3 mai – SC : **R** 55/90 – **29 ch** 220/300.
- **Pramecou** Ⓜ, ☎ 06.36.33, ← – wc wc ☎ Ⓟ.
15 déc.-1er mai – SC : **R** 50/55 – 18 – **32 ch** 100/180 – P 150/195.
- **Terril Blanc,** ☎ 06.32.87, ← – wc ☎ Ⓟ.
1er juil.-fin août et 20 déc.-5 mai – SC : **R** 45/60 – 20 – 18 ch 160/180 – P 175/185.
- **Campanules** , ☎ 06.34.36, ← – TV wc wc ☎. rest
juil.-août et 1er nov.-5 mai – SC : **R** 50/70 – 17 – 36 ch 130/200 – P 160/200.
- **Aiguille Percée,** ☎ 06.52.22, ← – TV wc wc ☎. rest
31 oct.-début mai – SC : **R** 54 – 20 – **38 ch** 170/200 – P 170/185.
- **Paquis** , ☎ 06.37.33, ← – wc ☎. GB. rest
1er juil.-20 août et 10 sept.-3 mai – SC : **R** 45/54 – 15 – **32 ch** 180 – P 165/185.
- **Neige et Soleil,** ☎ 06.32.94, ← – wc ☎. ch
4 juil.-29 août et 14 nov.-5 mai – SC : **R** 60/70 – 16 – **29 ch** 100/170 – P 150/185.
- **Gentiana** , ☎ 06.52.46, ← – wc wc ☎. rest
1er juil.-31 août et 31 oct.-5 mai – SC : **R** 58/90 – 15 – **18 ch** 105/160 – P 170/195.
- **Alpaka** , ☎ 06.32.58, ← – wc wc ☎.
juil.-août (sans rest.) et 1er nov.-5 mai – SC : **R** 60 – 18 – **14 ch** 110/220 – P 160/210.
- **Lo Terrachu** sans rest, ☎ 06.31.37, ← – wc ☎ Ⓟ.
juil.-15 sept. et 15 nov.-15 mai – SC : 15 – **13 ch** 75/130.

à Val Claret SO : 2 km – ✉ **73320** Tignes.

Office de Tourisme (nov.-mai) ☎ 06.50.09.

- ✿ **Ski d'Or** Ⓜ , ☎ 06.51.60, ← – ☎
1er juil.-31 août et 1er nov.-6 mai – SC : **R** carte 130 à 170 – 22 ch 190/250
Spéc. Truite sauvage en papillotte, Rognon de veau en chemise, Feuilleté chaud aux pommes.
- **Curling** Ⓜ sans rest, ☎ 06.34.34, ← – ☎ Ⓟ. AE GB
4 juil.-24 août et 24 oct.-3 mai – SC : **35 ch** 220/300.
- **Vanoise** , ☎ 06.31.90, ←, – wc wc ☎.
1er juil.-2 sept. et 20 oct.-15 mai – SC : **R** 55/70 – 17 – **21 ch** 140/190.
- Grattalu, ☎ 06.30.78.

aux Boisses NE : 5 km – alt. 1 810 – ✉ **73320** Tignes :

- **Mélèzes,** ☎ 06.40.02, ← – wc wc ☎ Ⓟ.
15 déc.-10 mai – SC : **R** 40/50 – 11 – **18 ch** 80/120 – P 110/130.

Garage de Tignes, ☎ 06.35.56

TIL-CHÂTEL 21 Côte-d'Or 66 ⑫ **G. Bourgogne** – 735 h. alt. 284 – ✉ **21120** Is-sur-Tille – ✪ 80.

Paris 337 – Châtillon-sur-Seine 76 – ♦Dijon 26 – Dole 65 – Gray 41 – Langres 42.

- **Poste,** ☎ 95.03.53 – . ch
fermé 25 déc. au 1er janv., vac. de fév., dim. soir et sam. du 1er oct. au 31 mai – SC : **R** 30/68 – 9 – 12 ch 35/66.

TILLY-SUR-SEULLES 14250 Calvados 54 ⑮ – 1 064 h. alt. 60 – ✪ 31.

Paris 260 – Balleroy 17 – Bayeux 12 – ♦Caen 20 – St-Lô 38 – Vire 47.

- **Jeanne d'Arc,** ☎ 80.80.13, – Ⓟ. GB
fermé 1er au 20 oct. et 1er au 10 fév. – SC : **R** *(fermé merc.)* 40/100 – 10 – 11 ch 49/88 – P 80/130.

CITROEN Feltesse, ☎ 80.80.14

Les TINES 74 H.-Savoie 74 ⑧⑨ – rattaché à Chamonix.

TINTENIAC 35190 I.-et-V. 59 ⑯ – 3 045 h. alt. 56 – ✪ 99.

Syndicat d'Initiative à la Mairie (fermé sam. et dim.) ☎ 00.02.15.

Paris 380 – Avranches 63 – Dinan 24 – Dol-de-Bretagne 30 – Fougères 60 – ♦Rennes 27 – St-Malo 42.

Voyageurs, ☎ 00.02.21, – *fermé 1er au 15 oct., 1er au 15 janv. et lundi sauf juil.-août* – SC : **R** 33/95 – 9.50 – **11 ch** 49/75 – P 120/180.

RENAULT Gar. Garçon, ☎ 00.01.03

TONNAY-BOUTONNE 17380 Char.-Mar. 71 ③ **G. Côte de l'Atlantique** – 1 076 h. alt. 24 – ✪ 46.

Paris 451 – Niort 52 – Rochefort 21 – Saintes 31 – St-Jean-d'Angély 18.

Beau Rivage, ☎ 33.20.01, ≤ – ch *fermé 24 sept. au 15 oct.* – SC : **R** *(fermé lundi midi)* 34/80 – 9 – 8 ch 42/50 – P 89/94.

TONNEINS 47400 L.-et-G. 79 ④ – 9 316 h. alt. 39 – ✪ 58.

Paris 626 ⑤ – Agen 41 ③ – ♦Bordeaux 106 ⑤ – Nérac 40 ③ – Villeneuve-sur-Lot 36 ②.

Fleurs sans rest, **(e)** ☎ 79.10.47 – *fermé sept. et dim.* – SC : 8,50 – **12 ch** 36/54.

CITROEN Baudrin, rte de Bordeaux ☎ 79.02.16
PEUGEOT Garonne-Auto, rte de Bordeaux ☎ 79.14.75

TONNEINS

Badie (Allée Maxime) 2
Bellevue (R.) 3
Gardolle (Bd de la) 4
Gaulle (Bd Ch.-de) 6
Jaurès (Pl. Jean) 7
Joffre (R. Mar.) 8
Pont (Av. du) 10
St-Pierre (Espl.) 12

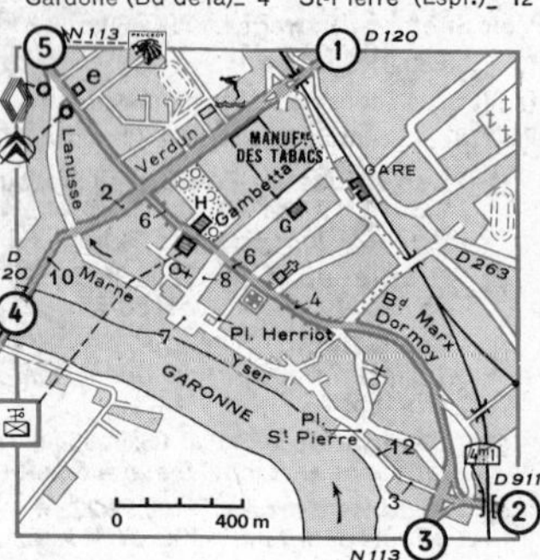

RENAULT Dupouy, rte de Bordeaux ☎ 79.01.94

Delapierre, 46 bd Marx-Dormoy ☎ 79.02.85

TONNERRE 89700 Yonne 65 ⑥ **G. Bourgogne** – 6 517 h. alt. 145 – ✪ 86.

Voir Ancien hôpital D : charpente★ et Mise au tombeau★.

Env. Château★★ de Tanlay 8,5 km par ②.

Syndicat d'Initiative r. Collège (1er avril-30 sept. et fermé mardi) ☎ 55.14.48.

Paris 199 ③ – Auxerre 35 ③ – Châtillon-sur-S. 48 ② – Joigny 61 ③ – Montbard 45 ② – Troyes 57 ①.

TONNERRE

Hôpital (R. de l') 9
Hôtel-de-Ville (R. de l') 12
St-Pierre (R.) 23

Campenon (R. Gén.) 2
Colin (R. Armand) 3
Fontenilles (R. des) 4
Fosse-Dionne (R. de la) 6
Garnier (R. Jean) 7
Notre-Dame 13
Pompidou (Av. G.) 14
Pont (R. du) 16
République (Pl. de la) 17
St-Michel (R.) 18
St-Nicolas (R.) 20
St-Pierre 22

Les principales voies commerçantes figurent en rouge au début de la liste des rues des plans de ville.

Les plans de villes sont orientés le Nord en haut.

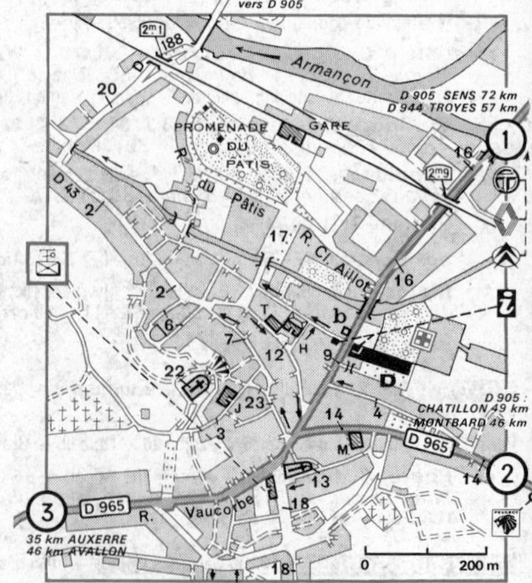

Centre, 63 r. Hôpital **(b)** ☎ 55.10.56 – ch *fermé 24 déc. au 25 janv.* – SC : **R** 27/60 – 8 – 32 ch 43/70 – P 80.

XXX **Abbaye St-Michel** avec ch, r. St-Michel, Sud du plan, ☎ 55.05.99, ≤, « Parc fleuri », – wc *fermé 21 déc. au 31 janv. et lundi de d'oct. à avril.* – SC : **R** 125, carte le dim. – 25 – 7 ch 250/320, 3 appart. 500

Spéc. Escargots à la Chablisienne, Filet de boeuf au Ratafia, Gâteau de l'Abbaye.

CITROEN Gar. Viard, rte de Paris ☎ 55.08.12
OPEL Gar. Sud-Autom., r. G.-Pompidou ☎ 55.08.80
PEUGEOT Gar. Tonnerrois, 86 r. G.-Pompidou ☎ 55.14.11
RENAULT Perrot, rte de Paris ☎ 55.15.89
TALBOT Hérault-Autos, 22 r. Chevalier d'Éon ☎ 55.08.98

SOVIC, quai du Canal ☎ 55.16.29

TORIGNI-SUR-VIRE **50160** Manche **54** ⑭ **G. Normandie** – 2 807 h. alt. 89 – 33.

Env. Roches de Ham ⩽★★ O : 6,5 km puis 15 mn.

Paris 291 – ♦Caen 51 – St-Lô 13 – Villedieu-les-Poêles 35 – Vire 26.

Aub. Orangerie avec ch, ☎ 56.70.64
fermé 2 au 14 avril, 20 août au 11 sept. et mardi – SC : **R** 35/80 – ☕ 9,50 – 6 ch 45 – P 95/118.

CITROEN Tourgis, ☎ 56.71.53
FORD Gar. Lemonnier, à St-Amand ☎ 56.95.20
RENAULT Pagnon, à St-Amand ☎ 56.72.46
TALBOT Margueray, ☎ 56.73.86

TOUCY **89130** Yonne **65** ④ **G. Bourgogne** – 2 819 h. alt. 202 – 86.

Paris 160 – Auxerre 24 – Avallon 67 – Clamecy 44 – Cosne-sur-Loire 50 – Joigny 30 – Montargis 60.

Ville d'Auxerre avec ch, bd P.-Larousse ☎ 44.02.77 –
fermé 25 déc. au 1er fév., dim. soir et lundi – SC : **R** 39/58 – ☕ 9 – 14 ch 39/60.

CITROEN Ragon, ☎ 44.11.99
Gar. Leclerc, ☎ 44.12.17

TOUËT-SUR-VAR **06** Alpes-Mar. **81** ⑲⑳, **195** ⑭ **G. Côte d'Azur** – 307 h. alt. 350 – ✉ **06710** Villars-sur-Var – 93.

Env. Villars-sur-Var : mise au tombeau★, retables du maître-autel★, de l'Annonciation★ dans l'église E : 8,5 km.

Paris 842 – ♦Nice 55 – Puget-Théniers 10 – St-Étienne-de-Tinée 70 – St-Martin-Vésubie 63.

Poste, ☎ 05.71.03 – wc.
fermé 1er déc. au 15 janv. et merc. – SC : **R** 24/55 – ☕ 8,50 – 10 ch 40/110 – P 78/90.

MERCEDES-BENZ, OPEL-GM Gd Garage Moderne des Alpes, N 202 ☎ 05.72.15 N

TOUGUES **74** H.-Savoie **70** ⑯ – rattaché à Douvaine.

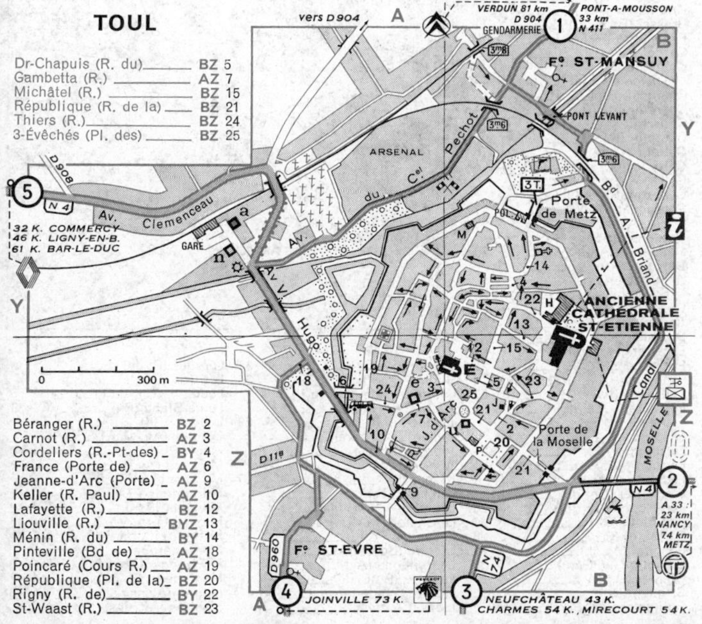

TOUL <SP> **54200** M.-et-M. 62 ④ **G. Vosges** – 16 832 h. alt. 220 – ✪ 8.

Voir Ancienne cathédrale St-Étienne** et cloître* BYZ – Église St-Gengoult* et cloître** ABZ **E** – ℹ Syndicat d'Initiative Parvis de la Cathédrale (1er mai-1er oct.) ☎ 364.11.69 – A.C. 7 r. Michatel ☎ 343.08.27.

Paris 283 ⑤ – Bar-le-Duc 61 ⑤ – ♦Metz 74 ② – ♦Nancy 23 ② – St-Dizier 78 ⑤ – Verdun 81 ①.

Plan page précédente

- **Metz,** 18 r. Gambetta ☎ 343.10.79 – wc ☎. AE GB — AZ **e**
  R *(fermé jeudi)* 22/75 – 12 – **11 ch** 50/100.
- **Europe** sans rest, 35 av. V.-Hugo ☎ 343.00.10 – wc ☎ — AY **n**
  fermé 1er au 15 fév. – SC : 12 – **23 ch** 45/140.
- **Sports** sans rest, 12 pl. Trois-Évêchés ☎ 343.04.63 – wc ☎. GB
  SC : 9 – **17 ch** 42/85. — BZ **u**

Alger (R. d') EY
Audéoud (R.) CV 4
Clemenceau (Av. G.) EXY
Hoche (R.) EY
Jaurès (R. Jean) DEX
Lafayette (Cours) EY
Landrin (R. P.) EXY
Pastoureau (R. H.) EX 55
Seillon (R. H.) EY 74
Strasbourg (Bd de) EX
XVe-Corps (Av. du) AV 85

Abel (Bd J.-B.) CV
Albert-Ier (Pl.) DX 2
Anatole-France (Av.) CU 3
Anatole-France (R.) DXY
Armaris (Bd des) CV
Armes (Pl. d') DX
Baron (R. M.) EZ
Baudin (R.) EY
Bazeilles (Bd de) BV 6
Berthelot (R.) EX 7
Besagne (Av. de) EY
Bianchi (Bd) AU
Bidouré (Pl. M.) AV 8
Bir-Hakeim (Rd-Pt) EY
Blache (Pl. N.) EX
Blum (Pl. L.) DX
Bonaparte (Rd-Pt) EZ
Boucheries (R. des) EY 10
Bozzo (Av. L.) EX
Briand (Av. A.) AV
Brosset (Bd Gén.) AV 11
Brunetière (R. F.) EY 12
Carnot (Av. L.) DX
Cathédrale (Traverse de la) EY 13
Chalucet (R.) DX
Charcot (Q. J.) AV 14
Churchill (Av. W.) DX 15
Clappier (R. V.) EX
Claret (Av. de) AU 16
Colbert (Av.) EX
Collet (Av. Amiral) DX
Corderie (R. de la) DXY
Courdouan (R. V.) EY 17
Cuzin (Av. F.) EY 19
Dardanelles (Av. des) DX
Daudet (R. Alphonse) EY 20
Delpech (R.) EX
Démocratie (Bd de la) EX
Dr-Barrois (R.) CU
Dr-Fontan (R.) AU 21
Dutasta (Bd) EY
Escartefigue (Bd M.) BCU
Esclangeon (R. V.) BCU 22
Estienne-d'Orves (Av. d') AV, DX 23
Eygoutier (Quai de l') EZ
Fabié (R. F.) EX
Faron (Bd du) BU
Farrère (Av. Cl) CV 24
Ferroud (Av. C.) CU 25
Foch (Av. Mar.) DX
Forgentier (Ch. de) AU
Fort-Rouge (Ch. du) AU 26
Gambetta (Pl.) EY 27
Garibaldi (R.) EY 28
Gasquet (Av. J.) CV 29
Gouraud (Av. Gén.) AU 30
Grenier (Q. E.) AU 31
Grignan (Bd) BV
Guillemard (R. R.) DX

Herriot (Av. E.) AV 32
Huile (Pl. à l') EY 35
Inf.-de-Marine (Av. de l') EZ
Infernet (R. Cdt) EZ
Jacquemin (Bd E.) AU 36
Jaujard (R. Amiral) EZ
Joffre (Bd Mar.) CV
Juin (Av. Mar.) CV
Kléber (R.) CV 37
Laminois (R.) EY
Lattre-de-T. (Av. Mar.) EZ
Le-Chatelier (Av. A.) AU
Lebon (R. Ph.) EX
Leclerc (Bd Gén.) DX
Le Bellegou (Av. E.) EZ
Lesseps (Bd F. de) EX
Liberté (Pl. de la) EX
Lices (Ch. des) EX

Lorgues (R. de) EXY
Loti (Av. P.) CV
Loubière (Ch. de la) EX
Louis-Blanc (Pl.) EY 39
Louvois (Bd) DEY
Lyautey (Av. Mar.) DX
Macé (Pl.) AU 40
Marceau (Av.) CV
Marchant (Av. Cdt) EX
Méridienne (R.) EY 41
Michelet (Bd J.) CV 42
Micholet (Av. V.) DEY 43
Mistral (Littoral F.) CV 44
Monsenergue (Pl. Ingénieur-gén.) DY 45
Montebello (R. de) EX 47
Moulin (Av. J.) DX 48
Moulins (Av. des) AU

TOULON

✗✗ **Au Feu de Bois,** 14 av. V.-Hugo ☎ 343.00.58 AY **a**
fermé 30 juin au 28 juil., dim. soir et lundi sauf fériés – **SC** : **R** 55/100.

CITROEN Michel, N 411 Z.I Croix d'Argent ☎ 343.08.61
PEUGEOT Mathiot-Meny, D 960 à St-Evre ☎ 343.00.74
RENAULT Frémont, rte de Paris à Écrouves ☎ 343.11.92
TALBOT Simard, 22 av. Gén.-Leclerc à Dommartin ☎ 343.02.53

TOUL-BROCHE 56 Morbihan 63 ② – rattaché à Auray.

Si vous êtes retardé sur la route, dès 19 h, confirmez votre réservation par téléphone, c'est plus sûr... et c'est l'usage.

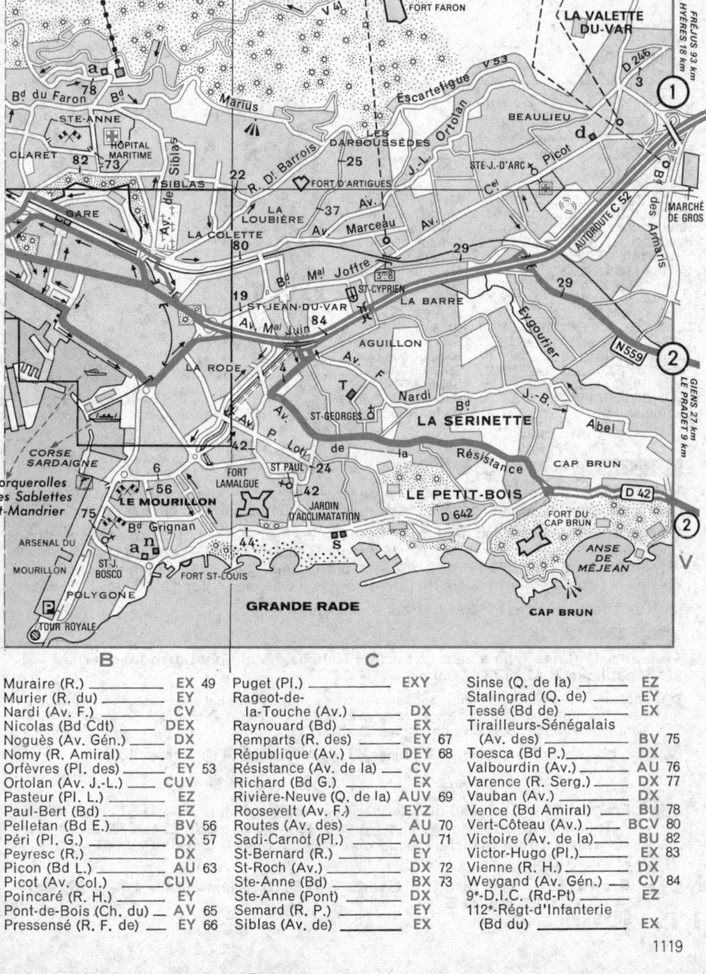

Muraire (R.) EX 49
Murier (R. du) EY
Nardi (Av. F.) CV
Nicolas (Bd Cdt) DEX
Noguès (Av. Gén.) DX
Nomy (R. Amiral) EZ
Orfèvres (Pl. des) EY 53
Ortolan (Av. J.-L.) CUV
Pasteur (Pl. L.) EZ
Paul-Bert (Bd) EZ
Pelletan (Bd E.) BV 56
Péri (Pl. G.) DX 57
Peyresc (R.) DX
Picon (Bd L.) AU 63
Picot (Av. Col.) CUV
Poincaré (R. H.) EY
Pont-de-Bois (Ch. du) AV 65
Pressensé (R. F. de) EY 66

Puget (Pl.) EXY
Rageot-de-la-Touche (Av.) DX
Raynouard (Bd) EX
Remparts (R. des) EY 67
République (Av.) DEY 68
Résistance (Av. de la) CV
Richard (Bd G.) EX
Rivière-Neuve (Q. de la) AUV 69
Roosevelt (Av. F.) EYZ
Routes (Av. des) AU 70
Sadi-Carnot (Pl.) AU 71
St-Bernard (R.) EY
St-Roch (Av.) DX 72
Ste-Anne (Bd) BX 73
Ste-Anne (Pont) DX
Semard (R. P.) EY
Siblas (Av. de) EX

Sinse (Q. de la) EZ
Stalingrad (Q. de) EY
Tessé (Bd de) EX
Tirailleurs-Sénégalais (Av. des) BV 75
Toesca (Bd P.) DX
Valbourdin (Av.) AU 76
Varence (R. Serg.) DX 77
Vauban (Av.) DX
Vence (Bd Amiral) BU 78
Vert-Côteau (Av.) BCV 80
Victoire (Av. de la) BU 82
Victor-Hugo (Pl.) EX 83
Vienne (R. H.) DX
Weygand (Av. Gén.) CV 84
9e-D.I.C. (Rd-Pt) EZ
112e-Régt-d'Infanterie (Bd du) EX

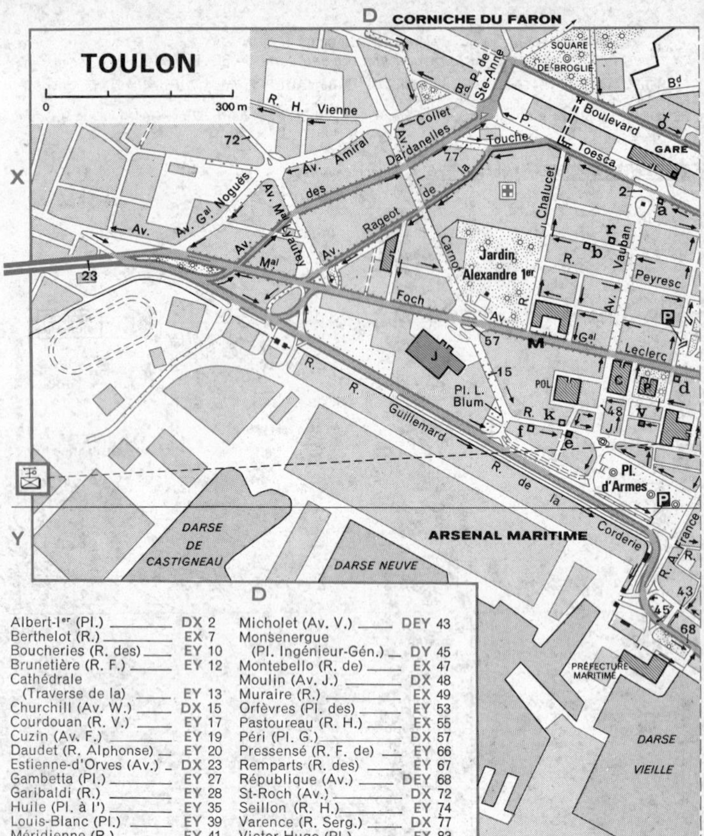

Albert-Ier (Pl.)	DX 2	Micholet (Av. V.)	DEY 43
Berthelot (R.)	EX 7	Monsenergue (Pl. Ingénieur-Gén.)	DY 45
Boucheries (R. des)	EY 10	Montebello (R. de)	EX 47
Brunetière (R. F.)	EY 12	Moulin (Av. J.)	DX 48
Cathédrale (Traverse de la)	EY 13	Muraire (R.)	EX 49
Churchill (Av. W.)	DX 15	Orfèvres (Pl. des)	EY 53
Courdouan (R. V.)	EY 17	Pastoureau (R. H.)	EX 55
Cuzin (Av. F.)	EY 19	Péri (Pl. G.)	DX 57
Daudet (R. Alphonse)	EY 20	Pressensé (R. F. de)	EY 66
Estienne-d'Orves (Av.)	DX 23	Remparts (R. des)	EY 67
Gambetta (Pl.)	EY 27	République (Av.)	DEY 68
Garibaldi (R.)	EY 28	St-Roch (Av.)	DX 72
Huile (Pl. à l')	EY 35	Seillon (R. H.)	EY 74
Louis-Blanc (Pl.)	EY 39	Varence (R. Serg.)	DX 77
Méridienne (R.)	EY 41	Victor-Hugo (Pl.)	EX 83

TOULON P **83000** Var 84 ⑮ **G. Côte d'Azur** – **185 050 h.** – 94.

Voir Rade★★ – Corniche du Mont Faron★★ : ≤★ BCU – Vieille ville★ : Atlantes★ du quai Stalingrad, BY Musée naval★ BY **M** – Port★ – Cap Brun★ 4,5 km par ② CV.

Env. Tour Beaumont (Mémorial du Débarquement★ et ※★★★) au Nord accès par téléphérique – Circuit du Faron★★★ N : 18 km par D 46 et V 40 BU – Bau de Quatre Heures ≤★★ NO : 7 km par D 62 AU et D 262 – Mont Caume ※★★ NO : 15 km par D 62 AU – Fort de la Croix-Faron ≤★ N : 7 km CU – Gorges d'Ollioules★ par ⑤ : 10 km.

✈ de Toulon-Hyères : ✆ 57.41.41 par ① : 21 km.

🚗 ✆ 22.39.19.

⛴ pour la Corse (juin à sept.) : Société Nationale Maritime Corse-Méditerranée 552 av. République ✆ 41.25.76 EZ **B.**

ℹ Office de Tourisme (fermé dim. sauf matin en saison) et Accueil de France (Informations et réservations d'hôtels, pas plus de 5 jours à l'avance), 8 av. Colbert ✆ 92.37.64, Télex 400479 - A.C. 17 r. Mirabeau ✆ 93.01.18 - T.C.F. 7 pl. Armes ✆ 92.80.83.

Paris 838 ④ – Aix-en-Provence 81 ④ – Cannes 127 ① – ♦Marseille 64 ④ – ♦Nice 153 ①.

Voir plan d'agglomération pages précédentes

Frantel M, au pied du téléphérique du Mont-Faron ✆ 24.41.57, Télex 400347, ≤ Toulon et la rade, – – 80 à 350. AE GB E. rest
SC : rest. **La Tour Blanche** *(fermé dim. d'oct. à mai)* **R** carte 110 à 140 – ☕ 21 – **93 ch** 170/280. BU **a**

Grand Hôtel sans rest, 4 pl. Liberté ✆ 22.59.50, Télex 430048, ≤ – – 50 à 100. AE GB E EX **k**
SC : **81 ch** ☕ 220/360.

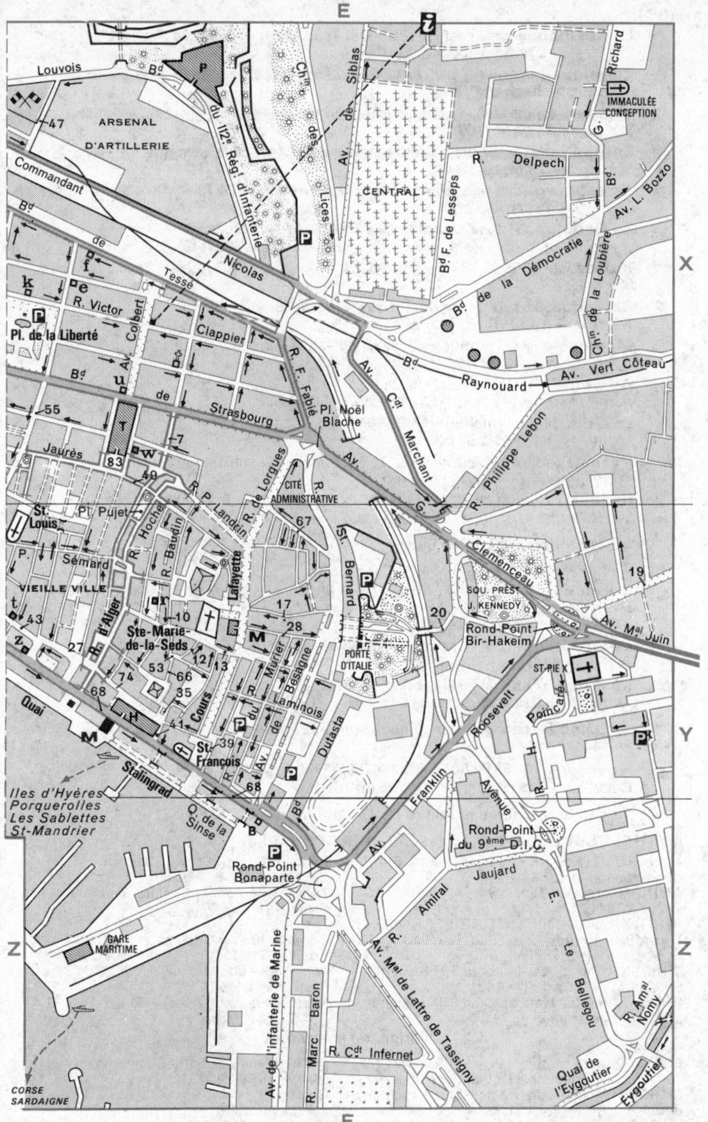

Nouvel H. sans rest, 17 bd Tessé ☎ 89.04.22 – wc wc ☎. — EX **f**
SC : 11 – **29 ch** 82/143.

Moderne sans rest, 21 av. Colbert ☎ 22.29.84 – wc wc ☎. GB — EX **u**
SC : 11 – **39 ch** 42/106.

Amirauté, 4 r. A.-Guiol ☎ 22.19.67 – wc wc ☎. AE GB E — DX **d**
SC : **R** 45 – 12 – **64 ch** 57/160 – P 159/274.

Maritima sans rest, 9 r. Gimelli ☎ 92.39.33 – wc wc ☎. — DX **b**
SC : 12 – **47 ch** 55/115.

tourner →

La Résidence sans rest, 18 r. Gimelli ✆ 92.92.81 – |≑| ⌂wc ⌂wc ☎ DX **r**
SC : ☐ 11 – **27 ch** 50/130.

Terminus sans rest, 7 bd Tessé ✆ 89.23.54 – |≑| ⌂wc ⌂ ☎. AE ⓓ E
SC : ☐ 10 – **40 ch** 51/105. DX **a**

Le Jaurès sans rest, 11 r. J. Jaurès ✆ 92.83.04 – ⌂wc ⌂wc ☎. GB DX **f**
SC : ☐ 9 – **16 ch** 70/100.

Europe sans rest, 7 bis r. Chabannes ✆ 92.37.44 – |≑| ⌂wc ⌂wc ☎.
SC : ☐ 13 – **29 ch** 60/100. EX **e**

Strasbourg sans rest, 10 r. Leblond St-Hilaire ✆ 92.84.78 – ⌂wc ☎ DX **k**
SC : ☐ 9 – **19 ch** 35/82.

XX **Le Dauphin,** 21 bis r. Jean-Jaurès ✆ 93.12.07 – ▤. GB ⓓ DX **e**
fermé 1er au 20 juil., vacances de fév., sam. et dim. – SC : **R** 52/72 ₰.

XX **Buffet Gare,** ✆ 92.33.41 – AE GB ⓓ DX
SC : **R** 45/70.

XX **Calanque,** 25 r. Denfert-Rochereau ✆ 92.28.58 – AE GB ⓓ DX **v**
fermé dim. soir – **R** 48/70.

XX **Madeleine,** 7 r. Tombades ✆ 92.67.85 – GB ⓓ EY **r**
fermé merc. – SC : **R** 55.

X **Au Sourd,** 10 r. Molière ✆ 92.28.52 EX **w**
fermé 1er juil. au 1er août, dim. et lundi – SC : **R** 60.

X **Le Grill,** 39 r. V.-Michodet ✆ 92.66.35 EY **t**
ferme merc. – SC : **R** 39/53.

X **Pascal,** square L.-Verane ✆ 92.79.60, Spécialités tunisiennes EY **z**
fermé lundi – SC : **R** carte environ 70.

X **Beaulieu** avec ch, 1603 av. Colonel-Picot à Beaulieu ✆ 27.30.62 – ⌂ ⌂ Ⓟ
SC : **R** *(fermé sam. midi)* 31/51 ₰ – ☐ 7,50 – 13 ch 40/75 – P 110/145. CU **d**

au Mourillon – ✉ **83000** Toulon.

Voir Tour royale ☼★.

Corniche, 1 bd littoral F.-Mistral ✆ 41.39.53, ≤ – |≑| TV Ⓟ. AE GB ⓓ E.
SC : **R** *(fermé 15 janv. au 15 fév., dim. soir et lundi hors sais.)* 50/92 – ☐ 18 – **18 ch** 140/190, 4 appartements 240. BV **a**

XXX **Le Lutrin,** 8 littoral F.-Mistral ✆ 42.43.43, ≤, ♣ – GB ⓓ BV **n**
fermé juin et sam. – SC : **R** 70.

XX **La Vigie,** 57 littoral F.-Mistral ✆ 41.37.92, ≤ CV **s**
fermé 15 au 31 janv., dim. soir et merc. – SC : **R** 60/85 (sauf fêtes).

Le Camp St-Laurent par ④ autoroute B52 sortie Ollioules : 7,5 km – ✉ **83500** La Seyne

Novotel M, ✆ 63.09.50, Télex 400759, ⛱ – |≑| ▤ ☎ ♿ Ⓟ – ♟ 200. AE GB ⓓ
R carte environ 65 ₰ – ☐ 20 – **86 ch** 165/203.

Voir aussi ressource hôtelière de *La Pauline* par ① : 10 km

MICHELIN, Agence, 1824 av. du Col.-Picot CU ✆ **27.01.67**

ALFA-ROMEO St-Roch-Auto-Sport, 8 av. Gén.-Pruneau ✆ 42.53.08
AUDI-VOLKSWAGEN S.A.V.A.R., 50 av. F.-Cuzin ✆ 41.27.55
AUSTIN, JAGUAR, MORRIS, ROVER, TRIUMPH Autorex, 13 av. Gén.-Pruneau ✆ 41.18.14
CITROEN Gar. du Languedoc, 7 r. Blanc par St-Jean-du-Var CV ✆ 27.44.15
OPEL Champ-de-Mars Autom., Palais Réaltor, pl. Champ-de-Mars ✆ 41.74.21

PEUGEOT Gds Gar. du Var, bd des Armaris Ste-Musse CU ✆ 23.90.55
TALBOT Autom. du Littoral Varois, r. H.-Ste-Claire-Deville ✆ 27.02.15

Ⓜ Aude, 16 av. Mar.-Foch ✆ 89.35.00
Escoffier-Pneus, 16 av. Nobel ✆ 41.19.56
Pneu-Leca, bd Cdt-Nicolas ✆ 93.04.51 et pl. Pasteur ✆ 41.42.87
Marcel-Pneus, 126 r. du Dr-Gibert ✆ 42.41.42

Périphérie et environs

BMW Bavaria-Motors, av. de l'Université, Zone Ind. les Espaluns à La Valette ✆ 75.36.60
CITROEN Succursale, rte de Sanary, quartier Berthe à la Seyne ✆ 94.71.90
FIAT D.I.A.T., La Coupiane à La Valette ✆ 27.17.41
FORD Gar. d'Azur, av. de l'Université à la Valette ✆ 23.36.48 N ✆ 23.24.39
MERCEDES-BENZ Gar. Foch, Domaine Ste-Claire à La Valette-du-Var ✆ 23.24.66 N ✆ 27.25.56
RENAULT Succursale, S.C.I les Espaluns à la Valette ✆ 27.90.10

Ⓜ Costa-Pneus, Centre Commercial Barnéoud à la Valette ✆ 20.07.23
Guillamon, 80 av. Char.-Verdun à La Valette-du-Var ✆ 27.36.31
Piot-Pneu, chemin Tombouctou, l'Escaillon ✆ 22.44.82 et Domaine Ste-Claire, r. P. et M. Curie à la Valette ✆ 23.23.46
Pneu-Leca, Zone Ind. à La Garde ✆ 27.24.60
Terol-Pneus, 101 av. Ed.-Herriot, L'Escaillon ✆ 24.54.25

TOULOUSE P 31000 H.-Gar. 82 ⑧ **G. Pyrénées** – 383 176 h. alt. 146 – 61.

Voir Basilique St-Sernin*** – Les Jacobins** (église) – Capitole* – Hôtel d'Assézat* – Cathédrale* – Musées : Augustins** (sculptures***) GY **M**, Histoire naturelle** GZ **M1** – St-Raymond** FX **M**, Paul Dupuy* GZ **M2**.

18 ☎ 73.45.80, S : 10 km par D 4 BV ; 18 de Palmola Country Club ☎ 84.20.50 par ③ : 24km.

de Toulouse-Blagnac : ☎ 71.11.14 - AT.

☎ 62.85.44.

Office de Tourisme (fermé dim. et fêtes hors saison) et Accueil de France (Informations et réservations d'hôtels, pas plus de 5 jours à l'avance), Donjon du Capitole ☎ 23.32.00, Télex 531508 - A.C. 17 allées Jean-Jaurès ☎ 62.76.21 - T.C.F. 1 r. Lafaille, angle 28 bd Strasbourg ☎ 62.86.00.

Paris 706 ① – Barcelona 387 ⑦ – •Bordeaux 248 ① – •Lyon 534 ⑦ – •Marseille 400 ⑦.

Plans : Toulouse p. 2 à 5

Frantel-Wilson M sans rest, 7 r. Labéda ☎ 21 21.75, Télex 530550 – 200. AE GB E — GY **y**
SC : 21 – **91 ch** 205/295.

Le Concorde M, 16 bd Bonrepos ☎ 62.48.60, Télex 531686 – 40 à 250. AE GB E — GX **z**
SC : **R** *(fermé août, dim. et fêtes)* 55 bc – **97 ch** 160/260 – P 240/300.

Mercure M, r. St-Jérome (pl. Occitane) ☎ 23.11.77, Télex 520760 – 25 à 250. AE GB — GY **s**
R carte environ 70 – 17,50 – **170 ch** 190/255.

d'Occitanie (École hôtelière) M, 5 r. Labéda ☎ 21.15.92 – ch. rest — GY **y**
fermé vacances scolaires – SC : **R** *(fermé samedi soir et dim.)* 39/60 – **18 ch** 80/180, 3 appartements 250.

Cie Midi, gare Matabiau ✉ 31500 ☎ 62.84.93 – 60 à 80. AE GB
SC : **R** 50/75 – 15,50 – **65 ch** 100/215. — HX **s**

Caravelle M sans rest, 62 r. Raymond-IV ☎ 62.70.65, Télex 530438 – 25. AE GB E — GX **m**
SC : 17 – **30 ch** 155/220.

Printania sans rest, 55 r. St-Rome ☎ 21.54.05 – wc wc.
fermé 15 juil. au 20 août – 13 – **45 ch** 100/160. — FY **r**

Royal sans rest, 6 r. Labéda ☎ 23.38.70 – wc wc – 25. GB
SC : 16 – **30 ch** 79/182. — GY **h**

Ours Blanc sans rest, 2 r. V.-Hugo ☎ 21.91.60 – wc wc. AE GB
SC : 12 – **37 ch** 70/140. — GY **m**

Victoria sans rest, 76 r. Bayard ☎ 62.50.90 – wc wc. AE. — GX **g**
SC : 14,50 – **75 ch** 90/195.

Inter Hôtel Voyageurs M sans rest, 11 bd Bonrepos ☎ 62.89.79 – wc wc. — GX **n**
SC : 13 – **34 ch** 90/130.

Progrès sans rest, 10 r. Rivals ☎ 23.21.28 – wc wc. AE GB E
SC : 12 – **33 ch** 72/150. — FY **n**

Raymond IV sans rest, 16 r. Raymond-IV ☎ 62.31.80 – wc wc. E — GX **d**
SC : 12 – **36 ch** 120/140.

Junior H. sans rest, 62 r. Taur ☎ 21.69.67 – wc wc. AE GB
fermé août – SC : 12 – **23 ch** 55/130. — FX **r**

Prado M sans rest, 26 r. Prado par rte de St-Simon ✉ 31300 ☎ 40.49.29 – wc — BU **f**
fermé 31 juil. au 24 août – SC : 10 – **23 ch** 67/76.

Gds Boulevards sans rest, 12 r. Austerlitz ☎ 21.67.57 – wc wc. AE GB E. — GY **t**
fermé 1er au 20 août – SC : 11 – **30 ch** 55/107.

Touristic H. sans rest, 25 pl. V.-Hugo ☎ 23.14.55 – wc — GY **u**
SC : 13 – **35 ch** 70/120.

Riquet sans rest, 92 r. Riquet ☎ 62.55.96 – wc wc — HX **x**
SC : 10 – **74 ch** 48/90.

Bordeaux, 4 bd Bonrepos ☎ 62.41.09 – wc. — GHX **a**
SC : **R** (grill pour résidents) – 9,50 – **22 ch** 50/100.

Taur sans rest, 2 r. Taur ☎ 21.17.54 – wc — FY **a**
SC : 10 – **41 ch** 66/130.

tourner →

RÉPERTOIRE DES RUES DU PLAN DE TOULOUSE

TOULOUSE AGGLOMÉRATION

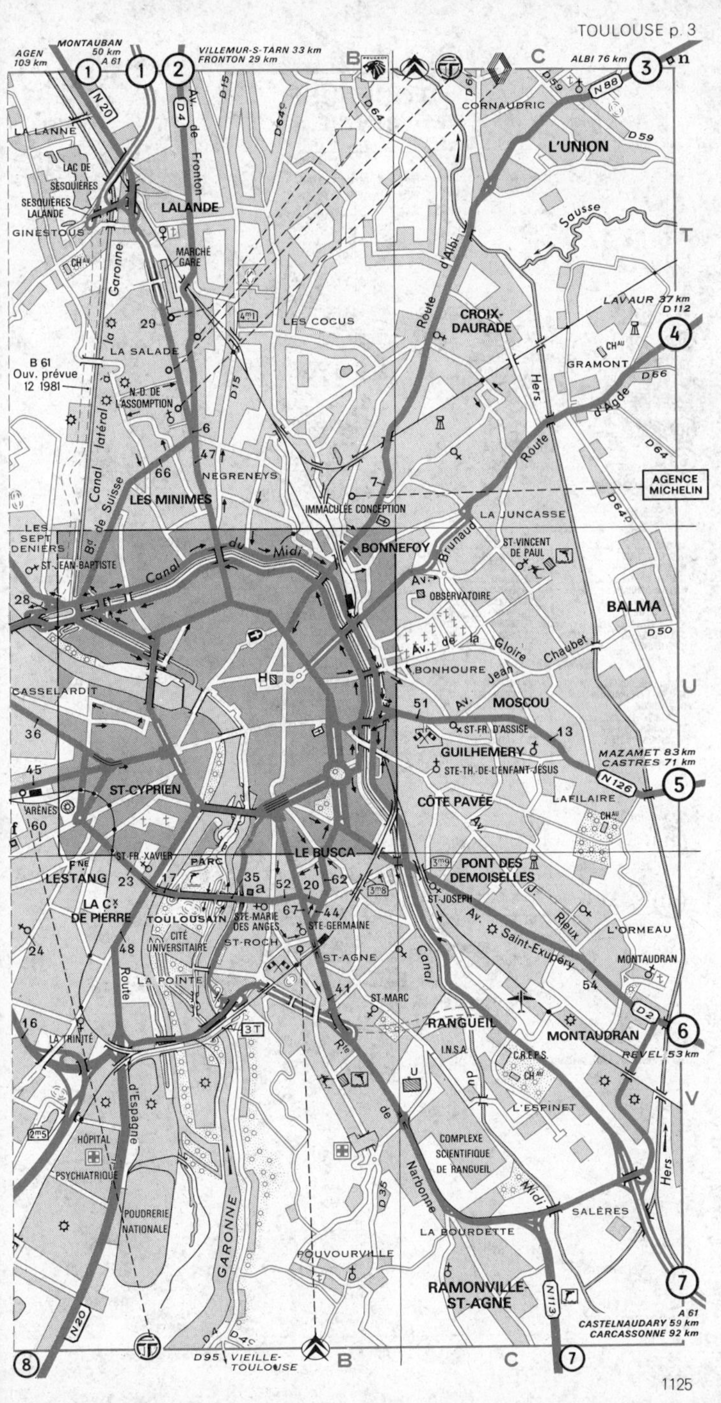
AGEN 109 km
MONTAUBAN 50 km A 61
VILLEMUR-S-TARN 33 km
FRONTON 29 km
ALBI 76 km
N 20
D 4
Av. de Fronton
D 15
D 64c
D 64
D 61
CORNAUDRIC
N 88
D 59
L'UNION
LA LANNE
LAC DE SESQUIÈRES
SESQUIÈRES LALANDE
GINESTOUS
LALANDE
MARCHÉ GARE
Garonne
Sausse
Route d'Albi
LES COCUS
CROIX-DAURADE
LAVAUR 37 km
D 112
GRAMONT
D 66
la Salade
LA SALADE
Canal latéral à
B 61
Ouv. prévue 12 1981
N.-D. DE L'ASSOMPTION
Hers
Route d'Agde
D 64
NEGRENEYS
LES MINIMES
Bd de Suisse
IMMACULÉE CONCEPTION
AGENCE MICHELIN
LA JUNCASSE
D 64p
LES SEPT DENIERS
ST-JEAN-BAPTISTE
Canal du Midi
BONNEFOY
Av. Brunaud
ST-VINCENT DE PAUL
OBSERVATOIRE
BALMA
D 50
Av. de la Gloire
Chaubet
BONHOURE
Jean
CASSELARDIT
Av.
MOSCOU
ST-FR. D'ASSISE
GUILHEMERY
STE-TH.-DE-L'ENFANT-JÉSUS
MAZAMET 83 km
CASTRES 71 km
N 126
ST-CYPRIEN
CÔTE PAVÉE
LAFILAIRE
ARÈNES
LE BUSCA
ST-FR.-XAVIER
PARC
PONT DES DEMOISELLES
Fne LESTANG
LA Cx DE PIERRE
TOULOUSAIN
ST-JOSEPH
J. Rieux
STE-MARIE DES ANGES
STE-GERMAINE
L'ORMEAU
CITÉ UNIVERSITAIRE
ST-ROCH
Av. Saint-Exupéry
ST-AGNE
Canal
MONTAUDRAN
LA POINTE
Route
ST-MARC
D 2
RANGUEIL
MONTAUDRAN
LA TRINITÉ
INSA
C.R.E.P.S.
REVEL 53 km
Rte de Narbonne
du
L'ESPINET
d'Espagne
HÔPITAL PSYCHIATRIQUE
COMPLEXE SCIENTIFIQUE DE RANGUEIL
Midi
Hers
POUDRERIE NATIONALE
GARONNE
D 35
SALÈRES
LA BOURDETTE
POUVOURVILLE
RAMONVILLE-ST-AGNE
N 113
N 20
A 61
CASTELNAUDARY 59 km
CARCASSONNE 92 km
D 4
D 4c
D 95
VIEILLE-TOULOUSE
B
C
T
U
V

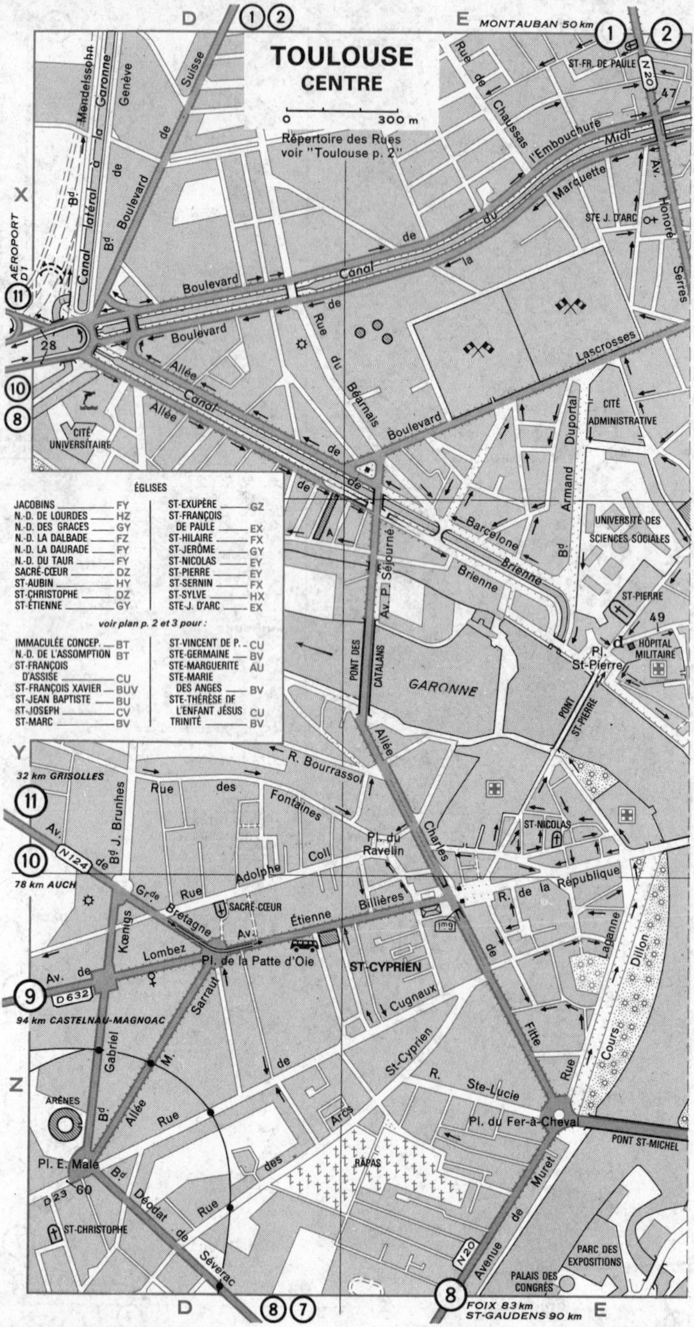

TOULOUSE
CENTRE

0 — 300 m

Répertoire des Rues voir "Toulouse p. 2"

MONTAUBAN 50 km — 1 — 2 — N 20

32 km GRISOLLES — 11

78 km AUCH — 10 — N 124

94 km CASTELNAU-MAGNOAC — 9 — D 632

FOIX 83 km — ST-GAUDENS 90 km — 8 — N 20

AÉROPORT D 1 — 11 — 10 — 8 — 7

Boulevard de Suisse · Bd de Genève · Canal latéral à la Garonne · Bd Mendelssohn · Boulevard de la Marquette · Canal du Midi · Rue de Chaussas · Bd de l'Embouchure · Av. Honoré Serres · Boulevard Lascrosses · Rue du Béarnais · Allée de Barcelone · Canal de Brienne · Allée de Brienne · Bd Armand Duportal · Av. P. Séjourné · Pont des Catalans · Garonne · Pl. St-Pierre · Pont St-Pierre · Allée Charles de Fitte · R. Bourrassol · Rue des Fontaines · Pl. du Ravelin · Rue Adolphe Coll · Av. Étienne Billières · R. de la République · Rue Laganne · Cours Dillon · Av. de Grande Bretagne · Bd J. Brunhes · Rue Kœnigs · Av. de Lombez · Pl. de la Patte d'Oie · Rue Sarraut · Rue Cugnaux · St-Cyprien · Rue de St-Cyprien · R. Ste-Lucie · Rue des Arcs · Pl. du Fer-à-Cheval · Pont St-Michel · Avenue de Muret · Bd Gabriel Kœnigs · Allée M. Sarraut · Pl. E. Male · Bd Déodat de Séverac · Rue des Rapas

ST-FR. DE PAULE · STE J. D'ARC · CITÉ ADMINISTRATIVE · CITÉ UNIVERSITAIRE · UNIVERSITÉ DES SCIENCES SOCIALES · ST-PIERRE · HÔPITAL MILITAIRE · ST-NICOLAS · SACRÉ-CŒUR · ST-CYPRIEN · ARÈNES · RAPAS · ST-CHRISTOPHE · PARC DES EXPOSITIONS · PALAIS DES CONGRÈS

47 · 28 · 49 · 60 · D 23 · d

ÉGLISES

JACOBINS	FY	ST-EXUPÈRE	GZ
N.-D. DE LOURDES	HZ	ST-FRANÇOIS DE PAULE	EX
N.-D. DES GRACES	GY	ST-HILAIRE	FX
N.-D. LA DALBADE	FZ	ST-JERÔME	GY
N.-D. LA DAURADE	FY	ST-NICOLAS	EY
N.-D. DU TAUR	FY	ST-PIERRE	EY
SACRÉ-CŒUR	DZ	ST-SERNIN	FX
ST-AUBIN	HY	ST-SYLVE	HX
ST-CHRISTOPHE	DZ	STE-J. D'ARC	EX
ST-ÉTIENNE	GY		

voir plan p. 2 et 3 pour :

IMMACULÉE CONCEP.	BT	ST-VINCENT DE P.	CU
N.-D. DE L'ASSOMPTION	BT	STE-GERMAINE	BV
ST-FRANÇOIS D'ASSISE	CU	STE-MARGUERITE	AU
ST-FRANÇOIS XAVIER	BUV	STE-MARIE DES ANGES	BV
ST-JEAN BAPTISTE	BU	STE-THÉRÈSE DE L'ENFANT JÉSUS	CU
ST-JOSEPH	CV	TRINITÉ	BV
ST-MARC	BV		

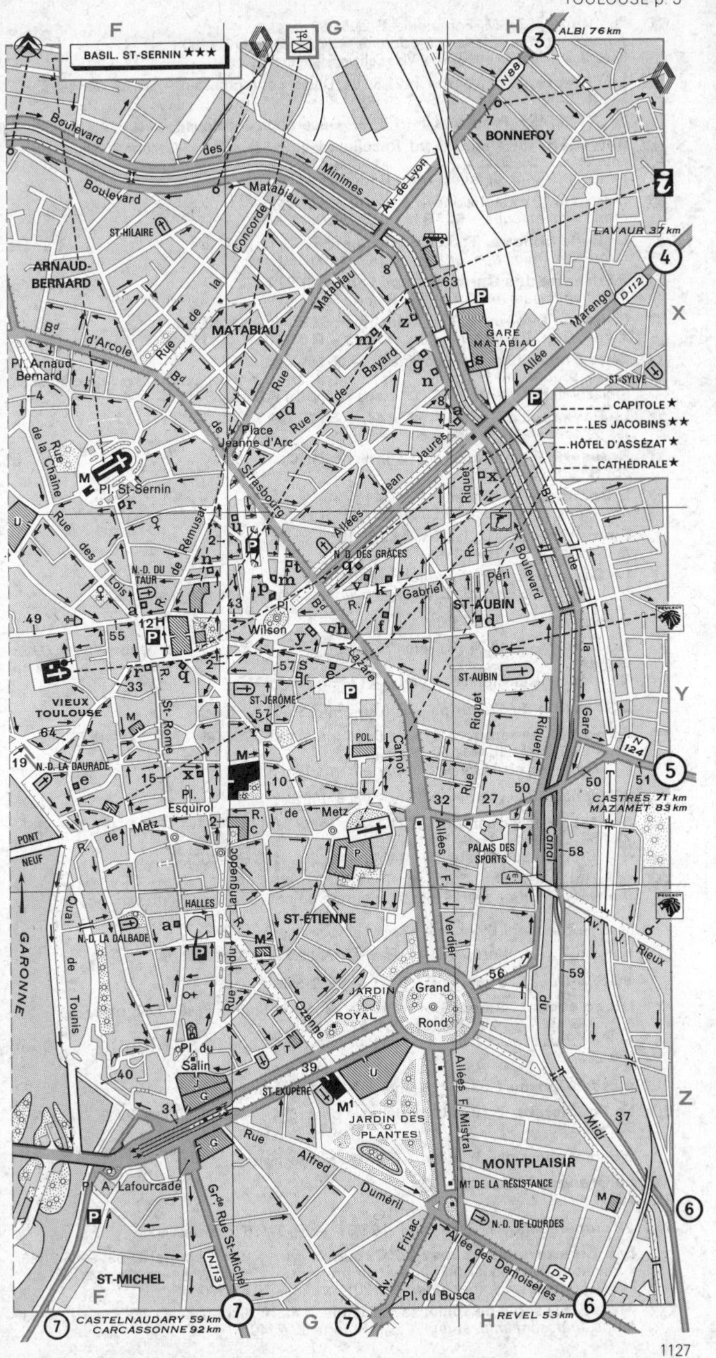
BASIL. ST-SERNIN ★★★
ALBI 76 km
BONNEFOY
Boulevard
des
Minimes
Av. de Lyon
Matabiau
Concorde
ST-HILAIRE
ARNAUD-BERNARD
MATABIAU
LAVAUR 37 km
GARE MATABIAU
Marengo
Allée
D 112
N 88
Bd d'Arcole
Pl. Arnaud-Bernard
Rue de la
Rue de Bayard
ST-SYLVE
CAPITOLE ★
LES JACOBINS ★★
HÔTEL D'ASSÉZAT ★
CATHÉDRALE ★
Place Jeanne d'Arc
Bd de Strasbourg
Allées Jean Jaurès
Rue de la Chaîne
Pl. St-Sernin
Rue des Lois
R. de Rémusat
N.-D. DES GRÂCES
N.-D. DU TAUR
Riquet
Boulevard
Péri
R. Gabriel
ST-AUBIN
Pl. Wilson
Bd Lazare Carnot
ST-AUBIN
ST-JÉRÔME
VIEUX TOULOUSE
R. St-Rome
POL.
Rue Riquet
Bd de la Gare
N 124
CASTRES 71 km
MAZAMET 83 km
N.-D. LA DAURADE
Pl. Esquirol
R. de Metz
PONT NEUF
Allées F. Verdier
PALAIS DES SPORTS
Canal du Midi
GARONNE
Quai de Tounis
HALLES
N.-D. LA DALBADE
R. du Languedoc
ST-ÉTIENNE
Av. J. Rieux
Grand Rond
JARDIN ROYAL
Rue Ozenne
Pl. du Salin
ST-EXUPÈRE
JARDIN DES PLANTES
Allées F. Mistral
Rue Alfred Duméril
MONTPLAISIR
Mt DE LA RÉSISTANCE
N.-D. DE LOURDES
Pl. A. Lafourcade
Gde Rue St-Michel
N 113
Av. Frizac
Allée des Demoiselles
D 2
Pl. du Busca
ST-MICHEL
CASTELNAUDARY 59 km
CARCASSONNE 92 km
REVEL 53 km

XXX ✿✿ **Vanel,** 22 r. M.-Fontvieille ☎ 21.51.82 – ▤ GY **e**
fermé août, dim., fériés et lundi midi – SC : **R** carte 110 à 150
Spéc. Suivant produits de saison. Vins Cahors, St-Saturnin.

XXX **La Frégate,** 16 pl. Wilson ☎ 21.59.61, Décor contemporain – ▤. AE GB ① E
SC : **R** 60/80. GY **p**

XXX Le Séville, 45 r. Tourneurs ☎ 21.37.97, Décoration andalouse – ▤ FY **x**

XXX **Belvédère,** 8e étage 11 bd Recollets ✉ ☎ 52.63.73, ≤ Garonne, Toulouse et environs – ▤. AE E BV **a**
fermé août, dim. et fériés – SC : **R** (déj. seul.) 54 bc.

XX **Darroze,** 19 r. Castellane ☎ 62.34.70 – AE. ✂ FY **a**
fermé dim. et fériés – SC : **R** carte 95 à 150.

XX **La Belle Époque,** 3 r. Pargaminières ☎ 23.22.12 – ▤. AE EY **d**
fermé sam. midi, dim. et fériés – SC : **R** 100/150.

XX **Rôtisserie des Carmes,** 11 pl. Carmes ☎ 52.73.82 FZ **a**
fermé août, sam. et dim. – SC : **R** carte 80 à 110.

XX **Bouchon Lyonnais,** 13 r. Industrie ☎ 62.97.43 – ▤. AE ① GY **f**
fermé 10 au 30 juil., sam., dim. et fêtes – **R** 63/110.

XX **Chez Emile,** 13 pl. St-Georges ☎ 21.05.56 – ▤. AE GY **r**
fermé 9 août au 1er sept., 21 déc. au 6 janv., dim. et lundi – **rez-de-chaussée** (poissons) **R** carte 80 à 120- **1er étage** (viandes) **R** carte 55 à 85.

XX **Le Paysan,** 9 r. G.-Péri ☎ 62.70.44 – ▤. AE GB GY **k**
fermé août et dim. – SC : **R** 50.

XX **Brasserie Richelieu,** 1 pl. Capitole ☎ 21.70.00 – AE FY **q**
SC : **R** carte 85 à 120.

X **L'Occitan,** 53 r. Riquet ☎ 62.80.44 HY **d**
fermé juil. sam. et dim. – SC : **R** 55.

X **Fournil,** 36 allées J. Jaurès ☎ 62.66.19 GY **q**
fermé dim. – SC : **R** 34/100 ♁.

X **Le Cassoulet,** 40 r. Peyrolières ☎ 21.18.99 FY **e**
fermé 30 juin au 20 juil., 23 déc. au 6 janv. et lundi – **R** carte environ 50 ♁.

à Purpan - AU – ✉ **31300.**

Novotel M, ☎ 49.34.10, Télex 520640, ⛱, ✂ – ▤ ▤ TV ☎ ♿ P – 🏛 400. AE GB ① AU **a**
R snack carte environ 65 – ☕ 18 – **124 ch** 190/200.

à St-Martin-du-Touch par ⑩ : 6 km – ✉ **31300** Toulouse :

Airport H. M sans rest, 176 rte Bayonne ☎ 49.68.78, Télex 521752 – ▤ TV ⛀wc ☎ 🚗 P – 🏛 25. 🚌 AE GB ①
SC : ☕ 15 – **45 ch** 149/159, 3 appartements 175.

à Blagnac : 7 km - AT – 13 429 h. – ✉ **31700** Blagnac :

Sofitel M, accès aéroport ☎ 71.11.25, Télex 520178, ⛱, ✂ – ▤ ▤ TV ☎ ♿ P – 🏛 350. AE GB ① E. ✂ rest AT **e**
rest. **Croix du Sud R** carte 90 à 140 ♁ – ☕ 25 – **100 ch** 240/330.

XXX ✿ **Pujol,** 21 av. Gén.-Compans ☎ 71.13.58, parc – P AT **a**
fermé dim. soir et sam. – SC : **R** (nombre de couverts limité - prévenir) carte 105 à 150
Spéc. Foie de canard, Gibier (sept. à déc.), Cassoulet. **Vins** Madiran.

XXX Horizon, à l'Aéroport par D 1 E - AT - ☎ 71.02.75, ≤ – ▤. AE ①.

au Sud-Ouest : 8 km par D 23 - AV – ✉ **31300.**

Diane et rest. Saint-Simon M ⛰, 3 rte St-Simon ☎ 40.09.52, parc, ⛱ – TV ⛀wc ☎ P – 🏛 25. 🚌 AE GB ①. ✂ rest
fermé 19 déc. au 3 janv. – SC : **R** *(fermé dim.)* carte 90 à 135 – ☕ 18 – **20 ch** 180/200.

à Lacourtensourt par ① : 8 km – ✉ **31140** Aucamville :

XXX **La Feuilleraie,** ☎ 70.16.01, « dans un parc, ⛱ » – ▤ P. AE GB ① E
SC : **R** 60/90.

à Fonsegrives par ⑤ : 8 km – ✉ **31130** Fonsegrives :

XX **La Grange,** ☎ 24.00.55 – P
SC : **R** 70/140.

à Tournefeuille par ⑨ : 8,5 km – 6 383 h. – ✉ **31170** Tournefeuille :

Les Chanterelles et rest Le Cabanon M ⛰, S : 1 km par D 63 ☎ 86.21.86, « Pavillons dans un jardin fleuri et ombragé » – ⛀wc ☎ ♿ 🚗 P. 🚌. ✂ ch
SC : **R** *(fermé dim. soir et lundi)* 75/120 – ☕ 14 – **10 ch** 200.

XXX **Matet,** à la sortie de Toulouse-Lardenne ☎ 49.10.39, parc – P. AE AU **e**
fermé août, sam. midi et dim. – SC : **R** carte 90 à 140.

à St-Jean par ③ : 9 km – 6 142 h. – ✉ **31240** L'Union :

Horizon 88 M, ☎ 74.34.15, – | – **P** – 30. CT **n**
SC : **R** *(fermé dim.)* 40/100 – 14 – **38 ch** 110/170.

à Vigoulet-Auzil par ⑦ sortie Ramonville et D 35 : 12 km – ✉ **31320** Castanet :

XX ✿ **Aub. de Tournebride,** ☎ 73.34.49 – **P**
fermé 10 au 25 août, 10 au 30 janv., dim. soir et lundi – SC : **R** carte 100 à 165
Spéc. Foie de canard entier en terrine, Petite marmite de pêcheurs, Steack au pot. **Vins** Pacherenc, Madiran..

à Villeneuve-Tolosane par ⑧ et D 15 : 13 km – 2 486 h. – ✉ **31270** Cugnaux :

Promenade, 18 allées Platanes ☎ 92.04.45 – . ch
fermé août – SC : **R** *(fermé merc.)* 28 bc/100 – 7 – **10 ch** 45/65.

à Lacroix-Falgarde par ⑧ : 15 km – ✉ **31120** Portet-sur-Garonne :

XX **Bellevue,** ☎ 72.19.38, ← – **P**
R 50/270.

MICHELIN, Agence régionale, Z.I., 30 bd de Thibaud AV ☎ **41.11.54** et **Agence** 72 ch. Lapujade BT ☎ **48.77.95**

AUDI-VOLKSWAGEN Ets Gauch, à Labège ☎ 20.05.52
AUDI-VOLKSWAGEN Toulouse-Automobile, 34 Gde r. St-Michel ☎ 52.64.08
AUSTIN, JAGUAR, MORRIS, ROVER, TRIUMPH SMECA-St-Michel, 123 r. Vauquelin, Le Mirail ☎ 40.10.10
AUSTIN, JAGUAR, MORRIS, ROVER, TRIUMPH Gar. du Pont-St-Michel, 2 allées Paul-Feuga ☎ 52.60.60
BMW Soulié, 15 Gde-Rue-St-Michel ☎ 52.93.75
CITROEN Succursale, 138 av. de Fronton BT ☎ 47.67.01 N
CITROEN Auto-Sud, 4 r. E.-Baudot AV ☎ 40.16.25
CITROEN Bouissel, 71 bd Matabiau FX ☎ 62.42.39
CITROEN Samazan, 29 av. du 14e-R.I. BV ☎ 52.90.17
CITROEN Techene, rte Castres à Lasbordes ☎ 24.13.29
FIAT, LANCIA-AUTOBIANCHI S.O.M.E.D.A. 58 rte Bayonne ☎ 49.11.12
FORD S.L.A.D.A., 83 bd Sylvio-Trentin ☎ 47.24.24
LADA, PORSCHE-MITSUBISHI Europ-Auto, 10 bd d'Arcole ☎ 62.03.25 N ☎ 52.39.07
LANCIA-AUTOBIANCHI, TOYOTA Languedoc Autos, 24 bd Matabiau ☎ 62.86.48
MERCEDES-BENZ Jour et Nuit, 37 av. H.-Serres ☎ 23.11.78
OPEL-GM-US Général Autom., 16 allée Ch.-de-Fitte ☎ 42.91.36
PEUGEOT Lormand, 32 r. Riquet HY ☎ 62.62.21
PEUGEOT S.I.A.L., 23 av. J.-Rieux HZ ☎ 80.08.44 et 142 av. États-Unis ☎ 47.67.67 BT et r. L.-N.-Vauquelin AV ☎ 41.23.33
RENAULT Succursale, 75 av. États-Unis BT ☎ 47.79.09
RENAULT Gar. Bonnefoy, 22 fg Bonnefoy HX ☎ 48.84.82
RENAULT Puel, 2 r. J.-Babinet AV **a** ☎ 40.41.40
TALBOT Gar. du Mirail, 59 av. Lombez BU ☎ 49.40.80
TALBOT Toulousaine des Automobiles, 105 av. États-Unis BT ☎ 47.81.60
TOYOTA, VOLVO Auto 31, 166 av. de Muret ☎ 42.91.50

Bellet-Pneus, 25 av. de Lyon ☎ 48.55.55 26 allées Ch.-de-Fitte ☎ 42.56.56
Central-Pneu, 24 r. G.-Péri ☎ 62.70.90, 19 av. Thibaut ☎ 40.28.72 et 71 bd de la Marquette ☎ 21.68.13
Escoffier-Pneus, 205 av. États-Unis ☎ 47.80.80
Gaillardie-Hérissé, 30 fg Bonnefoy ☎ 48.75.63
Perrier, Zone Ind. de Prat-Gimont, Balma ☎ 48.61.76
Picard, 1 rte de Bessières à l'Union ☎ 74.02.96
Roudez, 15 av. Camille-Pujol ☎ 80.88.46
Stand du Pneu, 25 allées F.-Verdier ☎ 52.06.54

☛ *En mars 1982, ce guide ne sera plus valable.*
Achetez le guide de l'année !

TOUQUES 14 Calvados 55 ③ – rattaché à Deauville.

Le TOUQUET-PARIS-PLAGE **62520** P.-de-C. 51 ⑪ **G. Nord de la France** – 5 593 h. –
Casinos : La Forêt BZ, Quatre saisons AY – 21.

Voir Phare ←★★ – Vallée de la Canche★ par ①.

18 18 9 ☎ 05.20.22, S : 2,5 km par ②.

du Touquet ☎ 05.03.99, E : 2,5 km BZ.

Par ① : Paris 221 – Abbeville 58 – Arras 99 – Boulogne-sur-Mer 32 – ♦Lille 132 – St-Omer 70.

Plan page suivante

Westminster sans rest, av. Verger ☎ 05.19.66, Télex 160439 – | TV – 100. AE E. rest BZ **a**
15 mars-6 nov. – **145 ch** 225/330, 5 appartements 580.

Manoir H. , aux Golfs par ② : 2,5 km ☎ 05.20.22, ←, , – **P** – 40. AE.
avril-fin oct. – SC : **R** 90 – 18 – 47 ch 138/217 – P 276/301.

Novotel-Thalamer M , sur la plage ☎ 05.24.00, Télex 160480, ← mer et plage – | rest TV **P** – 60 à 120. AE GB AZ **e**
R snack carte environ 65 – 20 – **104 ch** 220/290 – P 385/425.

tourner →

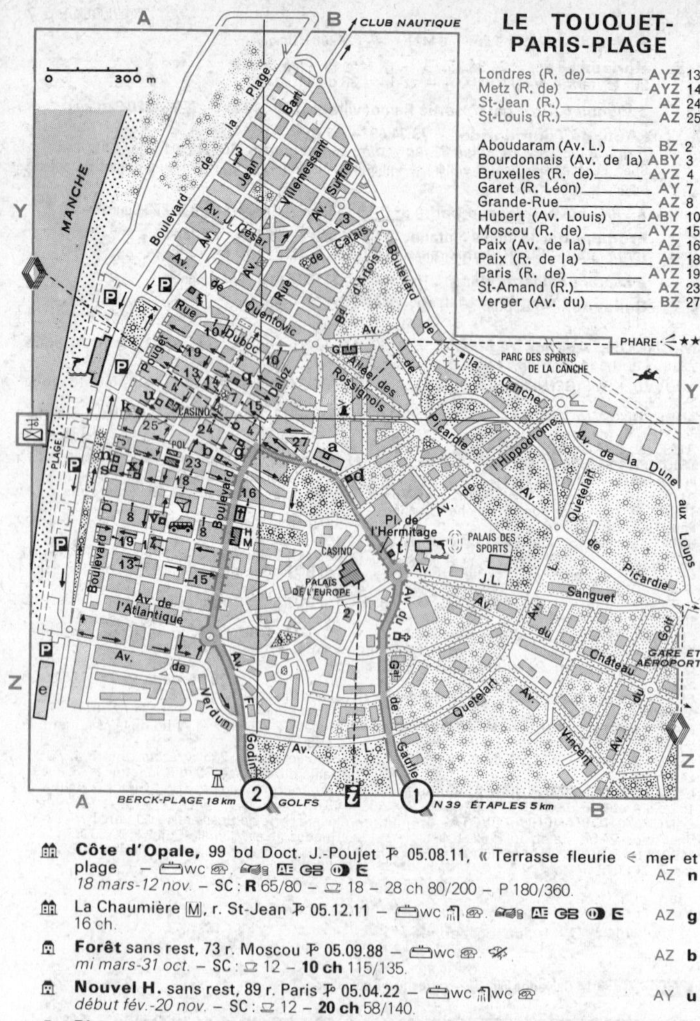

🏨 **Côte d'Opale,** 99 bd Doct. J.-Pouget Tél. 05.08.11, « Terrasse fleurie ‹ mer et plage » — AZ **n**
18 mars-12 nov. — SC : **R** 65/80 — 18 — 28 ch 80/200 — P 180/360.

🏨 La Chaumière Ⓜ, r. St-Jean Tél. 05.12.11 — AZ **g**
16 ch.

Forêt sans rest, 73 r. Moscou Tél. 05.09.88 — AZ **b**
mi mars-31 oct. — SC : 12 — **10 ch** 115/135.

Nouvel H. sans rest, 89 r. Paris Tél. 05.04.22 — AY **u**
début fév.-20 nov. — SC : 12 — **20 ch** 58/140.

Plage sans rest, bd Mer Tél. 05.03.22, ‹ mer et plage — AZ **s**
20 mars-1er nov. — SC : 12 — **25 ch** 80/160.

Le Chalet, r. Paix Tél. 05.12.99 — rest AZ **x**
Pâques-15 sept. — SC : **R** 46/65 — 9,50 — 15 ch 60/120 — P 125/145.

Caddy, 130 r. Metz Tél. 05.11.32 — AZ **v**
SC : **R** 40/75 — 8 — **30 ch** 45/105 — P 116/136.

XXX ✿ **Flavio-Club de la Forêt,** av. Verger Tél. 05.10.22 — BZ **d**
fermé janv., fév. et merc. d'oct. à avril — **R** 150/230
Spéc. Produits de la mer.

XX **Chalut,** 7 bd J.-Pouget Tél. 05.22.55 — AY **f**
fermé 2 janv. au 15 fév., mardi soir et merc. du 15 sept. au 15 juin — SC : **R** 75/120.

X **Saint-Pierre,** 51 r. L.-Garet Tél. 05.26.74 — AY **q**
fermé janv., mardi et merc. — **R** 45, carte le dim.

X **L'Orée du Bois,** pl. Hermitage Tél. 05.16.34 BZ **t**
SC : **R** 55/70.

X **Diamant Rose,** 110 r. Paris Tél. 05.38.10 AY **k**
fermé déc., janv. et merc. sauf du 1er juil. au 15 sept. — SC : **R** 35/70.

à l'Aéroport E : 2,5 km BZ :

XX **L'Escale,** ℗ 05.23.22 – AE GB ①
R carte 70 à 110, **Brasserie R** 40 bc.

à Merlimont-Ville par ① et D 940 : 10 km – ✉ **62155** Merlimont :

XXX ✿ **Host. Georges,** 139 r. Étaples ℗ 94.70.87, « Jardin fleuri » – ⓟ. AE GB ①
15 fév.-15 nov. et fermé lundi soir et mardi – SC : **R** 120/200 ♨
Spéc. Homard grillé, Choucroute aux poissons, Escalope de saumon.

RENAULT Gar. de la Canche, ℗ 94.91.00
RENAULT Gar. de la Forêt, ℗ 05.09.33

le TOUR 74 H.-Savoie **74** ⑨ – rattaché à Argentière.

Le TOUR 74 H.-Savoie **74** ⑧ – rattaché à Megève.

Si vous cherchez un hôtel tranquille,
ne consultez pas uniquement les cartes p. 46 à 53,
mais regardez également dans le texte
les établissements indiqués avec le signe ⚘

TOURCOING 59200 Nord **51** ⑥ **G. Nord de la France** – 102 543 h. alt. 42 – ✿ 20.

⛳ des Flandres ℗ 72.20.74 par ① : 9,5 km ; ⛳18 du Sart au château du Sart ℗ 72.02.51 par ① : 12 km ; ⛳⛳⛳ de Bondues ℗ 78.80.03, SO : 7 km.

ℹ Syndicat d'Initiative Grand'Place (fermé dim. après-midi) ℗ 26.89.03 - A.C. 13 r. Desurmont ℗ 26.56.35.

Paris 234 ⑧ – Kortrijk 19 ⑥ – Gent 61 ⑥ – ♦Lille 14 ⑧ – Oostende 66 ⑦ – Roubaix 4 ②.

Accès et Sorties : Voir à Lille p. 2 et 3

Plan pages suivantes

Novotel Ⓜ ⚘, au Nord près échangeur de Neuville-en-Ferrain ✉ 59960 Neuville-en-Ferrain ℗ 94.07.70, Télex 110656, ⛱, ⛬ – 🛗 ▤ 📺 ☎ ♿ ⓟ – 🏔 25 à 400. AE GB ① plan Lille p 3 JKR
R snack carte environ 65 – ☕ 20 – **118 ch** 175/205.

Ibis Ⓜ, r. Carnot ℗ 76.84.58, Télex 132695 – 🛗 ⛀wc. 🚗 CY **a**
SC : **R** snack carte environ 50 ♨ – ☕ 11 – **104 ch** 125/140.

Gd H. Verdy sans rest, 20 r. L.-Leloir ℗ 76.68.73 – ⛀ ☎ DZ **n**
fermé 1er au 16 août – SC : ☕ 10 – **15 ch** 50/70.

XX **P'tit Bedon,** 5 bd Égalité ℗ 76.42.03 – AE DY **k**
fermé 15 au 31 juil., 1 au 15 sept. et lundi – **R** carte 75 à 110.

XX **La Saucière,** 189 bd Gambetta ℗ 26.67.90 – GB CZ **s**
fermé 19 au 26 avril, 8 au 31 août, sam. midi et dim. – **R** carte 115 à 140.

XX Le Plessy, 31 av. Lefrançois ℗ 01.40.76 – GB DZ **d**
fermé 1er au 23 août, dim. soir et lundi.

XX **Milano,** 66 r. Haze ℗ 26.43.08 – GB CY **r**
fermé août et sam. – **R** carte 70 à 100.

X **Enrico,** 5 r. Thiers ℗ 01.32.79 – ▤ CZ **v**
fermé mars et le soir sauf vend. et sam. – **R** 26/40.

X **Le Turenne,** 39 pl. Ch.-Roussel ℗ 26.51.09 BCY **e**
fermé fév. et mardi – SC : **R** 26/95 ♨.

à Bondues SO : 5 km par D 952 - voir plan de Lille p. 2 HS – 8 757 h. – ✉ **59700** Marcq-en-Baroeul :

XX **Septentrion,** Parc du château Vert-Bois ℗ 78.26.98 – ⓟ. GB
fermé août, 26 janv. au 3 fév., dim. soir, lundi soir et mardi – SC : **R** carte 85 à 120.
plan Lille p. 3 JS

AUDI-VOLKSWAGEN Beulque, 20 r. du Tilleul ℗ 76.36.45
CITROEN Gar. Clerson, 23 r. Bradfort AZ ℗ 26.56.46
CITROEN Gar. Corselle, 4 r. F.-Roosevelt CY ℗ 01.55.51
CITROEN Vigneau et Delehaye, 135 r. Nationale BY ℗ 26.68.71
FORD Ponthieux, 75 r. de Roubaix ℗ 26.67.05
PEUGEOT Gar. de L'Autoroute, 13 r. du Dronckaert à Roncq ℗ 94.33.00
RENAULT D.I.A.N.O.R., 53 r. du Dronckaert à Roncq ℗ 94.01.35
RENAULT Guilbert, 95 r. du Tilleul DZ ℗ 26.74.18
RENAULT Gar. du Nord, 4 av. Lefrançois CZ ℗ 01.46.11
RENAULT Ropital, 19 quai Cherbourg BZ ℗ 26.61.94
TALBOT SOVERDIAM, 22 r. Wattinne BCZ ℗ 26.74.73

◉ Nord-Pneu, 9 bis r. F.-Buisson ℗ 01.31.78

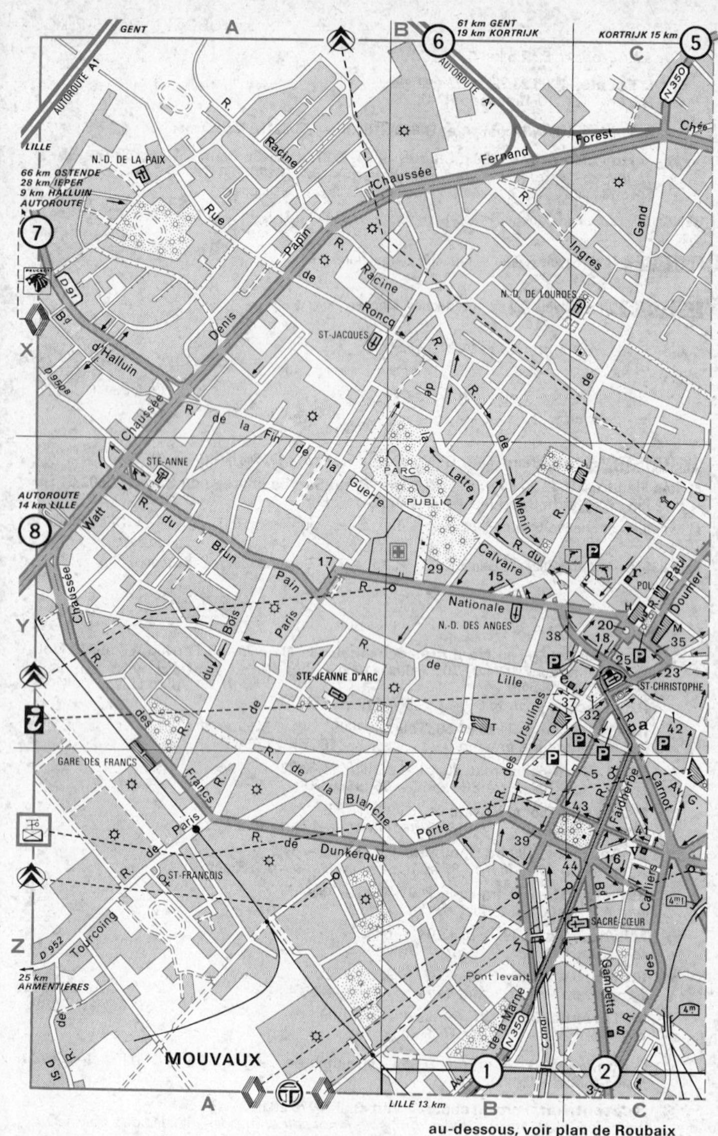

au-dessous, voir plan de Roubaix

Au moment de chercher un hôtel ou un restaurant, soyez efficace. Sachez utiliser les noms soulignés en rouge sur les cartes Michelin *au 200 000e.* *Mais ayez une carte à jour !*

La TOUR-D'AIGUES **84240** Vaucluse **84** ③ **G. Provence** – 2 123 h. alt. 268 – ✪ 90.
Paris 754 – Aix-en-Pr. 26 – Apt 41 – Avignon 83 – Cavaillon 51 – Manosque 27 – Salon-de-Pr. 47.

XX **Host. du Château,** (1er étage) ☎ 77.43.55
fermé 9 juin au 6 juil., dim. soir et lundi – **SC** : **R** 45/70.

RENAULT Felines, ☎ 77.40.47 **N**

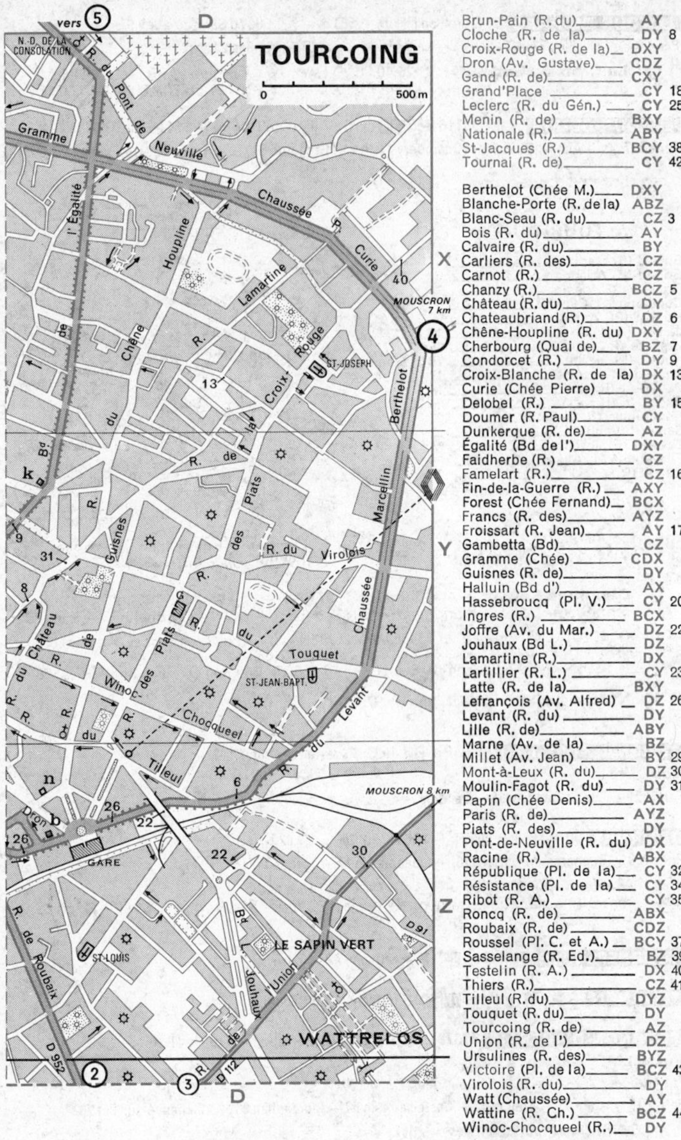

La TOUR-D'AUVERGNE **63680** P.-de-D. **73** ⑬ **G. Auvergne** – 952 h. alt. 990 – Sports d'hiver : 1 200/1 380 m ≰3 – ✪ 73.

ℹ Syndicat d'Initiative à la Mairie (1er juil.-31 août, fermé sam. et dim.) ☎ 21.50.12.

Paris 445 – ♦Clermont-Ferrand 60 – Mauriac 57 – Le Mont-Dore 17 – Ussel 60.

- **Lac,** rte de Bort ☎ **21.52.19,** ≤ – ⌂ ☏ **P**. ⚹ rest
  1er mai-30 sept. et 15 déc.-30 avril – SC : **R** 32/65 🌡 – ☕ 10 – 12 ch 58/73 – P 95/120.
- **Reine Margot,** ☎ **21.50.96** – ⌂. ☐ – 17 ch.

RENAULT Gar. Maillard, ☎ 21.50.43

Le TOUR-DU-PARC 56 Morbihan 63 ⑬ – 583 h. – ✉ **56370** Sarzeau – 97.

Paris 458 – Muzillac 22 – Redon 59 – La Roche-Bernard 37 – Vannes 23.

La Croix du Sud M, ☎ 26.40.26, – wc.
SC : **R** *(fermé dim. soir et lundi midi)* 65/200 – 13 – **27 ch** 60/200 – P 187/211.

La TOUR-DU-PIN SP **38110** Isère 74 ⑭ **G. Vallée du Rhône** – 6 843 h. alt. 339 – 74.

Paris 517 ④ – Aix-les-B. 53 ① – Chambéry 47 ④ – ♦Grenoble 69 ④ – ♦Lyon 55 ④ – Vienne 57 ④.

LA TOUR-DU-PIN

Billard (R. Marius)	4
Briand (R. Aristide)	5
Bruyères (R. des)	7
Contamin (R. Claude)	8
Dubost (Pl. Antonin)	9
Jaurès (R. Jean)	13
Lescure (R. Jean)	15
Nation (Pl. de la)	16
Pasteur (R.)	17
Paul-Bert (R.)	18
Recollets (R. des)	20
République (R. de la)	21
Sage (R. Paul)	23
Savoyat (R. Joseph)	24
Thevenon (Pl. Albert)	25
Viricel (R.)	29

Les plans de villes sont orientés le Nord en haut.

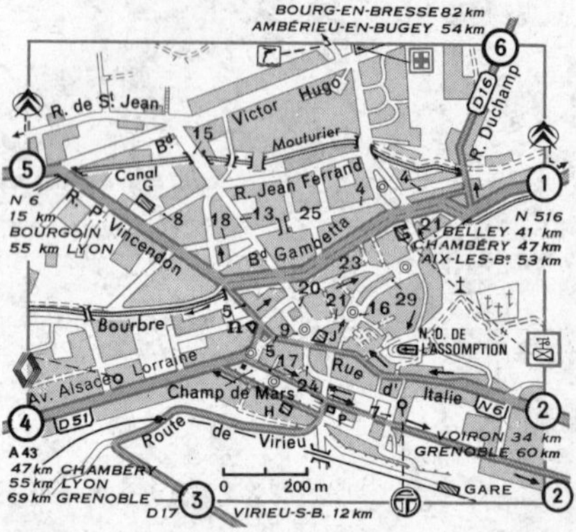

Dauphiné Savoie, r. A.-Briand **(n)** ☎ 97.03.87 – . ch
fermé 15 au 31 oct. et lundi midi – SC : **R** 35/68 – 11 – **11 ch** 48/73 – P 85/90.

AUDI-VOLKSWAGEN Alp'Gar. 23 r. Pasteur ☎ 97.09.84
CITROEN Gar. St-Jean, à St-Jean-de-Soudain ☎ 97.30.34
CITROEN Monin, à St-Clair de la Tour ☎ 97.10.82
RENAULT Tour-Autos, 24 av. Alsace-Lorraine ☎ 97.25.63
TALBOT Brochier, 9 r. Bruyères ☎ 97.03.68

TOURMALET (Col du) 65 H.-Pyr. 85 ⑱ **G. Pyrénées** – alt. 2 114.

Voir ☼★★.

Paris 821 – Luz-St-Sauveur 18 – La Mongie 4.

TOURNAY **65190** H.-Pyr. 85 ⑨ – 1 169 h. alt. 260 – 62.

Paris 788 – Bagnères-de-Bigorre 16 – Lannemezan 17 – Tarbes 18.

Moderne, ☎ 35.70.30 – .
fermé 1er au 22 oct. et sam. du 1er oct. au 30 juin – SC : **R** 26/50 – 8 – **22 ch** 39/70 – P 78/85.

TOURNEFEUILLE 31 H.-Gar. 82 ⑦ – rattaché à Toulouse.

TOURNON SP 07 Ardèche 77 ① – rattaché à Tain-Tournon.

TOURNON-D'AGENAIS **47370** L.-et-G. 79 ⑥ **G. Périgord** – 1 020 h. alt. 167 – 58.

Voir Site★.

Syndicat d'Initiative pl. Hôtel de Ville ☎ 71.70.27.

Paris 639 – Agen 42 – Cahors 46 – Castelsarrasin 56 – Montauban 63 – Villeneuve-sur-Lot 26.

Midi, ☎ 71.70.08, – wc
fermé 1er au 21 sept. et sam. hors sais. – SC : **R** 30/60 – 9 – 12 ch 38/90 – P 90/100.

RENAULT Gar. Mirabel, ☎ 71.72.07 N ☎ 71.70.20

Pour vos voyages, en complément de ce guide utilisez :

– *Les* **guides Verts Michelin** régionaux
paysages, monuments et routes touristiques.

– Les **cartes Michelin** à 1/1 000 000 grands itinéraires
1/200 000 cartes détaillées.

TOURNUS 71700 S.-et-L. 69 ⑳ **G. Bourgogne** – 7 339 h. alt. 193 – ✪ 85.

Voir Ancienne abbaye★ : église St-Philibert★★ – Pharmacie★ de l'Hôtel-Dieu B.

Office de Tourisme r. A.-Thibaudet (1er mars-15 oct.) ☎ 51.13.10.

Paris 364 ① – Bourg-en-Bresse 54 ② – Chalon-sur-Saône 27 ① – Charolles 63 ③ – Lons-le-Saunier 56 ② – Louhans 29 ② – ♦ Lyon 102 ② – Mâcon 30 ② – Montceau-les-Mines 65 ①.

Le Sauvage, pl. Champ-de-Mars **(u)** ☎ 51.14.45, Télex 800726 – wc wc. AE GB E
fermé 15 nov. au 15 déc. – **R** 70/130 – 15 – 30 ch 75/160 – P 230/360.

Le Rempart M, 2 av. Gambetta **(x)** ☎ 51.10.56 – TV wc P AE GB ch
R 60/170 – 18 – 28 ch 120/200.

La Saône, rive gauche **(n)** ☎ 51.03.38, ← – wc P
fermé déc. et janv. – SC : **R** *(1er mars-29 oct. et fermé jeudi)* 45/75 – 8 – 12 ch 37/62.

XXX ✿✿ **Greuze** (Ducloux), 4 r. A.-Thibaudet **(e)** ☎ 51.13.52 – P. AE GB
fermé 10 au 20 juin, 12 au 28 nov. et jeudi – **R** 130/200 et carte
Spéc. Galette de truffes, Quenelle de brochet, Poulet sauté. Vins Beaujolais, Mâcon.

X **Nouvel H.** avec ch, av. Alpes **(a)** ☎ 51.04.25 – P. GB. ch
fermé 9 au 15 juin, 15 nov. au 28 déc., dim. soir et lundi hors sais. – SC : **R** 38/70 – 8,50 – 7 ch 40/60.

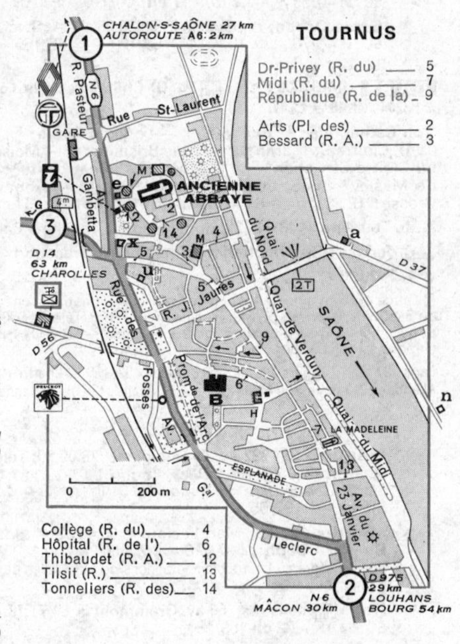

à Martailly-lès-Brancion par ③ et D 14 : 12 km – ✉ 71700 Tournus :

X **Relais de Martailly,** ☎ 51.19.56 – P
15 fév.-15 oct. et fermé merc. sauf le soir en sais. – SC : **R** 30/80.

à Brancion par ③ D 14 : 15 km – ✉ 71700 Tournus.

Voir Bourg★.

Montagne de Brancion M sans rest, au col de Brancion ☎ **51.12.40,** ← – wc wc P
SC : 12 – **20 ch** 85/170.

FORD Gar. Pagneux, 3 av. Gambetta ☎ 51.06.45
PEUGEOT Bordat, 6 av. Gén.-Leclerc ☎ 51.04.63
RENAULT Pageaud, 3 rte de Paris ☎ 51.07.05
TALBOT Gar. de l'Autoroute, N 6 ☎ 51.17.43
Tournus-Pneus, 16 pl. du Champ-de-Mars ☎ 51.07.58

TOUROUVRE 61190 Orne 60 ⑤ **G. Normandie** – 1 704 h. alt. 236 – ✪ 33.

Voir Église : Adoration des Mages★ du retable.

Paris 143 – L'Aigle 22 – Alençon 48 – Chartres 73 – Mortagne-au-Perche 12 – Verneuil-sur-Avre 27.

X **Relais Fleuri,** au Gué-à-Pont sur N 12 SO : 2 km ☎ 25.70.44 – P
SC : **R** 40/98.

FIAT, LANCIA-AUTOBIANCHI Gar. Roussel, N 12 à Ste-Anne ☎ 25.73.41 N
PEUGEOT Toussaint, ☎ 25.70.02
RENAULT Chardon, ☎ 25.73.12

TOURRETTE-LEVENS 06690 Alpes-Mar. 84 ⑩, 195 ㉖㉗ **G. Côte d'Azur** – 2 644 h. alt. 422 – ✪ 93.

Paris 948 – Contes 14 – Levens 10 – ♦Nice 13 – Sospel 47 – Vence 31.

Le Ravin M, rte d'Aspremont ☎ **91.00.55,** ←, – cuisinette wc P. rest
SC : 10 – **16 ch** 85/120 – P 95/115.

PEUGEOT Garage Simon, ☎ 91.00.46

TOURRETTE-SUR-LOUP 06 Alpes-Mar. 84 ⑨, 195 ㉕ G. Côte d'Azur – 2 267 h. alt. 402 – ✉ 06140 Vence – ☎ 93.

Voir Vieux village*.

Paris 933 – Grasse 21 – ♦Nice 28 – Vence 6.

- **Aub. Belles Terrasses,** E : 1 km sur D 2210 ☎ 59.30.03, ← – wc ☎ P. SC : **R** 40/55 – ☕ 10 – **17 ch** 100/110 – P 120.
- **Grive Dorée,** rte Grasse ☎ 59.30.05, ← – wc ☎. SC : **R** 44/70 – ☕ 10 – 14 ch 60/120 – P 145/165.

TOURS P 37000 I.-et-L. 64 ⑮ G. Châteaux de la Loire – 145 441 h. communauté urbaine 251 320 h. alt. 48 – ☎ 47.

Voir Cathédrale** : tour * EX – Le Vieux Tours** : place Plumereau*, Hôtel Gouin* CX **D**, Cloître St-Martin* CY **B**, Rue Briçonnet*, – Maison de Tristan* CX **K** - La Psallette ou Cloître St-Gatien*, EX **F** – Musées : Beaux-Arts** EX **M**, Gemmail* CX **M**, Grange de Meslay* AU **S**, Compagnonnage* DX **M** – Abbaye de Marmoutier : portail de la Crosse* (E : 3 km AU **R**) – Prieuré St-Cosme* (O : 3 km AV **E**).

18 de Touraine ☎ 43.04.72, ; domaine de la Touche à Ballan-Miré par ⑪ : 14 km.

✈ de Tours St-Symphorien : Touraine Air Transport ☎ 54.21.45 NE : 7 km AU.

☎ 20.23.43.

Office de Tourisme et Accueil de France (Informations, change et réservations d'hôtels, pas plus de 5 jours à l'avance), pl. Mar. Leclerc ☎ 05.58.08, Télex 750008 – Informations, change et réservations d'hôtels (pas plus de 5 jours à l'avance) – A.C.O. 4 pl. J.-Jaurès ☎ 05.50.19 - T.C.F. 25 r. Déportés ☎ 05.00.66.

Paris 233 ③ – Angers 106 ⑭ – ♦Bordeaux 326 ⑩ – Chartres 139 ② – ♦Clermont-Ferrand 300 ⑧ – ♦Limoges 219 ⑩ – ♦Le Mans 82 ⑮ – ♦Orléans 112 ③ – ♦Rennes 214 ⑭ – ♦St-Étienne 423 ⑦.

Plans pages suivantes

- **Méridien** M, 292 av. Grammont ☎ 28.00.80, Télex 750922, ⛱, 🎾 – ☎ P – 40 à 200. AE GB (D) — AV **s**
  SC : **R** *(fermé dim. du 1er nov. au 31 mars)* 65 – ☕ 22 – **119 ch** 200/280, 5 appartements – P 292/352.
- ✿ **Bordeaux,** 3 pl. Mar.-Leclerc ☎ 05.40.32 – ☎ ♿. AE (D) E. ✗ ch — DY **t**
  R 45/65 – **54 ch** ☕ 97/210 – P 205/327
  Spéc. Sandre au beurre blanc, Rognons de veau vallée de Cousse, Pudding flambé. **Vins** Vouvray, Chinon.
- **Royal** M sans rest, 65 av. Grammont ☎ 64.71.78 – ♿. AE GB. ✗ — DZ **s**
  SC : ☕ 17 – **32 ch** 158/180.
- **Univers,** 5 bd Heurteloup ☎ 05.37.12 – – 30. AE GB (D) E — DY **u**
  SC : **R** *(fermé dim.)* 60 – **96 ch** ☕ 180/255.
- **Central H.** sans rest, 21 r. Berthelot ☎ 05.46.44, – ☎ P. AE GB (D) — DY **k**
  SC : ☕ 12 – **42 ch** 90/200.
- **Europe** sans rest, 12 pl. Mar.-Leclerc ☎ 05.42.07, « Meubles anciens, tableaux » – wc ☎. — EY **m**
  SC : ☕ 13 – **51 ch** 60/140.
- **Criden** M sans rest, 65 bd Heurteloup ☎ 20.81.14 – wc ☎ . AE GB (D) E — EY **g**
  SC : ☕ 14 – **33 ch** 145/155.
- **Armor** sans rest, 26 bis bd Heurteloup ☎ 05.29.60 – wc wc ☎. AE GB (D) — EY **s**
  SC : ☕ 13 – **50 ch** 66/170.
- **France** sans rest, 38 r. Bordeaux ☎ 05.35.32 – wc wc ☎. AE GB (D) E — DY **d**
  SC : ☕ 15 – **35 ch** 88/185.
- **Gambetta** sans rest, 7 r. Gambetta ☎ 05.08.35 – wc wc ☎ – 70. AE GB — DY **e**
  fermé fin déc. à début janv. – SC : ☕ 12 – **37 ch** 75/155.
- **Cygne** sans rest, 6 r. Cygne ☎ 66.66.41 – wc wc ☎ . ✗ — DX **a**
  fermé 20 déc. au 3 janv. – SC : ☕ 13 – **20 ch** 65/150.
- **des Châteaux de la Loire** sans rest, 12 r. Gambetta ☎ 05.10.05 – wc wc ☎. AE GB (D) — DY **x**
  fermé 15 déc. au 15 janv. – SC : ☕ 12 – **30 ch** 72/140.
- **Italia** M sans rest, 19 r. Devilde ✉ 37100 ☎ 54.43.01 – wc wc ☎ P GB — AU **n**
  fermé 25 août au 10 sept. et 25 déc. au 5 janv. – SC : ☕ 10 – **20 ch** 60/115.
- **Rosny** sans rest, 19 r. B. Pascal ☎ 05.23.54 – wc wc ☎ P. — DEY **a**
  SC : ☕ 11 – **22 ch** 50/140.
- **Mirabeau** sans rest, 89 bis bd Heurteloup ☎ 05.24.60 – wc wc ☎. . ✗ — EY **e**
  fermé 22 déc. au 3 janv. – SC : ☕ 13 – **16 ch** 100/150.

tourner →

TOURS

Alouette (Av. de l')	AV 2
Bordeaux (Av. de)	AV 6
Bordiers (R. des)	AU 10
Brulon (R. Léon)	AV 17
Chantepie (R. de)	AV 21
Chanterie (R. de la)	AU 23
Chevalerie (R. de la)	AU 24
Churchill (Bd Winston)	AU 26
Delaroche (R.)	AU 32
Eiffel (Av. Gustave)	AU 36
Grammont (Av. de)	AV 39
Jaurès (Bd et R. Jean)	AV 48
Larçay (R. de)	AV 53
Moulin (R. Jean)	AV 59
Paul-Bert (Quai)	AUV 62
Portillon (Quai de)	AUV 68
St-Avertin (Rte de)	AV 74
Savonnières (Rte de)	AV 75
Tranchée (Av. de la)	AU 83
Wagner (Bd Richard)	AV 86

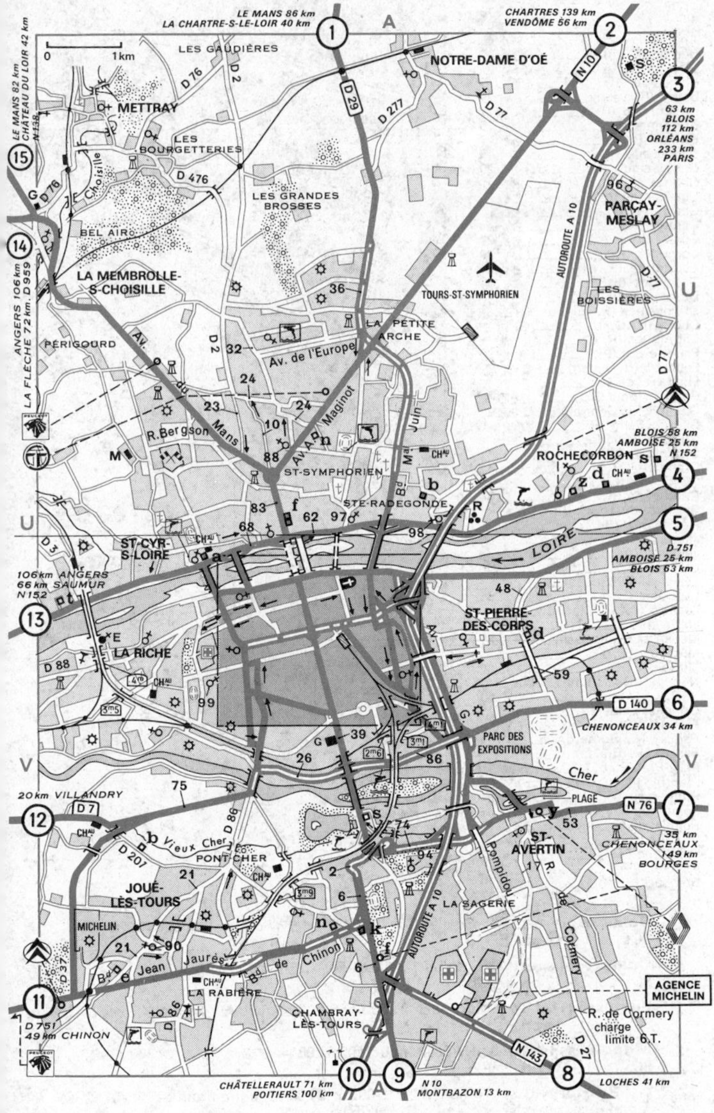

ÉGLISES

AGGLOMÉRATION :

CHRIST-ROI	AU 88
N.-D. DE LA PAIX	AV 90
ST-COSME	AV
ST-JEAN	AV 34
ST-PIERRE	AU 96
ST-SYMPHORIEN	AU 97
STE-RADEGONDE	AU 98
STE-THÉRÈSE	AV 99

CENTRE :

N.-D. LA RICHE	BY 91
SACRÉ-CŒUR	FZ
ST-ÉTIENNE	DY 93
ST-GATIEN (CATH.)	EX
ST-JULIEN	DX
ST-MARTIN	CY
ST-PAUL	EZ 95
ST-PIERRE	FX
ST-SATURNIN	CX
STE-JEANNE D'ARC	CZ

TOURS

Renault (R. du Gén.) BCZ
Résistance (Pl. de la) CDY 71
Rouget-de-Lisle (R.) BY
Salengro (R. Roger) CDZ
Sicard (Pl. François) EY 78
Simon (R. Jules) EY

Bordeaux (R. de) DY 8
Commerce (R. du) CDX 27
Grammont (Av. de) DEZ
Halles (Pl. et R.) CY
Marceau (R.) CDY
Nationale (R.) DXY
Scellerie (R. de la) DY 76

Anatole-France (Pl.) DX 4
Béranger (Bd) BCDY
Blanqui (R. A.) EFX
Boisdenier (R. de) CDZ
Boyer (R. Léon) BY
Bretonneau (R.) CXY
Briçonnet (R.) CX 15
Buffon (R.) DY
Cathédrale (Pl.) EX 18
Chanoineau (R.) CY 20
Chanzy (R. du Gén.) BY
Charpentier (R. J.) BCY
Chevallier (R. A.) BCZ
Colbert (R.) DX
Constantine (R.) CX 29
Corneille (R.) DY 30
Courteline (R. G.) BY
Descartes (R.) CY 33
Desmoulins (R. C.) EFY
Dr-Fournier (R. du) FZ
Docks (R. des) EFY
Entraigues (R. d') BCYZ
Foire-le-Roi (Pl.) DX 38
Fouquet (R. Jehan) CYZ
Fuye (R. de la) FYZ
Galpin-Thiou (R.) DEZ
Gaulle (Av. Gén.-de) EFZ
George Sand (R.) DYZ
Gilles (R. Charles) DY
Giraudeau (R.) BYZ
Grandière (R. de la) CY 41
Gd-Marché (Pl.) CY 42
Gd-Marché (R.) CY 44
Grégoire-de-Tours (Pl.) EX 47
Heurteloup (Bd) EFY
Jaurès (Pl. Jean) DY
Jolivet (R.) FZ
Lakanal (R.) CZ
Lattre-de-T. (Bd de) EZ
Lavoisier (R.) DEX 54
Leclerc (Pl. du Mar.) EY
Lobin (R.) FX
Meusnier (R. du Gén.) EXY 57
Michelet (R.) DYZ
Mirabeau (R.) FXY
Néricault-Destouches (R.) CDY 60
Orléans (Quai d') DEX
Paillhou (Pl. Gaston) CY
Palissy (R. Bernard) EY
Pascal (R. Blaise) EYZ
Petit-Pré (R. du) EY
Plantin (R.) FY 63
Plumereau (Pl.) CY 64
Pompidou (Av. G.) FXY 65
Pont-Neuf (Q. du) BCX 66
Preuilly (Bd) BY
Proudhon (Av.) BX 69
Rabelais (Pl.) BZ
Rempart (R. du) FY 70

CURIOSITÉS

CATHÉDRALE ★★ EX
MUSÉE DES BEAUX-ARTS ★★ EX M
LE VIEUX TOURS ★★ CY
CLOÎTRE ST-MARTIN ★ CY B
HÔTEL GOUIN ★ CX D
MAISON DE TRISTAN ★ CX K
PL. PLUMEREAU ★ CY 64
RUE BRIÇONNET ★ CX 15
GRANGE DE MESLAY ★ AU S
MUSÉE DU COMPAGNONNAGE ★ DX M
MUSÉE DU GEMMAIL ★ CX M
PRIEURÉ ST-COSME ★ AV E
LA PSALLETTE ★ EX F
ABBAYE DE MARMOUTIER AU R

Balzac sans rest, 47 r. Scellerie ☏ 05.40.87 – wc wc ☎. AE GB ⓓ E
SC : ☐ 11 – **18 ch** 55/140. DY **v**

Colbert sans rest, 78 r. Colbert ☏ 66.61.56 – wc ☎. DX **f**
SC : ☐ 12 – **17 ch** 49/125.

Foch sans rest, 20 r. Mar.-Foch ☏ 05.70.59 – wc ☎. GB. CY **q**
SC : ☐ 11 – **14 ch** 95/135.

Mondial sans rest, 3 pl. Résistance ☏ 05.62.68 – wc wc ☎. GB
SC : ☐ 11 – **15 ch** 65/105. CXY **w**

XXXX ✿✿ **Barrier,** 101 av. Tranchée ✉ 37002 ☏ 54.20.39, patio fleuri – ▤ Ⓟ. AE ⓓ
fermé juil., dim. soir et merc. – **R** 200/250 et carte AU **f**
Spéc. Terrine de foie gras frais, Escalope de baudroie au vinaigre d'aneth, Canard Challandais. Vins Bourgueil, Vouvray.

XXX **La Rôtisserie Tourangelle,** 23 r. Commerce ☏ 05.71.21 – GB. CX **z**
fermé 14 juil. au 15 août, dim. soir et lundi – SC : **R** 70/90.

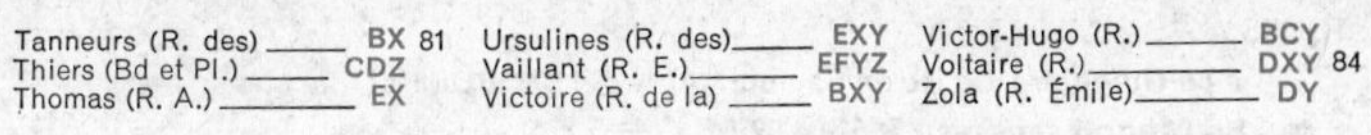
Tanneurs (R. des) BX 81
Thiers (Bd et Pl.) CDZ
Thomas (R. A.) EX
Ursulines (R. des) EXY
Vaillant (R. E.) EFYZ
Victoire (R. de la) BXY
Victor-Hugo (R.) BCY
Voltaire (R.) DXY 84
Zola (R. Émile) DY

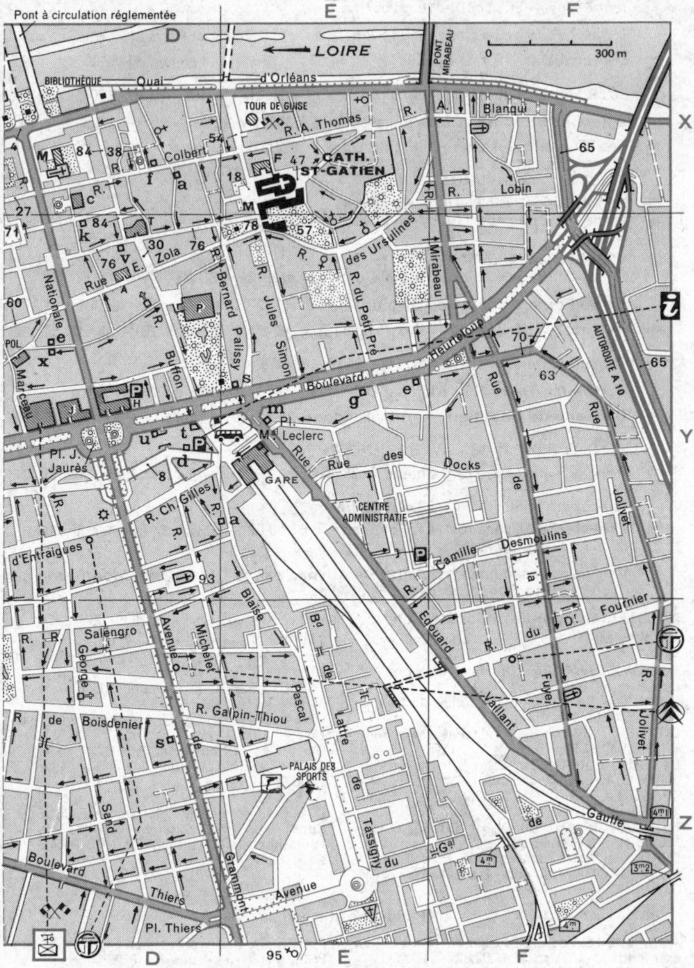

XX **Au Gué de Louis XI,** 36 quai Loire ✉ 37100 ☎ 54.00.43 – GB AV **a**
fermé 6 janv. au 6 fév., dim. soir et lundi – **R** 48/110.

XX **Relais Buré,** 1 pl. Résistance ☎ 05.67.74 – AE CXY **w**
fermé lundi – SC : **snack R** carte environ 65 🌡 **restaurant** (1er étage) **R** carte 75 à 110.

XX **Bistro 17,** 17 pl. Victoire ☎ 64.73.72 – AE GB ⓓ BY **k**
fermé août et dim. soir – SC : **R** 100.

XX Hermitage H. (La Commanderie) avec ch, 32 r. J.-de-Wedells à Ste-Radegonde ✉ 37100 ☎ 54.16.89, – wc – 11 ch AU **b**

XX **La Petite Marmite,** 103 av. Tranchée ✉ 37100 ☎ 54.03.85 – Ⓟ AU **f**
fermé juil., dim. soir et merc. – **R** 46/78 🌡.

XX **Le Ronsard,** 47 av. Bordeaux ✉ 37300 Joué-lès-Tours ☎ 28.04.58 – Ⓟ. AV **k**
fermé 5 au 26 août, 11 au 25 fév., mardi soir et merc. – SC : **R** 75/100.

XX **Relais Buffet Gare,** pl. Mar.-Leclerc ☎ 05.46.12 EY
fermé vend. soir et sam. de nov. à Pâques – SC : **R** 55/110 🌡.

à La Guignière O : rte de Saumur - AV – ✉ **37230** Luynes :

Le Manoir sans rest, ☎ 51.04.02, ≤ – wc ⋒ ☎ 🚗. 🚌 — AV **t**
fermé janv. – SC : ☐ 10 – **16 ch** 55/105.

à Saint-Pierre des Corps E : 3,5 km - AV – ✉ **37700** Saint-Pierre-des-Corps :

Dancotel Ⓜ, 10 r. J.-Moulin ☎ 44.44.67 – |♦| ▤ rest wc ⋒wc ☎ Ⓟ – 🏛 25 à 100. 🚌 AE ⓓ E — AV **d**
SC : **R** snack 28 bc (sauf fêtes)/70 ♁ – ☐ 13 – **32 ch** 115/135 – P 150/190.

à Rochecorbon NE : rte de Blois - AU – ✉ **37210** Vouvray :

Les Fontaines sans rest, 6 quai Loire ☎ 52.52.86, ≤, parc – wc ⋒wc ☎ ♿ Ⓟ. 🚌 AE GB ⓓ E — AU **z**
SC : ☐ 12 – **15 ch** 65/160.

La Lanterne, ☎ 52.50.02 – Ⓟ. AE GB — AU **d**
fermé 24 au 31 août, 11 janv. au 22 fév., dim. soir du 1er oct. au 31 mai et lundi – SC : **R** 35.

L'Oubliette, ☎ 52.50.49 – Ⓟ. E — AU **s**
fermé 1er au 15 août, 15 au 31 janv., dim. soir et lundi – SC : **R** 75/90.

rte de Poitiers : par ⑩ échangeur Tours Sud – ✉ **37170** Chambray-les-Tours :

Novotel Ⓜ, ☎ 27.41.38, Télex 751206, 🏊 – |♦| ▤ ch TV ☎ ♿ Ⓟ – 🏛 200. AE GB ⓓ
R snack carte environ 65 – ☐ 20 – **91 ch** 180/215.

à Joué-lès-Tours SO : 5 km par D 86 - AV – ✉ **37300** Joué-les-Tours :

Château de Beaulieu 🐚, rte Villandry ☎ 28.52. 19, ≤, parc – wc ⋒ ☎ ♿ Ⓟ – 🏛 50. 🚌 — AV **b**
SC : **R** 90/200 – ☐ 18 – 17 ch 150/280 – P 246/310.

Parc Ⓜ sans rest, 17 bd Chinon ☎ 28.40.19 – |♦| wc ⋒wc ☎ ♿ Ⓟ. 🚌 AE GB E — AV **n**
fermé janv. – SC : ☐ 14 – **32 ch** 116/180.

Chantepie Ⓜ sans rest, 6 r. Pointcarré ☎ 53.06.09 – wc ☎ Ⓟ. 🚌 AE GB — AV **e**
SC : ☐ 13 – **20 ch** 70/135.

Voir aussi ressources hôtelières de ***Luynes*** par ⑬ : 13 km, de ***Montbazon*** par ⑨ : 13 km, de ***Savonnières*** par ⑫ : 17 km

MICHELIN, Agence régionale, Zone Ind. Chambray-lès-Tours AV ☎ **28.60.59**

ALFA-ROMEO L.O.V.A., 181 bd Thiers ☎ 20.45.15
AUDI-VOLKSWAGEN Gar. St-Christophe, 42 r. Giraudeau ☎ 61.46.73
BMW Gar. Saint-Simon, av. du Lac à St-Avertin ☎ 05.48.65
CITROEN S.I.C. de Banville, 56 av. Grammont DZ ☎ 05.37.31 N
DATSUN, VOLVO Gar. Colin, 50 r. de Boisdenier ☎ 05.15.65 N ☎ 41.15.15
DATSUN, LANCIA Gar. Gaillard, 7 r. G.-Sand ☎ 20.69.80
FIAT, LANCIA-AUTOBIANCHI Gd. Gar. Ouest, 150 bd Thiers ☎ 20.95.39
FORD Gar. Pont, Z.I. Menneton ☎ 20.25.33
LADA, SKODA Hamelin, 68 r. Salengro ☎ 61.02.88
TALBOT Tours-Automobiles, 146 av. A.-Maginot AU ☎ 54.53.25 et 20 r. d'Entraigues ☎ 20.30.57
TALBOT Gar. de la Passerelle, 17 r. Dr.-Fournier FZ ☎ 05.25.93
Gar. Nouveau Tours, 16 r. Constantine ☎ 05.74.92
Gar. Thiers, 187 bd Thiers ☎ 20.61.47
Station-Technique-Auto, 241 r. E.-Vaillant ☎ 20.33.06

Ⓜ Bourdin-Pneus, 39 r. des Docks ☎ 05.36.08
Super-Pneus, 55 r. Voltaire ☎ 05.74.83
Tours-Pneus, 145 av. Maginot, N 10 ☎ 54.57.50

Périphérie et environs

AUDI-VOLKSWAGEN Busker, rte Mont-Louis à St-Pierre-des-Corps ☎ 44.02.67
AUSTIN, JAGUAR, MORRIS, ROVER, TRIUMPH Gar. Gauron, 24 rue Gutenberg à Joué-lès-Tours ☎ 53.83.45
CITROEN S.I.C. de Banville, rte de Chinon à Joué-lès-Tours AV ☎ 53.90.31 N
CITROEN Gar. de la Lanterne, 26 quai de la Loire à Rochecorbon AU ☎ 52.50.62
OPEL, GM-US, PORSCHE-MITSUBISHI Gar. Intersport, av. Pompidou, les Granges Galand à St-Avertin ☎ 28.02.56
PEUGEOT Gds Gar. de Touraine, 207 av. du Mans à St-Cyr AU **a** ☎ 54.24.24 N ☎ 54.48.85
PEUGEOT Gar. Gayout, Zone Ind. n° 2, 13 r. Prony à Joué-lès-Tours AV ☎ 28.14.53
RENAULT N.E.R.V.A., N 10 à Chambray-les-Tours AV **f** ☎ 28.02.37
RENAULT Boutet, 26 r. Larçay à St-Avertin AV **y** ☎ 50.70.29

Ⓜ La Maison du Pneu, 55 bd de Chinon à Joué-lès-Tours ☎ 28.06.73
Tours-Pneus, 83 rte de Bordeaux, Chambray-lès-Tours ☎ 28.25.89

TOURS-SUR-MARNE **51150** Marne **56** ⑯⑰ – **1 291 h. alt. 985** – ✪ **26.**
Paris 155 – Châlons-sur-Marne 22 – Épernay 15 – ♦Reims 27.

Touraine Champenoise, r. du Pont ☎ 59.91.93 – 🚗 Ⓟ. GB ⓓ
fermé vac. de fév. et lundi – SC : **R** 35/120 ♁ – ☐ 16 – 8 ch 75/90 – P 120/160.

RENAULT Gar. Croizy-Floquet, ☎ 59.90.99

TOURTOIRAC 24 Dordogne 75 ⑥⑦ G. Périgord – 754 h. alt. 140 – ✉ 24390 Hautefort – ☎ 53.

Voir Château de Hautefort** : charpente** de la tour du Sud-Ouest E : 9,5 km.

Paris 471 – Brive-la-Gaillarde 55 – Lanouaille 20 – •Limoges 76 – Périgueux 37 – Uzerche 67.

Voyageurs, ☎ 50.42.29, – wc wc . . ch
fermé 5 au 31 janv. – SC : **R** 35/70 – 9,50 – **11 ch** 85/125 – P 85/130.

CITROEN Bourrou, ☎ 50.42.16

TOURTOUR 83 Var 84 ⑥ G. Côte d'Azur – 311 h. alt. 633 – ✉ 83690 Salernes – ☎ 94.

Voir Église ※*.

Paris 861 – Aups 10 – Draguignan 20 – Salernes 11.

❀ **La Bastide de Tourtour** M , rte Draguignan ☎ 70.57.30, ≤ massif des Maures, parc, , – & – 30. AE GB
23 fév.-9 nov. – SC : **R** *(fermé mardi hors sais.)* 105/160 – 22 – 26 ch 200/460 – P 315/440
Spéc. Tian de légumes, Filets de rougets farcis, Carré d'agneau. **Vins** Ste-Roseline, Villecroze.

Aub. St-Pierre , E : 3 km par D 51 et VO ☎ 70.57.17, ≤, parc, , – wc wc
1er avril-1er nov. – SC : **R** *(fermé jeudi)* 80/110 – 18 – **15 ch** 160/190 – P 200/215.

Petite Auberge M , S : 1,5 km par D 77 ☎ 70.57.16, ≤ massif des Maures, – wc wc .
fermé nov. et merc. – SC : **R** 65 – 14 – **12 ch** 130 – P 169/234.

XX ❀ **Chênes Verts** (Bajade), O : 2 km sur rte Villecroze ☎ 70.55.06 –
fermé janv., dim. soir du 1er oct. au 1er mai et merc. – SC : **R** (nombre de couverts limité - prévenir) 140/250
Spéc. Truffes fraîches (15 nov.-15 mars), Blanc de turbot, Feuilleté d'asperges (1er avril-1er juil.). **Vins** Bandol, Vidauban.

TOURVES 83650 Var 84 ⑮ – 1 943 h. alt. 290 – ☎ 94.

Paris 804 – Aix-en-Pr. 47 – Aubagne 35 – Brignoles 12 – Draguignan 65 – Rians 30 – •Toulon 47.

X **Lou Paradou** avec ch, E : 2 km par N 7 ☎ 78.70.39, – wc wc
fermé 1er oct. au 3 nov., dim. soir et lundi – SC : **R** 55/75 – 10 – **8 ch** 65/75 – P 120/130.

TOURY 28390 E.-et-L. 60 ⑲ G. Environs de Paris – 2 497 h. alt. 134 – ☎ 37.

Paris 83 – Chartres 48 – Châteaudun 51 – Étampes 32 – •Orléans 34 – Pithiviers 26 – Voves 30.

Parc, ☎ 90.50.06, – .
fermé 1er au 20 sept. et merc. sauf en été – SC : **R** 35/50 – 10 – **8 ch** 45/60.

CITROEN Denizet, ☎ 90.50.25 N ☎ 21.94.39
RENAULT Gar. Georges, ☎ 90.50.35
La Centrale du Pneu, ☎ 90.51.61

La TOUSSUIRE 73 Savoie 77 ⑥⑦ G. Alpes – alt. 1 690 – Sports d'hiver : 1 700/2 230 m 13 – ✉ 73300 St-Jean-de-Maurienne – ☎ 79.

Voir Route d'accès*.

Office de Tourisme (juil.-août, oct.-mai et fermé dim. hors sais.) ☎ 56.70.15.

Paris 648 – Chambéry 89 – St-Jean-de-Maurienne 18.

Les Airelles , ☎ 56.75.88, ≤ – wc wc . . rest
27 juin-15 sept. et début déc.-fin avril – SC : **R** 40/80 – 10,50 – **31 ch** 70/105 – P 120/165.

Les Soldanelles , ☎ 56.75.29, ≤ – wc wc . . rest
20 juin-6 sept. et 1er déc.-3 mai – SC : **R** 38/88 – 11 – **22 ch** 65/85 – P 105/150.

La Ruade, ☎ 56.74.93, ≤ – wc wc . rest
1er juil.-31 août et 15 déc.-15 avril – SC : **R** 45/50 – 12 – **28 ch** 100/130 – P 130/160.

TOUTEVOIE 60 Oise 56 ⑪, 96 ⑦ – rattaché à Chantilly.

TOUZAC 46 Lot 79 ⑥ – rattaché à Fumel.

TRAENHEIM 67 B.-Rhin 62 ⑨ – 421 h. alt. 200 – ✉ 67310 Wasselonne – ☎ 88.

Paris 469 – Haguenau 41 – Molsheim 7 – Saverne 20 – •Strasbourg 27 – Wasselonne 6.

XX **Zuem Loejelgücker,** ☎ 50.38.19, « Vieille demeure alsacienne » –
fermé fév., lundi soir et mardi – SC : **R** 38/105.

TRAÎNEL 10 Aube 61 ④ – rattaché à Nogent-sur-Seine.

La TRANCHE-SUR-MER 85360 Vendée 71 ⑪ G. Côte de l'Atlantique – 2 125 h. – ✪ 51.

Office de Tourisme pl. Liberté (fermé dim. hors sais.) ℡ 30.33.96.

Paris 453 – Luçon 30 – Niort 91 – La Rochelle 61 – La Roche-sur-Yon 40 – Les Sables-d'Olonne 38.

Dunes, ℡ 30.32.27 – wc. *1er avril-5 mai et 20 mai-20 sept.* – SC : **R** 45/65 – 9 – 50 ch 58/120 – P 92/140.

Océan, ℡ 30.30.09, ←, – . E. rest. *1er avril-25 sept.* – SC : **R** 50/130 – 12 – 55 ch 45/90 – P 100/140.

Le Rêve , ℡ 30.34.06, ←, , – wc – 30. *fermé fin oct. à début nov., 4 au 10 janv. et sam. hors sais.* – SC : **R** 50/80 – 12 – 43 ch 52/115 – P 115/161.

à la Grière E : 2 km par D 46 – ✉ 85360 La Tranche-sur-Mer :

Cols Verts, ℡ 30.35.06, – wc wc . AE E. ch. *fermé 10 déc. au 15 janv. et lundi sauf vacances scolaires* – SC : **R** 67/105 – 9 – **34 ch** 62/145 – P 103/160.

Pins, ℡ 30.34.24, – wc wc. *15 mars-30 sept.* – SC : **R** 30/70 – 9 – 41 ch 54/100 – P 85/130.

Mer, ℡ 30.30.37 – . rest. *1er juin-30 sept.* – SC : **R** 32/65 – 12 – 39 ch 45/80 – P 95/126.

à la Terrière NO : 3 km par D 105 – ✉ 85360 La Tranche-sur-Mer :

Côte de Lumière, ℡ 30.30.35 – . *15 mars-25 sept.* – SC : **R** 28/75 – 7,50 – **30 ch** 40/60 – P 86/108.

TRANS-EN-PROVENCE 83720 Var 84 ⑦ – 2 758 h. alt. 146 – ✪ 94.

Paris 864 – Brignoles 54 – Draguignan 4,5 – St-Raphaël 28 – Ste-Maxime 32.

Commerce, ℡ 70.80.04 – wc . ch. *Pâques-1er oct. et fermé vend.* – SC : **R** 40/120 – 9,50 – 16 ch 40/100 – P 130/190.

Lou Galoubet, NO : 1 km sur N 555 ℡ 70.81.86 – . *fermé 15 déc. au 15 janv. et merc.* – SC : **R** 32/42.

le TRAYAS 83113 Var 84 ⑧, 195 ㉞ G. Côte d'Azur – alt. 1 à 200 – ✪ 94.

Voir Pointe de l'Observatoire ←* S : 2 km – Rocher de St-Barthélemy ←** SO : 4 km puis 30 mn.

Paris 896 – Cannes 20 – Draguignan 52 – St-Raphaël 20.

Relais des Calanques, Corniche de l'Estérel ✉ 83700 St-Raphaël ℡ 44.14.06, ←, , , – TV wc wc . *fermé 20 nov. au 20 déc.* – SC : **R** *(fermé merc. midi et vend. midi)* (dîner pour résidents seul.) 79/99 – 18 – 10 ch 150/200 – P 240/280.

TREBEURDEN 22560 C.-du-N. 59 ① G. Bretagne – 2 901 h. alt. 80 – ✪ 96.

Voir Le Castel ←* – Pointe de Bihit ←* SO : 2 km.

18 de St-Samson ℡ 23.87.34, NE : 7 km.

Office de Tourisme pl. Crech'Héry (fermé oct., nov., déc. et dim.) ℡ 23.51.64.

Paris 520 – Lannion 9 – Perros-Guirec 13 – St-Brieuc 72.

Ti al-Lannec M , ℡ 23.57.26, ← parc – wc – 25. AE. rest. *15 mars-30 nov.* – SC : **R** *(fermé lundi midi hors sais.)* 75/110 – 16 – **23 ch** 140/200 – P 210/275.

Manoir de Lan-Kerellec , ℡ 23.50.09, ←, – wc . AE. *16 mars-5 nov.* – SC : **R** *(fermé lundi)* 90/180 – 18 – 11 ch 200/250.

Family, ℡ 23.50.31 – wc wc . . rest. *15 mars-1er nov. et fermé lundi* – SC : **R** 58/148 – 12,50 – 25 ch 80/160 – P 110/195.

Ker-an-Nod, ℡ 23.50.21, ← – wc wc . AE GB E. rest. *Pâques-nov.* – SC : **R** *(hors sais. : fermé le midi du mardi au vend.)* 38/80 – 12 – **20 ch** 65/130 – P 130/170.

TRÉBOUL 29 Finistère 58 ⑭ – voir à Douarnenez.

TREFEUNTEC 29 Finistère 58 ⑭ – rattaché à Plonévez-Porzay.

TRÉGASTEL-PLAGE 22730 C.-du-N. 59 ① G. Bretagne (plan) – 2 013 h. – ✪ 96.

Voir Rochers** – Trégastel-Bourg : ←* du calvaire S : 3 km.

18 de St-Samson ℡ 23.87.34, S : 3 km.

Office de Tourisme pl. Ste-Anne (fermé sam. après-midi et dim. hors sais.) ℡ 23.88.67.

Paris 524 – Lannion 13 – Perros-Guirec 7 – St-Brieuc 76 – Trébeurden 11 – Tréguier 27.

Armoric, ☎ **23.88.16,** ≤, 🍴 – 🛗 **P**. AE GB ⊙ E. 🚫 rest
1er juin-20 sept. – SC : **R** 65/135 – ☕ 15 – **55 ch** 120/220 – P 160/220.

Belle Vue 🐦, ☎ **23.88.18,** ≤, **« Jardin fleuri »** – 🛁wc 🚿wc ☎ **P**. 🚗 GB E. 🚫
8 avril-30 sept. – SC : **R** 55/110 – ☕ 16,50 – 33 ch 90/185 – P 185/230.

Gd. H. Mer et Plage, ☎ **23.88.03,** ≤ – 🛁wc 🚿wc ☎ **P**. 🚗 GB
1er juin-25 sept. – SC : **R** 42/160 – ☕ 16 – **40 ch** 90/160 – P 150/190.

Beau Séjour, ☎ **23.88.02,** ≤ – 🛁wc ☎ **P**. 🚗 AE GB ⊙ E
15 mars-15 oct. – SC : **R** 42/90 – ☕ 11 – 20 ch 65/160 – P 110/170.

Grève Blanche 🐦, ☎ **23.88.27,** ≤ **mer et rochers** – 🛁wc 🚿wc ☎ **P**. 🚗. 🚫 ch
15 mars-fin sept. – SC : **R** 46/85 – ☕ 12 – 28 ch 54/120 – P 130/180.

Corniche, ☎ **23.88.15** – 🚫 rest
1er juin-15 sept. – SC : **R** 29/75 – ☕ 9 – 20 ch 42/55 – P 99/105.

CITROEN Gar. Rivoallan, Le Golven ☎ 23.87.15 Garage de la Corniche, ☎ 23.88.70

TRÉGUIER **22220** C.-du-N. **59** ② **G. Bretagne** – 3 718 h. alt. 46 – ⊙ 96.

Voir Cathédrale St-Tugdual** et cloître**.

Env. St-Gonéry : bahut sculpté* et mausolée* dans la chapelle N : 6 km.

i Syndicat d'Initiative à la Mairie (15 juil.-15 sept. et fermé dim.) ☎ 92.30.19.

Paris 510 ① – Guingamp 30 ② – Lannion 18 ③ – Paimpol 15 ① – St-Brieuc 60 ①.

Estuaire, pl. Gén.-de-Gaulle **(a)** ☎ **92.30.25** – 🛁wc 🚿wc. 🚗. 🚫 ch
fermé dim. soir et lundi du 1er oct. au 31 mai – SC : **R** 40/100 🍷 – ☕ 9 – 15 ch 43/130 – P 115/170.

PEUGEOT Sté de Vente Automobile du Trégor ☎ 92.32.52
RENAULT Dagorne, La Corderie à Minihy ☎ 20.31.28

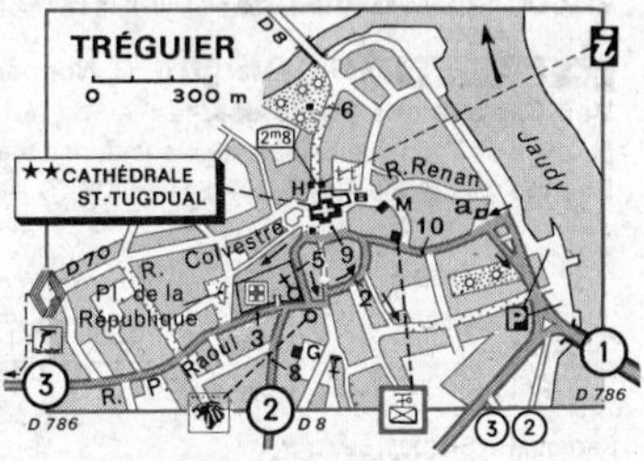

Martray (Pl. du)	9	La-Chalotais (R.)	5
Chantrerie (R. de la)	2	Le-Braz (Bd A.)	6
Gambetta (R.)	3	Le-Peltier (R.)	8
		St-André (R.)	10

TRÉGUNC **29128** Finistère **58** ⑪⑯ – 5 155 h. alt. 41 – ⊙ 98.

Paris 535 – Concarneau 6,5 – Pont-Aven 8,5 – Quimper 28 – Quimperlé 26.

Aub. Les Gdes Roches 🐦, **NE : 0,6 km par V 3** ☎ **97.62.97, parc** – 🛁wc 🚿wc ☎ **P** – 🏛 30. 🚗. 🚫 ch
fermé 10 déc. au 15 janv. et merc. – SC : **R** 60/90 – ☕ 12 – 21 ch 110/200 – P 105/220.

Le Menhir, ☎ **97.62.35** – 🛁wc 🚿wc ☎ **P**. 🚗. 🚫 ch
1er avril-1er oct. et fermé lundi d'avril à mai – SC : **R** 45/160 – ☕ 12 – 28 ch 52/160 – P 120/160.

RENAULT Gar. Le Goarant, ☎ 97.62.29

TREIGNAC **19260** Corrèze **72** ⑲ **G. Périgord** – 1 942 h. alt. 482 – ⊙ 55.

i Syndicat d'Initiative pl. République (1er juil.-31 août, fermé dim. après-midi, lundi et sam.).

Paris 447 – Aubusson 74 – Bourganeuf 62 – •Limoges 67 – Tulle 41 – Uzerche 28.

Bagatelle, ☎ **98.00.16** – **P**. 🚗 GB
15 mars-1er oct. et fermé vend. en juin – **R** 35/60 – ☕ 9 – 15 ch 35/45 – P 80/100.

CITROEN Gar. Désir, ☎ 98.00.36 RENAULT Croso, ☎ 98.00.29

TRELLY **50** Manche **54** ⑫ – ✉ **50660** Quettreville – ⊙ 33.

Paris 342 – Avranches 39 – Bréhal 13 – Coutances 12 – Granville 23 – St-Lô 39 – Villedieu-les-P. 24.

XXX **Verte Campagne** 🐦 **avec ch, au hameau Chevalier 1,5 km par D 539 et VO** ☎ **47.65.33, « Ferme normande ancienne »,** 🌳 – 🛁wc 🚿 ☎ **P**. 🚗. 🚫 ch
fermé 15 nov. au 5 déc. – SC : **R** *(fermé lundi midi)* carte environ 100 – ☕ 14 – **8 ch** 75/180.

TRÉMINIS **38** Isère **77** ⑮ **G. Alpes** – 207 h. alt. 959 – ✉ **38710** Mens – ⊙ 76.

Voir Site*.

Paris 638 – Gap 74 – •Grenoble 74 – Monestier-de-Clermont 41 – La Mure 31 – Serres 57.

Alpes 🐦, **à Château-Bas** ☎ **34.72.94,** 🌳 – **P**
fermé 1er au 15 nov. – SC : **R** 28/48 – ☕ 9 – 13 ch 45/50 – P 77/82.

TRÉMOLAT 24 Dordogne 75 ⑯ G. Périgord – 508 h. alt. 52 – ✉ **24510** Ste-Alvère – ☎ 53.
Paris 538 – Bergerac 34 – Brive-la-Gaillarde 86 – Périgueux 54 – Sarlat-la-Canéda 45.

Vieux Logis ⟲, ☎ 61.80.06, ≤, « jardin fleuri ouvert sur la campagne » – ♿ 🚗 Ⓟ – 🏊 25. AE
début avril-début janv. – SC : **R** *(fermé merc. midi)* 60/130 – ☕ 20 – 14 ch 175/275, 3 appartements 395.

Perigord, ☎ 61.81.12, 🌳 – 🛁 Ⓟ
fermé nov., déc. et lundi hors sais. – SC : **R** 26/75 – ☕ 9 – **15 ch** 40/90 – P 80/110.

CITROEN Gar. Imbert, ☎ 61.80.10

rte du Cingle de Trémolat NO : 2,5 km par D 31 – ✉ **24510** Ste-Alvère.
Voir Cingle★★ : ☀★★.

Le Panoramic M ⟲, ☎ 61.80.42, ≤ – 🛁wc ☎ Ⓟ. 🚌. ✗ rest
Hôtel : Pâques-29 sept. rest. : 1er juil.-1er sept. – SC : **R** (prévenir) 41/125 – ☕ 11 – **27 ch** 86/110 – P 130/150.

TRÉMONT-SUR-SAULX 55 Meuse 61 ⑩ – rattaché à Bar-le-Duc.

TRÉPASSÉS (Baie des) 29 Finistère 58 ⑬ – rattaché à Pointe-du-Raz.

Le TRÉPORT 76470 S.-Mar 52 ⑤ G. Normandie – 6 859 h. – Casino Z – ☎ 35.
Voir Calvaire des Terrasses ≤★.
ℹ Office de Tourisme Esplanade plage (fermé mardi et dim. hors sais.) ☎ 86.05.69.
Paris 169 ① – Abbeville 37 ① – Beauvais 94 ① – Blangy 26 ① – Dieppe 30 ③ – ♦Rouen 93.

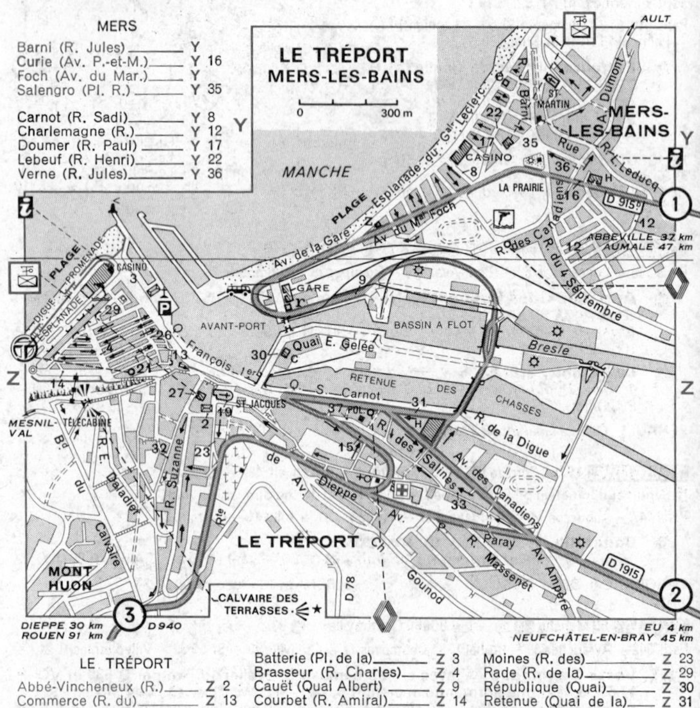

MERS

Barni (R. Jules)	Y	
Curie (Av. P.-et-M.)	Y	16
Foch (Av. du Mar.)	Y	
Salengro (Pl. R.)	Y	35
Carnot (R. Sadi)	Y	8
Charlemagne (R.)	Y	12
Doumer (R. Paul)	Y	17
Lebeuf (R. Henri)	Y	22
Verne (R. Jules)	Y	36

LE TRÉPORT

Abbé-Vincheneux (R.)	Z	2
Commerce (R. du)	Z	13
François-Ier (Quai)	Z	
Notre-Dame (Pl.)	Z	26
Paris (R. de)	Z	27
Batterie (Pl. de la)	Z	3
Brasseur (R. Charles)	Z	4
Cauët (Quai Albert)	Z	9
Courbet (R. Amiral)	Z	14
Dieppe (R. de)	Z	15
Église (Pl. de l')	Z	19
Gambetta (R.)	Z	21
Moines (R. des)	Z	23
Rade (R. de la)	Z	29
République (Quai)	Z	30
Retenue (Quai de la)	Z	31
St-Michel (R.)	Z	32
St-Nicolas (R.)	Z	33
Victor-Hugo (R.)	Z	37

Picardie, pl. P.-Sémard ☎ **86.02.22** – 🛁wc 🚿wc ☎. GB Z r
fermé 13 déc. au 11 janv., dim. soir et lundi d'oct. à mai – SC : **R** 68/100 🍷 – ☕ 13 – 29 ch 55/125 – P 150/225.

RENAULT Gar. Moderne, 9 quai S.-Carnot ☎ 86.13.90 N

TALBOT Gar. Lemercier, 23 r. Falaise ☎ 86.30.67

Mers-les-Bains 80350 Somme – 4 628 h. – Casino Y.

Office de Tourisme r. J.-Barni (Rameaux-30 sept. et fermé merc.) ☎ 86.06.14.

Bellevue, esplanade Gén.-Leclerc ☎ 86.12.89, ← – wc ☎. Y e
fermé 10 nov. au 10 déc. – SC : **R** *(fermé lundi hors sais.)* 60 – 12 – 30 ch 60/150 – P 160/260.

Les Charmettes avec ch, espl. Gén.-Leclerc ☎ 86.13.79, ← – AE GB
avril-fin sept. – SC : **R** 37/80 – 10 – 18 ch 65/90 – P 100/140. Y z

Gar. de la Bresle, ☎ 86.06.44

TRÉVEZEL (Roc) 29 Finistère 58 ⑥ **G. Bretagne.**

Voir ✱★★ – **Accès de la D 785 : 30 mn.**

Paris 542 – Huelgoat 16.

TRÉVOU-TRÉGUIGNEC 22 C.-du-N. 59 ① – 1 314 h. – ✉ **22660** Trélévern – ☎ 96.

Paris 513 – Guingamp 37 – Lannion 14 – Paimpol 29 – Perros-Guirec 12 – Tréguier 14.

Ker Bugalic ⑤, ☎ 23.72.15, ←, – wc ☎ Ⓟ. rest
10 avril-30 sept. – SC : **R** 38/90 – 15 – **18 ch** 100/110 – P 150/160.

Trestel-Bellevue ⑤, ☎ 23.71.44, ←, – wc Ⓟ
Pâques-30 sept. – SC : **R** 39/79 – 10 – 14 ch 80/100 – P 105/140.

TRÉVOUX 01600 Ain 74 ① **G. Vallée du Rhône (plan)** – 4 810 h. alt. 179 – ☎ 74.

Paris 441 – L'Arbresle 26 – Bourg-en-Bresse 52 – ♦Lyon 28 – Mâcon 47 – Villefranche-sur-Saône 10.

Gare avec ch, rte Lyon ☎ 00.12.42 – .
fermé juil., lundi soir et mardi – SC : **R** 25/85 – 8 – 7 ch 40/60.

RENAULT Gar. du Midi, ☎ 00.21.82

La TRICHERIE 86490 Vienne 68 ④ – alt. 150 – ☎ 49.

Paris 314 – Bressuire 80 – Châtellerault 14 – Jaunay-Clan 7 – Parthenay 58 – Poitiers 20 – Thouars 66.

Relais du Clain, N 10 ☎ 90.07.59 – Ⓟ
fermé dim. soir et lundi – SC : **R** 45/80 .

TRIEL-SUR-SEINE 78510 Yvelines 55 ⑲, 101 ① **G. Environs de Paris** – 6 964 h. alt. 20 – ☎ 3.

Voir Église★ – Andrésy : vitraux★ de l'église E : 5 km – Vernouillet : clocher★ de l'église SO : 2 km.

Syndicat d'Initiative 157 r. P.-Doumer (fermé août, dim. et lundi matin) ☎ 965.60.72.

Paris 35 – Mantes 27 – Meulan 8 – Poissy 6 – Pontoise 17 – St-Germain 12 – Versailles 28.

Coq au Vin, rive gauche ☎ 965.99.95, ← – Ⓟ
fermé août – **R** 32 bc/145 bc.

CITROEN Ets Joly, 41 bd de l'Europe à Vernouillet ☎ 971.64.28
CITROEN Triel-Auto-Mécanique, 21 av. de Poissy ☎ 974.61.20
RENAULT Bagros et Heid, 1 r. du Pont ☎ 965.60.29

TRIE-SUR-BAÏSE 65220 H.-Pyr. 85 ⑨ – 1 096 h. alt. 240 – ☎ 62.

Paris 760 – Auch 48 – Lannemezan 29 – Mirande 24 – Tarbes 30.

Tour, ☎ 35.52.12 – ☎.
fermé 30 sept. au 19 oct. – SC : **R** *(fermé lundi)* 31/70 – 8,50 – **10 ch** 46/62 – P 90/105.

TRIGANCE 83 Var 84 ⑥⑦ – 107 h. alt. 734 – ✉ **83840** Comps-sur-Artuby – ☎ 94.

Paris 818 – Castellane 20 – Comps-sur-Artuby 12 – Draguignan 44 – Grasse 72 – Manosque 91.

Château de Trigance ⑤, accès : 5 mn à pied ☎ 76.91.18, « Cadre médiéval, terrasse avec vue étendue sur vallée et montagnes » – wc ☎ Ⓟ. AE ⓓ E
mi mars-mi nov. et fermé mardi soir et merc. hors sais. – SC : **R** 90/150 – 18 – 8 ch 140/220.

TRILPORT 77 S.-et-M 56 ⑬ – rattaché à Meaux.

La TRIMOUILLE 86290 Vienne 68 ⑯ – 1 257 h. alt. 113 – ☎ 49.

Paris 319 – Argenton-sur-Creuse 51 – Bellac 41 – Le Blanc 20 – Châteauroux 71 – Poitiers 62.

Paix, rte Journet ☎ 91.60.50 – wc wc ☎. GB
fermé 10 au 20 oct., 15 janv. au 15 fév. et lundi hors sais. – SC : **R** 33/90 – 10 – 15 ch 60/130.

CITROEN Gar. Pailler, ☎ 91.60.23

La TRINITE-SUR-MER 56470 Morbihan 63 ⑫ **G. Bretagne** – 1 404 h. – ☎ 97.

Paris 484 – Auray 12 – Carnac 4,5 – Lorient 41 – Quiberon 22 – Quimperlé 61 – Vannes 30.

- **Le Rouzic,** ☎ 52.72.06, ≤ – wc ⚲ ☎. GB E
  fermé 15 nov. au 15 déc. – SC : **R** 55/100 – ☕ 15 – **29 ch** 85/150 – P 160/210.
- **L'Azimut,** ☎ 52.71.88
  fermé 2 janv. à fin fév. et lundi sauf juil. et août – SC : **R** 78.
- **Ostréa** avec ch, ☎ 52.73.23, ≤ – AE. ✻ ch
  15 avril-15 sept. et fermé mardi hors sais. – SC : **R** 60/100 – ☕ 11 – **11 ch** 70/85.
- **Restoport,** ☎ 55.72.73 – AE
  fermé 13 sept. au 30 nov., 15 janv. au 15 fév. et mardi hors sais. – SC : **R** 45/70.

à ***St-Philibert*** E : 2,5 km par D 781 – ✉ **56470** La Trinité-sur-Mer :

- **Panorama** M ⛰, ☎ 24.90.56, – wc ⚲wc ☎ P
  20 mars-30 sept. et fermé lundi – SC : **R** 30/75 – ☕ 12 – **25 ch** 75/130 – P 115/145.

RENAULT Le Naviel, ☎ 52.72.53

La TRIQUE 85 Vendée 67 ⑤ – rattaché à Cholet.

Les TROIS-CHEMINÉES 45 Loiret 64 ⑧ – rattaché à Beaugency.

Les TROIS-ÉPIS 68410 H.-Rhin 62 ⑱ **G. Vosges** – alt. 658 – ☎ 89.

Voir Le Belvédère ≤* O : 15 mn.

Paris 448 – Ammerschwihr 7,5 – Colmar 12 – Gérardmer 50 – Munster 17 – Orbey 12 – Turkheim 8,5.

- **Gd Hôtel** M ⛰, ☎ 49.80.65, Télex 880229, ≤ forêt vosgienne et plaine d'Alsace, ▣, parc – ⇅ TV ☎ ♿ P – 🎓 100. AE GB ◑ E
  fermé 4 janv. au 11 fév. – SC : **R** carte 115 à 160 et voir rest. l'Auberge – ☕ 23 – **40 ch** 155/280, 8 appartements 300/360 – P 325/430.
- **Marchal** M ⛰, ☎ 49.81.61, ≤ forêt vosgienne, plaine d'Alsace, parc – ⇅ ☎ P – 🎓 30. GB. ✻
  fermé début déc. à mi janv. – SC : **R** 55/130 ♁ – ☕ 15 – 43 ch 100/220 – P 165/225.
- **Croix d'Or** ⛰, ☎ 49.83.55, ≤ forêt vosgienne – ⚲wc ☎ 🚗 P – 🎓 25.
  fermé 5 janv. au 5 fév. – **R** *(fermé merc.)* 35/95 – ☕ 11 – **12 ch** 50/110 – P 100/130.
- **L'Auberge,** ☎ 49.80.65, ≤ forêt vosgienne et plaine d'Alsace – P
  fermé 4 janv. au 11 fév. – SC : **R** 40/95, dîner à la carte ♁.

La TRONCHE 38 Isère 77 ⑤ – rattaché à Grenoble.

TROO 41 L.-et-Ch. 64 ⑤ **G. Châteaux de la Loire** – 476 h. alt. 65 – ✉ **41800** Montoire – ☎ 54.

Voir Tour* de l'ancienne collégiale St-Martin, La « Butte » ≤* – St-Jacques des Guérets : peintures murales* de l'église S : 1 km.

Paris 196 – Château-du-Loir 33 – •Le Mans 62 – •Tours 48 – Vendôme 25.

- **Cheval Blanc,** r. A.-Arnault ☎ 85.08.22 – GB
  fermé oct., vacances scol. de fév., lundi soir et mardi – SC : **R** 33/90 ♁.

TROUVILLE-SUR-MER 14360 Calvados 55 ③ **G. Normandie** – 6 661 h. – Casino AY – ☎ 31.

Voir Corniche ≤*.

✈ de Deauville-St-Gatien : ☎ 88.31.27 par D 74 : 7 km BZ.

ℹ Office de Tourisme pl. Mar.-Foch (fermé dim. hors saison) ☎ 88.36.19.

Paris 206 ② – •Caen 43 ③ – •Le Havre 74 ② – Lisieux 29 ② – Pont-L'évêque 11 ②.

Plan page ci-contre

- La Résidence sans rest, 26 r. St-Michel ☎ 88.04.66 – ⇅ 🚗 — AY **b**
  sais. – **30 ch**.
- **St-James,** 16 r. Plage ☎ 88.05.23 – TV wc ⚲wc ☎. ◑ — AY **e**
  R (dîner pour résidents) – ☕ 13 – 14 ch 192.
- **Les Sablettes** sans rest, 15 r. P.-Besson ☎ 88.10.66 – wc ⚲ ☎ — AY **r**
  fermé 15 nov. au 15 janv. – SC : ☕ 10,50 – **14 ch** 108/145.
- **Maison Normande,** 4 pl. Mar.-de-Lattre-de-Tassigny ☎ 88.12.25 – ⚲. ✻
  15 mars-15 oct. – SC : **R** *(fermé mardi hors sais.)* 42/55 – ☕ 11 – 20 ch 80/220 – P 145/190. — BY **h**
- **Reynita** sans rest, 29 r. Carnot ☎ 88.15.13 – wc ⚲wc ☎. GB. ✻ — AY **s**
  fermé 1er janv. au 5 fév. – SC : ☕ 12 – **25 ch** 56/120.
- La Régence, 132 bd F.-Moureaux ☎ 88.10.71 — BY **k**
- **Le Provençal,** 7 r. Dr-Leneveu ☎ 88.36.45 – GB — BY **t**
  fermé 1er au 15 sept., 15 déc. au 15 janv., merc. en juil., août et jeudi – SC : **R** 38/100.
- **La Petite Auberge,** 7 r. Carnot ☎ 88.11.07 — AY **f**
  fermé 12 nov. au 10 janv., mardi et merc. sauf juil. et août – SC : **R** (prévenir) 32/52.

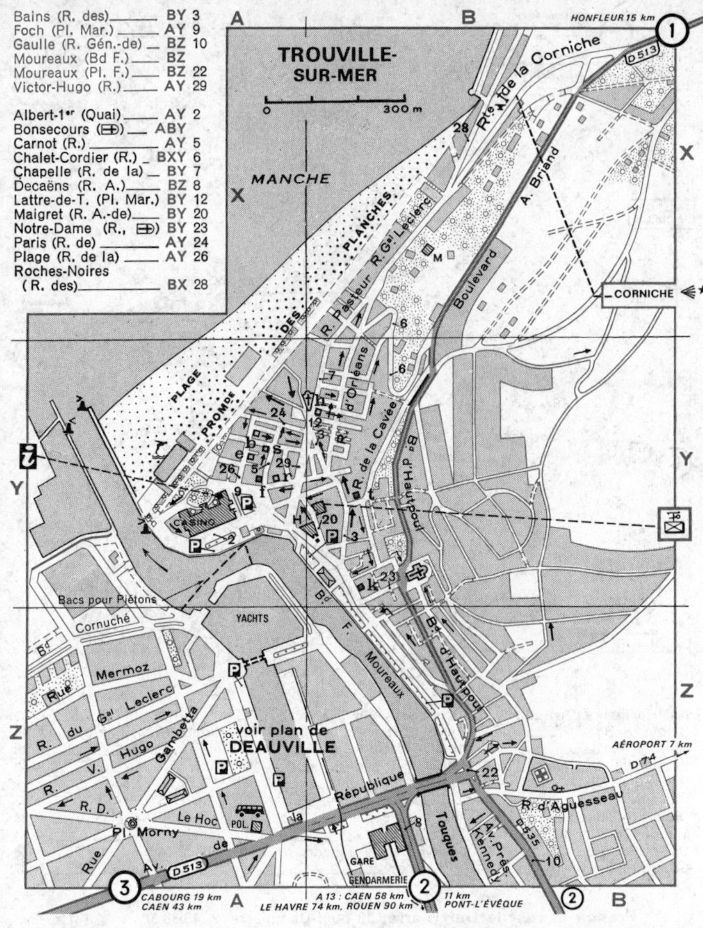

TROYES P **10000** Aube 61 ⑯⑰ **G. Nord de la France** – 75 500 h. alt. 113 – ✪ 25.

Voir Cathédrale** : trésor* CY – Jubé**, statue de Ste-Marthe* et verrières* dans l'église Ste-Madeleine BZ **D** – Basilique St-Urbain* BYZ **B** – Église St-Pantaléon* BZ **E** – Maisons anciennes* BZ – Musées : Beaux-Arts* CY **M3**, Maison de l'Outil et de la Pensée ouvrière* BZ **M2**.

Env. Lac et forêt d'Orient** 21 km par ③.

18 du château de la Cordelière, près Chaource ☎ 46.11.05 ; par ④ : 31 km.

Office de Tourisme (fermé dim. hors saison) avec T.C.F. (☎ 43.58.40) 16 bd Carnot ☎ 43.01.03 - A.C. 46 bd V.-Hugo ☎ 43.32.88.

Paris 158 ⑦ – ♦Amiens 277 ⑦ – ♦Dijon 152 ④ – ♦Metz 233 ① – ♦Nancy 186 ②.

Plans pages suivantes

Gd Hôtel et rest. Le Champagne, 4 av. Mar.-Joffre ☎ **79.90.90, Télex 840582**, – cuisinette rest ☎ – 300. AE GB E BZ **u**
SC : **Le Champagne R** carte 70 à 110 - **Brass. Croco R** carte environ 60 – 17 – **100 ch** 80/210.

Poste M, 35 r. E.-Zola ☎ **43.13.02** – rest wc wc ☎. AE GB
R *(fermé dim. soir)* carte 90 à 105 - **La Taverne** *(fermé vend.)* **R** carte environ 65 **pizzeria** *(fermé lundi)* **R** carte environ 55 – 15 – **33 ch** 80/190. BZ **a**

tourner →

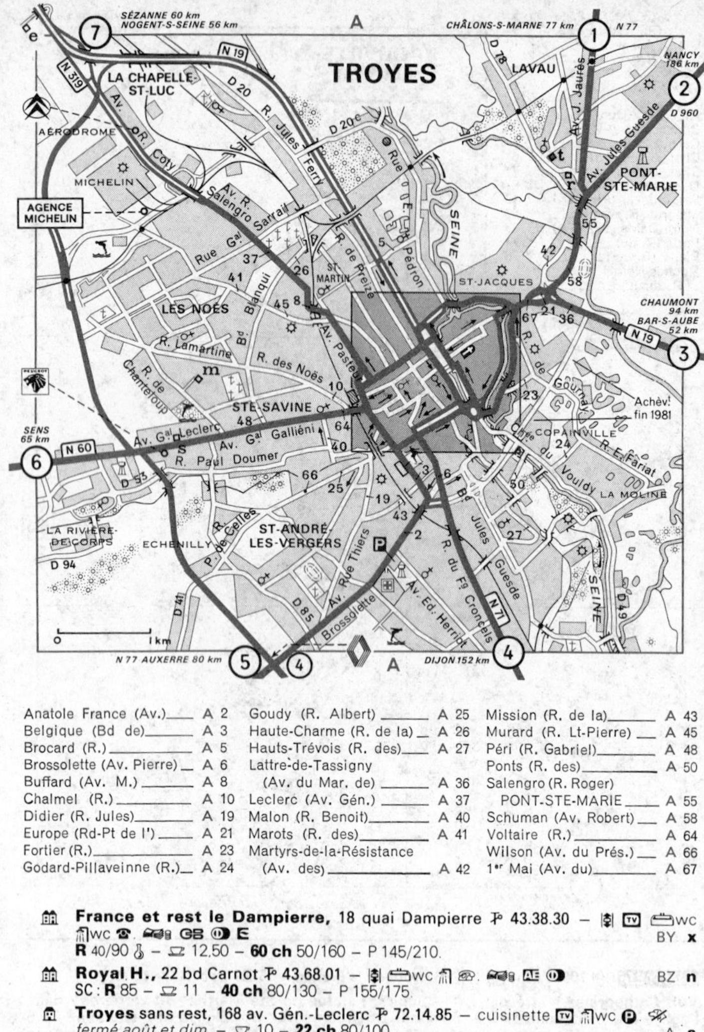

France et rest le Dampierre, 18 quai Dampierre ☎ 43.38.30 – wc wc ☎. GB E — BY **x**
R 40/90 – 12,50 – **60 ch** 50/160 – P 145/210.

Royal H., 22 bd Carnot ☎ 43.68.01 – wc ☎. AE — BZ **n**
SC : **R** 85 – 11 – **40 ch** 80/130 – P 155/175.

Troyes sans rest, 168 av. Gén.-Leclerc ☎ 72.14.85 – cuisinette wc — A **s**
fermé août et dim. – 10 – **22 ch** 80/100.

Le Champenois sans rest, 15 r. P.-Gauthier ☎ 43.32.71 – wc ☎ — BY **m**
fermé 7 au 16 août, 19 déc. au 11 janv. et dim. – SC : 10 – **24 ch** 40/100.

XXX ✿ **Le Bourgogne,** 40 r. Gén.-de-Gaulle ☎ 43.06.03 — BY **f**
fermé août, lundi soir et dim. – SC : **R** carte 95 à 120
Spéc. Mousseline de brochet, Aiguillettes de canard au Bouzy, Charlotte aux fruits.

XX **Lion de Belfort** (1er étage), 109 r. Gén.-de-Gaulle ☎ 43.53.94 – AE GB E — BZ **k**
fermé 15 au 31 août, vacances scol. de fév., dim. soir et lundi – SC : **R** 30/70.

XX **St-Vincent** (Buffet Gare), ☎ 43.54.12 – GB — BZ **d**
R 33/62.

X **Rest. Splendid,** 44 bd Carnot ☎ 43.46.74 – — BZ **s**
fermé 20 déc. au 3 janv. et mardi – **R** 36/60.

X **Brasserie du Théâtre** avec ch, 35 r. J.-Lebocey ☎ 43.62.92 – — BY **r**
fermé 24 juil. au 25 août, dim. soir et lundi – SC : **R** 27/85 – 11 – **12 ch** 45/85 – P 100/140.

X **Butat,** 50 r. Turenne ☎ 43.43.04 — BZ **q**
fermé août et dim. – SC : **R** 35/48.

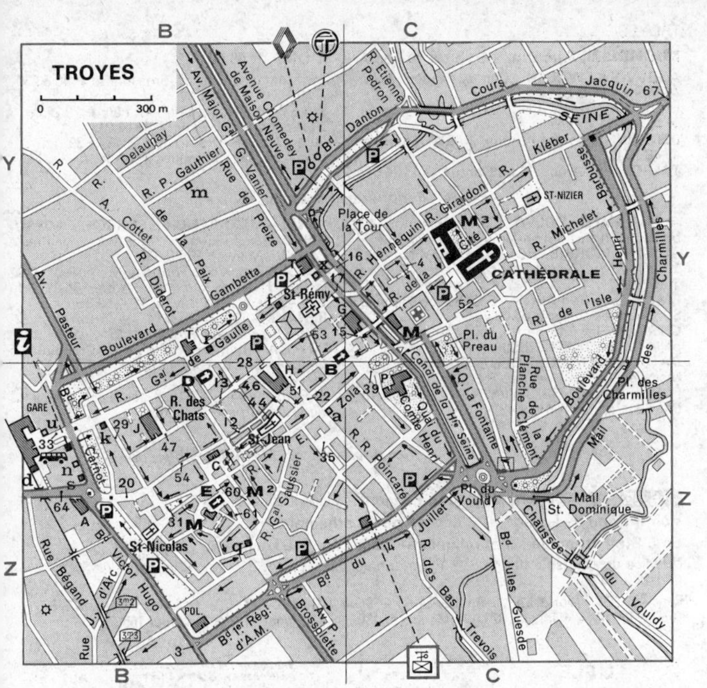

Champeaux (R.) ______ BZ 12
Clemenceau (R. G.) ______ BCY 15
Driant (R. Col.) ______ BZ 20
Jaurès (Pl. Jean) ______ BZ 31
République (R. de la) ______ BZ 51
Zola (R. Émile) ______ BCZ

Belgique (Bd de) ______ BZ 3
Bouchera (R.) ______ CY 4
Charbonnet (R.) ______ BZ 13

Comtes de Champagne (Q. des) ______ CY 16
Dampierre (Quai) ______ BY 17
Foch (Pl. Mar.) ______ BZ 22
Huez (R. Claude) ______ BYZ 28
Jaillant-Desch. (R.) ______ BZ 29
Joffre (Av. Mar.) ______ BZ 33
Langevin (Pl. du Prof.) ______ BZ 35
Libération (Pl. de la) ______ CZ 39
Molé (R.) ______ BZ 44

Paillot de Montabert (R.) BZ 46
Palais-de-Justice (R.) ______ BZ 47
St-Pierre (Pl.) ______ CY 52
St-Rémy (Pl.) ______ BY 53
Salengro (R. Roger) ______ BZ 54
Trinité (R. de la) ______ BZ 60
Turenne (R. de) ______ BZ 61
Vanier (Av. Major. Gén.) BY 63
Voltaire (R.) ______ BZ 64
1er Mai (Av. du) ______ CY 67

à Pont-Ste-Marie N : 3 km par N 77 - A – 3 104 h. – ✉ **10150** Pont-Sainte-Marie :

🏨 **H. Ste-Marie et Rôt. des Tonnelles,** 7 r. Dr.-Roux ☎ 81.04.65, – wc ☎ Ⓟ – 40. AE GB — A **r**
SC : **R** *(fermé lundi)* 35/68 – 12 – 30 ch 50/85.

XX ✿✿ **Host. Pont Ste-Marie** (Duquesnoy), près église ☎ 81.13.09 – AE ⓓ — A **t**
fermé en août, dim. soir et lundi – SC : **R** (dim. et fêtes prévenir) carte 120 à 180
Spéc. Foie gras d'oie frais, Salade tiède de rognons de veau, Gâteau au chocolat. **Vins** Rosé des Riceys, Viviers-sur-Artaut.

à Ste-Savine O : 2 km par N 60 - A – 10 660 h. – ✉ **10300** Ste-Savine :

🏨 **Motel Savinien** Ⓜ, 87 r. La Fontaine ☎ 79.24.90 – wc wc ☎ Ⓟ. — A **m**
SC : **R** *(fermé dim. sauf le soir en sais.)* 38/50 – 10 – **56 ch** 80/115.

à Bréviandes par ④ : 5 km – ✉ **10800** St-Julien-les-Villas :

XX **Résidence Bonne Fermière** avec ch, ☎ 82.45.65 – wc ☎ Ⓟ – 60. GB
R *(fermé dim. soir)* 28/80 – 12 – **15 ch** 65/120.

à Clérey-Sud par ④ : 15 km – ✉ **10390** Clérey :

X **L'Escapade** avec ch, rte de St-Parres-lès-Vaudes ☎ 46.00.30 – wc ☎ Ⓟ. GB. rest
fermé janv. et mardi – SC : **R** 44/150 – 12 – 4 ch (bungalow) 90.

à Barberey St-Sulpice par ⑦ : 5 km – ✉ **10600** La Chapelle-St-Luc :

🏨 **Novotel** Ⓜ, sur N 19 ☎ 72.12.14, Télex 840759, – rest TV wc ☎ Ⓟ – 120. AE GB ⓓ — A **e**
R snack carte environ 65 – 20 – **61 ch** 180/200.

MICHELIN, Agence, r. G.-Bizet, la Chapelle-St-Luc A ℡ **43.00.92**

AUDI-VOLKSWAGEN Gar. A.-France, 4 av. A.-France ℡ 82.53.54
LANCIA-AUTOBIANCHI Gar. Roy, 6 r. P.-Gillon ℡ 43.82.93
RENAULT Contant-Autom., 15 bd Danton ℡ 43.48.19 N
TALBOT Est-Autos, 19 bd Danton ℡ 43.24.51

Ets Montagne, 5 av. P.-Brossolette ℡ 43.83.30

La Centrale du pneu, 11 r. Paix ℡ 72.27.88
Devliegher, 2 r. E.-Zola ℡ 43.67.91
Lohly, 71 av. P.-Brossolette ℡ 43.65.39
Rémy, 94 Mail Charmilles ℡ 81.04.10

Périphérie et environs

ALFA-ROMEO, VOLVO Sélection-Autos, 43 bd de Dijon à St-Julien-les-Villas ℡ 82.58.12
AUSTIN, MORRIS, ROVER, TRIUMPH Gar. Juszak, 37 rte Auxerre à St-André-les-Vergers ℡ 82.56.87
BMW Gar. Sud-Autom., 132 bd de Dijon à St-Julien-les-Villas ℡ 82.03.76
CITROEN La Cité de l'Auto, N 19 à La Chapelle-St-Luc ℡ 43.40.75 N
DATSUN, MERCEDES-BENZ Ets Craeye, 38 r. Mar.-Leclerc à Bréviandes ℡ 82.38.78
FORD Gar. du 14 Juillet, r. R.-Salengro à Pont-Ste-Marie ℡ 81.12.45
LANCIA-AUTOBIANCHI, PORSCHE, MITSUBISHI Gar. Industriel, Zone Ind. r. Verdier à Pont-Ste-Marie ℡ 81.18.67
OPEL Girost, N 60 à Pont-Ste-Marie ℡ 81.00.32
PEUGEOT Gds Gar. de l'Aube, 35 av. du Gén.-Leclerc à Ste-Savine ℡ 79.09.56
RENAULT S.A.D.A., 114 rte Auxerre à St-André-les-Vergers ℡ 82.37.34 N
TOYOTA Thomas, r. Teilhard-de-Chardin à La Chapelle-St-Luc ℡ 79.40.78

Barniche-Pneus, 61 av. Gén.-Leclerc à La Rivière-de-Corps ℡ 79.36.09

*"Ask your bookseller for the catalogue of **Michelin Publications**".*

TULLE P **19000** Corrèze **75** ⑨ **G. Périgord** – 21 634 h. alt. 212 – ✪ 55.

Voir Maison de Loyac★ – Clocher★ de la cathédrale.

Env. Ste-Fortunade : chef reliquaire★ dans l'église 9 km par ④.

Office de Tourisme (fermé dim. et lundi hors saison) et A.C. pl. Mgr.-Berteau (juil.-août, fermé dim. et lundi).

Paris 481 ① – Albi 208 ④ – Aurillac 84 ③ – Brive-la-Gaillarde 29 ⑤ – ♦ Clermont-Ferrand 146 ② – Guéret 136 ① – ♦Limoges 87 ① – Montluçon 170 ② – Périgueux 102 ⑤ – Rodez 165 ④.

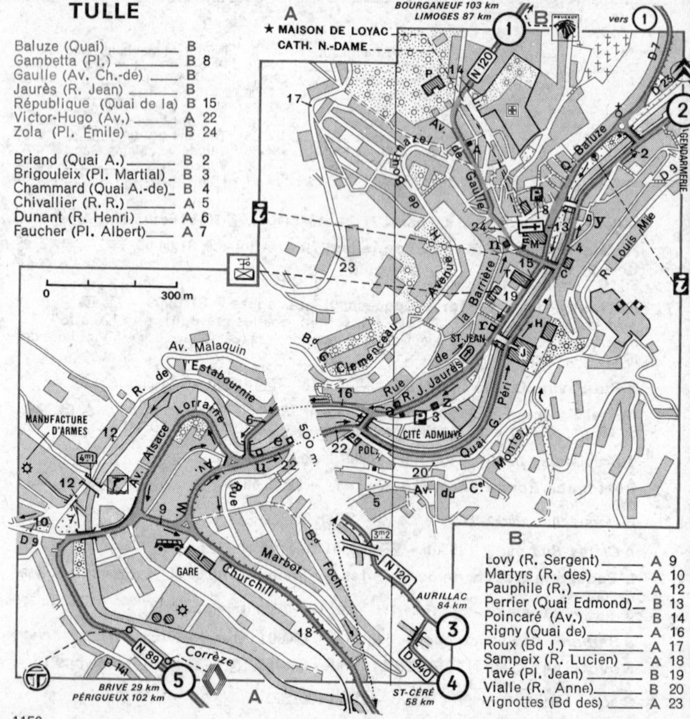

Limouzi M, 16 quai République ☎ 26.42.00 – ☎ & – 80 à 200. AE GB ⊙ E. rest B r
SC : **R** *(fermé 15 au 28 fév. et dim.)* 40/85 – 12 – **50 ch** 65/120 – P 140/180.

Le Royal sans rest, 70 av. V.-Hugo ☎ 20.04.52 – wc wc P. GB. A e
fermé fév. – SC : 10 – **14 ch** 60/90.

Le Dunant, 136 av. V.-Hugo ☎ 20.15.42 – wc wc. A u
fermé 20 déc. au 10 janv. et dim. soir sauf juil. et août – SC : **R** 30/45 – 9 – **13 ch** 65/100 – P 90/110.

Bon Accueil, 10 r. Canton ☎ 26.70.57 – wc wc B y
SC : **R** *(fermé dim. midi sauf de juil. à sept.)* 30/50 – 8 – 17 ch 40/65 – P 90/100.

Toque Blanche avec ch, pl. M. Brigouleix ☎ 26.75.41 – wc . AE B z
fermé fév. et lundi – SC : **R** 40/140 – 12 – **11 ch** 58/85 – P 120/150.

Central, 1er étage 32 r. J.-Jaurès ☎ 26.24.46 – AB a
fermé 20 juil. au 20 août, dim. soir et sam. – SC : **R** 45/140.

L'Esculou, 17 pl. Cathédrale ☎ 26.54.48 – AE GB ⊙ E B n
fermé lundi – SC : **R** 35/120 .

à ***Naves*** 6 km par ① – ✉ **19460** Naves :

Aub. de la Route, N 120 ☎ 26.62.02 – wc P. . ch
fermé 1er au 20 janv. – SC : **R** 26/75 – 8 – **22 ch** 43/65.

AUDI-VOLKSWAGEN Gar. Jacquet 20 pl. M.-Brigouleix ☎ 20.03.31
CITROEN Bru, 31 av. de Ventadour ☎ 26.18.82
FIAT, LANCIA-AUTOBIANCHI Veyres-Périé, 17 quai G.-Péri ☎ 20.15.22
FORD Diederichs, av. Alsace-Lorraine ☎ 20.10.93
MERCEDES-BENZ, OPEL Gar. de l'Oasis rte de Brive ☎ 20.10.61
PEUGEOT Gar. Bigeargeas, rte de Limoges ☎ 20.22.18
RENAULT SACOR, 43 r. du Dr.-Valette ☎ 20.00.55
TALBOT Ets Carles, 23 r. Dr.-Valette ☎ 20.08.05
Gar. Salesse, gare de Corrèze, à St-Priest-de-Gimel ☎ 21.31.50

Cammas, 3 av. Alsace-Lorraine ☎ 20.06.48
Peuch, 3 av. W.-Churchill ☎ 20.12.28

TULLINS 38210 Isère 77 ④ – 5 703 h. alt. 201 – ⊙ 76.

Syndicat d'Initiative à la Mairie (fermé sam. après-midi et dim.) ☎ 07.00.05.

Paris 545 – Bourgoin-Jallieu 43 – La Côte-St-André 27 – ♦Grenoble 34 – St-Marcellin 23 – Voiron 13.

Malatras, S : 2 km sur N 92 ☎ 07.02.30 – wc wc P. GB
fermé lundi sauf été – SC : **R** 48/130 – 14 – **30 ch** 65/140.

AUSTIN MORRIS, JAGUAR, ROVER, TALBOT, TRIUMPH Gar. Penon, ☎ 07.01.25
CITROEN Roudet, ☎ 07.03.40
FIAT Gar. de la Plaine, ☎ 07.03.67
PEUGEOT Bourguignon, à Fures ☎ 07.01.48
RENAULT Gar. Baboulin, ☎ 07.02.74

la TURBALLE 44420 Loire-Atl. 63 ⑭ G. Bretagne – 3 127 h. – ⊙ 40.

Syndicat d'Initiative pl. de Gaulle (fermé déc. et dim.) ☎ 23.32.01.

Paris 453 – La Baule 13 – Guérande 7 – ♦Nantes 84 – La Roche-Bernard 32 – St-Nazaire 26.

Terminus, quai St-Paul ☎ 23.30.29, ← – GB E.
fermé janv., lundi et mardi – SC : **R** 65/140.

La TURBIE 06 Alpes-Mar. 84 ⑩, 195 ㉗ G. Côte d'Azur (plan) – 1 826 h. alt. 480 – ✉ 06320 Cap-d'Ail – ⊙ 93.

Voir Trophée des Alpes* : *** – Intérieur* de l'église St-Michel-Archange – Place Catherine-Davis ←*.

Paris 949 – Eze 4,5 – Menton 13 – Monte-Carlo 8 – ♦Nice 18 – Roquebrune-Cap-Martin 7.

France, ☎ 41.09.54 – wc . . ch
fermé nov. et merc. sauf le soir en juil. et août – SC : **R** 40/65 – 10 – 14 ch 50/120 – P 109/144.

Césarée, ☎ 41.16.08 – . ch
fermé 1er nov. au 15 janv. – SC : **R** *(fermé lundi midi)* 30/55 – 9 – 11 ch 50/110 – P 130/140.

Host. Jérôme, au vieux village ☎ 41.11.09
fermé 15 sept. au 15 oct. – **R** (dîner seul. du 15 mai au 15 sept. et déj. seul. du 15 oct. au 15 mai) (nombre de couverts limité - prévenir) carte 145 à 185
Spéc. Pâté de lapereau, Agneau au four, Poires glacées. Vins Cuers, Le Beausset.

Chez Roux, à Laghet NO : 2,5 km par D 2204A ✉ 06340 La Trinité ☎ 41.15.59, ← – P
SC : **R** (déj. seul.) 38/55.

Die **Michelin-Karten** werden laufend auf dem neuesten Stand gehalten.

TURCKHEIM 68230 H.-Rhin 62 ⑱⑲ G. Vosges (plan) – 3 609 h. alt. 225 – 89.
Paris 443 – Colmar 6,5 – Gérardmer 45 – Munster 12 – St-Dié 55 – le Thillot 65.

Berceau du Vigneron M sans rest, pl. Turenne ℗ 27.23.55 – wc wc. rest
1er mars-15 nov. – SC : 12 – **16 ch** 100/135.

TURINI (col de) 06 Alpes-Mar. 84 ⑲, 195 ⑰ – rattaché à Peira-Cava.

UFFHOLTZ 68 H.-Rhin 66 ⑨ – rattaché à Cernay.

UHART-CIZE 64 Pyr.-Atl. 85 ③ – rattaché à St-Jean-Pied-de-Port.

UNAC 09 Ariège 86 ⑮ – rattaché à Ax-les-Thermes.

UNTERMUHLTHAL 57 Moselle 57 ⑱ – rattaché à Niederbronn-les-Bains.

URCAY 03 Allier 69 ⑪⑫ – 390 h. alt. 169 – ✉ **03360** St-Bonnet-Tronçais – 70.
Paris 288 – La Châtre 58 – Montluçon 34 – Moulins 67 – St-Amand-Montrond 15.

Étoile d'Or, ℗ 06.92.66 – ch
fermé 1er au 30 oct. et merc. – SC : **R** 30/82 – 8 – **6 ch** 42/59 – P 80.

Lion d'or, ℗ 06.54.04 –
fermé fév. et mardi – SC : **R** 27/59 – 7 – **6 ch** 40/50.

URCEL 02 Aisne 56 ⑤ – 463 h. alt. 88 – ✉ **02000** Laon – 23.
Paris 120 – Fère-en-Tardenois 41 – Laon 13 – ♦Reims 58 – Soissons 22 – Vailly-sur-Aisne 12.

Host. de France, rte Nationale ℗ 21.60.08, – P
fermé 1er au 15 sept., 15 au 28 fév. et jeudi – SC : **R** 38/80.

URDOS 64 Pyr.-Atl. 85 ⑯ – 179 h. alt. 760 – ✉ **64720** Urdos – 59.
Env. Col du Somport SE : 14 km, G. Pyrénées.**
Paris 824 – Jaca 46 – Oloron-Ste-Marie 41 – Pau 74.

Voyageurs-Somport, ℗ 34.88.05, – wc wc P.
fermé 15 au 30 nov. – SC : **R** 30/65 – 9 – 50 ch 36/110 – P 78/120.

URIAGE-LES-BAINS 38410 Isère 77 ⑤ G. Alpes – alt. 414 – Stat. therm. (1er mars-31 oct.) – Casino – 76.
Voir Forêt de Prémol* SE : 5 km par D 111.
Syndicat d'Initiative Gare V.F.D. (cars) (1er mars-31 oct. et fermé dim.) ℗ 89.10.27.
Paris 578 – ♦Grenoble 10 – Vizille 9.

Grand Hôtel, ℗ 89.10.80, parc, , – wc P
1er mai-fin sept. – SC : **R** 50/100 – 15 – **51 ch** 110/165.

Mésanges , rte St-Martin-d'Uriage ℗ 95.70.69, <, – wc P.
Pâques-30 sept. – SC : **R** 33/50 – 10 – **38 ch** 45/105 – P 85/130.

Le Manoir, ℗ 89.10.88 – wc wc P.
fermé 15 nov. au 15 déc. et merc. hors saison – SC : **R** *(fermé en hiver)* 42/70 – 10,50 – 19 ch 49/120 – P 107/160.

PEUGEOT Gar. Halot, ℗ 89.10.12

à St-Martin-d'Uriage NE : 3 km par D 280 – alt. 680 – ✉ **38410** Uriage :

Belvédère, ℗ 95.70.47, <, – P.
30 mai-20 sept. – SC : **R** 33/65 – 12,50 – **30 ch** 50/150 – P 100/175.

URMATT 67 B.-Rhin 62 ⑧⑨ – 1 092 h. alt. 240 – ✉ **67190** Mutzig – 88.
Voir Église* de Niederhaslach NE : 3 km, G. Vosges.
Paris 415 – Molsheim 17 – Saverne 36 – Sélestat 46 – ♦Strasbourg 39 – Wasselonne 22.

Poste, ℗ 97.40.55 – wc P. ch
fermé 15 au 30 oct., vac. scol. de fév., lundi soir et mardi – SC : **R** 26/110 – 13 – 13 ch 65/120 – P 110/130.

RENAULT Gar. Ludwig, à Niederhaslach ℗ 50.90.08 N

URT 64 Pyr.-Atl. 78 ⑱ – 1 055 h. alt. 42 – ✉ **64240** Hasparren – 59.
Paris 732 – ♦Bayonne 14 – Cambo-les-Bains 28 – Pau 97 – Peyrehorade 26 – Sauveterre-de-Béarn 42.

Commerce, ℗ 56.20.15 – .
R 24/40 – 7 – **10 ch** 20/30 – P 75.

Aub. Galupe, au Port de l'Adour ℗ 56.21.84
fermé fév., mardi soir et merc. – SC : **R** 59/120.

URVILLE-NACQUEVILLE 50 Manche 54 ① – 990 h. alt. 14 – ✉ **50460** Querqueville – ⊕ 33.

Voir Château de Nacqueville : parc★ – ≤★ du rocher du Castel Vendon NO : 5 km puis 15 mn, G. Normandie.

Paris 371 – Barneville-Carteret 43 – Bricquebec 33 – ♦Cherbourg 11 – St-Lô 89.

- **Beaurivage,** ☎ 53.73.13, – ⋒ **P**. *fermé 15 oct. au 1er déc. et dim. en hiver* – SC : **R** 26/45 – ☕ 9 – **16 ch** 44/80 – P 88/105.

URY 77 S.-et-M. 61 ⑪⑫ – rattaché à Fontainebleau.

USSAC 19 Corrèze 75 ⑧ – rattaché à Brive-La-Gaillarde.

USSEL ⟨SP⟩ **19200** Corrèze 73 ⑪ **G. Périgord** – 11 149 h. alt. 631 – ⊕ 55.

ℹ Office de Tourisme pl. Voltaire (1er juin-30 sept.) ☎ 72.11.50 et 67 av. Carnot (1er oct.-31 mai et fermé dim.) ☎ 96.11.32.

Paris 437 ① – Aurillac 103 ③ – ♦Clermont-Ferrand 86 ② – Guéret 101 ① – ♦Limoges 114 ④ – Tulle 60 ④.

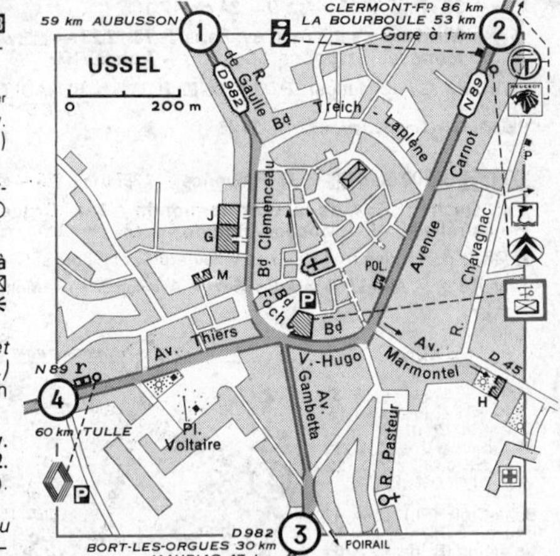

- **Les Gravades** Ⓜ, à St-Dezery par ② : 4 km ✉ 19200 Ussel ☎ 72.21.53, ≤ – wc ⋒wc ☎ **P**. SC : **R** *(fermé vend. soir et sam. midi hors sais.)* 40/120 – ☕ 12 – 20 ch 100/150.
- **Gd Hôtel Mabru,** av. P.-Sémard par ② ☎ 72.25.98 – ⋒wc ☎ **P**. rest *fermé sam. du 1er nov. au 31 mars* – SC : **R** 40/75 – ☕ 12 – **31 ch** 45/110.
- **Midi,** 24 av. Thiers **(r)** ☎ 72.17.99 – wc ☎ **P**. *fermé 15 au 30 oct.* – **R** 30/40 – ☕ 9 – 20 ch 35/90 – P 80/120.
- **Teillard** sans rest, 26 av. Thiers **(r)** ☎ 72.12.54 – wc ⋒ **P**. AE. SC : ☕ 9,50 – **26 ch** 36/100.
- **La Crémaillère,** à la Serre-de-Mestes par ③ ✉ 19200 Ussel ☎ 72.10.93 – **P** *ouvert seul. le midi et sam. soir, fermé du 1er au 20 sept. et lundi* – **R** 45/115.

AUDI-VOLKSWAGEN Gar. du Stade, 23 bd Dr. Goudounèche ☎ 72.12.66
CITROEN Fraisse, 70 av. Carnot ☎ 72.17.81
FIAT, LANCIA Gar. du Centre, r. A.-Chavagnac ☎ 72.11.54
OPEL Gar. Barbier, 20 bd Dr.Goudounèche ☎ 96.23.59
PEUGEOT Gar. du Collège, rte de Clermont ☎ 96.10.68 N ☎ 72.19.95
RENAULT Gar. Thiers, 20 av. Thiers ☎ 96.11.01
TALBOT Chevalier, 71 av. Carnot ☎ 72.10.61
Gar. Salagnac, 56 av. Gén.-Leclerc ☎ 96.23.23

Bagrowiez, 61 av. Gén.-Leclerc ☎ 72.15.83

USSON-EN-FOREZ **42550** Loire 76 ⑦ **G. Vallée du Rhône** – 1 551 h. alt. 910 – ⊕ 77.

Paris 474 – Ambert 39 – Montbrison 50 – Le Puy 51 – St-Bonnet-le-Château 14 – ♦St-Étienne 47.

- **Rival,** ☎ 51.63.65 – wc ⋒wc ☎. *fermé 1er au 15 juin et lundi hors sais.* – SC : **R** 30/70 – ☕ 9 – **13 ch** 55/145 – P 90/120.
- **Gd hôtel Aubert,** ☎ 51.63.42 – . *fermé lundi du 1er sept. au 1er juil.* – SC : **R** 30/70 – ☕ 9,50 – **16 ch** 40/65 – P 85/95.
- **Aub. Pin Mallet** avec ch, rte de St-Étienne ☎ 51.63.62 – wc ⋒ ☎ **P** *fermé fév., mardi soir et merc.* – SC : **R** 28/85 – ☕ 9 – 10 ch 40/120 – P 105.

CITROEN Gar. Gardon, Le Pin Mallet ☎ 51.62.15
RENAULT Gar. Colombet, ☎ 51.60.53
Gar. Maitrias, ☎ 51.63.27

USTARITZ **64480** Pyr.-Atl. 85 ② – 3 419 h. alt. 14 – ⊕ 59.

ℹ Syndicat d'Initiative à la Mairie (1er juil.-31 août, fermé sam. et dim.) ☎ 31.00.44.

Paris 754 – ♦Bayonne 13 – Cambo-les Bains 7 – Pau 120 – St-Jean-de-Luz 26.

- **Arretz** sans rest, ☎ 31.00.25 – ⋒. *1er avril-30 oct.* – SC : ☕ 8,50 – **8 ch** 40/70.

UZERCHE 19140 Corrèze 75 ⑧ G. Périgord (plan) – 3 221 h. alt. 333 – ⊕ 55.

Voir Ville ancienne★ – de Ste-Eulalie ⩽★ E : 1 km.

ℹ Office de Tourisme pl. Lunade (avril, mai, juin, sept., matin seul. et juil.-août) ☎ 73.15.71.

Paris 450 – Aubusson 102 – Bourganeuf 80 – Brive-la-G. 40 – ♦Limoges 56 – Périgueux 93 – Tulle 31.

Teyssier, r. Pont-Turgot ☎ 73.10.05 – wc wc ☎ Ⓟ. GB
fermé janv., mardi soir et merc. sauf vacances scolaires – SC : **R** 52/110 – ☕ 11,50 – 17 ch 50/130.

Ambroise, av. Paris ☎ 73.10.08, – wc wc ☎.
fermé 15 nov. au 15 déc., sam. soir et dim. sauf juil. et août – SC : **R** 24/62 – ☕ 8 – 20 ch 39/59.

Host. Chavant, pl. A.-Boyer ☎ 73.12.28 – wc wc ☎ Ⓟ
SC : **R** 30/80 – ☕ 9 – **34 ch** 47/105.

Moderne sans rest, av. Paris ☎ 73.12.23 – wc wc ☎
fermé fév. et lundi – SC : ☕ 10 – **7 ch** 60/100.

CITROEN Gar. Chauffour, ☎ 73.12.05 N ☎ 73.22.19
PEUGEOT Gar. Nostron, ☎ 73.24.46
RENAULT Gar. Bachellerie, ☎ 73.15.75 N ☎ 73.16.51

UZÈS 30700 Gard 80 ⑲ G. Provence – 7 387 h. alt. 138 – ⊕ 66.

Voir Duché★ : ⩽★ de la Tour Bermonde A B – Orgues★ de la Cathédrale B D – Tour Fenestrelle★ B V – Muséon di Rodo★ A M.

ℹ Office de Tourisme à l'Hôtel de Ville (fermé sam. hors sais. et dim.) ☎ 22.68.88.

Paris 706 ② – Alès 33 ④ – Arles 56 ② – Avignon 38 ② – Montélimar 81 ① – Nîmes 25 ②.

UZÈS

Alliés (Bd des) A 3
Gambetta (Bd) A 15
Gide (Bd Charles) B
République (R.) A 19
Uzès (R. J.-d') A 22
Vincent (Av. Gén.) A

Belle-Croix (Pl.) A 4
Boucairie (R.) AB 5
Capucins (R. des) A 6
Dampmartin (Pl.) A 7
Dr-Blanchard (R.) B 8
Duché (Pl. du) A 9
Entre-les-Tours (R.) A 10
Évêché (R. de l') B 12
Foch (Av.) A 13
Foussat (R. Paul) A 14
Herbes (Pl. aux) A 16
Pelisserie (R.) A 17
Plan-de-l'Oume (R.) B 18
St-Théodorit B 20
St-Étienne (R.) A 21
Verdun (Pl. de) B 23
4-Septembre (R.) A 24

Les plans de villes sont orientés le Nord en haut.

Entraigues, pl. Évêché ☎ 22.32.68 – wc ☎ Ⓟ. GB **B s**
fermé mardi – SC : **R** Grill 48/70 – ☕ 15 – **20 ch** 80/180 – P 286/386.

Alexandry, 6 bd Gambetta ☎ 22.27.82 **A e**
fermé vacances de fév. et merc. – SC : **R** carte 75 à 115.

à Arpaillargues par ③ : 4,5 km – ✉ **30700** Uzès :

Château d'Arpaillargues M , ☎ 22.14.48, « Demeure du 18e s., parc, , » – Ⓟ – 60. GB
15 mars-15 oct. – SC : **R** *(fermé merc.)* 95/110 – ☕ 22 – 25 ch 220/300 – P 322/377.

CITROEN Gar. Mandon, Champs-de-Mars ☎ 22.22.64 N ☎ 22.20.71
PEUGEOT Laborie, av. de la Gare ☎ 22.59.01
RENAULT SUVRA, rte d'Alès ☎ 22.60.99

VABRE 81330 Tarn 83 ② – 1 119 h. alt. 371 – ⊕ 63.

Paris 758 – Albi 54 – Brassac 15 – Castres 31 – Gaillac 70 – Lacaune 36 – St-Pons 55.

Cals , ☎ 50.40.24, – Ⓟ. ch
fermé 15 déc. au 5 janv. – SC : **R** 30 bc/60 bc – ☕ 9 – **12 ch** 45/70 – P 74/85.

CITROEN Gar. Nadau Laurent ☎ 50.42.75
RENAULT Gar. Pujol, ☎ 50.42.66 N ☎ 50.42.74
Gar. Nadau Jacques, ☎ 50.40.34 N

VAIGES 53480 Mayenne 60 ⑪ – 977 h. alt. 91 – ✪ 43.

Paris 253 – Château-Gontier 37 – Laval 22 – ♦Le Mans 53 – Mayenne 32.

Commerce M, ☎ 01.20.07 – 𝄙 ⇔wc ⋒ ☎ Ⓟ – 40. .
fermé 15 janv. au 15 fév. et lundi – SC : **R** 50/90 – ☕ 12 – **34 ch** 70/140 – P 130/180.

CITROEN Gar. de la Charnie, ☎ 01.20.05

VAILLY-SUR-AISNE 02370 Aisne 56 ④⑤ – 1 855 h. alt. 48 – ✪ 23.

Paris 115 – Fère-en-Tardenois 29 – Laon 24 – ♦Reims 49 – Soissons 18.

Cheval d'Or, ☎ 54.70.56 – Ⓟ. GB
fermé fév. – **R** 23/52 – ☕ 9 – **20 ch** 36/40 – P 70/75.

VAILLY-SUR-SAULDRE 18260 Cher 65 ⑫ – 749 h. alt. 200 m – ✪ 36.

Paris 190 – Aubigny-sur-Nère 17 – Bourges 53 – Cosne-sur-Loire 24 – Gien 37 – Sancerre 26.

✗ **Aub. Lièvre Gourmand,** ☎ 73.80.23
fermé merc. – **R** 35/100.

VAISON-LA-ROMAINE 84110 Vaucluse 81 ②③ **G. Provence** – 5 211 h. alt. 200 – ✪ 90.

Voir Les ruines romaines★★ – Cloître★ AY B – Chapelle de St-Quenin★ AY D – Maître-autel★ de l'ancienne cathédrale N.-Dame AY B – Musée (statue de l'empereur cuirassé★) BY M.

Office de Tourisme pl. Chanoine Sautel ☎ 36.02.11.

Paris 670 ④ – Avignon 47 ③ – Carpentras 28 ② – Montélimar 65 ④ – Pont-St-Esprit 41 ④.

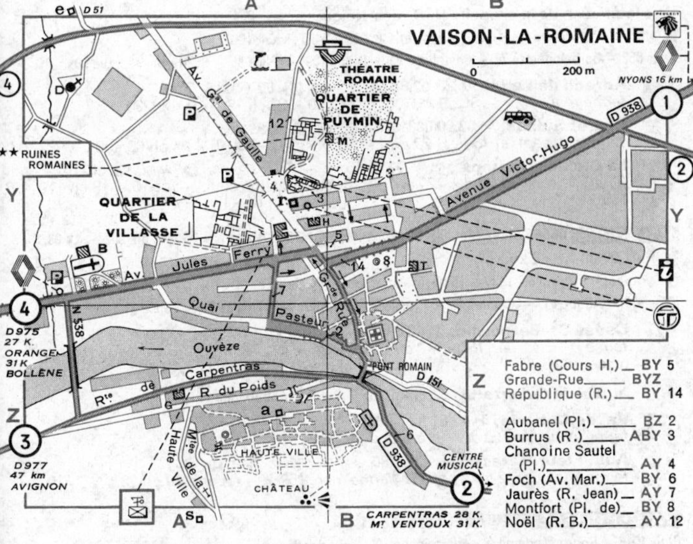

Fabre (Cours H.)	BY	5
Grande-Rue	BYZ	
République (R.)	BY	14
Aubanel (Pl.)	BZ	2
Burrus (R.)	ABY	3
Chanoine Sautel (Pl.)	AY	4
Foch (Av. Mar.)	BY	6
Jaurès (R. Jean)	AY	7
Montfort (Pl. de)	BY	8
Noël (R. B.)	AY	12

L'Oustaü , rte Villedieu ☎ 36.01.10, – ⇔wc ⋒wc ☎ Ⓟ. .
mi mars-mi oct. et fermé du 21 au 29 juin, dim. soir et lundi sauf juil., août et fériés – SC : **R** carte 110 à 155 – ☕ 17 – 8 ch 145/175, 3 appartements 260. AY **e**

Logis du Château M , Les Hauts de Vaison ☎ 36.09.98, ←, parc, – 𝄙 rest ⇔wc ☎ Ⓟ – 30. AE AZ **s**
fermé 1er nov. au 10 mars – SC : **R** *(fermé vend. hors sais.)* 60/100 – ☕ 12 – **40 ch** 135/170 – P 190/210.

Le Beffroi , Haute Ville ☎ 36.04.71, – ⇔wc ⋒wc ☎ Ⓟ. AE GB E. rest AZ **a**
1er mars-15 nov. – SC : **R** *(fermé lundi et mardi midi)* 70/120 – **20 ch** ☕ 59/166 – P 179/273.

Théâtre Romain, pl. Chanoine-Sautel ☎ 36.05.87 – ⇔wc ⋒ ☎ .
fermé 27 juin au 3 juil., 10 au 17 sept., 30 nov. au 10 fév. et jeudi sauf juil. et août – SC : **R** 40/60 – ☕ 10 – 21 ch 50/130 – P 110/150. AY **r**

tourner →

à Seguret par ③ et D 88 : 9,5 km – ✉ **84110** Vaison-La-Romaine :

XX ✿ **La Table du Comtat** (Gomez) ⑤, avec ch, ☎ **36.91.49**, ≤ plaine, ⛱ – ⇔wc ⫙wc ☎ **P**. **E**
fermé mi janv. au 25 fév., mardi soir et merc. sauf de juin à fin sept. – SC : **R** (dim. et fêtes - prévenir) 70/110 – ☕ 14 – **8 ch** 120/200
Spéc. Mousseline de truite aux écrevisses, Gigot d'agneau en croûte, Chariot de desserts.

FIAT Peyrol, ☎ 36.00.08
PEUGEOT De Luca, ☎ 36.24.33 **N**
RENAULT Gar. Baffie, ☎ 36.02.06
RENAULT Vaison-Autos, ☎ 36.07.63
TALBOT Adage, ☎ 36.01.50

VALADY 12 Aveyron **80** ② – 765 h. alt. 340 – ✉ **12330** Marcillac-Vallon – ⚙ 65.
Paris 629 – Decazeville 19 – Rodez 18.

Combes, ☎ **47.70.69**, – ⇔wc ⫙wc ♿.
✦ SC : **R** *(fermé lundi)* 32/50 – ☕ 11 – **14 ch** 45/80 – P 82/100.

à Nuces SE : 2,5 km – ✉ **12330** Marcillac-Vallon :

XX **Gare** avec ch, ☎ **47.71.01** – **P**. **E**
✦ *fermé 1er au 15 nov., 15 au 28 fév. et merc. sauf juil. et août* – SC : **R** 25/110 – ☕ 12 – 7 ch 45/80.

Le VAL-ANDRÉ 22 C.-du-N. **59** ④ – voir à Pléneuf-Val-André.

VALBERG 06 Alpes-Mar. **81** ⑨⑲, **195** ④ **G. Côte d'Azur** – alt. 1 669 – Sports d'hiver : 1 669/2 100 m ⛷23, ⛷ – ✉ **06470** Guillaumes – ⚙ 93.
Voir Intérieur* de la chapelle N.-D.-des-Neiges.
i Office de Tourisme Centre Administratif ☎ 02.52.54, Télex 461002.
Paris 852 – Barcelonnette 77 – Castellane 71 – Digne 109 – ♦Nice 85 – St-Martin-Vésubie 59.

Adrech de Lagas Ⓜ, ☎ **02.51.64**, ≤ – **TV**. **AE** **O**.
fermé mai et oct. – SC : **R** 45/100 – ☕ 10 – 22 ch 180 – P 180/230.

Chalet Suisse, ☎ **02.50.09**, – ⇔wc ⫙wc ☎
12 juil.-20 sept. et 15 déc.-20 avril – SC : **R** 45/60 – ☕ 15 – **24 ch** 60/190.

La Clé des Champs ⑤, ☎ **02.51.45**, ≤ – ⫙wc ☎ **P**. ch
8 juil.-20 sept. et 20 déc.-20 avril – SC : **R** (résidents seul.) – ☕ 10 – 18 ch 110 – P 160.

VALBONNE 06560 Alpes-Mar. **84** ⑨, **195** ㉔㉕ **G. Côte d'Azur** – 2 298 h. alt. 202 – ⚙ 93.
18 ☎ 42.00.08 NE : 2 km.
i Syndicat d'Initiative à la Mairie (fermé sam. et dim.) ☎ 42.00.19.
Paris 912 – Antibes 17 – Cannes 13 – Grasse 9 – Mougins 6,5 – ♦Nice 30 – Vence 21.

XX **Caves St-Bernardin**, ☎ **42.03.88**
fermé 1er déc. au 15 janv., dim. et lundi – SC : **R** (nombre de couverts limité - prévenir) 65/75.

au Val de Cuberte SO : 1,5 km sur D 3 – ✉ **06560** Valbonne :

XX **Val de Cuberte**, ☎ **42.01.82** – **P**
fermé 20 nov. au 20 déc. et merc. – SC : **R** 80.

X **Aub. Fleurie** avec ch, ☎ **42.02.80**, – ⇔wc ⫙wc **P**.
fermé 2 janv. au 2 fév. – SC : **R** *(fermé merc.)* 52/79 – ☕ 8 – **10 ch** 79.

VALCEBOLLÈRE 66340 Pyr.-Or. **86** ⑯ – ⚙ 68.
Paris 1016 – Bourg-Madame 9 – ♦Perpignan 105 – Prades 62.

Les Ecureuils ⑤, ☎ **04.52.03** – ⫙wc ☎
15 juin-15 sept., vacances scol. de Noël, fév. et Pâques – SC : **R** 45/100 – ☕ 10,50 – **9 ch** 70/90 – P 100/115.

VAL CLARET 73 Savoie **74** ⑲ – rattaché à Tignes.

VALDAHON 25800 Doubs **66** ⑯ – 3 595 h. alt. 649 – ⚙ 81.
Paris 441 – ♦Besançon 31 – Morteau 33 – Pontarlier 32.

Relais de Franche Comté Ⓜ ⑤, ☎ **56.23.18**, ≤, – ⇔wc ☎ **P** –
✦ 30. **AE** **O** **E**
fermé 20 déc. au 20 janv., vend. soir sauf juil. et août et sam. midi d'oct. à Pâques – SC : **R** 35/110 – ☕ 11 – **20 ch** 88/120 – P 115/155.

CITROEN Gar. Pétot, ☎ 56.27.12 **N** ☎ 56.26.19
FORD Gar. Avril, ☎ 56.22.84
RENAULT Gar. Duquet, ☎ 56.23.07

Le VAL-D'AJOL 88340 Vosges 62 ⑯ G. Vosges – 5 623 h. alt. 346 – ✪ 29.

ℹ Syndicat d'Initiative pl. Hôtel de Ville (1er juin-31 août et fermé dim. après-midi) ☎ 66.66.69.

Paris 417 – Épinal 44 – Luxeuil-les-Bains 16 – Plombières-les-Bains 9 – Remiremont 17 – Vittel 75.

Résidence, r. Mousses ☎ 66.68.52, parc – wc wc ☎ Ⓟ – 250. rest
SC : **R** 25/90 – 12 – **64 ch** 54/100 – P 132/169.

VALDEBLORE (Commune de) 06 Alpes-Mar. 84 ⑱⑲, 195 ⑥ G. Cote d'Azur – 475 h. – Sports d'hiver au Col de la Colmiane : 1 500/1 800 m 10 – ✉ **06420** St-Sauveur-sur-Tinée – ✪ 93.

Paris 894 – Cannes 91 – ♦Nice 73 – St-Étienne-de-Tinée 46 – St-Martin-Vésubie 11.

à La Bolline – alt. 1 000 – ✉ **06420** St-Sauveur-sur-Tinée.

Voir Rimplas : site★, ≤★ de la chapelle Ste-Madeleine SO : 4 km.

Valdeblore, ☎ 02.81.05, ≤ – wc ☎ .
fermé 1er oct. au 15 déc. – SC : **R** 55/70 – 12 – **17 ch** 60/120 – P 110/155.

à St-Dalmas-Valdeblore – alt. 1 300 – ✉ **06420** St-Sauveur-sur-Tinée.

Voir Pic de Colmiane ☼★★ E : 4,5 km.

Aub. des Murès , ☎ 02.80.11, ≤ – wc wc ☎ Ⓟ.
fermé 2 au 31 mai et 3 nov. au 24 déc. – SC : **R** 65 – 14 – 10 ch 120/140 – P 155/180.

Lou Mercantour , ☎ 02.80.21, ≤ – wc wc ☎ Ⓟ
fermé 15 oct. au 20 déc. – SC : **R** 50/80 – 22 ch – P 110/160.

Host. des Colmianes sans rest, ☎ 02.83.36, ≤ – wc wc ☎ Ⓟ.
1er mai-20 sept. et 20 déc.-15 avril – SC : 12 – **15 ch** 60/150.

VAL-DE-SAÂNE 76960 S.-Mar. 52 ⑭ – 1 027 h. alt. 83 – ✪ 35.

Paris 174 – Dieppe 30 – Fontaine-le-Dun 19 – ♦Rouen 38 – St-Valéry-en-Caux 35 – Yvetot 19.

Aub. La Mère Duval, ☎ 32.30.13
fermé 15 janv. au 15 fév., mardi soir et merc. – SC : **R** 37/54.

VAL-D'ISÈRE 73150 Savoie 74 ⑲ G. Alpes – 1 344 h. alt. 1 840 – Sports d'hiver : 1 840/3 300 m 5 52 – ✪ 79.

Voir Rocher de Bellevarde ☼★★★ par téléphérique – Tête du Solaise ☼★★ SE par téléphérique.

Altiport de Tocrière ☎ 06.01.69, NO : 5 km.

ℹ Office de Tourisme, Maison de Val d'Isère ☎ 06.10.83, Télex 980077.

Paris 692 – Albertville 85 – Briançon 158 – Chambéry 132.

Sofitel M , ☎ 06.08.30, Télex 980558, ≤, – ☎ Ⓟ – 110. AE GB E
4 juil.-23 août et 28 nov.-4 mai – SC : **R** carte 100 à 145 – 25 – **51 ch** 210/350 – P 310/520.

Gd Paradis M , ☎ 06.11.73, ≤, – ☎ . AE GB E. rest
juil.-août et 1er déc.-1er mai – SC : **R** 70/90 – 25 – 43 ch 190/345, 3 appartements 510 – P 245/410.

Christiana , ☎ 06.08.25, ≤ – Ⓟ. rest
1er déc.-9 mai – **R** 85 – 43 ch (pension seul) – P 370/397.

Solaise , ☎ 06.08.10, « Belle décoration intérieure », ≤ – ☎ Ⓟ – 30. AE GB E. rest
déc.-fin avril – SC : **R** (dîner seul.) carte 105 à 160 – 30 – **17 ch** 415/460.

Blizzard M, ☎ 06.02.45, ≤ – ☎. AE rest
1er déc.-4 mai – SC : **R** 75 – 20 – 72 ch 160/260 – P 200/260.

Tsanteleina, ☎ 06.12.13, ≤, – ☎ Ⓟ. rest
25 juin-31 août et 1er déc.-4 mai – SC : **R** 50/90 – 16 – **46 ch** 110/210 – P 165/250.

Altitude M , ☎ 06.12.55, ≤, – wc wc ☎ Ⓟ. .
27 juin-30 août et 28 nov.-5 mai – SC : **R** 55 – **28 ch** 75/200 – P 150/220.

Aiglon , ☎ 06.04.05, ≤ – wc ☎.
6 juil.-25 août et 1er déc.-5 mai – SC : **R** 60/80 – 20 – 23 ch 170/240.

Danival M sans rest, ☎ 06.00.65, ≤ – wc ☎ .
20 déc.-5 mai – SC : **14 ch** 80/190.

Squaw-Valley , ☎ 06.02.72, ≤ – wc wc ☎.
30 nov.-5 mai – SC : **R** (dîner seul.) 80 – **21 ch** 230/260.

Bellier , ☎ 06.03.77, ≤ – wc ☎ Ⓟ. AE GB . rest
1er janv.-3 mai et déc. – SC : **R** (dîner seul.) 70/120 – 12 – **22 ch** 80/250.

La Savoyarde , ☎ 06.01.55, ≤ – wc wc ☎ Ⓟ. AE GB
1er déc.-5 mai – SC : **R** 75/80 – 18 – **38 ch** 120/260 – P 200/250.

Santons sans rest, ☎ 06.03.67, ≤ – wc wc ☎
1er déc.-1er mai – SC : **26 ch** 140/258.

tourner →

L'Avancher ⑤, rte Fornet ☎ 06.02.00, ←, ⛱ – ⛐wc ☎. 🚗
4 juil.-6 sept. et 28 nov.-5 mai – SC : **R** (dîner seul.) 55/60 – ☕ 16 – **17 ch** 100/140.

H. Oreiller ⑤ sans rest, ☎ 06.08.45, ← – ⛐wc ☎. 🚗. ✂
1er déc.-1er mai – SC : **23 ch** ☕ 150/245.

Vieux Village, ☎ 06.03.79, ← – ⛐wc ⛆wc ☎. 🚗
juil.-août et 28 nov.-4 mai – SC : **R** (dîner seul.) 60 – ☕ 15 – 23 ch 150/180 – P 185.

Kandahar et Taverne d'Alsace, ☎ 06.02.39, ← – ⛐wc ☎ Ⓟ. 🚗
26 juin-7 sept. et 28 nov.-2 mai – SC : **R** carte 70 à 95 – ☕ 15 – **17 ch** 89/170.

La Galise, ☎ 06.05.04 – ⛐wc ⛆wc ☎. 🚗. ✂ rest
1er juil.-31 août et 1er déc.-4 mai – SC : **R** 45/65 – ☕ 13 – **38 ch** 65/155 – P 120/155.

Chamois d'Or ⑤, ☎ 06.00.44, ← – ⛐wc ⛆ ☎ Ⓟ. 🚗. ✂
29 juin-31 août et 29 nov.-3 mai – SC : **R** 45 – ☕ 15 – 21 ch 172 – P 140/195.

XX **Matafan,** ☎ 06.01.55 – AE GB ⓓ
10 déc.-5 mai – SC : **R** (dîner seul.) carte 80 à 130.

X **Le Chatelard** ⑤ (chambre en chalets sur demande), S 2,5 km par VO ☎ 06.04.31, ← – cuisinette ⛐wc ☎ Ⓟ. GB
20 déc.-20 avril – SC : carte environ 60 ♨.

à la Daille NO : 2 km – ✉ **73150** Val-d'Isère :

Samovar, ☎ 06.13.51, ← – ⛐wc ⛆wc ☎. 🚗 GB. ✂ rest
début déc.-fin avril – SC : **R** 75 – ☕ 20 – **16 ch** 220/240 – P 215/235.

La Tovière, ☎ 06.06.57, ← – ⛐wc ⛆ ☎ Ⓟ. 🚗. ✂ rest
21 juin-23 août et 21 nov.-21 avril – SC : **R** 28/45 ♨ – ☕ 12 – **26 ch** 130/150 – P 150/170.

CITROEN Gar. Galise et Iseran, ☎ 06.03.76 RENAULT Bozzetto, ☎ 06.01.70 N

VALDOIE 90 Ter.-de-Belf. 66 ⑧ – rattaché à Belfort.

VALENÇAY 36600 Indre 64 ⑱ **G. Châteaux de la Loire** – 3 171 h. alt. 140 – ⚙ 54.

Voir Château★★.

Office de Tourisme r. Nationale (fermé sam. et dim.) ☎ 00.12.42 et r. Résistance (fin juin -début sept.) ☎ 00.04.42.

Paris 234 ⑤ – Blois 55 ⑤ – Bourges 73 ② – Châteauroux 43 ③ – Loches 48 ④ – Vierzon 49 ①.

VALENÇAY

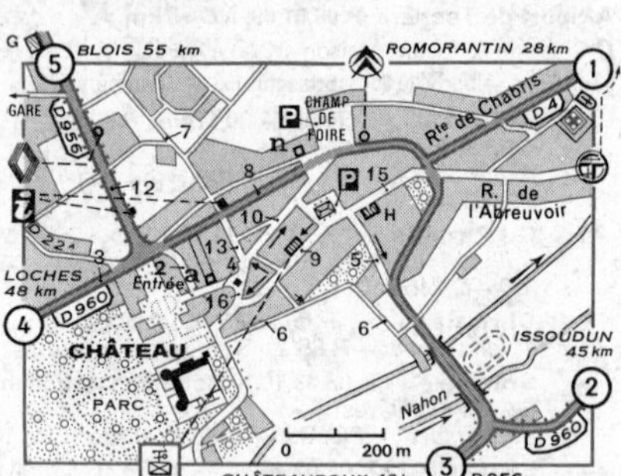

Espagne (Fourré), 8 r. Château **(a)** ☎ 00.00.02, Télex 751675, « Terrasse fleurie » – TV Ⓟ. AE
fermé 15 déc. au 15 fév. – SC : **R** (nombre de couverts limité - prévenir) carte 140 à 180 – ☕ 25 – 8 ch 160/300, 9 appartements 400/450 – P 420/500
Spéc. Terrine aux cinq légumes, Noisettes d'agneau, Bolet de Gâtine. **Vins** Valençay, Oisly.

X **Chêne Vert, (n)** ☎ 00.06.54
fermé 10 au 28 juin, 7 déc. au 5 janv., sam. et dim. soir hors sais. – **R** 30/70 ♨.

CITROEN Huard, ☎ 00.05.35
RENAULT Caisel, ☎ 00.02.24
TALBOT Debrais, ☎ 00.17.99

VALENCE P 26000 Drôme 77 ⑫ **G. Vallée du Rhône** – 70 307 h. alt. 123 – ⚙ 75.

Voir Maison des Têtes★ – Intérieur★ de la cathédrale – Champ de Mars ←★ – Sanguines de Hubert Robert★★ au musée.

✈ de Valence-Chabeuil : Europe aéro service ☎ 44.48.63, par D 68 : 5 km - BYZ.

Office de Tourisme (fermé dim. sauf matin en saison) et A.C. (☎ 43.61.07) pl. Gén.-Leclerc ☎ 43.04.88.

Paris 561 ① – Aix-en-Provence 190 ⑤ – Avignon 125 ⑤ – ♦Clermont-Ferrand 267 ① – ♦Grenoble 101 ② – ♦Lyon 99 ① – ♦Marseille 215 ⑤ – Nîmes 149 ⑤ – Le Puy 113 ⑦ – ♦St-Étienne 118 ①.

VALENCE

Alsace (Bd d') BY
Augier (R. Émile) AYZ
Bancel (Bd G.) AZ 3
Félix-Faure (Av.) BZ
Gaulle (Bd de) ABZ 6
Grande-Rue AY 7
Madier-de-Montjau (R.) BY 13
République (Pl. de la) AZ 18
Sémard (Av. Pierre) AZ
Victor-Hugo (Av.) AZ

Balais (R. des) AY 2
Carnot (Av. Sadi) AY 4
Clerc (Bd M.) BZ 5
Jacquet (R. Victor) AZ 8
Lacroix (R. André) AY 9
Leclerc (Pl. Gén.) BY 10
Liberté (Pl. de la) AY 12
Manouchian (Pl.) ABY 14
Manutention (R. de la) AY 15
Notre-Dame (⊞) BZ
Pérollerie (R.) AY 17
République (R. de la) AY 19
Roux (R. Barthélémy) AY 20
St-Apollinaire (⊞) AZ
St-Grégoire (⊞) AY 21
St-Jacques (Fg) BY 22
St-Jean (⊞) AY
Saunière (R.) AZ 23
Vernoux (R.) AY 24

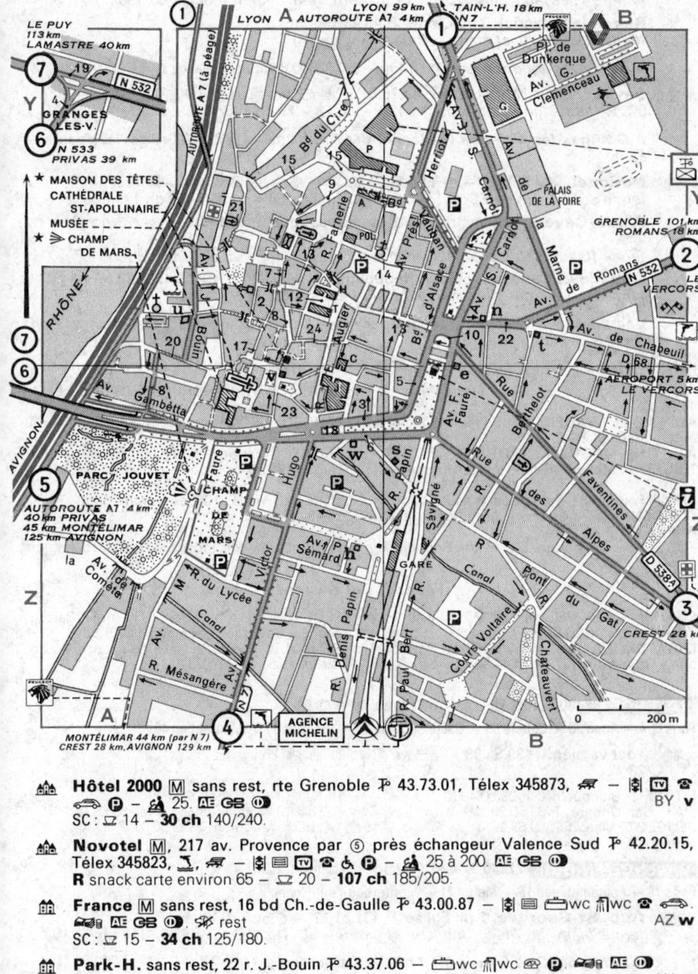

Hôtel 2000 [M] sans rest, rte Grenoble ☎ 43.73.01, Télex 345873, – ascenseur TV ☎ garage P – 25. AE CB (D) BY **v**
SC : 14 – **30 ch** 140/240.

Novotel [M], 217 av. Provence par ⑤ près échangeur Valence Sud ☎ 42.20.15, Télex 345823, piscine, – ascenseur TV ☎ P – 25 à 200. AE CB (D)
R snack carte environ 65 – 20 – **107 ch** 185/205.

France [M] sans rest, 16 bd Ch.-de-Gaulle ☎ 43.00.87 – ascenseur wc wc ☎ garage. AE CB (D). rest AZ **w**
SC : 15 – **34 ch** 125/180.

Park-H. sans rest, 22 r. J.-Bouin ☎ 43.37.06 – wc wc ☎ P. AE (D) AY **u**
SC : 11 – **21 ch** 85/120.

Gd St-Jacques, 9 fg St-Jacques ☎ 42.44.60 – ascenseur wc wc ☎ P. BY **n**
SC : **R** *(fermé nov.)* 38/110 – 11 – **32 ch** 63/130 – P 120/180.

Europe sans rest, 15 av. F.-Faure ☎ 43.02.16 – wc wc ☎ garage. AE CB (D) E. BYZ **e**
SC : 9 – **26 ch** 50/120.

Voyageurs sans rest, 30 av. P.-Sémard ☎ 44.02.83 – ascenseur wc wc ☎. AE (D) E AZ **h**
SC : 12 – **40 ch** 48/140.

tourner →

XXXX ✿✿✿ **Pic** avec ch, 285 av. Victor-Hugo - par ④ ☎ **44.15.32,** « **Jardin ombragé** » – rest wc ☎ P. AE ⓓ
fermé 3 au 28 août, 21 au 28 janv., dim. soir et merc. – SC : **R** (dim. prévenir) 220/280 – 21 – 10 ch 150/200
Spéc. Menu Rabelais. Vins Hermitage, St-Joseph.

XX **La Licorne,** 13 r. Chalamet ☎ **43.76.83** – AE GB — BZ **s**
fermé sam. et dim. – SC : **R** (prévenir) 32/88.

X **La Petite Auberge,** 1 r. Athènes ☎ **43.20.30** — BY **t**
fermé 24 déc. au 2 janv., 15 juil. au 15 août, sam. et dim. – SC : **R** 56/130.

X **Rabelais** (pizzeria), 7 pl. Clercs ☎ **43.23.19** — AZ **v**
fermé août, mardi et merc. – **R** carte environ 70 ♂.

à Bourg-lès-Valence par ① : 1 km – ✉ **26500** Bourg-lès-Valence :

Seyvet, 24 av. Marc-Urtin ☎ **43.26.51** – wc ☎ P. AE GB ⓓ
SC : **R** *(fermé lundi hors sais.)* 40/120 – 12 – **29 ch** 100/150.

à Granges-lès-Valence (Ardèche) par ⑥ : 3 km – ✉ **07500** Granges-lès-Valence – ✪ 75

National, ☎ **41.65.33** – wc wc ☎ P – 200. rest
fermé déc. et janv. – SC : **R** (grill)(dîner seul.) 45/80 – 12 – **52 ch** 125/160.

Alpes-Cévennes sans rest, 641 av. République ☎ **44.61.34** – wc wc ☎
fermé 10 au 23 août et 23 déc. au 4 janv. – SC : 10 – **29 ch** 100/150.

XX **Aub. des 3 Canards,** 565 av. République ☎ **44.43.24** – P. AE GB ⓓ
fermé 2 au 24 août, dim. soir en hiver et lundi – SC : **R** 55/160 ♂.

Voir aussi à ***St-Péray*** (Ardèche) par ⑦ : 5 km et ressources hôtelières de ***Pont de l'Isère*** par ① : 9 km

MICHELIN, Agence, 368 av. V.-Hugo par ④ ☎ **41.30.66**

ALFA-ROMEO VALFA, 73 r. Denis-Papin ☎ 44.08.08
AUDI-VOLKSWAGEN Gar. J.-Jaurès, 410-416 av. de Chabeuil ☎ 42.12.66
AUSTIN, JAGUAR, MORRIS, ROVER, TRIUMPH Molière, 164 av. Victor-Hugo ☎ 44.11.37
BMW Fourel, N 7, Sortie Sud ☎ 44.20.97
CITROEN Gar. Minodier, Zone Ind. rte de Beauvallon ☎ 44.31.24
FORD Valence-Autom., 287 av. de Romans ☎ 42.54.44
LANCIA-AUTOBIANCHI, MERCEDES-BENZ Royal-Gar., av. de Provence ☎ 42.12.00
PEUGEOT SOVACA, 125 av. M.-Faure ☎ 44.11.66
TALBOT Clauzier et Genin, 269 av. Victor-Hugo ☎ 44.45.45

Barrial-Pneus, 106 av. Victor-Hugo ☎ 44.24.43
Dorcier, 15 à 17 av. des Beaumes ☎ 44.11.40
Piot-Pneu, av. de Provence, Pont-des-Anglais ☎ 44.16.79

Périphérie et environs

CITROEN Gar. Pélissier, N 7 à Porte-lès-Valence ☎ 57.10.26 N ☎ 57.14.34
LADA, SKODA Gar. Moulin, 508 av. République à Guilherand (07) ☎ 44.44.90
PEUGEOT Vinson et Verd, 35 r. de la Cartoucherie à Bourg-lès-Valence ☎ 43.01.92
RENAULT Succursale, rte de Lyon à Bourg-lès-Valence ☎ 43.93.23

VALENCE 82400 T.-et-G. 79 ⑯ – 4 411 h. alt. 69 – ✪ 63.

Paris 667 – Agen 26 – Cahors 66 – Castelsarrasin 25 – Moissac 17 – Montauban 46.

Tout va bien, ☎ 39.54.83 – wc wc ☎ – 25
28ch.

CITROEN Blanquefort, ☎ 39.50.49 N
FIAT Gar. Ongaro, ☎ 39.50.29
PEUGEOT Marcot ☎ 39.63.96
RENAULT Mosconi, ☎ 39.52.42
RENAULT Semenadisse, ☎ 39.53.69 N
TALBOT Maggiori, ☎ 39.50.60

VALENCE-EN-BRIE 77830 S.-et-M. 61 ②③ – 466 h. alt. 108 – ✪ 6.

Paris 76 – Fontainebleau 16 – Melun 21 – Montereau-Faut-Yonne 8,5.

Aub. St-Georges, 1 pl. Église ☎ **431.81.12** – wc wc ☎
fermé 7 janv. au 7 fév., lundi soir et mardi – SC : **R** 37/53 – 8,50 – **10 ch** 82/103.

à Pamfou NO : 2,5 km – ✉ **77830** Valence-en-Brie :

Le Relais, ☎ **431.81.88** – wc ☎ P – 30
fermé 20 déc. au 19 janv., lundi sauf hôtel, dim. soir et vend. – SC : **R** 30/70 – 12 – **17 ch** 40/110 – P 112/160.

VALENCE-SUR-BAÏSE 32310 Gers 82 ④ – 1 258 h. alt. 110 – ✪ 62.

Voir Abbaye de Flaran* NO : 2 km, G. Pyrénées.

Paris 690 – Agen 49 – Auch 35 – Condom 9.

Ferme de Flaran, ☎ **28.58.22,** – wc ☎ P – 30. AE GB
fermé lundi – SC : **R** 35/95 – 13 – **15 ch** 100/130 – P 170/220.

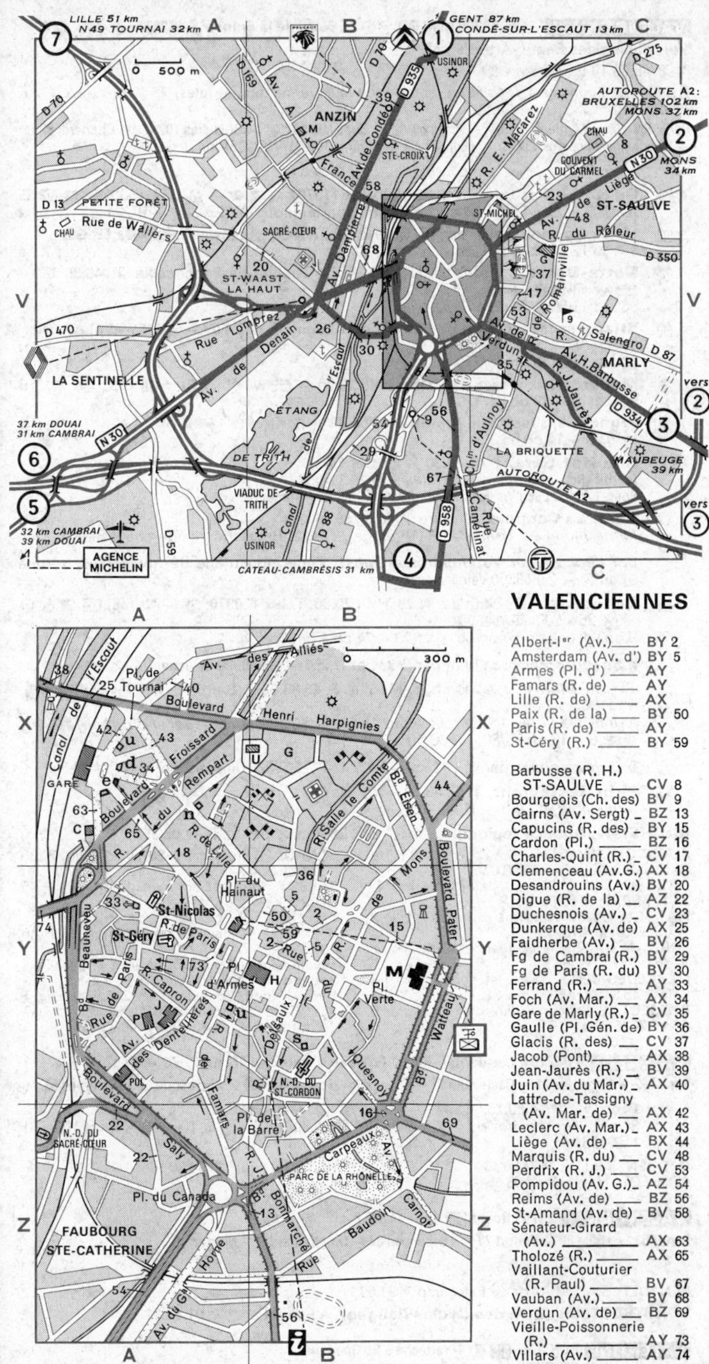

VALENCIENNES

Albert-Ier (Av.) BY 2
Amsterdam (Av. d') BY 5
Armes (Pl. d') AY
Famars (R. de) AY
Lille (R. de) AX
Paix (R. de la) BY 50
Paris (R. de) AY
St-Géry (R.) BY 59

Barbusse (R. H.) ST-SAULVE CV 8
Bourgeois (Ch. des) BV 9
Cairns (Av. Sergt) BZ 13
Capucins (R. des) BY 15
Cardon (Pl.) BZ 16
Charles-Quint (R.) CV 17
Clemenceau (Av.G.) AX 18
Desandrouins (Av.) BV 20
Digue (R. de la) AZ 22
Duchesnois (Av.) CV 23
Dunkerque (Av. de) AX 25
Faidherbe (Av.) BV 26
Fg de Cambrai (R.) BV 29
Fg de Paris (R. du) BV 30
Ferrand (R.) AY 33
Foch (Av. Mar.) AX 34
Gare de Marly (R.) CV 35
Gaulle (Pl. Gén. de) BY 36
Glacis (R. des) CV 37
Jacob (Pont) AX 38
Jean-Jaurès (R.) BV 39
Juin (Av. du Mar.) AX 40
Lattre-de-Tassigny (Av. Mar. de) AX 42
Leclerc (Av. Mar.) AX 43
Liège (Av. de) BX 44
Marquis (R. du) CV 48
Perdrix (R. J.) CV 53
Pompidou (Av. G.) AZ 54
Reims (Av. de) BZ 56
St-Amand (Av. de) BV 58
Sénateur-Girard (Av.) AX 63
Tholozé (R.) AX 65
Vaillant-Couturier (R. Paul) BV 67
Vauban (Av.) BV 68
Verdun (Av. de) BZ 69
Vieille-Poissonnerie (R.) AY 73
Villars (Av.) AY 74

VALENCIENNES <SP> 59300 Nord 53 ④⑤ G. Nord de la France – 43 202 h. alt. 22 – ✪ 27.
Voir Musée des Beaux-Arts★ BY **M.**

18 ☎ 46.30.10 E : 1,5 km - CV.

Office de Tourisme 1 r. Askièvre (après-midi seul., fermé dim. et fêtes) ☎ 46.22.99 - A.C. 2 r. Mons ☎ 46.34.32.

Paris 206 ⑥ – ♦Amiens 107 ⑥ – Arras 69 ⑥ – Beauvais 181 ⑥ – Bruxelles 102 ② – Charleroi 82 ② – Charleville-Mézières 132 ③ – ♦Lille 51 ⑦ – ♦Reims 151 ③ – St-Quentin 70 ⑥.

Plan page précédente

Gd Hôtel, 8 pl. Gare ☎ **46.32.01**, Télex **110701** – ascenseur ☎ – 25 à 150. AE GB ① E
R 42/98 – 14,50 – **89 ch** 73/160, 6 appartements 190/220 – P 170/224. AX **d**

H. La Coupole sans rest, pl. Gare ☎ **46.37.12** – ascenseur wc wc ☎. AE GB
SC : 12 – **38 ch** 63/125. AX **e**

Notre-Dame sans rest, 1 pl. Abbé-Thellier-de-Poncheville ☎ **46.30.02** – wc wc ☎. BY **s**
SC : 11,50 – **39 ch** 44/130.

Bristol sans rest, 2 av. de Lattre-de-Tassigny ☎ **46.24.09** – ascenseur wc wc ☎. AX **u**
SC : 11 – **20 ch** 66/116.

Modern'H sans rest, 92 r. Lille ☎ **46.20.70** – wc wc ☎ Ⓟ. GB AX **n**
SC : 10 – **29 ch** 64/120.

France sans rest, 8 pl. Armes ☎ **46.54.38** – ascenseur wc ☎. AY **u**
9,50 – **14 ch** 65/110.

XXX ✿ **Buffet-Gare,** ☎ **46.86.30** – AE GB ① AX
fermé dim. soir et soirs de fêtes – **R** 75/110
Spéc. Langue Lucullus, Filet de sandre en papillette, Tournedos.

XX **Rest. La Coupole,** pl. Gare ☎ **46.38.36** – GB AX **e**
fermé 14 juil. au 15 août – **R** (1er étage) 36/98 et Brasserie (rez-de-chaussée).

par l'échangeur Valenciennes-Ouest, Zone industrielle de Rouvignies, sorties ⑥ ou ⑤ – ✉ **59300** Valenciennes :

Novotel M, SO : 5 km par N 29 ☎ **44.20.80**, Télex **120970**, – rest TV ☎ & Ⓟ – 25 à 200. AE GB ①
R snack carte environ 65 – 20 – **74 ch** 175/205.

à Sebourg par ③ : 11 km par D 934 et D 250 – ✉ **59990** Saultain :

XX **Jardin Fleuri** avec ch, r. Moulin ☎ **46.85.03**, « Jardin » – wc wc ☎ Ⓟ. GB. ch
fermé 16 août au 1er sept. et 1er au 15 fév. – SC : **R** *(fermé jeudi et dim. soir)* 33/80 – 8 – **12 ch** 55/80 – P 90/100.

à Quievrechain par ② : 12 km – 7 272 h. – ✉ **59920** Quievrechain :

XX **Petit Restaurant,** ☎ **45.43.10** – Ⓟ. AE GB
fermé août et lundi – **R** 43/125.

MICHELIN, Agence régionale, Z.I. N° 2, N 29 Prouvy par ⑤ ☎ **44.02.35.**

AUDI-VOLKSWAGEN S.A.D.I.A.V., 114 rte Nationale à Aulnoy ☎ 33.03.03
CITROEN D.V.A., 245 r. J.-Jaurès à Anzin ☎ 33.43.71 ☎ 46.56.80
FIAT Gar. du Hainaut, voie express de Lille à Petite Forêt ☎ 46.82.36
FORD N.V.A., 51 av. A.-France, Anzin ☎ 33.19.55
MERCEDES-BENZ Marty et Lecourt, 10 bd Saly ☎ 46.34.71
PEUGEOT Caffeau et Ruffin, 136 r. J.-Jaurès à Anzin ☎ 46.02.03
RENAULT Succursale, 20 av. Denain ☎ 30.92.05 ☎ 44.04.00
TALBOT Central-Gar., r. des Bourgeois ☎ 45.01.13

Daesslé et Klein, 317 av. Dampierre ☎ 46.28.26
Hainaut-Pneu, 11 quai des Mines ☎ 33.33.06
Lotterie, 4 bd Saly ☎ 46.41.06
Rénova-Pneu, Zone Ind. N° 2 Rouvignies ☎ 32.02.54 et 85 bd Saly ☎ 46.34.70
Thurotte, 46 av. St-Amand ☎ 46.33.57

VALENSOLE 04210 Alpes-de-H.-P. 81 ⑯ G. Côte d'Azur – 1 721 h. alt. 569 – ✪ 92.
Paris 792 – Brignoles 71 – Castellane 77 – Digne 47 – Forcalquier 30 – Manosque 21 – Salernes 58.

Piès, ☎ **74.83.13**, ←, – wc ☎ Ⓟ. GB
SC : **R** *(fermé jeudi du 1er oct. au 1er avril)* 40/90 – 10 – **18 ch** 90/100 – P 110/125.

CITROEN Tardieu, ☎ 74.80.43
PEUGEOT Meyer, ☎ 74.83.65
RENAULT Taix, ☎ 74.80.15

VALENTIGNEY 25700 Doubs 66 ⑱ – 14 896 h. alt. 340 – ✪ 81.
Paris 483 – ♦Bâle 69 – Belfort 23 – ♦Besançon 82 – Montbéliard 9 – Morteau 67.

Voir plan de Montbéliard agglomération

RENAULT S.A.C.M.A., rte de Belchamp ☎ 91.66.11

CONSTRUCTEUR : S.A. des Cycles Peugeot, à Beaulieu CZ ☎ **91.83.21**

VALENTINE 31 H.-Gar. 86 ① – rattaché à St-Gaudens.

VALFLEURY 42 Loire 73 ⑲ – 404 h. alt. 720 – ✉ 42320 La Grand'Croix – ☎ 77.

Paris 514 – ♦Lyon 53 – Montbrison 58 – Roanne 99 – St-Chamond 10 – ♦St-Étienne 22.

✗ **de la Vallée** avec ch, ☎ 29.85.72, ≤ – Ⓟ. ✻ ch
fermé vacances scolaires de Noël, de fév. et jeudi sauf juil.-août – SC : **R** 40/55 ♁ – ☕ 6 – **5 ch** 50/80 – P 90.

VALGORGE 07 Ardèche 80 ⑧ **G. Vallée du Rhône** – 451 h. alt. 561 – ✉ **07110** Largentière – ☎ 75.

Paris 670 – Alès 86 – Aubenas 38 – Langogne 52 – Privas 68 – Le Puy 85 – Vallon-Pont-d'Arc 43.

Le Tanargue Ⓜ, ☎ 35.68.88, ≤, – wc wc ☎ Ⓟ – 35. GB
fermé 5 janv. à fin fév. – SC : **R** (en saison prévenir) 45/100 – ☕ 12 – **25 ch** 100/160 – P 135/180.

VALLAURIS 06220 Alpes-Mar. 84 ⑨, 195 ㉟㊴ **G. Côte d'Azur** – 20 507 h. alt. 122 – ☎ 93.

Voir musée national "la guerre et paix"* (Château) V D.

Syndicat d'Initiative av. Martyrs de la Résistance (fermé sam. après-midi et dim.) ☎ 63.82.58.

Paris 914 – Antibes 7,5 – Cannes 6 – Le Cannet 4,5 – Grasse 18 – ♦Nice 31.

Voir plan de Cannes

✗ **Gousse d'Ail,** 11 av. Grasse ☎ 64.10.71 – ◑ V **y**
fermé oct., lundi soir et mardi sauf sais. et fériés – SC : **R** 45/60 ♁.

✗ **Le Vallauris,** av. G.-Clemenceau ☎ 63.75.60 V **x**
fermé 15 nov. au 23 déc., sam. et le soir sauf juil. et août – SC : **R** 31/48.

VALLERAUGUE 30570 Gard 80 ⑯ **G. Causses** – 1 028 h. alt. 438 – ☎ 66.

Paris 673 – Mende 105 – Millau 94 – Nîmes 91 – Le Vigan 22.

Petit Luxembourg, ☎ 92.20.44 – wc
fermé 1er déc. au 15 janv. – SC : **R** 30 bc/50 – ☕ 9 – **11 ch** 47/90 – P 90/100.

RENAULT Garage Bertrand, ☎ 92.21.36 N

VALLOIRE 73450 Savoie 77 ⑦ **G. Alpes** – 923 h. alt. 1 430 – Sports d'hiver : 1 430/2 500 m 1 23, – ☎ 79.

Voir Col du Télégraphe ≤* N : 5 km.

Office de Tourisme (fermé dim. hors saison) ☎ 56.03.96, Télex 980553.

Paris 662 – Chambéry 102 – Lanslebourg 57 – Col du Lautaret 24 – St-Jean-de-Maurienne 31.

Gd Hôtel Valloire et Galibier, ☎ 56.00.11, ≤, – wc wc Ⓟ. AE ◑
15 juin-15 sept. et 20 déc.-20 avril – SC : **R** 48/115 – ☕ 18 – **43 ch** 138/188, 4 appartements 370 – P 150/230.

La Sétaz, ☎ 56.01.03, ≤, – wc wc ☎ Ⓟ. ✻ rest
14 juin-6 sept. et Noël-Pâques – SC : **R** 52/120 – ☕ 14 – **22 ch** 69/125 – P 140/165.

Christiania, ☎ 56.00.57 – wc wc . ✻ rest
20 juin-10 sept. et 15 déc.-20 avril – SC : **R** 40/68 – ☕ 12 – **25 ch** 65/110 – P 120/170.

Centre, ☎ 56.00.83, – wc . ✻ rest
fermé 26 avril au 21 juin et 11 oct. au 1er déc. – SC : **R** 45/65 – ☕ 12 – **36 ch** 60/120 – P 100/170.

Gentianes, ☎ 56.03.66, – wc Ⓟ. ✻
25 juin-7 sept. et 20 déc.-20 avril – SC : **R** 40/70 – ☕ 11 – 25 ch 55/120 – P 105/145.

aux Verneys S : 2 km – ✉ **73450** Valloire :

Relais du Galibier, ☎ 56.00.45, ≤, – wc wc Ⓟ. ✻ rest
15 juin-15 sept. et 20 déc.-20 avril – SC : **R** 34/60 ♁ – ☕ 13 – **28 ch** 60/105 – P 100/127.

Gar. Bouvet, ☎ 56.02.40

VALLON-EN-SULLY 03 Allier 69 ⑪⑫ – 1 677 h. alt. 179 – ✉ **03190** Hérisson – ☎ 70.

Paris 300 – Cérilly 29 – La Châtre 52 – Montluçon 24 – Moulins 64 – St-Amand-Montrond 27.

✗ **Le Lichou** avec ch, N 144 ☎ 06.50.43 – wc Ⓟ
fermé sept. et vend. hors sais. – SC : **R** 22/58 ♁ – ☕ 8 – 10 ch 40/65 – P 90/100.

CITROEN Gar. Lachassagne, ☎ 06.51.85 RENAULT Gar. de la Grave, ☎ 06.50.26 N

VALLON-PONT-D'ARC 07150 Ardèche 80 ⑨ **G. Vallée du Rhône** – 1 901 h. alt. 118 – ☎ 75.

Voir Gorges de l'Ardèche* au SE.**

Syndicat d'Initiative bd Peschaire-Alizon (hors saison matin seul., fermé lundi sauf sais. et dim.) ☎ 37.04.01.

Paris 662 – Alès 51 – Aubenas 33 – Avignon 79 – Carpentras 95 – Mende 119 – Montélimar 57.

Parc, ☎ 37.02.17 – . ch
fermé 1er au 20 oct., 3 janv. au 2 fév. et vend. – SC : **R** 30/65 – 9,50 – **20 ch** 65/80 – P 110/115.

Belvédère, SE : 6 km sur D 290 ☎ 37.00.02, ← – wc wc
1er mars-15 nov. – SC : **R** 41/65 – 12 – 16 ch 66/121 – P 250/300 (pour 2 pers.).

CITROEN Bonnaud, ☎ 37.02.25
PEUGEOT Vigne, ☎ 37.02.26
RENAULT Riccomondi, à Salavas ☎ 37.00.97

VALLORCINE **74660** H.-Savoie 74 ⑨ **G. Alpes** – 283 h. alt. 1 261 – Sports d'hiver : 1 261/1480 m 2 – 50.

Paris 642 – Annecy 109 – Chamonix 16.

Buet et Gare, au Buet SO : 2 km par N 506 ☎ 54.60.05, ←, – wc .
15 juin-20 sept. et Noël-vac. de printemps – SC : **R** 37/46 – 9,50 – **25 ch** 36/80 – P 95/107.

Ermitage , au Buet SO : 2 km par N 506 ☎ 54.60.09, ←, – . .
14 juin-19 sept., Noël-10 janv., 17 janv.-vac. de printemps – SC : **R** 39/49 – 10 – **14 ch** 33/87 – P 93/105.

Mont-Blanc, ☎ 54.60.02, ←, – . . rest
vac. de printemps, 5 juin-20 sept., vac. de Noël, 22 janv.-15 mars – SC : **R** 33/52 – 10 – **26 ch** 35/56 – P 92/106.

VALLOUISE **05290** H.-Alpes 77 ⑰⑱ **G. Alpes** – 451 h. alt. 1 167 – 92.

Syndicat d'Initiative (fermé merc. après-midi et dim.) ☎ 23.30.19.

Paris 737 – L'Argentière-la-Bessée 10 – Briançon 25 – Gap 82.

Les Écrins , ☎ 23.30.15, ←, – . . rest
15 juin-15 sept. et Noël-Pâques – SC : **R** 45/90 – 11 – **20 ch** 70/140 – P 120/160.

VALMOREL **73** Savoie 74 ⑰ – alt. 1 400 – Sports d'hiver : 1 400/2 403 1 21 – **73260** Aigueblanche – 79.

Syndicat d'Initiative Maison de Valmorel (saison) ☎ 24.10.00.

Paris 647 – Albertville 40 – Chambery 88 – Moutiers 19.

Fontaine , ☎ 24.11.06, ← – wc .
16 juin-15 sept. et 12 déc.-20 avril – SC : **R** 55 – 40 ch (pens. seul.) – P 200/260.

H. du Bourg sans rest, ☎ 24.16.13, ← – wc .
SC : **53 ch** 180/270.

VALOGNES **50700** Manche 54 ② **G. Normandie** – 6 081 h. alt. 35 – 33.

de Fontenay-sur-Mer ☎ 41.20.06 par ② : 11 km.

de Cherbourg-Maupertus : ☎ 53.57.04 - par ① : 18 km par D 24.

Syndicat d'Initiative pl. Château (2 mai-30 sept. et fermé dim.) ☎ 40.11.55.

Paris 340 ② – •Caen 99 ② – •Cherbourg 20 ⑤ – Coutances 55 ③ – St-Lô 58 ②.

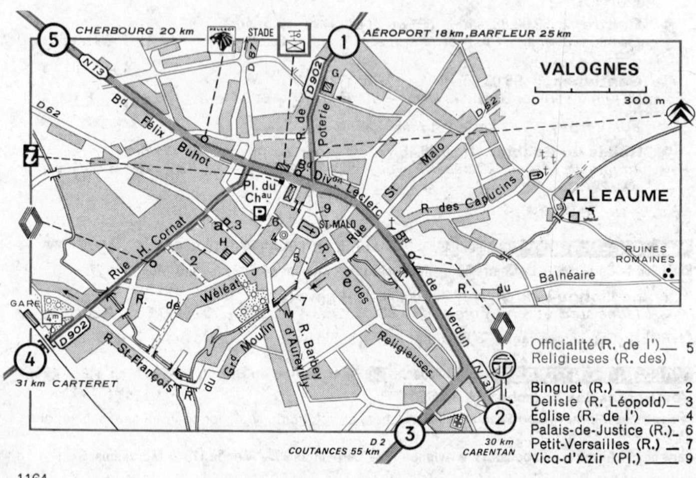

Agriculture, 16 r. L.-Delisle **(a)** ☎ 40.00.21, – wc **P** – 150.
SC : **R** *(fermé du 11 au 29 sept., du 1er au 15 janv., dim. soir sauf du 1er juil. au 30 août et lundi)* 28/53 – 9,50 – **34 ch** 45/84 – P 94/134.

Louvre, 28 r. Religieuses **(e)** ☎ 40.00.07 – **P**.
fermé déc. – SC : **R** *(fermé sam.)* 28/45 – 9 – **20 ch** 40/100 – P 85/180.

CITROEN Gar. Paul, bd Div.-Leclerc ☎ 40.17.59
FORD Gar. Valognais 80 r. Religieuses ☎ 40.01.30
PEUGEOT Coeuret et Lesage, 10 r. F.-Buhot ☎ 40.00.74
RENAULT Gar. Duchenne, bd Verdun ☎ 40.16.13 **N**
RENAULT Gar. Mangon, 27 r. H.-Cornat ☎ 40.18.32
TALBOT Gar. Dorrière, N 13 ☎ 40.09.38

VALRAS-PLAGE 34350 Hérault 83 ⑮ G. Causses – 2 541 h. – Casino – 67.

Office de Tourisme 24 r. Ch.-Thomas (fermé merc.) ☎ 32.36.04.

Paris 829 – Agde 26 – Béziers 15 – ♦Montpellier 72.

Plage Sauvi, ☎ 32.08.37 – wc wc.
1er avril-fin sept. – SC : **R** 40/140 – 12 – **20 ch** 140/170 – P 165/180.

Mira-Mar, ☎ 32.00.31, ≤ – wc wc.
avril-fin sept. – SC : **R** 45/150 – 13 – **52 ch** 220 – P 150/250.

Moderne, ☎ 32.25.86 – wc wc.
10 mai-20 sept. – SC : **R** 40/110 – 12 – **24 ch** 150 – P 130/160.

La Chaumière, ☎ 32.04.78
Pâques-fin sept. – SC : **R** 35/50.

VALRÉAS 84600 Vaucluse 81 ② G. Provence (plan) – 8 509 h. alt. 270 – 90.

Office de Tourisme, pl. A.-Briand (Pâques et Pentecôte-fin oct.) ☎ 35.04.71 et à la Mairie (fermé sam. et dim.) ☎ 35.00.45.

Paris 642 – Avignon 65 – Crest 56 – Montélimar 37 – Nyons 14 – Orange 35 – Pont-St-Esprit 38.

Gd Hôtel, 28 av. Gén.-de-Gaulle ☎ 35.00.26, – wc
fermé 15 déc. au 15 janv., sam. soir et dim. du 15 oct. au 4 avril – SC : **R** 35/80 – 10 – 18 ch 45/140 – P 115/210.

PEUGEOT Gar. Aubert, rte de Montélimar ☎ 35.00.38
RENAULT SOVATRA, rte d'Orange ☎ 35.04.06
TALBOT Ginoux, 61 cours V.-Hugo ☎ 35.01.53

Plantin, 26 av. Gén.-de-Gaulle ☎ 35.04.27
Pneumatique-Sce, Chemin de Marie-Vierge ☎ 35.19.08

VALS-LES-BAINS 07600 Ardèche 76 ⑲ G. Vallée du Rhône – 4 174 h. alt. 248 – Stat. therm. (1er mai-30 sept.) – Casino : – 75.

Syndicat d'Initiative 12 av. Farincourt (fermé sam. après-midi hors sais. et dim.) ☎ 37.42.34 - A.C. 7 av. C.-Expilly ☎ 37.42.19.

Paris 635 ② – Aubenas 6 ③ – Langogne 58 ④ – Privas 34 ② – Le Puy 87 ④.

Gd H. des Bains , **(a)** ☎ 37.42.13, parc – **P**
20 mai-15 oct. – SC : **R** 70/150 – 17 – **62 ch** 125/240 – P 205/270.

Vivarais, av. C.-Expilly **(e)** ☎ 37.42.63, – wc wc **P** AE GB E. rest
fermé 15 nov. au 25 déc. – SC : **R** 62/120 – 18 – 35 ch 100/180 – P 200/260.

Europe, r. J.-Jaurès **(r)** ☎ 37.43.94 – wc wc. AE GB E. rest
10 avril-1er oct. – SC : **R** (en sais. prévenir) 50/90 – 13 – **36 ch** 70/150 – P 130/200.

Lyon, av. Farincourt **(s)** ☎ 37.43.70 – wc wc. AE
1er avril-5 oct. – SC : **R** 50/80 – 12 – **35 ch** 60/160 – P 140/200.

St-Jean , **(u)** ☎ 37.42.50 – wc wc **P**. GB. rest
1er avril-fin sept. – SC : **R** 45/90 – 12 – 32 ch 65/130 – P 110/180.

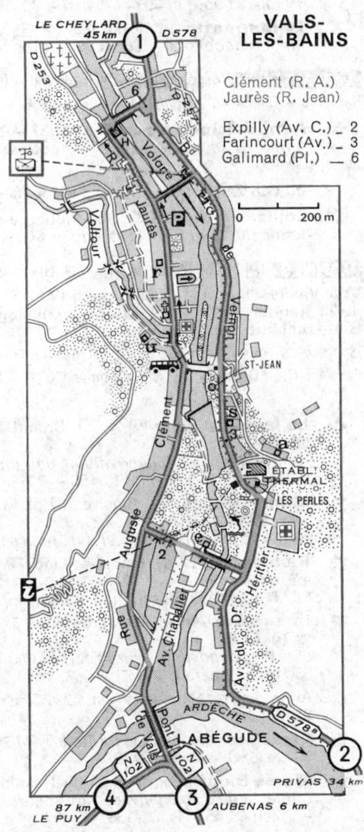

à Labégude : par ③ :

Sabaton, ✉ 07200 Aubenas ☎ 37.40.37 – wc wc ☎. . ✽ rest
SC : **R** (dîner seul.) carte environ 50 ⅄ – ☕ 9,50 – 18 ch 70/110.

à Lalevade par ④ : 4 km – ✉ **07380** Lalevade :

XX **Terminus** avec ch, ☎ 38.01.07 – wc 🚿 Ⓟ. . GB E
fermé 1er au 10 sept., 15 déc. au 20 janv. et dim. – **R** 45/100 ⅄ – ☕ 11 – **14 ch** 55/100 – P 100/140.

VAL-SUZON 21 Côte-d'Or 66 ⑪ **G. Bourgogne** – 109 h. alt. 363 – ✉ **21121** Fontaine-lès-Dijon – ✆ 80.

Paris 308 – Auxerre 144 – Avallon 100 – Châtillon-sur-S. 67 – ♦Dijon 16 – Montbard 58 – Saulieu 68.

Host. Val-Suzon ⛰, N 71 ☎ 31.60.15, « Jardin fleuri avec volière » – wc 🚿wc ☎ Ⓟ. . ✽
fermé début janv. à début fév., merc. et jeudi midi – SC : **R** (nombre de couverts limité - prévenir) 70/160 – ☕ 15 – 8 ch 70/130.

Le Chalet de la Fontaine aux Geais ⛰ sans rest, ☎ 31.61.19 – wc 🚿wc ☎ Ⓟ. . ✽
15 mars-15 nov. – SC : ☕ 15 – **10 ch** 90/150.

VAL-THORENS 73 Savoie 77 ⑧ – Sports d'hiver : 2 300/3 400 m 1 19 – ✉ **73440** St-Martin-de-Belleville – ✆ 79.

Office de Tourisme ☎ 08.21.08, Télex 980572.

Paris 669 – Chambéry 109 – Moûtiers 36.

Le Sherpa Ⓜ ⛰, ☎ 00.00.70, ≤ – |‡| wc Ⓟ – 25 ch.

Val Chavière Ⓜ ⛰, ☎ 00.00.33, ≤ – |‡| wc ☎ . . ✽ rest
25 oct.-5 mai – SC : **R** 65 – **42 ch** ☕ 120/220 – P 245.

Corotel ⛰, ☎ 00.02.70, ≤ – wc ☎ Ⓟ. ✽ rest
1er juil.-31 août et 25 oct.-5 mai – SC : **R** 60 – ☕ 17 – **25 ch** 205 – P 170/220.

La Marmotte ⛰, ☎ 00.00.07 – wc ☎.
fin oct.-début mai – SC : **R** 60 – 20 ch (pens. seul.) – P 130/198.

Le VALTIN 88 Vosges 62 ⑱ – 90 h. alt. 760 – ✉ **88230** Fraize – ✆ 29.

Paris 416 – Colmar 40 – Épinal 54 – Guebwiller 52 – St-Dié 28 – Col de la Schlucht 8,5.

X **Aub. Val Joli** avec ch, ☎ 57.31.37 – Ⓟ
fermé 15 nov.-8 déc., dim. soir et lundi – SC : **R** 28/70 ⅄ – ☕ 9 – **11 ch** 45/66 – P 90/100.

au Gd-Valtin O : 4 km – ✉ **88230** Fraize :

XX **Louisière,** ☎ 57.31.39, ≤, « Auberge rustique » – Ⓟ
fermé du 12 au 23 nov. et jeudi – SC : **R** (sur commande) carte environ 120.

VANNES Ⓟ **56000** Morbihan 63 ③ **G. Bretagne** – 43 507 h. alt. 22 – ✆ 97.

Voir Vieille ville★ ABZ : **Place Henri-IV**★ BY, **Cathédrale**★ BYB, **Remparts**★, **Promenade de la Garenne** ≤★★ BZ – **Musée archéologique**★ **dans le château Gaillard** ABZ **M** – **Golfe du Morbihan**★★ **en bateau.**

Office de Tourisme (fermé dim. sauf matin en juil.-août) et A.C.O. 29 r. Thiers ☎ 47.24.34.

Paris 455 ② – Quimper 115 ④ – ♦Rennes 106 ② – St-Brieuc 106 ① – St-Nazaire 76 ③.

Plan page ci-contre

La Marébaudière Ⓜ, 4 r. A.-Briand ☎ 47.34.29, – TV ♿ Ⓟ – 150. AE GB E BY **r**
fermé 19 déc. au 5 janv. et dim. soir du 11 nov. au 12 avril – SC : **R** voir rest. Marée Bleue – ☕ 11 – 40 ch 110/150 – P 145/190.

Manche Océan Ⓜ sans rest, 7 pl. Mar.-Lyautey ☎ 47.26.46 – |‡| wc 🚿wc ☎ . AE GB BY **n**
fermé 15 nov. au 15 déc. et dim. hors sais. – SC : ☕ 12 – **42 ch** 60/160.

Richemont, 28 av. Favrel-et-Lincy ☎ 47.12.95 – wc ☎ – 40. AE . ✽ ch BY **a**
SC : **R** *(fermé lundi sauf juil. et août)* 45/150 – ☕ 16 – 30 ch 70/150.

Image Ste-Anne, 8 pl. Libération ☎ 63.27.36, Télex 950352 – |‡| TV wc 🚿wc ☎ Ⓟ. AE E AY **x**
SC : **R** *(fermé dim. soir d'oct. à Pâques)* 40/150 – ☕ 15 – 30 ch 72/150 – P 330 (pour 2 pers.).

Anne de Bretagne sans rest, 42 r. Clisson ☎ 54.22.19 – wc 🚿wc ☎ **21 ch.** BY **d**

Bretagne sans rest, 34 r. Méné ☎ 47.20.21 – 🚿 ☎. ✽ BY **s**
SC : ☕ 8,50 – **12 ch** 63/70.

XX **Marée Bleue** avec ch, 8 pl. Bir-Hakeim ☎ 47.24.29 – 🚿 Ⓟ. AE GB E
fermé 19 déc. au 5 janv. et dim. soir du 11 nov. au 12 avril – SC : **R** 36/145 ⅄ – ☕ 11 – 16 ch 48/65 – P 105/130. BY **u**

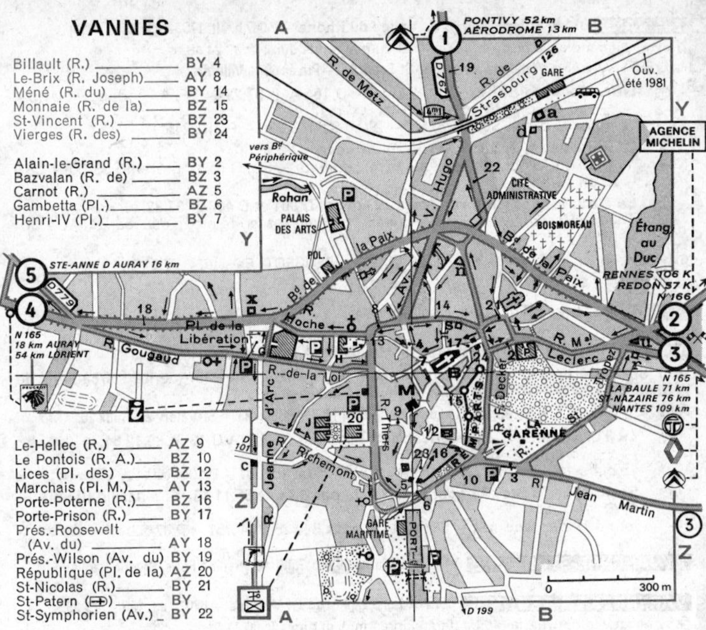

par ⑤ puis D 19 : 4 km – ✉ **56000** Vannes :

🏨 **Les Chèvrefeuilles** 🐦 sans rest, rte de Ste Anne d'Auray ☎ **63.14.77**, 🌳 – 🚿wc ☎ 🅿
fermé 23 déc. au 2 janv et week-ends d'oct. à mai – SC : ☕ 12 – **10 ch** 90/130.

à ***Conleau*** SO : 4,5 km par V 2 - AZ – ✉ **56000** Vannes.

Voir Ile Conleau★ 30 mn.

✕✕ **Le Roof** 🐦 avec ch, ☎ **63.47.47**, ≤, 🌳 – 🛁wc ☎ 🅿 – 🏛 50. 💳 AE GB ⊙. ✗ ch
fermé mi-janv. à mi-fév. – SC : **R** *(fermé mardi d'oct. à Pâques)* 40/100 – ☕ 12 – **11 ch** 110/150.

à ***Arradon*** par ④ : 7 km ou D 101 AZ et D 127 3 673 h. – ✉ **56610** Arradon.

Voir ≤★.

🏨 **Les Vénètes** 🐦, à la pointe : 2 km ☎ **26.03.11**, ≤ golfe et les îles – TV 🛁wc 🚿wc ☎. 💳. ✗
15 mars-1er nov. et fermé dim. soir (sauf hôtel) et lundi hors sais. – SC : **R** 50/180 – ☕ 17 – **12 ch** 135/180 – P 205/240.

🏨 **Le Guippe** M 🐦, au bourg ☎ **26.03.15** – 🛁wc 🚿wc ☎ ♿ 🅿 – 🏛 25
SC : **R** *(fermé 27 sept. au 18 oct. et lundi hors sais.)* 35/65 – ☕ 10 – **43 ch** 90/145 – P 120/140.

à ***Theix*** par ③ : 9,5 km – ✉ **56450** Theix :

🏨 **Poste** sans rest, centre bourg ☎ **43.01.18** – 🚿wc ☎. 💳. ✗
1er fév.-30 nov. – SC : ☕ 11 – **18 ch** 60/130.

à ***Noyalo*** par ③ et D 780 : 10,5 km – ✉ **56450** Theix :

🏨 **Aub. de Noyalo** 🐦, ☎ **43.01.22** – 🛁 🚿 🅿. ✗ rest
fermé nov. – SC : **R** *(fermé lundi)* 27/80 🌡 – ☕ 9 – **14 ch** 50/63 – P 95/110.

MICHELIN, Agence, r. du Général-Weygand par ② ☎ **47.26.41**

CITROEN S.A.V.V.A., rte de Nantes, St-Laurent-Séné ☎ 54.22.74
CITROEN Gar. Borgat, rte de Pontivy ☎ 47.43.77
FIAT Desbois, 34 r. Capit.-Jude ☎ 54.01.64
FORD Autorep, 41 r. du Vincin ☎ 63.10.35
OPEL Gar. Mahéo, 6 r. F.-d'Argouges ☎ 47.11.56 N ☎ 63.23.45

PEUGEOT Gar. Lainé, 9 av. Marne ☎ 63.27.27
RENAULT S V D A 95 av. Éd-Herriot ☎ 54.20.70
TALBOT Le Poulichet, 13 r. A.-Briand ☎ 47.45.46

Ⓜ Foucaud, 1 pl. J.-Le-Brix ☎ 47.12.91
Jahier, 2 r. du 65e-R.I. ☎ 47.18.50

Les VANS **07140** Ardèche 80 ⑧ **G. Vallée du Rhône** – 2 007 h. alt. 175 – 75.
Syndicat d'Initiative pl. Ollier (1er juil.-31 août et fermé dim.) ☎ 37.24.48.
Paris 668 – Alès 43 – Aubenas 36 – Pont-St-Esprit 65 – Privas 66 – Villefort 24.

Hôt. du Scipionnet, NE : 3 km par D 104 A ☎ **37.23.84,** ←, « dans un parc » – wc wc ☎ – 25. rest
15 mars-15 oct. – SC : **R** 75/120 – 21 ch 145/230 – P 210/245.

Cévennes, ☎ **37.23.09,** – . rest
fermé 5 au 19 oct., 15 janv. au 15 fév. et lundi – SC : **R** (dim. prévenir) 33/60 – 9 – **15 ch** 42/62.

La Cavale, Les Grads de Naves 2 km par D 901 et D 408 ☎ **37.32.76,** ← –
1er juin-15 sept., week-ends et fériés hors sais. et fermé du 25 déc. au 28 fév. – SC : **R** 49.

CITROEN Brueyre et Volle, ☎ 37.22.39 N ☎ 37.35.76
PEUGEOT Boissin, ☎ 37.21.41

VARCES **38** Isère 77 ④ – rattaché à Grenoble.

VARENGEVILLE-SUR-MER **76119** S.-Mar. 52 ④ **G. Normandie** – 996 h. alt. 83 – 35.
Voir Site★ de l'église – Manoir d'Ango★ S : 1 km – Ste-Marguerite : arcades★ de l'église O : 4,5 km – Phare d'Ailly ★ NO : 4 km.
Paris 202 – Dieppe 8 – Fécamp 57 – Fontaine-le-Dun 17 – ♦Rouen 63 – St-Valéry-en-Caux 25.

La Terrasse , à Vasterival NO : 3 km par D 75 et VO 13 ☎ **85.12.54,** ←, , – wc wc ☎ . E. rest
15 mars-15 oct. – SC : **R** 40/70 – 10 – 28 ch 45/120 – P 105/140.

Sapins , à Ste-Marguerite O : 3 km par D 75 ☎ **85.11.45,** ←, « Jardin fleuri » – . rest
fermé 1er déc. au 5 fév. – SC : **R** 36/38 – 8 – 25 ch 40/51 – P 87/92.

La VARENNE-ST-HILAIRE **94** Val-de-Marne 61 ①, 101 ㉘ – voir à Paris, Proche banlieue.

VARENNES-EN-ARGONNE **55270** Meuse 56 ⑩⑳ **G. Vosges** – 670 h. alt. 155 – 29.
Syndicat d'Initiative à la Mairie (fermé après-midi et dim.) ☎ 80.71.01.
Paris 251 – Bar-le-Duc 64 – Dun-sur-Meuse 25 – Ste-Menehould 30 – Verdun 37 – Vouziers 39.

Grand Monarque, ☎ **80.71.09** – . ch
fermé 1er au 25 oct. et lundi – **R** 25/58 – 8 – **10 ch** 54.

RENAULT Gar. Flamand, ☎ 80.71.35

VARENNES-JARCY **91** Essonne 61 ①, 101 ㊳ – 1 044 h. alt. 55 – **91480** Quincy-sous-Sénart – 6.
Paris 29 – Brunoy 8,5 – Évry 13 – Melun 20.

Moulin de Jarcy avec ch, au NO ☎ **900.89.20,** ←, « Fraîche terrasse au bord de l'eau » – . ch
fermé 6 au 28 août, 21 déc. au 15 janv., merc. soir et jeudi – **R** (dim. prévenir) 40/55 – 12 – 5 ch 60.

Host. de Varennes, 12 r. Mandres ☎ **900.97.03** – . GB
fermé 7 au 30 août, mardi soir et merc. – **R** 50, carte le dim.

VARENNES-SUR-ALLIER **03150** Allier 69 ⑭ – 5 188 h. alt. 248 – 70.
Paris 323 – Digoin 58 – Lapalisse 20 – Moulins 30 – St-Pourçain-sur-Sioule 11 – Vichy 27.

Aub. de l'Orisse, SE : 2 km sur N 7 03150 Varennes-sur-Allier ☎ **45.05.60,** ←, , – – 50. AE
fermé du 6 janv. au 16 fév. – SC : **R** *(fermé dim. soir et lundi midi du 15 sept. au 15 juin sauf fêtes)* 50/150 – 13 – **23 ch** 75/140 – P 175/220.

Dauphin, r. Hôtel de Ville ☎ **45.01.03** – .
fermé 15 nov. au 1er déc., 1er au 15 fév. et merc. du début oct. à fin avril – SC : **R** 36/100.

Central H., pl. de la Mairie ☎ **45.05.07** – GB E
fermé 15 au 31 mai, 1er au 15 nov. et lundi – SC : **R** 40/100 .

à St-Loup N : 5,5 km sur N 7 – **03150** Varennes-sur-Allier :

Route Bleue, ☎ **45.07.73** – wc wc ☎ – 30. AE GB E. rest
fermé 15 au 30 nov., 1er au 15 fév. et mardi hors sais. – SC : **R** 40/150 – 12 – 22 ch 65/200 – P 150/180.

CITROEN Muet, ☎ 45.00.19 N
PEUGEOT Central Gar., ☎ 45.05.02 N
RENAULT Sabot, ☎ 45.05.23
TALBOT Mantin, ☎ 45.06.08

VARETZ **19** Corrèze 75 ⑧ – rattaché à Brive-la-Gaillarde.

VARREDDES **77** S.-et-M. 56 ⑬ – rattaché à Meaux.

VARS 05560 H.-Alpes 77 ⑱ **G. Alpes** – 844 h. alt. 1 639 – Sports d'hiver : 1 650/2 550 m 27 – 92 – De Ste-Marie-de-Vars : Paris 726 – Barcelonnette 37 – Briançon 47 – Digne 124 – Gap 72.

à Ste-Marie-de-Vars – alt. 1 658 – ✉ **05560** Vars :

- **Host. Ste-Marie** Transformations prévues, ☎ 45.50.02, <, – wc wc ☎ & P. GB
  5 juil.-5 sept. et 15 déc.-15 avril – SC : **R** 70 bc/115 bc – 20 – **19 ch** 180/240, 4 appartements 350 – P 190/300.
- **Le Vallon**, ☎ 45.54.72, < – wc ☎ P
  juil.-août et Noël-Pâques – SC : **R** 36/65 – 15 – **34 ch** 140/170 – P 140/170.
- **de la Mayt,** ☎ 45.50.07, < – wc wc ☎ P. rest
  1er juil.-1er sept. et 20 déc.-15 avril – SC : **R** 45/65 – 14 – **25 ch** 110/145 – P 150/200.

aux Claux – alt. 1 900 – ✉ **05560** Vars.

Office de Tourisme (fermé mai et dim. hors saison) ☎ 45.51.31, Télex 420671.

- **Caribou** M, ☎ 45.50.43, < – TV P
  20 déc.-15 avril – SC : **R** carte 120 à 155 – **38 ch** 210/340 – P 280/350.
- **Les Escondus,** ☎ 45.50.35, < – wc wc ☎ P. rest
  1er juil.-15 sept. et 15 déc.-30 avril – SC : **R** 50/65 – 15 – 22 ch 130/180 – P 160/200.

à St-Marcellin-de-Vars – ✉ **05560** Vars :

- **Le Paneyron** sans rest, ☎ 45.50.04 – wc
  15 juin-15 sept. et 20 mars-20 avril – SC : 10,50 – **11 ch** 41/100.

VARZY 58210 Nièvre 65 ⑭ **G. Bourgogne** – 1 607 h. alt. 229 – 86.
Paris 226 – La Charité-sur-Loire 36 – Clamecy 16 – Cosne-sur-Loire 42 – Nevers 53.

- **H. Poste** sans rest, fg de Marcy ☎ 29.41.89 – wc ☎ P.
  fermé 1er au 15 déc., 15 au 28 fév. et dim. soir du 1er oct. à Pâques sauf fêtes – SC : 12 – **10 ch** 65/120.
- XX **Poste,** ☎ 29.41.72 – P. GB E
  fermé fév., dim. soir et lundi hors sais. – SC : **R** 50/120.

CITROEN Gar. Mirvault, ☎ 29.43.41 RENAULT Gar. Moreau, ☎ 29.42.10

VASSIVIÈRE (Lac de) 87 H.-Vienne 72 ⑲ – rattaché à Peyrat-le-Château.

VASTÉRIVAL 76 Seine-Mar. 52 ④ – rattaché à Varengeville.

VATAN 36150 Indre 68 ⑧⑨ **G. Périgord** – 2 275 h. alt. 132 – 54.
Paris 235 – Blois 78 – Bourges 50 – Châteauroux 31 – Issoudun 21 – Vierzon 27.

- XX **France** avec ch, ☎ 49.74.11, – ☎ P
  fermé 15 au 23 sept., 15 janv. au 15 fév., mardi soir et merc. – **R** 40/100 – 10 – 12 ch 36/85.

CITROEN Thibault, ☎ 49.75.27
FORD Gar. Moreau, ☎ 49.70.48
Leseche, ☎ 49.74.02

VAUCHOUX 70 H.-Saône 66 ⑤ – rattaché à Port-sur-Saône.

VAUCRESSON 92 Hauts-de-Seine 60 ⑩, 101 ㉓ – voir à Paris, Proche banlieue.

VAUDEURS 89 Yonne 61 ⑮ – 383 h. alt. 160 – ✉ **89320** Cerisiers – 86.
Paris 143 – Auxerre 42 – Sens 24 – Troyes 55.

- **La Vauderinoise**, ☎ 88.13.30 – wc ☎ P
  fermé 15 au 31 janv. – SC : **R** *(fermé merc.)* 45/85 – 10 – **10 ch** 100/130 – P 150.

VAUDRAMPONT (Carrefour de) 60 Oise 56 ②, 96 ⑩ – alt. 81 – ✉ **60127** Morienval – 4.
Paris 80 – Beauvais 67 – Compiègne 10 – Crépy-en-Valois 14 – Senlis 33 – Villers-Cotterêts 23.

- XX **Bon Accueil** avec ch, sur D 332 ☎ 442.84.04, <, – P. GB
  fermé fév., lundi soir (sauf hôtel) et mardi – SC : **R** 95/155 – 18 – 7 ch 100/150 – P 220/285.

VAUGNERAY 69670 Rhône 73 ⑲ – 2 951 h. alt. 430 – 7.
Paris 471 – L'Arbresle 18 – •Lyon 17 – Montbrison 59 – Roanne 88 – Thiers 118.

- **Besson-Midey,** près carrefour Maison-Blanche ☎ 845.80.37, – ☎ P – 30
  fermé 20 déc. au 5 janv. – SC : **R** *(fermé sam. soir et dim.)* 30/42 – 10 – **20 ch** 42/85 – P 100/130.
- XX **Au Petit Malval,** au Col de Malval alt. 732 O : 7 km par D 50 ☎ 845.82.66, < vallées, « jardin » – P.
  fermé mardi – SC : **R** 75/150.

VAUJANY 38 Isère 77 ⑥ G. Alpes – 224 h. alt. 1 253 – ✉ 38114 Allemond – ☎ 76.
Voir Site★.
Paris 617 – Allemond 8 – Le Bourg-d'Oisans 18 – ♦Grenoble 53 – Vizille 36.

- **du Rissiou** ♨, ☎ 80.71.00, ← – ⋒wc. ✂ rest
  1er avril-15 sept. et 15 déc.-31 mars – SC : **R** 35/55 ⅄ – ☕ 8 – **15 ch** 40/70 – P 80/95.

VAUVENARGUES 13126 B.-du-R. 84 ③④ G. Côte d'Azur – 511 h. alt. 432 – ☎ 42.
Paris 766 – Aix-en-Provence 14 – Brignoles 51 – Manosque 49 – ♦Marseille 45 – Rians 20.

- **Au Moulin de Provence** ♨, ☎ 24.93.11, ← – ⌂wc ⋒wc Ⓟ – 🚶 30. ✂ rest
  15 mars-3 janv. et fermé lundi d'oct. à janv. – SC : **R** *(fermé lundi)* 43/95 – ☕ 13 – 12 ch 90/150 – P 160/200.

VAUX 89 Yonne 65 ⑤ – rattaché à Auxerre.

VAUX (Monts de) 39 Jura 70 ④ – rattaché à Poligny.

Les VAUX DE CERNAY ★★ 78 Yvelines 60 ⑨, 96 ㉔ G. Environs de Paris.
Promenades (2 h maximum AR) par sentier, du Moulin des Rochers (2 km NO de Cernay-la-Ville) à l'anc. abbaye des Vaux de Cernay (on ne visite pas).
du Moulin des Rochers : Paris 40 – Les Bordes 6 – Limours 9 – Rambouillet 13 – Versailles 21.

VAUX-LE-VICOMTE (Château de) 77 S.-et-M. 61 ②, 96 ㊴ G. Environs de Paris – ✉ 77950 Maincy.
Voir Château★★ et jardins★★★ – Env. Église★ de Champeaux NE : 7 km.
Paris 60 – Melun 6.

VAUX-SOUS-AUBIGNY 52 H.-Marne 66 ③ – 506 h. – ✉ 52190 Prauthoy – ☎ 25.
Paris 312 – Chaumont 60 – ♦Dijon 43 – Langres 25 – Til-Châtel 17.

- **Parc,** ☎ 84.30.18
  fermé nov. et lundi soir – SC : **R** 35/65 ⅄.

CITROEN Fevre, ☎ 84.32.14

La VAVRETTE 01 Ain 74 ③ – rattaché à Bourg-en-Bresse.

VEAUCHE 42340 Loire 73 ⑱ G. Vallée du Rhône – 5 012 h. alt. 387 – ☎ 77.
Voir Bras reliquaire★ dans l'église.
Paris 451 – ♦Lyon 76 – Montbrison 23 – Roanne 61 – ♦St-Étienne 16.

- XX **Relais de l'Etrier,** N 82 ☎ 54.60.11 – Ⓟ. GB
  fermé 3 au 22 août, vac. de fév., dim. soir et lundi – SC : **R** 45/150 ⅄.

RENAULT Gar. Grosso, ☎ 54.62.22

VEILLAC 19 Corrèze 76 ② – rattaché à Bort-les-Orgues.

VELARS-SUR-OUCHE 21 Côte-d'Or 66 ⑪ – 1 214 h. alt. 284 – ✉ 21370 Plombières-lès-Dijon – ☎ 80.
Paris 301 – Autun 74 – Avallon 94 – Beaune 44 – ♦Dijon 12 – Montbard 70 – Saulieu 62.

- XX ✿ **Aub. Gourmande** (Barbier), ☎ 33.62.51 – Ⓟ. ⓓ
  fermé dim. soir et lundi sauf fériés – SC : **R** (nombre de couverts limité - prévenir) 55/80
  Spéc. Turbot grillé Béarnaise, Coq au vin, Nougat glacé. **Vins** Rosé de Marsannay.

Garage de la Cude, ☎ 33.62.52 N

VELIZY-VILLACOUBLAY 78 Yvelines 60 ⑩, 101 ㉓ – voir à Paris, Proche banlieue.

VENCE 06140 Alpes-Mar. 84 ⑨, 195 ㉕ G. Côte d'Azur – 12 796 h. alt. 325 – ☎ 93.
Voir Chapelle du Rosaire★ (chapelle Matisse) A – **Place du Peyra★** B **13** – **Stalles★ de la cathédrale** B **A** – **Env. Col de Vence** ✱★★ **NO : 10 km par D 2** A.
🅸 Office de Tourisme pl. Gd-Jardin (fermé dim. et lundi après-midi) ☎ 58.06.38.
Paris 929 ① – Antibes 19 ① – Cannes 30 ① – Grasse 25 ② – ♦Nice 22 ①.

Plan page ci-contre

- ✿ **Château du Domaine St-Martin** Ⓜ ♨, **N : 2,5 km rte Coursegoules par D 2 - A - ☎ 58.02.02, Télex 470282, ← Vence et littoral, parc,** ⛱, ✂ – TV ☎ ♿ 🚗 Ⓟ – 🚶 30. AE GB E
  mars-nov. – **R** *(fermé mardi hors sais.)* 185/225 – ☕ 28 – 16 ch 550/750, 10 villas et bastides
  Spéc. Ragoût de pâtes fraîches aux truffes, Emincé de St-Pierre à la vapeur de thym, Carré d'agneau provençale. **Vins** Bellet.

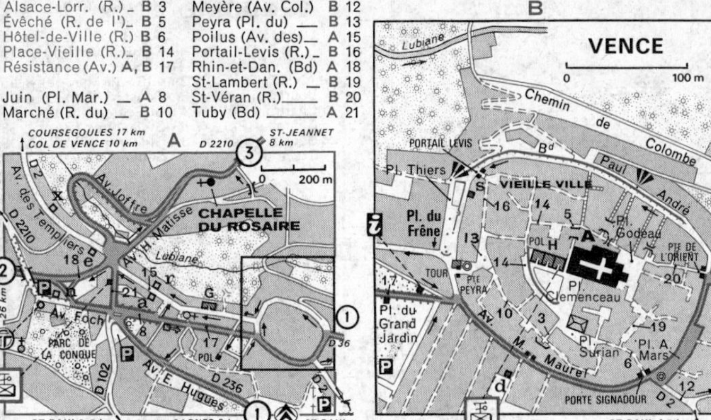

Floréal [M] sans rest, 440 av. Rhin et Danube par ② ☎ 58.64.40, Télex 461613, ⛱ – |♦| ☎ Ⓟ – 🏛 30.
1er mars-31 oct. et 20 déc.-5 janv. – SC : ☕ 20 – **42 ch** 200/250.

Diana [M] sans rest, av. Poilus ☎ 58.28.56 – |♦| cuisinette 🚗. AE ⓓ. ✻ — A **a**
SC : ☕ 15 – **25 ch** 125/145.

Parc H. sans rest, 50 av. Foch ☎ 58.27.27, 🌳 – ⛀wc 🚿 ☎. GB. ✻ — A **n**
fermé 15 oct. au 15 déc. – SC : ☕ 10 – **13 ch** 130/150.

Les Muscadelles, av. H.-Giraud ☎ 58.01.25, 🌳 – ⛀wc ☎. 🚘 AE ⓓ — A **e**
fermé 15 oct. au 15 nov. – SC : **R** *(fermé mardi)* 32/90 – ☕ 10,50 – 14 ch 49/150 – P 130/180.

Val d'Azur sans rest, 10 av. Poilus ☎ 58.07.02, 🌳 – 🚿wc ☎ Ⓟ. 🚘. ✻ — A **r**
fermé nov. – SC : **16 ch** ☕ 45/120.

La Roseraie, rte de Coursegoules ☎ 58.02.20, 🌳 – ⛀wc 🚿 Ⓟ. ✻ — A **x**
fermé 10 oct. au 10 nov. – SC : **R** 48/70 – ☕ 10 – **10 ch** 120/140 – P 150/170.

XX ✿ **Aub. des Seigneurs** (Rodi) avec ch, pl. Frêne ☎ 58.04.24, Auberge provençale – 🚿wc ☎. 🚘 — B **s**
fermé 15 oct. au 1er déc. et lundi – SC : **R** 40/90 – ☕ 17 – **10 ch** 130/140
Spéc. Tourton des pâtres, Tian vençois, Carré d'agneau au feu de bois. Vins Pierrefeu.

X **Closerie des Genets** avec ch, ☎ 58.33.25, 🌳 – 🚿 ☎. 🚘 AE GB ⓓ E. ✻ ch
fermé 20 déc. au 10 janv. et dim. – SC : **R** 60/90 – ☕ 10 – 10 ch 60/120 – P 120/150. — B **d**

MERCEDES-BENZ, TALBOT Gar. Simondi, 39av. Foch ☎ 58.01.21 **N**

VENDEUIL 02 Aisne 53 ⑭ – rattaché à la Fère.

VENDOEUVRES 36 Indre 68 ⑦ – 1 182 h. alt. 127 – ✉ **36500** Buzançais – ✪ 54.
Paris 281 – Argenton-sur-Creuse 32 – Châteauroux 28 – Châtellerault 70 – Loches 56 – Vierzon 78.

X **St-Louis** avec ch, ☎ 38.30.68 – 🚿 Ⓟ. ✻ ch
fermé 19 déc. au 9 janv. et lundi – **R** 30/48 🌡 – ☕ 8,50 – 5 ch 50/75 – P 95.

RENAULT Gar. Salle, ☎ 38.30.22

VENDÔME ⟨SP⟩ **41100** L.-et-Ch. 64 ⑥ **G. Châteaux de la Loire** – 18 547 h. alt. 82 – ✪ 54.
Voir Anc. abbaye de la Trinité★ : église abbatiale★★ – Quartier ancien★ – Château ≤★ A.
ℹ Office de Tourisme (fermé lundi, dim. et fêtes) avec T.C.F. pl. St-Martin ☎ 77.05.07.
Paris 171 ① – Blois 32 ③ – Lisieux 185 ① – ♦Le Mans 77 ⑥ – ♦Orléans 74 ① – ♦Tours 56 ④.

Plan page suivante

Vendôme, 15 fg Chartrain ☎ 77.02.88 – |♦| TV ⛀wc 🚿wc ☎ 🚗. AE GB E
fermé 15 au 30 nov. et vac. scol. de fév. – SC : **R** *(fermé lundi midi)* 50/150 – ☕ 15 – 20 ch 75/170 – P 200/250. — A **a**

St-Georges, 14 r. Poterie ☎ 77.25.42 – |♦| TV ⛀wc 🚿wc ☎ – 🏛 30 à 80. 🚘 AE GB ⓓ — A **n**
SC : **R** *(fermé 1er au 15 août, dim. soir et sam.)* 45/135 – ☕ 12 – **37 ch** 60/170.

Moderne, face gare ☎ 77.21.15 – ⛀ 🚗. 🚘 — B **e**
fermé 9 au 23 août et 19 déc. au 5 janv. – SC : **R** *(fermé sam.)* 40/90 🌡 – ☕ 12 – 16 ch 48/120.

VENDÔME

Change (R. du) A
Poterie (R.) __ A

Abbaye (R.) __ A 2
Bourbon (R. A.) A 3
Chartrain (Fg) AB 4
Château (Pl.)_ A 5
Gaulle (R. de) A 6
Grève (R.) __ AB 7

Kennedy (Bd)___ B 8
Quatre-Huyes (R.) ______ B 12
République (Pl.) A 14
Rochambeau (R. du Mar. de) B 15
Ronsard (Av.)___ B 16
St-Georges (Q.)_ A 17
St-Jacques (R.)_ A 18
St-Martin (Pl.)___ A 19
Saulnerie (R.) __ A 22

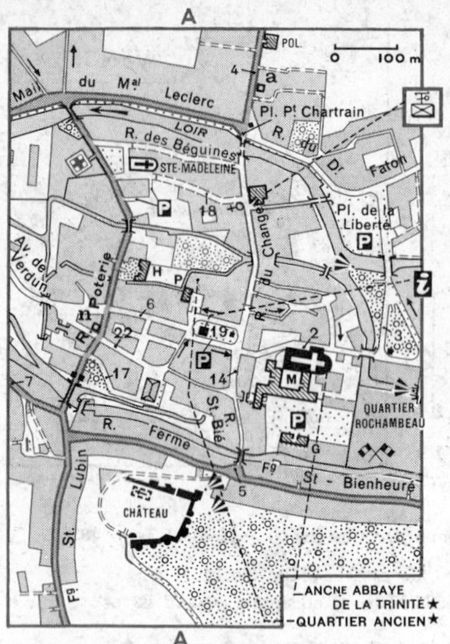

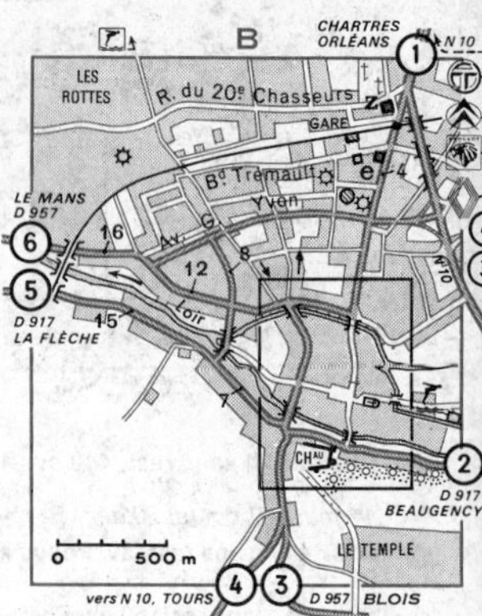

XX **Le Paris,** rte de Chartres ☏ 77.02.71 – Ⓟ B z
fermé 1er au 25 août et sam. – SC : **R** 38/90.

X **Chez Annette,** 194 bis fg Chartrain ☏ 77.23.03 B e
fermé mardi, merc. et jeudi le soir – SC : **R** 38/132 ♨.

à Huisseau-en-Beauce : par ④ : 9 km – ✉ **41310** St-Amand-Longpré :

X **Clos Fleuri,** ☏ 82.81.51 – Ⓟ
◆ *fermé 15 au 30 oct., 15 au 28 fév., dim. soir et merc.* – SC : **R** 35/65.

CITROEN Gar. Granger, N 10, St-Ouen ☏ 77.13.06
FIAT, VOLVO Gauthier, 6 bis r. Abbaye ☏ 77.35.04
MERCEDES, OPEL Vendôme-Motoculture, 45 rte de Paris, St-Ouen ☏ 77.09.43
PEUGEOT Automobiles-Vendômoise, 33 rte de Paris, St-Ouen ☏ 77.13.50

RENAULT Bruère, N 10, St-Ouen ☏ 77.16.38
TALBOT Coutrey, rte de Paris, St-Ouen ☏ 77.14.40
Gar. Mauny, 113 fg St-Lubin ☏ 77.03.16

◍ Moreau, 192 fg Chartrain ☏ 77.58.04

VENDRANGES 42 Loire 73 ⑧ – 201 h. alt. 480 – ✉ **42590** Neulise – ✪ 77.

Paris 405 – ◆Lyon 82 – Montbrison 50 – Roanne 14 – ◆St-Étienne 63.

⌂ **La Châtaigne** ⛰, ☏ 64.91.91 – ⊟wc ⋒ ☎. ⛟. ✈
fermé 1er au 20 oct., 25 déc. au 5 janv. et jeudi – SC : **R** 38/75 – ☕ 9 – **10 ch** 48/90.

VENÈRE 70 H.-Saône 66 ⑭ – rattaché à Gray.

VENEUX-LES-SABLONS 77 S.-et-M. 61 ⑫ – rattaché à Moret-sur-Loing.

VENIZY 89 Yonne 61 ⑮ – rattaché à St-Florentin.

VENTABREN 13122 B.-du-R. 84 ② **G. Provence** – 2 214 h. alt. 218 – ✪ 91.

Voir ≤★ du Château.

Paris 752 – Aix-en-Provence 15 – ◆Marseille 46 – Salon-de-Provence 25.

XX **La Petite Auberge,** ☏ 28.80.01, ≤
fermé 1er au 15 sept., 15 au 31 janv., dim. soir et lundi – SC : **R** 75.

VENTAVON 05 H.-Alpes 81 ⑤ **G. Alpes** – 392 h. – ✉ **05300** Laragne – ✪ 92.

Paris 696 – Gap 29 – Serres 28 – Sisteron 23.

⌂ **Gai Soleil** ⛰, ☏ 66.40.33, ≤ – ⛟ AE ⓓ
◆ *fermé oct.* – SC : **R** 35/50 – ☕ 9,50.– 10 ch 56/62 – P 80/92.

VENTOUX (Mont) 84 Vaucluse 81 ③ G. Provence – alt. 1 912.
Voir ※★★★.

VENTRON 88 Vosges 62 ⑰ – 915 h. alt. 680 – ✉ 88310 Cornimont – ✪ 29.
Paris 430 – Épinal 57 – Gérardmer 26 – Remiremont 30 – Thann 30 – Le Thillot 13.

✕ **Frère Joseph** avec ch, pl. Église ☎ 61.48.23
SC : **R** 50/60 ♂ – ☕ 9 – 12 ch 50 – P 196.

à l'Ermitage du Frère Joseph S : 5 km par D 43 et VO 3 – alt. 850 – Sports d'hiver : 900/1 070 m ⚡6, ⛷ – ✉ 88310 Cornimont :

Les Buttes Ⓜ ⛰, ☎ 61.48.29, ≤, ✿ – |♦| 📺 ☎ ♿ 🚗 Ⓟ – 🏛 30. ✻ rest
fermé du 3 nov. au 15 déc. – SC : **R** 60/120 ♂ – ☕ 16 – **30 ch** 90/160 – P 220/240.

Ermitage ⛰, ☎ 61.48.09, ≤, ✿ – 🛁wc 🚿 ☎ 🚗 Ⓟ. 🚘. ✻ rest
fermé 3 nov. au 15 déc. – SC : **R** 40/60 ♂ – ☕ 14 – **25 ch** 65/120 – P 100/150.

VERBERIE 60410 Oise 56 ② – 2 512 h. alt. 33 – ✪ 4.
Paris 66 – Beauvais 63 – Clermont 37 – Compiègne 14 – Senlis 18 – Villers-Cotterêts 30.

✕ **Normandie,** ☎ 440.92.33 – Ⓟ
fermé août et merc. – **R** 37/65 ♂.

VERCHAIX 74 H.-Savoie 74 ⑧ – 219 h. alt. 787 – ✉ 74440 Taninges – ✪ 50.
Paris 595 – Annecy 74 – Bonneville 34 – Chamonix 61 – ♦Genève 53 – Megève 47 – Morzine 28.

Chalet Fleuri, ☎ 90.10.11, ≤, 🌳 – ✻ rest
1er juin-30 sept. et 20 déc.-20 avril – SC : **R** 35/52 – ☕ 9 – **28 ch** 49/63 – P 85/95.

VERCHIZEUIL 71 S.-et-L. 69 ⑲ – rattaché à Verzé.

VERDELAIS 33 Gironde 79 ② G. Côte de l'Atlantique – 942 h. alt. 34 – ✉ 33490 Saint-Macaire – ✪ 56.
Voir Calvaire ≤★ – Ste-Croix-du-Mont : ≤★, grottes★ O : 3 km.
Paris 594 – ♦Bordeaux 48 – Cadillac 10 – Langon 5,5 – Libourne 50 – Marmande 37 – La Réole 18.

St-Pierre, ☎ 63.23.09, 🌳 – 🚿
fermé 15 janv. au 15 fév., dim. soir et lundi du 15 sept. au 15 juin – SC : **R** 45/95 – ☕ 7 – 9 ch 45/70 – P 85/95.

VERDON (Grand Canyon du) ★★★ 04 Alpes-de-H.-P. 81 ⑰ G. Côte d'Azur.
Ressources hôtelières : voir à ***Aiguines***, à ***Cavaliers (falaise)***.

Le VERDON-SUR-MER 33123 Gironde 71 ⑮ G. Côte de l'Atlantique – 1 648 h. – ✪ 56.
ℹ Syndicat d'Initiative 1 r. Lebreton (1er juin.-31 août et fermé dim.) ☎ 59.61.78.
Paris (bac) 502 – ♦Bordeaux 99 – Lesparre-Médoc 36 – Royan (bac) 4.

Terrasses, ☎ 59.62.01 – 🚿wc ☎ Ⓟ. 🚘. ✻
fermé oct. – SC : **R** 30/90 ♂ – ☕ 8,50 – **17 ch** 29/65 – P 95/105.

✕✕ **Côte d'Argent,** à la Pointe de Grave N : 3 km ☎ 59.60.45 – Ⓟ. GB ⓓ
fermé oct. et mardi – SC : **R** 45/130.

VERDUN ⟨SP⟩ 55100 Meuse 57 ⑪ G. Vosges – 26 927 h. alt. 199 – ✪ 29.
Voir Cathédrale★ : cloître★ – Palais Episcopal★ – Les champs de bataille par ②.
ℹ Office de Tourisme pl. Nation (fermé dim. hors saison) ☎ 84.18.85 - A.C. 17 pl. A.-Maginot ☎ 86.06.56.
Paris 263 ⑤ – Châlons-sur-M. 88 ⑤ – ♦Metz 78 ③ – ♦Nancy 120 ③ – ♦Reims 120 ⑤.

Plan page suivante

Bellevue, rond-point de-Lattre-de-Tassigny ☎ 84.39.41, Télex 860464, 🌳 – |♦| 🚗 Ⓟ – 🏛 100 à 500. AE GB ⓓ — Y a
fermé fév. et mars – **R** *(fermé mardi sauf fériés, déc. et janv.)* 55/150 – **72 ch** ☕ 70/220.

✿ **Host. Coq Hardi,** 8 av. Victoire ☎ 86.00.68, Télex 860464 – |♦| ♿ – 🏛 40. AE ⓓ — Y v
fermé déc. et janv. – **R** *(fermé merc. sauf fériés)* 85/170 – **39 ch** ☕ 65/180, 3 appartemements 360
Spéc. Turbot et langouste en papillotte, Canard au vinaigre de framboises, Mirabelles flambées.
Vins Bouzy, Crémant.

St-Paul, 12 pl. Vauban ☎ 86.02.16 – 🛁 🚿wc ☎. 🚘 — Y r
fermé 15 déc. au 15 janv. – SC : **R** 38/65 – ☕ 10 – **31 ch** 50/90.

Montaulbain ⛰ sans rest, 4 r. Vieille-Prison ☎ 86.00.47 – 🚿wc ☎. 🚘. ✻
SC : ☕ 11 – **10 ch** 62/98. — Z e

✕ **Pergola** avec ch, 8 av. Douaumont ☎ 86.03.90 – 🛁wc ☎. 🚘 — Z u
fermé 20 janv. au 20 fév. – SC : **R** 45/75 ♂ – ☕ 8,50 – 23 ch 48/90 – P 145/155.

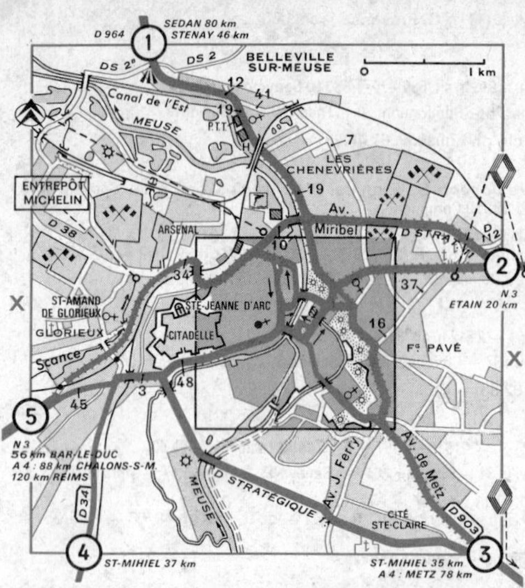

VERDUN

Foch (Pl. Mar.) Z 15
Mazel (R.) Y 29

Belle-Vierge (R.) Y 2
Boichut (Av. du Gén.) X 3
Boulhaut (R. Frères) Y 5
Chaussée (R. et P.) Y 6
Demenois (Av. G.) X 7
Douaumont (Av. de) YZ 8
Driant (Av. du Col.) XY 10
Driant (R. du Col.) X 12
Fort-de-Vaux (R. du) XZ 16
Gaulle (R. du Gén.-de) X 19
Jeanne-d'Arc (Pl.) Y 22
Lattre-de-T. (R. de) Y 24
Legay (Pont-F.) Z 25
Mautroté (R.) YZ 27
Montgaud (R.) YZ 33
Mort-Homme (R. du) X 34
Pont Lilette (R. du) Z 35
Prés.-Poincaré (R. du) Z 36
Raynal (Av. du Cdt) X 37
République (Quai) YZ 39
République (R. de la) X 41
St-Paul (R.) Y 42
Vancassel (R.) X 45
Victoire (Av. de la) Y 47
5e-R.A.P. (R. du) XZ 48
7e-Div.-Blindée-U.S.A. (R. de la) Y 50

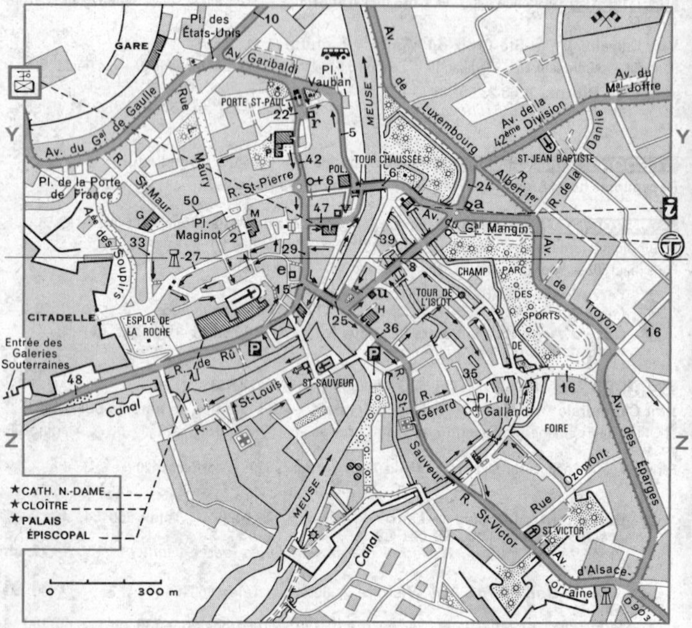

MICHELIN, Entrepôt, 3 av. J.-Jaurès X ☎ 86.11.47

CITROEN Gd Gar. de la Meuse, av. Col.-Driant ☎ 86.44.05
FORD Rochette-Auto, 22 r. V.-Schleiter ☎ 86.50.49
LANCIA-AUTOBIANCHI, TALBOT Lorraine-Auto-Loisirs, 30 av. de Douaumont ☎ 86.12.07
RENAULT Friob, av. d'Etain ☎ 86.50.42
RENAULT Gar. du Rozelier, bd de l'Europe à Haudainville ☎ 86.17.39 N
Gar. Martin, 51 bis r. du Coulmier ☎ 84.10.87 N
Frattini 21 av. Douaumont ☎ 86.04.36
Leclerc-Pneu, 13 av. Col.-Driant ☎ 86.41.60

VERDUN-SUR-LE-DOUBS 71350 S.-et-L. 70 ② G. Bourgogne – 1 216 h. alt. 180 – ✪ 85.
☐ Syndicat d'Initiative av. Giscard d'Estaing (1er juil.-1er sept.) ☎ 42.53.31.
Paris 334 – Beaune 22 – Chagny 24 – Chalon-sur-S. 22 – Dole 48 – Lons-le-Saunier 55 – Mâcon 80.

XXX **Host. Bourguignonne** avec ch, rte Ciel ☎ 42.51.45, – wc ☎ P. AE GB
fermé 13 au 20 sept., du 21 déc. au 29 janv. lundi soir hors sais. et mardi – SC : **R** 100/180 – ☐ 18 – **13 ch** 120/180 – P 250/270.

CITROEN Gar. Guenot, ☎ 42.51.70 RENAULT Gar. du Port, ☎ 42.52.67

VÉRETZ 37 I.-et-L. 64 ⑮ G. Châteaux de la Loire – 1 742 h. alt. 45 – ✉ **37270** Montlouis-sur-Loire – ✪ 47.
Paris 245 – Bléré 15 – Blois 52 – Chinon 52 – Montrichard 32 – ♦Tours 12.

XX **St-Honoré** avec ch, ☎ 50.30.06 – wc ☎
fermé 8 au 22 fév., dim. soir et lundi – SC : **R** 43/80 – ☐ 11 – 10 ch 50/120 – P 111/210.

VERGT 24380 Dordogne 75 ⑤⑮ – 1 373 h. alt. 213 – ✪ 53.
Paris 500 – Bergerac 32 – Le Bugue 30 – Lalinde 31 – Périgueux 21 – Sarlat-la-Canéda 54.

XX **Lou Cantou,** ☎ 54.91.89
fermé 15 déc. au 15 janv. et lundi – SC : **R** 30/75.

Le VERNET 31 H.-Gar. 82 ⑱ – 1 435 h. alt. 167 – ✉ **31120** Portet-sur-Garonne – ✪ 61.
Paris 728 – Auch 85 – Auterive 11 – Pamiers 42 – St-Gaudens 79 – ♦Toulouse 22.

Clair Logis, ☎ 08.50.44, – wc ☎ P.
SC : **R** *(fermé 15 janv. au 15 fév. et merc.)* 30/75 – ☐ 12 – 14 ch 69/115 – P 100/150.

CITROEN Gar. des Platanes ☎ 08.50.41

VERNET-LA-VARENNE 63580 P.-de-D. 73 ⑮ – 801 h. alt. 817 – ✪ 73.
Paris 443 – Ambert 38 – Brioude 38 – ♦Clermont-Ferrand 58 – Issoire 22 – Le Puy 77 – Thiers 82.

Commerce, ☎ 71.31.73, – P. GB
SC : **R** 40/100 – ☐ 10 – 18 ch 40/70 – P 80/90.

VERNET-LES-BAINS 66 Pyr.-Or. 86 ⑰ G. Pyrénées – 1 430 h. alt. 650 – Stat. therm. – ✉ **66500** Prades – ✪ 68.

Voir Site★ – Église★ de Corneilla-de-Conflent 2,5 km par ①.
☐ Syndicat d'Initiative 1 square Mar.-Joffre (fermé dim.) ☎ 05.55.35.
Par ① : Paris 966 – Montlouis 36 – ♦Perpignan 55 – Prades 12.

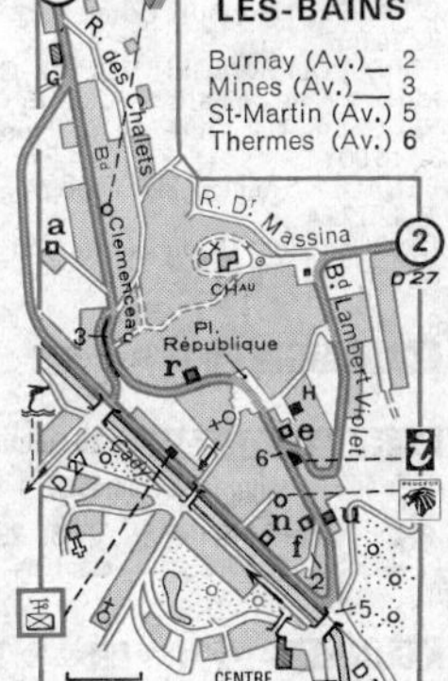

Résidence des Baüs et Mas Fleuri M sans rest, bd Clemenceau **(a)** ☎ 05.52.16, « Parc fleuri », – wc wc ☎ P.
Pâques-1er nov. – SC : ☐ 15 – **39 ch** 77/205.

Angleterre, av. Burnay **(f)** ☎ 05.50.58, – wc wc ☎. ch
2 mai-27 oct. – SC : **R** 50/60 – ☐ 9 – 20 ch 50/100 – P 95/120.

Moderne, av. Thermes **(e)** ☎ 05.52.17 – wc wc ☎.
15 mars-15 nov. – SC : **R** 30/48 – ☐ 10,50 – **50 ch** 40/105 – P 105/145.

Eden, prom. Cady **(n)** ☎ 05.54.09 – ☎ P. GB
fermé 5 janv. au 15 fév. – SC : **R** 25/65 – ☐ 12 – **11 ch** 58/75 – P 130/170.

X **Rest. Thalassa H. des Deux Lions** avec ch, **(r)** ☎ 05.55.42, – wc P. GB . rest
fermé nov. au 15 déc. – SC : **R** 30/90 – ☐ 9,50 – **15 ch** 44/66 – P 80/120.

XXX **Comte Guifred de Conflent** M avec ch (Collège d'application hôt.), av. Thermes **(u)** ☎ 05.51.37, – wc ☎ P.
fermé 5 nov. au 20 déc. – SC : **R** 58/75 – ☐ 14 – **6 ch** 150/160 – P 265/335.

à Casteil S : 2 km par D 116 – alt. 730 – ✉ **66500** Prades :

Molière , ☎ 05.50.97, – wc P.
Pâques-30 oct. – SC : **R** (pens. seul.) – ☐ 8,50 – 12 ch 80/85 – P 90/100.

à Sahorre SO : 4,5 km par D 27 – ✉ **66360** Olette :

Châtaigneraie , ☎ 05.51.04, ≤, – wc P. ch
Pâques-4 oct. – SC : **R** 31/70 – ☐ 9,50 – 10 ch 64/125 – P 185/215 (pour 2 pers.).

PEUGEOT Gar. Villacèque, ☎ 05.51.14 RENAULT Gar. Pous, ☎ 05.52.81

VERNEUIL-EN-HALATTE 60550 Oise 56 ① – 2 560 h. alt. 35 – ✆ 4.

Paris 62 – Beauvais 45 – Clermont 19 – Compiègne 34 – Creil 4,5 – Roye 62 – Senlis 13.

- **Aub. du Marronnier** avec ch, r. Professeur-Calmette ☎ 425.10.10 – GB
  fermé dim. soir et lundi – SC : **R** 42/120 ₰ – ☕ 8 – 7 ch 40/52 – P 117.

VERNEUIL-SUR-AVRE 27130 Eure 60 ⑥ **G. Normandie** – 6 857 h. alt. 175 – ✆ 32.

Voir Église de la Madeleine★ – Église N.-Dame★.

ℹ Syndicat d'Initiative pl. Madeleine (ouvert après-midi en saison et week-end).

Paris 116 ③ – Alençon 75 ⑥ – Argentan 77 ⑦ – Chartres 56 ④ – Dreux 35 ③ – Évreux 43 ①.

- **Host. du Clos** M ⅋, 98 r. Ferté-Vidame **(n)** ☎ 32.21.81, ≤, ⛱ – ⇔wc ⋒wc ☎ Ⓟ – ⛹ 30. 🚗 AE GB ⓪
  fermé 15 déc. au 15 janv. et lundi sauf fériés – SC : **R** 100/180 – ☕ 18 – 9 ch 160/220.
- **Saumon,** 89 pl. Madeleine **(a)** ☎ 32.02.36 – ⇔wc ⋒wc ☎ Ⓟ. 🚗 AE
  fermé fév. et merc. – SC : **R** 40/85 – ☕ 10 – 14 ch 46/180.
- **Gd Sultan,** 30 r. Poissonnerie **(v)** ☎ 32.13.41
  fermé 15 août au 15 sept. et lundi – SC : **R** (déj. seul.) 28/43 ₰.
- **Gare-Pavillon Bleu** avec ch, pl. Gare **(r)** ☎ 32.12.72, ⛱ – ⋒ Ⓟ. 🚗
  fermé lundi midi – SC : **R** 33/55 ₰ – ☕ 12 – 11 ch 55/90.

CITROEN Gar. de la Madeleine, 27 pl. de la Madeleine ☎ 32.16.18
CITROEN Heurtaux, rte de Paris ☎ 32.14.83
FORD, VOLKSWAGEN, **VOLVO** Gar. Moderne, rte de Paris ☎ 32.00.45
PEUGEOT Gar. Doré, rte de Paris ☎ 32.16.90
RENAULT Huillery, 228 av. R. Zaigne ☎ 32.17.54
TALBOT Gar. Martin, Porte Mortagne ☎ 32.13.27 N

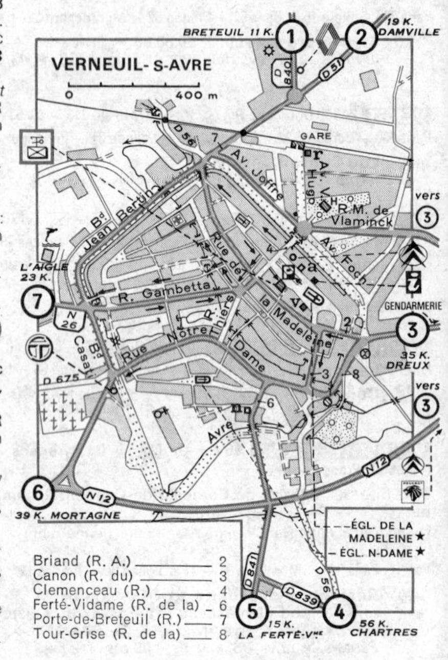

Les VERNEYS 73 Savoie 77 ⑦ – rattaché à Valloire.

VERNIERFONTAINE 25 Doubs 66 ⑯ – 334 h. alt. 730 – ✉ **25580** Nods – ✆ 81.

Paris 442 – Baume-les-Dames 37 – •Besançon 32 – Morteau 43 – Pontarlier 27.

- **Chez Ninie** ⅋, ☎ 56.23.64 – ⋒wc Ⓟ. 🚗. ⚘
  SC : **R** 30/65 ₰ – ☕ 10 – **10 ch** 50/127 – P 90/120.

VERNON 27200 Eure 55 ⑰⑱, 96 ① **G. Normandie** – 23 559 h. alt. 16 – ✆ 32.

Voir Église N.-Dame★ – Côte St-Michel ≤★ 1,5 km par ① puis 30 mn – Giverny : propriété Claude Monet★ E : 5 km par D 5.

ℹ Syndicat d'Initiative passage Pasteur (saison, fermé dim. et lundi) ☎ 51.39.60.

Paris 82 ② – Beauvais 67 ⑥ – Évreux 31 ③ – Mantes-la-Jolie 24 ② – •Rouen 63 ③.

Plan page ci-contre

- **Évreux et Relais Normand,** 7 pl. Évreux ☎ 21.16.12 – TV 🚗 Ⓟ. AE GB ⓪ E
  fermé 1er au 30 août – SC : **R** *(fermé dim. sauf fêtes)* carte 90 à 130 – ☕ 16 – **20 ch** 95/200. AY **s**
- **Strasbourg,** pl. Evreux ☎ 51.23.12 – Ⓟ. GB E AY **u**
  SC : **R** 35 – ☕ 10 – **23 ch** 41/105.
- Haut Marais sans rest, 2 rte Rouen à St-Marcel par ④ ☎ 51.41.30 – ⇔ ⋒ Ⓟ.
- **Beau Rivage,** 13 av. Mar.-Leclerc ☎ 51.17.27 – Ⓟ. AE GB BY **e**
  fermé vacances de fév., dim. soir et lundi – SC : **R** 43/75 ₰.

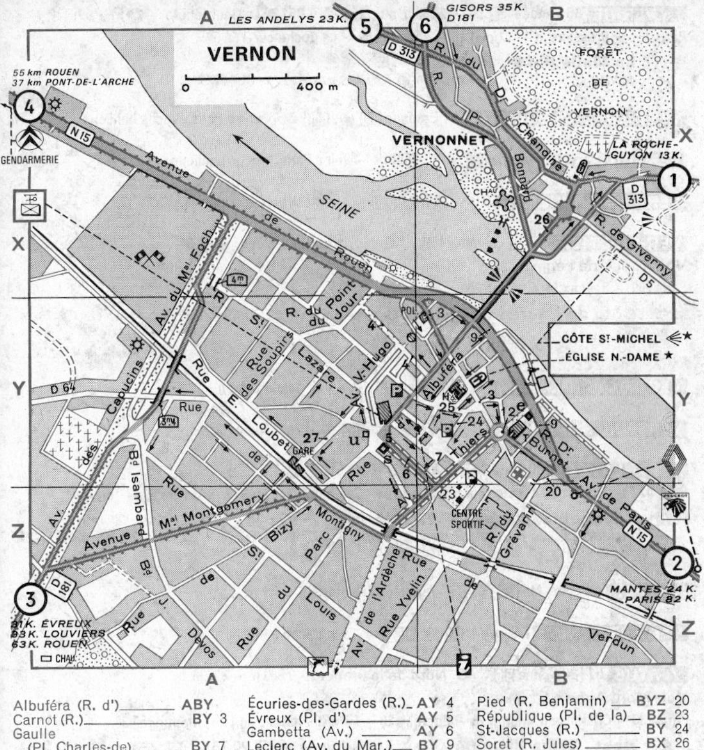

Albuféra (R. d') ABY	Écuries-des-Gardes (R.) AY 4	Pied (R. Benjamin) BYZ 20
Carnot (R.) BY 3	Évreux (Pl. d') AY 5	République (Pl. de la) BZ 23
Gaulle (Pl. Charles-de) BY 7	Gambetta (Av.) AY 6	St-Jacques (R.) BY 24
Ste-Geneviève (R.) BY 25	Leclerc (Av. du Mar.) BY 9	Soret (R. Jules) BX 26
	Paris (Pl. de) BY 12	Steiner (R. E.) AY 27

à Port-Villez **par** ② **: 4 km – ✉ 78270** Bonnières-sur-Seine - 78 Yvelines – ❂ 1.
Voir N.-D. de la mer ≤★ S : 2 km – Signal des Coutumes ≤★ S : 3 km.

XXX **La Gueulardière,** ☏ 476.22.12, – GB
fermé juil., dim. soir et lundi – SC : **R** carte 100 à 150.

AUDI-VOLKSWAGEN, FIAT Gar. de l'Avenue, 78 av. de Rouen ☏ 51.26.63
CITROEN S.C.A.E., rte de Rouen à St-Just ☏ 51.21.55 **N** ☏ 51.40.24
FORD Auto-Normandie, r. de l'Industrie, Zone Ind. ☏ 51.59.39
PEUGEOT Gervilliers, 10 av. Paris ☏ 51.50.14
RENAULT Ouest Autom., 141 av. de Paris ☏ 21.16.34
VOLVO Gar. des Sports, 5 r. de l'Artisanat ☏ 51.17.41
COVERPNEU, 11 bd Isambard ☏ 51.08.95
Marsat-Vernon-Pneus, 121 r. Carnot ☏ 51.26.52

VERNOU-SUR-BRENNE **37** I.-et-L. **64** ⑮ – 2 090 h. alt. 48 – ✉ **37210** Vounay – ❂ 47.
Paris 227 – Amboise 12 – •Tours 16 – Vendôme 48.

Host. Perce Neige, r. A.-France ☏ 52.10.04, parc – wc wc – 25 à 50.
fermé fév. et merc. en hiver – SC : **R** 47/75 – 12 – 14 ch 66/150 – P 140/198.

CITROEN Hurson, ☏ 52.10.61
RENAULT Huguet, ☏ 52.10.78

VERQUIÈRES **13** B.-du-R. **84** ① – 316 h. alt. 55 – ✉ **13670** St-Andiol – ❂ 90.
Paris 697 – Aix-en-Provence 68 – Arles 36 – Avignon 18 – Cavaillon 12 – •Marseille 85.

XX **Coupe Chou,** pl. Eglise ☏ 95.18.55 –
fermé lundi soir et mardi – **R** 85.

La VERRIE 85 Vendée 67 ⑤ – 2 862 h. alt. 125 – ✉ 85130 La Gaubretière – ☎ 51.

Paris 364 – Bressuire 46 – Cholet 16 – •Nantes 59 – La Roche-sur-Yon 52.

XX **La Malle Poste,** ☎ 91.56.14 – E
fermé 1er au 15 août, dim. soir et lundi sauf fêtes – SC : **R** 33/110 ₰.

VERRIÈRES-LE-BUISSON 91 Essonne 60 ⑩, 101 ㉔ – voir à Paris, Proche banlieue.

VERSAILLES 78 Yvelines 60 ⑨⑩, 101 ㉒ – voir à Paris, Proche banlieue.

VER-SUR-LAUNETTE 60 Oise 56 ⑫, 96 ⑨ – rattaché à Ermenonville.

VER-SUR-MER 14114 Calvados 54 ⑮ **G. Normandie** – 701 h. – ☎ 31.

Voir Tour★ de l'église.

Paris 269 – Bayeux 14 – •Caen 30.

Côte de Nacre sans rest, rte Courseulles ☎ 22.20.49 – ⇔wc ⋒wc ☎ P.
SC : ☐ 13,50 – **18 ch** 53/160.

VERT-BOIS (Plage du) 17 Char.-Mar. 71 ⑭ – Voir à Ile d'Oléron.

VERTEUIL-SUR-CHARENTE 16 Charente 72 ④ – rattaché à Ruffec.

VERTOLAYE 63480 P.-de-D. 73 ⑯ – 721 h. alt. 512 – ☎ 73.

Paris 422 – Ambert 14 – •Clermont-Ferrand 76 – Cunlhat 27 – Feurs 65 – Issoire 67 – Thiers 41.

Voyageurs, près gare ☎ 95.20.16, – ⇔wc ⋒wc P. GB. rest
fermé oct., 26 déc. au 2 janv. et sam. – SC : **R** 30/80 ₰ – ☐ 9 – **29 ch** 40/80 – P 78/85.

VERTOU 44 Loire-Atl. 67 ③ ④ – rattaché à Nantes.

VERT-ST-DENIS 77 S.-et-M. 61 ②, 96 ㉙㊴ – rattaché à Melun.

VERTUS 51130 Marne 56 ⑯ **G. Nord de la France** – 2 863 h. – ☎ 26.

Voir Mont Aimé★ S : 5 km.

Paris 138 – Châlons-sur-Marne 28 – Épernay 20 – Fère Champenoise 17 – Montmirail 38.

Host. Reine Blanche M, av. Louis-Lenoir ☎ 52.20.76 – TV ⇔wc ☎ P – 25 à 50. AE ◑ E
SC : **R** 70/110 – ☐ 15 – **23 ch** 110/130 – P 185/200.

Commerce, r. Chalons ☎ 52.12.20 – 80
R 25/45 ₰ – ☐ 9 – **11 ch** 36/38.

à Bergères-les-Vertus S : 3,5 km par D 9 – ✉ 51130 Vertus :

X **Mont-Aimé,** ☎ 52.21.31 – GB
SC : **R** 33/85 ₰.

Les VERTUS 76 S.-Mar. 52 ④ – rattaché à Dieppe.

VERVINS SP 02140 Aisne 53 ⑯ **G. Nord de la France** – 3 259 h. alt. 174 – ☎ 23.

Office de Tourisme pl. Gén.-de-Gaulle (15 juin-15 sept.) ☎ 98.11.98.

Paris 170 – Charleville-Mézières 72 – Laon 36 – •Reims 71 – St-Quentin 52 – Valenciennes 80.

✿ **Tour du Roy** (Mme Desvignes), ☎ 98.00.11, – TV ⇔wc ⋒wc ☎ P.
AE GB ◑
fermé 15 janv. au 15 fév. – SC : **R** *(fermé dim. soir et lundi hors sais.)* (dim. et fêtes prévenir) 70/140 – ☐ 18 – **15 ch** 80/200 – P 220/250
Spéc. Compote de lapereau, Magret de canard aux framboises, Pêches rôties liqueur de cassis.

CITROEN Gar. Carlier, ☎ 98.00.08

PEUGEOT Gar. Croquet et Dumotier, ☎ 98.06.20

VERZÉ 71 S.-et-L. 69 ⑲ – 515 h. – ✉ 71960 Pierreclos – ☎ 85.

Paris 396 – Charolles 49 – Cluny 11 – •Lyon 82 – Mâcon 14 – Tournus 33.

X **Rest. de Verchizeuil,** E : 4 km par D 434 et D 134 ☎ 33.32.12, – P
fermé sept., jeudi soir et vend. – SC : **R** 38/60.

Le VÉSINET 78 Yvelines 55 ⑳, 101 ⑬ – voir à Paris, Proche banlieue.

VESONNE 74 H.-Savoie 74 ⑯ – rattaché à Faverges.

VESOUL P 70000 H.-Saône 66 ⑤⑥ G. Jura – 20 081 h. alt. 220 – ✪ 84.

Voir Colline de la Motte ☀★ 30 mn AY.

i Office de Tourisme r. Bains (fermé dim.) ☎ 75.43.66, Télex 360710 - A.C. 27 av. A.-Briand ☎ 75.36.78.

Paris 362 ⑥ – Belfort 64 ③ – ♦Besançon 47 ④ – ♦Dijon 112 ⑥ – Dole 91 ④ – Épinal 85 ② – Langres 75 ⑥ – Neufchâteau 103 ⑥ – St-Dié 118 ② – Vittel 88 ⑥.

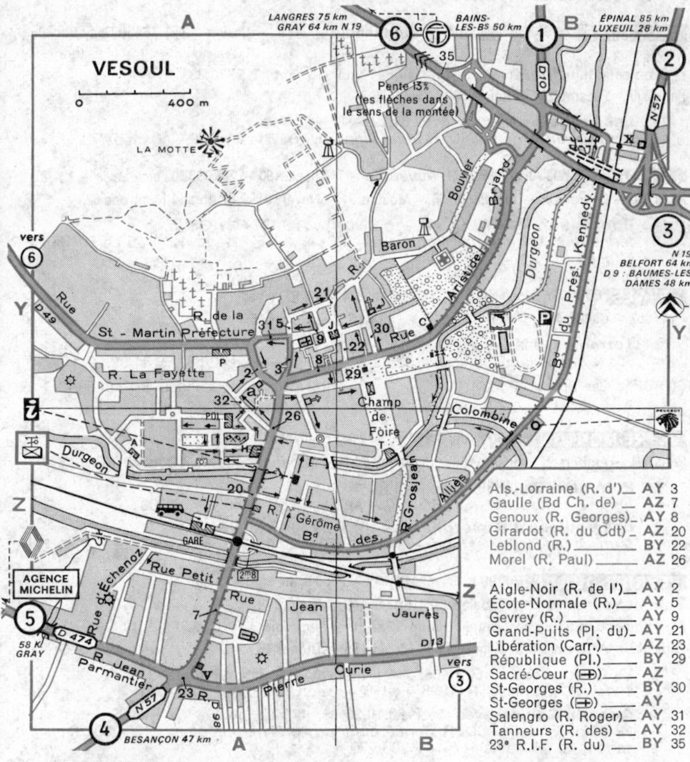

🏨 **Relais N 19** M, rte de Paris par ⑥ : 3 km ☎ 75.36.56 – wc ☎ P. AE GB E
fermé 20 déc. au 17 janv. – SC : **R** 42/78 et grill carte environ 65 – 15 – **26 ch** 75/160 – P 145/200.

🏨 **Bonne Auberge,** rte Luxeuil ☎ 75.25.01 – wc ☎ P. AE GB BY **x**
fermé sam. d'oct. à Pâques – SC : **R** 45/85 – 12 – **20 ch** 100/140.

✕✕ **Vendanges de Bourgogne** avec ch, 49 bd Ch.-de-Gaulle ☎ 75.12.09 – wc ☎ P. GB AZ **v**
R *(fermé oct.)* 30/100 – 9 – **31 ch** 40/120.

MICHELIN, Agence, Z.I. Noidans-lès-Vesoul, par ⑤ ☎ **75.04.60**

CITROEN Gd Gar. de Vesoul, 6 av. de la Mairie à Frotey-lès-Vesoul ☎ 75.76.77
FIAT Delamotte, 12 r. de Fleurier ☎ 75.61.23
FORD Mazeau, 1 r. Lili-Jobard ☎ 75.64.31
OPEL Gar. de la Rocade, 69 av. A.-Briand ☎ 75.53.30
PEUGEOT Larue, 90 bd des Alliés ☎ 75.34.03
RENAULT Bloch, rte de Gray à Noidans-lès-Vesoul ☎ 75.16.35

TALBOT Dormoy, rte Paris ☎ 75.46.34

Daesslé et Klein, 33 r. P.-Curie à Navenne ☎ 75.23.29
Pneus-Est, r. du Lt-Kopp à Frotey-lès-Vesoul ☎ 75.34.32

Des pneus mal gonflés s'usent vite, tiennent moins bien la route, sont moins confortables. Respectez les pressions recommandées. Voir les pages bordées de bleu au milieu du guide.

VEULES-LES-ROSES 76980 S.-Mar. 52 ③ G. Normandie – 629 h. alt. 42 – Casino – ✆ 35.

Paris 196 – Dieppe 24 – Fontaine-le-Dun 8 – •Rouen 57 – St-Valéry-en-Caux 8.

XXX ✿ **Les Galets** (Plaisance), à la plage ☎ 97.61.33 – ▤. AE
fermé 1er au 15 nov., fév., mardi soir et merc. – SC : **R** (nombre de couverts limité - prévenir) 140
Spéc. Suivant produits de saison.

PEUGEOT Gar. Bruban, ☎ 97.63.66

VEULETTES 76 S.-Mar. 52 ②③ G. Normandie – 342 h. – Casino – ✉ 76450 Cany-Barville – ✆ 35.

ℹ Syndicat d'Initiative Esplanade du Casino (1er juil.-15 sept.) ☎ 97.51.33.

Paris 205 – Fécamp 26 – •Rouen 66 – Yvetot 33.

XX **Les Frégates** avec ch, ☎ 97.51.22 – ⌂ ⋒.
fermé 20 au 30 déc. – SC : **R** *(fermé lundi)* 50/80 ꝭ – ☕ 8,50 – **10 ch** 52/78.

Le VEURDRE 03 Allier 69 ③ G. Auvergne – 713 h. alt. 190 – ✉ 03320 Lurcy-Levis – ✆ 70.

Paris 270 – Bourges 65 – Montluçon 68 – Moulins 34 – Nevers 31 – St-Amand-Montrond 52.

Pont-Neuf, ☎ 66.40.12, ⌂ – ⌂wc ⋒wc ☎ **P**. GB E
fermé dim. soir et lundi hors sais. – SC : **R** 45/95 ꝭ – ☕ 12 – 25 ch 60/130 – P 140/180.

VEYNES 05400 H.-Alpes 81 ⑤ – 3 434 h. alt. 824 – ✆ 92.

Paris 662 – Clelles 49 – Die 69 – Gap 26 – La Mure 71 – Serres 16.

Terminus, à la Gare ☎ 58.00.11 – ⋒ ☎ **P**
SC : **R** *(fermé lundi hors sais.)* 32/72 ꝭ – ☕ 10 – 11 ch 40/58 – P 84/92.

CITROEN Gar. Broche, ☎ 58.01.41

RENAULT Gar. Central, ☎ 58.01.39 **N** ☎ 58.17.38

VEYRE-MONTON 63960 P.-de-D. 73 ⑭ – 2 041 h. alt. 450 – ✆ 73.

Paris 401 – Ambert 66 – Billom 25 – •Clermont-Fd 16 – Issoire 19 – Le Mont-Dore 50 – Thiers 52.

Pomme d'Or, ☎ 39.60.27 – ⋒ **P**.
fermé oct. et merc. – SC : **R** 32/70 – ☕ 8 – 14 ch 40/55 – P 80/100.

XX **Les Veillées d'Auvergne** avec ch, ☎ 39.60.47 – ⋒wc **P**
fermé 1er au 20 nov. et lundi – SC : **R** 43/70 – ☕ 10 – **6 ch** 65 – P 100.

VEYRIER-DU-LAC 74290 H.-Savoie 74 ⑥ – 1 700 h. alt. 504 – ✆ 50.

Voir Mt Veyrier ☀★★ NE par téléphérique, G. Alpes.

ℹ Syndicat d'Initiative pl. Mairie (1er juin-30 sept. et fermé dim.) ☎ 60.22.71.

Paris 542 – Albertville 40 – Annecy 5,5 – Megève 55 – Thônes 15.

La Chaumière, ☎ 60.10.06, ⌂ – ⌂wc ⋒ ☎ . rest
1er fév.-30 oct. – SC : **R** 60/95 – ☕ 12 – 37 ch 75/132 – P 118/156.

XX **Aub. du Colvert** avec ch, ☎ 60.10.23, ←, ⌂ – ⌂wc ☎ **P**. E
29 mars-15 nov. – SC : **R** *(fermé lundi du 15 sept. au 15 nov.)* 135/260, dîner à la carte – ☕ 22 – 11 ch 175 – P 200/230.

VEZAC 24 Dordogne 75 ⑰ – rattaché à Beynac et Cazenac.

VÉZELAY 89450 Yonne 65 ⑮ G. Bourgogne (plan) – 541 h. alt. 302 – Pèlerinage (22 juil.) – ✆ 86.

Voir Basilique Ste-Madeleine★★★ : tour ☀★.

Env. Site★ de Pierre Pertuis SE : 6 km.

ℹ Syndicat d'Initiative pl. Champ-de-Foire (Pâques, 1er juil.-20 sept. et fermé mardi) ☎ 33.23.69 et à la Mairie (fermé sam. et dim.) ☎ 33.24.62.

Paris 224 – Auxerre 51 – Avallon 15 – Château-Chinon 60 – Clamecy 23.

Poste et Lion d'Or, ☎ 33.21.23, Télex 800949, ⌂ – . rest
18 avril-2 nov. – SC : **R** 90/170 – ☕ 17 – 42 ch 140/280, 5 appartements 380.

X **Relais du Morvan** avec ch, ☎ 33.25.33 – ⋒. . ch
fermé 1er au 15 juin, 5 au 20 janv., dim. soir et lundi – SC : **R** 30/60 ꝭ – ☕ 9,50 – 10 ch 40/80.

à St-Père SE : 3 km par D 957 – alt. 148 – ✉ **89450** Vézelay.

Voir Église N.-Dame★.

XXX ✿✿ **Espérance** (Meneau) avec ch, ☎ 33.20.45, « **jardin fleuri** » – TV ⌂wc ⋒wc ☎ **P**.
fermé 23 nov. au 20 déc., début janv. à début fév. et mardi hors sais. – **R** (nombre de couverts limité - prévenir) 150/190 et carte – ☕ 20 – 18 ch 120/270
Spéc. Crèpe de maïs au foie gras, Salmigondis de pigeon, Feuillantine. **Vins** Chablis, Irancy.

VEZELS-ROUSSY 15 Cantal 76 ⑫ – 149 h. alt. 630 – ✉ **15130** Arpajon-sur-Cère – ☎ 71.
Paris 566 – Aurillac 21 – Entraygues-sur-Truyère 49.

La Bergerie ⛰, ☎ 62.42.90, ≤ – Ⓟ
SC : **R** 30/40 – ☕ 7,50 – **13 ch** 35/40 – P 65/70.

VEZINS 49 M.-et-L. 67 ⑥ – 1 073 h. alt. 139 – ✉ **49340** Trémentines – ☎ 41.
Paris 337 – Cholet 15 – Mauléon 23 – Saumur 51.

Lion d'Or avec ch, ☎ 64.40.06 – 🛁 🚗
fermé 1er au 15 sept. et sam. – SC : **R** 25/75 – ☕ 8 – **12 ch** 33/68 – P 60/90.

VIA 66 Pyr.-Or. 86 ⑯ – rattaché à Font-Romeu.

VIALAS 48 Lozère 80 ⑦ – 360 h. alt. 607 – ✉ **48220** Le Pont-de-Montvert – ☎ 66.
ℹ Syndicat d'Initiative à la Mairie (fermé sam. après-midi et dim.) ☎ 45.04.05.
Paris 649 – Alès 41 – Florac 40 – Mende 77.

Chantoiseau ⛰ avec ch, ☎ 45.04.02, ≤, 🌳 – 🛁wc 🚿. GB. 🚫
Pâques-1er nov. – SC : **R** 45/120 – ☕ 12 – 15 ch 85/150 – P 130/150.

VIAS 34 Hérault 83 ⑮ – rattaché à Agde.

VIAUR (Viaduc du) ★ 12 Aveyron 80 ⑪ **G. Causses** - NE de Carmaux 27 km – alt. 500 – ✉ **12800** Naucelle – ☎ 65.
Paris 649 – Albi 37 – Millau 96 – Rodez 41 – St-Affrique 78 – Villefranche-de-Rouergue 65.

Host. du Viaduc du Viaur ⛰, par D 574 ☎ 69.23.86, ≤ viaduc et vallée, 🏊 – 🛁wc 🚿 ☎ 🚗 Ⓟ. 🐕 E
1er mai-1er oct. – SC : **R** 40/80 – ☕ 10 – 10 ch 60/120 – P 120/150.

VIBRAC 16 Charente 72 ⑬ – 266 h. alt. 100 – ✉ **16120** Châteauneuf-sur-Charente – ☎ 45.
Voir Abbaye de Bassac : église★ NO : 4 km, G. Côte de l'Atlantique.
Paris 464 – Angoulême 22 – ♦Bordeaux 107 – Cognac 31 – Jonzac 43.

Ombrages ⛰, rte d'Angeac ☎ 97.14.74, 🏊, 🎾 – 🛁wc 🚿wc ☎ Ⓟ. 🚫
fermé 7 au 15 sept., vacances de fév. et lundi hors sais. – SC : **R** 50/70 – ☕ 9 – **10 ch** 68/103 – P 108/130.

VIBRAYE **72320** Sarthe 60 ⑯ – 2 391 h. alt. 124 – ☎ 43.
Paris 169 – Brou 40 – Châteaudun 55 – Mamers 47 – ♦Le Mans 45 – Nogent-le-R. 37 – St-Calais 16.

Chapeau Rouge, pl. Hôtel-de-Ville ☎ 93.60.02 – 🚿 🚗 Ⓟ – 👥 50. GB. 🚫 ch
fermé fév., dim. soir et lundi – SC : **R** 41/92 🍷 – ☕ 9,50 – 11 ch 45/85.

CITROEN Guillard, ☎ 93.60.22 RENAULT Bienvenu, ☎ 93.60.21 N

VIC-EN-BIGORRE **65500** H.-Pyr. 85 ⑧ – 5 048 h. alt. 215 – ☎ 62.
Paris 754 – Aire-sur-l'Adour 52 – Auch 62 – Mirande 37 – Pau 42 – Tarbes 17.

Le Tivoli, pl. Gambetta ☎ 96.70.39 – 🛁 🚿wc ☎ – 👥 50
fermé 1er au 15 sept. – SC : **R** *(fermé lundi)* 30/90 🍷 – ☕ 12 – **23 ch** 50/85 – P 95/130.

VICHY ⟨SP⟩ **03200** Allier 73 ⑤ **G. Auvergne** – 32 251 h. alt. 264 – Stat. therm. (19 janv.-28 nov.) – Casinos : Élysée Palace BX **r**, Grand Casino AY – ☎ 70.
Voir Parc des Sources★ AY – Parcs de l'Allier★ ABZ – Site des Hurlevents ≤★ 4,5 km par ②.
⛳18 ☎ 32.39.11 par ④ : 2 km.
✈ de Vichy-Charmeil : Touraine Air Transport ☎ 32.34.67 par ⑤ : 6 km.
ℹ Office de Tourisme et de Thermalisme (fermé sam. après-midi, dim. et fêtes hors saison), A.C., T.C.F., et Accueil de France (Informations, change et réservations d'hôtels, pas plus de 5 jours à l'avance), 19 r. Parc ☎ 98.71.94, Télex 390064 – Bureau saisonnier (juin-sept.) de l'Office de Tourisme et de Thermalisme, gare S.N.C.F. ☎ 98.20.48.
Paris 350 ① – Chalon-sur-Saône 160 ① – ♦Clermont-Ferrand 59 ④ – ♦Limoges 228 ④ – ♦Lyon 160 ① – Mâcon 151 ① – Montluçon 88 ⑤ – Moulins 57 ① – Roanne 74 ① – ♦St-Étienne 145 ②.

Plan page suivante

Pavillon Sévigné, 10 pl. Sévigné ☎ 32.16.22, ≤, « Ancien logis de Mme de Sévigné, parc fleuri » – 🛗 Ⓟ – 👥 35. AE ⓓ. 🚫 rest — AZ **s**
1er mai-fin sept. – SC : **R** 92 – ☕ 18 – **48 ch** 155/336 – P 295/450.

Aletti Thermal Palace sans rest, 3 pl. J.-Aletti ☎ 31.78.77 – 🛗 📺 — AY **n**
mai-sept. – SC : ☕ 20 – **54 ch** 200/275, 3 appartements 350.

Régina, 4 av. Thermale ☎ 98.20.95, 🌳 – 🛗 — AX **v**
2 mai-1er oct. – SC : **R** 58/70 – ☕ 13 – **80 ch** 80/190 – P 135/260.

tourner →

VICHY

Clemenceau (Av. G.) BY 5
Hôtel-des-Postes (R.) BY 15
Lucas (R.) ABX 20
Paris (R. de) BX 22
Prés.-Wilson (R. du) AY 24

Bordeaux (R. de) CX 2

Briand (Av. A.) AY 3
Casino (R. du) AY 4
Croix-St-Martin (Av.) CZ 6
Eisenhower (Av.) AX 7
Foch (R. du Mar.) BY 8
Gambetta (Pl.) BX 9
Gaulle (Pl. Ch. de) BY 10
Gramont (Av. de) CX 12
Hôtel-de-Ville (Pl.) BY 13
Jeanne-d'Arc (⊞) BV

Léger (Pl. P.-V.) BV 16
Parc (R. du) AY 21
Petit (R.) AX 23
Russie (Bd de) AY 25
St-Blaise (⊞) BZ
St-Louis (⊞) BY
Salignat (R.) BY 26
Source-Hôpital (R.) BY 27
Victoire (Pl. de la) BYZ 28
Victor-Hugo (Pl.) BY 30

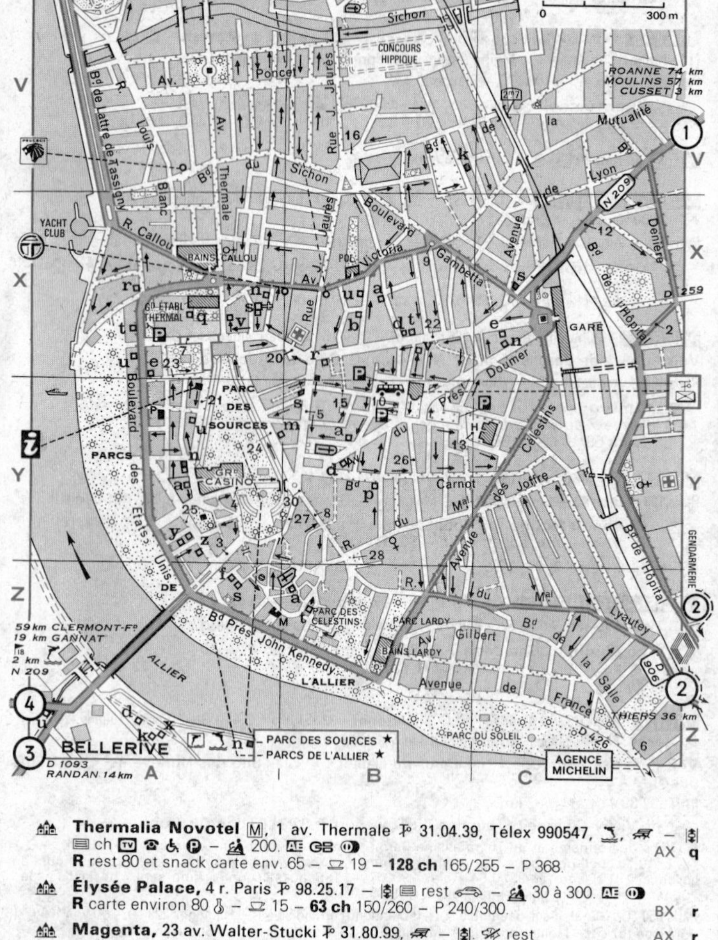

Thermalia Novotel M, 1 av. Thermale ☎ 31.04.39, Télex 990547, ⛱, 🪑 – ⇅ ▤ ch 📺 ☎ ♿ Ⓟ – 🏠 200. AE GB ⓓ — AX q
R rest 80 et snack carte env. 65 – ☕ 19 – **128 ch** 165/255 – P 368.

Élysée Palace, 4 r. Paris ☎ 98.25.17 – ⇅ ▤ rest 🚗 – 🏠 30 à 300. AE ⓓ — BX r
R carte environ 80 🌡 – ☕ 15 – **63 ch** 150/260 – P 240/300.

Magenta, 23 av. Walter-Stucki ☎ 31.80.99, 🪑 – ⇅. ✗ rest — AX r
avril-oct. – SC : **R** 75/90 – ☕ 15 – **62 ch** 85/180 – P 140/250.

Queen's, 113 bd États-Unis ☎ 31.40.22, ≤ – ⇅. AE ⓓ E — AX u
fin avril-début oct. – SC : **R** 50/60 – ☕ 10,50 – **90 ch** 85/196 – P 138/260.

Paix, 13 r. Parc ☎ 98.20.56, 🪑 – ⇅. ✗ rest — AY u
2 mai-30 sept. – SC : **R** 75/90 – ☕ 15 – **81 ch** 85/180 – P 140/275.

Ermitage Pont-Neuf, 5 square Albert-1er ☎ 32.09.22 – ⇅. ✗ rest — AZ f
5 mai-30 sept. – SC : **R** 55/80 – ☕ 12 – **65 ch** 60/180 – P 115/200.

Albert 1er sans rest, av. Prés.-Doumer ☎ 31.81.10 – ⇅ 📺. AE ⓓ E — BY a
5 avril-30 oct. – SC : ☕ 14 – **35 ch** 90/180.

Portugal, 121 bd États-Unis ☎ 31.90.66 – |$| ⇔wc ⋒wc ☎. ✗ rest — AX t
1er mai-30 sept. – SC : **R** 55/65 – ☕ 13 – **50 ch** 75/175 – P 145/230.

Séville et Lisbonne, 9 bd Russie ☎ 98.23.41 – |$| ⇔wc ⋒wc ☎ — AY z
2 mai-30 sept. – **R** 60/80 – ☕ 12 – **90 ch** 50/160 – P 140/220.

Beauparlant sans rest, 31 r. Paris ☎ 98.22.02 – ⋒wc ☎ — BX d
fermé vacances de Noël et de fév. – SC : ☕ 10 – **24 ch** 60/120.

Poste, 33 r. Paris ☎ 98.21.67, – |$| ⇔wc ⋒wc ☎ 🅟 – 30. E. ✗ rest — BX t
2 mai-30 sept. – **R** 40/80 – ☕ 12 – **55 ch** 50/120 – P 140/200.

Royal sans rest, 12 r. Prés.-Wilson ☎ 98.62.14 – |$| ⇔wc ⋒ ☎. AE GB — ABY m
SC : ☕ 12 – **52 ch** 50/140.

Chambord M sans rest, 84 r. Paris ☎ 31.22.88 – |$| ⇔wc ⋒wc ☎. AE GB E — CX e
fermé 20 déc. au 31 janv. – SC : ☕ 10 – **35 ch** 75/150.

Gallia, 12 av. Prés.-Doumer ☎ 31.86.66, – |$| ⇔wc ⋒wc ☎. . ✗ rest — BY d
fermé 1er déc. au 1er fév. – SC : **R** 50/75 – ☕ 12 – **72 ch** 56/150 – P 110/205.

Cloche d'Argent, 2 r. Angleterre ☎ 98.22.88 – |$| ⇔wc ⋒wc ☎. . ✗ rest — AY y
1er mai-30 sept. – SC : **R** 46/66 – ☕ 10,50 – 50 ch 70/120 – P 115/175.

Moderne, 8 r. Dr-M.-Durand-Fardel ☎ 31.20.21 – |$| ⇔wc ⋒wc ☎. . ✗ — AX s
4 mai-2 oct. – SC : **R** 43 – **32 ch** ☕ 80/165 – P 115/230.

Mimosa, 25 r. Beauparlant ☎ 98.30.48 – ⇔wc ⋒wc ☎ – 30. GB. ✗ — BX a
fermé 20 déc. au 10 janv. – SC : **R** *(fermé merc. du 1er nov. au 31 mars)* 50/75 – ☕ 11 – **29 ch** 80/165 – P 130/220.

Louvre, 15 r. Intendance ☎ 98.27.71 – |$| ⇔wc ⋒wc ☎. . ✗ rest — AX n
1er mai-15 oct. – SC : **R** 55/80 – ☕ 12 – **52 ch** 65/150 – P 115/230.

Amérique, 1 r. Petit ☎ 31.88.88 – |$| ⇔wc ⋒wc ☎. . ✗ rest — AX e
29 mars-30 oct. – SC : **R** 55/90 – ☕ 12 – **48 ch** 80/130 – P 180/225.

Le Carnot, 24 bd Carnot ☎ 98.36.98 – |$| ⋒wc ☎. ✗ — BY p
mai-25 sept. – SC : **R** 50/80 – ☕ 11 – **28 ch** 80/110 – P 115/170.

Tiffany, 59 av. P.-Doumer ☎ 31.82.99 – ⇔wc ⋒wc ☎. . ✗ ch — CX n
fermé 29 oct. au 30 nov., hôtel : sam., rest. : sam. midi et dim. – SC : **R** 35/90 – ☕ 11 – **10 ch** 50/140 – P 100/165.

Trianon sans rest, 9 r. Desbrest ☎ 98.46.88 – |$| ⇔wc ⋒wc ☎ — BX b
SC : ☕ 10 – **24 ch** 49/110.

Londres sans rest, 7 bd Russie ☎ 98.28.27 – ⇔wc ⋒wc ☎ — AY z
11 avril-11 oct. – SC : ☕ 10 – **25 ch** 55/110.

Fréjus, 6 r. Presbytère ☎ 32.17.22 – |$| ⇔wc ⋒wc ☎ ♿. . ✗ rest — BZ t
1er mai-30 sept. – SC : **R** 50/60 – ☕ 11 – **35 ch** 60/140 – P 110/180.

Beau Souvenir sans rest, 11 bis r. Desbrest ☎ 98.28.70 – ⇔wc. — BX u
SC : ☕ 8 – **25 ch** 28/72.

Bourgeon, 2 pl. Église St-Blaise ☎ 32.15.13 – |$| ⇔wc ⋒wc ☎. ✗ rest — BZ a
Pâques-fin sept. – SC : **R** 42/46 – ☕ 10 – **42 ch** 43/120 – P 100/160.

Lion d'Or, 30 r. Paris ☎ 98.33.34 – ⋒ ☎. — BX v
fermé 20 déc. au 10 janv. et dim. soir du 15 oct. au 15 mars – SC : **R** 26/55 – ☕ 7,50 – **27 ch** 41/61 – P 75/95.

XXX La Rotonde du Lac, bd de-Lattre-de-Tassigny, au "Yacht Club" ☎ 98.72.46, ≤ plan d'eau – ▤ — AX

XXX **La Grillade Strauss,** 5 pl. Joseph-Aletti ☎ 98.56.74. AE — AY n
fermé 15 déc. au 15 janv., dim. soir et lundi – SC : **R** 75/120.

XXX ✿ **Violon d'Ingres** (Muller), 22 pl. J.-Epinat ☎ 98.97.70 – — BV k
fermé 25 juin au 27 juil., 18 au 27 déc., merc. midi et mardi – SC : **R** carte 105 à 170
Spéc. Huîtres chaudes au champagne, St-Jacques aux blancs de poireaux, Filet de turbot aux girolles fraîches.

XX **Gentry** avec ch, 15 r. Burnol ☎ 98.29.37 – ⋒wc ☎. . ✗ ch — BY s
fermé 4 nov. au 4 déc. – **R** *(fermé mardi)* carte 60 à 120 – ☕ 9,50 – **8 ch** 70/85.

XX **Escargot qui tète,** 84 r. Paris ☎ 31.22.88 – AE GB E — CX e
fermé 20 déc. au 30 janv., dim. soir hors sais. et lundi – SC : **R** 50/120.

X **Nièvre** avec ch, 17 av. Gramont ☎ 31.82.77 – ⋒ ☎. GB — CX s
SC : **R** 32/62 – ☕ 11 – **21 ch** 51/66.

à Bellerive-sur-Allier : rive gauche - AZ – 7 619 h. – ✉ **03700** Bellerive :

Marcotel et rest. Chateaubriand M ⛰, ☎ 32.34.00, Télex 990665, ≤, – |$| ▤ rest TV ♿ 🅟 – 40 à 100. AE GB E — AZ x
fermé 15 au 30 déc., lundi (sauf hôtel) et dim. soir d'oct. à Pâques – SC : **R** 70/120 – ☕ 14 – **35 ch** 140/200, 3 appartements 320 – P 220/245.

Bellerive M ⛰ sans rest, rte Hauterive ☎ 32.02.55, ≤ – |$| cuisinette ☎ 🅟 – 40. AE GB E — AZ d
SC : ☕ 16 – **121 ch** 170/200.

tourner →

Résidence M sans rest, rte Hauterive ☎ 32.37.11, ≤ – |‡| cuisinette wc ☎ P – 200. AE AZ **k**
SC : 11 – **102 ch** 100/125, 12 appartements 140/150.

Allier et Golf, 1 av. République ☎ 32.29.22 – wc P. ch AZ **u**
fermé nov., déc. et jeudi – SC : **R** 38/80 – 12 – **17 ch** 50/110.

Chez Mémère avec ch, Chemin de Halage ☎ 32.35.22, ≤, – wc P. ch AZ **n**
5 mai-15 sept. – SC : **R** 80/100 – 11 – **10 ch** 55/90.

à Abrest par ② : 4 km – ✉ **03200** Vichy :

La Colombière avec ch, D 906 ☎ 98.69.15, ≤, « Jardin en terrasses dominant l'Allier » – wc wc ☎ P.
fermé en janv., dim. soir et lundi d'oct. à Pâques – SC : **R** (nombre de couverts limité - prévenir) 55/90 – 12,50 – **4 ch** 75/150.

MICHELIN, Agence, 16 av. Croix-St-Martin CZ ☎ **32.34.35**

ALFA ROMEO Monciaud, 25 av. Poncet ☎ 98.28.62
AUSTIN, JAGUAR, MORRIS, ROVER, TRIUMPH Gar. St-Blaise, 2 r. de Lisbonne ☎ 98.63.71
BMW, DATSUN Auto-Contrôle, 36 av. R.-Poincaré ☎ 98.65.80
CITROEN Gar. Palace, 24 r. J.-Jaurès ☎ 31.82.66
FIAT Gar. Moderne, 63 r. Jean Jaurès ☎ 98.48.86
FORD Gar. Impérial, 59 av. Thermale ☎ 98.67.71
LANCIA-AUTOBIANCHI, MERCEDES-BENZ Perfect-Gar., rte de l'Aéroport à Charmeil ☎ 32.51.34
PEUGEOT Olympic Gar., rte de Vichy, Charmeil ☎ 32.42.84
PORSCHE-MITSUBISHI, TALBOT Michalon, 12 av. Victoria ☎ 98.55.56
RENAULT Sodavi, 18 av. de Vichy à Bellerive ☎ 32.22.77
RENAULT Gar. de Nîmes, 102 av. Poincaré ☎ 98.34.32
TOYOTA, VOLVO Gar. Europ-Motors, 7 rue Charasse ☎ 98.36.72
Gar. de France, 23 r. Mar.-Joffre ☎ 98.33.08

Briday-Pneus, 111 bd Denière ☎ 98.10.69
Soulat, 17 r. du Sport ☎ 98.50.90 et 54 r. Jean Zay à Bellerive ☎ 32.44.20

VIC-SUR-AISNE 02290 Aisne 56 ③ – 1 569 h. alt. 50 – 23.

Paris 105 – Compiègne 23 – Laon 52 – Noyon 27 – Soissons 17.

Lion d'Or, ☎ 55.50.20 – AE GB
fermé 3 au 24 août, dim. soir et lundi – SC : **R** 42/90.

RENAULT Leroux, av. de la Gare ☎ 55.50.60

VIC-SUR-CÈRE 15800 Cantal 76 ⑫ G. Auvergne (plan) – 2 048 h. alt. 681 – Casino – 71.

Env. Rocher des Pendus ✻★★ SE : 6,5 km puis 30 mn.

Office de Tourisme, av. Mercier (vacances de fév., Pâques, 1er juin-30 sept. et Noël) ☎ 47.50.68.

Paris 524 – Aurillac 21 – Murat 30.

Vialette, ☎ 47.50.22, – |‡| wc wc ☎. AE E.
Pâques-oct. week-ends et vac. scol. – SC : **R** *(fermé lundi de déc. à mai)* 35/75 – 13 – **51 ch** 70/120 – P 110/165.

Bains , ☎ 47.50.16, ≤, – wc wc ☎ P – 40.
début mai-fin sept. et vac. scolaires – SC : **R** 32/100 – 13 – **38 ch** 95/130 – P 100/150.

Beauséjour, ☎ 47.50.27, parc – |‡| wc ☎ P. rest
1er avril-1er oct. – SC : **R** 40/60 – 10 – 70 ch 50/140 – P 85/140.

Bel Horizon, ☎ 47.50.06, ≤ vallée, – wc wc ☎ P. rest
fermé 12 nov. au 12 déc. – SC : **R** 30/120 – 10 – **20 ch** 55/85 – P 90/120.

Familly H., ☎ 47.50.49, ≤ parc – |‡| wc wc ☎ P. E. rest
Pâques-oct. – SC : **R** 35/55 – 10,50 – **38 ch** 55/100 – P 82/110.

au Col de Curebourse SE : 6 km par D 54 – ✉ **15800** Vic-sur-Cère :

Aub. des Monts sans rest, ☎ 47.51.71, ≤ montagne et vallée, – wc wc ☎ P.
1er juin-15 sept. – SC : 10 – **27 ch** 120.

Voir aussi ressources hôtelières de *Thiézac* NE : 6 km

CITROEN Gar. Borel, ☎ 47.50.53
RENAULT Bétaille, ☎ 47.50.32
TALBOT Gar. Lours, ☎ 47.50.71

VIDAUBAN 83550 Var 84 ⑦ – 3 279 h. alt. 56 – 94.

Syndicat d'Initiative à la Mairie (15 juin-15 sept. et fermé dim.) ☎ 73.00.07.

Paris 846 – Cannes 65 – Draguignan 17 – Fréjus 29 – ♦Toulon 64.

Concorde, pl. G.-Clemenceau ☎ 73.01.19 – P
fermé 3 au 26 janv. et merc. – SC : **R** 45/115.

VIEIL ARMAND 68 H.-Rhin 66 ⑨ **G. Vosges** – alt. 956.

Voir Monument national près D 431 puis ※★★ (1 h).

Paris 497 – Guebwiller 20.

VIEILLEVIE 15 Cantal 76 ⑫ – 194 h. alt. 212 – ✉ **15120** Montsalvy – ✪ 71.

Paris 596 – Aurillac 51 – Entraygues-sur-Truyère 15 – Figeac 57 – Montsalvy 13 – Rodez 50.

- **Terrasse,** ☎ 49.94.00, ⛱, 🌳 – Ⓟ
  SC : **R** *(fermé dim. en janv.)* 27/45 🌡 – ☕ 9 – **20 ch** 39/55 – P 75/80.
- **Cantou,** ☎ 49.94.67 – ⋒wc Ⓟ
  R 30/45 – ☕ 8,50 – **8 ch** 40/64 – P 72/84.

Um diesen Führer bestens zu nutzen, siehe Erklärungen S. 37 bis 44.

VIENNE ⟨SP⟩ **38200** Isère 74 ⑪⑫ **G. Vallée du Rhône** – 28 753 h. alt. 158 – ✪ 74.

Voir Site★ – Cathédrale★★ – Temple d'Auguste et de Livie★★ – Théâtre romain★ – Église★ et cloître★ St-André-le-Bas – Esplanade du Mont Pipet ≤★ BY – Anc. église St-Pierre★ : musée lapidaire★ – Groupe sculpté★ de l'église de Ste-Colombe AY B.

ℹ Office de Tourisme (fermé dim. hors saison) et A.C. 3 cours Brillier ☎ 85.12.62.

Paris 492 ⑧ – Chambéry 100 ② – ♦Grenoble 90 ② – ♦Lyon 30 ⑧ – Le Puy 124 ⑧ – Roanne 126 ⑧ – ♦St-Étienne 49 ⑧ – Valence 71 ⑤ – Vichy 194 ⑧.

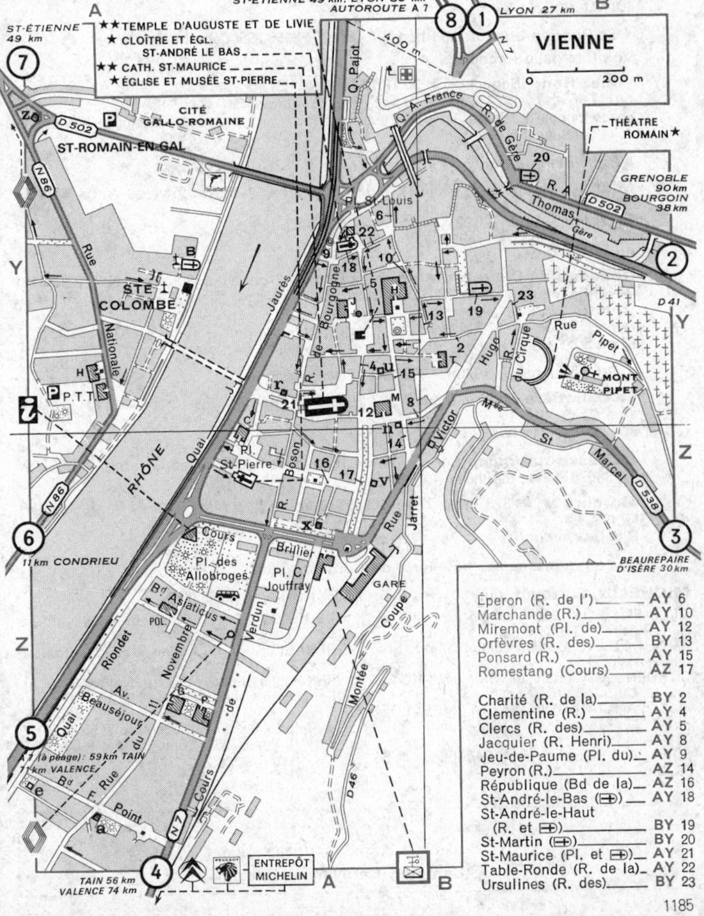

La Résidence de la Pyramide sans rest, 41 quai Riondet ☎ 53.16.46, – wc wc. AE AZ e
fermé 1er nov. au 15 déc. – SC : **15 ch** 111/228.

Central sans rest, 7 r. Archevêché ☎ 85.18.38 – wc wc. AE GB AY u
fermé 6 nov. au 1er déc. – SC : 12 – **24 ch** 60/140.

Nord, 9 pl. Miremont ☎ 85.77.11 – wc wc. AE GB E. rest AYZ n
SC : **R** *(fermé nov. et dim., sauf juil. et août)* (dîner seul.) 50 – 13 – 43 ch 80/160.

Gd H. Poste, 47 cours Romestang ☎ 85.02.04 – wc wc. AE AZ v
SC : **R** *(fermé sam. du 1er nov. au 31 janv.)* 35/70 – 12,50 – 39 ch 60/120.

XXXX ✿✿✿ **Pyramide** (Mme Point), bd F.-Point ☎ 53.01.96, « Jardin fleuri » – P. AE AZ a
fermé fin oct. au 15 déc., lundi soir et mardi – **R** (nombre de couverts limité - prévenir) 200/250 et carte
Spéc. Assiette de marée, Poularde de Bresse farcie Albuféra, Gâteau succès Marjolaine. **Vins** Viognier, Côte Rôtie.

XX ✿ **Magnard** (Janonat), 45 cours Brillier ☎ 85.10.43 – AE GB AZ x
fermé 5 au 20 août, vacances de fév., mardi soir et merc. – **R** (dim. prévenir) 55/150
Spéc. Salade magnardise, Assiette du pêcheur, Lapereau sauté Marolise. **Vins** Côte Rôtie, St-Péray.

XX **Bec Fin,** 7 pl. St-Maurice ☎ 85.76.72 – AE GB E AY r
fermé 16 août au 1er sept., 20 janv. au 7 fév., dim. soir et lundi sauf fériés – **R** 40/100.

*à **St-Romain-en-Gal*** (69 Rhône) - AY – ✉ **69560** Ste-Colombe-lès-Vienne – 74.
Voir Cité gallo-romaine*.

XX ✿ **Chez René** (Schucké), ☎ 53.19.72 – P. AE. AY z
fermé 16 août au 14 sept., dim. soir et lundi sauf fériés – **R** 60/185
Spéc. Compote de lapereau en gelée, Soufflé de turbotin aux fruits de mer, Caneton grillé. **Vins** Côte Rôtie, Côtes du Rhône.

*à **Pont-Évêque*** par ② : 4 km – 5 636 h. – ✉ **38780** Pont-Évêque :

Midi , pl. Église ☎ 85.90.11, « Jardin fleuri » – wc wc P AE
SC : **R** (dîner seul.) 57/92 – 14 – **16 ch** 120/160.

*au **Sud*** par ④ :

Domaine de Clairefontaine , à Chonas-l'Amballan, 9 km par N 7- ✉ 38121 Reventin-Vaugris ☎ 58.81.52, ≤, parc, – wc wc P – 30. rest
fermé 15 déc. au 31 janv., 1er mai, 1er nov. et lundi midi – SC : **R** 41/70 – 10 – **17 ch** 50/135.

*à **Estrablin*** par ② : 9 km – ✉ **38780** Pont-Évêque :

La Gabetière sans rest, sur D 502 ☎ 58.01.31, parc – wc wc P – 40. AE
SC : 12 – **11 ch** 80/135.

*à **Chasse-sur-Rhône*** par ⑧ : 8 km (Échangeur A7 Chasse-Givors) – 3 956 h. – ✉ **38670** Chasse-sur-Rhône – 78

Mercure M, ☎ 873.13.94, Télex 300625, parc – rest P – 80 à 180. AE GB
R carte environ 70 – 18 – **115 ch** 155/205.

Voir aussi ressources hôtelières de *Condrieu* par ⑥ : 11 km

MICHELIN, Entrepôt, quartier St-Alban-les-Vignes par ④ ☎ **53.08.31**

ALFA-ROMEO Gar. d'Avignon, 20 av. Gén.-Leclerc ☎ 85.68.21
BMW, DATSUN Gar. du Viaduc, 57 r. F.-Bonnier ☎ 85.46.50
CITROEN Gévaudan et Dumond, 163 av. Gén.-Leclerc ☎ 53.16.07
FIAT, LANCIA-AUTOBIANCHI, MERCEDES BENZ Les Gar. Atlas, 27 quai Riondet ☎ 53.05.54
FORD Gar. Bossanne, 6 bd République ☎ 85.08.70
PEUGEOT Barbier Automobile, 140 av. Gén.-Leclerc ☎ 53.22.75
RENAULT Gar. du Rhône, 4 cours Verdun ☎ 53.42.23
RENAULT Rostan, 72 rte Nationale à St-Romain-en-Gal (Rhône) ☎ 53.29.15

Delphis, 9 r. du 11-Novembre ☎ 53.23.05
Tessaro-Pneus, 93 av. Gén.-Leclerc ☎ 53.19.17

Campers...
Use the current Michelin Guide
Camping Caravaning France.

VIERVILLE-SUR-MER 14 Calvados 54 ④ G. Normandie – 255 h. alt. 39 – ✉ **14710** Trévières – ☎ 31.

Voir Omaha Beach : plage du débarquement du 6 juin 1944 E : 2,5 km.

Env. Cimetière de St-Laurent-sur-Mer E : 7,5 km.

Paris 289 – Bayeux 21 – ♦Caen 48 – Carentan 32 – St-Lô 40.

Casino, ☎ 22.41.02, ← – Ⓟ
fermé 5 au 31 janv. et jeudi hors sais. sauf vacances scolaires et fêtes – SC : **R** 33/105 – ☕ 9,50 – 13 ch 58/62 – P 110/135.

Pour bien utiliser ce guide
reportez-vous aux explications p. 13 à 20.

VIERZON 18100 Cher 64 ⑲⑳ G. Périgord – 36 514 h. alt. 122 – ☎ 48.

Env. Brinay : fresques★ de l'église SE : 7,5 km par D 27 B.

ℹ Office de Tourisme pl. Gabriel-Péri (hors saison, après-midi seul., fermé dim. et fêtes) ☎ 75.20.03.

Paris 208 ① – Auxerre 141 ② – Blois 74 ⑥ – Bourges 33 ③ – Châteauroux 58 ⑤ – Châtellerault 143 ⑤ – Guéret 143 ⑤ – Montargis 112 ② – ♦Orléans 79 ① – ♦Tours 116 ⑥.

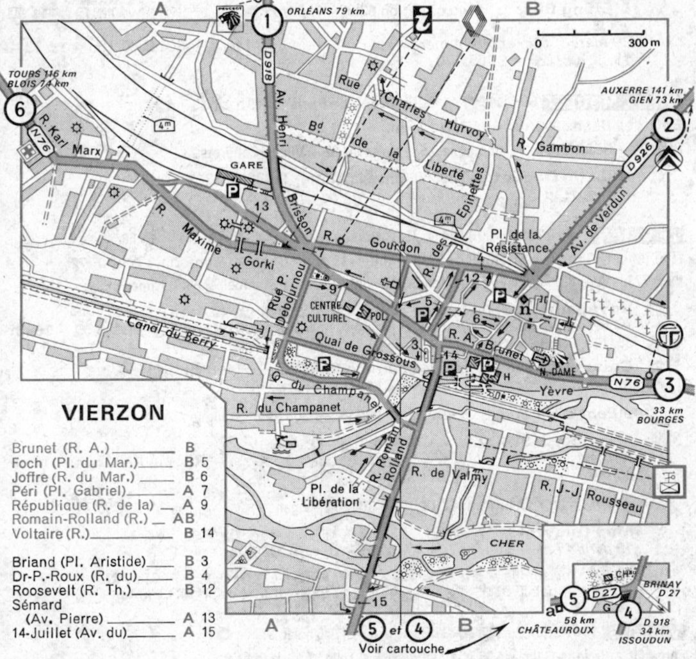

Brunet (R. A.)	B
Foch (Pl. du Mar.)	B 5
Joffre (R. du Mar.)	B 6
Péri (Pl. Gabriel)	A 7
République (R. de la)	A 9
Romain-Rolland (R.)	AB
Voltaire (R.)	B 14
Briand (Pl. Aristide)	B 3
Dr-P.-Roux (R. du)	B 4
Roosevelt (R. Th.)	B 12
Sémard (Av. Pierre)	A 13
14-Juillet (Av. du)	A 15

Le Sologne sans rest, rte Châteauroux par ⑤ : 2 km ✉ 18120 Lury sur Arnon ☎ 75.15.20, « Beau mobilier » – wc wc ☎ Ⓟ. B **a**
SC : ☕ 16 – **24 ch** 70/180.

Continental Ⓜ, rte Paris par ① ☎ 75.35.22 – wc wc ☎ Ⓟ – 35.
SC : **R** snack *(fermé août et dim. soir)* (dîner seul.) 38/75 – ☕ 14 – **36 ch** 75/180.

Le Matafan, 7 r. Porte aux Boeufs ☎ 75.00.63 – AE GB B **n**
fermé août, dim. soir et lundi – SC : **R** 65/155.

CITROEN Gar. Berry-Sologne Auto, 102 Ter av. 8 Mai 1945 ☎ 75.10.71 N ☎ 71.23.55
FORD Perchaud, 58 av. J.-Jaurès ☎ 75.37.57
PEUGEOT Paris-Gar., 6 av. Ed.-Vaillant ☎ 71.23.56
RENAULT Gar. du Centre, 41 r. Gourdon ☎ 71.03.33 N ☎ 71.23.55

TALBOT Delouche, 50 r. Breton ☎ 75.00.32

Pneus Europe Service, 29 av. du 14 Juillet ☎ 75.06.34
Vierzon-Pneus, 24 r. Pasteur ☎ 75.15.02

VIEUX-BOUCAU-LES-BAINS 40480 Landes 78 ⑯ **G. Côte de l'Atlantique** – 1 072 h. – 58.

Office de Tourisme Port d'Albret (hors sais. après-midi seul. et fermé dim. sauf matin en saison) 48.13.47.

Paris 716 – ♦Bayonne 38 – Castets 31 – Dax 37 – Mimizan 55 – Mont-de-Marsan 85.

La Maremne, 48.12.70 – wc wc. ch
16 mars-1er janv. et fermé lundi – SC : **R** 35/110 – 9,50 – 38 ch 38/90 – P 104/150.

Côte d'Argent, 48.13.17 – wc
fermé 1er oct. au 7 nov. et lundi – SC : **R** 42/100 – 10 – **47 ch** 42/80 – P 98/135.

Centre, 48.10.33 – .
fermé oct. et merc. – SC : **R** 40/80 – 9 – **40 ch** 42/70 – P 94/106.

La Patoula, 48. 12.54 – AE GB
1er avril-20 sept. – SC : **R** carte 85 à 120.

RENAULT Gar. Canicas, 48.15.31

VIEUX-MAREUIL 24 Dordogne 75 ⑤ **G. Périgord** – 398 h. alt. 125 – ✉ **24340** Mareuil – 53.

Paris 497 – Angoulême 43 – Brantôme 15 – ♦Limoges 91 – Périgueux 42 – Ribérac 31.

L'Étang Bleu avec ch, 56.62.63, ←, parc, – wc wc . AE E
19 mars-2 déc. et fermé merc. sauf du 1er juin au 30 sept. – SC : **R** 60/165 – 13 – 11 ch 105/120 – P 165/170.

VIEUX-MOULIN 60 Oise 56 ③ **G. Environs de Paris** – 489 h. alt. 49 – 4.

Env. Les Beaux Monts ←** NO : 7 km.

Paris 91 – Beauvais 67 – Compiègne 9,5 – Soissons 32 – Villers-Cotterêts 23.

Aub. du Daguet, ✉ 60350 Cuise la Motte, 441.60.72
fermé 20 au 31 juil., 2 au 17 janv. et merc. – SC : **R** 90.

Le VIGAN 30120 Gard 80 ⑯ **G. Causses** (plan) – 4 434 h. alt. 231 – 66.

Syndicat d'Initiative pl. Hôtel de Ville (Pâques, 15 juin-fin sept et fermé dim.) 91.01.72.

Paris 773 – Alès 65 – Lodève 52 – Mende 112 – Millau 72 – ♦Montpellier 63 – Nîmes 81.

Voyageurs, r. Sous-le-quai 91.00.34 – .
fermé 21 au 30 sept., fin déc. à fin janv. et lundi – SC : **R** 30/55 – 8,50 – **19 ch** 35/110 – P 95/110.

Commerce sans rest, r. des Barris 91.03.28 – wc wc.
fermé oct. et dim. hors sais. – SC : 9 – **14 ch** 34/90.

à Pont d'Hérault E : 6 km par D 999 – ✉ **30570** Valleraugue :

Maurice, 91.40.02, ← – wc . .
fermé 1er janv. au 2 fév. et vend. du 1er oct. au 1er mai – **R** 55/100 – 14 – 18 ch 80/145.

à Aulas NO : 7 km par D 48 – ✉ **30120** Le Vigan :

Mas Quayrol M , 91.12.38, ← – wc .
18 avril-4 oct. – SC : **R** 52/98 – 15 – **16 ch** 120/130.

CITROEN Gar. Teissonnière, 91.03.11
PEUGEOT Gar. Arnal, 91.03.77
RENAULT Ginieis, 91.01.67 N
RENAULT Wild, 91.13.38

VIGEOIS 19410 Corrèze 75 ⑧ **G. Périgord** – 1 346 h. alt. 311 – 55.

Paris 460 – Brive-la-Gaillarde 36 – ♦Limoges 67 – Tulle 32 – Uzerche 9.

Les Semailles avec ch, rte Brive 98.93.69 – wc
fermé 15 au 31 oct. et lundi – SC : **R** 25/60 – 9 – **7 ch** 60/100 – P 85/110.

Les VIGNES 48 Lozère 80 ⑤ **G. Causses** – 113 h. alt. 420 – ✉ **48210** Ste-Enimie – 66.

Voir Pas du Souci★ N : 2 km puis 15 mn.

Env. Roc des Hourtous ←** NE : 8 km puis 30 mn.

Paris 619 – Florac 52 – La Malène 12 – Mende 53 – Millau 31 – Sévérac-le-Château 21 – Le Vigan 88.

Gévaudan, 48.81.55, ← – wc wc . . rest
5 juin-fin sept. – SC : **R** 70 – 14 – 18 ch 70/160.

Parisien, 48.81.51, ← –
1er avril-15 sept. – SC : **R** 27/50 – 8 – 11 ch 39/60 – P 98/110.

VIGOULET-AUZIL 31 H.-Gar. 82 ⑱ – rattaché à Toulouse.

VILLAGE-NEUF 68 H.-Rhin 66 ⑩ – rattaché à St-Louis.

VILLANDRY 37 I.-et-L. 64 ⑭ – 679 h. alt. 94 – ✉ 37300 Joué-lès-Tours – ☎ 47.

Voir Château et jardins***, G. Châteaux de la Loire.**

Paris 253 – Azay-le-Rideau 10 – Chinon 31 – Langeais 13 – Saumur 51 – ♦Tours 20.

✿ **Cheval Rouge,** ☎ 50.02.07, – rest wc ☎ P – 40. GB
fermé janv., fév. et lundi hors sais. – SC : **R** 55/130 – 14 – 20 ch 106/160 – P 205/240
Spéc. Terrine de foie gras, Paupiette de sandre, Gratin de fraises ou framboises (mai à oct.). Vins Vouvray, Chinon.

VILLAR-D'ARÈNE 05480 H.-Alpes 77 ⑦ – 155 h. alt. 1 650 – ☎ 76 (Bourg-d'Oisans).

Paris 644 – Le Bourg-d'Oisans 31 – Gap 123 – La Grave 3 – ♦Grenoble 80 – Col du Lautaret 8.

Les Agneaux, N 91 ☎ 80.05.64, ≤ – wc P
1er juin-15 sept. – SC : **R** 40/75 – 12 – **30 ch** 55/100 – P 95/125.

VILLARD-DE-LANS 38250 Isère 77 ④ **G. Alpes** – 4 100 h. alt. 1 023 – Sports d'hiver : 1 023/2 170 m 2 22, – ☎ 76.

Voir Gorges de la Bourne* – Gorges de Méaudre* NO : 4 km – Côte 2000 ≤* SE : 4,5 km puis télécabine.**

Env. Route* de Valchevrière : calvaire ≤* O : 8 km.

Office de Tourisme pl. Mure-Ravaud (fermé dim. hors sais.) ☎ 95.10.38.

Paris 587 ① – Die 68 ② – ♦Grenoble 34 ① – ♦Lyon 124 ① – Valence 69 ② – Voiron 48 ①.

VILLARD-DE-LANS

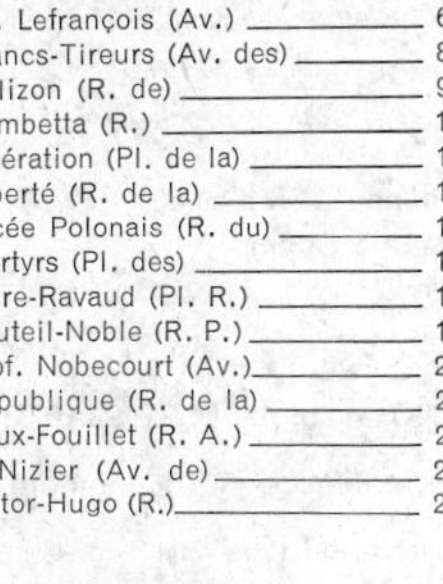

Adret (Av. de l') 2
Breux (R. des) 3
Chabert (Pl. P.) 4
Chapelle-en-Vercors (Av.) 5
Dr. Lefrançois (Av.) 6
Francs-Tireurs (Av. des) 8
Galizon (R. de) 9
Gambetta (R.) 10
Libération (Pl. de la) 12
Liberté (R. de la) 13
Lycée Polonais (R. du) 14
Martyrs (Pl. des) 16
Mure-Ravaud (Pl. R.) 17
Pouteil-Noble (R. P.) 19
Prof. Nobecourt (Av.) 20
République (R. de la) 22
Roux-Fouillet (R. A.) 23
St-Nizier (Av. de) 25
Victor-Hugo (R.) 26

Les plans de villes sont orientés le Nord en haut.

La Pélissière , **(a)** ☎ 95.11.11, ≤, parc, , , – P. AE GB
15 déc.-1er oct. – SC : **R** 60/94 – 14 – **20 ch** 123/250 – P 166/250.

Eterlou , **(e)** ☎ 95.17.65, ≤, , , – P. AE rest
6 juin-20 sept. et 19 déc.-20 avril – SC : **R** 58/140 – 15 – 20 ch 110/220, 4 appartements 315 – P 230/260.

Christiania, av. prof.-Nobecourt **(k)** ☎ 95.12.51, ≤, , – P. AE GB E. ch
15 juin-15 sept. et 20 déc.-Pâques – SC : **R** 44/54 – 13 – 24 ch 110/180 – P 150/210.

Paris , **(m)** ☎ 95.10.06, ≤, parc, – P – 60 à 80. E. rest
25 mai-30 sept. et 17 déc.-25 avril – **R** 59/142 – 13 – 65 ch 90/220 – P 168/240.

H. Le Dauphin sans rest., av. Alliés **(r)** ☎ 95.11.43 – TV wc wc ☎ P – 30. AE GB
SC : 13 – **21 ch** 180/245.

Pré Fleuri M , aux Cochettes **(t)** ☎ 95.10.96, ≤, – wc wc ☎ P. rest
début juin-fin sept. et 1er déc.-Pâques – SC : **R** 45/75 – 11 – **22 ch** 100/130 – P 160/175.

tourner →

Georges, av. St-Nizier **(u)** ☎ 95.11.75, ⛱, ⛱, 🎾 – ⇔wc ⋒wc ☎ Ⓟ. GB. ⛔ rest
1er juin-28 sept. et 1er déc.-28 avril – SC : **R** 42/50 – ☕ 15 – 20 ch 65/140 – P 110/150.

Villa Primerose, Quartier "le Barus" **(d)** ☎ 95.13.17, ≤, ⛱ – ⋒wc ☎ Ⓟ
10 juin-20 sept. et 20 déc.-20 avril – SC : **R** 35/45 – ☕ 10 – **18 ch** 60/110 – P 110/145.

Lilas, r. Lycée Polonais **(z)** ☎ 95.14.14, ≤, ⛱ – ⋒wc ☎ Ⓟ. ⛔ rest
fermé 2 au 14 juin, 22 sept. au 29 oct. et 13 nov. au 19 déc. – SC : **R** 28/80 – ☕ 11 – 13 ch 60/102 – P 120/150.

XX **Rest. Le Dauphin,** av. Alliés **(r)** ☎ 95.15.56 – Ⓟ. AE GB E
SC : **R** 35/220.

X **Le Grillon,** r. République **(s)** ☎ 95.14.18
20 juin-15 oct., 20 déc.-10 mai et fermé lundi – SC : **R** 30/68 🍷.

X **Petite Auberge, (b)** ☎ 95.11.53
20 juin-15 oct., 15 déc.-15 mai et fermé merc. – SC : **R** 27/61.

route Valchevrière : 1 km par D 215C – ✉ **38250** Villard-de-Lans :

La Roche de Colombier 🐦, ☎ 95.10.26, ≤, ⛱ – ⇔wc ⋒wc ☎ Ⓟ. ⛔ rest
10 juin-10 sept. et 15 déc.-fin avril – SC : **R** 40/55 – ☕ 11 – **14 ch** 130/140 – P 135/145.

A la station supérieure du télécabine :

au Sud-Est : 4 km par D 215 et D 215B – ✉ **38250** Villard-de-Lans :

Playes, au Balcon de Villard ☎ 95.14.42, ≤ – ⋒wc ☎ Ⓟ. ⛔ ch
15 juin-30 sept. et 15 déc.-30 avril – SC : **R** 35/90 – ☕ 12 – 16 ch 90/110 – P 130/150.

XX **Altitude 2000** 🐦 **avec ch,** ✉ **38250 Villard-de-Lans** ☎ **95.13.95,** ≤ **montagnes et vallée** – ⋒wc ☎
1er juil.-1er sept. et 15 déc.-25 avril – **R** (déj. seul.) été : 52, hiver : self carte environ 75 – 10 ch (pens. seul.) – P 180.

CITROEN Giatti ☎ 95.15.51
LADA, VOLVO Gar. des Olympiades, ☎ 95.10.42
PEUGEOT Rolland, à la Conterie ☎ 95.12.69
RENAULT Chavernoz, les Bains ☎ 95.15.61

VILLARD-ST-SAUVEUR 39 Jura 70 ⑮ – rattaché à St-Claude.

VILLARS-LES-DOMBES 01330 Ain 74 ② G. Vallée du Rhône – 2 372 h. alt. 286 – ☎ 74.
Voir Vierge à l'Enfant* dans l'église – Parc ornithologique* S : 1 km.
Paris 454 – Bourg-en-Bresse 28 – ♦Lyon 34 – Villefranche-sur-Saône 27.

XX **de la Tour,** ☎ 98.03.21 – GB
fermé jeudi – SC : **R** 50/150.

XX ✿ **Aub. des Chasseurs** (Dubreuil), à Bouligneux NO : 4 km par D 2 ☎ 98.10.02 – Ⓟ
fermé 20 août au 1er sept., 7 au 28 fév., mardi soir et merc. – SC : **R** (nombre de couverts limité - prévenir) 50/150
Spéc. Ecrevisses à la nage (saison), Grenouilles sautées aux fines herbes, Caille rôtie.

VILLARS-SOUS-DAMPJOUX 25 Doubs 66 ⑱ – 313 h. alt. 363 – ✉ **25190** St-Hippolyte-sur-le-Doubs – ☎ 81.
Paris 488 – Baume-les-Dames 45 – ♦Besançon 74 – Montbéliard 23 – Morteau 48.

XX **Sur les Rives du Doubs,** à Dampjoux S : 1 km ☎ 92.48.05, ≤ – Ⓟ
fermé 2 janv. au 1er fév., mardi soir et merc. – SC : **R** carte 60 à 90 🍷.

VILLÉ 67220 B.-Rhin 62 ⑧⑨ G. Vosges – 1 530 h. alt. 260 – ☎ 88.
ℹ Syndicat d'Initiative à la Mairie (fermé sam. après-midi et dim.) ☎ 57.11.57 et pl. Marché (15 juin-15 sept.) ☎ 57.11.69.
Paris 418 – Lunéville 80 – St-Dié 36 – Ste-Marie-aux-Mines 25 – Sélestat 15 – ♦Strasbourg 54.

Bonne Franquette, 6 pl. Marché ☎ 57.14.25 – ⋒wc ☎. ⛔
fermé 24 déc. au 2 janv., 6 fév. au 6 mars, merc. soir et jeudi – SC : **R** 26/60 🍷 – ☕ 10 – **10 ch** 95/120.

Ville de Nancy, ☎ 57.10.10 – ⋒ Ⓟ. ⛔
fermé oct. et lundi – SC : **R** 22/70 🍷 – ☕ 9,50 – **20 ch** 39/65 – P 76/86.

La VILLE-AUX-CLERCS 41 L.-et-Ch. 64 ⑥ – 870 h. alt. 143 – ✉ **41160** Marée – ☎ 54.
Paris 158 – Brou 40 – Châteaudun 34 – ♦Le Mans 73 – ♦Orléans 68 – Vendôme 15.

Manoir de la Forêt 🐦, à Fort-Girard E : 1,5 km par VO ☎ 23.62.83, ≤, parc – ⇔wc ⋒ ☎ Ⓟ – 🏛 60. GB
SC : **R** *(fermé dim. soir du 1er oct. à fin mars.)* 72 – ☕ 14,50 – **22 ch** 61/198 – P 175/198.

VILLEBON-SUR-YVETTE 91 Essonne 60 ⑩, 101 ㉞ – rattaché à Paris, Proche banlieue.

VILLECROZE 83 Var 84 ⑥ **G. Côte d'Azur** – 700 h. alt. 350 – ✉ **83690** Salernes – 94.

Voir Belvédère* N : 1 km.

Syndicat d'Initiative à la Mairie (fermé sam. après-midi et dim.) ℗ 70.63.06.

Paris 855 – Aups 8 – Brignoles 41 – Draguignan 21.

Le Vieux Moulin sans rest, ℗ 70.63.35, – wc wc ℗.
5 janv.-1er oct. – SC : 12 – **10 ch** 80/130.

VILLE-D'AVRAY 92 Hts de Seine 60 ⑩, 101 ㉓ – voir a Paris, Proche banlieue.

VILLEDIEU-LES-POÊLES **50800** Manche 59 ⑧ **G. Normandie** – 4 713 h. alt. 103 – 33.

Syndicat d'Initiative pl. Costils (1er juil.-15 sept.) ℗ 61.05.69.

Paris 318 ② – Alençon 134 ④ – Avranches 22 ⑤ – •Caen 78 ② – Flers 59 ③ – St-Lô 34 ①.

VILLEDIEU-LES-POÊLES

flèche rouge : sens unique le mardi

République (Pl. de la)	15
Bourg-l'Abbesse (R. du)	2
Chignon (R. du Pont)	3
Costils (Pl. des)	4
Dr-Halvard (R. du)	6
Gasté (R. Jean)	7
Gaulle (R. Gén. de)	9
Granville (R. de)	12
Leclerc (Bd Mar.)	13
St-Lô (R. de)	17

Allacciate le cinture di sicurezza sia in viaggio sia in città.

Nelle piante di città il Nord è sempre in alto.

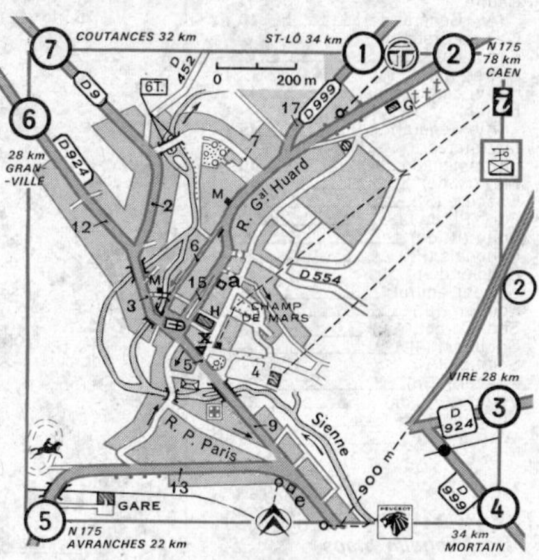

St-Pierre et St-Michel, pl. République **(a)** ℗ 61.00.11 – wc wc ℗.
SC : **R** 26/50 – 10 – 25 ch 40/120.

Paris, 1 bd Mar.-Leclerc **(e)** ℗ 61.00.66 – ℗. GB
R 35 – 8 – 15 ch 36/40 – P 90/120.

Le Fruitier avec ch, r. Gén.-de-Gaulle **(x)** ℗ 61.00.47 – wc.
fermé lundi en hiver – SC : **R** 27/70 – 9,50 – 13 ch 36/100.

CITROEN Pichon, ℗ 61.06.20
PEUGEOT Gar. Bes, ℗ 61.00.35
TALBOT Auto-Normandie, ℗ 61.00.33

VILLE-EN-TARDENOIS 51 Marne 56 ⑮ – 318 h. alt. 147 – ✉ **51170** Fismes – 26.

Paris 127 – Châlons-sur-Marne 57 – Château-Thierry 42 – Épernay 25 – Fère-en-Tardenois 25 – •Reims 20 – Soissons 52.

Paix, ℗ 61.81.45 – . GB
fermé 15 au 31 juil., dim. soir et lundi – SC : **R** 35/120 .

Le Postillon, D 380 ℗ 61.83.67
fermé 15 fév. au 15 mars et merc. – SC : **R** 26 bc/70.

VILLEFORT **48800** Lozère 80 ⑦ **G. Vallée du Rhône** – 787 h. alt. 605 – 66.

Env. Belvédère du Chassezac** N : 8 km puis 15 mn.

Syndicat d'Initiative à la Mairie (fermé sam. après-midi, dim. et fêtes) ℗ 46.80.26.

Paris 607 – Alès 55 – Aubenas 60 – Florac 67 – Mende 59 – Pont-St-Esprit 89 – Le Puy 91.

Balme, ℗ 46.80.14 – wc .
fermé 1er au 20 déc., janv., dim. soir et lundi hors sais. – SC : **R** 30/50 – 10,50 – **23 ch** 40/100 – P 90/120.

CITROEN Bedos, ℗ 46.80.07 N ℗ 46.80.06
RENAULT Barrial, ℗ 46.80.18 N ℗ 46.81.15
Gar. Privat, ℗ 46.80.51

VILLEFRANCHE 06230 Alpes-Mar. 84 ⑨⑩, 195 ㉗ G. Côte d'Azur – 7 258 h. – ✪ 93.

Voir Rade★★ – Vieille ville★ – Chapelle St-Pierre★ B.

Office de Tourisme square F.-Binon (fermé dim. et lundi) ☎ 80.73.68.

Paris 939 ③ – Beaulieu-sur-Mer 4 ④ – ♦Nice 6 ③.

VILLEFRANCHE (ALPES-MAR.)

Cauvin (Av.) 2
Corderie (Quai de la) 3
Corne-d'Or (Bd de la) 5
Courbet (Quai) 6
Église (R. de l') 7
Gallieni (Av. Général) 9
Gaulle (Av. Général de) 10
Grande-Bretagne (Av. de) 12
Joffre (Av. du Maréchal) 14
Leclerc (Av. Général) 15
Marinières (Promenade des) 16
May (R. de) 18
Obscure (R.) 19
Paix (Pl. de la) 20
Poilu (R. du) 22
Pollonais (Pl.) 24
Ponchardier (Quai Amiral) 25
Poullan (Pl.) 26
Sadi-Carnot (Av.) 28
St-Michel (⊕) A
Senttimelli-Lazare (Bd) 30
Verdun (Av. de) 32
Victoire (R. de la) 34
Wilson (Pl.) 35

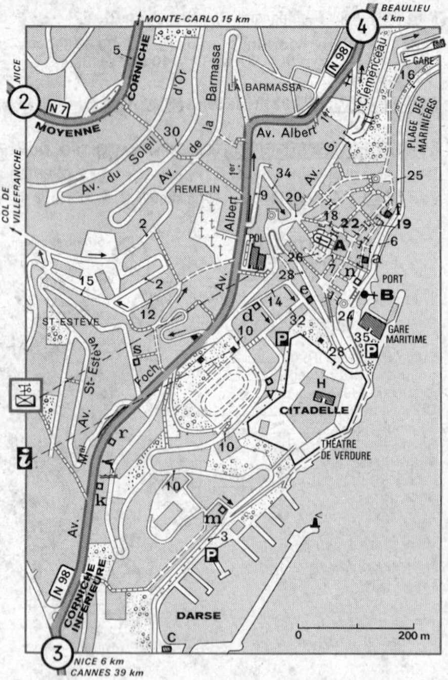

To go a long way quickly, use Michelin maps at a scale of 1 : 1 000 000.

Versailles, av. Mar.-Foch **(k)** ☎ 80.89.56, Télex 970433, ≤ rade, 🏊 – |♦| TV ☎ ♿ P. AE GB ⓓ. ✗ rest
fermé fin oct. au 22 déc. – **R** 80 – ☕ 20 – **46 ch** 210/340, 3 appartements 380 – P 260/320.

Welcome et rest. St-Pierre, 1 q. Courbet **(n)** ☎ 55.27.27, Télex 470281, ≤ – |♦| ☎ ♿. AE GB ⓓ E
fermé 31 oct. au 20 déc. – SC : **R** *(fermé merc. de janv. à mars)* 70/80 – ☕ 15 – **35 ch** 120/270 – P 255/280.

Vauban M sans rest, 11 av. Gén.-de-Gaulle **(v)** ☎ 80.71.20, « Décor Louis XV, Jardin » – 🛁wc 🚿wc ☎. ✗
15 fév.-15 nov. – SC : ☕ 14 – **11 ch** 80/210.

St-Estève M sans rest, r. Duhamel **(s)** ☎ 80.72.59 – 🛁wc 🚿wc ☎ 🚗. ✗
fermé nov. – SC : **17 ch** ☕ 140/155.

Provençal, 4 av. Mar.-Joffre **(d)** ☎ 80.71.82, ≤, 🌳 – |♦| ≡ rest 🛁wc 🚿wc ☎. E. ✗
SC : **R** *(fermé 3 nov. au 20 déc.)* 40/60 – ☕ 10 – 45 ch 125/140 – P 110/155.

La Flore, av. Mar.-Foch **(r)** ☎ 80.70.09, ≤ rade, 🌳 – 🛁wc 🚿wc ☎ P
fermé 15 oct. au 15 nov. – SC : **R** 40 – 18 ch ☕ 73/174 – P 153/242.

de la Darse, port Darse **(m)** ☎ 80.72.54, ≤ – 🛁 🚿wc ☎.
fermé janv. – SC : **R** 39/60 – ☕ 12 – 22 ch 50/120 – P 130/160.

Mère Germaine, quai Courbet **(a)** ☎ 80.71.39, ≤ – GB
fermé 1er nov. au 20 déc. et merc. – SC : **R** carte 135 à 185.

Le Méditerranée, av. Sadi-Carnot **(e)** ☎ 80.78.56, ≤
fermé janv. et merc. – SC : **R** 55/90.

La Frégate, quai Courbet **(f)** ☎ 80.71.31, ≤
fermé 12 janv. au 14 fév. et jeudi – SC : **R** 100.

VILLEFRANCHE-DE-CONFLENT 66 Pyr.-Or. 86 ⑰ **G. Pyrénées** – 435 h. alt. 432 – ✉ **66500** Prades – ✆ 68.

Voir Ville forte★ – Grottes des Canalettes★ S : 1 km.

ℹ Syndicat d'Initiative à la Mairie (fermé sam. et dim. hors sais.) ✆ 96.10.98.

Paris 960 – Mont-Louis 30 – Olette 10 – ♦Perpignan 49 – Prades 6 – Vernet 5,5.

✕ **Au Grill,** r. St-Jean ✆ 96.17.65, exposition de peintures – GB
fermé 11 nov. au 15 déc. et lundi – SC : **R** 45/60 ♁.

✕ **Terminus** avec ch, à la Gare ✆ 96.09.85 –
◆ SC : **R** *(fermé sam.)* 28/50 ♁ – ☕ 8 – 6 ch 30/50.

VILLEFRANCHE-DE-LAURAGAIS 31290 H.-Gar. 82 ⑲ – 2 948 h. alt. 175 – ✆ 61.

Paris 739 – Auterive 26 – Castelnaudary 22 – Castres 56 – Gaillac 67 – Pamiers 40 – ♦Toulouse 33.

France, r. République ✆ 81.62.17 – wc ☎ – 80. AE E
◆ *fermé 7 au 28 juil. et lundi* – SC : **R** 33 bc/60 ♁ – ☕ 11 – **17 ch** 50/75 – P 100/120.

PEUGEOT Gar. Moderne, ✆ 81.60.41

VILLEFRANCHE-DE-ROUERGUE <SP> **12200** Aveyron 79 ⑳ **G. Causses** – 13 673 h. alt. 254 – ✆ 65 – **Voir Ancienne chartreuse St-Sauveur★** AB – **Place Notre Dame★** B – **Église Notre Dame★** B **E.**

ℹ Office de Tourisme Promenade de Guiraudet (fermé dim. après-midi) ✆ 45.13.18, Télex 530315.

Paris 618 ⑥ – Albi 72 ③ – Aurillac 103 ⑥ – Cahors 61 ④ – Montauban 73 ④ – Rodez 57 ⑥.

Lagarrigue ⛱, pl. H.-de-Ville ✆ 45.01.12 – wc wc ☎ . E — B **u**
fermé 15 janv. au 28 fév. – SC : **R** *(fermé dim. du 10 nov. au 10 avril)* 45/80 ♁ – ☕ 12,50 – 22 ch 58/130.

France sans rest, pl. J.-Jaurès ✆ 45.05.10 – wc wc ☎. GB — A **r**
SC : ☕ 9 – **22 ch** 60/90.

Terminus et Gare, ✆ 45.17.88 – wc wc ☎ — B **m**
◆ *avril-oct. et fermé lundi hors sais.* – SC : **R** 30/100 – ☕ 12 – 23 ch 50/100 – P 100/140.

Poste M, 45 r. Gén.-Prestat ✆ 45.13.91 – wc — B **a**
◆ SC : **R** 35/45 ♁ – ☕ 10 – **20 ch** 45/100 – P 80/100.

XX **Univers** (1er étage) avec ch (Annexe 🏨 M - 15 ch), pl. République ☎ 45.15.63 — |♦| ⇔wc ⋒wc ☎ B **s**
SC : **R** *(fermé sam. sauf du 8 juil. au 8 sept.)* 27/100 ♫ – ☕ 10 – 31 ch 42/120 – P 95/120.

au Farrou par ⑥ : 4 km ou par ① : 5 km – ✉ **12200** Villefranche-de-Rouergue :

XX **Relais de Farrou** avec ch, ☎ 45.18.11, ⛱ – ⋒ ℗.
fermé 15 au 28 fév. et lundi (sauf hôtel en juil. et août) – SC : **R** 28/45 ♫ – ☕ 9 – **12 ch** 40/70 – P 80/90.

à Martiel par ④ : 10 km rte de Cahors – ✉ **12200** Villefranche-de-Rouergue :

🏨 **Dolmens** M ⛰, ☎ 45.12.52, ⛱ – ⇔wc ⋒wc ☎ ℗
23 ch.

CITROEN Lizouret, rte de Toulonjac ☎ 45.01.74
FIAT, LADA, LANCIA-AUTOBIANCHI Gaubert Ch., rte de Montauban ☎ 45.19.65 N
PEUGEOT Gar. Solier, rte Montauban ☎ 45.19.46
PEUGEOT Boyer, 22 bd De-Gaulle ☎ 45.14.68
RENAULT Trebosc-Gaubert, rte de Cahors ☎ 45.21.83
RENAULT Gar. du Languedoc, ☎ 45.22.27
Central-Pneu, Les Plantades, rte Hte de Farrou ☎ 45.24.64
Rivet, 23 av. Vézian-Valette ☎ 45.14.67

VILLEFRANCHE-DU-PÉRIGORD

24550 Dordogne 75 ⑰ **G. Périgord** – 816 h. alt. 270 – ⊛ 53.

Syndicat d'Initiative à la Mairie (fermé sam. et dim.) ☎ 29.91.44.

Paris 582 – Bergerac 65 – Cahors 40 – Périgueux 84 – Sarlat-la-Canéda 45 – Villeneuve-sur-Lot 49.

🏠 **Commerce,** ☎ 29.90.11 – ⇔wc ⋒wc ☎.
fermé janv. et fév. – **R** 32/110 – ☕ 12 – **30 ch** 40/100 – P 145.

VILLEFRANCHE-SUR-CHER

41 L.-et-Ch. 64 ⑱ **G. Châteaux de la Loire** – 1 751 h. alt. 98 – ✉ **41200** Romorantin-Lanthenay – ⊛ 54.

Paris 205 – Blois 49 – Châteauroux 58 – Montrichard 48 – Romorantin-Lanthenay 8 – Vierzon 25.

XX **Croissant** avec ch, ☎ 98.41.18 – ▤ rest ⇔wc. GB. ✻
fermé 2 janv. au 1er fév., lundi d'oct. à mars et dim. soir – SC : **R** 35/80 – ☕ 9 – 7 ch 45/90.

XX **Les Deux Pierrots,** à St-Julien-sur-Cher au S : 1 km par D 922 ✉ 41320 Mennetou-sur-Cher ☎ 98.40.07 – GB
fermé fév., mardi soir et merc. – SC : **R** 37/85 ♫.

RENAULT Gar. du Cher, ☎ 98.42.29

VILLEFRANCHE-SUR-SAÔNE

SP **69400** Rhône 74 ① **G. Vallée du Rhône** – 30 696 h. alt. 191 – ⊛ 74.

Office de Tourisme (hors sais. après-midi seul. et fermé dim. sauf matin en sais.) et A.C. 290 r. Thizy ☎ 68.05.18.

Paris 435 ③ – Bourg-en-Bresse 51 ② – ♦Lyon 31 ③ – Mâcon 41 ③ – Roanne 75 ⑤.

Plan page ci-contre

🏨 **Plaisance** M, 96 av. Libération ☎ 65.33.52 – |♦| TV ⇔ ℗ – 🏊 50. AE ⓓ E
fermé 24 déc. au 2 janv. – SC : **R** voir rest la Fontaine bleue – ☕ 14 – **68 ch** 105/160. AZ **n**

Bourgogne, 91 r. Stalingrad ☎ 65.06.42 – ⇔wc ☎. GB BZ **f**
SC : **R** voir rest. Potinière – ☕ 10 – **22 ch** 48/83.

XXX **Aub. Faisan-Doré,** au Pont de Beauregard NE : 2,5 km par D 44 - BY- ☎ 65.01.66, ⛱ – ℗
fermé 3 au 24 août, dim. soir et lundi sauf fériés – SC : **R** 70/140.

XX **La Fontaine Bleue,** pl. Libération ☎ 68.10.37 – ℗. AE GB ⓓ. ✻ AZ **n**
fermé dim. soir et lundi midi hors sais. – SC : **R** 50/140 ♫.

XX **Le Cygne** avec ch, 73 r. Nationale ☎ 68.15.70 – ⇔wc ☎. BY **r**
fermé vacances de fév., lundi soir en hiver et mardi – **R** 40/100 ♫ – ☕ 12 – 7 ch 80/120.

X **La Colonne** avec ch, 6 pl.Carnot ☎ 65.43.69 – ⇔. ✻ ch BZ **a**
fermé 5 au 27 août, 24 déc. au 3 janv. et sam. – SC : **R** 32/80 – ☕ 9,50 – **14 ch** 40/75.

X **Potinière,** 79 r. Stalingrad ☎ 65.37.09 BZ **f**
SC : **R** 30/56 ♫.

à Chervinges par ⑤ : 3 km – ✉ **69400** Villefranche-sur-Saône :

🏨 **Château de Chervinges** ⛰, ☎ 65.29.76, Télex 380772, ≤, parc, 🏊 – |♦| ℗. AE GB ⓓ. ✻ rest
fermé déc. et janv. – SC : **R** *(fermé dim. soir et lundi)* 100/180 – 11 ch ☕ 250/300, 3 appartements 400.

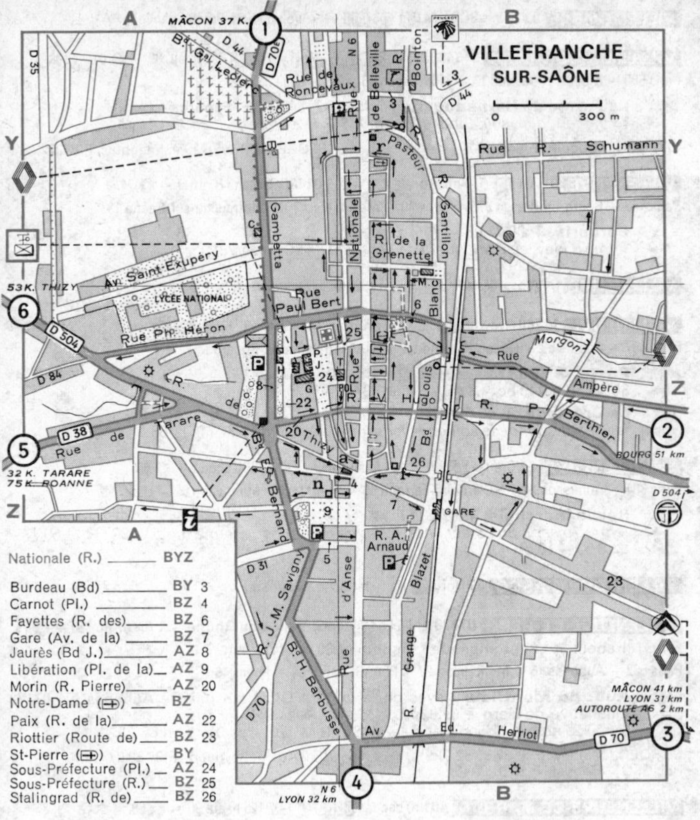

à Beauregard NE : 3 km par D 44 - BY – ✉ **01480** Jassans Riottier.

Voir Château de Flechères★ N : 3,5 km.

✗ **Aub. Bressane,** ☎ 65.93.92 – Ⓟ. AE GB
fermé 8 au 30 sept., 10 au 20 fév., mardi soir et merc. – SC : **R** 50/150.

Voir aussi ressources hôtelières de *Salles Arbuissonas en Beaujolais* NO : 11 km par D 35 - AY

AUSTIN, MORRIS, **OPEL,** TRIUMPH Brun-Autom., 246 r. V.-Hugo ☎ 65.51.30
BMW Sport-Gar., 996 r. Ampère ☎ 65.04.69
CITROEN Gar. Thivolle, 695 av. Th.-Braun ☎ 65.26.09 Ⓝ ☎ 65.27.10
FIAT, LANCIA-AUTOBIANCHI Gar. Unis, 361 r. d'Anse ☎ 65.14.00
FORD Gar. Gambetta, 595 av. Th.-Braun ☎ 65.04.06
PEUGEOT Nomblot, 1193 av. de l'Europe ☎ 65.22.50
RENAULT Autom. Caladoises, 19 av. E.-Herriot à Limas ☎ 65.33.02
RENAULT Débotte, 176 bd L.-Blanc ☎ 68.05.83
RENAULT Longin, 15 r. Bointon ☎ 65.25.66
RENAULT Gar. Momet, rte Tarare à Gleizé ☎ 65.26.74
TALBOT Mathias-Autom., 897 rte de Frans ☎ 65.54.11
TOYOTA Gar. Ferry, 113 av. de la Gare ☎ 65.41.75
Gar. du Nord, 83 r. Alger ☎ 65.42.09

Ⓜ Métifiot, av. de Joux, Zone Ind. Nord à Arnas ☎ 65.21.92
Piot-Pneu, Zone Ind., av. E.-Herriot ☎ 65.29.75
Tessaro-Pneus, 629 r. d'Anse ☎ 65.41.98

VILLEMEUX-SUR-EURE 28 E.-et-L. 60 ⑦ **G. Environs de Paris** – **956 h. alt. 90** – ✉ **28210** Nogent-le-Roi – ☎ 37.

Paris 90 – Chartres 31 – Dreux 11 – Rambouillet 31.

✗ **Aub. St-Pierre,** 98 Gde-Rue ☎ 82.30.20 – 60
fermé 14 au 31 juil. dim. soir et lundi – SC : **R** 48/65.

PEUGEOT Gar. Le Boucarnier, ☎ 82.40.68 Ⓝ
RENAULT Dupont, ☎ 82.30.39

VILLEMOMBLE 93 Seine-St-Denis 56 ⑪, 101 ⑱ – voir à Paris, Proche banlieue.

VILLEMUR-SUR-TARN 31340 H.-Gar. 82 ⑧ **G. Périgord** – 4 692 h. alt. 99 – 61.
Paris 680 – Albi 62 – Castres 73 – Montauban 26 – •Toulouse 33.

XX **La Ferme de Bernadou,** rte Toulouse ☏ 84.52.38, ≤, parc – P
fermé fév., dim. soir, lundi et mardi – SC : **R** 28/70.

CITROEN Vacquie, ☏ 84.51.60 PEUGEOT Terral, à Pechnauquié ☏ 84.54.73

VILLENEUVE 01 Ain 74 ① – 636 h. alt. 269 – ✉ **01480** Jassans Riottier – 74.
Paris 443 – Bourg-en-Bresse 37 – •Lyon 40 – Meximieux 42 – Villefranche-sur-Saône 13.

X **Barberis,** ☏ 00.71.05 – P
fermé 6 janv. au 6 fév., lundi soir et mardi – SC : **R** 30/78.

VILLENEUVE 04 Alpes-de-H.-P. 81 ⑮ – rattaché à Manosque.

VILLENEUVE 12260 Aveyron 79 ⑩ **G. Périgord** – 1 493 h. alt. 421 – 65.
Paris 607 – Cahors 63 – Figeac 25 – Rodez 54 – Villefranche-de-Rouergue 11.

Poste, ☏ 45.62.13 – wc
SC : **R** 30 bc/45 bc – 8 – 14 ch 40/70 – P 75/90.

X **La Crémade,** ☏ 45.61.10
fermé nov., lundi, le soir en hiver sauf sam. et dim. – SC : **R** 28/68.

La VILLENEUVE 23 Creuse 73 ② – 124 h. alt. 705 – ✉ **23260** Crocq – 55.
Paris 384 – Aubusson 24 – •Clermont-Ferrand 68 – Guéret 63 – Montluçon 62 – Ussel 55.

Relais Marchois, ☏ 67.23.17, – ch
fermé 15 sept. au 15 oct., hôtel : fermé dim. : rest. : fermé lundi – SC : **R** 28/60 – 8,50 – **10 ch** 40/72 – P 82/92.

VILLENEUVE D'ASCQ 59 Nord 51 ⑯ – rattaché à Roubaix.

VILLENEUVE-DE-BERG 07170 Ardèche 80 ⑨ **G. Vallée du Rhône** – 1 768 h. alt. 320 – 75.
Env. Mirabel : ☀★★, promenade★ au Bomier 30 mn N : 7 km.
Paris 632 – Aubenas 16 – Montélimar 27 – Pont-St-Esprit 54 – Privas 46.

XX **Aub. de Montfleury** avec ch, à la gare O : 4 km par rte Aubenas ✉ 07170 Villeneuve-de-Berg ☏ 37.82.73 – P.
fermé 29 nov. au 15 janv. et merc. – SC : **R** 45/120 – 9 – 5 ch 65/70.

CITROEN Mathevon, ☏ 37.81.32 N RENAULT Reynaud, ☏ 37.83.97
PEUGEOT Gabriel, ☏ 37.81.50 N

VILLENEUVE-DE-MARSAN 40190 Landes 82 ①② – 2 125 h. alt. 90 – 58.
Paris 681 – Aire-sur-l'Adour 21 – Auch 87 – Condom 64 – Mont-de-Marsan 17 – Roquefort 16.

✿ **Europe** (Garrapit), ☏ 58.20.08, – wc P – 100 à 300. GB
fermé 2 au 15 fév. – SC : **R** *(fermé jeudi d'oct. à fin mai)* 50/150 – 9,50 – 26 ch 60/120 – P 110/120
Spéc. Foie gras des Landes, Écrevisses au court bouillon, Cassoulet "Pour mes amis".

RENAULT Barrère, ☏ 58.22.27 TALBOT Delpu, ☏ 58.22.28 N

VILLENEUVE-DE-RIVIÈRE 31 H.-Gar. 85 ⑩ – rattaché à St-Gaudens.

VILLENEUVE-EN-MONTAGNE 71 S.-et-L. 69 ⑧ – 158 h. alt. 446 – ✉ **71390** Buxy – 85.
Paris 365 – Autun 46 – Chalon-sur-Saône 27 – Le Creusot 18 – Mâcon 77 – Montceau-les-Mines 24.

Aux 4 Vents, ☏ 47.98.01 –
fermé janv. et lundi – SC : **R** 27/56 – 8 – **10 ch** 40/60 – P 71.

VILLENEUVE-L'ARCHEVÊQUE 89190 Yonne 61 ⑮ **G. Bourgogne** – 1 321 h. alt. 111 – 86.
Paris 139 – Auxerre 55 – Nogent-sur-Seine 37 – Pont-sur-Yonne 32 – Sens 24 – Troyes 41.

Aub. des Vieux Moulins Banaux , ☏ 86.72.55, ≤, parc – wc P – 80.
fermé 15 nov. au 15 déc., 15 janv. au 15 fév. et merc. – SC : **R** 65 bc/32 – 10 – 17 ch 60/90 – P 120/140.

X **Relais Fleuri,** ☏ 86.70.52 – GB
fermé 5 au 19 oct., 1er au 15 fév., dim. soir en hiver et lundi – SC : **R** 48/60.

PEUGEOT Léger, à Molinons ☏ 86.71.66 TALBOT Gar. Louis, ☏ 86.76.97
RENAULT Talvat, à Molinons ☏ 86.71.13 N ☏ 86.73.37

VILLENEUVE-LA-SALLE 05 H.-Alpes 77 ⑧⑱ – voir à Serre-Chevalier.

VILLENEUVE-LE-COMTE 77174 S.-et-M. 61 ②, 96 ⑳ G. Environs de Paris – 1 134 h. alt. 126 – ✪ 6.

Paris 43 – Lagny-sur-Marne 12 – Meaux 21 – Melun 39.

✕ **La Vieille Auberge,** 11 av. Gén.-de-Gaulle ☏ 025.00.35
fermé vacances de Noël, lundi soir, mardi soir et merc. – SC : **R** 61/130.

VILLENEUVE-LÈS-AVIGNON 30400 Gard 81 ⑪⑫ G. Provence (plan) – 8 977 h. alt. 24 – ✪ 90 (Vaucluse).

Voir Fort St-André★ : ≤★★ U – Tour Philippe-le-Bel ≤★★ U **F** – Vierge en ivoire★★ dans la sacristie de l'église U **D** – Couronnement de la Vierge★★ au musée municipal U **M** – Chartreuse du Val-de-Bénédiction★ U **R** – Abbaye St-André : ≤★ de la terrasse U.

Office de Tourisme, Tour Philippe le Bel ☏ 25.03.79 et à la Mairie (fermé sam. et dim.) ☏ 25.42.03.

Paris 690 ② – Avignon 3 – Nîmes 44 ⑥ – Orange 22 ⑦ – Pont-St-Esprit 43 ⑥.

Plan : voir à Avignon

✿ **Le Prieuré** ⊗, pl. du Chapitre ☏ 25.18.20, Télex 431042, parc, « Sous les ombrages d'un vieux prieuré », ⛱, ✕ – ▤ ch TV ☎ P – 50. AE GB E. ✕ rest U **t**
3 mars-1er nov. – SC : **R** carte 145 à 190 – ☕ 25 – **11 ch** 220/360.

l'Atrium M – ▤ ch TV ☎ ♿
3 mars-1er nov. – SC : ☕ 25 – **11 ch** 280/480, 6 appartements
Spéc. Foie gras de canard, Sole au plat, Carré d'agneau rôti. Vins Châteauneuf du Pape blanc, Cairanne.

La Magnaneraie M ⊗, 37 r. Camp-de-Bataille ☏ 25.11.11, ⛱, ✕, ✕ – wc wc ☎ P – 30. AE GB U **b**
fermé 15 janv. au 1er mars – SC : **R** 80/120 – ☕ 16 – 21 ch 100/300 – P 240/340.

Atelier sans rest, 5 r. Foire ☏ 25.01.84, « Maison 16e s., patio » – wc wc ☎. GB U **e**
fermé 4 janv. au 4 fév. – SC : ☕ 11 – **20 ch** 85/160.

Résidence Les Cèdres ⊗ sans rest, à Bellevue 39 bd Pasteur ✉ 30400 Villeneuve-lès-Avignon ☏ 25.43.92, ⛱, ✕ – wc wc ☎ P. GB U **a**
SC : ☕ 13 – **23 ch** 80/160.

Coya sans rest, pt d'Avignon ☏ 25.52.29 – wc wc ☎ P. ✕ U **h**
fermé 15 déc. au 2 janv. et dim. en hiver – SC : ☕ 12 – **23 ch** 65/110.

CITROEN Gar. Chanchou, 15 av. F. Mistral ☏ 81.56.97 — Gar. Roux, av. G.-Péri ☏ 81.56.51

VILLENEUVE-LOUBET 06270 Alpes-Mar. 84 ⑨, 195 ㉕ G. Côte d'Azur – 6 870 h. – ✪ 93.

Voir Musée de l'Art culinaire★ (fondation Auguste Escoffier) Y **M2**.

Paris 922 ⑤ – Antibes 12 ④ – Cagnes-sur-Mer 3 – Cannes 23 ⑤ – Grasse 23 ⑥ – ♦Nice 16 ③ – Vence 12 ①.

Voir plan de Cagnes-sur-Mer-Villeneuve-Loubet-Haut de Cagnes

✕✕ **La Bonne Soupe,** 11 r. Mesures ☏ 20.93.16 Y **e**
fermé nov. et dim. – **R** (dîner seul.) 75.

à Villeneuve-Loubet-Plage :

Baie des Anges, rte bord de mer ☏ 20.08.54, ≤, ⛱ – cuisinette wc wc ☎ P. AE Z **t**
SC : **R** 30/90 ⅛ – ☕ 10 – **28 ch** 145/190.

Syracuse M sans rest, chemin de la Batterie ☏ 20.45.09, ≤, ⛱ – cuisinette wc wc ☎ P. ✕ Z **x**
SC : ☕ 14 – **27 ch** 195.

L'Étoile de Mer M sans rest, chemin de la Batterie ☏ 20.33.09, ≤ – cuisinette wc wc ☎ P Z **x**
22 ch.

Pétanque sans rest, N 98 ☏ 20.07.05 – cuisinette wc wc ☎ P. ✕ Z **w**
SC : ☕ 15 – **30 ch** 95/170.

Palerme sans rest, chemin de la Batterie ☏ 20.16.07, ✕ – cuisinette wc ☎ P. Z **d**
SC : ☕ 9,50 – **38 ch** 100/165.

Baléares sans rest, sur N 7 ☏ 20.91.07 – cuisinette wc P Z **k**
fermé 15 au 30 nov. – SC : ☕ 9,50 – **18 ch** 95/130.

✕✕ **Singe Nu,** chemin Batterie ☏ 20.40.53, ≤, ⛱ – P Z **x**
fermé 1er au 15 déc., 15 au 31 janv. et merc. – **R** 33/100 ⅛.

VILLENEUVE-SOUS-CHARIGNY 21 Côte-d'Or 65 ⑱ – rattaché à Semur-en-Auxois.

VILLENEUVE-ST-GEORGES 94 Val-de-Marne 61 ①, 101 ㉗㊲ – voir à Paris, Proche banlieue.

VILLENEUVE-SUR-LOT <SP> **47300** L.-et-G. **79** ⑤ **G. Périgord** – 23 046 h. alt. 55 – ⚙ 58.

ℹ Office de Tourisme Théâtre G. Leygues (1er avril-30 sept. et fermé lundi matin) ☎ 70.31.37.

Paris 612 ① – Agen 29 ⑤ – Bergerac 60 ① – ♦Bordeaux 142 ⑥ – Brive-la-Gaillarde 144 ③ – Cahors 75 ③ – Libourne 110 ⑥ – Mont-de-Marsan 123 ⑥ – Pau 183 ⑥.

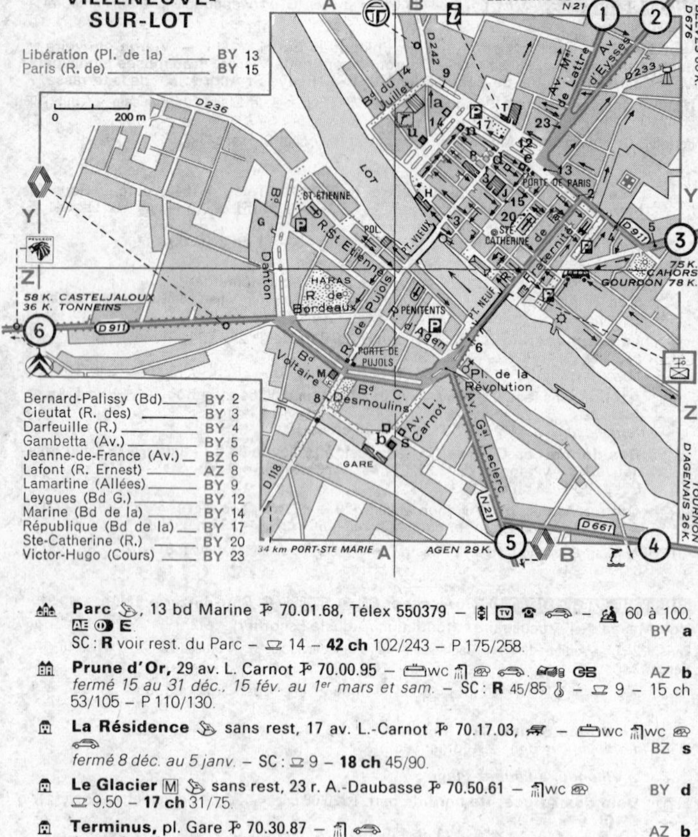

▲ **Parc** ♨, 13 bd Marine ☎ 70.01.68, Télex 550379 – 🛗 📺 ☎ 🚗 – 🏛 60 à 100. **AE** ⓓ **E** BY **a**
SC : **R** voir rest. du Parc – ☕ 14 – **42 ch** 102/243 – P 175/258.

▲ **Prune d'Or,** 29 av. L. Carnot ☎ 70.00.95 – 🛁wc 🚿 ☎ 🚗. **GB** AZ **b**
fermé 15 au 31 déc., 15 fév. au 1er mars et sam. – SC : **R** 45/85 🍷 – ☕ 9 – 15 ch 53/105 – P 110/130.

▲ **La Résidence** ♨ sans rest, 17 av. L.-Carnot ☎ 70.17.03, – 🛁wc 🚿wc ☎ 🚗 BZ **s**
fermé 8 déc. au 5 janv. – SC : ☕ 9 – **18 ch** 45/90.

▲ **Le Glacier** Ⓜ ♨ sans rest, 23 r. A.-Daubasse ☎ 70.50.61 – 🚿wc ☎ BY **d**
☕ 9,50 – **17 ch** 31/75.

▲ **Terminus,** pl. Gare ☎ 70.30.87 – 🚿 🚗 AZ **b**
◆ *fermé 2 au 31 janv.* – SC : **R** *(fermé lundi)* 32/50 🍷 – ☕ 8,50 – **19 ch** 36/46.

▲ **Les Platanes** sans rest, 40 bd Marine ☎ 70.01.29 – 🚿 ☎ BY **n**
fermé 1er au 8 janv. – SC : ☕ 9 – **22 ch** 41/121.

▲ **Tortoni** sans rest, bd G.-Leygues ☎ 70.04.02 – 🚿. BY **e**
SC : ☕ 9 – **10 ch** 42/55.

✕✕ **Parc,** bd Marine ☎ 70.07.64 – **AE** ⓓ **E** BY **a**
fermé 15 déc. au 15 janv. et sam. hors sais. – SC : **R** 56/80.

✕✕ **Host. du Rooy,** chemin de Labourdette par ④ ☎ 70.48.48 – Ⓟ. **GB** ⓓ
fermé fév. et merc. – **R** 45/130.

✕ **Normandy,** 5 pl. Marine ☎ 70.36.09 BY **u**
◆ *fermé lundi* – SC : **R** 32/130 🍷.

à Pujols-Vieux-Village SO : 4 km par D 118 et CC 207 - AZ – ✉ **47300** Villeneuve-sur-Lot :

✕✕ **La Toque Blanche** ♨, lieu-dit Bel Air, ≤ – Ⓟ
SC : **R** 45/140.

✕✕ **Aub. Lou Calel,** ☎ 70.46.14, ≤ Villeneuve – Ⓟ
fermé 1er au 10 sept., 2 janv. au 2 fév. et dim. soir au mardi midi – SC : **R** (prévenir) 70/75.

AUSTIN, JAGUAR, MORRIS, ROVER, TRIUMPH Lalaurie, rte de Fumel ₮ 70.07.29
BMW, OPEL Lompech, bd Voltaire ₮ 70.24.61 N
CITROEN Auto-Vallée du Lot, rte Bordeaux à Bias ₮ 70.16.44
FORD Autom. Villeneuvoise, 17 av. d'Agen ₮ 70.01.03
PEUGEOT Gar. de Bordeaux, rte Bordeaux à Bias ₮ 70.01.04
RENAULT Villeneuve-Auto, 33 av. d'Agen ₮ 70.32.87
RENAULT Gouillon, 19 av. de Bordeaux ₮ 70.03.03
TALBOT Gar. Central Villeneuvois, 7 rte de Casseneuil ₮ 70.00.50
TOYOTA Gar. Franco, 68 av. de Fumel ₮ 70.14.54

Stat. Moderne du Pneu, 7 av. de Bordeaux ₮ 70.65.75

VILLENEUVE-SUR-YONNE 89500 Yonne 61 ⑭ **G. Bourgogne** (plan) – 4 810 h. alt. 74 – 86.

Syndicat d'Initiative 4 r. Carnot (juin-sept., fermé matin sauf sam. dim.) ₮ 87.20.73.

Paris 134 – Auxerre 44 – Joigny 17 – Montargis 45 – Nemours 57 – Sens 13 – Troyes 72.

XX **Dauphin avec ch, r. Carnot ₮ 87.18.55** – wc. E.
fermé Noël, vacances de fév., dim. soir et lundi du 1er oct. au 31 mars – SC : **R** 45/105 – 11 – 10 ch 49/140.

X **La Boursine** avec ch, N : 1 km sur N 6 ₮ **87.14.26**, –
fermé oct., lundi soir et mardi – SC : **R** 38/68 – 10 – 8 ch 50/60.

CITROEN Gar. Desmurs, ₮ 87.18.21 N
PEUGEOT Lesellier, ₮ 87.04.24
RENAULT Paille, ₮ 87.02.23

VILLENEUVE TOLOSANE 31 H.-Gar. 82 ⑰ – rattaché à Toulouse.

VILLEQUIER 76 S.-Mar. 55 ⑤ **G. Normandie** – 752 h. – ✉ **76490** Caudebec-en-Caux – 35.

Voir Site★ – Musée Victor-Hugo★.

Paris 171 – Bourg-Achard 27 – Lillebonne 16 – ♦Rouen 41 – Yvetot 17.

Domaine de Villequier ₮ 96.10.12, Télex 190953, ← vallée de la Seine, parc – – 30 à 60. AE GB E
SC : **R** 95 bc/160 – 22 – **28 ch** 160/300, 3 appartements 500 – P 340/360.

XX **Gd Sapin,** ₮ 96.11.56, « Terrasse au bord de Seine », – . GB
fermé 15 janv. au 5 fév. et merc. de nov. à mars – SC : **R** 40/60.

VILLERAY 61 Orne 60 ⑮ – rattaché à Nogent-le-Rotrou.

VILLEREAL 47210 L.-et-G. 75 ⑮ **G. Périgord** – 1 359 h. alt. 103 – 58.

Paris 587 – Agen 59 – Bergerac 35 – Castillonnès 13 – Fumel 33 – Lalinde 30 – Villeneuve-sur-Lot 30.

Europe, ₮ 36.00.35 –
fermé oct. – SC : **R** 30 bc/70 bc – 10 – **11 ch** 40/65 – P 80/100.

CITROEN Gar. Leroux, ₮ 41.50.10
FIAT Gar. Miraben, ₮ 36.02.84
FORD Gar. Beyris, ₮ 36.00.39 N
RENAULT Gar. Mayet et Lagarde, ₮ 36.00.33
Plaisance-Gar., ₮ 36.00.02

VILLEREVERSURE 01 Ain 74 ③ – rattaché à Ceyzeriat.

VILLERS-BOCAGE 14310 Calvados 54 ⑮ **G. Normandie** – 2 321 h. alt. 140 – 31.

Syndicat d'Initiative pl. Petit Marché (15 juin-15 sept., fermé dim. après-midi et lundi matin) ₮ 77.16.14.

Paris 265 – Argentan 70 – Avranches 75 – Bayeux 25 – ♦Caen 25 – Flers 43 – St-Lô 35 – Vire 34.

Trois Rois, rte Vire ₮ 77.00.32, – . GB. ch
fermé 29 juin au 6 juil., fév., dim. soir hors sais. et lundi – SC : **R** 38/150 – 12 – 15 ch 45/75.

CITROEN Gar. Huet, ₮ 77.00.24
PEUGEOT David, ₮ 77.00.33
RENAULT Gar. Sénétaire, ₮ 77.00.51
TALBOT Gar. Duthé, ₮ 77.00.81 N

VILLERS-COTTERÊTS 02600 Aisne 56 ③ ⑬ **G. Environs de Paris** – 8 978 h. alt. 133 – 23.

Voir Grand escalier★ du château – Forêt de Retz★ B **– Vallée de l'Automne★ 5 km par** ⑤.

Paris 75 ⑤ – Compiègne 29 ① – Laon 58 ② – Meaux 42 ④ – Senlis 38 ⑤ – Soissons 23 ②.

Plan page suivante

Régent , 26 r. Gén.-Mangin ₮ 96.01.46 – TV . GB — A r
fermé 1er au 15 fév. – SC : **R** voir rest. du Commerce – 12 – **15 ch** 75/150.

XX **Commerce** avec ch, 17 r. Gén.-Mangin ₮ 96.19.97 – . GB — A r
fermé 15 janv. au 15 fév. – SC : **R** (dim. prévenir) 45/90 – 9,50 – **8 ch** 40/55 – P 95/105.

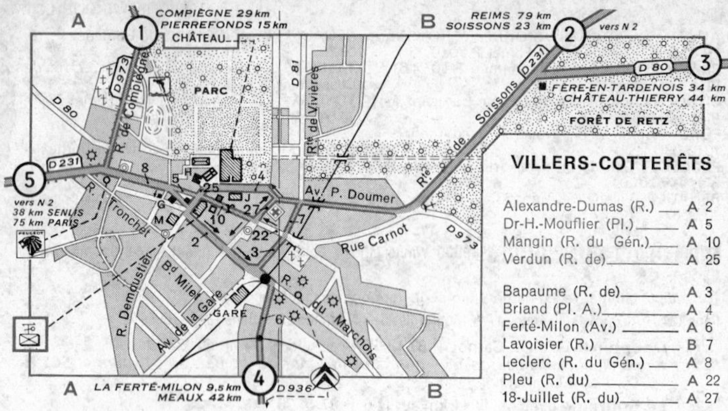

VILLERS-COTTERÊTS

Alexandre-Dumas (R.) ___ A 2
Dr-H.-Mouflier (Pl.) ___ A 5
Mangin (R. du Gén.) ___ A 10
Verdun (R. de) ___ A 25

Bapaume (R. de) ___ A 3
Briand (Pl. A.) ___ A 4
Ferté-Milon (Av.) ___ A 6
Lavoisier (R.) ___ B 7
Leclerc (R. du Gén.) ___ A 8
Pleu (R. du) ___ A 22
18-Juillet (R. du) ___ A 27

CITROEN Gar. des Sablons, 52 av. de la Ferté-Milon ☎ 96.04.96
CITROEN Molicard-Genestier, impasse du Marchois ☎ 96.04.63
PEUGEOT Féry, 75 r. Gén.-Leclerc ☎ 96.19.64
Gar. Salabay, 42 rte de la Ferté-Milon ☎ 96.17.40

Fischbach, 2 pl. Dr-Mouflier ☎ 96.13.64

CONSTRUCTEUR : Volkswagen-France, à Pisseleux, par D 81 (S du plan) ☎ **96.08.03**

VILLERSEXEL 70110 H.-Saône 66 ⑥⑦ – 1 483 h. alt. 265 – ✪ 84.

Paris 388 – Belfort 40 – ♦Besançon 61 – Lure 18 – Montbéliard 37 – Vesoul 26.

Terrasse, ☎ 20.52.11, – wc **P**. GB
fermé fév. – SC : **R** *(fermé vend.)* 30/110 – 9 – **18 ch** 50/90 – P 75/100.

VILLERS-LE-LAC 25130 Doubs 70 ⑦ – 4 428 h. alt. 746 – ✪ 81.

Voir Saut du Doubs* – Lac de Chaillexon**, G. Jura.**

Syndicat d'Initiative r. Berçot (25 juin-10 sept. et fermé dim. après-midi) ☎ 43.00.98.

Paris 482 – ♦Bâle 122 – ♦Besançon 70 – La Chaux-de-Fonds 16 – Morteau 6 – Pontarlier 37.

France, ☎ 43.00.06, Collection de montres anciennes – wc **P**. AE ⓓ
1er fév.-31 oct. – SC : **R** *(fermé dim. soir et lundi)* 40/120 – 13 – **14 ch** 85/110.

PEUGEOT Gar. Franco-Suisse, les Terres Rouges ☎ 43.03.47 N

VILLERS-LES-POTS 21 Côte-d'Or 66 ⑬ – rattaché à Auxonne.

VILLERS-SEMEUSE 08 Ardennes 53 ⑲ – rattaché à Charleville-Mézières.

VILLERS-SUR-MER 14640 Calvados 55 ③ **G. Normandie** – 1 773 h. alt. 38 – Casino – ✪ 31.

Office de Tourisme pl. Mermoz (1er juin-10 sept.) ☎ 87.01.18 et à la Mairie (fermé sam. et dim.) ☎ 87.00.54.

Paris 214 – Cabourg 11 – ♦Caen 35 – Deauville-Trouville 8 – Lisieux 29 – Pont-l'Évêque 19.

Bonne Auberge, ☎ 87.04.64, ←, – wc wc **P**. rest
15 mars-fin sept., week-ends d'oct., Toussaint et 11 nov. – SC : **R** carte 80 à 115 – 14 – 26 ch 170/230 – P 200/250.

Frais Ombrages (annexe M), 38 av. Brigade Piron ☎ 87.40.38, – TV wc wc.
1er fév.-15 nov. et fermé mardi soir, merc., jeudi hors sais. – SC : **R** 50/85 – 13,50 – 13 ch 95/190 – P 165/210.

VILLERVILLE 14113 Calvados 55 ③ **G. Normandie** – 722 h. alt. 45 – ✪ 31.

Syndicat d'Initiative r. Mar.-Leclerc (fermé oct. et jeudi) ☎ 87.21.49.

Paris 212 – ♦Caen 49 – Deauville-Trouville 5,5 – Honfleur 9,5.

Bellevue, rte Honfleur ☎ 87.20.22, ←, – wc **P**.
15 mars-15 nov. – SC : **R** 75 – 10,50 – 20 ch 71/151 – P 116/158.

XX **Manoir de Grand Bec** avec ch, SO : 2 km sur D 513 ☎ 88.09.88, ←, « Jardin avec belle vue sur mer » – wc **P**.
SC : **R** *(fermé jeudi hors sais.)* 70/150 – 16 – 10 ch 90/200 – P 235/275.

RENAULT Gar. Moderne, ☎ 87.21.13

La VILLETELLE 23260 Creuse 73 ① – 224 h. alt. 654 – ✪ 55.

Paris 385 – •Clermont-Ferrand 75 – Guéret 59 – •Limoges 106 – Montluçon 63 – Ussel 53.

XX **Relais de la Villetelle** avec ch, ☎ 67.44.76, « Demeure ancienne » – wc
fermé janv., fév. et merc. – SC : **R** 30/42 – 12 – **5 ch** 100.

VILLEURBANNE 69 Rhône 74 ⑪⑫ – rattaché à Lyon.

VILLEVALLIER 89127 Yonne 61 ⑭ – 305 h. – ✪ 86.

Paris 135 – Auxerre 36 – Montargis 46 – Sens 21 – Troyes 80.

Pavillon Bleu, ☎ 63.12.22, – wc – 50 à 150. AE
fermé 15 au 30 nov. et 15 au 28 fév. – SC : **R** *(fermé lundi)* 35/85 – 12 – **22 ch** 60/100 – P 135.

Forêt d'Othe, N 6 ☎ 63.11.89 – wc . GB
fermé 20 déc. au 10 janv., dim. soir et lundi de sept. à Pâques – **R** carte 90 à 135 – 25 – 10 ch 125/175 – P 250/350.

VILLIERS-SUR-MORIN 77 S.-et-M. 56 ⑫ – 833 h. alt. 53 – ✉ **77580** Crécy-la-Chapelle – ✪ 6.

Paris 45 – Coulommiers 17 – La Ferté-sous-J. 24 – Fontenay-Trésigny 17 – Meaux 13 – Melun 43.

X Clef des Champs avec ch, ☎ 004.92.12
16 ch.

VIMOUTIERS 61120 Orne 55 ⑬ **G. Normandie** – 5 126 h. alt. 100 – ✪ 33.

Syndicat d'Initiative à la Mairie (fermé sam. après-midi et dim.) ☎ 39.09.10.

Paris 184 – L'Aigle 43 – Alençon 63 – Argentan 31 – Bernay 38 – •Caen 56 – Falaise 37 – Lisieux 27.

Soleil d'Or, 16 pl. Mackau ☎ 39.07.15 – . rest
fermé 20 déc. au 16 janv. – SC : **R** *(fermé merc. sauf fériés)* 32/60 – 10 – 22 ch 40/60 – P 90/110.

La Couronne, 7 r. 8-Mai ☎ 39.03.04 – .
fermé fév. et mardi – SC : **R** 28/53 – 10 – **15 ch** 47/64 – P 70/83.

X **Escale de Vitou,** rte Argentan ☎ 39.12.04
fermé janv., dim. soir et lundi – **R** 28 (sauf sam. soir)/110.

CITROEN Goubin, ☎ 39.01.95
PEUGEOT Noël-Gérard, ☎ 39.00.27
RENAULT Bertolini, ☎ 39.04.00
TALBOT Letourneur, ☎ 39.03.65

VINAY 51 Marne 56 ⑯ – rattaché à Épernay.

VINCENNES 94 Val-de-Marne 56 ⑪, 101 ⑰ – voir à Paris, Proche banlieue.

VINCEY 88450 Vosges 62 ⑮ – 2 284 h. alt. 296 – ✪ 29.

Paris 351 – Épinal 22 – •Nancy 49 – Neufchâteau 62.

Relais de Vincey, ☎ 67.40.11 – wc wc .
fermé août et sam. – SC : **R** 42/85 – 10 – **23 ch** 45/100 – P 100/140.

VINON-SUR-VERDON 83 Var 84 ④ – 1 832 h. alt. 284 – ✉ **83560** Rians – ✪ 92 (Alpes-de-H.-P.).

Paris 779 – Aix-en-Provence 43 – Brignoles 57 – Castellane 88 – Cavaillon 75 – Draguignan 75.

Le Colombier, E : 1,5 km sur D 952 ☎ 78.81.11, – wc
15 janv.-31 oct. – SC : **R** *(fermé sam.)* 30/35 – 8 – 13 ch 40/72 – P 100/104.

XX **Relais des Gorges** avec ch, ☎ 78.80.24 – wc
20 oct. au 12 nov. et 22 déc. au 3 janv. – SC : **R** 35/80 – 9 – **13 ch** 70/90 – P 104/114.

RENAULT Gar. Ramu, ☎ 78.80.35

VIOLAY 42780 Loire 73 ⑱ – 1 344 h. alt. 820 – ✪ 74.

Paris 478 – •Lyon 54 – Montbrison 54 – Roanne 43 – •St-Étienne 67 – Thiers 82.

Perrier, pl. Église ☎ 63.91.01 – wc wc . .
fermé 10 janv. au 10 fév. – SC : **R** *(fermé sam. en hiver)* 35/100 – 10 – **15 ch** 40/90 – P 90/120.

RENAULT Blein, ☎ 63.90.62 N

Aimer la nature,

c'est respecter la pureté des sources, la propreté des rivières, des forêts, des montagnes...

c'est laisser les emplacements nets de toute trace de passage.

VIRE <SP> 14500 Calvados 59 ⑨ **G. Normandie** – 13 740 h. alt. 134 – ⚙ 31.

🅸 Office de Tourisme square Résistance (fermé dim. sauf matin en saison) ☎ 68.00.05.

Paris 270 ④ – ♦Caen 59 ① – Flers 31 ④ – Fougères 67 ⑤ – Laval 105 ④ – St-Lô 39 ①.

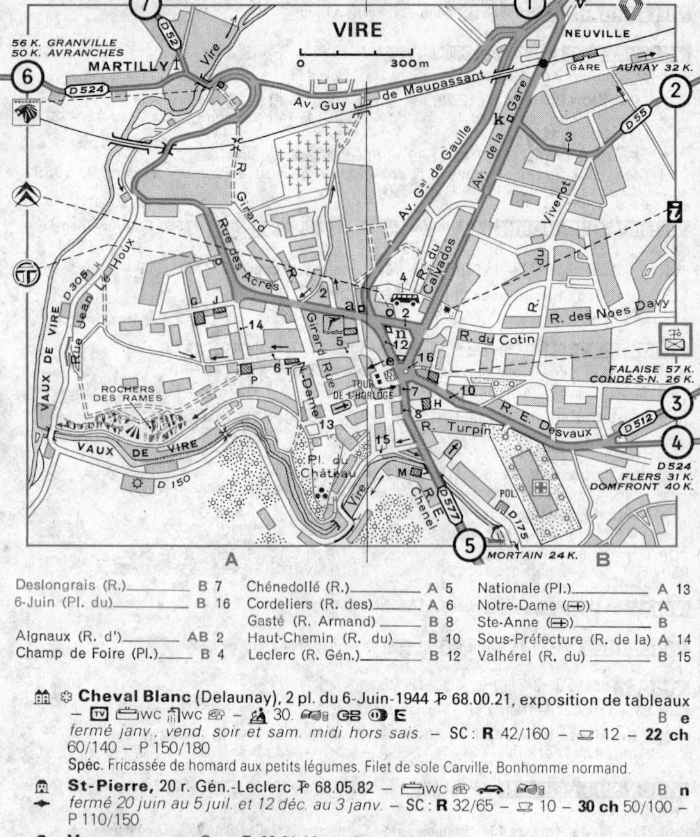

Deslongrais (R.)	B	7	Chénedollé (R.)	A	5	Nationale (Pl.)	A	13
6-Juin (Pl. du)	B	16	Cordeliers (R. des)	A	6	Notre-Dame (⊕)	A	
			Gasté (R. Armand)	B	8	Ste-Anne (⊕)	B	
Aignaux (R. d')	AB	2	Haut-Chemin (R. du)	B	10	Sous-Préfecture (R. de la)	A	14
Champ de Foire (Pl.)	B	4	Leclerc (R. Gén.)	B	12	Valhérel (R. du)	B	15

Cheval Blanc (Delaunay), 2 pl. du 6-Juin-1944 ☎ 68.00.21, exposition de tableaux – TV wc wc ☎ – 🚣 30. GB E — B **e**
fermé janv., vend. soir et sam. midi hors sais. – SC : **R** 42/160 – ☕ 12 – **22 ch** 60/140 – P 150/180
Spéc. Fricassée de homard aux petits légumes, Filet de sole Carville, Bonhomme normand.

St-Pierre, 20 r. Gén.-Leclerc ☎ 68.05.82 – wc ☎ 🚗. — B **n**
fermé 20 juin au 5 juil. et 12 déc. au 3 janv. – SC : **R** 32/65 – ☕ 10 – **30 ch** 50/100 – P 110/150.

Voyageurs, av. Gare ☎ 68.01.16 – wc 🚗 Ⓟ — B **k**
SC : **R** 27/85 🌡 – ☕ 13 – **16 ch** 45/95.

France, 4 r. Aignaux ☎ 68.00.35 – ☎ — A **a**
fermé en janv. – SC : **R** 27/70 🌡 – ☕ 10 – 10 ch 45/100.

Roger avec ch, rte Caen ☎ 68.01.25 – ☎ Ⓟ. — B **v**
SC : **R** *(fermé août et sam.)* 30/70 – ☕ 11 – **8 ch** 44/77.

Pomme d'Or, par ④ : 3 km ☎ 68.07.71 – Ⓟ. GB
fermé 4 au 18 août, 2 au 16 fév. et mardi – SC : **R** 45/90.

AUDI-VOLKSWAGEN Gar. Lemauviel, 12 rte d'Aunay ☎ 68.00.78
CITROEN Gar. Foucault, pl. du Champ de Foire ☎ 68.08.55 N
FIAT Onésime, rte de Caen ☎ 68.09.98
FORD Gar. Thibaut, rte de Caen ☎ 68.01.59
PEUGEOT Gournay, 19 rte de Granville ☎ 68.11.86
RENAULT Guilbert, rte de Caen ☎ 68.02.33
TALBOT Gar. Bonnesoeur, 1 r. Octave-Gréard ☎ 68.03.81
Gar. Buil.-Arau, 1 r. E.-Desvaux ☎ 68.01.46
Gar. Prunier, rte de Caen ☎ 68.33.87
Vire-Pneus, 28 rte d'Aunay ☎ 68.26.75

VIRIEU-LE-GRAND 01510 Ain 74 ④ – 874 h. alt. 267 – ⚙ 79.

Paris 496 – Aix-les-Bains 39 – Annecy 67 – Belley 12 – Bourg-en-B. 70 – Meximieux 55 – Nantua 52.

Michallet, ☎ 87.80.97 – wc ☎ 🚗 Ⓟ. ch
fermé 15 sept. au 5 oct. et vend. – SC : **R** 35/140 🌡 – ☕ 12 – 10 ch 55/100 – P 100/110.

PEUGEOT Belmondy, ☎ 87.82.76 N

VIRIVILLE 38980 Isère 77 ③ – 1 221 h. alt. 360 – 74.

Paris 534 – La Côte-St-André 15 – •Grenoble 56 – Romans-sur-Isère 45 – St-Marcellin 29 – Vienne 43.

- **Bonnoit**, ☎ 20.48.95, – wc wc ☎ P. .
  SC : **R** 40/185 – 10 – **17 ch** 70/100 – P 100/150.

VIROFLAY 78 Yvelines 60 ⑩, 96 ⑯ – voir à Paris, Proche banlieue.

VIROLLET 79 Deux-Sèvres 72 ①② – ✉ **79360** Beauvoir-sur-Niort – 49.

Paris 417 – Niort 24 – Poitiers 87 – La Rochelle 63 – St-Jean d'Angely 32.

- X **Aub. des Cèdres** avec ch, ☎ 09.60.53 – P – 30. . ch
  fermé 18 au 23 oct., janv., fév. et lundi – SC : **R** 33/77 – 8 – **4 ch** 50/90 – P 90/100.

VIRONVAY 27 Eure 55 ⑰ – rattaché à Louviers.

VIRY 71 S.-et-L. 69 ⑱ – rattaché à Charolles.

VIRY-CHATILLON 91 Essonne 61 ①, 101 ㊱ – voir à Paris, Proche banlieue.

VITRAC 24 Dordogne 75 ⑰ – 622 h. alt. 150 – ✉ **24200** Sarlat-la-Canéda – 53.

Voir Site★ du château de Montfort NE : 2 km – Cingle de Montfort★ NE : 3,5 km, G. Périgord.

Paris 544 – Cahors 54 – Gourdon 22 – Lalinde 52 – Périgueux 73 – Sarlat-la-Canéda 7.

- **Plaisance,** au port ☎ 28.33.04, ≤ – wc P
  1er fév.-30 nov. – SC : **R** 32/150 – 10 – 38 ch 55/130 – P 100/130.

à Caudon-de-Vitrac E : 3 km – ✉ **24200** Sarlat :

- X **La Ferme,** ☎ 28.33.35 – P
  fermé oct. et lundi – SC : **R** 39/90.

au Pech de Malet E : 3 km – ✉ **24200** Sarlat :

- **Le Pech de Malet**, ☎ 28.33.38, ≤, – wc P. . rest
  Pâques-30 sept. – SC : **R** 28/80 – 10 – **14 ch** 65/80 – P 86/110.

VITRÉ 35500 I.-et-V. 59 ⑱ **G. Bretagne** – 12 883 h. alt. 90 – 99.

Voir Château★★ : tour de Montalifant ≤★ – Rue Beaudrairie★★ – ≤★★ de la D 178 et ≤★★ de la N 157 AY – Tertres noirs ≤★★ AY – Église N.-Dame★ – Remparts★ – Jardin public★ BZ.

Env. Champeaux : place★, stalles★ et vitraux★ de l'église 9 km par ⑤.

Office de Tourisme place St-Yves (fermé sam. et dim. hors sais.) ☎ 75.04.46.

Paris 322 ② – Châteaubriant 51 ④ – Fougères 29 ⑥ – Laval 37 ② – •Rennes 36 ⑤.

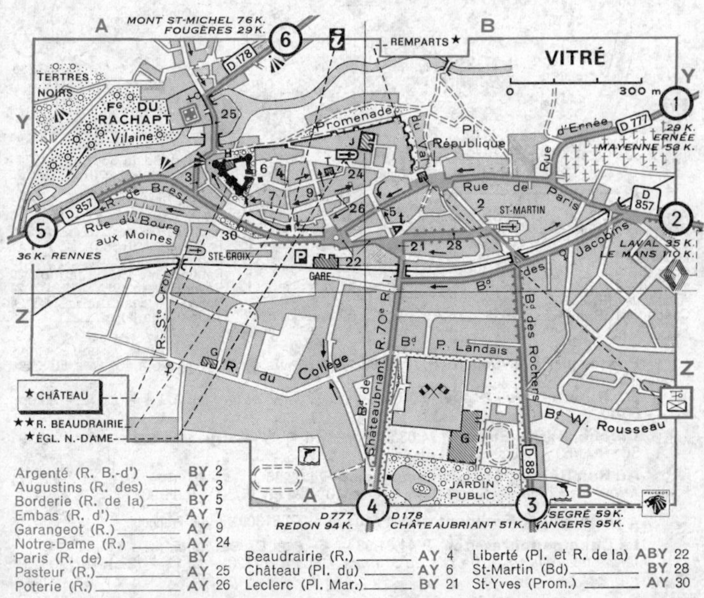

Argenté (R. B.-d')	BY	2
Augustins (R. des)	AY	3
Borderie (R. de la)	BY	5
Embas (R. d')	AY	7
Garangeot (R.)	AY	9
Notre-Dame (R.)	AY	24
Paris (R. de)	BY	
Pasteur (R.)	AY	25
Poterie (R.)	AY	26
Beaudrairie (R.)	AY	4
Château (Pl. du)	AY	6
Leclerc (Pl. Mar.)	BY	21
Liberté (Pl. et R. de la)	ABY	22
St-Martin (Bd)	BY	28
St-Yves (Prom.)	AY	30

Petit-Billot, 5 pl. Mar.-Leclerc ☏ 75.02.10 – ⌂wc ⌂wc ☎ 🚗. 🚫 BY **t**
fermé 15 déc. au 15 janv., vend. soir et sam. midi – **SC** : **R** 40/58 🍷 – ☕ 12 – 23 ch 45/130.

PEUGEOT Gar. Gendry, Rocade de l'Avenir ☏ 75.00.57
RENAULT Gar. des Jacobins, rte de Laval ☏ 75.00.53

Garage Pautonnier, 115 bd de Laval ☏ 75.23.19 **N**

Jollive, 4 bd Chateaubriand ☏ 75.17.75

VITROLLES **13** B.-du-R. **84** ② – rattaché à Marignane.

*Voyagez « **hors saison** »,*
vous vous logerez plus facilement et serez mieux servi.

VITRY-LE-FRANÇOIS **51300** Marne **61** ⑧ **G. Nord de la France** – 20 092 h. alt. 105 – 26.

Office de Tourisme pl. Giraud (fermé dim. et lundi) ☏ 74.45.30.

Paris 176 ⑤ – Châlons-sur-Marne 32 ① – Meaux 142 ⑤ – Melun 154 ⑤ – St-Dizier 29 ③ – Sens 143 ⑤ – Troyes 78 ⑤ – Verdun 92 ②.

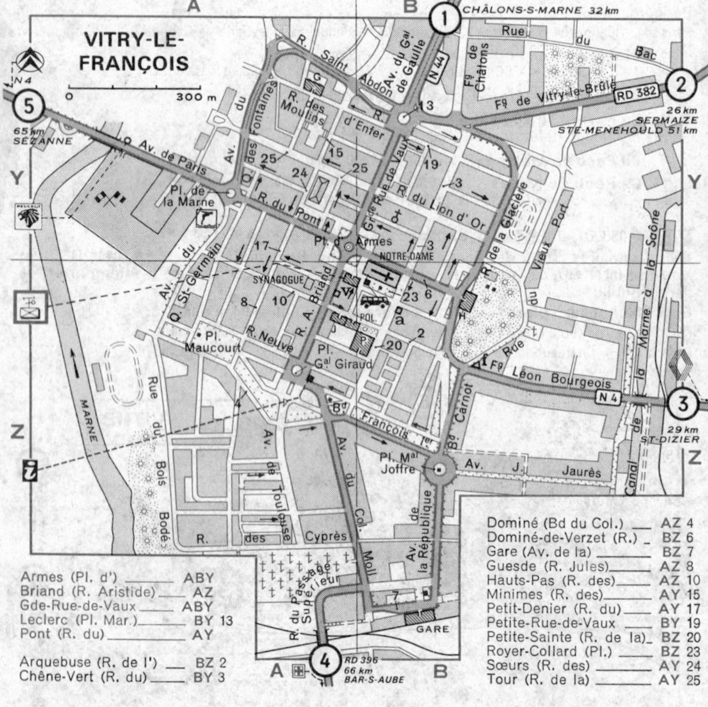

Poste, pl. Royer-Collard ☏ 74.02.65 – ⌂wc ☎ – 🏛 25 à 40. AE GB BZ **a**
SC : **R** *(fermé 1er au 23 août, du 16 déc. au 1er janv. et dim.)* 35/60 🍷 – ☕ 12 – 30 ch 60/120.

Cloche, 34 r. A.-Briand ☏ 74.03.84 – ⌂wc ☎ 🚗 **P**. GB AZ **v**
SC : **R** 49/69 🍷 – ☕ 15 – **24 ch** 45/150.

Au Bon Séjour, 4 fg Léon-Bourgeois ☏ 74.02.36 – 🚗 **P**. BZ **f**
fermé 8 au 22 fév. – SC : **R** 25/45 🍷 – ☕ 10 – **24 ch** 35/50 – P 85/90.

*à **Thiéblemont-Farémont*** par ③ : 10 km – ✉ **51300** Vitry-le-François :

Le Champenois avec ch, ☏ 41.81.03 – **P**. AE GB E
fermé fév. et lundi du 1er oct. au 31 mars – **SC** : **R** 55/120 – ☕ 11 – **12 ch** 79/120 – P 110/200.

AUDI-VOLKSWAGEN, MERCEDES-BENZ Ruffo, 8 fg St-Dizier ☎ 74.04.51
CITROEN Blacy Auto., rte Nationale 4 à Blacy ☎ 74.15.29
FIAT, LANCIA-AUTOBIANCHI C.V.A., 39 fg St-Dizier ☎ 74.16.49
OPEL Gar. Probst, rte de Frignicourt ☎ 74.13.58

PEUGEOT Vitry-Champagne-Autom., 2 av. de Paris ☎ 74.11.47
RENAULT Gd Gar. du Perthois, Zone Ind. ☎ 74.60.22
TALBOT Gar. Poitrinal, r. Ampère, Zone Ind. ☎ 74.08.91

Auto-Pneu-Marché, 14 av. de Paris ☎ 74.04.14

VITRY-SUR-LOIRE **71 S.-et-L.** 69 ⑮ – **531 h. alt. 240** – ✉ **71140** Bourbon-Lancy – **85.**

Paris 301 – Bourbon-Lancy 9,5 – Decize 29 – Digoin 37 – Mâcon 119 – Moulins 39 – Nevers 63.

Acacias, D 979 ☎ **89.71.36** – Ⓟ.
fermé 15 déc. au 15 janv. – **R** 38/53 – 9 – 10 ch 35/53 – P 80.

VITTEAUX **21350 Côte-d'Or** 65 ⑱ **G. Bourgogne – 1 077 h. alt. 325 – 80.**

Paris 262 – Auxerre 100 – Avallon 56 – Beaune 67 – •Dijon 48 – Montbard 33 – Saulieu 34.

Vielle Auberge, ☎ **35.60.88**
fermé 15 janv. au 15 fév., lundi et le soir sauf sam. – **SC : R** 26 (sauf sam. soir)/50.

CITROEN Gar. Roy, ☎ 35.60.55 N
PEUGEOT Failly, ☎ 35.61.30 N

VITTEL **88800 Vosges** 62 ⑭ **G. Vosges – 6 791 h. alt. 324 – Stat. therm. – Casino** ABY – **29.**

Voir Parc★ – Mt St-Jean ※★ NE 3,5 km par D 68 BY.

9 18 de l'Ile Verte ☎ 08.18.80, N du plan.

Syndicat d'Initiative Palais des Congrès (fermé matin hors sais. et dim. sauf matin en saison) ☎ 08.12.72.

Paris 327 ② – Belfort 129 ① – Chaumont 82 ② – Épinal 43 ① – Langres 72 ② – •Nancy 70 ①.

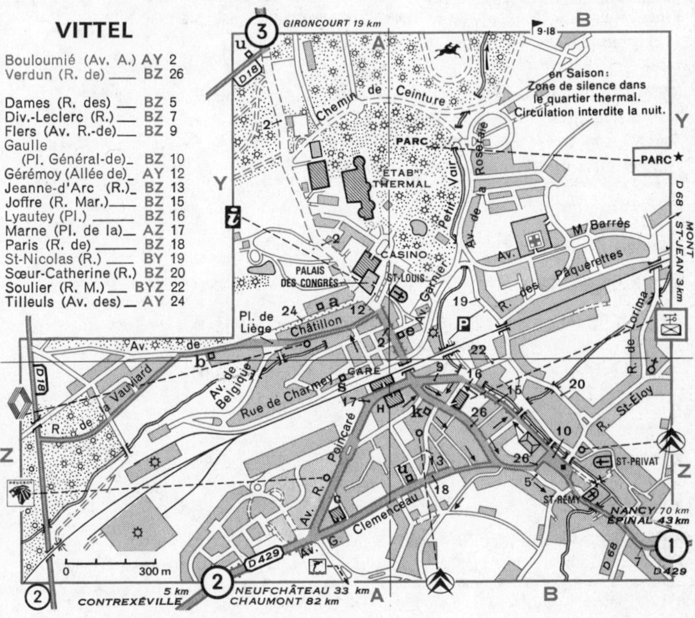

Angleterre, r. Charmey ☎ **08.08.42,** – wc wc Ⓟ – 80. AE GB . rest — AZ **s**
1er mai-30 sept. – **SC : R** 55/90 – 14,50 – **64 ch** 95/170 – P 190/230.

Continental, 4 av. A.-Bouloumié ☎ **08.01.08,** parc – wc Ⓟ – 45 à 150. rest — BY **e**
1er mai-20 sept. – **SC : R** 48/85 – 15 – **42 ch** 65/130 – P 160/195.

Bellevue , 10 av. Châtillon ☎ **08.07.98,** – wc wc Ⓟ – 50. AE GB. rest — AYZ **b**
fermé 15 déc. au 15 janv. – **SC : R** 50/80 – 11 – **42 ch** 55/150 – P 155/200.

Beauséjour, 12 av. Tilleuls ☎ 08.09.34 – wc wc ☎ ♿ AY **a**
15 mai-21 sept. – SC : **R** 55/70 – ☕ 12 – 37 ch 60/160 – P 120/250.

Castel Fleuri , 2 r. Jeanne d'Arc ☎ 08.05.20, « Jardin fleuri » – wc wc ☎ BZ **k**
20 mai-20 sept. – SC : **R** 60 – ☕ 10 – **45 ch** 50/180 – P 120/165.

Le Chalet, 6 av. G.-Clemenceau ☎ 08.07.21 – wc wc ☎ **P**. BZ **u**
fermé 10 oct. au 10 nov. et sam. hors sais. – SC : **R** 45/80 – ☕ 18 – **10 ch** 75/140 – P 130/180.

par ③ : 3 km rte Hippodrome – ✉ **88800** Vittel :

Orée du Bois, ☎ 08.13.51, ≤, – wc wc ☎ **P** – 50. ch
fermé nov. et lundi du 1er oct. au 31 mars – SC : **R** 33 bc/92 bc – ☕ 11,50 – **33 ch** 53/112 – P 141/194.

CITROEN Muller, 12 r. St-Eloy ☎ 08.05.65
CITROEN Villeminot, av. Jeanne d'Arc ☎ 08.19.44
PEUGEOT Rambaud, av. Poincaré ☎ 08.05.24
RENAULT Ets Leterme, av. Châtillon ☎ 08.07.09

VIVEROLS 63840 P.-de-D. 76 ⑦ – 462 h. alt. 870 – 73.

Paris 465 – Ambert 30 – •Clermont-Ferrand 115 – Issoire 75 – Le Puy 60 – •St-Étienne 56.

Voyageurs, ☎ 95.92.08 – .
fermé 10 au 31 janv. et lundi hors sais. – SC : **R** 24/30 – ☕ 7 – **11 ch** 36/55 – P 70.

VIVÈS 66 Pyr.-Or. 86 ⑲ – rattaché au Boulou.

Le VIVIER 36 Indre 68 ⑱ – rattaché à Argenton-sur-Creuse.

Le VIVIER-DANGER 60 Oise 55 ⑨ – alt. 165 – ✉ 60650 La Chapelle-aux-Pots – 4.

Paris 90 – Beauvais 14 – Chaumont-en-Vexin 28 – Gisors 23 – Gournay-en-Bray 16.

Lapin Vert, sur N 31 ☎ 481.61.02 – **P**
fermé 1er au 20 juil. mardi soir et merc. – SC : **R** carte 50 à 70.

VIVIERS 07220 Ardèche 80 ⑩ G. Vallée du Rhône (plan) – 3 198 h. alt. 71 – 75.

Voir Vieille ville* – Défilé de Donzère** au S.

Paris 622 – Aubenas 41 – Montélimar 11 – Pont-St-Esprit 29 – Privas 41 – Vallon-Pont-d'Arc 44.

Relais du Vivarais, NO : 2 km sur N 86 ☎ 49.60.41 – **P**.
fermé 20 déc. au 20 janv. – SC : **R** 30/70 – ☕ 10 – 10 ch 40/65 – P 80/90.

PEUGEOT Sabadel, ☎ 49.62.70 N
RENAULT Gar. Julien, ☎ 49.60.34

VIVIERS-DU-LAC 73 Savoie 74 ⑮ – rattaché à Aix-les-Bains.

LE VIVIER-SUR-MER 35 Ille-et-V. 59 ⑥ – rattaché à Dol de Bretagne.

VIVONNE 86370 Vienne 68 ⑬ G. Côte de l'Atlantique – 2 681 h. alt. 83 – 49.

Paris 352 – Angoulême 90 – Confolens 61 – Niort 63 – Poitiers 19 – St-Jean-d'Angély 89.

La Treille avec ch, av. Bordeaux ☎ 43.41.13 – AE GB E
fermé 5 au 31 janv. et merc. hors sais. – SC : **R** 40/110 – ☕ 11 – 4 ch 60 – P 75/85.

CITROEN Modern Gar., ☎ 43.41.33
PEUGEOT Babeau, ☎ 43.41.29
RENAULT Gagnaire, ☎ 43.40.28

VOGELGRUN 68 H.-Rhin 62 ⑳ – 397 h. alt. 192 – rattaché à Neuf-Brisach.

VOGLANS 73 Savoie 74 ⑮ – rattaché à Chambéry.

VOIRON 38500 Isère 77 ④ G. Alpes – 20 365 h. alt. 290 – 76.

Syndicat d'Initiative (fermé matin hors saison, dim. et lundi) et A.C. pl. République ☎ 05.00.38.

Paris 548 ④ – Bourg-en-Bresse 107 ① – Chambéry 44 ② – •Grenoble 31 ④ – •Lyon 86 ① – Le Puy 171 ④ – Romans-sur-Isère 62 ④ – •St-Étienne 118 ④ – Valence 80 ④ – Vienne 69 ④.

Plan page ci-contre

Aub. Castel Anne M, par ④ : 2 km ☎ 05.86.00, – wc ☎ **P** – 50. GB
SC : **R** *(fermé merc.)* 65 – ☕ 12,50 – **12 ch** 180/220.

Empir'Hôtel sans rest., 2 r. Péronnet ☎ 05.03.38 – wc wc ☎. AE . rest BZ **s**
SC : **40 ch** ☕ 65/155 – P 165/190.

La Chaumière , r. Chaumière (par bd République - AZ) ☎ 05.16.24 – wc wc **P**.
fermé 15 au 30 sept., sam. et dim. hors sais. (hôtel ouvert dim. soir) – **R** 38/110 – ☕ 10 – 25 ch 50/120.

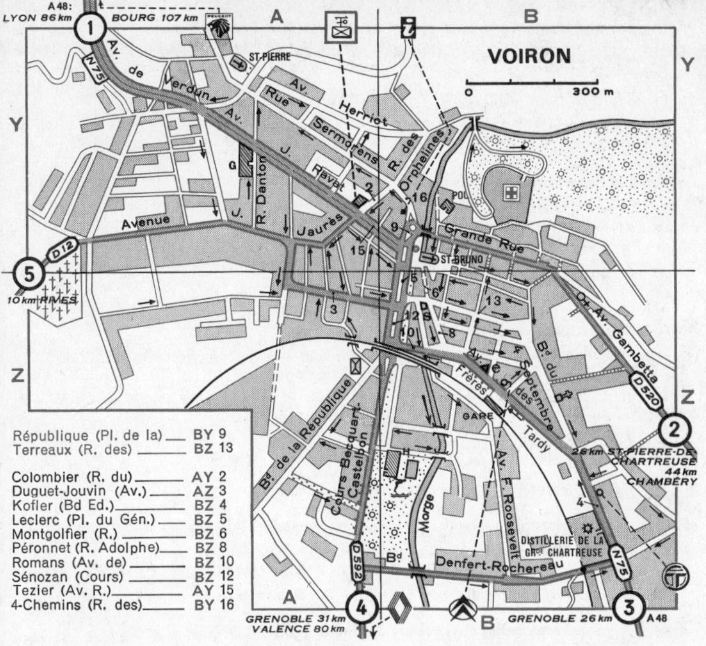

XX **Pub Baron de Cheny,** ☎ 05.29.88 – AE GB ⓓ — BZ **e**
1er sept.-31 mai ; fermé dim. soir et lundi – SC : **R** 70/105 🍷.

X **Eden,** par ② : 1 km ☎ 05.17.40, ≤ – Ⓟ
fermé oct., dim. soir et lundi – SC : **R** 37/68.

à la Croix Bayard **par ② : 3 km – ✉ 38500** Voiron :

X **Au Feu de Bois,** ☎ 05.10.58 – Ⓟ. GB
fermé 24 au 30 juin, 5 au 12 oct., 1er au 15 fév. dim. soir et lundi – SC : **R** 50 bc/100 bc.

CITROEN Gar. de la Gare, 5 bis av. Tardy ☎ 05.03.49
FORD Gauduel, 17 av. Dr-Valois ☎ 05.06.99
PEUGEOT Ets Parendel, Zone Ind. des Blanchisseries, N 75 ☎ 05.85.33
RENAULT Autom. Voironnaise, 1 av. de Paviot ☎ 05.43.33
TALBOT Gar. des Alpes, bd E.-Kofler ☎ 05.91.61
Brun-Pneus, bd Denfert-Rochereau ☎ 05.06.39
Bruyat, bd du 4-Septembre ☎ 05.02.25

VOISINS-LE-BRETONNEUX 78190 Yvelines 60 ⑨, 96 ㉕, 101 ㉑ – 2 329 h. alt. 165 – ✪ 3.

Paris 28 – Chevreuse 12 – Rambouillet 27 – Versailles 9.

Port Royal M 🐕 **sans rest, 20 r. H.-Boucher ☎ 044.16.27** – wc ☎ Ⓟ. GB
SC : ☕ 12 – **20 ch** 85/130.

VOLLORE-MONTAGNE 63 P.-de-D. 73 ⑯ – 520 h. alt. 840 – ✉ 63120 Courpière – ✪ 73.

Paris 407 – Ambert 45 – L'Arbresle 98 – ♦Clermont-Fd 63 – Montbrison 54 – Roanne 57 – Thiers 21.

Touristes, ☎ 53.77.50, ≤ – Ⓟ. GB
fermé 12 nov. au 20 déc., 10 au 18 mars, mardi soir et merc. – SC : **R** 28/70 – ☕ 9 – 23 ch 39/130 – P 95/120.

VOLONNE 04290 Alpes-de-H.-P. 81 ⑯ G. Côte d'Azur – 1 253 h. alt. 500 – ✪ 92.

Paris 718 – Digne 28 – Forcalquier 33 – Manosque 42 – Sault 77 – Sisteron 13.

Modern 🐕 **sans rest, r. République ☎ 64.07.56** – 🚫
1er avril-15 sept. et fermé dim. de mai à juin – SC : ☕ 10 – **10 ch** 70/75.

VONNAS 01540 Ain 74 ② – 2 249 h. alt. 189 – ✆ 74.

Paris 411 – Bourg-en-Bresse 24 – •Lyon 66 – Mâcon 19 – Villefranche-sur-Saône 39.

La Mère Blanc (G. Blanc) M, ✆ 50.00.10, Télex 380776, ⛱, 🌳, 🎾 – TV wc ⌂wc ☎ 🚗 P. AE ⓓ
fermé début janv. à début fév., merc. et jeudi midi – SC : **R** (nombre de couverts limité - prévenir) 140/250 et carte – ☕ 23 – **17 ch** 110/520, 4 appartements
Spéc. Marinade de blanc de poularde Alexandre, Paupiette de ris de veau braisé, Aiguillettes de canard beaujolaise. **Vins** Montagnieu, Beaujolais Villages.

CITROEN Ferrand, ✆ 50.00.27
RENAULT Gautret, ✆ 50.02.41 N
Gar. Desroches, ✆ 50.00.87

VOREY 43800 H.-Loire 76 ⑦ – 1 240 h. alt. 550 – ✆ 71.

Paris 497 – Allègre 23 – Ambert 62 – Le Puy 22 – Retournac 15 – •St-Étienne 67 – Yssingeaux 27.

Biniou sans rest, ✆ 08.41.30 – ⌂ P. ✻
fermé 1er au 15 sept. et mardi – SC : ☕ 8 – **11 ch** 40/65.

Parc ⛰, au Chambon-de-Vorey NE : 3,5 km par D 103 ✆ 08.40.19, parc – P. ✻
1er juin-30 sept. – SC : **R** 35 ⚱ – ☕ 9 – 17 ch 40/80 – P 70/80.

VOSNE-ROMANÉE 21 Côte-d'Or 65 ⑫ **G. Bourgogne** – 613 h. alt. 230 – ✉ **21700** Nuits-St-Georges – ✆ 80.

Paris 323 – Beaune 18 – •Dijon 20 – Dole 53 – Gevrey-Chambertin 8,5.

La Toute Petite Auberge, N 74 ✆ 61.02.03 – P. GB ⓓ
fermé 15 déc. au 15 janv., merc. soir et jeudi – SC : **R** 40/80.

VOUILLÉ 86190 Vienne 68 ⑬ – 2 293 h. alt. 107 – ✆ 49.

Paris 339 – Châtellerault 39 – Parthenay 33 – Poitiers 17 – Saumur 84 – Thouars 52.

Cheval Blanc, ✆ 51.81.46 – P. GB. ✻
fermé 28 sept. au 12 oct. – SC : **R** 28/75 – ☕ 8,50 – **12 ch** 38/60 – P 85/95.

RENAULT Victor, ✆ 51.80.04 N

La VOULTE-SUR-RHÔNE 07800 Ardèche 77 ⑪ **G. Vallée du Rhône** – 5 892 h. alt. 92 – ✆ 75.

Voir Corniche de l'Eyrieux*** NO : 4,5 km – Plan d'eau du Rhône*.

Paris 588 – Crest 23 – Montélimar 33 – Privas 20 – Valence 19.

Musée, pl. 4-Septembre ✆ 62.40.19, ≤ – wc ☎. GB E
fermé fév., vend. soir et sam. midi d'oct. à mars – SC : **R** 38/85 – ☕ 12 – 15 ch 65/130 – P 100/130.

Vallée, quai A.-France ✆ 62.41.10, ≤ – wc ⌂ ☎ 🚗 P. GB E
fermé oct. et sam. d'oct. à mai – SC : **R** 30/85 ⚱ – ☕ 10 – 17 ch 60/130 – P 90/130.

CITROEN Gar. Moderne, ✆ 62.00.82
PEUGEOT Gar. du Rhône, ✆ 62.42.48
RENAULT Gar. du Nord, ✆ 61.50.27
Plantin Pneus, ✆ 62.44.46

VOUTENAY-SUR-CURE 89 Yonne 65 ⑥⑯ **G. Bourgogne** – 190 h. alt. 133 – ✉ **89650** Arcy-sur-Cure – ✆ 86.

Paris 209 – Auxerre 37 – Avallon 14 – Clamecy 37 – Vézelay 14.

Auberge le Voutenay, N 6 ✆ 33.41.94, parc – wc P. AE GB
fermé janv., fév. et lundi (sauf hôtel de juin à sept.) – SC : **R** 40/65 – ☕ 12 – **11 ch** 66/120 – P 120/180.

VOUVRAY 37210 I.-et-L. 64 ⑮ **G. Châteaux de la Loire** – 2 746 h. alt. 60 – ✆ 47.

Paris 233 – Amboise 16 – Blois 49 – Château-Renault 26 – •Tours 10.

Aub. Gd Vatel, av. Brûlé ✆ 52.70.32 – wc ⌂wc ☎. GB. ✻ ch
fermé déc. et lundi – SC : **R** 70/120 – ☕ 11 – 7 ch 90/140.

Val Joli, ✆ 52.70.18 – P. GB
fermé 15 au 31 oct., 1er au 15 fév. et merc. – SC : **R** 35/100 ⚱.

RENAULT Gar. des Sports, ✆ 52.73.36

VOUZERON 18 Cher 64 ⑳ – 405 h. alt. 226 – ✉ **18330** Neuvy-sur-Barangeon – ✆ 48.

Paris 212 – Bourges 32 – Gien 60 – •Orléans 83 – Vierzon 13.

Relais de Vouzeron ⛰, ✆ 51.61.38 – wc ☎ P. GB ⓓ
fermé 28 juil. au 1er sept., 2 au 13 janv., dim. soir et lundi – SC : **R** carte environ 130 – ☕ 18 – **8 ch** 170/190.

RENAULT Gar. de Vouzeron, ✆ 51.62.01 N

VOUZIERS <SP> **08400** Ardennes **56** ⑧ G. Nord de la France – 5 314 h. alt. 110 – ✪ 24.

Voir Portail* de l'église St-Maurille.

Syndicat d'Initiative à la Mairie (1er juil.-30 sept., fermé dim. et lundi) ✆ 30.80.94.

Paris 199 ④ – Châlons-sur-Marne 64 ④ – Charleville-Mézières 51 ⑤ – •Reims 56 ④ – Rethel 31 ④ – Ste-Menehould 41 ③ – Verdun 88 ③.

Ville de Rennes, r. Chanzy **(e)** ✆ 30.84.03, parc – wc. R *(fermé vend. du 1er oct. au 31 mars)* 30/75 – 12 – **22 ch** 49/112 – P 98.

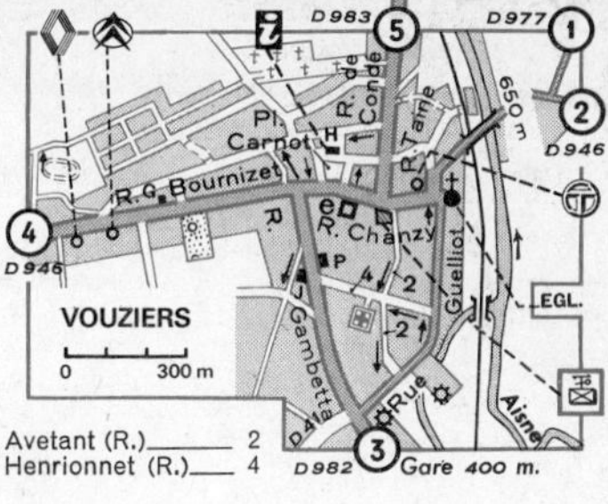

CITROEN Froussart, ✆ 30.84.22
RENAULT Hubsch, ✆ 30.87.33 ✆ 30.86.47
TALBOT Gar. Prévost, ✆ 30.84.70

VOVES **28150** E.-et-L. **60** ⑱ – 2 646 h. alt. 145 – ✪ 37.

Paris 96 – Ablis 34 – Bonneval 22 – Chartres 24 – Châteaudun 36 – Étampes 48 – •Orléans 58.

Mairie, ✆ 99.01.65 – wc. rest *fermé lundi* – **R** carte 45 à 65 – 10 – 13 ch 43/82 – P 130/155.

Aux Trois Rois, ✆ 99.00.88 – GB *fermé dim. soir et lundi* – **R** 45/48.

CITROEN Jeannot, ✆ 99.01.70
PEUGEOT Poupaux, ✆ 99.10.55
RENAULT Nadler, ✆ 99.17.82

La VRINE **25** Doubs **70** ⑥ – alt. 836 – ✉ **25520** Goux-lès-Usiers – ✪ 81.

Paris 452 – •Besançon 49 – Morteau 36 – Mouthier-Hte-Pierre 11 – Pontarlier 9 – Salins-les-B. 41.

Host. de la Vrine, ✆ 38.20.04 – wc. **R** 40/80 – 15 – 60 ch 40/128, 4 appartements 180 – P 140.

VUILLAFANS **25840** Doubs **70** ⑥ **G. Jura** – 773 h. alt. 360 – ✪ 81.

Paris 441 – •Besançon 33 – Levier 22 – Ornans 7 – Pontarlier 27 – Salins-les-Bains 45.

Villa sans Façon, ✆ 62.11.97, – . rest *1er mars-30 nov.* – SC : **R** 24/60 – 8 – **12 ch** 40/65 – P 80/100.

VULAINES-SUR-SEINE **77870** S.-et-M. **61** ②, **96** ㊵ – 1 502 h. alt. 29 – ✪ 6.

Paris 69 – Fontainebleau 5 – Melun 16 – Montereau-faut-Yonne 17 – Provins 47.

Aub. de la Source, angle D 210 et D 227 ✆ 423.71.51 *fermé août, 24 au 31 déc., mardi soir et merc.* – SC : **R** carte 70 à 120.

WANGENBOURG **67710** B.-Rhin **62** ⑧⑨ **G. Vosges** – 229 h. alt. 452 – ✪ 88.

Voir Site*.

Syndicat d'Initiative 47 r. du Gén.-de-Gaulle ✆ 87.32.44.

Paris 429 – Molsheim 29 – Sarrebourg 38 – Saverne 20 – Sélestat 62 – •Strasbourg 41.

Parc H., ✆ 87.31.72, ≤, parc, – wc wc . rest *fermé 6 nov. au 20 déc. et merc. en hiver* – SC : **R** 37/100 – 12 – **34 ch** 45/140 – P 115/152.

Scheidecker-Fruhauff, ✆ 87.30.89 – . *fermé nov. et merc. en hiver* – SC : **R** 35/80 – 13,50 – 26 ch 45/50 – P 90/100.

La WANTZENAU **67** B.-Rhin **62** ⑩ – rattaché à Strasbourg.

WASSELONNE **67310** B.-Rhin **62** ⑨ **G. Vosges** – 4 172 h. alt. 200 – ✪ 88.

Syndicat d'Initiative à la Mairie (1er avril-31 oct. et fermé dim.) ✆ 87.03.28.

Paris 463 – Haguenau 39 – Molsheim 13 – Saverne 14 – Sélestat 46 – •Strasbourg 25.

Au Saumon avec ch, r. Gén.-de-Gaulle ✆ 87.01.83 – wc wc . GB *fermé 15 au 30 juin, 15 au 31 janv., dim. soir du 1er nov. au 15 mars et lundi* – SC : **R** 26/55 – 9 – 18 ch 55/90 – P 100/120.

CITROEN Gar. Bohnert, ✆ 87.03.72
TOYOTA Gar. Bardol, ✆ 87.02.22

WETTOLSHEIM **68** H.-Rhin **62** ⑲ – rattaché à Colmar.

WIMEREUX 62930 P.-de-C. 51 ① G. Nord de la France – 6 712 h. – ✪ 21.
18 ☎ 32.43.20, N : 2 km.
Syndicat d'Initiative pl. Albert-1er (1er juil.-15 sept.) ☎ 32.46.29.
Paris 249 – Arras 121 – Boulogne-sur-Mer 6,5 – ♦Calais 31 – Marquise 10.

Aramis sans rest, 1 r. Romain ☎ 32.40.15 – wc ☎.
fermé déc., janv. et dim. soir – SC : 11 – **16 ch** 62/100.

Centre, r. Carnot ☎ 32.41.08 – wc wc . GB.
fermé 15 déc. au 25 janv. et lundi – SC : **R** 32/70 – 9 – **18 ch** 45/96.

XX ✿ **Atlantic H.** avec ch, digue de mer ☎ 32.41.01, ← – wc wc ☎ Ⓟ – 40 à 80.
fermé fév., dim. soir et lundi d'oct. à mars – **R** 90/120 – 15 – 10 ch 135
Spéc. Chausson de crabe, Turbot homardine, Bar braisé au Champagne.

CITROEN Sauvage, 46 r. Napoléon ☎ 32.43.04
RENAULT Coquart, 5 pl. O.-Dewavrin ☎ 32.40.02

WINGEN-SUR-MODER 67290 B.-Rhin 57 ⑱ – 1 539 h. alt. 220 – ✪ 88.
Paris 438 – Bitche 20 – Haguenau 35 – Sarreguemines 46 – Saverne 31 – ♦Strasbourg 56.

Wenk, ☎ 89.71.01, – wc wc ☎ Ⓟ – 40 à 150.
fermé janv. – **R** *(fermé merc.)* 28/88 – 10 – 19 ch 45/120 – P 100/120.

XX **A l'Orée du Bois,** ☎ 89.71.59 – Ⓟ
fermé 2 nov. au 5 déc. et lundi – SC : **R** 33/115 .

WINTZENHEIM 68 H.-Rhin 62 ⑱⑲ – rattaché à Colmar.

WISEMBACH 88 Vosges 62 ⑱ – 363 h. alt. 475 – ✉ 88520 Ban-de-Laveline – ✪ 29.
Paris 402 – Colmar 44 – Épinal 64 – St-Dié 14 – Ste-Marie-aux-Mines 10 – Sélestat 32.

XX **Blanc Ru** avec ch, ☎ 57.78.51, ←, – wc ☎ Ⓟ.
fermé fév., dim. soir et lundi – SC : **R** 50/80 – 11 – **7 ch** 62/135 – P 125/150.

WISSEMBOURG SP 67160 B.-Rhin 57 ⑲ G. Vosges – 6 094 h. alt. 160 – ✪ 88.
Voir Église St-Pierre et St-Paul★ A **E** – Col du Pigeonnier ←★ 5 km par ④.
Env. Village★★ d'Hunspach par ② 11 km.
Office de Tourisme à l'Hôtel de Ville (fermé sam. et dim.) ☎ 94.14.55.
Paris 510 ② – Haguenau 32 ② – Karlsruhe 42 ② – Sarreguemines 80 ④ – ♦Strasbourg 64 ②.

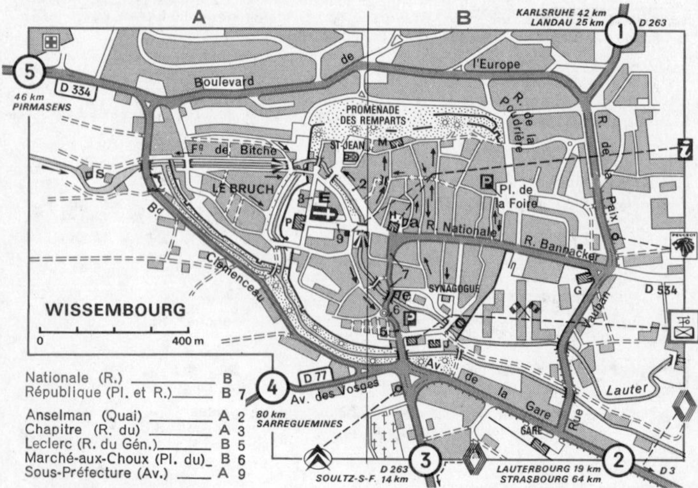

Cygne, r. Sel ☎ 94.00.16 – wc wc ☎ Ⓟ. GB. — B **a**
fermé juil., 1er au 15 fév. et merc. – SC : **R** *(fermé merc. et jeudi midi)* carte 75 à 125 – 10 – 16 ch 55/150.

Walck M , ☎ 94.06.44 – wc wc ☎ Ⓟ – 40. GB — A **s**
fermé 15 au 25 juin et janv. – SC : **R** *(fermé jeudi)* 30/100 – 10 – **15 ch** 110/115 – P 130.

XX ✿ **Ange** (Rinn) avec ch, r. République ✆ 94.12.11, « Maison du 16e s. » – wc wc ☎ – 30. . ch B e
fermé 1er au 15 sept., fév., dim. soir et lundi – **R** 55/90 – 10 – 10 ch 75/120
Spéc. suivant produits de saison. **Vins** Gewurztraminer, Riesling.

à Cleebourg **par ④ : 6 km – ✉ 67160** Wissembourg :

Tilleul, ✆ **94.52.15** – .
fermé fév. et lundi hors sais. – SC : **R** 33/98 – 8,50 – 12 ch 40/70 – P 78/88.

CITROEN Gar. Herber, r. de la Pépinière ✆ 94.00.25
PEUGEOT Gar. Arbogast, 4 r. de la Paix ✆ 94.97.30
RENAULT Gar. Grasser, allée des Peupliers ✆ 94.96.00 N
RENAULT Gar. Trendel, 38 r. de l'industrie ✆ 94.01.94 N

WITTERSDORF 68 H.-Rhin 66 ⑨ – rattaché à Altkirch.

Le YAUDET 22 C.-du-N. 58 ⑦ – rattaché à Lannion.

YENNE 73170 Savoie 74 ⑮ **G. Alpes** – 2 152 h. alt. 231 – 79.
Office de Tourisme rte Lucey (fermé dim. et lundi hors saison) ✆ 36.71.54.
Paris 552 – Aix-les-B. 22 – Bellegarde-sur-Valserine 55 – Belley 12 – Chambéry 24 – La Tour-du-Pin 35.

X **Fer à cheval,** r. des Prêtres ✆ **36.70.33**
fermé oct. et vend. – SC : **R** 32/80.

X **La Diligence,** r. A.-Laurent ✆ **36.80.78**
fermé 15 au 31 oct. et lundi – SC : **R** 35/90.

PEUGEOT Gar. du Rhône ✆ 36.70.20
Gar. Clément, à Landrecin ✆ 36.72.32
Gar. Michaud, ✆ 36.70.03

YERVILLE 76760 S.-Mar. 52 ⑭ – 1 492 h. alt. 156 – 35.
Paris 171 – Dieppe 41 – ♦Rouen 32 – St-Valéry-en-Caux 31 – Yvetot 11.

XX **Host. Voyageurs** avec ch, ✆ 96.82.55, – wc ☎ Ⓟ.
fermé mardi soir et merc. – SC : **R** carte 60 à 85 – 14 – 11 ch 45/150.

YEU (Ile d') ★★ 85350 Vendée 67 ⑪ **G. Côte de l'Atlantique** – 4 766 h. – 51.

Accès : Transports maritimes, pour Port-Joinville (retenir passage autos très longtemps à l'avance, surtout pour juil.-août : 8 F) écrire Gare de Port-Joinville ou ✆ 58.36.66.

depuis Fromentine. En 1980 : du 25 juin au 15 sept., 2 à 4 services quotidiens ; hors saison, 1 service quotidien - Traversée 1 h 15 – Voyageurs 56 F (AR), autos de 139 à 194F par Régie Départementale des Passages d'Eau ✆ 68.53.17.

Port-Joinville

Voir Vieux Château★ : ★★ SO : 3,5 km – Grand Phare ★ SO : 3 km.
Syndicat d'Initiative quai Canada (matin seul., fermé dim. et fêtes) ✆ 58.32.58.

Marée sans rest., 27 r. P.-Henry ✆ 58.36.25, , – wc ☎ Ⓟ.
fermé du 5 janv. au 28 fév. et mardi – **15 ch**.

Grand Large, ✆ **58.36.77** – wc wc ☎
mi fév.-15 nov. – SC : **R** *(fermé dim. soir hors sais.)* 43/125 – 12,50 – 22 ch 85/115 – P 145/170.

RENAULT Gar. Cantin-Charruau, 55 Rue de la Saulzaie ✆ 58.33.80

Le Port de la Meule

Voir Côte Sauvage★★ : ★★ E et O – Pointe de la Tranche★ SE.

YPORT 76111 S.-Mar. 52 ⑫ – 1 159 h. – Casino – 35.
Paris 214 – Bolbec 25 – Étretat 12 – Fécamp 8 – ♦Rouen 77.

XX **Au Bon Accueil,** à la plage ✆ **27.32.34,** mer et falaises
30 mars-1er nov., fermé merc. soir et jeudi sauf juil.-août – SC : **R** 65/95.

Die im Michelin-Führer

verwendeten Zeichen und Symbole haben – fett oder dünn gedruckt, in rot oder schwarz – jeweils eine andere Bedeutung.

Lesen Sie daher die Erklärungen (S. 37 - 44) aufmerksam durch.

41 ch – **28 ch**

YSSINGEAUX ⟨SP⟩ **43200** H.-Loire **76** ⑧ **G. Vallée du Rhône** – 6 528 h. alt. 860 – ⊛ 71.

Paris 569 ① – Ambert 72 ④ – Privas 112 ② – Le Puy 27 ③ – ♦St-Étienne 51 ① – Valence 100 ②.

H. Cygne, 8 r. Alsace-Lorraine **(u)** ☎ 59.01.87, – wc ⊕ **P**.
fermé sept., dim. soir et lundi sauf juil. et août – SC : **R** voir rest. Le Cygne – 9 – **18 ch** 60/88.

Voyageurs et rest. Bourbon, 5 pl. Victoire **(e)** ☎ 59.06.54 – wc ⊕.
fermé oct. et vend. – SC : **R** 28/80 ♁ – 8,50 – **11 ch** 45/98 – P 90/110.

Parc sans rest, 27 r. Mar.-Fayolle **(s)** ☎ 59.00.29 – **P**.
fermé vend. – SC : 8,50 – **10 ch** 41/80.

XX **Cygne,** 8 r. Alsace-Lorraine **(n)** ☎ 59.01.87 – **P**.
fermé sept. et lundi – SC : **R** 35/88 ♁.

YSSINGEAUX
300 M
Als.-Lorraine (R.) 2
Fayolle (R. du Mar.) 3
H. de Ville (Pl. de) 4
Marne (Av. de la) 5
St-Pierre (Bd) 6

CITROEN Gar. de Bellevue, rte de Retournac ☎ 59.00.68
DATSUN Gar. de la Poste, 5 av. G.-Clemenceau ☎ 59.03.67
PEUGEOT Gar. Berlier, rte de Saint-Etienne ☎ 59.06.65 **N**
RENAULT Eyraud, 11 av. G.-Clemenceau ☎ 59.06.66
RENAULT Gar. Sagnard, ZI La Guide ☎ 59.03.39
TALBOT Chapuis, av. Mar.-de-Vaux ☎ 59.05.24 **N**

YVETOT **76190** S.-Mar. **52** ⑬ **G. Normandie** – 10 939 H. alt. 144 – ⊛ 35.
Voir Verrières de l'église.**

i Syndicat d'Initiative pl. V.-Hugo (15 juin-15 sept. et fermé merc. matin) ☎ 95.08.40.

Paris 177 ② – Dieppe 53 ② – Fécamp 34 ⑤ – ♦Le Havre 51 ⑤ – Lisieux 85 ⑤ – ♦Rouen 36 ②.

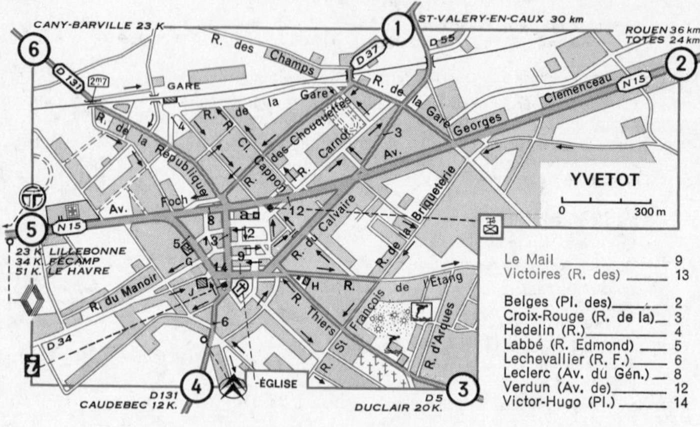

Havre, pl. Belges **(a)** ☎ 95.16.77 – wc wc ⊕.
fermé 20 déc. au 20 janv. et dim. sauf fériés – SC : **R** 45/100 ♁ – 11 – 28 ch 70/150.

CITROEN Bénard, 56 r. Lechevallier ☎ 95.12.43
FIAT, LANCIA-AUTOBIAMCHI Vasselin, 11 av. Foch ☎ 95.18.44
FORD Lethuillier, av. Gén.-Leclerc ☎ 95.12.99
OPEL Gar. Perchey, av. G.-Clemenceau ☎ 95.01.75
RENAULT Roussel Autom., rte du Havre ☎ 95.00.88
TALBOT Leroux-Boivin, N 15 bis à Valliquerville ☎ 95.16.66

Aubé, Zone Ind. ☎ 95.12.20

YVOIRE 74 H.-Savoie **70** ⑯⑰ **G. Alpes** – 335 h. alt. 390 – ✉ **74140** Douvaine – ⚙ 50.

ℹ Syndicat d'Initiative pl. Église (15 juin-15 sept. et fermé dim.) ☎ 72.80.21.

Paris 569 – Annecy 68 – Bonneville 40 – ♦Genève 26 – Thonon-les-Bains 16.

- **Pré de la Cure** Ⓜ, ☎ 72.83.58, ≤, – 🛗 ⛀wc ⛆wc ☎ ♿ 🚗 Ⓟ. ✉. ✱ ch
  15 mars-15 nov. et fermé merc. – SC : **R** 40/80 – 25 ch (1/2 pens. seul.).
- **Port**, ☎ 72.80.17, ≤, « **Terrasse dominant le lac** » – ⛀wc ⛆wc ☎. ✉. ✱ ch
  1er mai-30 sept. et fermé merc. hors sais. – SC : **R** 50/80 – ☕ 14 – **10 ch** 50/150.
- **Vieux Logis,** ☎ 72.80.24 – ⛀wc. ✉
  1er avril-31 oct. – SC : **R** 45/120 – ☕ 12 – **12 ch** 60/120 – P 120/140.
- ✗ **Auberge Porte d'Yvoire,** face poste ☎ 72.80.14, ≤, « **Façade fleurie** »
  1er mars-1er nov. et fermé merc. hors sais. – SC : **R** 40/80.
- ✗ **Flots Bleus** avec ch, ☎ 72.80.08, ≤ – 🛗 ⛀wc ⛆ ☎ Ⓟ. ✉. ✱ ch
  9 mai-14 sept. – SC : **R** 60/95 – **8 ch** ☕ 115/167 – P 144/185.

YZERON 69 Rhône **73** ⑲ **G. Vallée du Rhône** – 483 h. alt. 728 – ✉ **69510** Thurins – ⚙ 7.

Voir Église ≤★.

Paris 482 – L'Arbresle 25 – ♦Lyon 28 – Montbrison 47 – Roanne 76 – ♦St-Étienne 52 – Thiers 106.

- ✗✗ **Cheval Blanc** avec ch, ☎ 881.02.63 – ⛆ Ⓟ. ✉
  fermé 15 oct. au 15 nov. et merc. – SC : **R** 40/80 – ☕ 10 – **17 ch** 42/65 – P 100/140.

Garage Marquet, ☎ 881.00.03

YZEURES-SUR-CREUSE 37 Indre-et-Loire **68** ⑤ – 1 737 h. alt. 80 – ✉ **37290** Preuilly-sur-Claise – ⚙ 47.

Paris 324 – Chateauroux 71 – Chatellerault 29 – Poitiers 54 – ♦Tours 90.

- ✗ **La Promenade** avec ch, ☎ 94.55.21 – ⛀wc ⛆wc. ✱ ch
  fermé 5 au 31 janv. et merc. sauf juil.-août – SC : **R** 36/75 🍷 – ☕ 20 – 8 ch 85/120.

VITESSE

Comment déterminer la vitesse à laquelle on roule :

Chronométrer le temps employé pour parcourir un kilomètre à vitesse constante ; lire ensuite dans le tableau ci-dessous, en face du temps relevé, la vitesse correspondante en kilomètres ou en miles par heures. (Cette vitesse est calculée avec une approximation pratiquement négligeable).

SPEED

To determine the speed at which you are travelling :

Check the time you take to cover a kilometre at constant speed ; opposite it, in the table below, you will find the corresponding speed in kilometres or miles per hour. (The figures have been rounded to the nearest m.p.h.).

VELOCITÀ

Come determinare a quale velocità si sta correndo :

Cronometrare il tempo impiegato per percorrere un km a velocità costante ; leggere quindi nella tabella che segue, a fianco del tempo determinato, la velocità corrispondente, calcolata in km o miglia orari. (Questa velocità è calcolata con un'approssimazione praticamente trascurabile).

GESCHWINDIGKEIT

Wie man die Geschwindigkeit bestimmt, mit der man fährt :

Messen Sie genau die Zeit, die Sie brauchen, um einen Kilometer bei gleichbleibender Geschwindigkeit zurückzulegen. Auf der untenstehenden Tabelle können Sie dann Ihre Geschwindigkeit in Kilometern oder Meilen pro Stunde ablesen. (Diese Werte weisen eine nur geringfügige Ungenauigkeit auf).

TEMPS chronométré	VITESSE en km	VITESSE en miles	TEMPS chronométré	VITESSE en km	VITESSE en miles	TEMPS chronométré	VITESSE en km	VITESSE en miles
0mn**18**s	**200**	124	**0**mn**49**s	73	45	**1** mn**30**s	**40**	25
19	189	117	**50**s	72	44,5	33	39	24
20s	**180**	112	51	**70**	43,5	35	38	23,5
21	171	106	52	69	43	37	37	23
22	164	**102**	53	68	42	**40**s	36	22,5
23	157	97	54	67	41,5	43	35	21,5
24	**150**	93	55	66	41	46	34	21
25	144	89	56	64	**39,5**	**50**s	33	20,5
26	138	86	57	63	39	53	32	**20**
27	133	82	58	62	38,5	56	31	19
28	129	**80**	59	61	38	**2**mn**00**	**30**	18,5
29	124	77	**1** mn**00**	**60**	37	5	29	18
30s	**120**	74	1	59	36,5	10	28	17,5
31	116	72	2	58	36	15	27	16,5
32	113	70	3	57	35,5	20	26	16
33	109	68	4	56	34,5	24	25	15,5
34	106	66	6	55	34	**30**s	24	15
35	103	64	7	54	33,5	35	23	14,5
36	**100**	62	8	53	33	45	22	13,5
37	97	**60**	9	52	32	55	21	13
38	95	59	**10**s	51	31,5	**3**mn**00**	**20**	12,5
39	92	57	12	**50**	31	15	19	12
40s	**90**	56	14	49	30,5	20	18	11
41	88	55	15	48	**30**	**30**s	17	10,5
42	86	53	17	47	29	45	16	**10**
43	84	52	19	46	28,5	**4**mn**00**	15	9,5
44	82	51	**20**s	45	28	15	14	8,5
45	**80**	**50**	22	44	27,5	**30**	13	8
46	78	49	24	43	26,5	**5**mn**00**	12	7,5
47	77	48	26	42	26	30	11	7
48	75	46	28	41	25,5	**6**mn**00**	**10**	6

D'OU VIENT CETTE AUTO ?

Voitures françaises :

Le régime normal d'immatriculation en vigueur comporte :

- un numéro d'ordre dans la série (1 à 3 ou 4 chiffres);
- une, deux ou trois lettres de série (1re série : A, 2e série : B,... puis AA, AB,... BA,...) ;
- un numéro représentant l'indicatif du département d'immatriculation.

Exemples : 854 BFK **75 :** Paris — 127 HL **63 :** Puy-de-Dôme.

Voici les numéros correspondant à chaque département :

01 Ain
02 Aisne
03 Allier
04 Alpes-de-H.-Pr.
05 Alpes (Hautes)
06 Alpes-Mar.
07 Ardèche
08 Ardennes
09 Ariège
10 Aube
11 Aude
12 Aveyron
13 B.-du-Rhône
14 Calvados
15 Cantal
16 Charente
17 Charente-Mar.
18 Cher
19 Corrèze
2A Corse-du-Sud
2B Hte-Corse
21 Côte-d'Or
22 Côtes-du-Nord
23 Creuse
24 Dordogne
25 Doubs
26 Drôme
27 Eure
28 Eure-et-Loir
29 Finistère
30 Gard
31 Garonne (Hte)
32 Gers
33 Gironde
34 Hérault
35 Ille-et-Vilaine
36 Indre
37 Indre-et-Loire
38 Isère
39 Jura
40 Landes
41 Loir-et-Cher
42 Loire
43 Loire (Hte)
44 Loire-Atl.
45 Loiret
46 Lot
47 Lot-et-Gar.
48 Lozère
49 Maine-et-Loire
50 Manche
51 Marne
52 Marne (Hte)
53 Mayenne
54 Meurthe-et-M.
55 Meuse
56 Morbihan
57 Moselle
58 Nièvre
59 Nord
60 Oise
61 Orne
62 Pas-de-Calais
63 Puy-de-Dôme
64 Pyrénées-Atl.
65 Pyrénées (Htes)
66 Pyrénées-Or.
67 Rhin (Bas)
68 Rhin (Haut)
69 Rhône
70 Saône (Hte)
71 Saône-et-Loire
72 Sarthe
73 Savoie
74 Savoie (Hte)
75 Paris
76 Seine-Mar.
77 Seine-et-M.
78 Yvelines
79 Sèvres (Deux)
80 Somme
81 Tarn
82 Tarn-et-Gar.
83 Var
84 Vaucluse
85 Vendée
86 Vienne
87 Vienne (Hte)
88 Vosges
89 Yonne
90 Belfort (Ter.-de)
91 Essonne
92 Hauts-de-Seine
93 Seine-St-Denis
94 Val-de-Marne
95 Val-d'Oise

Voitures étrangères :

Des lettres distinctives variant avec le pays d'origine, sur plaque ovale placée à l'arrière du véhicule, sont obligatoires (F pour les voitures françaises circulant à l'étranger).

A Autriche
AND Andorre
AUS Australie
B Belgique
BR Brésil
CDN Canada
CH Suisse
CS Tchécoslovaquie
D Allemagne Féd.
DDR Rép. Dém. d'Allemagne
DK Danemark
DZ Algérie
E Espagne
FL Liechtenstein
GB Gde-Bretagne
GR Grèce
H Hongrie
I Italie
IL Israël
IR Iran
IRL Irlande
L Luxembourg
MA Maroc
MC Monaco
MEX Mexique
N Norvège
NL Pays-Bas
P Portugal
PE Pérou
PL Pologne
R Roumanie
RA Argentine
RCH Chili
RL Liban
S Suède
SF Finlande
SU U.R.S.S.
TN Tunisie
TR Turquie
U Uruguay
USA États-Unis
YU Yougoslavie
ZA Afrique du Sud

Immatriculations spéciales :

CMD Chef de mission diplomatique (orange sur fond vert)
CD Corps diplomatique ou assimilé (orange sur fond vert)
D Véhicules des Domaines
C Corps consulaire (blanc sur fond vert)
K Personnel d'ambassade ou de consulat ou d'organismes internationaux (blanc sur fond vert)
TT Transit temporaire (blanc sur fond rouge)
W Véhicules en vente ou en réparation
WW Immatriculation de livraison

FORMALITÉS DOUANIÈRES

AUTOMOBILISTES ÉTRANGERS, pour se rendre en France, il faut :

Pour le conducteur et chacun des passagers :

- soit une carte d'identité (pour les Allemands de l'Ouest, Andorrans, Autrichiens, Belges, Britanniques, Grecs, Hollandais, Italiens, Luxembourgeois et Suisses) ;
- soit un passeport (pour les ressortissants des autres pays) ;
  En outre, le visa est exigé pour les Allemands de l'Est, Bulgares, Hongrois, Polonais, Roumains, Russes, Tchèques.

Pour la voiture : aucun document douanier.

Assurance : La « carte verte » d'assurance internationale est conseillée. A défaut de présentation de la « carte verte », une « assurance frontière » peut être souscrite aux bureaux de douane français pour une durée de 2, 7 ou 21 jours

CUSTOMS FORMALITIES

MOTORISTS COMING FROM ABROAD require the following to enter France :

For the driver and all passengers:

- either an identity card (for nationals of Austria, Belgium, Great Britain, Greece, Holland, Italy, Luxembourg, Switzerland and West Germany);
- or a passport (for other nationals);
  In addition, a visa is required for nationals of Bulgaria, Czechoslovakia, East Germany, Hungary, Poland, Rumania, Russia.

For the car: no customs papers are required.

Insurance: An International Motor Insurance Card (Green Card) or, failing that, for a stay of 2, 7 or 21 days, a "frontier insurance", available at French Customs.

FORMALITÀ DOGANALI

AUTOMOBILISTI STRANIERI, per recarsi in Francia, occorre :

Per il guidatore e per ogni passeggero:

- o una carta d'identità (per gli Austriaci, i Belgi, i Britannici, i Greci, gl'Italiani, i Lussemburghesi, gli Olandesi, gli Svizzeri e i Tedeschi occidentali);
- o un passaporto (per i provenienti da altri Paesi) ;
  Inoltre, il visto è obbligatorio per i Bulgari, i Cechi, i Polacchi, i Rumeni, i Russi, i Tedeschi orientali e gli Ungheresi.

Per la vettura : nessun documento doganale.

Assicurazione: La « carta verde » di assicurazione internazionale è obbligatoria ma, in mancanza, per un soggiorno di 2, 7 o 21 giorni, una « assicurazione di frontiera » può essere sottoscritta presso gli uffici della dogana francese.

ZOLLBESTIMMUNGEN

AUSLÄNDISCHE AUTOMOBILISTEN! Um nach Frankreich einreisen zu können:

- muß **der Fahrer** und **jeder Mitreisende** im Besitz eines gültigen Personalausweises sein. Dieser genügt für Westdeutsche, Belgier, Briten, Griechen, Holländer, Italiener, Luxemburger, Österreicher und Schweizer. Angehörige anderer Staaten benötigen einen Reisepaß. Für Bürger der DDR, für bulgarische, ungarische, polnische, rumänische, tschechische und russische Staatsangehörige wird ein französisches Einreisevisum gefordert.

Für den Wagen : keine Zollpapiere.

Versicherung : Man verlangt die grüne Internationale Versicherungskarte. Sie können aber auch für einen Aufenthalt von 2, 7 oder 21 Tagen in den franz. Zollbüros eine sog. Grenzversicherung (assurance frontière) abschließen.

NOTES

MANUFACTURE FRANÇAISE DES PNEUMATIQUES MICHELIN

Société en commandite par actions au capital de 700 millions de francs.
R. C. Clermont-Fd B 855 200 507 - Siège Social Clermont-Fd (France)
ISBN 2 06 006 401 - 5

Photocomposition programmée : Imprimerie S.C.I.A. – La Chapelle d'Armentières
Printed in France – 1-81-68810 – Dépôt légal, 1er trim. 1981.

1218